T5-AGA-603

HISTOIRE
DU
CHRISTIANISME

Sedis Apostolicae jura adversus quoscumque novatores asserere et Sanctae Ecclesiae servitio pro modulo nostro vires omnes impendere.

(*Ex Declarationibus Congregationis S. Petri de Solesmis in Regulam O. S. B.*)

Imprimé en France
TYPOGRAPHIE FIRMIN-DIDOT ET Cie. — PARIS. — 1932.

HISTOIRE
DU
CHRISTIANISME

PAR

DOM CHARLES POULET

ANTIQUITÉ

PARIS
GABRIEL BEAUCHESNE ET SES FILS
ÉDITEURS, RUE DE RENNES, 117
MCMXXXII

DE LICENTIA SUPERIORUM.

NIHIL OBSTAT

Divione, die 20ª februarii 1931

G. Bardy s. t. d.

IMPRIMATUR

Lutetiae Parisiorum, 13ª novembris 1931

V. Dupin, v. g.

HISTOIRE DU CHRISTIANISME

PRÉFACE

L'histoire de notre pays appartient à tous les Français et celle de l'Église à tous ses enfants. Il est naturel qu'ayant composé d'abord un récit bref et clair à l'usage des étudiants en théologie nous tentions maintenant de lui donner suffisante ampleur pour qu'il intéresse tous les baptisés, avides de connaître l'histoire de leur mère.

Sans doute insistons-nous sur les discussions dogmatiques et sur le développement des institutions. Mais notre exposé n'est point tellement serré ni technique qu'il soit réservé aux ecclésiastiques. Nous vivons à une époque où tous veulent avoir pleine conscience de leur foi. Peut-être à un laïque est-il plus facile d'y parvenir dans le cadre vivant de l'Histoire. Au surplus, les questions d'apologétique seront discutées chaque fois qu'il le faudra.

En vue de sauvegarder l'unité nécessaire nous avons assumé le principal de la tâche, confiant seulement à des collaborateurs les parties annexes ou plus spéciales : origines chrétiennes, histoire de la liturgie, de l'art, de la philosophie, etc.

A chaque période nous nous aiderons des conseils et critiques de quelque compétence éprouvée. Ainsi, pour l'Antiquité nous sommes nous adressé à l'obligeance de M. Bardy auquel nous exprimons notre très vive gratitude.

Puisse l'Église apparaître en ces pages, auréolée de ses notes surnaturelles, unité, sainteté, catholicité, apostolicité, à travers dix-huit cents ans de luttes et de victoires.

En la fête de la Chaire de saint Pierre

Wisques, ce 22 février 1931.

ABRÉVIATIONS

C. V. : *Corpus scriptorum ecclesiasticorum*, Vienne.
Mansi : *Sanctorum conciliorum amplissima collectio.*
P. G. : *Patrologie grecque*, de J. P. Migne.
P. L. : *Patrologie latine*, de J. P. Migne.
R. H. E. : *Revue d'Histoire Ecclésiastique.*
R. H. E. F. : *Revue d'Histoire de l'Église de France.*
R. Q. H. : *Revue des Questions historiques.*
R. S. R. : *Recherches de Sciences religieuses.*

Nota : Quand le livre est édité à Paris, nous omettons le nom du lieu.

SIGLES BIBLIOGRAPHIQUES

Nous accompagnons d'un astérisque le nom de l'auteur quand le livre mérite d'être recommandé spécialement. — Nous le faisons suivre d'un point d'interrogation quand l'ouvrage est dangereux ou qu'il émane d'un auteur protestant. — Il peut arriver que le même ouvrage mérite d'être signalé à la fois par un astérisque et par un point d'interrogation.

LIVRE PREMIER

LA PRIMITIVE ÉGLISE

CHAPITRE PREMIER

L'ÉCLOSION DU CHRISTIANISME; L'ÉVANGÉLISATION DES JUIFS PALESTINIENS

I. L'Église et l'Évangile. — Une histoire de l'Église ne doit pas commencer avec la Pentecôte; ce jour n'est pas celui de sa naissance, mais de sa première manifestation. En réalité l'Église remonte à l'époque du ministère public de Notre-Seigneur; fondée par lui, elle naquit de sa pensée et de son cœur (*Ephes.*, v, 25, 26).

Jésus ne se contenta pas, en effet, de prêcher une perfection supérieure à la justice formaliste et charnelle des Pharisiens, flagellant l'hypocrisie religieuse sous tous ses aspects (*Matth.*, xxiii), exigeant la pureté d'intention (*Id.*, vi, 3-6; 17-18), la concordance parfaite entre les sentiments intimes et les actes extérieurs; il ne s'attacha pas uniquement à nous révéler Dieu comme un père qu'il faut aimer (*Matth.*, v, 45; xiii, 37-38; vi, 9-13; vii, 7-11; *Luc*, xv, 20-24); il se préoccupa avant tout de fonder et d'organiser ce *royaume messianique* après lequel Israël soupirait depuis tant de siècles.

Or, il l'a conçu comme une société extérieure et visible, groupée d'abord autour de lui en la personne des apôtres et disciples. De cette société qu'il appelle « son Église », dont il décrivit par avance le rôle et la destinée (*Matth.*, xiii, 24-50; xxii, 1-14), il a été durant sa vie le chef et le docteur. A ceux qui vinrent à lui il imposa avec la foi en son évangile certains rites destinés à donner ou augmenter la vie de la grâce. Et comme sa vie terrestre devait être très courte alors que son Église subsisterait et grandirait jusqu'à la consommation des siècles, il prévit une organisation hiérarchique.

A la tête Jésus mit Simon Pierre chef du Collège apostolique. Quelque six mois avant sa Passion, en récompense d'une réponse où, éclairé d'En-haut, Pierre l'avait confessé véritable Messie et Fils de Dieu incarné, Notre-Seigneur déclara : « Je te dis que tu es Pierre et sur cette pierre *je bâtirai mon Église*, et les portes de l'enfer ne prévaudront pas contre elle. Et je te donnerai les clefs du royaume des cieux, et tout ce que tu lieras sur la terre

Ce Livre Premier, L'ÉGLISE PRIMITIVE, *a été fait en collaboration par M. le Chanoine Louis Pirot, professeur à l'Université Catholique de Lille, Dom Pierre de Puniet, moine bénédictin de l'Abbaye Saint-Paul d'Oosterhout, et Dom Charles Poulet.*

Les deux premiers chapitres sont de M. le Chanoine L. Pirot, le troisième est du R. P. Dom P. de Puniet, le quatrième du R. P. Dom C. Poulet.

sera lié dans les cieux, et tout ce que tu délieras sur la terre sera délié dans les cieux. » (*Matth.*, XVI, 18, 19.) Comment Jésus eût-il montré en termes plus catégoriques, que, lui parti, son église reposerait tout entière sur Pierre et ses successeurs légitimes. A la dernière Cène, se retournant encore vers Simon Pierre, Notre-Seigneur lui dit qu'il avait prié pour que sa foi ne défaillît pas malgré les assauts du démon et il lui donna pour mission d'affermir ses frères (*Luc,* XXII, 31-32). On voit encore ici nettement quelle est, en cet instant solennel, à quelques heures de la Passion, la volonté de Jésus. Il a prié pour Pierre non parce que sa foi sera plus exposée, mais parce qu'il lui appartient d'affermir celle des autres. Enfin, après la Résurrection, sur le point de remonter vers son Père, Jésus confie à Pierre, fondement de son Église, la juridiction la plus absolue sur tous ceux qui, pasteurs ou simples fidèles, y entreront dans l'avenir (*Jean*, XXI, 15-17).

A côté de Pierre, les Apôtres reçurent des pouvoirs qui étendraient le bienfait de l'organisation hiérarchique aux diverses contrées évangélisées. Eux aussi étaient constitués législateurs et juges de la société religieuse (*Matth.*, XVIII, 15-18). Puis, après la Résurrection, en Galilée, le Christ leur transmit pour continuer l'œuvre son triple pouvoir : doctrinal, juridictionnel et sanctificateur (*Matth.*, XXVIII, 16-20). A travers le monde ils devraient répandre son enseignement, sans y rien changer, imposer le baptême, remettre les péchés, administrer les autres sacrements (*Luc,* X, 16; *Marc*, XVI, 16). Ainsi seraient-ils des *continuateurs, non des initiateurs.*

II. Les origines de l'Église de Jérusalem. — Au retour du Mont des Oliviers, Apôtres et disciples se rendirent avec les frères de Jésus et Marie, sa mère, dans une chambre haute, peut-être celle où le Seigneur avait célébré la dernière Cène. Ils étaient là environ cent vingt, se préparant dans la prière à recevoir le baptême de l'Esprit que Jésus leur avait annoncé. Un seul incident à relever durant ces dix jours, l'élection de Mathias. A la requête

I. Origines de l'Église. — Les théories que nous combattons ont été exposées par SABATIER, *Esquisse d'une philosophie de la Religion*, 1897. — HARNACK, *Das Wesen des Christentums*, 1900. — LOISY, *L'Évangile et l'Eglise,* 1901. — GUIGNEBERT, *Le christianisme antique*, 1921. — GOGUEL, *Jésus de Nazareth*, 1925. Elles ont été réfutées par les exégètes et théologiens catholiques, entre autres : FILLION, *Les Étapes du rationalisme dans ses attaques contre les Evangiles et la vie de Jésus-Christ*, 1911. — L. DE GRANDMAISON, art. *Jésus-Christ, Dict. Apol.; Jésus-Christ*, 2 vol., 1928. — LEPIN, *Le Christ Jésus*, 1929. — HUBY, *Christus*, 1913. — BRICOUT, *Où en est l'histoire des Religions*, 2 vol., 1912. — Mgr BATIFFOL, *L'Église naissante et le catholicisme*, 1909. — DUBLANCHY, art. *Eglise, Dict. théol.* — LAGRANGE, *Jésus et la critique des Évangiles, Bull. litt. eccl. de l'Institut cath. Toulouse*, 1904, p. 3-26. — L. DE GRANDMAISON, *Le Christ de M. Harnack, Etudes*, t. 90, p. 737 et sq.; *L'essence du christianisme d'après Harnack, Etudes*, t. 92, p. 696 et sq.; *L'Évangile et l'Eglise, Etudes*, t. 94, p. 145 et sq. — A. D'ALÈS, *L'essence du christianisme d'après Harnack, Etudes*, t. 112, p. 367 et sq.; *La mission historique de Jésus, Etudes*, t. 113, p. 166 et sq.; *L'Église primitive d'après Harnack, Etudes*, t. 124, p. 379 et sq. — VACANDARD, *L'institution formelle de l'Église par le Christ, Rev. Clergé français*, 1909, t. 57, p. 5 et sq. — FILLION, *Jésus ou Paul, Rev. Clergé français*, 19 avril 1912, p. 129 et sq.; 15 mai 1912, p. 385 et sq.

II. Communauté chrétienne de Jérusalem. — FOUARD, *Saint Pierre et les premières années du christianisme*, 1893. — LESÊTRE, *La sainte Église au temps des Apôtres*, 1896. — Mgr LE CAMUS, *L'œuvre des Apôtres*, 1905. — Mgr BATIFFOL, *L'Église naissante*, 1909. — FILLION, *Saint Pierre*, 1906. — Y. DE LA BRIÈRE, art. *Église, Dict. Apol.* — TIXERONT, *L'Église dans les Conférences Apologétiques de Lyon*, 1910. — JACQUIER, *Les Actes des Apôtres* (coll. *Etudes bibliques*), 1926. — A. D'ALÈS, *Lumen Vitae. L'espérance du salut au début de l'ère chrétienne*, 1916. — LEBRETON, *La vie chrétienne au premier siècle de l'Eglise*, 1927. — MEDEBIELLE, art. *Apostolat* dans *Suppl. au Dict. de la Bible.*

de Pierre, chef de l'Église, on pourvoit au remplacement de Judas (*Act.*, I, 19-22), et c'est Jésus lui-même qui, invoqué, manifestera par le sort son choix entre les deux candidats : Joseph Barsabas surnommé Justus et Mathias. Celui-ci est désigné, et par le fait même, sans aucune cérémonie rituelle, associé aux Apôtres.

Quelques jours plus tard a lieu la solennité juive de la Pentecôte, fête des Prémices. Nulle date liturgique ne pouvait convenir davantage au Christ pour offrir à son Père les prémices de l'Église. Entre huit et neuf heures, alors que juifs de la Palestine et de la Dispersion accourus nombreux pour cette fête s'acheminaient vers le Temple, un bruit comme celui du vent se fit entendre, des langues de feu se posèrent sur les retraitants du Cénacle, et tous furent remplis du Saint-Esprit (*Act.*, II, 2-4). D'autant plus grand fut l'émoi des curieux que chacun les entendait annoncer en sa propre langue les merveilles divines (*Act.*, II, 1-12). Certains spectateurs osèrent alors se livrer sur le compte des Apôtres à des commentaires assez désobligeants. Mais Pierre — lui toujours, agissant en chef — prit la parole. Où? On ne peut le préciser de façon certaine, mais sans doute dut-il emmener au Temple les curieux massés autour de la chambre haute dans les ruelles avoisinantes, et c'est sous quelque portique entourant le parvis des Gentils qu'il dut disculper les Apôtres et montrer en Jésus ressuscité le véritable Messie. Témoignant d'une rare maîtrise dans l'art d'utiliser les Prophéties, habile à ménager les susceptibilités nationales et religieuses, son discours recueillit un succès éclatant. La plupart des auditeurs se repentirent, c'est-à-dire modifièrent totalement leur jugement sur Jésus, et reçurent le baptême. Quelque temps après, la guérison instantanée d'un boiteux à la porte extérieure du Temple par Pierre et Jean, le discours prononcé à cette occasion par Pierre sous le portique de Salomon portèrent à cinq mille environ les membres de l'Église à Jérusalem (*Act.*, III et IV, 1-4).

III. Conflits de l'Église de Jérusalem avec le Sanhédrin. — Jusqu'ici, les autorités religieuses avaient laissé faire. Peut-être se figuraient-elles que le mouvement chrétien péricliterait de lui-même, comme avaient sombré dans le ridicule ou le sang tant d'autres manifestations messianiques. Mais, voyant s'accroître le nombre des disciples du Crucifié, elles se décidèrent à intervenir. N'y allait-il pas de leurs prérogatives et de leur prestige?

Les premiers à mener l'offensive furent les Sadducéens (*Act.*, IV, 5; V, 17). Pour la plupart ils voyaient — surtout parmi les grands prêtres — dans l'accomplissement des rites de leur sacerdoce un profit bien plus qu'une fonction liturgique. Satisfaits du régime qui leur maintenait une situation temporelle privilégiée, maîtres absolus dans le Temple, les Sadducéens s'étaient tenus à l'écart de l'enseignement du Christ, de même qu'ils abandonnaient le peuple dans les synagogues à l'influence des Scribes et Docteurs de la Loi. Mais le jour où, sous le portique de Salomon, ils avaient guéri un boiteux de naissance, les Apôtres s'étaient rendus coupables d'un double crime : la prédication publique sans appartenir à la classe des scribes, l'annonce de la résurrection des morts que niaient les Sadducéens (*Act.*, XXIII, 8). Exalter à ce point un supplicié n'était-ce pas, au surplus, s'insurger contre la chose jugée? Membres principaux du Sanhédrin, les Sadducéens firent donc arrêter Pierre et Jean au moment où, à la faveur du prodige accompli, ils évangélisaient la foule (*Act.*, IV, 1). Jetés en prison, ils y passèrent la nuit en attendant de comparaître le lendemain devant le tribunal suprême de la nation juive.

Parmi leurs juges figuraient les plus acharnés adversaires de Jésus : Caïphe, le grand prêtre, Anne, sinistre figure de ploutocrate jamais assouvi, et avec lui toute sa famille. Si le sort des Apôtres avait dépendu d'eux seuls, un verdict de mort eût terminé l'affaire; mais il fallait compter avec le Procurateur. Ponce Pilate ne nourrissait pour les juifs, et surtout pour leurs dirigeants, que haine et mépris. Puis, il y avait la foule, favorable aux Apôtres comme jadis à Jésus. Enfin, le miraculé, non pas un enfant, mais un homme de quarante ans qui plein de reconnaissance pour ses bienfaiteurs se dressait fièrement à leurs côtés. Sans la moindre timidité, devant le tribunal comme sous le Portique de Salomon, Pierre attribua le prodige à ce Jésus de Nazareth crucifié par les juifs, mais ressuscité par Dieu (*Act.*, IV, 10). Que faire? Comment nier l'évidence du miracle, et pouvait-on infliger une punition, si minime fût-elle, pour un bienfait? Mieux valait attendre une circonstance plus favorable. On se contenta d'interdire à Pierre et à Jean de prononcer encore « ce nom-là » si odieux aux Sanhédrites qu'ils ne voulaient plus l'entendre. Les Apôtres ne prirent aucun engagement. « Jugez, répondirent-ils, s'il est juste de vous obéir plutôt qu'à Dieu. Nous ne pouvons pas ne pas dire ce que nous avons vu et entendu » (*Act.*, IV, 20).

Rien ne fut changé dans l'attitude des Apôtres. Les miracles aidant, le nombre des fidèles s'accrut de jour en jour. Comme jadis à Capharnaüm au soir du premier sabbat où Jésus se manifesta publiquement, on étendait malades et possédés sur le passage des Apôtres afin qu'à tout le moins l'ombre de Pierre couvrît quelqu'un d'entre eux, et tous étaient guéris (*Act.*, V, 12-17).

On devine quel dépit causaient aux Sadducéens ces mouvements d'enthousiasme qui étalaient aux yeux de tous leur propre impuissance. Exaspérés de se voir sans cesse bafoués, ils résolurent de jeter les Apôtres dans une prison publique, celle-là peut-être dont, selon le P. Marchet, on aurait retrouvé les vestiges parmi les fouilles de l'Église Saint-Pierre, là où fut autrefois le palais de Caïphe. Vaine précaution! La nuit, un ange ouvrait aux Apôtres les portes de la prison, et le lendemain matin ils enseignaient de nouveau le peuple sous le Portique de Salomon suivant leur habitude tandis que le tribunal réuni les envoyait chercher là où il les avait fait mettre la veille sous bonne garde. Situation piteuse et même grotesque dont serait sorti difficilement le Sanhédrin si, par bonheur, quelqu'un n'était venu révéler où se trouvaient les prévenus. Le commandant du temple alla les quérir aussitôt, mais sans la moindre violence, tant il craignait d'être lapidé par le peuple. De leur évasion, nul ne souffla mot. On reprocha aux Apôtres leur désobéissance. Ne leur avait-on pas interdit d'enseigner *ce nom-là?* Et voici que Jérusalem en était remplie et qu'ils osaient faire retomber sur les Sanhédrites *le sang de cet homme*. Le temps n'était déjà plus où, se glorifiant du meurtre de Jésus, les Sadducéens revendiquaient pour eux et pour leurs enfants la légitime punition du sang injustement versé. La réponse de Pierre et des Apôtres fut brève : « On doit obéir à Dieu plutôt qu'aux hommes. » Pierre ne faisait plus comme la première fois un simple appel au bon sens; il affirmait catégoriquement un principe. Et de nouveau, les Sanhédrites s'entendirent reprocher la mort de Jésus.

P. MARCHET, *Le véritable emplacement du palais de Caïphe et l'Église de Saint-Pierre à Jérusalem*, 1927. — THONNARD, *Le sanctuaire de Saint-Pierre où fut la maison de Caïphe*, dans *Jérusalem*, 1928, n° 141, p. 206-215. — POWER, *The Church of St-Peter at Jerusalem*, dans *Biblica*, 1928, p. 167-186; *The house of Caiphas and the Pilgrim of Bordeaux, reply to a criticism, Ibid.*, p. 116-125; *The house of Caiphas and the Church of St-Peter, Ibid.*, p. 275-303 et 395-417.

Rendus furieux, ils allaient prononcer la condamnation à mort quand un pharisien vénéré de tous pour sa science, son observation de la Loi et des traditions, demanda à parler au tribunal. C'était Gamaliel l'Ancien, qui avait compté Saul de Tarse parmi ses disciples. Ame droite, croyant comme Pharisien aux interventions de la Providence, il avait été impressionné par les prodiges que réalisaient les Apôtres. « Pourquoi, dit-il, lutter contre Dieu? Si cette idée ou cette œuvre vient des hommes, elle se détruira d'elle-même, mais si elle vient de Dieu, vous ne sauriez la détruire. Ne vous occupez donc plus de ces gens-là et laissez-les aller! » (*Act.*, v, 34-39.) L'avis de Gamaliel s'imposa au tribunal; les Apôtres furent relâchés après avoir été battus de verges, et une fois encore, on leur défendit, mais en vain, de prêcher Jésus[1]. Chaque jour, en effet, dans le Temple et dans les maisons particulières où se réunissaient les différentes fractions de la communauté hiérosolymitaine ils ne cessaient d'annoncer le Messie paru. Les conversions se multipliaient et les prêtres mêmes, jadis si réfractaires à l'enseignement du Seigneur, commençaient à se laisser gagner (*Act.*, vi, 7).

On dut goûter ensuite quelques mois, sinon quelques années de calme. Les Apôtres s'adjoignirent des diacres (*Act.*, vi, 1-6). L'accroissement constant de la jeune Église rendait plus accablante et délicate leur tâche de la distribution quotidienne des aumônes. Comme, un jour, certains convertis de la Dispersion se plaignaient que leurs veuves fussent quelque peu négligées, les Douze firent désigner par la communauté sept hommes d'un bon témoignage, remplis de l'Esprit-Saint et de sagesse et, après avoir prié, ils leur imposèrent les mains. Telle fut l'origine de notre diaconat. Les nouveaux élus ne se confinèrent pas dans les fonctions matérielles; ils se firent les auxiliaires des Apôtres, prêchèrent et baptisèrent.

Parmi ces diacres, il y en avait un nommé Étienne. A en juger par les milieux qu'il fréquentait surtout, il était probablement d'origine hellénique (*Act.*, vi, 9). Dans les controverses avec ses anciens coreligionnaires, il remportait de dangereux succès. Impuissants à le réfuter, ceux-ci jugèrent plus expédient de susciter une émeute. A prix d'argent, ils subornèrent des gens qui s'en allèrent répétant de-ci de-là : « Nous l'avons entendu proférer des paroles blasphématoires contre Moïse et contre Dieu! » (*Act.*, vi, 11). Ému, le peuple se joignit aux Anciens et aux Scribes, saisit Étienne et le traîna devant le tribunal; des faux témoins étaient là pour soutenir l'accusation. Invité à présenter sa défense, le jeune diacre montra en un résumé des plus éloquents quelle estime il gardait aux ancêtres et quel souvenir il conservait des bienfaits divins dans le passé. Mais, si glorieux qu'il apparût, ce passé n'était que la préparation d'un avenir plus prometteur encore. A l'économie nouvelle les Israélites ne devaient pas s'opposer avec cette déloyauté dont si souvent ils avaient fourni la preuve. Ce fut avec une exaspération qui leur fit grincer les dents, que les sanhédrites, dont l'autorité agonisait, écoutèrent cette vigoureuse péroraison : « Gens au cou raide, incirconcis de cœurs et d'oreilles, c'est toujours vous qui résistez à l'Esprit-Saint; comme furent vos Pères, ainsi vous êtes. Quel est celui des Prophètes que n'ont pas persécuté vos Pères? Ils ont tué ceux qui prophétisaient sur la venue du Juste envers qui

1. Le troisième conflit qui se terminera de façon si tragique ne put se produire avant l'an 34, et il faut vraisemblablement ne le dater que de l'an 36, vu la carence absolue du pouvoir romain que nous révèle le récit des *Actes* (vi, 8; vii, 60). En effet, si le Sanhédrin put se permettre d'agir comme il le fit, c'est que Ponce Pilate était destitué et son successeur non encore arrivé.

vous êtes devenus traîtres et assassins... » (*Act.*, VII, 51-54.) Et ce fut bien pis encore quand Étienne, les yeux fixés au ciel, déclara y apercevoir, debout à la droite de Dieu, ce Jésus qu'ils avaient crucifié. Alors, juges et assistants se bouchèrent les oreilles pour ne pas entendre pareils blasphèmes et, poussant de grands cris, ils se jetèrent tous ensemble sur Étienne, l'entraînèrent hors de la ville et le lapidèrent.

La communauté hiérosolymitaine possédait son premier martyr et l'effusion du sang d'Étienne allait se révéler singulièrement féconde. Jusqu'ici l'Église naissante était demeurée confinée dans l'enceinte de Jérusalem. En amenant diacres et disciples à s'éloigner, tandis que les Apôtres seuls resteront à Jérusalem, la persécution violente occasionnera la dispersion de la bonne nouvelle dans les campagnes de la Judée et de la Samarie et jusqu'en Phénicie, à Antioche et dans l'île de Chypre (*Act.*, VIII, 1; VIII, 4-25; XI, 19). Et bientôt, Paul de Tarse, celui-là qui avait gardé les vêtements des bourreaux d'Étienne, sera subitement conquis par Jésus lui-même aux portes de Damas, à l'instant où il s'y rendait pour arrêter les chrétiens après avoir ravagé furieusement la communauté de Jérusalem (*Act.*, VIII, 3; IX, 1-2).

IV. La vie intime de la première communauté chrétienne. — Ce serait se méprendre étrangement que de considérer ce groupement comme une simple secte en marge du judaïsme officiel. Sans doute, Apôtres et premiers chrétiens continuent-ils de monter au Temple aux heures de la prière. Après tout, celui qu'on y adore est le vrai Dieu : s'associer aux cérémonies extérieures c'est donner un exemple susceptible de disposer à la foi nouvelle les âmes de bonne volonté ; c'est aussi pour les Apôtres un moyen facile de rencontrer leurs coreligionnaires de la Palestine et de la Dispersion, et sous les portiques spacieux de leur prêcher Jésus ressuscité. Au point de vue dogmatique la rupture n'en fut pas moins consommée dès la première heure entre l'Église naissante et le judaïsme officiel. Celui-ci attendait toujours le Messie; Apôtres et premiers chrétiens l'adoraient en la personne du Christ ressuscité. Le judaïsme traditionnel admettait l'autorité du Sanhédrin, tribunal suprême en matière religieuse; les Apôtres, envoyés de Dieu, bravaient cette assemblée qui s'opposait de parti pris au plan divin.

Puis, des rites nouveaux étaient en usage dans la jeune Église. Sans doute, jusqu'alors tous ceux qui — juifs palestiniens, ou juifs de la Dispersion — se faisaient disciples du Christ, avaient-ils reçu la circoncision; mais, c'était par la foi nouvelle et par le baptême qu'on entrait dans la communauté. D'ailleurs, au cours de réunions intimes tenues dans des maisons particulières comme la chambre haute du Cénacle ou la demeure de Marie, mère de Jean Marc, le futur évangéliste, les Apôtres, dociles à l'ordre du Maître, renouvelaient parmi les hymnes et les prières « la fraction du pain ».

Dans cette communauté toujours grandissante, les Apôtres — et Pierre à leur tête — restaient les chefs vénérés et écoutés. On était assidu à leurs prédications; on déposait à leurs pieds tout ou partie de ses biens personnels pour leur permettre d'assister les frères dans le besoin. Jamais, pourtant, cet abandon ne fut considéré comme obligatoire; à Jérusalem comme partout le renoncement aux biens de ce monde ne sera toujours qu'un moyen plus certain d'assurer son salut. Un lévite de Chypre, Barnabé, s'engagea résolument dans cette voie ; deux autres chrétiens, Ananie et Saphire, voulurent imiter son geste, mais non son désintéressement et ils ne craignirent pas de mentir publiquement à saint Pierre. Une mort subite en présence de l'assemblée des frères fut pour eux le châtiment d'une avarice doublée d'hypocrisie (*Act.*, IV, 36; V, 11).

V. Les premiers contacts de l'Église avec la gentilité. — Jusqu'ici, même hors de Jérusalem, l'Évangile avait été annoncé seulement aux Juifs de race et de religion, qu'ils fussent hébreux ou hellénistes, et l'eunuque de la reine d'Éthiopie que le diacre Philippe baptisa sur la route de Jérusalem à Gaza semble bien, lui aussi, avoir été, à tout le moins, un prosélyte (*Act.*, VIII, 26-40). Toute la polémique d'Étienne avait visé pourtant à démontrer la caducité du judaïsme. Mais, à briser le cadre religieux étroit dans lequel s'enserrait la foi naissante, les ordres donnés par Jésus à la veille de l'Ascension ne suffisaient pas; pour admettre dans l'Église les païens au même titre que les juifs il fallut à deux reprises une intervention personnelle et directe de Jésus : la vision de Joppé, la conversion de saint Paul.

La persécution qui suivit la mort d'Étienne fut courte. En 37, Caligula succédait à Néron et ce fou couronné émit la prétention de faire ériger sa statue dans le temple de Jérusalem. Menacés eux-mêmes de persécution, aux prises avec un légat de Syrie, Pétronius, qui, bien que temporisateur, pouvait d'un moment à l'autre être mis en demeure d'exécuter l'impériale volonté, Pharisiens et Sadducéens cessèrent quelque temps d'inquiéter les chrétiens. Pierre en profita pour faire la *première tournée pastorale*. Avec Jean il parcourut les communautés fondées en Samarie par le diacre Philippe, communiquant aux fidèles par l'imposition des mains le don du Saint-Esprit. Durant ce voyage, il se rencontra avec le fameux mage Simon qui eut l'audacieuse prétention d'acheter à prix d'argent les pouvoirs surnaturels (*Act.*, VIII, 4-25). Peu après, seul, il s'en alla visiter de ville en ville les « saints ». On le vit successivement à Lydda où il guérit le paralytique Enée, puis à Joppé où, mandé par les chrétiens désolés, il ressuscita la pieuse Tabitha (*Act.*, IX, 31-43).

Il se trouvait là chez le corroyeur Simon quand il eut une vision. Sur la terrasse où il était monté à midi pour prier, une nappe lui fut présentée contenant toutes sortes d'animaux impurs; une voix lui ordonna de les tuer et de les manger. En bon juif, Pierre n'en voulait rien faire quand cette voix lui dit catégoriquement : « Ce que Dieu a déclaré pur ne l'appelle pas profane » (*Act.*, X, 15). Sur ces entrefaites, les messagers de Corneille, centurion de la cohorte italique, vinrent le prier de se rendre à Césarée. Pierre partit dès le lendemain. A l'entrée de la ville, il trouva pour l'accueillir Corneille entouré de ses parents et amis, tous âmes droites, loyales et craignant Dieu. Corneille lui remit en mémoire cet ordre qu'il avait reçu à Joppé et Pierre comprit alors toute la portée de sa vision. En un court aperçu historiquo, il évoque devant ces païens au cœur bien disposé la mission, les œuvres, la vie de Jésus; il n'avait pas achevé son discours que déjà le Saint-Esprit prenait possession de leurs âmes (*Act.*, X, 34-43). Lui, certes, ne s'en étonnait pas; il savait fort bien que Jésus était mort pour tous, que Dieu ne faisait acception de personne et que partout celui qui le craignait et pratiquait la justice lui devenait agréable. Il n'en était pas ainsi de ceux qui l'accompagnaient. Juifs originaires de Jérusalem pour la plupart, ils conservaient des vues étroites; ils ne comprenaient pas qu'on accordât aux païens les bénéfices de la Rédemption sans les faire passer par la porte étroite du judaïsme et que le don du Saint-Esprit se répandît même sur les Gentils. Pierre ordonna de baptiser ces païens, et après être demeuré quelques jours parmi eux il revint à Jérusalem avec ses compagnons.

La nouvelle de l'admission des païens dans l'Église l'y avait précédé, y causant une vive émotion. Pour la dissiper, Pierre s'expliqua. L'indication du ciel était si manifeste qu'il n'y avait qu'à s'incliner; la majorité le fit de bonne grâce et avec les Apôtres, remercia le Seigneur de vouloir bien admettre aussi les païens dans l'Église. Toutefois, les quelques récalcitrants qui avaient manifesté le plus ouvertement leur indignation ne se soumirent qu'en apparence. Minorité à l'esprit brouillon et étroit, à l'humeur tapageuse, nous les verrons profiter de la même occasion pour aller sans aucun mandat jeter l'alarme dans la communauté d'Antioche. Ils voudront bien accueillir les païens, mais sous le joug du judaïsme : prétention inadmissible que l'Église consultée rejettera catégoriquement à l'Assemblée de Jérusalem.

L'autre fait qui facilita la conquête de la gentilité, ce fut la conversion de saint Paul. Survenue en l'an 36 au cours de la persécution qui suivit la mort d'Étienne, et donc antérieure à la vision de Joppé, elle n'atteignit pas toutefois son plein effet du jour au lendemain. Saint Paul prêcha d'abord aux Juifs réunis dans les synagogues de Damas (*Act.*, IX, 20); ce ne fut que plus tard, vers 43, qu'il collaborera avec Barnabé à la conversion des Grecs d'Antioche et de Syrie. Ce qu'il faut mettre en relief dans la conversion de Paul, c'est l'action permanente de Jésus sur son Église. C'est Jésus lui-même qui appelle directement saint Paul à l'apostolat, c'est de Jésus seul qu'il reçoit sa mission; il est formé par lui dans la solitude et le silence de quelque coin du Hauran. Aussi sera-t-il apôtre au même titre que les autres, et Pierre reconnaîtra-t-il volontiers sa mission spéciale pour l'évangélisation des païens (*Gal.*, II).

A Antioche, capitale de la Syrie, prit bientôt naissance une communauté tellement composée en majorité de païens convertis que pour les désigner — non pas entre eux, car ils s'appelaient « frères », mais aux gens du dehors — il fallut forger un nom nouveau et les nommer « chrétiens ». L'orientation de cette communauté attira l'attention de l'Église-mère de Jérusalem. Les Apôtres ne voulant pas ou ne pouvant pas quitter à ce moment la Palestine pour se rendre à Antioche, comme Pierre et Jean s'étaient rendus en Samarie, députèrent l'un d'eux, Barnabé, pour inspecter la jeune Église pagano-chrétienne. Barnabé fut si heureux de ce qu'il y vit, si émerveillé de la moisson jaunissante, qu'il s'en alla de suite à Tarse en Cilicie chercher saint Paul pour qu'il coopérât avec lui à l'évangélisation de ce milieu païen. Plus d'un an, ils travaillèrent ensemble; les conversions se multiplièrent. Surnaturellement avertis qu'une famine sévissait en Judée, les Antiochiens envoyèrent à leurs frères de larges aumônes vers l'automne 44 par l'entremise de ceux qui les avaient convertis : Paul et Barnabé.

VI. La persécution d'Hérode Agrippa Ier (44). — Paul et Barnabé s'acquittèrent de leur mission et retournèrent à Antioche avec Jean Marc, cousin de Barnabé; mais au cours de leur voyage, ils ne rencontrèrent, semble-t-il, à Jérusalem ni Pierre, ni aucun des Apôtres. C'est qu'une nouvelle persécution s'était élevée contre l'Église-mère. Hérode Agrippa Ier avait dû à la libéralité de Caligula en 37, puis à celle de Claude en 41, de réunir successivement, sous son sceptre, toutes les provinces palestiniennes jadis régies par son grand-père, Hérode le Grand. Dès son arrivée en Palestine, il chercha à gagner les faveurs de ses nouveaux sujets en vivant à la juive, en faisant au Temple de généreuses offrandes, celle en particulier de la chaîne d'or à lui donnée par Caligula en souvenir de la chaîne de fer dont l'avait chargé Tibère. Pour lui, nul moyen plus sûr d'agréer aux juifs que d'anéantir l'Église naissante. Bientôt, des chrétiens sont arrêtés et maltraités. Saint Jacques le Majeur, frère de Jean, périt par le glaive et saint Pierre, à son tour, est jeté en prison. Autour de ce prisonnier de choix qu'Agrippa Ier voulait faire comparaître devant le peuple après la Pâque, une surveillance étroite fut exercée. Mais Dieu veillait sur celui qu'il avait constitué chef de son Église. Miraculeusement délivré, après avoir rassuré « les frères » sur son sort, Pierre quitta Jérusalem et « s'en alla dans un autre lieu » (*Act.*, XII, 5-17).

A ce moment-là, vers mars-avril 44, on perd sa trace pour ne le retrouver à Jérusalem qu'en 49. Se rendit-il alors à Rome et y fit-il un premier séjour? Deux traditions s'en trouveraient confirmées : l'une, celle des vingt-cinq ans de pontificat romain, l'autre celle de la priorité chronologique de Pierre sur Paul pour la fondation de l'Église romaine, priorité impossible à légitimer par les faits si Pierre n'est allé à Rome qu'en 63 alors que Paul s'y trouvait captif dès 61. D'ailleurs, l'édit d'expulsion pris par Claude contre les juifs de Rome en 49 ou 50 se conçoit bien mieux si on le met en relation avec un apostolat de saint Pierre durant les années précédentes. Animé et soutenu par sa présence, le prosélytisme chrétien mit en fureur la communauté juive de Rome; comme faisaient vers le même temps les juiveries de la Galatie, elle souleva à tout propos discussions, incidents, troubles, voire de véritables émeutes pour entraver la marche de l'Évangile et faire considérer les chrétiens comme des révolutionnaires. Les magistrats de l'empire ne distinguant pas alors les juifs des chrétiens, ils se trouvèrent englobés dans le même édit de proscription. La propagande chrétienne en fut le motif certain selon qu'en temoigne Suétone : « Judaeos *impulsore Chresto* assidue tumultuantes Roma expulit... » (*Claud.*, XXV, 4).

Saint Paul. — FOUARD, *Saint Paul*, 2 vol. — Mgr LE CAMUS, *L'œuvre des Apôtres*, 3 vol. — PRAT, *, *La théologie de Saint Paul*, 7e et 6e édit., 1920, 1923; *Saint Paul* (coll. *les Saints*), 1922. — TRICOT, *, *Saint Paul, apôtre des Gentils*, 1928. — BAUMANN, *Saint Paul*, 1925. — TOBAC, *, *Le problème de la justification dans saint Paul*, 1908. — LEMONNIER, *, *Epîtres de Saint Paul*, trad. et comm., 1908-09. — LAGRANGE, *, *Epître aux Romains*, 4e éd., 1931; *Epître aux Galates*, 1918. — DOM P. DELATTE, *, *Les Epîtres de saint Paul*, 1929. — K. G. BANDAS, *The master idea of Saint Paul's Epistles on the Redemption*, Bruges, 1925; *Le problème de la justification dans saint Paul et dans saint Jacques, R. H. E.*, XXII (1926), p. 797-806. — JACQUIER, *Saint Paul et les mystères païens*, dans *Dict. Apol.* — PRAT, *Saint Paul et le Paulinisme, ibid.*

CHAPITRE II

LA PREMIÈRE EXPANSION DU CHRISTIANISME. SAINT PIERRE, SAINT PAUL ET SAINT JEAN.

I. Les voyages de saint Paul. — Il y avait déjà presque dix ans que Paul était converti quand, sur une indication surnaturelle, il partit avec Barnabé et Jean Marc à la conquête de la gentilité proprement dite. C'est donc déformer l'histoire que de regarder saint Paul comme celui qui a imprimé à l'Église naissante par l'évangélisation de la gentilité une direction nouvelle et imprévue. Étudiés en eux-mêmes, sans cette peur du surnaturel qui obnubile les regards des meilleurs critiques, les faits donnent une tout autre impression. Avant que Paul ne fît quoi que ce soit en dehors des synagogues où il ne rencontrait que juifs et prosélytes et alors qu'il était inconnu des Églises de Judée, Pierre avait accueilli les païens en la personne du centurion Corneille; la communauté d'Antioche s'était formée, accueillant des païens convertis, et Paul y avait collaboré, mais sous la direction de Barnabé. On ne diminue pas son rôle capital dans la conversion de la gentilité en le ramenant au début à ses véritables proportions.

Au moment où il quittait Antioche, le but de Paul était d'implanter l'Évangile en terre païenne depuis la Palestine jusqu'en Illyrie sans marcher sur les brisées d'aucun « frère » (*Rom.*, xv, 19, 20). De l'an 45 à l'an 57 il va parcourir successivement Syrie, Cilicie, Asie Mineure, Galatie, Macédoine, Achaïe, Illyrie, important l'Évangile dans les centres importants, Tarse, Antioche de Pisidie, Troas, Philippes, Thessalonique, Corinthe, Éphèse d'où il pourrait facilement rayonner.

Le premier voyage apostolique conduisit les missionnaires dans l'île de Chypre et la Galatie romaine.

Chypre était trop à l'écart des grandes routes de l'empire pour constituer un centre utile d'apostolat. Son choix ne s'explique que parce que Barnabé en était originaire. On parcourut l'île de Salamine à Paphos, et ce fut toujours aux seuls juifs qu'on s'adressa dans les synagogues. La cécité dont fut frappé subitement le mage Elymas pour le punir de s'opposer à l'action des prédicateurs convertit le proconsul Sergius Paulus; à dater de ce moment l'apôtre échangea son nom juif de Saul contre le nom romain de Paul, et lui qui paraissait sous la dépendance de Barnabé prit nettement et pour toujours la tête de l'expédition (*Act.*, xiii, 4-12).

En quittant Chypre, on se dirigea vers la Galatie romaine dont les centres principaux furent visités; les communautés créées au premier passage devaient être réconfortées et organisées lors d'une seconde visite. Un collège d'Anciens fut placé à la tête de

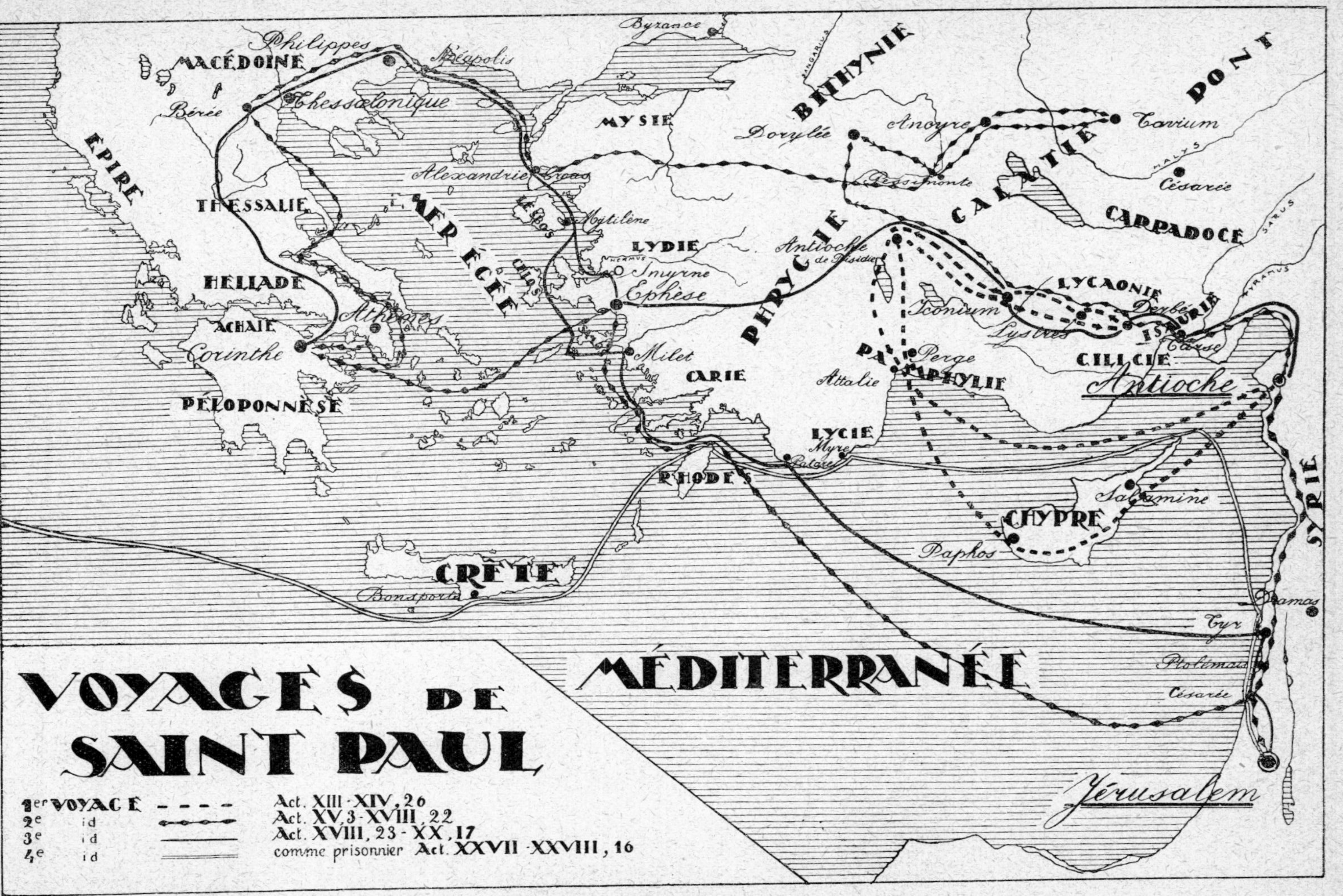

ITINÉRAIRES DE SAINT PAUL.

Première mission : Antioche, Salamine (Chypre), Paphos, Perge (Pamphylie), Antioche de Pisidie, Iconium, Lystres, Derbé, Lystres, Iconium, Antioche de Pisidie, Perge, Attalie, Antioche, Jérusalem, Antioche.

Deuxième mission : Antioche, Tarse, Derbé, Lystres, Iconium, antioche de Pisidie, Galatie, Mysie, Troas, Néapolis (Macédoine), Philippes, Thessalonique, Bérée, Athènes, Corinthe, Ephèse, Césarée, Jérusalem (?), Antioche.

Troisième mission : Antioche, Tarse, Galatie (Tavium, Ancyre, Pessimonte), Ephèse, Troas, Néapolis, Mytilène, Chios, Samos, Milet, Rhodes, Patare, Tyr, Ptolémaïs, Césarée, Jérusalem.

Voyage à Rome : Césarée, Sidon, Myre (Lycie), Bonsports (Crète), Malte, Syracuse, détroit de Messine, Pouzzoles, Rome.

chacune d'elles. Le livre des *Actes* nous raconte les incidents divers que souleva la prédication de Saint Paul (*Act.*, XI, 13; XIV, 25). Nous mettrons surtout en relief la méthode d'évangélisation et les résultats obtenus. Bien que sa vocation fût de porter le nom de Jésus jusqu'aux extrémités de la terre (*Act.*, XIII, 47), l'Apôtre commença par présenter l'Évangile aux juifs dans leurs synagogues. Ainsi fit-il à Antioche de Pisidie et à Iconium. L'attitude hostile des juifs ici ou là ne les fit jamais considérer par lui comme ayant rejeté en bloc et définitivement l'Évangile. Au cours de sa seconde mission, on le verra à Philippes, à Thessalonique, à Bérée, à Corinthe, s'adresser toujours à eux les premiers. Fidélité d'autant plus admirable chez saint Paul que les juifs firent tout pour entraver son apostolat. A Antioche de Pisidie, ils utilisèrent le crédit des femmes prosélytes de la classe aisée pour faire expulser les missionnaires. A Iconium ils soulevèrent les païens si bien que Paul et Barnabé n'échappèrent que par la fuite à la lapidation. A Lystres où les Apôtres avaient été accueillis comme des dieux, ils exploitèrent le caractère versatile des Lycaoniens pour les exciter à massacrer le lendemain ceux qu'ils voulaient adorer la veille. Il n'y eut qu'à Derbé, ville frontière où les juifs étaient sans doute peu nombreux, que l'évangélisation put se dérouler dans le calme.

Malgré les embûches et sévices de toute nature, les résultats de ce premier voyage furent très importants. Les missionnaires les résumèrent en un mot dès leur retour à Antioche de Syrie : *la porte de la foi avait été ouverte aux nations* (*Act.*, XIV, 26). Durant ces quatre années, sept églises avaient été fondées en pleine gentilité : deux dans l'île de Chypre, Salamine et Paphos et cinq dans la province romaine de Galatie : une en Pamphylie, Perge; deux en Pisidie, Antioche et Iconium; deux en Lycaonie, Lystres et Derbé.

On se réjouissait à Antioche de ces fruits merveilleux quand vinrent de Judée plusieurs émisssaires sans mandat qui jetèrent l'alarme parmi les païens convertis : « Si vous n'êtes circoncis selon la loi de Moïse, dirent-ils, vous ne pouvez être sauvés! » (*Act.*, XV, 1.) On devine à quelle faction appartenaient ces émissaires : leur judaïsme d'autrefois pratiqué avec étroitesse les rendait inaptes à saisir la beauté de l'universalisme chrétien. A ces sottes prétentions, Paul et Barnabé opposèrent le plus formel démenti. Mais, la discussion s'envenimant et l'alarme se faisant jour dans la conscience de certains pagano-chrétiens, il fut décidé que les deux Apôtres iraient à Jérusalem avec quelques frères pour y traiter l'affaire.

La question soulevée était, en effet, d'importance. Prétendre la circoncision nécessaire au salut n'était-ce pas nier le caractère transitoire de l'Ancienne alliance et détruire le christianisme même en déclarant insuffisante la rédemption du Christ? Vouloir imposer la circoncision comme condition préalable à l'accession des païens dans l'Église, n'était-ce pas interdire à la plupart d'entre eux toute conversion et faire obstacle à l'universalisme chrétien tel que l'avait voulu Jésus? Jamais le monde ne se serait fait juif pour devenir chrétien.

Pour nous renseigner sur ce qui se passa alors nous avons deux documents de première valeur : le chapitre XV des *Actes* et quelques versets de l'épître aux Galates (*Gal.*, II, 1-10). Ces versets qui émanent du principal champion de la liberté des Gentils montrent quel accueil lui fut fait dès l'abord. En des conversations privées avec les principaux Apôtres, Pierre, Jacques et Jean, Paul exposa l'Évangile qu'il prêchait parmi les Gentils. Satisfaits, les Apôtres donnèrent la main à Paul et Barnabé en signe de communion; ils leur demandèrent de poursuivre leur apostolat dans le même milieu et de la même façon.

Les Pharisiens convertis en furent très mécontents. Ces « faux frères », ces « espions », comme les appelle Paul, durent redoubler d'intrigues; et comme l'Apôtre des Gentils avait à ses côtés, Tite, un païen converti, ils exigèrent sa circoncision. Paul s'y refusa avec énergie : première victoire qui laissait bien augurer du débat public (*Gal.*, II, 4-5).

La discussion fut longue. Pierre ne put que rappeler les faits : depuis quelque dix ans, l'Évangile était annoncé aux païens, et Dieu avait purifié leurs cœurs par la foi sans exiger la circoncision; ce qui sauvait, c'était la grâce du Seigneur Jésus. Paul et Barnabé confirmèrent ces dires en montrant les miracles et prodiges que Dieu, par leur intermédiaire, avait opérés au milieu des Gentils. Jacques le Mineur constata dans ces faits l'indice certain de la volonté divine. Il ne fallait donc pas contraindre les païens à la circoncision et aux observances légales. Seulement, pour faciliter les rapports dans les communautés mixtes entre juifs convertis et païens convertis, sans doute aussi pour rendre plus facile la conversion des juifs en évitant de les froisser trop directement on demanda aux frères d'Antioche, de Syrie et de Cilicie, qu'il s'abstinssent de l'impureté, de viandes immolées aux idoles et de la manducation du sang : concessions, d'ailleurs, purement locales et tout à fait transitoires (*Act.*, XV, 24).

Peu après il se produisit à Antioche — toujours au sujet des païens convertis — un incident assez vif rapporté dans l'épître aux Galates. Saint Pierre y était venu, et avant l'arrivée de certaines gens de l'entourage de Jacques il mangeait avec les païens; mais, ensuite, il se retira à l'écart, par crainte, ajoute saint Paul, des partisans de la circoncision (*Gal.*, II, 12-13). Ne fut-ce pas plutôt pour vivre avec les convertis du judaïsme, puisqu'il était, lui, l'apôtre des circoncis et Paul celui des incirconcis? Quoi qu'il en soit, son changement d'attitude fut remarqué; il fut imité par Barnabé et par d'autres. Ne risquait-il pas de peiner les païens convertis et surtout d'être mal interprété par quelques-uns de ces chrétiens d'origine juive toujours enclins, malgré les décisions de Jérusalem, à considérer les Gentils convertis comme des chrétiens de seconde zone. Paul au milieu de la communauté reprocha à Pierre sa conduite; il lui en signala le danger, lui en montra l'illogisme et les funestes conséquences. Et comme il ne pouvait s'agir entre eux — après tout ce que nous venons de raconter — d'un différend doctrinal, mais seulement d'une attitude pratique susceptible de prêter à l'équivoque, l'incident fut aussitôt réglé en toute charité. La paix se rétablit, pour le moment du moins; car, les judaïsants n'étaient pas gens à abandonner aussi facilement la lutte, et en deux de ses épîtres, Galates et Romains, saint Paul devra exposer contre eux que la justification s'obtient par la foi sans les œuvres de la Loi.

C'est se méprendre sur la nature du conflit d'Antioche que d'y voir la proclamation de l'affranchissement des juifs vis-à-vis des observances légales. N'avait-il pas été nettement affirmé déjà à Jérusalem? D'autre part, on exagérerait démesurément cet incident local en y voyant l'indice d'un double courant dans l'Église primitive : le Pétrinisme favorable aux prétentions des judéo-chrétiens, le Paulinisme, tout acquis à la gentilité et à sa manière plus large de comprendre la religion. En réalité, il n'y eut jamais désaccord doctrinal entre les

La Question Judaïsante. — Outre Fouard, Prat, Mgr Le Camus et Mgr Batiffol, consulter J. THOMAS, *Mélanges d'Histoire et de littérature religieuse*, 1899, p. 1-195. — COPPIETERS, *, *Le décret des Apôtres*, *Rev. Biblique*, 1907, p. 34-58; 218-39. — KURTH, *L'Église aux tournants de l'histoire*, 1re conférence. — HÉFÉLÉ-LECLERCQ, *Histoire des conciles*, t. I², app. I. — L. MARCHAL, *, art. *Judéo-Chrétiens à l'âge apostolique*, dans *Dict. théol.*

deux Apôtres. Au cours de sa troisième mission, saint Paul recueillit des secours pour les Frères de Jérusalem et saint Pierre louera dans sa seconde épître la sagesse de Paul en l'appelant « son frère bien-aimé » (III, 15-16). Ce n'est qu'à la fin du IIe et au début du IIIe siècle que des Judéo-chrétiens voulurent accréditer l'idée d'un différend doctrinal entre Pierre et Paul, et ce fut l'une des naïvetés de l'école de Tubingue — et non des moindres — d'avoir présenté comme historique une opposition que démentent les textes.

Quelques mois après l'assemblée de Jérusalem, Paul se remit en route, accompagné cette fois de Silas ou Silvain, comme lui citoyen romain. Les missionnaires visitèrent successivement les communautés de Syrie et de Cilicie, puis passèrent en Galatie romaine. A Lystres, Paul s'adjoignit Timothée sur le bon témoignage qu'on rendit de lui, et par l'imposition des mains il lui conféra la plénitude du sacerdoce (I *Timoth.*, IV, 14; II *Timoth.*, I, 6). Il allait pénétrer au cœur même de l'Asie dans cette vallée du Lycus où se trouvaient des colonies privées florissantes quand une indication due à Jésus lui-même lui fit évangéliser la Galatie du Nord, pour passer de là en Macédoine (*Act.*, XVI, 7).

L'importance de son action apostolique se mesure surtout alors à celle des centres où l'Évangile fut implanté; Philippes, Thessalonique, capitale de la Macédoine, Bérée, Athènes, et enfin Corinthe[1]. Partout, sauf à Athènes où son échec fut presque complet, saint Paul remporta des succès et créa des communautés plus tard florissantes. Mais partout également, il se heurta à l'hostilité déclarée des juifs, quelquefois aussi, comme à Philippes, à l'esprit de lucre des païens vivant de sorcellerie. Pour entraver son ministère, tout fut mis en œuvre et les autorités locales sollicitées d'intervenir. A Philippes les maîtres de l'esclave délivrée de l'esprit de Python ne pouvaient porter plainte, l'exercice de la sorcellerie étant illégal; mais, ils accusèrent l'Apôtre de troubler la ville, de prêcher une religion nouvelle, des usages illégaux; et les stratèges, chefs absolus de la cité, firent jeter au cachot, ceps aux pieds, Paul et Silas, citoyens romains, après les avoir fait fouetter en dépit de la loi Porcia. Ils en furent quittes pour faire ensuite des excuses à leurs prisonniers d'un jour. — A Thessalonique, les juifs jaloux soudoyèrent la populace et se précipitèrent vers la demeure de Jason, croyant y rencontrer Paul et Silas. Faute de les y trouver, ils saisirent Jason et quelques frères et les traduisirent devant les Politarques pour crime d'agitation politique. N'avaient-ils pas donné l'hospitalité à Paul et à Silas, ces agitateurs qui annonçaient le roi Jésus? Cependant, n'étant pas les vrais coupables, ils furent relâchés sous caution, tandis que l'Apôtre et son compagnon fuyaient au plus vite, durant la nuit, pour Bérée. — Là tout alla à merveille. Moins captivés par le commerce que ceux de Thessalonique, les juifs y accueillirent volontiers la parole divine; ils l'écoutèrent avec avidité, scrutèrent les Écritures pour y contrôler l'enseignement de saint Paul, et beaucoup d'entre eux embrassèrent la foi : hommes et femmes, gens du peuple et personnes de qualité. Seulement Bérée n'était qu'à 80 kilomètres de Thessalonique et les juifs entretenaient des émissaires attachés sans cesse aux pas de l'Apôtre. Bientôt une agitation intense s'éleva dans la cité et pour éviter le renouvellement de scènes violentes au

1. Sur l'inscription de Delphes qui permet de fixer d'une manière définitive la date du séjour de saint Paul à Corinthe, voir : E. BOURGUET, *De rebus delphicis imperatoriae aetatis capita duo*, Montpellier, 1905. — A. BRASSAC, *Une inscription de Delphes et la chronologie de saint Paul*. *Rev. biblique*, 1913, p. 36-53 et 207-219. — PRAT, *La chronologie de l'âge apostolique*, dans *R. S. R.*, 1912, p. 374-378 et *Supp. Dict. Bible*, t. I, col. 68-69. — JACQUIER, *Les Actes des Apôtres*, p. CCLXXXVII-IX. — HENNEQUIN, *Delphes* (*Inscription de*), dans *Suppl. Dict. Bible*, t. II.

cours desquelles il eût été facile de frapper mortellement saint Paul, les fidèles de Bérée le firent conduire avec quelques frères jusqu'à Athènes tandis que Silas et Timothée demeurés parmi eux y parachevaient l'œuvre si bien commencée.

Ce fut seulement à Corinthe que Paul put séjourner un temps appréciable. La capitale de l'Achaïe contenait alors environ 600.000 habitants de toute nationalité et de toute religion; le proconsul de la province y résidait; les jeux isthmiques s'y célébraient tous les deux ans; et si Cicéron a pu appeler cette ville « *totius Graeciae lumen* », il ne faut pas oublier non plus que «vivre en corinthien» était alors synonyme de vivre dans la débauche, tant le culte de Vénus y était en honneur. Tel était le milieu où Paul, après son échec d'Athènes, voulait implanter l'Évangile. Certes pareille population devait être difficile à gagner à une religion de pureté et de renoncement; mais, Rome exceptée, nul carrefour qui fût plus favorable à la propagande chrétienne. Durant trois mois environ, Paul prêcha chaque sabbat dans la synagogue; mais bientôt l'obstruction devint systématique et violente, on l'injuria et, comme autrefois à Antioche de Pisidie, prenant acte de ce refus de l'Évangile, l'Apôtre se tourna vers les Gentils; pendant un an et six mois, de la maison de Crispus, chef converti de la synagogue, il fit la première église de Corinthe et le centre de ses prédications.

Sur ces entrefaites, un nouveau proconsul, Gallion, le frère de Sénèque, arriva à Corinthe: occasion propice d'obtenir un jugement contre l'Apôtre (mai ou juin 52). Durant une émeute, saint Paul fut arrêté et traduit devant le proconsul, sous prétexte qu'il prêchait un culte contraire à la Loi. Le motif d'accusation était cette fois d'ordre religieux et présenté par ces juifs que Gallion devait mépriser autant que son frère. Saint Paul n'eut même pas à se disculper; le magistrat romain ne voulut rien connaître de cette querelle de juifs, et dans son tribunal il laissa les Grecs appréhender le chef de la synagogue, Sosthènes, et le rouer de coups.

Ainsi couvert par le dédain de Gallion pour les procès religieux, saint Paul demeura sans doute à Corinthe. Vers la fin de septembre 52, il était de retour à Antioche. Au cours de cette seconde mission, pendant son séjour à Corinthe, il avait écrit les deux plus anciennes lettres que nous possédions de lui, les épîtres aux Thessaloniciens. De nouvelles Églises étaient fondées dans les centres les plus importants et l'Évangile implanté au cœur même de la Grèce.

Après quelques mois de repos à Antioche, saint Paul se remit en route accompagné de Tite. Il parcourut successivement la Phrygie et la Galatie du Nord, visitant les Églises qu'il avait fondées. Vers l'automne de l'an 53, il vint à Éphèse où il séjourna presque deux ans et demi. L'évangélisation de cette ville sera le résultat principal de sa troisième mission.

Si fière de ses trésors artistiques, de ses théâtres, de ses portiques, de ses rhéteurs et de ses philosophes, Éphèse était alors la ville la plus dissolue de la province, à tel point qu'elle avait mauvaise réputation auprès des Grecs eux-mêmes. En outre, dans toute la contrée étaient en grand honneur les cultes impériaux et les religions de mystères, tout particulièrement le culte de Diane. Un mois entier, celui d'Artemision (avril-mai de notre calendrier), était consacré à honorer la déesse avec une somptuosité inouïe. Le temple, qui abritait sa statue prétendument tombée du ciel, comptait 104 mètres de long sur 72 de large; ses colonnes monolithes au nombre de 72 étaient en marbre de Paros. Aux fêtes de Diane on accourait de partout, et non pas seulement des contrées immédiatement voisines ou de l'Asie. A cette occasion on emportait à titre de souvenirs ou plutôt d'ex-voto des statuettes de Diane, des reproductions en miniature de son temple que fabriquaient les orfèvres de l'endroit.

Éphèse était également connue par la pratique de l'incantation et de la magie. Les ἐφεσια γράμματα sont demeurées célèbres. C'étaient des amulettes chargées de mots barbares ou couvertes du nom de certaines divinités, plus ou moins exotiques. On les exposait dans sa demeure ou on les portait sur soi pour se garantir contre tous les maléfices. Ces amulettes avaient d'ailleurs une étroite parenté avec le culte de Diane, car on racontait que des signes cabalistiques étaient gravés sur sa fameuse statue. Tel était le milieu religieux et moral où saint Paul voulait implanter l'Évangile.

Il avait déjà fait escale à Éphèse à la fin de sa première mission. Fort bien accueilli par les Juifs à la synagogue, il avait promis de revenir sous peu (*Act.*, XVIII, 19-21). Après son passage, un juif d'Alexandrie nommé Apollos, dont la science chrétienne n'était à la hauteur ni du zèle, ni de l'éloquence vint parler, lui aussi, de Jésus aux juifs bien disposés; il le fit somme toute avec essez d'exactitude bien qu'il ne connût que le baptême de Jean; Priscille et Aquila, chrétiens chassés de Rome par l'édit de Claude et chez qui à Corinthe saint Paul avait exercé son métier de tisseur de tentes, constatèrent, en l'entendant, les lacunes de son instruction; ils s'empressèrent de les combler, car Apollos était une recrue de valeur, un dialecticien vigoureux et éloquent qui ne craignait pas de confondre les juifs en leur prouvant par les Écritures que Jésus était le véritable Messie. Apollos passa en Achaïe et à Corinthe. Certains chrétiens s'enthousiasmèrent pour lui à un tel point qu'ils voulurent former dans l'Église un parti qui, à son insu et contre son gré, osa se réclamer de son nom (*Act.*, XVIII, 23-28).

Or, dès son arrivée à Éphèse, saint Paul se trouva précisément en face de juifs qui n'avaient reçu que le baptême de Jean. Il se méprit tout d'abord sur leur cas, et croyant qu'ils étaient de véritables disciples régénérés par le baptême chrétien, il allait leur imposer les mains pour leur communiquer le Saint-Esprit quand il s'aperçut qu'ils en ignoraient même l'existence. Sans tarder Paul compléta leur instruction, les baptisa, les confirma, et tout aussitôt le Divin Esprit manifesta en eux sa bienfaisance par des charismes : glossolalie et prophétie (*Act.*, XIX, 1-7).

Saint Paul commença alors son ministère à Éphèse. Cette ville était, comme Corinthe, un centre de rayonnement admirablement choisi; car, à côté de l'élément indigène il y avait la population mouvante des marchands, des voyageurs, des pèlerins adorateurs de Diane. Selon son habitude, l'Apôtre s'adressa d'abord aux juifs dans leur synagogue : il y trouva au début des auditeurs dociles et parvint à en gagner quelques-uns; mais, au bout de trois mois, une obstruction systématique le força une fois encore d'abandonner la partie. Il loua la salle où un rhéteur nommé Tyranus donnait ses leçons et pendant deux ans juifs et grecs vinrent l'y trouver. L'auditoire se renouvela à un tel point que la plupart des Asiates qui le voulurent purent entendre la parole de Dieu (*Act.*, XIX, 10). Là aussi, le Seigneur coopéra avec son Apôtre par des prodiges divers : guérisons, expulsion des esprits mauvais accomplie soit par lui-même, soit par les objets à son usage, mouchoirs, ceintures, tabliers.

Ces faits extraordinaires n'étaient pas sans utilité dans ce milieu où tout médecin était sorcier. Les exorcistes juifs qui s'en allaient de ville en ville trouvaient dans de telles contrées un terrain particulièrement propice. Comme saint Paul se trouvait à Éphèse, deux des sept fils de Scéva, grand prêtre juif, vinrent à passer. Entendant parler des merveilles opérées par l'Apôtre au nom de Jésus, ils voulurent eux aussi se servir de ce vocable prestigieux. Mal leur en prit! Sans se laisser intimider par leur adjuration, le malin maltraita si fort les imprudents exorcistes qu'ils durent s'enfuir de la maison où ils opéraient, blessés et complètement nus (*Act.*, XIX, 13-17). On devine si pareil fait rapidement divulgué facilita les conversions. Parmi les Grecs ceux qui s'adonnaient aux pratiques superstitieuses furent saisis de crainte. Qu'étaient ces misérables incantations et ces pauvres sortilèges à côté de la puissance de Jésus? Aussi les vit-on apporter leurs livres de magie et les brûler devant tout le peuple : autodafé qui représentait une valeur de cinquante mille pièces d'argent.

Les libraires ne furent pas les seuls à souffrir dans leurs intérêts matériels. Le culte de Diane et son célèbre pèlerinage faisait vivre la corporation des orfèvres. De la propagande chrétienne à Éphèse et dans toute l'Asie la vente des statuettes subirait fatalement le contre-coup, tout fidèle étant un adversaire de l'idolâtrie. Pour la corporation des orfèvres, c'était la ruine à bref délai; et, par surcroît, serait vouée au mépris la grande Diane des Éphésiens. En exposant ainsi la situation à ses employés, Démétrius, l'un des plus considérables de la corporation, souleva leur fureur. Une émeute s'ensuivit au cours de laquelle deux compagnons de Paul, Gaïus et Aristarque, furent saisis et entraînés au tribunal où le Grammate eut grand'peine à calmer la foule : pareil attroupement risquait de provoquer des mesures sévères; si la corporation des orfèvres s'estimait lésée, pourquoi ne pas porter plainte devant les proconsuls à leurs jours d'audience (*Act.*, XIX, 23-40)?

Saint Paul ne fut pas emprisonné durant cette émeute. Mais elle avait revêtu un tel caractère de violence qu'il s'était cru tout près de la mort (II *Cor.*, I, 8). Aussi décida-t-il par prudence d'anticiper quelque peu son départ et en 56, certainement après la Pâque (I *Cor.*, XVI, 8), il partit pour la Macédoine où il séjourna environ six mois, visitant sans doute ses communautés de Philippes, Thessalonique, Bérée. Il se rendit ensuite en Achaïe et demeura trois mois à Corinthe (fin 56, début 57). Il célébra à Philippes la Pâque de l'an 57 et se dirigea vers Jérusalem où il voulait arriver pour la Pentecôte.

C'est au cours de cette solennité qu'il fut arrêté sous le faux prétexte d'avoir introduit un païen dans le Temple. Après avoir été retenu captif à Césarée de Palestine durant deux ans par Félix qui espérait une forte rançon, il en appela à César devant Festus, son successeur, et fut envoyé à Rome où, durant deux ans entiers, en toute liberté, il put, dans une maison qu'il avait louée, recevoir tous les visiteurs et prêcher le royaume de Dieu (*Act.*, XXVIII, 30, 31). Cette première captivité de saint Paul à Rome se termina par un verdict d'acquittement.

C'est au cours de sa troisième mission ou durant sa captivité à Rome que saint Paul écrivit la plupart de ses épîtres, documents historiques de toute première valeur pour nous faire connaître la vie religieuse et morale des communautés établies par lui dans des centres où naguère le paganisme régnait en maître. Au cours de l'année 56, Corinthiens et Galates lui causèrent de vives préoccupations. Il suffit de bien lire les lettres qu'il leur adressa pour se rendre compte que « cette sollicitude de toutes les Églises » à laquelle il fait allusion fut autre chose pour lui qu'une simple formule oratoire (II *Cor.*, XI, 28). On peut dire que son âme apostolique ne retrouva la paix que le jour où il sut que tout était rentré dans l'ordre à Corinthe et que les fidèles de Galatie, un instant égarés par de faux frères, étaient parvenus à se ressaisir. C'est de Corinthe, au début de 57, qu'il avait écrit aux Romains une lettre où il exposait tout au long la grande thèse anti-judaïsante de la justification par la foi sans les œuvres de la Loi. Dans sa pensée, cette lettre devait préparer et annoncer sa venue prochaine, si les événements n'avaient aliéné par la suite sa liberté pour quelques années. Sans doute alla-t-il à Rome en 60, mais en prévenu.

Et la demi-liberté dont il jouit, en l'autorisant à des rapports avec les émissaires des églises d'Asie, lui permit de continuer à les instruire par les épîtres aux Colossiens, aux Éphésiens, aux Philippiens écrites de Rome en 61 et 62. C'est alors qu'il rédigea aussi ce billet à Philémon, imprégné de la fraternité chrétienne la plus exquise.

II. L'organisation des communautés chrétiennes dans la gentilité. — Les communautés chrétiennes n'étaient pas assimilables aux collèges religieux païens. Tandis que ceux-ci ne possédaient que des présidents temporaires, ordinairement annuels, saint Paul demeurait le chef à vie des églises qu'il avait fondées. Par ses visites, par ses disciples Tite ou Timothée, par les délégués des communautés, il demeurait avec elles en un contact étroit. Il intervenait aussi par ses lettres, dissipant les illusions sur le prochain retour du Christ, réfutant les erreurs sur les conditions de la justification, réprimant les abus graves qui s'étaient glissés à Corinthe dans la célébration de l'Eucharistie ou encore résolvant les cas de conscience multiples nés d'un contact quotidien avec le paganisme.

Seulement, saint Paul était un missionnaire ; le plus souvent, il ne faisait que passer; Corinthe et Éphèse eurent seules le bénéfice d'un long séjour. Lui parti, il fallait donc quelqu'un pour affermir son œuvre. Aussi, l'avons-nous vu, dès sa première mission, choisir les presbytres qui en son absence dirigeraient la communauté, administreraient ses biens, veilleraient à l'enseignement, présideraient les réunions et la fraction du pain et confèreraient le baptême. Soit oralement comme aux presbytres d'Éphèse convoqués à Milet (*Act.*, xx, 17), soit par lettres, l'Apôtre rappelle sans cesse à ces presbytres la grandeur de leur ministère.

Après sa première captivité à Rome, sans se départir des pouvoirs qui découlaient de ses fonctions d'Apôtre, saint Paul abandonne la juridiction ordinaire de l'Église de Crète à Tite, celle de l'Église d'Éphèse à Timothée, leur enjoignant d'établir dans les communautés un collège de presbytres choisis avec soin.

III. L'Église de Rome au Ier siècle. Martyres des saints Apôtres Pierre et Paul. — La fondation de l'Église d'Antioche donne une idée assez exacte de ce que dut être celle de l'Église de Rome. La foi put y être apportée par des prosélytes romains témoins à Jérusalem de la Pentecôte et des premières prédications de saint Pierre (*Act.*, ii, 11), sans doute aussi par les soldats de cette *cohors italica* où Corneille était centurion, enfin par des convertis de saint Paul (*Rom.*, xvi). Parmi ces ouvriers de la première heure, quelques-uns, grâce à saint Paul, échappèrent à l'oubli, entre autres : Aquila et Priscille qui réunissaient l'Église dans leur maison, une certaine Marie qui travailla beaucoup à Rome pour la foi, Andronique et Junias, apôtres de renom venus au Christ avant

Venue de saint Pierre à Rome. — Outre les ouvrages de Fouard et Le Camus, M. Leclerc, *De Romano sancti Petri episcopatu,* Louvain, 1888. — Don J. Chapman, *, *La chronologie des premières listes épiscopales de Rome*, dans *Rev. bénédictine*, 1901, p. 399-417 ; 1902, p. 13-37, 145-170. — J. Guiraud, *, *Questions d'hist. et de litt. relig.*, 1910, p. 216-220. — L. Vouaux, *Les Actes de Pierre,* 1912. — A. d'Alès, *, *Pierre (saint) à Rome*, dans *Dict. Apol.* — Guignebert, *La primauté de Pierre et la venue de Pierre à Rome,* combattu par F. Flamion, *Saint Pierre à Rome, R. H. E.*, 1903, t. XIV. — Lietzmann, *, *Petrus und Paulus in Rom.,* Bonn, 1915. — Murillo, *Iter Petri romanum ejusque tempus,* dans *Verbum Domini*, 1923, p. 168-173.

saint Paul, Tryphène, Tryphose et Persis, excellents propagateurs de l'Évangile (*Rom.*, XVI, 3-15). Tels furent les premiers artisans du christianisme à Rome et l'*Ambrosiaster* fait écho à ces humbles origines quand il prétend que si saint Paul, dans son épître aux Romains leur a décerné tant d'éloges, c'est qu'ils avaient cru sans avoir vu ni un miracle ni un Apôtre. Si — comme nous l'avons supposé — saint Pierre vint à Rome entre les années 44 et 49 ce fut pour organiser cette Église comme jadis celle d'Antioche.

Lui parti, malgré l'Édit de Claude (49 ou 50) dont l'effet ne fut ni général, ni durable, la communauté continua de s'accroître. Lorsque au début de 57, saint Paul lui écrivait sa fameuse épître elle se composait de païens baptisés au milieu desquels les juifs convertis ne formaient plus qu'une minorité. Toujours prise pour une synagogue, elle se développa en paix. Quand, en 61, saint Paul débarqua en Italie, les « frères » allèrent à sa rencontre jusqu'au Forum d'Appius et aux Trois Tavernes; et, en attendant le jugement impérial, il put demeurer en son particulier avec le soldat qui le gardait et poursuivre sans entrave son apostolat (*Act.*, XXVIII, 15, 16, 30, 31). Rien d'étonnant si, lors de la persécution néronienne, les chrétiens formaient déjà à Rome, selon Tacite, « une grande multitude ».

La venue de saint Pierre à Rome est un fait indiscutable. Nous en avons pour garant l'Apôtre lui-même qui, dans sa première épître, salue ses correspondants au nom de l'Église qui est à Babylone : expression symbolique qui, dans le langage chrétien, désignait la Rome païenne à cause de ses vices honteux. Pour confirmer cette interprétation ne suffirait-il pas, au surplus, d'invoquer la présence de Marc auprès de Pierre, Marc que les épîtres de saint Paul montrent à Rome en 62, puis en 67 (*Col.*, IV, 10; *Philém.*, 24; II *Timoth.*, IV, 1). Peu après, vers 96 ou 97, le pape saint Clément rappelle dans son épître aux Corinthiens le martyre des Apôtres Pierre et Paul ainsi que l'exemple de courage qu'ils ont laissé « parmi nous ». De même, vers 110, écrivant aux Romains et les suppliant de ne pas demander sa grâce à l'Empereur, saint Ignace ajoute par manière de réticence : « Toutefois, ce n'est qu'une prière que je vous adresse; je ne vous commande pas comme Pierre et Paul; ils étaient apôtres, je ne suis qu'un condamné. » Les paroles de saint Clément et de saint Ignace n'auraient aucun sens si saint Pierre n'était pas venu à Rome.

Au cours du IIe siècle les témoignages sont plus nombreux et non moins catégoriques. Saint Irénée, disciple de saint Polycarpe qui le fut de saint Jean, affirme la fondation de l'Église romaine par les deux Apôtres : « Matthieu écrivait son évangile, dit-il, pendant que Pierre et Paul prêchaient le Christ à Rome et y fondaient l'Église. » Ailleurs, il fait d'Hygin le neuvième évêque de Rome, calcul qui n'est exact qu'en tenant compte de saint Pierre. — Clément d'Alexandrie fait de l'évangéliste Marc le rapporteur de la catéchèse prêchée à Rome par saint Pierre (*Eusèbe*, *H. E.*, VI, 14). — Vers 170, Denys d'Alexandrie affirme que Pierre et Paul ont enseigné à Rome et y ont subi le martyre (*Ibid.*, II, 25).

Au IIe siècle Tertullien félicite l'Église romaine d'avoir bu la doctrine des Apôtres avec leur sang (*De Praescript.*, XXX, XXXII, XXXVI); il montre Pierre baptisant dans le Tibre comme autrefois Jean dans le Jourdain, et c'est sur sa venue à Rome qu'il fait reposer l'autorité de la principale Église. — Origène dit que Pierre venu à Rome y fut décapité sur sa demande la tête en bas; Caïus, prêtre romain qui écrivait sous le pontificat de Zéphyrin (202-209), oppose aux montanistes l'enseignement apostolique : « Si vous voulez aller au Vatican ou sur la voie d'Ostie, vous trouverez les trophées de ceux qui fondèrent cette Église. »

Enfin, en 354, le chronographe de l'Église romaine rédigé d'après les recherches faites entre 157 et 168 par le Palestinien Hégésippe, porte cette double mention : *VIII Kal. Mart. Natale Petri de Cathedra*, c'est la fête du 22 février commémorant l'épiscopat de saint Pierre symbolisé par sa chaire ; *III Kal. Jul. Petri in Catacumbas et Pauli Ostense Tusco et Basso cons.*, c'est l'indication du transfert à la catacombe de Saint-Sébastien des corps des deux Apôtres pendant la persécution de Valérien (258). Les récentes découvertes à Saint-Sébastien sur la voie Appienne ont montré, par les nombreuses inscriptions aux saints Apôtres, la réalité de ce transfert. Les restes des saints Pierre et Paul demeurèrent là plus d'un demi-siècle pour n'être reçus dans les basiliques constantiniennes qu'au IVe siècle. Mais le tombeau primitif de saint Pierre s'était trouvé au Vatican, celui de saint Paul sur la voie d'Ostie.

Un tel ensemble de témoignages si concordants, si anciens et si variés ne permet plus aujourd'hui d'épiloguer sur la venue de saint Pierre à Rome. Mais voici un autre problème : fut-il martyrisé en même temps que saint Paul? Denys d'Alexandrie, seule autorité invocable, dit simplement que les deux Apôtres souffrirent vers le même temps (*Eusèbe*, *H. E*, II, XXV, 8). Sans doute, dès le IIIe siècle célèbrera-t-on leur fête commune le 29 juin, mais par la suite beaucoup d'auteurs ecclésiastiques fixèrent leur martyre au même quantième du mois, non à la même année : ainsi Justin, Irénée, Augustin, Prudence, Grégoire de Tours, le diacre romain Arator. Aujourd'hui encore, un double courant se dessine parmi les critiques : les uns mettent le martyre de saint Pierre en relation avec l'incendie de Rome et fixent son trépas en l'an 64; les autres, s'appuyant sur saint Jérôme et Eusèbe, le rejettent à la fin du règne en 67 ; la première épître de saint Pierre, où il encourage les chrétiens en butte à une persécution violente, favorise cette dernière hypothèse.

Saint Paul avait quitté Rome après son verdict d'acquittement. Il est probable qu'il est allé en Espagne comme l'atteste formellement saint Clément dans sa première épître aux Corinthiens et aussi une liste de saints dressée à Rome vers 170. L'Apôtre dut se rendre ensuite dans la province d'Asie, parcourir la Crète, la Macédoine et l'Épire, écrire la première épître à Timothée et la lettre à Tite. De nouveau arrêté et amené à Rome, il subit cette fois une très rigoureuse captivité au cours de laquelle il écrivit la seconde épître à Timothée. Quelques mois plus tard il avait la tête tranchée en l'an 67.

IV. L'Apôtre Jean et la fin de l'âge apostolique. — Après la mort de la Sainte Vierge, vers l'an 68, alors que la communauté chrétienne quittait Jérusalem, déjà presque investie, et gagnait Pella au delà du Jourdain, saint Jean, dernier survivant du collège apostolique, se rendit en Asie. Son séjour à Éphèse repose sur de nombreux témoignages : Tertullien, Clément d'Alexandrie, saint Irénée, Polycrate et saint Justin. Aucune confusion n'est possible entre l'Apôtre et un prétendu Jean le Presbytre, à supposer qu'un texte discutable de Papias soit susceptible de lui fournir un semblant d'état civil : des témoins aussi rapprochés que saint Justin, saint Irénée et Polycrate, tous trois en rapports intimes avec saint Polycarpe et Papias, auditeurs de saint Jean, auraient-ils pu confondre un presbytre ordinaire avec le disciple bien-aimé?

C'est après 67 que saint Jean dut venir à Éphèse, sans quoi saint Paul l'eût salué dans

Saint Jean. — FOUARD, *Saint Jean.* — L. PIROT, *, *Saint Jean* (coll. *les Saints*, 1923). — LAGRANGE, *L'Evangile selon saint Jean*, 1925. — L. VENARD, art. *Saint Jean*, dans *Dict. Théol.*

sa seconde épître à Timothée. Par sa population, son commerce, sa civilisation, l'Asie offrait des ressources extraordinaires pour la diffusion de l'Église. Mais les communautés fondées par saint Paul étaient exposées gravement en raison des milieux aux cultes variés et aux mœurs faciles où elles vivaient. Grande était la tentation de risquer parfois certaines alliances aussi pernicieuses pour le dogme que ruineuses pour la morale. Saint Paul vivant, on s'y essayait déjà ; de Rome, il combattit un gnosticisme naissant, fruit d'une fausse philosophie, d'un enseignement trompeur sur la personne du Christ, la nature et le culte des anges, le rôle de la chair (*Col.*, II, 8-23). Au sortir de prison, constatant que certains avaient erré dans la foi, il adjurait Timothée d'éviter la fausse science (I *Tim.*, IV, 1-11). Captif pour la seconde fois, il redonnait à Timothée les mêmes conseils, et, aux termes sévères qu'il emploie, aux noms par lui cités, tels le fondeur Alexandre ou Hyménée et Philète, qui, dit-il, avaient renversé la foi de plusieurs, on devine quelles préoccupations l'assaillirent à la veille de sa mort. Ainsi s'explique qu'il eût confié à Timothée la communauté d'Éphèse, de toutes la plus en vue. Pour les chrétiens, le péril d'idolâtrie était d'autant plus grand qu'ils ne pouvaient guère éviter le culte impérial, ni les rites religieux de la contrée mêlés si étroitement à tous les actes de la vie civile. Mais, comment y consentir sans communier avec les démons et sans pratiquer un laxisme voisin de la licence ?

Saint Jean vint là pour défendre l'œuvre de saint Paul et couronner en quelque sorte l'évangélisation de la gentilité. D'Éphèse, il pouvait rester en relations avec la Grèce et l'Italie et rayonner aisément à travers l'Asie proconsulaire, riche territoire presque égal en étendue au quart de la France. Il possédait sur toutes les Églises environnantes une autorité extraordinaire et sans limite, parfaitement conciliable avec l'institution déjà réalisée de l'épiscopat monarchique et local : à en juger par l'*Apocalypse* (II et III), il y avait des évêques à la tête de chaque communauté chrétienne établie dans une ville quelque peu importante. Durant une vingtaine d'années saint Jean put ainsi exercer son apostolat paisible en Asie.

Sous les premiers Flaviens, Vespasien (69-79) et Titus (79-81), l'Église continua, en effet, ses pacifiques conquêtes. Mais, rendu rapace par le besoin et cruel par la peur, Domitien (81-96) persécuta les chrétiens. Au cours de cette tourmente, saint Jean fut arrêté à Éphèse et conduit à Rome où, près de la porte latine sur la voie Appienne, il fut battu de verges et plongé dans un bain d'huile bouillante, supplice qui, d'après Sénèque, convenait aux plus grands criminels. Il sortit de la chaudière, dit saint Jérôme, plus frais et plus vigoureux qu'il n'y était entré,

Conscients de leur impuissance, les magistrats l'exilèrent à Patmos, à douze milles d'Éphèse (*Eusèbe*, *H. E.*, III, 18). C'était un tertre désolé, formé de rocs volcaniques, site vraiment prédestiné comme lieu de bannissement. De Patmos, saint Jean pouvait suivre les phases de la persécution qui ravageait ses chères Églises d'Asie. Nombreuses furent les victimes suppliciées pour refus d'adorer la Bête, autrement dit l'Empereur (*Apoc.*, VI, 9-11 ; XX, 4). Durant ces sombres jours le vieil athlète fut réconforté par la constance héroïque de ses chrétiens (*Apoc.*, II, 13) et par les consolantes visions dont il fit alors le récit dans l'*Apocalypse*, véritable message d'espérance.

TABLEAU SYNOPTIQUE DES PRINCIPALES DATES[1]

1. Passion de Jésus-Christ	18 mars 29 (7 avril 30).
2. Martyre de S. Étienne. Conversion de S. Paul	printemps 36 (34).
3. Évasion de Damas. Visite à S. Pierre	automne 38 (36).
4. L'Évangile en Samarie et à Antioche	36-40
5. Retraite de Saul en Syrie et en Cilicie	38-44.
6. Martyre de S. Jacques. Délivrance de S. Pierre	42-43 (44).
7 Dispersion des Apôtres	42-43 (44).
8. Mort d'Hérode Agrippa Ier à Césarée	été ou automne 44.
9. Barnabé et S. Paul à Jérusalem. Famine	automne 44.
10. Première grande mission de S. Paul avec Barnabé	printemps 45 - print. 49.
11. Assemblée apostolique à Jérusalem	été ou automne 49.
12. Deuxième grande mission de S Paul avec Silas	automne 49 - été 52.
13. Expulsion des Juifs de Rome	49 (50).
14. Séjour de S. Paul à Corinthe	hiver 50-51 - été 52.
15. Les Deux Épîtres aux Thessaloniciens	début de 51.
16. S. Paul et le proconsul Gallion	mai-juin 52.
17. Troisième grande mission de S. Paul avec Tite	printemps 53 - été 57.
18. Séjour de S. Paul à Éphèse	début de 54 - été 56.
19. Première Épître aux Corinthiens	Pâques 56.
20. Deuxième Épître aux Corinthiens	automne 56.
21. Épître aux Galates	automne 56.
22. S. Paul à Corinthe. Épître aux Romains	début de 57.
23. Arrestation de S. Paul à Jérusalem	Pentecôte 57.
24. Captivité de S. Paul à Rome	printemps 60 - print. 62.
25. Les Épîtres de la captivité	61-62.
26. Martyre de S. Jacques le Mineur	printemps 62.
27. Derniers voyages de S. Paul	printemps 62-61.
28. Incendie de Rome. Persécution de Néron	juillet 64.
29. Première Épître de S. Pierre	65 (?).
30. Première à Timothée. Épître à Tite	65-66.
31. Soulèvement des Juifs. Épître aux Hébreux	été 66.
32. Nouvelle arrestation de S. Paul en Asie	66.
33. Seconde Épître à Timothée	automne 66.
34. Martyre des apôtres Pierre et Paul	67.

Quand, en 96, Nerva succéda à Domitien, saint Jean put quitter Patmos et rentrer à Éphèse. C'est alors que saint Jean rédigea ce quatrième Évangile où il condensa ses derniers souvenirs sur Jésus, compléta sur nombre de points les Synoptiques et se fit le héraut du Verbe Incarné. Il semble bien que ses dernières années ne s'écoulèrent pas dans la paix. Ses trois épîtres nous le montrent aux prises avec les faux docteurs et obligé de raffermir la foi des chrétiens chancelants. A un âge très avancé, sous le règne de Trajan d'après saint Jérôme, il mourut à Éphèse.

L'Église avait réalisé en un demi-siècle de merveilleuses conquêtes. Partout, elle avait établi des communautés qui affirmaient leur autonomie vis-à-vis des synagogues juives et des confréries païennes. Grâce à la vigilance constante des Apôtres, le péril judaïsant d'abord, puis les périls docète et gnostique avant la lettre, avaient été évités. Avec saint Jean pouvait s'achever l'âge apostolique et se clore la Révélation. Le petit grain de sénevé était devenu un grand arbre aux racines profondes, à la ramure étendue et puissante.

1. Ce tableau est emprunté au P. F. Prat, art. *Chronologie biblique*, dans *Suppl. au Dict. de la Bible*. Les dates entre parenthèses sont des alternatives jugées admissibles.

CHAPITRE III

LA COMMUNAUTÉ CHRÉTIENNE AUX ORIGINES

I. La hiérarchie primitive : origine de l'épiscopat. — La société nouvelle se constitua à la façon d'une grande famille où les nouveaux venus reconnaissaient l'autorité des Douze. C'est, en effet, autour des apôtres et des disciples que les fidèles se tenaient groupés, et nul n'aurait songé à contester aux témoins de la vie du Christ le droit de prêcher ce qu'ils avaient vu et entendu. Ils enseignaient, présidaient aux assemblées de la prière, baptisaient et confirmaient, rompaient le pain eucharistique. La paix et la concorde régnaient dans les cœurs. L'autorité des Apôtres s'étendait à tout le domaine des choses spirituelles, juridiction pleine et entière, mais toujours exercée d'un façon paternelle et adoucie par la confiance mutuelle. Les membres de la famille étaient volontiers consultés pour des questions d'intérêt commun. Ainsi, lorsque des plaintes motivées provoquèrent la désignation des premiers diacres, les Apôtres confièrent le soin de les choisir aux simples fidèles, ne se réservant que le privilège de les instituer régulièrement, de les ordonner et de leur attribuer les diverses fonctions.

Les Douze restèrent un certain temps à Jérusalem, se partageant le gouvernement de la première Église chrétienne sous la primauté de saint Pierre. Mais, le moment vint pour eux d'aller porter au loin l'Évangile. Entre 45 et 50, il n'y avait déjà plus à Jérusalem que Pierre, Jacques et Jean, en attendant que « Jacques, frère du Seigneur », recueillît la succession des Apôtres comme premier évêque. D'ailleurs, les Apôtres s'étaient associé à titre de collaborateurs un certain nombre d'anciens ou presbytres qui secondaient leur ministère. Dans les autres Églises de Palestine, et plus tard en Asie Mineure, il y eut aussi des presbytres qui, installés par les Apôtres, avaient part à leur autorité et devenaient sous leur contrôle les chefs secondaires des communautés. On se gardait de les confondre avec les vrais « Apôtres », les Douze. Si le même nom d'Apôtres fut attribué parfois à de simples missionnaires, comme en témoigne la *Didachè*, ce n'était là qu'une dérivation du sens premier. D'ailleurs, le clergé itinérant, chargé de l'évangélisation des contrées non encore visitées, allait disparaître de bonne heure pour faire place à la hiérarchie stable établie en chaque centre chrétien.

Hiérarchie primitive. — J. Bellamy, art. *Dons surnaturels*, dans *Dict. de la Bible.* — F. Prat,*, *La théologie de saint Paul,* 1923. — St de Dunin Borkowski, *Hierarchy,* dans *The Catholic Encyclopedia.* — E. Jacquier,*, *Les Actes des Apôtres,* 1923. — P. Lemonnyer, art. *Charismes,* dans *Supplément Dict. de la Bible.*

A côté des Apôtres, des presbytres et des diacres, il y avait place pour tous ceux — souvent de simples fidèles — qui avaient reçu tel ou tel don charismatique. Ceux-ci, reconnus par l'Église, conféraient une certaine notoriété à qui les possédait, mais ne lui donnaient aucune part spéciale au gouvernement. La liste qu'a fournie saint Paul de ces dons est considérable; il n'est pas toujours facile de s'y reconnaître dans cette variété. Certains étaient miraculeux comme le don de prophétie ou la grâce d'opérer guérisons et prodiges. Beaucoup ne l'étaient pas nécessairement : ainsi le ministère de la prédication. L'exercice de ces dons devait être soigneusement réglé, toujours sobre, discret, mesuré; jamais on n'admettait qu'il troublât le bon ordre dans les communautés. Les reproches de saint Paul aux Corinthiens sont singulièrement expressifs à ce sujet. Il va de soi que les charismes concernant l'enseignement de la doctrine et la prédication évangélique restaient soumis à l'étroit contrôle de l'Apôtre et de l'autorité établie par lui. On ne pouvait tolérer aucune intervention privée, pour peu qu'elle portât atteinte à la foi.

C'est surtout dans les assemblées que se manifestaient les charismes. Leur activité pénétrait profondément dans la vie intime de chaque communauté et en faisait partie essentielle. Mais quelque officielle qu'elle fût et quelques marques de respect qu'on lui donnât, elle ne parut jamais se substituer au clergé. Parallèles, les deux organisations pouvaient même se compénétrer en un double sens : les fidèles enrichis de charismes étaient tout désignés pour entrer dans la hiérarchie; et, de plus, l'exercice de l'autorité régulière par le clergé était aussi un charisme très particulier.

La preuve qu'on veillait au respect de l'autorité, c'est qu'on dénonçait aux fidèles les pseudo-apôtres et les pseudo-prophètes qui faisaient courir aux communautés des dangers d'autant plus grands qu'ils étaient plus actifs. Il fallait aussi se méfier des prétendus thaumaturges qui, par leurs recours à la magie, tentaient d'abuser de la crédulité des simples. Tandis que ces sorciers apprécient les rémunérations lucratives, les vrais prophètes, disent les textes scripturaires, doivent rester désintéressés. D'ailleurs saint Paul veillait à réformer toute interprétation inexacte de son enseignement. La croyance à la parousie, c'est-à-dire à la prochaine venue du Sauveur, provoqua son intervention : quoi qu'il en fût de ce retour, il fallait continuer à vivre dans la paix et le travail.

Un jour vint où la splendide efflorescence des charismes alla en diminuant pour disparaître peu à peu; rien pour autant ne fut changé dans l'Église; l'organisation hiérarchique seule subsista.

La lettre de saint Clément est, avec les écrits du Nouveau Testament, le témoignage contemporain le plus explicite sur le procédé employé pour la transmission du sacerdoce. Saint Clément a écrit aux Corinthiens pour les rappeler au respect dû à la hiérarchie légitime. A ses yeux, l'ordre hiérarchique repose sur l'institution même du Christ. De même que sous l'Ancienne Loi, Dieu avait pourvu au culte par un personnel choisi, ainsi Notre-Seigneur a-t-il nettement déterminé les attributions du « grand prêtre », c'est-à-dire de l'évêque, des prêtres, et même des diacres représentant les anciens lévites. Tous ces dignitaires constituent la hiérarchie sacrée à qui les fidèles doivent l'obéissance, sauvegarde de l'unité de l'Église.

« Évêques et diacres » sont les deux termes que l'on rencontre souvent dans les *Actes des Apôtres* et dans les *Épîtres*. Mais le premier semble avoir un équivalent qui plus tard en sera nettement distingué, l'expression « presbytres » ou anciens. Ainsi est-il dit de saint Paul que partout il confiait l'autorité régulière à des dignitaires appelés indifféremment *episcopoi*, surveillants, et *presbyteroi*, anciens. Aux uns et aux autres, mêmes attributions pour le gouvernement, pour l'enseignement et pour la célébration du culte, y compris le pouvoir d'ordonner des ministres sacrés. Réunis en collège, ils formaient pour chaque Église ce que saint Paul appelle le *presbyterium;* saint Ignace d'Antioche reprendra ce mot dans le même sens.

En général, les Églises particulières restèrent sous l'autorité directe de l'Apôtre qui les avait fondées, et c'est sous sa juridiction que le presbyterium préposé à chaque communauté exerçait les fonctions de son ordre. L'Apôtre fondateur était ainsi le véritable évêque de chacune des Églises groupées sous son autorité. Saint Pierre le fut immédiatement de Rome; Hégésippe au IIe siècle attestait que saint Jacques l'avait été à Jérusalem, tandis que saint Jean exerçait son autorité sur les Églises d'Asie. La situation de saint Paul dut être analogue; mais, au terme de sa vie, voyant sa fin prochaine, il désigna nommément l'un des membres du presbyterium appartenant à chaque Église pour le constituer chef de tous les autres : ce fut le cas de Timothée et de Tite qu'il avait choisis pour le remplacer dans le gouvernement de certaines communautés. Il leur adressa les trois épîtres, dites *Pastorales*, pour les renseigner sur leurs devoirs et leurs attributions. Ainsi se préparait la transmission régulière des pouvoirs apostoliques.

Le témoignage de saint Clément nous montre comment elle répondit aux intentions du Christ. « Les Apôtres avaient compris par l'enseignement du Seigneur que des contentions pourraient s'élever plus tard touchant la dignité épiscopale... Ils établirent les épiscopes et les diacres déjà mentionnés; puis, à la mort de ceux-ci — c'est la loi de succession qu'ils laissèrent aux communautés — d'autres, investis par eux ou par des gens irréprochables avec l'assentiment de l'Église entière, recueillirent leur charge. » Ainsi se transmettrait le sacerdoce d'une manière régulière.

Saint Clément n'a pas ajouté une remarque essentielle, mais la tradition des Églises l'a fait pour lui : à la tête de ces épiscopes-presbytres, les Apôtres désignèrent l'un d'entre eux comme chef incontesté des autres. Après l'attestation de saint Paul dans les épîtres Pastorales, c'est ce que confirment les anciennes listes épiscopales parvenues jusqu'à nous. Saint Paul disait à Timothée et à Tite, deux de ses successeurs attitrés, que non seulement ils avaient à présider aux Églises qui leur étaient confiées, mais qu'il leur appartenait d'imposer les mains et d'ordonner de nouveaux dignitaires au fur et à mesure des besoins. Mais ils ne devaient le faire qu'avec une grande prudence. Et saint Paul, de leur énumérer les qualités requises des prêtres et des diacres, et surtout de l'*évêque*. Car on l'a soigneusement remarqué — ce n'est plus au pluriel comme pour les autres ministres sacrés, mais bien au singulier que l'Apôtre parle de l'évêque, c'est-à-dire du président du collège épiscopal : homme de doctrine, de dignité parfaite et de fidélité éprouvée, mais aussi homme de gouvernement, il faut qu'il sache ordonner sa propre maison s'il veut être apte à remplir sa fonction de chef.

Dès le début du IIe siècle, les paroles de l'évêque-martyr saint Ignace d'Antioche laissent si peu de place au moindre soupçon d'une innovation quelconque qu'elles font nécessairement penser à une institution déjà très ancienne. « C'est glorifier le Sauveur Jésus que d'être parfaitement soumis à l'évêque et à son collège de prêtres... Car il faut voir dans la personne de l'évêque le Seigneur lui-même. En lui obéissant, c'est au Père de Jésus-Christ, l'évêque de tous, que l'on prête obéissance... L'évêque préside au nom de Dieu, les prêtres forment autour de lui un autre collège apostolique, et les diacres accomplissent les fonctions que le Sauveur leur a confiées. Il faut donc révérer l'évêque comme Jésus-Christ, les prêtres comme les Apôtres, les diacres comme établis par ordre du Sauveur. »

Si les épîtres de saint Ignace donnent à penser que l'unité d'évêque pour chaque Église remonte aux Apôtres, les listes épiscopales dressées dès le IIe siècle le disent positivement. Saint Irénée écrivait alors que dans toutes les communautés on pouvait remonter de l'évêque actuellement vivant jusqu'à ceux institués par les Apôtres (*Hœr.*, III, 3, 1). « On pourrait, ajoute-t-il, dresser la liste de toutes ces successions, mais la chose a été faite », et il se contente de rapporter la plus connue, celle des évêques romains. Dans ces listes, dont Eusèbe (*H. E.*, IV, 22, 23) a reproduit des exemples, ne comparaissent plus jamais des réunions d'épiscopes, mais bien des évêques « monarchiques » se succédant l'un à l'autre.

Cet ensemble de témoignages est imposant, on ne peut se soustraire à la solution qu'ils suggèrent.

II. Les premiers témoins : les Pères apostoliques. — L'expression « Pères apostoliques » est universellement reçue aujourd'hui, quoiqu'elle ne soit pas bien ancienne ; mais elle est commode puisqu'elle groupe des écrivains ecclésiastiques qui ont vu la génération des Apôtres ou du moins celles qui les ont suivis de près, et qui ont reçu leur enseignement. C'est là du reste tout ce qui rapproche ces témoins de la vie chrétienne aux Ier et IIe siècles (jusque vers l'an 180) ; c'est à ce titre qu'il y a grand intérêt à les questionner sans chercher trop à coordonner leurs indications. Cependant il se trouve que les deux principaux d'entre eux sont des évêques ; c'est donc surtout sur les questions de la hiérarchie ou du culte qu'on peut interroger Clément de Rome et Ignace d'Antioche.

Avec une vénération toute particulière saint Jérôme parle de saint Clément et rappelle le document de haute valeur (*valde utilem epistolam*) qu'il adressa à l'Église de Corinthe au nom de la communauté de Rome (*ex persona romanae ecclesiae*). Mais, avant lui, saint Irénée de Lyon avait souligné en saint Clément son vrai titre de gloire : « Il a vu les Apôtres, il a conféré avec eux et a vécu dans l'ambiance de la prédication apostolique »

I. Saint Clément. — Mgr Freppel, *Les Pères apostoliques*, 4e éd., 1885. — Lighfoot, *Clement of Rome*, Londres, 1890. — Funk, *Opera Patrum Apostolicorum*, Tubingue, 1901. — Dom Chapman,*, *La chronologie des premières listes épiscopales de Rome*, dans *Revue bénéd.*, XVIII, 1901, p. 399-417 ; XIX, 1902, p. 13-37, 145-179.

II. Didachè. — Funk, *Opera Patr. Apost.*, 1901 ; *Doctrina XII Apostolorum*. Tubingue, 1887. — Savi, *La Dottrina dei XII Apostoli*, Rome, 1893. — Dom Chapman, *Didachè*, dans *The Catholic Encyclopedia*, IV, 779. — H. Hemmer, *La doctrine des Apôtres* (coll. *Textes et documents*), 1907. — Funk, *Didascalia et Constitutiones Apostolorum*, 2 vol., Paderborn, 1906. — Hauler, *Didascaliae apostolorum fragmenta Veronensia latina*, Leipzig, 1900. — Dom Connolly, *Didascalia of the Apostles*.

III. Saint Ignace. — Funk, *Opera Patr. Apost.*, t. I, Tubingue, 1901. — Lighfoot, *Apostolic Fathers*, Londres, 1907. — A. Lelong, *Les Pères Apostoliques*, t. III (coll. *Textes et documents*), 1926. — Gasquet, *St Ignatius and the Roman Primacy*, dans *Studies*, Londres, 1904.

(*qui et vidit ipsos apostolos et contulit cum eis*). C'est évidemment saint Paul d'abord dont il avait été le disciple, s'il est avéré qu'il s'identifie avec le Clément cité par l'Apôtre dans son épître aux Philippiens (IV, 3); c'est ausssi saint Pierre dont Irénée atteste que Clément fut « le troisième successeur après Lin et Anaclet », selon qu'il est dit également d'une façon implicite au *Communicantes* du canon de la messe : *Lini*, *Cleti*, *Clementis*. Saint Clément parle donc en témoin direct.

Il rappelle les Corinthiens à leurs devoirs envers ceux « qui ont été institués par les Apôtres, ou dans la suite par d'autres hommes irréprochables avec l'assentiment de l'Église entière ». La communauté de Corinthe était, en effet, troublée par des fauteurs de discorde, comme jadis du vivant de saint Paul (I *Cor.*, I, 10-11). On y contestait l'autorité du collège presbytéral, et on avait tout fait pour s'en affranchir. Prévenu, saint Clément de Rome dut intervenir pour rétablir l'ordre et faire respecter la hiérarchie. Il le fit d'une façon officielle dans une lettre célèbre, qui d'après toute la tradition, porte le nom de son véritable auteur, bien qu'il ne se soit pas nommé lui-même; il a préféré faire parler l'Église romaine dont il était le chef : « L'Église de Dieu qui est à Rome à l'Église de Dieu qui est à Corinthe. »

Cette *Première épître aux Corinthiens* date de la fin du Ier siècle, 95-100, est contemporaine, par conséquent, de l'évangile de saint Jean et rédigée en grec, selon l'usage constant à Rome à cette époque lointaine. De très bonne heure, sans doute dès le IIe siècle, elle fut traduite en latin, peut-être en même temps que la Sainte Écriture à laquelle on l'assimilait dans l'usage liturgique. Denys de Corinthe atteste, en effet, qu'on la lisait publiquement aux assemblées du culte; et de cette coutume on trouve un indice dans le fait que l'un des plus anciens manuscrits grecs de la Bible, le *Codex Alexandrinus* du Ve siècle, en reproduit le texte à la suite des livres canoniques du Nouveau Testament.

Non seulement elle a été utilisée et citée dès le IIe siècle par saint Polycarpe, saint Irénée, Clément d'Alexandrie, mais déjà le *Pasteur* d'Hermas mentionne un certain Clément dont l'un des devoirs essentiels est « d'écrire aux autres Églises pour les instruire ». Son nom est devenu si populaire que non seulement on lui éleva très anciennement une basilique qui portait son nom et conservait encore à Rome sa mémoire au IVe siècle, nous dit saint Jérôme, mais encore on mit sous son patronage beaucoup d'écrits apocryphes qui, en se recommandant de lui, pensaient s'octroyer une autorité indiscutable.

Telle est la *Deuxième épître aux Corinthiens*, écrite vers 150. Son crédit fut considérable puisqu'elle a partagé avec la lettre authentique l'honneur de figurer à la suite du Nouveau Testament dans le *Codex Alexandrinus* de la Bible grecque du Ve siècle. En réalité, ce n'est pas une lettre, mais plutôt une homélie contenant une exhortation au bien, de caractère très général.

Deux lettres *Ad virgines* portaient aussi dans l'antiquité le nom de saint Clément. Saint Jérôme les lui attribuait de bonne foi, et saint Épiphane dit même qu'on les lisait dans les Églises aux réunions liturgiques. Elles ne sont probablement que du IIe, ou même du IIIe siècle. Une autre lettre, que Rufin a traduite du grec en latin, portait l'adresse de Clément, évêque de Rome à Jacques, évêque des évêques, à Jérusalem. Elle servait d'introduction à un recueil d'histoires apocryphes auxquelles on a donné le nom de « Clémentines ». Le pape saint Clément y est censé prendre la parole; il raconte sa vie, en particulier sa rencontre avec saint Pierre; il parle aussi de religion et insiste sur l'unité de Dieu, mais en termes qui trahissent des opinions hérétiques. Le faussaire appartenait à l'arianisme de la seconde moitié du IVᵉ siècle, à moins que l'écrit original, datant des environs de 330, n'ait été interpolé plus tard, vers 370, par un Eunomien. Il en existe deux recensions légèrement différentes : d'une part les *Homélies*, de l'autre les *Récognitions*. Elles furent très lues, grâce aux traductions de Rufin.

L'enseignement de saint Clément sur l'unité de la hiérarchie est complété par les célèbres épîtres de saint Ignace d'Antioche. Elles furent adressées aux Églises d'Asie vers l'an 107, au cours du voyage que fit le saint évêque pour se rendre à Rome, où il devait subir le martyre. Comme à Clément, on lui a prêté beaucoup de pièces littéraires indignes de lui; on a même osé interpoler celles qui sont de sa main. Ses épîtres authentiques sont au nombre de sept, et dans leur rédaction brève elles lui appartiennent sans conteste. Les quatre premières datent de son séjour à Smyrne où il venait de rencontrer saint Polycarpe et ses collègues, les évêques d'Éphèse, de Magnésie et de Tralles, accourus le saluer à son passage. Aux fidèles de ces trois Églises il adressa ses adieux en trois lettres différentes ; puis il écrivit aux Romains l'épître célèbre qui eût suffi à l'immortaliser. De Smyrne, il se rendit Troas d'où il s'empressa d'envoyer à saint Polycarpe ses suprêmes salutations, et fit de même pour les chrétiens de Smyrne et de Philadelphie.

Saint Ignace ne nous a pas dit s'il avait connu saint Pierre, mais la chose est fort probable; on sait en tout cas par saint Jérôme qu'il fut le « troisième après Pierre » à occuper le siège d'Antioche. Eusèbe lui rend le même témoignage et reporte son martyre à l'année 108, la 10ᵉ de Trajan.

Comme Clément, Ignace a suivi le genre épistolaire mis en faveur par les écrits apostoliques. Mais il est resté plus simple et plus familier dans son style. Le *motu proprio* adressé par Clément aux Corinthiens empruntait aux circonstances ce caractère de solennité qui donne à la lettre un certain tour oratoire rappelant celui des homélies. On a cru reconnaître sous ce style direct adressé aux lecteurs comme s'ils étaient présents, la pensée que cette lettre serait lue en public, ce qui de fait arriva comme on sait. Le genre d'Ignace est beaucoup plus intime et plus abandonné : c'est une effusion d'âme où l'on sent vibrer l'enthousiasme de celui qui va verser son sang pour le Christ. Le saint évêque tient à joindre à son nom celui de « Théophore » « porte-Dieu », et il salue les chrétiens du même titre glorieux qui dit son désir intense de voir tous les fidèles « remplis de Dieu » et possédés de l'espoir de s'unir avec le Seigneur.

Tout pour saint Ignace repose sur l'adhésion très intime à l'autorité, l'union constante à la hiérarchie, la soumission entière à l'évêque, aux prêtres et aux diacres, la communauté dans la prière et dans la foi. Nul salut possible que dans l'appartenance étroite à l'Église et dans l'obéissance filiale au pasteur, représentant de Dieu. L'idée de l'unité, essentielle à chaque groupement de fidèles, l'amène à parler aussi de l'union avec l'Église universelle; et il prononce le premier le nom de l'Église « catholique ». Il faut penser comme l'Église entière et renier tous ceux qui, ainsi que les docètes, commencent à introduire des doctrines perverses.

Prier aussi avec l'Église entière, voilà ce qui donne sa force à la supplication des fidèles en union avec leur évêque. Les bonnes œuvres de chacun servent au salut de tous, il y a solidarité entre les chrétiens, on croit à la communion des saints. De saint Polycarpe il sera dit dans le récit de son martyre qu'il intercédait sans cesse « pour tous les hommes, pour les Églises du monde entier, pour l'Église universelle répandue sur la surface de la terre ».

Deux écrits anonymes sont à signaler au point de vue liturgique. L'*Épître de Barnabé* et la *Doctrine des douze Apôtres* ou *Didachè* ont en commun une sorte de catéchisme très ancien, enseignant « les deux Voies », celle du mal à éviter, celle du bien à suivre. Cette doctrine morale occupe les derniers chapitres de la lettre et la première partie de la *Didachè*. Il est probable que les deux documents dépendent d'une source commune, peut-être très ancienne, représentant la catéchèse primitive employée dans leur prédication par les Apôtres.

Ce qu'on appelle l'*Épître de Barnabé* n'est certainement pas du disciple de saint Paul; c'est une lettre adressée vers la fin du Ier siècle ou au début du IIe à une communauté inconnue fixée vraisemblablement à proximité d'Alexandrie. Elle jouit d'un grand crédit aux premiers siècles : Clément d'Alexandrie et Origène la citent à l'égal des livres canoniques; son texte fut transcrit à la suite de l'*Apocalypse* dans le célèbre *Codex Sinaïticus* du IVe siècle. L'Église catholique cependant ne l'admettait pas au nombre des Écritures : le *Canon de Muratori* qui date des environs de l'an 200 n'en fait aucune mention; le *Décret de Gélase* l'exclut aussi de la liste des livres authentiques. On peut voir par là combien s'est multipliée de bonne heure la littérature soi-disant apostolique; la préoccupation était partout dominante de rattacher aux Apôtres eux-mêmes les traditions qui avaient cours. Les hérétiques confessaient ainsi implicitement le respect qu'ils éprouvaient comme tous pour la pensée apostolique.

C'est également des Apôtres, mais à bien plus juste titre, que se recommandait la *Didachè*, écrit rédigé entre 80 et 100, qui durant les premiers siècles a joui d'une très grande autorité. Elle rappelait à grands traits les préceptes de la vie morale surnaturelle et donnait sur la liturgie primitive du baptême, de l'eucharistie et de l'ordre, des indications très explicites. On la connaissait depuis longtemps par quelques citations anciennes, et surtout par une série de collections canoniques très en vogue dans l'antiquité qui l'avaient exploitée parallèlement et qui permettaient de la fixer en partie. Mais cette reconstitution tentée par les critiques, plus ou moins hypothétique, laissait place à bien des hésitations. Un manuscrit grec de la bibliothèque du patriarche de Jérusalem à Constantinople livra heureusement le texte complet. On a retrouvé depuis un fragment d'une ancienne version latine, et les règlements ecclésiastiques des premiers siècles, en particulier la *Didascalie des Apôtres,* continuent à fournir beaucoup de points de contact qui prouvent que cette littérature canonico-liturgique dépend d'une source commune très ancienne. C'est à elle que s'alimentera au IIIe siècle la *Tradition apostolique* de saint Hippolyte : quoique de rédaction assez tardive, elle témoignera de rites et d'institutions qui auront eu cours pendant les deux premiers siècles; elle justifiera pleinement son titre.

Il convient de rapprocher de la *Didachè* comme témoin des usages chrétiens du IIe siècle le livre assez mystérieux que le romain Hermas a publié sous le titre de *Pasteur*. Hermas était laïc, et bien que frère du pape Pie (aux environs de l'année 148), il ne jouissait d'aucune autorité particulière comme théologien. Il ne faut donc pas chercher dans son traité la moindre précision doctrinale; mais il est riche en renseignements sur la mentalité du moment et sur les tendances diverses qui commençaient à se manifester au sujet de la Pénitence. D'aucuns prétendaient que la grâce du baptême est telle qu'on ne peut concevoir chez les chrétiens la possibilité d'une chute grave; si quelque fidèle commettait une faute mortelle, il ne devait espérer aucun pardon. Contre ce rigorisme, le Pasteur d'Hermas proteste. A ses yeux, pour toute faute — même les plus graves — il y a possibilité d'absolution, au moins une fois. Sauf cette clause restrictive qui disparut dans la suite, la pratique du pardon fut toujours celle de l'Église romaine, en vertu du pouvoir confié au prince des Apôtres de remettre les péchés. Le Pasteur est un témoin sincère et bien renseigné, ses indications sont précieuses, bien qu'elles soient enveloppées d'un symbolisme assez naïf. Le texte n'en est pas toujours très sûr malheureusement, beaucoup de passages n'existant que dans un manuscrit du XVe siècle. Des fragments de papyrus très anciens prouvent d'autre part que ce livre a été fréquemment copié et par conséquent beaucoup lu. Il y avait même tendance en certains milieux à le considérer comme canonique. Mais la liste de Muratori l'exclut expressément et réduit son autorité qui est purement privée.

III. Les sacrements : baptême, eucharistie et pénitence. — « Allez, avait dit le Sauveur, enseignez la bonne nouvelle à toutes les nations et baptisez-les au nom du Père et du Fils et du Saint-Esprit. » La catéchèse ou l'enseignement de la doctrine chrétienne, puis le baptême d'eau avec l'invocation des trois personnes de la sainte Trinité, tels sont les éléments qui, dès l'époque apostolique, constituent l'initiation à la vie nouvelle.

Indépendamment des écrits du Nouveau Testament, nous possédons dans la *Didachè* une sorte de manuel à la fois didactique et liturgique, offrant un résumé de la doctrine à l'usage des candidats au baptême et une description succincte des cérémonies qui accompagnaient l'administration du sacrement.

Il y a là tout un catéchisme en abrégé. L'enseignement est plutôt moral et montre sous le symbole expressif des Deux Voies, ce qu'il faut éviter et ce qu'il faut faire : manière très vivante de mettre les devoirs du chrétien en relation avec la fin qu'il doit poursuivre, le salut éternel. Cette forme d'enseignement sera reprise par l'*Épître de Barnabé* et surtout par saint Augustin dans la *Cité de Dieu.* La Voie du bien s'éclaire du double précepte évangélique, amour de Dieu et amour du prochain; notre Rituel romain utilisera cettre doctrine dans le court résumé que contient son cérémonial du baptême.

La *Didachè* se bornait à l'élément moral de la catéchèse; le *Symbole de foi,* d'origine apostolique, consignait en quelques formules précises l'enseignement doctrinal. La rédaction la plus courte à laquelle on a donné le nom de Symbole des Apôtres est d'origine romaine :

Sacrements. — E. Hauler, *Didascaliae Apostolorum fragmenta Veronensia latina,* Leipzig, 1900. — Dom R. H. Connolly. *The so-called Egyptian Church Order and derived documents* (*Texts and studies,* VIII, 4), Cambridge, 1916. — Th. Schermann, *Ein Weiherituale der römischen Kirche am Schlusse des ersten Iarhunderts,* Munich, 1913. — Dom A. Wilmart, *Le texte latin de la Paradosis de saint Hippolyte,* dans *Recherches de science religieuse,* 1919, p. 62-79. — P. Galtier,*, *La tradition apostolique d'Hippolyte. Particularités et initiatives liturgiques,* dans *Rech. Sc. rel.,* 1923, p. 511-528. — A. Lelong, *Apostoliques (Pères) : Institutions,* dans *Dict. droit canon.*

Dom Chardon, *Histoire des sacrements,* dans Migne, *Cursus theologiae,* t. XX. — P. Pourrat,*, *La théologie sacramentaire,* 1907. — Dom Cabrol,*, *La prière des premiers chrétiens* (Coll. *La Vie chrétienne*), 1929. — F. J. Dölger, *Der Exorcismus im alte christlichen Taufritual,* Paderborn, 1909. — F. J. Dölger, *Eine altchristliche Taufbereichnung,* Paderbron, 1911. — F. J. Dölger, *Das Sakrament der Firmung,* Vienne, 1906. — J. Coppens,*, *L'imposition des mains et rites connexes dans le N. T. et dans l'ancienne Église,* Louvain-Paris, 1925. — A. d'Alès,*, *Baptême et Confirmation,* 1927.

Mgr Batiffol,*, *L'Eucharistie, la présence réelle et la transsubstantiation,* 7e édition corrigée, 1920. — Dom Cagin,*, *L'Eucharistia, Canon primitif de la messe,* 1913. — Dom Cagin,*, *L'Anaphore apostolique et ses témoins,* 1919. — J.-B. Thibaut, *La liturgie romaine,* 1924. — Dom Jean de Puniet,*, *La liturgie de la messe,* Avignon, 1928. — Th. Schermann, *Aegypt abendmahlsliturgien des ersten Iahrtausends,* Paderborn, 1912.

P. Galtier,*, *De paenitentia,* 1923. — Mgr Batiffol,*, *L'Église naissante et le catholicisme,* 1922.

c'est sûrement le symbole baptismal des premiers âges, celui qu'attestent les plus anciens documents liturgiques, en particulier la *Tradition apostolique* du romain saint Hippolyte. Il resta en usage dans le monde latin. La rédaction la plus longue, également baptismale, est orientale. C'est elle que saint Cyrille de Jérusalem commentera à ses catéchumènes du IVe siècle, elle aussi qu'ont rendue célèbre les déclarations dogmatiques des grands conciles de Nicée et Constantinople. Cette formule développée du symbole s'introduisit plus tard en Occident dans le chant de la messe solennelle.

Le symbole baptismal présente en raccourci l'enseignement des Apôtres; l'importance donnée aux mystères de l'Incarnation et de la Rédemption répond à ce fait qu'ils durent insister sur le caractère divin de la mission du Christ; c'est un rappel du premier discours de saint Pierre le jour de la Pentecôte.

Dès ce premier contact avec le monde, le prince des Apôtres avait parlé du baptême comme de la condition essentielle, et il l'avait proposé à tous indistinctement, aux enfants comme aux adultes. L'Église primitive conféra le baptême aux uns et aux autres, et Origène pourra signaler comme un fait connu le caractère nettement apostolique de cette tradition. Cependant, c'est aux adultes que s'adresse l'enseignement préalable à l'initiation baptismale. A l'origine, rien de fixé quant à la durée de cette préparation. Tout dépend de la disposition des sujets et du degré de leur instruction. Pour l'officier de la reine Candace que le diacre Philippe évangélisa sur le chemin de Gaza, les choses allèrent rapidement (*Act.*, VIII). Les Apôtres rencontrèrent souvent tant de bonne volonté qu'ils ne voyaient aucune nécessité de différer le sacrement. Les âmes adhéraient sans réserve à la vérité surnaturelle et recevaient aussitôt « le baptême du Christ », *in nomine Jesu Christi baptizabantur.* (*Act.*, VIII, 12.)

Dans cette expression et autres analogues on a cru reconnaître la formule rituelle du baptême, alors qu'il n'est question là que du baptême chrétien par opposition à celui de Jean. L'invocation des trois divines personnes, conformément au précepte divin relaté par saint Matthieu, est attestée par l'antique *Didachè.* Le témoignage de la *Tradition apostolique* n'est pas moins affirmatif. Ce document connu jusqu'à présent sous le nom factice de *Constitution égyptienne* et récemment restitué à son véritable compilateur, saint Hippolyte de Rome, porte bien son titre : par ses origines, il touche de bien près à l'époque primitive, il consigne des traditions déjà anciennes remontant, pour l'ensemble sinon dans tous les détails, aux générations qui suivirent l'époque des Apôtres. Par leur rédaction même aux environs de l'an 200, ces traditions sont toutes voisines de la période 90-180 que l'on reconnaît appartenir aux « Pères apostoliques ». Consignées dans l'œuvre d'Hippolyte, elles représentent les développements liturgiques accomplis au cours du IIe siècle : la vie sacramentelle y est mise en un puissant relief. Les rites ont gardé toute leur simplicité originelle, mais il y a tendance à fixer les formules de prières qui, dans le principe, étaient pour la plupart laissées à l'inspiration des ministres sacrés. Saint Justin l'affirme encore au IIe siècle pour la prière eucharistique elle-même. Cependant, la *Didachè* propose déjà quelques textes qui puissent servir dans les réunions liturgiques. Pour les formules essentielles, le thème à développer était arrêté dans ses grandes lignes depuis l'institution même des rites sacramentels; au baptême et au saint Sacrifice, les propres paroles du Sauveur ont formé dès le premier instant le motif central autour duquel sont venus peu à peu se grouper textes et rites plus récents.

Beaucoup de ces éléments que nous voyons paraître dès l'aube du IIIe siècle dans la *Tradition apostolique* ont des attestations plus anciennes. Ils représentent en tout cas les premiers développements du noyau primitif, et il y a grand intérêt à les grouper déjà autour des institutions plus anciennes afin de mieux saisir la puissance vitale qu'elles portaient en elle.

Dans la *Tradition* il est déjà fait mention des exorcismes auxquels l'évêque soumet les candidats au baptême. Bien qu'il n'en soit pas question dans la *Didachè*, ni dans les documents des deux premiers siècles, sauf chez les hérétiques — ce qui est un indice de leur antiquité — saint Léon ne se trompait pas sans doute, lorsqu'il disait qu'on les accomplit « selon la règle apostolique » (Ep., XVI, 6). Cet usage antique et universel fournira un argument péremptoire en faveur du dogme du péché originel. — Les exorcismes sont une partie de la préparation; d'accord avec la *Didachè*, on prélude au baptême lui-même par un jour de jeûne, le vendredi; dernières formalités le samedi, nuit entière de prières, et le dimanche au chant du coq, lorsque le jour naissant apparaît, symbole de la résurrection du Christ, les catéchumènes naissent à la vie surnaturelle.

L'eau est l'élément divinement choisi pour le bain baptismal. Mais, de même que le diacre Philippe n'avait pas hésité à profiter de la première fontaine d'eau vive qui se présentait, les deux documents anciens s'accordent pour laisser aux ministres du sacrement une assez grande latitude : une eau courante, ou répandue dans une cuve; en cas de nécessité, toute eau naturelle peut être utilisée. L'immersion totale est le mode ordinaire; le plus expressif aussi, selon saint Paul, de la mort et de l'ensevelissement qui, comme pour le Christ, précèdent la résurrection procurée par le baptême. Mais ce mode d'ablution n'est pas essentiel; s'il y a trop peu d'eau, l'infusion ou aspersion sur la tête et le corps est suffisante, comme en témoignent les anciennes peintures des catacombes romaines.

La Confirmation n'est pas désignée anciennement par son nom que saint Ambroise sera l'un des premiers à lui appliquer. Mais la réalité ne fait de doute pour personne. Aussi bien les récits des *Actes* ne laissent rien ignorer du don spécial du Saint-Esprit que les Apôtres se réservaient le droit de conférer aux baptisés. Philippe, simple diacre, avait baptisé en Samarie; l'apprenant, Pierre et Jean s'y rendent pour y conférer le don de l'Esprit. Le rite du nouveau sacrement est aussi mentionné : une invocation avec imposition des mains. On ne tardera pas à y ajouter une onction, symbole expressif qui traduit une pensée familière à saint Paul : c'est la force de l'Esprit qui munit le chrétien en vue de la lutte contre le démon. L'onction est clairement attestée dès le IIe siècle comme rite liturgique, après n'avoir été peut-être que mystique.

De ces usages, la *Tradition apostolique* demeure l'écho fidèle. Non seulement, elle fait procéder par l'évêque à l'imposition des mains qui s'accompagne d'une onction « d'huile d'action de grâces », mais elle formule la prière en des termes qui, traversant les siècles, ont pénétré dans toutes les liturgies, y compris notre Pontifical romain : « Seigneur, qui avez daigné accorder à vos serviteurs la rémission de leurs fautes, rendez-les dignes d'être remplis de l'Esprit-Saint et répandez sur eux votre grâce ! » Deux actions sacramentelles nettement distinguées : c'est complet. L'initiation est achevée, le baiser de paix vient clore la cérémonie.

Le chrétien peut désormais se présenter à la communion après avoir participé à la prière des fidèles avec toute l'assistance, privilège qui lui était refusé jusque-là. Dans ce détail s'affirme la note essentielle d'unité qui est celle de l'Église. Il faut appartenir à l'unité pour dire avec les autres membres du Christ : *Pater noster!* Il le faut pour être jugé digne de la communion eucharistique, car à ceux qui la reçoivent les ministres sacrés font comprendre que c'est un privilège : « Recevez ceci en Dieu le Père tout-puissant, dans le Seigneur Jésus et l'Esprit-Saint et en la sainte Église. » Tout dans la communauté chrétienne, dira saint Ignace d'Antioche, doit se faire dans l'union la plus étroite avec l'évêque et le clergé : une seule prière, une seule eucharistie, une seule vie chrétienne dans l'unité de foi et de discipline.

« Pour assurer l'accomplissement des rites eucharistiques, prescrivait la *Didachè*, choisissez-vous des évêques et des diacres qui soient dignes du Seigneur. » Saint Paul avait insisté aussi sur l'extrême prudence que l'on doit apporter à leur désignation. Il mentionnait en plus les rites liturgiques de leur promotion, la prière et l'imposition des mains, sans oublier la grâce divine, fruit du sacrement. La *Tradition apostolique* n'a fait que reprendre ces indications dans sa description détaillée des ordinations. En son ensemble, celle-ci présente un rituel de la fin du Ier siècle, ou tout au moins du second. A sa suite, vient une célèbre anaphore ou formule du canon de la messe où plusieurs reconnaissent une prière eucharistique de l'âge apostolique que saint Hippolyte inséra au IIIe siècle dans sa collection. Avant d'étudier cette forme primitive de la messe romaine, il est logique de s'arrêter à celui qui célèbre les saints mystères et gouverne la communauté.

Père de la famille entière, il est normal que l'évêque soit choisi par tout le peuple assemblé, selon ce que disait déjà saint Clément romain. La consécration a lieu le dimanche, jour d'ordination par excellence, comme c'est celui du baptême et de la célébration solennelle de l'Eucharistie. Les évêques présents à la consécration épiscopale donnent d'abord leur assentiment à l'élection, et ensemble, ils imposent les mains. Prêtres et diacres assistent en témoins; l'assemblée garde un silence religieux. Le plus digne des évêques élève seul la voix et procède à la consécration : une imposition des mains accompagnée d'une invocation, et le rite sacré est terminé. Le baiser de paix en marque, comme à l'ordinaire, l'achèvement; et aussitôt commence l'oblation du saint Sacrifice accomplie par le nouvel évêque.

Le thème que développe la formule de consécration épiscopale doit être des plus anciens, car il sera — comme celui de la confirmation — repris fidèlement par les différentes liturgies, héritières au IVe siècle des antiques traditions; et ce qui se trouve partout observé, affirmera saint Augustin, présente toutes les marques d'une origine très voisine des temps apostoliques. Cette formule de consécration offre d'ailleurs des ressemblances avec l'épître de saint Clément (c. XLI-XLIV). A Dieu s'adresse l'ardente invocation. Lui qui a toujours pourvu aux fonctions du culte mosaïque, se doit d'accorder au nouvel élu une large diffusion de ce même « esprit de force qui remplissait l'âme du Sauveur et qui fut départi aux Apôtres après lui ». Que le divin Esprit donne à l'évêque la grâce du sacerdoce plénier qui lui permettra d'accomplir dignement les devoirs de sa charge : conduite du troupeau fidèle, célébration de l'Eucharistie, administration de la pénitence et ordinations.

Aux deux ordres majeurs de la prêtrise et du diaconat il est aussi pourvu. D'usage apostolique, l'imposition des mains conserve dans les ordinations sa place prépondérante. La prière était également attestée qui, comme pour la consécration épiscopale, se transmettrait à travers les âges.

La *Tradition apostolique* nous montre tous les prêtres entourant l'évêque consécrateur : ainsi, d'après saint Ignace, le pontife est-il toujours assisté de ses prêtres. Ils imposent avec lui les mains à ceux qui reçoivent le sacerdoce : vestige très authentique, semble-t-il, du rite primitif rappelé par saint Paul à Timothée de « l'imposition des mains par le presbyterium ». Ce geste, au début du IIIe siècle, n'aura pas ou n'aura plus valeur consécratoire, mais symbolisera « l'esprit du sacerdoce commun à tous les prêtres », *propter communem et similem spiritum cleri,* dit la *Tradition.* Les diacres reçoivent la même imposition, mais de l'évêque seul, attendu qu'ils sont ordonnés pour servir, non pour exercer les fonctions sacerdotales. Tandis que les prêtres concélèbrent avec le pontife, les diacres assistent seulement à titre de ministres : car, dit saint Ignace, « ils sont au service des mystères de Jésus-Christ ». Ils apportent les offrandes à l'autel au moment de la messe et les présentent au célébrant.

La formule essentielle de la liturgie eucharistique se trouve consignée tout entière dans la *Tradition apostolique*, témoignage capital que vient corroborer la *Didachè*. Moins explicite, celle-ci ajoute pourtant quelques détails fort importants. D'autre part l'apologiste saint Justin a fourni une description très précise de la messe romaine au IIe siècle; elle complète les autres données.

Par le récit que fait saint Luc (*Act.,* XX, 7-11) de la prédication de saint Paul à Troas, on entrevoit déjà que la messe, célébrée le dimanche, fut précédée d'une homélie catéchétique, qu'elle consista dans l'oblation et la fraction du pain accompagnée d'une prière, et qu'elle se termina par la communion. C'est aussi le dimanche que la *Didachè* prescrit « de rompre le pain eucharistique et de rendre grâces, après confession des péchés, afin que le sacrifice soit pur ». Même attestation chez saint Justin qui mentionne en plus les différentes lectures de l'Ancien et du Nouveau Testament préalables à la prière eucharistique. Celle-ci fait suite à l'homélie du pontife et à la grande supplication prononcée au nom de tous les fidèles. Dans les premiers temps, faculté est laissée au célébrant d'improviser l'action de grâces ou prière eucharistique, sur un thème déjà fixé dans les grandes lignes : c'est une louange à Dieu pour son œuvre créatrice et les manifestations de sa miséricorde, notamment dans la Rédemption. Le récit de l'institution eucharistique prend tout naturellement sa place dans l'énumération des actions du Sauveur. L'Église reprend simplement les paroles de la Cène. Sur leur valeur consécratoire le témoignage de saint Justin est déjà formel. Celui de l'anaphore apostolique de la *Tradition* ne l'est pas moins : attendu que, à peine les paroles du Sauveur prononcées, vient l'oblation à Dieu du pain et du vin transformés et la demande des dons célestes pour ceux qui vont y participer par la communion.

Rien de plus simple que cette prière consécratoire, rien de plus impressionnant. La doctrine explicite de la présence réelle transparaît sous les paroles de l'institution répétées fidèlement dans le sens même que le Sauveur leur avait donné en les prononçant. Comme le Seigneur avait dit en toute vérité « Ceci est mon corps, ceci est mon sang », ainsi, selon saint Justin (I *Apol.,* c. LXVI), les éléments du pain et du vin sont-ils « eucharistiés » ou transformés « par le discours de prière venant du Christ lui-même ». Et à l'affirmation tranquille du célébrant, le peuple fidèle donnait déjà son assentiment en répondant *Amen* à la fin de la prière eucharistique. C'est l'attestation unanime des documents primitifs.

Nous ne distribuons la sainte Eucharistie, dit encore saint Justin avec la *Didachè,* qu'à ceux qui croient vrai ce que nous enseignons et qui sont baptisés. Car cet aliment n'est pas une nourriture commune, et très précis sont les fruits qu'on en attend : sainteté, plénitude des dons de l'Esprit, affermissement dans la foi. La prière liturgique rejoint l'enseignement de l'apologiste : l'aliment consacré est le corps et le sang du Seigneur Jésus fait chair. Seule l'hérésie docète refuse d'admettre que l'Eucharistie soit la chair du Sauveur : l'Église, ajoutait saint Ignace, tient ferme à la doctrine. Même témoignage chez son contemporain, saint Irénée, et même affirmation double de la présence réelle et de la transsubstantiation par « la prière d'invocation » ou prière eucharistique.

A la réalité vivante se joint la valeur symbolique de l'Eucharistie comme signe de l'unité de l'Église. Déjà développée par saint Paul (I *Cor.*, x, 16-18), la pensée est exposée par saint Ignace et présentée dans la *Didachè* d'une façon si expressive que la tradition postérieure reprendra avec amour la même image de la fusion de tous dans le corps du Christ. « Comme le pain autrefois éparpillé sur les collines (sous forme d'épis) a été pétri pour former un seul tout, ainsi l'Église est rassemblée des extrémités de la terre » pour constituer le corps mystique du Christ. De même encore, dira-t-on plus tard, que le vin est composé d'une multitude de grains de raisin, de mêmes les fidèles sont-ils uns dans le sang du Christ.

Chez saint Ignace comme dans la *Didachè*, le saint sacrifice et la communion présentent encore ceci de particulier et de tout à fait primitif qu'ils sont unis intimement à l'agape ou repas cultuel que les chrétiens avaient emprunté aux usages juifs. A l'agape chrétienne mentionnée à côté du repas eucharistique on applique le même terme mystérieux de *fractio panis :* on y rompait ensemble le pain en signe de fraternité (Jude, 12; II St Pierre, II, 13). Elle devait s'accompagner souvent de la célébration de l'Eucharistie, comme on doit le conclure du passage de saint Paul dans sa première épître aux Corinthiens (x, 16 suiv.). C'est dans les mêmes termes que parle encore la *Didachè* : agape et Eucharistie manifestent à tous la note essentielle de l'Église, la vivante unité. Ni baptême, ni agape ne peuvent, dira saint Ignace, se célébrer sans évêque, pas plus que l'Eucharistie. Passés les deux premiers siècles, il y a tendance de plus en plus accusée à séparer l'agape proprement dite de l'oblation du sacrifice; elle perd son caractère liturgique et cultuel pour ne garder que la forme d'un repas de charité offert en certaines circonstances.

La pénitence a pour effet de rétablir les pécheurs dans l'unité chétienne. Saint Paul avait usé du pouvoir apostolique d'exclusion ou d'excommunication, et il avait réglé avec autorité la situation du pénitent. La liturgie des *Constitutions apostoliques,* rédigée au IVe siècle, demandera que les pécheurs revenus à résipiscence, soient rétablis à un rang honorable dans l'Église. Ce fut toujours le sens de la réconciliation publique.

Il y avait déjà une pensée spéciale pour les pécheurs dans cette prière de saint Clément : « Seigneur, relevez ceux qui sont tombés, ramenez les égarés de votre peuple! » L'évêque a tout pouvoir pour les recommander à la miséricorde divine et pour leur remettre directement leurs fautes. Car seul, avec les prêtres qui composent son conseil et constituent le tribunal ecclésiastique, il jouit des privilèges conférés par le Christ à ses Apôtres; il peut, s'il le juge opportun, « rompre le lien d'iniquité » qui retient les coupables loin de l'unité. Ainsi parle la *Tradition apostolique*.

L'usage romain du IIIe siècle se réfèrera précisément aux coutumes qui n'ont jamais varié, et nous fera connaître le rite employé depuis les origines pour la réconciliation des pénitents : l'imposition des mains à laquelle équivaudra ensuite le geste du prêtre élevant la main sur le fidèle pour l'absoudre. On traitait de même les hérétiques entrant dans l'Église avec leur baptême : Rome avait toujours tenu celui-ci pour valide, et n'entendait pas qu'on modifiât les usages sur une question de cette importance : « N'introduisons rien de nouveau, dira le pape saint Étienne, en rappelant la pratique des deux premiers siècles, tenons ferme à la tradition. » *Nihil innovetur, nisi quod traditum est.*

Dans la primitive Église, à l'époque de la grande ferveur que stimulait la perspective du martyre, on avait considéré comme presque impossible la perte de la grâce (*Hebr.*, VI, 4-8). A tous il semblait normal de réaliser le vœu exprimé par l'Église au moment du baptême, que chacun s'efforçât de conserver absolument pure sa robe blanche de néophyte. De bonne heure, les exagérés prétendirent en conclure qu'il n'y avait pas de pardon pour les fidèles tombés dans des fautes graves. Certains écrits aprocryphes du IIe siècle accréditaient pareille erreur. Mais la pensée du clergé romain se reflétait fidèlement, quoique d'une façon non officielle, dans le *Pasteur* d'Hermas, composé vers 150 par le propre frère du pape Pie. Malgré son caractère privé, cet écrit eut un grand retentissement et porta au loin la conviction traditionnelle, partagée par les Pères apostoliques, que le pardon des fautes est accordé une fois au repentir sincère. Tout en maintenant avec fermeté l'idéal de l'innocence baptismale gardée jusqu'à la mort, il professait qu'aucune faute n'est irrémissible. Pas de cas réservé, à l'encontre de ce qu'on dira un peu plus tard; il y a un pardon pour toute espèce de faute, mais il faut une juste réparation. C'est l'embryon de la discipline pénitentielle qui se développera normalement par la suite.

Dans quelques cas graves on renvoya le pardon jusqu'à l'heure de la mort. Pour tous les malades en danger la discipline chrétienne réservait — en outre de cette absolution suprême quand elle était nécessaire — un double sacrement, la communion et l'extrême-onction. Saint Justin mentionne expressément la fonction confiée aux diacres de porter le pain eucharistique aux mourants. Dans les circonstances exceptionnelles, des laïcs pouvaient remplacer les diacres; du reste, les premiers chrétiens avaient la permission de conserver chez eux la sainte réserve pour se communier eux-mêmes. Aux mourants était offerte aussi la sainte onction dont parle l'épître de saint Jacques (I, 14) : « Quelqu'un est-il malade parmi vous? Qu'il reçoive les prêtres de l'Église, qu'ils prient pour lui et lui donnent l'onction de l'huile au nom du Seigneur : la prière faite avec foi sauvera l'infirme, le Seigneur allègera sa peine, et s'il est en état de péché, sa faute lui sera remise. » Dès les temps anciens se constate l'usage de bénir à la messe de l'huile offerte par les fidèles pour les infirmes; dans la formule de bénédiction consignée par la *Tradition apostolique,* on demandait à Dieu qu'il sanctifiât cette huile et qu'il rendît la santé à ceux qui en useraient.

Le Nouveau Testament laisse entendre que l'union des chrétiens reproduit en image l'union beaucoup plus intime du Christ avec son Église. Il n'est guère douteux que le mariage n'ait été dès lors l'occasion d'une cérémonie liturgique appropriée. Très explicite, Tertullien rappellera au IIIe siècle qu'il appartient au clergé d'approuver ou non un projet de mariage. « C'est l'Église, dira-t-il, qui scelle l'union des deux époux, l'oblation sainte lui donne sa confirmation solennelle, la bénédiction du prêtre la rend chose sacrée, les anges la proclament, et enfin le Père céleste l'agrée. » Le voile et l'anneau sont désormais les insignes de la femme mariée et montrent à tous qu'elle ne s'appartient plus. Très tôt, les mêmes symboles extérieurs sont adoptés pour la vierge consacrée afin de manifester qu'elle aussi a perdu sa liberté afin de n'être plus qu'à son époux céleste. Le rite de la consécration des vierges rappellera les cérémonies nuptiales transposées sur un mode tout surnaturel.

CHAPITRE IV

LES DESTINÉES DU JUDAÏSME

I. La ruine de Jérusalem. — Un nationalisme religieux très ombrageux subsistait parmi les juifs non convertis au christianisme. La reconstitution de la monarchie hérodienne au profit d'Agrippa Ier lui avait donné une satisfaction momentanée. Après sa mort survenue en 48, on empêcha l'empereur Claude de confier sa succession à son fils trop jeune; ses États, réunis à l'Empire, furent régis par des procurateurs. Dès lors, la révolte couva parmi les juifs. Un messianisme combattif reparut prêché par des *pseudo-prophètes* et entretenu par le fanatisme aveugle des *zélotes*. « Le pays, dit Josèphe dans ses *Antiquités*, était plein de brigands et d'imposteurs qui trompaient la foule. » (*Ant.*, XX, VIII, 5.) « Des hâbleurs et des charlatans, dit-il encore, sous prétexte d'inspiration divine, profitant des révolutions et des changements, persuadaient aux foules de s'abandonner à un transport sacré et les conduisaient dans le désert, comme si Dieu devait leur y donner des signes de liberté. » (*Bell.*, II, XIII, 4.)

Sous le procurateur Fadus, l'imposteur Theudas rassembla les croyants aux bords du Jourdain pour marcher sur Jérusalem; captif, il fut décapité. Un autre, d'origine égyptienne, réunit 30.000 hommes au Mont des Oliviers, promettant que les murs de Jérusalem tomberaient d'eux-mêmes à son approche. Sous Ventidius Cumanus (48-52), la révolte gronde, une première fois parce qu'un soldat de garde au Temple s'est moqué des pèlerins à l'époque de Pâques, une autre parce qu'un romain a lacéré un rouleau de la Thorâ; Cumanus doit faire crucifier plusieurs zélotes. Les exactions de Gessius Florus achevèrent d'exaspérer l'opinion : au mois d'Artémisios 66, une émeute éclata dans Jérusalem.

Les éléments raisonnables de la nation juive — famille hérodienne et sanhédrin — essayèrent en vain de calmer le peuple. Surexcités par les zélotes, les révoltés massacrèrent la garnison romaine. A regret, les aristocrates consentirent d'abord à diriger la résistance; en vain tentèrent-ils de traiter avec les Romains, les zélotes s'emparèrent du gouvernement de Jérusalem. Persuadés avec leur principal meneur, Jean de Giscala, que la ville était imprenable parce que cité de Dieu, les zélotes firent peser sur Jérusalem un régime de

Ruine de Jérusalem. — *SOURCES* : FLAVIUS JOSÈPHE, *Antiquités judaïques*, *Guerre juive*, livres V-VIII. — TACITE, *Histoires*, livres IV-V. — *OUVRAGES* : LAGRANGE,*, *Le messianisme chez les juifs* (150 av. J.-C. à 200 ap. J.-C.), 1909. — J. VANDERVORTS,*, *Israël et l'Ancien Orient*, 2e éd., Bruxelles, 1929. — C. SCHURER,*, *Geschichte des jüdischen Volkes im Zeitalter Jesu Christi*, 3 vol., Leipzig.

terreur. Dans cette recrudescence inouïe des passions nationalistes et religieuses, les prophéties se croisaient d'espérance ou de mort. Un messianisme trompeur entretenait le fanatisme. « Le plus grand nombre se persuadait, dit Tacite, que les anciens livres sacerdotaux annonçaient que dans ce temps-là même l'Orient serait plus fort et que des personnes venues de la Judée s'empareraient du pouvoir. » (*Hist.*, V, 13.)

Cependant, l'issue ne pouvait être douteuse. Le général Vespasien fut chargé de réduire les révoltés; il s'empara de plusieurs villes rebelles et était sur le point d'encercler Jérusalem quand la chute de Néron lui fraya l'accès à l'Empire. Son fils Titus prit la direction du siège. Les dissensions entre les chefs des assiégés — Simon, Jean et Eléazar — favorisèrent sa tâche. La ville sainte, où malgré les événements s'étaient entassés les pèlerins pour la fête de Pâques, connut les horreurs de la famine. Pourtant, il fallut la conquérir quartier par quartier. Malgré la volonté de Titus, un soldat mit le feu au Temple qui s'effondra, écrasant sous ses débris des milliers de personnes. Les juifs qui échappèrent au massacre furent destinés aux mines d'Égypte, aux combats de gladiateurs, ou encore ornèrent le retour triomphal de Titus à Rome. D'après l'historien juif Josèphe — contemporain et acteur du drame — ce siège avait coûté la vie à plus d'un million de juifs.

Après ce désastre, toute ombre de liberté politique et religieuse fut ravie aux juifs : plus de Sanhédrin, plus de Temple, et donc plus de sacerdoce véritable, ni de sacrifices; par contre, l'imposition de la capitation du didrachme pour le temple de Jupiter Capitolin. Les terribles prophéties du Christ sur Jérusalem se trouvaient réalisées; la ruine des dernières espérances messianiques était une confirmation posthume de son messianisme à lui.

D'ailleurs, l'événement fut plutôt favorable aux chrétiens. Sous la conduite de saint Siméon, successeur de l'Apôtre Jacques le Mineur, ils s'étaient retirés à Pella, au delà du Jourdain, avant l'investissement de la ville. Un tel geste montrait assez qu'ils ne s'associaient pas aux insurgés et que, fidèles aux enseignements de leur Maître, ils voulaient « rendre à César ce qui appartient à César ». Ce geste de probité politique ne dut pas être étranger à la paix religieuse qu'on leur laissa non seulement en Palestine mais dans tout l'Empire[1].

Cependant, l'espérance messianique restait invincible au cœur des juifs. Pour eux, Jérusalem demeura le lieu d'un douloureux pèlerinage ; sur ses ruines, une population juive et judéo-chrétienne reparut. D'autre part les juifs réfugiés à Jamnia formèrent une académie, sorte de collège de rabbins, qui, sans prétendre à une action politique, s'efforçait de maintenir l'unité du judaïsme. Ce nationalisme pacifique ne pouvait suffire à la masse où fermentaient des idées de revanche. Le pouvoir impérial ne l'ignorait pas. Craignant quelque soulèvement nouveau, Vespasien, au dire d'Hégésippe, aurait fait rechercher les descendants de David ; Domitien fit comparaître les petits-fils de Jude, frère du Seigneur, dénoncés comme apparentés au sang royal ; quand il eut vu ces pauvres laboureurs qui n'attachaient au règne du Messie qu'un sens céleste, il se rassura et les renvoya.

Les autorités romaines avaient raison de se préoccuper. En 132, une révolte formidable éclata. On en a rendu parfois responsable l'empereur Hadrien lui-même qui aurait projeté de paganiser Jérusalem et interdit la circoncision; ces reproches sont peu vraisem-

1. Le nationalisme exaspéré des juifs s'en prenait tout autant aux chrétiens qu'aux Romains. A la faveur de l'intervalle confus qui sépara la mort du procurateur Festus de l'arrivée de son successeur Albinus, le grand prêtre Annas (fils de celui qui fut mêlé à la passion du Sauveur) obtint du Sanhédrin la condamnation à mort de saint Jacques, chef de l'Eglise judéo-chrétienne, qui fut précipité du sommet du Temple et lapidé.

blables adressés à un empereur aussi politique et aussi sceptique qu'Hadrien. En réalité, ce sont les juifs qui passèrent à l'offensive. Les conversions au christianisme épuraient le judaïsme — si l'on peut dire — des éléments spiritualistes et tempérés, d'autre part l'exaspération des récents malheurs avait accentué le caractère véhément et révolutionnaire du messianisme juif. Quand soixante ans se furent écoulés depuis la ruine du Temple, il sembla que l'heure de la revanche sonnait enfin. Un Messie parut, le fameux Bar-Kokebas, qui n'était qu'un bandit vulgaire, mais qui sut exploiter les passions populaires, et aussi rallier à lui le plus fameux des rabbins, le vieil Aqiba.

Il déclara la guerre à tous ceux qui n'entraient pas dans ses plans de restauration, non seulement aux Romains, mais aux chrétiens. « Il faisait subir à ceux-ci les derniers supplices, rapporte saint Justin, s'ils ne reniaient et ne blasphémaient Jésus-Christ. » La lutte prit l'aspect d'une guerre d'extermination qui dura trois ans et demi. La maigre relation historique qui nous en reste est un fragment de Dion Cassius. Il assure que les Romains, commandés par Julius Severus, enlevèrent 50 forteresses, ravagèrent 985 localités et massacrèrent 580.000 hommes. A la place de Jérusalem rasée on établit une colonie romaine, Aelia Capitolina. La politique ne commandait plus à Hadrien aucun ménagement. Sur l'emplacement du Golgotha il fit construire un sanctuaire à Aphrodite, sur celui de l'ancien Temple un autre dédié à Jupiter Capitolin et orné de sa propre statue; les monnaies d'Aelia représentèrent diverses divinités, Bacchus, Sérapis et les Dioscures. A Bethléem, près de la Grotte, s'élevèrent un bois sacré et un temple d'Adonis. Défense aux juifs d'approcher de Jérusalem sous peine de mort. C'était l'effondrement définitif. Le nom même de Judée tendit à disparaître, remplacé par celui de « Syrie Palestine ». A l'avenir, les juifs ne seraient plus un peuple mais une *diaspora*, d'ailleurs active et influente.

II. Les judéo-chrétiens. — Parmi les juifs convertis au christianisme il faut distinguer des orthodoxes ou nazaréens, des hérétiques ou ébionites.

Les judéo-chrétiens modérés s'étaient groupés à Jérusalem autour de saint Jacques. Sans affirmer que la Loi fût nécessaire au salut, ils continuaient toutefois à l'observer et cet attachement suranné les amenait à former une communauté à part, barricadée derrière ses pratiques légales. Nul doute qu'une telle conception pût s'harmoniser avec une orthodoxie absolue, voire avec la sainteté. Elle impliquait même un idéal plutôt rigoriste qui unissait la perfection évangélique avec la minutie scrupuleuse de l'Ancien Testament. Hégésippe nous a tracé de ce type un portrait austère en la personne de saint Jacques : « Il fut sanctifié dès le sein de sa mère, il ne buvait ni vin, ni boisson enivrante, ne mangeait rien qui ait eu vie; le rasoir n'avait jamais passé sur sa tête; il ne se faisait jamais oindre et s'abstenait de bains. A lui seul il était permis d'entrer dans le sanctuaire, car ses habits n'étaient pas de laine, mais de lin. Il entrait seul dans le Temple, et on l'y trouvait à genoux, demandant pardon pour le peuple. » (*Eusèbe*, *H. E.*, II, 23.)

La principale particularité des judéo-chrétiens orthodoxes était qu'ils possédaient un évangile à eux, un seul, écrit en araméen, *Évangile des Nazaréens*, ou *Évangile selon les*

Judéo-Chrétiens. — L. Marchal, *, art. *Judéo-chrétiens*, dans *Dict. Théol.* — G. Bareille, art. *Ebionites* et art. *Elcésaïtes*, *Ibid.* — G. Bardy, *, art. *Cérinthe*, dans *Rev. Bibl.*, 1921, p. 344-73. — Lagrange, *, *L'Evangile selon les Hébreux*, *Rev. Bibl.*, 1922, p. 161 suiv.; p. 321 suiv. — E. Amann, art. *Apocryphes du Nouveau Testament*, dans *Suppl. Dict. Bibl.*

Hébreux, remaniement du texte original de saint Matthieu : Jésus y est représenté surtout comme réalisant les prophéties messianiques.

Au début de l'insurrection de 66, sous la conduite de saint Siméon, successeur de saint Jacques, les judéo-chrétiens orthodoxes se réfugièrent à Pella, en Décapole, dans le royaume d'Agrippa II. On eût pu croire que la ruine de Jérusalem leur ouvrirait les yeux sur la caducité de la Loi ; dans l'aveuglement de leur nationalisme ils s'y cramponnèrent. D'aucuns même vinrent se fixer à nouveau sur les ruines de Jérusalem ; et il y a quelque grandeur tragique dans cet acharnement à espérer contre tout espoir. Siméon devait mourir martyr, sous Trajan, à l'âge de 120 ans. Eusèbe nous a conservé une liste de treize évêques judéo-chrétiens après lui. Ce nombre plutôt considérable ne doit pas nous tromper sur l'importance de la petite Église ; il s'explique sans doute par le fait qu'il y eut des évêques non seulement à Jérusalem, mais à Pella, et encore en diverses communautés de la Transjordane.

La foi des judéo-chrétiens dans l'avenir de la Loi fut mise à une suprême épreuve lors de la seconde destruction de Jérusalem par Hadrien en 135. Bien que n'ayant point participé à la révolte de Bar-Kochéba, ils furent compris dans l'interdiction faite aux juifs d'approcher de la nouvelle ville, Aelia Capitolina. Ils se dispersèrent sans plus posséder de hiérarchie. On les appela dès lors *nazaréens,* nom jadis donné par les juifs aux premiers chrétiens. Parmi eux retenons deux personnalités : Hégésippe qui vers 160-180 entreprendra un voyage en Occident pour constater si l'enseignement de sa communauté correspond bien à celui des Églises catholiques, entre autres celle de Rome ; Ariston de Pella qui écrira le *Dialogue entre Jason et Papiscus au sujet du Christ,* ouvrage de propagande où l'on voit un juif alexandrin se rendre aux raisons d'un judéo-chrétien.

Les judéo-chrétiens hérétiques ou ébionites sont ceux qui faisaient de la circoncision et des pratiques légales une condition nécessaire du salut. Sur leur origine et sur leur nom même on a beaucoup discuté sans grand résultat. Hégésippe donne pour instigateur du mouvement à Jérusalem un certain Thébutis qui, après la mort de Jacques, se sépara des modérés dirigés par Siméon. D'autre part, Cérinthe, auquel Irénée attribue sans doute à tort une origine égyptienne et des idées gnostiques, aurait été à Éphèse le chef des judaïsants. Quant à Ébion, il n'a jamais existé et peut-être le terme d'ébionites dériverait-il d'un mot hébreu qui signifie pauvre : on l'aurait employé avec ironie soit pour désigner la caducité de la Loi, soit pour montrer combien la conception du Christ était mesquine dans la secte.

Pour les Ébionites, en effet, l'Ancien Testament gardait entière sa valeur rituelle ; toutes ses prescriptions demeuraient instruments nécessaires du salut. De là, un rôle secondaire attribué au Christ qui naquit naturellement de Joseph et de Marie, mais qui, lors de son baptême au Jourdain par Jean-Baptiste, devint le Fils adoptif de Dieu. A cet instant, il fut « marqué du sceau de l'élection divine à la faveur de l'onction divine qu'il reçut et par elle devint le Christ » (*S. Justin, Dial. cum Tryphono,* 49). Ce Messie humain reparaîtrait cependant un jour pour réaliser le règne de mille ans. De cet âge d'or, Cérinthe se faisait une conception grossière basée sur une exégèse toute matérielle de l'Apocalypse. « Le règne du Christ serait terrestre, note Eusèbe d'après Denys d'Alexandrie, et Cérinthe rêvait qu'il consisterait dans les choses vers lesquelles il était porté, étant ami du corps et tout à fait charnel, dans les satisfactions du ventre et de ce qui est au-dessous du ventre, c'est-à-dire dans les aliments, les boissons et les noces, et dans ce qu'il croyait devoir rendre tout cela plus recommandable, des fêtes, des sacrifices et des immolations de victimes » (*H. E.*, VII, 25).

Toutes ces idées s'appuyaient sur un évangile que les ébionites appelaient selon Matthieu ou selon les Hébreux, mais qui en réalité n'était qu'une rédaction tronquée et arbitraire d'après Matthieu et Luc : ainsi supprimaient-ils les passages sur la généalogie et la naissance du Christ.

L'ébionisme primitif s'altéra, peut-être sous l'influence des esséniens, ascètes hébreux séparatistes de la Transjordane, avec lesquels il fut en rapports à la suite des grandes catastrophes. Plus certainement, ces changements lui furent imposés par les circonstances mêmes : après la fondation d'Aelia Capitolina, l'interdiction formelle de revenir sur l'emplacement du Temple rendit impossible l'offrande rituelle des sacrifices; de là une rupture nécessaire avec un passé très cher.

Par contre, l'empreinte essénienne est visible sur l'elcésaïsme, syncrétisme bizarre à base de judéo-christianisme, et où se mêlent les influences de la gnose, de la magie, de l'astrologie, voire des divers systèmes philosophiques.

L'enseignement se basait pour ces excentriques sur un livre mystérieux révélé par un ange, et apporté du fond de l'Orient par un sage nommé Elcésaï. Ils admettaient un Dieu créateur dont le Fils, Seigneur des Anges, aurait eu plusieurs incarnations, à commencer par Adam pour finir par le Christ. Un baptême, qui consistait dans une promesse de bien vivre et dans une immersion tout habillé, possédait une vertu indéfinie : panacée universelle, non seulement il introduisait dans la vie surnaturelle, mais réitéré en cas de faute grave il restituait la grâce; il possédait même une vertu thérapeutique contre diverses maladies telles que la phtisie et la rage.

Ces ébionites esséniens tentèrent de se répandre en dehors des pays tranjordaniques. L'un d'eux, Alcibiade d'Apamée, viendra à Rome au début du IIIe siècle; mais il se heurta à l'auteur des Philosophoumena, ennemi de tout laxisme. Une tentative, faite à Césarée de Cappadoce, vers 247, peut-être par le même Alcibiade, échoua également. Ces doctrines bizarres continuèrent cependant à se propager dans les milieux judéo-chrétiens, selon que nous le révèle le roman des *Clémentines*. Elles n'échapperont pas à saint Épiphane, cet infatigable collectionneur d'hérésies : il constatera encore leur existence au IVe siècle dans les milieux syriens et surtout dans les régions transjordaniques.

III. Le judaïsme alexandrin : Philon. — Somme toute, le judaïsme sortit vaincu de la lutte qu'il avait engagée à la fois contre l'Empire et contre le christianisme : les armes de Vespasien et d'Hadrien d'une part, la parole de saint Paul d'autre part, lui donnèrent le coup de mort.

Le judaïsme influent serait celui qui répudierait tout exclusivisme national et religieux. Le judaïsme de la Dispersion ne pouvait se faire une place au grand soleil de l'hellénisme qu'en se présentant comme une raison et en s'adaptant à la sagesse antique. Dès le IIIe siècle avant Jésus-Christ, la Bible hébraïque avait été traduite en grec à la

Philon. — A. et M. Croiset, *, *Histoire de la littérature grecque,* t. V. — Martin, *, *Philon* (coll. *Les Grands Philosophes*), 1907. — E. Bréhier, *, *Les idées philosophiques et religieuses de Philon d'Alexandrie*, 1908. — M. Louis, *, *Doctrines religieuses des philosophes grecs* (*Bibl. hist. des religions*), 1909.

grande fureur des zélotes. Dès lors, il se trouva des exégètes juifs helléniques pour l'interpréter d'une façon large ; ainsi, au IIe siècle, l'alexandrin Aristobule qui accrédita l'idée — riche d'avenir et reprise plus tard par les apologistes chrétiens — que les grands penseurs de la Grèce n'étaient que des disciples de Moïse, et donc qu'il y avait une harmonie à dégager entre leurs œuvres et la Bible. Pour y arriver, un seul moyen : appliquer l'allégorisme au récit biblique.

Nul ne le fit avec plus d'autorité que Philon. Il naquit vers l'an 30 avant Jésus-Christ dans cette ville d'Alexandrie, centre principal et compact des juifs hellénisés. D'origine sacerdotale, il était profondément pieux. Aussi, ses œuvres sont-elles surtout des écrits exégétiques ; mais il y pratique l'interprétation allégorique « avec une liberté ou plutôt une fantaisie qui, dit M. Croiset, nous paraît à nous un défi perpétuel au bon sens ». Tout y devient l'histoire d'une âme à la recherche de Dieu. C'est ainsi, par exemple, que les grands patriarches symbolisent les trois modes possibles de retour à Dieu : Jacob, l'ascétisme ; Abraham, l'enseignement ; Isaac, la grâce. Les rites judaïques eux-mêmes, auxquels Philon reste fidèle, doivent s'interpréter d'une telle manière spirituelle : la circoncision, par exemple, signifie le retranchement des plaisirs et qu'il faut tout rapporter à Dieu.

Cette large méthode permet à Philon d'esquisser à propos de la Bible toute une philosophie, voire toute une mystique. Et c'est par là que son influence devait se prolonger. La transcendance du Dieu invisible était une idée chère à la théologie judaïque, surtout depuis l'exil. Il la commente par la théorie des intermédiaires entre le Dieu inaccessible et l'âme. Au premier rang de ces intermédiaires, il place le Logos, modèle et artisan du monde. L'âme voulant s'élever à une vie contemplative n'y parviendra qu'en utilisant toute une hiérarchie d'êtres, anges et démons, et le monde même, reflet de l'ordre divin.

Sans doute Philon ne fut pas un penseur profond et original. Mais, placé au carrefour de la pensée grecque et des doctrines juives, il sut les fondre et les harmoniser. S'il est difficile de dire dans quelle mesure il influença le gnosticisme, nul doute par contre qu'il n'ait été le véritable précurseur du néo-platonisme de Plotin.

LIVRE II

L'ÉGLISE ET L'ÉTAT AUX DEUX PREMIERS SIÈCLES

CHAPITRE PREMIER

LE MILIEU. LE MONDE ROMAIN

I. État moral de la société. — Rien n'est plus difficile que de juger les mœurs d'une époque. Le monde romain de la période impériale possède une mauvaise réputation, justifiée à coup sûr. Prenons garde toutefois aux exagérations des historiens contemporains, presque tous partiaux en faveur de l'ancien régime auquel les rattachaient leurs origines sénatoriales; surveillons aussi les descriptions des apologistes chrétiens, naturels contempteurs de la vie païenne. Ni Suétone et Tacite, ni Horace et Juvénal, ni Tatien et Tertullien ne sont toujours à prendre au pied de la lettre. On trouvera un juste contrepoids chez un Sénèque, un Marc-Aurèle et un Plutarque, dans la correspondance de Cicéron et de Pline, ou encore parmi les apologistes chrétiens conciliateurs.

La société antique reposait sur une idée moralisatrice, le culte du foyer : manquer à la fidélité conjugale, n'était-ce pas un sacrilège qui risquait de ruiner par l'enfant illégitime le culte domestique? De là une puissance paternelle et maritale très forte et qui, en principe du moins, reléguait l'épouse à l'arrière-plan.

Telle est bien la situation en Grèce où la femme, tristement confinée dans le gynécée, s'y consume en besognes chétives : une courtisane pour les plaisirs, une concubine comme infirmière, une épouse pour avoir des enfants et garder la maison, voilà comment Démosthène entend les choses, sans croire manquer à la dignité. On peut donner sa femme à un autre, la prêter à un ami; pour l'homme, l'adultère n'existe pas.

A Rome, la condition de l'épouse fut moins triste. Si, en principe, elle restait toujours sous la puissance d'un père ou d'un mari, les mœurs lui avaient restitué quelque situation sociale : elle est la matrone, la mère de famille; on l'appelle *domina*, la maîtresse qui partage la

L'état moral de la société romaine. — FRIEDLANDER, *Darstellungen aus der Sittengeschichte Roms in der Zeit von Augustus bis zum Ausgang der Antonine,* Leipzig, 1862-1871 (11e édition revue par Wissowa, 1919-23); traduction par VOGEL, *Mœurs romaines du règne d'Auguste à la fin des Antonins*, Paris, 1865-1874, 4 vol. — C. MARTHA, *Les moralistes sous l'empire romain,* 1865. — G. BOISSIER, *Promenades archéologiques,* ch. VI, 1887. — LALLEMAND, *Histoire de la charité*, t. I. *L'antiquité* (Les civilisations disparues), 1902. — G. FERRERO, *Grandeur et décadence de Rome*, t. V, *La république d'Auguste,* ch. II et VII, 1907. — H. F. SECRÉTAN, *La population et les mœurs,* 2e éd., 1916. — BELLESSORT, *Virgile. Son œuvre et son temps,* ch. I, 1920. — GRENIER, *Le génie romain dans la religion, la pensée et l'art* (coll. *Évolution de l'Humanité*, vol. 17). — A. BAUDRILLART, *Mœurs païennes, mœurs chrétiennes*, I. *La famille dans l'antiquité et aux premiers siècles du christianisme*, 1929. — H. LECLERCQ, art. *Femme,* dans *Dict. Arch.* — BUSSEMAKER ET SAGLIO, art. *Circus,* dans *Dict. des Antiquités Daremberg et Saglio,* t. I.— G. LAFAYE, art. *Gladiator, ibid.,* t. II. — TOUTAIN, art. *Ludi publici, ibid.,* t. III. — BOISSIER, art. *Mimus, ibid.*, t. III. — O. NAVARRE, art. *Meretrices, ibid.*, t. III. — L. SECHAN, art. *Saltatio, ibid.*, t. IV.

direction de la maison avec son époux. L'autorité absolue de celui-ci est d'ailleurs plus ou moins surveillée par le tribunal domestique composé des proches et des amis, et qui intervient dans tous les événements importants.

Ainsi nous apparaît la société aux premiers temps. Mais combien celle de la Rome impériale en différait profondément. Ses conquêtes — celles de l'Italie méridionale, puis de la Grèce et de l'Orient — avaient provoqué le luxe et les plaisirs. La femme s'émancipa, secouant le joug légal : dès Auguste, nulle tutelle pour l'ingénue mère de trois enfants ou même pour l'affranchie qui en a quatre. Hadrien accordera bientôt à la femme le droit de tester. Elle possède alors toutes les libertés, même celle de l'adultère, d'autant plus que le tribunal domestique est tombé à rien. Le divorce sévit à l'état endémique; rien qu'un futile prétexte, et le voilà décidé. Les femmes finissent par en acquérir le droit, et les satiriques parlent couramment de huit, dix mariages consécutifs; à en croire Sénèque, certaines matrones comptent leurs années non par le nombre des consuls, mais par celui de leurs maris. Les hommes renchérissent encore; et comme l'adultère de l'épouse les dispense de rendre la dot, on en voit s'allier à des créatures sans pudeur pour s'enrichir en divorçant. « La chasteté, écrit Sénèque, n'est plus qu'une preuve de laideur; l'adultère, quand il se borne à un seul amant est presque un mariage. » (*De Benef.*, III, 16.) Ces chassés-croisés compliquent à l'infini les tableaux généalogiques et obscurcissent tous les rapports de descendance et d'alliance : à peine est-on mari, à peine père, et pour si peu de temps!

D'ailleurs, plus d'épouses. Le nombre grandit toujours des célibataires obstinés qui préfèrent ne prendre qu'une maîtresse, grande dame, affranchie, chanteuse syriaque, danseuse grecque ou espagnole. Partout la prostitution; on trouve des courtisanes au théâtre, sous les portiques, dans les temples, assistant aux festins orgiaques où au lieu de s'asseoir les matrones s'habituèrent à s'étendre parmi les hommes. Les épouses de sénateurs peu fortunés reprennent aux nouveaux riches par leurs caresses une partie des biens qu'ils avaient captés durant la révolution. Jadis confinées au foyer, elles acquièrent des libertés nouvelles : promenades à pied ou en litière découverte, participation aux affaires et aux plaisirs des hommes. Dans une prosopée émouvante, Properce a fait parler la porte d'une maison illustre où passèrent jadis les chars de triomphe et qui maintenant est assiégée par les multiples amants d'une grande dame (*Prop.*, I, XVI, 1 suiv.). Nul jeune homme qui reste chaste : « Si quelqu'un prétend interdire à la jeunesse l'amour des courtisanes, dit l'honnête Cicéron, je le trouve vraiment bien sévère. » Sénèque, défendant un jeune débauché, s'écrie avec désinvolture : « En quoi a-t-il donc tort s'il aime sa maîtresse? N'est-ce pas la coutume? Il faut que jeunesse se passe; prenez patience, et bientôt pour s'amender il convolera en justes noces. » Tout cela constitue un idéal d'élégance, la vie grecque comme on dit (*graecari*).

Pas d'enfants! L'*orbitas*, c'est-à-dire la situation du vieillard sans progéniture semble privilégiée; ne lui permet-elle pas d'enfler son crédit par la clientèle des courtisans qui guettent son héritage? « Autrefois, écrit Sénèque, c'était la ruine d'un vieillard que de rester seul; maintenant, c'est un si beau titre à la puissance que l'on en voit feindre la haine contre leurs fils, désavouer leurs enfants et vider leurs maisons par le crime » (*Consol. ad Marciam*, XIX). L'exposition des enfants est coutumière, surtout celle des filles : pauvres petites créatures qui deviendront souvent la proie des *lenones* ou marchands de chair humaine; elles seront élevées pour la galanterie ou vendues à des maîtres riches. Pareille alternative n'émeut pas la frivolité mondaine. « On fait de ses enfants des orphelins, écrira Clément d'Alexandrie avec humour, et on nourrit des perroquets; on expose le fruit de ses entrailles et on élève des poussins. »

Contre cette montée d'immoralité, Auguste essaya de réagir. Ainsi édicta-t-il la *lex Julia de maritandis ordinibus*, « loi sur le mariage des ordres privilégiés », et la *lex Papia-Poppoea :* obligation du mariage pour tous les citoyens qui n'ont pas dépassé, les hommes 60 ans et les femmes 50, inaptitude des célibataires à recevoir d'autres héritages que ceux de leurs proches, avantages accordés aux pères de famille. D'autre part, la *lex Julia de adulteriis coercendis*, « loi sur la répression de l'adultère », frappait de peines sévères — relégation et confiscation partielle des biens — les coupables avec leurs complices. Pareilles mesures restèrent impuissantes à amender les mœurs. Elles contribuèrent surtout à introduire l'inquisition et l'espionnage dans le sanctuaire domestique. Sans doute se résigna-t-on à se marier puisque la loi l'exigeait, mais ce fut surtout pour recueillir des héritages, ou bien pour mener une vie dissolue grâce à une complicité réciproque. Jusque dans sa propre famille, deshonorée par l'inconduite de sa fille et de sa petite-fille, les deux Julies, la réforme d'Auguste échoua.

Tout contribuait à pervertir la société romaine : littérature, spectacles, jeux du cirque. Les vers érotiques d'un Tibulle et d'un Properce se complaisent à décrire la beauté de la femme et ses charmes les plus cachés. Sous le calame d'Ovide la poésie n'est plus qu'une entremetteuse : « œuvre légère pour filles légères », ainsi a-t-il défini son *Art d'aimer*. Le théâtre était une école d'immoralité. Qu'on lise l'*Ad Donatum* de saint Cyprien et l'on sera édifié : telle matrone, dit-il, qui peut-être y alla chaste, en revient impudique. Les jeux du cirque deviennent le plaisir favori : avec une agitation fébrile la foule suit les phases de la lutte, prenant parti pour tel cocher ou tel gladiateur; les plus hauts personnages aiment souvent exposer leur vie dans l'arène, sous les yeux de leurs proches; la mère même voudra jouir de cette émotion, elle y mettra le prix; et rien ne souligne mieux l'incurable démoralisation du monde romain. On comprend le jugement de Sénèque sur ses contemporains : « réunion de bêtes fauves ».

Voilà un tableau bien sombre. Non point qu'il n'y eût alors aucune vertu : entre l'aristocratie corrompue et la plèbe abjecte, la masse bourgeoise atteignait sans doute une honnêteté moyenne, particulièrement dans les petites villes. Au sein de la haute société ellemême, il y eut d'heureuses exceptions; on signale quelques exemples d'honnêteté remarquable, telle Aurelia, femme de César et Pauline, femme de Sénèque; les lettres de Pline nous révèlent un ménage heureux, des rapports d'amitié affectueux et dignes. Reconnaissons d'ailleurs qu'au IIe siècle, l'état moral connaîtra quelque amélioration. L'afflux des provinciaux avec leurs qualités de race, leur économie native, leur honnêteté bourgeoise y contribuera; au luxe et à la licence des Romains de la conquête une aristocratie provinciale substituera plus ou moins l'esprit d'ordre, l'amour de la famille. Ces dispositions nouvelles déteindront sur la législation : ainsi l'adultère du mari sera-t-il assimilé à celui de la femme. Mais le peuple restera dégradé [1].

II. Le problème social. L'esclavage. — Tout se compliquait d'un redoutable problème social. A mesure que s'étendaient les conquêtes et le commerce, l'esclavage avait

1. Les apologistes du milieu romain évoquent le souvenir des vestales qui vivaient dans la virginité. Notons cependant combien leur nombre était limité, quatre d'abord, six plus tard ; rappelons que ni leur vocation n'était volontaire, ni leurs vœux perpétuels, et que pour les garder fidèles, il avait fallu suspendre sur elles la plus terrible menace, celle d'être enterrées vivantes.

pris des proportions inusitées : à Rome on comptait 900.000 esclaves sur 1.600.000 habitants. Les riches en possédaient des centaines : Pudentilla, femme d'Apulée, en donnait 400 à ses fils; quelle multitude lui en restait-il encore?

Qu'est l'esclave dans la société romaine? Une chose, rien de plus (*mancipium*). Pour Varron, il y a trois classes d'instruments agricoles : le genre parlant, les esclaves; le genre à voix inarticulée, les bœufs; le genre muet, les véhicules. Sur ces bêtes, le maître possède tous droits. Nuls ne sont plus misérables que les esclaves agricoles ou ceux qui, dans les villes, sont employés aux travaux publics. Apulée nous en a tracé un tableau réaliste auprès duquel celui du paysan par La Bruyère prend des teintes d'églogue. « Grands dieux! Quels avortons d'hommes! Toute la peau bariolée par les meurtrissures noirâtres du fouet, le dos roué de coups, ils étaient plutôt ombragés que recouverts d'un haillon en lambeaux... Une lettre sur le front, la tête à demi-rasée; aux pieds des anneaux; hideux de pâleur; les paupières rongées par la fumée, par la vapeur, à peine y voyaient-ils encore. » Beaucoup travaillent fers aux pieds (*compediti, annulati pedes*).

Dans les ergastules la vie de ces esclaves est un enfer : coups de bâtons, pointes aiguës, lames brûlantes, croix, fers, nerfs de bœuf, chaînes, carcans, voilà quels châtiments les attendent. La terreur d'ailleurs semble procédé nécessaire, même envers les esclaves domestiques : « Nous avons dans nos foyers, s'écrie sous Néron le sénateur Caïus Crassus, toutes les nations ensemble, de mœurs si opposées, de religions si bizarres, souvent même n'en ayant point; ce vil ramassis de barbares ne peut se contenir que par la crainte. » Les contemporains nous montrent des maîtres fouettant un esclave pour un éternuement, pour un mot chuchoté pendant le repas; des matrones frappant, piquant de leur aiguille, déchirant à coups d'ongles pour quelque petite maladresse les servantes occupées à leur service. Le maître vient-il à être assassiné, d'après la loi tout son personnel servile doit périr, innocents et coupables.

Le réquisitoire d'une telle institution est facile à dresser. Au point de vue économique, elle ruina l'agriculture en absorbant les petites propriétés dans les grandes (*latifundia*) où des esclaves embrigadés laissaient dépérir la terre. Au point de vue moral, c'était la corruption du haut en bas. Les maîtres qui possédaient tous droits sur leurs esclaves en abusaient pour assouvir leurs passions : exiger qu'ils portent des toilettes indécentes ou qu'ils figurent dans des représentations lascives, les séduire pour les abandonner presque aussitôt, tout cela est permis aux maîtres. Les matrones elles-mêmes se livrent à des amours serviles. « Les choses honteuses, dit Plaute, doivent être considérées comme honorables, quand c'est le maître qui les fait. » « Si quelqu'un se vautre dans la fange avec ses esclaves, dira saint Augustin, on l'aime, on lui sourit, son péché devient matière à plaisanterie... Ne puis-je pas, dit-il, faire de ma propre maison ce qui me plaît? » A leur tour, nourrices et pédagogues corrompent les enfants à eux confiés.

Sans doute y a-t-il parfois de bons maîtres qui, comme Pline le Jeune, portent un intérêt véritable à leurs esclaves et s'efforcent de leur constituer un milieu familial; sans doute aussi, sous l'influence humanitaire du stoïcisme, toute une législation va-t-elle s'élaborer conforme au droit naturel : défense de tuer, mutiler ou abandonner ses serviteurs, fermeture des ergas-

Esclavage. — Wallon, *Histoire de l'esclavage dans l'antiquité*, 1845. — P. Allard, *Les esclaves chrétiens*, 3e éd., 1900. — P. Allard, *Esclaves, serfs et mainmortables*, s. d. — Lallemand, *Histoire de la charité*, t. I. — A. Baudrillart, *Mœurs païennes...*, t. I. — H. Leclercq, art. *Charité*, dans *Dict Arch.* — H. Leclercq, art. *Esclaves, ibid.* — V. Chapot, art. *Servus*, dans *Dict. des Antiquités Daremberg et Saglio*.

tules ou prisons domestiques, légitimité du mariage, libre disposition du pécule, capacité de tester et d'entrer dans une corporation.

Mais la question sociale subsiste entière. A Rome, en particulier, grouille toute une population : petits propriétaires expulsés de leurs champs, artisans, affranchis d'hier. Contenir ce prolétariat reste pour les gouvernants un angoissant problème à résoudre. On s'y essaie par des lois agraires, par des distributions gratuites de blé et denrées (*congiaria*), par le prêt de sommes dont l'intérêt passe à l'entretien d'enfants pauvres (*tabulae alimentariae*). Le nombre grandit toujours des clients qui, moyennant pitance, font escorte aux vaniteux patriciens. « Voyez, écrit Sénèque, les maisons des grands et leurs portes où l'on se bat pour être le premier à leur lever. Il faut souffrir beaucoup d'indignités pour y entrer, et plus encore quand on y est admis » (*Epist.*, 85). Ainsi s'entretiennent dans la plèbe les plus bas sentiments avec la fainéantise.

En toutes ces mesures, d'ailleurs, il ne faut voir que la rançon payée par le pouvoir afin de ne pas être inquiété. A quel point la charité restait-elle un sentiment inconnu des Romains pour que, dans une société où le paupérisme était une plaie noire, les collèges de petites gens — ceux qui d'instinct doivent savoir compatir — n'aient songé ni à secourir les malades, ni à doter la veuve et l'orphelin?

III. Religion et philosophie. — A la fin de la République, le scepticisme envahit les classes cultivées : tout lettré ne voit dans la mythologie que fables extravagantes et poétiques ou symbolisme moral. Seulement, en pratique, assistance aux cérémonies et accomplissement des rites passent pour convenance sociale et devoir patriotique. D'où l'illogisme frappant de certaines attitudes : le même Cicéron qui au Forum, dans un discours au peuple, prend à témoin Jupiter et tous les dieux, le même écrit des ouvrages philosophiques où il nie le polythéisme. Aux yeux de beaucoup la religion n'est plus qu'un athéisme superstitieux.

Pour restaurer les mœurs antiques, Auguste voulut rendre faveur à la religion traditionnelle. Infuser la foi aux sceptiques, on ne pouvait guère y songer; il s'attacha du moins à rendre au culte tout son éclat. Ne pouvait-il pas compter sur l'appui d'éléments encore plus ou moins croyants : paysans et petits bourgeois italiens, provinciaux d'Illyricum, de Gaule, d'Espagne et d'Afrique? On le vit prendre à cœur l'entretien des temples, demander aux grandes familles qu'elles réparassent leurs monuments, rendre leur importance aux collèges sacerdotaux, revivifier les « sodalités » ou confréries, entre autres celle des Arvales, rétablir

I. Culte impérial. — G. Boissier, *La religion romaine d'Auguste aux Antonins,* 2 vol., 1874. — E. Beurlier, *Essai sur le culte rendu aux empereurs romains,* 1890. — J. Toutain, *Les cultes païens dans l'Empire romain,* 3 vol., 1905-1917. — G. Wissowa, *Religion and Kultus der Romer,* dans le *Handbuch der Klassischen Altertumswissenschaft* de von Muller, t. V, 4e sect., 2e éd., Munich, 1912.

II. Religions exotiques. — Boissier, *La religion romaine...*, t. I. — F. Cumont, *Les religions orientales dans le paganisme romain* (*Annales du Musée Guimet*, t. XXIV), nouv. éd., 1930. — Toutain, *Les cultes païens dans l'Empire romain*, t. II (*Hautes-Etudes, Sc. relig.*, fasc. 20). — H. Graillot, *Le culte de Cybèle, mère des Dieux à Rome et dans l'Empire romain* (*Bibl. franç. Athènes et Rome*, fasc. 107), 1912. — J. Lebreton, *Histoire du dogme de la Trinité,* passim, 1929. — M. J. Lagrange, *Les religions orientales et les origines du christianisme*, dans *Correspondant*, 25 juillet 1910, p. 209-241. — Lécrivain, art. *Mysteria*, dans *Dict. des Antiquités Daremberg et Saglio.* — J. Huby, *Christus*, 5e éd., 1927.

III. Philosophie. — Martha, *Les moralistes sous l'Empire romain,* 1865. — Windelband, *Geschichte der abendlandischen Philosophie im Altertum*, dans le *Handbuch der Klassischer Altertumswissenschaft* de von Muller, t. IV, 1re section, 1re partie, 4e édit., Munich, 1923. — E. Bréhier, *Histoire de la philosophie*, t. I, 2e partie, 1928.

les « jeux séculaires », destinés à commémorer la fondation de Rome, enfin, dans ce renouvellement du culte, appeler à son aide le souffle des grands poètes, un Horace, un Virgile, voire un Ovide.

Sur cette restauration assez factice se greffa une dévotion nouvelle qui, elle, suscita de sincères enthousiasmes : le culte impérial. L'habitude des provinces asiatiques — transmise aux Grecs — d'identifier le souverain avec un dieu, la non-répugnance des provinces occidentales à un tel culte, le désir d'exprimer au pouvoir suprême la reconnaissance de tous pour la prospérité universelle, l'identification de l'Empereur avec Rome même, déjà déesse, l'habileté d'Auguste à graduer les hommages et à les diriger d'abord non sur sa propre personne, mais sur le Génie et les Lares protecteurs de sa famille, enfin « la nullité religieuse » qui rendait impossible une protestation dogmatique quelconque, tout cela explique la fortune inouïe du culte nouveau. Au surplus, c'était moins l'adoration expresse d'un homme qu'une manifestation de loyalisme envers l'Etat.

Ce culte posséda un sacerdoce municipal, le flaminat; en chaque province, il se manifesta par de grandes assemblées où se réunissaient les délégués des différentes cités. Il eut pour couronnement l'apothéose de l'Empereur associé après sa mort aux dieux de l'Olympe. Désormais, Rome et l'*Augustus* concentraient l'autorité et l'adoration.

Tout ce renouveau cultuel pouvait-il satisfaire les aspirations des âmes alors agitées par une vague sensibilité religieuse, par un besoin d'effusions et de révélations? Elles se tournèrent vers les cultes orientaux qui se répandaient dans l'Empire à la faveur du cosmopolitisme administratif et économique, résultat des conquêtes romaines.

Le succès de ces dévotions orientales fut dû à leur culte mystique extatique comme aussi à leurs préoccupations morales de purification rituelle.

A leurs fidèles elles offraient l'attrait des initiations et des mystères. Ces initiations sont d'autant plus appréciées qu'elles requièrent une préparation laborieuse et qu'elles introduisent progressivement et par degrés dans l'intimité du Dieu : véritable drame liturgique, tout en impressions d'ailleurs, car il n'y a jamais un substratum dogmatique véritable. Au dixième jour de l'initiation, selon Apulée, le fidèle d'Isis était mené dans la partie la plus reculée du temple pour y jouir d'une clarté éblouissante qui soudain perçait la nuit : « Écoute et crois ce qui est vrai; j'ai approché du royaume de la mort, j'ai foulé le seuil de Proserpine, et j'en suis revenu à travers les éléments (planètes). J'ai vu le soleil briller en pleine nuit de tout son éclat; je me suis approché des dieux des enfers et des dieux du ciel, je les ai vus face à face, je les ai adorés de près. » Alternatives d'ombre et de lumière, de silence et de fracas, apparitions lointaines, bref toute une mise en scène propre à émouvoir les sens et l'imagination, voilà ce que pareil texte fait entrevoir. — Les représentations liturgiques des mystères ne sont pas moins dramatiques. Voyez l'histoire d'Attis qui, à la suite d'exploits amoureux est dépouillé de sa virilité, et qui, ressuscité, devient l'inséparable compagnon de la Mère des dieux. Durant huit jours les mystères de Cybèle rappelleront ce drame : mutilation, funérailles, résurrection. « A jours marqués, dit Lucien, la foule se réunit dans l'enceinte sacrée; les Galles en grand nombre et les hommes consacrés célèbrent la fête, se tailladant les bras et se frappant le dos les uns aux autres; de nombreux musiciens se tiennent près d'eux, jouent de la flûte, battent du tambour ou chantent des cantiques. Beaucoup de spectateurs sont saisis par la fureur » et, brandissant le couteau réservé, se mutilent à leur tour.

L'idée de purification se mêle d'ailleurs à ces cultes effrénés. Elle apparaît surtout dans le rite sanglant du taurobole, lié aussi au culte d'Attis, et dont Prudence nous a laissé un tableau saisissant (*Perist.*, x, 1011). Dans une fosse recouverte d'un plancher percé de trous descend le fidèle richement costumé; on immole au dessus l'animal. « Par les nombreuses ouvertures des planches pénètre la rosée sanglante. Le fidèle la reçoit pieusement présentant la tête à toutes ces gouttes qui tombent, les recueillant sur ses habits et sur son corps qu'elles inondent. Il se renverse en arrière pour qu'elles arrosent ses joues, ses mains, ses oreilles et ses yeux; il ouvre même la bouche et les boit avidement. » « Horrible à voir », le voilà « régénéré pour l'éternité ».

On comprend que cette piété nouvelle, plus tendre, plus confiante, toute frémissante et toute émotive, ait recueilli grand succès à une époque où la froideur du culte officiel ne pouvait satisfaire les besoins religieux d'une société blasée. Ces religions exotiques eurent une vogue particulière parmi les femmes auxquelles, à l'ordinaire, elles accordaient l'accès de toutes les dignités et de tous les sacerdoces.

Partout s'opérait l'infiltration de ces cultes grâce aux marchands, aux esclaves, aux fonctionnaires, aux soldats qui voyageaient d'Orient en Occident. Un moment arrêtés par le veto d'Auguste et de Tibère, ils eurent cause gagnée lorsque, dès Caligula, la faveur impériale leur fut acquise. On comprend d'ailleurs que le césarisme les ait protégés puisqu'ils tendaient à élever les souverains au-dessus de l'humanité et donnaient quelque base dogmatique à leur despotisme. Dès lors, ce fut l'envahissement rapide : culte de Cybèle et d'Attis, culte de la déesse syrienne, culte de Mithra, appelé au IIIe siècle à un si grand développement. Ainsi se justifie le mot de Tacite : « A Rome afflue de toutes parts et s'étale tout ce qu'on peut trouver d'atroce et de répugnant » (*atrocia aut pudenda*).

Bien qu'elle s'adresse à un public moins mêlé et plus digne, l'influence de la philosophie rejoint plus ou moins celle des religions. Répondant au besoin spirituel des contemporains, le stoïcisme se dégage alors des profondeurs métaphysiques pour devenir avant tout une science morale. Comme telle, il reprend les thèmes généraux, bases de l'honnêteté, et il essaie de les rajeunir par une certaine virtuosité de la forme. Ainsi Sénèque y introduit-il « une sorte d'enthousiasme mystique », beaucoup plus sobre à coup sûr que celui des adorateurs d'Isis, mais dirigé vers Dieu, Père omniscient et omniprésent. Cet enseignement assez vague, que nous qualifierions volontiers aujourd'hui « morale laïque », se répandit sous différentes formes : sortes de catéchismes comme les discours de Musonius, sermons à thèmes philosophiques tels ceux de Dion Chrysostome, lettres ou traités de direction spirituelle à la Sénèque. La vogue va à tous ces prédicateurs de morale : Epictète sera le guide des jeunes gens riches auxquels il inspirera le mépris du servilisme et de la flatterie.

IV. Conclusion : La préparation au christianisme. — Une apologétique cauteleuse du monde romain tendrait à prouver que, plus ou moins renouvelé par le stoïcisme et les religions orientales, il esquissait déjà une réforme que le christianisme ne fit qu'achever. N'y aurait-il pas là un optimisme exagéré?

Le stoïcisme ne s'adressait guère qu'à une élite : femmes du monde, jeunes gens fortunés; il eût donc été incapable d'opérer un redressement général de la société. Combien, d'ailleurs, ses principes n'étaient-ils pas opposés à ceux du christianisme; plutôt que l'humilité, il prônait l'indépendance absolue de l'individu sauvé par sa seule volonté; nul recours à Dieu et à sa grâce. « Voilà tes doigts, dit brutalement Epictète, et tu cherches encore quelqu'un pour te moucher? » De là, même chez les meilleurs, une complaisance assez pharisaïque dans le mérite de leurs propres actions : « Rappelle-toi, dira Marc-Aurèle, par quels événements tu as passé et ce que tu as eu la force de subir; songe à tant de douleurs et à tant de plaisirs que tu as méprisés, à tant d'honneurs que tu as négligés, à tant d'ingrats que tu as traités avec bienveillance. » (*Pensées,* V, 31.) A quelle distance ne sommes-nous pas ici de l'action de grâces chrétienne. De Marc-Aurèle à saint Louis — n'en déplaise à Renan — il y a un abîme, celui qui sépare la nature de la surnature, la volonté virile de la grâce divine.

On fait parfois grand état de l'invasion des religions orientales dans l'Empire. Un spécialiste tel que M. F. Cumont a soutenu qu'elles ont élevé la conscience religieuse et préparé ainsi le triomphe chrétien. A coup sûr, mieux valait ce réveil, si trouble fût-il, que l'indifférence précédente : une soif d'expiation purificatrice semble avoir traversé beaucoup d'âmes. La société romaine ressemblait alors à une courtisane, mais on trouve parfois chez ces créatures une certaine nostalgie de la vertu; engendrant le dégoût, l'excès du désordre devient, chez plusieurs, occasion de repentir. En réalité, par les charmes troublants de leur mystique, ces cultes exotiques satisfirent les besoins d'émotion des contemporains : rites purificateurs, évocations d'outre-tombe, scènes frénétiques et orgiastiques, tout y contribuait à procurer ces secousses nerveuses en quoi consistait surtout la piété de ces foules désordonnées. Au froid réalisme politique qui inspirait le culte impérial se juxtaposa l'individualisme sentimental et rêveur; grâce à ces nouveautés, le monde romain put mieux soutenir le choc du christianisme, d'autant plus qu'il s'opéra bientôt une coalition puissante de tous les cultes en un syncrétisme plus ou moins monothéiste.

Sans doute, ces religions orientales offrent-elles quelques ressemblances avec le christianisme. Oserait-on, cependant, approfondir la ressemblance entre la Rédemption du Christ et ces histoires qui se ramènent toutes plus ou moins au thème suivant : un Dieu, — Osiris, ou Adonis, ou Attis, — aimé d'une déesse, — Isis, ou Aphrodite, ou la Grande Mère, — ce Dieu perdu par elle qui gémit sur sa mort et finit par lui rendre la vie? Ira-t-on opposer au sacrement de baptême l'affreux taurobole? Purification liturgique, absence de souillures rituelles, voilà où ces cultes tendaient sans souci de la vraie moralité. Les rapprochements avec le christianisme sont donc purement verbaux; nulle parité du principe intérieur qui est tout en pareille matière et sans quoi les ressemblances extérieures se réduisent à presque rien. Aussi, devins, aruspices, prêtres mendiants de Cybèle, initiateurs et purificateurs de toutes espèces voulurent-ils persuader à la plèbe ignorante et grossière que le christianisme, rival de leur influence, était responsable des maux présents.

Au moins, de la large tolérance accordée à ces cultes l'Évangile n'a-t-il point profité? A coup sûr, cinq siècles auparavant, alors que les divinités étaient strictement locales, qu'elles ne franchissaient pas les remparts de leurs cités, et qu'elles s'opposaient comme guelfes et gibelins au moyen âge, le christianisme se fût heurté à chaque pas à des ennemis nouveaux. A ses débuts, il bénéficia de la tolérance générale; mais on sait qu'elle avait ses conditions et qu'à tous les cultes un autre se superposait, dont la pratique était exigible de tous, véritable brevet de civisme : le culte impérial. Son développement vouerait bientôt les fidèles à la persécution.

Avouons cependant que la conquête romaine favorisa l'évangélisation. « Dieu, remarque Origène, avait préparé les nations à l'enseignement du Christ, il avait voulu qu'elles fussent réunies sous l'empire romain et que les peuples ne fussent pas séparés les uns des autres par la multiplicité des empires, ce qui eût rendu plus difficile l'accomplissement des commandements faits par Jésus aux Apôtres : Allez, enseignez toutes les nations. » (*Contra Celsum*, II, 30). Uniformité de langue amenée par la diffusion hellénique, unité politique romaine, développement des moyens de communication, sécurité plus grande des routes, organisation des relais, administration des postes, autant de faits qui aidèrent grandement l'expansion chrétienne ; par delà les frontières impériales où ces facilités n'existaient plus, les missionnaires ne s'avanceront qu'avec timidité et souvent égareront leurs pas. Notons d'ailleurs que ces mêmes avantages pouvaient se retourner contre les fidèles : aux jours de persécution, on les atteindrait rapidement et partout.

En fait, le christianisme allait se heurter à toutes les résistances : celle de l'État romain conservateur, celle des âmes attachées aux divers paganismes et plongées dans le vice. Les réels agents de son triomphe seront la vérité de son enseignement et l'inflexibilité de son dogmatisme, la force divine manifestée par miracles et charismes, la perfection morale éclatant dans la pureté des fidèles, dans leur amour fraternel, dans le courage joyeux des martyrs. Pourquoi chercher ailleurs où l'on trouverait sans doute quelques circonstances favorables, mais non pas les causes profondes ?

CHAPITRE II

LES PERSÉCUTIONS DE NÉRON A SEPTIME-SÉVÈRE

I. Néron. — Le 19 juillet 64, un incendie éclata dans les boutiques qui entouraient le Grand Cirque, et rapidement, à la faveur d'un vent impétueux, il dévora les constructions entassées entre le Palatin et le Celius, gagna ces collines elles-mêmes, puis la vallée qui sépare le Palatin de l'Esquilin où se trouvait la *domus transitoria* de Néron. Six jours durant, il étendit ses ravages sans rien épargner, ni le Forum, ni la Voie Sacrée, ni les temples fameux. Affolée, la foule s'était réfugiée au Champ de Mars où Néron, revenu d'Antium, fit élever des abris provisoires et distribuer des vivres. Ne fallait-il pas calmer cette plèbe qui, d'abord frappée d'horreur par les flammes, la fumée et les débris calcinés, éclatait maintenant en fureur? Sans doute déplorait-elle le désastre matériel, mais surtout elle s'indignait qu'eût pu disparaître tout un passé glorieux et sacré, temples et autels vénérés, trophées fameux, souvenirs des victoires romaines. Qu'on suppose l'émotion des Français s'ils apprenaient soudain que Paris est réduit en cendres, Paris avec Notre-Dame et Montmartre, le Louvre et l'Arc de Triomphe. Plus qu'une ruine, c'était une profanation, le plus affreux des sacrilèges, et qui attirerait sur l'Empire la malédiction des dieux.

Une rumeur courut bientôt qui accusait Néron. On disait que cet impérial mégalomane avait commis un tel crime pour reconstruire une Rome plus belle où brillerait la *Domus aurea*, objet de tous ses rêves. Des esclaves de Néron avaient été surpris à attiser les flammes, ses propres valets de chambre (*cubicularii*); et les consulaires, les voyant mettre le feu à leurs maisons, n'avaient osé protester. On rapportait même que l'histrion couronné avait voulu jouir du spectacle unique : en habit d'acteur, une lyre à la main, il l'aurait contemplé du sommet d'une tour en chantant la ruine de Troie. Détail plus troublant, l'incendie enfin enrayé s'était rallumé sur le Pincio dans une propriété appartenant à Tigellin le plus intime favori de Néron. Plus de doute : l'Empereur était coupable; celui qui devait protéger la Ville, et dont le sort s'identifiait avec elle, avait osé la détruire.

Néron. — P. Allard, *Histoire des persécutions pendant les deux premiers siècles.* — P. Allard, *Les chrétiens ont-ils incendié Rome* (coll. *Science et Religion*). — G. Boissier, *L'incendie de Rome et la première persécution chrétienne,* dans *Journal des Savants*, 1902, p. 158-167. — L. de Combes, *La condition des juifs et des chrétiens à Rome et l'édit de Néron, Rev. cath. des Institutions et du droit*, t. XXXIII, 1904, p. 47 suiv. — Healy, *The literature of Neronian persecution, Cath. Univ. Bull. Washington,* 1904, p. 357-370. — Att. Profumo, *Le fonti ed i tempi dello incendio neroniano,* Rome, 1905 (*R. H. E.*, t. VIII, 1907, p. 749-56). — Callewaert, dans *R. H. E*, t. IV, 1903, p. 476-479; t. VIII, 1907, p. 749-756. — H. Leclercq, art. *Edits et rescrits,* dans *Dict. Arch.* — H. Leclercq, art. *Incendie de Rome, ibidem.* — H. Leclercq, art. *Liberté de conscience, ibidem.*

Cette rumeur populaire, dont il est impossible de contrôler les données, fut accréditée ensuite par les historiens, notamment Suétone. Tacite, dans sa prudence, ne tranche rien; si c'était le hasard... En tout cas, le crime impérial était psychologiquement possible. Avec un personnage tel que Néron, il faut laisser une large place à l'imprévu, au fantasque, au monstrueux : lubie du prince, facétie de Tigellin, caprice de Poppée, rien que cela pouvait, entraînant des événements inouïs, déjouer toutes les règles de l'induction historique. Ajoutons que si l'opinion et la proche postérité s'en prirent à Néron, la tradition païenne ne pensa jamais à accuser les chrétiens : ni Fronton, ni Lucien, ni Celse, ni Porphyre, toujours prêts contre eux à faire flèche de tout bois. On les soupçonnera d'avoir incendié sous Dioclé-

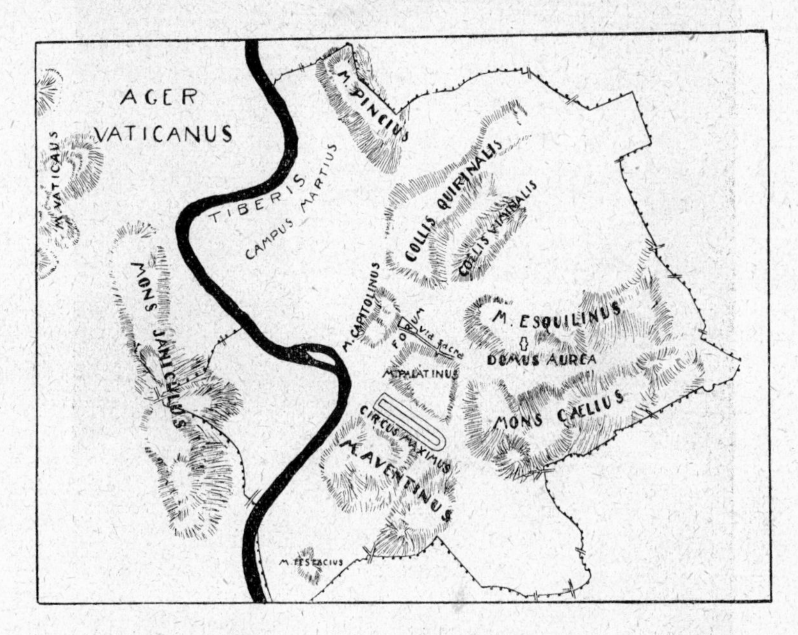

tien le palais impérial de Nicomédie et sous Julien le temple de Daphné à Antioche, sans que ces circonstances fassent évoquer l'embrasement de Rome.

Mais, Néron voyait sa popularité compromise, la révolution menaçante; il chercha à détourner l'attention de la foule. Celle-ci voulait des coupables, on lui en donnerait. Sur les chrétiens circulaient déjà dans Rome mille calomnies infamantes; puisqu'ils étaient capables de tous les crimes, pourquoi n'auraient-ils pas commis aussi celui-là? D'ailleurs, « l'envie » s'en mêla, au dire de saint Clément, et cette expression nous fait soupçonner les juifs que la propagande des chrétiens inquiétait, qui voulaient séparer nettement leur cause de ces individus compromis, et qui, par Poppée, avaient l'oreille de l'empereur.

Les perquisitions de la police réussirent; on procéda à de nombreuses arrestations. « Ceux qui s'avouèrent » chrétiens furent réservés aux supplices les plus raffinés. Néron savait, en effet, que rien n'apaiserait mieux la plèbe que les spectacles sanglants et horrifiques. Des fêtes se déroulèrent dans les jardins du Vatican où des fidèles enveloppés de peaux de bêtes furent traqués comme du gibier par des chiens, ou bien mis en croix; la nuit venue, d'autres enduits de poix et de résine devenaient les lampadaires éclairant les jeux où figurait Néron « qui tantôt se mêlait à la course en habit de cocher, et tantôt montait sur un char ».

Saint Clément nous parle de chrétiennes « les Danaïdes et les Dircés qui, après avoir souffert de terribles et monstrueux outrages reçurent la noble récompense, pour débiles de corps qu'elles fussent » (*Cor.*, VI). Il était d'usage, en effet, qu'on fît tenir aux condamnés des rôles mythologiques dans l'amphithéâtre, parfois même avec l'aide de toute une machinerie savante. En quoi la fable des Danaïdes fournissait-elle matière à un tableau émouvant, on ne le voit pas exactement; mais toutes les scènes de stupre et de sang peuvent être sup-

NÉRON.
Musée national du Louvre.

posées. Quant à Dircé, la mythologie nous apprend que, liée par Amphion et Zethus aux cornes d'un taureau indompté, elle fut traînée à travers les rochers et les ronces du Cithéron. Ainsi, dit Renan, « attachées nues par les cheveux aux cornes de la bête furieuse, les malheureuses chrétiennes assouvissaient les regards lubriques d'un peuple féroce. La foule infâme n'eut d'yeux que pour leurs entrailles ouvertes et leurs seins déchirés ».

Pourtant, à la fin, tant d'horreur l'émut. « Ils sont coupables, murmurait-elle, ils méritent les derniers châtiments, mais ce n'est pas à l'utilité publique, c'est à la cruauté d'un seul qu'on les immole. » Sur les âmes d'élite, l'impression fut sans doute plus profonde. Peut-être en trouverait-on quelque écho dans ce passage où Sénèque exhorte son ami Lucilius à supporter courageusement la maladie : « Qu'est-ce que cela, dit-il, auprès de la flamme et du chevalet, et des lames ardentes? Parmi ces douleurs, quelqu'un n'a pas gémi, c'est peu; il n'a pas supplié, c'est peu; il n'a pas répondu, c'est peu; il a souri, et souri de bon cœur. » (*Epist.*, 78.) Spectacle inouï et tout nouveau, bien propre à faire réfléchir, que cette « foule immense » de martyrs confessant sa foi par le sang. Les chrétiens apprenaient soudain aux hommes à mourir *en beauté*, sans une plainte, dans la paix absolue, et même avec un visage joyeux. Rien qui eût approché d'un tel spectacle dans toute l'antiquité héroïque. Les anciens avaient dit : « Malheur aux vaincus », et voici des victimes qui semblaient triompher dans leurs tourments.

Le grief d'incendie contre les chrétiens passa vite au second plan, puis même fut oublié. L'impression seule persista et s'affermit que leur religion était « une superstition nouvelle et malfaisante ». Aussi, à une opération de police passagère et locale succéda bientôt la disposition générale et permanente de proscription; il s'agissait maintenant non plus de sauvegarder la popularité de Néron, mais de prendre une mesure d'ordre public pour la sécurité de l'État. Suétone l'indique bien quand il place cette défense d'être chrétien parmi les « règlements sévères » établis alors « pour réprimer les abus » : ainsi, contre le luxe, contre le jeu et les cabarets, contre les faussaires.

Tertullien affirme, d'ailleurs, nettement que Néron fut le premier auteur de la législation persécutrice toujours en vigueur à son époque. Sans doute, ce jurisconsulte aura-t-il consulté le texte même des édits de proscription; il en connaît la teneur puisqu'il rappelle au juge Scapula qu'ils ne lui permettent pas de condamner les chrétiens au feu, mais à la simple décapitation. D'après son témoignage, corroboré par ceux d'un Origène et d'un Sulpice-Sévère, il semble que la loi prohibitive devait tenir à peu près en ces termes d'un laconisme vraiment romain et d'une allure toute juridique. « Il n'est pas permis d'être chrétien. » *Non licet esse christianos.*

Dès lors, la persécution dut s'étendre rapidement aux provinces. Telle est l'impression qui se dégage de la première lettre de saint Pierre envoyée de la Babylone romaine aux fidèles du Pont, de la Cappadoce et de la Bythinie : « Très chers frères, ne vous troublez pas. Si vous êtes outragés au nom du Christ, vous serez heureux. Si quelqu'un de vous souffre comme chrétien, qu'il n'en ait pas honte. Plutôt, qu'il glorifie Dieu pour ce nom même » (I Petr., IV, 12-16).

Le plus terrible dans cette législation persécutrice, c'est qu'elle va constituer un précédent juridique toujours existant et toujours invocable. Les chrétiens ne sont plus désormais que des « outlaws ».

II. Domitien. — A la mort de Néron, l'Église connut un peu de paix. Après qu'eurent passé rapidement sur la scène Galba, Othon et Vitellius, une dynastie nouvelle arriva au pouvoir : les Flaviens. D'origine bourgeoise et provinciale, ils ne partageaient pas les préjugés aristocratiques contre l'humble religion chrétienne ; comme ils étaient très familiers avec les choses d'Orient, ce culte apparenté au judaïsme où ils comptaient de nombreux amis ne pouvait éveiller leur défiance. D'autant plus qu'à l'expérience les fidèles se montraient fort éloignés des zélotes qui en Palestine allaient susciter la terrible révolte de l'an 70.

Tout changea brusquement avec Domitien (81-96). Ce monstre soupçonneux et cruel déclara la guerre à toute vertu : raison qui expliquerait déjà son animosité contre la religion de Jésus. En fait, il semble bien que l'occasion de la persécution fut de nature fiscale. A court d'argent, Domitien exigea strictement le paiement de l'impôt du didrachme qui atteignait tous les hommes vivant « à la manière juive ». En vain voulut-on y obliger les chrétiens; ils spécifièrent nettement qu'ils se différenciaient des juifs; acquitter la taxe leur parut une manière d'abjuration, et ils s'y refusèrent. Dès lors, à quelle secte appartenaient-ils? Ils devenaient des « athées », contre lesquels l'édit de Néron fut remis en vigueur.

En plus, comme la propagande nouvelle atteignait les personnages de l'aristocratie, même impériale, et que celle-ci était mal vue de Domitien, il la frappa cruellement. Flavius Clemens, à la fois neveu et cousin de l'empereur, fut condamné à mort pour sacrilège tandis que sa femme Flavia Domitilla était exilée dans l'île de Pandataria, et leur nièce, une autre Flavia Domitilla, à l'île Pontia[1]. « Ils furent inculpés d'athéisme, rapporte Dion Cassius, accusation qui faisait alors beaucoup de victimes parmi les personnes attachées aux mœurs juives; pour les uns, c'était la mort, pour les autres, la perte des biens » (LXVII, 14). Suétone blâme la « stupide inertie » de Clemens, sans doute parce que son christianisme lui interdisait les magistratures qui requéraient serments et cérémonies idolâtriques. De même, il faut voir un chrétien dans Acilius Glabrio, ancien consul, condamné pour avoir « machiné des choses nouvelles ».

Le témoignage du pape Clément nous montre que la persécution fut violente à Rome; s'excusant d'avoir tardé à répondre aux Corinthiens, il leur dit : « Les malheurs, les catastrophes imprévues qui nous ont accablés en sont la cause » (Cor., I). Saint Jean affirme de son côté, qu'il a vu Rome, la grande Babylone, ivre du sang des martyrs. Il atteste aussi par son *Apocalypse*, écrite au milieu de la tourmente, que la persécution s'étendit au loin, et jusqu'en Asie : voici qu'à Smyrne des fidèles sont menacés de prison, et que Pergame compte déjà un martyr.

Il semble que, sur la fin de sa vie, Domitien ait cessé de persécuter. En tout cas, c'est gratuitement qu'on a accusé les chrétiens d'avoir perpétré son assassinat. En réalité, sa femme Marcia et quelques autres le supprimèrent pour ne pas l'être par lui.

III. Le préjugé juridique et le rescrit de Trajan. — La dynastie antonine couvre presque tout le IIe siècle. Si l'on excepte son dernier représentant, Commode, il faut reconnaître qu'elle fournit d'excellents administrateurs.

Nerva ne régna qu'une année (96-janvier 98). Trajan lui succéda, soldat doué d'un

1.

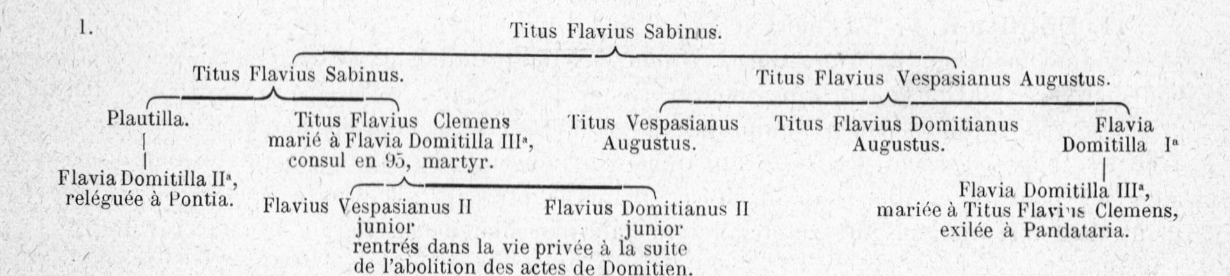

grand bon sens pratique, héritier de ce vieil esprit romain pour qui raison d'État et légalité se confondaient avec moralité. Nulle faute qu'à transgresser la loi sacro-sainte ; la sauvegarder à tout prix, tel est le devoir d'un empereur.

En 112, Pline, légat dans la Bithynie et le Pont, écrivit à Trajan. Le christianisme s'y était implanté jusqu'au fond des campagnes, faisant rétrograder la religion officielle : temples déserts, fêtes interrompues faute d'assistants, viandes laissées pour compte aux prêtres, voilà le spectacle qui s'offrait partout. La piété des païens s'indignait si bien qu'ils vinrent dénoncer au gouverneur les nouveaux sectateurs.

Au premier abord, le procès sembla des plus clairs ; puisque « christianiser » était un crime, tous ceux qui, interrogés, s'y obstineraient, tomberaient sous l'inculpation légale et la sentence mortelle, à l'exception des citoyens attitrés, qui pourraient en appeler à César. Vrai verdict de Romain, mais qui suppose une législation antécédente : vous désobéissez, il suffit ; la mort sans phrase.

Cependant, l'affaire s'élargit à des proportions démesurées. Les accusations se multiplièrent, atteignant des personnes de tout âge, de tout sexe, de tout rang. Doux et humain par nature comme par philosophie, Pline éprouvait déjà quelque scrupule d'envoyer à la mort pêle-mêle, vieillards, femmes et enfants. Mais bientôt, la stricte légalité fut elle-même en jeu ; on recourut à la dénonciation anonyme, procédé contraire au droit romain d'après lequel les accusations doivent être soutenues au grand jour par les délateurs. D'ailleurs, à l'interrogatoire beaucoup nièrent avoir jamais été partisans de Jésus, et pour le prouver consentirent à brûler de l'encens, à faire des libations devant l'image de l'empereur ou les statues des dieux, « choses, dit naïvement Pline, auxquelles on ne peut contraindre un vrai chrétien ». D'autres avouèrent sans doute qu'ils avaient appartenu à la secte, mais ils l'avaient quittée depuis longtemps et, eux aussi, se montraient prêts à sacrifier. Comment traiter ces apostats ? Ils avaient renoncé au délit de christianisme, mais ce délit était-il purement légal et verbal, ou bien cachait-il de véritables crimes ? Interrogés, les renégats affirmèrent qu'être chrétien consistait seulement à s'assembler à jour fixe avant l'aurore pour célébrer le Christ, à renoncer par serment

Droit persécuteur. — E. Le Blant, *Sur les bases juridiques des poursuites*, dans *Comptes rendus Ac. Inscript. et B.-L.*, 1866, t. II, p. 358. — E. Le Blant, *Les persécuteurs et les martyrs*, 1893, p. 51-73. — G. Boissier, *Les premières persécutions, les chrétiens devant la législation romaine*, dans *Rev. des Deux Mondes*, 13 avril 1876, p. 787-821. — Neumann, *Der römische Staat und die allgemeine Kirche bis auf Diocletian*, t. I, Leipzig, 1899. — Schuerer, *Die ältesten Christengemeinden im römischen Reich. Rectoratsrede*, Kiel, 1894. — Th. Mommsen, *Der Religionsfrevel nach römischen Reich*, dans *Historische Zeitschrift*, 1890, p. 389-429. — L. Guérin, *Étude sur le fondement juridique des persécutions pendant les deux premiers siècles*, dans *Nouv. Rev. hist. droit français et étranger*, 1895, t. XIX, p. 601 seq., p. 713 seq. — P. Allard, *La situation des chrétiens pendant les deux premiers siècles, Rev. Quest. hist.*, 1896, p. 5-43 ; 1912, p. 106-117. — C. Callewaert, *Les premiers chrétiens furent-ils persécutés par édits généraux ou par mesure de police, R. H. E.*, 1901, t. II, p. 771-797 ; 1902, t. III, p. 5-15, 324-348, 601-614. — C. Callewaert, *Le délit de christianisme dans les deux premiers siècles, R. Q. H.*, 1903, t. 74, p. 28-54. — C. Callewaert, *Les premiers chrétiens et l'accusation de lèse-majesté, R. Q. H.*, 1904, t. 76, p. 5-28. — C. Callewaert, *Question de droit concernant le procès d'Apollonius, R. Q. H.*, 1905, t. 77, p. 349-75. — C. Callewaert, *Les persécutions contre les chrétiens dans la politique religieuse de l'Etat romain, R. Q. H.*, 1907, t. 82, p. 5-19. — C. Callewaert, *La méthode dans la recherche de la base juridique des persécutions, R. H. E.*, 1911, t. 12, p. 5-16, p. 633-651. — R. Saleilles, *L'organisation juridique des premières communautés*, extrait des *Mélanges P. Girard*, 1912, t. II, p. 469-509. — Dom Leclercq, art. *Droit persécuteur*, dans *Dict. Arch.* — D. Leclercq, art. *Juridiction, ibidem.* — D. Leclercq, art. *Eglise et Etat, ibidem.* — D. Leclercq, art. *Empire et christianisme, ibidem.* — D. Leclercq, art. *Empereur, ibidem.* — D. Leclercq, *Edits et Rescrits, ibidem.* — D. Leclercq, art. *Liberté de conscience.* — G. Humbert, art. *Majestas*, dans *Dict. des Antiquités, Daremberg et Saglio.*

au vol, à l'adultère et au mensonge, enfin à prendre en commun un repas, ce que d'ailleurs on avait cessé de faire depuis l'édit récent interdisant les hétairies. Quelles dispositions pouvaient être plus empreintes d'honnêteté et de loyalisme? Pour en avoir confirmation, Pline fit mettre à la torture deux esclaves qui occupaient un rang dans la hiérarchie ecclésiastique, des diaconesses (*ministrae*) : peines perdues.

C'est alors que dans sa perplexité, le gouverneur en référa à Trajan, soulignant d'ailleurs le point délicat et capital du procès : était-ce le nom seul de chrétien qu'il fallait frapper, ou bien les crimes commis sous ce nom? (*nomen ipsum, etiamsi flagitiis careat, an flagitia cohaerentia nomini puniantur?*) S'agissait-il du nom seul, les renégats devaient être graciés, et c'était bien vers cette solution que Pline penchait, par humanité autant que par politique.

TRAJAN.
Musée du Vatican.

La réponse de Trajan fut ce qu'on pouvait attendre d'un soldat, attaché aux traditions romaines, imbu de la raison d'État, incapable de s'attendrir comme Pline, ou même de plier au souci d'une moralité supérieure l'inflexible légalité. Il maintient donc le délit de christianisme ; sans doute n'y a-t-il là aucun crime direct qui réclame l'inquisition (*conquirendi non sunt*); mais, par respect pour la loi prohibitive antérieure, si les chrétiens sont déférés au juge et reconnus tels, on doit les punir (*si deferantur et arguantur, puniendi sunt*). Cependant, puisque le nom seul est répréhensible, Trajan refuse d'assimiler les fidèles à des révolutionnaires ou à des accusés de droit commun; aussi les apostats seront-ils graciés. Pour la même raison, il n'y a pas lieu de décréter une sorte de loi des suspects et d'accepter les dénonciations anonymes.

Que penser d'une telle décision? Assurément voilà qui est ferme, et qui résonne net et clair comme des éperons sur le pavé. On y retrouve avec l'*imperatoria brevitas* cet esprit de décision, ce don du commandement qui ne laissent place ni au doute, ni aux subterfuges : rangez-vous, César a parlé. Au point de vue politique, pareilles mesures témoignent d'ailleurs d'une habileté souveraine : gracier les apostats, n'était-ce pas le bon moyen d'éclaircir les rangs des fidèles, et en refusant créance aux accusations anonymes n'assurait-on pas la tranquillité publique?

Par contre, quelle entorse énorme à la morale, restée inaperçue à Trajan tout accaparé par la raison d'État, mais qui soulèvera l'indignation de Renan : « Enseigner, conseiller, récompenser l'acte le plus criminel, celui qui rabaisse le plus l'homme à ses propres yeux, paraît tout naturel. Voilà l'erreur où l'un des meilleurs gouvernements qui aient jamais existé a pu se laisser entraîner. » Le manque de logique n'était pas moins flagrant, contre quoi la verve de Tertullien s'en donnera à cœur-joie : « Arrêt contradictoire, s'écrie-t-il. Trajan défend de rechercher les chrétiens comme innocents, et il ordonne de les punir comme coupables; il épargne et il sévit; il ferme les yeux et il condamne. Ne voit-il pas qu'il se réfute lui-même? Si vous condamnez les chrétiens, pourquoi ne pas les rechercher? et si vous ne les recherchez point, pourquoi ne pas les absoudre?... Le chrétien est donc punissable non parce qu'il est coupable, mais parce qu'il a été découvert, bien qu'on n'eût pas dû le rechercher » (*Apol.*, c. II).

Somme toute, une seule chose méritait d'être louée dans ce rescrit, le rejet des accusations anonymes. Pareils libelles, c'est là aux yeux de Trajan un procédé de l'autre siècle, alors que Néron et Domitien érigeaient en fructueuses opérations financières les révoltantes délations. L'air est assaini, l'ordre rétabli; arrière tous ces procédés. Nul doute, d'ailleurs, qu'une telle décision ait protégé souvent les chrétiens contre la haine; les païens y regardaient, en effet, à deux fois, avant de déposer une accusation, dans la crainte que, prouvée fausse, elle ne leur valût de graves châtiments. Voilà qui explique, avec la défense d'inquisitionner, comment le sage Eusèbe a pu dire, non sans un robuste optimisme : « C'est ainsi, en quelque sorte, que la menace de persécution qui était si forte s'éteignit. »

Le rescrit de Trajan dicte la politique impériale envers les chrétiens jusqu'à l'époque de Dèce, encore qu'au IIIe siècle des édits spéciaux viennent parfois s'y ajouter. A son sujet se pose la fameuse question — si souvent débattue, jamais réglée sans conteste — de la base juridique des persécutions durant cette période.

D'après Le Blant, les chrétiens seraient tombés tout simplement sous le coup des lois pénales de droit commun : la lèse-majesté et le sacrilège, parce qu'ils méprisaient les dieux, qu'ils refusaient de sacrifier au génie de l'Empereur et qu'ils participaient à des conventicules illicites, tenus souvent de nuit; la magie aussi, parce qu'ils accomplissaient prodiges, miracles, guérisons et que l'opinion leur prêtait les plus perverses intentions. « Je n'aperçois rien dans leur cause, conclut Le Blant, que les païens n'aient depuis longtemps prévu et poursuivi. » Pourquoi dès lors forger contre eux des armes d'exception?

Pour renouveler cette théorie qui éparpille les chefs d'accusation, Neumann et Schürer mirent l'accent sur l'un d'entre eux. Le point décisif aurait été le culte impérial : mis en demeure d'y participer, les chrétiens tombaient — s'ils se dérobaient — sous l'inculpation de lèse-majesté. Il faut avouer que pareille thèse ne manque pas de vigueur : elle ramène à un fait historique considérable toute la lutte.

A son tour, l'explication de Neumann attira l'attention de Mommsen. Il la situa en assignant aux accusations de droit commun contre les chrétiens un ordre chronologique : au début, les magistrats romains auraient puni les fidèles pour débauches, incestes, festins de cannibales, etc.; ces calomnies ridicules une fois tombées d'elles-mêmes, le délit de majesté aurait subsisté seul. Or, note Mommsen, lorsque, sous motif d'intérêt général, le pouvoir sévissait contre un culte, il le faisait rudement, sommairement, par mesure de police. Aussi, la vraie base des persécutions serait-elle, sans intervention d'aucune loi pénale, le *jus coercitionis,* le pouvoir discrétionnaire dont les grands magistrats étaient investis pour la sécurité de l'État, pouvoir arbitraire et illimité qui leur permettait d'acquitter ou de punir à leur guise, pouvoir exorbitant, légitimé aux yeux des Romains par la raison d'État, et dont seules les lettres de cachet de l'Ancien Régime peuvent donner quelque idée. Ainsi les chrétiens se seraient-ils trouvés à la merci des gouverneurs provinciaux libres de les frapper comme il leur plaisait et quand il leur plaisait, *sit pro ratione voluntas.*

La théorie de Mommsen, qui semble basée sur des considérants historiques, soulève cependant de graves objections. Si le haut magistrat possède toute liberté de sévir ou gracier, pourquoi consulter les empereurs, comme le firent Pline et Licinius Granianus? Pourquoi aussi la réponse du prince met-elle les gouverneurs dans l'inéluctable alternative de condamner le chrétien obstiné ou de renvoyer absous l'apostat? Que reste-t-il de ce bon plaisir juridique, qui constitue essentiellement le *jus coercitionis*, s'il est ainsi endigué? — L'hypothèse de Le Blant paraît encore plus caduque à la lumière du rescrit de Trajan. Car, si les chrétiens tombent sous les accusations de droit commun, pourquoi, coupables de lèse-majesté ou de magie, les gracier dès qu'ils apostasient, pourquoi surtout ne pas les rechercher : autant laisser courir les voleurs de grands chemins! La brève argumentation de Trajan tend, au contraire, à montrer que, sans autre tort qu'une obstination illicite à se dire chrétiens, ils cessent d'être coupables s'ils renient ce titre.

On conçoit donc que plusieurs historiens — entre autres P. Allard, Mgr Duchesne, Mgr Batiffol et M. Callewaert — aient soutenu que seul le nom chrétien était poursuivi, rien que lui. Cette inquisition sommaire cadrait bien avec l'esprit pratique des Romains : les procès de droit commun qui impliquaient preuve faite des crimes de lèse-majesté, de magie et autres, eussent été trop longs et trop dispendieux pour atteindre efficacement la secte grandissante; combien n'était-il pas plus simple de décider que le christianisme constituait un crime en lui-même et de proscrire les fidèles en bloc. Ce fut d'ailleurs la tactique constante des Romains chaque fois qu'ils voulurent sévir contre une secte. Procédure expéditive, et qui atteignait sûrement son but.

Si l'on analyse les phases juridiques, cette théorie se confirme. Que contient le rapport ou procès-verbal (*elogium*) énonçant le chef d'accusation? Le seul titre de chrétien. Où tend toute l'instruction? A faire renier le chrétien soit par persuasion, soit même par torture. D'autre délit, nulle mention. Que condamne enfin la sentence? Le crime de professer le christianisme.

Aussi, l'avocat Tertullien souligne-t-il avec insistance l'iniquité d'un tel procédé. Quel texte plus décisif que ce passage de l'*Apologétique* : « On nous met à la torture si nous confessons notre qualité de chrétien, on nous condamne si nous persévérons, on nous acquitte si nous nions, parce qu'on ne fait la guerre qu'à notre nom. Enfin, quelle est la sentence, que vous lisez sur la tablette? Un tel *chrétien*. Pourquoi ne prononcez-vous pas *et homicide,* si le chrétien est homicide? Pourquoi pas *et incestueux* ou coupable de tout autre crime que vous nous imputez? Nous sommes donc les seuls pour qui vous dédaignez dans votre verdict les noms mêmes des crimes! *Chrétien*, si ce nom n'implique aucun crime, c'est le comble de l'ineptie de faire du nom seul un crime » (ch. II). « Quand il s'agit d'un criminel ordinaire, dit-il encore, vous ne vous contentez pas du simple aveu, vous exigez en outre qu'on fasse connaître et l'espèce précise du délit et toutes les circonstances. Aux chrétiens vous ne demandez rien de semblable. Et pourtant quelle gloire ne serait-ce pas pour un juge que de découvrir un chrétien qui aurait dévoré une centaine d'enfants! » (*Ibid.*)

Contre cette procédure sommaire, même argumentation chez les autres apologistes bien que formulée avec moins de rigueur et de vigueur. « On les jette aux bêtes, dit l'auteur de l'Epître à Diognète, pour les faire renier leur maître. » « On nous décapite, écrit saint Justin, on nous brûle, on nous enchaîne, on nous fait souffrir tous les tourments parce que nous ne voulons pas abandonner notre confession. » (*Dial.*, 110.) De même, Hermas, nous dit que « ceux qui ont souffert à cause de leur nom sont glorieux devant Dieu » (*Simil.*, IX, 18). D'ailleurs, l'abstention bizarre et systématique que cet auteur fait des termes chrétien et christianisme ne viendrait-elle pas du danger que ces mots pouvaient présenter au point de vue légal?

Venons-en enfin à la preuve vivante, le procès des martyrs. Il suffira de citer deux exemples typiques. Saint Justin nous parle d'un certain Ptolémée qui, accusé par un mari impudique d'avoir converti sa femme et de l'avoir ramenée à la vertu, comparut devant le préfet Urbicus. Pas l'ombre d'une enquête, nul interrogatoire sinon celui-ci, court mais décisif : « Es-tu chrétien. — Je le suis. » A cette vue, un spectateur s'indigne : « Comment, crie-t-il au juge, comment peux-tu condamner un homme qui n'est convaincu ni d'adultère, ni de séduction, ni d'homicide, ni de vol, ni de rapt, qui n'est accusé d'aucun crime et qui n'a fait autre chose que s'avouer chrétien. Ton jugement, ô Urbicus, n'est digne ni de notre pieux empereur, ni du sacré Sénat. — Toi aussi, tu me parais chrétien, réplique Urbicus. — Je le suis. — Qu'on le conduise au supplice. » Et comme un autre proteste encore au sein de la foule, on lui fait déclarer son titre de chrétien, et sans autre forme de procès on le condamne à son tour. Voilà donc trois sentences accumulées où le seul motif fut le fait de « christianiser ».

Le procès d'Apollonius déféré à Perennis, préfet du prétoire, n'est pas moins typique. « Es-tu chrétien? interroge le juge. — Oui, je suis chrétien », répond Apollonius. Tel est le chef d'accusation. Cependant, Perennis voudrait à tout prix sauver l'inculpé : « Je te donne du temps, lui dit-il, pour délibérer en toi-même au sujet de ta vie. » Trois jours après, Perennis demande : « Qu'as-tu décidé Apollonius? — De rester fidèle à Dieu », répond-il. C'est la persistance dans le délit du christianisme, et ainsi le verdict proféré par l'accusé lui-même.

Si Perennis eût instrumenté d'après le droit de coercition, pourquoi n'eût-il pas laissé tomber l'affaire, lui qui désirait sauver Apollonius? En réalité, il ne le pouvait pas : le chef d'accusation était là inexorable, l'aveu de christianisme.

Assurément, Apollonius, comme beaucoup d'autres, est aussi sommé de sacrifier aux dieux ou à l'empereur. Mais ne voit-on pas qu'il s'agit là d'un simple confirmatur, d'une preuve par où le prévenu montrera qu'il a cessé d'être chrétien? Supposez qu'une loi française, préservatrice de la société, interdise d'être communiste, le seul aveu qu'on l'est entraînerait la sentence pénale; et pour prouver qu'on ne l'est pas ou qu'on ne l'est plus, il suffirait, par exemple, de jurer respect et obéissance au gouvernement établi. Ainsi pour les chrétiens du IIe siècle, avec cette différence qu'on leur demandait non seulement le respect qu'ils eussent accordé de grand cœur, mais l'adoration qu'ils réservaient au Christ.

IV. Le préjugé populaire et le rescrit d'Hadrien. — Au IIe siècle, le préjugé populaire contre les chrétiens va grandissant : gens mystérieux qui pratiquent leur religion en des conciliabules secrets, on les soupçonne de tout et sur tout. Pourquoi se réunir dans les ténèbres comme des oiseaux nocturnes sinon pour faire le mal? Pourquoi s'appeler frères et sœurs avec une familiarité inouïe? Pourquoi se donner le baiser au moment le plus solennel? Immoralité et sortilèges, voilà les pratiques des chrétiens. Et l'imagination rôdant autour de leurs assemblées y supposait commis les plus monstrueux des crimes. Dans l'*Octavius*, Minucius Félix a mis sur les lèvres du païen Cœcilius ces calomnies courantes. Tel le festin de Thyeste où on présente à l'initié un enfant couvert de pâte afin de lui cacher le meurtre qu'il va commettre; trompé par ces apparences, le malheureux tue l'enfant à coups de couteau, et le sang ruisselant est aussitôt léché par les assistants qui se partagent ensuite les membres encore chauds. Tel encore l'inceste d'Œdipe commis par les fidèles qui, à certains jours, se rassemblent tous, hommes, femmes et enfants pour un grand banquet; au plus fort de l'orgie, un chien est attaché au candélabre, et on lui jette un morceau de viande pour le faire courir; les flambeaux renversés s'éteignent, et dans les ténèbres tous s'unissent au hasard en des étreintes infernales.

Plus terrible encore était l'accusation de magie. Nulle époque qui fût plus superstitieuse, plus craintive des maléfices, plus empressée à les conjurer par des précautions naïves ou repoussantes. Comme les charmes s'opéraient d'ordinaire au cours d'incantations nocturnes, on en vint bientôt à croire que les prières et les hymnes au Christ n'étaient que des formules maléfiques. Combien d'actes pouvaient, dans ce sens, paraître suspects aux païens non renseignés : « Si la chrétienne, dit Tertullien, signe son lit et son corps, si elle souffle sur quelque esprit immonde, si la nuit elle se lève pour prier, son mari ne croira-t-il pas à une œuvre magique? Et ce qu'il la verra goûter en secret avant chaque repas admettra-t-il que ce ne soit que du pain? Ne croira-t-il pas plutôt à quelque filtre? » (*Ad uxor.*, II, 4-5.) La pratique des exorcismes permise alors à tous les chrétiens ne pouvait qu'attiser pareils soupçons.

Tout contribuait à les faire grandir : haine des juifs, jalousie des prêtres païens et des charlatans, monstruosités analogues commises dans les mystères de certains cultes comme dans plusieurs sectes gnostiques, aveux menteurs extorqués par la torture à des renégats. D'ailleurs, colportées de bouche en bouche, les accusations s'amplifiaient toujours. « Tel commence à calomnier, dit Tertullien, puis vient un second qui ajoute aux mensonges du premier; bientôt un troisième va renchérir sur les fables débitées par ses devanciers, et ainsi de suite. Le vulgaire accepte tout les yeux fermés et se fait l'écho docile des infamies qu'on invente sur notre compte. » (*Ad Nat.*, I, 7.) D'autant plus que les dernières années du IIe siècle furent calamiteuses au suprême degré : invasions des barbares, pestes, épidémies ravagèrent périodiquement l'Empire. A la recherche des responsables, le peuple naïf se rabattait sur les pauvres chrétiens, capables de tout, et donc coupables de tout. « Si le Tibre inonde Rome —, dit encore Tertullien, notre éternel témoin, — si le Nil n'inonde pas les campagnes, si le ciel est fermé, si la terre tremble, s'il survient une famine, une guerre, une peste, un cri s'élève aussitôt : « Les chrétiens aux lions ! A mort les chrétiens ! » (*Apol.*, 40.)

Aussi bien, n'étaient-ils pas des athées et par là ne provoquaient-ils pas les colères de l'Olympe? Voilà le point où le préjugé populaire se soudait intimement avec le préjugé politique. Sans cesse, on reproche à la religion de Jésus qu'elle n'ait « ni autels, ni temples, ni statues » et qu'elle dédaigne d'honorer les dieux. Les chrétiens ne veulent point participer au culte domestique, gardien de la prospérité familiale; même abstention pour les sacrifices publics; refus catégorique surtout d'adorer la divinité impériale, et par là trahison flagrante envers l'État qui s'identifie avec elle. Et comme, par extension, les fidèles craignent toujours de se mêler aux actes de la vie publique, presque tous empreints d'idolâtrie, comme ils refusent honneurs et dignités, qu'on ne les voit ni au cirque, ni au théâtre, le grief pèse sur eux d'être « impropres aux affaires », de mener « une vie triste et lugubre » : « race sournoise, fuyant la lumière » et qui constitue une faction dans l'État. On les qualifie donc « ennemis du genre humain », c'est-à-dire adversaires de l'ordre établi. En son style passionné et nerveux, Tertullien résume ainsi toutes ces inculpations : « Vous considérez un chrétien comme un homme coupable de tous les crimes, comme un ennemi des dieux, des empereurs, des lois, des mœurs, de la nature entière. » (*Apol.*, II.)

Au surplus, par leurs répliques incomprises, les fidèles eux-mêmes accréditaient parfois l'idée qu'ils étaient des révolutionnaires exaltés. Quand, devant le martyre, ils en appellent à la justice immanente et à la vie future, la foule croit souvent à un cri de révolte ou à un complot qui se trame. « Tu me menaces d'un feu qui brûle une heure et qui s'éteint aussitôt, dit Polycarpe, ignores-tu le feu du juste jugement et de la peine éternelle réservée aux impies? » « Tu nous juges, mais Dieu te jugera », crient à Carthage Saturus et ses compagnons en défilant devant la loge du procurateur. Pareilles apostrophes exaspèrent magistrats et spectateurs qui, sans les comprendre, les entendent au pied de la lettre. Il dut en être ainsi également de toute une littérature apocryphe et sibylline. Nos gloses savantes sur l'Apocalypse et ses succédanés qui donc les connaissait, surtout parmi les païens? Et s'ils prenaient les expressions au sens littéral, ne devaient-elles pas tinter parfois à leurs oreilles comme un tocsin d'émeute? Enfin, passant à l'offensive, les apologistes s'érigeaient directement en négateurs et en contempteurs des dieux contre lesquels le bon sens d'un Justin et la verve d'un Tertullien auront beau jeu à s'escrimer.

A l'heure tragique où les flots des Barbares battaient les frontières, la société romaine croyait que seuls les dieux, artisans de sa grandeur, pourraient la protéger; les blasphèmes des chrétiens, en les irritant, provoquaient les pires désastres. « Leur situation, a très bien dit Renan, était celle d'un missionnaire établi dans une ville très catholique d'Espagne et prêchant contre les saints, la Vierge et les processions. » En vain, les fidèles objectaient-ils leur constant loyalisme et que, s'ils substituaient à l'adoration de l'empereur l'obéissance envers Dieu, ils ne supprimaient pas pour autant le patriotisme. En vain saint Justin affirmait-il : « Nous n'adorons que Dieu seul, mais pour le reste nous vous servons avec joie, nous vous proclamons empereur et souverain des hommes, nous prions pour la puissance impériale afin que la sagesse règne dans ses conseils. » (I *Apol.*, 17.) Toutes ces explications se perdaient dans la rumeur de colère où les voix populaires se mêlaient à celles des aristocrates pour maudire ceux dont « l'athéisme » menaçait la sécurité publique.

Pour se venger des chrétiens, il y avait sans doute le mépris. Par une allusion cruelle aux supplices qu'on leur réservait, ils étaient appelés parfois les fagottés (*sarmenticii*) ou les empalés (*semaxii*). On raillait les dogmes chrétiens jugés si étranges. Sur la résurrection, par exemple, c'était un dévergondage de questions saugrenues ou malpropres : plaisanteries faciles par quoi dans la plèbe on achevait de discréditer le christianisme. A Carthage comme à Rome les fidèles étaient censés adorer une tête d'âne. Comment vénérer ce qui est risible? L'anticléricalisme est de tous les temps.

Mais, qu'une défaite survienne ou un cataclysme, qu'un événement quelconque attire l'attention dans une ville sur tel ou tel chrétien, et la haine latente, inassouvie par les sarcasmes, grandit en séditions, réclamant des victimes expiatoires. Souvent elle arrête l'évêque du lieu, — un Polycarpe à Smyrne, un Pothin à Lyon, — avec lui quelques chrétiens plus influents ou plus ardents, et elle ordonne au magistrat qu'il les juge sur-le-champ pour les envoyer au supplice. Double et triple profit, puisque du même coup les dieux seront apaisés, les haines satisfaites, et les appétits de la plèbe pour les spectacles sanglants copieusement repus gratis. En Afrique où les passions sont plus violentes, les fanatiques iront jusqu'à se ruer sur les dalles funéraires et à les briser au cri : « Plus de cimetières! » *Areae non sint.* « Pareils à des bacchantes en démence, écrira Tertullien, ils n'épargnent pas nos morts. Oui, du repos de la tombe, ce qui était jadis l'asile suprême, ils s'en vont enlever, déchirer, arracher des restes informes! » (*Apol.*, XXXVII.)

Devant un tel débordement de passions populaires, qu'allaient faire les magistrats? Beaucoup cédèrent; d'autres, plus honnêtes, en référèrent à l'autorité impériale. Parmi eux, le proconsul d'Asie, Licinius Granianus écrivit avec insistance à Hadrien : non content de s'opposer aux exigences sanguinaires de la plèbe, il se demandait, dans son honnêteté naturelle, « s'il était juste qu'on punît des hommes à cause de leur nom et de leur secte sans aucun autre crime ». Parler ainsi, c'était infirmer la teneur du rescrit de Trajan. Après quelques tergiversations, Hadrien fit une réponse adressée non à Granianus, mais à son successeur Minucius Fundanus. Tout en maintenant la législation en vigueur, il exigeait qu'elle fût endiguée dans les limites d'une procédure régulière; et comme Trajan avait interdit les délations anonymes, il rejetait à son tour les accusations formulées par « pétitions et simples clameurs », procédé révolutionnaire qu'un magistrat viril ne devait pas supporter de peur que « les calomniateurs n'en prissent occasion d'exercer leurs brigandages ».

D'après Méliton, Antonin écrivit « aux habitants de Larisse, de Thessalonique » et « à tous les Grecs », c'est-à-dire sans doute à l'assemblée de la province d'Achaïe, pour défendre qu'on fît du tumulte à l'occasion des chrétiens. Mais les princes avaient beau la renouveler, cette prescription restait souvent lettre morte : on n'apaise pas la fureur populaire avec des rescrits.

Les sentiments d'empereurs tels que les Antonins n'évolueraient-ils pas vers la bienveillance? Il n'y fallait pas songer. Hadrien (117-38) n'était qu'un corrompu et un blasé : pour apocryphe qu'il paraisse, le billet à Servianus est psychologiquement vrai où, de passage en Égypte, il enveloppe dans le même dédain souriant chrétiens et sérapistes, juifs et samaritains. Au surplus, raison d'État raison péremptoire.

Ses successeurs sont parmi les plus vantés de toute l'antiquité païenne : « Antonin, a dit Renan, est comme un Christ qui n'aurait pas eu d'Évangile ; Marc-Aurèle est comme un Christ qui aurait lui-même écrit le sien. » Mais comment Antonin (138-61) eût-il pu, dans sa sagesse romaine, contredire Trajan? Véritable homme de gouvernement, il lui fallait laisser les lois existantes suivre leur cours; pontife suprême, zélé et convaincu, il ne devait pas protéger une religion impie. Toute sa clémence naturelle disparaissait devant ce qui lui paraissait son devoir d'empereur.

Quant à Marc-Aurèle (161-80), nul ne contestera l'élévation d'esprit qu'il manifeste en des pensées telles que celle-ci : « Seras-tu donc enfin un jour, ô mon âme, bonne, simple, parfaitement nue, plus diaphane que le corps matériel qui t'enveloppe? Quand seras-tu satisfaite, indépendante, sans aucun désir, sans la moindre nécessité d'un être vivant ou inanimé pour tes puissances? » Mais de tout son orgueil stoïcien, l'empereur philosophe méprisa cette religion de *simpliciores*, et dans le courage de ses martyrs, il ne vit qu'emphase tragique et obstination. D'ailleurs, devant les lettrés de son entourage — un Fronton, par exemple — le christianisme se dressait déjà comme un rival; leur influence s'exerça sur le prince débonnaire. Enfin, les préjugés populaires, plus ou moins partagés par tous les Romains, durent traverser son âme superstitieuse, à l'heure surtout où calamités et menaces d'invasion s'accentuaient. Il résolut donc de maintenir la juridiction de Trajan, et en cela crut bien servir l'État. Quand son armée, cernée par les Quades dans les défilés de Hongrie et exténuée de soif fut rafraîchie soudain par un orage qui jeta le désordre dans les rangs ennemis, les fidèles purent bien y voir l'effet des prières de la XIIe légion, appelée Légion fulminante, et composée surtout de soldats chrétiens; lui, adressa toutes ses actions de grâces à Jupiter Pluvius qu'on représenta dans les bas-reliefs laissant tomber de toute sa personne des torrents salutaires.

La raison d'État devait parler plus faiblement à Commode (180-92) qui fut moins un empereur qu'un gladiateur. S'employant en faveur des chrétiens, l'influence de la favorite Marcia obtint le rappel des confesseurs exilés en Sardaigne, entre autres du futur pape Calliste.

V. Le témoignage des martyrs : Ignace, Polycarpe, Justin, les Lyonnais. — Nulle approximation possible du nombre des martyrs à cette époque. Bien que « sporadique et spasmodique », la persécution dut être fort souvent sanglante : les gouverneurs sont « nombreux » qui témoignent à l'empereur leur répugnance à sévir; fréquentes sont les interventions populaires, et parfois elles aboutissent à des arrestations en masse, comme à Lyon où quarante fidèles périssent. « De Néron à Commode, remarque Renan, sauf de rares intervalles, on dirait que les chrétiens ont toujours sous les yeux la perspective du supplice. »

Plutôt que d'éparpiller nos investigations, envisageons quelques exemples typiques : pour l'époque antonine, Ignace, Polycarpe, Justin et les Lyonnais.

Saint Ignace fut arrêté en 107. A quelle occasion, nous l'ignorons. Peut-être une dénonciation écrite légale, ou bien une démonstration populaire illégale. Comme il était évêque d'Antioche, cette capitale de l'Orient, et que d'ailleurs le titre de citoyen romain ne le couvrait pas, il ne pouvait guère échapper à la vindicte païenne. C'est tantôt par mer et tantôt par terre qu'il fit la première partie de son voyage vers Rome, d'Antioche à Smyrne. Outre les fatigues du chemin, il dut compter avec la brutalité de ses gardiens, « léopards d'autant plus méchants qu'il leur faisait plus de bien ». En ses lettres aux communautés qu'il a traversées ou aux Romains qu'il honorera de son martyre, trois sentiments tressaillent : attachement à la hiérarchie qui fait l'unité, haine profonde de l'hérésie qui la détruit, et par-dessus tout désir du martyre.

Comme Paul, Ignace est un mystique, mais chez qui l'expression ardente de la foi remplace toute dialectique. Une idée le domine, celle d'être uni à Dieu et au Christ par l'effusion de son sang. A la pensée que peut-être les Romains intercèderont en sa faveur, Ignace frémit dans tout l'être et par avance évoque cette horrible scène de l'amphithéâtre, vestibule du Paradis : « Je vous en conjure..., laissez-moi devenir la pâture des bêtes... Je suis le froment de Dieu : il faut que je sois moulu par la dent des bêtes pour devenir le pain immaculé du Christ. Caressez-les plutôt afin qu'elles soient mon tombeau... Priez le Christ de daigner faire de moi, par la dent des fauves, une victime pour Dieu... Feu, croix, corps à corps avec les bêtes féroces, lacération, écartèlement, dislocation des os, macération des membres, broiement du corps entier : que les plus cruels supplices du diable tombent sur moi, pourvu que je possède enfin Jésus-Christ » (*Rom.*, IV). « La foi la plus vive, a dit Renan, l'ardente soif de la mort n'ont jamais inspiré d'accents aussi passionnés. L'enthousiasme du martyre qui durant deux cents ans fut l'esprit dominant du christianisme a reçu de l'auteur de ce morceau extraordinaire son expression la plus exaltée. » La plus humble aussi : « Oui, j'aime la souffrance, écrit-il aux Tralliens, mais je ne sais si j'en suis digne. » (*Tral.*, IV.)

En 155, sous le proconsulat de Titus Status Quadratus, de grandes fêtes furent données à Smyrne auxquelles présida l'exarque ou grand prêtre d'Asie, Philippe. Plusieurs chrétiens furent alors exposés aux bêtes. Que si l'un d'eux, le phrygien Quintus, faiblit dans l'amphithéâtre, tous les autres montrèrent un courage admirable. Ne vit-on pas un jeune garçon, nommé Germanicus, marcher au-devant de la bête et la frapper pour la contraindre à le dévorer? Exaspérée par un tel courage qui semblait la défier, la foule s'écria : « Plus d'athées! Qu'on recherche Polycarpe! » D'abord caché, et bientôt dépisté par la police, le saint évêque refusa de fuir davantage. « Que la volonté de Dieu soit faite », dit-il, et il vint lui-même se constituer prisonnier.

Le proconsul Quadratus l'interrogea avec l'espoir de le faire renier : « Au nom du respect que tu dois à ton âge, lui dit-il, jure par le génie de l'Empereur; repens-toi; crie : Plus d'athées! » Alors, Polycarpe promenant un regard sévère sur toute cette tourbe de païens sans foi ni loi qui encombrait le stade, s'écria : « Plus d'athées! » Le proconsul insista. « Jure et je te renvoie libre; insulte le Christ. — Il y a quatre-vingt-six ans que je le sers, répondit Polycarpe, et il ne m'a jamais fait de mal; comment pourrais-je injurier mon roi et mon sauveur? — Jure par le génie de César. — Si tu te fais un point d'honneur de me faire jurer par le génie de César comme tu l'appelles, et si tu feins d'oublier qui je suis, écoute : je suis chrétien. Si tu désires savoir ce qu'est la religion chrétienne, accorde-moi un délai d'un jour, et écoute. — Persuade le peuple. — Je t'ai considéré comme digne d'écouter mes raisons. Nous avons pour précepte de rendre aux puissances et aux autorités établies par Dieu l'honneur qui leur est dû, dans les choses où la conscience n'est pas blessée. Quant à ceux-ci — il désignait les spectateurs — je ne daignerai pas entrer en explication avec eux.

— J'ai des bêtes féroces, repartit le proconsul, je vais t'y jeter si tu ne viens à résipiscence. — Fais-les venir. Nous n'avons point l'habitude de retourner en arrière, et d'aller du mieux au pire. Il m'est bon au contraire de passer des maux de cette vie à la suprême justice. — Puisque tu méprises les bêtes, je te ferai brûler, si tu ne changes d'avis. — Tu me menaces d'un feu qui brûle une heure et s'éteint bientôt. Ignores-tu le feu du juste jugement et de la peine éternelle qui est réservé aux impies? Vraiment, pourquoi tardes-tu? Apporte ce que tu voudras. »

Au fond, le proconsul ne s'était engagé qu'à regret dans ce procès. Sans doute quelque scrupule moral l'étreignait-il en présence d'un si vénérable vieillard; peut-être aussi un scrupule de légalité. Sans prononcer d'arrêt, il ordonna au héraut de crier par trois fois au milieu du stade le résultat de l'interrogatoire : « Polycarpe s'est avoué chrétien. » Aussitôt parmi juifs et païens une clameur monta : « Le voilà, le docteur de l'Asie, le père des chrétiens, le destructeur de nos dieux, celui qui enseigne à ne pas sacrifier, à ne pas adorer! » On demanda à l'asiarque Philippe, chargé des jeux, qu'il lançât un lion contre Polycarpe ; comme il faisait remarquer que, les combats de bêtes étant terminés, les règlements s'y opposaient, tous s'écrièrent : « Que Polycarpe soit brûlé vif! »

Aussitôt la foule assaille les boutiques et les bains et y prend bois et fagots. On construit le bûcher; Polycarpe s'empresse d'enlever ses vêtements pour y monter. Puis au « Dieu des anges et de toute créature » il adresse une prière d'action de grâces « parce que, en ce jour, à cette heure même, il daigne l'admettre avec ses martyrs à boire le calice de son Christ ». Comme la flamme semblait épargner Polycarpe, les bourreaux impatientés ordonnèrent au *confector* de le poignarder.

Pareille scène nous a été contée dans une lettre des Smyrniotes aux Philémoliens : récit émouvant qui abonde en détails précis et où se trahit un écrivain élégant, vrai grec d'Ionie, habile à concentrer l'attention sur l'admirable figure de Polycarpe.

A Rome, vers 165, l'apologiste saint Justin, sans doute dénoncé par le philosophe Crescens, comparut devant Rusticus, préfet de Rome et ami de Marc-Aurèle : « Soumets-toi aux dieux, lui dit celui-ci, et obéis aux empereurs. — Personne, répondit Justin, ne peut être réprimandé ou condamné pour avoir suivi les lois de Notre-Seigneur Jésus-Christ. — Quelle science étudies-tu? interrompit le préfet. — J'ai successivement étudié toutes les sciences, et j'ai fini par m'attacher à la doctrine des chrétiens... — Quelle est cette doctrine? — La vraie doctrine que, nous chrétiens, suivons pieusement, est de croire en un seul Dieu, créateur de toutes les choses visibles et invisibles, et de confesser Jésus-Christ, fils de Dieu, autrefois prédit par les prophètes, juge futur du genre humain, messager du salut, et maître pour tous ceux qui veulent bien se laisser enseigner par lui. Moi, pauvre créature humaine, je suis trop faible pour pouvoir dignement parler de sa divinité infinie : c'est l'œuvre des prophètes. Il y a des siècles que, par l'inspiration d'en haut, ils ont annoncé la venue dans le monde de celui que j'ai dit être le fils de Dieu. »

Quel ne devait pas être le mépris des Romains envers le christianisme pour qu'un philosophe comme Rusticus, disciple d'Epictète, n'ait même point essayé de scruter une doctrine ainsi formulée. Un seul souci l'anime, celui de constater le délit juridique, puis de remporter une victoire morale qui reviendrait à l'empereur. Voici que, non sans ironie, il presse Justin d'abjurer : « Écoute-moi, toi que l'on dit éloquent, et qui crois posséder la vraie doctrine, si je te fais fouetter, puis décapiter, croiras-tu que tu doives ensuite monter au ciel? — J'espère, répondit Justin, recevoir la récompense destinée à ceux qui gardent les commandements du Christ, si je souffre les supplices que tu m'annonces... — Tu penses donc que tu monteras au ciel pour y recevoir une récompense? — Je ne pense pas, je le sais, et j'en suis tellement certain que je n'éprouve pas le plus léger doute... — Venons au fait, dit Rusticus. Approchez, et tous ensemble sacrifiez aux dieux. — Personne, dans son bon sens, repartit Justin, n'abandonne la vérité pour l'erreur. — Si vous n'obéissez pas à nos ordres, vous serez torturés sans merci. — C'est là notre plus vif désir, dit Justin, souffrir à cause de Notre-Seigneur Jésus-Christ et être sauvés... » Et tous les martyrs ajoutèrent : « Fais vite ce que tu veux, nous sommes chrétiens et nous ne sacrifions pas aux idoles. » Alors vaincu, le préfet rendit la sentence. Tel fut l'épilogue du généreux effort tenté par saint Justin pour convertir l'empire sinon à la foi, du moins à la tolérance : âme ardente, généreuse, dévouée avec un courage inébranlable aux chrétiens calomniés, et qui voulut être jusqu'au martyre « l'un d'entre eux ».

Le rédacteur de la lettre des Églises de Lyon et de Vienne à celles d'Asie et de Phrygie fut peut-être Irénée lui-même. Quelle admirable simplicité, et sous la précision du trait et le réalisme du détail combien on sent l'émotion du spectateur qui a tout noté.

C'était en 177. Lyon, métropole de trois provinces, fêtait la dédicace de l'autel de Rome et d'Auguste. La fête religieuse s'achevait en une foire bruyante. Au sein de la foule, une rumeur se répandit contre la communauté des chrétiens. L'opinion était si ameutée « que non seulement l'accès des lieux publics, des thermes et du forum leur était interdit, mais que la rue elle-même avait pour eux des dangers ».

On opéra des arrestations, et sans attendre le légat impérial, le tribun de la treizième cohorte urbaine procéda à des interrogatoires. Dès son retour, le légat commença l'instruction qu'accompagnait la question appliquée avec la plus extrême cruauté. C'est alors qu'un des spectateurs intervint, Vettus Epagathus, jeune chrétien de grande famille : « Je demande, dit-il, qu'on me permette de plaider la cause de mes frères, je montrerai clairement que nous ne sommes ni athées, ni impies. » Sans faire cas de sa requête, le légat lui demanda s'il était chrétien, et sur sa réponse affirmative « on le mit aussitôt au nombre des martyrs ». « Voilà l'avocat des chrétiens », dit le juge en raillant.

A la première comparution, dix inculpés « mal préparés et mal exercés » renièrent leur foi, tandis que d'autres venaient les remplacer : car, en violation flagrante du rescrit de Trajan, on opérait des perquisitions. Autre entorse à la vieille législation qui n'admettait aucun grief contre les fidèles sinon celui d'être chrétiens, on procéda à l'arrestation d'esclaves païens avec l'espoir qu'ils dénonceraient les crimes de leurs maîtres. « Ces malheureux déclarèrent que les infanticides, les repas de chair humaine, les incestes et d'autres abominations que l'on ne saurait dire ni même concevoir étaient parmi nous des réalités. » D'où l'exaspération croissante de la foule.

Une seconde torture n'aboutit qu'à rehausser la surhumaine constance des martyrs. Sur « le petit corps si chétif » de la jeune esclave Blandine « les bourreaux qui se relayaient épuisèrent depuis la pointe du jour jusqu'au soir toutes sortes de tortures ». Peines perdues, on ne lui arrachait que ce fortifiant aveu : « Je suis chrétienne et il ne se fait rien de mal parmi nous. » « Je suis chrétien », répondait aussi toujours Sanctus, diacre de Vienne, pour qui « avec l'aide de Dieu la torture était un rafraîchissement plutôt qu'une peine ».

Au contact et par le mérite d'un tel héroïsme, ceux-là mêmes qui avaient cédé se rétractaient; une femme apostate nommée Bibliade, dont on attendait de nouveaux aveux, s'écria soudain dans la torture : « Comment se pourrait-il faire qu'ils mangeassent des enfants ces hommes qui n'ont pas la permission de goûter le sang des animaux. »

Que si les tourments exaltent les courages face aux magistrats et au peuple, sans doute la lente agonie de la prison les réduira-t-elle. En des cachots obscurs et sans air, les chrétiens s'entassaient pêle-mêle, des ceps passés aux pieds et serrés jusqu'au cinquième trou. Tandis que certains mouraient asphyxiés, d'autres que la torture avait réduits à toute extrémité furent maintenus en vie par une force miraculeuse; enfin — détail caractéristique — « les derniers arrêtés dont le corps n'était pas encore habitué à la souffrance ne purent supporter l'horreur de la prison; ils y moururent ». De toutes ces premières victimes, la plus auguste fut l'évêque Pothin, vieillard nonagénaire. Au légat qui lui demandait : « Quel est le Dieu des chrétiens? — Tu le connaîtras, répondit-il, si tu en es digne. » Accablé d'injures et de coups par ses gardiens, lapidé par les spectateurs qui lançaient contre lui tout ce qui leur tombait sous la main, le noble vieillard fut traîné à demi-mort dans sa prison où il expira deux jours plus tard.

Cependant, le légat avait prononcé la sentence. On envoya à l'amphithéâtre une première escouade : Maturus, Sanctus, Blandine et Attale. De nouveau, Maturus et Sanctus subirent toute la série des supplices, coups de fouet, morsures des bêtes qui les traînaient sur le sable, chaise de fer rougie, tant qu'enfin on leur coupa la gorge. Pendant qu'on les torturait, Blandine se trouvait au milieu de l'arène attachée à un poteau, vivante image de Jésus crucifié.

Rendu perplexe par le cas d'Attale qui était citoyen romain, le légat résolut de consulter l'empereur. Heureux délai qui permit aux confesseurs de convertir les apostats dans la prison. Corrigeant la sentence du légat, la réponse impériale prescrivit de se conformer au rescrit de Trajan : qui s'avouerait chrétien subirait la mort, qui renierait s'en irait absous.

Personne ne faiblit plus. L'orgie sanglante s'acheva dans le triomphe de la faiblesse. Restaient deux adolescents : l'esclave Blandine et un garçon de quinze ans, Ponticus. Conduits chaque jour à l'amphithéâtre dans l'espoir que l'horreur des tourments les amènerait à invoquer les dieux, ils étaient demeurés inébranlables. Enfin, on épuisa sur eux la hideuse variété des supplices; « soutenu par la douce parole de sa sœur », Ponticus tint bon jusqu'au bout.

« Blandine demeurait la dernière, comme une mère qui vient d'animer ses fils au combat, joyeuse, transportée à la pensée de mourir, telle une invitée qui se rend au festin nuptial. Après avoir souffert les fouets, les bêtes, la chaise de feu, elle fut enfermée dans un filet et l'on amena un taureau. Il la lança plusieurs fois en l'air avec ses cornes; elle paraissait ne rien sentir, tout entière à son espoir, à la jouissance anticipée des biens qu'elle attendait, poursuivant l'entretien intérieur avec le Christ. Pour finir, on l'égorgea. « Vrai, disaient les Gaulois en sortant, jamais dans nos pays on n'avait vu tant souffrir une femme. »

On devine quelle impression pareilles scènes devaient faire sur les païens eux-mêmes. Si un stoïcien comme Marc-Aurèle n'y voyait qu'entêtement et faste tragique, si un satirique comme Lucien ironisait sur le sort de ces fanatiques, beaucoup, profondément émus, se demandaient comment des hommes si pervers pouvaient être héroïques à un tel point. « Moi-même, écrit Justin dans sa *Seconde Apologie,* quand j'étais encore platonicien, j'avais entendu parler des crimes qu'on imputait aux chrétiens; mais, les voyant sans crainte devant la mort, je ne pouvais croire qu'ils vécussent dans les désordres. Comment supposer, en effet, qu'un homme esclave de la chair et des délices de ce monde recherchât la mort qui le prive de tous ces biens? » Ainsi, Justin s'achemina-t-il vers la conversion. « Bien des gens, dira Tertullien, frappés de notre courageuse constance, ont recherché les causes d'une patience si admirable; dès qu'ils ont connu la vérité, ils sont devenus des nôtres, et ont marché avec nous. » (*Ad Scap.*, 5.) Le sang des martyrs était donc une semence de chrétiens, et Justin compare l'Église de son temps à une vigne que l'on taille pour lui faire jeter d'autres branches plus vigoureuses et plus fécondes.

Ajoutons qu'au IIe siècle, le témoignage est spécialement probant de ces victimes, héritières directes de la tradition primitive. Martyrisé vers l'an 107, Ignace fut un « homme apostolique » qui connut sans doute Pierre et Paul; Polycarpe, asiate né vers l'an 170, vécut « familièrement avec beaucoup de ceux qui avaient vu le Christ »; contemporain et concitoyen des martyrs de Lyon, Irénée, encore un asiate, évoque les entretiens de Polycarpe et comment celui-ci « décrivait ses relations avec Jean et tout ce qu'il avait appris sur le Seigneur, ses miracles et son enseignement ».

bourgeois » lettré, qui esquissa une offensive de belle envergure. Celse connaît les livre saints qu'il a lus attentivement; dans son *Discours véritable* (178), il aime à répéter : « Je sais tout sur vous. » Point par point, il réfute le christianisme. A ses yeux, l'idée même de l'Incarnation est pure absurdité. Pourquoi Dieu descendrait-il ici-bas? Est-ce pour y apprendre ce qui s'y passe, mais quelle infirmité ; pour y être connu, mais quelle vanité ; pour y souffrir et mourir, mais quelle ignominie incompréhensible ? Au surplus, le Jésus des Évangiles n'est qu'un bâtard, un laideron, un magicien imposteur qui sut à peine convertir quelques hommes grossiers ; sa résurrection un conte de bonne femme ! Toute cette vaste imposture n'a pu duper que des simples : « Certains parmi les chrétiens, écrit Celse, ne veulent ni rendre raison de ce qu'ils croient, ni entendre raison. Ils n'ont qu'une réponse : Ne cherche pas, crois ; ou encore : Ta foi te sauvera. »

Encore s'ils n'étaient que des nigauds. Mais, dans leur entêtement, ils s'affirment révolutionnaires. Nous voici au cœur même du sujet. Celse estime que la religion impériale est gardienne de la patrie romaine et que n'y pas adhérer équivaut à trahir la chose publique. Le tort impardonnable des chrétiens est non pas qu'ils aient une religion si originale, — le demi-scepticisme de Celse leur passerait sans doute condamnation, — mais c'est qu'ils réclament pour leur Dieu le privilège exclusif d'exister. Il les compare à une troupe de chauves-souris ou de fourmis sortant de leur trou, ou encore à des vers tenant conciliabule dans le coin d'un bourbier, et qui diraient : « C'est à nous que Dieu révèle et annonce d'avance toute chose ; il n'a aucun souci du reste du monde... Tout nous est subordonné, et c'est parce qu'il est arrivé à certains d'entre nous de pécher que Dieu enverra son propre fils. » A-t-on jamais vu pareille outrecuidance ? Une telle vermine qui met la société romaine au ban du christianisme, pourquoi ne pas la mettre elle-même au ban de l'empire? « Refusent-ils d'observer les cérémonies publiques et de rendre hommage à ceux qui y président ; alors, qu'ils renoncent aussi à prendre la robe virile, à se marier, à devenir pères, à remplir les fonctions de la vie ; qu'ils s'en aillent tous ensemble loin d'ici, sans laisser la moindre semence d'eux-mêmes et que la terre soit débarrassée de cette engeance. »

Origène sauva Celse de l'oubli en le réfutant. Sa valeur historique reste d'ailleurs considérable parce qu'il reflète la mentalité que devront combattre les Apologistes. Écoutez plutôt un écho de ses critiques dans l'*Octavius* de Minucius Félix. Celui-ci s'adresse aux lettrés, « aux honnêtes gens très instruits et un peu pédants qui, comme Celse, vivaient de l'école ou des souvenirs d'école ». Résolu à se montrer beau joueur, il met sur les lèvres du païen Cœcilius — quitte à la réfuter ensuite — l'argumentation anti-chrétienne, sans rien lui enlever de sa force. On retrouve là exposés avec les griefs infâmants du vulgaire les préjugés intellectuels de Celse : absurdité du Dieu rédempteur, impossibilité de la Résurrection, etc. Sceptique, lui aussi, Cœcilius retrouve sa foi pour défendre ce culte des dieux, authentiqué par les siècles, et qui entretient la flamme du patriotisme.

II. Le geste de conciliation philosophique : Saint Justin. — Regardé par le dédain des païens lettrés comme une religion de petites gens et pauvre d'idées, le christianisme devait songer à relever le gant le jour où entreraient dans ses rangs des hommes cultivés. Or, les apologistes du IIe siècle — tels un Aristide et un Athénagore [1] « philosophes

1. Aristide écrivit une *Apologie* dédiée à Hadrien. En 1889, Rendel Harris la retrouva dans un manuscrit du monastère Grec du Sinaï. La thèse basée sur la notion de Dieu, développe l'argument suivant : Dieu existe ; or parmi

athéniens » ou mieux encore un Justin — avaient passé par les écoles de philosophie; ils entendaient bien prouver qu'en devenant les fidèles de Jésus ils n'avaient point déchu de l'ordre intellectuel, ni brûlé complètement ce que jadis ils avaient adoré. Quel gain d'ailleurs si aux lettrés on pouvait présenter le christianisme comme une philosophie supérieure, la religion de l'Esprit.

A cette tentative de rapprochement, nul ne s'employa avec plus de bonne volonté et d'ingéniosité que Justin. Il était tout désigné pour esquisser ce geste. Né païen à Flavia Neapolis, aujourd'hui Naplouse, dans la Syrie Palestinienne, il avait longtemps rôdé, en effet, à la recherche de la vérité, frappant successivement à la porte d'un philosophe stoïcien qui resta incapable de le renseigner sur Dieu et la Providence, à celle d'un péripatéticien, marchand vulgaire, qui ne songeait qu'à fixer un salaire, à celle d'un pythagoricien qui voulut d'abord le contraindre à faire des mathématiques, à celle encore d'un platonicien, tant qu'enfin il rencontra sur la plage « un vieillard d'un caractère doux et grave » qui l'initia au christianisme par l'intermédiaire des prophètes. A travers ce récit plus ou moins romancé que nous a laissé Justin dans l'introduction de son *Dialogue avec Tryphon*, on sent par quelles inquiétudes d'âme il avait dû passer avant sa conversion. On comprend qu'il ait voulu les épargner à ses contemporains.

A ses yeux, entre philosophie et christianisme il y a des nuances plutôt que des oppositions, et cette conception devient moins aventureuse et plus défendable si on remarque que par philosophie Justin entend une sagesse épurée et éclectique où il y a place pour Platon et les stoïciens, mais non pour Épicure et les sceptiques.

Selon Justin, deux raisons expliquent la part de vrai contenue dans la sagesse antique. C'est que d'abord, comme le soutiennent les juifs alexandrins, les philosophes ont puisé dans l'Ancien Testament des vérités partielles. « Tout ce qu'ils ont dit de l'immortalité de l'âme, des châtiments qui suivent la mort, de la contemplation des choses célestes et autres semblables, ils en ont reçu le principe des prophètes, et c'est ainsi qu'ils ont pu le concevoir et l'énoncer. » (I *Apol.*, XLIV, 9.) Ainsi Platon s'est-il inspiré de la *Genèse* et des *Nombres* dans *le Timée*. Cette idée du plagiat était d'une grande habileté, voire d'une fine ironie que le bon Justin n'a pas soulignée : voilà donc que le méprisant hellénisme doit indirectement tout ce qu'il contient de vrai à ces chrétiens, à ces « barbares » illettrés.

On soupçonne bien que pareille théorie, même soutenue à grand renfort d'érudition, ne se justifie guère, et Dom Calmet l'a réfutée amplement avec tout un appareil massif. Sans doute l'antériorité de Moïse et des prophètes rend-elle possible la dépendance des philosophes, encore celle-ci demeure-t-elle une hypothèse indémontrable. Pourquoi d'ailleurs y recourir puisqu'il ne s'agit que de ressemblances discutables et de vérités très générales perceptibles à la seule raison? Aussi, très discrètement rappelée par Origène, l'idée du plagiat sera-t-elle abandonnée ensuite. Aux yeux des esprits critiques, la trouvaille était vraiment trop ingénieuse.

Plus tentante apparaissait la théorie du « Verbe séminal » suivant laquelle toute vérité a été communiquée aux hommes par le Verbe divin. L'importance que prendra le mot

les quatre classes d'hommes qui se partagent l'humanité, Barbares, Grecs, Juifs et Chrétiens, seuls ces derniers l'honorent comme il faut, en particulier par l'honnêteté de leur vie.

Athénagore composa entre 170 et 180 une *Supplique* adressée à Marc-Aurèle et à son fils Commode. Il y réfute les trois grandes accusations contre les chrétiens : athéisme, immoralité, anthropophagie.

raison, au XVIIIe siècle ou le mot *science* au XIXe, le terme *Logos* l'avait possédée dans l'antiquité. Soit qu'il s'identifie pour Platon avec le monde intelligible, modèle et principe du monde sensible, soit que pour le panthéisme stoïcien il représente le génie et l'âme de l'univers, la force qui l'anime et en définitive la raison suprême de tout, soit que les Néoplatoniciens le confondent avec Dieu même, étant sa raison et le centre des idées divines, étant aussi sa parole par quoi il crée et gouverne, soit enfin que le judaïsme voie en lui l'ange des grandes théophanies bibliques, chargé de transmettre aux hommes la pensée de Dieu, et Dieu lui-même, bien que sans personnalité précise, dans tous les cas et en toute hypothèse, le *Logos* était essentiel à la pensée antique. Capter cette expression si vantée et si discutée, la jeter comme un pont entre la philosophie et le christianisme lettré, tels furent le grand mérite et l'originalité propre de Justin, surtout s'il est vrai — comme le montre le P. Lagrange — que saint Jean n'avait pris le terme qu'au sens biblique, sans préoccupation apologétique.

Justin explique, en effet, que le Verbe Divin fut toujours dispensateur de la vérité parmi les hommes ; ainsi tout ce que les Hellènes ont enseigné de vrai, ils le tiennent du Verbe, tels un Socrate et un Platon. « Chaque philosophe, voyant d'une parcelle du Verbe Divin ce qui lui est apparenté, a des formules très belles. » « Ceux qui ont vécu selon le Verbe, dit-il encore, même s'ils ont été jugés athées, comme chez les Grecs, Socrate, Héraclite et leurs pareils... tous ceux-là sont chrétiens », chrétiens avant la lettre. Par contre « ceux qui parmi les hommes du passé ont vécu sans Verbe furent ennemis du Christ. » Et voilà l'humanité nettement tranchée en deux camps, en deux « cités », dès la plus haute antiquité. Cet « effort encore imparfait pour donner une vue systématique de l'histoire religieuse de l'humanité » nous intéresse surtout par sa hardiesse apologétique, il nous dévoile ce plus large christianisme qui se porte résolument au-devant des lettrés ou philosophes de l'hellénisme et qui leur tend franchement la main avec ces mots : « Nous sommes frères, nous avons tous communié au même Verbe. »

Notons d'ailleurs que Justin sait s'arrêter à temps sur les sentiers du libéralisme. La vérité antique reste partielle, fragmentaire, réservée à une élite. Théodicée naturelle, distinction du bien et du mal, voilà jusqu'où peut aller la raison ; mais quand elle ose échafauder quelque système, ce ne sont plus que divagations : stoïciens, péripatéticiens, platoniciens même, tous ont erré. « Chez tous on trouve des semences de vérité, mais ce qui prouve qu'ils n'ont pas bien compris, c'est qu'ils se contredisent eux-mêmes. » (I *Apol.*, XLIV, 10.) La pleine lumière n'est venue qu'avec le Verbe incarné, vrai Dieu et vrai homme.

On a prétendu que cette réconciliation, ou plutôt cette conciliation de la philosophie avec le christianisme était pure chimère. « Il ne fallait pas beaucoup d'effort pour voir, dit Renan, que la philosophie grecque, essentiellement rationnelle, et la foi nouvelle procédant du surnaturel, étaient deux ennemies dont l'une devait rester sur le carreau. » Et pourtant n'est-ce pas à la faveur de cette alliance qu'est né « un christianisme philosophique où sans doute la philosophie a été subordonnée au christianisme, mais grâce auquel a été sauvé tout ce qu'il y avait de meilleur » dans la morale et la science antiques. (A. Puech.) Gnose orthodoxe de Clément et d'Origène, augustinisme, aristotélisme thomiste sont nés de ce rapprochement auquel Justin ouvre la voie. Esprit un peu court, sans doute n'avait-il pas entrevu tout cet avenir ; par contre, à ses yeux, pareille théorie comportait une conclusion actuelle et pratique : « Si donc, disait-il, sur certains points nous sommes d'accord avec les plus estimés de vos philosophes et de vos poètes, si d'autre part nous parlons mieux qu'eux, en une manière plus digne de Dieu, si seuls enfin nous prouvons ce que nous affirmons, pourquoi cette haine injuste envers nous? » (I *Apol.*, xx.)

Le geste de Justin ne fut pas isolé; Athénagore l'esquissera encore, plus de vingt ans après lui, puis Clément d'Alexandrie. On a dit de cette période qu'elle fut « le temps des fiançailles du christianisme et de la philosophie ». Jolie expression, mais qui, hélas! ne laisse pas d'être historiquement impropre : car la sagesse antique éconduisit d'abord le christianisme; le résultat direct ne fut pas brillant. Cet appel, en vain Justin l'adressa-t-il à un prince stoïcien, entouré de philosophes, ils le rejetèrent, si même ils y prêtèrent l'oreille. Rien de plus tenace qu'un préjugé intellectuel, surtout en des têtes orgueilleuses. Pour elles, le christianisme était toujours une superstition ridicule, non pas une « philosophie meilleure ».

Au surplus, parmi les chrétiens tout le monde ne goûtait pas le compromis. Tertullien déploie toute sa verve contre ceux qui voudraient accréditer « un christianisme stoïcien, ou platonicien, ou simplement raisonneur ». Nulle coquetterie envers les philosophes : à l'orgueil de Platon, aux dépravations de Socrate, au servilisme d'Aristote, il oppose humilité et pureté chrétiennes. De même, Tatien[1] reconnaît sans doute avec son maître Justin que la philosophie antique est parvenue à certaines vérités ; mais loin de s'en réjouir comme lui, il s'acharne à souligner la perfidie des païens qui déguisent leurs emprunts ou dénaturent les idées justes. Toute la peine qu'il se donne pour mettre en valeur l'argument chronologique ne tend qu'à humilier la sagesse antique en la mettant sous la dépendance étroite de la révélation divine pour tout ce qu'elle a d'un peu moins imparfait. Cet esprit outrancier, le Tertullien des Grecs, et que Renan a pu appeler « le Lamennais du IIe siècle », ne songe qu'à bafouer pêle-mêle tous les anciens, philosophes et poètes. Un chaos d'erreurs et un cloaque d'impuretés, voilà l'hellénisme. La même manière trop forte se retrouve dans les quelques pages d'Hermias intitulées *Persiflage des philosophes païens :* revue caricaturale des principaux maîtres de la pensée antique.

III. Réfutation politique et juridique : Tertullien. — La besogne urgente consistait à laver le christianisme des plus monstrueuses calomnies : anthropophagie, incestes, mauvaises mœurs. Tous les apologistes s'y résignèrent, nul ne le fit avec une indignation et une ironie plus vengeresse que Tertullien (*Apol.*, VII-IX). Né à Carthage entre 150 et 160, il avait passé une jeunesse assez licencieuse et connaissait bien l'abjection païenne. D'ailleurs, ses fortes études littéraires et surtout sa connaissance approfondie du droit l'avaient préparé indirectement à sa carrière d'apologiste quand il se convertit vers 195.

Selon sa méthode habituelle, pour se défendre il attaqua, invoquant contre le paganisme des faits prouvés : enfants africains immolés à Saturne, victimes sacrifiées au sein des familles romaines, infanticides fréquents, etc. Au surplus, comment reprocher aux fidèles certains crimes abominables pour tout cœur qui palpite : « Le chrétien, lui aussi, est un homme comme toi. » Avec moins de fracas, saint Justin s'évertue à détruire les préjugés en dissipant le mys-

1. Né en Assyrie vers 120, Tatien mena d'abord la vie errante d'un sophiste qui débite ses discours de ville en ville. Après sa conversion qui fut peut-être l'œuvre de Justin, il devint le disciple de celui-ci et se fixa à Rome. En fait, cet esprit outrancier, ami du paradoxe et habitué à l'invective, se rattache plutôt à Tertullien. Son *Discours aux Grecs* tend à prouver la supériorité des chrétiens sur les païens à l'aide d'une dialectique mordante et impitoyable. En 172, Tatien tomba dans une sorte de gnosticisme teinté d'encratisme. Après un séjour à Antioche, il revint mourir dans sa patrie.

tère : nulle arcane ; que l'on ouvre toute grande la porte des sanctuaires, et que les païens viennent y constater, au lieu de débauches imaginaires, les cérémonies d'un culte qui réclame toute une préparation de pureté.

Mais le principal grief était d'ordre politique. Saint Justin souligne que les chrétiens demeurent bons citoyens, « s'efforçant avant tous les autres de payer tributs et taxes à ceux qui ont mission de les recevoir » (I *Apol.*, 17). Sans doute réservent-ils à Dieu leurs adorations, mais ils vénèrent le prince et prient pour lui : « Nous n'adorons qu'un Dieu, dit-il aux empereurs régnants, mais pour tout le reste nous vous obéissons avec joie, vous reconnaissant les maîtres des hommes, et demandant par nos prières qu'avec la puissance souveraine vous obteniez aussi une âme droite » (I *Apol.*, 17). Même loyalisme et plus raisonné sous la plume de Théophile d'Antioche[1] : « Je respecte le roi ; je ne l'adore pas, mais je prie pour lui. Je n'adore que le Dieu vrai et vivant par lequel je sais que le roi a été fait. Tu me diras donc : Pourquoi n'adores-tu pas le roi? Je réponds : Parce qu'il n'a pas été créé pour être adoré, mais pour recevoir de nous l'hommage légitime. Il n'est pas un Dieu, il est un homme établi de Dieu, non pour qu'on l'adore, mais pour juger avec justice » (*Ad Autylochum*, 12).

Aux yeux de Tertullien, la fidélité politique est un impérieux devoir pour le chrétien : « Comme il sait que le prince est établi par son Dieu, il faut nécessairement qu'il le respecte, qu'il le chérisse, qu'il l'honore et qu'il veuille son salut en même temps que celui de l'Empire romain tout entier... Nous honorons donc l'empereur comme il nous est permis de l'honorer et comme il lui est avantageux de l'être, c'est-à-dire comme un homme qui est le second après Dieu. » (*Ad Scapulam.*) Tertullien, d'ailleurs, peut illustrer sa théorie par l'exemple constant des fidèles. Quand donc les a-t-on vus parmi les conspirateurs? « D'où sortaient les Cassius? Et hier encore les Niger et les Albinus armés contre Sévère? Et tant d'autres. Tous ces hommes à la veille de leur attentat sacrifiaient pour le salut de l'empereur et juraient par son génie, et ne se faisaient pas faute de traiter d'ennemis publics les chrétiens. »

Une fois posée cette thèse qui surbordonne la puissance impériale à la divine, les apologistes s'ingénient à y greffer des arguments, moins solides sans doute, mais très impressionnants. Ainsi, plusieurs affirment-ils que seuls les mauvais empereurs ont persécuté : « Seuls, dit Méliton[2], Néron et Domitien se montrèrent malveillants pour notre religion... Ton père, rappelle-t-il à Marc-Aurèle, a écrit aux cités qu'il ne fallait pas faire de tumulte à cause de nous » (*H. E.*, IV, 25, 9-11). Même affirmation, vingt ans plus tard, sous la plume de Tertullien : « Néron et Domitien exceptés, qu'on nous montre, écrit-il, un sage prince qui ait combattu les chrétiens. » A coup sûr, rien n'est plus contraire à la vérité historique puisque, en fait, les bons empereurs se firent un devoir civique de persécuter ; l'argument n'en était pas moins adroit et sans doute les apologistes l'exploitaient-ils avec sincérité comme une généreuse illusion de leur loyalisme.

Une autre habileté consistait à affirmer que la religion « chrétienne est la sœur de lait de l'empire puisqu'elle est venue au monde en même temps qu'Auguste son fondateur ». Nés ensemble, ils grandissent côte à côte et leur fortune reste étroitement liée. « Oui, dit Méliton

1. Né près de l'Euphrate, Théophile fut évêque d'Antioche au temps de Marc-Aurèle. Dans ses lettres *A Autolycus sur la foi chrétienne*, écrites vers 180, il s'oppose aux railleries de ce païen en prouvant l'invisibilité et l'unité divines, en démontrant la puérilité des doctrines polythéistes, et en réfutant les accusations courantes d'anthropophagie et d'immoralité.

2. Méliton, évêque de Sardes en Lydie († 195), écrivit beaucoup, mais aucun de ses ouvrages ne nous est parvenu. Citons spécialement sa brève apologie *A Antonin*, dont Eusèbe donne quelques extraits.

à Marc-Aurèle, notre philosophie a d'abord pris naissance chez les barbares; mais le moment où elle a commencé à fleurir parmi les peuples de tes États ayant coïncidé avec le grand règne d'Auguste ton ancêtre fut un heureux augure pour l'Empire. C'est de ce moment, en effet, que date le développement colossal de cette brillante puissance romaine... Et ce qui prouve bien que notre croyance a été destinée à fleurir parallèlement aux progrès de votre glorieux Empire, c'est qu'à partir de son apparition tout vous réussit à merveille. » (*H. E.*, IV, 26, 7.) La nouvelle religion était donc pour l'Empire un vrai porte-bonheur. De son côté, Tertullien indique comme une raison de prier pour l'État l'imminence de la parousie qu'empêche seule la destinée de Rome; car « l'Empire durera autant que le monde ». Ainsi, en intercédant pour le prince, les fidèles conjurent-ils la catastrophe finale suspendue sur l'Univers.

Un tel optimisme romain mis en conjonction avec les progrès du christianisme était une réplique à ceux qui imputaient aux adorateurs de Jésus tous les maux présents. Par contre, Tertullien avait beau jeu à montrer qu'il n'existait aucun synchronisme entre christianisme et calamités publiques. « Il n'avait pas encore paru pourtant quand les vagues détachèrent la Sicile de l'Italie. Où étaient les contemporains des divinités, où étaient ces divinités elles-mêmes lorsque Annibal à Cannes mesurait au boisseau les anneaux des Romains, lorsque les Gaulois assiégeaient le Capitole? » La réplique était aussi simple que le grief simpliste; pas un bateleur qui ne la pût comprendre. Et Tertullien la renforçait encore en affirmant que si aujourd'hui la justice divine s'adoucissait, c'était précisément à cause des fidèles plaidant pour l'iniquité du siècle. « Quand la sécheresse survient et que l'année s'annonce mal, on vous voit dans les bains, dans les cabarets, dans les mauvais lieux, sacrifier à Jupiter et prescrire des processions, pieds nus. Vous cherchez le ciel au Capitole... Pour nous, nous nous livrons au jeûne, nous touchons le cœur de Dieu. Et quand nous avons obtenu miséricorde, on néglige Dieu pour rendre grâces à Jupiter. » (*Apol.*, XL.)

Au fond, le grief politique reposait sur la croyance aux divinités protectrices de l'Empire. D'où la nécessité d'entamer le procès du polythéisme.

Sans faire œuvre personnelle, il suffisait aux apologistes de puiser à pleines mains — et ils n'y manquèrent pas — tant chez les Juifs Alexandrins, adversaires de l'antisémitisme hellénique, que chez les païens, lettrés ou philosophes, qui raillaient avec délices ces divinités vulgaires en proie aux passions humaines et vouées aux plus risquées aventures. Argumentation assez lourde, plutôt défraîchie, et que les chrétiens ne se donnèrent pas la peine de renforcer par une érudition inédite. Ce n'est pas toutefois qu'ils manquent leur but : si *l'Apologie* d'Aristide, par exemple, consiste presque uniquement en une critique du paganisme tout entière empruntée, — forme et fond, — cependant, directement appropriée à son sujet, elle vise non les divinités désuètes, mais celles qui jouissaient de la vogue au IIe siècle, tels Dyonisios et Adonis, Isis et Osiris.

D'autre part, les apologistes soulignent l'origine démoniaque de l'idolâtrie. Selon une légende juive, vulgarisée par le *Livre d'Henoch,* c'est du commerce des « fils de Dieu » ou anges déchus avec les « filles des hommes » que naquirent les géants de la mythologie païenne, et ainsi s'explique l'apparence de surnaturel qui orne quelquefois le polythéisme. L'artifice du démon est partout qui donne un charme trompeur aux idoles, fait palpiter les entrailles des victimes et profère des oracles menteurs.

Contre les divinités populaires la verve importait surtout. Tertullien le comprit. Tandis que jusqu'alors — à l'exception de Tatien — les railleries envers le polythéisme n'étaient intervenues qu'incidemment, lui, passant résolument à l'offensive, voulut saper les bases du paganisme : tel est le but direct de l'*Ad Nationes*. Le premier, il ose déverser sur les dieux les flots d'une ironie drue et savoureuse. Inférieurs aux héros de l'histoire, risibles au théâtre, cruels dans l'amphithéâtre, préposés à la garde même des lieux obscènes comme aux fonctions les plus basses, pourquoi les vénérer? Ne sont-ils pas d'ailleurs incapables de sauver la chose publique? Minerve et Apollon n'abandonnèrent-ils pas Athènes et Delphes aux armes de Pyrrhus et de Xerxès?

Tertullien met aussi en relief un argument juridique à peine effleuré par ses prédécesseurs. Sa fameuse *Apologétique* constitue une protestation solennelle envoyée aux « magistrats de l'Empire ». Tout, en effet, est injustice dans les persécutions. S'il est vrai que les fidèles sont de purs criminels, pourquoi ne pas les punir comme tels; mais s'ils ne le sont pas, pourquoi poursuivre en eux le seul nom chrétien? Notons qu'au siècle des Antonins la vieille conception romaine tend à faiblir d'après quoi toute loi est sacro-sainte et indiscutable; la notion de droit naturel apparaît alors; et les protestations de Tertullien pourront trouver quelque écho dans la conscience des magistrats. « Une loi devient suspecte, leur dit-il, quand elle refuse de se justifier; elle est inique, quand elle s'applique sans être fondée en raison. » Telle était bien la législation trajane; et, avec une audace qui à la lumière du Syllabus nous effraie un peu, Tertullien faisait d'éloquents appels à la liberté de conscience : « Chaque homme reçoit par droit naturel la liberté d'adorer ce que bon lui semble... Il n'appartient pas à la religion de contraindre la religion qui doit être embrassée spontanément et non par force. » On retrouvera cette argumentation dans l'édit même de Constantin.

Tolérance, droit commun, coexistence des deux religions, voilà donc ce que les apologistes se contentent de réclamer. La lettre d'Antonin à l'assemblée provinciale d'Asie, cette autre de Marc-Aurèle à propos du miracle de la Légion fulminante sont deux faux caractérisés; mais comme ils émanent d'une plume chrétienne, ils décrivent bien ce que les fidèles attendent alors des pouvoirs publics : une seule chose, le droit de vivre. Ils ne recherchent pas la conversion du prince : aux yeux de Tertullien, n'est-elle pas contradictoire à la notion même d'empereur? Il s'agit donc seulement d'exister côte à côte sans se blesser; n'est-ce pas l'avantage de l'un comme de l'autre? « Votre bonheur est notre intérêt, dit Athénagore à Marc-Aurèle, car il nous importe de pouvoir mener une vie tranquille, en vous rendant de grand cœur l'obéissance qui vous est due... » Pareilles paroles d'un loyalisme tout paisible eussent dû trouver un écho semblable chez les empereurs : le bonheur des chrétiens était l'intérêt de la romanité. Mais, il ne se pouvait pas que cela fût compris à la fin du IIe siècle. Les plus bienfaisantes idées ne mûrissent d'ordinaire que lentement, et souvent elles ne s'imposent qu'au prix du sang versé.

IV. Le bilan des Apologistes. — Est-ce le ton provocant des intransigeants qui causa l'insuccès des Apologistes? Il est certain que par leur âpreté ironique un Tatien ou un Tertullien semblent prendre à tâche d'élargir le fossé entre christianisme et paganisme. Mais les autres ont-ils mieux réussi? Les apologies conciliantes dédiées aux empereurs — et celles même d'un Justin — furent de nul effet : qu'importaient les plaintes de ces Galiléens à la légèreté d'Hadrien ou au dédain philosophique de Marc-Aurèle? Le public lettré resta aussi indifférent : d'après Tertullien, le grand péché des païens est précisément qu'ils aient fermé les yeux à la lumière et condamné le christianisme sans même consentir à le regarder.

D'ailleurs, ceux qui daignèrent lire les apologies ne purent être que choqués des attaques contre le polythéisme, voire des analogies proposées entre christianisme et philosophie. Au moins les fidèles remportèrent-ils un triomphe intime en voyant les calomnies dissipées, leur foi vengée et l'Olympe humilié : s'il y eut un succès, ce fut donc plutôt à l'intérieur même de la communauté chrétienne où le moral fut raffermi.

D'ordinaire, on reproche moins aux apologistes de n'avoir point réussi auprès des païens que d'avoir trahi parfois cette vérité religieuse qu'ils voulaient défendre.

Liste chronologique des Apologistes.

EMPEREURS		APOLOGISTES		
117-138	Hadrien.	✠ Quadratus.		Apologie dédiée à Hadrien.
138-161	Antonin.	✠ Ariston de Pella	Vers 140	Discussion de Jason et de Papiscus.
		Aristide.		Apologie dédiée à Antonin.
		Justin.	Vers 150-155	1re Apologie dédiée à Antonin.
				2e Apologie.
				Dialogue avec Tryphon.
161-180	Marc-Aurèle.	✠ Miltiade.		Trois Apologies.
		✠ Appollinaire.		Apologie à Marc-Aurèle.
		Méliton.		Apologie à Marc-Aurèle (Extraits Eusèbe, *H.E.*, IV, 26, 5-11).
		Tatien.	Vers 171	Discours aux Grecs.
		Athénagore.	176-178	Supplique pour les chrétiens.
180-192	Commode.	Théophile-d'Antioche		A Autolycus.
193-211	Septime-Sévère.	Tertullien.	197	Aux Nations.
				Apologétique.
			212	A Scapula.
	Sans date.	Hermias..............	....	Moquerie des philosophes grecs.
		Minucius Félix........	....	Octavius.
		Anonyme.............	....	Epître à Diognète.

Nota : La croix indique que l'Apologie est perdue.

Notons d'abord que beaucoup sont des laïques, et des laïques récemment convertis; au surplus, ils écrivent à une époque où la terminologie doctrinale est loin d'être fixée : autant d'excuses préalables dont il faut tenir compte. Remarquons surtout que, s'adressant à un public prévenu, les apologistes ont dû ne lui présenter de la vérité nouvelle que ce qu'il pourrait en supporter. Le cas est frappant de Minucius Félix qui dans son *Octavius* vise à mettre un romain lettré sur les sentiers de la croyance : « Son dialogue est simplement un ouvrage exotérique, destiné à prouver aux païens d'esprit cultivé que le déisme de leurs philosophes est l'introduction naturelle au christianisme. Il établit que les grands principes du christianisme s'accordent avec les conclusions de la sagesse profane » (P. Monceaux). Comment aurait-il pu en dire davantage sans rebuter son interlocuteur? Avec Tertullien, il admettait qu'on ne s'achemine que par étapes vers la foi, et la première de ces étapes devait être la religion naturelle, le déisme; plus tard, on verrait.

Sur un point cependant, plusieurs apologistes ont prêté le flanc à la critique : leur doctrine du Verbe. Sans doute saint Justin affirme-t-il la réalité substantielle du Logos et qu'il est une personne. Mais préoccupé de montrer que sous l'Ancien Testament, c'était Lui qui apparaissait dans les Théophanies, il a trop insisté sur l'invisibilité naturelle du Père et sur le rôle de serviteur dévolu au Fils : « Il y a *au-dessous* du Créateur de l'Univers, dit-il, un autre Dieu et Seigneur qui est appelé ange, parce qu'il annonce aux hommes tout ce que veut leur annoncer le Créateur de l'Univers, au-dessus duquel il n'y a pas d'autre Dieu. » (*Dial.*, LVI, 4.) Justin a trop exprimé aussi que le Fils est engendré par la puissance du Père, qu'il lui obéit et qu'il lui est soumis, en sorte qu'on pourrait se demander s'il sauvegarde complètement l'unité de l'essence divine. Subordinatianisme plutôt verbal à coup sûr, qui n'exclut pas l'affirmation formelle de la divinité du Fils, qui s'explique par des préoccupations exégétiques, et qui s'entend mieux, si l'on se rappelle que les apologistes aiment à considérer le Verbe comme l'organe de la Création et de la Révélation, voué en vertu de l'économie divine à un rôle ministériel. Au même point de vue, on excusera Théophile d'Antioche distinguant le Logos intérieur, et le Logos *proféré*, celui-ci n'ayant rien de plus que celui-là, sauf qu'une modalité nouvelle se manifeste en lui au moment de la Création. On comprend bien ; mais quoi d'étonnant qu'un jour la perfidie arienne en ait tiré un argument d'autorité ?

LIVRE III

LES ÉGLISES DU MONDE ROMAIN

CHAPITRE PREMIER

L'EXPANSION CHRÉTIENNE AU IIe SIÈCLE

1. Pénétration universelle et intensive. — Renan a écrit : « En 150 ans la prophétie de Jésus s'était accomplie. Le grain de sénevé était devenu un arbre qui commençait à couvrir le monde. » Affirmation qui n'est que l'écho des contemporains les plus autorisés.

On connaît les exclamations provocantes de Tertullien : « Nous ne sommes que d'hier et nous vous envahissons partout : les cités, les îles, les châteaux, les municipes, les assemblées, les camps même, les tribus, les décuries, les palais, le sénat, le forum; nous ne vous laissons que vos temples. Quels ennemis ne serions-nous pas, si nous voulions, étant donné notre nombre et notre mépris de la mort? Que dis-je? Il nous suffirait pour nous venger de vous abandonner à vous-mêmes, de nous retirer dans quelque désert : vous seriez effrayés de votre solitude. » (*Apol.*, 37.) Pareille déclaration oratoire souligne le grand nombre des chrétiens en Afrique.

Pour l'Asie, les témoignages — bien que plus sobres — sont aussi suggestifs. Au début du IIe siècle, le christianisme n'envahissait-il pas déjà villes et bourgades de la Bithynie au point que les temples restaient déserts et les prêtres sans victimes à immoler? Qu'on se rappelle l'émoi de Pline en écrivant à Trajan. Vers 184 ou 185, dans la province d'Asie, lorsque le proconsul Arrius Antoninus persécute les chrétiens, tous les fidèles d'une ville se présentent en masse à son tribunal; débordé, il ne peut que s'écrier en les renvoyant presque tous : « Malheureux, si vous voulez mourir, n'avez-vous pas assez de cordes et de précipices? » Pour Rome même, l'accroissement rapide des cimetières, la multiplication des galeries souterraines donnent bien l'impression de progrès inattendus et rapides.

A ces témoignages d'extraordinaire expansion en diverses régions, joignons ceux qui

Expansion chrétienne. — P. ALLARD, *, *Dix leçons sur le martyre*, 1re leçon. — HARNACK, *2, *Die Mission und Ausbreitung des Christentums in den ersten drei Iahrhunderten*, Leipzig, 1902. — RIVIÈRE, *La propagation du christianisme dans les trois premiers siècles*, 1907. — AUDOLLENT, art. *Afrique*, dans *Dict. Hist.* — G. BARDY, art. *Asie, ibid.* — H. LECLERCQ, art. *Expansion du christianisme*, dans *Dict. Arch.*

Légendes gallicanes. — L. DUCHESNE, *, *Fastes épiscopaux de l'ancienne Gaule*, 3 vol., 1894-1904. T. I. Provinces du Sud-Est; t. II, L'Aquitaine et les Lyonnaises; t. III, Les provinces du Nord et de l'Est. — G. DE MANTEYER, *Les origines chrétiennes de la IIe Narbonnaise, des Alpes Maritimes et de la Viennoise*, Aix, 1925. — L. LEVILLAIN, *Saint Trophime et la mission des Sept en Gaule*, *Revue hist. Église de France*, 1927 (XIII), p. 145-190. — H. LECLERCQ, art. *Légendes gallicanes*, dans *Dict. Arch.*

dévoilent déjà la catholicité géographique. « Il n'y a pas une seule race d'hommes, dit Justin, soit barbares, soit grecs ou de quelque nom qu'ils s'appellent, Scythes qui vivent sur les chars, nomades sans maison, ou pasteurs qui habitent sous la tente, chez qui ne soit invoqué le nom de Jésus-Christ. » (*Dial.*, CCXVII.) « Ce qu'est l'âme dans l'homme, affirme l'Épître à Diognète, les chrétiens le sont dans le monde. L'âme est répandue dans tous les membres du corps, et les chrétiens dans toutes les villes du monde » (ch. VI). « Les langues sont diverses dans le monde, remarque saint Irénée, mais la tradition de la foi est partout la même. Ni les Églises qui s'élèvent en Germanie n'ont une autre foi, ni celles qui sont en Ibérie ou chez les Celtes, ni celles qui sont vers le Levant, ni celles qui sont en Égypte ou en Libye, ni celles qui sont vers le centre du monde. » (*Adv. haer.*, III, c. XI, 8.) Clément d'Alexandrie parlera bientôt de l'Église « répandue dans le monde entier s'imposant aux Grecs aussi bien qu'aux Barbares dans tous les pays, toutes les villes, toutes les bourgades ». Eusèbe précise qu'après la persécution antonine, sous Commode, la paix arrachée à ce tyran par le charme d'une femme consolida le triomphe de la propagande chrétienne. « Pendant ce temps la parole de Dieu amena un grand nombre d'adhérents à son culte. Ils appartenaient à toutes les conditions, et à Rome même, un grand nombre parmi ceux que leur naissance et leurs richesses rendaient célèbres se convertirent, eux, leurs parents et toute leur maison. » (*H. E.*, V, 21.)

Comme le fait Harnack dans son grand ouvrage sur la propagation durant les trois premiers siècles, distinguons expansion extensive ou géographique et expansion « intensive » c'est-à-dire la force et le degré de pénétration dans les différentes couches de la société.

La chrétienté se recrutait alors principalement dans les classes populaires : esclaves sans doute, mais plus encore artisans, gagne-petit, tous ceux que l'implacable civilisation antique comptait pour rien, et qui se retournèrent vers Jésus comme vers une immense espérance. La parole de saint Paul restait vraie : « Il n'y a parmi vous ni beaucoup de sages selon la chair, ni beaucoup de puissants, ni beaucoup de nobles. Mais ce que le monde tient pour insensé, c'est ce que Dieu a choisi pour confondre les sages. »

Les controversistes païens en tiraient argument pour représenter avec dédain le christianisme comme une religion de *simpliciores;* mais, nous avons vu que, relevant le défi, les apologistes prouvèrent par leurs écrits mêmes qu'il existait au IIe siècle une élite intellectuelle chrétienne.

La foi s'infiltra aussi, et très tôt, dans l'aristocratie. Sans doute, grands étaient les périls et les sacrifices. Pour les hommes, les charges publiques n'impliquaient-elles pas souvent la reconnaissance de la religion d'État et l'adhésion au culte impérial? Exemptes de ce côté, les femmes devaient envisager avec l'impossibilité fréquente de trouver un mari chrétien les graves inconvénients des mariages mixtes, la déchéance et la perte des privilèges réservées à toute patricienne commettant une mésalliance. Sans doute était-elle chrétienne cette Pomponia Graecina, grande dame à la vie sombre et retirée, qui, accusée de superstition étrangère, fut jugée par son mari Plautius en qualité de chef de famille et déclarée innocente. Rappelons les illustres martyrs de la persécution domitienne, les consuls Flavius Clemens et Glabrion, les deux Flavia Domitilla. Ignace d'Antioche se rendant à Rome appréhende les hautes influences qui pourraient s'interposer et lui ravir ainsi la palme du martyre. Dans sa lettre aux Corinthiens, saint Clément mentionne deux vieillards vénérables Claudius Ephebus et Valerius Bito qui durent appartenir à la maison de Claude, dont la femme Messaline se rattachait à la gens Valeria. Voici un jeune page de l'école impériale du Palatin, Alexamène, que ses compagnons caricaturent « adorant son Dieu » à tête d'âne. Au milieu du IIe siècle, Hermas souligne quelle décadence morale cause la richesse chez certains membres de la communauté romaine. La paix de Commode marque, comme l'a noté Eusèbe, la conversion en plus grand nombre des membres de l'aristocratie, et cette assertion est confirmée par les épitaphes des catacombes où figurent désormais des *honestissimi* tels que les Annaei, les Pomponii, etc... L'extension même des cimetières ne suppose-t-elle pas l'intervention de fidèles riches et généreux? La plus ancienne catacombe, celle de Priscille, était située dans une villa des Acilii sur la voie Salaria; de même, le cimetière de Domitille, sur la voie Ardéatine, provenait du domaine de Flavia Domitilla, épouse du consul Clemens.

Pareille pénétration n'est pas d'ailleurs un fait exclusivement romain. Dans son livre *A Scapula* Tertullien nous apprend qu'en Afrique on comptait parmi les fidèles chevaliers et grandes dames, et que le proconsul s'exposait à devoir immoler « ses proches parents et ses amis les plus intimes » (*Ad Scap.*, V). Origène, — que soutient dans ses travaux littéraires la générosité d'Ambroise, véritable Mécène chrétien, — Origène devra rétorquer bientôt ceux qui représentent la foi nouvelle comme une tentation d'orgueil : « Et maintenant peut-être, comme parmi la foule de ceux qui suivent cette croyance il se trouve des riches, des gens constitués en dignité, des femmes nobles et distinguées qui reçoivent leurs coreligionnaires, quelqu'un s'aventurera à dire que certains enseignent la doctrine chrétienne par amour de la gloriole » (*Contra Cels.*, III, c. IX).

Une expansion si rapide, si générale, en des milieux très divers est un fait surhumain qui postule la grâce divine. Notons cependant de quels moyens d'apostolat disposaient les chrétiens; comme ils appartenaient aux milieux et aux conditions les plus divers, ils pénétraient partout. Voici des esclaves qui, nourrices ou pédagogues, femmes de chambre ou médecins, influent directement par leurs paroles et surtout par leur vie humble et chaste sur leurs maîtresses ou sur les enfants et jeunes gens à eux confiés. Voici des marchands et des soldats qui, venus surtout d'Orient, portent le nom du Christ sur toutes les plages et à toutes les frontières. Voici des lettrés qui tiennent école, tels à Rome un Justin et un Tatien, tels bientôt à Alexandrie un Pantène et un Clément. Ajoutons enfin l'impression produite par le courage des martyrs. Leurs *Actes* nous révèlent plus d'une fois la conversion de spectateurs qui, soudain transformés, veulent mourir, eux aussi, pour le Christ. Sur celui-ci influe tel motif, et sur celui-là tel autre : sur saint Justin la stabilité de la Révélation comparée aux fluctuations de la philosophie, sur Tatien la pureté de la morale chrétienne contrastant avec les turpitudes de la mythologie, sur Tertullien, semble-t-il, l'héroïsme des martyrs. Une atmosphère de générosité inouïe entoure ces bonnes volontés encore hésitantes, et par l'exemple et par la prière les fidèles achèvent silencieusement les conversions.

II. Pénétration extensive ou géographique : l'origine des Églises d'Occident. — L'Église romaine nous est apparue avec Pierre et Paul, et tout aussitôt la persécution néronienne nous dévoile que les fidèles sont « une grande multitude ».

Pour le reste de l'Occident, les origines sont beaucoup moins claires. On n'entre pas à l'ordinaire dans l'histoire des diverses Églises sans bousculer quelques légendes. En tant qu'elles sont la poétique manifestation de la foi des ancêtres, elles méritent notre vénération, et les dévotions locales auxquelles elles donnèrent naissance sont éminemment respectables, et

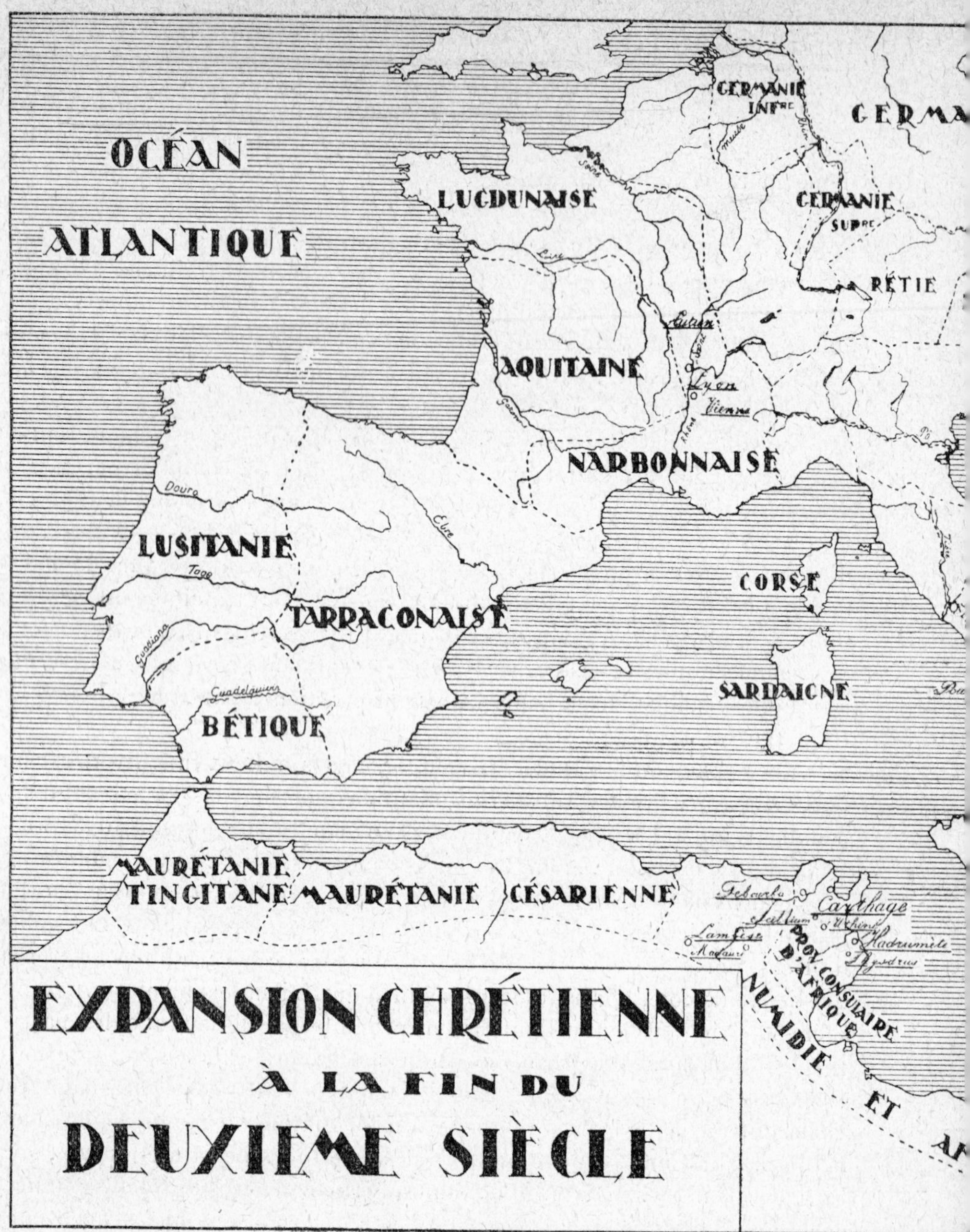

Les noms soulignés appartiennent à l'expansion chrétienne au IIe siècle.

Ier SIÈCLE

A. Palestine et Syrie.

Jérusalem	
Damas	(Act., IX)
Joppé	(Act., IX)
Césarée de Palestine	(Act., X)
Antioche de Syrie	(Act., XI)
Tyr	(Act., XXI)
Sidon	(Act., XXVII)
Ptolémaïs	(Act., XXI)
Pella	(HE., III, V)

B. Asie Mineure.

Tarse	(Act., IX)
Cilicie	(Act., XV)
Salamine, en Chypre	(Ac., XIII)
Paphos, en Chypre	(*Ibid.*)
Perge, en Pamphylie	(*Ibid.*)
Antioche de Pisidie	(Act., XIV)
Iconium	(*Ibid.*)
Lystres	(*Ibid.*)
Derbé	(*Ibid.*)
Éphèse	(Épître.)
Colosses	(Épître.)
Laodicée	(Épître.)
Hiérapolis de Phrygie	(Épître.)
Smyrne	(Apoc.)
Pergame	(*Ibid.*)
Sardes	(*Ibid.*)
Philadelphie, en Lydie	(Apoc.)
Magnésie du Méandre	(S Ignace)
Tralles, en Carie	(*Ibid.*)
Thyatire, en Lydie	(Apoc.)
Troade	(Act., XVI-XX)

C. Macédoine et Grè

Philippes	(A
Thessalonique	(Ac
Bérée	
Nicopolis en Épire	(Tit.,
Athènes	(Ac
Corinthe	(Act
Cenchrées	

D. Italie.

Rome	
Pouzzoles	(Act.,
Pompéi	((

E. Régions diverses.

Arabie
Illyrie

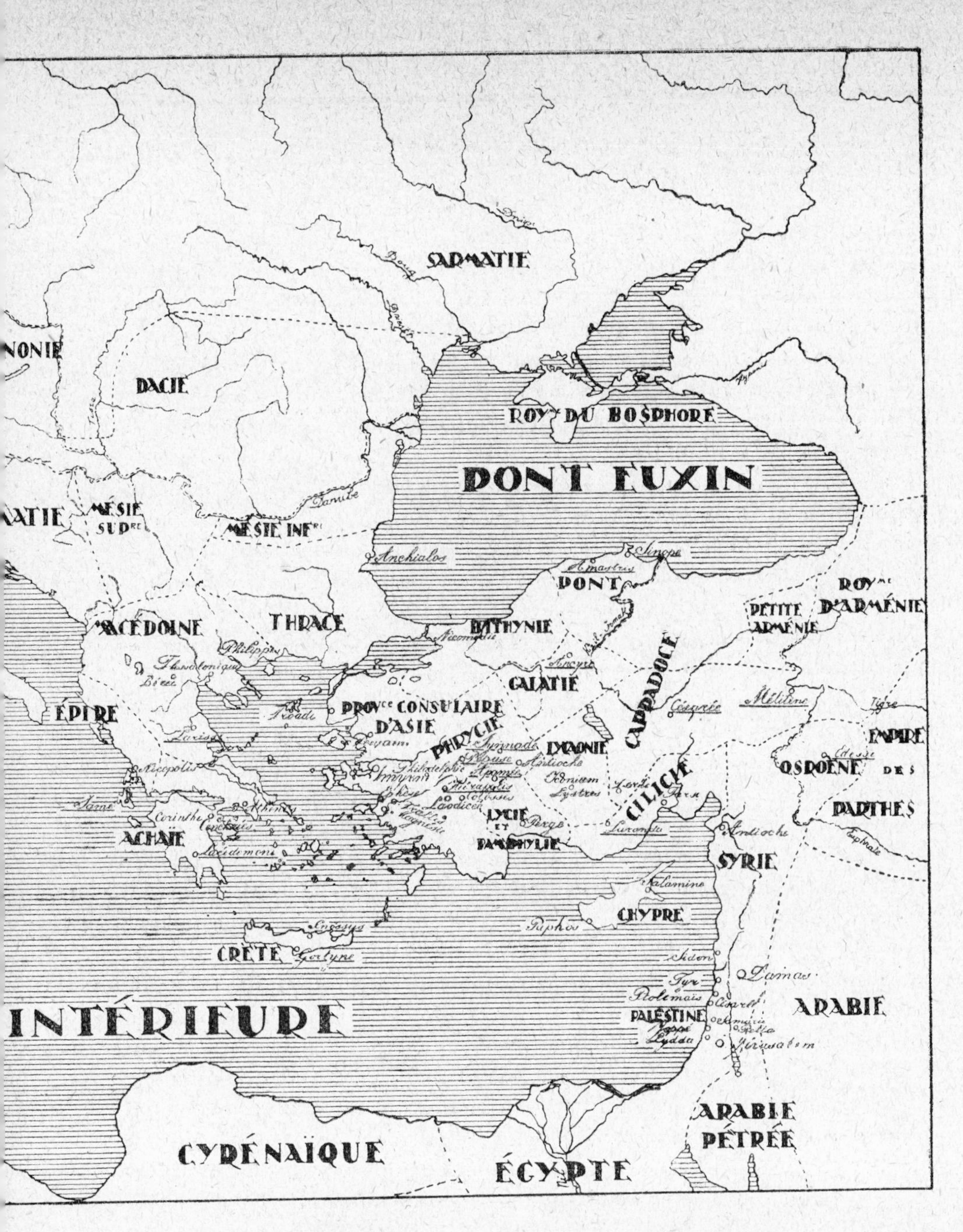

atie
gne
andrie.

IIe SIÈCLE

. **Asie Mineure.**

sse (Bardesanes)
rée de Cappadoce
tène (HE., V, vii)
nda, en Isaurie (HE., VI, xiv)
omelium, en Pisidie (Polycarpe)
um, en Mysie (Acta Onesiphori)
médie (HE., VI, xxiii)
s, en Phrygie (HE., V, xvi)
uze, en Phrygie (HE., V, xxiii)
ion, en Phrygie (*Ibid.*)
Ardabau (HE., V, xvi)
Apamée, en Phrygie (HE., V, xvi)
Comane, en Phrygie (*Ibid.*)
Euménie, en Phrygie (*Ibid.*)
Synnade, en Phrygie
Ancyre, en Galatie (HE., VI, xvi)
Sinope, dans le Pont (Epiph., Haer., XLII)
Amastris, dans le Pont (HE., IV, xxiii)

B. Macédoine et Grèce.

Debeltum, en Thrace (HE., V, xix)
Anchialos, en Thrace (*Ibid.*)
Larisse, en Thessalie (HE., IV, xxvi)
Lacédémone (HE., IV, xxiii)
Cnossus, en Crète (*Ibid.*)
Gortyne, en Crète (*Ibid.*)

C. Italie.

Naples (catacombes)
Grande Grèce (Strom., I, i, n. 11)
Syracuse (catacombes)

D. Gaule.

Lyon (Épîtr., 177)
Vienne (HE., V, i)
Autun (Inscription de Pectorius)

E. Afrique.

Carthage, Madaure,
Scillum, Uthina,
Lambèse, Hadrumète,
Thysdrus.

le plus souvent si aimables! Mais l'historien ne peut tabler que sur les témoignages fondés en critique, et on serait bien injuste à le traiter de sacrilège.

Nulle part, la légende ne prit une telle extension qu'en France. Toutes les Églises s'attribuèrent une origine apostolique. Chacun des personnages qui se glissent plus ou moins furtivement dans l'Évangile fut réclamé par l'une ou l'autre Église; il y en eut pour toutes et pour chacune. Ainsi vénéra-t-on à Autun, saint Amator, le domestique du Sauveur; à Tours, saint Gatien, l'homme porteur d'une cruche qui conduisit les Apôtres au cénacle; à Limoges, saint Martial, l'enfant proposé par Jésus comme modèle d'humilité; au Mans, saint Julien qui n'était autre que Simon le Lépreux; à Bourges, saint Ursin c'est-à-dire Nathanaël; à Cahors, saint Amadour en qui il fallait reconnaître Zachée le publicain venu en Gaule avec sa femme Véronique, etc., etc...

Il vint une époque au moyen âge où l'on s'ingénia à accréditer pareilles légendes qui favorisaient la piété et faisaient naître les pèlerinages : chartes, chroniques, diplômes furent composés de toutes pièces par les moines au profit d'un clergé séculier qui ne demandait qu'à y croire les yeux fermés. Quelle invraisemblance cependant — avant même tout examen critique — que tant de personnages évangéliques soient accourus ainsi d'Orient en Gaule comme sur rendez-vous. Guibert de Nogent s'inscrivait déjà — et avec quelle vivacité — contre ces pieuses supercheries, dont certaines « sont pires que des niaiseries et qui ne devraient même pas être offertes aux oreilles des porchers ». « Si j'avais consenti à écrire ou à prêcher au peuple les fables qu'on me suggérait, ajoute-t-il, j'aurais mérité d'être marqué d'un fer rouge en public. » Par l'indignation qui circule à travers ces lignes, on entrevoit que Guibert dut être persécuté pour la vérité historique. Il faut dire, cependant, à la décharge de ses contemporains qu'ils ne croyaient pas mal faire : inventer pour édifier était alors fort louable.

Entre toutes ces légendes, la plus fameuse est celle qui affirme la venue en Provence de Lazare et des saintes Marie. Hélas! pas mieux que les autres elle ne résiste à une saine critique. Les traditions provençales n'apparaissent, en effet, que tardivement après un silence de quelque mille ans. Jusque-là, non seulement on les ignore, mais diverses affirmations les contrecarrent avec netteté. Voici Sulpice Sévère écrivant que le christianisme ne s'introduisit en Gaule que tardivement (*serius*). Voici, au ve siècle, Proculus de Marseille et Lazarus d'Arles qui, en discussion sur l'étendue respective de leurs juridictions, ne songent pas à arguer qu'ils sont l'un le successeur de Lazare, l'autre celui de Maximin. Voici Grégoire de Tours, toujours si crédule et toujours si bien renseigné sur les traditions nationales, et qui ignore totalement celle-ci, mais par contre fait mourir Madeleine à Éphèse. « Ce n'est pas lui qui eût fait difficulté d'admettre des choses aussi édifiantes si on les lui eût racontées. » Quant aux documents nombreux sur lesquels on veut étayer la légende — histoire de sainte Madeleine par Didier de Cahors au viie siècle, texte de Bède le Vénérable, martyrologes occidentaux des viiie et ixe siècles, chartes provençales du xie siècle, vie attribuée à Raban Maur — toute cette littérature est ou apocryphe, ou interpolée, voire parfois imaginaire. Au surplus, quelle meilleure preuve de l'inexactitude des légendes provençales que l'existence d'une tradition bourguignonne antérieure plaçant à Vézelay les corps des saintes Marie, soi-disant rapportés d'Orient.

Une autre légende fameuse est celle qui désigne comme premier évêque de Paris un saint Denys, envoyé par saint Clément, troisième successeur de saint Pierre. Fournie par une passion de la seconde moitié du ve siècle, cette assertion est reproduite peu après dans une vie de sainte Geneviève. Mais suffit-il de cette donnée mérovingienne sans plus pour faire la preuve d'un événement de l'époque apostolique?

Toutes ces histoires furent déjà battues sérieusement en brèche aux XVIIe et XVIIIe siècles par des savants tels que Papebroek, Baluze, Du Cange, Mabillon, Tillemont; nombre d'évêques y applaudissaient, voire le pape Benoît XIV. Au XIXe siècle, l'historicité trouva un regain de faveur jusqu'au jour où de vrais critiques, comme Duchesne et les Bollandistes, en firent justice définitivement.

Après étude des catalogues épiscopaux authentiques, Duchesne constatait l'absence de toute donnée pour la période apostolique. « Peut-on supposer, concluait-il, que tous ces catalogues aient oublié le nom des évêques de la période la plus intéressante et la plus méritoire, celle de la fondation de l'Église et des persécutions? » Silence de l'épigraphie chrétienne, silence des listes épiscopales durant toute la première antiquité, voilà un argument négatif des plus impressionnants.

Est-ce à dire qu'une évangélisation de la Gaule à l'époque apostolique ou quasi apostolique n'ait pas eu lieu? Elle reste très vraisemblable. Marseille était une cité trop commerçante, la vallée du Rhône une région trop fréquentée par les Orientaux pour que le christianisme n'ait pas abordé très tôt avec eux aux rives de Provence, et cette probabilité se renforce du fait que nos premiers témoins se rattachent directement à l'Asie de saint Jean. D'autre part si — comme il semble prouvé d'après le pape Clément — saint Paul se rendit en Espagne, il était naturel qu'il fît escale sur la côte gauloise; la mission de son disciple Crescens, signalée dans la *Seconde à Timothée*, était peut-être, selon des manuscrits autorisés, non pour la Galatie, mais pour la Gaule (εἰς Γαλλίαν plutôt que εἰς Γαλατίαν). De la côte provençale la foi chrétienne dut remonter naturellement la voie fluviale du Rhône.

Après ces conjectures plausibles, voici le fait certain. Brusquement, en 177, la lettre aux Églises d'Asie et de Phrygie nous révèle une Église lyonnaise dirigée par l'évêque Pothin, disciple de saint Polycarpe de Smyrne. Comme Pothin est alors nonagénaire, il est présumable qu'il avait déjà organisé cette communauté bien auparavant, peut-être sous le règne libéral de l'empereur Hadrien. Son successeur, le smyrniote Irénée, élargit sans doute un peu l'évangélisation bien que son apostolat fût rendu difficile par la diversité des langues : grec et latin à Lyon, celte au dehors.

La vraie apostolicité des Églises des Gaules, Irénée nous l'a transmise par l'anneau d'or de la tradition, et il nous l'a narrée en une page fraîche et poétique comme une légende. « Ce que l'on a appris lorsqu'on était enfant croît avec notre âme et il ne fait plus qu'un avec elle, si bien que je pourrais dire le lieu où s'asseyait pour converser le bienheureux Polycarpe, ses allées et venues, son genre de vie, l'aspect de son corps, les entretiens qu'il avait avec la foule et comment il racontait ses relations avec Jean et avec les autres qui avaient vu le Seigneur, comment il remémorait leurs discours, ce qu'il leur avait entendu raconter au sujet du Seigneur, au sujet de ses miracles et de son enseignement; comment, instruit par les témoins oculaires de la vie du Verbe, Polycarpe rapportait tout d'accord avec les Écritures » (*H. E.*, V, 20, 4).

L'influence première de l'Orient sur la conversion des Gaules est donc attestée par les martyrs de Lyon, par les évêques Pothin et Irénée, comme aussi par la célèbre inscription grecque de Pectorius au polyandre d'Autun, dont symbolisme et pensée sont tout orientaux.

Mais, voici que s'affirme également la pénétration romaine. Irénée est en relations constantes avec Rome où il s'est rendu deux fois et dont, mieux que personne, il a magnifié le magistère universel; il nous atteste d'ailleurs que sur un point important et discuté — la célébration de la fête de Pâques — l'usage romain l'a emporté en Gaule sur l'usage asiate. Sous l'impulsion donnée par Rome, le christianisme débordera peu à peu la vallée du Rhône. Cependant, il faudra attendre le milieu du IIIe siècle pour attester l'existence d'Églises particulières à Arles, Toulouse, Reims et Trèves.

L'Espagne s'enorgueillit, à son tour, de toute une apostolocité : les rois mages, saint Pierre, la Vierge Marie et saint Jean y seraient venus. Il n'y a pas lieu d'insister. La plus fameuse légende est celle de saint Jacques qui, avant sa mort survenue en 44, aurait visité la péninsule. Or l'antiquité reste muette sur ce point : ni Prudence n'en souffle mot, lui qui pourtant a glorifié des saints espagnols moindres que l'apôtre, ni Paul Orose de Braga, ni saint Martin de Braga, ni tant d'autres, ni d'ailleurs les voisins gaulois.

Par contre, la venue de saint Paul nous paraît probable. Dès l'hiver 57-58, écrivant aux Romains, l'apôtre manifestait ce désir; saint Clément, le Fragment de Muratori et saint Jérôme attestent qu'il le réalisa. Saint Jérôme précise que ce voyage se fit par mer, et sans doute Paul évangélisa-t-il les régions maritimes — Bétique et Tarragonaise — où on constate aux époques suivantes une expansion particulière du christianisme. Pour le reste, on ne sait rien. Une phrase de saint Irénée qui cite les Églises d'Espagne, une assertion de Tertullien disant que la foi est répandue sur « toutes les frontières de ce pays », et voilà tout jusqu'aux persécutions de Dèce et de Valérien.

La chrétienté africaine entre dans l'histoire par la mention des martyrs scilitains en 180, de même que la chrétienté gauloise par celle des martyrs lyonnais en 177. Comme cette Église fut détruite systématiquement par les Arabes dès le haut moyen âge, le chauvinisme local n'y a point imaginé des légendes apostoliques aussi nombreuses qu'ailleurs. On dit pourtant que saint Pierre y serait venu, et aussi saint Marc, saint Matthieu, voire sainte Photine la Samaritaine avec sa trop nombreuse famille. Mais comment plaider l'apostolicité alors que ni Tertullien, ni Cyprien, ni Augustin n'en firent état contre tous les hérétiques qu'ils réfutèrent?

Le christianisme dut pénétrer en Afrique par Carthage, et comme cette grande ville commerçante était en relations continuelles avec les ports syriens, on peut croire que très tôt des fidèles de Jérusalem, d'Antioche et d'Alexandrie y abordèrent, sans doute aussi des Asiates. Ainsi s'explique comment le grec fut dominant à Carthage jusqu'au début du IIIe siècle, et pourquoi certaines habitudes liturgiques et disciplinaires furent communes aux Asiates et aux Africains, par exemple concernant le baptême des hérétiques. Pour les mêmes raisons, il est probable que des influences romaines intervinrent simultanément.

Tous les éléments de la population — Juifs, Grecs, Latins et Berbères — furent atteints, en sorte que les premières communautés présentèrent une vraie confusion des langues ; mais Latins et Berbères tendirent rapidement à prédominer. L'Église d'Afrique eut dès lors cette particularité que ses lieux de réunion furent des cimetières à ciel ouvert situés *extra muros*, selon que l'exigeaient les lois romaines : là un modeste édifice servait au culte (*cella*). Ainsi s'explique comment la colère des païens se portait spécialement sur les tombes pour les profaner.

Le christianisme africain apparaît tout aussitôt comme une force. Les exclamations provocantes de Tertullien en témoignent, telle celle-ci à Scapula : « Nous sommes une multitude, nous formons presque la majorité dans chaque ville » (*Ad Scap.*, II). Sans doute a-t-on pu parler avec quelque ironie « de l'arithmétique hyperbolique » de Tertullien ; pourtant, comme sa statistique s'appliquait à des compatriotes et à des contemporains, il faut croire que — sous peine de ridicule flagrant — il ne s'écarta guère de l'exactitude. D'ailleurs les nombreux martyrs de l'époque nous dévoileront une Église à la fois florissante et éprouvée.

Son organisation est dès lors assez avancée pour que l'évêque de Carthage Agrippinus puisse tenir un concile de 70 évêques venus de la Proconsulaire et de la Numidie. Voilà qui suppose une sérieuse pénétration, facilitée d'ailleurs par l'existence des nombreuses petites villes qu'avaient créées les Phéniciens autour de Carthage. Cette cité fait déjà figure de métropole. Le génie de Tertullien va soudain jeter sur l'Église d'Afrique un éclat incomparable et troublant.

III. Les Églises d'Orient. — Au IIe siècle, Rome et l'Asie sont les deux pôles de la chrétienté. Autour d'Éphèse, principale fondation de saint Paul, plusieurs centres se formèrent rapidement : Alexandrie, Troas, Colosses, Laodicée, Hiérapolis mentionnés dans les lettres de l'Apôtre ; Smyrne, Pergame, Sardes, Philadelphie, Thyatire, cités par l'Apocalypse ; Magnésie, Tralles qui apparaissent dans les lettres de saint Ignace. Ces communautés, très vite devenues des Églises, chacune avec son évêque, se pressent en bordure du littoral asiatique, parfois très rapprochées les unes des autres : ainsi Magnésie ne se trouve-t-elle qu'à quinze milles d'Éphèse et à dix-huit de Tralles. Nulle part mieux qu'en ces régions ne se justifie l'assertion d'Harnack d'après quoi « le christianisme fut une religion de cités ». Polypier de chrétientés, mais qui communiquent entre elles, comme le prouve déjà la correspondance de saint Ignace.

A l'intérieur, le plateau phrygien, la Bithynie comptent, dès le Ier siècle finissant, de nombreux fidèles. Qu'on se rappelle le témoignage effrayé de Pline en sa lettre à Trajan. Grégoire le Thaumaturge continuera au IIIe siècle l'évangélisation du plateau cappadocien où la rareté des cités rendait l'apostolat plus difficile.

Les Églises d'Asie Mineure étaient fières de leurs origines apostoliques ; par Polycarpe de Smyrne, elles puisaient directement à l'enseignement de saint Jean ; les traditions primitives couraient sur les lèvres de leurs presbytres. Ils ne se sentaient inférieurs à personne dans la chrétienté.

Une tradition enregistrée sans plus par Eusèbe attribue à saint Marc l'évangélisation première de l'Égypte. Il est certain que l'importance d'Alexandrie, ses relations commerciales avec l'Orient entier, la densité et la qualité intellectuelle de la colonie juive qui y habitait, tout prédisposait ce grand port — autant et plus que Marseille ou Carthage — à recevoir très tôt l'évangélisation. Cependant les premiers chrétiens que l'histoire nous fait connaître sont des hérétiques : Valentin, Basilide, Carpocrate ; il est vrai que ces écoles gnostiques supposent « la grande Église », hiérarchiquement organisée. A la fin du IIe siècle, la controverse quartodécimane nous dévoile une chrétienté d'Égypte en plein accord avec la Palestine. Ici comme en Afrique, la persécution de Septime-Sévère se heurtera à des communautés déjà puissantes et organisées. La vitalité courageuse qu'elles manifesteront alors suppose une préhistoire obscure dont les limites chronologiques restent indéfinies.

Tandis que la Palestine se retrouva anémiée après la catastrophe vengeresse de l'an 70, la Syrie demeurait une des principales provinces de la chrétienté avec son grand centre Antioche, au carrefour des mondes grec et oriental.

Enfin, dès cette époque, l'Église s'implantait à la frontière de l'Est dans le royaume de l'Osrhoène qui, situé par delà l'Euphrate, avait pour capitale Édesse. Lettre du roi Abgar à Jésus pour lui demander la guérison d'une maladie incurable, réponse favorable de celui-ci, mission de Thaddée, autant de faits qui — malgré l'attestation d'Eusèbe — gardent une forte saveur légendaire. Nul doute pourtant qu'au milieu du IIe siècle il y eût des éléments chrétiens en ces parages : au temps de la controverse pascale, les communautés de l'Osrhoène réunies envoient leur avis au pape Victor. Les deux personnalités de cette Église furent alors Tatien, une sorte de Tertullien fougueux et excessif qui se sépara du catholicisme, et Bardesane. Celui-ci, grand seigneur lettré, vivait sous le roi Abgar IX au début du IIIe siècle, et dès lors le christianisme fut la religion officielle du pays. Le royaume de l'Osrhoène était à l'Est l'enfant perdu de l'expansion chrétienne. Il ne le restera pas bien longtemps.

On entrevoit qu'au sein de ces Églises disséminées quelques fortes personnalités émergeaient parfois dont l'influence s'étendait au loin. Ainsi Eusèbe nous dévoile-t-il que Denys de Corinthe écrivit de nombreuses lettres catholiques (vers 160-170) ; il y en avait une aux Lacédémoniens, sur la paix et l'unité, une autre aux Athéniens pour blâmer leur négligence, une troisième à ceux de Nicomédie dirigée contre Marcion. Denys envoie même ses conseils jusqu'aux chrétientés du Pont et à l'Église d'Amastris : cette fois, il aborde les questions délicates de la continence et du mariage. En Occident, il adresse à l'évêque de Rome une lettre des plus flatteuses. Quelle œcuménicité d'intervention ! Eusèbe évoque un recueil épistolaire analogue de Sérapion d'Antioche : conseils à des laïques, à des ecclésiastiques, réfutation d'hérésies, dénonciation d'apocryphes. On sent l'Église partout combattue, partout sur le qui-vive et partout vivante.

CHAPITRE II

L'ÉGLISE DE ROME

I. La primauté pontificale. — Dès l'époque apostolique, l'Église romaine jouit d'une vigueur singulière. Vers l'an 97, à Corinthe où l'autorité des presbytres était discutée, elle dépêche une lettre qui avec persuasion rappellera les fidèles à la subordination hiérarchique : « Vous nous causerez une grande joie si, obéissant à ce que nous vous avons écrit dans l'Esprit-Saint, vous coupez court à l'injuste emportement de votre colère, selon que nous vous avons exhorté à le faire, en vous recommandant par cette lettre la paix et la concorde. Nous avons envoyé des hommes fidèles et sages qui depuis leurs jeunes années jusqu'à la vieillesse ont vécu sans reproche au milieu de nous; ils seront témoins entre vous et nous. Si nous agissons ainsi c'est que notre unique souci a été et est encore votre prompt retour à la paix » (I *Clem.*, 58).

Ces intermédiaires étaient les porteurs mêmes de la lettre, Claudius Ephebus, Valerius Bito et Fortunatus. Quant à l'épistolier, sans doute n'est-il pas désigné, mais la tradition paraît d'une autorité singulière qui nomme le pape Clément dès la première moitié du IIe siècle, tradition fixée dans les manuscrits originaux, dans les versions grecque et syriaque, et rappelée par un Hégésippe ou un Denys de Corinthe. Soit que l'intervention fût sollicitée par les presbytres, exemple suggestif d'un premier recours à la chaire de Pierre, soit que plutôt elle s'exerçât spontanément, il faut conclure que Rome pouvait dès lors s'entremettre dans les affaires d'une Église troublée et lointaine. Et pourtant, l'apôtre Jean vivait encore, à bien moindre distance de Corinthe. L'arbitrage pontifical porta ses fruits et on en sut tellement gré à Clément que soixante-dix ans plus tard on lisait encore sa lettre le dimanche à Corinthe. Nombreux sont d'ailleurs les documents antiques qui attestent le renom de Clément en Orient : *Constitutions apostoliques* du IIIe siècle; *Canons ecclésiastiques, Canons des Apôtres*

Primauté romaine. — *SOURCES* : I *Clem.*, 58. — IGN., *ad Rom.*, 3. — IRÉNÉE, III, 3. Pour la querelle pascale, EUSÈBE, *H. E.*, V, 24. — *TRAVAUX* : Mgr DUCHESNE, *, *Eglises séparées*, p. 118 suiv. — Mgr BATIFFOL, *, *L'Eglise naissante...*, ch. III et surtout ch. IV. *Le catholicisme de saint Irénée.* — DUFOURCQ, *Saint Irénée*, coll. *les Saints*. — DOM CHAPMAN, *La chronologie des premières listes épiscopales à Rome*, *Rev. bénéd.*, XVIII (1901), pp. 399-417 ; XIX (1902), pp. 13-17, 145-70. — J. FLAMION, *Les anciennes listes épiscopales des quatre grands sièges*, *R. H. E.*, 1900, p. 645-678 ; 1901, p. 209-238, 503-528. — DOM CHAPMAN, *Saint Ignace d'Antioche et l'Église romaine*, *Rev. bénéd.*, XIII (1896). — DOM CHAPMAN, *Le témoignage de saint Irénée en faveur de la primauté romaine*, *Rev. bénéd.*, XII (1895). — L. SPIKOWSKI, *La doctrine de l'Église dans saint Irénée*, 1926. — G. BARDY, *, *L'Église romaine sous le pontificat de saint Anicet*, *R. S. R.*, XVII (1927), p. 481-511. — KIRCH, art. *Abercius*, dans *Dict. Hist.* — H. LECLERCQ, art. *Abercius*, dans *Dict. Arch.*

en font le secrétaire des Apôtres, témoin par eux autorisé de la tradition primitive; le rôle de compagnon de saint Pierre lui est donné dans les *Clémentines,* document apocryphe sans doute, mais qui n'en révèle pas moins combien le personnage était dès lors considéré.

Voici un autre témoignage, celui de saint Ignace d'Antioche se rendant à Rome pour y subir le martyre. Il écrit aux Romains une lettre dont l'adresse redondante dénote à elle seule un singulier respect : « Ignace à l'Église qui a obtenu miséricorde dans la magnificence du Père très haut et de Jésus-Christ, son fils unique..., à l'Église aussi qui préside dans le lieu de la région des Romains, digne de Dieu, digne d'honneur, digne de bénédiction, digne de louange, digne d'être exaucée, digne et chaste et présidente de l'amour, en possession de la loi du Christ, portant le nom du Père, et que je salue au nom de Jésus-Christ. » Ignace a écrit à nombre d'Églises d'Asie; aucune qui soit louée à ce point. « Vous n'avez jamais trompé personne, ajoute-t-il ailleurs, vous avez enseigné les autres. Moi je veux que demeure ferme ce que vous enseignez et prescrivez » (*Ad Rom.*, III). L'Église romaine préside aux autres, elle les enseigne et Ignace estime que cette doctrine est véridique et doit faire autorité. Notons que pareille attestation émane d'un évêque d'Antioche, cette métropole d'Orient qui pouvait revendiquer, elle aussi, une *Cathedra Petri.* Et Ignace trace ces lignes au moment même où il va verser son sang : « J'en crois volontiers les témoins qui se font égorger. »

Plus tardive sans doute, l'affirmation de saint Irénée, disciple de saint Polycarpe qui le fut de saint Jean, n'en reste pas moins apostolique dans sa source. Opposant aux gnostiques les traditions des grandes Églises, il écrit : « Comme il serait trop long d'énumérer ici les séries de toutes les Églises, il me suffit d'indiquer la tradition apostolique, la prédication venue jusqu'à nous par la succession épiscopale dans l'Église de Rome, grande et ancienne entre toutes, connue de tous, fondée par les glorieux apôtres Paul et Pierre. Cette tradition suffit à confondre tous ceux qui, d'une façon ou de l'autre, par complaisance en eux-mêmes, par vaine gloire, aveuglement, esprit faux, sont en dehors de la vérité. En effet, le degré d'apostolicité de cette Église est si éminent que nécessairement toute Église — j'entends tout fidèle de quelque pays qu'il soit — s'accorde avec elle, toute Église où s'est conservée sans interruption la tradition apostolique. » (*Adv. haer.*, III, 3.)

On voit par ce texte quelle est l'importance unique de l'Église romaine et quelle nécessité il y a pour toute autre d'être d'accord avec elle. S'il est vrai que le catholicisme repose sur la doctrine des Apôtres et que celle-ci nous est attestée par la succession des évêques dans les diverses églises, comme il serait trop long d'énumérer les listes épiscopales de chacune d'elles, une seule suffira, garante de toutes, celle de Rome : Pierre, Lin, Clet, Clément, Evariste, Alexandre, Xyste, Télesphore, Hygin, Pie, Anicet, Soter, Eleuthère, la voilà bien, la chaîne imbrisable aux anneaux d'or!

L'Église romaine est d'ailleurs un centre d'attraction universelle. Combien de pèlerins illustres n'y affluent-ils pas : c'est Justin et Hégésippe de la Palestine, Tatien de l'Assyrie, Abercius de Hiérapolis en Phrygie. Hégésippe recueille à Rome la « succession jusqu'à Anicet », c'est-à-dire qu'il remonte d'Anicet aux apôtres, à la recherche de saint Pierre, incarnation toujours vivante de la vérité apostolique. Dans l'épitaphe qu'il a composée pour son propre tombeau, Abercius rapporte qu'il vint à Rome « contempler la souveraine et voir la reine aux vêtements d'or, aux chaussures d'or ». Nulle expression ne traduit mieux l'enthousiasme qui emplit l'âme de ces pèlerins chrétiens en contemplant les merveilles que contient cette ville

« où habite un peuple qui possède un sceau brillant », c'est à dire la confession de la foi. En 154, saint Polycarpe de Smyrne vient aussi à Rome pour régler divers points litigieux, entre autres la question pascale : il ne se croit pas humilié, lui l'héritier direct de la tradition johannique, à entreprendre ce voyage.

Vers Rome affluent encore les hérétiques, conscients que s'ils parviennent à séduire cette Église maîtresse, la victoire est à eux. Voici venir d'abord les principaux gnostiques, Marcion, du Pont, Valentin de l'Égypte, Marcelline doctoressse de la secte carpocratienne. Voici ensuite, à la fin du IIe siècle, les fauteurs d'erreurs trinitaires, Théodote de Byzance, premier partisan de la théorie subordinatienne; Praxéas et Epigone, deux asiates, tenants du modalisme auquel Sabellius donnera son nom. Comme quelques fidèles lyonnais se déclarent montanistes, les frères de Gaule « en écrivent à Eleuthère, alors évêque des Romains, afin de procurer la paix des Églises » ; une dizaine d'années plus tard, Irénée sollicite à nouveau l'avis du pape sur cette question. L'intrigue montaniste s'agita longtemps autour du siège de Pierre; mais finalement Zéphyrin prononcera au début du IIIe siècle la condamnation de cette subtile hérésie.

Hérétiques et fidèles érigent à Rome des écoles multiples. « A la manière des philosophes, stoïciens et cyniques qui ouvrent partout des boutiques de sagesse et se disputent les auditeurs, ils s'installent eux aussi et groupent des disciples auxquels ils se proposent de démontrer le christianisme. C'est à Rome une étonnante multiplication de didascalées indépendants les uns des autres sinon rivaux, un pullulement de sectes, une foison de chapelles. A côté des catholiques comme Justin, il y a des valentiniens, des marcionites, des carpocratiens groupés autour de Marcellina » (G. Bardy). Mais l'Église officielle domine tous ces groupements : nulle place aux didascales dans la hiérarchie, nulle pitié pour les hérétiques. Basé sur la tradition apostolique, l'enseignement pontifical domine toutes les discussions d'écoles. La vigueur et l'habileté apologétiques d'un Justin ou d'un Tatien, l'envergure intellectuelle d'un Valentin ou d'un Ptolémée n'en imposent pas à la Grande Église. Pour humbles qu'ils paraissent, ses évêques dirigent la chrétienté, et, juges des autres, ne sont jugés par personne.

D'après un argument subtil, souvent exploité par les protestants, Rome aurait attiré ainsi fidèles et hérétiques [1] par son universalité comme pourrait le faire aujourd'hui Paris; elle serait devenue la capitale de la chrétienté parce qu'elle était celle de l'Empire. Voilà l'idée insinuée par Renan, et avec force reprise par Harnack. Et certes, nous ne nions pas que la grandeur de Rome ait constitué une préparation — providentielle comme tant d'autres — au développement de l'Église catholique. Toutefois, la tradition ecclésiastique attribue la prééminence pontificale non aux évêques de la capitale, mais aux successeurs de Pierre. Parler autrement c'est — selon l'expression de Mgr Batiffol — « transformer en cause génératrice ce qui n'est qu'une circonstance »; c'est aussi, par un anachronisme non fondé en fait, prêter à la Rome pontificale l'argument exploité plus tard en faveur de la Byzance impériale : si l'importance ecclésiastique d'une cité est proportionnée à son rang politique, il n'y a plus de primauté ou plutôt elle flucture et se promènera au gré des pouvoirs constitués : de Rome à Nicomédie, de Nicomédie à Byzance, de Byzance à Rome, de Rome à Paris comme

1. Notons que vers 150, l'Eglise romaine est encore toute pénétrée d'hellénisme : le grec est la langue usuelle, celle du symbole et des prières liturgiques, celle de Clément et d'Hermas. De là pour les fidèles un isolement plus grand de la population païenne généralement attachée à la langue et à la culture latines.

le voudra Napoléon. Présenter le catholicisme comme une « impérialisation de la vie ecclésiastique », n'est-ce pas en fausser la conception et le rendre gallican ou byzantin avant la lettre ?

Non contente d'attirer les autres Églises, Rome allait à elles par sa bonté. Ignace ne l'avait-il pas appelée déjà « présidente de la charité »? Denys de Corinthe qualifie cette vertu de traditionnelle : « C'est, depuis l'origine, un usage établi chez nous que de combler de bienfaits tous les frères, d'envoyer des subsides à nombre d'Églises en tous pays. Ainsi vous soulagez les misères de ceux qui sont dans le besoin ; ainsi vous répandez vos aumônes parmi nos frères condamnés aux mines, observant ainsi la tradition que vous avez, vous Romains, reçue des Romains vos ancêtres » (*H. E.*, IV, 9). Au siècle suivant, un autre Denys, l'évêque d'Alexandrie, rendra semblable témoignage à cette Église qui, en mainte occasion, a secouru les communautés de toutes les Syrie et de l'Arabie.

II. La question pascale. — A la fin du IIe siècle une circonstance se présenta qui mit en plein relief la primauté romaine. A quelle date célébrer la fête de Pâques? Le 14 du premier mois juif ou mois de nisan, affirmaient les Asiates, suivant l'usage sémitique. Non pas, disait Rome, mais plutôt le dimanche suivant. Désaccord des plus apparents qui contrastait, et sur un point important, avec l'habituelle entente ; la signification de cette fête principale s'en trouvait changée : pour les Asiates, anniversaire de la mort du Sauveur, pour les Romains, celle de sa résurrection. Au surplus, le conflit n'était pas si lointain pour la papauté : car il existait à Rome une communauté d'Asiates et, par leurs usages spéciaux, ils formaient dans cette Église une sorte de schisme liturgique, dommageable à l'unité, même locale.

Déjà, on avait essayé de s'entendre, et Polycarpe était venu en discuter avec le pape Anicet, sans résultat d'ailleurs. On opposait, en effet, tradition à tradition, et toutes deux fameuses et apostoliques. « Anicet, écrit saint Irénée, ne put persuader Polycarpe de ne pas observer le quatorzième jour puisqu'il l'avait toujours observé avec Jean le disciple de Notre-Seigneur et les autres apôtres avec lesquels il avait vécu, et Polycarpe de son côté ne put persuader Anicet de l'observer, car ce dernier disait qu'il devait tenir la coutume des presbytres d'avant lui » (*H. E.*, V, 24, 15). Nulle brouille pourtant, et la courtoisie reste sauvegardée. « Les choses étant ainsi, ils communièrent entre eux, et, à l'Église Anicet céda l'eucharistie à Polycarpe. »

L'affaire tourna autrement quelque trente ans plus tard. Vers 191, le pape Victor intervient avec vigueur. Il écrit à Polycrate d'Éphèse, lui ordonnant de réunir les évêques asiates pour qu'ils se rangent sur ce point à l'usage universel. Par tout l'Empire, il provoque également des assemblées qui donnent leur avis. D'après Eusèbe, les résultats furent consignés en des lettres synodales : celle de la province du Pont (autour d'Amastris), celle des Églises d'Osrhoène (autour d'Édesse), celle de l'évêque de Corinthe, celle des Palestiniens (Jérusalem, Césarée, Tyr...). Or toutes ces Églises se prononcent contre leur vénérable sœur d'Orient en faveur de Rome. Quelle autorité unique au monde permet ainsi à une Église d'Occident de convoquer, sur un simple signe, les diverses Églises orientales en assemblée extraordinaire et quel ascendant les rallie toutes à son avis sans protestation ni murmure?

Éphèse sans doute résiste, mais pour la gloire de Rome. Dans sa réponse, le vieux Polycrate oppose à la tradition apostolique romaine une autre tradition, apostolique elle aussi, et combien vénérable. Voyez plutôt ce ton indigné et fier : « C'est nous qui sommes la tradition, sans y rien ajouter, sans en rien retrancher. C'est en Asie que reposent ses grandes bases... Philippe, celui qui fit partie des douze apôtres, qui est enterré à Hiérapolis ainsi que ses deux filles, qui vieillirent dans la virginité; puis Jean dont la tête s'inclina sur la poitrine du Sauveur, lequel fut pontife, et martyr, et docteur; celui-là aussi est enterré à Éphèse; puis Polycarpe, celui qui fut à Smyrne évêque et martyr; puis Thraséas, etc... Tous célébraient la Pâque le quatorzième jour, selon l'Évangile, sans rien innover, suivant la règle de la foi. Et moi aussi, j'ai fait de même, moi Polycrate, le plus petit de vous tous, conformément à la tradition de mes parents, dont quelques-uns ont été mes maîtres; car il y a sept évêques dans ma famille, je suis le huitième. Moi donc, mes frères; qui compte soixante-cinq ans dans le Seigneur, qui ai conversé avec les frères du monde entier, qui ai lu d'un bout à l'autre la Sainte Écriture, je ne perdrai pas la tête, quoi que l'on fasse pour m'effrayer. De plus grands que moi ont dit : Mieux vaut obéir à Dieu qu'aux hommes. Je pourrais citer les évêques que, sur votre demande, j'ai convoqués nombreux. Tous ont donné leur adhésion à ma lettre, sachant bien que ce n'est pas pour rien que je porte des cheveux blancs, et assurés que tout ce que je fais, je le fais dans le Seigneur Jésus » (*H. E.*, v, 24).

Que fera Victor? Va-t-il se laisser intimider par une telle exhibition de titres authentiques, par ce ton résolu et provocateur? Nullement. Avec l'autorité du chef qui détient l'universelle communion il met résolument les Asiates au ban de l'Église. Sans doute, Irénée protesta-t-il contre une sentence aussi sévère. Mais il en contesta l'opportunité, non pas la validité. Bientôt, d'ailleurs, les Asiates céderont. « Comment, s'écrie Duchesne, comment veut-on que nous parlions, si l'on nous interdit de désigner par le nom de chef de l'Église le dépositaire d'une pareille autorité. » Harnack semble résigné à cette conclusion : « Tous les éléments de l'évolution ultérieure de la constitution de l'Église étaient, dès la fin du IIe siècle, et même plus tôt, déjà prêts. Aucun facteur nouveau ne devait plus intervenir, sauf l'empereur chrétien[1]. »

1. L'empereur chrétien n'a d'ailleurs rien à voir avec la constitution de l'Église. Il faut distinguer le droit et l'intrusion. Harnack parle comme un protestant d'État, comme un russe d'avant-guerre.

LIVRE IV

LE PROBLÈME INTELLECTUEL : PAGANISME ET CHRISTIANISME

CHAPITRE PREMIER

LE GNOSTICISME

I. Les éléments divers. — Au milieu de la fermentation intellectuelle et mystique qui accompagna la vogue des cultes étrangers, dans l'affolement de nouveautés et d'étrangetés où se rua le monde païen cherchant des émotions nouvelles, la simplicité du christianisme parut banale, ses dogmes courts, ses adeptes ignorants. Il fallait qu'on assaisonnât de condiments philosophiques et orientaux cette fade doctrine afin d'y trouver, avec les émotions religieuses, la solution des grands problèmes de la sagesse antique. On appelle en général gnosticisme les divers systèmes qui tendirent à ce but. Aussi a-t-on pu définir ce mouvement « un effort ou de la pensée philosophique pour absorber le christianisme et le transformer en une simple philosophie religieuse, ou de la pensée religieuse pour lui trouver un sens plus profond que ne comportait la simplicité de l'Évangile et le transformer en une mystagogie d'initiations et de rêves » (J. Tixeront). De là, une connaissance mystique supérieure (γνῶσις) qui vous établit d'emblée au-dessus du vulgaire.

Les penseurs acharnés à une telle besogne ramasseront ici et là tous les éléments susceptibles de les aider dans leur ascension : nul syncrétisme plus désordonné et plus intempérant que la gnose. Renan constatait déjà qu'en démêler tous les éléments était une tâche impossible. Insouciants d'une fidélité quelconque à l'un ou l'autre système, les gnostiques ont amalgamé les plus étrangères idées. Pythagore, Platon, Aristote, Épicure leur ont fourni qui une pensée, qui une autre sans qu'ils se réclament de tel d'entre eux comme de

Gnosticisme. — *SOURCES* : 1° Les écrits et fragments d'écrits gnostiques : l'*Epître de Ptolémée à Flora* (S. Epiphane, *Haer.*, XXXIII, 3 sq.; cf. *P. G.*, VII, 1281 sq.); la *Pistis sophia;* le *Livre du grand Logos* ou *Livre de Jeü*, et un autre ouvrage sans titre dans les papyrus de Bruce (édit. C. Schmidt, *Koptische-gnostische Schriften*, I, Leipzig, 1905). La collection des fragments se trouve dans Grabe, *Spicilegium*, II ; Massuet, *P. G.*, VII, 1235 sq.; Hilgenfeld, *Die Ketzergeschichte des Urchristentums*, Leipzig, 1884. — 2° Les catalogues et réfutations d'hérésies : S. Irénée, *Adversus hoereses libri V.* — S. Hippolyte, *Syntagma contra omnes hoereses*, ouvrage perdu, mais représenté par Pseudo-Tertullien, *Liber adversus omnes hoereses.* — Philastrius, *De hoeresibus liber.* — S. Epiphane, *Panarion.* — *Philosophoumena sive Hoeresium omnium confutatio* (éd. P. Wendland). — Adamantius, *De recta in Deum fide.*

TRAVAUX : Tixeront, *, *Histoire des dogmes*, t. I. — J. Lebreton, *, *Histoire du dogme de la Trinité*, t. II. — E. Buonaioti, ?, *Lo gnosticismo*, Roma, 1907. — E. de Faye, *, *Gnostiques et Gnosticisme*, 2e éd., 1925. — Mgr Duchesne, art. *Gnosticisme*, dans *Dict. Apol.* — D. Leclercq, art. *Gnosticisme*, dans *Dict. Apol.* — G. Bareille, art. *Gnosticisme*, dans *Dict. Théol.* — A. Dufourcq, *Saint Irénée* (coll. *les Saints*). — A. d'Alès, *, *La théologie de Tertullien.* — A. Puech, *, *Histoire de la littérature grecque chrétienne*, t. II. — Mgr Battifol, *, *L'Eglise naissante et le catholicisme*, ch. vi et vii.

leur maître. Fol et maladroit plagiat bien éloigné de l'ordonnance raisonnée de l'hellénisme. S'il demande des éléments à la philosophie, le gnosticisme n'a pas la rigueur d'une théorie philosophique.

D'autres éléments sont empruntés aux religions de l'Égypte, de la Perse et de la Chaldée, voire de l'Inde, enfin — sources moins pures — aux mystères et rites païens, aux pratiques superstitieuses, démiurgiques et magiques se rattachant au néo-pythagorisme. La plus arbitraire fantaisie combine souvent ces choses en des mixtures inattendues, étranges parfois jusqu'au grotesque.

A l'égard du christianisme, même désinvolture. Les gnostiques exploraient l'Écriture comme tout le reste, y prenant ce qui leur convenait : dans l'Ancien et le Nouveau Testament tels ou tels livres, dans ceux-ci les passages de leur choix ; puis, sur ces textes tronqués arbitrairement ils se livraient à une exégèse folle, allégorisant avec extravagance et parfois avec impudeur. Pour Héracléon, par exemple, Jean-Baptiste qui s'abaisse devant le Christ est le symbole du Démiurge, et la chaussure du Christ, c'est le monde; le Démiurge nous apparait encore sous les traits du roitelet de Capharnaüm au règne petit et éphémère.

Enfin, les gnostiques complétaient la Bible à l'aide d'apocryphes : évangiles multiples attribués à divers apôtres, apocalypses prêtées à Adam, à Abraham, à Moïse, à Élie, assomptions de Paul, d'Isaïe, toute une littérature baroque où le surnaturel démarqué se muait en prodiges de mages et de charlatans, où les dogmes étaient compromis et la morale pliée aux conceptions nouvelles.

En vain opposait-on aux gnostiques la Tradition; ils prétendaient bien, eux aussi, se référer à des autorités mystérieuses, mais apostoliques. Basilide se réclamait d'un certain Glaucias, soi-disant interprète de saint Pierre, Valentin d'un Théodas, disciple de saint Paul, Carpocrate de révélations directes du Christ à lui transmises par des croyants éprouvés. « Tu sauras le reste, Dieu aidant, écrit le valentinien Ptolémée à Flora, quand tu seras digne de la tradition apostolique que par succession, nous aussi, nous avons reçue. » (*Épist.* v, 10).

Les rites chrétiens furent mis aussi à contribution. Dans les systèmes gnostiques figurent divers sacrements, initiations, purifications, formules magiques où se confondent cérémonies chrétiennes, astrologie et superstition grossière. Par un démarquage sacrilège, les termes spécifiquement catholiques étaient prostitués à des sens équivoques, troublants ou nettement déshonnêtes. La peinture de ces conciliabules liturgiques par Tertullien reste intraduisible. A tout le moins les gnostiques diversifiaient selon leur fantaisie les formules sacramentelles. Pour l'initiation baptismale, ils prononçaient des phrases telles que celles-ci : « Au nom de l'inconnaissable Père de tout », ou « de la Vérité, mère de tout » ou, « de celui qui descendit en Jésus », ou encore « au nom d'Hachamoth ». A quoi le baptisé répondait : « Je suis fortifié et racheté, j'ai racheté mon âme. » Parfois aussi, on introduisait solennellement l'élu dans une chambre nuptiale. L'Eucharistie même ne fut pas respectée : en Gaule, Marcus se livrera sur elle à des jongleries dignes d'un bateleur.

Idées philosophiques, dogmes et mystères, rites et sacrements, autant d'éléments qui interviennent en proportions diverses pour former des systèmes multiples où le sens individuel se donne libre carrière.

II. La thèse générale. — Il y a pourtant un fonds commun. Deux idées sont à la base du gnosticisme : l'une, celle du Dieu suprême, transcendant et inaccessible, le Grand Silence et l'Abîme; l'autre, celle d'un monde inférieur voué au mal, corrompu et corrupteur. Comment donc relier la nature créée, source de toutes les misères physiques et morales à l'Être incréé et infiniment bon?

Souvenez-vous que la théorie des intermédiaires divins connaissait au IIe siècle une vogue extraordinaire. L'idée fleurissait alors qui entre Dieu et le monde plaçait toute une population de dieux subalternes et engendrés. Philon développe largement cette théorie en mettant l'accent sur le rôle principal du Logos. Les gnostiques y introduisent un foisonnement inouï d'êtres bizarres, créatures de rêve, éons (αἰῶνες, éternels) suspendus les uns aux autres et reliant le ciel à la terre par une nouvelle échelle de Jacob. Ils allaient souvent deux à deux, élément masculin et élément féminin, formant des syzygies qui s'engendraient entre elles, toujours moins parfaites à mesure qu'on s'éloignait de l'Être transcendant pour se rapprocher d'en bas. Ainsi s'opérait-il comme une dégradation insensible, si bien que le dernier éon ne possédait plus qu'un minimum de divinité, suffisant toutefois pour rendre impossible la création de la matière mauvaise.

C'est alors que dans ces romans mystiques intervient l'exode expliquant l'existence du mal. Une déviation se produit à l'intérieur du plérôme. Ignorance ou orgueil — les deux sans doute — l'un des éons prétend dépasser sa condition ontologique et même parvenir jusqu'au degré suprême. Rejeté du plérôme, Dieu tombé, le voilà désormais apte à créer le monde matériel et l'homme imparfait. Certains prétendent que le Démiurge n'est autre que le Dieu du judaïsme, de ce judaïsme exclusif ennemi de la large gnose. Ainsi s'explique l'existence du mal, non point selon la conception biblique par la chute des anges et de l'homme, mais par celle d'un éon, autrement dit d'un Dieu : idée aussi déraisonnable au point de vue philosophique que blasphématoire au point de vue religieux.

La matière et l'homme pourront cependant être rachetés. Par suite de leur origine, gît en eux un élément spirituel, captif gémissant et souffrant qui aspire après la délivrance. Cette particule divine, tourmentée par la nostalgie du bonheur perdu, s'appelle parfois Pensée, ou Étincelle, ou Filiation, ou Pneuma. De ce parfum spirituel, les hommes restent plus ou moins imprégnés. De là trois classes différentes, spirituels ou pneumatiques en qui domine l'élément divin et dont le salut est assuré; chrétiens ordinaires ou psychiques qui, partagés entre l'esprit et la matière, peuvent à leur gré se sauver ou se damner; hyliques ou matériels, païens et juifs qui enfoncés dans la matière n'en sortiront pas et sont condamnés à l'avance. On reconnaît ici cette distinction entre initiés et profanes, chère aux religions orientales, et qui contredit l'universalisme catholique.

D'où viendra le Sauveur? Des premiers rangs du monde supérieur. Le voilà qui, à travers le plérôme, descend jusqu'à l'humanité pour habiter en Jésus. Deux êtres composeront donc le Rédempteur, le premier n'étant qu'une enveloppe du second, et même d'après certains une enveloppe toute apparente : car, si la matière est mauvaise, ne faut-il pas que le Sauveur en soit purement affranchi (docétisme)? Ce n'est donc ni par ses souffrances, ni par sa mort que le Christ sauve, mais par la science, par la gnose : connaître le Père, s'enfoncer dans sa vie secrète, tout est là. Ainsi s'opère peu à peu l'évasion de l'étincelle captive et sa réintégration dans le plérôme. La rédemption implique le retour de toutes les parcelles lumineuses au plérôme : tout ce qui, épars dans l'homme et le Cosmos, appartient à Dieu, fera retour à son principe, tandis que le reste s'effondrera dans le néant.

Quel jugement porter sur le gnosticisme? Sans doute, plusieurs de ses adeptes — un

Basilide ou un Valentin — furent des esprits supérieurs; mais les systèmes dans leur ensemble nous déconcertent. Pour nous, il n'y a là souvent que concepts arbitraires, rêveries bizarres, imaginations folles, l'extravagance du libre examen portée à ses dernières limites. D'un tel mouvement la morbidesse éclate aux yeux. C'est donc à tort qu'on l'a défini une « hellénisation du christianisme ». Combien n'est-il pas éloigné, en effet, de la méthode claire et pénétrante de la science grecque! S'il a pu attirer quand même les intelligences, c'est qu'il prétendait résoudre le plus angoissant problème : l'origine du mal.

Quant à la valeur chrétienne du gnosticisme, elle était nulle. Substituer à la création un émanatisme panthéistique, à la chute des anges et d'Adam la défaillance sacrilège d'un éon divin, remplacer l'Homme-Dieu notre Sauveur par un Christ, Dieu amoindri et homme apparent, ignorer la Rédemption, les fins dernières, le Purgatoire et l'Enfer, autant d'audaces qui bouleversaient la foi traditionnelle ou pour mieux dire la niaient. Aussi Renan a-t-il pu conclure que « les gnostiques faussaient le vrai sens de tous les mots en se prétendant chrétiens ».

La morale n'était pas mieux sauvegardée. Les divers principes du gnosticisme tendaient à la ruiner. La distinction des hommes en pneumatiques, psychiques et hyliques, impliquait un déterminisme absolu : quoiqu'ils fissent, les pneumatiques étaient sauvés, et les hyliques damnés; un sombre fatalisme devait donc présider logiquement à la vie humaine. D'ailleurs, puisque le salut s'opérait par la gnose, par la connaissance, à quoi bon les œuvres? Enfin, si la matière était mauvaise, ne fallait-il pas la mépriser? De là, dans les diverses sectes, un manque de bon sens moral, un déséquilibre pratique qui poussait aux extrêmes : ou mater cette grossière enveloppe et s'astreindre à un ascétisme rigide, ou se désintéresser de cette guenille et la laisser traîner où elle voudrait, dans la boue ou ailleurs, pourvu que l'âme, l'étincelle captive, remontât vers Dieu. Tout ce que le quiétisme peut imaginer de monstrueux — et il n'y a rien de plus pervers qu'un certain quiétisme — tout cela est inclus dans le mépris gnostique de la matière. C'est pour de tels gens que Pascal a écrit après coup le mot immortel et terrible : « Qui veut faire l'ange fait la bête. » Aussi, tandis que certaines sectes se cramponnent à un encratisme inhumain, d'autres prônent l'union libre. Pour les uns, mariage égale prostitution; pour les autres, la prostitution est acte méritoire, l'affirmation qu'on méprise le corps et le répute vil. Au total, stérilité effrayante : ni œuvres de zèle, ni institutions de charité.

Comment donc expliquer le succès du gnosticisme? Pour les riches et les lettrés qu'humiliait le contact des petites gens et qui trouvaient le christianisme trop simple et trop pauvre d'idées, le gnosticisme constitua une tentation d'orgueil. Il fut bien porté d'être gnostique comme il le sera au XVIIIe siècle d'être philosophe. Les esprits en quête d'émotions étranges se sentirent attirés vers la gnose pour les mêmes motifs que vers les religions orientales. « Quand il s'agit de l'infini, dit encore Renan, de choses qu'on ne peut savoir que partiellement et à la dérobée, le pathos même a son charme; on s'y plaît comme à ces poésies un peu malsaines dont on blâme le goût, mais qu'on ne peut se défendre d'aimer. » Les matrones trouvaient là une place moins discrète que dans la Grande Église; elles y jouaient quelque peu le rôle de prêtresses, baptisant, officiant, présidant à la liturgie, prophétisant.

Pourtant, entre le christianisme authentique et les libres élucubrations de ces charlatans de la métaphysique un tel abîme s'interposait que les vrais fidèles se défièrent naturellement. Le montanisme quasi orthodoxe devait être autrement insidieux.

III. Les systèmes gnostiques. — Dégager les principes généraux du gnosticisme est beaucoup plus aisé que décrire les divers systèmes. Ils sont si nombreux, si variés dans leurs extravagances ! D'ailleurs, les sources sont relativement courtes et délicates à manier. Parmi elles, il faut distinguer les écrits gnostiques proprement dits et les descriptions tracées par les hérésiologues. — D'aucuns — et M. de Faye en particulier — n'ont voulu connaître la gnose que par les gnostiques. Pourtant, les débris de leurs œuvres restent assez insignifiants : d'une part, fragments de lettres et de traités que citent les écrivains ecclésiastiques, mais trop peu nombreux pour éclairer l'ensemble d'un système; d'autre part, quelques ouvrages entiers ou presque entiers sans doute, mais qui se rapportent à des sectes secondaires ou à des parties accessoires de la doctrine (lettre de Ptolémée à Flora, écrits restitués par les manuscrits coptes).

Bon gré mal gré, il faudra donc consulter les hérésiologues tels que Irénée, Hippolyte et Tertullien, quitte à contrôler leurs affirmations — si possible — par les écrits gnostiques. Au surplus, la défiance qu'on leur a témoignée est certainement exagérée : ainsi la confrontation des documents gnostiques avec les passages parallèles d'Irénée a-t-elle établi sa fidélité scrupuleuse dans l'usage des sources. Il reste donc un témoin précieux, en particulier sur les valentiniens de l'école italique et sur les essais liturgiques de Marc. Contre Marcion le grand ouvrage de Tertullien demeure aussi la source principale tandis qu'Hippolyte nous dévoile les gnostiques romains. Qu'on utilise donc les hérésiologues avec discrétion, jamais on ne pourra les négliger, sous peine de n'avoir que des vues très fragmentaires.

Comment s'y reconnaître dans ce grouillement de sectes? Il existe un gnosticisme d'école enseigné comme une science, et auquel appartiennent les grands noms de Carpocrate, Basilide et Valentin; il y a aussi un gnosticisme de confréries expérimenté surtout comme une mystique par des groupements sans fondateurs connus tels que barbeliotes, naasséniens, pérates, ophites. Qui pourrait se vanter de pénétrer en ces convents? Par contre, exposé par les hérésiologues, le gnosticisme des chefs nous est plus ou moins connu.

Leurs systèmes se ramènent à deux catégories : gnose syrienne et gnose égyptienne, la première excentrique agrémentée de magie, peuplée d'éons aux noms étranges; la seconde habillée d'un style philosophique et ajustée au goût alexandrin.

Passons assez rapidement; la curiosité même serait médiocrement satisfaite par la multiplicité des détails. Au surplus, toute reconstruction demeure incomplète, hypothétique : « Dans ces sortes de matières, disait M. de Faye, il faut semer les marges de points d'interrogation et le texte d'expressions qui marquent le doute. »

Pour Basilide, il y a trois mondes superposés : dans le premier hypercosmique, le Dieu néant ou Dieu-devenir qui renferme tous les germes; dans le second, intermédiaire ou supralunaire, les 365 régions supra-sensibles, étagées en une sorte de hiérarchie céleste pour monter vers Dieu ; enfin, le monde ordinaire ou sublunaire. Le salut s'opère dans le monde intermédiaire par un sauveur nommé Évangile, et dans le monde ordinaire par Jésus. Problème moral, justification de la Providence, voilà surtout ce qui préoccupe Basilide. Selon lui, Dieu n'a pu torturer des innocents : « Tout ce qu'on voudra, disait-il, plutôt que de mettre le mal sur le compte de la Providence. » Que si les martyrs et le Christ lui-même ont souffert, donc ils étaient coupables. Pour tempérer cette doctrine monstrueuse, Basilide invoque une double hypothèse : incorporations successives, innéité des passions humaines.

Après avoir débuté à Alexandrie, Valentin enseigna à Rome sous Antonin (138-161). Il relie notre monde au Père suprême par plusieurs couples d'éons qui s'engendrent successisivement. Voici la série : quatre couples primitifs, formant l'Ogdoade ; puis, cinq couples constitués en Décocade ; enfin, six couples, la Dodécade ; au total, trente éons, le plérôme. A l'un des échelons inférieurs, Sophia ou la Sagesse tomba dans le péché en s'épuisant par de vains efforts à connaître Dieu, l'Inaccessible. Du désir de cette Sophia naquirent la matière mauvaise et le Démiurge, son organisateur. Pour sauver le divin enfermé dans cette matière, le Père envoya sur terre l'éon Jésus, revêtu d'un corps apparent.

La secte compta de nombreuses églises vers la fin du IIe et au début du IIIe siècle. Mais les disciples altérèrent alors la pensée du maître et se divisèrent en deux branches : l'une italienne avec Héracléon et Ptolémée, l'autre orientale représentée par Teodotos et Bardesane. Les valentiniens compliquaient toujours plus l'enseignement officiel, s'efforçant de justifier par des ouvrages leurs interprétations personnelles. Tout ce que perd le système en symbolisme philosophique, il le regagne en rites, exorcismes et pseudo-sacrements. Marcus, de l'école italienne, est un prestidigitateur qui renouvelle apparemment le miracle de Cana en faisant rougir l'eau au moment de la consécration. Ces dévotions étranges, attirantes pour les femmes, aboutissent d'ailleurs à une profonde lubricité. La propagande marcosienne se mêle de galanteries dévotes et de séductions.

Pareille évolution est générale d'ailleurs au IIIe siècle. Le gnosticisme ne se condense plus en quelques grands systèmes ; un pullulement de sectes apparaît où les idées ne s'imposent plus, où les rites « luxuriants et émouvants » prennent le devant de la scène et jettent les âmes dans un mysticisme toujours plus inquiet. Tendance syncrétiste due à l'absence de fortes personnalités telles que Valentin et Basilide, recrudescence de l'emprise orientale et préoccupation plus angoissée du problème sotériologique, échanges fréquents entre les divers systèmes de sorte qu'on ne peut plus départager leurs positions spécifiques, telles sont les caractéristiques du gnosticisme décadent.

Parmi les cénacles et conventicules multiples qui surgissent alors signalons du moins trois écoles. D'abord, les adeptes de la Mère qui donnent une grande importance au principe féminin et exhibent toute une nomenclature exotique et bizarre d'origine hébraïque ou orientale. Ils se lancent en des spéculations sexuelles inouïes. « Si obscènes semblent certaines images, si ignobles certaines idées qu'on tient pour malades les âmes ou elles sont écloses. » (A. Dufourcq.) Voici ensuite le gnosticisme romain avec ses trois groupes : Naassènes, Pérates et Séthiens, tous très préoccupés du mystère rédempteur. Enfin les sectes coptes où la gnose s'effondre en des systèmes puérils et grotesques : associations spontanées d'images et pur verbiage, rites salvifiques tels qu'ils s'étalent dans la *Pistis Sophia* et le *Livre de Jeû*. Ainsi le gnosticisme va-t-il sombrer dans un fouillis ridicule de rites mystérieux et de pratiques obscènes[1].

IV. La réfutation : Irénée et Tertullien. — Le gnosticisme constituait pour l'Église un péril, moins encore par ses théories hétéroclites que par son principe révolutionnaire du libre examen : au rôle décisif de la hiérarchie il prétendait substituer celui du

1. Dans les Mandéens de Mésopotamie, découverts au XVIIe siècle par le carme Ignace de Jésus, signalons, à titre de curiosité, une secte « héritière des anciennes théories gnostiques, non plus figées dans les secs résumés des hérésiologues, mais développées selon les lois propres de leur évolution ». Le mandaïsme chrétien primitif avait pour centre le Roi de Lumière de qui procèdent d'innombrables éons nommés Utras ou Seigneuries. Voir G. BARDY, art. *Mandéens*, dans *Dict. Théol.*

génie individuel. « La lutte, dit Harnack, mit aux prises le prêtre enseignant et jugeant avec le virtuose, le philosophe, le mage. » Il semble qu'Hermas ait voulu déjà l'esquisser là où il raille « ces hommes qui ont la foi, mais qui sont impénétrables dans leurs doctrines, présomptueux, infatués d'eux-mêmes, voulant tout savoir et ne sachant absolument rien ».

Mais la réfutation directe fut énoncée par saint Irénée dans son principal ouvrage, connu seulement par une traduction latine que nous nommons l'*Adversus haereses,* et dont le vrai titre était *La fausse gnose démasquée et réfutée.* A son avis, rien que dévoiler ces doctrines ésotériques servira la Grande Église. « Nos prédécesseurs, dit-il, n'ont pu riposter aux Valentiniens parce qu'ils ne connaissaient pas leurs systèmes... C'est pourquoi nous nous sommes efforcé de mettre au grand jour tout le corps de cette petite bête rusée... Lorsqu'une bête est cachée dans une forêt et que, de là... elle ravage les alentours, celui qui isole la forêt et l'éclaircit et fait voir la bête elle-même facilite la tâche de ceux qui veulent la prendre. Nous, de même, en publiant leurs secrets et leurs mystères, nous rendons inutiles les longs discours qui les doivent détruire. » « Explorateur très curieux de toutes les doctrines », a très bien dit Tertullien d'Irénée. Exposer et réfuter le principal système, le Valentinianisme, opposer ensuite entre elles les théories contradictoires des gnostiques, tel fut l'objet des deux premiers livres. L'évêque de Lyon élargit ensuite son étude jusqu'à une réfutation positive du gnosticisme, le confrontant avec les Écritures (livre III), avec les paroles du Seigneur (livre IV), avec la doctrine de saint Paul (livre V).

Contre ces prétendus sages, la critique d'Irénée sait utiliser l'argumentation philosophique. Il faut le voir, par exemple, acculer les gnostiques à ce dilemme que, par le rejet de la création, ils aboutissent soit au dualisme en séparant Dieu du monde, soit au panthéisme en le confondant avec le monde; dans le premier cas, il y a pour la divinité une limitation qui équivaut à la nier, dans le second une déchéance par le mélange du fini avec l'infini.

Mais voici le grand reproche. Le gnosticisme qui remanie à son gré les Écritures et qui méconnaît l'enseignement transmis par les presbytres est une émancipation radicale; aussi, ne nie-t-il pas seulement tel ou tel point, mais le catholicisme lui-même, doctrine intangible. En faveur de la vérité, une preuve paraît à Irénée péremptoire, indiscutable, non sujette aux fluctuations du raisonnement humain : la Tradition apostolique. On comprend qu'il l'aimât : n'avait-elle pas à ses yeux comme le charme d'un souvenir d'enfance? Aux prétendues révélations gnostiques, Irénée oppose une tradition indiscutable dont « il détermine le principe, définit l'emploi et explique la valeur ». Son mérite est de montrer où réside la Tradition : dans l'Église, autrement dit chez les évêques héritiers des Apôtres et plus spécialement chez l'évêque de Rome, héritier de saint Pierre. « C'est aux prêtres qui sont dans l'Église, dit-il, qu'il faut obéir, à ceux qui sont les successeurs des Apôtres et qui, avec la suite de leur épiscopat, ont reçu un charisme assuré de vérité (*charisma veritatis certum*) suivant la volonté de Dieu. » (*Haer.*, III, 3, 1.) Des évêques aux presbytres primitifs, des presbytres aux apôtres eux-mêmes, il y a une continuité qui garantit l'authenticité du dépôt transmis.

Un homme se présenta qui reprit l'argumentation déjà si forte d'Irénée et, lui donnant une construction juridique, la coula dans le moule romain comme un bronze de toute pureté. Ainsi en augmenta-t-il non la portée, mais l'éclat par une apparence de nouveauté.

Contre les hérétiques, il brandit la *prescription.* Ce mot, emprunté à la langue du droit, signifie une allégation antérieure à tout procès et qui annule par avance toute objection ou raison de la partie adverse. La loi romaine statuait que si quelqu'un détenait un fond provincial depuis dix ans au moins, cette occupation prolongée entraînait propriété régulière si bien que l'ancien possesseur était débouté par le fait même de toute réclamation. Transportant cet expédient de procédure sur le terrain religieux, Tertullien déclare que les hérétiques n'ont pas le droit d'utiliser les Écritures parce qu'elles sont la propriété de l'Église, héritière légitime par transmission régulière depuis l'âge apostolique. En effet la doctrine chrétienne est passée des Apôtres aux Églises « mères et originales » qu'ils ont fondées, puis aux filles de celles-ci, apostoliques également dans leur source. Ainsi se léguèrent-elles avec les Écritures leur interprétation authentique. Quiconque ose y toucher, attente à une propriété personnelle et définie, sacrée s'il en fut jamais. Aussi les hérétiques qui prétendent disserter sur les Écritures et les manipuler à leur gré n'ont-ils droit à aucune créance. Tout catholique doit leur objecter : « Ce domaine m'appartient, je le possède depuis longtemps et avant vous; j'ai des pièces authentiques qui remontent aux premiers propriétaires; je suis l'héritier des Apôtres » (*De praescriptione,* 36, 37). Les voilà donc privés de crédit *a priori*, déboutés avant tout procès.

En vain les gnostiques esquissaient-ils des objections subtiles, disant que les Apôtres n'ont pas tout connu, que s'ils ont tout connu ils n'ont pas tout enseigné, et que s'ils ont tout enseigné, leur parole a été altérée par les Églises. Tertullien leur réplique qu'après la venue du Saint-Esprit, les Apôtres ont reçu une révélation complète, qu'ils ont dû la communiquer tout entière et que leur enseignement n'a été ni altéré ni diminué par aucune Église. Cet accord des communautés apostoliques est un trait frappant et caractéristique.

Au contraire — et c'est le deuxième argument du *De praescriptione* — il n'y a dans les conventicules gnostiques que dissensions, contradictions, variations. A chaque secte ses documents, ses interprétations, ses fantaisies. Nul catéchumène qui n'ait l'étoffe d'un docteur. Pas une femmelette qui ne se croit appelée à prêcher, à discuter, à exorciser. « Chacun modifie suivant son caprice ce qu'il a reçu, comme son prédécesseur lui-même l'avait arrangé suivant son caprice. » Tertullien esquisse ici par avance la tactique de Bossuet dans son *Histoire des variations*. Mais il n'en adopte pas la manière toujours grave et toujours respectueuse. Nulle déférence envers l'adversaire délogé de toutes ses positions par un irrésistible torrent d'ironie.

Cependant, Tertullien est trop ardent pour s'en tenir à l'argument de prescription auquel — appliqué seul et sans plus — on pourrait reprocher quelque lâcheté paresseuse. Avec divers hérétiques — un Marcion, un Praxéas — le dur Africain engagera un combat corps à corps. Parmi les gnostiques, ne pouvant s'en prendre à tant de pygmées, il a préféré s'attaquer à leur chef Valentin. Comme Irénée, il trouve « qu'exposer pareille doctrine, c'est la détruire ». Il la tuera surtout avec cette arme du ridicule qu'il manie si dextrement : « Figure-toi, lecteur, que c'est un combat pour rire. Je menacerai, mais ne porterai point de coups. Si l'on rit quelque part, c'est le sujet même qui l'aura voulu. Bien des choses méritent d'être ainsi réfutées : trop de sérieux paraîtrait duperie. A la frivolité doit répondre la gaieté. La vérité aussi a le droit de rire parce qu'elle est heureuse, et de se moquer de ses rivaux parce qu'elle ne craint rien » (*Adv. Valent.*, 6).

A cette polémique de Tertullien il manque le tempérament de la charité qui se trouve chez Irénée. On dirait qu'il ne cherche qu'à terrasser l'adversaire et à le piétiner, tandis qu'Irénée, après l'avoir jeté à terre lui offre la main pour le ramener vers l'Église. « Nous prions, dit-il, pour qu'ils ne demeurent pas dans la fosse qu'ils se sont creusée, qu'ils se séparent de la Mère, sortent de l'Abîme, laissent le Vide et abandonnent l'Ombre; pour qu'ils naissent véritablement en se tournant vers Dieu... Notre charité, parce qu'elle est vraie, devient salutaire, s'ils veulent l'accepter. Semblable à un médicament énergique qui ronge la chair corrompue et inutile, elle fait disparaître leur présomption et leur orgueil. C'est pourquoi de toute notre âme nous leur tendons la main et nous ne nous lasserons pas de le faire. » (*Haer.*, III, 25.)

V. Le Marcionisme. — Comme l'a très bien vu Harnack, Marcion n'est pas un gnostique proprement dit. Basé sur un principe faux, son système possède toutefois une cohésion et une simplicité inconciliables avec l'esprit compliqué et échevelé des thèses gnostiques; tout au plus, se rencontre-t-il avec ces rêveurs sur quelques points importants.

Fils de l'évêque de Sinope dans le Pont, il se brouilla avec son père et, comme armateur, acquit une fortune considérable. Il vint à Rome où il voulut se concilier la bienveillance de l'Église par une royale offrande de 200.000 sesterces. Mais le pontificat romain n'était pas vénal; quand on s'aperçut de son hétérodoxie, on l'excommunia. Polycarpe de Smyrne le rencontra un jour : « Me reconnaissez-vous? lui demanda Marcion. — Je reconnais le premier-né de Satan. »

Doctrinaire rigoureux et intraitable, Marcion est l'homme d'une idée ou plutôt d'une opposition d'idées : le Iahveh juif, Dieu juste et rigoureux, le Christ, Dieu bon et miséricordieux. Sur cette antithèse tout son système repose, à elle doivent se plier tous les documents. Ainsi Marcion groupe-t-il un canon des Écritures, plus simple sans doute, mais non moins arbitraire que celui des gnostiques. Non content de rejeter tout l'Ancien Testament, œuvre du Dieu juste, il pose en principe que, à part saint Paul, les Apôtres furent des judaïsants qui faussèrent la vraie conception évangélique en maintenant le pont entre l'économie ancienne et la nouvelle. Il faut donc restituer à l'Évangile et même à la littérature paulinienne leur pureté originelle. Aussi, soucieux de ne garder que ce qui cadre avee ses théories, Marcion invente-t-il un *instrumentum fidei* comprenant d'une part le seul Évangile de saint Luc amputé de tout ce qui contredit la doctrine nouvelle tel que la généalogie du Sauveur et les textes favorables à l'Incarnation, d'autre part les épîtres pauliniennes épurées, sauf les Pastorales. Enfin, Marcion ajoute à ce Canon les *Antithèses*, livre par lui composé sur les contradictions de l'Ancien et du Nouveau Testament, de la nature et de la grâce, du Dieu juste et du Dieu bon. Une telle besogne chirurgicale, saint Irénée l'appelle avec force « circoncire les Écritures[1] ».

Avec cette documentation tronquée, combien n'est-il pas facile à Marcion d'établir sa doctrine. Dans les *Antithèses*, les deux dieux sont campés nettement en antagonistes. Le premier — celui de la Création et de la Loi — a pour maxime : œil pour œil, dent pour dent, et le second — celui de la Rédemption — dit par la voix de l'Évangile : « Si quelqu'un te frappe sur la joue droite, tends-lui la gauche. » Moïse supplie Iahveh qu'Israël puisse exterminer ses

Marcionisme. — *SOURCES :* S. JUSTIN, I *Apologie*, XXVI, LVIII; *Dialog.* XXXV. — S. IRÉNÉE, *Adv. hoeres.*, I, 27, 2-4; III, 4, 3, 14. — TERTULLIEN, *Adv. Marcionem libri quinque; De carne Christi; Adv. Hermogenem.* — *TRAVAUX :* V. ERMONI, *Le Marcionisme*, dans *R. Q. H.*, janvier 1910. — A. D'ALÈS, *, *Marcion. La réforme chrétienne au IIe siècle*, dans *R. S. R.*, 1923 (XII). — P. BATIFFOL, *, *L'Église naissante et le catholicisme, Excursus C. Marcionisme et catholicisme*, p. 277-285. — A. VON HARNACK, ? *, *Marcion : Das Evangelium vom fremden Gott*, 2e édit., 1924. (Ouvrage divisé en deux parties, la première simple exposé, la seconde donnant les sources sur lesquelles se fonde la narration). — E. AMANN, art. *Marcion*, dans *Dict. Théol.*

1. Nous empruntons nos traductions de saint Irénée à M. H. Dufourcq.

ennemis; au contraire, le Christ étend les bras sur la croix pour sauver les pécheurs. Donc entre judaïsme et christianisme opposition irréductible aboutissant à un dualisme métaphysique absolu.

Le Dieu créateur n'a pu réaliser qu'une œuvre caduque et misérable comme il apparaît surtout dans l'homme imparfait et pécheur. A travers toute l'histoire d'Israël, ce Iahveh terrible montre d'ailleurs une justice âpre, vindicative, qui agit par soubresauts de colère; c'est le Dieu juif tel qu'Alfred de Vigny le chantera, le Dieu de la vengeance à qui en échange du crime il faut l'innocence; aussi, méprisé par la Gentilité n'a-t-il pu s'imposer qu'à un petit peuple.

Par contre, inconnu jusqu'ici, le Dieu rédempteur s'est révélé comme « le Père de miséricorde et le Dieu de toute consolation ». En Jésus, il s'incarne ou semble s'incarner : de là un modalisme docétiste qui ne distingue pas nettement le Père d'avec le Fils, et qui n'accorde à celui-ci qu'une vague humanité d'emprunt.

Aussi Jésus n'est-il pas le fils de Marie; il apparaît soudain dans la synagogue de Tibériade, la quinzième année de Tibère. Pour le prouver, non seulement Marcion supprime dans l'Évangile de Luc tout ce qui se rapporte à la généalogie et à l'enfance du Sauveur, mais encore il interprète avec arbitraire certains épisodes, par exemple celui où Jésus répond à ceux qui lui disent : « Votre mère et vos frères sont là demandant à vous voir. — Quelle est ma mère et mes frères? Pas d'autres que ceux qui écoutent la parole de Dieu et la mettent en pratique. »

Toutefois, effrayé par un docétisme trop absolu, Marcion admet, à l'encontre des gnostiques, la passion de Jésus, œuvre des partisans de Iahveh. Alors le Sauveur descend aux enfers racheter les élus. Par un phénomène étrange, mais cohérent avec le système marcionite, tandis que les justes de l'Ancienne Loi — Abel, Enoch, Noé, Abraham, patriarches et prophètes — refusent d'abandonner leur Dieu, au contraire les maudits du judaïsme — sodomites, Égyptiens, Gentils — se rallient au Christ vainqueur. Depuis lors, la méprise subsiste chez tous ceux qui n'ont pas voulu séparer christianisme d'avec judaïsme. Et pourtant, mauvais arbre peut-il porter bons fruits, pièce neuve convenir à vêtement usé et vin jeunet à vieilles outres? Vrais pauliniens, les élus sont le petit nombre.

On voit quelle forte simplicité Marcion donne à toute sa doctrine. D'une main résolue, il écarte les fantasmagories gnostiques, toute cette cosmogonie de rêve, tout ce syncrétisme religieux. A la place des éons multiples, rien que ces deux dieux opposés dont la lutte remplit et explique l'histoire universelle. Voilà qui est aussi puissant qu'arbitraire. Un tel système ne s'adresse plus seulement à des initiés, il prétend grouper une grande église.

La morale de Marcion était nécessairement sévère. Si la chair est l'œuvre du Dieu juif, ne faut-il pas s'en détacher? D'où un ascétisme farouche qui voit dans la continence un strict précepte. Et selon sa méthode arbitraire d'exégèse, Marcion s'empresse d'isoler les textes pauliniens sur la virginité pour leur donner un sens absolu et impérieux : ainsi celui où l'Apôtre dit que « la vie s'écoule rapidement et qu'il est temps que ceux qui ont des épouses se comportent comme n'en ayant pas » (I *Cor.*, VII, 29). Aussi n'y a-t-il de baptême que pour les célibataires et les eunuques. Les vrais marcionites s'appliquèrent à l'ascétisme avec une belle ardeur sans même reculer devant le martyre. Mais, au-dessous des Parfaits, résignée à un catéchuménat perpétuel, toute une masse condescendait davantage à l'humaine faiblesse.

Après Justin dont le traité est perdu, Tertullien écrivit un grand traité contre Marcion. A ses « antithèses bibliques » il répliquait par la théorie des révélations successives qu'il remploiera malheureusement pour défendre le montanisme. Contre l'encratisme, il défendait le mariage. « C'est l'abus, disait-il, qui est condamnable, non l'usage. Qui supprime le mariage, supprime par là même l'occasion qu'a de s'exercer la vertu de continence. » Irénée et Hippolyte se préoccupèrent aussi du marcionisme. Clément le réfutera au point de vue moral et Origène sur le terrain scripturaire.

Avec le montanisme cette hérésie reste le principal événement de l'histoire ecclésiastique du IIe siècle. « Elle fut, dit Renan, ainsi que l'arianisme une des grandes fractions du christianisme, et non comme tant d'autres sectes un météore brillant et passager. » C'est qu'elle s'affirmait « un puritanisme moral et une organisation ecclésiastique », et non pas comme les gnosticismes une déliquescence et un pullulement de convents. Justin constate déjà que beaucoup acceptent sa doctrine. Toujours prêt à dramatiser, Tertullien déclare au début du IIIe siècle que « l'enseignement de Marcion a rempli le monde entier ». C'est un fait qu'on le trouve implanté dans tous les grands centres : à Lyon, à Carthage comme à Corinthe, à Antioche et à Alexandrie. Aux IIe et IIIe siècles, le marcionisme est une Église particulière, solidement encadrée dans sa hiérarchie d'évêques, prêtres et diacres, fière de ses martyrs, exaltée par son rigorisme inflexible.

Toutefois, en tant que dogmatique d'école, il se désagrège vite. Sans doute conserve-t-il son principe essentiel d'après quoi l'Évangile est une révélation soudaine en rupture flagrante avec l'Ancien Testament. Mais les plus importantes divergences se dessinent, surtout en théodicée.

Apelles qui enseigna à Rome, puis à Alexandrie voulut ramener l'hérésie du dualisme au monisme en réduisant le créateur au rang d'un être supérieur, subordonné au Dieu suprême. Il mitigea également le docétisme radical de Marcion pour donner au Christ un vrai corps, bien que non enfanté par Marie. Ainsi esquivait-il les principales objections catholiques. Interrogé par Tertullien, il se réfugia en une vague déclamation sur les incertitudes de la raison humaine : « Il ne fallait pas, disait-il, si fort examiner les matières de la religion, chacun devait demeurer dans sa croyance et ceux-là seraient sauvés qui espéraient dans le Crucifié, pourvu qu'ils fussent gens de bien. » Pareil aveu d'impuissance le rendra cher au scepticisme de Renan : « Il arriva sans s'en douter, déclare-t-il, à la parfaite raison, c'est-à-dire au dégoût des systèmes et au bon sens. »

A l'encontre d'Apelles, Syneros et Lucanus muèrent le dualisme en un panthéon trinitaire par l'adjonction d'un troisième principe, la matière increéée.

En Occident, le marcionisme s'éteignit progressivement au IIe siècle. Vers 250, Cyprien à Carthage et Novatien à Rome ne semblent plus guère s'en inquiéter. Par contre, en Orient il se défendit longtemps. L'église marcionite y traversa la persécution de Dioclétien, non sans déployer quelque héroïsme. Au IVe siècle, on la voit encore fortement implantée en Syrie et en Palestine : saint Cyrille la combat à Jérusalem, puis Chrysostome à Antioche. Elle trouvera son dernier refuge dans les pays de langue syriaque où saint Ephrem et Théodoret lutteront encore contre elle.

CHAPITRE II

LA GNOSE ORTHODOXE

I. La conception du gnostique d'après Clément et Origène. — Le désir de concilier sagesse antique avec christianisme, qui avait guidé les apologistes cultivés tels que Justin, revit dans les grands Alexandrins, Clément et Origène. Avec eux prend un sens chrétien ce beau mot de « gnose » que des hétérodoxes libertaires avaient prostitué à leurs rêveries malsaines. A leurs yeux, il s'agit bien, en effet, d'une connaissance religieuse plus haute qui, non seulement satisfasse l'intelligence, mais qui, influant sur la vie entière, élève le fidèle dépouillé et illuminé jusqu'à l'amitié divine. D'où une conception très élevée du vrai gnostique, être privilégié qui reçoit d'en-haut des illuminations subites semblables à « une lumière apportée soudain au milieu d'un banquet » et qui, parvenu à une impeccabilité véritable, à une « apathie » absolue, fixé dans une contemplation sans défaillance, voit clairement les choses transcendantes insoupçonnées du vulgaire : tradition secrète confiée par le Christ aux Apôtres et transmise à quelques rares initiés. « Le gnostique, dit sans ambages Clément, sait tout et comprend tout. Il saisit ce qui paraît incompréhensible aux autres. » (*Strom.*, VI, 106-07.)

On voit donc que le gnostique se sépare nettement des fidèles ordinaires, sa vie est toute nouvelle. « Il me semble, écrit encore Clément, qu'il y a un premier changement salutaire, celui de la gentilité à la foi, et un second la conversion de la foi à la gnose. » (*Ibid.*, VII, 10, 57.) Sans doute, proteste-t-il contre toute caste tranchée avec des individus essentiellement différents tels que pneumatiques, psychiques et hyliques; il affirme que la perfection est à la portée de tous : « Baptisés, nous sommes illuminés; illuminés, nous sommes adoptés; adoptés, nous sommes perfectionnés; perfectionnés, nous sommes immortalisés. » (*Péd.*, II, 25, 1.) Il n'en reste

Gnose chrétienne. — I. Clément d'Alexandrie. *SOURCES : P. G.*, VIII-IX; et surtout édit. O. Staehlin, dans le *Corpus Berl.*, Leipzig, 1905-1909. — *TRAVAUX :* Mgr Freppel, *Clément d'Alexandrie*, 1866. — E. de Faye, *?, *Clément d'Alexandrie*, 1898.— G. Bardy, *, *Clément d'Alexandrie* (coll. *Mor. chrét.*), 1926. — J. Tixeront, *Le Pédagogue*, dans *Mélanges patrol. et hist. des dogmes*, p. 90-116. — P. Batiffol, *L'Église naissante*, p. 295-315. — P. Guilloux, *L'ascétisme de Clément*, *Rev. asc. et myst.*, III (1922), p. 282-300.— J. Lebreton, *, *Le désaccord de la foi populaire et de la théologie savante dans l'Église chrétienne*, *R. H. E.*, XIX (1923), p. 481-506; XX (1924), p. 5-37.

II. Origène. — *SOURCES : P. G.*, XI-XVII; *Corp. Berl.*, t. I à VII. — *TRAVAUX :* F. Prat, *Origène* (Coll. *Pensée chrétienne*), 1907.— E. de Faye, *Origène*, t. I. *Sa biographie et ses écrits*, 1923; t. II. *L'ambiance philosophique*, 1927; t. III. *La doctrine*, 1928. — J. Lebreton, *Les degrés de la connaissance d'après Origène*, *R. S. R.*, 1922, p. 265-296.

pas moins que pareille conception « est imprégnée d'un hellénisme hautain, aristocratique, très peu évangélique » (J. Lebreton). Le sens obvie de certaines béatitudes énoncées par le Seigneur n'est-il pas oublié ici? Et quelle déconvenue pour le baptisé vulgaire qui se voit traité comme un chrétien de seconde zone, voué à une béatitude inférieure.

Origène adoptera sans doute une telle méthode gnostique. A son tour il opposera fidèles ordinaires et initiés, Corinthiens et Éphésiens; il admettra la théorie de la tradition secrète. Mais né chrétien, fils d'un martyr, exégète avant tout, prédicateur, il maintiendra davantage le contact avec le monde à convertir, s'installant non dans une tour d'ivoire, mais dans la chaire de vérité.

II. Clément[1]. — Clément fait une large part à la philosophie. Comme Justin, il aime souligner l'harmonie de la sagesse antique avec les enseignements bibliques, soit qu'il l'explique par une certaine égalité de l'esprit humain puisant toujours au même fond éternel de vérités communes, soit qu'il ait recours à l'illumination du Logos répandue sur les philosophes aussi bien que sur les prophètes hébreux, soit surtout qu'il retienne cette supercherie historique, accréditée par les Juifs alexandrins, et d'après quoi les Grecs auraient subi l'influence mosaïque.

Quoi qu'il en soit, le voilà à l'aise avec des païens qui ont bu à la même source divine que les auteurs bibliques. Il les utilisera, mais en toute indépendance sans s'inféoder à un système quelconque, selon un libre syncrétisme, quitte à subir quelques influences prédominantes : celle de Platon qui lui fournira la notion d'un Dieu transcendant avec le double caractère d'incommunicabilité et d'abstraction, celle de Philon qui le familiarisera avec l'idée du Logos, celle du stoïcisme enfin qui lui prêtera la formule de son idéal moral, cette « apathie » paisible, favorable à la contemplation.

« Le gnostique n'est jamais au milieu des dangers; il ne trouve rien de redoutable dans les choses de cette vie, et rien ne peut le détourner de l'amour de Dieu; il n'a pas besoin de confiance : car il ne marche pas dans la tristesse, étant persuadé que tout arrive bien; il ne s'irrite pas, car il n'y a rien qui l'excite à la colère; il aime toujours Dieu, vers qui seul il est tout entier tourné, et à cause de cela, il ne hait aucune des créatures de Dieu...; il n'aime rien ni personne d'un amour commun, mais il chérit son créateur par les créatures. » (*Strom.*, VI, 9, 71-79.)

C'est vers cette « apathie » parfaite, stoïcisme christianisé, que Clément achemine son disciple à travers sa trilogie : *le Protreptique* le menant du paganisme à la croyance par une apologétique où l'invective fait place à une douce ironie empreinte d'allégresse, de fraîcheur et de jeunesse; le *Pédagogue,* l'initiant à la pratique des vertus; les *Stromates* le conduisant — non sans détours et parenthèses — vers l'apathie et la gnose. Il y a là toute une éthique fortement dosée de bon sens; Clément a fait sien le principe d'Aristote : « Les excès sont périlleux; le bien est dans les moyennes. » Au surplus, rien de quiétiste. Dans le *Protreptique*, Clément guide son client partout, à l'église, au théâtre, dans les repas; aux femmes il donne sur la toilette et les bijoux, sur le mariage et la chasteté divers con-

1. Clément naquit à Athènes vers le milieu du IIe siècle. Païen d'origine, il voyagea comme Justin à la recherche de la sagesse, s'attachant successivement à un Grec d'Ionie, à un Grec de la Grande Grèce, à un Célésyrien, à un Égyptien, à un Assyrien, à un Hébreu, tant qu'enfin Pantène le convertit. Il lui succéda dans la direction du disdascalée d'Alexandrie, groupant autour de sa chaire un public nombreux et composite.

seils plus discrets sans doute que ceux de Tertullien, et toutefois singulièrement précis. Son *apatheia* n'est donc ni l'inertie, ni l'engourdissement, elle requiert résistance aux passions, mortification des sens, support des peines, bref une âme saine dans un corps sain. Purifier pour illuminer, voilà toute la théorie et voilà toute l'œuvre.

Enseignement plein de charmant abandon, libre non seulement par son allure familière, mais encore par la hardiesse de plusieurs emprunts philosophiques ou de certaines allégories bibliques. Enseignement chrétien pourtant qui ne sacrifie pas la foi à la sagesse, qui fait bien plutôt celle-ci servante de la foi, mais qui parfois se complaît en aperçus hasardeux, sinon jadis pour les contemporains, du moins maintenant pour nous qui bénéficions des précisions théologiques postérieures.

III. Origène. — Mêmes remarques pour l'œuvre d'Origène. Il se fourvoierait totalement celui qui le regarderait comme un philosophe aventureux teinté de christianisme, ou même comme un partisan du libre examen, digne précurseur de la Réforme. Origène est profondément chrétien. Rien que sa vie le prouverait. L'ardeur juvénile qui le poussait à se livrer aux bourreaux, ou qui l'amenait à se châtrer, le désintéressement avec lequel il quitta une riche protectrice, chrétienne sans doute, mais influencée par un docteur gnostique, le long martyre qu'il subit sous Dèce dans une geôle, les pieds mis aux ceps jusqu'au troisième trou, autant de traits qui montrent assez combien sa foi était robuste et agissante.

Mais, voici un argument intrinsèque à son œuvre. Elle émane d'un bibliste qui établit le texte des Écritures, qui le commente de mille façons et qui, même dans son ouvrage *Des principes*, vaste synthèse théologique, base toutes ses données sur la parole sacrée.

Sans doute cette qualité d'exégète lui vaut-elle les plus sérieuses critiques. On s'accorde à dire qu'il abusa de l'allégorisme. Celui-ci, comme le définit très bien le P. Prat, est « une tendance à superposer au sens naturel une accommodation arbitraire, tirée de quelque analogie lointaine, au sens littéral un prétendu sens spirituel que ni la Tradition, ni l'Écriture n'autorisent ». Ce même procédé intellectualiste qui a résorbé ou tout au moins épuré le grouillement des polythéismes pour aboutir à un syncrétisme universel, voilà qu'Origène l'emploie à dégager sans doute les Écritures de tout un judaïsme terre à terre et grossier, mais aussi à tirer du texte sacré sur n'importe quel sujet tout ce qu'il lui plaît.

En réalité, sans nier les excès de la méthode allégoriste d'Origène, il faut bien noter qu'il abordait d'abord l'Écriture en philologue et en historien. Fidèle au sens historique, il ne le sacrifiait que « si décidément il lui paraissait absurde ou invraisemblable. En somme il le maintenait ». Mais l'impossibilité d'interpréter certains textes à la lettre et la nécessité pourtant de rétorquer les hérétiques, l'autorité et l'exemple de saint Paul, la vogue extraordinaire de l'allégorisme à cette époque, surtout dans le milieu alexandrin, enfin sa conception personnelle que le monde visible est seulement le symbole du monde invisible et l'individu la représentation d'une idée ou d'un fait supra-sensible, toutes ces raisons le convainquirent de son bon droit. Nul doute qu'il ait parfois versé dans l'arbitraire en vidant certains textes de tout sens littéral. L'histoire se volatilisait parfois, et aussi le dogme. Quelles conséquences par exemple si l'arbre de la science du bien et du mal n'est qu'une fiction symbolique et la scène où Ève succomba pure matière à enseignements moraux.

Origène a utilisé aussi la philosophie, mais en sous-ordre et comme servante. Avouons que ses emprunts à la sagesse antique sont considérables et parfois malheureux. Roman platonicien de la préexistence des âmes et de leurs épreuves successives, rêve d'une restauration universelle, subordinatianisme latent par où le Fils serait inférieur, sinon en nature, du moins en dignité, toutes ces audaces évoquent quelque peu les divagations du gnosticisme hétérodoxe. Pourtant, la plupart de ces idées, à nos yeux extravagantes, furent agréées encore au IVe siècle par des esprits cultivés, et même un adversaire déclaré comme l'évêque d'Alexandrie Démétrius reprochait à Origène non pas des erreurs doctrinales, mais des incartades disciplinaires : une première fois d'avoir prêché, laïque, dans une église, une seconde de s'être laissé ordonner sans son autorisation par des évêques palestiniens. D'ailleurs, Origène déclarait prendre toujours pour règle la foi apostolique et ne vouloir qu'en élucider les enseignements. L'étoffe d'un hérésiarque, il ne l'avait nullement; on doit lui reconnaître de la modestie, de la réserve, voire de la candeur. Si libre que soit l'enseignement des Alexandrins, ils sauvegardaient, comme Irénée, la notion d'une Église hiérarchique et antihérétique. L'argument de prescription garde pour eux sa valeur entière, bien qu'ils ne s'en contentent pas du tout : enfants qui aiment leur mère sans rester toujours accrochés à sa robe.

Pour rester équitable à Origène, il faut d'ailleurs se rappeler quels services il a rendus par sa science biblique, si précieuse à saint Jérôme, et aussi par son aperçu de la doctrine, très supérieur en étendue à celui d'Irénée, véritable ébauche d'une *Somme* théologique, par quoi il influencera la pensée grecque, et spécialement les Cappadociens. Selon l'expression de Bigg, il a été « le premier grand professeur, le premier grand prédicateur, le premier grand écrivain en matière de spiritualité, le premier grand commentateur, le premier grand dogmaticien qu'ait eu l'Église ».

Y eut-il désaccord réel entre théologie savante et foi populaire au début du IIIe siècle? Clément parle avec aigreur de certains ignorants « qui s'effraient au moindre bruit », estimant « qu'on ne doit se mêler ni de philosophie, ni de dialectique, ni même s'appliquer à l'étude de l'univers »; la foi pure et simple, voilà qui leur suffit; ils voudraient « cueillir les raisins avant d'avoir travaillé la vigne » (*Strom.*, I). Les défiances légitimes évoquées par les fantasmagories gnostiques expliquent plus ou moins pareille mentalité, défiances qui chez les plus grands esprits — un Irénée ou un Tertullien — provoquèrent le rappel pur et simple à la tradition apostolique toute nue, bref l'argument de prescription.

A quel point s'éleva cet antagonisme du croyant ordinaire et du lettré? On l'entrevoit dans les grands centres, patries des remueurs d'idées, à Carthage et à Rome, davantage à Alexandrie, milieu composite où les chrétiens orthodoxes devaient se garder contre les juifs philoniens, contre les païens cultivés, contre les gnostiques de Basilide et de Carpocrate.

D'ailleurs, l'Église hiérarchique maintenait la saine compréhension, le juste milieu ; ni résignée à une foi stagnante, ni éblouie par l'esprit aventureux des philosophes chrétiens. Elle était représentée avec solidité par un Irénée ou un Cyprien, plus effectivement encore par les grands papes du IIIe siècle, Fabien, Corneille, Denys. L'infaillibilité résidait chez ces derniers, et non pas chez Clément ou Origène.

Reconnaissons, toutefois, les grands services rendus par les Alexandrins. A l'extérieur, ils ont barré la route à la sophistique, à la gnose hérétique, au néo-platonisme, ils ont relevé le prestige intellectuel du christianisme et préparé l'accession à l'Église d'esprits éminents. A l'intérieur, ils ont entrepris, à leurs risques et périls, l'élaboration de la doctrine, et rejeté les billevesées du millénarisme par une saine interprétation scripturaire où, cette fois, l'allégorisme s'opposa heureusement à la trivialité charnelle d'un littéralisme outré.

Il ne faudrait pas exagérer, d'ailleurs, l'étendue de leur influence. Le nombre est encore restreint des fidèles instruits : pour quelques esprits cultivés, une foule plutôt inculte. Quant aux classes moyennes, si nécessaires à toute société, elles font encore trop défaut. Mais l'organisation du didascalée alexandrin, la formation de centres scientifiques à Césarée et à Jérusalem, résultats heureux de l'exil d'Origène, la naissance de l'école d'Antioche, autant de faits qui prouveront bientôt que l'Église ne se résigne pas à la foi du charbonnier.

CHAPITRE III

LES CONTROVERSES TRINITAIRES

Si la doctrine trinitaire ne reçut pas dès le début son expression décisive, elle existait cependant. Saint Ignace la formule sans timidité. Hantés par le concept philonien ou platonicien de la transcendance divine, et par l'idée d'un intermédiaire ou démiurge, certains apologistes imaginent que le Verbe, ou plus exactement le Fils, a subi un changement par l'Incarnation : d'où l'erreur de la subordination et infériorité du Logos. Contre ces idées plus ou moins latentes réagit saint Irénée : « Le Fils, affirme-t-il, est identique au Père ; il est engendré par le Père, et cette génération est éternelle. » Qu'on n'en demande pas davantage.

I. Hippolyte et Calliste. — Au sujet de la Trinité, deux erreurs opposées doivent être évitées, que les Pères comparent parfois aux deux larrons du Golgotha. L'une, fruit du judaïsme, prétend sauver l'unité aux dépens de la Trinité : c'est le monarchianisme sous ses diverses formes ; l'autre, héritière de la pensée grecque, sacrifie l'unité divine en introduisant une différence plus ou moins essentielle entre Père et Fils, en subordonnant celui-ci à celui-là, et en aboutissant ainsi à un polythéisme larvé.

Soucieux de sauvegarder l'unité, les monarchiens lui sacrifiaient la distinction personnelle du Père et du Fils. Pour eux, le Verbe n'est qu'une manifestation du Père. C'est le Père, qui descendu dans le sein de Marie y devient le Fils et souffre pour nous : d'où le nom de Patripassianisme donné parfois au système. On comprend qu'une explication si simple ait séduit les braves gens : pour eux, il n'y a que « le bon Dieu », et Jésus-Christ c'est encore le « bon Dieu ». Pourquoi distinguer davantage ? Cette erreur, toutefois, ne fut pas inventée par des ignorants. Au contraire, elle émana de sophistes qui, sans respecter l'Écriture, voulurent par un travail dialectique, transformer le dogme en un déisme rationaliste, sécularisation aiguë du christianisme. « Si vous leur objectez une parole des Écritures, ils cherchent aussitôt à placer un syllogisme conjonctif ou disjonctif. » (*H. E.*, v, 28.)

Le premier tenant du monarchianisme aurait été Noët de Smyrne (entre 80 et 200). « Si le Christ est Dieu, disait-il, il est sûrement le Père, autrement il ne serait pas Dieu ; et si le

Controverses trinitaires. — *SOURCES :* TERTULLIEN, *Adversus Praxeam.* — HIPPOLYTE, *Contra Noetum; Philosophoumena*, VII, IX, X (éd. P. WENDLAND, dans *Corp. Berl.*, IV, Leipzig, 1916). — S. ATHANASE, *De sententia Dionysii.* — *TRAVAUX :* A. D'ALÈS, *, *La théologie de Tertullien*, 1904 ; *La théologie de saint Hippolyte*, 1906. — G. BARDY, *, art. *Monarchianisme*, dans *Dict. Théol.* — A. D'ALÈS, *, *Le dogme de Nicée*, ch. I, 1925.

Christ a souffert, Dieu a souffert, car il est unique. » Noët fut sommé de comparaître devant les « bienheureux presbytres » qui le condamnèrent.

L'un de ses disciples, Épigone, colporta à Rome son erreur. Mais le grand agent du monarchianisme y fut Praxéas. Tertullien, qui le haïssait au titre de monarchien et d'antimontaniste, nous dit quel succès il remporta auprès des simples : « On n'entend plus que des braves gens qui parlent de monarchie : « Nous tenons pour la monarchie », ne cesse de répéter la foule, et à la manière dont elle prononce ce mot, on voit bien qu'elle le comprend aussi mal qu'elle l'exprime » (*Adversus Prax.*, 3). De Rome, Praxéas passa à Carthage où Tertullien l'amena à résipiscence et réfuta ses erreurs qui continuèrent à sévir.

Dans l'*Adversus Praxeam*, traité de dogmatique polémique où la violence du ton contraste si fort avec la sérénité du sujet abordé, Tertullien oppose la « monarchie » des hérétiques à « l'économie » qui « range l'unité en Trinité ». Trois personnes non par l'essence (*statu*) mais par le degré (*gradu*), non par la substance (*substantia*) mais par la forme (*forma*), non par la puissance (*potestate*) mais par l'aspect (*specie*), une seule substance, réalité et puissance, avec diversité toutefois de degrés, de formes et d'aspects, voilà la Trinité d'après Tertullien. Il faut surtout lui savoir gré d'avoir mis en relief la personnalité du Saint-Esprit qui est un même Dieu que le Père et le Fils (*a Patre per Filium*). Autant de notions qui nous paraissent très simples, mais que personne avant Tertullien n'avait formulées si heureusement.

Ainsi pourchassé en Afrique, le monarchianisme subsistait à Rome avec Épigone et son disciple Cléomène. A en croire le prêtre Hippolyte, le pape Zéphyrin se serait même laissé séduire par Cléomène qu'aurait patroné le diacre Calliste : « En ce temps-là, rapporte-t-il, Zéphyrin s'imaginait gouverner l'Église. Esprit borné, d'une avarice sordide, il autorisait moyennant finances ceux qui l'allaient trouver à suivre les leçons de Cléomène. Lui-même, avec le temps, se laissa gagner aux mêmes doctrines par le conseil et avec la complicité de Calliste... Maintes fois, nous leur tînmes tête, les réfutant et les forçant de confesser malgré eux la vérité; dans un premier instant de confusion, ils cédaient à la force de la vérité; mais bientôt ils retournaient se rouler dans la même fange. » (*Philosoph.*, IX, 7.) « En public, ajoute Hippolyte, Zéphyrin déclarait : « Je connais un seul Dieu, le Christ Jésus, et hors de lui aucun autre qui soit nascible et passible. » D'autres fois, il disait : « Ce n'est pas le Père qui est mort, mais le Fils » (*Philosoph.*, IX, 11). A les bien entendre, rien dans ces expressions qui soit hétérodoxe : sans plus disserter à l'aventure, Zéphyrin mettait l'accent sur la divinité du Christ, seul incarné et passible.

En réalité, Hippolyte lui reprochait de ne pas adopter ses théories sur le Logos. Comme les Apologistes, Hippolyte soulignait, et plus audacieusement que saint Justin, la liberté absolue de la génération du Verbe, le Père ne l'exprimant que selon son vouloir. Et notre docteur allait jusqu'à dire : « L'homme n'est ni Dieu, ni ange, qu'on ne s'y trompe pas. Si Dieu avait voulu te faire ange il le pouvait; tu as l'exemple du Logos; ayant voulu te faire homme, il t'a fait ainsi » (*Philos.*, X, 33). Parallèlement, Hippolyte accentuait cette distinction des divers états du Verbe qu'avait accréditée un autre apologiste, Théophile d'Antioche. Dans sa vie évolutive il marquait nettement trois phases : immanence, génération, incarnation. On entrevoit qu'un tel système compromet avec l'éternité des processions divines l'égalité des personnes.

Comment l'orthodoxie pontificale eût-elle suivi Hippolyte dans ses audaces? Le conflit s'envenima. Il passa à l'état aigu quand Calliste succéda à Zéphyrin sur le siège de Pierre. Dans son ambition déçue, Hippolyte fonda une communauté schismatique. Dès lors il censura avec une âpre injustice tous les actes de Calliste. L'écho de ces accusations calomnieuses nous est parvenu dans le IXe livre des *Philosophoumena*, pamphlet sans respect ni sans retenue. Pour échapper au reproche de monarchianisme, Calliste condamna Sabellius, son principal tenant. Mais la passion d'Hippolyte ne désarma point : « A la mort de Zéphyrin, rapporte-t-il, Calliste crut toucher au but de son ambition. Il excommunia Sabellius en reprenant sa doctrine, car il avait peur de moi et sentait le besoin de donner le change aux Églises sur sa propre hétérodoxie. Par ce charlatanisme le misérable fit en son temps bien des conquêtes. Le cœur plein de venin, l'esprit plein d'idées fausses, n'osant plus dire vrai depuis qu'il nous avait traité publiquement de dithéiste, d'ailleurs en butte aux reproches de Sabellius qui l'accusait constamment d'avoir trahi sa première foi, il inventa un nouveau système et ne rougit pas de donner tantôt dans les erreurs de Sabellius, tantôt dans les erreurs de Théodote. A force d'audace, le charlatan se fit une école et enseigna contre l'Église[1] » (*Philos.*, IX, 12).

Hippolyte ne fut pas suivi. « Tout le monde, avoue-t-il, se prêtait à l'hypocrisie de Calliste, mais nous, non; et cela le rendait fou de colère, et il nous appelait dithéiste, vomissant contre nous le venin qu'il avait plein le cœur. » Au fond, Hippolyte représentait une science d'école, de quoi, à juste titre, le bon sens populaire se défiait. Quant à l'orthodoxie officielle, celle de Zéphyrin et de Calliste, elle formulait le dogme, tel quel, avec netteté, mais sans glose savante : expression synthétique de la Tradition. La querelle se poursuivit sous les successeurs de Calliste, Urbain et Pontien. Déporté en Sardaigne par Maximin, celui-ci y retrouva Hippolyte; la souffrance, meilleure conseillère que l'orgueil, les réconcilia.

II. Denys d'Alexandrie et Denys le Romain. — Avec Sabellius que condamna Calliste, le monarchianisme aboutissait à un système plus nuancé où en Jésus-Christ le Fils constituait l'élément visible et humain, le Père l'élément invisible et divin, tous deux d'ailleurs unis étroitement jusqu'à ne former qu'un seul être. Toutefois — trait qui annonce le nestorianisme — l'attribution de la souffrance était réservée à la partie humaine.

Chassé de Rome, le sabellianisme se réfugia en Orient, surtout en Égypte et en Pentapole. La doctrine y était prêchée modifiée : ce n'était plus le Père qui souffrait; ne cesse-t-il pas d'être le Père lorsque s'incarnant, il devient Fils? Ne cesse-t-il pas d'être Fils lorsqu'il apparaît comme Saint-Esprit? Il y avait ainsi pour Dieu, monade simple et indivisible, divers modes successifs d'être (modalisme) : l'unité trinitaire était expliquée.

Denys d'Alexandrie écrivit plusieurs lettres pour réfuter le modalisme. Mais il employa des termes qui, soulignant à l'excès la distinction des personnes et leur hiérarchie, paraissaient compromettre l'unité de nature. Sans plus ample information, certains alexandrins le dénoncèrent à son homonyme le pape Denys. Très prudent, celui-ci écrivit deux lettres, l'une à l'Église d'Alexandrie où, par délicatesse, aucun nom n'était prononcé, l'autre à Denys, lui demandant une franche déclaration : « Je dois m'adresser, disait le Pape, à ceux qui divisent, qui séparent, qui suppriment le dogme le plus vénérable de l'Église, la monarchie, en trois personnes ou hypostases séparées et en trois divinités. Car, j'ai appris que, parmi ceux qui chez vous sont catéchistes et maîtres de la doctrine divine, il en est qui introduisent cette opinion, qui sont, pour ainsi dire, diamétralement opposés à la pensée de Sabellius... Il ne faut

1. Nous empruntons ces traductions des *Philosophoumena* à M. G. Bardy.

donc pas partager en trois divinités l'admirable et divine unité, ni abaisser par l'idée de production, la dignité et la grandeur excellente du Seigneur, mais croire en Dieu, le Père tout puissant, et au Christ Jésus son Fils et au Saint-Esprit, et que le Verbe est uni au Dieu de l'univers. Car il dit : « Moi et mon Père, nous sommes une même chose » et : « Je suis dans le Père et le Père est en moi. » C'est ainsi qu'on assure la Trinité divine, et en même temps la sainte prédication de la monarchie. » Dans cette affirmation tranquille de la doctrine, nulle dissertation, nul déploiement scripturaire, rien qu'une ferme déclaration de foi qui résonne déjà telle qu'à Nicée, mais où cependant le *consubstantiel,* terme nouveau, n'était pas nommé.

Denys d'Alexandrie fit une double réponse, l'une par simple lettre, l'autre en une apologie développée. Il s'y révèle dialecticien : « J'ai déjà réfuté, disait-il, le mensonge qu'on produit contre moi : on m'accuse de nier que le Verbe soit substantiel à Dieu. J'avoue n'avoir rencontré ce nom en aucun passage des Écritures... Mais... j'ai dit positivement que les parents ne sont pas autres que les enfants, sauf qu'ils ne sont pas les enfants eux-mêmes : car il n'y aurait ni parents, ni enfants. J'ai dit que la plante, procédant de la semence ou de la racine, est autre que son principe, mais pourtant de même nature absolument; que le fleuve coulant de la source prend un autre aspect et un autre nom : car la source n'est pas le fleuve, ni le fleuve la source : ils font deux. Or la source est comme le Père, le fleuve est comme l'eau de la source... Ces choses, et d'autres semblables que j'ai écrites, mes adversaires feignent de ne point les voir; ils font les aveugles et ils ont ramassé deux mots qui ne tiennent pas, comme des pierres, pour m'en lapider de loin. »

Simple mise au point ou rétractation, l'explication était franche. Rome n'insista pas. Mais l'incident montre assez combien la matière trinitaire prêtait à discussion; elle laisse entrevoir les luttes qui se livreront durant tout le IVe siècle autour de ce mot que Denys d'Alexandrie n'adoptait pas et qui à Rome ne déplaisait pas : le *consubstantiel.*

LIVRE V

LA QUESTION MORALE

CHAPITRE PREMIER

LES MŒURS CHRÉTIENNES

I. Chasteté conjugale et modestie féminine. — Dans la société chrétienne, la virginité ne fut jamais qu'un conseil et la vie conjugale l'état ordinaire. Déjà, saint Ignace d'Antioche souhaitait « que ceux qui se marient ne contractassent leur union qu'avec l'approbation de l'évêque; car c'est la pensée de Dieu qui doit présider au mariage, et non la passion. » (*Ad Polycarp.*, V.) Un siècle plus tard, Tertullien célèbre cet hymen « dont l'Église serre les nœuds, que l'oblation des prières consacre, que scelle la bénédiction (*obsignat benedictio*), dont les anges sont les témoins pour en porter le message au ciel et le faire rectifier par le Père. » Ainsi le mariage était-il dès lors consacré par l'évêque, et sans doute ce qui avait pu être au début pieux usage tendait-il à devenir loi obligatoire.

Aussi les Pères maintiennent-ils la grandeur de l'état matrimonial, qu'en ces temps héroïques où la virginité était à l'honneur, on eût pu sous-estimer. Tertullien lui-même a décrit avec une émotion communicative le touchant accord des époux chrétiens : « Quel sera donc ce mariage de deux fidèles, unis par la communauté d'espérance, de désir, de discipline, d'obéissance? Frères et serviteurs d'un même maître, ne faisant qu'un par la chair et par l'esprit, pratiquant ensemble prières, prostrations, jeûnes, se soutenant de leurs avis, de leurs exhortations, de leur patience; ensemble à l'église, ensemble à la sainte table, ensemble dans l'épreuve, dans la persécution, dans la joie; incapables de se rien cacher, de se fuir, de s'importuner; libres pour la visite des malades, pour l'assistance des pauvres; sans tourment pour l'aumône, sans inquiétude pour le saint sacrifice, sans obstacle pour la ferveur quotidienne; ignorant les signes de croix furtifs; faisant assaut de psaumes et

Mœurs chrétiennes. — *SOURCES :* Consulter surtout, TERTULLIEN, *de Cultu feminarum, de Exhortatione castitatis, de Monogamia, de Virginibus velandis, de Spectaculis, de Idololatria, de Corona, de Paenitentia, de Pudicitia.* — CYPRIEN, *de Habitu virginum, de Bono pudicitiae, de Spectaculis, Epistolae* (*passim*). — MÉTHODE D'OLYMPE (édit. BONWETSCH, *Corpus Berl.*, t. XXVII). — CLÉMENT D'ALEXANDRIE (édit. O. STOEHLIN). — Nous empruntons nos traductions de Tertullien au P. A. d'Alès, à M. M. P. Monceaux et P. de Labriolle, celles de saint Cyprien à M. M. L. Bayard et P. Monceaux, celles de Clément d'Alexandrie à M. G. Bardy, celles de Méthode d'Olympe à M. G. Farges. — *TRAVAUX :* A. D'ALÈS, *, *La Théologie de Tertullien,* 1905. — P. MONCEAUX, *, *Hist. litt. Afrique chrét.*, t. I. — J. TIXERONT, *Tertullien moraliste*, dans *Mélanges,* p. 117-152. — A. BAUDRILLART, *, *Mœurs chrétiennes, mœurs païennes*, 1929. — G. BARDY, *, *Clément d'Alexandrie* (coll. *Moralistes chrétiens*), 1926. — J. FARGES, *, *Les idées morales et religieuses de Méthode d'Olympe*, 1929. — LALLEMAND, *, *Histoire de la charité,* t. II. — L. GODEFROY, art. *Mariage*, dans *Dict. Theol.* — ORTOLAN, art. *Diaconesses, ibid.* — H. LECLERCQ, art. *Charité, Chasteté, Diaconesses, Esclaves, Femmes,* dans *Dict. Arch.*

d'hymnes, rivalisant à qui chantera mieux les louanges du Seigneur : ravi d'un tel spectacle, le Christ envoie sa paix aux époux chrétiens. Où ils sont tous deux le Christ est aussi ; où est le Christ le démon n'est pas. Voilà le mariage dont parle saint Paul, le seul permis, le seul avantageux aux fidèles. »

Un idéal si élevé requiert de stricts devoirs. La chasteté conjugale exige une délicatesse d'intention et jusqu'à une réserve dans le regard qui l'apparente à la virginité même. C'est ce que nous dévoile Hermas. Voyant sortir du Tibre la belle Rhodé, dont il avait été le serviteur, et qu'il aimait comme une sœur, il se prend à soupirer : « Je serais bien heureux d'avoir une femme de cette beauté et de ce caractère. » Rien qu'une pensée fugitive. Et pourtant, peu après, Rhodé le rencontrant près de ce même fleuve lui reproche avec un sourire « le désir du mal qui est monté dans son cœur » (Vision I, 1, 2, 5). « Je t'ordonne de garder la chasteté, dit encore le Pasteur à Hermas. Ne laisse jamais entrer dans ton cœur la pensée d'une femme étrangère... Souviens-toi toujours de ton épouse, et tu ne t'égareras jamais. »

La chasteté conjugale comporte ses austérités, tout comme la virginité ; elle n'implique pas — à beaucoup près — le libre jeu des passions. « Le Seigneur, dit Clément d'Alexandrie, veut que l'humanité se multiplie, mais il ne veut pas que nous nous adonnions aux voluptés comme si nous étions des bêtes. » Aussi stigmatise-t-il ces femmes qui « usent de médicaments et de maléfices pour faire périr leur fruit, et qui, en le détruisant, se dépouillent de tous les sentiments d'humanité » (*Paedag.*, II, 10, 95-96). « Nous ne contractons mariage que pour avoir des enfants », dit expressément Justin (*Apol.*, I, 29). Au surplus, chez les époux la continence est louable, pratiquée avec humilité et discrétion : « Combien, affirme Tertullien, qui vivent dans la chair sans en user et se font eunuques volontaires pour gagner le royaume du ciel » (*Ad ux.*, II). « Si un fidèle, dit Ignace d'Antioche, pour honorer la chair du Seigneur, peut garder la continence, qu'il la garde, mais sans orgueil. S'il en conçoit de la vanité, il est perdu » (*Ad Polycarp.*, V, 2).

Comment se conserver ainsi sans une grande modestie? Que les femmes évitent donc toute coquetterie. Sur ce point, Tertullien reste un témoin abondant et savoureux, bien qu'un peu outré. D'après lui ce sont les anges déchus « qui pour le malheur propre et particulier des femmes leur ont apporté ces instruments de la gloriole féminine, les pierres étincelantes qu'on entremêle dans les colliers, les cercles d'or dont on serre les bras, les matières colorantes dont on teint la laine, et cette poudre noire dont on teint les cils » (*De cult. femin.*, I, 2). Pourquoi tant se parer si l'on veut rester chaste : « C'est à vos maris seuls que vous devez plaire. Or vous leur plairez d'autant plus que vous vous soucierez moins de plaire aux autres. Rassurez-vous, sœurs bien-aimées, une épouse n'est jamais laide pour son mari. Pour qui donc soignez-vous votre beauté? » (*Ibid.*, II, 4.) Au surplus, la chrétienne ne doit sortir que pour visiter les malades ou se rendre à l'église. Et quand même on dirait : « On voit bien qu'elle s'est convertie, sa mise est plus pauvre », quel mal y aurait-il? Funeste inconséquence si les baptisées qui passent pour des prêtresses de chasteté gardaient un extérieur de courtisane : « Qu'il y ait une différence entre servantes de Dieu et servantes du diable. » Et puis, couvrir la nature de vils déguisements, n'est-ce pas une véritable injure au Créateur? « Les femmes offensent Dieu quand elles cachent leur peau sous le fard, salissent leurs joues avec du rouge, allongent leurs yeux avec du noir. C'est qu'apparemment leur déplaît la plastique de Dieu ; en se modifiant elles-mêmes, elles blâment l'artisan de toutes choses... Sans compter qu'elles empruntent ces artifices à un adversaire, au diable » (*Ibid.*, II, 5).

Qu'elles ne l'oublient pas, d'ailleurs, la honte d'Ève séductrice pèse sur elles, les incitant à pénitence : « La justice de Dieu vit et pèse sur ton sexe en ce siècle-ci : fatalement, le crime vit aussi. C'est toi qui es la porte du diable; c'est toi qui as séduit celui que le diable n'a pas été capable d'attaquer, l'homme! C'est à cause de tes services — la mort tout simplement — que le Fils même de Dieu a dû mourir. Et tu songes à orner de parures ta tunique de peau » (*Ibid.*, II, 8).

Au surplus, en ces temps héroïques où la persécution nous guette à chaque instant il faut être prêt, et Tertullien raille ces femmes trop parées dont la tête offre à peine au bourreau la place de frapper. « Craignez que la torture vous trouve peu aguerries; exercez-vous à une vie plus rude : *meditemur duriora*. Voici les robes du martyre qui s'apprêtent, voici les anges qui viennent chercher vos âmes. Empruntez les parfums et les joyaux des prophètes et des Apôtres, la candeur de la simplicité, le rouge de la pudeur; ornez vos yeux de modestie; vos lèvres de silence, prêtez l'oreille à la parole de Dieu, soumettez votre cou au joug du Christ. Courbez la tête devant vos maris et vous serez assez belles. Occupez vos mains aux ouvrages de laine, fixez vos pieds à la maison, cela vous dispensera de les cercler d'or. Revêtez la soie de la probité, le lin de la sainteté, la pourpre de la chasteté. Ainsi parées, vous aurez Dieu pour amant. » Mêlant toujours l'ironie à ses conseils austères, Tertullien évoque aussi les « grandes assises du jugement dernier ». « Puissé-je, dit-il, moi pauvre malheureux, me hausser au niveau de vos talons, pour voir si vous ressuscitez avec ces tuniques blanches, safran ou pourpre, avec ces coiffures monumentales. » (*Ibid.*, II, 8.)

Les moralistes ne craignaient pas d'ailleurs d'entrer dans le détail, voire le plus menu. Comme s'il écrivait pour nos contemporaines, Clément d'Alexandrie combat les jupes courtes. « Les femmes ne doivent découvrir aucune partie de leur corps, et elles pourraient se servir avec agrément de cette réponse spirituelle que fit l'une d'elles à quelqu'un qui lui disait : « Vous avez un beau bras. — Il n'est pas à tout le monde. — Un visage agréable. — Il est tout pour celui qui m'a épousée. » Pour moi, je ne veux même pas que les femmes honnêtes donnent prétexte à de telles louanges de la part de ceux qui cherchent à les déshonorer en les tentant. Non seulement il ne leur est pas permis de découvrir la cheville de leurs pieds, mais il leur est ordonné de couvrir leur tête et de voiler leur visage. Il n'est pas bien que la beauté du corps soit donnée aux hommes en spectacle. Il n'est non plus raisonnable qu'une femme attire les regards en employant un voile de pourpre. Je voudrais même supprimer complètement la pourpre du vêtement pour ne pas détourner les regards de tous vers celles qui l'emploient. » (*Paedag.*, II, 10, 114-115.)

Dans le traité sur le port du voile, Tertullien s'adresse aux vierges sans doute, mais aussi aux femmes mariées. Il se moque de certaines qui écourtent ce voile, semblables aux autruches qui se croient protégées pour avoir caché leur crâne; pourquoi ne pas prendre plutôt modèle sur les femmes arabes qui ne découvrent qu'un œil, tout juste assez pour se guider? « Je t'en prie, conclut-il, voile ta tête : mère à cause des fils; sœur à cause des frères; fille à cause des pères. Tu fais courir un danger à tous les âges. Revêts l'armure de la pudeur; élève autour de toi le retranchement de la modestie; abrite ton sexe derrière un mur qui ne laisse point échapper tes regards, ni pénétrer ceux d'autrui » (*De virg. vel.*, 16).

Tertullien s'en prend à tous les raffinements de la toilette : robes voyantes, bijoux, fard et vermillon. Voyez le interpeller ces Carthaginoises qui couvrent leur tête d'une coiffure postiche : « Vous vous plantez sur la tête je ne sais quelle masse énorme. N'allez pas prendre la dépouille d'un autre, d'une tête peut-être immonde, peut-être coupable et destinée à l'enfer pour en parer la tête sainte d'une chrétienne. Ou plutôt débarrassez votre tête libre de cet appareil d'esclavage. » (*De cultu fem.*, II, 7). Chez Clément d'Alexandrie, même peinture de ces mondaines qui mettent un temps infini à oindre leur corps, à se farder, qui se maquillent au point de n'oser affronter ni les rigueurs du soleil, ni même la lumière des flambeaux. On pourrait multiplier les citations qui prouveraient avec quelle attention les moralistes se préoccupaient d'affiner la délicatesse conjugale en une société entourée de toutes les séductions païennes.

Il fallait maintenir une grande sévérité. D'où la réelle défaveur jetée alors sur les secondes noces. Sans doute saint Paul les avait-il conseillées aux jeunes veuves plutôt que de s'exposer au péché (I *Timoth.*, V, 4); sans doute, le *Pasteur* d'Hermas y autorise-t-il l'homme : « Mais, en demeurant seul, ajoute-t-il, il s'acquiert auprès du Seigneur plus de considération et plus de gloire. » Dans ses exhortations *A sa femme*, véritable testament spirituel, Tertullien lui conseille de ne se point remarier au cas où elle lui survivrait. Avec quel entrain ne rétorque-t-il pas toutes les excuses des candidates à une seconde union. Faiblesse de la chair, dira-t-on. — Mais est-ce donc une raison pour lui subordonner l'esprit qui est fort? Nécessité d'être consolée et soutenue par un mari. — Mais la Providence ne veille-t-elle pas sur les lis des champs et les oiseaux du ciel? Quant à cette « volupté très amère d'avoir des enfants », quels soucis n'entraîne-t-elle pas? « Heureuses les veuves! Au premier son de la trompette de l'Ange, elles bondiront libres de tout fardeau. » Au surplus, le remariage semble à Tertullien une façon d'infidélité. « Celles qui passent à de secondes noces témoignent qu'elles n'ont véritablement aimé ni celui qu'elles pleurent, ni la chasteté qu'elles ne pleurent pas. » Au contraire, « veuvage accepté pour Dieu vaut presque virginité ». Si Tertullien catholique concède à sa femme les secondes noces avec un chrétien, son traité reste toutefois un plaidoyer pour le veuvage où l'on reconnaît avec sa sévérité personnelle l'empreinte de l'ascétisme ambiant.

II. La virginité. — Les diaconesses. — On conçoit dès lors à quel point la virginité est appréciée. Comme saint Paul, les Pères la louent et en recommandent la pratique. Aux yeux de Tertullien, rien au monde qui soit plus aimable : « Belles aux yeux du Seigneur, toujours jeunes pour lui, les vierges vivent pour lui, s'entretiennent familièrement avec lui. Elles le possèdent jour et nuit, lui font de leurs prières une dot, et reçoivent en échange du divin époux sa grâce pour douaire et l'accomplissement de tous leurs vœux. Telles sur la terre que les anges dans le ciel, elles semblent être dès maintenant entrées en possession du don de Dieu, et participer à la famille des esprits bienheureux. » (*Ad ux.*, IV, V.)

Même enthousiasme chez saint Cyprien. Vers la fin du IIIe siècle, Méthode d'Olympe composera son fameux *Banquet* où il imagine un repas de dix vierges, présidé par Arété, la Vertu, fille de Philosophie, sous les ombrages d'un arbre symbolique, l'Agnus castus, en un jardin enchanteur, accessibles seulement par un chemin malaisé. Les dix vierges prennent tour à tour la parole pour faire l'éloge de la virginité. Il ne lui suffit pas d'être quelque chose de négatif, un simple renoncement, elle tend à l'union au Christ, au mariage mystique, ainsi que le chante l'une d'entre elles, Agathe, paraphrasant le parabole évangélique des dix vierges. « Je suis fiancée au Verbe. J'entre dans le chœur avec le Christ pour guide, dans le ciel, à l'instar du roi sans principe ni fin; je porte le flambeau des clartés abyssales, et j'entonne le cantique nouveau avec la compagnie des Archanges; j'annonce la nouvelle Grâce de l'Église. Allez donc, jeunes recrues des siècles nouveaux, allez remplir vos vases de justice; l'heure est venue du réveil; allez à la rencontre du Fiancé. »

Un tel état suppose une grande élévation morale. Dans sa réponse aux dix vierges, Arété souligne que la virginité est non seulement une vertu particulière, mais le couronnement de toutes les autres. « C'est une dérision, en vérité, de garder vierges les organes de la génération, mais non la langue; ou bien de garder vierge la langue, mais non la vue, l'ouïe et les mains; ou encore de posséder et de garder vierges tous ceux-ci, mais non le cœur, et de prostituer ce dernier à l'orgueil et à la colère. Car il faut absolument que celui qui ne veut pas pécher dans la pratique de la chasteté, garde purs et fermés tous ses membres et tous ses sens, comme aussi les matelots ferment les planches des bateaux : les vagues du péché ne doivent trouver aucun accès à l'intérieur. A un état de vie élevé en effet correspondent aussi de grandes fautes, et le mal est bien plus ennemi de ce qui est vraiment bon que de ce qui n'est pas bon. » (*Banquet,* XI.)

Aussi, de quelles recommandations les Pères anciens entourent-ils les vierges. Avec une insistance hardie Tertullien souligne la nécessité de se voiler. Aux jeunes filles qui, tout en restant dans le monde, se vouaient à Dieu, on rendait alors des honneurs spéciaux. Très entourées, ne devaient-elles pas craindre avec les fumées de l'orgueil les feux de la concupiscence? Dans son traité sur la *Condition des Vierges,* saint Cyprien leur donnera à son tour des conseils variés : ni toilettes mondaines, ni bijoux, ni banquets, ni bains publics. « De libertés en libertés on s'abandonne et l'on en vient à trahir non pas un mari, mais le Christ. »

Certaines vierges contractaient avec des ascètes un mariage spirituel, comportant toute l'intimité conjugale, sauf le commerce charnel. Les *Épîtres de Clément aux Vierges*, placées par Harnack dans les dix premières années du IIIe siècle, nous décrivent déjà ces « subintroduites » (*subintroductae*) qui habitent même maison avec des ascètes, partagent même chambre, voyagent avec eux. On comprend à quel point pareil usage était périlleux, si éthérés que parussent les motifs de spiritualité allégués. A vrai dire, l'émulation qui anima alors les meilleures âmes n'échappait pas toujours à un raffinement exagéré, à une certaine morbidesse. Cet épisode nous en donne déjà l'impression où Hermas est reçu par douze vierges qui lui font fête, et jouent avec lui. A la fois virginal et nuptial — en réalité tout virginal aux yeux d'Hermas — ce symbolisme ne laisse pas d'être quelque peu troublant.

Mais il était fatal que plusieurs des subintroduites ne s'en tinssent pas au symbolisme. Certain évêque Pomponius dénoncera à saint Cyprien des vierges qui cohabitent avec des hommes, tout en protestant qu'elles gardent leur virginité. Pareilles pratiques semblent à Cyprien intolérables : « Tout à la fois la faiblesse de ce sexe et la fragilité de cet âge nous imposent le devoir de les tenir avec des guides, pour que le diable qui est en embuscade, et qui ne demande qu'à exercer ses ravages, ne trouve pas l'occasion de nuire » (*Epist.*, IV). Qu'on se livre donc à une enquêtre minutieuse; si elle tourne en leur faveur, on les acceptera à la communion; mais qu'il soit bien entendu qu'en cas de récidive les peines seront sévères. Les Pères ne cesseront de protester contre cette « continence criminelle », contre cette « chasteté infâme », « gageure sournoise » qui ne peut aboutir qu'à une défaite. Tous les prétextes invoqués — et même les plus saints — seront rétorqués par eux.

Le canon 13 du concile d'Elvire poursuivra, au début du IVe siècle, les vierges consacrées infidèles à leurs voeux; qu'elles fassent pénitence, et elles seront réconciliées au moment de la mort; sinon, jamais. D'une portée toute locale, pareil canon n'en accrédite pas moins l'idée qu'au IIIe siècle l'état de virginité supposait des vœux stricts obligatoires dont la violation était un adultère envers le Christ.

L'Église regardait l'état de viduité comme une sorte de virginité automnale. Parmi les veuves monogames ou même les vierges d'élite, le clergé choisissait les diaconesses qui recevaient une consécration et appartenaient au personnel ecclésiastique. Exercer la présidence sur les autres vierges et veuves, leur assigner une place à la synaxe, instruire les catéchumènes, assister l'évêque pour le baptême en faisant les onctions autres que celles du front et en aidant les baptisées à entrer et sortir de la piscine, telles étaient leurs principales attributions d'église. Ajoutez tout un ministère extérieur de charité : secours aux pauvres, en cas de persécution visite des confesseurs dans les prisons, service de liaison entre le clergé et les fidèles appartenant à une maison païenne, bref ces diverses obédiences de souplesse, d'habileté et de délicatesse auxquelles la main et le cœur des femmes sont plus aptes que les nôtres.

Si respectées qu'elles fussent, même consacrées par une imposition des mains, les diaconesses n'avaient pas accès à la hiérarchie. Tout rôle cultuel leur restait strictement interdit. La *Didascalie*, témoin des usages palestiniens et syriens au IIIe siècle, leur interdit de baptiser, rappelant que « s'il était permis de l'être par une femme, Notre-Seigneur l'aurait été par Marie, sa mère, tandis qu'il le fut par saint Jean ». On ne leur concédait pas davantage la prédication. L'Église faisait siennes les paroles de Tertullien recommandant la *taciturnitas* aux coquettes fardées : « Peignez vos yeux de réserve et vos lèvres de silence. »

III. Les devoirs sociaux. Le sort de l'esclave. — Le christianisme n'est pas seulement perfection individuelle, mais charité sociale. Presque ignorée des païens, cette vertu fut pratiquée par les communautés. Selon saint Justin, à l'office du dimanche, « chaque assistant participe aux dons consacrés que les diacres vont porter aux absents. On fait une quête à laquelle contribuent tous ceux qui en ont le désir et les moyens. Cette collecte est remise au chef de l'assemblée qui vient au secours des veuves et des orphelins, des pauvres et des malades, des prisonniers et des étrangers; en un mot qui prend soin de tous les indigents » (I *Apol.*, 67). A ces quêtes hebdomadaires s'ajoutait une offrande mensuelle facultative; enfin des dons volontaires. Ainsi se constituait une caisse commune.

En tout cela, d'ailleurs, nulle contrainte. « Nos riches, dit Justin, donnent quand ils veulent et ce qu'ils veulent. » « Chacun, observe encore Tertullien, présente son offrande mensuelle quand il le veut, s'il le veut et s'il le peut. » Cependant, à cette époque fervente où le martyre guette sans cesse les fidèles, les dispositions de générosité sont ordinaires. Combien n'hésitent pas à prélever sur leur pauvreté pour assister les plus humbles, selon que le dévoile cette phrase d'Aristide : « Se rencontre-t-il parmi les frères un homme dans le besoin, et n'ont-ils pas d'abondantes ressources, ils jeûnent un jour ou deux, afin de pouvoir procurer à l'indigent la nourriture nécessaire. »

La persécution disloquait souvent les familles, mettant veuves et orphelins en des situations navrantes, soit que le père fût en prison, soit que — les biens confisqués — il ne restât plus en partage aux survivants que la misère. La charité privée s'ingéniait. Sans père ni fortune, Origène est recueilli par une pieuse femme, de même que le nouveau né de la martyre élicité. « Quand un enfant chrétien est privé de ses parents, disait déjà saint Justin, c'est une bonne œuvre si un frère sans descendants l'adopte sien. » Au surplus, la communauté inscrit sur sa matricule les veuves pauvres ou malades qui ont dépassé la soixantaine.

Une piété plus spéciale portait à visiter les confesseurs incarcérés. Prêtres et diacres, diaconesses et saintes femmes s'introduisaient souvent à prix d'argent dans les cachots, baisant avec respect les chaînes des futurs martyrs, leur procurant avec les vivres nécessaires le saint viatique. Bien des traits seraient à citer : rien de plus touchant, par exemple, que ce diacre apportant chaque jour à sainte Perpétue son enfantelet pour qu'elle l'allaite. Telle est l'ardeur de tous que saint Cyprien devra recommander à son peuple prudence et circonspection.

Aux chrétiens condamnés aux mines et aux carrières, les communautés envoient aussi des subsides qu'elles confient aux diacres et aux acolytes. Entre toutes se signale l'Église romaine « présidente de la charité ». Les pauvres de la capitale sont légion; en 251, les listes de la communauté comptent plus de 1.500 veuves et indigents assistés. Sa munificence n'en rayonne pas moins au loin. Vers le milieu du IIIe siècle, par exemple, elle porte secours à l'Église de Césarée, ravagée par les Goths et les Borans : geste d'autant plus méritoire que l'évêque Firmilien s'est prononcé récemment avec vigueur contre le pape dans l'affaire du baptême des hérétiques. Durant la persécution dioclétienne, elle enverra ses offrandes jusqu'aux forçats des mines d'Égypte et d'Asie.

Aux heures critiques, la charité chrétienne contraste singulièrement avec l'indifférence païenne. Quel beau spectacle nous offrira la Carthage de saint Cyprien. Quand les tribus nomades opérèrent sur les frontières africaines une terrible razzia, les évêques numides se tournèrent vers le primat de Carthage pour qu'il contribuât au rachat des captifs. Cyprien obtint de son peuple cent mille sesterces qu'il se hâta de leur envoyer. « C'est le Christ, leur écrivit-il, que nous contemplons dans nos frères captifs : il nous a rachetés par son sang de l'esclavage du démon : à nous de le racheter par notre or des mains des Barbares. Nous devons faire pour les autres ce que nous voudrions qu'on fît pour nous-mêmes si nous tombions en captivité. Quel père, quel époux ne doit trembler en songeant à ces fils envoyés au loin, à ces épouses dont l'honneur est en péril? Et qui de nous ne serait ému de tant de vierges qui ont moins à craindre les fers des Barbares que les hontes dont elles sont menacées. » (*Epist.*, 62.)

En 252, une peste terrible éclata à Carthage faisant d'innombrables victimes. Les païens ne songeaient qu'à fuir, sauf les bandits qui dans cette anarchie pillaient les maisons et assassinaient en plein forum. Aussitôt Cyprien convia ses fidèles à l'héroïsme : ils devaient secourir leurs frères sans doute, mais aussi « le publicain et le païen ». Pareils conseils furent suivis à la lettre. « On se distribua les rôles selon les facultés et la position de chacun, dit Pontius, biographe de Cyprien. Beaucoup, trop pauvres pour contribuer de leur argent, offrirent leur travail, mille fois plus précieux que toutes les richesses. Les secours affluèrent, non seulement sur les indigents et les malades de l'Église, mais sur tous sans distinction. On surpassa la piété de Tobie qui ne procurait la sépulture qu'à ceux de sa race et de sa religion. » (*Vita Cypriani*, 10.) Grégoire le Thaumaturge à Césarée, Denys à Alexandrie excitaient leur peuple au même dévouement.

Comment cette abnégation n'eût-elle pas ému l'égoïsme des Romains. Dans son traité *de la Mortalité*, après avoir énuméré les bienfaits moraux d'un tel fléau, Cyprien ajoute : « Les païens sont contraints à croire. » Pour eux, le spectacle était d'autant plus frappant que cette Église souffrait persécution : les mêmes qui criaient « Les chrétiens aux lions! » recevaient, frappés de la peste, les secours des fidèles.

L'Église se préoccupe aussi des esclaves. Sans doute ne prétend-elle pas opérer une révolution sociale. « Que chacun reste, dit saint Paul, dans l'état où il était avant l'appel à la foi » (I *Cor.*, VII, 20-24). Mais cette révolution s'opère avec éclat dans le domaine spirituel où est proclamée l'égalité spirituelle : même baptême, même eucharistie, tous frères par le Christ. Aux agapes célébrées dans les maisons particulières ou près du tombeau d'un martyr, patriciens, affranchis et esclaves se coudoient. L'esclave peut arriver au sacerdoce, à l'épiscopat. Il s'élève parfois aussi jusqu'au martyre, et du même coup conquiert l'affranchissement suprême : voici Blandine à côté de l'évêque Pothin, la plébéienne Félicité partageant la gloire avec la matrone Perpétue. Et cette égalité se prolonge jusque dans la tombe : nulle mention des conditions sociales sur les épitaphes catacombales; même intitulé bref, modeste et si émouvant. On voit ces riches chrétiens renonçant à figurer pompeusement auprès de leurs parents et amis pour s'aligner auprès de médiocres inconnus.

Les rapports se détendent entre maîtres et esclaves : à la loi de crainte succède la loi d'amour si bien que saint Ignace met déjà en garde les serviteurs contre l'orgueil que pourraient engendrer des rapports si nouveaux : « Au contraire qu'ils s'appliquent à leur service avec encore plus de zèle pour la gloire de Dieu. Qu'ils ne soient pas trop impatients d'être affranchis aux frais de la communauté : ce serait se montrer esclaves de leurs désirs. » (*Ad Polyc.*, IV, 3.)

C'était aussi un singulier relèvement moral pour l'esclave que la valeur plénière et l'indissolubilité reconnues à son mariage. Les *Constitutions apostoliques* préciseront que « si le maître chrétien sachant que son esclave vit dans le désordre ne lui donne pas une femme, si de même il ne donne pas un mari à la femme esclave, on doit l'excommunier » (VIII, 32).

N'idéalisons pas cependant outre mesure. Ici, comme en matière de mœurs, la société antique ne fut pas tirée soudain du bourbier. Un canon du concile d'Elvire (300) laisse entrevoir à quels excès pouvait encore se porter le naturel antique : « Si une femme, dit-il, dans un moment de colère frappe sa servante avec des étrivières et que celle-ci meurt dans les trois jours, il faut voir si c'est intentionnellement ou accidentellement qu'elle a procuré la mort. » (Canon 9.) L'Église veille et peu à peu forme les âmes à la charité par menaces spirituelles sans doute, mais davantage par persuasion et par l'effet de la grâce.

CHAPITRE II

LES RAPPORTS AVEC LE MONDE PAÏEN

I. Les incompatibilités : mariage et spectacles. — Du fait qu'ils coudoyaient à chaque instant le paganisme, plusieurs cas de conscience très délicats se posaient aux fidèles.

Dans une famille païenne, quelque membre devenait-il chrétien, aussitôt c'était la guerre à outrance. Quel scandale, en effet, que l'abandon du culte traditionnel et quelle trahison envers la patrie romaine. Au surplus, cette conversion n'allait-elle pas rendre suspects tous les parents du transfuge, les exposer à la perte des biens et dignités? Qu'on se souvienne de Pomponia Graecina qui, inculpée de superstition étrangère, fut sans doute déclarée innocente par le jugement de son mari, mais qui resta sous le poids de l'accusation, vêtue de noir et traînant une vie misérable. Qu'on se rappelle la matrone Vibia Perpetua que son père supplie d'avoir pitié de ses cheveux blancs, ou encore de cette femme débauchée qui, devenue chrétienne et chaste, est dénoncée par son mari (II *Apol.*, III). « Je connais, dit Tertullien comme pour illustrer ce drame, je connais un mari si dévoré de jalousie que le moindre bruit dans sa chambre le jetait dans des soupçons violents. Tout changea : car sa femme, jusqu'alors trop libre et trop légère, cessa de quitter son foyer; elle s'était convertie. Mais l'homme lui offrit alors de tout supporter d'elle et de fermer les yeux sur sa conduite, si elle voulait renoncer au Christ : la chrétienne lui semblait plus odieuse que la débauchée. Un père déshérita son fils qui, lui aussi, devenu chrétien, avait dès ce moment cessé de le mécontenter par ses désordres. Un maître punit son esclave, précieux pour les services qu'il rendait, mais coupable d'avoir abandonné le vieux culte. » (*Ad nat.*, I, IV.)

Il y avait donc incompatibilité entre un conjoint chrétien et l'autre païen : d'où le discrédit jeté sur les mariages mixtes. Sans doute, pour sauvegarder l'intérêt spirituel de l'enfant et l'influence de la partie fidèle sur l'infidèle, saint Paul avait-il interdit la séparation; mais il semble qu'il s'agissait là d'époux païens dont l'un serait devenu chrétien après l'union, non pas d'un mariage mixte proprement dit. Au surplus, en édictant le privilège d'après quoi le membre devenu catholique pouvait reprendre sa liberté si l'autre refusait de vivre pacifiquement, l'Apôtre soulignait assez combien ces sortes d'alliances exposaient aux mésententes profondes.

Avec sa vigueur accoutumée, Tertullien combat les mariages mixtes. Il souligne quelle situation lamentable sera réservée à la chrétienne obligée de vivre parmi les pratiques superstitieuses, de s'associer aux cérémonies païennes, d'entendre des propos obscènes. Rien qui lui parle de Dieu, partout les embûches du démon. Comment d'ailleurs pratiquer sa religion sans se heurter à son mari, sans encourir ses soupçons : « Elle ne peut se conformer à la discipline du Seigneur ayant à ses côtés un serviteur du diable. Si c'est un jour de station, son mari dès l'aube lui parle de bains. Si elle doit observer un jeûne, c'est ce jour-là que son mari offre un festin. Si elle doit sortir, elle est retenue plus que jamais par les soins du ménage. En effet, qui permettrait à sa femme d'aller de rue en rue pour visiter des frères, d'entrer chez des étrangers, dans les plus pauvres masures... Et pour ce banquet du Seigneur, tant calomnié, qui la laissera partir sans soupçon? Souffrira-t-on qu'elle se glisse dans une prison pour embrasser les liens d'un martyr? ou qu'elle donne à l'un des frères le baiser de paix? » (*Ad uxor.*, II, 4.) Vie impossible, sans autre issue que le retour au paganisme, l'apostasie.

Et pourtant, nombre de chrétiennes se résignent à pareilles unions. Tertullien découvre à nu le jeu de ces grandes dames converties qui convolent avec un païen par pur amour du luxe et de la gloriole. « La plus grande part de ces scandales, dit-il, nous vient de femmes riches. Plus d'une, orgueilleuse de sa fortune et de son nom, veut une maison splendide où son luxe puisse se déployer. Il est peu de riches parmi nous, et s'il en est, peu qui ne soient mariés. Que feront donc ces femmes? Elles demanderont au diable un époux qui puisse leur donner des litières, des mules, de gigantesques coiffures arabes. Une chrétienne rougit de s'unir à un chrétien sans fortune et de s'enrichir ainsi d'une sainte pauvreté. » (*Ad uxor.*, II, 8.)

Ici comme partout, le rigoriste Tertullien a plaidé coupable, sans admettre aucune circonstance atténuante. Il se garde de souligner que l'État, lui aussi, réprouvait les mariages mixtes, c'est-à-dire les mésalliances qui unissaient personnes de rang sénatorial avec d'autres : pour une patricienne, épouser un chrétien pauvre, c'était donc abandonner le titre si honoré de clarissime. Se donner à un païen ou déchoir à jamais, voilà souvent le cruel dilemme.

Ne pourrait-on cependant épouser en cachette quelque esclave ou quelque affranchi : union sans réalité légale et donc sans conséquences sociales? Par une décision « à la fois miséricordieuse et hardie », le pape Calliste autorisa ce stratagème matrimonial ; pareils hymens seraient nuls au for civil, valides au for ecclésiastique. Une inscription de la catacombe de Domitille nous révèle un mariage ainsi contracté par une descendante des Flaviens avec un homme sans condition. Les ennemis de Calliste exploiteront contre lui cette concession : le Philosophouméniste en signalera avec âpreté certaines conséquences. « Là-dessus, dira-t-il, on a vu des femmes soi-disant fidèles employer toutes sortes de moyens pour faire périr avant terme l'enfant qu'elles avaient conçu soit d'un esclave, soit d'un mari indigne d'elles ; leur rang et leur fortune voulaient cela. Ainsi Calliste a-t-il enseigné du même coup le concubinage et l'infanticide. » Sans doute ces crimes ont-ils pu être commis, mais la condescendance de Calliste n'en reste pas moins fort sage, très appropriée à une situation difficile, telle d'ailleurs que l'Église et l'opinion la consacreront sous le nom de « mariage de conscience » et « mariage morganatique ».

Intransigeante, l'Église l'était encore partout où le contact avec le paganisme constituerait une véritable souillure morale. Ainsi s'inscrivait-elle contre les jeux et les spectacles, si importants dans la vie des Romains que sous Marc-Aurèle on comptait 135 jours de fête par an. Sans doute, plus ou moins sournoisement approuvée par les chrétiens relâchés, la sophistique païenne insinuait-elle que la religion n'avait rien à voir avec les spectacles, qu'y assister était de bon ton, politesse envers ses concitoyens. « Le soleil, disait-on, bien mieux

Dieu lui-même contemple cela du haut du ciel et n'en est pas troublé. » « Dieu, remarquait-on encore, est l'auteur de toutes choses. N'est-ce pas lui qui a fait le marbre des édifices, les bêtes mêmes qu'on fait paraître dans l'arêne? » Les chrétiens allaient-ils s'isoler complètement du monde? Ils passeraient pour des rabat-joie et des empêcheurs de danser en rond. Sans se mêler à la société, à quelle influence prétendre?

A pareils sophismes, Tertullien répondit dans son traité *des Spectacles*. Il montre bien que les représentations publiques sont à la fois impiété, immoralité et cruauté. Données en l'honneur des dieux, agrémentées de pratiques idolâtriques, elles empruntent toutes leurs données à la mythologie. De plus, elles sont « le consistoire de l'impudeur ». Aventures scabreuses, scènes orgiaques et sanguinaires, voilà tout ce qu'on y trouve. Et si d'aventure se glisse quelque scène anodine, c'est le miel dont le démon parfume la coupe empoisonnée. Au surplus, quelle promiscuité malsaine : on va là pour voir et être vu. Interpellé par un exorciste qui voulait délivrer une chrétienne revenue possédée du spectacle, le diable put répondre : « Je l'ai trouvée sur mon domaine. »

Avec la même vigueur, saint Cyprien s'attaquera à ces réunions mondaines : « Qu'y voit-on? On y était entré pur, on les quitte criminel. Vous avez beau rester vierge de corps et d'intention ! La pureté de vos regards, de vos oreilles, de votre langage n'est pas restée sans atteinte. Vous n'arrêtez sur personne d'impudiques regards, mais vous en êtes l'objet. Vous ne souillez point vos yeux de criminels désirs, toujours êtes vous coupable de ceux que vous enflammez. Voilà la source de tant de naufrages. »

Les bains publics auxquels étaient annexés salles de repos, bibliothèques, musées, stades, temples, et où tout le monde se rendait, ne devaient être fréquentés qu'avec discrétion ; nulle matrone ne pourrait, comme les païennes, faire sa toilette devant quelque personne de l'autre sexe, fût-ce son esclave. Tout cependant n'était point interdit, du moins par tous. Tandis que Tertullien estimait diaboliques tous exercices athlétiques, Clément d'Alexandrie les recommandait aux jeunes gens : « Ils sont, dit-il, très utiles pour leur santé ; ils inspirent le zèle et l'émulation ; et ainsi ils ne font pas seulement du bien au corps mais à l'âme » (*Paedag.*, III, 10).

II. Les contacts nécessaires. — Bon gré mal gré, les fidèles vivaient au sein de la société païenne. Pouvaient-ils partout et toujours lui tourner le dos systématiquement. Loyalisme, respect des institutions établies étaient chez eux des sentiments vrais. Mais, pour les exprimer, suffisait-il qu'on ne complotât pas contre l'Empire, ou même qu'on acquittât scrupuleusement l'impôt? « Rien ne sert de dire qu'on est un bon citoyen, observe Renan, parce qu'on a payé ses contributions, qu'on est aumônieux, rangé, quand on est en réalité citoyen du ciel et qu'on ne tient la patrie terrestre que pour une prison où l'on est enchaîné côte à côte avec des misérables... Quand une société d'hommes, ajoute-t-il, devient dans l'État une république à part, fût-elle composée d'anges, elle est un fléau. »

En réalité, les chrétiens ne s'exilèrent pas ainsi. Le reproche souvent ressassé est faux qui les représente de nul rapport pour la société (*infructuosi in negocitiis*). Tertullien lui-même affirme qu'ils ne sont ni des brahmes, ni des gymnosophistes hindous, ni des sauvages habitant les bois. « Nous ne nous séparons pas du monde ; marins, laboureurs, acheteurs, gens d'art et de métier, nous vivons comme vous et de notre commerce avec vous ; l'excès, l'abus, voilà seulement ce que nous fuyons. » Et ailleurs : « Nous remplissons les municipes, les tribus, le palais, le sénat. » (*Apol.*, 37.)

Beaucoup acceptaient des emplois publics. Sans doute comportaient-ils la présence à des cérémonies païennes. Mais, en pratique, une large casuistique y voyait pur allégorisme patriotique, et pourvu qu'on se contentât d'une assistance passive, la foi restait sauve. D'ailleurs, sauf aux époques de crise, les Romains évitaient à l'ordinaire un zèle qui très vite serait devenu persécuteur. Que de nombreux fidèles aient ainsi transigé en toute loyauté religieuse, l'édit de Valérien l'atteste qui vise surtout les dignitaires de l'Empire. Ne voit-on pas sous Dioclétien une ville livrée aux flammes parce que tout entière chrétienne, y compris duumvirs et décurions.

De même, si pour échapper à l'enseignement public on annexa bientôt aux leçons catéchétiques un cycle d'études profanes, nul doute que beaucoup d'enfants n'aient suivi les écoles païennes. Il ne semble pas d'ailleurs que les maîtres convertis aient délaissé leur profession ; on connaît le nom de plusieurs d'entre eux, tels que Gorgon, instituteur primaire enterré dans la catacombe de Calliste, Cassien, maître d'école martyr à Imola, Flavien, professeur de grammaire en Afrique, etc.

Si l'on permettait d'accéder à ces carrières, à fortiori aux divers métiers. Le commerce fut toujours pratiqué par les fidèles. Saint Cyprien et le concile d'Elvire ne condamnent que les abus commis sur ce point par certains clercs. Seules quelques professions étaient interdites, soit qu'elles fussent réputées infâmes comme celles d'acteur, danseur, gladiateur, histrion, cocher de cirque, soit encore qu'elles constituassent un hommage spécifique aux idoles comme celles d'orfèvre et de sculpteur.

III. Les zelanti. Tertullien. — Sage et accommodé aux circonstances, pareil *modus vivendi* n'était pas admis des zelanti qui eussent voulu faire tout plier devant les principes, la société chrétienne dût-elle s'isoler absolument et périr faute de recrutement et par le martyre. Leur chef de file est Tertullien.

Nul contact, même lointain, avec le paganisme : autant toucher le diable du doigt ou le voir de ses propres yeux. Défense absolue de participer en quelque manière aux fêtes païennes. Tertullien s'inscrit, par exemple, contre ces fidèles qui ornent leurs portes de lanternes et de lauriers. N'est-ce pas là un hommage idolâtrique aux génies de la porte, hommage qui offense Dieu bien plutôt qu'il n'honore César? Autant transformer sa maison en temple ou en mauvais lieu. « Oh ! combien le paganisme est plus conséquent, s'écrie-t-il. Il s'isole de toutes nos fêtes ; on ne voit aucun de ses partisans s'unir à nous dans la célébration de nos solennités du Dimanche ; ils auraient peur de passer pour chrétiens, et nous, nous ne craignons pas que l'on nous confonde avec les païens. » (*De idol.*, XVIII.)

Tertullien réprouve aussi l'accession aux carrières publiques. Ne comportent-elles pas certaines concessions à l'idolâtrie? « Que quelqu'un, dit-il, exerce — je le veux bien — des fonctions de l'État, mais sans sacrifier, sans fournir des victimes, sans pourvoir à l'entretien des temples, sans en assurer les revenus, sans donner à ses frais, ni à ceux du public, des spectacles et sans y présider, je le veux bien, si l'on croit la chose possible. » Sans doute, mais à l'insistance de ces énumérations, on sent bien que, lui Tertullien, trouve la gageure irréalisable. Aussi bien — argument moral irrésistible — à ses yeux honneurs et pourpre constituent une pompe diabolique et comme la liturgie du Très-Bas. Que le chrétien n'ambitionne donc que la gloire céleste !

Nulle échappatoire. Pour toute objection, Tertullien a la réplique, pour tout subterfuge, l'anathème. Si, par exemple, dans un contrat commercial le chrétien garde le silence et se contente d'un serment écrit, en se disant : « Le Seigneur a défendu tout serment, et j'obéis : écrire n'est pas parler », voilà qu'aussitôt éclate l'indignation de Tertullien : « Tu as, dit-il, rendu, en ne protestant pas, un hommage aux dieux des nations. Quand viendra le jugement suprême, les anges accusateurs produiront devant le tribunal céleste ton contrat marqué de leurs sceaux » (*De idol.*, XV). « Mais, diront tous ces sans travail, pourrons-nous renoncer à notre gagne-pain? » Pareil argument ne gêne guère Tertullien : « Il est trop tard, réplique-t-il, pour venir parler ainsi. » Et, sans sourciller, il évoque lis des champs et oiseaux du ciel. « La foi ne craint pas de mourir de faim; la faim n'est qu'une mort comme une autre, et toute espèce de mort doit être bravée pour Jésus-Christ » (*Ibid.*, XII). Charmante perspective, mais sera-t-elle du goût de tous? A de telles phrases, on voit que Tertullien ignore totalement cette discrétion, mère de toutes les vertus, qui est bien romaine, mais beaucoup moins africaine à l'ordinaire.

Sur un point spécial, le conflit entre modérés et intransigeants revêtit un singulier éclat : la question du service militaire. Ici encore, l'Église s'était accommodée aux circonstances. Elle pouvait s'autoriser d'une sorte de tradition apostolique. Du centurion établi à Capharnaüm Jésus n'avait-il pas dit : « Je n'ai pas trouvé une si grande foi dans tout Israël »? N'était-ce point par le baptême du centurion Corneille que saint Pierre avait inauguré son apostolat auprès de la gentilité? Saint Paul, d'ailleurs, n'avait-il pas assuré que chacun devait garder sa profession? Enfin, saint Clément n'offrait-il pas en modèle aux chrétiens la discipline des camps?

Aussi les chrétiens furent-ils nombreux dans l'armée. Qu'on épilogue tant qu'on voudra sur le miracle de la Légion fulminante; mais, un fait ressort indubitable : c'est qu'elle contenait beaucoup de chrétiens. Une vingtaine d'années plus tard, Tertullien dit aux païens : « Nous remplissons les camps... Nous sommes soldats comme vous. » Les persécutions de Dèce et de Valérien révèlent cet envahissement de l'armée : comme un fidèle soumis à la torture paraît défaillir, les gardes l'exhortent par gestes; interrogés, tous s'avouent chrétiens. La persécution de Galère commencera par l'armée où il estime en péril le culte officiel.

Et pourtant, sauf durant cette dernière persécution, il y eut peu de soldats martyrs, surtout si l'on considère que beaucoup tels que Georges, Théodore, Procope, Démétrius sont de faux militaires appartenant à la littérature légendaire. C'est que, le plus souvent, les chefs fermaient les yeux : sans doute, les soldats devaient-ils assister aux sacrifices, mais sans y prendre part. D'aucuns laissaient même la propagande religieuse s'exercer librement. A cette tolérance païenne correspondait la largeur des évêques. Quelle victoire d'ailleurs si le christianisme s'infiltrait dans l'armée et parvenait à y dominer. C'est ainsi qu'à la même époque le mithriacisme se rendait redoutable, et un jour viendra où, par les légions de Constantin, commencera la reconnaissance officielle du christianisme.

Quelques irréductibles ne voulaient voir ni prévoir tout cela. Ils alléguaient le texte évangélique : « Tous ceux qui auront pris l'épée, périront par l'épée. » Ils remarquaient aussi qu'en assistant aux sacrifices, les soldats semblaient s'y associer. Parmi les *zelanti*, on peut citer Origène qui n'avait pas l'esprit tout à fait pondéré, et avant lui Tatien qui, lui, ne l'avait en aucune manière. Mais « le grand docteur de l'intransigeance antimilitariste » fut Tertullien.

Son zèle turbulent eut l'occasion de se montrer avec éclat. A l'avènement de Caracalla (311), un *donativum* ou gratification fut accordé à l'armée de Lambèse. Chaque légionnaire se présentait couronné de lauriers. Cependant, l'un d'eux paraît tête nue. Pourquoi cette attitude? « Je suis chrétien », répond-il. Aussitôt, on lui enlève épée et insignes. « Et maintenant, s'écrie Tertullien enthousiaste, empourpré par l'espoir de son sang, ayant aux pieds la chaussure de l'Évangile, au flanc le glaive de la parole divine, sur toute sa personne l'armure dont parle l'Apôtre, devenu candidat à la couronne du martyre, il attend en prison le *donativum* du Christ. » (*De cor.*, I.)

Cependant, l'opinion chrétienne protestait : acte téméraire, disait-elle, provocation folle qui pourrait compromettre la paix. Dans son *de Corona* Tertullien, déjà montaniste, s'inscrit avec fureur contre ces catholiques paisibles : « Je connais leurs pasteurs, lions en temps de paix, cerfs dans la bataille. De tout l'Évangile ils n'ont retenu qu'un seul mot : Fuyez de ville en ville. » Paraître couronné devant les autels des dieux, n'est-ce pas s'associer à une cérémonie païenne? « Le chrétien aura beau se taire, sa tête couronnée parle pour lui. » Et atteignant le fond du débat, notre fougueux pamphlétaire affirme l'incompatibilité radicale du métier militaire avec la profession chrétienne. « Croirons-nous qu'il soit permis d'ajouter au serment fait à Dieu le serment fait à un homme et, après s'être engagé envers le Christ, de s'engager à un autre maître... Faudra-t-il qu'il inflige les chaînes, la prison, la torture et les supplices celui qui ne doit pas même venger ses propres injures? Veillera-t-il à la garde des temples auxquels il a renoncé?... Ceux qu'il a chassés le jour par ses exorcismes les défendra-t-il pendant la nuit, appuyé et reposant sur la lance qui a percé le flanc du Christ? Portera-t-il aussi l'étendard rival de celui du Christ? Le chrétien, quelle que soit sa condition, n'est rien autre chose que chrétien » (*nusquam christianus aliud est*) (ch. XI).

En 295, au camp de Théveste en Numidie (toujours l'Afrique!), le conscrit Maximilien renouvellera le geste du soldat de Lambèse. « Le service où la mort, lui dit le Proconsul. — Je ne sers pas, répondit-il; coupez-moi la tête; je ne sers pas dans le siècle, je sers mon Dieu. » Après Tertullien, Lactance s'inscrira alors contre la carrière militaire, moins pourtant à cause de l'idolâtrie que par horreur du sang versé : « Il n'y a pas la moindre exception au précepte divin, déclare-t-il; tuer un homme est toujours un acte immoral. »

Malgré l'éclat de ces protestations, les chrétiens accédèrent en nombre à l'armée. Si Tertullien exagérait sans doute lorsqu'il s'écriait : « Nous emplissons vos camps », un siècle plus tard son exclamation devenait toute vraie. « Quelle révolution dans les idées romaines au début du IVe siècle! Et cette révolution, qu'on veuille bien le remarquer, s'accomplit par l'armée; c'est par l'armée que la reconnaissance officielle de la religion chrétienne a commencé; c'est par elle que cette reconnaissance s'étendra à tout l'empire » (E. Vacandard).

Vers la fin du IIIe siècle, les prescriptions du concile espagnol d'Elvire (Illiberis, c'est-à-dire Grenade), indiquent jusqu'où l'Église entend concéder le contact païen. Les flamines étaient les prêtres du culte municipal ou provincial de Rome, culte qui peu à peu devint plus politique que religieux. Sans doute devaient-ils présider les sacrifices en l'honneur de l'empereur et donner des jeux à la foule; en pratique, pourvu que le peuple s'amusât bien, il ne se souciait guère du reste. Aussi, certains chrétiens se hasardèrent-ils à accepter le flaminat, non certes à titre de sacerdoce païen, mais comme une distinction très en vue, telle qu'aujourd'hui chevalier, commandeur ou grand croix de divers ordres. Conscients de la situation, les Pères d'Elvire n'interdirent pas en soi le flaminat : qu'un fidèle y accédât sans concessions au paganisme, aucune peine ne l'atteignait. Par contre, s'il consentait à sacrifier, le flamine chrétien était exclu de l'Église sans espoir d'y rentrer. D'autre part, plutôt que d'offrir à ses concitoyens des réjouissances honnêtes ou quelque travail d'utilité publique, si — cédant à la vanité de paraître — il donnait des jeux et des combats de gladiateurs, il serait excommunié jusqu'à l'article de la mort. Ces pénalités motivées n'empêchaient pas qu'en soi le flaminat restait accessible aux chrétiens. De même, le duumvirat et autres charges municipales sous la seul condition de ne pas assister aux réunions chrétiennes pendant la durée du mandat. Quels rugissements eût poussé jadis le lion de Numidie s'il eût vu édicter pareilles concessions.

CHAPITRE III

L'HÉTÉRODOXIE MORALE

I. Rigorisme sacramentel. — On serait tenté d'envisager l'Église des persécutions comme une société d'élite où les défaillances n'existaient pas, et où, dans l'espoir ardent de rendre au Seigneur le témoignage du sang, tous sans exception lui présentaient au jour le jour celui d'une vie immaculée et mortifiée. Ce simplisme ferait sourire à priori le moraliste : partout où il y a de l'homme, il y a de « l'hommerie ». Comment croire, au surplus, que tant d'âmes se soient arrachées à la mollesse et aux voluptés païennes sans combats ni défaites. Les documents nous donneront l'impression d'une société généreuse et fervente, mais exposée à de vrais dangers et où l'ivraie se mariait au bon grain.

Le *Pasteur* d'Hermas est un témoin fort renseigné sur l'Église romaine au IIe siècle. L'impression générale est celle d'une société mêlée où à coup sûr la ferveur et l'émulation sont grandes, mais aussi où l'on trouve des éléments médiocres, voire franchement mauvais. Somme toute, milieu très composite : avec les pauvres, des riches exposés aux séductions du luxe, avec les convertis, des chrétiens d'origine auxquels manque parfois la piété. Au sein même de la hiérarchie, Hermas nous signale des presbytres se disputant la prééminence, des diacres accapareurs du bien des veuves et des orphelins. Voici des riches qui les uns abandonnent la foi pour retrouver considération dans le paganisme, qui les autres se laissent séduire par les hérétiques. D'autres encore — les plus dangereux peut-être — restent dans l'Église, mais sans pratiquer les vertus évangéliques : personnages hautains qui abhorrent se mêler aux petites gens, avares « qui fuient leurs frères dans la crainte qu'ils ne leur demandent quelque chose », mondains qui mènent une vie toute païenne, gens de négoce emportés par le tourbillon des affaires. « Écoute, dit le Pasteur à Hermas : Il y a des gens qui n'ont jamais scruté la vérité, ni cherché à approfondir les choses divines, mais qui se contentent d'une foi superficielle, plongés qu'ils sont dans les affaires, les richesses, les amitiés avec les Gentils et beaucoup d'autres tracas de ce monde. Tous ceux qui sont esclaves de ces vanités sont incapables de comprendre les choses divines, car leurs occupations les aveuglent, les perdent,

I. Rigorisme sacramentel. — *SOURCES :* TERTULLIEN, *De paenitentia*, *De pudicitia*, édit. P. DE LABRIOLLE (coll. Hemmer et Lejay). — HIPPOLYTE, *Philosophoumena*, éd. WENDLAND, dans *Corpus Berl.*, IV, 1916. — *TRAVAUX :* A. D'ALÈS, *, *La théologie de Tertullien*, 1904 ; *L'édit de Calliste*, 2e éd., 1914 ; *La théologie de saint Hippolyte*, 1906. — BATIFFOL, *L'Église naissante*, p. 346-353. — G. BARDY, *, *L'édit d'Agrippinus*, *R. S. R.*, 1924 (IV), p. 1-25. — P. GALTIER, *, *R. H. E.*, 1927, p. 465-488.

II. Encratisme. — L. GODEFROY, art. *Mariage*, dans *Dict. Théol.* — H. LECLERCQ, art. *Chasteté*, dans *Dict. Hist.*

les dessèchent. » Une femme, symbole de l'Église, apparaît à Hermas; près d'une tour aux pierres bien taillées gisent des blocs informes : « Maîtresse, dit Hermas, quelles sont ces pierres brutes que l'on n'emploie pas à bâtir la tour? — Ce sont, dit-elle, les riches fidèles; à l'heure de la persécution ils renient Dieu à cause de leurs richesses. — Maîtresse, quand seront-elles utiles à Dieu? — Lorsqu'elles auront été équarries et dépouillées des richesses trompeuses. »

Aussi le livre d'Hermas est-il surtout une sorte d'exhortation à la réforme de la communauté romaine; il estime qu'une « mission intérieure » devient nécessaire. Tandis que les intransigeants jetaient l'anathème à tous les pécheurs et professaient que l'Église ne devait pas les réconcilier, Hermas affirme que toute faute peut être remise par la pénitence. Certes, il s'agit là d'une grâce unique donnée une fois pour toutes, sorte de jubilé qui ne sera pas renouvelé; et l'on pourrait s'étonner qu'Hermas, qui dans son livre a montré « une sérénité vraiment angélique jointe à une bonhomie candide », ait pu développer une idée à nos yeux si rigoureuse, celle d'un seul pardon. Mais dans une société où la sévérité d'un grand nombre était inflexible, pouvait-il prêcher la rémission pure et simple sans paraître révolutionnaire? Sa solution moyenne recueillit grand succès : destiné à la communauté romaine, son livre sut s'imposer à d'autres Églises comme Alexandrie.

Dès le IIe siècle, en conformité avec cet enseignement, on voit le pardon accordé à des pécheurs, même aux plus coupables. Hermas demandait grâce pour l'adultère, voire pour l'apostat; saint Irénée parle de femmes admises à résipiscence après des fautes charnelles. Vers 170, Denys de Corinthe écrit qu'on doit recevoir ceux qui se convertissent de n'importe quel égarement, fût-ce l'hérésie. Mais, écrite aux Églises d'Amastris et du Pont, sa lettre prouve qu'elles avaient envers les pécheurs une attitude plus sévère. Il n'y avait donc pas une discipline pénitentielle homogène dans toute la catholicité : ici pouvait prédominer plus de mansuétude, là plus de rigueur.

Il faut surtout relever l'avis de Tertullien qui affirme l'universalité objective de la Pénitence : « planche de salut » analogue au baptême. « Prévoyant, dit-il, les sortilèges empoisonnés du démon, Dieu a permis qu'une fois fermée la porte du pardon, une fois tiré le verrou du baptême, il y eut encore quelque chose d'ouvert. Il a placé dans le vestibule la seconde pénitence pour qu'elle ouvre à ceux qui frapperaient — mais une fois seulement, puisque c'est déjà la seconde fois, et jamais plus désormais puisque le pardon précédent est demeuré inutile. » On voit qu'un tel enseignement rejoint celui d'Hermas. Cependant, le dur africain insiste sur la sanction physique et morale infligée au coupable, l'exomologèse : « Elle veut qu'on couche sous le sac et la cendre, qu'on s'enveloppe le corps de sombres haillons, qu'on abandonne son âme à la tristesse...; elle ne connaît qu'un boire et qu'un manger tout simples, tels que le demande le bien de l'âme et non le plaisir du ventre. Le pénitent alimente les prières par les jeûnes, il gémit, il pleure, il mugit jour et nuit vers le Seigneur son Dieu, il se roule aux pieds des prêtres, il s'agenouille devant ceux qui sont chers à Dieu, il charge tous les frères d'être ses intercesseurs pour obtenir son pardon. » (*Paen.*, IX, 4 suiv.) Malgré tout, compassion et pardon dominent ce traité *de la Pénitence* où la paternité de Dieu se montre à l'égard du pécheur. « Personne n'est père comme lui, tendre comme lui. Tu es son fils, même s'il t'arrive de dissiper ce que tu as reçu de lui; même si tu reviens nu, il te recevra puisque tu reviens. » Le pardon est demandé à la communauté comme au Christ lui-même : « Lorque tu tends les mains vers les genoux de tes frères, c'est le Christ que tu touches, c'est le Christ que tu implores. Et quand, de leur côté, tes frères versent des larmes sur toi, c'est le Christ qui souffre, c'est le Christ qui supplie son Père. C'est chose vite accordée celle qu'un fils demande. » Que n'est-il resté, ce pauvre grand génie, sur ces paroles d'évangélique pitié!

Cependant, en ce début du IIIe siècle, un courant rigoriste tendit à prédominer qui excluait du pardon officiel les trois fautes capitales : idolâtrie, impudicité et homicide. Désir de réagir contre le relâchement mondain, émulation suscitée par le rigorisme montaniste peuvent sans doute l'expliquer. Contre ces outrances protesta le bon sens d'un évêque : peut-être celui de Carthage, sans doute pas celui de Rome, Calliste[1]. Dans un décret qualifié par Tertullien « édit péremptoire », il déclarait que fornicateurs et adultères seraient soumis à une pénitence temporaire, après quoi les portes de l'Église se rouvriraient pour eux. Autrement dit, contre les rigoristes il niait que les péchés fussent irrémissibles, s'appuyant simplement sur le pouvoir des clefs. Au surplus, nulle conscience d'innover par une sorte de coup d'État, mais simple rappel de l'ancienne discipline. L'initiative n'était pas moins importante. Comme saint Paul avait élargi le christianisme aux proportions d'une grande Église accessible à la Gentilité, de même cet évêque déclarait qu'elle n'était pas, à l'instar du marcionisme, un cénacle de parfaits et d'incorruptibles, mais une société ouverte à tous, et où la miséricorde divine condescendait à l'humaine faiblesse dans une juste mesure.

Tertullien, qui depuis son traité *De la Pénitence* avait évolué vers le rigorisme sectaire et le montanisme, répliqua dans son pamphlet *De la Pudicité*. La polémique y revêt une allure violente et injurieuse où se trahit pour l'évêque un mépris de schismatique : « Dis-moi, funambule de la pureté, de la chasteté et de toute morale sexuelle, toi qui sur la corde mince d'une telle discipline, hors du chemin de la vérité, t'avances d'un pas hésitant, qu'as-tu besoin de tant surveiller ta démarche? Va donc, si tu peux, si tu veux, puisque tu es si assuré,comme en un terrain ferme; si quelque vacillation de la chair, si quelque entraînement de l'âme, quelque saillie du regard te fait perdre l'équilibre, Dieu est bon. C'est aux siens, non aux Gentils qu'il ouvre ses bras; une seconde pénitence t'accueillera; tu redeviendras d'adultère, chrétien. Voilà comme tu me parles, interprète très bénin de Dieu. » (*De Pud.*, X, 9-11.)

Et Tertullien d'interpeller avec désinvolture cet évêque audacieux : « Et maintenant, l'homme apostolique, exhibe-moi des titres prophétiques, et je reconnaîtrai ton autorité divine. » En effet, pour ne point nier ce pouvoir des clefs qu'il avait magnifié jadis devant les hérétiques, Tertullien introduit une distinction entre la discipline et la puissance. Pouvoir ordinaire d'enseigner et de gouverner, la première revient sans doute à la hiérarchie par transmission apostolique; mais la seconde, charisme extraordinaire, appartient aux élus du Paraclet, à l'Église « spirituelle ». Or la rémission des péchés s'y rattache : l'Église « psychique » aurait beau arguer sa parenté avec Pierre (*Ecclesia Petri propinqua*), elle n'y a donc rien à voir, sous peine d'usurper. Par les fameuses paroles sur le pouvoir des clefs, le Sauveur confère à Pierre un charisme personnel, transmissible non aux psychiques, fussent-ils évêques, mais aux seuls « spirituels ».

1. Parmi les raisons qui militent contre l'attribution de l'Édit à Calliste deux semblent décisives. D'une part, la Chaire de Pierre n'est nullement désignée, et les termes d'*episcopus episcoporum*, de *Pontifex maximus* et de *benedictus papa* octroyés par Tertullien à la partie adverse ne s'appliquaient pas alors à l'évêque de Rome; on ne doit donc y voir que des épithètes ironiques décochées par le pamphlétaire. D'autre part, comment Hippolyte eût-il pu passer sous silence le fameux *Edit*, lui qui faisait flèche de tout bois contre Calliste, son mortel ennemi.

D'ailleurs, Tertullien entend bien appuyer sa thèse sur une argumentation scripturaire. Rien ne l'arrête. Par une exégèse nouvelle et fantaisiste, il n'hésite pas à détourner les paraboles évangéliques du sens miséricordieux qu'il leur avait donné jadis. Brebis, drachme perdue, enfant prodigue, désignent maintenant à ses yeux, non plus le fidèle égaré mais le païen. Nul pardon pour le chrétien coupable d'une faute irrémissible, du moins nul pardon ici-bas. Qu'il s'adonne désormais à la mortification, et peut-être fléchira-t-il la colère divine. Mais l'Église n'en répond pas, tout est désormais entre ce malheureux et le souverain juge. Ne dirait-on pas une sombre gageure de précipiter le pécheur dans un désespoir sans fond?

En terminant, Tertullien adressait à l'évêque « psychique » un autre reproche : celui de communiquer aux confesseurs — par une transmission d'usurpation — ce pouvoir de rémission qu'il s'arrogeait, à lui-même. « Quelqu'un a-t-il été, après entente préalable, chargé de chaînes encore douces dans telle prison purement nominale, comme on en voit maintenant, aussitôt les fornicateurs vont la trouver; les supplications retentissent autour de lui; c'est de la part des hommes les plus souillés, un déluge de larmes, et personne n'achète plus volontiers l'entrée de la prison que ceux qui n'ont plus droit à l'entrée de l'Église » (XII). Voilà le scandale à son comble et les grâces à l'encan. Ainsi s'esquissent déjà les discussions qui, sous Dèce, aboutiront à de lamentables schismes.

Si le *de Pudicitia* ne vise pas sans doute le pape Calliste, les diatribes d'Hippolyte l'atteignent directement. Elles dénoncent un laxisme non plus sacramentaire, mais disciplinaire. « Calliste, dit-il, a décidé que la faute *ad mortem*, d'un évêque n'entraînerait point sa déposition. C'est avec lui qu'on a commencé à admettre dans le clergé comme diacres, prêtres ou évêques des hommes déjà mariés deux ou trois fois. Un prêtre désormais peut se marier sans être déposé, comme s'il n'eût point péché en contractant le mariage. Charmés de ces mesures, les auditeurs affluent et les foules se ruent à son école. Voilà pourquoi le parti grossit : ils s'applaudissent de gagner la foule grâce à ces laissez-passer accordés aux voluptés, que le Christ n'a pas autorisées. Mais ils ont bien souci du Christ, ils n'empêchent personne de pécher, sous prétexte que lui, disent-ils, pardonne aux âmes de bonne volonté », c'est-à-dire à tous hérétiques ou schismatiques qui veulent rentrer dans l'Église romaine (*Phil.*, IX, 12). On voit combien la position d'Hippolyte ressemble peu à celle de Tertullien : il se pose en conservateur et dénonce une innovation là où Tertullien se posait en progressiste et dénonçait une stagnation. Tandis que Tertullien prétendait établir le triomphe d'une église nouvelle, celle des « pneumatiques » « ou spirituels », Hippolyte veut rétablir la moralité qui existait dans l'ancienne Église.

Réplique de Tertullien à l'évêque « psychique » indulgent pour l'adultère, diatribes d'Hippolyte contre le prétendu laxisme du pape Calliste, teneur générale des écrits de Tertullien comme aussi déclarations postérieures de saint Cyprien, tout cela montre l'existence d'un courant rigoriste au début du IIIe siècle.

II. L'encratisme. — Cet esprit, d'ailleurs fort ancien, portait un nom : l'encratisme, On désigne ainsi, en effet, non une hérésie proprement dite, mais une tendance ou mentalité rigoriste qui, sans sauvegarder la distinction entre préceptes et conseils évangéliques, visait à exiger les uns comme les autres de tous les chrétiens. Les encratiques entendaient imposer aux fidèles jeûnes supplémentaires, abstinence de viande et de vin, et surtout continence absolue. Au IIe siècle, une émulation de sacrifice traversait les jeunes communautés comme un frémissement de saint enthousiasme ; ceux qui prônaient ces idées avaient donc chance de réussir.

D'autant plus qu'ils s'appuyaient sur toute une littérature apocryphe, soi-disant signée par les grands Apôtres Pierre, Paul, Jean, Thomas, mais en réalité de provenance douteuse ou souvent gnostique, et qui commença à circuler dès la seconde moitié du IIe siècle. Voici quelques échantillons extraits de ces contes religieux calqués pour l'esprit et le plan sur les romans grecs. Dans *l'Évangile des Hébreux,* à Salomé lui demandant : « Jusqu'à quand les hommes mourront-ils ? » le Seigneur répond : « Tant qu'ils enfanteront. » — « J'ai donc bien fait, réplique-t-elle, de ne point engendrer. » — « Mange de toute herbe, lui dit Jésus, mais ne mange pas de l'herbe amère. » Et comme Salomé veut savoir à quelles conditions elle atteindra la vie supérieure de l'intelligence : « Quand, insiste-t-il, tu auras mis sous tes pieds le vêtement de honte, quand il n'y aura plus ni mâle, ni femelle. » Mêmes exhortations absolues dans les *Actes de Paul :* « Il écarte les jeunes gens des femmes et les vierges des hommes en disant : Il ne peut y avoir pour vous de résurrection que si vous restez chastes et si, loin de souiller votre chair, vous la conservez pure. »

Pour accréditer les pratiques encratiques, les actes apocryphes bâtissent des histoires. Dans ceux de Thomas, voici l'aventure édifiante d'un jeune homme qui, après avoir entendu l'Apôtre prêcher le continence, tue celle qu'il aime parce qu'elle ne veut pas le suivre jusque là. Voici Mygdonia qui repousse son mari et s'enfuit loin de lui : « Tu n'as plus de place auprès de moi. Le Seigneur Jésus est plus fort que toi et repose en moi. » Voici encore qu'au soir même des noces, persuadés par Thomas, la fille du roi des Indes et son fiancé décident qu'ils resteront vierges. Les *Actes de Jean* nous montrent Drusiana refusant de s'unir à son époux. « Elle aima mieux mourir, dit l'auteur, que de commettre cette horreur. » Dans le roman des saints Nérée et Achillée, ces deux domestiques de Domitille lui déconseillent le mariage en termes vraiment peu chastes. Ainsi les apocryphes étalent-ils à toute occasion le mépris de « cette malpropre folie de la chair ».

Sans constituer une secte proprement dite, l'encratisme eut pourtant ses théoriciens : ainsi, Jules Cassien, l'apologiste Tatien, et un certain Sévère qui pour plier l'Écriture à ses théories en rejetait les *Actes des Apôtres* et les épîtres pauliniennes. Dosithée de Cilicie affirmait « que le monde avait eu son commencement, mais qu'il aurait sa fin par la continence ». Parfois, ces rigoristes inflexibles s'affublaient de noms bizarres : apotactiques ou renonçants, saccophores ou porte-sacs, hydroparastes ou aquariens qui allaient jusqu'à se servir d'eau pour l'Eucharistie.

Outre qu'on voulait réagir contre l'ambiance païenne et se trouver prêt toujours au martyre, une cause explique surtout cette tendance encratique, l'attente de la parousie ou prochain retour du Christ. Influencés par les vieilles conceptions judaïques, d'aucuns croyaient qu'il y aurait alors une domination messianique de mille ans. Dans une Jérusalem restaurée, toute d'or, de cyprès et de cèdre, règnerait le Fils de l'homme tandis que les peuples accourraient lui payer tribut. Résurrection générale et Jugement dernier ne viendraient qu'ensuite.

Sans doute le millénarisme eut-il ses représentants charnels comme Cérinthe qui ne voyait dans ce règne messianique qu'une longue et impure bacchanale. Mais d'autres, vraiment catholiques, donnaient à cette hypothèse eschatologique un sens épuré, spirituel et mystique : ils s'appuyaient principalement sur une exégèse étroite de l'Apocalypse johannique, et aussi sur le

Livre d'Enoch, autre apocalypse très en vogue au IIe siècle, et qui contenait une description idyllique de la terre refleurie.

Parmi ces millénaristes orthodoxes, citons Papias qui se réclamait de traditions orales remontant par les presbytres jusqu'à saint Jean. Saint Irénée nous a transmis sa description merveilleuse : « Des jours viendront où naîtront des vignes ayant chacune dix mille sarments, et à chaque sarment dix mille branches, et à chaque branche dix mille verges, et à chaque verge dix mille grappes, et à chaque grappe dix mille grains; et chaque grain, mis sous le pressoir, donnera vingt-cinq mesures de vin. Et quand quelqu'un des saints étendra la main vers une grappe, une autre s'écriera : Je suis une grappe meilleure, prends-moi, rends grâce au Seigneur. Et de même les grains de froment... » Saint Justin, homme de grand bon sens pourtant, adopte aussi le rêve millénariste : « Pour moi et les chrétiens d'orthodoxie intégrale, tant qu'ils sont, nous savons qu'une résurrection de la chair arrivera pendant mille ans dans Jérusalem décorée et agrandie, comme les prophètes Ezéchiel, Isaïe et les autres l'affirment » (*Dial.*, LXXX, 5).

Quels rêves étranges et fantastiques les imaginations exaltées ne pouvaient-elle pas broder sur un pareil thème. Chez Tertullien, le millénarisme revêtira « la forme d'un mirag[illegible] oriental ». Dans son livre *Contre Marcion,* il nous affirme que, durant une expédition, d[illegible] soldats païens ont aperçu chaque matin une cité merveilleuse suspendue entre ciel et t[illegible]e, à coup sûr la Jérusalem promise. Pour certains, la ville d'or aux cent portes devir[illegible]plus qu'un mirage, une réalité véritable au-devant de quoi il fallait courir. Hippolyte [illegible] cite l'exemple d'un évêque syrien qui entraîna tous ses fidèles à quitter leur ville pou[illegible]archer au-devant du Christ; les malheureux — dignes prédécesseurs des croisés de Pierre l'Ermite — eussent été massacrés par les troupes envoyées à leur poursuite, si l'épouse chrétienne du gouverneur ne fût intervenue. A la lumière de tels faits, la crise montaniste va s'expliquer d'elle-même.

III. Le Montanisme. — Plus qu'aucune autre se prêtait à pareils rêves cette terre d'Asie où les fidèles s'étaient montrés toujours avides de spéculations mystiques, d'ascétisme, d'extases et visions. Un mouvement va éclater où réapparaissent les tendances encratiques et millénaristes, surexcitées — prétendent ses prophètes — par l'influence directe de l'Esprit.

Vers **172**, au bourg d'Ardabau, le néophyte Montan, ancien prêtre de Cybèle, se mit soudain à prophétiser, ainsi que deux femmes Maximilla et Priscilla. Aucune étrangeté ni nouveauté doctrinale en leurs révélations, mais seulement l'affirmation ferme que le monde était finissant, et que dans la plaine de Pépuze se réunirait bientôt la Jérusalem nouvelle. En conséquence, il fallait que les âmes reprissent vigueur et qu'un strict ascétisme prévalût avec jeûnes nouveaux, xérophagies et interdiction des secondes noces. Rien cependant d'absolument outré : ni le martyre n'était à rechercher, ni le mariage à condamner. Orthodoxe dans son fond, le montanisme ne faisait qu'exalter les sentiments chers aux générations primitives :

Montanisme. — *SOURCES :* TERTULLIEN, *De corona militis; De fuga in persecutione; De exhortatione castitatis; De virginibus velandi; De monogamia; De jejunio; De pudicitia.* — *TRAVAUX :* A. D'ALÈS, *, *La théologie de Tertullien*, 1905. — P. DE LABRIOLLE, *, *La crise montaniste*, 1913; *Les sources de l'histoire du montanisme*, 1913.— A. FAGIOTTO?, *L'eresia dei Frigi*, Rome, 1923; *La diaspora catafrigia, Tertulliano e la nova profezia,* Rome, 1923. — G. BARDY, *, art. *Montanisme,* dans *Dict. Théol.*

attente anxieuse et joyeuse tout à la fois d'une parousie prochaine, désir intense des plus rudes mortifications pour s'y préparer.

Comment donc parut-il suspect aux autorités ecclésiastiques? Tout d'abord, les esprits pondérés pouvaient s'inquiéter de cette surexcitation anormale qui poussait les chrétiens loin de leur foyer dans la plaine de Pépuze à la rencontre de la Jérusalem céleste. Avec ses révélations, ses larmes, ses extases, ne dirait-on pas une religion de bateleurs assez semblable dans ses exhibitions à ces mises en scène et gesticulations auxquelles se livrent aujourd'hui sur les places de Londres certains salutistes?

Mais surtout, les nouveaux prophètes se présentaient comme des êtres d'exception, illuminés par le Paraclet, et qui ouvraient une ère définitive. « C'est moi qui suis le Père, le Fils et le Paraclet », « C'est moi le Seigneur Dieu le Père qui suis venu », « C'est moi le Seigneur tout puissant qui réside dans l'homme », tels sont les oracles montanistes où s'affirme nettement une possession entière de l'extatique par la divinité. Pareilles prophéties allaient constituer une sorte de testament nouveau qui, sans annuler l'Évangile, le parachèverait — surtout dans le sens d'un renforcement disciplinaire en vue de la parousie toute proche. Cette théorie — centrale dans le montanisme — froissait directement le sens catholique : du prophète elle faisait un extatique alors que l'Église lui demande pleine conscience de lui-même; puis, divinisant pour ainsi dire ses adeptes, incarnations vivantes du Paraclet, elle leur donnait sur la hiérarchie régulière, sur les évêques, une supériorité incontestable. De fait, ces « pneumatiques » ne tardèrent pas à prendre envers les « psychiques » une allure parfaitement désinvolte. L'Église « spirituelle » l'emportait — et de toute la taille du Paraclet — sur la chrétienté vulgaire, plèbe moutonnière qui se traînait par les chemins d'un effarant laxisme.

Comment un mouvement qui donnait le pas à l'inspiration individuelle sur l'enseignement hiérarchique n'eût-il pas été suspect à l'Église? En Asie l'épiscopat s'opposa aux théories nouvelles. Apollinaire de Hiérapolis et quelques autres évêques les réfutèrent par écrit. Zotique de Kirmana et Julien d'Apamée vinrent à Pépuze contredire l'Esprit qui parlait par la bouche de Maximilla. Sotas d'Achialos tenta de l'exorciser; mais les gens de la secte faisaient bonne garde, et aussi l'Esprit qui criait : « On me chasse comme un loup du milieu des brebis; je ne suis pas loup, mais Verbe, Esprit, Puissance. » Des synodes excommunièrent les montanistes. Pour leur enlever l'appui du quatrième Évangile et de l'Apocalypse, le prêtre romain Caïus rejeta ces écrits : d'où le nom d'Aloge ou négateur du Logos que d'autres peut-être méritèrent avec lui.

Le montanisme s'infiltrait donc en Italie, voire jusqu'en Gaule. En 177, les martyrs lyonnais recommandent l'affaire aux communautés d'Asie et au pape Eleuthère « afin que la paix soit sauvegardée ». La prudence romaine suspendit la décision jusqu'au jour où l'asiate Praxéas apporta des précisions telles que le pape prononça une sentence définitive d'excommunication. Dès lors, Sérapion put affirmer « la nouvelle prophétie rejetée par les frères qui sont dans le monde entier ». Renan écrit à ce sujet : « La médiocrité fonda l'autorité, le catholicisme commence. » Comme si autorité, catholicisme, charisme et contrôle des charismes ne remontaient pas beaucoup plus loin, aux origines mêmes du christianisme. Remarquons seulement que, une fois encore, c'est vers Rome qu'on se tourne, et c'est Rome qui décide.

IV. Le Tertullianisme. — Le montanisme n'aurait été qu'un « feu de paille, un phénomène intéressant, mais sans portée pour l'histoire générale »; malheureusement, après s'être choisi un paradis de prédilection, la Phrygie, il en trouva un autre, l'Afrique, et dans cette Afrique, également terre d'exaltation, le seul homme capable de grandir la secte.

Tertullien est directeur de conscience né. Non pas ce type aimable qui insinue ses conseils, mais l'homme ardent, impétueux, qui dicte son avis, qui l'impose sous peine sévère, voire mortelle : « Vous le ferez, je vous dis que vous le ferez, ou bien... » Le christianisme de Tertullien est avant tout, en effet, une discipline et une casuistique. Discipline sévère, toute en prohibitions : défense d'assister au spectacle, défense d'exercer un métier ayant quelque accointance avec l'idolâtrie, défense d'enseigner les belles-lettres, interdiction aux veufs de se remarier, aux fidèles de contracter des mariages mixtes, etc... Casuistique minutieuse pour qui nul petit détail, et qui prétend fixer quel ton, quels gestes on doit adopter dans la prière et jusqu'à la longueur du voile que porteront les vierges. Tertullien est né cinq cents ans trop tard. Qu'il eût été à sa place parmi les prêtres de l'Ancienne Loi, au milieu des prescriptions multiples, étroites, minutieuses du code mosaïque ! Avec quelle âpre intransigeance, il les eût détaillées, pesées, imposées, sans oublier le tarif pour les délinquants, et plus encore pour les délinquantes !

Tertullien s'est donc trompé d'époque : on n'était plus sous la loi de crainte, mais sous la loi d'amour. Pareille austérité « plus que stoïcienne », ne devait lui attirer que déboires et désillusions. A ses multiples impératifs s'opposeraient non seulement les demi-convertis, les « chrétiens en l'air », mais aussi les esprits modérés, avides de paix, et plus spécialement ces évêques qui, ayant charge d'âmes, se gardaient des exagérations qui rendraient la religion odieuse. « Qu'est-ce que le chrétien ? dit Tertullien. Ce n'est pas un homme qui ne se refuse aucun plaisir; c'est un homme qui porte le cilice et qui est couvert de cendres » (*Conciliatum et concineratum*). Si, au seuil de leurs Églises, les évêques suspendent un tel idéal, quel épouvantail pour tous les fidèles.

Critiqué par les évêques, indignes « psychiques », Tertullien devait trouver auprès des montanistes une consolation : même mentalité sévère exigeant un maximum de sacrifice, même préoccupation de la parousie. Au surplus, pour suppléer aux lacunes de l'Écriture et de la Tradition, la secte lui offrait une parole vivante et divinement inspirée qui, résolvant tous ses problèmes moraux, en imposerait aux autres la solution.

D'autant plus qu'il allait l'enrichir de sa prestigieuse théorie des révélations successives. Sans doute, professe-t-il, « la règle de foi » est-elle intangible, et les montanistes d'ailleurs l'ont respectée; par contre, la discipline évolue dans le sens d'une sévérité toujours plus grande. Après qu'aux concessions du code mosaïque eurent succédé les exigences et délicatesses évangéliques, le dernier mot va seulement être dit maintenant par le Paraclet, imposant au monde des observances plus strictes et plus minutieuses. Tel est le dernier stade de l'humanité, l'âge d'or, à la fois austère et extatique, où s'épanouira l'économie définitive. « Tout suit le progrès de l'âge, tout vient en son temps. Il y a, dit l'Ecclésiaste, un temps pour chaque chose. Voyez, dans le monde matériel, comme grandissent les fruits. Tout d'abord il n'y a qu'une graine; de cette graine naît une tige, de la tige un arbuste; puis, les rameaux et le feuillage se développent... De même dans le monde moral, l'âge primitif appartient à la crainte de Dieu; avec la loi et les prophètes vient l'enfance; l'Évangile apporte les ardeurs de la jeunesse; aujourd'hui, le Paraclet signale la maturité; il a succédé au Christ et désormais l'humanité ne connaîtra plus d'autre maître. » (*De virg. vel.*, I.) Ainsi, « les justifications élémentaires par où les Asiates avaient expliqué le rôle de leur Paraclet s'élargissaient en une combinaison puissante qui, fondée sur l'intuition de la pédagogie divine, sur l'ordre général de la nature, sur l'histoire séculaire de la religion, s'imposait à l'esprit grâce à sa cohérence apparente et sa majestueuse ampleur » (P. de Labriolle).

La thèse d'ailleurs ne manque pas d'être spécieuse. Nul doute que, par rapport à l'Ancien Testament, l'Évangile ne soit un affinement singulier. L'erreur, c'est de croire que le Christ n'a point dit le dernier mot. Tertullien montre la voie à ces rêveurs qui au Moyen Age ouvriront une ère du Paraclet dont ils seront naturellement les prophètes et les hérauts.

Mais, si Tertullien admet que les Apôtres possédèrent l'Esprit Saint en plénitude, n'est-il pas facile de lui répondre — comme le feront tous les Pères : « Quel besoin pour le Paraclet de s'incarner en Montan puisque déja il avait communiqué tous ses dons aux Apôtres? »

D'autre part, à sa théorie première du *de Praescriptione* qui maintenait le magistère aux mains d'une hiérarchie, apostolique dans sa source, Tertullien substituait ou plutôt opposait le droit des « spirituels » à légiférer au hasard de leurs charismes, sans que l'autorité ait rien à y voir. Combinaison d'autant plus incohérente que Tertullien entendait que les deux pouvoirs ne s'exclussent pas l'un l'autre : il y aurait un terrain restreint où s'exercerait l'enseignement apostolique des évêques psychiques, et un autre — illimité celui-là — où s'épanouirait la prophétie des « spirituels ». Et voilà Tertullien à la fois défenseur de la tradition primitive et prôneur de tous les futuribles qu'engendrerait l'extase individuelle érigée en dogme infaillible. Quels contrastes étranges : nul qui soit plus conservateur, ni plus révolutionnaire.

Sur ces contradictions centrales, Tertullien devait en greffer beaucoup d'autres. Autrefois, sans pitié il éliminait les femmes de toute fonction sainte; maintenant, aux oracles de la « sœur » inspirée il accorde une autorité incontestée, encore qu'il contrôle ses dires et qu'il

Chronologie des ouvrages de Tertullien.

I. PÉRIODE CATHOLIQUE

	ŒUVRES	DATES	SUJET TRAITÉ
1	Ad Martyres	Janv.-févr. 197	Morale.
2	Ad Nationes	Après févr. 197	Apoll.
3	Apologeticum	Fin 197	Apol.
4	De testimonio animae	197/200	Apol.
5	De spectaculis	Vers 200	Morale.
6	De praescriptione	»	Controv
7	De oratione	200/206	Morale
8	De patientia	»	Morale.
9	De baptismo	»	Sacrements.
10	De poenitentia	»	Sacrements.
11	De cultu feminarum	»	Morale.
12	Ad uxorem	»	Morale.
13	Adversus Hermogenem	»	Controv
14	Adversus Judaeos	»	Apol.

II. PÉRIODE SEMI-MONTANISTE

	ŒUVRES	DATES	SUJET TRAITÉ
15	De virginibus velandis	208/211	Morale.
16	Adversus Marcionem	207/211	Controv.
17	De pallio	209	Morale.
18	Adv. Valentinianos	208/211	Controv.
19	De carne Christi	»	Controv.
20	De resurrectione carnis	»	Controv.
21	De anima	»	Controv.
22	De exhortatione castitatis	»	Sacrements
23	De corona	211	Morale.
24	De idololatria	211/212	Morale.
25	Scorpiace	»	Morale.
26	Ad Scapulam	212	Apol.

III. PÉRIODE MONTANISTE

	ŒUVRES	DATES	SUJET TRAITÉ
27	De fuga in persecutione	213	Morale.
28	Adv. Praxeam	après 213	Controv.
29	De monogamia	»	Sacrements.
30	De jejunio	»	Morale.
31	De pudicitia	217/22	Sacrements.

élimine de l'extase toute « fureur » morbide. Le traité *de l'Ame* nous parle ainsi d'une « sœur » qui subissait le charisme à l'église, conversant avec les anges, entendant des vérités mystérieuses, lisant dans les cœurs, procurant des remèdes aux malades. Un jour que Tertullien parle sur l'âme, il lui arrive d'en voir une « tendre, lumineuse, couleur d'azur, et de forme toute pareille à celle d'un corps humain ».

Autrefois Tertullien ne s'étonnait pas de voir — à l'instar d'un Polycarpe — les chrétiens fuir devant les persécutions; maintenant, il s'en scandalise comme d'une trahison, s'appuyant d'ailleurs sur ce syllogisme paradoxal : la persécution exalte la foi et rend meilleurs les serviteurs de Dieu; or, pareils résultats ne peuvent venir du diable ; donc Dieu est l'auteur de la persécution qu'il fait souffler à l'heure de sa Providence. Ces idées s'affichent provocantes dans le traité *de la Couronne* (211), dans le *Scorpiace* (211-12), dans l'ouvrage sur la *Fuite des persécutions* (213). Autrefois, dans son traité *de la Pénitence* (200-06), Tertullien admettait le pardon pour toute faute ; maintenant dans celui *de la Pudicité* (217-22) il soutient qu'il y a des péchés irrémissibles. Autrefois, Tertullien avait permis les secondes noces, même *à son Épouse* (200-06); aujourd'hui, dans son *Exhortation à la chasteté* (208-11) et surtout dans son traité *de la Monogamie* (213), il les réprouve comme un monstrueux accouplement, digne des sodomites, le *stuprum* ni plus ni moins. N'est-ce pas prendre un nouveau mari, alors que le premier possède encore le cœur? « Un époux dans la pensée, un autre dans la chair. Le voilà l'adultère! » En faveur de sa thèse Tertullien emploie d'ailleurs des raisonnements tels que celui-ci : les prêtres veufs ne peuvent se remarier; or tous les chrétiens sont rois et prêtres par l'onction du Saint-Esprit; donc... Et voici encore plus fort : l'Évangile interdit à une femme d'épouser son beau-frère, or une veuve en se remariant ne pourrait manquer de le faire puisque tous les hommes sont frères. Pareil argument qui roule sur un jeu de mots porterait d'ailleurs, comme l'a remarqué Petau, contre tout mariage. La fureur d'avoir raison aboutit-elle jamais à plus de mesquinerie? D'après saint Augustin, c'est l'intransigeance de Tertullien sur ce point précis qui l'aurait rendu hérétique par une opposition directe à l'enseignement apostolique.

Surtout, c'est le ton de Tertullien montaniste qui en fait un incontestable révolté. Sa verve maintenant débridée, le voilà libre enfin de dire toute sa pensée avec une raideur d'expression inouïe. Entendez-le invectiver le pauvre catholique qui ne s'est pas plié avec allégresse à ses jeûnes surérogatoires : « Ton ventre, dit-il, est ton Dieu; ton palais, ton temple; ton estomac, ton autel; le cuisinier, c'est ton prêtre; ton Saint-Esprit, la fumée des ragoûts; tes dons spirituels, ce sont les condiments, les hoquets de ta satiété, ta prophétie. » (*De jejunio*, XVI.) Et combien de textes nous ne pouvons citer!

Toutes ces violences mêmes ne détachèrent que peu à peu de la Grande Église l'âme profondément catholique de Tertullien. Entre le traité *du Pallium* jusqu'à la rupture complète en 213, quatre années s'écouleront où la tension nerveuse de Tertullien ira toujours grandissant.

Sur un tel homme le jugement doit être nuancé. Le penseur développait ses idées avec une rigueur de logique toujours terrible pour ses adversaires, souvent embarrassante pour ses partisans. Car cette rigueur était si absolue que rien ne l'arrêtait, ni les circonstances de temps et de milieu, ni les critiques, ni la voix de l'autorité; elle n'épargnait pas Tertullien lui-même quand par hasard Tertullien avait conclu jadis autrement qu'elle. Cet Africain entier et inexorable restait captif de sa logique comme d'autres de leurs passions. Il méprisait l'hypothèse, et ne voulait connaître que la thèse, ou plutôt *sa* thèse. Il compte parmi les hommes les plus intransigeants qui aient jamais existé, avec Calvin, avec Lamennais, avec tous ceux-là qui damneraient leurs frères et qui se damneraient volontiers eux-mêmes pour la défense de leurs propres idées. Il affirmait donc sans la moindre précaution d'humilité et avec une intrépidité qui devant la contradiction devenait fureur. De là ces mouvements de passion qui en firent un polémiste redoutable, mais un polémiste qui ne se possédait pas assez et qui trop souvent remplaçait l'ironie par l'invective.

Cette impétuosité même fait la valeur de Tertullien écrivain. Nul style qui soit plus clair, plus vivant, plus entraînant. Ses phrases charrient sa passion; coûte que coûte, elle s'exprimera et parfois avec la vigueur et concision d'un Tacite. Mais c'est un Tacite de décadence qui, pour produire son effet, aurait besoin d'une accumulation de termes abstraits, d'un cliquetis de mots, d'antithèses répétées, d'inventions verbales, voire de simples assonances et calembours. Il pèche aussi souvent par l'obscurité et l'emphase, ce qui ne l'apparente plus guère avec Tacite. Mais, au total, l'effet voulu est largement atteint. Tertullien possède l'ascendant irrésistible de l'éloquence. Il faut se raisonner pour ne pas être entraîné par cet homme et ce style magique.

Au surplus, quels services n'a-t-il pas rendus? Il nous fait connaître le monde chrétien de son temps, ses rapports avec le paganisme, sa vie publique et sa vie privée, sa théologie et sa discipline. Nous vivons aussi sur certaines formules théologiques qu'il a lancées et qui, après bien des luttes, s'imposeront : pour la Trinité, *una substantia tres personae*, *distinctio non divisio*; pour la christologie, *duae substantiae una persona, conjunctio non divisio*. Ainsi légua-t-il dès le début à la théologie une terminologie.

Voilà qui l'honore beaucoup plus que d'avoir fondé à Carthage cette secte des Tertullianistes : petite Église aux usages pénitentiels spéciaux, et qui essaya de maintenir ses relations avec les autres conventicules épars à travers la catholicité. La Grande Église paraît s'en être peu souciée et la laissa vivoter dans l'ombre jusqu'au jour où l'âme apostolique de saint Augustin parvint à ramener ces brebis errantes.

La secte montaniste se défendit surtout en Orient où, au IIIe siècle, Clément d'Alexandrie et Origène durent encore la combattre, ainsi que plusieurs conciles asiates dont parle Firmilien de Césarée. Les édits répétés de Constantin, d'Arcadius et de Théodose II attestent qu'elle survécut dans ces régions jusqu'au début du Moyen Age.

A Rome, le montanisme existe encore à la fin du IVe siècle où saint Jérôme prémunit sainte Marcelle contre les habiletés de sa propagande. Ces rares survivants d'une vieille querelle ne pourront résister aux rigueurs d'Honorius qui, en 407, prononcera contre eux confiscation des biens et mort civile.

Peu de chose que tout cela! Par contre, Tertullien avait propagé en Afrique un esprit d'intransigeance et d'indépendance qui revivrait chez les adversaires de saint Cyprien, puis chez les donatistes. En surexcitant les facultés d'exaltation propres au génie africain, il a rendu un très mauvais service à ses compatriotes.

LIVRE VI

L'ÉGLISE DURANT LA CRISE DE L'EMPIRE AU IIIe SIÈCLE

CHAPITRE PREMIER

LES SÉVÈRES (193-235)

I. Les progrès du christianisme : la propriété ecclésiastique. — A l'époque de Tertullien, le christianisme est en progrès continu. Nous constatons alors l'existence d'une propriété ecclésiastique corporative, chaque communauté détenant à la fois ses lieux de réunion et ses sépultures.

Longtemps, les fidèles avaient dû se contenter d'une salle prêtée par quelque riche confrère; mais dès la fin du IIe siècle ou au début du IIIe, les chrétiens acquirent des édifices cultuels, propriétés de la communauté. De même, les riches avaient souvent accordé une place à leurs coreligionnaires dans leurs cimetières privés en creusant des galeries à travers le sous-sol : ainsi l'hypogée des Acilii Glabriones fut-il sans doute l'origine du cimetière de Priscille. Mais, à mesure que les fidèles augmentaient en nombre, cette hospitalité de la tombe était plus difficile; il devint nécessaire que chaque Église possédât son propre cimetière. A Rome, il y en a un sur la voie Appienne qui se compose d'ailleurs à l'origine d'hypogées donnés par les Cæcilii; le pape Zéphyrin (199-217) charge le diacre Calliste de l'administrer. L'Église de Carthage possède sans doute aussi ses nécropoles. Vers la même époque, un « adorateur du Verbe » donne à l'Église de Césarée de Mauritanie un terrain à usage de cimetière et une chapelle (*cella*) « pour les réunions ».

Cette apparition de la propriété ecclésiastique s'expliquerait, disent plusieurs, par la récente disposition de Septime-Sévère qui étendait aux provinciaux le droit de constituer des collèges funéraires. Les communautés chrétiennes se seraient glissées sous cette rubrique légale. Ne réalisaient-elles pas, en effet, les conditions des collèges funéraires? Même but principal qui est d'assurer la sépulture à leurs membres, recrutement analogue parmi les petits et les pauvres avec la protection de riches bienfaiteurs, même organisation qui comporte — ainsi que le relate Tertullien — une caisse commune et des cotisations à verser, réunions semblables enfin où l'on célèbre des anniversaires et où l'on prend un repas commun. Ainsi les communautés auraient-elles bénéficié d'une fiction légale.

A une explication si ingénieuse on a opposé de graves objections. « De fictions légales, dit Duchesne, de collèges funéraires, de titres mystérieux, les documents ne donnent ni témoignage, ni soupçon. » Si les chrétiens avaient formé des collèges funéraires à Rome, à Car-

La persécution sous les Sévères. — P. ALLARD, *, *Histoire des persécutions pendant la première moitié du IIIe siècle.* — BATIFFOL, *, *La paix constantinienne.* — MONCEAUX, *, *Hist. litt. Afrique chr.*, t. I. — A. AUDOLLENT, *, *Carthage romaine.* — A. D'ALÈS, *L'auteur de la Passio Perpetuae, R. H. E.*, VIII (1907), p. 5-18.

thage et ailleurs, comment donc n'en aurait-on pas gardé le souvenir? Au surplus les analogies tentées paraissent assez extérieures et factices; elles s'évanouissent — ou à peu près — devant ce fait essentiel que les chrétiens d'une ville ne se partagent pas entre des collèges autonomes à membres restreints, mais qu'ils forment une seule et même fraternité, une Église, groupée sous un chef exclusif, l'évêque. Selon l'expression de Mgr Batiffol, le christianisme est « une religion de cités », non pas une religion de collèges. Au surplus, quelle naïveté n'aurait-il pas fallu à la police romaine pour se laisser prendre à un camouflage si apparent?

En fait, à côté des collèges autorisés, il y en avait alors beaucoup d'autres qui, sans être en règle avec la loi, jouissaient d'un laisser-passer bénévole : réunions professionnelles, assemblées religieuses vouées aux cultes étrangers, cercles d'amusement, toutes associations sur lesquelles la police voulait bien fermer les yeux tant qu'elles ne troublaient pas l'ordre public. Sans doute, les communautés chrétiennes bénéficièrent-elles de cette tolérance précaire, aujourd'hui pourchassées si elles paraissent dangereuses, demain laissées en paix, si on les trouve inoffensives. Au cours de l'histoire, ce n'est certes ni la première ni la dernière fois que des associations autorisées seront tantôt persécutées et tantôt tolérées selon le sectarisme ou la largeur d'esprit des gouvernants. Est-il besoin de remonter très haut pour trouver à pareille situation des analogies? Au surplus, la loi ne prévoyait alors que le délit individuel de christianisme, non le délit collectif; le loyalisme des fonctionnaires ne devait donc pas trouver là un cas de conscience.

L'apparition de la propriété ecclésiastique nous révèle du moins les rapides progrès du christianisme. C'est l'époque où Tertullien peut lancer aux païens ces fameux défis qui révèlent encore plus de constatation exacte que de vantardise africaine. Le fait chrétien s'imposait maintenant au pouvoir impérial. Le temps n'était plus où préfets et gouverneurs interrogeaient curieusement les fidèles, ne sachant exactement ni ce qu'on leur reprochait, ni qui ils étaient. Comment, par exemple, eût-on pu ignorer les divers conciles rassemblés en 196 pour dirimer la question pascale, ou encore le synode tenu quatre ans plus tard par 70 prélats africains?

Une sélection s'opère alors dans les griefs. L'ancien préjugé populaire, nourri de fables absurdes et grossières, se dissipe au fur et à mesure que les chrétiens sont mieux connus. Par contre, l'inculpation politique grandit qui leur reproche avec « l'inertie » ou éloignement de la vie civile « l'athéisme » ou refus de participer au culte national, en un mot la « haine du genre humain », autrement dit de la civilisation, des mœurs et de la religion antiques. L'idée n'est pas mûre d'un compromis raisonnable qui accorderait une place tout ensemble à la liberté individuelle et aux devoirs envers l'État. Le pouvoir craint que les progrès du christianisme ne causent une désertion en masse de la religion romaine et du même coup l'effondrement du patriotisme à l'heure où le péril des invasions pointe partout aux frontières. La patrie décrétée en danger, il faut donc qu'une législation de salut public impose à tous le culte des Dieux, protecteurs de l'Empire. Aussi, sans révoquer d'ailleurs le rescrit de Trajan, certains souverains vont-ils passer de la défensive à l'offensive contre les chrétiens, et décréter les poursuites obligatoires contre une catégorie de fidèles, voire contre tous les fidèles. Alternative de persécutions et de trêves plus ou moins longues, à tel empereur sectaire succédant tel autre tolérant ou même favorable aux chrétiens. Cette ondulation légale contraste avec le régime uniforme de l'époque antonine. Elle constitue la caractéristique de la persécution au IIIe siècle.

II. La persécution de Septime-Sévère. — Ces remarques s'appliquent tout aussitôt au règne de Septime-Sévère (193-211). Durant les premières années, ce prince fut tolérant. Homme nouveau sans attache avec les vieilles traditions aristocratiques, provincial défiant à l'égard des usages romains, cet africain ne partage pas les préjugés anti-chrétiens, d'autant plus qu'il a fait presque toute sa carrière sous le règne bienveillant de Commode.

SEPTIME-SÉVÈRE.
Musée national du Louvre.

Certains traits soulignent ces dispositions : grand nombre de fidèles parmi les esclaves ou affranchis impériaux, prime éducation de l'héritier Caracalla confiée à des mains chrétiennes, faveur accordée par l'empereur à l'esclave médecin Proculus Torpacion qui l'avait guéri d'un mal, estime personnelle du prince pour plusieurs personnages de rang sénatorial qu'il savait chrétiens, silence imposé à la plèbe qui se plaignait de la réserve morose témoignée par les fidèles lors de l'entrée du nouvel empereur dans Rome. Toutefois, sans que Sévère y fût pour rien, le rescrit de Trajan continuait à être appliqué ici ou là au gré des gouverneurs ou selon les sollicitations populaires. Ainsi la persécution sévit-elle violente en Afrique, selon qu'en témoignent l'*Exhortation aux martyrs*, les livres *Aux Nations*, et *l'Apologétique*, tous trois de 197.

Soudain, durant un voyage en Palestine, Sévère lança un édit qui défendait de se faire juif ou chrétien. Effrayé par les progrès récents, il interdisait désormais toute conversion; il visait donc à la fois catéchumènes et propagandistes tandis que les fidèles nés dans le christianisme resteraient soumis à la législation antonine. Par là, le prince espérait tarir le recrutement de la secte.

Sans doute l'édit était-il applicable partout, mais le zèle des magistrats s'affirma plus ou moins selon les provinces. En son avertissement *A Scapula* Tertullien dévoilera ces différences d'attitude. En Cappadoce, Claudius Lucius Herminianus sévit avec cruauté pour venger la conversion de sa femme; par contre, en Afrique, tel gouverneur, Cincius Severus, suggère aux chrétiens les réponses propres à les sauver, et tel autre, Asper, témoigne son dégoût du rôle qu'on lui fait jouer. Il est vrai que plusieurs fonctionnaires se voient obligés d'être humains : en vérité, les chrétiens sont trop. Pourtant, la persécution contre néophytes et convertisseurs devait amener des hécatombes telles qu'il n'y en avait pas encore eu de semblables. Clément d'Alexandrie nous déclare qu'il « voit de ses yeux couler à torrents le sang des martyrs, brûlés vifs, mis en croix ou décapités » (*Strom.*, II, 125). Au surplus, si débonnaires qu'ils fussent, comment les gouverneurs auraient-il fermé les yeux sans trahir la consigne impériale? L'édit nouveau ordonnait que la persécution cessât d'être « sporadique et spasmodique », et quelle poursuivît partout et toujours les délinquants.

En Égypte, Léonide, père d'Origène, fut incarcéré. Il avait été son premier pédagogue, l'initiant aux connaissances sacrées, heureux de constater sa précocité étonnante. « On dit, rapporte Eusèbe, qu'il allait souvent près de lui pendant son sommeil, lui découvrant la poitrine, et comme si l'Esprit divin en avait consacré l'intérieur, la baisait avec respect et s'estimait heureux de son bonheur de père » (*H. E.*, VI, II, n. 11). Combien l'enfant n'eût-il pas désiré le suivre dans la prison. Après l'avoir exhorté en vain « à prendre pitié de l'amour qu'elle lui porte », il fallut que sa mère « cachât tous ses habits et lui imposât ainsi de rester forcément à la maison. » Il trompa son ardeur en exhortant son père au martyre : « Fais attention, lui écrivait-il, de ne pas prendre un autre parti à cause de nous. » Léonide eut la tête tranchée, et à dix-sept ans Origène se trouva seul avec sa mère et six frères plus jeunes tandis que le fisc impérial avait confisqué les biens paternels. La Providence veilla sur lui : une femme riche se fit sa bienfaitrice et bientôt l'évêque Démétrius, après le départ de Clément en Cappadoce, le mit à la tête du didascalée d'Alexandrie. Au lieu du martyre, c'était la gloire littéraire.

Il faut nous arrêter aux plus célèbres martyrs de cette persécution, les thuburbitains. Leur *Passion* est surtout le récit par deux d'entre eux, Perpétue et Saturus, des souffrances endurées et des grâces reçues. Autour de cette autobiographie un auteur anonyme — peut-être Tertullien — ajouta un prologue et une conclusion de saveur montaniste, double avertissement qui souligne une surabondance de charismes, messagère de la parousie.

En 203, à Thuburbo minus, près de Carthage, on arrêta deux esclaves, Revocatus et Félicité, une matrone de vingt-deux ans, Vibia Perpetua, deux jeunes gens, Saturninus et Secundulus, tous catéchumènes; pour ne pas les abandonner, leur catéchiste Saturus se constitua prisonnier. D'abord simplement gardés à vue (*custodia libera*), les prévenus profitèrent de cette demi-liberté pour recevoir le baptême; on les interna à Carthage.

La patricienne Perpétue, jeune femme d'élite, intelligente et énergique, concentre l'attention. Certes, elle n'ignore pas les tendresses du cœur, ni les maternelles, ni les filiales : nulle joie plus grande pour elle que d'allaiter son enfantelet, si bien qu'à peine le tient-elle dans ses bras, elle en oublie les affreuses ténèbres de la prison. Mais une chose peut-elle être ce qu'elle n'est pas? Appellera-t-on un vase autrement que par son nom, et une chrétienne aussi? Qu'y faire? Là où nous voyons l'héroïsme, elle ne voit que l'inéluctable rectitude du bon sens contre quoi tout l'amour d'un père ne peut rien, ni l'amour d'une fille. En vain son père soulignera-t-il la honte qu'elle impose à une famille patricienne : « Songe à tes frères, à ta mère. Personne de nous n'osera plus élever la voix si tu es condamnée à quelque supplice. » « Il arrivera sur l'estrade ce que Dieu voudra, répond-elle simplement. Car nous ne nous appartenons plus à nous-mêmes, mais à Dieu. » Au surplus, quelle spontanéité exquise chez cette héroïne cornélienne! « Vivante j'ai toujours été gaie; je crois que je le serai plus encore dans l'autre vie. » On la dirait française; Jeanne d'Arc eût parlé ainsi.

Dans la prison, Perpétue et Saturus sont favorisés de visions très instructives qui éclairent certaines croyances comme celle au Purgatoire, ou qui précisent le sens symbolique de peintures catacombales, notamment la signification eucharistique du vase de lait.

Jamais martyrs n'ont autant désiré souffrir. Regardez-les s'avancer vers l'amphithéâtre comme s'ils montaient au ciel, rayonnants, tremblants de joie : voici Perpétue, la patricienne, « d'un pas tranquille ainsi qu'une matrone du Christ, une mignonne de Dieu, et qui par l'éclat de son regard force les spectateurs à baisser les yeux »; et voici, Félicité, la plébéienne, les seins gonflés de lait, « ravie d'aller du sang au sang, de l'accouchement au rétiaire pour se purifier par le second baptême ».

Dans l'arène de Carthage, la matrone Perpétue concentre tous les regards comme jadis dans celle de Lyon, l'esclave Blandine. Elle a tout pour émouvoir : après avoir été lancée en l'air par une vache furieuse, le geste de la pudeur blessée quand, remarquant la déchirure de sa tunique, elle la tire pour cacher ses jambes; celui aussi d'une vraie coquetterie chrétienne quand, avec une épingle elle rattache ses cheveux dénoués « pour ne pas avoir l'air en deuil dans sa gloire »; la démarche encore d'une charité exquise quand « s'approchant de Félicité qui semblait brisée, elle lui tend la main et l'aide à se relever »; enfin, au dernier instant, cette initiative de l'intrépidité virile qui lui fait saisir la main tremblante du bourreau novice pour diriger elle-même le poignard sur sa gorge. On comprend le cri d'admiration du narrateur : « Peut-être une telle femme n'aurait pu être tuée autrement. Le diable avait peur d'elle : il fallait qu'elle voulût mourir. »

Toute cette scène est traversée par les mouvements divers de la foule qui, tantôt émue à la vue des deux femmes blessées, clame qu'on les fasse sortir par la porte des vivants, et qui tantôt exige qu'on donne devant elle le coup de grâce aux martyrs, « semblant vouloir se donner le régal d'une épée qu'on enfonce dans le corps d'un homme ». Rien qui soit plus poignant dans l'histoire des persécutions, ni dans aucune histoire.

On sait quels honneurs la postérité réservait aux Thuburbitains. Sur leur tombeau s'éleva la *Basilica majorum;* leurs noms figurèrent dans tous les martyrologes d'Occident. Dès le VIe siècle, leur culte est répandu dans l'Empire entier : pour l'usage liturgique, on composa même une relation abrégée, récit officiel, sobre et court. Aujourd'hui encore, avec saint Augustin ils évoquent les plus pures gloires de l'Afrique chrétienne.

III. Le syncrétisne officiel. — Ne pourrait-on vaincre le christianisme sur son propre terrain? La religion populaire se composait d'éléments disparates : d'abord les anciennes divinités, héros de la mythologie grecque et latine ou dévotions locales; ensuite, le culte de Rome et des Césars, à la vérité expression du patriotisme romain plutôt que manifestation religieuse; enfin, les nouveautés orientales, Cybèle et Attis, la Dea Syra, Mithra et Isis. Une telle armée, marchant en ordre dispersé, ne pouvait monter à l'assaut de l'unique christianisme.

Mais un mouvement syncrétique se manifeste alors. Il consiste parfois à assimiler deux divinités et à les prier ensemble : ainsi rapprocha-t-on du panthéon romain soit les dieux orientaux tels que Sérapis ou Baal, soit encore les vieilles dévotions locales d'Occident. Jupiter en particulier reçut des épithètes multiples : on l'appelait, par exemple, Jupiter Dolichenus ou Jupiter Heliopolitanus pour l'associer au Baal de Dolichè ou à celui d'Héliopolis. Syncrétisme, somme toute, très superficiel qui agrège ensemble les habitants de l'Olympe ainsi que des pierres réunies en tas.

Par un effacement progressif des notes individuantes, un syncrétisme plus foncier réduira chaque personnage à n'être plus que telle ou telle qualité de l'Être suprême. Pour y parvenir, rien de plus simple : on utilisera le symbolisme. « De même, dit Plutarque, que le soleil, la lune, le ciel, la terre, la mer sont communs à tous, bien qu'appelés diversement chez les divers peuples, de même cette raison unique qui règle l'univers, cette providence divine qui le dirige, ces forces secondaires appliquées à toutes les parties, sont l'objet d'hommages et de noms divers, selon que les législateurs l'ont réglé. Tout cela constitue des symboles que la religion a consacrés, les uns plus obscurs, les autres plus sensibles, mais conduisant tous à la connaissance des choses divines. » Ainsi le syncrétisme achemine-t-il le polythéisme vers une synthèse supérieure, vers un monothéisme plus ou moins formel.

A un tel phénomène on peut trouver diverses causes : conception plus élevée de la divinité propre aux religions naturalistes de la Perse et de l'Egypte, influence indirecte du christianisme, tendances monothéistes de la philosophie grecque. Signalons particulièrement quel fut l'apport syrien dans cette ascension. Si obscènes et si brutaux que fussent les cultes des Baals, ils comportaient certains principes astrologiques spirituels. Pour un clergé d'astronomes, les Baals, dieux sidéraux, évoquent à la fois l'idée d'éternité et d'universalité : éternité, parce que les astres ne meurent pas comme Osiris et Attis, mais sans cesse reprennent leur course, évoquant ainsi l'idée d'un Dieu toujours invincible (*invictus*) sans commencement ni fin; universalité, parce que ces mêmes astres font sentir leur influence à la terre entière. Aussi, les Baals syriens tendirent-ils à devenir des « Panthées », embrassant tout dans leur compréhension. Le soleil surtout, qui mène le chœur des étoiles, apparut comme le roi du firmament, comme le Dieu suprême, source de toute chaleur et de toute vie.

La conception nouvelle dut enfin sa fortune à la protection officielle. Légats impériaux, officiers et sous-officiers spécialement attachés à la personne des hauts fonctionnaires ou des

Religions orientales. I. Syncrétisme. Réville,*? *La religion à Rome sous les Sévères*, 1886. — P. Batiffol, *La paix constantinienne et le catholicisme*, ch. I. — F. Nau, art. *Apollonius de Tyane*, dans *Dict. Hist.*

II. Mithriacisme. F. Cumont,*? *Textes et documents relatifs au culte de Mithra*, 2 vol., Bruxelles, 1896-99; *Les mystères de Mithra*, Bruxelles, 1913; *Les religions orientales dans le culte romain*, ch. VI. — A. d'Alès, * *Mithriacisme et catholicisme*, *Rev. Prat. Apol.*, 1er février 1907; *Mithra* (*La religion de*), dans *Dict. Apol.* — Lagrange, * *Les religions orientales et les origines du christianisme*, dans le *Correspondant*, 25 juillet 1910.

commandants de légion, affranchis enfin de la maison impériale, voilà quels furent les principaux propagandistes du syncrétisme païen. Sous Septime-Sévère, ces tendances monothéistes sont favorisées par l'impératrice Julia Domna, d'origine syrienne, intellectuelle prétentieuse qui réunit autour d'elle un cercle de lettrés où figurent le poète Opien, le médecin philosophe Gallien, l'historien Diogène de Laerte,les grands juristes Papinien, Ulpien et Paul.

JULIA DOMNA.
Musée national du Louvre.

Un membre de ce cénacle, le « philosophe » Philostrate, composa sur l'ordre de la princesse une *Vie d'Apollonius.*

Né à Tyane, en Cappadoce, au Ier siècle, celui-ci n'avait été, semble-t-il, qu'un magicien dont Maxime d'Egée et Méragène écrivirent la biographie au IIe siècle. Mais Philostrate voulut faire de son héros le philosophe parfait qui, méprisant les fables païennes, réserve ses hommages au Dieu suprême dont le soleil est la plus éclatante manifestation. Philostrate nous montre Apollonius à la poursuite de la sagesse : penseurs de la Grèce, mages de Babylone, brahmanes de l'Inde, gymnosophistes de l'Éthiopie reçoivent tour à tour sa visite. Ascète et thaumaturge, il résumera sa religion en un culte épuré, l'adoration toute spirituelle du soleil. Présenté au roi de Babylone au moment où celui-ci va immoler au soleil un cheval blanc, Apollonius lui dit : « O roi, vous pouvez sacrifier à votre manière, mais permettez-moi de sacrifier à la mienne. » Et prenant de l'encens : « Soleil, s'écria-t-il, accompagnez-moi aussi loin qu'il vous conviendra et que je le désirerai. Faites-moi la grâce de connaître les bons, de ne pas connaître les méchants et de n'être pas connu d'eux! » Après cette prière, il jeta l'encens dans le feu : « Maintenant, dit-il au roi, sacrifiez selon vos rites nationaux : car les miens les voilà. » Et il se retira pour ne pas prendre part à un sacrifice sanglant » (*Phil.*, I, 32).

« Subordination de tous les cultes du paganisme gréco-romain à une conception plus universelle de la religion, sorte de monothéisme solaire, mais plus encore moralisme, caractérisé par le scrupule de la justice et de l'ascétisme, le souci de l'expiation, la foi à une autre vie, l'orgueil d'une sagesse sententieuse plus que spéculative, enfin un minimum de ritualisme, on pourrait définir ainsi la religiosité de Philostrate » (Batiffol). Du Christ pas un mot, comme si nulle part Apollonius ne l'avait rencontré au cours de ses fictifs voyages. Pourtant, selon le mot de Réville, « si Philostrate ne parle pas du Christ, il y pense beaucoup ». Comme il lui était impossible d'ignorer alors le christianisme, on peut augurer qu'il a voulu opposer à Jésus un héros païen, incarnation des tendances syncrétiques et monothéistes de l'entourage des Sévères. Au surplus, cette façon de Contre-Évangile deviendra au IVe siècle une arme de guerre aux mains des sectaires, un Hiéroclès, un Porphyre ou un Julien.

Après Caracalla, soudard brutal qui maintint un moment la législation paternelle, après Elagabale, adolescent dépravé qui imposa à Rome un culte impur, celui de la pierre noire d'Éphèse, la conception philosophique et monothéiste accéda au trône en la personne d'Alexandre-Sévère. Sa mère Julia Mamaea, qui le gouverna toute sa vie durant, était une personne d'une haute dignité morale. Le christianisme recueillit tout au moins son respect, voire son admiration. Durant un séjour à Antioche, elle voulut s'entretenir avec Origène qui « lui exposa, dit Eusèbe, un grand nombre de questions concernant la gloire du Seigneur et l'enseignement divin » (*H. E.*, VI, XXI). Formé par une telle mère, Alexandre-Sévère adopta ce syncrétisme spiritualiste en vogue parmi les esprits cultivés. Dans son sanctuaire privé ou lararium il possédait, avec l'image des princes vertueux divinisés, celle des âmes saintes, parmi lesquelles Apollonius de Tyane, Orphée, Abraham et Jésus. Si on ne l'en avait dissuadé, il aurait élevé un temple au Christ, de même qu'à Isis et à Sérapis.

Au moins, sa bienveillance ne se borna-t-elle pas à ces vagues aspirations. Lampride affirme qu'il accorda aux chrétiens la liberté d'être (*Christianos esse passus est*). Initiative considérable, relatée parmi une série d'édits, et qui dut revêtir une forme légale. Ainsi se trouvait abrogée pour la première fois l'interdiction de *christianiser* lancée à l'époque néronienne. Dès lors il était naturel qu'Alexandre reconnût aussi aux fidèles le droit de posséder. Voyez de quelle manière il trancha le différend surgi au sujet d'un terrain entre la corporation des cabaretiers et les chrétiens romains. « Mieux vaut, dit-il, que Dieu soit adoré en ce lieu, n'importe de quelle façon, que d'en faire don aux cabaretiers » (LAMPRID, *Alex. Sev.*, X, LIX).

Et pourtant, cette situation légale était bien chancelante. Le vieux parti romain, qu'incarnaient les jurisconsultes, ne se ralliait pas à cette politique religieuse où il ne voyait que le rêve d'un bel esprit utopiste; pour lui, défendre la romanité importait avant tout. C'est le temps où Ulpien entreprend de rédiger un recueil des édits et ordonnances contre les chrétiens. Au surplus, la faible main d'Alexandre ne pouvait protéger toujours les fidèles contre les soulèvements populaires. L'un d'eux causa le martyre du pape Calliste. Si, seul entre tous les pontifes romains du IIIe siècle, il ne fut pas enterré dans le cimetière de la voie Appienne, auquel

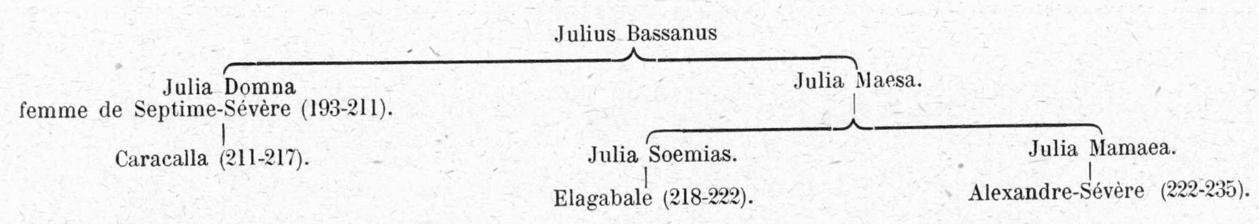

son nom reste attaché, c'est sans doute que les circonstances tragiques de sa mort, empêchèrent son transfert au delà du Tibre.

L'empereur, d'ailleurs, périt dans une émeute; elle porta au trône Maximin le Thrace (235-238). « Par rancune contre la maison d'Alexandre qui était pleine de chrétiens », ce soudard grossier recommença à persécuter. Un édit fut porté contre « les chefs des églises » : évêques à coup sûr, peut-être aussi prêtres et diacres. Ce barbare rusé comprenait le premier qu'il fallait atteindre la tête pour faire périr tout le corps. A Rome, on arrêta le pape Fabien et le prêtre Hippolyte, alors à la tête d'un schisme; tous deux furent déportés en Sardaigne où ils moururent réconciliés.

Ainsi, deux courants s'opposent-ils durant tout le IIIe siècle : l'un politique qui, esclave de la raison d'État, ne voit dans le christianisme que le contempteur des dieux, gardiens du patriotisme; l'autre religieux qui, regardant le syncrétisme comme la forme de culte agréable à la divinité, se complaît parfois en des projets de tolérance effective et même légale. Ou bien, si l'on veut s'exprimer autrement, d'une part, cette mentalité conservatrice qui veut fortifier contre l'assaut des Barbares le vieux mur de la romanité en éliminant toute dissidence, dût-on marquer le pas dans le sang des chrétiens; d'autre part, cette mentalité progressiste, large parfois et tolérante, dont les perspectives s'ouvrent sur l'Édit de Milan. La première est représentée par Septime-Sévère, Maximin et plus encore Dèce et Galère; la seconde par Alexandre-Sévère et Philippe l'Arabe, en attendant Constantin. De cette lutte du vieil esprit romain contre la tolérance nouvelle le IIIe siècle est rempli; ou plutôt ils se combattent moins entre eux qu'ils ne se succèdent au hasard des avènements impériaux; car, l'idée de partis s'affrontant au jour le jour comme dans nos parlements contemporains ne répond guère à la réalité durant une période purement césarienne.

IV. Le mithriacisme. — Du fond de l'Orient un Dieu apparut dans l'Empire romain qui prétendit faire converger sur lui le syncrétisme païen.

A l'origine, divinité persane intermédiaire entre Ahriman et Orosmasdès, Mithra émigra en Babylonie où il s'imprégna des doctrines astrolâtriques et trouva sa représentation dans le soleil divinisé. En Asie Mineure, il se prêta à un nouveau syncrétisme avec la mythologie hellénique par un procédé très simple qui consistait à représenter auprès de Mithra les dieux anthropomorphiques gréco-latins : ainsi le dieu iranien se rendait-il acceptable aux Occidentaux. Fond naturaliste persique, doctrines astrologiques babyloniennes, idées empruntées au polythéisme hellénique, tous ces éléments ensemble amalgamés préparaient la fortune du mithriacisme qui, ayant vécu trois cents ans dans l'Asie Mineure, pénétra en Occident après la chute de Mithridate.

Au surplus, le mithriacisme possède l'attirance des religions à mystères, c'est-à-dire

MITHRA SACRIFIANT UN TAUREAU DANS UNE GROTTE, ENTRE DEUX PERSONNAGES EN COSTUME ASIATIQUE.
AU SOMMET, LES CHARS DU SOLEIL ET DE LA LUNE.
Bas-relief au nom de C. Aufidius Januarius.

un ensemble doctrinal et rituel accessible aux seuls initiés. Sa légende comportait surtout deux épisodes : Mithra et Sol, Mithra et le taureau. Né d'un rocher (*Petra genitrix*) sur le bord d'un fleuve, Mithra conclut un pacte solennel avec Sol et en sa compagnie célèbre un banquet commémoré par le festin sacré des mystères. Cette alliance aboutit à une véritable identification : Dieu solaire, Mithra sera le parfait médiateur et l'auteur de la vie. — D'autre part, il se mesure avec le taureau qu'il parvient à dompter et à entraîner dans son antre par les pattes de derrière; sur l'ordre du Soleil, il le tue, saisissant de la main gauche ses naseaux, lui relevant violemment la tête et lui plongeant au défaut de l'épaule son large couteau. De la victime naissent tous les végétaux, et de sa moelle épinière le blé. Ce groupe de Mithra taurochtone, centre du dogme mithriaque, représentait la génération universelle et la résurrection des morts opérée par le Dieu vainqueur.

Pourtant l'attrait propre du mithriacisme ne s'explique ni par sa théorie solaire qui ne différait pas sensiblement de celle des prêtres syriens, ni même par sa liturgie dont le héros taurochtone n'atteint pas le pathétique d'Isis cherchant le cadavre mutilé de son époux. Il se comprend surtout par cet apport principal de la Perse : le dualisme qui déifie le principe mauvais et l'oppose au Dieu suprême. De là, une prétendue explication de l'existence du mal. De là encore, une morale agonistique impliquant la lutte pour le Bien contre la Puissance mauvaise. De là enfin, des croyances eschatologiques, le jugement, les abîmes infernaux, la récompense. Bref, toute une charpente dogmatique et morale que la religion des Romains n'avait pas connue.

Le culte se célébra d'abord en des cavernes, puis en des *spelaea* à demi souterrains de dimensions assez exiguës où les fidèles prenaient place le long des murs sur des bancs en maçonnerie. Pour l'initiation mithriaque, il y avait sept degrés ainsi énumérés par saint Jérôme : le corbeau (*corax*), l'occulte (*criphius*), le soldat (*miles*), le lion (*leo*), le perse (*perses*), l'héliodrome ou courrier du Soleil (*heliodromus*), le père (*pater*). L'entrée dans chaque degré comportait diverses cérémonies secrètes qui ressemblaient à une prise d'habits : car, aux classes citées correspondaient des accoutrements appropriés. Quant aux éléments du repas sacré, c'étaient le pain et l'eau sur quoi on prononçait des formules; les initiés y participaient étendus sur les bancs latéraux qui leur servaient de lits triclinaires.

Exista-t-il des relations entre mithriacisme et christianisme? Les deux religions ont progressé presque en même temps, faisant ensemble des recrues dans les classes inférieures de la société. Toutes deux admettent un médiateur, l'une Jésus, l'autre Mithra. Dans la vie de celui-ci, on relate l'adoration des bergers, la Cène et l'Ascension. Mais combien lointaines demeurent ces analogies! Entre le récit biblique et Mithra, créateur par le meurtre du taureau, quelle différence! En quoi Mithra se montre-t-il rédempteur et médiateur à la manière du Crucifié? Et cette communion mithriaque, qu'est-elle sinon un de ces banquets en commun tels que les pratiquaient presque toutes les sectes? A pousser plus loin les ressemblances, ne serait-on pas le jouet de rapprochements verbaux sans fond réel? Qu'apprendrait un chrétien dans le mithriacisme? Rien. Qu'aurait à apprendre un mithriaque pour devenir chrétien? Tout.

Le mithriacisme se répandit rapidement. Culte viril, réservé aux hommes, il plut aux soldats, et les vétérans rentrés dans leurs foyers s'en firent les propagandistes. Religion du dieu Soleil, il eut grand succès parmi les trafiquants syriens, et toute une diaspora le porta dans les ports méditerrannéens et les villes commerciales, jusqu'au fond de la Gaule lointaine, à Lyon, à Bordeaux, à Trèves même. D'autre part, comme il s'était développé à l'origine dans les provinces asiatiques qui au cours des guerres incessantes alimentèrent les marchés d'esclaves, ceux-ci dispersés par les villes et les campagnes ou devenus fonctionnaires impériaux, semèrent un peu partout le renom du Dieu taurochtone; ils lui restèrent d'autant plus fidèles que, sans préjugés sociaux, il ne distinguait ni esclaves ni hommes libres. Enfin le mithriacisme pouvait compter sur la faveur impériale : outre que son syncrétisme et sa large tolérance faisaient tomber à l'avance toutes les suspicions politiques, ses conceptions astrologiques plaçaient directement les empereurs sous l'influence du soleil, maître du monde, et leur attribuaient une manière de droit divin en leur octroyant quelque parcelle de sa substance. Favori de la fortune, le monarque invincible était le représentant terrestre du Dieu invincible. A toutes ces causes d'expansion, joignez que le mithriacisme possédait tout le prestige moral d'une religion dualiste, toute l'attraction des religions à mystères, tout l'intérêt aussi d'une croyance syncrétique.

Aussi, constitua-t-il pour le christianisme un péril plus dangerenx que le monothéisme de l'impératrice Julia Domna, fût-il illustré par le roman de Philostrate. Mais n'exagérons pas. « Si le christianisme eût été arrêté dans sa croissance..., a dit Renan, le monde eût été mithriaste. » Qu'en sait-il? Lui qui doutait de tout, comment n'a-t-il pas douté d'une hypothèse si hasardée? En fait, l'expansion mithriaque ne fut pas universelle, mais ne s'opéra que par endroits. Les pays de culture hellénistique, où le christianisme s'était implanté dès le début, lui restèrent réfractaires. Il s'établit surtout au long de l'immense ligne militaire qui, du Pont-Euxin au Rhin, et même à la Calédonie, couvrait les frontières ; d'autre part en Italie et particulièrement à Rome où s'exerçait la propagande officielle. Nombreux sont les souvenirs mithriaques retrouvés dans la ville impériale : jusqu'à soixante-quinze morceaux de sculpture, une centaine d'inscriptions, une série de temples situés dans les divers quartiers, et dont le plus fameux, placé dans une grotte du Capitole, nous a donné le bas-relief Borghèse, actuellement au Louvre. Aussi a-t-on pu comparer l'expansion mithriaque à « une gigantesque araignée, blottie dans Rome et agissant par ses fils aux extrémités ».

Encore faudrait-il établir à quel point le mithriacisme pénétra dans ces régions mêmes. Quelques données précises feraient plutôt croire à une diffusion assez restreinte. Sans doute a-t-on pu compter, par exemple, jusqu'à cinq mithréums à Ostie; mais, si l'on se souvient, d'une part, que ces temples pouvaient tout au plus contenir une centaine de personnes, d'autre part, que Ostie était une des plus importantes villes commerciales et un grand port maritime, on conclura que ce chiffre est peu élevé. D'ailleurs, malgré la propagande des fonctionnaires, des soldats et des marchands, toute une bourgeoisie conservatrice dut rester indifférente ou défiante : pour elle, le mithriacisme était une nouveauté. Aussi semble-t-il que l'expansion mithriaque soit restée cantonnée à quelques régions et à certaines classes sociales. Elle n'eut pas le caractère universel de l'expansion chrétienne

La protection officielle s'affirma dès Commode qui se fit initier aux cérémonies secrètes. Elle grandit sous les Sévères alors que le syncrétisme prôné par Julia Domna faisait une si large place à la divinité solaire : une inscription de l'époque mentionne un prêtre mithriaque chapelain du palais (*sacerdos invicti Mithrae domus augustanae*). Une fortune politique plus étendue attendait le mithriacisme sous Aurélien, puis sous Dioclétien. Il est frappant que, malgré ce soutien, le mithriacisme n'ait pu l'emporter sur le christianisme persécuté. Du jour où le pouvoir impérial devenu chrétien lui fera la guerre, il périclitera avec rapidité, si bien qu'un siècle après Dioclétien on ne le trouvera plus que dans quelques cantons perdus des Alpes.

CHAPITRE II

L'ÉPOQUE DE SAINT CYPRIEN

Les successeurs de Maximin, Gordien III (238-43), puis Philippe l'Arabe (243-49) restaurèrent le régime de tolérance inauguré par Alexandre-Sévère. Origène pourra écrire en 248 : « Nous affirmons au grand jour la dignité de notre croyance. » C'est alors que le pape Fabien (236-50) ramena à Rome les cendres de Pontien, mort en Sardaigne, et qu'il les déposa solennellement dans la crypte des papes au cimetière de Calliste. Saint Jérôme affirme que Philippe est le premier des empereurs qui ait été chrétien. Il correspondait avec Origène ainsi que sa femme Otacilia Severa. Eusèbe rapporte que Philippe se présenta une fois à l'église le jour de Pâques, mais que l'évêque lui en ferma l'accès; « l'empereur se soumit de bonne grâce et fit voir ainsi qu'il était pénétré de la crainte de Dieu » (*H. E.*, VII, 10). Léonce d'Antioche précise que la scène se passait à Antioche et que l'évêque était saint Babylas. Cette scène ne nous renseigne pas davantage sur la situation religieuse personnelle de Philippe. Peut-être sa religiosité ne fait-elle que s'apparenter au vague syncrétisme d'Alexandre-Sévère.

Au surplus, les temps n'étaient point mûrs pour un Constantin. L'opposition païenne restait trop forte pour être affrontée sans péril : la religion de l'esprit ne s'impose point par la violence et l'acte de 313 ne sera pas un coup d'État. Seulement, il semble que, durant ce siècle sanglant, Dieu ait voulu ménager à l'Église des trêves qui permettraient aux chrétiens de se compter avant les derniers combats.

I. La persécution de Dèce (250-53). — Dèce rouvrit la persécution. Conservateur décidé, il voulut coûte que coûte restaurer le passé romain et les vieilles croyances qui gardaient la romanité. L'édit porté obligeait tous les habitants à se présenter au jour indiqué devant les autorités locales pour faire acte d'idolâtrie. Trois choses étaient requises : offrande de l'encens, libation, puis communion dans un banquet à la chair des victimes immolées. En retour on recevait un certificat officiel, sorte de passeport religieux. Les réfractaires seraient soumis à la torture et, si inflexibles, privés de tous leurs biens, condamnés à la mort ou à l'exil. Par les tortures raffinées et les longues incarcérations, on viserait surtout à provoquer l'apostasie.

Pour Carthage, grâce à l'évêque Cyprien, nous possédons des renseignements étendus. Les peuples heureux n'ont pas d'histoire : rien sur les chrétientés africaines entre 220 et 250. Mais la sécurité faisait oublier la vigilance. Une foule de néophytes — gros commerçants, fonctionnaires, hommes d'affaires — entendaient mener la vie en épicuriens. Le relâchement gagna jusqu'au clergé; Cyprien parle d'évêques adonnés à la bonne chère et qui servent « non la religion mais leur ventre ».

Aussi les apostasies furent-elles nombreuses. Il y eut comme une émulation de lâcheté ou plutôt une panique folle entraînant vers le Capitole toutes les âmes faibles. Cortège lamentable où l'on voyait le riche s'avancer entouré de ses esclaves et colons, la mère apporter ses enfants, le mari entraîner sa femme malgré ses résistances, ainsi celle-là qui criait au moment où on l'obligeait à jeter l'encens sur l'autel : « Ce n'est pas moi, c'est vous qui l'avez fait. » Parmi les apostats on compta des prêtres et jusqu'à des évêques : à Saturnum, en Proconsulaire, Repostus conduisit lui-même au temple une partie de son peuple. Dieu, d'ailleurs, prit parfois ses terribles revanches que Cyprien rapporte : voici tel apostat frappé de mutisme après avoir prononcé la formule blasphématoire, telle femme devenue folle et mâchant cette langue qu'avaient souillée les viandes profanes, une renégate expirant après avoir reçu l'Eucharistie, une autre voyant une flamme sortir du coffret où elle la conservait.

Sans remplir les conditions édictées, certains surent se procurer, par faveur ou à prix d'argent, le *libellus* ou « billet de confession païenne » qui les sauvait. Voici la formule de ces attestations : « J'ai toujours été dévoué au service des dieux, et maintenant aussi en votre présence, suivant l'édit, j'ai encensé l'autel, j'ai offert la libation et j'ai mangé la viande sacrée et je vous prie de me donner la signature. »

Mêmes scènes à Alexandrie que l'évêque Denys nous rapporte : « Tous, dit-il, furent frappés d'épouvante; beaucoup et des plus considérables se présentèrent aussitôt; ceux-ci cédaient à la crainte, ceux-là étaient fonctionnaires, les autres étaient entraînés par leur entourage; appelés par leur nom, ils allaient aux sacrifices impurs et impies. Les uns étaient pâles et tremblants, non pas comme des gens qui devaient sacrifier, mais comme s'ils devaient eux-mêmes être sacrifiés et immolés aux idoles; aussi étaient-ils assaillis par le rire moqueur du peuple nombreux qui les entourait, et il était évident qu'ils étaient lâches pour tout, aussi bien pour mourir que pour sacrifier. Certains étaient arrêtés, et de ceux-ci les uns, après avoir été jusqu'aux fers et à la prison, quelques-uns même après y avoir demeuré plusieurs jours, abjuraient ensuite avant d'aller au tribunal; les autres, après avoir enduré un certain temps les tortures, refusaient d'aller plus loin. » (*H. E.*, VI, 41.)

Cependant, il y avait alors d'intrépides évêques, tels Fabien à Rome, Cyprien à Carthage, Denys à Alexandrie. Il y eut des martyrs nombreux, à Carthage par exemple où les confesseurs s'entassèrent dans les prisons. Contre d'autres, on prononça le bannissement avec la confiscation de tous les biens. Pour les exilés volontaires le sort fut plus dur encore puisqu'à la perte de la fortune s'ajoutèrent les angoisses d'une vie menacée. « Ils erraient, dit Denys, traversant montagnes et solitudes, à la merci des brigands, des bêtes fauves, exposés à la faim, à la soif, au froid. » Parmi ces fugitifs, d'aucuns ne revinrent jamais, tel Chérémon de Nilopolis qui s'en alla vers la montagne d'Arabie et que ses frères recherchèrent en vain. Souvent les évêques donnèrent l'exemple : ainsi à Carthage Cyprien, à Alexandrie Denys dont l'odyssée tient du mélodrame, à Césarée Grégoire qui entraîna après lui tout son peuple.

D'autant plus grand fut l'héroïsme que par mille raffinements cruels, par l'horreur des incarcérations les juges s'efforçaient d'amener les confesseurs à l'apostasie. Cyprien célébrait la beauté de ces cloîtres de souffrance : « Oh! l'heureuse prison qu'a illuminée votre présence! Oh! l'heureuse prison qui envoie au ciel les hommes de Dieu! O ténèbres plus brillantes que le soleil même! Car c'est là que vos membres ont été sanctifiés par vos divines souffrances... Heureuses aussi les femmes qui sont avec vous! Elles partagent la gloire de votre confession. Plus fortes que leur sexe, non seulement elles sont elles-mêmes tout près de la couronne, mais encore, par leur fermeté elles ont donné l'exemple à toutes les autres femmes. » (*Epist.*, VI.) Combien, en effet, pareilles résistances ne donnaient-elles pas à réfléchir. Voici, prises sur le vif, les impressions des assistants à une scène de tortures : « Les uns disaient : « Il y a quelque chose de grand à ne point céder à la douleur, à surmonter les angoisses. » D'autres ajoutaient : « Je pense qu'il a des enfants. Une épouse est assise à son foyer. Et cependant ni l'amour paternel, ni l'amour conjugal n'ébranlent sa volonté. Il y a quelque chose à étudier, un courage qu'il faut scruter jusqu'au fond. On doit faire cas d'une croyance pour laquelle un homme accepte de mourir. » (*De laude martyrum*, 5.) Aussi, la persécution nouvelle allait-elle ménager de graves déceptions à l'État romain; au lieu d'apostats elle suscitait parfois des convertis. Le contraste de défections spontanées et d'héroïsmes prolongés, telle est la caractéristique de la persécution décienne.

Elle engendra des cas de conscience. Tout d'abord, la fuite était-elle permise? Problème déjà ancien, mais qui acquit alors un regain d'actualité.

Dans son traité *Sur la Fuite*, Tertullien montaniste avait tranché le débat par une série de paradoxes étourdissants. A ses yeux, la persécution était bonne parce que voulue de Dieu. Comment, en effet, ne désirerait-il pas ce qui procure sa gloire? Pourquoi d'ailleurs vous dérober? Êtes-vous certain de renier dans les souffrances, votre fuite devient fort inutile, la faute étant déjà commise par la volonté? Dans le cas contraire, pourquoi ne pas courir le risque? Et puis, la fuite n'est-elle pas insensée, puisque tout destin appartient à Dieu? Ne peut-il, si vous fuyez, vous ramener devant les bourreaux? Ne peut-il aussi vous protéger contre leurs fureurs et vous rendre invincible? Et Tertullien conclut par cette suprême offense au bon sens : « Mieux vaut renier la foi au milieu des supplices; on a du moins le mérite d'avoir lutté. Un soldat perdu sur le champ de bataille vaut mieux qu'un soldat sauvé par la fuite. »

Ni Clément, ni Origène ne suivirent Tertullien dans cette voie. Pour eux, le conseil évangélique de la fuite conservait toute sa valeur que l'Africain avait escamoté sous prétexte qu'il ne s'adressait qu'aux seuls Apôtres. Ils alléguaient deux raisons : l'une d'humilité, à savoir qu'on ne connaît pas d'avance l'issue de la lutte; l'autre de charité, pour ne pas aggraver les fautes des persécuteurs. « Dieu, dit Clément, veut que nous ne soyons ni cause, ni complices d'un mal, ni pour nous-mêmes, ni pour les persécuteurs, ni pour le bourreau. Il ordonne en quelque sorte de se préserver soi-même; celui qui désobéit est un téméraire et un imprudent. Si celui qui détruit un homme de Dieu pèche contre Dieu, celui qui se livre lui-même au tribunal est complice de celui qui tue. » (*Strom.*, IV, 10, 76-77.) A Rome on ne pensait pas autrement qu'à Alexandrie : dans le cimetière de Calliste une issue dissimulée était aménagée sur une sablonnière où l'on accédait par une échelle mobile qu'on retirait après soi.

Sous Dèce, les fugitifs furent nombreux, et parmi eux les évêques. Évidemment, il se trouva des *zelanti* à la manière de Tertullien qui les attaquèrent. Denys d'Alexandrie n'eut certes à rappeler pour sa défense que la manière dont il avait fui : odyssée à la fois burlesque et émouvante qui pourrait s'intituler *sauvé malgré lui*, et où l'on voit l'évêque intrépide s'attarder d'abord quatre jours dans sa propre maison sans que les persécuteurs qui le cherchent partout n'aient la naïveté de le trouver là, ensuite se résigner à fuir sur l'ordre divin, et pris enfin par des soldats, subir l'intervention nocturne de braves paysans qui le délivrent en dépit de ses protestations véhémentes. « Je les suppliais à grands cris, dit-il lui-même, et leur demandais de s'en aller, de nous laisser, et s'ils voulaient faire quelque chose de mieux, j'estimais que c'était de prévenir ceux qui m'emmenaient et de me couper la tête... Je me jetais à terre à la renverse, mais eux me prirent par les pieds et me traînèrent dehors... Ils me portèrent même à bras, puis me faisant monter sur un âne, ils m'emmenèrent. » (*H. E.*, VI, XL.)

A Carthage, Cyprien avait aussi résolu de fuir. De Rome, une lettre anonyme lui fut envoyée qui hypocritement insinuait la comparaison du bon pasteur avec le mercenaire. Avec dédain, il la renvoya, demandant si un faux n'avait pas été commis. Plus tard, d'ailleurs, il s'en expliqua rapidement dans le *De Lapsis :* « Quiconque, disait-il, se retire quelque temps en restant fidèle au Christ, ne renie pas sa foi, mais attend son heure. » A pareil moment, sa vue n'eût pu qu'exaspérer les païens : « Par notre présence, écrivait-il à son clergé, nous pourrions provoquer la haine et la violence des Gentils. » Au surplus, n'était-il pas l'homme nécessaire? « S'il s'était exposé au martyre, a pu dire son biographe Pontius, son œuvre eût été incomplète, et personne n'eût été là pour réparer les maux de la persécution. » « J'étais absent de corps, écrira-t-il, mais ni mon esprit, ni mes actes, ni mon conseil n'ont manqué aux fidèles. » A parcourir sa correspondance, on verra avec quel soin il s'occupait de tout, fixant les sommes à distribuer, exhortant le clergé, encourageant les martyrs, recueillant les noms des confesseurs à commémorer. On voit donc l'inanité de la critique. Et cependant, telle calomnie allait être exploitée par les nombreux ennemis de Cyprien.

Il méritait la confiance de tout son peuple. Né à Carthage vers 210, après avoir exercé le métier de rhéteur, il songea à se convertir. La lutte fut douloureuse qu'il a racontée lui-même : « Comment était possible, disais-je, une telle conversion; comment se défaire immédiatement, tout d'un coup, de ce que la nature ou l'habitude ont, avec le temps, fortifié en nous? Tout cela est profondément enraciné. Comment un homme habitué à faire bonne chère apprendra-t-il la sobriété? Et celui qui aimait à paraître sous des habits précieux, éclatants d'or et de pourpre, s'accommodera-t-il de vêtements modestes et simples? Qui donc après avoir joui des charges et des honneurs voudra rentrer dans une condition privée et vivre sans faste? Elles sont tenaces les vieilles séductions! Il faut qu'elles reviennent vers leurs victimes... Voilà ce que souvent je repassais en mon esprit. » Cependant, après que le prêtre Cécilianus lui eût révélé les Écritures, il se décida et reçut le baptême vers 245 ou 246. Dans son discours à son ami Donatus, il a raconté quelle métamorphose incroyable s'opéra en lui. Cet opuscule est un véritable sermon sur la grâce. « Elle coule sans interruption, dit-il; elle surabonde en se répandant. Il suffit que notre cœur ait soif et s'ouvre. Autant notre foi peut en contenir, autant nous y puisons cette grâce débordante. Je trouvais facile ce qui auparavant me semblait difficile et possible ce que j'avais cru impossible. » Après sa conversion, Cyprien se voua à la continence, distribua une partie de ses biens aux pauvres et — sacrifice plus intime — résolut de renoncer aux lettres profanes pour ne plus connaître désormais que deux lectures : la Bible et Tertullien.

Pareille vertu chez un personnage considérable pouvait-elle passer inaperçue? Bientôt, Cyprien devint prêtre; puis, au début de 249, — malgré lui, — l'appelèrent à l'épiscopat « le jugement de Dieu et le suffrage du peuple ». Il possédait toutes les qualités nécessaires aux conducteurs d'hommes : chef énergique, l'autorité jointe à la pondération; pasteur diligent, la charité, la prudence, le goût de la paix. On dirait que tout le bon sens romain a passé dans l'âme de cet Africain que ne dévore pas la passion de Tertullien, son maître. Pourtant, comme s'il eût été simoniaque, quelques clercs formèrent aussitôt un parti d'opposition qui trempera dans tous les complots ourdis contre lui.

II. La question pénitentielle en Afrique. Le novatianisme. — Les apostats étaient alors une grave préoccupation. Nombre d'Églises, semble-t-il, ne leur accordaient aucune rémission, les abandonnant au jugement divin. Pareille rigueur s'imposait-elle? N'était-elle pas désespérante et n'allait-elle pas affaiblir l'Église alors que la persécution décienne avait tant multiplié les faillis? Parmi eux, certains osèrent se présenter au tribunal pour renier leur lâcheté; d'autres firent pénitence. Mais beaucoup crurent trouver une échappatoire en recourant aux confesseurs emprisonnés. C'était, en effet, un ancien usage que, par une sorte de réversibilité méritoire, ceux-ci intercédassent pour les pécheurs. Flattés du rôle qu'on leur attribuait, circonvenus de mille manières, ils accordèrent des libelles de réconciliation avec une générosité indiscrète. Ils allèrent jusqu'à distribuer des billets de famille grâce à une formule élastique impliquant le pardon en bloc (*communicet ille cum suis*). Ce fut un agiotage éhonté. Tout y contribuait : l'impatience des apostats, la naïve vanité des confesseurs, enfin l'indulgence coupable de plusieurs prêtres qui, sans délai, admettaient les graciés au sacrifice et à la communion.

Dès lors, un double problème se posait pour Cyprien. Le premier d'ordre moral : réconcilierait-on les apostats sans autre forme de pénitence, et donnerait-on ainsi comme un brevet d'encouragement à la lâcheté des demi-convertis, restés tout englués dans leurs habitudes païennes? Le second, d'ordre hiérarchique : laisserait-on les confesseurs usurper sur les prérogatives épiscopales et substituer ainsi les prétentions personnelles du mérite aux pouvoirs traditionnels, de même que jadis à l'autorité des Églises Tertullien opposait celle de l'inspiration privée? Les assises mêmes étaient en jeu sur quoi reposait l'édifice chrétien. Cyprien aborda cette question à la fois en évêque et en diplomate, résolu à maintenir le principe de l'autorité et la nécessité de l'expiation, mais aussi à montrer pour les personnes toute la condescendance possible. Aux confesseurs il recommande la discrétion : « Réglez sur un examen religieusement attentif l'octroi des demandes. » Il blâme avec vigueur les prêtres qui « ne tenant compte ni de la crainte de Dieu, ni de l'honneur de l'évêque, avant toute pénitence, avant la confession de la plus grande et de la plus grave des fautes, avant l'imposition des mains par l'évêque et le clergé pour la réconciliation, ne craignent pas de donner l'Eucharistie » aux apostats. Cyprien, toutefois, était loin de s'opposer à toute solution indulgente. Comme la persécution se prolonge, il décide que, sur présentation d'un billet de réconciliation, les apostats en péril de mort pourront se confesser à un prêtre, voire à un diacre, recevoir l'imposition des mains. Quant aux autres, qu'ils fassent pénitence en attendant la paix.

Pareils conseils ne plaisaient pas à tout le monde. Un certain Lucianus écrivit à Cyprien ce billet insolent : « Sache que tous sans exception, nous, les confesseurs, avons donné la paix à ceux qui te rendront compte de ce qu'ils ont fait après leur faute. Et nous voulons aussi que cette décision soit transmise par toi aux autres évêques. » La renommée d'indulgence de Lucianus se répandait jusqu'à Rome d'où le confesseur Celérinus lui demandait des billets pour deux dames, Numeria et Candida.

Devant le péril grandissant, Cyprien agit avec la fermeté d'un chef. Il érige à Carthage une sorte de conseil épiscopal : deux évêques et deux prêtres qui veilleront à faire exécuter ses ordres. Il en appelle à Rome où fonctionne aussi, après le martyre du pape Fabien, un collège presbytéral que préside Novatien, le futur antipape. La double réponse transmarine — celle de Novatien et celle des confesseurs romains — lui est favorable. Comme lui, ceux-ci jugent qu'il faut attendre une décision conciliaire et que tout pardon hâtif procurerait la perte des âmes : « Que restera-t-il de la crainte de Dieu si l'on accorde si facilement le pardon aux pécheurs? Il faut donner des soins à leurs âmes, les entretenir jusqu'au point de préparation convenable et leur montrer par les Écritures combien leur faute est énorme et dépasse tout... Qu'ils ne s'excitent pas par la considération qu'ils sont nombreux... Pour atténuer une faute ce qui vaut mieux ce n'est pas de faire partie d'un grand nombre de pécheurs impénitents, c'est d'avoir la honte, la modestie, la pénitence, la discipline, la soumission; c'est d'attendre sur son cas le jugement d'autrui... Impossible de compter sur une cicatrice qu'un médecin pressé a fait fermer trop tôt, et à la première occasion la guérison est compromise si on ne demande pas la guérison au temps lui-même... Que signifie la mort glorieuse dans les prisons si ceux qui ont abandonné la foi ne sentent pas l'étendue de leurs périls et de leurs fautes. » (*Epist.*, XXXI.)

Malgré cet accord de Cyprien et du clergé romain, beaucoup de révolutionnaires restèrent irréductibles. Contre eux, l'évêque de Carthage maintint avec énergie le principe d'autorité : « Je m'étonne, écrivait-il, de l'audace téméraire de certains qui m'ont écrit en affectant de parler au nom de l'Église alors que l'Église est établie sur les évêques, le clergé et ceux qui sont restés fidèles. Si certains apostats veulent être l'Église et si l'Église est chez eux et en eux, que reste-t-il à faire sinon que nous les suppliions de nous recevoir dans l'Église. » (*Epist.*, XXXIII.)

D'autre part, dans son traité *Sur les apostats* (*De lapsis*), saint Cyprien faisait un tableau mordant du renégat qui au lieu de pleurer ses fautes avec sincérité ne songe qu'au luxe et aux plaisirs : « Nous croyons peut-être qu'il se lamente de tout son cœur, que par des jeûnes, des larmes et des macérations, il cherche à désarmer le Seigneur. Eh bien! depuis le jour de son crime, il fréquente régulièrement les bains, il se gorge de bons repas, il se gonfle de nourriture jusqu'à l'indigestion et le lendemain soulage son estomac. Il ne partage ni ses mets ni ses boissons avec les pauvres gens dans le besoin... Et celle-là, croyez-vous qu'elle gémisse et se flagelle? Elle ne songe qu'à se parer d'une robe précieuse, oubliant qu'elle a perdu la parure du Christ. Elle se couvre de bijoux, de colliers richement travaillés, sans pleurer la perte de ses ornements divins et célestes. Eh bien! tu as beau te draper dans tes vêtements étrangers, dans tes robes de soie : tu es nue. Tu as beau te parer de bijoux d'or, de perles et de pierres précieuses : sans la beauté du Christ, tu es laide. Toi qui teins tes cheveux, cesse de le faire, maintenant du moins en un temps de douleur. Et toi qui peins tes yeux avec un fard de poudre noire, laisse maintenant les larmes laver tes yeux. C'est ton âme que tu as perdue, malheureuse. Tu es morte pour l'Esprit; tu te survis à toi-même. Désormais quand tu marches, tu portes ton cadavre : et tu ne te flagelles pas vigoureusement? tu ne gémis pas sans cesse? et tu ne songes pas par honte de ton crime à te lamenter et à te cacher? » (Ch. XXX.) Beau mouvement d'indignation qui nous révèle le Cyprien le plus éloquent, polémiste et moraliste tout ensemble. Et quel jour cru ne jette-t-il pas sur cette société chrétienne du IIIe siècle que nous serions tentés de trop idéaliser.

Cependant, peu après Pâques 251, la persécution ayant pris fin, Cyprien rentrait à Carthage. Il réunit aussitôt un concile africain. Il fut décidé que le péché d'apostasie n'était pas irrémissible, mais les faillis devraient s'astreindre à une longue pénitence et solliciter leur grâce auprès de l'évêque, lequel se prononcerait sur chaque cas particulier. Quant aux billets de rémission, l'évêque étant présent, quelle raison d'être auraient-ils encore? On établissait une différence entre « libellatiques » et « sacrificateurs »; tandis que les premiers pourraient être admis à la réconciliation après enquête, les autres ne seraient relevés de l'excommunication qu'à l'article de la mort. Les évêques, prêtres et clercs seraient agréés comme les autres à la pénitence, mais réduits à la communion laïque.

Au point de vue pénitentiel, le concile de 251 est une date capitale; il éliminait définitivement de la Grande Église le rigorisme excessif qui supposait certains péchés irrémissibles. Celui-ci allait pourtant se réfugier dans une secte. A Carthage, les schismatiques invétérés tenaient tête, groupés autour de Félicissimus et de Novat. Avide d'intrigues, Novat se rendit à Rome, comptant sur l'appui du prêtre Novatien, successeur présumé du pape Fabien. Un autre fut élu, le prêtre Corneille (5 mars 251). Dans sa déception Novatien organisa un schisme et y entraîna Novat et les révoltés carthaginois, bien qu'il eût pris le contre-pied de leurs théories laxistes. Il fut décidé qu'on ne réconcilierait jamais les apostats, fût-ce à l'article de la mort. En regard d'une église relâchée, la communauté novatienne figurait la réunion des purs (*catharoi*).

Dans une lettre à Fabius d'Antioche, Corneille a décrit son adversaire sous les plus noires couleurs : « duplicité, parjure, tempérament insociable, amitié de loup », voilà l'homme. Le pape ajoute avec dédain : « dogmatiseur, protecteur de la science ecclésiastique ». Il est certain que Novatien fut dans le clergé romain une forte personnalité philosophique et théologique; par sa science il se crut supérieur à la hiérarchie, et comme jadis Hippolyte, provoqua un schisme. « Ce vengeur de l'Évangile, disait encore Corneille, ne sait pas qu'il ne doit y avoir qu'un seul évêque dans une Église. » Par une lettre à la fois douce et ferme, Denys, qui à Alexandrie avait réconcilié les repentants, avertissait aussi le malheureux : « Si comme tu le dis, tu as été entraîné malgré toi, tu le prouveras en revenant en arrière volontairement. Il eût fallu, en effet, tout supporter sans exception pour ne pas démembrer l'Église de Dieu et il n'y avait pas plus de gloire à rendre témoignage pour ne pas adorer les idoles qu'à éviter le schisme; selon moi, il y en avait plus encore en ce second cas. Dans le premier, en effet, chacun ne témoigne que pour sa propre âme, dans l'autre il s'agit de l'Église tout entière. Et maintenant, si tu réussis à rétablir la concorde, ta bonne action sera plus grande que ta faute; celle-ci ne te sera plus imputée et ta bonne action sera louée. »

Soit par le prestige personnel de Novatien, soit plus encore par l'attrait morbide que le rigorisme exercera toujours sur certaines âmes, ce schisme essaima : en Occident, Marcien d'Arles y adhéra, en Orient, Fabius d'Antioche. La secte fit des recrues un peu partout; elle devait se maintenir avec sa discipline et sa hiérarchie pendant plusieurs siècles : dissidence pacifique et opiniâtre qu'on a pu comparer, « toutes proportions gardées, à celle du Raskol par rapport à l'Église officielle de Russie dans les temps modernes ».

Au premier moment, les deux centres de l'hérésie furent Rome et Carthage. A Rome, elle reçut aussitôt sa condamnation : adhérant aux décisions de Carthage et au principe de la réintégration des apostats, soixante évêques excommunièrent Novatien (automne 251).

Bientôt presque tous les confesseurs romains se séparèrent de lui. On envoya bien en Afrique l'évêque Evariste pour organiser une petite église novatienne. Il y eut alors à Carthage trois évêques : celui des catholiques Cyprien, celui des rigoristes Maxime, celui des laxistes africains réfractaires au concile de 251, Félicissimus. Ces derniers s'agitèrent beaucoup; ils n'aboutirent qu'à réunir un conciliabule de cinq membres, trois apostats et deux hérétiques. Il eut l'outrecuidance de donner pour successeur à Cyprien l'un des cinq, Fortunatus. Felicissimus, Fortunatus, voilà des noms qui auraient dû faire entrevoir un riant avenir; mais comme le parti s'étiolait malgré ses intrigues, on appela ses adhérents par dérision *Infelicissimi*.

Par contre, le 15 mai 252, Cyprien réunissait à Carthage un concile de 42 membres. Le nouvel empereur Gallus s'annonçait hostile. Laisserait-on hors de l'Église les anciens apostats? Ne valait-il pas mieux les réunir aux fidèles pour faire bloc contre la persécution? Il fut donc décidé qu'on accorderait le pardon à ceux qui s'étaient soumis à l'exomologèse. On voit par là combien Cyprien méritait peu le reproche de rigorisme. L'intérêt des âmes guidait en tout ce pasteur : au début, il avait bien vu qu'une réconciliation hâtive les précipiterait de nouveau dans le relâchement; maintenant, il comprenait la nécessité d'un pardon plénier qui leur donnerait espoir et vigueur pour les nouveaux combats.

Une autre idée l'avait inspiré, chère à son âme catholique : la sauvegarde de l'autorité. Parmi toutes ces dissensions, il voulut rappeler les bienfaits de la concorde dans son ouvrage sur *l'Unité de l'Église* (*De catholicae Ecclesiae unitate*). A ses yeux le signe de la véritable Église, c'est l'unité. « Il y a, dit-il, un seul Dieu, un seul Christ, une seule Église, une seule foi, un seul peuple de fidèles groupés par le lien de la concorde dans l'unité solide d'un seul corps. » Pour marquer cette unité très chère, Cyprien emploie sans cesse des mots tels que ceux-ci : *unanimitas*, *concors*, *consentio;* il multiplie les comparaisons aptes à marquer l'entente des évêques entre eux et celle des fidèles avec leur pasteur : ainsi le soleil et ses rayons, l'arbre et ses branches, la source et ses dérivés, la colombe fidèle et pacifique; ou encore il évoque les primitifs symboles de la fraternité eucharistique : les nombreux grains qui forment le pain, les multiples grappes d'où s'extrait le vin. Quelle n'est pas la culpabilité des schismatiques, vrais fils du diable : « On ne peut avoir Dieu pour père quand on n'a pas l'Église pour mère. » En vain multiplieraient-ils les miracles et se dévoueraient-ils jusqu'au martyre : « Ces gens-là, même s'ils sont tués en confessant le nom du Christ, ne lavent point leur tache dans le sang. La faute inexpiable de leur discorde ne peut être effacée, même par la souffrance. On ne peut être martyr quand on n'est pas dans l'Église. » Plus coupable le schismatique que le renégat : au moins celui-ci ne nuisait-il qu'à lui seul, tandis que l'autre entraîne dans son sillage mortel beaucoup d'âmes. Fuyez donc pareils malfaiteurs spirituels.

III. La controverse baptismale. — Des problèmes irritants ne tardèrent pas à se

La question pénitentielle à Carthage sous saint Cyprien. — *SOURCES :* Cyprien, *Lettres; Ad Novatianum*, ed. G. von Martel, *Corp. Vind.*, t. III (Trad. des *Lettres*, par L. Bayard). — *TRAVAUX :* P. Monceaux, * *Hist. litt. Afrique chr.*, t. II, 1902. — Audollent, * *Carthage romaine*, 1901. — L. Chabalier, *Les lapsi dans l'Église d'Afrique au temps de saint Cyprien*, 1904. — A. d'Alès, * *La réconciliation des lapsi au temps de Dèce*, *R. Q. H.*, XCI (1912), p. 337-383; *La théologie de saint Cyprien*, 1924; *Novatien. Etude sur la théologie romaine au* IIIe *siècle*, 1925 — G. Bardy, * *L'autorité du siège romain et les controverses du* IIIe *siècle* (230-270), *R. S. R.*, 1924, p. 255-72, 385-410.

poser qui compromirent encore cette unité si chère à Cyprien. Il arrivait que des hérétiques voulussent rentrer dans la grande Église. Baptisés chez elle, leur cas ne laissait pas d'être clair : ils étaient — comme tous autres pénitents — réconciliés par l'imposition des mains. Mais, s'ils avaient reçu le baptême dans une secte, les obligerait-on à une nouvelle initiation ; ou bien, considérant la première comme valide, les admettrait-on sans plus à la pénitence ? Les avis différaient, tous appuyés d'ailleurs sur cette formule du Credo : Je confesse un seul baptême, *confiteor unum baptisma.*

L'usage de ne pas rebaptiser était en vigueur à Rome et en Égypte : tradition immémoriale, sur laquelle se greffait assez vaguement l'argument théologique du sacrement opérant par lui-même, quelles que soient les dispositions du ministre. L'usage de rebaptiser existait en Afrique, dans la province d'Asie et en Syrie. Qui possède l'Esprit, arguait-on, peut seul le conférer aux catéchumènes. « Les hérétiques, disait déjà Tertullien, n'ont nulle part à notre discipline, puisque l'Église les exclut de sa communion à titre d'étrangers. Je ne dois pas admettre à leur sujet la règle qui est faite pour moi, car eux et nous n'avons ni le même Dieu, ni le même Christ, ni le même baptême ; n'ayant pas notre baptême comme il le faut avoir, assurément ils ne l'ont pas du tout, et il n'y a pas lieu d'en tenir compte ; ils ne peuvent pas le recevoir puisqu'ils ne l'ont pas chez eux. » (*De baptismo,* XV.) Vers 220, un concile africain de soixante-dix évêques présidé par Agrippinus affirmait la nécessité de rebaptiser ; de même, en Asie, ceux d'Iconium et de Synnade. A son tour, dans son traité *Sur l'Unité,* Cyprien déclarait que le baptême des hérétiques était non une ablution, mais une souillure.

Pareille opposition des coutumes locales suscita soudain, après la persécution de Dèce, un grave conflit romano-africain. En 255, à un certain Magnus l'interrogeant sur la valeur du baptême novatien, Cyprien répondit que, véritables antéchrists, les hérétiques étaient sans mission et que l'Église restait le seul canal de l'absolution des péchés. « Le baptême remet à chacun ses fautes ; or le Seigneur déclare dans son Évangile qu'elles peuvent être remises par ceux-là seuls qui ont le Saint-Esprit... Donc il est manifeste que le pardon des péchés ne peut être donné par ceux qui n'ont manifestement pas le Saint-Esprit. » Au surplus, Cyprien conciliant ajoutait : « Je n'empêche aucun chef d'Église de décider ce que bon lui semble, sauf à rendre compte au Seigneur de sa conduite. » Approuvée à l'automne 255 par un concile carthaginois de 31 évêques, cette lettre ouverte fut communiquée à 18 évêques numides, en soulignant d'ailleurs sa conformité avec la coutume locale. (*Epist.*, LXX.)

Et pourtant, en Afrique même, l'entente n'était point parfaite. Tandis que marchaient d'accord Numidie et Proconsulaire, la Maurétanie, plus éloignée de Carthage, se cramponnait à l'usage romain. Dans une lettre à un évêque de cette région, Quintus, Cyprien affirma qu'il n'y avait pas seulement divergence d'usages, mais opposition foncière : « Il ne faut pas se retrancher derrière la coutume, mais vaincre par la raison. » Rappelant le désaccord de Paul avec Pierre et comment celui-ci s'était rangé à l'avis de celui-là, il insinuait que cette « leçon d'union et de patience » ne devait pas être perdue pour Rome. « Pierre nous apprenait ainsi à ne pas nous attacher avec obstination à notre propre sentiment, mais à faire

Controverse baptismale. — *SOURCES :* SAINT CYPRIEN, *Lettres* et *Liber de rebaptismate*, éd. G. VON HARTEL, *Corp. Vind.*, III. — *TRAVAUX :* A. D'ALÈS, *La question baptismale au temps de saint Cyprien, R. Q. H.*, t. LXXXI (1997), pp. 353-400 ; *La théologie de saint Cyprien*, 1924 ; art. *Baptême des hérétiques*, dans *Dict. Apol.* — P. BATIFFOL, * *L'Église naissante,* pp. 458-84. — G. BARDY, * *L'autorité du siège romain et les controverses du* IIIe *siècle* (230-70), *R. S. R.*, 1924, p. 385-410.

plutôt nôtres, quand elles sont conformes à la vérité et à la justice, les idées bonnes et salutaires qui peuvent nous être suggérées par nos collègues. » Ainsi la divergence s'affirmait-elle indirectement entre Rome et Carthage.

Bientôt, au printemps 256, un nouveau concile de Carthage réunissait soixante-et-onze évêques qui, renouvelant la décision, la notifièrent à Rome : « On ne peut rien obtenir par la grâce du Christ chez ceux qui s'opposent au Christ. » « Au surplus, ajoutaient-ils, nous n'ignorons pas que certains n'abandonnent jamais l'idée dont ils se sont une fois pénétrés et ne changent pas facilement d'avis, mais tout en gardant avec leurs collègues le lien de la paix et de la concorde retiennent certains usages particuliers qui ont eu une fois cours chez eux. En cela, nous non plus, nous ne prétendons faire violence, ni donner de loi à personne, chaque évêque ayant toute liberté dans l'administration de son Église, sauf à rendre compte à Dieu de sa conduite. » (*Epist.*, LXXII.) La leçon à l'égard de Rome était directe, et ferme aussi le propos de ne pas céder. Dans une lettre à l'évêque Jubaïanus, Cyprien reprenait ses arguments, les précisait, affirmant que seuls les Apôtres ont reçu pouvoir de lier et délier. Une fois encore, il affirmait ses intentions pacifiques : « Quant à nous, nous n'avons pas de démêlés au sujet des hérétiques avec nos collègues... Nous gardons la paix des âmes et la concorde de l'épiscopat. » Tout cela n'en sentait pas moins les proches hostilités, et Cyprien le prévoyait qui écrivait dans son traité *Sur la Patience :* « C'est la longanimité qui nous gagne l'amitié de Dieu et nous la conserve, qui apaise la colère, met un frein à la langue, gouverne l'esprit, garde la paix, brise l'élan de la passion, abat la violence de l'orgueil... » (*De bono patientiae,* XX.)

Les leçons indirectes de Cyprien au pape Étienne durent plutôt l'engager à intervenir qu'à se taire : leçon de tolérance envers les usages locaux, leçon d'humilité qu'évoquait Pierre courbant la tête sous les reproches de Paul. — Aux yeux d'Étienne, outre la question doctrinale, l'autorité pontificale était plus ou moins en jeu. Rappelons-nous de quel ascendant exceptionnel Cyprien jouissait dans l'Afrique romaine, et comment plus d'une fois déjà il avait paru endoctriner le pape. Lorsqu'en 254, les évêques espagnols, Basilide d'Emerita et Martial de Legio, tous deux faillis, extorquèrent d'Étienne leur rétablissement, sur appel des fidèles, trente-sept évêques africains réunis à Carthage donnèrent une consultation juridique concluant que la bonne foi romaine avait été surprise. De même quand, après avoir demandé en vain au pape l'excommunication de Marcianus d'Arles, novatien impénitent, Faustin de Lyon s'adressa à Carthage, Cyprien écrivit à Étienne pour le prier d'agir, mais sur un ton plutôt impératif. Est-ce donc qu'après appel à Rome on pouvait à Carthage se pourvoir en cassation? On comprend que la susceptibilité irritée d'Étienne le portât à affirmer la primauté romaine. L'occasion offerte, il s'en empara.

Il parla comme un Romain avec l'autorité d'un chef. On eût pu croire qu'il allait rétorquer les deux raisons invoquées par Cyprien, l'une théologique tirée de l'unité du baptême, l'autre historique appuyée sur toute une tradition africaine. Comme jadis Victor dans la question pascale, il se contente d'imposer et d'invoquer la seule tradition universelle, la romaine : « A l'égard de ceux qui viennent à nous de quelque hérésie, point d'innovation, rien que la tradition (*nihil innovetur, nisi quod traditum est*). Qu'on se contente de leur imposer les mains pour les recevoir à la pénitence. D'ailleurs les hérétiques eux-mêmes ne confèrent pas un baptême spécial à ceux qui viennent à eux, mais les admettent simplement à la communion. » Jamais l'*imperatoria brevitas* ne sonna plus clair. Une menace d'excommunication accompagnait. Étienne avait renvoyé les délégués du concile carthaginois. Selon Firmilien de Césarée, il aurait même qualifié Cyprien « faux Christ, faux prophète, mauvais ouvrier ».

Celui-ci tint tête. En une lettre à l'évêque Pompeius il blâma l'entêtement (*obstinatio*) et la présomption de l'évêque romain. Puis, il résolut de poser la question devant le synode carthaginois de septembre. L'amour de la paix, le tact hiérarchique dont il ne voulait pas se départir, le sens diplomatique qui demandait que l'assemblée parût libre de toute contrainte, voire de toute passion, autant de sentiments qui le portèrent à faire cette déclaration d'ouverture où l'on a vu parfois à tort une leçon envers le pape : « Il nous reste, disait-il, à exprimer notre avis un à un, sans prétendre juger personne, ni excommunier ceux qui ne le partageraient pas. Car nul d'entre nous ne se pose en évêque des évêques, nul ne tyrannise ses collègues ni ne les terrorise pour contraindre leur assentiment, vu que tout évêque est libre d'exercer son pouvoir comme il l'entend et ne peut pas plus être jugé par un autre que juger lui-même un autre. »

Après cette allocution présidentielle, chacun donna son avis motivé, mais non pas toujours avec le calme qu'avait préconisé Cyprien. On sent l'assemblée frémissante, le sang africain en ébullition. Les quatre-vingt-sept évêques se prononcèrent tous pour la réitération. La plupart s'appuyèrent sur le texte de saint Paul aux Ephésiens : « Une foi, une espérance, un baptême. » (IV, 5.) Quelques-uns stigmatisèrent leurs adversaires, avocats des hérétiques, véritables Judas. Quant à Cyprien, toujours correct et toujours digne, il dit simplement : « Les hérétiques, appelés par l'Évangile et par les Apôtres adversaires du Christ et antéchrists, doivent, lorsqu'ils reviennent à l'Église, recevoir le baptême de l'Église pour devenir d'adversaires amis et d'antéchrists chrétiens. » « Concile d'opposition contre Rome », a-t-on dit parfois; oui, sans doute, mais non pas de séparation.

Après avoir groupé l'épiscopat africain, Cyprien se tourna vers l'Asie Mineure où l'usage de rebaptiser était aussi traditionnel. Firmilien de Cappadoce lui répondit en termes insultants pour l'évêque de Rome. « En réalité, concluait-il, comme nous n'avons avec les hérétiques ni un même Dieu, ni un même Seigneur, ni une même Église, ni une même foi, ni un même Esprit et un même corps, il est évident que nous ne pouvons avoir avec des hérétiques un commun baptême, puisque nous n'avons avec eux rien de commun. Étienne cependant n'a pas honte de patronner ces gens-là, de diviser les frères pour prendre le parti des hérétiques, et même d'appeler Cyprien un faux Christ, un faux apôtre et un ouvrier perfide. Ayant conscience d'être tout cela lui-même, il a pris les devants et fait à un autre, mensongèrement, les reproches qu'il aurait dû lui-même entendre. » (*Epist.*, LXXV.)

Ni Firmilien, ni Cyprien n'étaient donc résignés à céder. Denys d'Alexandrie essaya bien d'intervenir auprès d'Etienne comme l'Irénée de cet autre Victor. Après lui avoir annoncé que le schisme de Novatien se résorbait, il lui exprimait toute la douceur de la paix : « Sachez, frère, que toutes les églises d'Orient et d'au delà, déchirées par le schisme, sont revenues à l'unité; tous leurs chefs, animés des mêmes sentiments, éprouvent une joie extrême à cette paix inespérée » (EUSÈBE, *H. E.*, VII, 5). Dans une lettre au prêtre romain Philémon, Denys présentait plus explicitement son attitude pacifique de non-intervention : « Je n'ose pas, disait-il, bouleverser ces traditions et travailler ainsi à la discorde. Il est dit : « Tu ne déplaceras pas les bornes de ton voisin qu'ont établies tes pères » (*Ibid.*, VII, 7).

En réalité, chacun resta sur ses positions. Étienne donna-t-il suite à sa menace? Alla-t-il jusqu'à l'excommunication? Inutile d'épiloguer; nous n'en savons rien. Ce qui est sûr, c'est qu'il renvoya brutalement les délégués du concile africain. S'il eût été jusqu'à la rupture absolue, il est probable que l'écho nous en serait parvenu.

Au surplus, l'énigme intéressante, c'est l'attitude générale de Cyprien. A première vue on comprend mal pourquoi l'homme qui en appelait jadis à l'Église romaine, arbitre souverain, affirme maintenant que chaque évêque reste maître chez lui. Pour l'expliquer, il faut sans doute évoquer la fierté ombrageuse des Africains, leur chauvinisme exalté, et aussi se souvenir qu'Étienne revêtit son intervention d'une brièveté impérieuse dont la valeur apologétique est pour nous considérable, et qui souligne à quel point Rome avait conscience de sa primauté, mais qui n'en était pas moins très propre à faire sursauter l'épiscopat d'Afrique.

Mais cet aspect extérieur de la crise n'est pas tout. Si l'attitude de Cyprien fut fautive, c'est qu'il se faisait du magistère romain une idée incomplète et partiellement inexacte. Sans doute rend-il un éloge pleinement admiratif à la chaire de Pierre (*Petri cathedra, cathedra sacerdotalis*). N'est-ce pas l'Église principale d'où procède l'unité sacerdotale, autrement dit la communion catholique tout entière? (*Ecclesia principalis unde unitas sacerdotalis exorta est*). Au seul évêque romain Cyprien applique le terme de primauté. Et il ne la réduit pas, d'ailleurs, à un titre purement honorifique : il considère le pape comme le président effectif de la fédération épiscopale auquel on peut interjeter appel. Pourtant, ses prérogatives ne vont pas plus loin. Sans doute saint Cyprien est-il un romain, mais un romain d'Afrique. Autant qu'à la primauté pontificale ainsi définie, il tient au droit des évêques. Ainsi son romanisme se limite-t-il à une conception aristocratique et fédérale, à quoi s'oppose la vieille tradition monarchique. Et voilà pourquoi il soutint jusqu'au bout les droits imprescriptibles de la coutume locale.

Mais il est certain qu'il envisagea aussi la question sous un angle doctrinal. Pourquoi donc fut-il anabaptiste? Cyprien avait la passion de l'unité : le spectacle de l'anarchie politique du IIIe siècle, les schismes qui avaient bouleversé son épiscopat renforcèrent chez lui ce sentiment tout romain. Nul crime plus grand à ses yeux que de déchirer la tunique sans couture du Christ. Dès lors il lui fallait conclure à un total exclusivisme contre qui vivait hors de l'Église. Sur lui, d'ailleurs, selon son plus sagace historien, le P. A. d'Alès, la mentalité de Tertullien n'aurait-elle pas plus ou moins déteint d'après quoi le pouvoir de faire descendre la grâce dans les âmes ne revient à l'évêque que s'il en est surabondamment pourvu? En Afrique il y a comme le ricochet d'une conception trop individualiste qui du montanisme rebondit à l'anabaptisme et de celui-ci au donatisme. Poussée à ses conséquences extrêmes, l'erreur de Cyprien eût pu mener loin : si la validité sacramentaire dépend des dispositions du ministre, où est donc l'Église? Nulle part que dans ses prêtres orthodoxes et vertueux. Mais, qui nous les montrera? Et voilà du même coup la perspective d'une Église spirituelle et antihiérarchique, bref le wiclefisme et le puritanisme avant la lettre. Inutile de dire que Cyprien n'avait rien envisagé de tout cela. Ce sont au contraire les droits épiscopaux qu'il prétendait défendre. Ajoutons qu'il apporta dans la discussion une dignité de ton qui prouverait à elle seule son sentiment profond de la supériorité romaine.

Étienne mourut bientôt, et son successeur Sixte (257-258) renoua les relations avec les Églises d'Afrique et d'Asie. La doctrine romaine sera affirmée solennellement au concile d'Arles en 314 où siègeront nombre d'évêques africains. Mais, dans l'Orient du IVe siècle, les avis demeureront encore fort divers : saint Athanase rejettera le baptême des manichéens, des cataphrygiens et des samosatéens, saint Basile celui des Montanistes, saint Cyrille de

Jérusalem annulera tout baptême hérétique et avec lui les *Constitutions apostoliques*. Pourtant, le conflit ne se rouvrit pas; il n'était plus dans l'air.

IV. La persécution de Valérien. — Durant ces crises intérieures, le régime légal avait connu des fluctuations. L'éphémère successeur de Dèce, Gallus (251-53), laissa suspendues sur les chrétiens les précédentes menaces. Sachant où frapper juste, il exila le pape Corneille qui mourut à Centumcelles (Civita-Vecchia).

Valérien (253-60) fut d'abord — ainsi qu'en témoigne Denys d'Alexandrie — « doux et bon pour les hommes de Dieu; sa maison, remplie de fidèles, paraissait une église » (*H. E.*, VII, 10). Mais, il se laissa influencer par son entourage. On lui représenta l'Église comme une société occulte aux richesses immenses et sans cesse renouvelées; la légende qui multiplie les millions jusqu'au milliard est une forme chronique de l'anticléricalisme. A l'heure désastreuse où commerce et agriculture végétaient et où le trésor était à sec, ne pourrait-on restaurer l'Empire en confisquant ces richesses illégales? Pareil mirage emplit les yeux de Valérien. D'autre part, le favori Macrien, « archisynagogarque des mages d'Égypte », lui aurait persuadé que l'influence chrétienne troublait ses pratiques divinatoires; tout au moins, lui montra-t-il en eux les ennemis du culte officiel, salut de l'Empire. Cet éternel grief des vieux conservateurs fut la cause première d'un retour à la politique fanatique.

En 257 un édit parut qui, sans requérir l'abjuration, imposait l'adhésion au culte impérial. Au surplus, il ne visait que la hiérarchie, évêques, prêtres et diacres. Qu'importaient les autres, si ceux-là étaient gagnés? Le troupeau suivrait les pasteurs. En tout ceci moins de brutalité que d'habileté : exiger le minimum, et du plus petit nombre, voilà quelle était la tactique. Elle atteignait cependant les simples fidèles à qui toute réunion cultuelle était interdite, notamment dans les cimetières. « L'édit de Valérien enserrait les chrétiens dans une coercition maintenant efficace. »

Il y eut des victimes. La correspondance de saint Cyprien nous apprend qu'en Numidie, prêtres, diacres, fidèles furent condamnés aux mines et exécutés. Après avoir confessé sa foi devant le proconsul Paternus, lui-même fut exilé à Curubis, petite ville à quelques lieues de Carthage. En vain le proconsul lui demanda-t-il la liste de ses prêtres : « Vos lois, répondit-il, ont sagement réglé qu'il ne devait pas y avoir de délateurs... La discipline interdit de se présenter spontanément... C'est vous-même qui, en cherchant, les trouverez. »

L'année suivante, un nouvel édit parut qui aggravait le premier. Contre les évêques, prêtres et diacres, la mort sans phrase sur simple constat d'identité; contre les sénateurs, nobles et chevaliers, la confiscation des biens, la dégradation, et — en cas d'obstination — la mort aussi; contre les césariens et gens des domaines impériaux, la confiscation et l'affectation à des tâches serviles dans ces mêmes domaines. Tout ce qui était une force soit par le rang ecclésiastique, soit par la noblesse, soit par la richesse se voyait ainsi frappé.

Comme les édits le font prévoir, les principaux martyrs seront des évêques. A Rome, surpris dans le cimetière de Prétextat, le pape Sixte subit la mort sur place; après lui son diacre Laurent, père des pauvres. Denys d'Alexandrie fut d'abord exilé à Kephro, sur la limite du désert; mais comme il s'y livrait à un apostolat illégal, on l'envoya dans la Maréote, région plus âpre, plus « libyque »; c'était déplacer son zèle, non le supprimer. « Les condamnés, dit-il, ne cessèrent de célébrer régulièrement toutes les fêtes. L'endroit où chacun se trouvait, champ, désert, navire, hôtellerie, prison, tenait lieu d'église. » (*H. E.*, VII, 22.)

Le sort de Cyprien fut plus grand et plus tragique. Mandé à Utique par le proconsul Galerius Maxime, il se déroba. « Il convient, écrivait-il aux Carthaginois, qu'un évêque confesse le Seigneur dans la ville où est son Église et laisse à son peuple le souvenir de sa confession. » Dans la mort de cet évêque, tout revêtit la noble simplicité d'une scène antique. Entouré « d'une armée innombrable comme si on marchait à l'assaut de la mort », Cyprien fut conduit à l'*Ager Sexti*, maison de campagne du proconsul. « Tu es Thascius Cyprianus? — Je le suis. — Tu t'es fait le pape de ces hommes sacrilèges? — Oui. — Les très saints empereurs ont ordonné que tu sacrifies. — Je ne le fais. — Réfléchis. — Fais ce qui t'a été commandé. En pareil cas la réflexion est inutile. » A travers ces réponses laconiques où nul souci de se défendre ne perce, on sent chez la victime la hâte d'être immolé. Le proconsul délibéra avec ses assesseurs et rendit la sentence : « Thascius Cyprianus sera mis à mort. — Deo gratias, dit l'évêque. » Parmi les chrétiens s'élève alors une immense clameur : « Qu'on nous décapite avec lui! » On s'achemina aussitôt vers le lieu du supplice; la foule pieuse suivait. Cyprien s'agenouilla et se mit à prier. A l'arrivée du bourreau, il commanda qu'on lui remît vingt-cinq pièces d'or. Il se banda lui-même les yeux; un prêtre et un sous-diacre lui lièrent les mains tandis que les fidèles étendaient déjà des linges pour recueillir son sang. On eût dit le calme déploiement d'une cérémonie liturgique. Alors Cyprien commanda au bourreau qu'il lui donnât le dernier coup. Trait suprême d'éloquence, ce vrai chrétien, qui avait quitté les habitudes du rhéteur, était mort sans phrase. Le soir, en procession, les chrétiens ramenènèrent son corps dans le domaine funéraire du procurateur Macrobius Candidus, sur la route de Mappala, près des grands réservoirs.

Sur son peuple l'exemple de Cyprien fit une profonde impression. La persécution avait affermi les âmes; on était loin des jours où, sous Dèce, toute une foule éperdue se ruait à l'apostasie. Cyprien avait pu écrire quelques jours avant sa mort : « Tout mon clergé est prêt au sacrifice de sa vie pour acquérir la gloire divine du ciel. » (*Epist.*, LXXX.) La passion des saints Montanus et Lucius révèle que, animés par son exemple, les fidèles ne rêvaient plus que martyre. Le sang coula à flots. Citons à Utique, tout un groupe connu sous le nom de « Masse blanche » (*Massa candida*). A Lambèse, les saints Marien et Jacques sont exécutés avec une foule de clercs : « Le bourreau rangea la file des martyrs sur une seule ligne pour ne pas avoir à s'interrompre dans sa besogne sanglante et barbare. Car, si pour frapper il était resté immobile au même endroit, il aurait été arrêté par un immense amoncellement de cadavres. » La persécution, d'ailleurs, s'étendit partout. Fructueux de Tarragone répondit à un chrétien qui lui demandait quelque souvenir : « Il faut que je pense à l'Église catholique répandue de l'Orient à l'Occident. »

Durant une expédition malheureuse contre Sapor, roi des Perses, Valérien tomba entre ses mains, « laissant au nom des Romains la plus grande humiliation ». Son fils Gallien s'empressa de rendre un édit qui accordait liberté du culte et même restitution des biens ecclésiastiques. Macrien qui prolongeait la persécution en Orient fut bientôt vaincu et le bienfait de la paix étendu à ces régions. C'est alors que l'empereur écrivit lui-même à Denys d'Alexandrie et aux autres évêques d'Égypte cette lettre, digne prélude de l'édit de Milan : « Le bienfait de ma générosité doit, je l'ai ordonné, être étendu au monde entier. J'ai ordonné que les lieux du culte fussent évacués, et donc que vous puissiez profiter du texte de mon rescrit, et que personne ne vous moleste. Et dans l'espèce, ce qui peut être en droit récupéré par vous, vous est concédé par moi déjà. » (*H. E.*, VII, 13.) « Le pouvoir impérial, s'écriait

Denys enthousiaste, s'est dépouillé de sa vieillesse, il s'est purifié de sa perversion antérieure. » En fait, Gallien restait païen. Pour expliquer sa conduite, peut-être faut-il évoquer l'influence de l'impératrice Salonine, adonnée au platonisme, et comme jadis Mammée, favorable à un large syncrétisme. En tous cas, Gallien avait compris l'inefficacité de la répression, et la nécessité de tolérer le christianisme qui s'imposait comme un fait social. Quelles que fussent ses convictions personnelles, il s'adapta. Mais la clairvoyance et la fermeté d'un Constantin lui manquaient.

CHAPITRE III

HÉRÉSIES ET PAGANISME DANS LA SECONDE MOITIÉ DU IIIe SIÈCLE

I. L'adoptianisme. — L'Empire allait-il alors se désagréger? Partout le péril aux frontières et les sauveurs locaux s'érigeant en puissances indépendantes. Ces prétendants lointains, l'*Histoire Auguste* les a appelés par un démarquage assez inexact des fastes athéniens, les « trente tyrans ». A la vérité, deux émergèrent seuls : en Gaule, Postumus; en Asie, Septimius Odénath.

Celui-ci avait eu le mérite de battre Sapor, roi des Perses, qui se retirait après avoir occupé Antioche. Chef arabe de Palmyre, il possédait dans toute la région un grand prestige. Sa ville, riche entrepôt, brillait d'une civilisation originale où s'entremêlaient hellénisme et sémitisme. L'empereur Gallien, qui ne pouvait être partout à la fois, dut lui reconnaître le titre de *dux* ou « commandant militaire »; en fait, il se considérait comme *autokrator*. Lorsqu'il mourut assassiné, sa veuve Zénobie, régente au nom de son fils Wahaballath, affirma sa puissance sur toutes les provinces asiatiques, faisant frapper des monnaies en son nom à Antioche et à Alexandrie.

Pour assurer ce pouvoir nouveau sur un vaste empire émancipé de toute tutelle romaine, Zénobie s'attacha quelques personnages dévoués. Au premier rang, Paul de Samosate, évêque d'Antioche. Elle lui décerna l'appellation de *ducénaire* que portaient les fonctionnaires principaux appointés 200.000 sesterces. Il fut sans doute une sorte d'intendant des finances. En pareille situation, ne pourrait-il étendre l'influence palmyrénienne sur cette Antioche qui, située aux confins du monde grec et du monde syriaque, composée d'une population cosmopolite et marchande où l'élément grec se mêlait à l'élément chrétien, restait une ville à demi convertie? On pense bien que l'homme était à la hauteur de son rôle : intrigant, astucieux, vénal. Il sut grouper des partisans nombreux : d'une part, les adversaires de la puissance romaine, autonomistes ralliés comme lui aux princes palmyréniens, syriens fiers de ce prélat

Paul de Samosate. — *SOURCES :* Les fragments soit des écrits de Paul, soit du compte rendu de sa discussion avec Malchion, soit de la lettre synodale du concile d'Antioche, dans Routh, *Reliquiae sacrae*, 1re édit., III, p. 286-367. — Eusèbe, *H. E.*, VII, 27-30. — *TRAVAUX :* A. Réville, ? *La Christologie de Paul de Samosate* (*Bibl. Hautes Etudes, sect. sc. relig.*, VII), 1896. — P. Galtier, *L'Homoousios de Paul de Samosate*, *R. S. R.*, 1918 (VIII). — G. Bardy, * *Paul de Samosate*, nouv. édit., 1930.

syrien qui parlait leur langue et qui protégeait leurs usages; d'autre part, tous ceux qui lui devaient quelque faveur ou quelque pardon; des clercs, enfin, complices de ses malversations et de sa vie facile.

Car, il donnait le spectacle du prélat grand seigneur. Il fallait le voir s'avançant sur les places publiques ainsi qu'un satrape. « Il revêt des dignités séculières, écriront les évêques... Il marche escorté de gardes qui le précèdent et qui le suivent en grand nombre si bien que la foi devient un objet d'envie et de haine, grâce à son faste et à la morgue de son cœur. » Dans l'église même, c'était une pompe indécente. Il donnait à sa prédication une allure mondaine, raillant les anciens docteurs, débitant ses phrases avec l'emphase d'un sophiste, applaudi par une « clique » à gages, hommes et femmes de son parti. A ces démonstrations, tous devaient s'associer bruyamment, crier, trépigner, agiter le mouchoir. N'oublions pas que nous sommes au pays du plein soleil. La vanité du ducénaire-évêque allait jusqu'à substituer aux hymnes religieuses certains dithyrambes en son honneur qu'exécutaient des chœurs féminins. D'ailleurs, sa moralité était, paraît-il, plus que suspecte; il s'entourait des personnes du sexe; on avait beau les appeler par sobriquet *synisactes,* la chose n'en était guère plus édifiante. Deux surtout attiraient les regards, « dans la fleur de l'âge et d'aspect séduisant », compagnes inséparables de ses déplacements. Il en faut à l'ordinaire beaucoup moins pour compromettre une réputation ecclésiastique.

Pourtant, à Antioche même, Paul se fût maintenu, appuyé qu'il était par le pouvoir palmyrénien, par les partisans des libertés locales, par toute une bande aussi de profiteurs éhontés, de complices intéressés. Il y avait des clercs qui l'exaltaient dans leurs homélies comme « un ange venu du ciel ». Menée par deux prêtres, Domnos, fils de son prédécesseur Démétrianos, et le docte Malchion, l'opposition fût restée sans doute impuissante à briser le réseau d'intrigues qui gardait le haut serviteur de Zénobie, si ses opinions n'eussent alerté au loin les gardiens de la foi. Il fut dénoncé comme hérétique.

A travers les bribes qui nous restent du Samosatéen, on entrevoit une théologie rudimentaire et pratique, à la fois rationaliste et scripturaire, et qui prétend simplifier nos mystères pour les rendre accessibles à tous, païens comme juifs. Ainsi s'accentuerait l'unité religieuse, au profit de la dynastie nouvelle, grâce à un large syncrétisme, plus ou moins teinté de christianisme.

A la base du système un monothéisme s'affirme qui ne conserve à la Trinité que la valeur d'une image inconsistante. En effet, le Verbe n'est qu'un attribut divin, à peu près impersonnel, analogue à la parole humaine; l'Esprit, moins encore. Pour exprimer cette inanité du Fils, simple mode d'agir et vertu du Père, Paul aurait employé le terme *homoousios* avec cette signification qu'il n'existe qu'une réalité personnelle de Dieu, si bien que Verbe et Saint-Esprit restent simples attributs de ce seul être concret. Ainsi l'évêque d'Antioche exposait-il cette expression, riche d'avenir, à un discrédit qu'exploiteront les ariens, alors que *homoousios* aura été précisé à Nicée dans le sens d'identité essentielle du Fils avec le Père, et qu'il sera devenu la tessère de l'orthodoxie.

En fait, que le Fils ne soit pas Dieu, et voilà Jésus ravalé à n'être qu'un homme semblable à tous autres. Sans doute, le Verbe impersonnel habite-t-il en lui comme en son temple préféré : d'où, pour lui, certains liens plus étroits avec la divinité, ceux d'un Fils adoptif. Union purement morale, cependant, bornée à une inhabitation spéciale de la sagesse divine dans l'Homme-Jésus, et qui reste accessible à tout fidèle méritant.

Telle était cette doctrine assez grossière[1] qui escamotait à la fois la Trinité et l'Incarnation, le Verbe et Jésus, mais qui rallierait peut-être les foules bariolées de la capitale syrienne. En résumé, elle vidait le christianisme de tout surnaturel : Jésus n'était plus qu'un héros cher à la divinité.

« Le sens catholique, note M. G. Bardy, est profond en ce IIIe siècle qui est le grand siècle de l'organisation ecclésiastique. » Aussitôt avertis, les chefs des communautés s'émurent dans l'Orient entier : Palestine, Phénicie, Arabie, Asie Mineure. Un concile se réunit à Antioche. Denys d'Alexandrie, dont la gloire achevait de briller, fut pressenti pour y assister; il s'excusa, prétextant son grand âge et sa mauvaise santé; il n'en porta pas moins sur le Samosatéen un jugement sévère et qui fit une impression d'autant plus vive que sa mort survint peu après. Firmilien de Césarée fut présent. Ses démêlés retentissants avec Étienne de Rome dans la question du baptême des hérétiques avaient prouvé qu'il ne manquait ni d'audace, ni de vigueur polémique. Toutefois, ici, il pencha vers l'indulgence. L'affaire n'était pas claire : tandis que les uns accusaient Paul avec insistance, les autres — ses partisans à gages — essayaient de pallier son hétérodoxie; lui-même, raisonneur subtil, savait bien se défendre. L'avis de Firmilien prévalut : faute de preuves absolues, on se sépara sans avoir prononcé contre l'hérésiarque.

Évidemment, il ne changea rien à sa manière de penser, ni à ses habitudes de vie. A l'automne 268, les évêques orientaux résolurent de tenir un nouveau concile qui viderait l'affaire. Le vieux Firmilien mourut subitement en route à Tarse de Cilicie. Les prélats désignèrent pour mener le procès l'adversaire local le plus décidé du Samosatéen : Malchion, « homme habile à parler, qui était à Antioche à la tête des écoles grecques de sophistique et qui, pour la haute droiture de sa foi au Christ, avait été honoré de la prêtrise » (*H. E.*, VII, XXIX, 2). Avec Paul, il engagea une joute théologique enregistrée par les sténographes, et dont quelques bribes nous sont parvenues; pressé jusque dans ses derniers retranchements, l'orgueilleux ducénaire avoua tout. A l'hérésiarque excommunié et déposé on substitua Domnos, fils de l'ancien évêque Démétrianos. En une synodale adressée aux évêques de « toutes les provinces », et spécialement à Denys de Rome et à Maxime d'Alexandrie, les membres du concile signifièrent leur décision à la catholicité.

Mais la puissance palmyrénienne continuait à protéger Paul. Tant que Zénobie régna à Antioche, il se maintint dans la « maison de l'Église », c'est-à-dire la basilique principale et ses dépendances; les catholiques devaient se contenter de quelque pauvre local. Quatre ans plus tard, libre enfin de ses mouvements, Aurélien vainquit Zénobie et pénétra dans

1. Nous ne rappelons que pour mémoire l'essai de réhabilitation tenté par F. LOOFS, *Paul von Samosata*, Leipzig, 1924. Loofs représente le Samosatéen comme la victime d'une école néo-platonicienne à tendance monophysite. (Voir G. BARDY, *R. H. E.*, 1924, p. 512 seq. — J. LEBRETON, *R. S. R.*, 1925, p. 365 seq.)

Notons brièvement que l'hérésie de Paul avait des antécédents déjà lointains. Vers la fin du IIe siècle, un riche chrétien de Byzance, Théodote, ayant apostasié pendant une persécution, s'était enfui à Rome où, pour excuser sa chute, il prétendit qu'en reniant le Christ, il n'avait pas renié Dieu : Jésus, en effet, était une créature humaine née d'une Vierge; en vertu des grâces divines dont il fut orné au jour de son baptême il avait pu remplir sa mission messianique; devenu fils de Dieu, il demeurait pourtant un homme. On a appelé parfois un tel système adoptianisme parce qu'il implique une filiation non naturelle, mais fictive. Excommunié par le pape Victor vers l'an 190, Théodote n'en parvint pas moins à organiser une communauté schismatique, cercle d'érudits plutôt qu'Église, et où Platon et Aristote étaient à l'honneur. — Mais si Jésus n'était qu'un homme ne pouvait-il être surpassé par une autre créature? Un second Théodote, dit le Corroyeur, fit de Melchisédech « la plus grande puissance », « la vertu céleste et la grâce principale », Fils de Dieu, médiateur entre nous et Lui. L'adoptianisme fut combattu par saint Hippolyte; il troubla peu l'Occident; vers 235, un certain Artémon essaya de le faire revivre à Rome, mais sans succès; il s'attaquait à des vérités trop bien assurées pour qu'elles pussent alors être ébranlées.

Antioche. Cette fois, les orthodoxes entendirent rentrer en possession de leurs immeubles. Ils en référèrent à l'empereur, d'autant plus confiants qu'ils représentaient le parti loyaliste et romain. Aurélien leur restitua donc la basilique, mais sous un considérant remarquable : « Il décida, note Eusèbe, que la maison de l'Église serait donnée à ceux à qui les évêques d'Italie et de Rome l'avaient attribuée » (*H. E.*, VII, 30). Ainsi n'échappait-il plus à personne — même à un païen — que le pape commandait à l'universelle Église et que Rome était la capitale du christianisme. Le pouvoir civil prenait l'autorité ecclésiastique là où elle était, sachant bien qu'à un tel arbitrage ni les Antiochiens ne s'opposeraient, ni personne en Orient.

Dans quelle mesure l'hérésie survécut-elle? Difficile et délicat problème. Zénobie laissait après elle des regrets politiques : le parti syrien put continuer son opposition à la centralisation romaine en souscrivant au schisme des Paulinianistes ou Pauliniens; en 325, à Nicée, on décidera que ses adhérents convertis devraient recevoir à nouveau le baptême. Tout cela est clair. Mais faut-il compter parmi les Paulinianistes le fameux prêtre Lucien, fondateur d'une école catéchétique d'où sortiront les premiers compagnons d'Arius? L'hypothèse paraît risquée, attendu les différences doctrinales qui séparent le Samosatéen de Lucien. Plus tard, on donnera le ducénaire de Zénobie pour parrain à Nestorius, et ainsi, par l'ignominie de ce rapprochement avec l'ex-évêque d'Antioche, voudra-t-on confondre l'évêque de Constantinople.

II. Le néo-platonisme. — Un synchronisme est à noter entre l'apparition de l'adoptianisme du Samosatéen et celle du plotinisme. Longin, autre ministre de Zénobie et ami de Paul, était néo-platonicien.

Né à Lycopolis dans la Haute-Égypte, Plotin (204-270) se fixa à Rome où, vingt-six ans durant, il donna son enseignement à un public de choix.

Son système reposait sur une Trinité transcendante. Au sommet, l'Être en soi, l'*Un*, inconnaissable, ineffable et, selon l'expression même de Plotin, « principe de toute beauté au-dessus de toute beauté ». Ensuite l'*Intelligence* (Νοῦς) ou l'Intelligible, prototype des êtres. Puis, l'*Ame* (Ψυχή), dérivée de l'Intelligence, âme du monde qui remplit et anime tout.

De cette *Ame* divine procèdent les âmes particulières, non seulement des hommes, mais de toutes choses. Les êtres s'échelonnent en série décroissante par émanation de l'Être divin qui leur demeure immanent. Où sera le travail de la morale néo-platonicienne? Dans le retour de l'âme humaine, engluée dans la matière, à l'Ame universelle, puis à l'Intelligence, et enfin jusqu'à l'Un, suprême désir du monde. Pareille aspiration vers Dieu, innée en l'homme et source du sentiment religieux, est une nécessité physique. Conversion qui s'opère d'abord par la vertu et par les « purifications » de l'ascèse, puis par l'illumination, née de la réflexion philosophique, enfin par l'extase, véritable contact par où la divinité même se perçoit directement.

Néo-platonisme. — *SOURCES* : *Ennéades*, édit. et trad. par E. BRÉHIER (coll. *G. Budé*), 1924-25. *TRAVAUX* : LOUIS,* *Doctrines religieuses des philosophes grecs* (*Bibl. Hist. des religions*), 1909, ch. VIII. — E. BRÉHIER,* *La philosophie de Plotin*, 1928; *Histoire de la philosophie*, t. I², ch. VII. — COCHEZ, *Les religions de l'Empire dans la philosophie de Plotin*, 1913. — R. ARNOU, *Le désir de Dieu dans la philosophie de Plotin*, 1921. — J. BIDEZ, *Vie de Porphyre*, Gand, 1913. — P. DE LABRIOLLE,* *Porphyre et le Christianisme*, dans *Rev. Hist. de la philosophie*, 1929, p. 385-440.

Le néo-platonisme constitua un idéal supérieur auquel le paganisme ne s'était pas encore élevé. D'où la séduction vertueuse qu'il exerça sur les plus nobles esprits en quête du vrai. L'âme errante et désemparée d'Augustin s'y arrêtera un moment, et ce sera pour lui comme une étape vers la vérité totale : son cœur généreux y goûtera le mépris des passions ou convoitises terrestres et cet enthousiasme religieux qui nous éloigne de la terre pour nous élever vers le Dieu ineffable.

Encore tout ce qui contribue à une conversion n'est-il pas nécessairement bon en soi, tant s'en faut. Entre plotinisme et christianisme, quelle divergence ou plutôt quel antagonisme fondamental! Où sont les rapports entre la Trinité catholique et cette théodicée confuse qui nous montre la divinité divisée en trois hypostases ni égales, ni personnelles. Au surplus, l'idée d'un sauveur ou médiateur est absolument étrangère à Plotin : ni création, ni chute, ni rédemption. D'elle-même l'âme remonte vers l'Un; ni la grâce, ni la prière ne collaborent, si bien que l'union à Dieu reste le pur fruit de l'abstraction intellectuelle. « Chez Plotin, remarque M. E. Bréhier, la destinée des âmes n'est que la connaissance rationnelle de l'ordre des choses, connaissance qui en s'achevant à son principe, à l'Un, fait parvenir l'âme à l'affranchissement complet qui est le « but du voyage ». Jamais l'orgueil humain prétendit-il s'élever si haut par ses propres forces?

Au surplus, le néo-platonisme ne s'isola pas en ces régions transcendantes. Il y avait, en effet, une doctrine religieuse cohérente avec le système de Plotin : si les êtres découlaient de l'Un selon une dégradation continue, la dignité des dieux païens s'expliquait naturellement, émanés qu'ils étaient de la substance divine. Sans doute ces héros multiples aux légendes risquées semblaient-ils fort indignes *a priori* de l'élévation morale du néo-platonisme. Mais, l'exégèse allégorique intervenait qui rendait acceptables tous les cultes, Isis et Attis aussi bien que Mithra. La divinité des astres tenait même une grande place dans le néo-platonisme, achevant de rendre possible un syncrétisme général à une époque où Mithra et *Sol* étaient des « panthées » universellement réputés.

D'autre part, un ensemble de pratiques religieuses était maintenu, — prières, évocations des âmes, incantations magiques, pratiques divinatoires, — tous actes qui possédaient une vertu intrinsèque d'après le principe de la « sympathie » du semblable pour le semblable, des dieux pour leur image. Aspect inattendu du néo-platonisme qui ira même toujours se développant pour aboutir avec Jamblique et Julien l'Apostat à un spiritisme morbide.

Somme toute, pareil système s'opposait au christianisme tant par le panthéisme de sa mystique naturelle que par celui de sa religion, indéfiniment tolérante. Dans le cadre de sa hiérarchie fortement organisée, avec son dogme net et délimité, le christianisme apparaissait en cette fin du IIIe siècle comme un adversaire intransigeant. Non pas que Plotin ait déployé à son égard une hostilité ouverte. Philosophe pratiquant, sans doute était-il absorbé par la transcendance de ses idées et les purifications de sa mystique : il serait parvenu quatre fois à l'extase, autrement dit il aurait atteint quatre fois l'Un ineffable. Mais pouvait-il échapper à l'antagonisme foncier de son système intellectualiste et du Jésus en croix? Plusieurs ont cru — entre autres M. E. Bréhier, J. Lebreton et L. de Grandmaison — que son traité *Contre les gnostiques* visait, à travers les théories de ces sectaires, la sotériologie chrétienne.

En tous cas, son principal disciple, Porphyre, allait passer résolument à l'offensive. Né à Tyr vers 232, il avait rencontré Plotin à Rome où il devint son ami. On s'est étonné que cet homme remarquable ait été travaillé par des contradictions si flagrantes : esprit critique et naïveté, curiosité d'un hellène et aberrations d'un occultiste. Pareils contrastes ne sont-ils pas inhérents à un système dont la mystique est transcendante et les éléments religieux grossiers et indéfinis? Dès le début, dans sa *Philosophie des oracles,* sorte de « bréviaire théurgique » aujourd'hui perdu, mais dont saint Augustin et Eusèbe nous ont transmis des extraits, Porphyre attaquait le christianisme. A un interlocuteur lui demandant quel Dieu invoquer pour en détourner son épouse, il répondait brutalement : « Impossible de rappeler à la raison ta femme impie et souillée. Laisse-la donc persévérer à son gré dans ses folles erreurs; que par ses lamentations elle célèbre un Dieu mort, condamné par d'équitables juges, et qui, dans ses plus belles années, attaché par des clous de feu, a péri du pire des supplices. »

Il y a dans ces lignes autre chose que l'emportement d'un polémiste. Porphyre est là au centre de la discussion. Il va y retourner dans son grand ouvrage *Contre les chrétiens* qui parut en 274. Nous avons déjà dit, en effet, que la contemplation naturelle du néo-platonisme était radicalement hostile à la conception d'un Dieu Sauveur. Porphyre souligne les difficultés de l'Incarnation. Pourquoi descendre si tard sur la terre après avoir laissé se perdre d'innombrables âmes? Comment souffrir dans une nature divine « impassible »? Pourquoi, ces humiliations, pourquoi le silence sous les pires outrages? Toujours « le scandale de la croix »! Combien plus séduisant le héros grec impassible devant le malheur, tenant tête à ses adversaires et mourant dans un geste tragique.

Assurément, ces critiques sont essentielles. Mais, loin de s'en contenter, Porphyre étale une réfutation détaillée du christianisme. Toute la charpente biblique et évangélique lui semble vermoulue. L'Ancien Testament foisonne d'impardonnables grossièretés. Sans doute les Alexandrins ont-ils voulu y remédier par un allégorisme arbitraire, mais de quel droit transposer ainsi la réalité dans l'ordre idéal? « Ils prônent, en effet, comme énigmes des choses qui, chez Moïse, sont dites clairement, et ils les proclament pompeusement des oracles pleins de mystères cachés; ils fascinent par la fumée de l'orgueil le sens critique de l'âme, puis ils font des commentaires... Cette sorte d'absurdité vient d'une homme que j'ai, moi aussi, rencontré dans ma première jeunesse, Origène. » N'est-il pas piquant de voir ainsi Porphyre nier aux chrétiens ce même procédé de l'allégorie, grâce auquel les néo-platoniciens prétendaient accréditer les plus grossières fables du paganisme?

Nulle indulgence pour les Évangiles. Leurs rédacteurs inventent tout ce qu'ils racontent. Pour le prouver, Porphyre passe au crible le texte sacré, s'évertuant à y découvrir inconséquences ou invraisemblances, tentant, par un parallélisme minutieux et mesquin, d'opposer les synoptiques les uns aux autres. Là où l'accord serait facile à réaliser, il se garde d'y rien comprendre. Pourquoi, par exemple, les *Actes* notent-ils que Judas mourut « rompu par le milieu », tandis que Matthieu parle de pendaison? Pourquoi saint Jean est-il seul à noter qu'un soldat transperça le flanc du Crucifié? Pure invention, à coup sûr. Aussi bien, le récit comparé de la Passion est plein de détails opposés dans les quatre Évangiles. — Et à côté des contradictions, voici les puériles énormités. Deux mille porcs se noyant dans le lac de Tibériade alors que cet animal est réputé impur par tout juif, quelle gageure! Et ce lac dormant, oser l'appeler une « mer », quelle hâblerie! « C'est à ces histoires enfantines qu'on reconnaît que l'Évangile n'est qu'une scène sophistiquée. »

Les rites chrétiens ne sont pas moins absurdes. Comment croire qu'une simple ablution puisse effacer en une minute tant de crimes et d'adultères? Quant aux paroles du Christ dans saint Jean : « Si vous ne mangez la chair du Fils de l'Homme... », Porphyre les regarde tout simplement comme « bestiales ». Propagateurs de pareilles fables, les Apôtres ne sont que gens grossiers et incultes. Eussent-ils fait des miracles qu'il n'y aurait là rien d'étonnant : Apollonius de Tyane et Apulée les ont égalés sans peine. Devançant l'école de Tubingue, Porphyre imagine d'ailleurs un antagonisme radical entre Pierre et Paul, le premier partisan du système judéo-chrétien, l'autre tout acquis à la large Église.

Beaucoup plus compréhensive que la critique de Celse, celle de Porphyre embrasse donc toute la Bible avec les origines chrétiennes. Un ton sarcastique y règne ; à chaque ligne transparaissent la haine et l'envie, comme si déjà Porphyre avait pris pour devise : « Écrasons l'Infâme. » Une bataille est engagée — on le sent bien — où le plus subtil paganisme, exaspéré par les progrès incessants du christianisme, tente contre lui un suprême effort intellectuel.

Fut-il conjugué avec une offensive des pouvoirs publics? L'impératrice Salonine, femme de Gallien, était une intellectuelle éprise de philosophie, telle que jadis Julia Domna. Avec son cénacle de lettrés, elle avait voué au sage Plotin une vénération quasi religieuse. D'après Porphyre, Gallien lui-même recherchait ses conseils. Or, c'est sur les monnaies de Gallien que le Soleil est gravé pour la première fois. La reconnaissance officielle du culte solaire cadre bien avec la vogue du plotinisme à Rome, de ce plotinisme qui accordait dans son panthéon symbolique une place privilégiée aux divinités astrales, spécialement à Mithra et au *Sol Invictus*.

Ainsi amorcé, le culte impérial du Soleil s'épanouit sous Aurélien. Pannonien, fils d'une prêtresse qui desservait à Sirmium un oratoire solaire, il voulut faire de l'Astre Invincible le grand dieu officiel, protecteur de l'Empire : à lui un temple splendide, à son service des pontifes égalés aux anciens pontifes de Rome, en son honneur des jeux magnifiques qu'on célèbrerait tous les quatre ans. Fortune du mithriacisme et vogue du néo-platonisme préparaient les esprits à subir sans révolte cette hégémonie religieuse qui s'accommodait d'ailleurs d'un panthéon nombreux. Au surplus, divinité protectrice des rois, le soleil garde le souverain et l'égale à la divinité ; de sa chaleur il réchauffera et de ses rayons il éclairera le culte impérial pâlissant. Avec de telles idées, c'est merveille qu'Aurélien soit resté longtemps sans persécuter. Vers la fin de 274 — cette même année où parut le traité de Porphyre *Contre les chrétiens* — il prépara enfin un édit, que Lactance qualifie de « sanglant ». Une conspiration survint juste à point pour arrêter son exécution, en supprimant le prince persécuteur (printemps 275).

III. Le manichéisme. — A l'époque où florissait le néo-platonisme, un nouveau syncrétisme oriental s'infiltrait dans l'Empire. Son prophète, le persan Mani, serait né à Nardin, vers 215-216. Illuminée d'En-Haut, entremêlée de succès et de persécutions, sa vie

Manichéisme. — K. Kessler, *? *Mani. Forschungen über die manichaïsche Religion*, Berlin, 1889 ; art. *Mani, Manichäer*, dans *Protest. Realencyclop.* — E. Rochat, *Essai sur Mani et sa doctrine*, Genève, 1897. — A. Dufourcq, * *De manichaeismo apud latinos*, 1900. — F. Cumont, * *Recherches sur le manichéisme*, fasc. 1 et 2, Bruxelles, 1908 et 1912. — P. Alfaric, *? *Les Ecritures manichéennes : I. Vue générale; II. Étude analytique*, 2 vol., 1918 ; *L'évolution intellectuelle de saint Augustin*, t. I. *Du manichéisme au néoplatonisme*, 1918. — F. Burkitt, *? *The religion of the Manichaeans*, Cambridge, 1925. — G. Bardy, * art. *Manichéisme*, dans *Dict. Théol.* — De Stoop, *La diffusion du manichéisme dans l'Empire romain*, Gand, 1910.

présente quelque analogie avec celle de Mahomet. Dès l'âge de douze ans, un ange lui apparaît : « Ton rôle, lui dit-il, consiste à régler les mœurs et à réfréner les plaisirs. Mais, à cause de ta jeunesse, le temps n'est pas encore venu pour toi d'entrer en scène. » Douze ans passés, sur un nouvel appel céleste, il commence à prêcher sa doctrine. Adepte fervent de Zoroastre, le roi Sapor le condamne à l'exil. Quarante ans durant, il mène la vie errante d'un proscrit : période d'ailleurs excessivement active où il se répand en prédications à travers de vastes régions asiatiques en même temps qu'il écrit de grands ouvrages et qu'il correspond avec des disciples multiples. Après la mort de Sapor, Mani ose rentrer en Perse ; mais les mages le font arrêter sous l'inculpation d'hérésie ; le roi Bahram le condamne à être écorché vif, et sa peau empaillée est exposée à la porte de Dschoundisbour, la nouvelle capitale des Perses (276).

Grand liseur, habile à s'assimiler et à coordonner divers éléments recueillis un peu partout, Mani élabora une gnose à la fois plus étoffée et plus logique que les précédentes. Marcion lui-même, à qui Mani doit sans doute beaucoup, n'avait pas une telle force de synthèse. Avec la vigueur et la rigueur d'un doctrinaire, Mani a résolu ce problème toujours angoissant de la nécessité et du libre arbitre.

A la base de tout son système, le dualisme, l'opposition éternelle des deux principes divins, Bien et Mal, Lumière et Ténèbres, l'un et l'autre incréés et sans commencement. « La différence qui les sépare, dit Mani, est aussi grande qu'entre un roi et un porc. Le premier est dans les lieux qui lui sont propres comme dans un palais royal. Le second, à la façon d'un porc, se vautre dans la fange, se nourrit et se délecte dans la pourriture, ou comme un serpent, est blotti dans son repaire. »

Si opposées qu'elles soient, Lumière et Ténèbres restent voisines, sans qu'aucun abîme les sépare. Comment dès lors éviterait-on un grand combat aux frontières des deux royaumes ? Voici que s'ébranlent cinq membres de la terre obscure : ténèbres, boue fangeuse, vent de tempête, feu et fumée. « Quand ils virent le spectacle de la Lumière admirable et splendide, ils se réunirent et complotèrent contre elle en vue de s'y mélanger. Ils ne savaient pas, à cause de leur folie, qu'un prince puissant et fort y habitait. » Dieu alerté envoya du secours : l'Homme primitif revêtu des cinq éléments, souffle léger, vent, lumière, eau et feu. Mais, terrassé dans la lutte, il fut dévoré par ses adversaires. Et voilà du même coup expliquée l'existence du mal dans le monde. Là où les gnostiques évoquaient une série indéfinie d'éons bizarres, il suffit à Mani d'un rapide combat aux frontières des royaumes ennemis.

Dans l'homme cette fatale compénétration existe aussi : à l'âme bonne et lumineuse, absolument impeccable, s'oppose l'âme mauvaise, vrai brasier de concupiscence. Libérer les éléments spirituels, là gît tout le problème. C'est à quoi s'emploiera le Jésus Sauveur. Il semble bien, en effet, que Mani lui ait assuré un rôle important ; et lui-même, au début de *l'Epître du fondement,* s'intitule, tout comme le ferait saint Paul, « Mani, apôtre de Jésus-Christ par la Providence de Dieu le Père ». Au cours de l'humanité, tandis que les uns séduits par les charmes féminins tombaient dans le péché, les autres suivaient l'enseignement de Jésus : ainsi Adam, Seth, Noé, Abraham, Bouddha dans l'Inde, Zoroastre en Perse, le Messie au pays des Grecs. Lié étroitement au dualisme de Mani, tout l'idéal moral consistera donc à se libérer de la matière, à en éviter le contact par le refrènement des passions.

Aussi le manichéen sera-t-il marqué de trois sceaux posés sur la main, sur la bouche et sur le sein. Et comme par la bouche il faut entendre « tous les sentiments qui sont dans la tête », par les mains « toutes les actions », par le sein « les passions sexuelles », l'homme entier sera donc enserré dans un réseau de prohibitions en sorte que nul contact avec la matière ténébreuse ne puisse le souiller.

Précisons cependant. Sceau sur la bouche, autrement dit abstinence absolue et jeûnes fréquents sans doute, mais aussi fuite du mensonge, du blasphème, de l'apostasie, du parjure, voire du serment qu'interdit l'Évangile. Sceau sur la main, c'est-à-dire défense de faire la guerre et même de porter atteinte à quelque vivant, fût-ce un fruit ou une plante, interdiction encore de prendre le bien d'autrui et d'accepter des honneurs, pratique enfin des conseils évangéliques — douceur, pardon des injures, pauvreté — tels que les énoncent les Béatitudes du Discours sur la Montagne. Quant au sceau sur le sein, il impliquait en soi une virginité angélique; à défaut de quoi, on pourrait avoir commerce avec une femme, mais plutôt une concubine passagère qu'une épouse durable, et à la condition de n'avoir pas d'enfant, ce qui serait emprisonner une âme dans la matière par la génération.

On entrevoit donc deux classes d'initiés : les *Élus,* fidèles véritables, qui se plieront scrupuleusement aux exigences de l'ascèse manichéenne; les *Auditeurs* qui n'en garderont que certaines observances et, pour le reste, compenseront en faisant l'aumône aux parfaits. Les *Élus* resteront évidemment le petit nombre : « La piété et la bonne foi, dit un traité manichéen, sont le chemin étroit. Parmi des centaines et des milliers d'hommes, rarement il s'en trouve un seul pour s'y engager. » Peu à peu, toutefois, s'opère la réintégration des parcelles lumineuses à leur principe : tandis que les *Auditeurs* passent d'un être dans un autre jusqu'à ce qu'ils s'incorporent à un *Élu,* les pécheurs, par contre, aboutissent à l'Enfer éternel.

Que les emprunts du manichéisme au christianisme soient importants, on l'a reconnu surtout depuis la découverte des documents de Tourfan et de Touen-houang exploités et mis en valeur par Burkitt. Mani se donne comme le messager du Christ, son Paraclet. Mais, adversaire de la matière, comment admettrait-il que le Sauveur se soit incarné véritablement et qu'il ait souffert sur une croix? D'où un docétisme analogue à celui des gnostiques. De là aussi une substitution inattendue du diable au Christ dans la passion, ce qu'on pourrait appeler le démonopaschisme. « En cette circonstance, la réalité fut tout autre que l'apparence. Le prince des ténèbres se vit attaché à la croix; il porta avec ses compagnons la couronne d'épines et il fut revêtu du vêtement de pourpre. Il but le fiel et le vinaigre qui, d'après certains, auraient abreuvé le Sauveur. Toutes les souffrances que celui-ci parut endurer furent réservées aux archontes ténébreux. Eux seuls furent atteints par les clous et la lance. » Somme toute, malgré ses emprunts multiples à l'iranisme, le manichéisme n'en reste pas moins une religion chrétienne, mais appuyée sur un canon des Écritures absolument arbitraire d'où l'Ancien Testament reste exclu et où règnent avec divers écrits apocryphes les Épîtres de saint Paul, cet énergique protagoniste de l'esprit contre la chair.

Sans doute y a-t-il dans le détail du manichéisme une fantaisie orientale qui nous déconcerte. Mais, en une forte synthèse toute cette matière est ramenée à un seul principe, le dualisme : dualisme qui préside à l'histoire universelle — celle de la divinité et celle des hommes — en sorte que le monde est une arène où Ténèbres et Lumière engagent un dramatique conflit. Faire triompher la Lumière des Ténèbres, c'est le but de chaque vie, c'est la fin de l'humanité entière. De là cette morale agonistique inexorable et si terriblement ascétique. Marcion lui-même n'avait pas abouti à une telle simplicité de thèse : dans son système, le dualisme est souligné surtout entre le Dieu bon et le Dieu juste; ici, il éclate partout; pas un être qu'il ne déchire. Jamais l'emprise de la matière ne fut accusée avec tant de force, et ce que saint Augustin appellera au sens chrétien l'antagonisme des deux Cités. Le mal était expliqué, et le retour vers le bien : bref, tout ce qui angoisse la pauvre âme humaine désenchantée. Après cela, étonnons-nous que le manichéisme ait séduit de grands esprits, et saint Augustin lui-même.

Une autre raison de succès fut sa facilité — toute orientale — d'adaptation aux diverses civilisations qu'il traversa. S'écarte-t-il des régions iraniennes, l'influence s'accentue sur lui à l'Est du bouddhisme, à l'Ouest du christianisme. Il faudrait donc distinguer plusieurs manichéismes, ainsi qu'on parle d'une gnose syrienne et d'une autre alexandrine. Pareille aptitude à s'assouplir devait rendre l'hérésie singulièrement dangereuse dans les milieux chrétiens. En Afrique, par exemple, on verra ses adeptes afficher une orthodoxie impeccable, adopter tout le langage et toutes les pratiques de l'Église, voire s'insinuer dans sa hiérarchie et jusqu'à l'épiscopat. Aussi, les adversaires de saint Augustin feront-ils courir le bruit que — même évêque — il demeure toujours manichéen.

Pourtant, à son entrée dans l'Empire, le manichéisme fut reçu sans aménité. Dioclétien vit surtout une chose : c'est que le nouveau produit religieux était d'importation persane, et il le traita en contrebande de guerre. L'édit de prohibition soulignait âprement pareille origine : « Le nouveau prodige récemment révélé au monde a pris naissance dans la nation persane, notre ennemie. De là sont sortis beaucoup de crimes ; les peuples ont été troublés, les cités en péril ; il est à craindre que, dans la suite, les sectaires ne s'efforcent de corrompre par les exécrables mœurs et les infâmes lois des Perses le modeste et tranquille peuple romain... » D'où, les plus draconiennes sanctions : confiscation des biens et peine capitale.

Malgré cela, le manichéisme s'infiltra dans l'Empire. Nous le retrouverons particulièrement puissant en Afrique au temps d'Augustin. Inutile de le suivre dans les pays asiatiques où il connut une fortune considérable, pénétrant à la fois dans le Thibet, l'Inde et la Chine pour y subsister encore durant le moyen âge. Par l'intermédiaire des Bogomiles bulgares, il parviendra aussi en Italie, puis en France sous le nom d'albigéisme.

Somme toute, néo-platonisme et manichéisme, éclos dans la seconde moitié du IIIe siècle, sont des adversaires tenaces du christianisme. Pendant le IVe et le Ve siècle, ils déploieront assez d'astuce pour séduire des âmes aussi nobles que celle d'Augustin.

LIVRE VII

LA GRANDE PERSÉCUTION ET LA VICTOIRE DU CHRISTIANISME (303-313)

CHAPITRE PREMIER

LA PERSÉCUTION SOUS LA TÉTRARCHIE

I. La paix dioclétienne et l'établissement de la tétrarchie. — Durant les quarante dernières années du IIIe siècle, l'Église jouit d'une longue paix ignorée jusqu'alors. Peu ou point d'histoire. Cette prospérité chrétienne apparaît surtout durant les dix-huit premières années de Dioclétien (284-302). Enfin, voilà la tolérance et presque la faveur. Selon Eusèbe, plusieurs gouverneurs sont des chrétiens que le pouvoir a exemptés de sacrifier. Au début du IVe siècle, le concile d'Elvire mentionne des fidèles flamines municipaux ou duumvirs; nulle cérémonie idolâtrique qui leur soit prescrite, et l'Église — même en Espagne — ne leur impose que de légères pénitences, comme si elle voulait répondre par quelque coquetterie à la large tolérance officielle. En Phrygie, voici une ville dont tous les magistrats sont chrétiens; à Héraclée de Thrace, un diacre figure dans l'assemblée municipale.

Cet esprit de conciliation gagnait le palais impérial. Le temps était loin où Valérien interdisait à tous les césariens d'être chrétiens; plus de bornes maintenant à leur liberté. « Les princes, dit Eusèbe, laissaient à leurs familiers, en ce qui concerne la divinité, une latitude absolue de parole et de conduite; il en était de même pour les épouses, les enfants et les serviteurs; ils leur permettaient presque de se vanter de la liberté de leur foi; c'était d'une façon extraordinaire et plus que les autres officiers qu'ils les avaient en faveur. » (*H. E.*, VIII, 1, 3). La tolérance a franchi jusqu'aux marches du trône impérial : Prisca, femme de Dioclétien, sa fille Valéria, épouse de Galère, sont chrétiennes ou tout au moins catéchumènes.

Du même coup grandit le prestige des évêques et du clergé. « Il fallait voir, s'écrie Eusèbe sur un mode triomphal, il fallait voir de quel accueil les chefs des Églises étaient l'objet de la part de tous les procurateurs et gouverneurs. » Pourquoi n'en profiteraient-ils pas pour embellir et agrandir les églises, ou pour en construire de nouvelles aux vastes proportions? Il y en a « dans toutes les villes ». Celle de Nicomédie est un monument qui se dresse sur une colline en vue du palais impérial : quel symbolisme expressif!

La grande persécution. — O. SEECK, *Geschichte des Untergangs der antiken Welt*, Berlin, 1895-1920, 6 vol. — P. ALLARD, * *La persécution de Dioclétien et le triomphe de l'Église*, 2 vol., 1908. — P. BATIFFOL, **La paix constantinienne et le catholicisme*, ch. III. — K. STADE, *Der Politiker Diokletian und die letzte grosse Christenverfolgung*, Francfort, 1926.

La situation est assez florissante pour que, dans les loisirs d'une longue paix, les caractères s'amollissent. Ainsi les canons du concile d'Elvire constatent-ils un fléchissement moral : mariages mixtes, divorces, possession d'esclaves de luxe et de plaisir, usure, jeux de hasard et sortilèges, rupture du vœu de virginité, vie scandaleuse de certains clercs, autant de délits par lui constatés, non sans doute qu'ils soient courants, mais dans la crainte tout au moins

DIOCLÉTIEN.
Musée du Capitole.

qu'ils ne deviennent envahissants. Sans ambage Eusèbe décrit cette décadence : « Comme il arrive dans la plénitude de la liberté, les choses parmi nous tournèrent à la nonchalance; nous nous jalousions les uns les autres; nous nous lancions de grossières injures; les chefs déchiraient les chefs; ils ne faisaient uniquement progresser que les disputes, les menaces, la rivalité et la haine réciproque; ils revendiquaient avec ardeur les objets de leur convoitise. » (*H. E.*, VIII, 1.)

Et pourtant, l'heure de la paix définitive n'a point encore sonné. Sans doute, maintenant toutes les classes ont-elles accédé en nombre au christianisme; encore lui manque-t-il un certain lustre intellectuel que l'éclat des grands alexandrins et de saint Cyprien n'a pas suffi à lui acquérir. La considération publique ne lui fait pas défaut; depuis longtemps sont plus ou moins éventées les fables grossières; on estime sa valeur morale avec sa discipline. Mais beaucoup — esprits forts — le prennent pour une superstition populaire honnête et assez plaisante, digne d'égayer les facéties des mimes, ou bien — épicuriens tempérés — ils cultiveront à son endroit les griefs de la bourgeoisie radicale. Enfin, il reste un noyau de païens fanatiques, soit affiliés au culte solaire et au néo-platonisme, soit encore toujours fidèles au vieux conservatisme romain de Dèce. On verra bientôt tous ces gens-là se liguer pour un suprême assaut au christianisme.

Nul doute que l'État romain ne subît alors une crise aiguë : menaces d'invasions à toutes les frontières, danger plus grave encore de guerre sociale et d'insurrection paysanne, — en Gaule notamment et en Afrique, — péril des usurpateurs acclamés par telle ou telle armée, autant de difficultés auxquelles on ne ferait face qu'en renforçant l'*imperium*. Officier de fortune, mais esprit souple et délié, Dioclétien le comprit : multiplier le pouvoir afin qu'il fût partout présent à la fois, telle fut sa pensée. D'où, en 285, cette création d'un empereur ajouté, Maximien Hercule, Auguste avec Dioclétien, et qui gouvernerait l'Occident. De là encore, en 293, un second dédoublement du pouvoir qui associerait à chacun des Augustes un César : à Dioclétien pour l'Orient Galère, à Maximien Hercule pour l'Occident Constance Chlore. Voici quel serait leur domaine respectif : Dioclétien conserverait la Thrace, l'Asie, l'Orient et l'Égypte avec Nicomédie pour capitale, abandonnant la péninsule balkanique et le Danube à son César Galère qui résiderait à Sirmium (Sofia); à Milan Maximien Hercule gouvernerait l'Italie, l'Espagne et l'Afrique tandis qu'à Trèves, son César Constance Chlore régirait la Gaule et la Bretagne, gardien des frontières septentrionales de l'Empire.

Les avantages de cette « tétrarchie » n'étaient pas douteux : avec la sécurité des frontières et des provinces elle assurait une sage transmission du pouvoir qui, sans plus être à la merci de quelque *pronunciamiento*, s'effectuerait normale, un Auguste disparu étant remplacé automatiquement par le César adjoint. Ainsi se rétablissait, somme toute, ce régime de l'adoption impériale qui avait donné jadis, sous les Antonins, les plus heureux résultats.

Par contre, la vieille Rome semblait abandonnée, et le sénat ravalé au rôle d'un conseil municipal. En fondant Byzance Constantin ne fera qu'achever le geste déjà esquissé. Au point de vue chrétien, cette désaffectation impériale de Rome doit être soulignée. N'allait-elle pas laisser la ville moins gouvernée et le pouvoir pontifical plus libre de s'y épanouir? C'est déjà l'évolution médiévale de la papauté qui se laisse très vaguement entrevoir. Enfin — conséquence beaucoup plus immédiate — ce partage à quatre mettait le sort de l'Église non plus entre les mains d'un seul, mais de plusieurs, qui peut-être ne s'entendraient pas toujours dans leur politique religieuse : tel Auguste ou tel César pouvant persécuter tandis que tel autre affirmerait sa tolérance.

En pratique, que pouvaient attendre les fidèles des associés de Dioclétien? Avec Maximien Hercule et Galère, soldats brutaux et incultes, païens à la vieille manière, superstitieux, mal dégrossis, Constance Chlore faisait contraste qui, éclairé et humain, était capable d'estimer le christianisme et de ne pas lui chercher querelle. De lui on pouvait espérer beaucoup; des deux autres, tout appréhender. Le salut devait venir de l'Occident.

II. La phase dioclétienne de la persécution. — Ce fut Galère qui ouvrit les hostilités[1]. Vieux soldat pour qui les cérémonies païennes semblaient une des formes de la discipline militaire, il craignit ou feignit de craindre que la religion de Jésus n'ébranlât le loyalisme en ces légions danubiennes, protectrices directes de l'Empire. Peut-être les provocations de quelques chrétiens exaltés contribuèrent-elles d'ailleurs à exciter son sectarisme. « Le diable, dit énergiquement Eusèbe, commença à se réveiller. » Sacrifier ou quitter la milice, tel fut le dilemme[1]. Beaucoup « préférèrent la confession de leur foi à un honneur apprécié et à une situation avantageuse » (*H. E.*, VIII, 4, 3). Le *magister militum* Veturius fut chargé de cette opération brutale. Toutefois, « il n'osa aller jusqu'à l'effusion du sang que pour quelques-uns ».

A ces premières mesures Dioclétien ne s'associa pas. Il était moins fanatique que Galère, ce fils d'une paysanne « transdanubienne » « dévote aux divinités des montagnes ». Mais la superstition le dominait. Un jour, le *magister aruspicum* Tagis se plaignit que la présence de profanes empêchât les présages de se produire. Troublé et furieux, Dioclétien étendit à son armée et au palais les mesures prises par Galère sur le Danube. Ainsi s'amorça la persécution par une épuration de fonctionnaires et de soldats.

Durant l'hiver 302-303 qu'il passa à Nicomédie, Galère voulut arracher à Dioclétien un édit sanglant. Sur l'Auguste circonspect, cette brute massive exerçait une emprise quasi physique, une sorte d'envoûtement : la scène de l'abdication devait plus tard le montrer. Cependant, encouragée par dix-huit années de règne prospère, la modération de Dioclétien résistait ; un conseil de hauts fonctionnaires se montra également partagé et irrésolu Une fois encore, on prit l'empereur par son côté faible. Il enverrait à Milet un aruspice qui consulterait l'Apollon Didyméen. Naturellement, celui-ci parla « en ennemi de la religion chrétienne », il se plaignit d'être réduit à l'impuissance. Dioclétien céda à demi : « soit, dit-il, mais pas de sang », *rem sine sanguine* (Lact., *De morte pers.*, 11).

Interdiction du culte chrétien, destruction des édifices et des livres sacrés, dégradation des chrétiens nobles et perte de la liberté pour les autres, telle fut la teneur de l'édit affiché à Nicomédie le 24 février 303. « Il ordonnait, dit Eusèbe, de mettre par terre les églises et de supprimer les Écritures par le feu ; il proclamait déchus ceux qui étaient en charge, et privés du droit d'être affranchis ceux qui étaient esclaves chez les particuliers, s'ils demeuraient dans la profession du christianisme. » (*H. E.*, VIII, 2, 4.) Rien n'y manquait, sauf la peine de mort.

Premier acte de la persécution, en quelques heures, les soldats commandés par le préfet du prétoire eurent rasé l'église de Nicomédie. L'indignation chrétienne éclata ; en plein forum, un fidèle de haute naissance déchira l'édit impérial : « Voilà donc, ô souverain, s'écria-t-il avec ironie, vos victoires sur les Goths et les Sarmates. » Aussitôt appréhendé, il fut livré au bourreau.

Sur ces entrefaites, le feu prit deux fois, coup sur coup, au palais. Lactance accuse Galère de l'avoir allumé : « Les chrétiens, disait celui-ci, ont voulu payer par le crime la

1. En Afrique où Maximien Hercule passa pour réprimer les ravages de la Maurétanie par les sauvages tribus du Sud, sa présence amena sans doute une recrudescence de discipline et l'application stricte des règlements sur les obligations religieuses dans l'armée. De là une série d'exécutions entre 295 et 298 : ainsi périrent Marcellus le centurion, le conscrit Maximilianus, le porte-étendard Fabius, le vétéran Tipasius, tous victimes de leur insoumission à la loi militaire. Mais la sévérité d'un soudard tel que Maximien et l'enthousiasme de ces chrétiens africains expliquent ces supplices individuels, sans qu'il faille supposer une épuration générale en vertu d'un édit impérial comme en Orient.

confiance aveugle que leur montrait Dioclétien » (*De morte pers.*, 14). On revenait donc à l'inculpation de lèse-majesté comme sous Néron, avec cette différence qu'alors le grief fut forgé après coup, tandis que Galère l'avait prémédité. On voulut coûte que coûte trouver les coupables parmi les Césariens. Stimulé par la peur grandissante, Dioclétien frappa ses plus vieux serviteurs : ainsi le chambellan Pierre dont le corps meurtri fut assaisonné de vinaigre et de sel, puis brûlé sur le gril « ainsi que les viandes à manger » ; de même, Dorothée, Gorgone et beaucoup d'autres cubiculaires. Dans la ville, après arrestation en masse, l'évêque Anthime fut décapité, beaucoup de fidèles égorgés ou jetés au feu, ou encore envoyés en mer sur des barques délabrées. A pareils excès plusieurs chrétiens opposèrent un enthousiasme provocant : « On raconte qu'emportés par un zèle divin et indicible, des hommes et des femmes s'élançaient dans le bûcher » (*H. E.*, VIII, 6). Ainsi en vint-on à la persécution sanglante, mais à Nicomédie seulement, et par manière de représailles contre un forfait particulier.

Comment pourtant s'arrêter sur une telle pente? Dans l'âme apeurée du vieux Dioclétien, n'était-il pas facile d'éveiller toujours de nouveaux soupçons ? En 303, à l'annonce que des révoltes avaient éclaté en Syrie et dans l'Arménie romaine, on lui fit croire que les chefs des Églises trempaient dans ces agitations. D'où un second édit ordonnant l'incarcération des membres de la hiérarchie, évêques, prêtres, diacres, lecteurs, exorcistes. Bientôt un troisième leur enjoignait de sacrifier ou de périr. Enfin, après une courte amnistie accordée à l'anniversaire de ses vingt années de règne, un quatrième édit de Dioclétien — général celui-là — renouvela les anciennes prescriptions de Dèce. « Il était commandé, dit Eusèbe, que tous, en tous pays, dans chaque ville, offrissent publiquement des sacrifices et des libations aux idoles » (*De mart. Palest.*, 3). Toutefois, il ne semble pas qu'on ait opéré aussi systématiquement qu'au temps de Dèce, et par commissions d'enquête locales.

Dès lors, la persécution prit en Orient un caractère de sanguinaire sauvagerie. Voyez plutôt dans Eusèbe quelle série de supplices : ongles de fer, chevalets, fouets, épreuve du feu, crucifiement. Il y en avait d'inédits : « Nul ne peut égaler les outrages et les tourments endurés par les martyrs de Thébaïde ; on se servait de coquillages au lieu d'ongles de fer pour leur déchirer tout le corps ; des femmes étaient attachées par un pied, soulevées en l'air et suspendues la tête en bas par des mangonneaux... D'autres encore mouraient attachés à des branches d'arbres; les bourreaux en effet amenaient par des machines les plus fortes branches à un même endroit, ils fixaient sur chacune d'elles les jambes des martyrs, puis ils lâchaient tout de façon à ce que ces branches fussent rejetées à leur position naturelle ; ils avaient ainsi imaginé d'écarteler d'un seul coup les membres des victimes. » (*H. E.*, VIII, 9). On compta des fournées de vingt, trente, voire soixante et cent martyrs en un seul jour.

En Occident, Constance Chlore, qui n'avait pas l'étoffe d'un persécuteur, se contenta de détruire quelques églises; d'après Eusèbe, son palais continua à ressembler à un oratoire. Par contre, Maximien Hercule mena vigoureusement la lutte en Espagne, en Italie, en Afrique. Signalons surtout avec quel acharnement on rechercha livres saints et archives chrétiennes pour les brûler. A Rome, pareille destruction devait être pour les historiens de l'Église une perte irréparable. Par contre, on y réussit souvent à protéger les catacombes en comblant de terre les cryptes : ainsi, en particulier, dans le cimetière de Calliste. Le déblaiement ne s'opérerait que durant la deuxième partie du IVe siècle, sous le pape Damase. Ces circonstances expliquent aussi en partie les découvertes tardives de nos modernes archéologues.

En Afrique, la destruction des livres saints avait concentré l'attention. Diverses furent les attitudes. Les uns, flétris du nom de *traditeurs,* consentirent à livrer les Écritures; parmi eux, on compta des évêques, notamment en Proconsulaire. A Cirta, tout est catalogué : vases sacrés, coffrets et lampes, réserves destinées aux pauvres, livres saints, bref une véritable opération d'inventaire. Les malheureux n'ont un sursaut de révolte qu'au moment où on leur demande des noms : « Nous ne sommes pas des traîtres; nous voilà; fais-nous tuer

CONSTANCE CHLORE.
Musée du Capitole.

plutôt. » — Les prudents s'en tiraient par quelque habileté : Donat de Calame livre aux magistrats des ouvrages de médecine, Mensurius de Carthage des traités hérétiques. Stratagème parfaitement licite, mais autour duquel les exaltés organiseront un scandale qui sera l'origine première du donatisme. Les chrétiens fougueux n'ont jamais manqué, en effet, dans l'Église d'Afrique. A côté des héros qui, interrogés, refusaient net, il y avait ceux qui, avant toute recherche, provoquaient les fonctionnaires en déclarant qu'ils ne livreraient rien. Contre ces fanfarons du martyre, Mensurius de Carthage s'inscrivit avec force.

En Égypte, même variété d'attitudes ainsi qu'en témoignent les canons disciplinaires publiés par Pierre d'Alexandrie. A la fois miséricordieux et juste, l'évêque tarifie les pénitences d'après le degré de culpabilité. Chaque cas est donc passé en revue. Parmi les trop habiles, voici ceux qui feignirent l'épilepsie, ou qui se contentèrent d'une promesse écrite, ou encore qui firent sacrifier à leur place soit par des païens, soit par des esclaves. D'autres payèrent pour échapper aux poursuites, et à ceux-là l'évêque pardonne : du moins montrèrent-ils ainsi leur mépris des richesses. Parmi les *lapsi,* il distingue les vulgaires apostats, ceux qui succombèrent à la torture, ceux enfin qui cédèrent devant les souffrances et ennuis de la prison.

De son côté, Lactance décrit les diverses manières de persécuter: « Chaque gouverneur s'est servi selon son humeur de la puissance qu'il avait reçue. » Les timides s'ébranlent de crainte qu'on les suspecte de tiédeur, et ce sont les plus acharnés à poursuivre; d'autres agissent par pure cruauté et par haine. Mais les plus terribles sont ceux qui prétendent coûte que coûte remporter une victoire morale. « Ils veulent qu'on répare les membres des inculpés et qu'on rétablisse leurs forces; mais, c'est afin qu'ils puissent souffrir de nouveaux tourments. Peut-on voir rien de plus doux, rien de plus charitable, rien de plus humain? Ils n'en feraient pas tant pour leurs amis! Voilà la bonté qu'inspire le culte des idoles. » (*De div. inst.*, v, 11.)

La persécution fut universelle. Par des habiletés sectaires on s'ingéniait souvent à ce que personne n'échappât: ainsi, en consacrant aux dieux les denrées, ou encore en obligeant acheteurs et vendeurs à encenser les statues placées à l'entrée des marchés. En Numidie, le gouverneur Florus institua des « jours de thurification » où tous les suspects devaient sacrifier dans le temple, procédé qui rappelle la persécution décienne. L'hécatombe fut effroyable et telle que jamais auparavant. Selon la remarque de saint Optat, nulle autre possibilité que d'être martyr, confesseur ou renégat, à moins qu'on ne parvînt à se cacher.

III. De l'abdication de Dioclétien à l'édit de Galère. — Malade, pressé par l'astucieux Galère, Dioclétien abdique le 1er mai 305 à Nicomédie, en même temps que l'Auguste d'Occident, Hercule, à Milan. Du même coup, les deux Césars devenaient Augustes. Par la volonté de Galère, le choix des nouveaux Césars se porta sur des officiers obscurs : Sévère, adjoint à Constance Chlore pour l'Occident, et Maximin Daïa, propre neveu de Galère, pour l'Orient. Des deux, Galère se croyait sûr. En Occident, à ses diocèses de Viennoise, des Gaules et des Bretagnes, Constance Chlore ajouta les Espagnes, ne laissant à Sévère que l'Italie et l'Afrique; en Orient, Galère s'adjugea les Thraces et l'Asie Mineure, ne confiant à Maximin Daïa que le diocèse d'Orient (Égypte et Syrie) avec Antioche pour capitale.

Au point de vue religieux, le nouveau partage accentua la différence entre l'Occident et l'Orient. Non seulement à l'Espagne, ramenée sous son commandement, Constance Chlore étendit la même tolérance qu'il avait montrée en Gaule et en Bretagne; mais son César Sévère, fit cesser la persécution à Rome et en Afrique. Et tandis que demeurait en paix l'Occident entier, la terreur pesait sur l'Orient par Galère et Maximin Daïa : « Alors, dit Eusèbe, chose jusqu'à ce jour inouïe, on vit le monde romain divisé en deux parties. Tous les frères vivant dans l'une jouissaient du repos. Tous ceux qui habitaient l'autre étaient encore obligés à des combats sans nombre. » (*De mart. Palest.*, XIII, 12-13.)

Il est vrai que des troubles politiques changèrent bientôt en Occident la direction des affaires. Lésé par le dernier partage, le principe d'hérédité prit bientôt sa revanche. Maxence, fils de Maximien Hercule, et Constantin, fils de Constance Chlore, se croyaient d'autant plus destinés au pouvoir que le premier avait épousé la fille de Galère et que le second était fiancé à Fausta, fille de Maximien. En 306, après la mort de son père Constance, Constantin, échappé de Nicomédie où il était à demi captif, se proclame César. La même année, appuyé sur les prétoriens et soutenu par son père Maximien, Maxence vainquit Sévère et s'empara de Rome. En vain Galère accourut-il pour rétablir les choses, il dut rétrograder par crainte d'une défaite.

Le mariage fut célébré entre Constantin et Fausta ; dès lors, les deux maîtres de l'Occident devenaient beaux-frères. Entre eux nulle ressemblance. Tandis que Constantin né d'un premier mariage de Constance Chlore avec une femme du peuple, la chrétienne Hélène, se montrait comme son père général habile et administrateur remarquable, Maxence, tyran exécrable, resta cruel et débauché. Mais, par politique sans doute, imitant la manière tolérante de Constantin, il épargna les chrétiens. « Il feignit d'avoir notre foi, écrit Eusèbe, pour plaire au peuple des Romains; pour le flatter, il ordonna à des sous-ordres d'arrêter la persécution. »

A Rome, la paix revenue avait allumé l'éternelle querelle des *lapsi ;* prétendant rentrer

Les vicissitudes de la Tétrarchie.

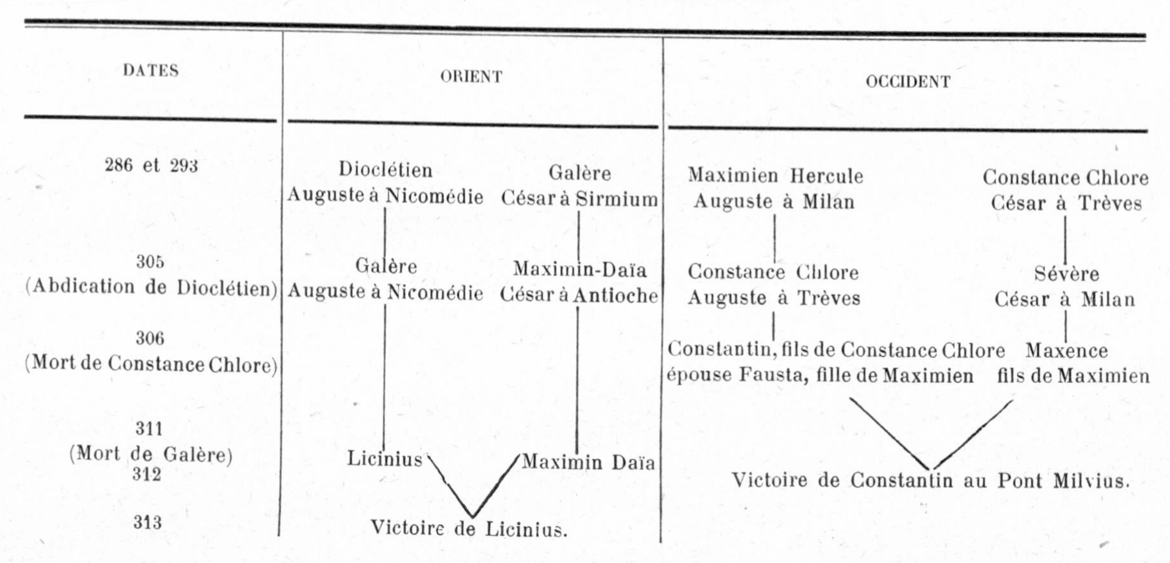

DATES	ORIENT		OCCIDENT	
286 et 293	Dioclétien Auguste à Nicomédie	Galère César à Sirmium	Maximien Hercule Auguste à Milan	Constance Chlore César à Trèves
305 (Abdication de Dioclétien)	Galère Auguste à Nicomédie	Maximin-Daïa César à Antioche	Constance Chlore Auguste à Trèves	Sévère César à Milan
306 (Mort de Constance Chlore)			Constantin, fils de Constance Chlore épouse Fausta, fille de Maximien	Maxence fils de Maximien
311 (Mort de Galère)	Licinius	Maximin Daïa		
312			Victoire de Constantin au Pont Milvius.	
313	Victoire de Licinius.			

dans l'Église sans pénitence, certains apostats déclarèrent la guerre au pape Marcel (308-09) qu'ils expulsèrent avec l'aide du « tyran » Maxence. D'où un schisme et deux compétiteurs au souverain pontificat : Eusèbe, vrai pape, et Héraclius, l'élu des factieux. De nouveau, Maxence intervint et, cette fois, expulsa les deux adversaires. Cette manière toute militaire de trancher les conflits d'Église n'implique aucune hostilité, mais plutôt un souci de police intérieure. Nul doute que Maxence ne maintînt sa première tolérance, voire qu'il ne témoignât aux chrétiens quelque bienveillance : c'est ainsi que, imitant le geste de Gallien, il restituera au pape Miltiade (311-314) les lieux du culte par un rescrit, de portée toute locale sans doute, mais analogue déjà au futur édit de Milan. De même, au témoignage de saint

Optat, il rendit la paix aux églises d'Afrique. Entre les deux souverains d'Occident — Constantin et Maxence — s'établissait donc comme une surenchère de bonnes dispositions envers les fidèles. Pareille politique — mêlée sans doute chez Constantin de considérations idéalistes et religieuses — n'en témoigne pas moins que les chrétiens représentaient une certaine force, non négligeable.

En Orient, par contre, la persécution ne chômait pas, sous Galère et Maximin Daïa. « Chez eux, a dit Duchesne, la férocité naturelle était au service d'une conviction religieuse : Galère était dévot, Maximin fanatique. » Voluptueux effréné, celui-ci donne souvent à la persécution un caractère nouveau de libertinage : plus d'une chrétienne se donne la mort pour échapper à de tels sévices. Deux vierges antiochiennes, Bérénice et Prodoxès, étaient emmenées avec leur mère Domnina ; celle-ci, se trouvant seule avec ses filles au bord d'une rivière, leur dit : « De tous les maux, le plus affreux c'est le déshonneur, dont nous ne pouvons même entendre parler sans rougir. Toute mort est préférable avec le secours du Christ. Et elles se noyèrent à l'instant. » (*H. E.*, VIII, 12.) « D'innombrables vierges chrétiennes, dit Eusèbe, menacées du deshonneur par les gouverneurs de provinces, ne purent même entendre leurs infâmes propositions : elles aimèrent mieux souffrir toutes les douleurs, toutes les tortures, toutes les espèces de supplices. » (*H. E.*, VIII, 14.) Il arrivait que la sépulture fût interdite : aux fauves, aux chiens, aux oiseaux de proie les corps des martyrs! Ainsi ravissait-on leurs reliques à la vénération des fidèles.

Pourtant, à partir de 307, on remplaça souvent la peine de mort par la condamnation aux mines. Éborgnés et rendus boiteux par cautérisation du tendon, les confesseurs étaient envoyés soit dans les carrières de la Thébaïde, soit aux mines de la Cilicie, de la Palestine et de Chypre. Ces condamnés parvenaient quelquefois à se grouper pour la prière sous la conduite de quelque évêque : ainsi, par exemple, aux mines de Phaeno en Palestine. Mais l'autorité veillait, supprimait ces petites églises, en dispersait les membres au loin, quitte à décapiter les malheureux trop épuisés pour entreprendre ce nouveau voyage.

En 308, un édit de Maximin précisa quelles précautions prendre afin que nul fidèle n'échappât : appel nominal de tous aux sacrifices, et jusqu'aux petits enfants, aspersion lustrale de toutes les denrées des marchés, obligation pour tous les baigneurs de vénérer les dieux à la porte des thermes.

IV. L'édit de Galère et la persécution de Maximin. — Un revirement inattendu se produisit en 311. A cette date, un édit parut qui accordait aux fidèles la liberté. Il rappelait qu'on avait essayé de ramener les chrétiens à la religion traditionnelle : tandis que les uns s'étaient soumis et que les autres, rebelles, avaient été châtiés, la plupart, sans changer de sentiment, s'étaient contentés de s'abstenir, par prudence, de tout délit. D'où une catégorie de citoyens sans culte, ce qui est le plus monstrueux désordre. L'argument foncier était donc celui-ci : nul mal plus exécrable que l'absence de pratique religieuse; à tout prendre, mieux vaut encore christianiser. Aussi, conclut l'édit, « n'écoutant que notre extrême clémence et notre perpétuelle disposition à traiter doucement tous les hommes... nous avons cru devoir permettre que les chrétiens existent désormais et rétablissent leurs assemblées... » (*denuo sint chritiani et conventicula sua componant*).

Souscrite par le farouche Galère, cette profession de mansuétude est d'une saveur piquante; elle amène une affirmation décisive, qui est la contradictoire même de l'édit néronien : à savoir que les chrétiens peuvent désormais exister, *sint christiani*. Faisant même un pas de plus, les rédacteurs de l'édit demandent pour l'Empire l'aide des fidèles : « En retour de notre indulgence ils devront prier leur Dieu pour notre salut, pour celui de l'État, pour le leur propre afin que partout la République soit prospère et qu'eux-mêmes puissent vivre tranquilles dans leurs demeures. » A cette religion si longtemps réputée fléau de l'Empire, on reconnaît donc maintenant quelque utilité. La théorie perce ici — reprise par Constantin dans l'Édit de Milan — que toute invocation à la divinité, sous quelque forme, a valeur d'adoration et d'impétration : ne retourne-t-elle pas, en fin de compte, au Dieu suprême (*Summus Deus*), dont les divinités secondaires ne sont que des attributs? Au fond, l'édit de Galère esquisse déjà le geste de Constantin, mais à regret : véritable édit de tolérance, au sens étymologique du mot. Puisqu'il n'y a pas moyen de vaincre les chrétiens, on les laissera vivre, mais qu'au moins ils prient pour l'État.

Pourtant, selon une interprétation traditionnelle, atteint d'un horrible chancre au bas-ventre que ni médecins, ni aruspices ne pouvaient guérir, Galère se serait tourné vers les chrétiens comme vers d'infaillibles rebouteux. Pareille interprétation, d'ailleurs plausible, prêtera cependant à discussion. Non parce que l'édit est signé par les empereurs, y compris Licinius, nouvel associé en surnombre pour l'Orient : il n'y a là qu'une pure question de forme, les actes officiels étant rédigés au nom du pouvoir entier. Mais le texte demeure impersonnel; il rappelle seulement aux fidèles que la prière pour l'État est un devoir civique, de même que jadis adorer l'empereur : simple substitution pacifique des prières chrétiennes aux actes du culte païen vainement demandés jusqu'ici. Puisque l'acte de 311 est un édit à quatre, on serait tenté d'y voir plutôt l'influence prépondérante de Constantin et de Licinius, les futurs signataires de l'édit de Milan. Moribond, et d'ailleurs psychologiquement incapable d'une vue aussi large, Galère aurait simplement donné son nom à une formule de tolérance contre laquelle tout son passé protestait.

Plus ou moins enchaîné par le système de la tétrarchie, Maximin Daïa fit mine d'amnistier les chrétiens. Entre ses dispositions et celles de ses collègues, notons toutefois une forte différence. Sans publier l'édit de Galère et après avoir tergiversé jusque vers la fin de 312, il manda à tous les fonctionnaires de cesser les poursuites contre les fidèles : « Une très longue expérience m'a prouvé qu'il n'existe aucun moyen de les détourner de leur entêtement. » (*H. E.*, IX, 1.) Sans aller jusqu'à la reconnaissance légale de l'Église, Maximin tolérera les chrétiens : trêve bien plutôt que paix.

A cette nouvelle, pourtant, tous se réjouirent. On était las du sang versé, des familles dispersées, de la terreur partout répandue. « Ceux-là même qui naguère encore vociféraient contre nous, dit Eusèbe, voyant ce miracle inespéré, se réjouissaient avec nous. » Les confesseurs revenaient des mines en chantant hymnes et psaumes et, quand ils traversaient les villes, c'était sur leur passage, un délire d'acclamations. Bien vite, les Églises se reformèrent, les offices recommencèrent.

Hélas! la joie s'évanouit comme un feu de paille. Après la mort de Galère, Maximin s'empara des provinces asiatiques, ne laissant à son collègue Licinius que les anciens États situés en Europe. Devenu plus fort, il s'enhardit à reprendre la lutte religieuse, mais insidieusement. Après avoir interdit aux chrétiens de s'assembler dans les cimetières sous un prétexte quelconque, il tenta d'organiser contre eux un soulèvement de l'opinion publique.

Des requêtes provinciales et municipales furent provoquées qui lui demanderaient l'interdiction du culte chrétien. Nous possédons, conservée sur la célèbre inscription grecque d'Arikanda, la pétition des gens de Lycie et de Pamphylie : « Nous avons estimé convenable, disaient-ils à Maximin, de nous adresser à votre immortelle autorité et de la solliciter de supprimer les chrétiens dès longtemps impies... et de leur interdire de violer par leur culte sinistre celui qui est dû aux Dieux... » Maximin s'empressait d'acquiescer. Aux habitants de Tyr il fait une longue réponse, à la fois hymne triomphal du paganisme et réquisitoire anti-chrétien. Avec une emphase digne des théophilanthropes de la Révolution française, Maximin y chante les bienfaits naturels des dieux : « Qui serait assez irréfléchi pour ne pas comprendre que seule l'intervention bienveillante des Immortels fait que la terre ne refuse pas les semailles qu'on lui confie et ne trompe pas l'espoir du laboureur..., et que, la douceur du ciel évanouie, les corps ne meurent pas de sécheresse, et que les flots de la mer au souffle de vents démesurés ne se soulèvent pas en tempêtes soudaines et désastreuses... » (*H. E.*, IX, 7.) Après cet hymne d'un lyrisme bucolique, Maximin reprend contre les chrétiens le vieux refrain des responsabilités impies : « Tous les maux sont produits par l'erreur calamiteuse et par la folie aussi basse que vaine de ces hommes inavouables... » Au contraire, le paganisme est authentiqué par des miracles : « Votre cité est justement appelée le siège et le domicile des divinités immortelles et nombre de prodiges attestent qu'elle jouit de leur venue. » C'était le temps où, à Antioche, le curateur Théotecne érigeait une statue de Zeus Philios qui se mit à parler, réclamant, elle aussi, l'expulsion des chrétiens. Ainsi, sous l'impulsion de Maximin, se manifestait un réveil du paganisme plus ou moins factice.

Un sacerdoce fortement organisé devra y présider : d'abord, des hiérarques provinciaux, véritables métropolitains qui commanderont aux prêtres des villes ; puis, sous la direction de ceux-ci, un clergé inférieur ; enfin, au sommet, l'empereur, « président de tous les cultes », et dont le palais dictera la liturgie nouvelle.

Pareille propagande eut certainement quelques résultats ; la pression officielle trouvera toujours des âmes serviles à qui imposer des convictions passagères. Dans une inscription retrouvée à Otourak et datée de 313-314, un certain Athanatos Epitynchanos commémore une sorte de conversion : il a été « initié par la belle archiprêtresse publique dont le nom est Spalaté et que les dieux immortels ont honorée au delà de toute mesure, car elle a racheté maintes gens de mauvaises tribulations ».

A tout cela, ajoutez une guerre de plume. Le néo-platonisme l'avait mise à la mode. Inaugurée par Porphyre, elle fut reprise par Hiéroclès, préfet de Bithynie, dans un ouvrage *Aux chrétiens* paru en 303. S'efforcer d'établir diverses contradictions bibliques, traiter les apôtres comme des paysans grossiers, Jésus-Christ lui-même ainsi qu'un chef de brigands, et lui opposer la sainteté d'Apollonius de Tyane, voilà quels étaient ses procédés. Ils lui valurent une vive réplique d'Eusèbe. A leur tour, Maximin et ses conseillers résolurent de falsifier l'histoire évangélique. De prétendus *Actes de Pilate* parurent, où, dans un cadre habilement historique, le Christ revêtait les traits d'un imposteur vulgaire. Tiré à un grand nombre d'exemplaires, ce petit livre fut colporté partout, et jusque dans les moindres bourgades ; on l'imposa aux écoles où les élèves l'apprendraient par cœur.

Maximin s'abaissa à des moyens plus pervers encore, ressource dernière du sectarisme de tous les temps. A Damas, cette ville bigarrée où confluaient les impuretés de l'Orient, on arrêta quelques prostituées qui, sous menace de tourments, déclarèrent qu'elles étaient chrétiennes et que, dans les assemblées des fidèles, la luxure atteignait son degré le plus révoltant. (*H. E.*, IX, v, 2.)

Toute cette campagne diffamatoire fait pressentir déjà celle de Julien l'Apostat. Quand l'opinion parut suffisamment ameutée, on déclancha la persécution directe. Parmi les victimes, citons Pierre d'Alexandrie et quelques-uns de ses clercs, Méthode, évêque d'Olympe ou de Patare, l'auteur du *Banquet* des douzes vierges, enfin, le prêtre Lucien d'Antioche. Aux fidèles une occasion s'offrit de se venger : durant la terrible famine de l'hiver 311-312 ils montrèrent une fois de plus que la charité chrétienne reste sans acception de personnes. En réalité, le sectarisme des foules n'encourageait plus le zèle des persécuteurs; on ne les entendait plus crier : « Les chrétiens aux lions! » Le bon sens populaire avait fini par percer à jour le tissu des calomnies.

V. Polémiques littéraires : Arnobe et Lactance. — D'ailleurs, la race des apologistes n'était point éteinte. Le cas est curieux d'Arnobe, professeur de rhétorique à Sicca Veneria, converti à soixante ans et qui, afin de dissiper les défiances de son évêque, écrivit une apologie qui lui ouvrirait, espérait-il, les rangs des catéchumènes.

Dans une première partie, Arnobe réfute la vieille calomnie courante, ce préjugé populaire (*popularia verba*) qui impute aux chrétiens tous les maux présents. Allons donc! Comme si la misère humaine et les fléaux multiples avaient attendu la venue du Christ pour se produire! Quelle injustice, d'ailleurs, si la divinité frappait ainsi les innocents pour les coupables! Au surplus, que font les chrétiens sinon adorer le Créateur, révélé par Jésus, ce même Créateur dont émanent les divinités païennes, si elles existent?

Après avoir ainsi excusé les chrétiens dans les deux premiers livres, Arnobe passe à une violente offensive contre l'Olympe. Le pamphlétaire s'en donne ici à cœur joie. Toute cette théologie païenne, romancée ou burlesque, ne prête qu'à rire ou à s'indigner : Comment respecter ces dieux et déesses, héros d'aventures aussi risquées? Au service d'une thèse plutôt rebattue, Arnobe apporte, d'ailleurs, avec une immense érudition la plus implacable verve. Son réquisitoire abonde en comparaisons et en détails qui ridiculisent. Pourquoi, demande-t-il, les hommes font-ils les dieux à leur image? N'est-ce pas les rabaisser autant que si les bêtes s'imaginaient d'adorer les hommes en les représentant avec des têtes d'animaux et en leur offrant de la paille et du foin? Ce Jupiter, empereur de la cour céleste, n'est qu'un libidineux personnage : avec une hardiesse de réalisme intraduisible, Arnobe décrit toutes les circonstances de ses séductions. Bouffonnerie et obscénité ont-elles été poussées plus loin que par ces prétendues divinités? Il faut être de l'Olympe pour parvenir à un pareil ridicule. Et Arnobe s'attarde à contempler ces Immortels mangeant de la bouillie, buvant pour faire passer les aliments; il passe en revue tour à tour les diverses parties de leur corps, ses difformités.

Fort bien, dira-t-on; mais, en tout ceci, où donc apparaît le dogme qu'il faut défendre?

Arnobe et Lactance. — *SOURCES :* Pour Arnobe, édit. Reifferscheid, dans *C. V.*, IV ; pour Lactance, édit. Brandt, dans *C. V.*, XIX et XXVII. — *TRAVAUX* : Freppel, *Commodien, Arnobe et Lactance.* — G. Boissier, **La fin du paganisme*, 1891. — R. Pichon, * *Lactance. Étude sur le mouvement philosophique et religieux sous le règne de Constantin*, 1901. — Monceaux, **Hist. litt. Afr. chr.*, III, 1905. — F. Gabarrou, **Arnobe, son œuvre*, 1921. — P. de Labriolle, art. *Arnobe*, dans *Dict. Hist.* — E. Amann, *art. *Lactance*, dans *Dict. théol.*

Arnobe présente une doctrine qui est plutôt la religion d'un philosophe avec une étiquette chrétienne : sa théodicée se ramène au culte du Dieu suprême révélé par Jésus. Quant au reste, il a raison de ne pas se hasarder : cet aspirant au catéchuménat semble connaître bien mal la Bible; il conserve des théories peu conciliables avec le christianisme : ne croit-il pas, par exemple, que l'âme aurait pour auteur quelque démiurge inférieur à Dieu, ce qui semble calqué sur les rêveries gnostiques? De-ci de-là il emprunte son bagage théologique aux systèmes philosophiques qu'il a jadis étudiés.

Ajoutons que sa religion est tout imprégnée de scepticisme et de pessimisme : l'âme humaine baigne dans le mystère, nous ne savons le tout de rien, pauvres êtres chétifs. D'où le besoin de se jeter dans les bras de Dieu. Et voilà Arnobe qui esquisse le fameux argument du pari : à défaut de guide sûr pour nous décider, choisissons tel parti qui, nous promettant le plus, nous expose le moins. Pareille conception, à laquelle Pascal empruntera, tue sans doute l'orgueil humain, encore ne contient-elle pas — et à beaucoup près — autant de lumière et d'amour que le christianisme plénier.

Tout cela est écrit dans une langue étoffée et originale. Arnobe a une verve endiablée, un don satirique qui l'apparente à Voltaire. Mais il n'a certes pas le trait rapide et la demi-sécheresse de Voltaire. C'est un africain qui gesticule : ni les termes, ni les phrases ne lui manquent. Ainsi procède-t-il parfois par entassement de mots pour arriver à un effet comique. Il aime les longues périodes, et tout l'appareil de la rhétorique d'école, apostrophes, exclamations, antithèses, allitérations. Au total, le succès est largement atteint, mais il reste un peu gros, et parfois même franchement grossier. Quel mélange étonnant : le scepticisme et le pessimisme pascaliens, l'ironie voltairienne, la truculence rabelaisienne, l'ampleur des orateurs! C'est trop de genres en un seul homme, et comment les combiner ensemble sans manquer de goût? La faconde méridionale d'Arnobe n'y a point pris garde. Mais si le ridicule est une arme qui tue, Arnobe fut un des plus terribles adversaires du paganisme.

A côté de lui, Lactance est une discrète personne. Et pourtant, né comme lui païen et africain, il devint son disciple à Sicca Veneria. Rhéteur en renom, il fut appelé à Nicomédie où Dioclétien avait fondé une sorte d'académie. Un succès médiocre l'y attendait, mais il s'y convertit au christianisme. Il traversa la grande persécution sans autre dommage que la perte de son poste officiel. Ses dernières années furent consolées par une marque de confiance très enviable : il devint le précepteur de Crispus, fils de Constantin.

Les milieux lettrés et aristocratiques, avec lesquels sa carrière de professeur le mettait en contact, étaient loin encore du christianisme. Son but fut d'en donner un exposé, ou, selon l'expression de M. Pichon, une « édition », adaptée à cette société profane. Influencés par le néo-platonisme ou par le mithriacisme, séduits par la grandeur de la théorie monothéiste du *Summus Deus*, nombre de païens sont introduits déjà — plus ou moins — sur les chemins de la croyance. Encore faudrait-il les guider : autrement, ces mêmes courants de pensées en feraient plutôt des sectaires. Philosophes, rhéteurs, grands seigneurs ou magistrats, il faut montrer définitivement à ce public d'élite que, loin d'être une religion vulgaire, le christianisme peut satisfaire les plus nobles aspirations.

De là, ce traité des *Institutions divines* où, après avoir développé rapidement dans les premiers livres la critique du polythéisme et de la philosophie païenne — car son ouvrage était une réplique à la campagne littéraire tentée sous Dioclétien contre les fidèles, notamment par Hiéroclès — Lactance passait ensuite à un exposé du christianisme. Le quatrième livre en explique la doctrine, les trois derniers tirent les applications morales tant qu'enfin l'ouvrage s'achève sur les sommets, vie bienheureuse et eschatologie.

Assurément, cet exposé est bien peu théologique, et nous n'aurions rien à y apprendre. Au surplus, vulgarisateur élégant, Lactance n'a ni originalité, ni profondeur. Il n'en remplit pas moins son but qui est d'attirer le païen jusqu'au seuil de l'Église, quitte à l'abandonner ensuite à un catéchiste plus formé. Aussi présente-t-il surtout notre religion comme un dogmatisme moral capable de remplir le vide affreux où polythéisme et philosophie laissaient l'âme désenchantée. Nature délicate, il soulignera les bienfaits de la foi chrétienne, et comment elle ouvre des horizons insoupçonnés sur l'éternité. Pour le montrer, Lactance recourra d'ailleurs, non pas aux citations scripturaires, — témoignage que les païens récusent *a priori,* — mais à l'autorité des philosophes, des historiens et des poètes. Plutôt que saint Paul et les Évangiles, ses sources principales seront Cicéron et Sénèque. Tout cela — vérités développées et autorités invoquées — n'était-il pas proportionné au but poursuivi, la conversion du grand public lettré? Un seul défaut, mais rebutant : la longueur démesurée de l'exposé. « Les traités en sept livres et bourrés de citations, note judicieusement M. Monceaux, sont de médiocres apôtres. »

Comment, d'une œuvre si calme Lactance a-t-il pu passer à un pamphlet aussi violent que le *De mortibus persecutorum?* Contraste assez étonnant pour que plusieurs, après Dom Le Nourry, lui en aient contesté la paternité, sans fondement suffisant d'ailleurs. Déjà, dans le *De ira Dei,* Lactance avait prouvé d'une façon abstraite — à l'encontre des théories grecques de l'impassibilité — que la colère est un nécessaire attribut de Dieu : juste et sainte indignation contre le mal, sans quoi ne seraient point appliquées les sanctions nécessaires. Constater cette vérité à travers les siècles, en faire ressortir l'application vengeresse dans l'histoire du christianisme sans doute, mais tout spécialement parmi les événements contemporains, telle est la thèse du *De mortibus.*

Somme toute, c'est l'intervention de la Providence que Lactance veut souligner. En cela, il fait preuve encore d'opportunité. Nulle idée plus apte à conquérir un romain que ce dogme pratique de gouvernement où l'autorité s'impose et triomphe; nulle aussi qui soit moins confessionnelle et qui harmonise davantage la philosophie avec la théologie, l'esprit de Cicéron avec celui de l'Évangile, la sagesse classique avec la foi chrétienne. Nulle idée, d'ailleurs, plus sympathique à la mentalité calme et pondérée de Lactance, pour qui Dieu est un juge très sage et très bon, faisant régner l'ordre et la paix.

Pourtant, au service de ce concept irénique, Lactance s'échauffe singulièrement. Il veut raconter la chute successive des persécuteurs, depuis les Césars, Néron et Domitien, sommairement exécutés, jusqu'aux empereurs de la tétrarchie. A partir de Dioclétien, l'auteur, qui à Nicomédie était bien placé pour tout voir, nous donne un récit détaillé, mais toujours au service de sa thèse, le châtiment des persécuteurs. Quelle galerie sinistre : le faible Dioclétien, maladif et apeuré, le grossier Maximien, Galère haineux et sournois, brute « à la chair énorme, horrible, débordante et enflée », Maximin-Daïa, débauché cynique et sanguinaire. Et voici tour à tour ces personnages frappés par la main divine : Dioclétien et Maximin acculés à l'abdication, Galère rongé par une plaie affreuse où grouillent les vers — horrible et concluante illustration de la thèse, — Maximin-Daïa s'empoisonnant pour échapper à Licinius, sa femme et ses fils massacrés et jetés dans l'Oronte.

A ce récit, source détaillée pour la grande persécution, on ne peut nier une réelle valeur historique. Mais, exact quant aux faits, Lactance se montre partial dans les appréciations : ses portraits ressemblent à des caricatures et les réquisitoires qu'il prononce ne se nuancent jamais de quelque équitable restriction, comme serait, par exemple, l'aveu que Dioclétien fut un grand administrateur et un habile réformateur.

A pareille lecture, les païens — superstitieux ou non — durent frémir. Lactance leur imposait le premier des sentiments salutaires : cette crainte qui précède l'amour et qui y conduit. Une telle apologétique prenait les gens aux entrailles. Ne disait-elle pas : « Si vous ne vous convertissez, malheur à vous. Voilà ce qui vous attend »?

En tout ceci, trop de fureur biblique à coup sûr : le Dieu de la vengeance prend le pas sur celui de la miséricorde, relégué on ne sait où. De même, avec M. de Labriolle nous pensons « qu'il y a de l'indiscrétion dans le zèle que Lactance déploie à démêler les desseins de Dieu, dans la certitude intrépide avec laquelle il en révèle tout le détail comme si, d'en haut, il en avait reçu la confidence ». Mais il frayait ainsi la voie à tous les écrivains qui, depuis saint Augustin jusqu'à Bossuet, installeront la Providence au centre de l'histoire.

Ainsi, cet homme qui n'était guère personnel, eut pourtant deux idées originales : la première, réalisée dans les *Institutions divines,* fut de rédiger un exposé du christianisme pour les païens lettrés, à quoi personne n'avait songé avant lui; la seconde, de prouver par les faits que la divinité soutenait les fidèles et qu'elle les vengeait. Au charme de ces nouveautés, joignez les avantages d'un style classique, clarté, précision, élégance. Cet africain « déraciné », professeur distingué et puriste impeccable, n'a point connu les audaces verbales coutumières à un Tertullien, ni les débauches d'imagination chères à un Arnobe. Mais il y a quelque apprêt dans sa forme, et une allure assez guindée : la perfection du style est désespérante comme celle de la vertu.

CHAPITRE II

LA VICTOIRE DE CONSTANTIN ET SES CONSÉQUENCES

I. Le Pont Milvius. — Au dogme de la Providence que soulignait Lactance, une confirmation éclatante fut donnée par la conversion et le triomphe de Constantin.

Fatale était la lutte entre Constantin et Maxence. Celui-ci, maître de l'Italie, enhardi par des victoires récentes en Afrique, voulait l'Occident pour lui seul. Sachant quelle importance morale conservait Rome, Constantin résolut d'aller l'y provoquer. Dès 311, sa diplomatie avait tendu à le rapprocher de Licinius qui, gardant la Thrace, empêcherait toute intervention directe de Maximin-Daïa en Europe où le duel se circonscrirait entre lui, Constantin, et Maxence : telle fut peut-être l'origine politique de l'édit de Galère qui, dans ce cas, se relierait à l'édit de Milan comme le prologue à la conclusion. A ces négociations diplomatiques, Constantin joignit une préparation militaire indirecte : ses troupes se trouvaient entraînées par plusieurs campagnes heureuses menées depuis 306 contre les Francs et les Alamans.

Ne pas laisser à son rival l'initiative de l'attaque, passer les Alpes, s'emparer rapidement des diverses cités de la Haute-Italie, Suse, Turin, Milan, Aquilée, et marcher droit sur Rome, telle fut sa tactique : foudroyante offensive qu'on a pu comparer à celle de Bonaparte, lors de sa première campagne d'Italie.

La partie n'en restait pas moins douteuse. Blotti derrière les murailles de Rome, Maxence pouvait tenir en échec son adversaire et le laisser s'épuiser à attendre un combat qu'il ne lui offrirait pas. Le moment était solennel et décisif. Esprit religieux, Constantin devait songer à mettre de son côté la divinité. Quelle était alors sa croyance ? L'étude des monnaies montre que, imitant son père Constance Chlore, il vénérait le *Sol Invictus*, « dieu sauveur », « dieu unique et suprême ». Ses soldats récitaient le dimanche, « jour de la

Constantin. — G. Boissier, * *La fin du paganisme,* 1891. — A. de Broglie, * *L'Église et l'Empire romain au* IVe *siècle*, t. I. — P. Allard, * *La persécution de Dioclétien et le triomphe de l'Église*, t. II. — Batiffol, * *La paix constantinienne...* ch. IV. — J. Maurice, * *Numismatique constantinienne*, 1908; *Constantin le Grand. L'origine de la civilisation chrétienne,* 1924. — Dolger, * *Konstantin der Grosse und seine Zeit,* Fribourg, 1913. — Ed. Schwartz, * *Kaiser Constantin und die christliche Kirche,* Leipzig, 1913. — R. Pichon, * *L'Édit de Milan,* dans *Rev. des Deux Mondes*, 1913. — L. Bréhier, * *Constantin et la fondation de Constantinople,* dans *Rev. hist.*, t. CXIX (1915), p. 241-272. — C. Emereau, * *Notes sur les origines et la formation de Constantinople*, dans *Rev. arch.*, t. XXI (1925), p. 1-25.

lumière et du soleil », une prière à l'astre sans rival. Aussi, lorsque les panégyristes de Constantin veulent rattacher à Claude II l'origine de sa famille, ils représentent le Soleil, *tuus Apollo,* comme la divinité protectrice des seconds Flaviens. Sans doute, le christianisme n'était-il pas pour lui un ennemi. Monothéiste, il éprouvait à son égard la même bienveillance que son père, Constance Chlore; et, lors de son séjour forcé à Nicomédie, le spectacle des atroces persécutions avait dû l'écœurer et lui rendre sympathiques les victimes. Mais ses sentiments n'allaient pas plus loin.

Au surplus, la politique devait le guider à un moment si décisif : ne lui commandait-elle pas la prudence? Se déclarer pour les chrétiens, encore minorité dans l'Empire, n'était-ce pas s'aliéner l'opinion païenne et l'armée même où dominait la religion solaire? Bref, nul acte plus téméraire.

Et pourtant, Constantin n'hésita pas. Là-dessus, le récit des contemporains, Eusèbe et Lactance, ne nous laisse aucun doute, non plus que les actes du prince, postérieurs à la victoire.

Dans son *De mortibus,* Lactance nous apprend que Constantin eut la nuit une vision : « Il reçut l'ordre de faire graver sur les boucliers de ses soldats le signe divin (la croix) et de livrer ensuite la bataille. Il fit ce qui lui était commandé; la lettre X fut peinte, traversée par une barre dont le sommet était légèrement recourbé et formant ainsi le monogramme du Christ; puis l'armée, protégée par ce nom sacré, tira l'épée pour combattre » (c. XLIV). Témoignage ferme, sans réticence, et d'autant plus valable qu'il émane d'un homme probe qui, peu après l'événement, vécut dans l'entourage du prince, précepteur de son fils Crispus. La brièveté de la narration inspire d'ailleurs confiance : comment relater en moins de mots un événement aussi important?

Concordant dans son fond avec celui de Lactance, puisé à la même source vivante, le récit d'Eusèbe suppose pourtant quelques embellissements. Le soir, Constantin vit une croix lumineuse au-dessus du soleil couchant avec cette inscription : « Sois vainqueur par ce signe. » D'où stupeur du prince et de son escorte, témoins du spectacle. Mais, en songe, le Christ apparut à Constantin avec ce même signe, lui ordonnant « de faire une enseigne militaire sur le modèle de l'apparition pour s'en servir comme d'une salutaire protection dans les combats ». Eusèbe nous affirme tenir ce récit de l'empereur lui-même « au temps où il fut parvenu à son intimité », et qu'il le lui confirma par serment. « Qui, ajoute-t-il, pourrait le mettre en doute? » Personne assurément. Tout au plus discutera-t-on certains détails propres à dramatiser la scène. Que si, en particulier, pareil spectacle avait eu pour témoin non seulement le général, mais toute l'armée, les contemporains en auraient parlé avec une plus grande précision. De même, il y a eu superposition de souvenirs en ce qui concerne les enseignes militaires : comme le *labarum* chrétien portait le médaillon de Constantin et de ses deux fils, il ne peut être antérieur à 316. Par contre, l'assertion de Lactance reste : « Il fit tracer sur les boucliers de ses soldats le signe du Christ. » *Christum in scutis notat.*

Parti païen des Gaules, Constantin arrivait donc devant Rome, lui et ses soldats, sous la protection de la croix. Par un geste de confiance, il se convertit avant la bataille, et non pas seulement après, comme le fera Clovis à Tolbiac. On sait le reste : une sédition éclatant dans Rome contre Maxence accusé de trahir la chose publique, et lui-même conspué au cirque dans sa loge impériale par une plèbe insolente qui lui crie : « Constantin est-il donc invincible? »; les livres sibyllins consultés et affirmant — non sans ambiguïté — le jour venu où périrait l'ennemi des Romains; Maxence contraint de sortir et engageant son armée dans des vallées étroites; la cavalerie de Constantin fonçant sur elle et la refoulant en désordre vers la Ville; le pont de bois établi parallèlement au pont Milvius croulant sous le poids des fuyards et Maxence lui-même précipité dans le Tibre.

Toute cette brève tragédie, où l'on dirait les oracles païens aux prises avec le Dieu

L'ARC DE CONSTANTIN A ROME.

des chrétiens, confirmait à Constantin la réalité de sa vision; il savait maintenant en qui se reposer; le succès parachevait sa conversion. En tout ceci, l'intervention céleste fut pour lui comme pour Lactance « le trait de valeur ». Les païens eux-mêmes se rallièrent à une conception providentielle de la victoire : l'inscription dédicatoire de l'arc de triomphe portera en évidence *instinctu divinitatis,* « par la suggestion de la divinité »; le *Panégyrique IX* rendra aussi hommage « à la souveraine bonté qui doit vouloir ce qui est juste ». Ainsi le paganisme semble-t-il se rapprocher de la religion nouvelle du prince par un franc monothéisme, insouciant d'Apollon et du *Sol Invictus.* Dans la joie de la paix recouvrée, tout le monde paraît désirer une harmonie générale des sentiments dont l'expression officielle sera l'Édit de Milan. Il y a là davantage, semble-t-il, qu'un hommage rendu à la fortune de César. Après tant de sang versé, « l'union sacrée » est à l'ordre du jour : bénéfice naturel des peuples ramassés enfin sous une main vigoureuse au sortir d'anarchies dissolvantes.

D'autre part, si Constantin est converti en ce sens qu'il voit maintenant dans le christianisme le plus digne hommage au Dieu suprême (*summa divinitas*), toutefois il n'est pas encore chrétien, ni même catéchumène. Du moins veut-il montrer par ses actes quel changement s'est opéré en son âme. Après la victoire, ni sacrifices, ni cortège au Capitole, ni l'année suivante la célébration des *Ludi saeculares*. Par contre, voici le monogramme du Christ frappé sur certaines monnaies dès 313; voici à Rome la statue de l'Empereur tenant une lance en forme de croix avec cette inscription : « C'est par un tel signe que j'ai sauvé votre cité du joug du tyran. »

D'autres faits attesteront encore la bienveillance de Constantin. Dès 313, il écrira à Anulinus, proconsul d'Afrique, pour que les clercs de « l'Église catholique » soient exempts des charges publiques : « Il ne faut pas qu'ils soient distraits des hommages qu'ils doivent à la divinité... Car leur fidélité cultuelle contribuera grandement au bien public » (*H. E.*, X, 7). Cette idée que la prospérité du christianisme est concordante à celle de l'Empire romain semble dominer la nouvelle mentalité de Constantin. Elle concilie — et pour toujours — ses obligations religieuses avec ses devoirs civiques. Le christianisme lui paraîtra désormais beaucoup moins un dogme à défendre qu'un moyen authentique de garder pour lui la protection divine, et d'autre part une force de cohésion à ne pas laisser désagréger. Pour l'âme romaine de Constantin, le christianisme est avant tout une providence et une discipline : une providence qui gardera l'Empire, une discipline qui l'unifiera. Conception plus politique que religieuse à coup sûr, et tout ordonnée vers les réalisations, mais qui n'en suppose pas moins une foi véritable, monothéisme non seulement philosophique, mais chrétien.

II. L'Édit de Milan. — A la mentalité de Constantin Licinius s'adapta volontiers : sourire au vainqueur est souvent de bonne politique, et d'ailleurs Licinius avait dû se rallier à la religiosité monothéiste alors en vogue : si bien qu'une entente se conclurait facilement entre les deux princes sur la base d'une large tolérance. Au début de 313 ils se rencontrèrent à Milan et y élaborèrent un pacte commun de politique religieuse : non pas d'ailleurs que cet édit fut proclamé à Milan, ni même en Occident, où, par les soins de Constantin il avait été appliqué déjà avant la lettre. L'édit fondé sur l'entrevue de Milan sera publié certainement à Nicomédie par Licinius, le 13 juin 313, après sa victoire sur Maximin-Daïa. Nous en possédons deux versions : l'une en latin dans le *De Mortibus* (c. XLVIII), l'autre en grec dans *l'Histoire ecclésiastique* d'Eusèbe (X, 5).

Dès la première phrase les législateurs attestent qu'ils veulent être tolérants : « Nous donnons aux chrétiens et à tous la libre puissance de suivre la religion que chacun préfère » (*liberam potestatem sequendi religionem quam quisque voluisset*). Une telle assertion, répétée à plusieurs reprises, imprime à l'édit une allure nettement libérale.

Mais sur quoi donc repose ce principe nouveau d'une tolérance universelle? Écartons résolument nos idées modernes : maintenir l'État dans un laïcisme absolu, ou même sauvegarder les droits de la conscience individuelle, autant de principes abstraits que l'on n'invoquait pas alors dans un acte politique. Le laïcisme absolu eût paru impiété dangereuse, les droits de la conscience négligeables devant l'intérêt général. Celui-ci dominait tout, au point que la religion même devait être une protection pour l'État, une force à son service. Voilà bien, en effet, sur quoi repose la tolérance des empereurs, ralliés l'un au Christ, l'autre à un Dieu suprême, *Summus Deus.* Si différent qu'il soit spécifiquement, leur monothéisme commun — condensé en des expressions vagues, divinité, puissance suprême — les met d'accord pour penser que la force céleste serait offensée comme d'un sacrilège, s'il existait dans l'Empire une classe de citoyens qui l'honorent par contrainte. Dès lors pèserait sur l'État le ressentiment d'En-Haut, la Providence lui tournerait le dos. « Il faut — dit expressément l'édit en une phrase capitale — il faut que la divinité dont nous pratiquons la religion avec un libre esprit, *cujus religioni liberis mentibus obsequimur,* puisse nous témoigner en toutes choses sa faveur et sa bienveillance. » Ainsi l'Édit de Milan sauvegarde-t-il avant tout, par la tolérance, le respect dû à la divinité, *divinitatis reverentia,* en sorte que la Providence continue à garder l'Empire.

N'était-ce pas enfin le triomphe de la conception libérale chère aux apologistes? On eût dit qu'ils contre signaient l'Édit, qu'ils l'étayaient de leur argumentation. Qu'avaient réclamé un Minucius Félix, un Tertullien, et hier encore un Arnobe et un Lactance, sinon qu'on laissât chacun honorer Dieu à sa guise? Citons Athénagore rappelant à Marc-Aurèle « qu'il est nécessaire que chacun serve les dieux qu'il veut », Tertullien disant à Scapula que la liberté est « de droit naturel » et que « la religion ne doit pas être contrainte par la religion, qu'elle doit être spontanée, non pas violentée », *sponte, non vi* (*Ad Scap.*, II). Évoquons surtout le contemporain Lactance qui a vécu cette transition du régime persécuteur à celui de la liberté : « Il n'y a rien de si volontaire que la religion. Un sacrifice n'en est plus un quand il est arraché de force. S'il n'est spontané et sincère, il devient un sacrilège. » Longtemps violés, pareils principes l'emportaient maintenant, et le sang des martyrs devenait une semence de liberté. « Constantin, dit très bien M. Pichon, a reçu des Pères de l'Église sa conception d'une religion libérale. Eux, l'avaient réclamée; lui, a voulu la réaliser. » Et d'autant mieux que non seulement il était le maître, mais que l'idée monothéiste du *Summus Deus* acheminait, elle aussi, le païen Licinius et tous ses pareils vers la tolérance religieuse.

Pourquoi soupçonner la sincérité des négociateurs de Milan? Le principe sur lequel ils s'appuyaient — la révérence due à la divinité — impliquait par lui-même cette sincérité : principe tout spirituel, et qui, s'il eût été invoqué sans honnêteté, eût déchaîné la vengeance divine. Ainsi l'Édit de Milan est-il un acte loyal, ou bien, privé de sens, il devient un de ces sacrilèges qui, dans la pensée de Constantin, compromettent les empires. Véritable contrat synallagmatique entre Dieu et l'État, son mépris entraînerait une rupture de rapport, une retraite de la Providence, désastreuse pour l'État. Sans doute sera-t-il bientôt violé — demain par Licinius, peu après par Constance — ; mais cela prouve seulement que les plus solennels traités peuvent devenir des « chiffons de papier » quand la haine ou l'intérêt obscurcissent la conscience. Ni la loyauté des apologistes, ni celle de Constantin ne s'y trouvent engagées. L'Édit de Milan prend même la peine d'avertir les gouverneurs que cette paix accordée aux chrétiens l'est aussi à tous autres, sans doute pour prévenir le servilisme de certains fonctionnaires qui, inaptes à s'élever au principe trop nouveau de la tolérance, induiraient de la liberté conférée aux fidèles que les païens doivent être persécutés. Telle précaution impériale confirmerait — s'il était nécessaire — que le libéralisme de Constantin était vraiment universel : ce qui ne veut pas dire, toutefois, qu'il accordât la tolérance d'aussi bon cœur à tous. De ses préférences personnelles il restait le maître; et d'ailleurs, même comme homme d'État, sa tolérance sous-entendait l'espoir que les sujets de l'Empire s'orienteraient vers l'unité religieuse par le christianisme. Répétons-le, à ses yeux il est une discipline, une force de cohésion, par quoi il acquiert une plus-value politique sur le polythéisme.

Aux déclarations théoriques font suite des considérations pratiques. « Les lieux où les chrétiens avaient coutume de s'assembler, s'ils ont été confisqués et vendus par le fisc, doivent être restitués », sans condition comme sans délai. Et le texte spécifie que par propriété ecclésiastique il faut entendre les églises des chrétiens, et aussi « les propriétés appartenant à leur corporation ». Voici donc reconnue non plus seulement la liberté du fidèle, mais l'existence de la société chrétienne : les mots employés *corpus, conventiculum, ecclesia,* témoignent qu'il s'agit bien du domaine collectif. Quant aux détenteurs actuels, contraints de restituer, « qu'ils s'adressent au préfet ayant juridiction dans la province, et notre bienveillance tiendra compte de leurs pertes ». Ainsi la restitution intégrale est-elle proclamée de la propriété ecclésiastique. L'Édit de Milan fait l'État quitte envers les chrétiens; rien de plus, rien de moins. Il n'est pas un concordat, mais une liquidation.

Sans doute, de telles réparations n'étaient-elles point décrétées pour la première fois. Mais le fait nouveau, c'est que pareilles mesures reposaient maintenant sur un principe ferme, la liberté de conscience, et qu'elles émanaient d'un pouvoir fort : celui de l'homme possédant aujourd'hui l'Occident entier et demain l'empire du monde. D'où ce ton d'autorité qui marque la fin de l'édit, et digne d'un Trajan : « En toutes choses vous devez prêter votre assistance à ce corps des chrétiens, afin que notre ordre soit rapidement accompli, car il est favorable à la tranquillité publique. »

III. La défaite de Licinius et la fondation de Constantinople. — Tandis que Constantin et Licinius élaboraient à Milan un programme de large tolérance, le persécuteur Maximin-Daïa s'agitait en Orient. Bientôt il quittait la Syrie, traversait l'Asie Mineure, s'emparait de Byzance, puis d'Héraclée. Licinius se porta au-devant de lui : à ses troupes, avant la bataille, il fit chanter une invocation au *Summus Deus* toute appropriée à l'esprit du jour et harmonisée avec l'Edit de Milan : « Dieu Souverain, nous te prions... Nous te recommandons notre empire. Par toi nous vivons, par toi nous sommes heureux et vainqueurs. Nous tendons vers toi nos bras. Exauce-nous, saint et souverain Dieu [1] » (*De morte pers.*, XLVI). La victoire se prononça pour le *Summus Deus*. Maximin n'eut que le temps de s'enfuir dans

1.
Summe deus, te rogamus;
sancte deus, te rogamus.
Omnem justitiam tibi commendamus,
salutem nostram tibi commendamus;
imperium nostrum tibi commendamus.
Per te vivimus,
per te victores et felices existimus.
Summe sancte deus,
preces nostras exaudi;
brachia nostra ad te tendimus, exaudi,
sancte summe deus.

Ne dirait-on pas d'une liturgie chrétienne?

une barque; sur les pas du vaincu, Licinius pénétra dans Nicomédie où, le 3 juin 314, il fit afficher l'Édit de Milan. Réfugié à Tarse en Cilicie, Maximin tenta de grouper des fidélités en publiant à son tour un édit de pacification calqué sur celui de Constantin. Mais cet expédient de la dernière heure pouvait-il rétablir la confiance émoussée par une persécution sournoise? Se voyant perdu, Maximin s'empoisonna. Lactance, qui peut-être dramatise, affirme que dans son délire il implora la pitié du Christ.

Bien qu'elle n'eût pas été remportée sous le signe même de la croix, la victoire de Licinius complétait celle de Constantin au Pont Milvius. L'Orient chrétien respira enfin. Licinius pensa qu'il fallait réparer le sectarisme de Maximin en frappant ses créatures : ainsi périrent son ministre Peucetius, le préfet d'Égypte Culcianus, et à Antioche ce fameux gouverneur Théotecne qui avait voulu accréditer le culte du Zeus Philios. C'est le moment où, ne se sentant plus de joie, Eusèbe entonne pour la dédicace de la grande église de Tyr un panégyrique qui est comme le *Te Deum* de la chrétienté libérée. Il proclame que « toute la terre habitée a été purifiée par des princes que Dieu aime » (*H. E.*, X, 4.) Ainsi semble-t-il confondre dans la même gratitude Constantin et Licinius.

Cet âge d'or ne dura pas. Dès 314, Licinius rompit avec son collègue qu'il jalousait; mais, vaincu à Cibales en Pannonie, puis à Mardie en Thrace, il se résigna. L'alliance rétablie fut à nouveau compromise par la politique religieuse de Licinius. Pour lui nul autre moyen de s'opposer à Constantin que de restaurer le vieux paganisme. Cette évolution fut marquée par une loi défendant aux hommes de fréquenter les mêmes assemblées liturgiques que les femmes : à celles-ci l'enseignement serait donné non par les évêques, mais par d'autres femmes. Puis, le tyran décréta que les réunions cultuelles se tiendraient en plein air *extra muros*. Lois vexatoires qui prétendaient faire planer un soupçon sur la moralité des chrétiens et qui n'eurent qu'un « universel succès de ridicule », d'autant plus que Licinius, ce parangon de vertu, vivait dans la débauche.

Plus agressive fut l'interdiction aux évêques de tenir synodes ou conciles; ils ne devaient pas quitter leurs diocèses. « Ce que cherchait ainsi Licinius, dit Eusèbe, c'était l'occasion de nous tourmenter. Il savait que les nôtres ne pouvaient violer sa loi sans encourir le châtiment, ni l'observer sans violer la loi de l'Église : comment, en effet, les grandes controverses seraient-elles apaisées, sinon par les synodes. » (*De vita Constantini,* II, 1.) Après avoir pris les fidèles pour des impudiques, on regardait les évêques comme des factieux.

Enfin — décision plus directement attentatoire à l'esprit de Milan — Licinius obligea les fonctionnaires à sacrifier sous peine d'être destitués. Philostorge cite l'exemple d'Auxence de Mopsueste, notaire à la cour. Licinius lui fait couper une grappe de raisin dans son jardin et lui ordonne d'aller la déposer aux pieds d'un Apollon voisin; sur son refus, il l'oblige à démissionner. « Ainsi, dit Eusèbe, dans chaque province l'*officium* des magistrats fut privé des hommes pieux, des serviteurs de Dieu, mais de combien de prières se priva lui-même l'empereur en portant cette loi! » (*H. E.*, X, 8.) Il n'en aura pas moins l'audace de reprocher aux chrétiens de ne prier que pour son collègue. Dans sa haine grandissante, il alla jusqu'à confisquer des biens rendus aux Églises depuis Milan, s'emparant même de ceux que la faveur de l'État leur avait accordés depuis lors.

Arrivée à ce point, la persécution allait devenir sanglante. Beaucoup de fidèles — sans doute anciens fonctionnaires — se virent exilés, condamnés aux mines ou adjoints aux curiales des cités, ce qui les obligeait à payer de ruineuses contributions. Le tyran s'acharna surtout contre deux catégories : les évêques et les soldats. Aux évêques, il reprochait d'avoir rayé son nom des pièces liturgiques pour n'y conserver que celui de Constantin, son rival. De là une persécution qui devint violente là où le zèle des gouverneurs s'empressa d'interpréter les intentions du maître : ainsi dans le Pont où périt Basile d'Ancyre. Paul de Néo-Césarée sur l'Euphrate eut les deux mains énervées par le fer rouge, le diacre Abibe, en Mésopotamie, fut brûlé vif. « Des hommes qui n'avaient commis aucun crime, dit Eusèbe, furent arrêtés sans cause et punis comme des assassins. Quelques-uns souffrirent un nouveau genre de mort : on coupait leur corps en petits morceaux et, après cette atroce tragédie, on jetait dans la mer ces lambeaux sanglants pour être la pâture des poissons. » (*H. E.*, X, 8.) D'autre part, comme sous Dioclétien, les soldats durent choisir entre sacrifier et quitter l'armée. Les plus célèbres martyrs furent les quarante de Sébaste appartenant à la légion XII Fulminata, et qui subirent l'horrible supplice de la mort par le froid.

Après des remontrances sans effet, Constantin déclara la guerre à Licinius : véritable croisade où tandis qu'il marchait précédé du Labarum et entouré des prêtres chrétiens, « les excellentes gardes de son âme », Licinius ne consultait plus que devins et mages. Eusèbe assure qu'au cours d'une cérémonie secrète accomplie dans un bois sacré, il leur aurait promis d'exterminer le christianisme. Mais, complètement défait en Thrace près d'Andrinople, le 3 janvier 323, il n'eut que le temps de se réfugier en Asie Mineure où il reforma une nouvelle armée. Après une seconde défaite à Chrysopolis, il dut se constituer prisonnier entre les mains de Constantin qui le relégua d'abord à Thessalonique, et peu après le fit étrangler.

Selon Eusèbe, Constantin aurait publié deux édits après la victoire, l'un de réparation au profit des victimes de Licinius, l'autre d'action de grâces envers le Seigneur. D'une authenticité douteuse, ces documents restent psychologiquement vrais : nul doute, en effet, que Constantin n'ait dédommagé les chrétiens d'Orient comme jadis ceux d'Occident ; et quant à ses sentiments intimes, les monnaies frappées dès 325 ou 326 nous les expriment qui le représentent les bras levés au ciel dans l'attitude d'un orante.

Chrysopolis, où Licinius fut définitivement vaincu se trouve en face de Byzance : c'est l'actuel Scutari. La bataille eut lieu le 18 septembre 324, et c'est entre cette date et le 8 novembre suivant que fut décidée la fondation de Constantinople : bref, quelques semaines après. D'où cette conclusion quasi tangible que la possession du Bosphore fut l'enjeu principal de la guerre, et l'érection de Byzance une conséquence directe de la victoire. Nulle position n'offrait autant d'avantages que celle-là : véritable milieu géométrique de l'Empire, surveillant à la fois rive d'Europe et rive d'Asie, assez proche du Danube menacé pour s'y porter rapidement, assez éloignée aussi pour rester à l'abri d'un coup de main. A ce motif principal, on peut ajouter sans doute l'ambition de bâtir et une certaine animosité contre l'ancienne Rome.

Il ne semble donc pas que les considérations religieuses aient influencé beaucoup cette décision. A ce point de vue, Antioche et Alexandrie possédaient un passé glorieux, tandis que Byzance ne pouvait en invoquer aucun, la légende apostolique de saint André n'apparaissant qu'au VIe siècle. Quand Constantin jeta son choix sur elle, Byzance n'était qu'une cité toute païenne.

Mais, il voulut donner à sa nouvelle capitale un aspect chrétien. Il y fit construire un grand nombre de basiliques, entre autres celle de Saint-Irène et l'église des Apôtres où il prépara son mausolée au centre de douze piliers qui rappelaient les Douze. D'ailleurs, partout se montrait la croix : à l'entrée principale du palais, la Chalcé, on la voyait au-dessus de la porte, surmontant l'empereur qui, de sa lance, transperçait le serpent symbolique; dans la grande salle, l'Augusteus, elle figurait sur le plafond en une mosaïque étincelante d'or et de pierreries; au Forum milliarium, l'impératrice Hélène la tenait entre ses mains avec cette inscription : « A Jésus, seul Seigneur, pour la gloire de Dieu son Père »; ailleurs encore, c'était le Labarum en or ciselé. La ville fut consacrée au Dieu des martyrs, le 11 mai 330, et durant plusieurs siècles pareille date demeura chômée dans tout l'empire sous le titre de « nativité de Constantinople ».

Pourtant, en définitive, cette fondation serait dommageable au catholicisme. Sans doute laissait-elle au pape les mains libres à Rome; mais de même qu'elle préparait la séparation politique — et non plus seulement administrative — des deux parties du monde méditerranéen, ainsi instituait-elle un centre religieux qui, maintenu dans la dépendance impériale, prendrait bientôt une influence prépondérante sur l'épiscopat d'Orient au détriment de l'unité catholique romaine. Du premier au deuxième concile œcuménique, on verra s'opérer déjà cette cristallisation hiérarchique, origine lointaine du schisme grec.

IV. L'attitude religieuse de Constantin après la victoire. — Que Constantin se soit comporté en protecteur des chrétiens, rien ne le montre mieux que le récit de sa *Vie* par Eusèbe : « Je passerai sous silence, dit ce biographe, toutes les entreprises de cet incomparable empereur qui ne concernent pas le service de Dieu. » (*Vita*, IV, 15.) Maître dans son palais, il y favorisa les fidèles et les combla de ses faveurs, soit qu'il leur concédât des biens, soit qu'il leur accordât des charges comme celles de consul ou de sénateur. Après 317, lorsque ses deux fils Crispus et Constantin furent devenus Césars, les drapeaux de la dynastie portèrent non plus l'aigle romaine, mais le grand cercle d'or où s'entrelaçaient les lettres *Chi* et *Rhô* figurant la croix. Sur les monnaies même signe, et sur le casque impérial même signe encore. Autre marque qui révèle le christianisme du prince, c'est sa sollicitude respectueuse envers les évêques : « Je n'ai garde de vous dissimuler le sujet de ma joie, qui est que je suis comme vous et avec vous le serviteur de Dieu. » (*Vita*, III, 17.) Peu après sa conversion, il édicte même diverses prescriptions où se révèle une véritable délicatesse chrétienne : ainsi, en 314, abolit-il le supplice de la croix et la rupture des jambes, sans aucun doute par respect pour le divin crucifié; en 315, il décrète que les condamnés au cirque et aux mines ne seront plus marqués au visage : n'est-il pas « fait à la ressemblance de la beauté divine? »

Avec une telle mentalité, Constantin voulut infuser dans le vieux droit romain l'esprit chrétien. Famille et État étaient menacés par une immoralité qui, s'affichant dans le divorce, aboutissait à une dépopulation progressive. Pour protéger la famille contre ses ennemis extérieurs, annulation de tout testament en faveur des affranchis, des courtisanes et des actrices. Pour empêcher les veuves remariées de deshériter les enfants du premier lit, interdiction aux tuteurs de vendre les biens des mineurs. Pour relever le prestige de la mère et sauvegarder ses droits, affirmation que de ses biens le père n'aurait que l'usufruit durant la minorité des enfants, héritiers légitimes; bien plus, si la mère mourait, le père devrait remettre ces biens aux enfants. Un souci supérieur requit d'ailleurs qu'en cas de contestation entrât en cause la manière dont les intéressés pratiquaient leurs devoirs familiaux : les enfants voulaient-ils acquérir les biens paternels avant l'âge, on enquêtait sur leur moralité.

On renforça les lois contre l'adultère en sorte que toute femme infidèle fût exilée, son complice condamné à la mort et à la confiscation ; s'il s'agissait d'adultère servile, la femme serait exécutée et l'esclave brûlé vif. Les lois contre les courtisanes furent reproduites dans toute leur rigueur. Le divorce devint difficile : pour le mari, il fallait l'adultère de la femme, et avec preuve faite par les proches parents ; en cas de répudiation fautive, l'épouse pouvait réclamer les biens de son conjoint. Quant à la femme, elle n'aurait droit au divorce que si son mari était homicide, ou s'il pratiquait un métier infâme.

Aux faibles et aux pauvres, Constantin assura sa protection. Ainsi voulut-il que le fisc fournît aux parents indigents les aliments et les vêtements nécessaires à l'entretien des enfants, et priva-t-il de la puissance paternelle celui qui aurait exposé son fils. Ainsi veilla-t-il à ce que l'usure et le prêt à intérêt fussent d'emploi limité, à ce qu'on ne déchargeât point d'impôt les grands pour accabler les petits propriétaires. Pupilles, veuves et faibles confieront leur cause à tel tribunal qu'ils voudront ou même remettront leur défense à l'empereur.

Enfin, Constantin autorisait le clergé à affranchir les esclaves par une manumission ecclésiastique faite devant le peuple et l'évêque signataire. Beaucoup de grands propriétaires s'y prêteront avec une générosité parfois excessive : car n'était-ce pas souvent vouer l'esclave à la misère que de l'abandonner à lui-même ? Pour les maîtres, obligation de la douceur : une seule peine qu'ils puissent encore imposer, celle du fouet. L'esclave vaut un autre homme ; le tuer serait un meurtre pur et simple ; en faire un eunuque équivaudrait à l'homicide. Qu'on est donc loin déjà de la mentalité qui faisait assimiler ces pauvres gens aux outils et à la ferraille. Le christianisme officiel sanctionnait ainsi l'évolution sociale à laquelle le stoïcisme avait sans doute contribué, mais qu'il eût été impuissant à parachever.

De la noblesse, Constantin réclama la vertu : « Si l'un de mes juges, de mes comtes, de mes amis ou de mes palatins, dit-il, n'a pas agi avec intégrité et justice et que quelqu'un, un accusateur de n'importe quel rang et dignité sociale, se sent capable, en toute conscience, de prouver la vérité de ce qu'il lui reproche, qu'il s'approche de moi tranquille et confiant. Je l'écouterai, j'instruirai moi-même le procès, et si la preuve de ce qu'il avance existe, je me vengerai moi-même de celui qui m'aura trompé par une honnêteté simulée. » (*Code Théod.*, IX, 1, 4.) Aux provinciaux assemblés, le droit d'acclamer les juges intègres ou de blâmer les injustes « en sorte que ceux qui auront bien fait recevront les accroissements d'honneur et que la censure pourra s'abattre sur les autres » (*Code Just.*, I, 40, 3). Constantin créa une aristocratie du mérite : parmi les dignitaires, outre les fonctionnaires, on compta désormais les *honorati*, membres d'honneur de la noblesse.

Signalons encore diverses mesures favorables au clergé : ainsi, levée pour les prêtres de la législation qui privait les célibataires du droit d'héritage ; pour eux aussi, exonération des lourdes charges municipales, à la pensée que les services par eux rendus valaient bien ceux de tels autres, médecins, professeurs ou personnes ayant exercé des sacerdoces coûteux.

Constantin institua le for épiscopal. Sans doute, les évêques tranchèrent-ils dès l'origine les différends entre chrétiens, ce qui exempta de les porter devant les tribunaux païens, partiaux à l'ordinaire ; mais, pareilles sentences n'avaient encore qu'une sanction purement morale, et non pas civile. En 318 ou 321, Constantin reconnut aux plaideurs le droit de porter leur cause devant l'évêque : juridiction ouverte à tout le monde et pour tout litige civil, le magistrat en eût-il déjà commencé l'instruction. Ainsi reconnaissait-on à la procédure épiscopale une supérieure garantie morale, singulier témoignage d'estime.

Le souci de la liberté de conscience apparaît ici. Contraindre est une impiété, selon la lettre même de l'édit de Milan. En 323, un rescrit envoyé à Helpidius, préfet du prétoire, interdit d'obliger les chrétiens à assister aux sacrifices païens des lustres, processions extramurales avec sacrifices et repas sacrés. Par contre, cette même tolérance interdit à Constantin toute rigueur envers le paganisme. Resté *pontifex maximus*, il préside à la religion romaine. On ne voit pas qu'il ait en rien molesté les païens. S'il interdit à l'art divinatoire l'entrée des demeures privées, c'est qu'il veut prévenir les attentats contre la vie ou la pudeur, mais il autorise pleinement l'exercice de l'aruspice en public. S'il détruit certains sanctuaires d'Orient, c'est qu'il s'y commettait de honteux excès. Il laissait dans les plus hautes fonctions — consulat et préfecture — des nobles qui n'en continuaient pas moins à être pontifes ou augures, et les lois de 335 et 337 confirmeront en Afrique les privilèges des flamines perpétuels ou des sacerdoces municipaux. Mais Constantin ne marchande pas son dédain à la vaine pompe païenne : tout le monde sait où vont ses préférences, au christianisme.

Estimant qu'en regard des dommages causés par les persécutions les réparations demeurent insuffisantes, l'empereur fait distribuer d'abondants subsides aux communautés appauvries, et il charge l'évêque Osius de tenir cette caisse des réparations. Mais de sa sollicitude le signe éclatant est la générosité qu'il témoigne envers le nouveau culte. Nombreuses sont les basiliques construites aux frais du trésor : ainsi en Afrique Constantine, en Asie Mineure Nicomédie, où l'on suspendit les trophées de la victoire sur Licinius, en Syrie Antioche.

De toutes les villes Rome fut la plus généreusement dotée. A la notice de saint Sylvestre, le *Liber Pontificalis* nous a conservé, d'après les actes mêmes de fondation, la nomenclature détaillée des donations. Constantin enrichit d'une splendide orfèvrerie les deux basiliques apostoliques : Saint Paul sur la voie d'Ostie, Saint-Pierre au Vatican. Mais la plus éblouissante dotation fut celle du Latran. Dès 312, Constantin a concédé le vieux palais des Laterani, devenu la résidence de l'impératrice Fausta, *domus Faustae*. Il y annexe une basilique par lui ornée avec une prodigalité inouïe : pour l'autel majeur, un ciborium en argent et une coupole intérieure en or qui porte une lampe d'or pesant 125 livres; sept autels d'argent du poids de 200 livres, sept plats d'or du poids de 30 livres, sept calices d'or, deux vases à vin en or pesant 50 livres. Devant l'autel, un lampadaire d'or, dans la grande nef 45 lampadaires d'argent, et pour les bas-côtés 65 lampadaires d'argent, etc... La piscine baptismale est toute de porphyre avec un revêtement d'argent pesant plus de 3.000 livres.

Les princesses de la famille impériale s'intéressèrent aussi à la splendeur du culte. Hélène, mère de Constantin, habitait tantôt la *domus Sessoriana* au delà du Latran, tantôt la villa *ad duas lauros*, voisine d'un cimetière chrétien où reposaient les martyrs Pierre et Marcellin; elle leur fit annexer une église. Après son retour de Palestine, on déposa au palatium Sessorianum la relique de la vraie Croix et plusieurs souvenirs de la Passion. Constantine, fille de l'empereur, résidait de préférence dans une autre villa impériale sur la voie Nomentane près du cimetière de Sainte-Agnès : elle y fit construire une basilique à la plus populaire des martyres romaines.

A Jérusalem où l'évêque Macaire avait obtenu l'autorisation d'ouvrir des fouilles et où l'on retrouva la Croix du Sauveur et le lieu de la crucifixion, on construisit une vaste église tandis que le Saint Sépulcre était enfermé dans une rotonde (*Anastasis*). Quand sainte Hélène se rendit en Palestine, elle fit élever une basilique à la grotte de Bethléem, témoin de la Nativité, et une autre au mont des Oliviers, témoin de l'Ascension.

Toute cette protection se payait-elle par quelque servitude ? Oui et non. Comme plus tard Charlemagne, Constantin garda un grand respect pour l'Église et les hommes d'Église. Mais, lui qui était tout dans l'empire et à qui la religion païenne maintenait le pontificat suprême, pouvait-il demeurer dans le christianisme un fidèle de distinction sans plus, surtout quand la raison d'État l'inclinait à intervenir pour y adapter la doctrine ou le droit. Aux prélats il disait : « Vous êtes les évêques du dedans de l'Église ; quant à moi, Dieu m'a établi pour être l'évêque du dehors » (*Vita*, IV, 24)[1]. Phrase sur laquelle on a beaucoup épilogué, et qui pourrait bien signifier que l'empereur avait une juste compréhension de l'inaccessibilité du sanctuaire, se contentant de veiller à ce que les décisions dogmatiques et disciplinaires des évêques fussent partout respectées. Phrase que d'autres ont interprétée dans un sens contraire, comme si — tout en se trouvant en dehors de la hiérarchie — Constantin prétendait agir dans l'Église avec l'autorité d'un évêque et y imposer ses décisions. Selon la première glose, sentiment de la distinction des pouvoirs, selon la seconde lamentable confusion. Toutes deux, néanmoins, ont une valeur historique. Elles résument pour ainsi dire les deux phases de la politique de Constantin. Au début, dans l'affaire du donatisme, il éprouvera une répugnance véritable à se faire l'arbitre d'un conflit religieux : « Ils invoquent, dit-il, le tribunal séculier en laissant le tribunal du ciel ! » Plus tard, durant la crise arienne, il n'hésitera pas à recevoir tous appels de la faction eusébienne et à exiler les partisans de la foi de Nicée par une ingérence coupable.

Ses successeurs ne feront qu'accentuer pareille attitude, évêques du dehors et du dedans tout à la fois, toujours prêts à dicter des ordres à un concile et à déclarer comme Constance : « Ma volonté à moi tient lieu de canons. Obéissez quand je parle ». Tel est le byzantinisme, impliqué par le pouvoir absolu, et qui est un legs du paganisme au christianisme : je ne dis pas au catholicisme, incapable d'y souscrire. Somme toute, le prince acquérait ainsi dans l'Église ce même rôle de *Pontifex Summus* que lui attribuait jadis le polythéisme. Par une voie détournée, il rentrait dans le sanctuaire où sa place n'était pas, et trop souvent pour le profaner.

1. L'expression « évêque du dehors » n'est pour nous qu'une occasion de préciser la politique religieuse de Constantin. Mais voici l'explication du terme qui nous paraît la plus littérale. « Constantin, dit le P. Vailhé, joue sur l'étymologie du terme grec *episcopos* et déclare qu'il n'est pas l'évêque des chrétiens, mais de ceux qui vivent en dehors de l'Eglise, et qu'il a charge de *surveiller* et de gouverner. » Le P. Vailhé ne méconnaît pas d'ailleurs la valeur historique du sens accommodatice : « Et pourtant, remarque-t-il, ce n'est pas ce que Constantin a dit, mais ce qu'une fausse traduction lui fait dire qui exprime le mieux la réalité. » Qu'on nous excuse donc d'avoir glosé ainsi. Voir S. VAILHÉ, *Le droit d'appel en Orient*, Echos d'Orient, 1921, p. 135 seq.

CHAPITRE III

LE DONATISME

I. Origines du schisme. — L'Afrique fournit bientôt à Constantin l'occasion tentante d'intervenir dans les choses d'Église.

Les causes occasionnelles du schisme donatiste paraissent assez mesquines. Durant la grande persécution une opposition s'était formée déjà contre l'évêque de Carthage, Mensurius : parti d'exaltés, dignes héritiers de Tertullien, et qui lui reprochaient avec sa modération l'habileté de ses procédés. Par une lâche supercherie n'avait-il pas livré aux agents du pouvoir les livres hérétiques en place des Saintes Écritures, alors que certains *zelanti* allaient jusqu'à provoquer la police en se vantant qu'ils détenaient la Bible et qu'ils ne la livreraient pas? Mensurius les avait blâmés, et avec eux certains chrétiens criminels qui profitaient de la persécution pour se faire emprisonner, retrouver une réputation et vivre aux dépens des fidèles. L'opposition s'appuyait sur certains membres de l'épiscopat numide, en particulier le primat Secundus de Tigisi qui écrivit à Mensurius une lettre où l'éloge des martyrs devenait une critique à peine déguisée envers son collègue : ainsi faisait-on jadis à l'égard de Cyprien fugitif en lui vantant l'héroïsme des confesseurs romains. Un évêque numide, Donat, vint même à Carthage pour y organiser le désordre. Sans être un Cyprien, Mensurius était homme énergique : on l'avait vu refuser de livrer le diacre Félix, accusé d'avoir flétri le « tyran » Maxence dans un pamphlet. Mandé à Rome, il s'y justifia ; mais il mourut au moment de rentrer en Afrique.

Donatisme. — *SOURCES* : Les réfutations du donatisme par SAINT OPTAT, *De schismate donatistarum; P. L.*, XI et par SAINT AUGUSTIN, *P. L.*, XLIII. — Procès-verbaux, actes des martyrs, lettres, etc... énumérés dans A. HARNACK, *Geschichte der altchristlich. Litterat.*, I, et édités en partie dans *P. L.*, VIII et XI. — *TRAVAUX* : L. DUCHESNE, **Le dossier du donatisme* dans *Mél. arch. et hist.*, 1890, X, p. 589-660. — A. AUDOLLENT, **Carthage romaine*, 1901. — H. LECLERCQ, *L'Afrique chrétienne*, 1904. — P. BATIFFOL, **La paix constantinienne...*, ch. v. — P. MONCEAUX, * *Hist. litt. Afrique chrétienne*, t. II à VII. — P. MONCEAUX *L'Eglise donatiste avant saint Augustin, Rev. hist. des relig.*, 1909, LX, p. 36-51. — F. MARTROYE, *Une tentative de révolution sociale en Afrique. Donatistes et circoncellions, R. Q. H.*, 1904, LXXVI, p. 353-416; 1905, LXXVII, p. 5-53. — F. MARTROYE, *La répression du donatisme et la politique religieuse de Constantin et de ses successeurs en Afrique*, 1914. — F. MARTROYE, art. *Circoncellions*, dans *Dict. Arch.* — G. BAREILLE, art. *Donatisme*, dans *Dict. Théol.* — H. LECLERCQ, art. *Donatisme*, dans *Dict. Arch.* — AUDOLLENT, *art. *Afrique*, dans *Dict. Hist.*

Le choix régulier du clergé local et des évêques voisins se porta sur le diacre Cécilien qui, bras droit de Mensurius, l'avait secondé dans la répression des abus et hérita naturellement de toutes les haines accumulées. Par surcroît, certaines passions inavouables entrèrent en jeu : l'ambition des prêtres Botrus et Celestius qui avaient aspiré à l'épiscopat, puis l'avarice de deux vieillards à qui le défunt Mensurius partant pour l'Afrique avait confié en dépôt les trésors de son église et qui, malgré eux, durent les restituer à l'évêque quand on exhiba l'inventaire laissé par précaution entre les mains d'une femme; ajoutez à tout cela le ressentiment de Lucilla, grande dame riche et arrogante à qui Cécilien diacre avait reproché plusieurs pratiques incongrues de dévotion.

Ainsi que jadis contre Mensurius, les haines carthaginoises s'associèrent contre Cécilien aux haines numides. Il faut avouer que la situation hiérarchique de l'Église d'Afrique n'était pas assez nette : cet évêque de Carthage qui possédait l'autorité d'un primat sans en prendre le titre, n'avait pas un suffisant prestige pour s'imposer à tous et pour brider jalousies et défiances épiscopales. D'où le risque d'une crise d'autorité, quand l'homme ne s'imposait pas avec un éclat exceptionnel comme Cyprien et quand les passions fermentaient. Les prélats numides se prétendirent froissés de ce que l'ordination au siège de Carthage eût été faite simplement par les titulaires les plus voisins sans qu'on les eût consultés : procédé d'ailleurs régulier. Les ennemis carthaginois de Cécilien surent bien exploiter pareilles susceptibilités. Donat reparut à Carthage comme au temps de Mensurius, mais cette fois réussit mieux. Bientôt, réunis sous la présidence de Secundus de Tigisi, soixante-dix évêques numides s'érigèrent en un tribunal ecclésiastique, dont l'incompétence était d'ailleurs flagrante. Cécilien ayant refusé de comparaître, ils déclarèrent son élection invalide sous prétexte que l'un des prélats consécrateurs, Félix d'Aptonge, était traditeur. Erreur de fait puisqu'il sera prouvé que ce personnage ne fut jamais traditeur; erreur doctrinale puisque l'efficacité d'un sacrement ne dépend jamais des dispositions intimes du ministre; erreur d'autant plus piquante que plusieurs des plaignants étaient authentiquement traditeurs, comme on le saura plus tard. En vain Cécilien proposa-t-il de se faire réordonner; aucune concession ne pouvait apaiser une assemblée si prévenue. « Qu'il vienne pour l'imposition des mains, disait Purpurius de Limata, et nous lui casserons la tête. » C'est dans de tels sentiments que le pseudo-concile élut un favori de Lucilla, Majorin. Le schisme dès lors était consommé.

Cécilien n'en conservait pas moins un grand crédit. Pour la plupart, il restait l'évêque légitime, les autres de vulgaires factieux. A lui la possession des basiliques; à lui la communion des Églises transmarines; à lui aussi les préférences impériales. Dans une lettre au proconsul Anulinus, Constantin accorde sans doute l'exemption des charges municipales au clergé catholique, mais en spécifiant que cette immunité n'est accordée qu'à la seule Église de Cécilien. A celui-ci il envoie une somme importante — plus de 420.000 francs — qu'il distribuera aux églises victimes de la dernière persécution; il l'assure qu'il a ordonné à ses magistrats de surveiller les insensés qui troublent « le peuple de la très sainte et catholique Église par une détestable corruption » (*H. E.*, X, 6).

II. Les appels à Constantin. — Et pourtant, entreprenants et audacieux, les schismatiques qui avaient consacré des évêques, résolurent d'en référer à Constantin lui-même. A Carthage, toute une bande vint remettre au proconsul Anulinus une double requête : l'une, intitulée *griefs de l'Église catholique présentés par le parti de Majorin,* l'autre, appel direct à l'empereur pour qu'il requière en Gaule, où la persécution n'a pas sévi ni fait de traditeurs, les juges ecclésiastiques impartiaux aptes à dirimer le conflit. Démarche à coup sûr répréhensible, par laquelle, oubliant de s'adresser au pape, on donne au prince « un rôle ecclésiastique exorbitant ». Au moins, à l'époque de Cyprien, les appelants s'étaient-ils adressés à Rome.

Pour concilier tout ensemble les droits de la hiérarchie et les désirs des factieux, Constantin leur accorda sans doute trois juges gaulois — Maternus de Cologne, Réticius d'Autun et Marinus d'Arles — mais leur enjoignit d'aller à Rome où s'ouvrirait le procès sous la présidence de Miltiade. A celui-ci, il affirma par lettre son respect pour l'Église catholique où il ne pourra souffrir aucun schisme : c'est bien là un vœu d'empereur romain qui avant tout veut l'ordre et la paix. Rien que de très correct, somme toute, dans cette attitude de Constantin renvoyant les parties à leur juge hiérarchique. Miltiade compléta le jury qu'on lui offrait par l'adjonction de quinze évêques italiens.

Le **2** octobre **313**, le procès s'ouvrit dans la *domus Faustae,* le palais du Latran. Par ordre impérial, étaient venus d'Afrique dix partisans de Cécilien et dix adversaires, témoins à charge et témoins à décharge. Le débat se circonscrivit d'ailleurs entre Cécilien et Donat, personnalité vigoureuse devant laquelle s'était effacé l'obscur Majorin[1]. D'inculpé se portant accusateur, Cécilien reprocha à Donat d'avoir préparé le schisme carthaginois dès l'épiscopat de Mensurius; on le convainquit aussi d'avoir réitéré le baptême à des fidèles et même d'avoir imposé les mains à des évêques faillis. Par contre, des inculpations contre Cécilien, il était impossible de rien prouver. Il ne restait qu'à le grâcier. Parlant le dernier, Miltiade déclara : « Il appert que Cécilien n'est point accusé par ceux qui sont venus avec Donat; il appert qu'il n'a été sur aucun point convaincu par Donat; aussi, je suis d'avis qu'il doit être maintenu intégralement dans la communion ecclésiastique. » Cependant, le concile fit preuve de mansuétude : les partisans de Majorin conserveraient leurs sièges et là où se trouverait un évêque de chaque parti le plus ancien garderait le titre tandis que le cadet en obtiendrait un autre. Sans doute, est-ce le même esprit d'apaisement qui porta le concile à ne point se prononcer sur le fond du débat : à savoir que la validité d'une ordination reste indépendante des dispositions du consécrateur?

Avait-on crû apaiser les têtes chaudes d'Afrique, on s'était leurré. Il subsistait un noyau d'irréconciliables, toujours prêts à en appeler, si autorisée que fût la sentence : les donatistes étaient à l'Église du IVe siècle ce que les jansénistes seront à la France moderne. Les voilà donc réclamant à Constantin d'autres juges sous prétexte qu'on ne leur a point laissé le temps de s'expliquer. « Constantin, dit Tillemont, se fût épargné bien des peines et eût exempté l'Église de bien des maux, s'il eût eu l'esprit assez ferme pour ne plus écouter ceux qui avaient une fois été convaincus d'être des calomniateurs. » Mais les rapports de ses fonctionnaires lui représentaient l'Afrique profondément troublée, imminentes les menaces de guerre civile : il voulut pacifier.

Malheureusement — et voici où se trahit son inexpérience théologique — Constantin

1. Autrefois, on distinguait deux évêques nommés Donat : l'un, Donat des Cases Noires, promoteur du schisme et grand électeur de Majorin sur qui se faisait bientôt le silence; l'autre, Donat le Grand, véritable organisateur du parti et qui ne disparaissait qu'en 347 lors du premier édit d'union. M. Monceaux réduit à un seul les deux personnages. En effet, saint Optat et saint Augustin, principaux adversaires du donatisme, ne parlent jamais que du même Donat. Les schismatiques l'auraient dédoublé vers la fin du IVe siècle, à une époque où leur intérêt était de dégager leur chef des louches manœuvres qui déshonorèrent le mouvement à ses origines.

accepta d'ouvrir une enquête sur Félix d'Aptonge : il semblait penser ainsi que des dispositions du prélat consécrateur dépendait vraiment la validité de l'ordination; sans doute croyait-il que, l'innocence de Félix une fois prouvée, il ne resterait plus aux donatistes l'ombre d'un prétexte. De fait, telle qu'elle est consignée dans les *Acta purgationis Felicis Autumnitani*, l'enquête tourna à la confusion des donatistes : Alfius Cœcilianus, duumvir d'Aptonge en 303, déposa qu'aucunes « Écritures déifiques » n'avaient été saisies à Aptonge, et que d'ailleurs, à pareille date, l'évêque était absent.

Néanmoins — toujours condescendant pour les donatistes qu'il espère ramener en multipliant preuves et discussions — Constantin réunit à Arles un groupe d'évêques, délégués de tous ses États, pour reprendre l'examen de la cause. Africains, espagnols, italiens, gaulois s'y trouvèrent : en tout quarante-six ou quarante-sept prélats. « Cette assemblée du clergé, dit Mgr Batiffol, était un expédient, une nouveauté, et plus encore le fait de l'intrusion du prince chrétien dans le domaine ecclésiastique, à l'instigation de schismatiques, qui se moquaient bien de jugements d'évêques. » Sur la question de fait, les Pères d'Arles confirmèrent la sentence du synode romain. Plus hardis même que celui-ci, ils tranchèrent le fond du débat, à savoir la validité intrinsèque du sacrement quelles que soient les dispositions du ministre. « Si quelque traditeur a fait des ordinations et qu'il n'y a rien à reprocher d'ailleurs aux sujets qu'il a ordonnés, disait le canon XIII, l'ordination ne peut nuire à ceux qui l'ont reçue. » C'était un *a fortiori* en faveur de Cécilien, Tertullien eût dit « un argument de prescription ». Il y avait là aussi comme une critique indirecte à l'égard de Constantin, mais qui sans doute ne l'effleura pas. On semblait dire : « Pourquoi avoir ordonné une enquête sur le cas de Félix d'Aptonge puisque, traditeur ou non, il a ordonné validement Cécilien? » On ajouta même, flétrissant pour ainsi dire du doigt l'odieuse manœuvre qui était à la base du donatisme : « Comme il y a des gens qui, contre la règle ecclésiastique, prétendent être autorisés à accuser en s'appuyant sur des témoins subornés, il ne faut pas les admettre, à moins qu'ils n'allèguent des documents officiels. »

Les décisions furent envoyées à l'évêque de Rome pour qu'il les communiquât; on l'y désignait comme celui qui exerce « une fonction plus grande envers tous les évêques des actuels États de Constantin », autrement dit l'Afrique et l'Occident. Les Pères demandaient aussi au pape qu'il notifiât à la chrétienté la date annuelle de Pâques. Une ingénieuse sollicitude semblait donc vouloir réparer ce que le procédé de Constantin avait eu d'incorrect. Ainsi cette assemblée eut-elle du moins pour résultat de trancher le nœud théologique du débat et d'exalter occasionnellement la primauté romaine. Plus que cela, la proclamation de l'efficacité intrinsèque du sacrement impliquait la validité du baptême des hérétiques : les africains catholiques furent appelés du même coup en pure logique à renoncer à l'usage pour lequel, soixante ans plus tôt, Cyprien avait combattu.

Si claires que fussent les sentences portées, Constantin voulut encore par politique ménager les donatistes. Il considéra à nouveau la chose comme non jugée, louvoyant entre plusieurs solutions. Après avoir songé à envoyer à Carthage des délégués pour enquêter sur place, il convoqua à Rome Cécilien qui, trouvant sa cause dûment jugée par la seule autorité compétente, ne se présenta pas. Puis, à l'instigation de Filuminus, son conseiller, l'empereur voulut « pour le bien de la paix » tenir éloignés Cécilien et Donat, les déposer tous deux, et nommer un nouvel évêque de Carthage. Eunomius et Olympius, les deux prélats chargés de cette difficile besogne, furent accueillis sans aménité. Ni l'une ni l'autre des

Églises rivales n'entendait se laisser priver de son chef; au surplus de quel prestige pouvaient jouir deux évêques délégués par la seule autorité civile, sans mandat religieux authentique? D'où un trouble plus grand, si bien que les deux prélats impuissants n'eurent d'autre ressource, sous la menace des catholiques, qu'à reconnaître Cécilien. Enfin, en 316, l'empereur déféra l'affaire à son propre tribunal et rendit à Milan un verdict qui, s'identifiant avec ceux de Rome et d'Arles, proclamait l'innocence de Cécilien et « l'hypocrisie de ses adversaires ». Qu'attendaient les donatistes pour se rétracter? Deux conciles, deux arbitrages, et toujours on leur donnait tort! Auraient-ils donc raison contre le ciel et la terre?

A tout cela s'ajouteront encore les scandales divulgués. En 320, un diacre de Cirta, Nundinarius, révèlera que son évêque, Sylvanus, l'un des coryphées du parti, avait été lui-même traditeur avant son élévation à l'épiscopat et que l'intrigante Lucilla l'aurait soudoyé pour faire élire Majorin. Menée par Zénophile, proconsul de Numidie, l'enquête tournera à la confusion de Sylvanus. On l'accusait aussi de menus vols, entre autres d'avoir dérobé au trésor des pauvres les aumônes que Lucilla lui confiait. Il sera condamné à l'exil.

III. La force du donatisme. — On eût pu croire que le donatisme allait s'effondrer. Il n'en fut rien parce qu'il s'appuyait sur beaucoup de passions troubles et que, fortement organisé, il possédait un système doctrinal et un chef.

Au point de vue théologique, puisque leur schisme a pour prétexte l'ordination de Cécilien par un traditeur, les donatistes seront amenés à prétendre que les pécheurs publics et manifestes n'appartiennent pas à l'Église, autrement celle-ci ne serait plus sainte et immaculée. En conséquence, disaient-ils, pareils prêtres perdent leur pouvoir d'ordre et les sacrements qu'ils administrent sont invalides : renouvelons donc baptêmes, confirmations et ordinations conférés par les catholiques. Pour soutenir une telle thèse, ils ne se faisaient pas faute d'en appeler à Cyprien. Logiques avec eux-mêmes, ils eussent dû exiger la sainteté, même intérieure, du ministre : ainsi eussent-ils abouti à l'Église toute spirituelle, invisible et sans hiérarchie, telle que l'esquissera Wicleff avant les protestants.

On comprend que sans en venir à ces extrémités pour lesquelles la pensée antique n'était point mûre, les donatistes fussent des irréductibles, voire de véritables nihilistes religieux, puisque, niant la vertu de leurs adversaires, ils leur ôtaient du même coup le droit de conférer les sacrements, et jusqu'à la participation à la hiérarchie. « Des rites trompeurs, dit un donatiste, des mystères fictifs, sont célébrés moins pour le salut que pour la perte des malheureux adeptes. C'est un sacrilège qui érige l'autel, un profane qui officie, un coupable qui baptise, un blessé qui soigne, un persécuteur qui vénère les martyrs, un traditeur qui lit l'Évangile, un incendiaire du divin Testament qui promet l'héritage du ciel. » Ainsi les donatistes faisaient-ils le désert dans la chrétienté pour y demeurer seuls debout.

Est-ce donc que, fraction séparatiste dans la grande Église, ils prétendaient pourtant constituer à eux seuls la catholicité? Certainement ils en avaient l'outrecuidance, et d'après eux, cette catholicité ne signifiait pas une extension numérique considérable, mais une intensité de pureté et de sainteté : plutôt que la cohue des nations, la petite troupe de Gédéon.

Pareille suffisance, loin qu'elle menaçât le donatisme de crouler dans le ridicule, lui assurait maintes recrues en flattant l'amour-propre local des Africains. Voilà donc que leur Église devenait la seule vraiment chrétienne; et aux citations scripturaires des catholiques sur la note d'universalité, les donatistes aimaient à riposter par ce verset du Cantique : « Indique-moi, toi que chérit mon âme, où tu fais paître ton troupeau, où tu reposes dans le midi », *in meridie*. Ce midi, c'était l'Afrique, terre d'exception et d'élection où se réfugiait l'Esprit. Nous voilà ainsi revenus à l'intransigeance hautaine, au conservatisme intempérant, au puritanisme exalté de Tertullien, greffés d'ailleurs sur cette théorie malheureuse de saint Cyprien, l'inefficacité du sacrement conféré par les hérétiques. Aux yeux des donatistes, c'était donc toute l'Afrique qui avait raison contre toute l'Église, l'Afrique des saints contre la prostituée de Babylone. Comment s'étonner dès lors que le mouvement ait recueilli bien vite de nouveaux adhérents?

Il avait trouvé d'ailleurs un véritable organisateur dans la personne de Donat le Grand qui occupera le siège de Carthage durant quarante ans. Homme instruit et éloquent, d'une moralité non suspecte, mais d'un orgueil incroyable. A ceux qui l'abordaient, il posait aussitôt cette question : « Que dit-on de *mon* parti chez vous? » Nulle autorité, si élevée fût-elle, ne l'obligeait à respect; au clarissime Grégoire il osera bien écrire : « Vous êtes la honte du sénat et l'infamie des préfets »; à Paul et Macaire, délégués par le pouvoir, pour aider les chrétiens pauvres, il dira avec hauteur : « Qu'y a-t-il de commun entre l'Église et l'Empereur? » Il exigeait de ses évêques une vénération obséquieuse. — D'autre part, Donat ouvrit cette riche littérature donatiste, en grande partie perdue, et où abondent lettres, sermons, traités, pamphlets, récits historiques et documents d'archives. Écrivain infatigable, il publia un *De baptismo,* un *De Spiritu Sancto*, ainsi que des panégyriques des martyrs de la secte. Sous ce pontife autoritaire et intelligent, le parti s'organisa : au concile de 330, les prélats donatistes se compteront 270.

IV. La guerre ouverte. — Devant pareille force schismatique qu'allait faire Constantin? Entamer une guerre ouverte contre les donatistes, il ne le pouvait guère sans trahir l'Édit de Milan : d'où pour eux la liberté du culte. Encore pouvait-on les poursuivre comme diffamateurs si le cas était patent : ainsi, dès 314, contre un certain Ingentius, auteur d'un faux tendant à prouver que Félix d'Aptonge, consécrateur de Cécilien, avait été traditeur. Ingentius et ses complices subirent la peine des calomniateurs : exil et confiscation des biens. Comme les donatistes multipliaient écrits diffamatoires et dénonciations anonymes, l'empereur ordonna la poursuite des délinquants (29 mars 319).

On pouvait aussi restituer aux catholiques les églises que les schismatiques leur avaient indûment ravies. Mais il fallut y employer la force armée : procédé dangereux qui, exaltant toujours plus le sectarisme des donatistes, les autoriserait à se réclamer non plus seulement d'une assemblée des saints, mais d'une Église des martyrs. A Carthage, plusieurs donatistes furent assommés à coups de bâton et un évêque tué; on porta diverses sentences d'exil.

A la vue de la violence impuissante, Constantin céda en 321. Il écrivit peu après aux évêques catholiques, les exhortant à faire comme lui, autrement dit à supporter les donatistes : « Tout ce qu'avec l'insolence coutumière de leurs excès ils peuvent tenter ou réaliser, acceptons-le avec une vertueuse tranquillité. Ne répondons pas aux injures; il serait insensé de prendre en mains la vengeance que Dieu doit exercer. » De loin, Constantin avait la douceur facile; ce n'est pas sur lui que pleuvaient les coups. Sa tolérance ne lui valut pas, d'ailleurs, le respect de la secte : comme il venait de construire à Constantine une basilique pour les catholiques, les donatistes s'en emparèrent, et toutes sommations légales ou lettres impériales demeurèrent impuissantes à les en chasser. L'empereur n'eut d'autre ressource que de construire une nouvelle basilique aux catholiques : pénible aveu d'impuissance et qui prouve à quel point les schismatiques se riaient du pouvoir.

Assez rapidement, d'ailleurs, ils se mêlèrent à un mouvement de révolte sociale, sorte de Jacquerie, suscitée par la misère des temps. Sous la conduite des chefs Axidus et Fasir, des bandes s'étaient formées : esclaves fugitifs, colons ruinés, repris de justice, mécontents de tout rang et de toute provenance. Ils commettaient mille abus, réclamant contre les maîtres la liberté des esclaves, et contre les créanciers l'abolition des dettes; sur leurs griefs sociaux se greffait l'antagonisme des races punique et romaine. Saint Optat nous a décrit ces énergumènes courant par tout le pays, terrorisant la population, rançonnant les gens sur les routes, et, dans leur fureur d'égalité, contraignant les maîtres à descendre de voiture, puis à courir devant leurs propres esclaves assis à leur place.

Au service de leurs rancunes les donatistes surent employer cette force brutale. Pour conserver les églises volées aux catholiques, quels meilleurs auxiliaires! D'où l'étiquette religieuse que prirent ces révoltés. Ils se surnommaient « les saints »; pour cri de guerre ils avaient le *Deo laudes* en opposition au *Deo gratias* des catholiques. « Que de crimes le *Deo laudes* de vos partisans a procurés, dira saint Augustin. Vous êtes tellement fanatiques que votre *Deo laudes* jette la terreur plus que ne ferait un cri de guerre. » Dans leurs mains, ces bandits brandissaient un fort gourdin qu'ils appelaient leur « Israël ». Toute cette affabulation religieuse ne les empêchait pas de rester brigands : leur vrai nom est donc bien « circoncellions », ce qui veut dire rôdeurs de celliers.

Envers pareils énergumènes s'agissait-il encore de tolérance? Les premières répressions eurent lieu sous Constantin, lorsque Ursacius vint rétablir l'ordre en Numidie vers la fin de 320. Les circoncellions étaient si redoutables à leurs alliés mêmes, qu'après les rigueurs ordonnées par Grégoire, préfet du prétoire d'Italie, en 336-37, les évêques donatistes écriront à Taurinus, comte d'Afrique, pour qu'il les débarrasse de cette vermine. D'où une répression terrible : « On peut compter, dit saint Optat, combien il y en eut de massacrés, par le nombre des tables ou des autels blanchis qui furent mis sur leurs tombeaux. » (*De schismat. donat.*, III, 4.)

Lorsqu'en 348, l'empereur Constant enverra en Afrique Paul et Macaire pour qu'ils rétablissent la paix sociale par d'abondantes aumônes, Donat le Grand ordonnera à ses évêques de ne pas les recevoir. En Numidie, obéissant à ces injonctions, Donat de Bagaï appela à son aide les circoncellions de la région de l'Aurès que commandaient les « chefs des saints », Axidus et Fasir. Durant la campagne répressive menée par Macaire et Paul avec l'aide du comte d'Afrique, Silvestre, des bagarres se produisirent qui coûtèrent la vie à plusieurs, entre autres Donat de Bagaï et son prêtre Marculus. Frappés comme fauteurs ou complices des circoncellions, évêques et clercs donatistes furent exilés, arrêtés ou contraints à fuir, si bien que, privées de leurs pasteurs, maintes communautés donatistes disparurent, surtout en Numidie.

De cette persécution — *macariana tempora*, comme ils disaient — les circoncellions sortirent plus surexcités que jamais. Des morts, honorés comme des saints, les survivants n'avaient d'autre envie que de partager le sort. D'où une soif ou plutôt une folie du martyre qui poussait ces énergumènes aux actes les plus insensés : par exemple, courir là où on sacrifiait encore aux faux dieux pour s'y faire immoler, provoquer sur les routes les magistrats escortés dans l'espoir d'être tués, ou bien encore se donner soi-même la mort. Saint Augustin évoquera les précipices affreux où ces fanatiques s'élançaient avec joie.

Cependant, le clergé tentait de ramener les dissidents. En 349, Gratus, successeur de Cécilien sur le siège de Carthage, réunissait un concile de toutes les provinces, auquel assistèrent plusieurs évêques donatistes. Ne mécontenter personne, telle fut la consigne : pour complaire aux dissidents, on réprouvait les traditeurs; mais pour insinuer que leurs principes étaient inacceptables, on interdisait la réitération du baptême. Gratus satisfait remerciait « le Dieu tout-puissant et le Christ Jésus de mettre un terme aux maux du schisme et d'avoir réuni par sa miséricorde dans le sein de l'Église tous ses membres dispersés ». N'était-ce pas beaucoup d'optimisme, ainsi que le prouvera l'avenir? Soixante années devaient s'écouler encore avant le triomphe final de saint Augustin en 411. Nul doute, pourtant, que la voie des conférences ne fût plus propre que la brutalité des soldats à assurer le triomphe : les « dragonnades » ne sont jamais procédés de conversion.

Quel triste spectacle en définitive que celui du donatisme. C'est la guerre de religion dans toute sa haine sauvage. Un tel caractère, il le doit à la fois au fanatisme exalté des schismatiques qui se croyaient « les saints », à leur exaspération contre les catholiques soutenus par le pouvoir séculier, enfin au caractère local de la lutte, chaque parti possédant en toute ville ou toute bourgade ses fidèles, son clergé, ses basiliques. Envers les catholiques l'ostracisme des schismatiques restait irréductible : pas un salut, nulle relation; toute basilique reconquise était purifiée de fond en comble, les autels rasés ou tout au moins raclés. Quant à la littérature donatiste, elle débordait d'injures : « On peut dire, note M. Monceaux qui l'a beaucoup étudiée, que la haine fut la muse de la polémique donatiste. » Pour retrouver pareil sectarisme, il faut descendre jusqu'au XVIe siècle et au calvinisme.

A l'Afrique chrétienne le donatisme allait valoir une période de faiblesse et de décadence. Il sera mortel à ces provinces comme, au siècle suivant, le monophysisme à l'Égypte. Si ces régions restèrent impuissantes devant l'arianisme vandale, sans doute le durent-elles aux germes de mort que le génie de saint Augustin pourra bien détruire, mais seulement après tout un siècle de luttes.

LIVRE VIII

LA CRISE ARIENNE

CHAPITRE PREMIER

L'ARIANISME SOUS CONSTANTIN (325-337)

I. Les origines. — Au cours des luttes trinitaires et christologiques il faudra souligner parfois l'importance d'un antagonisme d'écoles : Antioche s'opposant à Alexandrie, celle-ci métaphysicienne, allégorisante et mystique, celle-là attachée aux données positives, au sens littéral de l'Écriture. Il y aurait pourtant danger à systématiser trop cette constatation : la réalité est souvent complexe et plus d'un auteur a pu se laisser influencer à la fois par l'un et l'autre milieu.

Le prêtre Lucien dirigea l'école exégétique d'Antioche dans le dernier quart du IIIe siècle : hébraïsant, il visa comme Origène à établir la meilleure version de l'Écriture. Cet attachement à la Bible semble bien l'avoir conduit — comme Origène encore — à un monothéisme très rigoureux. Les renseignements sur sa doctrine restent d'ailleurs assez vagues. La formule qu'on peut lui attribuer avec le plus de probabilité, et qui sera reprise en 341 par le concile arianisant d'Antioche, comporte une série d'épithètes bibliques appliquées au Seigneur sans autre précision : « Jésus-Christ par qui tout a été fait, Verbe vivant, sagesse vivante, lumière véritable, résurrection, pasteur, ...porte, premier-né de toute créature. » Voilà certes qui n'est pas compromettant et où le subordinatien ne se trahit pas[1]. Pourtant, les futurs coryphées de l'hérésie — Eusèbe de Nicomédie, Maris de Chalcédoine, Léonce d'Antioche, d'autres encore — se réclament de l'exégète antiochien; ils s'affirment « collucianistes », d'autant plus fiers de ce titre que leur maître était mort martyr en 312.

Entre tous se distingue Arius. Après avoir suivi à Antioche les cours de Lucien, ce libyen s'était plus ou moins compromis dans le schisme de Mélèce. Rentré en grâce et devenu prêtre, il fut chargé par l'évêque Alexandre de l'église dite Baucalis, l'une des principales d'Alexandrie. Certains historiens allemands, que hantent des prédilections confessionnelles, ont vu dans Arius une effigie anticipée de Luther. Il nous semble que la comparaison avec Calvin serait plus adéquate. Comme l'hérésiarque français, Arius avait l'aspect grave et austère,

1. D'après Alexandre d'Alexandrie, premier adversaire d'Arius, Lucien aurait été traité en suspect, voire excommunié par trois évêques d'Antioche, sans doute les successeurs du Samosatéen, Domnus, Timaeus et Cyrille. Mais cette affirmation isolée est discutable. Le cas de Lucien reste un délicat problème. Il est donc loin d'être prouvé — comme on l'a dit parfois — qu'il fut l'ancêtre attitré de l'arianisme. Ce serait plutôt Origène : « On pourrait dire, écrit M. G. Bardy, que l'arianisme est un origénisme poussé sur le sol d'Antioche, sol dur et pierreux que ne fécondaient pas le mysticisme et l'allégorie d'Alexandrie. »

l'esprit ambitieux et dominateur. En plus, habilement sournois : un vrai serpent, dira Épiphane. Cet extérieur composé et étudié n'était-il pas propre à lui attirer des recrues non seulement parmi les dévotes, mais jusque dans le populaire? Au surplus, rompu aux méthodes aristotéliciennes, il était capable d'éblouir les lettrés en étayant avec une dialectique trompeuse ses sophismes théologiques.

Le système d'Arius s'appuie sur un principe inflexible : Dieu, unique, inengendré et éternel reste incommunicable; autrement il faudrait l'avouer composé, divisible, muable, et somme toute corporel. En dehors de lui, tout est créature. Comme les autres êtres, le Verbe a donc été tiré du néant, créé non pas nécessairement, mais volontairement. Agent de la genèse universelle, il a été fait avant les siècles, mais n'en demeure pas moins par nature changeant et faillible; si, en fait, il s'élève jusqu'à l'impeccabilité, c'est par le libre effort de sa volonté. Ainsi, de progrès en progrès, parvient-il à une gloire, récompense de sa fidélité, et qui lui vaut le titre de Fils de Dieu : sagesse créée à l'image de la sagesse increée, œuvre achevée de la gloire paternelle. Cette divinité toute d'emprunt est une marque singulière de la prédilection du Père, mais rien de plus. La substance du Père et celle du Fils restent absolument distinctes : entre elles s'ouvre l'abîme qui sépare l'infini du fini. Pareille erreur ruine donc la divinité du Fils, et conséquemment celle du Saint-Esprit, en les réduisant au rôle de créatures éminentes.

Destructeur du dogme, l'arianisme n'était pas moins dangereux par sa méthode; ses docteurs excellaient à s'embusquer derrière des sous-entendus, des équivoques, des formules vagues. Bien que leur argumentation fût toute sophistique, ils aimaient étayer leurs théories sur quelque passage scripturaire isolé de son contexte : par exemple le *Dominus creavit me* des *Proverbes* ou le *Pater major me est* de saint Jean.

L'arianisme devait avoir une grande puissance de fascination. Gwatkin l'a défini « une *via media* entre le christianisme et le paganisme ». Il s'affirmait essentiellement un monothéisme rationaliste, bien fait tel quel pour séduire les lettrés ralliés nombreux à la théorie du *Summus Deus*. Son christianisme, dégagé de tout mystère, devait attirer les déistes païens que le dogme trinitaire aurait rebutés. Ils pouvaient donc être chrétiens sans quitter leur manière de penser. Quelle aubaine inespérée! « La religion romaine abandonnait son poly-

Histoire de l'arianisme en général. — *SOURCES :* Les historiens Eusèbe, Socrate, Sozomène, Théodoret, Gélase de Cyzique, saint Épiphane, Philostorge, Sulpice Sévère; les œuvres historico-dogmatiques des Pères du IVe siècle, surtout saint Athanase, saint Hilaire, les Cappadociens, Didyme, saint Jérôme, saint Ambroise. — *TRAVAUX :* H. M. Gwatkin, *? *Studies of arianism*, 2e éd., Cambridge, 1900. — Snellman, *Der Anfang des arianischen Streites*, Helsingfors, 1904. — F Cavallera, * *Le schisme d'Antioche*, 1905. — Rogala, *Die Anfänge des arianischen Streites*, Paderborn, 1907. — P. Batiffol, * *La paix constantinienne*. — J. Zeiller, * *Les origines chrétiennes dans les provinces danubiennes de l'Empire romain* (Bibl. Ecoles franç. Athènes et Rome, fasc. CXII), 1918. — A. d'Alès, * *Le dogme de Nicée*, 1926 — X. Le Bachelet, art. *Arianisme*, dans *Dict. Théol.* — F. Cavallera, art. *Arianisme*, dans *Dict. Hist.*

Doctrine d'Arius. — *SOURCES :* 1° Ses propres écrits : Lettre à Eusèbe de Nicomédie, dans saint Épiphane, *Haer.*, LXIX, 6, et dans Théodoret, *Hist. eccl.*, I, 4; lettre à Alexandre d'Alexandrie, dans saint Athanase, *De synodis*, 16, et dans saint Epiphane, *Haer.*, LXIX, 7, 8; Fragments de la Thalie, dans saint Athanase, *Contra arianos*, *Or.* 1, 5, 6, 9; *De synodis*, 15; profession de foi d'Arius à Constantin, dans Socrate, *Hist. eccl.*, I, 26, dans Sozomène, *Hist. eccl.*, II, 27; citations textuelles par saint Athanase, *Epist. encycl., ad episcop. Aegypti*, 12 et *De sententia Dionysii*, 23. — 2° L'exposé de la doctrine d'Arius, par saint Alexandre, *Epistula encyclica*, 3, reproduit par Socrate, *Hist. eccl.*, I, 6. — 3° En général, les historiens Socrate, Sozomène, Philostorge, etc. — *TRAVAUX :* G. Bardy, *La Thalie d'Arius*, *Rev. de philologie*, 1927, p. 211-233.

théisme, l'arianisme sacrifiait la christologie; on allait ainsi à un théisme de raison. Ce n'était pas un programme avéré, remarque Mgr Batiffol; c'étaient seulement deux tendances contemporaines, mais par quoi s'explique la nocivité et la ténacité de l'arianisme. »

Celui-ci tentait d'ailleurs par son subordinatianisme les théologiens que hantait la peur du sabellianisme, c'est-à-dire de la confusion du Père et du Fils en une même personne. Au surplus, ne pourrait-on doser ce subordinatianisme pour qu'il perde tout caractère provoquant et amenuiser la transition du Père au Fils en sorte que la similitude demeure plus en relief que la différence des natures? Bref, si l'arianisme s'égarait, c'était dans la bonne direction. On l'y suivrait tant qu'on pourrait, qui plus loin et qui moins loin. Tous les événements suivants nous montreront ces tendances exprimées en des formules ondoyantes et diverses qui recouvriront tantôt l'orthodoxie véritable comme chez saint Cyrille de Jérusalem, tantôt la quasi-orthodoxie comme chez Basile d'Ancyre, mais plus souvent encore une hétérodoxie larvée.

Quoi qu'il en soit des palliatifs, l'arianisme c'est en définitive la suppression du mystère trinitaire, la religion ramenée au seul culte du Dieu créateur; c'est le christianisme vidé de son contenu divin, et cédant le pas à la sagesse grecque; c'est le philosophisme; c'est le déisme, mais un déisme sournois qui reconnaît dans le Logos un être supérieur à tous les anges et à tous les hommes, si bien qu'il apparaît encore comme une manière de dieu. Combien cette impiété obséquieuse et dévote n'est-elle pas plus dangereuse que l'autre, celle qui nie, qui injurie et qui traîne dans la boue? Car, au moins, de celle-là on se détourne avec horreur.

Vers 323, Arius se trouva en désaccord avec son évêque Alexandre. Bon et pacifique par nature, celui-ci eût voulu éviter tout conflit. En une réunion contradictoire qui précéda la rupture définitive, Sozomène nous le représente allant des uns aux autres pour accorder orthodoxes et partisans d'Arius. Autant eût valu poursuivre la quadrature du cercle. Alexandre se résigna à la lutte. Un concile d'Alexandrie, où se réunirent plus de cent évêques égyptiens et libyens, excommunia Arius et ses partisans, entre autres Secundus de Ptolémaïs et Théonas de Marmarique. Toute une campagne épistolaire s'ensuivit, chacun recrutant au loin des partisans et en appelant à l'Orient entier. Dès l'abord, le conflit s'annonçait de grande envergure.

Nous possédons deux lettres écrites par Alexandre. Aux sophismes d'Arius il oppose la ferme doctrine catholique : le Fils éternel, immuable, image parfaite du Père, Dieu comme lui. Définir le dogme avec fermeté, sans arguties, en appeler aux évêques, confiant dans leur esprit de concorde, voilà sa tactique simple et franche. Somme toute, vraies lettres de chef, dignes d'un romain, et dont on a pu dire qu'elles sont non des œuvres littéraires, mais des actes.

Arius, lui, intriguait. Il avait écrit déjà à son ancien condisciple, Eusèbe, passé du siège de Béryte à celui de Nicomédie. Avec habileté il lui représentait quelle solidarité unissait sa cause à celle de nombreux prélats orientaux, et pour évoquer leur maître commun il l'appelait son « collucianiste ». Puis, résumant sa doctrine en une phrase nerveuse, il déclarait : « Nous sommes persécutés pour avoir dit : Le Fils a un commencement et Dieu est sans commencement; pour avoir dit encore : Le Fils est tiré du néant. » Eusèbe lui répondit par cet encouragement : « Tu penses bien. Prie pour que tous pensent comme toi; par il est évident que ce qui a été fait n'était point avant d'avoir été fait. Ce qui se fait commence d'être. » D'autre part, à Césarée où, comme jadis Origène, il s'était réfugié, Arius jouissait de l'hospitalité de l'autre Eusèbe, l'historien de l'Église. Rien que l'appui de ces deux évêques eût assuré à l'hérésiarque une grande force en Orient : celui de Nicomédie surtout, astucieux, retors, influent à la cour, deviendrait son meilleur champion et le véritable chef du parti. Avec humeur, Alexandre dévoile l'outrecuidance de ce personnage qui contredit sa sentence : « Eusèbe, aujourd'hui évêque de Nicomédie, estime que les choses de l'Église relèvent de lui... Il se pose comme juge de ces apostats; écrit partout pour les appuyer. » Voilà donc maintenant en conflit les premiers sièges d'Orient : Nicomédie et Césarée d'une part, Alexandrie, Antioche et Jérusalem d'autre part[1].

Non content de grouper une coalition épiscopale contre Alexandre, Arius veillait lui-même à sa défense dans un ouvrage intitulé la *Thalie*, c'est-à-dire le *Banquet*. Avec quelle insolence s'y étalait le blasphème : « Les essences du Père, du Fils et du Saint-Esprit, disait l'hérésiarque, sont séparées par nature, étrangères, disjointes, sans contact ni communication entre elles; ils diffèrent d'essence et de gloire jusqu'à l'infini. Donc le Verbe est dissemblable en tout, soit du Père, soit du Saint-Esprit. Il existe à part : le Fils n'a rien de commun avec le Père[2]. » Pour intéresser à sa doctrine toutes les classes de la société, Arius écrivait aussi des chansons populaires harmonisées aux diverses professions : cantiques pour les voyageurs, les matelots, les mariniers et autres artisans. Aussi vives étaient alors les passions religieuses qu'aujourd'hui les passions politiques.

Un concile réuni en Bythinie par les soins d'Eusèbe de Nicomédie, un autre convoqué en Palestine par ceux d'Eusèbe de Césarée autorisèrent Arius à rentrer en Égypte. On reconnaît bien là déjà cet arbitraire de l'épiscopat arien qui se jouera de toutes les lois de la hiérarchie régulière pour légiférer sans mandat à longue distance. Méprisant les décisions de son propre évêque, Arius osa reparaître à Alexandrie, créant ainsi des divisions ardentes et une telle animosité des esprits que les païens s'en égayaient sur la scène.

II. Le concile de Nicée (325). — Que faire? Maintenant que le débat s'élargissait

1. Y eut-il un concile d'Antioche en 324? M. E. Schwartz l'a soutenu; Mgr Duchesne le nie; Mgr Batiffol juge avec prudence que la question ne semble pas encore tirée au clair. En général, notons quelle difficulté il existe à établir une version sûre des événements durant toute cette période, les partis ayant influencé plus ou moins les récits, si bien que, sur un même fait, on se trouve souvent en présence d'affirmations divergentes ou contradictoires.

2. Ces impiétés s'entremêlaient toutefois d'élévations religieuses. Voici sur quel ton débutait la *Thalie :*

Selon la foi des élus de Dieu,
qui comprennent Dieu,
des enfants saints,
orthodoxes,
qui ont reçu le saint esprit de Dieu,
voici que j'ai appris
de ceux qui possèdent la sagesse,
des gens bien élevés,
instruits par Dieu,
habiles en toutes choses.
C'est sur leur trace que je marche, moi,
que je marche comme eux,
moi dont on parle tant,
qui ai tant souffert
pour la gloire de Dieu,
qui ai reçu de Dieu
la sagesse et la science que je possède.

aux proportions d'un conflit général de l'Orient, Constantin s'inquiétait. Avec la paix du catholicisme, était en péril l'unité même de l'Empire. Coûte que coûte, il fallait rétablir l'entente. A Alexandre et à Arius le prince écrivit donc une lettre où il leur reprochait d'avoir mis le trouble partout. Qu'importe-t-il sinon de maintenir l'accord universel? Le reste n'est que conflits d'écoles à débattre à huis clos entre théologiens. Pure logomachie à laquelle il serait insensé de sacrifier la paix ecclésiastique. Si extraordinaire qu'elle soit — et à plusieurs elle l'a paru tellement qu'ils ont nié l'authenticité de la lettre — cette attitude nous paraît psychologiquement vraie[1]. A coup sûr Constantin s'était converti avec sincérité, mais les précisions du dogme devaient lui être fort étrangères; satisfait d'une adhésion plus ou moins vague à un monothéisme chrétien, son esprit voyait avant tout dans le catholicisme un agent de cohésion. Pour lui le scandale, c'étaient donc beaucoup moins les assertions d'Arius que le trouble qui s'ensuivait. Qu'on se donnât donc le baiser de paix, et tout le reste viendrait par surcroît.

Simpliste à force d'être simple, pareille solution restait impratique. Ossius de Cordoue, dépêché à Alexandrie, s'en rendit compte parfaitement. A l'empereur il conseilla un remède d'une tout autre portée : le concile général. Un tel projet devait agréer à Constantin, moyen efficace de pacification sans doute, mais aussi auxiliaire de son rôle providentiel. « Le sentiment d'une divine mission, si flatteur d'ailleurs pour lui, a dit Gwatkin, lui donnait un sens des responsabilités qui l'établissait bien au-dessus d'un vulgaire Bonaparte. » Le ressentiment britannique, qui perce plus ou moins à travers cette comparaison, n'en infirme pas la portée.

Un « ordre » fut envoyé aux évêques de se rendre à Nicée, ville toute proche de Nicomédie, la résidence impériale : car, Constantin voulait y assister. Il mettait le service des postes à la disposition des prélats qui s'y rendirent nombreux, quelque trois cents. Assemblée imposante, où non plus seulement l'Égypte et la Syrie, mais aussi l'Asie Mineure se trouvaient représentées, si bien qu'elle présentait l'aspect d'une réunion générale de l'Orient. Ajoutez quelques délégués des pays grecs d'Europe et de l'Occident : pour les Gaules, l'évêque de Die, Nicasius, pour l'Italie celui de Calabre, enfin Ossius de Cordoue et Cécilien de Carthage.

« L'évêque de la ville souveraine était absent à cause de son grand âge, note Eusèbe; deux de ses prêtres vinrent tenir sa place. » (*Vita Const.*, III, 7.) Ceux-ci, les romains Vite et Vincent, devaient, non point présider, mais marquer par leur présence la participation et l'adhésion de la papauté à l'assemblée. Cependant, ils reçurent un rang d'honneur aussitôt après le président du concile qui fut Ossius. Valeur personnelle, faveur de Constantin, situation d'évêque occidental plus apte à envisager avec impartialité un conflit d'Orient, autant d'arguments qui justifiaient ce choix heureux. En la personne des légats, la papauté assistait au

Arianisme sous Constantin. — Mgr P. Batiffol, *Les sources de l'histoire du concile de Nicée*, *Echos d'Orient*, 1925, p. 385-403. — V. Grumel, *Le siège de Rome et le concile de Nicée. Convocation et présidence*, *Ibid.*, 1925, p. 411-424. — G. Bardy, * *La politique religieuse de Constantin après le concile de Nicée*, *R. S. R.*, 1928, p. 516-552. — G. Bareille, art. *Eusèbe de Nicomédie* et *Eusèbe de Césarée*, dans *Dict. Théol.* — E. Amann, * art. *Mélèce de Lycopolis* et *Jules Ier*, *Ibid.* — Chenu, * art. *Marcel d'Ancyre*, *Ibid.*

1. Mgr Batiffol s'était prononcé contre l'authenticité de la lettre : Voir *La paix constantinienne*, p. 315-317. Nous préférons nous rallier à l'avis du P. A. d'Alès : « Le fait qu'elle a été conservée par Eusèbe de Césarée, qui jouissait de la confiance de Constantin et avait accès aux archives impériales, paraît une garantie décisive. En lui-même, le texte ne présente rien qui démente son origine, rien que de conforme aux intentions très droites du catéchumène impérial et à ses excessives prétentions. Il n'a point excité la défiance des contemporains, et au siècle suivant l'historien Socrate en reproduit la plus grande partie. » *Le concile de Nicée*, p. 64-65.

concile ; son esprit y triomphera par l'adoption du *consubstantiel,* mot vraiment romain. Nicéen, l'empereur ne le sera que quelque temps ; par contre, la papauté le restera à travers les persécutions et l'exil.

Le catholicisme n'avait pas encore réuni assemblée si imposante. Voici les confesseurs héroïques, débris glorieux de la Grande Persécution : tel Paphnuce de Thébaïde qui avait eu

CONSTANTIN LE GRAND.
Musée national de Rome.

le jarret gauche coupé et l'œil droit arraché, tel encore Paul de Néocésarée sur l'Euphrate aux mains mutilées par le fer rouge. A côté d'eux, les ascètes fameux : un Jacques de Nisibe, jadis ermite sur les confins de la Mésopotamie et de la Perse, et qui, avec son vêtement de poil, ressemblait à saint Jean-Baptiste, un Potamon d'Héraclée sur le Nil dont la figure émaciée évoquait l'érémitisme égyptien, un Spiridon de Chypre, jadis berger, simple comme l'enfant et puissant comme le thaumaturge. Enfin, les représentants des premiers sièges, qui apportaient dans la discussion le prestige de leur science : avec Alexandre d'Alexandrie Eustathe d'Antioche et Macaire de Jérusalem, avec Ossius de Cordoue Cécilien de Carthage. On comprend l'exclamation d'Eusèbe : « Quelle couronne en l'honneur du Christ! Elle faisait renaître à nos yeux l'image du collège apostolique. » (*Vita Const.*, III, 7.)

La séance d'ouverture se tint dans la grande salle du palais. De chaque côté les évêques sont rangés. Silence solennel. Soudain, tous se lèvent à l'approche de l'empereur qui, sous l'escorte de quelques familiers, s'avance rehaussé non seulement par la pourpre, l'or et les pierreries, mais encore par la majesté, la douceur et la modestie. Arrivé à son trône, il ne s'assoit qu'après avoir prié les évêques de le faire aussi : exceptionnelle courtoisie puisque, même dans le consistoire impérial, les hauts fonctionnaires restaient debout durant toute la séance. Encore que ce tableau ait été tracé par Eusèbe, le prélat courtisan, il ne manque pas de faire ressortir avec vérité la déférence impériale envers les princes de l'Église.

Dans son discours, Constantin rappela le devoir sacré de l'union : « A mes yeux, il n'est guerre ni bataille plus terrible que la lutte intestine dans l'Église de Dieu, ennemi plus redoutable que ceux du dehors. » Que les évêques « examinent donc ici même les causes de leurs dissensions et délient tous les nœuds de la controverse selon les lois de la paix » (*Vita Const.*, III, 12). Principe d'une liberté entière nettement proclamé, et qui autorisera Athanase à dire plus tard : « Aucune contrainte n'amena les juges à se prononcer comme ils firent, mais tous par conscience vengèrent la vérité. » Qu'après cela, Eusèbe nous montre Constantin au milieu des partis, approuvant tantôt l'un et tantôt l'autre, c'est là une maladresse de sa courtisanerie qui rabaisse son héros en voulant lui attribuer le rôle d'arbitre suprême. Toujours d'après Eusèbe, il semblerait que les questions discutées fussent personnelles plutôt que doctrinales. En réalité s'agissait-il de multiples petites susceptibilités grecques? Non pas, mais d'un sujet unique : l'Éternité du Verbe.

Sur la méthode employée nous sommes réduits à des conjectures. Il n'est pas sûr que « des laïques nombreux et exercés à la dialectique » aient eu les honneurs de la discussion. Nous croirions volontiers avec Mgr Batiffol que — toute autre question rejetée à l'arrière-plan — les évêques ne s'occupèrent que d'une chose : terrasser l'hydre arienne. Contre elle, on brandit dès la première séance le dossier existant, surtout la lettre où l'évêque Alexandre notifiait à l'épiscopat la sentence du concile d'Alexandrie; contre elle aussi, les extraits d'Arius où il se perdait lui-même. A cette dernière lecture, notera Athanase, les Pères indignés « se bouchaient les oreilles ».

D'après Sozomène, à la manière du sénat romain, les évêques proposèrent d'abord chacun leur avis; puis, vint la discussion, sans doute par questions et réponses, comme l'affirme Eusèbe. « Les prélats, dira Athanase, demandaient avec douceur et humanité aux partisans d'Arius qu'ils donnassent raison de leurs paroles et en fournissent des preuves précises. » Le même Athanase, simple diacre, prit-il part à ces débats? Peut-être. Les Égyptiens diront plus tard que dès Nicée il s'était acquis l'hostilité arienne par son « attitude décidée ».

Comment caractériser les partis en présence? C'est un anachronisme trop hardi et sans fondement suffisant que d'y distinguer, selon notre technique parlementaire, une droite rangée derrière Ossius et Alexandre, une gauche formée par Arius et ses partisans extrêmes, un centre gauche où dominait Eusèbe de Nicomédie, un centre droit dirigé par Eusèbe de Césarée. Pareille comparaison ne saurait avoir qu'une valeur explicative et approximative. Tout ce qu'on peut dire, c'est qu'à une immense majorité orthodoxe s'opposaient 17 à 22 prélats au plus, les uns, avec Eusèbe de Nicomédie, fermes partisans d'Arius, les autres, avec Eusèbe de Césarée et Paulin de Tyr, libéraux assouplis, désireux seulement de tout finir sans condamnation.

La difficulté était d'établir une nette formule de symbole. Saint Athanase nous fait assister en détail à son élaboration. Définir le dogme trinitaire à l'aide de termes scripturaires eût été l'idéal. Mais comment empêcher les ariens de les gloser dans un sens hétérodoxe? Leur disait-on que le Verbe est de Dieu; sans doute, répliquaient-ils; mais, nous aussi, et toutes choses. Définissait-on le Fils comme la Sagesse, l'éternelle Image du Père, ils rappelaient que l'Écriture nous applique secondairement, à nous autres, simples mortels, ces mêmes expressions. Il fallait donc serrer la vérité dogmatique de si près que nulle échappatoire ne restât aux hérétiques. D'où l'adoption de la formule suivante : « Le Fils est de la substance du Père » (ἐκ τῆς οὐσίας τοῦ Πατρός), ce qui indique qu'il n'est pas une créature, qu'il procède du Père, mais non pas comme une partie de sa substance. Enfin, on recourut au terme le plus adéquat au mystère, le fameux *consubstantiel* (ὁμοούσιος), qui signifie « le Fils est de la substance du Père », autrement dit il possède même essence, même être intime. En décomposant le mot, on voit, en effet, que le terme οὐσία désigne dans le Père ce qu'il y a d'essentiel et de naturel opposé aux caractères personnels. Or cette essence est la même (ὁμος) dans le Père et le Fils. Nul danger, d'ailleurs, que le mot eût une saveur sabellienne; car, selon la remarque faite plus tard par saint Basile, « une chose n'est jamais consubstantielle à elle-même, mais toujours à une autre ». Ainsi *consubstantiel* dit-il à la fois même substance et personnes distinctes.

Contre ce terme, les arianisants allègueront pourtant un double grief : celui de n'être pas scripturaire, et celui d'être sabellien. Encore pourrait-on leur répliquer qu'il se rapprochait de diverses expressions johannites telles que *Omnia quaecumque habet Pater mea sunt* (XVI, 15), ou encore *Ego et Pater unum sumus* (X, 30)[1]. Au surplus le mot n'était-il pas déjà quasi traditionnel? Outre que Tertullien et Lactance se servent de l'expression approchante *unius naturae,* il apparaît au grand jour d'une discussion publique dans l'affaire des deux Denys : à celui d'Alexandrie soupçonné pour impropriété de termes, celui de Rome avait reproché de ne pas employer le mot *consubstantialis;* l'Alexandrin se disculpa en assurant qu'il acceptait volontiers pareille expression appliquée au Fils. Si les ariens voulaient retrouver une virginité doctrinale, qu'ils en fissent donc autant. Au surplus, le mot avait la fortune d'être romain, ce qui en augmentait l'autorité.

C'est à Ossius qu'Athanase attribue la rédaction du symbole. Eusèbe de Césarée se vanta beaucoup en prétendant que la formule adoptée n'était autre que le symbole de Césarée lu par lui devant l'assemblée. En réalité, à sa formule équivoque on substitua un texte d'origine occidentale et que les Grecs auront du mal à accepter.

Quant à l'empereur, il semble qu'il se soit borné à son vrai rôle : celui du bras séculier. Le symbole de Nicée se terminait par l'anathématisme suivant : « Ceux qui disent : il y a un temps où le Verbe n'était pas et il n'était pas avant d'avoir été engendré, il est sorti du néant,

1. A propos de ce texte, voici un échantillon de la sophistique arienne. Astérius le philosophe le glosait ainsi : « Si tout ce que veut le Père, le Fils le veut aussi : s'il ne s'oppose à lui, ni par les pensées, ni par les jugements, mais s'il est d'accord en tout avec lui, en manifestant l'identité des opinions et en exprimant une doctrine conforme exactement à l'enseignement du Père, c'est pour cela que lui et le Père sont un. » Ailleurs, il revient sur la même pensée : « C'est à cause de l'accord exact qui existe dans tous ses discours et dans toutes ses œuvres que le Sauveur déclare : Moi et le Père nous sommes un. » « Ainsi, conclut M. G. Bardy, d'après Astérius le Père et le Fils sont toujours unis par la pensée et par les sentiments; ils ne se contredisent jamais; ils agissent en pleine conformité l'un avec l'autre. *Cette union fait toute leur unité.* » G. BARDY, *Astérius le Sophiste, R. H. E.*, 1926, p. 266.

ou qui soutiennent qu'il est d'une autre *hypostase* ou d'une autre *ousie* que le Père[1], ou que le Fils de Dieu est créé, qu'il n'est pas immuable, qu'il est soumis au changement, l'Église catholique les anathématise. » Pas de dissidence, tel fut l'ordre de l'empereur. « Il prononça, dit Philostorge, que tous ceux qui refuseraient d'accepter la sentence commune des évêques, soit prêtres, soit diacres seraient exilés. Philoumenos était chargé de l'exécution de cet ordre : il avait la fonction que les Romains appellent de *magister.* Il présenta donc à Arius et à ceux qui étaient avec lui le formulaire et leur donna le choix ou de signer... ou d'être exilés. » (I, 9.) Devant pareille alternative, tous cédèrent, sauf l'hérésiarque et ses deux fidèles égyptiens, Secundus de Ptolémaïs, Théonas de Marmarique.

Le concile de Nicée réalisa bien son nom : il fut un triomphe, celui de l'orthodoxie[2]. L'entente était faite sur un symbole. Qu'étaient ces trois irréductibles, envoyés au delà du Bosphore, opposition agonisante et négligeable? Et pourtant, les décisions de Nicée allaient amener un formidable conflit, long d'un demi-siècle, et où l'Église paraîtrait divisée en deux camps. Comment expliquer cette surprise? En vérité, si prégnantes que fussent les expressions employées, elles prêtaient à discussion, parce que le sens n'en était pas définitivement fixé.

III. La réaction eusébienne de 325 à 337. — Sans soupçonner l'opposition des vues théologiques, Constantin croit le triomphe assuré. Il en reste toujours sur sa première impression qui chez lui est une conviction pratique : pure querelle de mots à débattre entre gens d'école. Souscrire aux décisions de Nicée est un devoir à la fois envers l'Église et envers l'État, une marque de loyalisme religieux et politique. Quiconque y contredit est un rebelle à proscrire sans phrase. Constantin le montra bien. Comme Eusèbe de Nicomédie, Théognis de Nicée et Maris de Chalcédoine, signataires déloyaux du *Nicaenum,* continuaient à conspirer, recueillant les ariens et leur conseillant la résistance, il les envoie réfléchir en Gaule. Mesure énergique qui — il n'en doute pas — intimidera les résistances et les amènera à capituler.

Cependant, trois ans plus tard, Eusèbe et Théognis rentraient d'exil (328). A ce retour inattendu on peut assigner plusieurs causes : démarches habiles des Eusébiens auprès de l'empereur, instances de sa sœur Constantia, très influente sur lui et gagnée à l'arianisme par un chapelain, dédicace à Drépane — devenue Hélénopolis — d'une église dédiée au martyr

1. On voit ici *hypostase* et *ousie* entendues comme synonymes. Cette imprécision des termes engendrera plus tard de longs conflits.

2. Notons rapidement les autres décisions de Nicée. Outre le conflit mélétien (voir infra), le concile régla la question pascale. Sans doute s'accordait-on maintenant à célébrer Pâques le dimanche comme l'avait décidé le pape Victor à la fin du IIe siècle. Mais certaines divergences subsistaient sur la fixation de la date : tandis que l'Église d'Alexandrie mettait le 14 nisan après l'équinoxe du printemps (21 mars), celles de Syrie et de Mésopotamie l'établissaient sans tenir compte de l'équinoxe : d'où parfois un écart d'un mois entre Pâques à Antioche et Pâques à Alexandrie. Le concile adopta l'usage égyptien, l'évêque d'Antioche et ses « Syriens » s'y rallièrent. Ainsi se réalisait l'unification déjà votée par le synode d'Arles en 314.

Le concile régla aussi le sort des novatiens et des paulianistes qui survivaient, les premiers en Asie Mineure, les seconds en Syrie. Les novatiens (dénommés Καθαροί, *les purs*) seraient reçus à la communion sous la seule condition d'admettre « les dogmes de la catholique et apostolique Église »; validement ordonné, leur clergé serait maintenu en fonctions là où il n'y aurait pas de clergé catholique, ou fondu avec celui-ci quand il y en aurait un. Plus durement traités, les Paulianistes repentants durent être rebaptisés et leurs clercs réordonnés : sans doute donnaient-ils à la formule baptismale un sens inconciliable avec la foi trinitaire de Nicée.

Parmi les vingt canons qui constituent la législation du concile, « législation toute de circonstance et sans caractère synthétique », les plus importants ont trait à la hiérarchie et seront évoqués à leur place. Réformer les abus, affermir la discipline, maintenir la dignité du clergé, renforcer la cohésion dans la province, tels sont les buts visés. Voir HÉFÉLÉ-LECLERCQ, *Hist. des conciles*, t. I, p. 450-632. — G. FRITZ, *Nicée* (1er concile de), dans *Dict. Théol.*

Lucien d'Antioche, spécialement cher à la piété de l'impératrice mère. Mais, sur ces diverses raisons une autre l'emportait toute politique. Preuve était faite que les mesures énergiques prises à Nicée n'avaient pas ramené le calme. Constantin voulait donc abandonner la manière forte et tenter une réconciliation générale par un rappel des exilés, par une amnistie. Ainsi jadis dans l'affaire du donatisme. Il ne se doutait pas que gràcier Eusèbe de Nicomédie, c'était réintroduire dans ses États l'homme intrigant qui entretiendrait l'hérésie et envenimerait tous les conflits.

Avec docilité, l'épiscopat oriental se plia à la mentalité du maître. Soutenir Arius ou même contredire ouvertement les décisions de Nicée, il ne pouvait en être question. Au moins écarterait-on ceux qui n'admettaient pas les mesures de clémence sans garanties doctrinales.

Au premier rang de ces gêneurs, deux hommes : Eustathe d'Antioche et le nouvel évêque d'Alexandrie, Athanase. Contre eux va se déclencher une offensive sournoise et tenace pour quoi tous moyens seront excellents.

A Antioche, Eustathe se montrait le rude champion du *Nicaenum*. Contre « le fléau qui montait de l'Égypte » il prémunit son clergé et l'épura de tous éléments suspects, envoyant en exil des hommes tels que Étienne et Léonce d'Antioche, Georges de Laodicée, Eustathe de Sébaste, qui tous étaient appelés dans l'arianisme à un brillant avenir. Il ouvrait aussi une campagne littéraire active : traités, lettres, pamphlets. Il entra particulièrement en conflit avec Eusèbe de Césarée : lutte doctrinale, en même temps rivalité de sièges. La controverse prit une allure plutôt vive : accusations de polythéisme et de sabellianisme s'échangèrent. Tout cela devait finir mal.

En un passage conservé par Théodoret, Eustathe dévoile déjà quels procédés sans franchise emploient les arianisants « qui tantôt blottis, tantôt au grand jour, défendent des opinions condamnées ». Il allait expérimenter à ses propres dépens la profondeur de cette perfidie arienne. Eusèbe de Nicomédie témoigna le désir de visiter les sanctuaires élevés dans les lieux saints par la piété impériale; flatté, Constantin permit tout ce qu'on voulut et prêta même ses voitures. En compagnie de Théognis, son compère, Eusèbe se rendit d'abord à Antioche où, sans défiance, Eustathe lui fit bon accueil. Poursuivant sa route, il alla trouver tous les « collucianistes » de la région, Patrophile de Scythopolis, Aetius de Lydda, Théodote de Laodicée, et surtout Eusèbe de Césarée. Escorté par eux, il revint bientôt à Antioche, non plus en ami, mais en juge.

Contre Eustathe s'accumulèrent les griefs : les uns moraux — une femme soudoyée lui reprocha de lui avoir donné un enfant —; les autres politiques — il aurait manqué d'égards envers sainte Hélène, la mère de Constantin —; cet autre encore, grave aux yeux du souverain, qu'en groupant à Antioche des partisans décidés du *Nicaenum* il l'avait transformée en foyer de discordes. Toutes ces accusations recouvraient la principale, indiquée par Georges de Laodicée : celle de sabellianisme. Ainsi amorçait-on la tactique par quoi on reprocherait au *consubstantiel* de se prêter à une interprétation modaliste.

Constantin retint surtout une chose : Eustathe était un brouillon qui rouvrait les querelles fermées par les décisions conciliaires; il s'ancra d'autant plus dans cette idée que les Antiochiens protestaient contre une sentence qu'avait prononcée un synode improvisé et sans mandat, des évêques de passage. Vite, les eusébiens gagnèrent Constantinople. Le résultat de cette course fut l'exil d'Eustathe en Macédoine où il mourut peu après. Supérieurement menée, l'intrigue nous apparaît comme une répétition de ce qui sera tenté contre Athanase : indomptable, mieux protégé par ses fidèles égyptiens, celui-ci opposera une plus longue résistance.

On veilla à ce qu'un homme sûr prit la place d'Eustathe à Antioche. Après Paulin de Tyr qui mourut bientôt, les évêques réunis[1] désignèrent Eusèbe de Césarée : n'était-il pas l'homme prudent, conciliant, bien en cour, qui convenait en une ville troublée? Il se récusa, prétextant les canons ecclésiastiques opposés aux translations : d'où pompeux éloges de son impérial ami, et dont il s'est bien gardé de nous laisser ignorer un traître mot. Alors, par une initiative nouvelle et hardie, Constantin indiqua directement aux suffrages deux candidats : Georges, prêtre d'Aréthuse et Euphronios. Il les qualifie « très recommandables quant à la foi », sans se souvenir que Georges a été excommunié par Alexandre et interdit par Eustathe. Euphronios fut élu. Cette candidature officielle ouvrait la voie aux influences politiques qui bientôt assureraient les sièges épiscopaux à des hommes sans caractère et sans idées, souples, domestiqués, fonctionnaires avant tout, orientés vers Constantinople et dédaigneux de Rome. Beaucoup d'évêques furent alors déposés, opération d'ensemble qui suppose un plan savamment concerté et de multiples intrigues dont Eusèbe tenait tous les fils. Parmi les victimes, citons Eutrope d'Andrinople, Euphration de Balanée, Kymace de Paltus et son homonyme de Taradus, Asclépas de Gaza, Cyr de Bérée, Diodore de Ténédos, Domnion de Sirmium et Hellanique de Tripoli.

Que le nouvel évêque d'Alexandrie, le jeune Athanase, ne fût pas un prélat de cour, tout le monde le savait ; et donc, coûte que coûte, il fallait l'abattre. Mais comment le déloger d'une position si forte? Son élection, faite le 8 juin 328, ne prêtait à aucune discussion : il avait été nommé non pas comme ses prédécesseurs par les prêtres de la cité, mais par la majorité des évêques égyptiens. Son premier soin fut de visiter les diverses parties de son vaste diocèse : Thébaïde (329-30), Pentapole (331-32), Ammoniaca, Égypte inférieure. Il lia ainsi contact non seulement avec son clergé, mais avec les moines qui peuplaient le désert : visitant Tabennes où Packôme le reçut avec empressement, entretenant avec Antoine, père des ermites, de cordiales relations. Ainsi se nouaient les amitiés et les fidélités égyptiennes qui le soutiendraient dans toutes ses luttes.

La guerre déjà s'annonçait. Eusèbe l'amorça en écrivant à Athanase une lettre cauteleuse où il lui demandait de laisser rentrer à Alexandrie les amis d'Arius : acte prudent, devaient insinuer les messagers, et qui plairait à l'empereur. Athanase refusa net : les hérétiques « anathématisés par le concile œcuménique » n'avaient droit à aucune place sur la terre d'Égypte. Alors Constantin, dont la volonté était nouée à celle d'Eusèbe, intervint lui-même. Sa politique religieuse comportait, en effet, une double opération d'apaisement : écarter les intransigeants, réintégrer les pénitents ou prétendus tels, au premier rang Arius. Quel beau triomphe, en effet, si l'hérésiarque lui-même, se rendant aux instances du prince, se soumettait et rentrait grâcié! Pareil coup de théâtre, qui devait clore les hostilités, lui tenait à cœur. « Tu connaîtras, écrivit-il à Athanase, l'expression de ma volonté qui est que tu laisses libre accès dans l'Église à tous ceux qui veulent y entrer. » Parfaite formule du libéralisme qui accueille le premier venu sans enquête sur la doctrine. « Si j'apprends, ajoutait-il en haussant le ton, que tu as refusé cette entrée à quelqu'un, tu seras déposé de ta charge et expulsé d'Alexandrie. » Donnant aussitôt la mesure de cet admirable courage dont il ne se départira jamais, Athanase répondit à l'Autocrator qu'il « ne saurait y avoir nulle communion entre l'Église catholique et une hérésie qui combat le Christ ». Qui n'eût été renseigné dès lors sur

1. C'est sans doute à ce synode d'Antioche qu'il faut restituer les fameux canons disciplinaires généralement attribués au concile des Encœnies de 341. Voir note infra.

le compte d'Athanase, l'intransigeance incarnée, le pivot de toute résistance? Voilà qu'il tenait tête à l'empereur lui-même, et, sans sourciller, le renvoyait à ses affaires, qui n'étaient pas d'église.

Suivant la tactique traîtresse déjà employée pour d'autres, on résolut de l'attaquer sur un terrain subsidiaire. Il se trouvait que les archevêques d'Alexandrie avaient, depuis quelque vingt ans, des adversaires locaux irréductibles. Ne pourrait-on, s'alliant à eux, les envoyer en avant comme des francs-tireurs?

Ce schisme, assez analogue à celui des donatistes, se greffe comme lui sur la « grande persécution ». Tandis que Pierre d'Alexandrie rencontrait alors les plus graves obstacles à son apostolat, Mélèce, évêque de Lycopolis dans la Haute Égypte, en profita pour empiéter sur le terrain de ses collègues jusqu'à ordonner évêques et prêtres un peu partout. D'où une protestation énergique de quatre prélats égyptiens incarcérés, qui rappelèrent « cette loi de nos Pères et des Pères de nos Pères » interdisant à tout évêque de célébrer quelque ordination en des paroisses étrangères. Sans rien entendre, Mélèce continua ses menées ambitieuses. N'eut-il pas le front de se rendre à Alexandrie, d'y déposer les deux vicaires institués par Pierre durant son absence, et de les remplacer par des individus à lui? Puis, il organisa son schisme, malgré toutes les protestations. Il se posait, d'ailleurs, en adversaire du laxisme : manière classique de se donner le beau rôle. Comme, dans une lettre très nette où toute pénitence était sagement justifiée et dosée, Pierre avait réglé le sort des apostats, Mélèce se déclara rigoriste inflexible et opposa au parti de l'indulgence « l'Église des martyrs ». Attitude assez piquante si l'on songe qu'il passait pour avoir apostasié lui-même, qu'il avait joui durant la persécution d'une liberté suspecte, et qu'il finit par mourir dans son lit tandis que Pierre trouvait le martyre. « Ce n'est pas la première fois, note le P. A. d'Alès, qu'on voit un renégat ou un quasi-renégat se muer en puritain pour se refaire une virginité. »

Le concile de Nicée voulut liquider la situation. A Mélèce on concéda le séjour dans sa ville de Lycopolis avec le titre d'évêque, mais sans en exercer la charge. Quant aux clercs par lui ordonnés, ils purent continuer leurs fonctions, moyennant une imposition des mains plus « mystique » : ainsi y aurait-il parfois dans une même Église évêque et clercs catholiques, évêque et clercs mélétiens, ceux-ci toutefois cédant le pas aux premiers. Pareille solution de bienveillance était peut-être une faiblesse ; elle ne fut pas admise par les mélétiens qui, comme les donatistes, demeurèrent irréductibles. Au moins, le canon sixième de Nicée confirma-t-il le pouvoir étendu que l'évêque d'Alexandrie exerçait par tradition sur l'Égypte entière, la Libye et la Pentapole (Cyrénaïque). Pour les mélétiens, le patriarche resterait l'ennemi, le pharaon ecclésiastique, l'autocrate oppresseur des libertés locales.

Aux Eusébiens il fut facile d'exploiter leurs haines recuites. Contre Athanase ils alléguèrent des griefs politiques, les seuls plausibles, et les plus capables d'impressionner l'empereur; car, province excentrique, au caractère indépendant, l'Égypte devait être surveillée et maintenue sous l'autorité. Qu'Athanase eût imposé aux Égyptiens un tribut de tuniques de lin, qu'il eût envoyé un ponds d'or à un certain Philoumenos, fonctionnaire disgracié, et que Macaire, un de ses officiers, eût porté l'outrecuidance jusqu'à interrompre durant le sacrifice le pauvre prêtre Ischyras, renversant son autel et brisant son calice, autant d'actes qui respiraient à la fois le despotisme et le sectarisme. Mandé à Nicomédie, Athanase n'eut pas grand'peine à détruire ces calomnies grossières. Constantin, qui avait le sentiment de la justice, écrivit aux Alexandrins une lettre où il exaltait les qualités de leur jeune évêque : « Je l'ai accueilli, je l'ai traité comme un homme de Dieu que je sais qu'il est... Il ne m'appartient pas de le juger. »

Mais bientôt, les mélétiens rentrèrent en scène. Leur chef, Jean Archaph, successeur de Mélèce, accusa Athanase d'avoir assassiné l'un des leurs, Arsène, évêque d'Hypsélé, et d'avoir poussé la malice jusqu'à faire couper sa main pour des opérations magiques. Une fois encore, l'empereur fut saisi de l'affaire; il ordonna une enquête qu'il confia à Dalmatius, son frère. Sur ces entrefaites, Athanase retrouva à Antioche le dit Arsène qui s'y était caché après une compromettante aventure. Déjà Eusèbe et les siens s'ébranlaient pour tenir à Césarée un concile où l'on jugerait Athanase comme jadis Eustathe à Antioche. Après leur avoir ordonné de rebrousser chemin, Constantin écrivit à l'évêque d'Alexandrie une nouvelle lettre flatteuse (334) : « Si l'on s'agite encore, conclut-il, ce n'est pas selon les lois de l'Église, mais selon les lois publiques que j'examinerai l'affaire par moi-même, et je montrerai que ces agitateurs sont des brigands non seulement contre le genre humain, mais contre l'enseignement divin lui-même. »

Les ennemis d'Athanase ne désarmèrent pas; lui non plus. Pareilles calomnies émanaient de prélats mélétiens; dans cet épiscopat révolutionnaire, il opéra des coupes sombres, allant jusqu'à déposer d'un coup sept titulaires, ce qui d'ailleurs n'outrepassait point ses droits de primat.

Cependant, dès 335, mélétiens et ariens, accusant Athanase, obtenaient la réunion d'un grand concile qui trancherait le cas du patriarche. Assemblée incompétente, où affluèrent les évêques eusébiens, mais d'où furent exclus les cinquante prélats égyptiens qui accompagnaient Athanase, les seuls pourtant naturellement mandatés pour juger un évêque d'Alexandrie. Synode impérial, au surplus, où dominerait l'élément laïc, le premier d'une trop longue série. « Le comte parlait, diront plus tard les évêques égyptiens évincés, les assistants se taisaient ou plutôt recevaient les ordres du comte... Il ordonnait, et nous étions éconduits par les soldats : en réalité, Eusèbe et ses amis ordonnaient et le comte exécutait. Quel concile était-ce là qui pouvait finir par une sentence d'exil ou de mort, si tel était le bon plaisir du prince? » (*Apol. c. Arian.*, 8.) Par décision impériale, quiconque, convoqué, ne se présenterait pas, serait exilé : menace directe contre Athanase qui, par un sentiment assez compréhensible de conservation, eût pu songer à s'excuser.

L'affaire du calice d'Ischyras, pourtant précédemment jugée, devint à Tyr le grand grief. Une enquête fut menée en Maréote par des commissaires triés sur le volet, Théognis de Nicée, Ursace, Valens et consorts, et avec tous les signes d'une révoltante partialité : défense aux clercs égyptiens de parler en faveur de leur évêque, dépositions accueillies de païens et de juifs, accusations arrachées à des vierges chrétiennes sous la menace des épées nues, sous la flagellation et les derniers outrages. Selon l'expression qu'emploiera au XIVe siècle un templier terrorisé, les témoins dirent tout ce que voulaient les tortionnaires.

L'autre accusation, plus grave encore, fut maintenue, celle de sévices contre l'évêque mélétien Arsène. Nul moyen, sans doute, d'évoquer un assassinat, puisque Athanase pouvait montrer à tous les yeux la victime saine et sauve; mais, les mélétiens soutinrent qu'Athanase ayant incendié la maison d'Arsène et l'ayant fait fouetter et emprisonner, celui-ci n'avait pu que se cacher après s'être évadé; ce qui expliquait la méprise faite sur son compte.

Qu'on s'imagine ce procès criminel, intenté contre le premier personnage ecclésiastique de l'Égypte parmi une foule payée qui le hue et qui l'insulte de tous les noms, à tel point que le consulaire préposé au bon ordre croit prudent de le faire sortir; et l'on comprendra que ce synode de Tyr mérite d'être classé parmi les pires brigandages de l'histoire.

En vain les clercs de la Maréote avaient-ils envoyé leurs protestations au concile et au préfet d'Égypte, affirmant que non seulement Ischyras n'avait jamais subi des outrages à l'autel, mais qu'il n'était même pas prêtre; en vain, révoltés par tant d'arbitraire, les prélats égyptiens en appelèrent-ils dans un manifeste « au très pieux et très théophile empereur ». Alors, par une initiative hardie, Athanase quitta le concile et s'en fut trouver Constantin à Byzance. Soudain, en pleine rue, l'évêque aborda le prince qui rentrait à cheval : il se nomma, demanda audience. Constantin eût voulu l'écarter; il insista, disant qu'on lui devait de le confronter avec ses accusateurs. « L'histoire ecclésiastique, dit Mgr Batiffol, a peu de scènes plus saisissantes que cette rencontre d'Athanase et de Constantin, que ce contraste de l'évêque résolu et de l'empereur ennuyé, qui veut l'écarter de sa route comme un reproche, et qui cède incontinent à sa requête. On doit se demander pourtant si Athanase a été bien inspiré en demandant justice au prince, et s'il n'a pas ce jour-là fait au césaropapisme naissant une concession qu'il dut regretter. »

Aussi bien, quel combat plus inégal! Entre Eusèbe qui l'envoûtait par sa politique concédante et réconciliante, et l'inflexible patriarche, jugé brouillon incorrigible, comment l'empereur eût-il hésité? Il manda les parties. Eusèbe de Nicomédie accourut avec quelques hommes sûrs, notamment l'autre Eusèbe, et Ursace et Valens, les futurs coryphées de la faction de cour. Négligeant les griefs invoqués à Tyr, et qu'ils jugèrent éventés, ils produisirent une accusation nouvelle qui, plus que toutes les autres, montrait Athanase sous un jour révolutionnaire : pour empêcher le départ des blés égyptiens destinés à Constantinople, il aurait soudoyé les marins d'Alexandrie. En vain Athanase voulut-il représenter qu'il était pauvre et sans influence; Eusèbe répliqua qu'il était riche, intrigant, assoiffé de vengeance. Dans un transport de colère, Constantin exila sur-le-champ le patriarche à Trèves.

De leur côté, après avoir déposé Athanase, les Pères de Tyr se rendirent à Jérusalem où, à l'occasion des *tricennalia* de Constantin, la basilique du Saint-Sépulcre fut inaugurée. Rien n'y manqua : ni la somptuosité des banquets, ni la magnificence des présents offerts par le prince à l'*Anastasis*, ni l'éloquence des discours épiscopaux, sans oublier celui d'Eusèbe. Par un parallèle auquel l'Histoire ne souscrira pas, celui-ci voudrait égaler une telle assemblée à celle même de Nicée. Pour tout couronner, aux Églises d'Égypte — et non aux évêques[1] — une lettre fut envoyée, qui leur annonçait la grâce accordée à « ceux d'Arius ». « Nous avons l'assurance, disait-elle, que, en accueillant les propres membres de votre corps, grande sera votre joie, grande votre consolation : ce sont vos entrailles, vos frères, vos pères, que vous reconnaissez et que vous retrouvez » (Athanase, *De synodis*, 21). Sans doute, mais pourquoi évoquer la communion des saints entre gens qui n'ont pas même foi?

1. La lettre est envoyée, en effet, par « le saint Synode réuni à Jérusalem » à « l'Église de Dieu qui est à Alexandrie et aux Églises qui sont en Egypte, en Thébaïde, en Libye, en Pentapole, et aussi aux évêques, prêtres et diacres de la catholicité ». « Cette lettre, note Mgr Batiffol, par une anomalie étrange, ne mentionne pas les évêques d'Égypte comme elle mentionne ceux des autres provinces de la catholicité, faute sans doute de pouvoir nommer l'évêque d'Alexandrie exilé et excommunié, et tout autant les évêques égyptiens qui lui restent fidèles : le concile de Jérusalem s'adresse aux Églises d'Égypte par-dessus la tête de leurs évêques légitimes. » (*La paix constantinienne*, p. 399.)

Cette réhabilitation officielle résultait-elle d'une rétractation publique des blasphèmes condamnés à Nicée? Toute la question était là. En réalité, Arius souscrivit alors une formule vague, orthodoxe dans le fond, mais d'où le *consubstantiel* restait exclu, et qui autorisait les sous-entendus doctrinaux. Ainsi, à la faveur d'une équivoque dont le dogme ferait tous les frais, prétendait-on réaliser un compromis entre des partis nettement divergents.

Que cette unité fût toute de trompe-l'œil, on ne tarda guère à s'en apercevoir. A l'annonce d'Arius, l'émeute gronda dans Alexandrie. On décida que l'hérésiarque ferait plutôt son entrée à Constantinople. Là aussi, l'opinion s'émut. Seules la pression d'Eusèbe et les instances impériales décidèrent l'évêque Alexandre à donner son assentiment. On ne sait comment les choses auraient tourné si, avec une rare opportunité, Arius n'était mort subitement la veille de cette parade.

Contre l'exil d'Athanase protestaient aussi les consciences alexandrines. Constantin resta inflexible. Aux clercs et aux vierges, il répondit que le patriarche était un fauteur de troubles, régulièrement jugé par un tribunal ecclésiastique. Le grand Antoine, patriarche des ermites, intercéda avec tout l'ascendant d'une sainteté vénérée. Constantin maintint son interprétation sur Athanase, un orgueilleux et un brouillon, dûment jugé : comment une assemblée d'évêques si nombreuse et si digne se fût-elle égarée à pareil point? D'ailleurs, pour bien montrer qu'il conservait une sévérité égale pour tous les partis, l'empereur exilait aussi le chef des mélétiens, Jean Arkaph.

Les Eusébiens arrivaient à leurs fins. Ravir à leurs adversaires tous les sièges importants, les y remplacer par des hommes à eux, créatures vénales, assouplies, toujours prêtes à s'agenouiller devant le pouvoir et à transiger sur toutes les formules, tel était le but qu'ils réalisaient petit à petit, en multipliant procès, condamnations et exils. Mais derrière les conflits personnels se cachaient des antagonismes d'idées plus ou moins inavoués. Ils perçaient d'ailleurs en quelques circonstances, spécialement dans le procès d'Eustathe d'Antioche et dans celui de Marcel d'Ancyre. Après le concile de Tyr où il soutint Athanase, l'ouvrage de Marcel contre le cappadocien Astérius[1] fut déféré par l'empereur à un synode de Constantinople, composé surtout d'Eusébiens. On le déposa sous l'inculpation — motivée, semble-t-il — de sabellianisme, et Eusèbe de Césarée composa une réfutation étendue de sa doctrine, le *Contra Marcellum* en deux livres, le *De Theologia ecclesiastica* en trois livres.

Ainsi s'achevait l'épuration préliminaire. Le *Nicaenum* pouvait être toujours là ; ses défenseurs avaient disparu. Les Eusébiens le croyaient du moins, ne se doutant pas qu'au fond de l'Occident Athanase veillait, l'âme en paix, la volonté bandée, tout prêt pour de nouveaux combats, incarnation frémissante de la vérité proscrite, mais non pas abattue.

Si après le concile de Jérusalem, Constantin eut l'illusion d'un Orient pacifié, il ne la garda pas longtemps. Il tomba malade vers Pâques 337, au moment d'entreprendre une expédition contre Sapor II, roi de Perse. Transporté dans sa villa d'Ancyrona près de Nicomédie, il reçut le baptême par le ministère d'Eusèbe, qui, au comble de la fortune, avait fait exiler le

1. « Astérius semble bien avoir été le porte-parole le plus écouté de son groupe, bien qu'il ne se soit jamais élevé aux charges et aux dignités ecclésiastiques. Le sort du Sophiste ressemble assez à celui d'autres personnages notoires de l'arianisme, Aèce par exemple, qui mena comme lui une vie errante et resta en marge de la hiérarchie, tout en étant le théologien à gages de son parti. » Voir G. BARDY, *Astérius le Sophiste*, *R. H. E.*, 1926, p. 271.

nouvel évêque de Constantinople, le nicéen Paul, pour prendre sa place. Constantin mourut dans d'admirables sentiments. « Si le Seigneur, maître de la vie et de la mort, dit-il, me rend la santé, s'il permet que je sois désormais une ouaille de son peuple et que je prenne part dans l'Église aux prières de tous, je m'imposerai à moi-même des règles de vie qui puissent plaire à Dieu. » On lui fit des funérailles telles qu'aux sauveurs de peuples. Eusèbe nous en a laissé une description où se révèle un deuil immense : la grande cité vide de bruit, d'agitation et de commerce, la consternation et la tristesse sur tous les visages, les militaires « pleurant leur bienfaiteur comme un troupeau qui a perdu le bon pasteur », les grands dignitaires « fléchissant le genou et adorant selon l'ancienne loi » tandis qu'ils défilaient devant la bière d'or où éclataient la pourpre et le diadème, enfin la cérémonie religieuse dernière accomplie par les « ministres de Dieu » selon « la mystique liturgie » devant tout un peuple priant pour son empereur. Ainsi s'associait dans un hommage universel le paganisme à son déclin avec le christianisme réhabilité.

Pourtant, le catholicisme ne lui doit pas que des hommages. Ce prince qui avait trouvé l'Empire divisé et meurtri, et qui, écartant tous adversaires, l'avait unifié et restauré, ne sut pas accomplir dans l'Église une semblable besogne. Quelque déférence qu'il montrât pour le spirituel, il ne comprit pas que le suprême hommage consistait à n'y pas toucher, à le laisser libre. Réunir les conciles, gracier les hérétiques, imposer ou exiler des évêques, autant de gestes dictés à la fois par sa passion d'unité, par les habitudes de souveraineté religieuse que lui léguait la tradition impériale, et par la confiance qu'il accorda à Eusèbe de Nicomédie. Et il ne sut pas voir que, pour s'être fait l'instrument d'une oligarchie sans scrupule, il compromettait cette même unité si chère à son âme romaine. Ainsi ouvrait-il la voie au césaropapisme dont son fils Constance sera la triste incarnation.

CHAPITRE II

L'ARIANISME SOUS CONSTANCE (337-361)

I. L'alliance d'Athanase et de la papauté : Rome et Sardique. — Constantin avait voulu assurer la succession impériale dans sa famille. Une théorie du droit divin s'affirmait d'après quoi la protection céleste couvrait le vainqueur du Pont Milvius et les siens : ils étaient « nés pour le bien de l'État », selon ce que disaient les formules protocolaires. De son vivant, l'empereur avait fait un partage provisoire à cinq, entre ses trois fils et ses deux neveux. La mort qui le surprit livrait l'Empire aux compétitions. Tout se simplifia par un grand carnage où périrent les deux neveux, jadis co-césars, Dalmatius et Hannibalien, leur père, un autre frère de Constantin, Jules Constance, son beau-frère, Optatus. Le terrain ainsi nettoyé on proclama Augustes les trois fils du grand empereur : Constantin II, Constance II et Constant. Trois ans plus tard, Constantin II, qui possédait l'Espagne, la Gaule et la Bretagne, fut vaincu et tué par Constant, si bien que le monde romain ne se trouva plus partagé qu'entre deux maîtres : à Constant l'Occident, à Constance l'Orient. Mais, avant qu'il disparût si vite, Constantin II avait accompli un acte réparateur, dont il attribuait l'intention, par piété filiale sans doute, à l'empereur défunt : la grâce d'Athanase.

DYNASTIE CONSTANTINIENNE

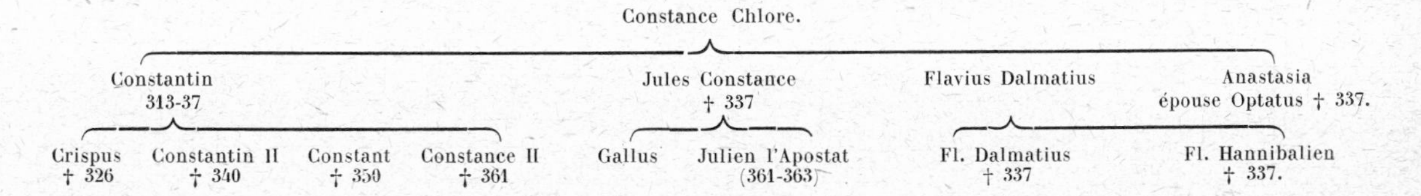

L'amnistie ne fut qu'une trêve entre deux guerres. A l'égard du patriarche, la faction arianisante n'abdiquait rien de sa haine. Par Eusèbe de Nicomédie, inlassable courtisan, elle avait déjà l'oreille de l'empereur Constance; il lui confiait l'éducation de ses deux neveux échappés au massacre général, Gallus et Julien, le futur apostat. A Alexandrie, on voulut accréditer comme évêque un certain Pistos, le chef de la petite église arienne : procédé presque grotesque, étant donnée l'énorme réputation locale d'Athanase. Il fallait trouver autre chose. Les Eusébiens dépêchèrent vers les empereurs et vers le pape Jules un certain prêtre Macaire qui rappellerait l'irréformable sentence de Tyr. Auprès des empereurs, on remploierait une calomnie déjà vieillie : le patriarche alexandrin faisait vendre à son profit les blés destinés aux pauvres d'Égypte et de Libye.

L'intérêt de cette démarche consistait dans l'appel à la papauté, systématiquement ignorée par les Eusébiens depuis Nicée. Au reçu du dossier de Tyr, le pape Jules Ier informa Athanase ; ne fallait-il pas, en toute justice, que chaque partie pût se faire entendre? Alerté, l'épiscopat égyptien adressa une lettre synodale à toute la catholicité et spécialement « à Jules, évêque de Rome » : il se plaignait que le procédé des Eusébiens — l'appel aux empereurs — constituât une illégalité ecclésiastique, que les griefs et sentences invoqués — enquête de la Maréole et concile de Tyr — fussent des tissus de calomnies et des iniquités juridiques; à l'autorité de ce concile impérial, auquel présidait un comte entouré de soldats, ils opposaient « les décisions portées contre les ariens par le vrai et grand synode de Nicée ». Ainsi les Eusébiens et Athanase se tournaient-ils vers la papauté comme vers un arbitre, ceux-là pour accuser, celui-ci pour protester. Les Eusébiens allaient même jusqu'à demander un concile. Manœuvre hardie et décevante : quand on n'a pas le bon droit pour soi, il est toujours imprudent d'en appeler à Rome.

D'autant plus qu'ils allaient aggraver leur cas en exécutant la sentence avant même le jugement du pape, ce qui était envers le Siège Apostolique insulte et dérision. En effet, invoquant toujours le concile de Tyr condamnateur d'Athanase, ils nommèrent un nouvel évêque d'Alexandrie, Grégoire de Cappadoce, au mépris des règles canoniques les plus élémentaires. L'intronisation de Grégoire fut un véritable coup de force militaire : on vit Athanase chassé de son palais, l'intrus enlever d'assaut les diverses églises et le peuple soulevé ne céder qu'à la brutalité de la soldatesque.

Le patriarche fugitif envoya aux évêques d'Égypte une vibrante protestation où il empruntait à l'histoire biblique la plus tragique comparaison. Il évoquait le geste de ce lévite d'Ephraïm qui, rentrant chez lui et y trouvant sa femme morte, victime d'un odieux attentat, la coupa en morceaux et les envoya aux douze tribus d'Israël comme un appel à la vengeance. L'Église de Dieu, elle aussi, a été insultée dans son honneur : voici, à Alexandrie, le temple et le baptistère incendiés, les vierges violées, les moines violentés, et l'orgie sanglante jusque dans le sanctuaire. Pareils procédés ne demandent-ils pas réparation? Au surplus, que les évêques prennent garde : s'ils laissaient déposséder ainsi un titulaire légitime, leur sécurité serait bientôt menacée. « Il est juste que vous vous indigniez, de peur que par votre silence ce mal ne s'étende avant peu à toutes les Églises et que nos chaires de doctrine ne deviennent un objet de trafic et d'achat. »

Ce n'était point propos en l'air. Quand Athanase arriva à Rome, il y trouve d'autres fugitifs. La persécution contre les Nicéens recommençait comme sous Constantin, cette fois tout d'un coup et sans ménagement. Il n'y avait plus lieu d'avancer pas à pas, de déployer

I. Arianisme sous Constance. — G. Bardy, * *Le symbole de Lucien d'Antioche et les formules du synode in Encaeniis*, *R. S. R.*, 1912, III, p. 230 seq. — G. Bardy, * *Antioche* (*concile et canon de*), dans *Dict. Droit canon.* — P. Batiffol, *M. Babut sur l'authenticité des canons de Sardique*, *Bul. anc. litt. et arch. chrét.*, 1914, IV, p. 204-297. — G. Rasneur, * *L'homoïousianisme dans ses rapports avec l'orthodoxie*, *R. H. E.*, 1903, IV, p. 189-206 ; 411-431. — J. Lebon, * *La position de saint Cyrille de Jérusalem dans les luttes provoquées par l'arianisme*, *R. H. R.*, 1924, XX, p. 184-210 ; 357-386.

tout un appareil juridique. On le croyait du moins. Mais le pape Jules veillait : fidèle au projet que les Eusébiens avaient eu la maladresse de lui insinuer, il les convoquait à un concile, où se ferait la pleine lumière. Ils se dérobèrent sous prétexte de la guerre des Perses qui menaçaient l'Orient; ils reprochaient d'ailleurs au pape d'avoir accueilli Athanase condamné à Tyr, invoquant ainsi comme chose jugée ce qui précisément restait à juger. Selon que disait ironiquement Athanase, un synode romain ne pouvait que leur inspirer défiance, où il manquerait des soldats aux portes et un comte chargé de dicter la sentence impériale.

Le concile romain justifia à la fois Marcel d'Ancyre sous la caution d'une déclaration doctrinale, et Athanase qui produisit tout un dossier où l'astuce de ses adversaires était patente. Aux orientaux le pape Jules notifia ces sentences en une lettre digne et pondérée à la manière romaine. Il se plaint d'abord qu'ils lui aient écrit « sur un ton de dédain et de présomption, sentiments étrangers à la foi chrétienne ». D'ailleurs pourquoi vouloir accréditer les décisions de Tyr alors qu'on ne respecte même pas « la sentence des trois cents Pères de Nicée »? Pourquoi aussi imposer aux Égyptiens un évêque « ordonné à Antioche, escorté non de prêtres ou de diacres alexandrins, mais de soldats? » Pareils procédés de l'oligarchie arienne sont violents, anti-hiérarchiques, en marge du catholicisme. Et le pape rappelle clairement, qu'en cas de contestation l'appel à Rome est traditionnel : « Ignorez-vous que l'usage est qu'on nous écrive d'abord et qu'ainsi la justice soit rendue d'ici...? Au contraire, ceux qui ne nous ont pas saisi, ceux qui ont procédé eux-mêmes arbitrairement, voudraient que maintenant nous approuvions ce dont nous n'avons rien connu? Ce n'est pas conforme aux préceptes de Paul, ni aux traditions des Pères : tout est ici étranger et nouveau. Je vous en prie, souffrez que je vous parle de la sorte : j'écris dans l'intérêt commun, et ce que je vous mande est ce que nous avons reçu du bienheureux Pierre. » La primauté romaine fut-elle jamais affirmée avec plus de vigueur à ceux qui voulaient l'ignorer?

Pourtant, le concile de Rome avait son point faible. En recevant Marcel au même titre qu'Athanase, il se faisait garant de son orthodoxie, ce qui n'était pas sans risque. Nicéen intransigeant, Marcel s'était laissé hypnotiser par le *consubstantiel* au point d'en oublier plus ou moins la personnalité du Logos. Il paraît bien que, tout attaché à la monade divine et indivisible, il admettait un Verbe ou énergie divine, sans doute éternel comme Dieu et consubstantiel à lui, mais qui ne réalisait pas une personne distincte : bref quelque chose d'assez analogue à la volonté dans l'être humain, rien de plus. Cette énergie divine s'était extériorisée deux fois : d'abord pour créer, ensuite pour s'incarner et ainsi devenir Fils : « Il n'y a pas quatre cents ans accomplis, disait Marcel, que le Verbe est devenu Fils de Dieu. » Cette union avec la chair s'achèvera, d'ailleurs, et l'énergie du Verbe se reploiera en Dieu : d'où l'accusation portée contre Marcel de nier le règne éternel du Christ tel que l'affirmaient les symboles. Somme toute, l'Incarnation devenait une manifestation passagère de l'énergie divine : la même et seule personne s'extériorisant pour un temps, toujours consubstantielle à elle-même. Voilà, dégagée de ses réticences et subtilités, dans une crudité doctrinale qu'il ne reconnut jamais et que sans doute il ne s'avoua pas à lui-même, la doctrine de Marcel [1].

1. Il n'en faut pas moins rejeter l'explication de certains critiques comme Loofs, pour qui Marcel est un représentant de la vieille doctrine chrétienne primitive, sorte de monarchianisme adoptianiste condamné jadis en la personne de Paul de Samosate sous la pression des origénistes. A Nicée, cette antique théologie aurait pris sa revanche dans le *consubstantiel*. Mais, traîtres à leur propre formule, les Athanasiens, en se laissant absorber à partir de 360 par les néo-nicéens, auraient adopté les trois hypostases. Ainsi Marcel aurait-il été vaincu au profit d'un subordinationisme origéniste, de saveur hellénique et non pas chrétienne.

Réunis en 341 pour la dédicace de la grande Église, — cette basilique d'or, commencée par Constantin, — les Eusébiens poursuivirent deux buts : condamnation doctrinale du sabellianisme incarné pour eux en Marcel d'Ancyre, maintien de l'exclusion d'Athanase frappé par la sentence de Tyr.

L'œuvre doctrinale s'élabora en quatre formules, où se révèle un double souci : celui de se séparer d'Arius, irrévocablement suspect, celui d'éviter le *consubstantiel* nicéen par crainte du sabellianisme de Marcel. Cette dernière préoccupation apparaît surtout dans la seconde formule[1], d'origine sans doute lucianique, et où se trouve soulignée la distinction des personnes divines, sans qu'aucune autre unité soit reconnue dans la triade divine que celle de la volonté. Formule d'ailleurs vague, pleine de réminiscences johanniques et pauliniennes, et qui vise à opérer une concentration, grâce à l'imprécision des termes. Formule appelée ainsi à un long avenir et qu'on verra invoquée périodiquement par ses partisans à Séleucie, puis à Lampsaque, ou même glosée avec indulgence par Athanase et Hilaire dans le temps où ils s'efforceront d'opérer le ralliement. Ainsi les Eusébiens inauguraient-ils une nouvelle tactique : non plus satisfaits d'une guerre contre les personnes, ils entamaient une discussion doctrinale, où ils essaieront de substituer au décisif *consubstantiel* des expressions plus ternes et plus fuyantes. Et ce geste, en apparence conciliant, ne fera qu'approfondir le fossé qui les sépare des Nicéens, chaque parti opposant à l'autre son credo et l'accusant d'hérésie.

Devenu seul maître de l'Occident par sa victoire sur son frère Constantin, à l'instigation du pape Jules, d'Ossius de Cordoue et de Maximin de Trèves, l'empereur Constant prit l'initiative d'un grand concile où se rencontreraient les épiscopats d'Orient et d'Occident. Il s'entendit avec son frère Constance pour en fixer la réunion à Sardique, actuellement Sofia, ville située aux confins des deux empires. Bien qu'il partît d'un bon naturel, pareil projet n'était pas heureux. Comment supposer, en effet que deux épiscopats si divisés pourraient discuter entre eux sans affirmer aussitôt leur mésentente : les uns fidèles aux principes qui avaient guidé le concile de

1. Ces diverses formules n'ont pas même valeur. Tandis que la quatrième, reprise par l'ecthèse macrostiche de 345 et par le premier symbole de Sirmium, sera exploitée par les arianisants, la seconde adoptée par Basile d'Ancyre et les homéousiens du concile de Séleucie en 359, sera glosée par saint Hilaire et saint Athanase dans un sens orthodoxe. « Faite pour plaire aux Eusébiens qui se rattachaient à l'école de Lucien, note M. G. Bardy, elle n'était pas pour déplaire aux catholiques qui vénéraient dans le prêtre d'Antioche une des plus glorieuses victimes de la persécution. » G. Bardy, *Astérius le Sophiste*, *R. H. E.*, 1926, p. 271. Bref, une habile formule de transaction. M. Bardy émet l'hypothèse — plausible, mais invérifiable — qu'elle aurait été proposée par Astérius le Philosophe.

Les Pères d'Antioche auraient aussi rédigé vingt-cinq canons disciplinaires où se traduisaient des préoccupations anti-athanasiennes. L'un d'eux souligne, en effet, que « si un évêque déposé est allé importuner l'empereur, il doit porter sa cause devant un concile plus considérable, autrement il est indigne de tout pardon et sans réintégration possible ». Pareil texte, a-t-on dit parfois, est une allusion directe à Athanase, un coup droit porté à celui qui, au soir de Tyr, était allé en appeler à Constantin. Avec une habileté souveraine, tout en accusant Athanase, ce canon aurait sanctionné la conduite des arianisants depuis Nicée : l'appel au souverain étant admis pour qu'il cassât la sentence et qu'on renvoyât la cause à un autre concile.

En réalité, il est maintenant prouvé que toute cette législation diciplinaire ne date pas du concile de 341. 1° Le concile de Sardique tenu par des occidentaux en rupture flagrante avec les prélats orientaux, s'inspirera des canons d'Antioche, ce qui serait inconcevable s'ils émanaient du même concile qui déposa Athanase et qui formula des symboles anti-nicéens. 2° D'après la lettre d'envoi aux absents et d'après les signatures, l'assemblée qui édicta ces canons ne comprenait que des évêques du ressort d'Antioche, — simple réunion provinciale ou interprovinciale, — tandis que le synode de la Dédicace comprenait 97 évêques groupant la presque totalité des effectifs eusébiens. Il est probable que ces canons furent composés par les prélats réunis à Antioche en 332 pour donner un successeur à Eustathe déposé. L'examen intrinsèque des canons corroborerait cette hypothèse : plusieurs visent le mouvement séparatiste formé dès lors par les Eustathiens. Ce démarcage chronologique vient sans doute du fait que, désignés sans autre mention explicative, les canons d'Antioche furent attribués, dès le début du ve siècle, au concile des Encoenies dont l'autorité était considérable. Voir Duchesne, *Hist. de l'Église*, t. II, p. 211, note 1. — Héfélé-Leclercq, *Hist. des Conciles*, t. I, p. 702-33. — G. Bardy, art. *Antioche* (concile et canons d'), dans *Dict. droit Can.*

Rome — droit d'appel au pape et révision du procès, — les autres ancrés dans l'attitude du concile de la Dédicace ?

Dès l'abord, les Orientaux prononcèrent l'exclusive contre Athanase : condamné à Tyr, il n'avait pas le droit de siéger ; qu'il se retirât sur-le-champ, ou bien eux-même quitteraient la séance. Même attitude envers Marcel d'Ancyre et Asclépas de Gaza, jugés également par des synodes orientaux. Qu'une telle prétention fût outrecuidante, c'est à quoi conclut le simple bon sens, indépendamment même du point de vue romain et catholique. « Pareille demande était absurde, écrit l'anglican Gwatkin ; car il n'y avait pas de raison pour que la déposition prononcée à Antioche fût acceptée les yeux fermés plutôt que l'acquittement prononcé à Rome. En tout cas, le concile avait pour commission expresse de reviser toute l'affaire, et il ne s'était pas réuni pour autre chose. » En vain, Ossius, qui présidait, essaya-t-il d'amadouer les intraitables, allant jusqu'à promettre que, même innocenté par le synode, Athanase ne reparaîtrait plus à Alexandrie, mais se retirerait en Espagne. Les Orientaux ne voulurent rien entendre ; ils quittèrent l'église pour le palais impérial, qui leur convenait mieux, puis bientôt se retirèrent de Sardique à Philippopolis en Thrace.

Avant de partir, ils rédigèrent une nouvelle encyclique où l'anathématisme était lancé contre Athanase et Marcel et contre tous ceux qui les avaient reçus à la communion, le pape tout le premier : « Notre concile a condamné, selon la règle très antique, Jules de Rome, Ossius et Protogène, Gaudentius, Maximus de Trèves, parce que c'est à eux que Marcel, Athanase et les autres scélérats doivent d'avoir été admis à la communion... Il a condamné Jules de la ville de Rome, auteur et cause de tous les maux (*principem et ducem malorum*), parce que c'est lui qui, le premier, a ouvert la porte aux condamnés, et a entraîné les autres à enfreindre la loi divine. » Ces schismatiques savaient au moins où était l'ennemi, et ils l'attaquaient en face.

Laissés seuls, les Occidentaux n'accomplirent pas moins leur programme. Œuvre de révision d'abord. Athanase, dont le dossier était bien connu depuis le concile de Rome, fut innocenté comme à mains levées. On fit aussi confiance à Marcel après lecture de son fameux ouvrage en considérant que les passages incriminés étaient plutôt hypothèses hasardeuses que dogmatisme.

Mais, suffisait-il de réhabiliter les personnes si on ne réfutait les procédés illégaux qui avaient servi à leur condamnation. Les canons de Sardique [1] insistaient pour que les magistrats dont la compétence ne dépasse pas les choses publiques ne s'ingérassent pas dans le domaine ecclésiastique réservé aux seuls clercs. Il y avait beaucoup d'audace à formuler pareille demande, protestation indirecte, mais non voilée, contre tout un passé de violences telles que l'enquête de la Maréote ou l'intronisation de Grégoire à Alexandrie. Il semble que l'indignation d'Athanase ait inspiré cette phrase au souvenir des persécutions endurées.

D'autre part, la procédure de l'appel ecclésiastique était délimitée nettement. Contre les prétentions orientales, les Pères de Sardique affirmaient qu'aucune sentence conciliaire n'était irréformable. Tout évêque condamné selon les formes, c'est-à-dire par le concile provincial, peut interjeter appel à Rome. Le pape examinera le cas, et, s'il juge qu'une révision s'impose, il

1. J. Friedrich soutint en 1901 dans les *Sitzungsberichte* de l'Académie de Berlin une thèse d'après laquelle les canons de Sardique auraient été fabriqués à Rome en 416 ou 417 par un Africain désireux de donner une base juridique à la pratique des appels à Rome. Il y aurait eu là comme un emploi anticipé du procédé des Fausses Décrétales. Cette thèse suppose que le faussaire écrivait en latin, or l'analyse intrinsèque des canons montre la priorité du texte grec. E. M. Babut qui avait plaidé l'interpolation des canons de Sardique a été réfuté par Batiffol, *Bull. anc. litt. et arch. chr.*, juillet 1914.

renverra la cause devant les évêques de la province voisine du condamné. A un moment où les passions étaient surchauffées, il faut admirer la pondération des Pères de Sardique qui, tout en maintenant au Pontife suprême « une juridiction de cassation » sur l'épiscopat entier, amenuisaient ce principe aux circonstances, jusqu'à autoriser le renvoi de l'affaire devant un concile provincial : compromis qui n'était pas traditionnel et qui ne fut d'ailleurs jamais appliqué. En pratique, l'appel se régla toujours à Rome, comme dès les premiers siècles. Somme toute un parallélisme existait entre la juridiction admise par les Orientaux et celle qu'on édictait à Sardique : les uns prônant l'appel à l'empereur qui renverrait devant un concile de cour, les autres l'appel au pape avec l'impartiale sentence d'un synode provincial.

Toute la législation canonique de Sardique vise à réfuter les principes de servilisme ecclésiastique qui s'implantaient en Orient. Cela perce encore en plusieurs endroits : par exemple au canon premier où il est dit qu'on ne doit pas autoriser un évêque à passer d'une Église à une autre, ce qui serait un encouragement « à la cupidité, à l'ambition et au désir de dominer ». Contre plusieurs, pareil canon était un trait en pleine poitrine : il s'applique si naturellement à Eusèbe de Nicomédie, mort peu auparavant évêque de Constantinople, que Dom Chapman ne peut s'empêcher de l'antidater en sa faveur; Mgr Batiffol constate seulement qu'il atteint entre autres Valens de Mursa, aspirant impatient au siège d'Aquilée. Et combien d'autres on pourrait citer pour qui l'arianisme n'était qu'une belle occasion d'obtenir un siège plus riche ou plus en vue. La valeur des canons de Sardique ne saurait être surestimée : rien n'était possible que ce rappel des principes sauveurs à l'heure où les partis s'opposaient trop pour arriver, je ne dis pas à s'entendre, mais seulement à discuter. La crise arienne est essentiellement une crise d'autorité. Supprimez l'antagonisme des deux pouvoirs qui énervait l'autorité hiérarchique, et la sentence romaine prévalait assez vite.

Autant ce point de vue devait être rappelé, autant il eût été imprudent de répondre aux symboles orientaux par d'autres formulaires. A Sardique, Athanase s'y opposa avec toute la vigueur d'un chef. Le *Nicaenum* ne suffisait-il pas à tout? Pourquoi élaborer une définition nouvelle qui prêterait à nouvelles discussions ? Pour échapper au soupçon de sabellianisme qu'entretenait le *consubstantiel,* sans doute eût-il été bon de le supplémenter par l'affirmation des trois personnes divines. Mais l'imprécision des formules eût rendu cette addition équivoque, et le remède pire que le mal. Eût-on employé le terme *persona,* il aurait apparu peu clair, signifiant sans doute être individuel et distinct, mais aussi par étymologie, rôle, masque, personnage. Eût-on préféré le terme *hypostase,* on aurait ameuté tous ceux qui, comme la plupart des Occidentaux, prenaient ce mot dans son sens propre de substance, si bien que l'expression « trois hypostases » confinait pour eux au trithéisme. Dès lors, pourquoi se jeter dans le guêpier des formules équivoques? Mieux valait s'en tenir au seul et décisif *consubstantiel.* L'heure n'était donc pas venue. Les partis sont comme les hommes qui, avant de s'assagir, doivent en passer par certaines épreuves : au temps, agent indispensable de paix et de lumière, il faut avoir la patience de laisser faire.

D'ailleurs, tandis que le concile provoquait en Orient une série de représailles violentes — exil en Arménie des prêtres et diacres alexandrins fidèles à Athanase, surveillance rigoureuse des ports et des villes pour empêcher le retour des évêques réhabilités à Sardique — les circonstances permirent quelque détente de l'antagonisme doctrinal. Vers Pâques 344, deux prélats occidentaux, Vincent de Capoue et Euphratas de Cologne, que leur empereur déléguait à Antioche pour solliciter la grâce des exilés, furent l'objet d'un guet-apens;

l'évêque Étienne voulut les compromettre, en introduisant dans leur maison une fille de joie; sa complicité découverte, il fut déposé. Réfléchissant à cette infamie et ne pouvant d'ailleurs laisser sans réponse les réclamations fraternelles, Constance envoya quatre prélats à Milan où allait être jugé Photin de Sirmium.

Ce disciple de Marcel d'Ancyre était un esprit cultivé qui avait composé un catalogue des hérétiques où, selon la plaisante expression de Socrate, il n'oublia que lui-même. Photin exagérait, en effet, les théories de Marcel jusqu'à prétendre que Jésus, né de la Vierge, n'était qu'un homme, uni au Verbe par ses vertus éminentes et devenu ainsi le fils de Dieu ; bref l'adoptianisme de Paul de Samosate. On pense bien que les Orientaux se hâtèrent de démasquer pareilles théories, à leurs yeux damnable conclusion du *consubstantiel.* A Antioche, en une formule dite macrostiche à cause de sa longueur, ils l'anathématisèrent sous son expression la plus provocante : « Les disciples de Marcel et de Photin repoussent la subsistance éternelle du Christ, sa divinité et son règne éternels, semblables en cela aux Juifs, et sous prétexte de sauvegarder l'unité divine. Pour nous, nous savons que le Christ n'est pas seulement une pensée exprimée ou immanente de Dieu, mais un Verbe. Dieu, vivant et subsistant, Fils de Dieu et Christ ; ce n'est pas seulement par prescience qu'il vit avec son Père avant tous les siècles et qu'il l'a assisté dans la création des êtres visibles et invisibles. C'est lui, en effet, à qui le Père a dit : « Faisons l'homme à notre image et ressemblance » ; c'est lui qui est apparu en personne aux patriarches, qui a donné la Loi, qui a parlé par les prophètes et qui finalement s'est incarné, a manifesté son Père parmi les hommes, et qui désormais règne pour les siècles des siècles. »

Devant une hérésie si franche, les Occidentaux n'avaient pas à tergiverser : assemblés à Milan, ils s'associèrent au verdict des Orientaux et excommunièrent Photin. Sa condamnation découvrait son maître Marcel, changeant à son égard les soupçons en un vrai discrédit. Avec générosité Athanase sacrifia alors les préférences de l'amitié aux exigences de l'orthodoxie : il signifia à Marcel qu'il rompait avec lui tous rapports religieux. Ainsi se dissipait l'équivoque longtemps protectrice de Marcel : lorsqu'on lui parlait de son ancien ami, Athanase esquissait, d'après saint Épiphane, un sourire qui en disait long. Pareille rupture était propre à dissiper les soupçons de sabellianisme infligés aux nicéens : avec Marcel disparaissait le grand prétexte de scandale pour les Orientaux.

Les événements favorables à la paix se succédaient. Le 25 juin 345, l'intrus Grégoire mourait, laissant place libre à Alexandrie. Ébranlé par les derniers incidents, sollicité par son frère, Constance leva la sentence d'exil qui, depuis si longtemps, pesait sur Athanase. Dans une lettre soi-disant attendrie, il lui dit quelle pitié il avait éprouvée à le voir « arraché au foyer de ses pères, dépouillé de tous ses biens et errant dans les inaccessibles retraites des bêtes sauvages » ; nulle tranquillité pour lui que le jour où Athanase reviendrait faire l'épreuve de sa clémence. Rendu défiant par une si dure expérience, celui-ci ne bougea pas : une première, une seconde lettre de l'empereur semblèrent le laisser indifférent, tant qu'enfin, à la troisième, écrite après la mort de Grégoire, il accepta d'être gracié. Après des adieux faits à Rome au pape Jules, à Trèves à l'empereur Constant — deux hommes sûrs auxquels revenait le succès de sa résistance — il prit enfin le chemin de l'Orient.

A Antioche, Constance lui fit bon visage, et il envoya au peuple d'Alexandrie une lettre où il le priait de recevoir son évêque « avec joie, de toute son âme et de tout son cœur ». Changement d'attitude sincère peut-être, mais superficiel. Constance n'abdique pas pour autant son dogme à lui, celui de l'omnipotence religieuse impériale. Si Athanase rentre à Alexandrie, ce n'est point en vertu des *verdicts* de Rome et de Sardique, passés sous silence, mais « par la volonté de Dieu et *notre* sentence ». Ainsi, ce même bon plaisir qui exilait hier l'évêque, le rappelle aujourd'hui, libre encore de le chasser demain. Constance parle comme un pape; au-dessus de lui, personne hormis Dieu; avec lui seul il est d'accord, quand il prononce; les autres n'y ont rien à voir. De pareilles grâces ne sont-elles pas aussi inquiétantes que la défaveur?

Le conseil donné aux Égyptiens était superflu. D'Antioche à Alexandrie le voyage d'Athanase prit l'allure d'un véritable triomphe. Comment évoquer l'allégresse générale, l'évêque de Jérusalem, Maxime, réunissant un concile de seize prélats qui fêteraient l'exilé au passage, les fonctionnaires accourant vers lui jusqu'à cent milles de distance comme pour réparer par une démarche éclatante les procédés à eux dictés par le despotisme impérial, surtout, durant tout un jour, ce défilé d'une foule immense, « pareille à un Nil aux flots d'or », ivre de joie, acclamant, trépignant, formant des chœurs de danse, parmi les parfums répandus? Au clergé catholique, le préfet d'Égypte, Nestorius, s'empressa de restituer ses églises. D'autres exilés, tels que Paul de Constantinople et Asclépas de Gaza, reprirent aussi leurs sièges; une ère de paix semblait s'ouvrir enfin.

Les vieux courtisans, qui savaient flairer le vent, changeaient d'attitude. On vit Valens et Ursace écrire au pape Jules une lettre contrite, puis entreprendre le voyage *ad limina,* et devant le presbyterium romain signer une rétractation où ils se repentaient de tout ce qu'ils avaient fait contre Athanase, réprouvant d'ailleurs sans ambages Arius avec sa doctrine. A l'évêque d'Alexandrie, les bons apôtres envoyèrent aussi une lettre de réconciliation. Ces prélats de cour tendant la main à Athanase, lui disant qu'ils n'ont pas d'autre foi que la sienne, autrement dit ce *Nicaenum* qu'hier ils réprouvaient dans les synodes et que demain ils combattront par menaces et sentences d'exil, voilà une scène de haute comédie!

Aussitôt rentré, Athanase visa à dissiper tout germe de dissension en Égypte. La majorité écrasante de ses partisans, son ascendant personnel lui rendaient cette tâche facile. Pour balayer les derniers restes du schisme local, il nomme évêques plusieurs anciens mélétiens, entre autres le fameux Arsène, toujours vivant, et toujours en possession de ses deux mains. L'épiscopat entier est aux ordres d'Athanase si bien qu'il pourra écrire en 349 : « Pas un des cent évêques d'Égypte ne m'accuse, pas un prêtre ne m'adresse de reproches, pas un laïque ne s'élève contre moi. » D'autre part, il resserre encore — si possible — son alliance avec les moines, dont il fait plusieurs évêques : tel ce Dracontius qu'il ne parvient à arracher à sa bénie solitude qu'en l'accusant d'égoïsme. Avant de mourir, le vieil Antoine a légué au patriarche sa tunique de feuilles de palmier, symbole vénérable de cette alliance du siège d'Alexandrie avec le monachisme, qui maintenant profite au *Nicaenum*, mais qui un jour — hélas! — se retournera en faveur du monophysisme pour la perte de l'Égypte et le malheur de l'Orient entier. Dans le calme de la sécurité retrouvée, un renouveau s'opère par toute la province; une émulation de virginité saisit les âmes, qui va grossissant encore les contingents du monachisme. « Combien de femmes non mariées et qui étaient prêtes à entrer dans le mariage, dit Athanase, restèrent vierges pour le Christ. Combien de jeunes gens voyant les exemples des autres embrassèrent la vie monastique. »

Qui assurait à Athanase cette paix momentanée? La volonté de l'empereur. On comprend que le patriarche ait senti le terrain incertain sous ses pas et que, pour le consolider, il ait publié alors une sorte de dossier justificatif où s'accumulaient les actes officiels relatifs aux conciles de Tyr et de Sardique, vrai portefeuille de la controverse, d'ailleurs incomplet et unilatéral. Rien qu'une trame légère en reliait les pièces. Pourquoi les commenter ? Ne parlaient-elles pas d'elles-mêmes ? Telle est l'*Apologie contre les ariens*.

II. Le triomphe du césaropapisme : Arles et Milan. — Il était bien opportun qu'Athanase ramassât un plaidoyer. Les événements travaillaient maintenant contre lui, et les intrigues aussi. Coup sur coup, il perdit ses deux protecteurs occidentaux : au début de 350, l'empereur Constant assassiné par les partisans de l'usurpateur Maxence, en 352 le pape Jules dont les ariens saluèrent la mort comme une délivrance. Après avoir vaincu Maxence en 353, Constance devient maître de tout l'Empire : « Son Éternité » fera désormais tout ce qu'elle voudra.

Les Eusébiens recommencent à s'agiter. Non seulement ils condamnent à Sirmium Photin, simple confirmation de la sentence déjà portée à Milan par les Occidentaux ; mais à Constantinople, Paul rentré en possession de son siège en 346, est expulsé par ordre du préfet Philippe, conduit en Tauride et étranglé [1], assassinat bien propre à faire réfléchir Athanase sur le sort qui l'attend. Contre le patriarche, les intrigues reprennent auprès de Constance : la tactique est maintenant d'en faire un factieux gagnant à ses idées l'épiscopat entier, de sorte que bientôt le prince — pourtant dépositaire du pouvoir divin — passera à tous les yeux pour un hérétique. Quel écho ne devaient pas avoir de pareilles insinuations dans l'âme de Constance si persuadé de sa mission sacro-sainte ! A ce grief politique et religieux, plusieurs autres s'ajoutaient, tels que la perfidie arienne sut toujours les imaginer : ainsi d'avoir excité le défunt empereur Constant contre son frère, et encore d'avoir écrit à l'usurpateur Maxence, et enfin d'avoir pontifié le jour de Pâques dans la nouvelle église du Cesareum, sans attendre que Constance en eût ordonné la dédicace : toutes accusations qui, marquant son esprit d'indépendance et infirmant son loyalisme, faisaient peser sur lui la plus terrible des inculpations antiques, la lèse-majesté. Au surplus, selon la thèse jamais reniée par les Orientaux, Athanase ne restait-il pas sous le coup de la sentence de Tyr qui l'avait déposé ?

Bientôt saisi d'une demande en revision, le pape Libère y accédait plus ou moins, en priant Athanase de venir se disculper à Rome comme jadis sous le pontificat de Jules. D'autre part, au printemps de 353, Constance lui faisait savoir qu'il accueillait sa demande d'audience : piège d'autant plus manifeste qu'il n'avait rien sollicité. Fermement résolu à ne pas bouger, il affirma au mandataire impérial Montanus qu'il ne quitterait Alexandrie que sur ordre formel. A la double requête pontificale et impériale il répondit avec habileté : à Libère faisant remettre

1. L'Histoire de Paul de Constantinople reste difficile à débrouiller ; Duchesne lui-même l'avoue qui était né au pays de l'idée claire. Voici semble-t-il le résumé de ses infortunes. Nommé en 337 au siège de Byzance, il en fut chassé par l'arien Macédonius (339). A la mort de Constantin, il ne rentra que pour être exilé bientôt, grâce aux intrigues d'Eusèbe de Nicomédie. Quand celui-ci décéda, en 341, Paul reparut pour la deuxième fois. Le parti arien qui tenait toujours pour Macédonius, déchaîna une émeute au cours de laquelle fut tué le *magister militum* Hermogène (342). Cependant, force resta à l'autorité. Paul exilé, Macédonius prit sa place. Mais, en 346, l'intervention de Constant lui rendit une troisième fois son trône, d'où les ariens le forcèrent à descendre, lors de l'assassinat de son protecteur. C'est alors que, pour être sûr qu'il ne reviendrait plus, on l'étrangla. Seul maître à Byzance, Macédonius allait y installer un véritable régime de terreur. Le P. Vailhé établit ainsi la chronologie des évêques de Byzance durant cette période : Alexandre, 314-337. Paul Ier, 337-339. Eusèbe de Nicodémie, 339-fin 341. Paul Ier (2e), fin 341-début 342. Macédonius, début 342-début 346. Paul Ier (3e), début 346-fin-351. Macédonius (2e), fin 351-360. Voir VAILHÉ, *Constantinople* (Église de), dans *Dict. Théol.*, vol. 1308 et 1319. Duchesne ne fait pas mention du dernier retour de Paul à Byzance. Voir *Hist. de l'Église*, II, p. 212-213.

un mémoire qu'avaient signé quatre-vingts évêques égyptiens, et où la nature réelle du procès et ses répercussions doctrinales étaient fermement établies; vers Constance dépêchant une députation de cinq prélats et de trois prêtres égyptiens.

C'est alors que Libère envoya à l'empereur deux légats, Vincent de Capoue et Marcel, pour lui demander la réunion à Aquilée d'un concile général qui reprendrait l'œuvre d'union man-

CONSTANCE II.

quée à Sardique. Constance préféra Arles, lieu de sa résidence, qui possédait un évêque à sa dévotion, Saturnin, et où on convoquerait surtout des évêques gaulois, gens incultes, faciles à tromper. Ceux-ci ne virent que la volonté du très pieux empereur, n'entendirent que l'éloquente parole de Valens de Mursa, et comme ils étaient si peu au courant de l'arianisme que — fait inouï — Hilaire lui-même n'avait jamais ouï parler jusque-là du symbole de Nicée, ils n'eurent point à sacrifier des convictions doctrinales. Sans doute les légats demandèrent-ils qu'on s'accordât d'abord sur le *Nicaenum,* mais Ursace et Valens s'y refusèrent absolument. Un édit impérial parut qui mettait les prélats dans l'alternative de souscrire à la condamnation d'Athanase ou de subir l'exil. Ils cédèrent, y compris les légats romains. Seul, Paulin de Trèves résista, et fut déporté en Phrygie où il mourra cinq ans plus tard.

A la nouvelle de cette capitulation ecclésiastique, le pape Libère écrivit à Ossius cette phrase toute empreinte d'une dignité attristée : « Brisé par le surcroît de douleur que leur conduite me donne, je désire mourir pour la cause de Dieu, afin de ne pas passer, moi aussi, pour un traître, et de ne pas paraître appuyer les doctrines que réprouve l'Évangile. » De même à Constance qui l'avait accusé d'ambition et d'intrigues : « Dieu m'est témoin, l'Église aussi avec tous ses membres, que par la foi et la crainte divine j'ai foulé et foule aux pieds toutes les choses du monde, selon le précepte évangélique et apostolique... Je n'ai rien fait par jactance et par amour de la gloire... et c'est bien à regret que j'ai accédé au souverain pontificat... Je veux garder toujours intacte cette foi que se sont transmise tant de mes prédécesseurs, dont plusieurs martyrs. »

Si fières qu'elles fussent, ces protestations devaient se briser contre la volonté souveraine de Constance. Homme vain, infatué de lui-même jusqu'à mépriser la popularité, toujours préoccupé de jouer son personnage comme un acteur tragique — pareils traits sont d'Ammien Marcellin — ce prince se croyait le seul ambassadeur de Dieu, si bien que divines étaient ses inspirations et divins ses ordres. Autour de lui, s'empressaient des prélats toujours appliqués à l'exciter contre Athanase, des fonctionnaires et des eunuques, bons à tout faire, à tout corrompre, à tout violenter, à tout salir : gens serviles copieusement récompensés d'ailleurs, qui par un emploi, qui par un titre, et — chose plus scandaleuse et plus triste — qui aussi par un évêché.

Cependant, même après Arles, Libère ne désespéra pas. A Constance il envoya de nouveaux légats, hommes au courage éprouvé, Lucifer de Cagliari, le prêtre Pancrace et le diacre Hilaire. Quand ils lui demandèrent un nouveau concile, l'empereur acquiesça volontiers et désigna Milan, certain qu'il était de tout tenir en mains. A cette assemblée peu d'Orientaux : outre que les distances étaient considérables, ne connaissait-on pas leurs dispositions? Constance voulait surtout les voix de ces Occidentaux qui si longtemps avaient tenu tête à la faction eusébienne et qu'on lui représentait toujours fidèles au patriarche d'Alexandrie. Ils vinrent nombreux, plus de trois cents. Pour le pouvoir ce serait un beau triomphe, et décisif sans doute.

Jamais le despotisme impérial ne s'imposa avec plus d'impudeur. En vain, à l'église, Eusèbe de Verceil proposa-t-il que l'on souscrivît d'abord le *Nicaenum,* Valens, mandataire du prince, s'y opposa avec violence, malgré les protestations de la foule. Il obtint de Constance un édit où la condamnation du patriarche était imposée sous peine d'exil. Dans une page vengeresse de son *Historia arianorum* Athanase a dépeint fonctionnaires et clercs portant partout aux évêques absents le dilemme impérial — signer ou partir en exil — puis les récalcitrants mandés devant l'empereur lui-même pour une scène suprême d'intimidation, comme si « la vérité s'annonçait avec des glaives ou des javelots ».

Il y eut pourtant des irréductibles : Lucifer de Cagliari, Eusèbe de Verceil et Denys de Milan. En vain, à leurs rappels de la règle écclésiastique l'impérial tragédien objecta-t-il : « Ma volonté à moi est un canon; les évêques de Syrie ne font pas tant de façons quand je parle; obéissez ou l'exil. » En vain alla-t-il jusqu'à les menacer de mort, tirant le glaive devant eux. Sans céder d'un pas, ils lui rappelèrent la révérence due à Dieu, la crainte du jugement et quel crime c'était d'ouvrir l'Église à l'hérésie arienne. Que leur importait l'exil? « Une liturgie de leur ministère », comme définit saint Athanase, tout à la fois plaisant et profond. On envoya Lucifer en Germanie, Eusèbe de Verceil à Scythopolis, Denys de Milan en Cappadoce. A la place de ce dernier, Auxence fut installé, arien bon teint qui ferait parler de lui.

Qu'étaient ces rares obstinés auprès de la masse des soumis? Et pourtant, une adhésion manquait qui authentiquerait toutes les autres, et sans quoi toutes les autres semblaient de nulle valeur : le *placet* romain. « Constance, remarque Ammien Marcellin, avait un ardent désir d'obtenir confirmation de son œuvre par l'autorité qui rend si puissants les évêques de la Ville éternelle. » (xv, 7.) « Si nous gagnons Libère, disaient les impériaux, nous les aurons bientôt tous. » Aussi, de quelle pression pesa-t-on sur lui. L'eunuque Eusèbe vint lui annoncer « la volonté de l'empereur », d'autant plus persuasive qu'elle s'accompagnait de présents. Ordre et cadeaux furent repoussés, les conciles de Rome et de Sardique invoqués; et, comme Eusèbe, pour prolonger sa tentative de séduction, avait déposé ses présents à la Confession de saint Pierre, Libère les fit jeter dehors, ainsi que les trente deniers de Judas.

Une nuit, malgré les protestations du peuple romain alerté, il fut enlevé du Latran pour comparaître à Milan devant l'empereur. Scène pathétique dont Athanase et Théodoret nous ont laissé un récit détaillé, rédigé à coup sûr par quelque témoin direct. Les sentiments de chacun y éclatent avec force : la suffisance du prince invoquant l'adhésion universelle et reprochant à Libère de troubler par son refus la terre entière; la fermeté apostolique de celui-ci, maintenant sans trembler les positions catholiques telles qu'au début, c'est-à-dire la nécessité de souscrire le *Nicaenum* et de rappeler les exilés avant de reviser le procès d'Athanase; alors la colère de Constance s'exhalant jusqu'à dire que l'usurpateur Maxence fut pour lui un moins dangereux adversaire que le patriarche d'Alexandrie, puis lançant à Libère cette suprême sommation : « Tu as trois jours pour te décider; si tu veux signer, tu retourneras à Rome; sinon, réfléchis au lieu où tu veux être exilé. » A quoi le pape répond sans sourciller : « Trois jours ne changeront pas ma décision; exile-moi où tu voudras. » La lointaine Bérée de Thrace est désignée. En vain, dans l'espoir d'amadouer encore cet indomptable, lui offre-t-on quelque argent pour son voyage. Il refuse successivement celui de l'empereur — « qu'il le donne à ses soldats » —, celui de l'impératrice — « on pourra en régaler les évêques de cour » —, celui enfin de l'eunuque Eusèbe. — « Tu as mis à sac les évêchés et tu veux m'imposer ton argent! Apprends donc ce que c'est que d'être chrétien. »

Ossius, « le père des conciles, l'incarnation vivante des souvenirs de Nicée », presque centenaire, demeura aussi inébranlable. « J'ai confessé Jésus-Christ dans la persécution que Maximin, ton aïeul, excita contre l'Église, osait-il écrire au tyran. Si tu veux la renouveler, tu me trouveras prêt à tout souffrir, plutôt que de trahir la vérité... Tu n'as aucun pouvoir dans le ministère des choses saintes. » (*Hist. arian.*, 44.) On le garda à vue à Sirmium.

Autre protestataire, Hilaire de Poitiers[1] faisait campagne en Gaule pour Athanase,

1. Saint Hilaire naquit à Poitiers vers l'an 315 d'une famille riche et païenne. Ni les jouissances matérielles, ni même la prudence épicurienne ne pouvaient lui suffire; au contact des livres saints — et plus spécialement du quatrième Évangile — il se convertit. Devenu évêque de Poitiers, il organisa en Gaule la résistance à l'arianisme. Bientôt chassé de son siège, il employa les loisirs de l'exil à une double fin : donner un exposé du dogme trinitaire, réconcilier les nicéens avec les partis voisins; le *De Trinitate* vise au premier but, le *De synodis* au second. Intraitable pour l'hérésie, condescendant envers les hérétiques, tel il se montra alors : « Je n'ai pas considéré comme un crime, dira-t-il plus tard, d'avoir eu des entretiens avec eux, ou même, tout en leur refusant la communion, d'entrer dans leurs maisons de prières et d'espérer ce qu'on pouvait attendre d'eux pour le bien de la paix, alors que nous leur ouvrions une voie au rachat de leurs erreurs par la pénitence, un recours au Christ par l'abandon de l'Antéchrist. » (*Adv. Const.*, 2.) Dans son *De Trinitate* (356-359) qui comprend douze livres, il établit d'abord la vraie notion des trois

écrivait vers la fin de 355 sa première requête *A Constance* en sa faveur, amenait nombre d'évêques à se repentir, voire à excommunier les courtisans qui à Arles les avaient trompés, Saturnin, Ursace et Valens. Ces derniers, inquiets, provoquèrent à Béziers un nouveau concile gaulois : Hilaire y gagna l'exil, et avec lui Rhodanius de Toulouse (356).

Maintenant, tous opposants chassés de leurs sièges, l'unité semblait réalisée par la terreur. Mais, du fond de l'exil, certaines protestations allaient monter, et si éloquentes qu'elles réveilleraient les consciences.

III. Le grand exil d'Athanase. Sa défense littéraire. — Avec un homme tel qu'Athanase, il ne s'agissait pas de persuasion ou d'intimidation, mais de violence. Alexandrie était sa forteresse, où des fidèles, dévoués jusqu'à l'effusion du sang, s'apprêtaient à le défendre. En vain, par douceur et menaces, le notaire impérial voulut-il, durant l'été 355, persuader les Alexandrins; après quelques mois de manœuvres, il se retira, la partie perdue. On comprit qu'il y faudrait de la troupe; le duc Syrianus vint à Alexandrie avec des détachements empruntés à toutes les légions stationnées en Egypte et en Libye. Quel déploiement contre un homme sans armes! On eût dit qu'il s'agissait d'un siège. Sans trembler, Athanase répondit à toutes les sommations qu'il ne partirait que sur ordre formel de l'empereur. Feignant de l'approuver, Syrianus dit qu'il attendrait. Puis, soudain, le 8 février, à minuit, l'église de Théonas, où le patriarche célébrait les vigiles nocturnes, fut cernée par cinq mille hommes. Athanase nous décrit cette scène de violence, appropriée à l'époque dioclétienne : les soldats pénétrant dans l'église, épées nues, arcs bandés, comme s'ils montaient à l'assaut, le pasteur entouré des siens le suppliant de s'enfuir, tandis qu'il refuse avec ces paroles : « J'aime mieux être en péril que de voir maltraiter un seul d'entre vous »; enfin, au dernier moment, quelques solitaires et prêtres l'entraînant de force, sans qu'aucun de ceux qui bloquaient l'église le reconnût, « par un vrai miracle de la Providence », comme lui-même l'avoue. Cette même Providence continuera à le garder plusieurs années durant. Ordre est donné de l'arrêter coûte que coûte; la police se tient aux aguets. Mais que faire contre tout un peuple complice de son évêque? Pour se cacher, il a la ville, le fleuve, le désert. Le voilà

Saint Athanase. — *SOURCES* : *P. G.*, XXV-XXVIII. Voir J. Lebon, *Pour une édition critique des œuvres de saint Athanase, R. H. E.*, 1925, XXI, pp. 524-530. — *TRAVAUX* : Fialon, *Saint Athanase*, 1877 (Étude littéraire avec traduction de *l'Apologie à Constance* et de *l'Apologie pour la fuite*). — G. Bardy, **Saint Athanase* (coll. *les Saints*), 1914. — F. Cavallera, * *Saint Athanase* (coll. *la Pensée chrétienne*), 1908. — E. Schwartz,? **Zur Geschichte des Athanasius*, dans les *Nachrichten* de l'Académie de Gœttingue, 1904, 1905, 1908, 1911. — P. Batiffol, **La paix constantinienne*, ch. vi-ix. — G. Voisin, *La doctrine christologique de saint Athanase, R. H. E.*, 1900, I, p. 226-248. — X. Le Bachelet, art. *Athanase*, dans *Dict. Théol.* — G. Bardy, art. *Athanase*, dans *Dict. Hist.* — A. Gaudel, **La doctrine du Logos chez saint Athanase*, dans *Revue Sciences Religieuses*, 1930, p. 529-540; 1931, p. 1-26.

personnes et leur distinction réelle, en partant de la formule baptismale; puis, il prouve la doctrine du *consubstantiel* par l'Ancien et le Nouveau Testament, réfutant la « subtilité hérétique », dans les expressions scripturaires où elle se réfugiait, spécialement le *Dominus creavit me* des *Proverbes* (viii, 22), auquel est consacré tout le livre XII. Comme Tertullien, Hilaire a dû créer une langue nouvelle pour des matières théologiques que, le premier, il abordait en latin. Son style noble et savant, où abonde l'ample période oratoire, témoigne d'une culture classique. A qui l'accuserait, avec saint Jérôme, d'être parfois obscur, on pourrait faire remarquer quelle difficulté présentait en latin ce sujet neuf. « Ses ouvrages, dit justement le même Jérôme, ne sont pas faits pour des lecteurs médiocres. » *SOURCES* : *P. L.*, IX-X. – *C. V.*, 1916, LXV (édition P. Feder, S. J.). — *TRAVAUX* : Largent, *Saint Hilaire* (Coll. *les Saints*), 1902. — L. Feder, **Studien zu Hilarius von Poitiers*, Vienne, 1910-1912, 3 vol. — Dom Wilmart, *Rev. bened.*, 1907-1908. — G. Rasneur, **L'homoïousianisme dans ses rapports avec l'orthodoxie, R. H. E.*, p. 411-431 (2e article). — X. Le Bachelet, *art. *Hilaire*, dans *Dict. Théol.*

tantôt blotti dans une caverne, tantôt sur une barque, plus souvent encore vivant parmi les moines et passant d'une cellule dans une autre, là où il peut tout à la fois défier ses ennemis, et dans le silence forger contre eux des armes terribles, ses admirables polémiques.

Un régime de terreur s'installe dans Alexandrie. A une protestation des habitants « au très humain empereur Constance » qu'ils ne peuvent soupçonner d'avoir commandé pareilles mesures, le prince répond par une lettre dénonçant Athanase comme un séditieux. Voici, parmi les bacchanales et les sacrilèges, les églises arrachées aux catholiques et livrées aux ariens, puis bientôt, en février 357, un intrus installé sur le trône patriarcal, Georges de Cappadoce, sorte de condottiere ecclésiastique, rapace et sans entrailles. Son aide, le duc Sébastien, opère avec la brutalité d'un soudard. Les catholiques se rendent-ils dans un cimetière pour y prier à part, il les fait cerner par la troupe; les vierges présentes sont saisies et exposées aux flammes pour qu'elles confessent la foi d'Arius. Le régime de la déportation refleurit; des victimes, hommes et femmes, sont envoyées à la Grande Oasis. La persécution s'étend à l'Égypte entière au point que cinquante prélats sont proscrits; la vérité et les évêchés sont à l'encan. « A la manière de l'impie Jéroboam, dit Athanase, celui qui donnait plus d'or était nommé évêque. Peu importait qu'il fût incroyant, pourvu qu'il donnât de l'or. » A pareil spectacle, les mécréants se réjouissaient : « Ils célébraient leurs idoles et disaient : Constance est païen et les ariens sont pour nous. » (*Hist. arian.*, 55.) A la fin, en août 358, les Alexandrins excédés se soulevèrent et chassèrent l'intrus qui ne reparut pas de trois ans. Mais la lutte continua et, le 20 décembre le duc Sébastien obligeait les orthodoxes à rendre les églises aux hérétiques.

Si les catholiques demeuraient vaillants, c'est que du désert lointain le patriarche les encourageait. Ne pouvant plus se servir de sa crosse, Athanase prit la plume. Ces années sont les plus fécondes de son activité littéraire.

Distinguons polémique personnelle et controverse doctrinale.

La première est à la fois plaidoyer et réquisitoire. Voici l'*Apologia ad Constantium,* encore rédigée sur un ton grave, et où, par une fiction respectueuse et ironique tout ensemble, Athanase dénonce au prince, qui les ignore évidemment, les horreurs commises en son nom à Alexandrie. N'a-t-on pas poussé l'impudence et l'impudeur jusqu'à faire fouetter les moniales ? « Non, disait-il, pas même dans les persécutions d'antan on n'a rien vu de pareil ; et si on l'a vu, il ne convenait pas que, sous le règne d'un prince qui est chrétien, la Virginité reçût un tel affront. »

« J'entends Léonce d'Antioche et les autres ariens cancaner sur mon compte ; ils me trouvent lâche parce que je ne me suis pas laissé assassiner. » Tel est le début de l'*Apologia de fuga sua* parue en la même année 357. Elle fait le récit des mêmes infamies par quoi il est bien justifié d'avoir fui. Pas une seule église qui ne gémisse du traitement infligé à son évêque.

Enfin, voici l'*Historia arianorum ad monachos,* la maîtresse pièce de cette littérature protestatrice, récit dramatique et dramatisé, destiné à renseigner les amis du désert, et où sans doute l'historien fait place au publiciste, sans que toutefois la vérité soit sacrifiée. Athanase y flétrit l'entourage de l'empereur, ces eunuques qui s'arrogent l'omnipotence ecclésiastique. « Ils décident, Constance suit... Qui écrira ces choses? Qui les annoncera à la génération à venir? Qui voudra croire alors que des eunuques, dont on ne voudrait pas faire ses domestiques..., disposent des choses saintes, et que Constance docilement leur accorde les violences qu'il fait à tous et l'exil de Libère ? » (*Hist. arian.*, 38.) D'ailleurs, plus de ménagements pour le prince lui-même. Devant ses procédés inqualifiables, Athanase l'appelle l'Antechrist, tout simplement : « Quand celui-ci paraîtra, ne trouvera-t-il pas la voie toute tracée par Constance? N'a-t-il pas transporté des églises dans ses palais les jugements ecclésiastiques? » Et il le montre qui, audacieux comme un Satan fardé de christianisme, « pénètre dans les lieux saints, s'y tient debout, y fait le désert, viole les canons et impose ses décrets par la force ».

Ne nous scandalisons pas des outrances que peuvent contenir pareils récits. Renseigner l'opinion et tenir en haleine l'indignation publique, tel était leur but, et ils l'ont atteint. Ils soulagèrent les consciences, et nous soulagent encore. Par leur rappel du droit individuel, ils évoquent les anciens apologistes, un Tertullien ou un Lactance. « Le propre d'une religion n'est pas d'imposer, dit Athanase, mais de persuader. Le Seigneur n'a fait violence à personne... Va-t-on faire le contraire du Sauveur? » Pareille citation ne semble-t-elle pas quelque phrase extraite de l'Édit de Milan? Au simple point de vue littéraire, ces écrits ont une vigueur de trait qui les apparente à ceux des grands polémistes. Athanase fait figure ici d'un Démosthène chrétien : même fougue que chez l'immortel Athénien, même sincérité de passion, même noblesse de sentiments et davantage, encore que moins châtié soit le style et moins pur le vocabulaire.

Les grands traités doctrinaux sont-ils aussi de cette période? *La lettre à Sérapion* sur la divinité du Saint-Esprit sans nul doute. Mais les *Discours contre les Ariens* seraient plutôt d'une date antérieure[1]. Dans ceux-ci, après avoir exposé la doctrine de l'éternité du Verbe, Athanase réfute les objections rationnelles et scripturaires des ariens. Il s'attarde en particulier au passage des Proverbes « le Seigneur m'a créé » (VIII, 22), en prenant occasion pour montrer comment la notion de créature s'oppose à celle de Fils de Dieu. Il montre aussi qu'une interprétation erronée de certains textes a pu seule attribuer au Christ ignorance et infirmités humaines.

Ainsi, est-ce à l'ordinaire sous forme de commentaires bibliques qu'Athanase expose le concept trinitaire et réfute les ariens. Théologien spéculatif, constructeur de système, il n'a ni le goût, ni le temps de l'être. Par contre, il définit le dogme avec clarté, bien que l'imprécision des termes lui rende la tâche peu aisée. Le Fils procédant du Père par génération non par création, le Fils substance du Père, le Fils image vivante du Père, voilà les principes simples sur quoi repose toute sa théologie trinitaire. Mais pour les étayer, il dispose d'une riche information sacrée, et qu'il exploite avec un merveilleux à-propos. « Ni analyse raffinée, ni terminologie savante, dit le P. A. d'Alès, mais un développement large et populaire rendant accessible à tous la révélation de la Trinité. »

1. Montfaucon et les éditeurs de la Patrologie grecque fixaient les *Discours contre les ariens* durant le troisième exil, vers 358 : avis partagé par Tixeront et le P. Cayré. Le P. Cavarella incline à les faire remonter plus haut entre 347 et 350. Tout récemment, M. A. Gaudel a donné des raisons convaincantes de placer cet ouvrage à une date encore antérieure, vers 339, durant le premier exil. Il allègue surtout des raisons de critique interne : en effet, les trois *Discours* défendent l'orthodoxie avec une terminologie qui va être accaparée plus ou moins par les adversaires d'Athanase après 347, et qu'il n'emploierait donc pas alors (ἀπαράλλακτος εἰκών, ὅμοιος, δεύτερος μετὰ τὸν Πατέρα); par contre, ils n'utilisent pas l'ὁμοούσιος, alors qu'à cette date et jusqu'à la fin de sa vie Athanase le citera assez souvent et le défendra, familiarisé qu'il est d'ailleurs avec la terminologie romaine depuis son séjour en Occident. Ajoutons que les allusions historiques contenues dans les *Discours* « nous ramènent à une époque où le souvenir d'Alexandre, d'Arius, d'Eusèbe est encore bien vivant, où Astérius exerce encore une activité de chef chez les ariens, donc avant les synodes de 343 et 341 ». Enfin, il faut placer les Discours avant le *De decretis Nicaenae synodi*, qui en dépend non seulement pour l'idée, mais pour l'expression; et cela nous reporte encore avant 347. Voir A. GAUDEL, *La théologie du Logos chez saint Athanase*, *Rev. sciences relig.*, 1929, p. 524-540.

Son centre de résistance est l'idée de Rédemption tandis qu'Arius partait de celle de création. Pour lui, le salut est une divinisation. Or comment le Christ nous divinisera-t-il, si lui-même n'est pas Dieu. « S'il n'avait pas été lui-même l'image substantielle du Père, s'il n'avait été Dieu que par emprunt et par participation, jamais il n'aurait pu déifier personne, n'étant lui-même qu'un être déifié. Qui n'a rien que par emprunt ne saurait, en effet, rien communiquer aux autres, car ce qu'il a, au lieu d'être à lui, reste la propriété du donateur, et l'aumône qu'il a reçue ne sert qu'à couvrir son indigence et son dénuement. » (*De synodis,* 51.) Qui ne saisirait pareil langage? Et voilà du même coup la solution de cette controverse savante à la portée du moindre catéchumène.

On comprend qu'un tel dogme ne reste pas aux yeux d'Athanase un froid énoncé, mais qu'il devienne un aliment spirituel, pain quotidien du fidèle. Athanase est l'homme de quelques idées, mais toujours répétées et profondément vécues. Voilà qui le fait redoutable et aimable tout ensemble. A le lire, ces vérités transcendantes cessent pour ainsi dire d'être abstraites pour s'infiltrer dans notre cœur chrétien.

IV. L'imbroglio des formulaires. — La sentence arrachée aux Occidentaux consacrait la victoire d'un parti de cour. Une phase du conflit s'ouvre, qu'on pourrait appeler illyrienne. C'est, en effet, dans les régions danubiennes que va se jouer maintenant la partie. Là d'ordinaire, en Pannonie surtout, réside l'empereur. Plus que jamais autocrate, il mène la politique religieuse, toujours suivi d'un certain nombre d'évêques à sa dévotion qui constituent un synode ambulant et permanent. Sorte de conseil ecclésiastique à la fois souple devant les ordres du prince et habile à lui insinuer telle ou telle formule, si bien qu'à certains jours l'omnipotent qui croit tout conduire est bien plutôt mené lui-même par tel ou tel, aujourd'hui Ursace et Valens arianisants, demain Basile d'Ancyre homéousien, un peu plus tard Eudoxe lui-même, arien tout pur. Si ce synode change parfois de personnel et de formule, il séjourne le plus souvent, comme l'empereur, dans les provinces danubiennes, région frontière où les sollicitudes militaires réclament la personne du prince, zone intermédiaire d'ailleurs par où l'Orient prend contact avec l'Occident ecclésiastique, et où peuvent se réunir des synodes plus ou moins œcuméniques, tels qu'à Sardique jadis et à Rimini bientôt. Ajoutons que la politique arianisante de Constance devait trouver un appui dans l'épiscopat de ces régions où Arius exilé avait endoctriné Ursace de Singidunum et Valens de Mursa, les deux infatigables apôtres de la politique impériale, et où, après la déposition de Photin, on installa à Sirmium, résidence habituelle du prince, Germinius, leur compère. Ainsi les intrigues religieuses se nouaient-elles maintenant à Sirmium : à la théologie égyptienne s'opposait la théologie illyrienne d'Ursace et de Valens.

Après le concile de Milan, Athanase, Libère et Hilaire exilés, l'épiscopat occidental muselé, il semblait que celle-ci n'eût plus qu'à s'imposer. De fait, le concile de Sirmium que dirigea le trio illyrien, Ursace, Valens et Germinius, rédige en 357 un symbole de saveur fortement arianisante. Défense d'employer le consubstantiel ou homoousios et même l'homoïousios, formules équivoques et non scripturaires, silence absolu sur la ressemblance du Fils avec le Père, subordination catégorique de celui-là à celui-ci, voilà quelle provocante doctrine ce formulaire prétendait imposer. « Il est indubitable, disait-il sans ambages, que le Père est plus grand, que le Père surpasse le Fils en honneur, en dignité, en magnificence, en majesté, par le nom même de Père. » Sans aller jusqu'à énoncer l'arianisme, pareille assertion constituait en sa faveur « un édit de tolérance ». Il pouvait satisfaire à la fois les ariens purs, pour qui le Fils n'est en rien semblable au Père (ἀνόμοιος) et ceux qui admettaient encore du Fils avec le Père quelque similitude plus ou moins vague (ὅμοιος).

Par contre, il devait faire tressaillir tous ceux qui, défiants jusqu'alors envers le consubstantiel, n'en visaient pas moins à une orthodoxie véritable. L'indignation les saisit contre une formule qui n'était qu'une capitulation devant l'arianisme, un « pur blasphème » comme dira Hilaire. Dès lors, bien des yeux se dessillèrent. L'ennemi n'était donc pas tant à droite où le péril sabellien s'estompait d'ailleurs depuis la condamnation de Photin ; il s'affirmait à gauche. Beaucoup s'étaient rangés parmi les anti-nicéens soit, comme Cyrille de Jérusalem, par une certaine défiance verbale à l'égard du consubstantiel, défiance qui n'excluait pas l'orthodoxie intégrale[1] ; soit, plus souvent, comme jadis Eusèbe de Césarée, par libéralisme naturel et avec la volonté d'accréditer une formule assez large pour contenter chaque parti, à l'exclusion toutefois des ariens purs. N'oublions pas aussi les motifs d'ambition, espoir de faveurs impériales, convoitise d'un titre épiscopal, animosité contre tel collègue, rivalité de sièges, bref tous ces sentiments médiocres qui entraînent à l'ordinaire dans les assemblées la formation de ce qu'on appelle tiers-parti, ou plaine, ou mieux encore marais. Ces gens-là n'étaient en général ni assez courageux pour soutenir la foi de Nicée avec Athanase, ni assez privés de conscience pour s'inféoder à l'arianisme. A la lumière crue de la formule de Sirmium, ils virent où on les mènerait bientôt. Ils comprirent qu'une réaction était nécessaire. Encore leur fallait-il un chef et une formule : le chef fut Basile d'Ancyre, la formule l'homoïousios.

Tandis que pour les nicéens le Fils est de même substance que le Père (ὁμοούσιος, homoousios), les nouveaux venus disaient seulement qu'il est de substance ou essence semblable (ὁμοιούσιος, homoiousios). D'où ce nom d'homéousiens qui les caractérise mieux — il faut le dire — que celui de semi-ariens. Pareille expression jette trop de suspicion, en effet, sur un groupe dont certains membres restaient orthodoxes, à la formule près, et où le mot d'ordre était opposition radicale aux ariens, réaction contre les évêques de cour, leurs complices plus ou moins avoués. Pourtant, il y avait là encore des personnages de nuance assez différente. A côté des vrais orthodoxes, plusieurs entendaient bien introduire dans la théologie trinitaire, à la faveur de l'homoïousios, une certaine subordination du Fils. S'ils rejetaient le consubstantiel, ce n'est plus seulement qu'ils redoutaient son interprétation sabellienne, mais c'est aussi qu'ils n'admettaient pas absolument l'identité de substance entre le Père et le Fils. A leurs yeux, l'expression nouvelle apparaissait de juste milieu, tout ensemble opposée au *Nicaenum*

1. « En certains endroits, dit M. J. Lebon, les manières de parler employées par saint Cyrille, sembleraient indiquer qu'il place le Fils dans un rapport de subordination à l'égard du Père... Cela s'explique par le contact étroit et continuel que son enseignement garde avec l'Écriture où se rencontrent des paroles semblables et, par la tendance de son époque et de son milieu à se mettre surtout en garde contre le sabellianisme et à voir en lui le principal et presque l'unique ennemi. » L'orthodoxie de Cyrille allait recevoir d'ailleurs une douloureuse consécration par les faits : les eusébiens l'avaient regardé d'abord comme un des leurs ; devenu évêque vers 350, il se montra dans toute son orthodoxie ; les ariens lui infligèrent de longs exils, sous Constance d'abord, puis sous Valens. Notons que Cyrille de Jérusalem et Acace de Césarée étaient en outre séparés par un conflit juridique né entre les deux sièges : le 7e canon de Nicée ayant reconnu à Jérusalem une préséance d'honneur sur Césarée, siège métropolitain.

Cyrille est célèbre par ses vingt-quatre *Catéchèses* prêchées à la veille de son épiscopat en 348. Ce sont des instructions élémentaires à l'usage des catéchumènes ; les cinq dernières adressées aux néophytes durant la semaine de Pâques sont appelées pour ce motif *mystagogiques* (μύστης, initié) ; elles traitent des trois sacrements de l'initiation chrétienne, baptême, confirmation, eucharistie. Ces catéchèses ont une grande valeur documentaire pour l'historien, le théologien et le liturgiste. Elles possèdent le mérite de la clarté, et celui « d'une éloquence très spontanée, très naturelle, très franche, très sympathique ». Mais l'exposé manque de concision et de vigueur, noyé qu'il est souvent dans la surabondance des textes scripturaires. Voir X. LE BACHELET, art. *Cyrille de Jérusalem,* dans *Dict. Théol.* — J. LEBON, *Saint Cyrille de Jérusalem et l'arianisme, R. H. E.*, 1924, p. 181-210 ; 357-386.

et à l'arianisme. Parti complexe qui opérait, somme toute, une concentration des éléments anti-ariens et où s'avérait une réelle bonne volonté. Les Nicéens, qui n'étaient pas les farouches intransigeants qu'on se figure parfois, devaient chercher instinctivement à se rapprocher de lui, l'honorant de leur estime, et engageant avec lui des pourparlers, préludes d'une entente définitive. Ainsi fera Libère et, après lui, comme lui, Hilaire et Athanase même.

Le chef du parti fut Basile d'Ancyre, celui-là qui avait argumenté jadis contre Photin à Sirmium. Comme aujourd'hui l'inauguration de quelque monument est souvent pour un chef politique l'occasion de prononcer un discours programme, de même alors les dédicaces d'églises où accouraient nombre d'évêques, permettaient d'importantes manifestations doctrinales : ainsi jadis à Jérusalem en 336, puis à Antioche en 341. Durant le carême 358 à Ancyre — la moderne Angora ou Ankara — une consécration d'église occasionna un synode d'évêques asiatiques, peu nombreux à la vérité, — rien qu'une douzaine de membres, — mais où, pour la première fois, les homéousiens manifestèrent leur opposition à l'arianisme. La lettre de convocation, qu'écrivit Georges de Laodicée, jetait le cri d'alarme, dénonçant la fraternisation du nouvel évêque d'Antioche, Eudoxius, avec les « naufragés de la foi », Aetius et Eunomius, purs ariens. Une synodale fut rédigée où, avec netteté, l'on établissait quel sens donner aux expressions Père et Fils, la première désignant le principe d'une substance semblable à la sienne et impliquant entre l'un et l'autre des rapports différents de ceux de créateur à créature. Pareille thèse concluait cependant non à une identité, mais à une similitude de substance (ὅμοιος κατ' οὐσίαν Πατρί). D'où la comparaison du Verbe avec le Christ : celui-ci s'incarne sans devenir identique à l'homme; de même le Fils est de substance semblable à celle du Père, quoique non identique au Père. Sans doute la formule impliquait-elle encore quelque subordinatianisme, elle n'en marquait pas moins un progrès réel où apparaît même l'influence athanasienne.

Dans les dix-neuf anathématismes qui suivent, s'affirme un souci alterné d'éviter tout ensemble le sabellianisme marcelliste et l'anoméisme. Toutefois, il est clair que ce dernier péril devient principal; l'audace blasphématoire des ariens a commandé cette volte-face dans la tactique : se garder désormais à gauche beaucoup plus qu'à droite, telle est la consigne. Ainsi s'explique, par exemple, la fermeté sans périphrase du premier de ces anathématismes : « Celui qui ne croit pas à l'égalité essentielle du Fils avec le Père rend ces noms identiques à ceux de créature et de créateur. La place d'honneur de la première créature n'est pas suffisante pour le concept du Fils; c'est l'Évangile et non la philosophie qui doit nous donner l'intelligence du Fils et du Père. » Pareille méthode n'introduisait-elle pas — et déjà fort avant — sur les sentiers de l'orthodoxie?

Encore toutes ces déclarations resteraient-elles sans force, si elles n'étaient authentiquées par Constance. Aussitôt, Basile de se rendre à Sirmium. Il fait si bien qu'il arrache au prince avec le désaveu des anoméens l'adoption du formulaire homéousien d'Ancyre. Ainsi une influence chasse-t-elle l'autre, et, changeant le credo du versatile empereur, modifie-t-elle du jour au lendemain cette théologie officielle qui doit s'imposer partout. Aux yeux des fidèles étonnés, la Trinité apparaît donc semblable à un programme politique qui évolue et qui change jusqu'à se contredire lui-même.

De son revirement Constance fournit aussitôt un signe non équivoque. A la mort de Léonce, sous l'influence des arianisants, il avait laissé installer à Antioche, sans l'intervention des évêques de la province, l'anoméen Eudoxe. Le voilà qui réprouve maintenant cette nomination, qui nie en être l'auteur, et qui, par même occasion, rappelle la vraie doctrine, à savoir que « Notre Sauveur est le Fils de Dieu, semblable au Père selon la substance ». Malheur aux contradicteurs! Ils tomberaient sous le coup des sentences impériales : « Nous ne voulons pas dire encore ce que dans quelque temps ils encourront s'ils ne se guérissent pas de leur rage... L'heure est venue où les nourrissons de la vérité doivent pouvoir se montrer au grand jour. » (*Sozom.*, IV, 14.)

De fait, à Sirmium, sous le patronage impérial, une nouvelle formule fut élaborée, la troisième, qui comprenait : 1° La condamnation jadis prononcée au même endroit contre le sabellianisme de Photin ; 2° la deuxième formule du synode de la dédicace, credo vague sans doute dans son texte original, mais auquel on infusait quelque précision dogmatique en ajoutant que « le Fils est semblable au Père par essence et en tout », bref la doctrine même proclamée à Ancyre.

Basile allait-il rallier les suffrages épiscopaux? En ce qui regarde les prélats de cour, toujours prêts à suivre l'empereur, nulle difficulté : Germinius, Ursace et Valens souscrivirent, et avec eux les prélats orientaux présents à Sirmium. Mais, pour authentiquer la nouvelle formule, une adhésion importait plus que tout : celle du pape Libère. A quelque parti qu'on appartienne, la signature revêt une singulière importance du pontife romain, fût-il un misérable proscrit. Soutenu par Basile d'Ancyre, Constance demanda à Libère qu'il appuyât de toute son autorité le mouvement homéousien. Le pape signa cette formule qui était moins de transaction que d'accommodement, et qui — sous condition de sacrifier le consubstantiel nicéen — faisait confiance à Basile s'essayant à constituer le bloc des orthodoxes contre les arianisants. En cela le pape se montrait fidèle à son nom et largement libéral. On peut croire qu'il ne trahissait en rien l'orthodoxie puisque bientôt Hilaire et Athanase lui-même tendront la main à ces hommes de bonne volonté [1].

Par ailleurs, satisfaits de son geste conciliant, Basile et les siens témoignèrent leur gratitude à Libère, en obtenant de Constance son rappel à Rome. La chose n'allait pas sans difficultés : car, depuis son départ, on avait pourvu à son remplacement. Sans doute le clergé romain avait-il juré d'abord, l'archidiacre Félix en tête, qu'il n'accepterait jamais d'autre évêque que lui. Mais les sollicitations impériales étaient pressantes, le siège attirant. D'ailleurs, une Église pouvait-elle rester longtemps sans pasteur? Y pourvoir témoignerait d'un zèle apostolique. Il arriva donc que Félix lui-même accepta le pontificat suprême et qu'il rallia bientôt à lui presque tout le presbyterium romain. Par contre, la mémoire populaire restait fidèle à Libère. Quand Constance parut à Rome au printemps de 357, une députation de nobles matrones vint demander le retour du légitime pasteur; à l'hippodrome, pour apaiser les manifestants, l'empereur promit que Libère reviendrait et qu'il partagerait l'épiscopat avec son successeur Félix : combinaison bâtarde qui n'eut que le don d'exciter la verve du populaire. Constance voulut pourtant la réaliser quand, dès 358, il renvoya à Rome Libère signataire de la formule de Sirmium. Au proscrit on fit une ovation triomphale; en vain l'intrus Félix voulut-il résister; il dut, après bataille, céder le terrain; et la contre-offensive qu'il tenta peu après ne lui restitua que pour quelques jours la basilique de Jules au Transtévère. Chassé par

1. Il est utile de remarquer que la décision de Libère était toute personnelle, qu'elle n'avait rien d'une définition *ex cathedra*, et donc qu'elle ne pouvait — même fautive — engager l'infaillibité pontificale, comme certains polémistes du XIXe siècle l'ont cru, égarés par une thèse à prouver.

le peuple et les autorités, il s'effaça définitivement devant Libère qu'auréolait une résistance héroïque au pouvoir impérial et un long exil à Bérée.

Moins enthousiaste, la postérité a laissé peser sur Libère de graves soupçons. Purement doctrinaux, ils ne se justifieraient qu'à moitié : l'abandon du consubstantiel nicéen peut s'interpréter comme un geste de conciliation envers Basile, artisan d'une concentration salutaire des anti-ariens. Par contre, avant Sirmium, durant l'exil de Bérée, vaincu sans doute par l'ennui et par les sollicitations de son entourage, Libère se serait abandonné à un acte de faiblesse en reniant cet Athanase qu'il avait défendu jadis si vaillamment à Rome et à Milan [1].

En ce sens s'amoncelle tout un dossier imposant d'accusation. Voici d'abord, dans les « fragments historiques » de saint Hilaire, quatre lettres de Libère. Par les deux premières adressées à l'épiscopat oriental (*Studens paci* et *Pro deifico tremore*) le pape annonce qu'il a rompu avec Athanase : sans se souvenir qu'il avait lié son sort à celui du patriarche, il fait état de ce qu'il l'a convoqué à Rome en 352 sans obtenir réponse pour l'excommunier maintenant en 357 ; il avoue qu'il a signé la profession de foi de Sirmium, mais celle que nous avons dite. Dans la troisième lettre, à Vincent de Capoue, son légat, qui jadis à Sirmium avait souscrit la condamnation d'Athanase, Libère l'avertit que, lui aussi, s'y est enfin résigné ; il le supplie donc que, de concert avec les évêques campaniens, ses collègues, il envoie une pétition à l'empereur pour obtenir son rappel d'un si triste exil (*de tristitia liberari*). C'est la même supplication — et moins digne encore — que Libère adresse aux trois illyriens toujours en faveur, Ursace, Valens et Germinius (lettre *Quia scio vos*).

D'aucuns — Héfélé, Mgr Batiffol, le P. Savio et M. Saltet — ont plaidé contre l'authenticité de ces lettres : pour le fond psychologiquement fausses, elles seraient aussi dans la forme plates et incorrectes jusqu'à déconcerter. Cependant, d'autres critiques — tels que Mgr Duchesne, le P. Feder, MM. Zeiller et Amann — penchent pour l'authenticité. Ils font remarquer que les lettres où se dévoile la défaillance de Libère sont confirmées par

Libère. — *SOURCES :* Les *lettres* de Libère sont classées et analysées par JAFFÉ, *Regesta pontif. rom.*, 2e édit., p. 32-36. — S. ATHANASE, *Hist. arian.*, 35-41 ; *Apolog. contra arian.*, *P. G.*, XXV, col. 733 741 et col. 409. — S. HILAIRE, *Fragmenta historica*, *C. V.*, LXV ; ou *P. L.*, X, col. 626 sq. — *Collectio Avellana*, *C. V.*, XXXV. — S. JÉROME, *Chronique*, ad. an. 2365 ; *De vir. ill.*, n. 97, *P. L.*, XXVII, col. 501 ; XXIII, col. 697. — *TRAVAUX :* SALTET, *Les lettres du pape Libère de 357*, *Bull. litt. eccl.*, 1907, p. 279-289 ; *La formation de la légende des papes Libère et Félix*, *ibid.*, 1905, p. 232-236. — Mgr DUCHESNE, **Libère et Fortunatien,* dans *Mélanges arch. et hist.*, 1908, XXVIII, p. 31-78. — DOM WILMART, *La Question du pape Libère*, *Rev. bénéd.*, 1908, XXV, p. 360-367. — SAVIO, *La Questione del papa Liberio*, Rome, 1907 ; *Nuovi studi sulla questione del papa Liberio*, 1909 ; *Punti controversi nella questione del papa Liberio*, 1911. — DOM CHAPMAN, *The contested letters of pope Liberius*, *Rev. bénéd.*, 1910, XXVII. — FEDER, *Studien zu Hilarius von Poitiers*, I, Anhang 2, p. 153-183, Vienne, 1910. — ZEILLER, *La question du pape Libère*, *Bull. anc. litt. et arch. chrét.*, 1913 ; III, p. 1-32. — ZEILLER, *Les origines chrétiennes dans les provinces danubiennes*, 1918. — BATIFFOL, *La paix constantinienne...*, p. 465-481 ; 488-494 ; 515-521. — A. D'ALÈS, *art. *Libère*, dans *Dict. Apol.* — E. AMANN, * art. *Libère*, dans *Dict. Théol.* — H. LECLERCQ, art *Libère*, dans *Dict. Arch.*

1. Il faut donc dédoubler nettement le cas de Libère :

1° Au printemps de 357, à Bérée, sur les instances de Fortunatien d'Aquilée, et sans doute aussi de l'évêque du lieu, Démophile, un des chefs du parti arianisant, le pape abandonne la communion d'Athanase pour se rallier à celle des évêques orientaux, encore unis en bloc.

2° En 358, après la scission des Orientaux en un groupe arianisant et un groupe catholicisant, que menait Basile d'Ancyre, Libère se rallie à ce dernier en souscrivant la formule de Sirmium telle que nous l'avons précisée.

On voit qu'il est plus facile de disculper Libère en 358 qu'en 357.

des témoignages contemporains singulièrement troublants : celui d'Athanase qui accuse le pape d'avoir « après un intervalle de deux ans, fléchi devant la menace de mort »; celui d'Hilaire qui, dans son pamphlet *Contre Constance,* ne cite pas l'exilé de Bérée en compagnie des confesseurs héroïques, mais qui reproche violemment à l'empereur « d'avoir commis une iniquité plus grande en grâciant Libère qu'en le proscrivant » : d'où il est naturel de conclure à une violence morale victorieuse des résistances du pontife. Ajoutez encore le témoignage de Jérôme — sans doute présent à Rome lors de la rentrée de Libère — et d'après qui, « vaincu par l'ennui de l'exil » il aurait fléchi à la longue et souscrit à l'hérésie sur les conseils de Fortunatien d'Aquilée. D'autres attestations, un peu plus tardives, corroborent celles-là : ainsi dans le *Libellus precum*[1] de 383 note-t-on cette parole de Constance au peuple romain demandant en 358 le retour de son pape : « N'ayez crainte; Libère vous reviendra meilleur qu'il n'est parti. » Pareil ensemble de témoignages en concordance avec les épîtres libériennes, ne laisse pas que d'impressionner.

Que Libère ait cédé à la lassitude, rien d'impossible. Encore pouvait-il se donner cette excuse que tout l'épiscopat occidental avait commis — bien avant lui, et sur simple menace — la même faiblesse. Au surplus les événements mêmes ne semblent-ils pas corroborer les textes? Si Libère est rentré seul d'entre les bannis, sans doute a-t-il donné des gages à Constance; d'autant plus que son retour dans une Rome maintenant pourvue d'un nouveau pontife ne pouvait qu'embarrasser le pouvoir. En vain objecterait-on les protestations des Romains, elles n'égalèrent certes pas — et à beaucoup près — celles des Alexandrins qui en furent pour leurs frais d'indignation et de violence. « L'Éternité » de Constance ne cédait pas d'ordinaire aux remontrances populaires. Si Libère avait agi jusqu'au bout comme Athanase, il semble bien qu'il eût été traité jusqu'au bout comme un autre Athanase, ni mieux, ni pis.

Il faut l'avouer, en regard de ce faisceau de preuves écrites et d'événements probants, les arguments des défenseurs de Libère paraissent moins concluants. Expliquer tout le dossier anti-libérien, d'une part en niant l'authenticité des lettres pontificales, d'autre part en supposant une interpolation des textes d'Athanase, d'Hilaire et de Jérôme défavorables au pape, voilà qui semble bien l'expédient d'une défense aux abois, le coup de désespoir de l'apologiste traqué[2]. En vain essaierait-il de prendre sa revanche sur le terrain moral, le moins ferme de tous pour un critique. Que les Romains, par exemple, aient accueilli avec enthousiasme Libère rentrant d'exil, rien d'étonnant; en lui, ils acclamaient le confesseur persécuté. Qu'avait-il signé ou refusé de signer? Ils n'en savaient rien et y connaissaient peu. Il y avait là pour eux non une question d'écritures mais une raison du cœur. Invoquera-t-on encore d'autres témoins de moralité, tel saint Ambroise insérant dans son traité *Des vierges* le discours qu'avait prononcé Libère à la prise de voile de Marcelline, sa sœur? Avouons qu'ils ne plaident en eux-mêmes ni pour, ni contre. Au surplus, une certaine tradition les compenserait, qui prolonge son réquisitoire bien au delà du IVe siècle : ainsi, dans la galerie des bustes pontificaux érigés à Saint-Pierre au XIIIe siècle sous Nicolas III, Libère est-il le seul pontife du IVe siècle à qui manque l'auréole; de même, nulle mention au martyrologe romain.

1. Le *Libellus precum*, contenu dans la *Collectio Avellana,* est un mémoire adressé aux empereurs Valentinien II, Théodose et Arcadius par les prêtres lucifériens Faustinus et Marcellinus; ils y protestent contre les vexations des catholiques et contre le sobriquet qu'on leur a donné. Voir *P. L.*, XIII, 82-107; *C. V.*, XXXV, 5-40.

2. Les uns voudraient rendre responsables de cette supercherie les Ariens (Savio, Batiffol), les autres les Lucifériens (Saltet).

Somme toute, les arguments contre la culpabilité ne sont pas suffisants pour qu'on en puisse rejeter l'hypothèse. Mais l'apologétique se trouvera sur un terrain beaucoup moins difficile lorsqu'elle voudra réduire la faute de Libère à ses vraies proportions. Eût-il succombé, le pontife n'aurait commis qu'une faute de conduite, sacrifiant, sous l'influence de Fortunatien d'Aquilée, et pour rentrer d'exil, le grand Athanase qu'il avait défendu avec intrépidité jusque-là. Mais — nous l'avons vu — au point de vue doctrinal, bien qu'il ait abandonné le consubstantiel, on ne peut l'accuser d'avoir trahi la foi de Nicée. Il s'est prêté simplement à une tactique de conciliation par quoi, sans rien sacrifier du dogme, tous les adversaires de l'arianisme se groupaient sous une nouvelle bannière. On ne peut donc s'associer au collecteur des « Fragments historiques » de saint Hilaire[1] — je ne sais quel scribe — qui s'est permis de hacher de malédictions la partie de la première lettre libérienne où il est question de credo accepté : « Cette formule, dit-il, c'est la perfidie arienne » ; et plus loin : «... Je te dis anathème, Libère, à toi et à tes complices » ; et ailleurs encore : « Anathème de nouveau, anathème une troisième fois, prévaricateur Libère. » Rien qui autorise pareille indignation doctrinale. De même, Jérôme disant que le pape souscrivit à « la perversité hérétique » (*in heretica pravitate*), l'auteur du *Libellus precum* expliquant qu'il donna son consentement à la perfidie (*perfidia*), ces écrivains emploient des expressions diffamatoires qui doivent être glosées. Abandonner Athanase après l'avoir si vaillamment défendu, ce n'était pas glorieux, surtout pour un pape. Quant à souscrire la sentence homéousienne, rien là qui ne fût orthodoxe.

Presque à la même heure, d'ailleurs, Hilaire et Athanase esquissaient un pareil geste de conciliation. Tous deux écrivirent alors leurs livres sur les synodes (*De synodis*) où, tout en se donnant le plaisir d'opposer à l'unique *Nicaenum* la variété des formulaires ariens, et tout en maintenant le *consubstantiel,* ils tendaient pourtant la main à ceux qui, sans souscrire au mot, acceptaient la chose. « Quant à ceux, dit Athanase, qui admettent tout le reste des documents de Nicée, mais hésitent devant le seul mot ὁμοούσιος, il ne faut pas les tenir pour ennemis; nous-mêmes ne les combattons pas comme des ariens ni comme des ennemis des Pères; nous traitons avec eux comme frères avec des frères qui ont la même pensée que nous et qui ne discutent que sur un mot. Car, en confessant que le Fils est de l'essence du Père, et non pas d'une autre substance, qu'il n'est pas créature, ni œuvre, mais authentique et naturelle progéniture, éternellement présent au Père comme Verbe et comme Sagesse, ils ne sont pas loin d'admettre le mot ὁμοούσιος. Tel Basile d'Ancyre qui a écrit sur la foi. » (*De synodis*, 41.) Athanase les félicitera de s'appuyer sur l'exemple de la génération humaine pour affirmer qu'un fils ne peut être que de la même substance que son père. Mais, tirant de leur comparaison tout ce qu'elle implique au point de vue trinitaire, il leur fera remarquer que si divine est cette substance, elle reste indivisible : d'où unité numérique.

Même raisonnement sous la plume d'Hilaire. Il y a deux manières d'entendre la simili-

1. Les luttes dogmatiques du IVe siècle donnèrent lieu à la formation de recueils documentaires : c'est à quoi reviennent plus ou moins l'*Apologie contre les Ariens* et l'*Histoire des Ariens* où Athanase insère nombre de pièces. Les *Fragmenta historica* constituent ainsi un recueil où figurent actes et décrets de conciles, professions de foi, lettres de papes et d'évêques. D'après le P. Feder, les *Fragmenta* seraient les extraits d'un ouvrage complet d'Hilaire qui aurait compris trois livres : le premier, composé en 356, au lendemain du synode de Béziers contre Ursace et Valens, le deuxième rédigé après les conciles de Rimini-Séleucie pour amener les faillis à rétractation, le troisième paru en 367, racontant la réaction nicéenne après la mort de Constance. C'est au deuxième livre que se rattachent les quatre lettres de Libère; dans le troisième s'en trouve une autre où le pape parle avec fermeté aux faillis de Rimini, mais leur accorde le pardon.

tude d'essence marquée par l'homoïousios : l'une hétérodoxe qui, s'arrêtant à cette similitude, nie l'unité ou identité de substance pour aboutir logiquement au dithéisme ou au trithéisme; l'autre orthodoxe qui, soulignant que le Fils est l'image du Père, n'en implique pas moins l'identité de substance, bref le *consubstantiel*. De la similitude substantielle conclure à l'égalité naturelle, et de celle-ci à l'unité ou identité naturelle, voilà à quelle logique, pensait Hilaire, sont amenés tous les homoïousiens qui entendent sainement leur formule.

Il y avait là comme une avance gracieuse aux basiliens pour que, en toute logique d'orthodoxie, ils vinssent au *consubstantiel*. Aussi Hilaire pourra-t-il ensuite se rendre ce témoignage : « Pendant tout le temps de mon exil, si j'ai tenu à ma résolution de ne céder en rien au sujet de la confession du Christ, je n'ai voulu pourtant repousser aucun moyen honnête et susceptible de procurer l'unité[1]. » (*Adv. Const.*, 2.) « Il excuse tout ce qui peut s'excuser, dira bien Tillemont. Il donne un bon sens à tout ce qui peut en recevoir. »

Pareil optimisme fut-il excessif? Avouons que le groupe basilien était assez panaché et, qu'à côté d'esprits sincères, tout acquis à l'orthodoxie, comme Cyrille de Jérusalem, d'autres ne cherchaient dans l'homoïousios qu'une échappatoire doctrinale. Au surplus, l'odieuse politique impériale allait tout gâter. Mais le geste de conciliation ne serait point perdu, non plus que jadis celui des apologistes : pour n'avoir pas réussi à Rimini en 359, il aboutirait à Alexandrie en 362.

En 358, Basile d'Ancyre semblait vainqueur. Il eut un double tort : celui de traiter rudement les anoméens dont les chefs Aetius, Eunomius et Eudoxius furent exilés, cet autre aussi de vouloir faire estampiller sa doctrine par un grand concile, nouveau Nicée. Opérer ainsi à la manière forte, et chanter victoire sur le mode triomphal, n'était-ce pas ameuter les prélats de cour et l'empereur, partisans d'une diplomatie théologique plus nuancée et plus souple? Basile, au surplus, jouait de malheur. Nicomédie, qu'il avait proposée comme lieu de réunion, fut détruite par un tremblement de terre, et la réunion ajournée. A Sirmium il retrouva toute la camarilla épiscopale, les illyriens d'abord, ces éternels entremetteurs de la vérité trinitaire, et avec eux deux vieux arianisants dépêchés en renfort, Patrophile de Scythopolis en Palestine et Narcisse de Néronias en Cilicie.

A les entendre, qu'était donc ce Basile? Je ne sais quel brouillon, quel homme tout d'une pièce et sans nuances, un sabreur qui mettait à feu et à sang la chrétienté entière. Ennemis d'un concile général qui faciliterait l'union, ils représentèrent au prince quelles difficultés causerait la différence des langues, quels frais inutiles le transport des évêques latins jusqu'en Asie, autant de prétextes futiles au service d'une mauvaise cause. Constance obéissait toujours pourvu qu'on lui donnât l'illusion d'être maître absolu, à quoi excellaient tous ces flatteurs. Selon leurs conseils, il commanda donc qu'un double concile fût tenu, l'un pour les Orientaux à Séleucie d'Isaurie, près de la côte de Cilicie, l'autre pour les Occidentaux à Rimini en Italie sur le littoral adriatique. Il serait plus facile, croyait-on, d'endoctriner séparément les uns et les autres. Ne pourrait-on en Occident procéder par persuasion violente comme jadis à Arles et à Milan, en Orient d'autre part coaliser homéens et anoméens autour d'une formule vague qui mettrait en échec Basile d'Ancyre?

Par avance, ce credo fut rédigé dans une réunion d'évêques de cour : « Nous croyons,

1. Le retour de l'épiscopat gallo-romain à l'orthodoxie s'était affirmé dans un anathématisme souscrit contre la deuxième formule de Sirmium à l'instigation de Phaebadius d'Agen. Ces prélats fidèles se tournèrent vers Hilaire, et pour les renseigner sur les symboles orientaux, il écrivit son *De synodis*.

disait-elle, en un seul et unique vrai Dieu... et en un seul Fils unique de Dieu, qui avant tous les siècles, avant toute puissance, avant tout temps concevable, avant toute substance imaginable a été engendré de Dieu, sans passion,... semblable au Père qui l'a engendré, selon les Écritures. Quant au terme d'essence que les Pères ont employé avec simplicité, mais qui, inconnu des fidèles, leur cause du scandale, comme les Écritures ne le contiennent pas, il a paru bon de le supprimer et d'éviter à l'avenir toute mention d'essence à propos de Dieu, les Écritures ne parlant jamais d'essence à propos du Père et du Fils. Mais nous disons que le Fils est semblable au Père en toutes choses, comme le disent et l'enseignent les Écritures. »

Plus prudente que la formule de 357 qui avait provoqué la réaction, sans doute celle-ci n'accentuait-elle plus la supériorité du Père sur le Fils; mais, en répudiant le terme d'essence (οὐσία), et donc l'homoiousios comme l'homoousios, sous l'hypocrite prétexte qu'ils n'étaient pas scripturaires, on faisait échec à Basile d'Ancyre. A la concentration de droite s'opposait ainsi une large concentration de gauche. D'autant plus que si Basile avait obtenu d'abord quelque satisfaction par l'acceptation de l'ὅμοιος κατὰ πάντα qui signifiait que le Fils est semblable en tout au Père, Valens lui ravit bientôt cette demi-victoire par la suppression du κατὰ πάντα, se contentant de dire que le Fils est semblable au Père (ὅμοιος). D'où le nom d'homéen donné à un parti qui rallierait à lui jusqu'aux ariens purs ou anoméens, assez habiles pour épiloguer sur une si lâche formule. Pareil credo, était-ce encore de la théologie? Bien plutôt de la politique. Sans doute, par manière de réplique, Basile précisait-il que le Fils est semblable au Père non seulement en volonté, mais en hypostase, en subsistance et en être; se contenter de dire que le Fils n'est semblable au Père qu'en quelque chose (κατὰ τί), c'était d'après lui pure hérésie. Mais qu'importait un avis que Constance ne soutenait plus?

Au prince, arbitre suprême avec ses conseillers, une commission de dix membres devrait transmettre les décisions prises par chaque concile. L'infaillibilité impériale était bien gardée.

A Rimini, où s'assemblèrent le 1er juillet 359 plus de quatre cents membres, on comptait une majorité énorme d'orthodoxes. Leurs adversaires — quelque quatre-vingts — délibérèrent à part, toujours conduits par le trio illyrien. Tandis que les premiers affirmaient l'intangibilité absolue du *Nicaenum*, les autres s'empressaient d'adhérer à la formule impériale. Les deux fractions députèrent chacune une ambassade auprès de Constance, qui se trouvait en Orient pour la guerre des Perses. On conçoit quel accueil différent leur fut réservé : aux Illyriens, félicitations; aux députés de la majorité, colère et menaces. Transportés dans la petite ville de Niké en Thrace, entrepris de toutes manières par les Illyriens qui allèrent jusqu'à leur affirmer que le synode de Séleucie avait proscrit le mot d'essence (οὐσία), ils cédèrent et souscrivirent la quatrième formule de Sirmium, délestée du κατὰ πάντα basilien, bref l'homéisme pur et simple, tel que l'énonçait Valens.

Les deux ambassades reparurent à Rimini « dans une fraternité inattendue ». Influencés par des premières capitulations, parqués sept mois dans une bourgade, bousculés par le préfet Taurus, mis en demeure de céder ou de rester là en pénitence, presque tous se soumirent, et jusqu'à envoyer à Constance une lettre de gratitude pour sa sollicitude doctrinale. Aux quelques irréductibles, groupés autour de Phaebadius d'Agen et de Servais de Tongres, Valens proposa une addition, soi-disant garante de l'orthodoxie : « Le Fils n'est pas une créature », mais il se réserva d'ajouter « comme les autres » (*velut ceteras facturas*). Et le tour fut ainsi joué.

A Séleucie, même comédie écœurante. Aux cent dix homéousiens dirigés par Basile s'opposaient une quarantaine d'ariens sous la conduite d'Acace de Césarée. Comme à Rimini, chaque parti fit bande à part et y alla de sa formule : les homéousiens, celle de Basile à Sirmium, les homéens une toute nouvelle rédigée par Acace. Parmi tout cet imbroglio, Sophronius de Pompéiopolis s'écriait au nom du bon sens : « Si l'affermissement de la foi consiste dans la concession faite à chacun d'émettre chaque jour une opinion particulière, c'en est fait de la certitude de la vérité. »

Le zèle impérial se chargerait de tout simplifier. Quand, de guerre lasse, l'ambassade homéousienne, où figurait Hilaire de Poitiers, se rendit à Constantinople sous la conduite de Basile, elle trouva auprès du prince le chef des homéens Acace, ainsi qu'Ursace et Valens. D'autre part, les Occidentaux de Rimini, sur qui on comptait pour la résistance, vinrent en transfuges. Leur défection vouait les Orientaux à l'impuissance. Aussi a-t-elle suscité l'indignation d'Hilaire : « Comment, s'écrie-t-il, arrivés à Constantinople après le concile de Séleucie, vous allez aussitôt vous joindre aux hérétiques qu'il a condamnés. Vous ne différez pas un instant, vous ne prenez pas le temps de délibérer, de vous informer!... N'était-ce pas le moment, au moins alors, de vous tenir à l'écart, de réserver votre jugement!... Un esclave, je ne dis pas un bon esclave, mais un esclave passable, ne peut supporter qu'on injurie son maître : il le venge, s'il peut le faire. Un soldat défend son roi, même au péril de sa vie, même en lui faisant un rempart de son corps. Un chien de garde aboie au moindre flair, s'élance au premier soupçon. Vous, vous entendez dire que le Christ, le vrai Fils de Dieu, n'est pas Dieu; votre silence est une adhésion à ce blasphème, et vous vous taisez! Que dis-je? Vous protestez contre ceux qui réclament, vous joignez votre voix à celles qui veulent étouffer les leurs. » (*Frag.*, x, 2-4.) Chapitrés, circonvenus de toutes manières, les orthodoxes d'Orient cédèrent à leur tour, le 31 décembre 359, en souscrivant la formule homéenne. Par ruse et par violence, la théologie impériale l'emportait donc, cet homéisme inconsistant et sournois où chacun pourrait trouver telle erreur qui lui conviendrait.

Les vainqueurs triomphèrent avec insolence. Tout ce que le parti de Basile d'Ancyre avait compté de prélats éminents fut exilé : ainsi, avec le chef, Eustathe de Sébaste, Éleusios de Cyzique, Macédonius de Constantinople, Silvain de Tarse, Cyrille de Jérusalem. Quant à Hilaire, toujours indésirable là où était l'empereur, on le renvoya en Gaule.

Au début de 360, un concile tenu à Constantinople sous la présidence d'Aèce consacra le triomphe de l'homéisme. D'évêchés en évêchés fut porté le formulaire de Rimini-Constantinople pour qu'on le signât. De l'homéisme à l'arianisme, il n'y avait qu'un pas. Pourquoi dès lors un anoméen tel qu'Eudoxe n'eût-il pu souscrire, d'autant plus qu'il recevrait en récompense le siège même de la « nouvelle Rome »? Quelques jours après, en un sermon au peuple pour la dédicace de Sainte-Sophie, il donna la mesure de son orthodoxie : « Le Père, dit-il, est impie (ἀσεβής), le Fils pieux (εὐσεβής). » Et comme on murmurait dans l'assistance : « Que ces paroles ne vous trompent pas, reprit-il. Le Père est ἀσεβής, parce qu'il n'a personne à révérer; mais le Fils est εὐσεβής, parce qu'il révère le Père. » Ce fut un joyeux succès de scandale. Une autre fois, à ce que rapporte Hilaire, il s'exprima ainsi : « Pour que le Père eût un Fils, il y faudrait une femme et l'amour...» Voilà à quelle ironie sacrilège s'abaissait le représentant attitré de la théologie officielle. « Le monde, dit Jérôme, s'étonna d'être arien. »

D'un tel résultat, qui donc était le plus responsable, sinon le prince. Au lendemain de Rimini, Hilaire le rappela en un pamphlet *Contre Constance,* d'une virulence qui lui a fait parfois donner le titre d'*Invective.* Jamais le servilisme écœurant imposé à tout un épiscopat n'a été flétri avec plus de force. Pour Hilaire, Constance est un Antéchrist, Néron, Dèce, ou Maximin, et même pis encore. Ils nous frappaient sur le dos, lui nous flatte sur le ventre ; ils nous jetaient dans un cachot pour nous affranchir, lui nous honore dans son palais pour nous asservir. Couvrir le sanctuaire de son or, embrasser les évêques, leur demander des bénédictions et les inviter à sa table, voilà ses procédés de corruption. Pareil pamphlet, faisant écho à ceux d'Athanase, devait éclairer et soulager les consciences. « Le catholicisme d'Occident, pour la première fois avec saint Hilaire, prend conscience de son indépendance. »

Osera-t-on lui associer Lucifer de Cagliari ? Comme lui proscrit, il exploite les mêmes thèmes d'indignation contre la tyrannie de Constance. Les titres de ses ouvrages résonnent ainsi que des appels guerriers : « Pas d'accord avec les hérétiques ! » « Mourons pour le Fils de Dieu ! » « Pas de pardons pour les ennemis de Dieu ! » Mais, au service d'une idée très simple, ces traités ne sont qu'un fatras de textes scripturaires entassés sans ordre. Composition faible, style médiocre, théologie uniforme qui ne veut connaître qu'un mot, le consubstantiel, voilà ces œuvres d'où tout discernement est absent et où l'invective remplace le raisonnement. Pareille mentalité aboutira un jour au schisme.

CHAPITRE III

JULIEN L'APOSTAT (361-363).

I. La politique religieuse de Constantin et de ses fils. — A travers les luttes ariennes, qu'était devenu le paganisme? L'édit de Milan avait proclamé la tolérance. Mais comment, devenus chrétiens, les empereurs l'eussent-ils appliqué de bon cœur? Constantin ne manque pas de proclamer avec quelle joie il verrait tous ses sujets embrasser le christianisme, et l'unité religieuse ainsi établie dans l'empire. A ses yeux, qu'est donc le culte païen? « Rites et cérémonies de l'erreur. » Porte-t-il, en 326, une loi qui ordonne de ne laisser aucun édifice public inachevé, il fait une dédaigneuse exception pour les temples. Quand les habitants de Spello lui offrent de construire un monument à sa famille, il ne veut là qu'un simple ex-voto, sans « qu'aucune contagieuse superstition » n'y soit introduite. De même, il refuse de prendre part à la procession de l'ordre équestre au Capitole. Pour lui, tolérer prend donc le sens de souffrir que le paganisme soit célébré.

Toutefois, fidèle à ses engagements, il respecte la lettre de l'édit de Milan. Les mesures apparemment hostiles au paganisme peuvent, en effet, recevoir une explication. On arguera peut-être qu'il interdit les sacrifices secrets ou mêlés de divination, qu'il détruisit plusieurs temples en Orient, qu'il supprima les sacrifices offerts au nom de l'État, mais c'était dans les deux premiers cas souci de moralité et dans le troisième volonté de sauvegarder la neutralité officielle. Quand il pille certains temples pour orner de leurs statues Constantinople, sa capitale, il n'est pas plus sectaire que Bonaparte faisant rapporter d'Italie à Paris les objets d'art à sa convenance. Enfin, les fermetures ou destructions de sanctuaires, entreprises dès lors, ne lui sont pas imputables, mais à telle ou telle cité qui, devenue chrétienne, n'a plus que faire de ces vestiges du polythéisme. Tout sectarisme lui répugne, car il est grand et il est politique : aux païens comme aux chrétiens il accorde magistratures et charges.

Les fils de Constantin ne voulurent pas en rester là. Dès 341, ils légiférèrent contre le paganisme : « Que la superstition cesse, que la folie des sacrifices soit abolie ; car, quiconque, contrairement à l'ordonnance de notre divin père, aura osé célébrer des sacrifices, en recevra le châtiment. » En 353, le zèle turbulent de Constance édictait une loi plus catégorique, ordonnant fermeture de tous les temples : « Si quelqu'un, disait-il, se permet de ne pas respecter mes ordres, qu'il soit frappé du glaive vengeur, que ses biens retournent au fisc. » Trois ans plus tard, peine de mort contre tous ceux « qui seront convaincus d'avoir fait des sacrifices et d'honorer des idoles ».

C'est le temps où, dans un *Traité sur l'erreur des religions profanes,* un zélé converti, Firmicus Maternus, supplie les empereurs d'interdire une fois pour toutes l'impiété du paganisme : « Il faut couper le mal dans sa racine, le détruire, le corriger par les lois les plus sévères, afin que le monde romain ne soit pas plus longtemps souillé par cette erreur nouvelle. » Au service d'une thèse si radicale, notre rhéteur apporte sans vergogne tous les arguments; celui du droit divin des rois : « Dieu ne vous a confié l'Empire que pour guérir cette plaie » ; celui de l'intérêt même des victimes : « Venez au secours de ces malheureux ; il vaut mieux les sauver malgré eux que de leur permettre de se perdre »; celui encore du profit matériel qu'en tireront les princes : « Enlevez sans crainte les ornements des temples; envoyez les dieux à la monnaie; faites-les fondre et servez-vous-en » ; sans compter la bénédiction répandue sur l'Empire : « C'est par là, très saints princes, que tout vous réussira, que vos guerres seront toutes heureuses, et que vous jouirez toujours de l'opulence, de la paix, de la richesse, de la santé et de la victoire. » Ainsi, dans l'enivrement du triomphe, quelques chrétiens exaltés pouvaient-ils s'imaginer qu'il n'y avait plus qu'à frapper.

En fait, la réussite de Constance fut surtout légale, et celle de Maternus verbale. De telles lois et de telles phrases à la réalité, il y avait quelque distance. Le paganisme reste une force traditionnelle qu'on ne peut négliger. Toute une noblesse demeure attachée aux rites païens, sinon toujours par conviction profonde, du moins par habitude et par une sorte de coquetterie aristocratique et frondeuse; chez Prudence le terme même de *nobilitas* signifie les païens de condition. Ceux-ci maintiennent leur prépondérance dans le sénat romain où peut-être ils ne détiennent plus la majorité numérique, mais où s'impose leur prestige : à eux les titres toujours éblouissants d'augustes, de pontifes, de flamines, et avec ces titres l'éclat des costumes, des cortèges, de la préséance; à eux encore l'influence assurée par la gestion des biens des temples, et par la dispensation de leurs revenus. Rompue à la politique et à l'administration, cette aristocratie païenne constitue d'ailleurs pour les hauts emplois un personnel d'élite, et qu'il ne serait pas aisé de remplacer. Vouloir supprimer d'un geste toute cette gloire de l'ancienne Rome serait pure folie, presque une révolution politique et sociale.

Aussi, dans la pratique, les empereurs se gardent-ils bien de froisser les sentiments religieux de la noblesse. Les sanctuaires païens subsistent, et Constant lui-même veille à leur protection : « Nous voulons, dit-il, que les temples situés aux environs de la ville soient conservés intacts et sans souillure parce qu'à plusieurs d'entre eux est attachée l'origine des jeux, des courses et des combats qui font, de toute antiquité, la joie du peuple romain. » Phrase habile qui veut excuser les concessions faites au paganisme ambiant par le souci de ne pas froisser la profondeur du sentiment populaire. Quand, en 357, Constance visite Rome en touriste, il en admire les monuments : « Suivant à travers les rues le sénat charmé, dit Symmaque, il considéra les sanctuaires d'un œil tranquille, lut les noms des dieux inscrits sur leurs frontons, s'informa de l'origine de ces édifices et témoigna de son admiration pour les architectes qui les avaient élevés. » (*Ep.*, x, 3.) Voilà quels étaient ses sentiments publics, un an après qu'il eut interdit les sacrifices sous peine de mort!

Longtemps encore cultes et cérémonies païennes se dérouleront à Rome. Consultez le document philocalien, et vous verrez quelles nombreuses cérémonies païennes il évoque encore[1] où paraissent tour à tour vestales, luperques, galles, saliens en des processions tantôt graves et tantôt burlesques. Vers 375, l'*Ambrosiaster*[2] nous montre toujours à Rome le spectacle d'exhibitions étranges, les orgies tumultueuses des bacchanales, la statue cynocéphale d'Anubis promenée à travers la ville dans les processions isiaques, les mystères de Mithra célébrés au fond de cryptes obscures, et même les ries de Cybèle où l'on voit les galles sacrifier leur virilité à la divinité impure.

Ce maintien d'un paganisme public n'était pas spécial à Rome. Sans doute le christianisme domine-t-il maintenant à Carthage; mais la bourgeoisie aisée s'y pique de conservatisme religieux; en 333 et 337, un proconsul y consacre un monument à la mère de Dieu et à Attis; les cérémonies en l'honneur de la *Virgo cœlestis*, la déesse locale, y subsisteront jusqu'à la fin du siècle, ainsi qu'en témoignera saint Augustin.

Aristocratie et riche bourgeoisie sont donc le refuge du paganisme. Deux sentiments les y retiennent surtout : l'amour des lettres où les dieux apparaissent sans cesse, un certain sentiment patriotique qui confond encore vieilles croyances avec romanité. Le paganisme tend à devenir « un culte d'ancien régime ».

Quant au peuple, sans doute, dans les grandes villes, se laisse-t-il entraîner toujours plus vers le christianisme qui parle davantage à son cœur, et qui recouvre les misères sociales d'une divine pitié. Voyez, par exemple, à Rome, combien d'épitaphes chrétiennes sont populaires d'orthographe et de langue; ou bien, à Alexandrie, quelle foule immense accourt au-devant d'Athanase rentrant d'exil, ou encore, à Césarée, au seul bruit que Basile est menacé d'un procès, quel tumulte de la plèbe s'élève, « semblable dit le Nazianzène, à un essaim d'abeilles chassées par la fumée ».

Par contre, dans les petites villes et les campagnes se réfugie un paganisme superstitieux. Les dieux indigènes conservent une tenace influence, d'autant plus que la vie municipale, si intense sous l'empire, favorisait les dévotions locales. Elles revêtent souvent l'aspect d'un fanatisme ardent et quasi bestial. La passion de sainte Salsa, mêlée sans doute d'éléments légendaires, mais qui n'en reste pas moins un précieux document d'histoire, nous décrit sur le vif un sanctuaire païen en tenue de fête dans une petite ville d'Afrique, Tipasa, durant la première moitié du IVe siècle. Voici le temple « plein de danseurs démoniaques, les murs couronnés de laurier, les colonnes toutes vertes sous les guirlandes de myrte et de peuplier, les montants des portes ornés de roseaux, les vestibules fermés par des tentures, les voiles brodés suspendus aux fenêtres; enfin, les prêtres païens, vêtus de costumes luxueux, indécente tenue de fête, promenant de côté et d'autre le regard orgueilleux de leurs yeux farouches ». Le spectacle est celui de la frénésie sacrée la plus échevelée : jeunes gens qui s'amusent à faire mugir des tambours, à hurler de concert, ou qui frappent la terre en cadence,

1. On appelle chronographe de l'an 354 l'auteur anonyme d'une compilation de dix documents historiques, réunis à cette date, mais sans lien entre eux. Le premier est le calendrier officiel de la ville de Rome, écrit par Philocalus qui lui donna son nom. Un véritable calendrier chrétien lui fait pendant dans la même collection, les *Depositiones martyrum*, anniversaires des martyrs honorés à Rome, notre plus ancien martyrologe. Dans la même collection signalons l'importance singulière du *Catalogue* dit *libérien*, liste des papes depuis saint Pierre jusqu'à Libère, et qui sera utilisée par l'auteur du *Liber Pontificalis* au VIe siècle.

2. Ce nom désigne, depuis le XVIe siècle, l'auteur d'un commentaire sur les Epîtres de saint Paul, longtemps attribué à saint Ambroise. L'anonymat est resté très mystérieux : Dom Morin a proposé successivement de le dévoiler en faveur du juif Isaac, accusateur du pape Damase, puis d'un préfet de Rome, enfin d'Evagrius d'Antioche. La grande originalité de cet exégète est qu'il recherche non plus le sens allégorique, mais le sens littéral. « Il expose, il explique, il éclaire tranquillement, dit M. G. Bardy, sans grands coups d'aile et sans éclair de génie. » Voir G. BARDY, art. *Ambrosiaster*, *Suppl. Dict. Bibl.*, col. 225-241.

hirsutes, affublés de peaux de chèvres, dansant et agitant des clochettes; ici, un homme ivre qui vacille; là, un autre qui grince des dents ou qui « écume comme un fou dans les Bacchanales ». La fête s'achève dans l'orgie : « On voyait tous ces païens, çà et là étendus sur le sol; l'un vomissait, l'autre ronflait. » Pareille cérémonie se déroule en l'honneur d'une divinité locale, « dragon de bronze, à tête dorée, aux yeux brillants d'une pierre rouge incrustée ». A supposer qu'il y ait peu d'indulgence dans cette description réaliste esquissée par une plume chrétienne, on peut croire qu'elle donne une impression exacte.

Des sanctuaires tels que celui de Tipasa restent nombreux, surtout en certaines régions. Tandis que dans l'Italie centrale et méridionale la superstition est combattue avec vigueur par un épiscopat assez dense, l'Italie du Nord, où les sièges sont encore clairsemés, demeure le refuge du paganisme rural : ne verra-t-on pas en 397 les missionnaires de l'évêque de Trente martyrisés pour avoir défendu un chrétien contre des idolâtres qui voulaient immoler ses bœufs pendant la procession des ambarvalia? En Afrique, les indigènes non assimilés sont demeurés réfractaires à l'évangélisation en même temps qu'à la romanisation. Conservateurs par tempérament, les Espagnols se cramponnent au vieux culte : les grandes villes mêmes, telles que Cordoue, Cadix, Barcelone ou Tarragone, possèdent encore de nombreux temples. En Gaule confluent de multiples paganismes : dieux romains importés par la conquête, dieux indigènes latinisés ou gardant leur physionomie propre, divinités orientales, Mithra, Isis, la Grande Mère. Les campagnes sont le refuge de superstitions tenaces que combattra le zèle hardi de saint Martin. D'une façon générale, le paganisme est beaucoup moins fort en Orient, d'où souvent l'ont expulsé des prêtres visiteurs et des évêques de campagne. Il ne conserve une position puissante que sur le littoral palestinien et en Phénicie, berceau des cultes naturalistes.

Somme toute, la persistance du paganisme est un fait complexe qu'on ne peut schématiser en quelques lignes : conservatisme littéraire et patriotique dans les hautes classes, superstition dans la plèbe.

A déraciner le paganisme rural, travailleront les missionnaires : un saint Martin dans les campagnes gauloises, un saint Jean Chrysostome en Phénicie et en Gothie, et leur zèle infatigable se heurtera au fanatisme de ces paysans. Par contre, l'opposition violente a cessé d'ordinaire entre chrétiens et païens lettrés. Le large syncrétisme monothéiste de ces derniers favorisait les rapprochements; la politesse mondaine exigeait la tolérance, sans compter que le jeu des alliances rendait souvent frères par le sang ceux qui ne l'étaient pas encore par les croyances. A la fin du siècle, les exemples s'offriront encore, tels que celui d'une Laeta, épouse d'un Toxotius qu'elle a amené au christianisme, mais fille du pontife païen Albinus : « Qui le croirait, écrira saint Jérôme attendri, que la petite-fille du pontife Albinus naîtrait d'un vœu de sa mère; qu'en présence de son aïeul ravi, l'enfant balbutierait l'alleluia du Christ, et que le vieillard réchaufferait dans son sein une vierge de Dieu? Nous avons d'heureuses espérances. Une sainte et fidèle maison sanctifie le seul infidèle qui s'y trouve. Il est déjà le candidat de la foi celui qu'environne une troupe de fils et de petits-fils chrétiens. » (*Epist.*, CVIII.)

N'exagérons point cependant. Les divergences restent foncières entre syncrétisme monohéiste et christianisme. Voyez combien elles s'affirment partout : en théologie où le plus épuré paganisme n'aboutit qu'au terme vague de « divinité » et à l'idée néo-platonicienne d'un principe premier transcendant au monde tandis que le christianisme donne au Père un caractère personnel et vivant; dans le culte aussi, où le paganisme maintient sacrifices sanglants, oracles, divination; en morale encore, où l'idée néo-platonicienne de la purification n'est qu'une aspiration d'orgueil, dont reste exclu cet aveu d'un monde corrompu sur quoi reposent nos concepts fonciers du péché originel et de la grâce nécessaire; en exégèse enfin où les païens emploient sans doute ce même allégorisme cher aux chrétiens gnostiques, mais en l'appliquant à de tout autres textes, et avec des intentions absolument différentes.

II. La religion de Julien. — Le successeur de Constance, son neveu Julien, allait accentuer cette opposition jusqu'à l'hostilité. Sans doute, ce fils de Jules Constance reçut-il une éducation chrétienne, mais l'enseignement qui lui fut imposé de sept à douze ans par Eusèbe de Nicomédie, puis à Macellum par des prêtres, n'était autre que l'arianisme officiel, doctrine sèche et contentieuse, toute syllogistique, et dont l'amour rédempteur demeurait banni. Au surplus ces professeurs même, prélats de cour, ambitieux, intrigants, haineux envers leurs frères ennemis, ne lui donnaient pas une haute idée de la morale chrétienne. Derrière eux se profilait la silhouette autoritaire de l'empereur Constance, aux mains ensanglantées du sang de ses proches. Pareille Église, déchirée et divisée, ne pouvait lui apparaître comme une école de charité et de respect. Sans doute, ses écrits prouvent-ils qu'il prit un certain contact avec le christianisme, mais vague, superficiel. S'il lut diverses parties de la Bible, ce ne fut que pour y trouver barbarie et grossièretés. « Brouillards, ignorance, fausseté, ténèbres, maladie, fumée, saleté, suie, superstition, fourberie, souillure de l'âme et du corps », autant de termes qui lui semblent caractériser au mieux la religion de son enfance. Il déclarera plus tard « que jamais aucun homme ne saurait devenir chez les chrétiens courageux et honnête ».

Par contre, l'hellénisme opéra sur lui une séduction esthétique et sentimentale. Son professeur de belles-lettres lui montra toute l'enivrante poésie de la mythologie grecque où s'entremêlent dieux puissants, déesses charmantes, héros pleins de noblesse et de magnanimité. Ainsi son âme sensible s'imprégna-t-elle d'un paganisme littéraire, la religion d'Homère. La Grèce devint pour lui la Terre Sainte. Combien lui paraissaient incultes par comparaison ces écrivains judéo-chrétiens, ces « galiléens » sans prétention et sans style. Avec la pédanterie d'un jeune hellène, formé par une éducation artificielle et toute livresque, il les dédaignait profondément, se drapant dans le manteau des philosophes, plus précieux à ses yeux qu'un diadème impérial.

Ce n'était là encore qu'une préparation. Le voilà bientôt qui entre en contact avec le néo-platonisme théurgique auquel l'initie surtout Maxime d'Éphèse : occultisme, pratiques secrètes, mystères, divination opèrent sur lui un charme troublant; il s'imagine communiquer directement avec l'Invisible, appréhender les choses de l'au-delà. Comment le christianisme qu'il trouvait si ennuyeux et si grossier, eût-il pu résister à ces morbides enchantements?

Julien l'Apostat. — *SOURCES* : Bidez et Cumont, *Juliani opera*, éd. de l'Association G. Budé, 1922-1924. — Boulenger, *Remarques critiques sur le texte de l'empereur Julien;* et *Essai critique sur la syntaxe de l'empereur Julien*, Lille, 1922. — *TRAVAUX* : P. Allard, **Julien l'Apostat,* 3 vol., 1900-1903. — G. Negri, *L'imperatore Giuliano l'Apostata,* Milan, 1902. — J. Geffeken, *Kaiser Julianus,* Leipzig, 1914 (collection *Das Erbe der Alten*). — M. W. Douglas Simpson, * *Julian the Apostate,* Aberdeen, 1930. — J. Viteau, *art. *Julien l'Apostat*, dans *Dict. Théol.* — Dom Leclercq, art. *Julien l'Apostat*, dans *Dict. Archéol.* — J. Bidez, *La vie de l'empereur Julien,* 1930. — P. de Labriolle, **La polémique antichrétienne de l'empereur Julien. R. Q. H.*, oct. 1930, p. 257-304.

Aimant le secret, l'intrigue, Julien, converti au paganisme, continua à pratiquer la religion du Galiléen, et jusqu'à affecter les dehors monastiques. En réalité, il se croit désormais, pour réorganiser le paganisme, l'instrument des dieux. Dans son mysticisme maladif, il les voit qui préparent sa marche vers le trône et qui triomphent de ses hésitations : ainsi, à Milan, quand il doit être proclamé César, le menacent-ils de mort, s'il ne leur obéit; ainsi, à Paris, quand ses troupes lui décernent le titre d'Auguste, le génie de l'Empereur lui

JULIEN L'APOSTAT.
Musée du Capitole.

apparaît qui lui enjoint d'accepter, sous peine de la disgrâce divine; et encore, au moment de marcher contre Constance, il ne s'y décide qu'après un sacrifice offert à Bellone. Son mysticisme confirmé par la victoire, sa passion hellénique de la gloire lui persuadent tout ensemble qu'il deviendra l'émule des grands fondateurs de religion, le vainqueur de Jésus, « misérable Galiléen ». « Très enorgueilli par le succès, dit Ammien Marcellin, Julien se mit à aspirer à plus que l'homme. »

Quelle était donc la croyance du réformateur? Un mélange étrange de polythéisme et de syncrétisme monothéiste. Les dieux d'Homère lui restaient chers; sa piété exubérante et fiévreuse se complaisait à leur offrir des hécatombes multiples, à immoler tout à la fois taureaux, béliers, brebis, oiseaux de toutes sortes. Au surplus, comme nombre de ses contemporains, il écarte les fables obscènes et les rites rebutants grâce à un allégorisme qui mue en transcendances les choses les plus basses. Méthode trop habile, presque scolastique, et qui dépoétisait l'anthropomorphisme hellénique, enlevant aux divinités ces passions humaines qui les rendaient si vivantes, pour les réduire à des entités vagues et inconsistantes, qui prêchent toujours et qui n'agissent jamais. Au moins les anciennes aimaient-elles et mouraient-elles comme nous.

D'ailleurs, le monothéisme solaire l'avait séduit, dont il exposa la théologie dans son discours sur le *Roi Soleil.* On y retrouve cette doctrine de l'émanation, chère aux néoplatoniciens. Au sommet, l'être en soi ou premier principe dont s'épanche d'abord le monde intelligible ou soleil intellectuel, puis son image, le soleil matériel, par qui toute lumière se répand à travers l'Univers.

Mais, avec Jamblique, le néo-platonisme s'était abaissé au niveau de la théurgie et de l'occultisme. Les croyances de Julien en sont tout imprégnées, si bien que, d'après Ammien Marcellin, il était plus superstitieux que religieux. Nul qui aime comme lui fouiller les entrailles des victimes, interpréter les songes, questionner les statues, épier à chaque instant et partout divers présages.

Ce qui reste le meilleur chez lui, c'est la morale. Disciple de Platon et de Diogène, Julien est un honnête homme ; plus que cela, un ascète, qui observe pureté et abstinence, et qui a formulé cette belle maxime : « avoir besoin de très peu, et faire du bien au plus grand nombre. » Mais, dans cette rigidité morale, constatons aussi un manque de mesure, une inaptitude à s'adapter au milieu et aux circonstances, et d'autant plus frappants que Julien se posait en réformateur. Au total, quel mélange morbide chez lui de dilettantisme littéraire, de philosophie émanatiste, de mysticisme, d'occultisme trépidant, d'ascétisme véhément. Si quelque chose l'excuse, c'est qu'il dut être sincère dans ses convictions, ses superstitions et ses haines.

III. La restauration du paganisme. — Se croyant appelé par les dieux à de grandes destinées, Julien va poursuivre un double but : restauration du paganisme et destruction du christianisme.

Il donna aussitôt le signal pour que la vie cultuelle reprît d'une façon intense. « Partout, écrit Libanius, partout des autels et du feu, et du sang, partout l'ardeur et la fumée des sacrifices ; sur le sommet des montagnes retentissent les trompettes sacrées. » « Tous les anciens rites, dit Sozomène, furent remis en vigueur, et chaque ville reprit ses solennités locales. » De même, les oracles recommencèrent à parler. Liturgiste infatigable, Julien pontifie et manie le couteau du sacrificateur.

D'ailleurs, il veut discipliner ce renouveau, en lui imposant le cadre d'une hiérarchie très forte empruntée au christianisme ennemi. Au sommet, le *pontifex maximus* qui n'est autre que l'empereur lui-même : à lui, prédestiné par l'Olympe, la nomination des dignitaires, à lui l'élaboration de la théologie, à lui la solution de la casuistique païenne, bref une puissance sans limite, une infaillibilité dogmatique et morale.

Sous lui, on distinguera un grand prêtre pour chaque province, sorte d'évêque païen, avec juridiction sur les fidèles et les prêtres. Ceux-ci devront réaliser un ensemble de qualités morales et subir toute une préparation théologique : « J'ordonne, dit Julien, de choisir les hommes qui sont les meilleurs dans leurs villes et surtout ceux qui aiment le plus les dieux d'abord, et ensuite le plus les autres hommes... Pourvu qu'un candidat ait l'amour des dieux et du prochain qu'on le nomme prêtre. » Ces clercs réciteront chaque jour tout un office d'une façon décente à quoi les prépareront des écoles instituées dans chaque cité. Leur vie devra être rigide : chasteté conjugale sans doute, mais encore réserve vraiment ecclésiastique, telle qu'elle leur interdira l'accès des théâtres, des jeux, des courses, des cirques.

Pareil extérieur ne sera que le reflet d'une vie religieuse intense alimentée par le sentiment constant de la présence divine. D'après le Nazianzène, Julien voulut même imposer aux siens, avec la discipline pénitentielle de l'Église, sa charité qu'il enviait : « Il serait honteux, disait-il, quand les Juifs n'ont pas un mendiant, quand les Galiléens nourrissent les nôtres avec les leurs, que ceux de notre culte fussent dépourvus des secours que nous leur devons. » Aussi voudrait-il « faire du pauvre aux yeux de ses coreligionnaires un être respectable et attacher à la misère une sorte de caractère religieux ».

Tout ce démarquage, louange indirecte des mœurs chrétiennes, ne pouvait aboutir qu'à un complet échec. Le paganisme était trop satisfait de lui-même, trop frivole, trop mondain, trop vide d'idées théologiques pour réaliser une telle révolution morale. Sans doute la religion officielle fut-elle tout aise de recueillir ces faveurs impériales qui lui rendirent quelque prospérité matérielle, mais rien ne changea pour le fond. Le paganisme pouvait encore entretenir des superstitions, mais non pas des convictions.

IV. La guerre au christianisme. — Contre les chrétiens, Julien entreprend une guerre des plus sournoises. Sans doute se pique-t-il de libéralisme : ainsi autorise-t-il les victimes de Constance à rentrer. Il déploie un amour trompeur de la paix jusqu'à convoquer dans son palais les évêques pour les prier de mettre fin à leurs discordes. Comme des troubles ont éclaté à Bostra entre païens et fidèles, il requiert les populations « de ne pas se mutiner de concert avec les ecclésiastiques, de ne pas jeter des pierres à leur instigation, et de ne pas désobéir aux magistrats ; mais, par contre, de se réunir tant qu'elles voudront et de réciter pour elles-mêmes leurs prières habituelles ».

Pareilles concessions étaient insidieuses. Si, par exemple, Julien rappelait les évêques, c'est qu'il espérait que la liberté accordée « dégénérerait en licence et accroîtrait les divisions ». Ne savait-il pas, selon l'expression d'Ammien Marcellin, que « les bêtes féroces ne sont pas plus acharnées contre les hommes que ne le sont les uns contre les autres la plupart des chrétiens » ? L'expérience devait lui donner tort, à tel point qu'il revint parfois sur ce geste trop habile : Athanase y gagna un nouvel exil.

Ses vrais sentiments étaient mépris et haine. A ses yeux, « galiléisme » s'opposait à « hellénisme », comme barbarie à civilisation. Il composa un grand ouvrage *Contre les Galiléens*, dont, grâce à la réfutation écrite par saint Cyrille d'Alexandrie, il nous reste d'assez larges extraits. La thèse est posée sans réticence : « Il me semble, dit-il, qu'il convient de montrer à tous les hommes les raisons par lesquelles j'ai été persuadé que la conspiration des Galiléens n'est autre chose qu'une invention humaine, œuvre de malfaiteurs. Elle n'a rien de divin, elle abuse de la tendance de l'âme qui la porte à aimer la fable, la puérilité, l'absurde, et elle a fait ainsi du charlatanisme une foi qui croit posséder la vérité. »

Pareille entrée en matière nous montre quelle est la nuance de cette polémique ou plutôt son manque de nuance. Elle repose sur une déformation grossière d'une religion aussi idéaliste que le christianisme. Au surplus, qu'on ne s'attende pas à une grande originalité : l'argumentation de Julien n'est le plus souvent qu'un démarquage de Celse ou de Porphyre D'après lui, tout juste bon à séduire servantes et esclaves, le christianisme fut répandu par des maîtres fourbes : un saint Paul « surpassant tous les imposteurs qui ont jamais existé », un saint Jean qui, le premier, accrédita l'idée de la divinité du Christ. Quelle puérilité inouïe dans les rites chrétiens : le baptême, en particulier, « dont l'eau ne peut guérir ni la lèpre, ni les dartres, ni l'hydropisie, ni la dysenterie, ni aucune maladie grande ou petite, mais qui efface le vol, l'adultère, et toutes les fautes de l'âme ».

Même méconnaissance, et plus révoltante, de la moralité chrétienne : le *Sermon sur la montagne* ne fera jamais que des hommes efféminés, incapables et serviles : « Tandis, conclut l'empereur, que, grâce à notre éducation, même avec des aptitudes médiocres, on devient meilleur, de chez vous il ne peut sortir ni un homme de cœur, ni un sage... Si les jeunes gens que vous appliquez à la lecture de vos Livres Sacrés, arrivés à l'âge mûr, valent mieux que des esclaves, je consens à passer pour un maniaque et un insensé. » Comment un homme imbu d'hellénisme a-t-il pu manquer ainsi de mesure?

Au moins la haine, guide très sûr, lui montrait-elle que le paganisme n'avait plus chance de triompher par le chevalet et la morsure des bêtes, mais que la lutte était avant tout intellectuelle. Aussi résolut-il de porter le combat sur le terrain scolaire. Son programme fut net : école unique, monopole païen. Une première loi décréta que maîtres et professeurs seraient proposés par le sénat local, mais que l'acceptation définitive dépendrait de l'empereur, ce qui équivalait à écarter *a priori* tout candidat chrétien. Bientôt, un second édit interdisait sans ambage l'enseignement à tous les chrétiens. Le sectarisme scolaire fut toujours insidieux dans ses sophismes : Julien prétendait qu'il est absurde et immoral de « tenir école de ce qu'on croit mauvais » ; comment les pédagogues galiléens pourraient-ils faire admirer Homère sans croire aux dieux d'Homère?

Nombre de professeurs quittèrent leur charge. Plusieurs voulurent répondre au défi de Julien qui les renvoyait dans leurs églises « interpréter Matthieu et Luc » : ils composèrent une bibliothèque de classiques chrétiens Les Appolinaires, père et fils, rédigeront toute une série d'ouvrages pour adapter l'enseignement aux fidèles ; ainsi une *Grammaire* aux exemples tirés de l'Écriture, une *Archéologie hébraïque*, poème en vingt-quatre chants où se déroulait, à la manière homérique, l'histoire sacrée depuis la Création jusqu'aux Rois ; ainsi encore des *Dialogues,* calqués sur ceux de Platon et empruntés aux Épîtres et aux Évangiles; sans compter des poèmes à la Pindare, des comédies telles que celles de Ménandre, des tragédies à la manière d'Euripide. Composition à la fois brusquée et artificielle, mais qui n'en témoigne pas moins la vitalité des lettres chrétiennes.

Au fond — et Socrate l'affirme positivement — la jalousie avait dicté cette décision de Julien autant que le sectarisme : il éprouvait un dépit haineux à voir quel talent varié déployait un Apollinaire, quel don d'éloquence un Basile ou un Grégoire de Nazianze. Aussi, il faut entendre les protestations indignées de celui-ci. « N'y a-t-il donc d'autre hellène que toi? » écrivait-il exaspéré à l'Apostat. « Comment prouveras-tu que les lettres t'appartiennent, et même si elles t'appartiennent, pourquoi ne nous serait-il pas permis d'y avoir part? » Et fièrement, le Nazianzène revendiquait « cette qualité de chrétien nullement incompatible avec celle d'hellène ». Au lendemain de la mort du persécuteur, il écrira deux discours qui seront comme deux stèles commémoratives du crime impérial (στηλευτικος λογος). « Il a voulu nous interdire de parler attique; il n'a pu nous empêcher de parler vrai... Nombreux et graves sont les motifs qui ont mérité à Julien la haine, mais sur aucun point il ne se montre plus inique. Qu'avec moi s'indignent tous ceux qui aiment les lettres et s'attachent à leur destinée : je suis de ce nombre, je ne saurais le nier. J'ai abandonné à qui le voulait tout le reste, richesse, noblesse, gloire, puissance...; c'est aux lettres seules que je m'attache, et je ne regrette rien des fatigues endurées sur terre et sur mer pour les conquérir. Plaise à Dieu que moi et tous mes amis nous les possédions dans toute leur rigueur : car c'est ce que j'ai aimé et que j'aime par-dessus tout, cela seul excepté qui doit tenir la première place, je veux dire les choses divines et les espérances du monde invisible... » (*Contra Julianum*, I, 100.)

Ainsi, l'œuvre d'Apollinaire et les protestations du Nazianzène révèlent-elles un humanisme chrétien qui, après avoir longtemps cherché sa voie, s'épanouit avec assurance et affirme qu'il ne veut pas mourir. La persécution scolaire de Julien nous découvre un horizon littéraire jusque-là indécis, une civilisation digne maintenant de porter un nom nouveau. Qu'est-ce, en effet, que le byzantinisme classique? C'est l'hellénisme antique, mais christianisé. Et voilà du même coup ce mot trop décrié réhabilité, ou tout au moins susceptible d'un sens sympathique.

Julien en vint-il jusqu'à la persécution proprement dite? Non, pas directement, mais son prosélytisme et ses tracasseries y aboutiraient parfois. Ainsi travailla-t-il à une épuration administrative et militaire. Au contraire de Constance qui légiférait contre le paganisme et laissait en charge ses adeptes, Julien, tout en prétendant à un large libéralisme, exclut les chrétiens des magistratures : « Il faut leur préférer, disait-il, les hommes qui respectent les dieux, et cela en toute rencontre. » Il croyait spirituel le prétexte que c'était leur faire pratiquer la lettre même de l'Évangile : celui-ci ne leur demande-t-il pas « de vivre en dehors des choses de ce monde, de ne pas combattre, de ne pas se servir de l'épée, de ne pas juger, de ne rien posséder en propre, de présenter la seconde joue à qui frappe la première? » Beaucoup de fonctionnaires, en effet, préférèrent se démettre plutôt que se soumettre. D'autres apostasièrent qui, dans un milieu déjà imprégné de christianisme, se mirent au ban de la société. Astère d'Amasée les représente « portant un stigmate au front et errant dans les villes comme des objets d'horreur. On les désignait du doigt comme des traîtres qui avaient renié le Christ pour un peu d'argent. Le nom de prévaricateur s'imposait sur eux, comme des chevaux sont marqués au fer rouge ».

Même épuration dans l'armée où les officiers se virent en demeure de sacrifier et d'abjurer le christianisme. Parmi les réfractaires on compta Jovien, Valentinien et Valens, les futurs empereurs.

Julien alla plus loin. Il voulut que les temples démolis par les fidèles fussent reconstruits à leurs frais, que les biens distribués aux Églises par Constantin et ses fils fussent rendus au fisc et attribués aux municipalités, de même les pensions jadis affectées sur les listes officielles aux vierges et veuves chrétiennes. On pense bien que pareils ordres ne s'exécutèrent pas sans troubles et sans excès.

La fermentation s'accrut après les fameux événements d'Antioche. Là, quand, aux portes de la ville, Julien voulut restaurer l'ancien culte d'Apollon dans le bois sacré de Daphné, et qu'il en expulsa d'abord les reliques de saint Babylas, leur translation prit l'allure d'une procession triomphale; au tyran elle parut si provocante qu'il ordonna de nombreuses arrestations. Peu après, le feu prit au temple de Daphné, et bien que l'enquête n'eût abouti à aucun résultat, Julien rendit les fidèles responsables. A Antioche, où la révolte grondait, il ordonna seulement de dépouiller et fermer la Grande Église. Par contre, il fit détruire les chapelles élevées à Milet en l'honneur des martyrs. Sur eux il vengeait Apollon, qui n'avait pu triompher de saint Babylas à Antioche.

Un retour de fanatisme païen fut marqué alors par des violences en Syrie et en Égypte. Profanations et massacres attristèrent diverses villes, notamment Alexandrie, Gaza, Héliopolis, où des vierges furent insultées et taillées en pièces, Aréthuse où l'évêque Marc, refusant de rebâtir à ses frais le temple d'Apollon, subit mille tortures, au point que les enfants se le renvoyaient comme une balle sur la pointe de leurs stylets à écrire et que son corps, enduit de miel, fut exposé sanglant aux piqûres des guêpes. Loin de rétablir l'ordre, Julien disait en ricanant : « Ces Galiléens devraient se réjouir : la loi de l'Évangile ne leur ordonne-t-elle pas de souffrir les maux que Dieu leur envoie ? »

Aux païens, Julien voulut associer les Juifs dans la guerre contre les chrétiens. D'où cet édit ordonnant la reconstruction du Temple à Jérusalem, et qui suscita l'enthousiasme parmi les fils d'Israël. Les dons volontaires se multiplièrent. On vit des femmes donner des bêches et des pioches en argent pour l'œuvre sainte, ou bien servir en grande toilette des ouvriers et emporter la terre dans les plis de leur robe. Mais une série de mouvements sismiques jetèrent le désarroi parmi les travailleurs (362-63) ; un phénomène plus étrange — l'apparition de globes enflammés sortant du sol autour des fondations — acheva de ruiner le projet sectaire.

Ce fut bientôt à Julien d'être châtié. Dans une campagne contre Sapor, roi des Perses, il dut battre en retraite et reçut une blessure mortelle (26 juin 363). La légende lui prête à cette heure dernière un geste théâtral ; il aurait crié vers le ciel ces paroles de haine : « Tu as vaincu, Galiléen ! » En tous cas, elles résument bien les résultats de la restauration païenne tentée par Julien. Désordres locaux, souffrances individuelles, voilà à quoi tout cet effort avait abouti. L'Apostat comparait les travaux de Constantin à ces jardins d'Adonis que les femmes syriaques formaient le matin en plantant dans un vase des fleurs coupées, flétries dès le soir faute de racines. Telle fut bien plutôt son œuvre à lui. Sans représailles, par un simple édit rétablissant la liberté religieuse, la situation se trouva telle qu'auparavant. L'intermède païen était terminé. Julien était venu trop tard dans un monde trop vieux, ou plutôt dans un monde rajeuni, et qui, selon la forte expression de Chateaubriand, ne voulait plus « se laisser rabougrir ».

CHAPITRE IV

LA VICTOIRE DE L'ORTHODOXIE (360-380).

I. Le ralliement : Alexandrie et Tyane. — Lorsque Constance mourut en 361, entouré des adulations des prélats de cour, couvert des anathèmes et invectives d'Hilaire et de Lucifer, les convictions apeurées reparurent. Dédaigneux des querelles trinitaires, Julien laissa rentrer les évêques exilés : il restaura la liberté de pensée.

En Occident, conduite par les prélats qui n'avaient point failli, Eusèbe de Verceil, Lucifert de Cagliari, Hilaire, la réaction nicéenne gagna rapidement. Dès 360, en Gaule où l'on consultait Hilaire, un concile de Paris excommunia Saturnin d'Arles, qui jadis avait voulu dicter à ses compatriotes la théologie du prince. Une profession fut rédigée d'une précision impeccable : « Entre le Père et le Fils, disait-elle, il y a unité de substance et non pas union de volontés (*ut non unio divinitatis, sed unitas*). Fils né du Père, le Christ est Dieu issu de Dieu, Vertu issue de Vertu, Esprit issu d'Esprit, Lumière issue de Lumière. » Pour que nul n'en ignorât, ces formules furent envoyées aux Églises d'Orient comme une répudiation de l'œuvre de Rimini.

A Rome, Libère, qui y était resté étranger, pouvait en condamner les décisions « par un décret général adressé aux provinces ». Mais, inflexible sur la doctrine, il se montra miséricordieux pour les hommes : aux faillis il suffirait qu'ils souscrivissent le *Nicaenum*. Sous l'influence de cette orthodoxie charitable, l'Occident revint en masse : au fond, les arguties ariennes n'y avaient jamais obtenu que des recrues forcées. Constance mort, tout le monde retrouvait le courage de penser juste.

La résistance ne fut vive qu'à Milan où l'arien Auxence tint tête à Hilaire qui avait passé les Alpes pour le réfuter. Auxence en appela au nouvel empereur Valentinien, alléguant les décrets de Rimini toujours en vigueur. A son tour Hilaire dénonça Auxence comme un blasphémateur. Pour tout dirimer, l'empereur décida que les adversaires s'affronteraient en réunion contradictoire devant un comité où figureraient deux hauts fonctionnaires et dix évêques. Auxence s'en tira par la plus habile des dérobades, proposant une formule de foi où, selon la ponctuation, le Verbe était dit soit vrai Dieu, soit vrai fils au sens arien (*natum ex Patre Deum verum, Filium* qu'Auxence écrivait *Deum, verum filium*). Empereur et commissaires n'y virent qu'orthodoxie, et, à la pensée qu'Hilaire n'avait pas qualité pour faire en Italie la police de la foi, ils le prièrent de regagner la Gaule. Dans un pamphlet, le *Contra Auxentium*, Hilaire réfuta une dernière fois le *Credo* ou plutôt le « blasphème » de son adversaire. Au moins, cette intervention obligea-t-elle Auxence à masquer la crudité de son arianisme et prépara-t-elle l'avènement de l'orthodoxie à Milan en 374.

A Alexandrie, les fidèles s'étaient débarrassés sommairement de l'intrus Georges, en le massacrant. Le 21 février 362, Athanase y rentrait aux acclamations de tout un peuple. Il réunit aussitôt un concile, petit par le nombre — rien que vingt et un membres, égyptiens ou libyens pour la plupart — mais dont les décisions eurent un retentissement considérable. Envers les personnes, cette même indulgence prévalut, que patronaient Hilaire en Gaule, et Libère à Rome : les faillis de Rimini n'auraient qu'à souscrire la foi de Nicée, y compris la divinité du Saint-Esprit, rien de plus. Il n'y eut d'exception que pour les meneurs, réduits à la communion laïque : ne pouvait-on craindre, en effet, qu'après tant de manœuvres et palinodies sous le précédent règne, ils ne fussent prêts à recommencer ?

Quant à la doctrine, le concile s'appliqua à dissiper le malentendu lexicologique qui était pour une bonne part dans toutes les controverses. Tandis que les Grecs employaient le terme hypostase (ὑπόστασις) dans le sens de personne et qu'ils concluaient à trois hypostases en Dieu, à l'ordinaire, les Latins faisaient ce mot synonyme de substance : ainsi à Nicée et à Sardique [1]. De là, certaines accusations réciproques, les Latins soupçonnant les Grecs d'entendre par « trois hypostases » trois natures, autrement dit trois Dieux, bref l'arianisme le plus provocant ; les Grecs, par contre, s'imaginant que les Latins voulaient dire par « unique hypostase » une seule personne, bref le sabellianisme le plus catégorique. Athanase résolut d'y faire la lumière une bonne fois. A ses interrogations, les premiers répondirent que s'ils disaient « trois hypostases », « c'est qu'ils croyaient à la Sainte Trinité, pas de nom seulement, mais réelle et subsistante, le Père véritablement existant et subsistant, le Fils substantiel et subsistant, l'Esprit-Saint subsistant et réellement existant » : ainsi, contre le sabellianisme mettaient-ils l'accent sur l'individualité des trois personnes, sans détriment de l'unique divinité. De même, les seconds spécifieront : « Nous parlons d'hypostase parce que nous identifions l'hypostase et la substance ; nous disons hypostase parce que le Fils est de la substance du Père, et à cause de l'identité de nature » : ainsi faisaient-ils échec à toute conception arianisante. Chacun se gardait donc contre un ennemi différent, mais sauve l'orthodoxie.

Pareilles explications tendaient à réconcilier ceux que séparait surtout un conflit de mots. Désormais, on pourrait dire « trois hypostases » sans passer pour hérétique. C'était la deuxième avance faite par Athanase aux orthodoxes d'intention : comme il avait glosé jadis l'homoïousios des Basiliens, ainsi maintenant les « trois hypostases » des Orientaux. En vain, derrière ces concessions verbales chercherait-on — comme on l'a fait parfois — des concessions doctrinales. Le *Nicaenum* restait intégral ; les manières de l'exprimer se multipliaient pour la convenance de chacun et la paix de tous.

Tels furent les résultats du concile d'Alexandrie qui, consignés dans le *Tome aux Antiochiens,* étaient de nature à rétablir l'union en Orient ; on pouvait du moins l'espérer.

1. L'anathème joint au symbole de Nicée condamne ceux qui disent que le Fils est d'une autre hypostase ou essence que celle du Père (ἐξ ἑτέρας ὑποστάσεως ἢ οὐσίας). A Sardique, les Pères rédigent un mémoire, où reprenant ces deux termes, ils en soulignent la synonymie, répètent plusieurs fois l'expression « une seule hypostase divine » et anathématisent ceux qui y contredisent ; manœuvre peu adroite qui pouvait aggraver contre les Nicéens les soupçons de sabellianisme. Aussi, en 362, Athanase désavoue-t-il « le chiffon de Sardique », document sans autorité, tout juste bon à créer des quiproquos et à entretenir la désunion.

Par le rappel des évêques exilés, Julien avait voulu aviver les mésententes. Athanase pacificateur déjouait ses calculs. L'Apostat manda au préfet d'Égypte d'exiler « ce misérable qui avait osé, sous son règne, baptiser des femmes grecques de distinction ». Hésitations du préfet qui craignait la colère alexandrine, supplique du peuple, rien n'y fit; Athanase céda presque en souriant. « C'est un nuage qui passe », dit-il à la manière d'un vieux marin qui a vu d'autres tempêtes. Le patriarche connut à nouveau la vie de proscrit, toujours cherché, jamais découvert, bien que parfois frôlé, comme le jour où, remontant le Nil et talonné par la police de Julien, il vira de bord et vint raser la barque ennemie : « Avez-vous vu Athanase ? lui demanda-t-on. — Oui, il n'est pas loin. Ramez ferme. » L'enthousiasme des moines qui l'accueillaient prenait quasi maintenant des proportions d'apothéose. Comment évoquer sa réception dans la Thébaïde : évêques, prêtres et moines rangés sur les deux rives du Nil où résonnaient, avec le chant alterné des psaumes, les acclamations; Athanase monté sur un âne dont l'abbé Théodore tenait la bride, et se rendant vers les cloîtres pachomiens sous l'escorte des moines qui portaient des flambeaux; enfin, à l'heure du départ, les solitaires suppliant « le pape d'Alexandrie » qu'il prie pour eux, et lui, répondant par le verset du psaume où les Israélites captifs à Babylone promettent à Jérusalem l'inviolable fidélité du souvenir : « Si je vous oublie jamais, que mon bras se dessèche et que ma langue s'attache à mon palais. »

Un jour que, voyageant sur le Nil avec l'abbé Théodore et l'abbé Palamon, Athanase leur faisait confidence de ses angoisses, tous deux échangèrent un sourire : « Dites-lui la raison, suggéra le premier. — Non, répondit Palamon, dites vous-même. — Eh bien ! reprit Théodore, sachez qu'à cette heure même Julien a été tué en Perse. Il aura pour successeur un prince chrétien illustre, qui d'ailleurs durera peu. Vous serez mandé près de lui, vous le trouverez en route, et il vous fera bon accueil. » La prophétie était de bon aloi. Après avoir traversé Alexandrie, Athanase se rendit à Antioche auprès du nouvel empereur Jovien (363-64) qui l'assura de sa neutralité bienveillante et auquel il écrivit une lettre pour l'affermir dans la foi de Nicée. L'œuvre pacificatrice du concile d'Alexandrie allait continuer à porter ses fruits.

L'épiscopat homéousien aspirait toujours à l'entente. Présidé par Éleusios de Cyzique, un synode se réunit à Lampsaque où l'on anathématisa l'œuvre de Séleucie et de Rimini (364). Ce mouvement protestataire s'affirma encore en divers conciles asiates, entre autres celui de Smyrne. Il aboutit à l'envoi vers Rome d'une députation où figuraient Eustathe de Sébaste, Silvain de Tarse et Théophile de Castabala. Après avoir manqué Valentinien à Milan, ils furent reçus avec réserve par Libère qui exigea d'eux l'adhésion au *Nicaenum* et le rejet du credo de Rimini. Ces garanties posées, il leur donna une lettre de communion pour les soixante-quatre prélats qui les avaient mandatés, et même « pour tous les évêques d'Orient ». En 366, un synode de Tyane voulut envoyer la lettre de Libère « à toutes les Églises » pour les prier d'adhérer à la foi romaine. On projeta même de réunir à Tarse au printemps de 367 un grand concile où Basile d'Ancyre apparaîtrait comme le chef du parti néo-nicéen et le restaurateur de la paix orientale.

II. La persécution de Valens en Orient. — Il ne convenait pas que pareil résultat fût dû à un homme, somme toute, assez compromis, et à un parti trop hétéroclite où figuraient des éléments douteux et versatiles. La mort subite de Jovien au printemps de 364, l'avènement de Valentinien, un officier de la garde, qui s'associa son frère Valens pour l'Orient, autant d'événements qui changèrent encore une fois la politique religieuse. Tandis que Valentinien, favorable aux catholiques, restait cependant neutre, disant : « Pour moi, à mon rang de laïque, il ne m'est pas permis de me mêler de ces choses », Valens, au contraire, tranchait du théologien. L'évêque de Constantinople, Eudoxe, incarnation agissante de l'homéisme riminien, le gouverna autant que jadis les Illyriens Constance, et fit interdire le concile projeté à Tarse. En 370, Démophile de Bérée lui succéda, partisan des mêmes idées. Les Constantinopolitains lui firent l'accueil qu'il méritait, substituant à l'acclamation ordinaire « Digne ! » celle « d'Indigne ». Il voulut triompher par la manière forte. Comme une ambassade de quelque quatre-vingts personnes, prêtres et laïques, s'était rendue à Nicomédie pour protester auprès de Valens, on les jeta en pleine mer sur un vieux navire auquel on mit le feu.

Une politique religieuse s'affirma alors, simple autant que brutale : aux évêques, on présentait à signer le formulaire de Rimini ; refusaient-ils, les églises leur étaient enlevées ; et s'ils faisaient mine de résister, on les déportait. Régime de terreur, où souvent les temples furent pris d'assaut et profanés, les moines récalcitrants envoyés à la caserne.

En Égypte, Athanase se vit exilé une cinquième et dernière fois : il se réfugia dans la banlieue d'Alexandrie, mais fut rappelé au bout de quatre mois, ce qui lui donna une fois encore l'occasion d'une rentrée triomphale (1er février 366). Athanase était « désormais trop grand pour être persécuté ou protégé par l'Empire ». Il mourra à Alexandrie le 2 mai 373. Vieux lion invincible, il avait affirmé toute sa vie deux choses : l'une que le Verbe était Dieu, l'autre que l'empereur ne l'était pas. Par là, il combattit deux erreurs qui sont non pas de son temps, mais de tous les temps.

Lui mort, Alexandrie n'était plus protégée contre la fureur sectaire de Valens. A Pierre, son frère, désigné à la fois par lui et par le peuple comme patriarche, on opposa l'arien Lucius. Sous le préfet Pallade, on revit les scènes d'horreur qui avaient accompagné jadis l'installation de Georges de Cappadoce : l'église de Théonas envahie, les vierges du Seigneur insultées, frappées et deshonorées, un libertin habillé en femme dansant sur l'autel tandis qu'un autre débitait des obscénités du haut de la chaire, des prêtres et des moines exilés les uns à Baalbeck en Syrie, les autres aux mines de Phoeno en Palestine, ou encore à celles de Proconnèse, une île de la Propontide. L'Égypte entière subit la même terreur : adhérer à l'intrus ou subir la destitution, tel fut le dilemme posé à tous les évêques par le comte Magnus. Comme aurait fait Athanase, le patriarche Pierre se réfugia auprès du pape Damase à Rome, où il écrivit le récit de ces violences.

Sur les autres Églises nous possédons moins de détails, mais on entrevoit que les rigueurs n'y furent pas moindres. A Antioche, le patriarche Mélèce, autre habitué de l'exil, fut chassé pour la troisième fois. Pour les catholiques persécutés, nulle autre ressource que de s'assembler dans les champs : d'où le nom de campagnards qu'on leur donna (*campenses*).

Saint Basile. — *SOURCES : P. G.*, XXIX-XXXII. — *TRAVAUX :* P. Allard, * *Saint Basile* (coll. *les Saints*), 1899 ; *Basile* (saint), dans *Dict. Théol.* — P. Batiffol, * *Le Siège apostolique*, 1924. — F. Cavallera, * *Le schisme d'Antioche*, 1905. — Wittig, *Leben des hl. Basil. d. Gr.*, Fribourg en B., 1920. — J. Rivière, *Saint Basile* (coll. *les Moralistes chrétiens*), 1925. — Bessières, * *La tradition manuscrite de la correspondance de saint Basile*, Oxford, 1923 (paru d'abord en six articles dans le *Journal of theological Studies* de 1919 à 1922).

En Asie Mineure, saint Basile de Césarée incarna la résistance intrépide et calme. Deux femmes avaient eu sur sa formation une influence considérable : l'une, sa grand'mère, Macrine l'ancienne, qui, durant la persécution de Dioclétien, avait vécu avec son mari, réfugiée dans les bois, et qui, disciple de saint Grégoire le Thaumaturge, lui transmettait la tradition héroïque; l'autre, sa sœur aînée, Macrine la jeune, qui, le voyant, au sortir des écoles de Constantinople et d'Athènes, tout exalté par l'éloquence des rhéteurs, ces « professeurs du dehors », l'amena à renoncer à toute célébrité mondaine pour adopter cette vie ascétique dont il alla contempler d'abord en Égypte et en Syrie les modèles prodigieux, et qu'il mena ensuite lui-même sur les bords de l'Iris, dans un vallon arrosé par les eaux de la montagne, et comme clôturé par une forêt aux arbres multiformes. Il en sortit pour devenir en 362 prêtre, puis dès 370 évêque de Césarée.

En ces régions, il personnifiait l'orthodoxie. Il tint tête à tous les agents de l'homéisme qui vinrent le relancer : d'abord à une députation d'évêques galates conduits par le savant Évippius, jadis son ami; ensuite au préfet Modestus qui se plaignit que personne jusqu'alors ne lui eût opposé pareil langage, et auquel il répondit que c'était sans doute qu'il n'avait jamais rencontré un évêque. Il résista à Valens lui-même que tint en respect l'urbanité de ses procédés et que terrifia aussi le courroux divin, manifesté d'abord par la perte d'un fils unique, puis par un spasme convulsif de la main prête à signer l'arrêt d'exil (371-372).

La persécution sévit encore en d'autres endroits : « nuage de grêle, ouragan qui dévaste toute Église, sur laquelle il s'abat », dira Grégoire de Nazianze qui ne traite aucun sujet sans comparaisons ni poésie. Vicaire de la Cappadoce et du Pont, ancien gâte-sauces, dont Basile avait souligné un jour devant l'empereur un barbarisme d'expression, Démosthène se vengeait en chassant de Nysse Grégoire, frère de Basile, sous prétexte de malversations (376). De même, on exilait Eusèbe de Samosate, Hypsis de Parnasse, Euphrone de Nicopolis. Basile a évoqué dans ses lettres la misère navrante des régions délaissées : prêtres et diacres en fuite, églises fermées, autels à l'abandon. Plus de sermons ni de solennités. Pour les remplacer, des attroupements en plein vent. « Les populations, écrit-il, ont abandonné les maisons de prières et se rassemblent dans les déserts. Spectacle pitoyable : des femmes, des enfants, des vieillards, tous ceux qui sont faibles de quelque autre manière, exposés aux pluies les plus violentes, à la neige, aux vents, à la glace de l'hiver, ou tout aussi bien, en été, à l'ardeur du soleil. Et tout cela, ils le souffrent pour n'avoir pas voulu du mauvais levain d'Arius » (*Epist.*, 242).

Seuls cédèrent sous la tempête plusieurs prélats homoïousiens dont la foi inconsistante pouvait s'infléchir jusqu'à l'homéisme. Ainsi Eustathe de Sébaste, personnage protéiforme que saint Basile nous a décrit dans ses multiples variations : tour à tour arianisant, basilien, rallié aux formules de Séleucie-Constantinople, catholique repentant à Lampsaque, à Rome devant le pape Libère, puis à Tyane, maintenant signataire à Cyzique d'une profession homéenne telle que la voulait Valens. Entre lui et Basile une vieille amitié existait que celui-ci eût voulu sauver : l'évêque de Césarée vénérait en celui de Sébaste un maître d'ascétisme qui avait guidé sa jeunesse monastique[1]. Il voulut le ramener à l'orthodoxie.

1. Eustathe et ses disciples versèrent d'ailleurs dans une espèce d'encratisme, condamnant l'union conjugale, prohibant parfois l'usage de la viande et jeûnant le dimanche; bref entendant présenter l'ascétisme comme obligatoire. Le concile de Gangres en Paphlagonie (vers 340) dénonça leurs erreurs dans son *Libellus synodicus* et contre

En vain Théodote de Nicopolis mit-il Basile en garde. « Eustathe, répliqua-t-il, que j'ai connu ennemi du mensonge au point d'en avoir horreur jusque dans les choses les plus légères, oserait-il trahir la vérité dans une affaire d'une telle importance? J'irai le voir, je lui proposerai une formule de la vraie foi, et, s'il la souscrit, je demeurerai dans sa communion; s'il refuse, je me séparerai de lui à mon tour » (*Epist.*, 99, 5).

Basile fit signer à Eustathe une formule nicéenne que celui-ci désavoua ensuite, poussant la trahison jusqu'à faire circuler des libelles contre son ancien ami et jusqu'à l'accuser d'avoir trempé dans l'erreur christologique d'Apollinaire. Exemple navrant qui montre assez combien la politique religieuse, l'entraînement de la cour, le respect humain, le miroitement des formules fausses pouvaient égarer les consciences même monastiques. Basile resta « muet, frappé de stupeur, devant la profondeur de dissimulation d'Eustathe ». En se rappelant que celui-ci avait été dans sa jeunesse le disciple d'Arius, il écrivit non sans quelque amertume : « L'Éthiopien ne peut changer la couleur de sa peau, ni la panthère les taches de son poil. » Ce fut un de ces effondrements où s'abîment les affections trahies. « Il s'en est fallu de peu, avouait-il, que je prisse en haine le genre humain... Que devais-je penser des autres avec qui je n'avais pas échangé tant et de telles marques d'amitié et, qui ne m'avaient pas donné de pareilles preuves de leur probité? » (*Epist.*, 244.) Le cas d'Eustathe n'est pourtant point une énigme, si l'on se souvient de son passé fluctuant et de la faiblesse de sa volonté intellectuelle, « vrai nuage emporté çà et là par tout vent qui souffle », et à quoi s'opposait l'orthodoxie inébranlable de Basile. Trois ans durant, celui-ci supporta « la flagellation de la calomnie » tant qu'enfin il envoya aux moines de son diocèse une lettre justificatrice qui dissiperait le scandale.

Il était fatal que la pression gouvernementale amenât ainsi des conflits entre protestataires et apostats : celui de Basile et d'Eustathe resta le plus marquant. Au moins, après tant de luttes où les partis s'étaient fractionnés et souvent camouflés, aboutissait-on maintenant, grâce aux décisions du concile d'Alexandrie et à la persécution de Valens, à un antagonisme doctrinal très net : d'une part l'homéisme officiel, d'autre part l'orthodoxie ecclésiastique. Valens périt le 9 août 378 à la bataille d'Andrinople, livrée contre les Goths envahisseurs. Avec lui l'homéisme était frappé à mort.

III. Les schismes occidentaux : Ursiniens et Lucifériens. — Pourtant, durant cette même période, à l'intérieur de l'orthodoxie, diverses scissions s'étaient produites : schisme ursinien à Rome, schisme luciférien en diverses régions occidentales, schisme d'Antioche enfin, autant de mouvements qui accusent l'antagonisme des intransigeants et des modérés, non plus sur une question de dogme, mais sur une affaire de pardon.

A Rome, certains n'avaient pas vu sans protestation Libère gracier les faillis de Rimini. A sa mort, survenue en 306, ces irréconciliables firent acclamer un certain Ursinus, tandis que, réunie à Saint-Laurent in Lucina, la majorité du clergé et du peuple acclamait le diacre Damase. Une lutte suivit où s'entr'égorgèrent les deux partis, tant qu'enfin le préfet

eux édicta des canons, où sont soulignées certaines conséquences des faux principes eustathiens tels que l'abandon des enfants par les parents « sous prétexte d'ascétisme ». Il semble attribuer à l'orgueil ce mouvement rigoriste. « Si un homme revêt le pallium des moines, dit le canon 12, et si, se croyant juste par ce fait même, il méprise ceux qui vivent dans la piété et s'habillent comme tout le monde, qu'il soit anathème. » On ne sait comment finit la secte. Voir S. Salaville, art. *Eustathe de Sébaste* et *Eustathiens*, dans *Dict. Théol.*

de Rome, Viventius, éloigna Ursinus comme intrus. Celui-ci ne ralliait guère, disait-on, que la lie du peuple, « vendeurs de poissons et de trognons de choux ». Pourtant, sept prêtres, ses partisans, continuèrent à tenir des assemblées schismatiques. En vain Damase obtint-il qu'on les expulsât ; délivrés en cours de route, ils se réfugièrent dans la basilique libérienne, où leurs adversaires vinrent les assiéger. Le sang coula encore : d'après Ammien Marcellin, il y eut jusqu'à cent trente-sept morts.

En 367, nouveau retour offensif des schismatiques, nouveaux troubles, nouvelle expulsion de l'antipape par le préfet Prétextat. La basilique libérienne remise à Damase, les derniers ursiniens chassés de l'église Sainte-Agnès, l'ordre sembla rétabli.

Il y avait eu là comme un premier essai de ces compétitions électorales, luttes de partis, sièges de basiliques et batailles de rues, qui donneront à la Rome médiévale son aspect fiévreux et troublé. Le pontificat suprême était devenu une situation enviée qui, en l'absence du pouvoir impérial à Rome, confinait déjà plus ou moins à une demi-souveraineté. « Faites-moi évêque de Rome, disait Prétextat à Damase, et je vous promets d'être chrétien. » Ammien Marcellin s'esclaffait aussi sur le faste du Siège Apostolique : vivre dans les délices, recevoir les présents des dames, être porté sur des chars somptueux, vêtu avec magnificence, servi avec profusion en des festins plus que royaux, voilà quelle était à ses yeux la fonction pontificale.

La médaille avait pourtant son revers. Les ursiniens ne cesseront d'attaquer Damase avec perfidie. Contre lui, ils chargeront un certain Isaac, juif converti, de porter une accusation infamante. L'empereur Gratien évoqua l'affaire et exila le calomniateur en Espagne. Un concile romain, réuni en 378, voulut empêcher le retour de pareils procédés : « L'empereur, dit-il, a examiné la conduite de Damase ; il doit être interdit désormais aux calomniateurs de le traîner devant le magistrat. S'il y a lieu à procès, et que la cause ne soit pas de la compétence du concile, au moins qu'elle soit portée devant l'empereur en personne. » Gratien approuva dans son rescrit au vicaire Aquilinus, tout en laissant le pape en principe sous la juridiction du préfet de Rome. Mais qu'était ce fonctionnaire impérial auprès du successeur de saint Pierre ? Il fallait que celui-ci crût toujours et que l'autre diminuât toujours.

On entrevoit que la question doctrinale fut pour peu de chose dans le schisme ursinien : né sous le signe du rigorisme, il devint surtout un conflit d'ambitions locales. Par contre le schisme luciférien demeura essentiellement un groupement d'irréductibles.

Lucifer de Gagliari s'était contenté de se faire représenter au concile d'Alexandrie où l'invitait Athanase : il en rejeta les conclusions miséricordieuses. On connaît l'homme, ses outrances de style — nous oserions à peine dire de pensée. « Pour l'intrépidité du courage et la ténacité de l'orthodoxie, a dit Gwatkin, il pouvait rivaliser avec Athanase lui-même. Mais il desservait toute cause par son étroitesse partisane et par son emportement inouï. Rien en lui de la discrétion et de la distinction helléniques, rien de cet esprit d'amour

Lucifer. Le schisme d'Antioche. — *SOURCES:* Œuvres de Lucifer dans *P. L.*, XIII, 691-1042. — *TRAVAUX :* E. AMANN, *art. *Lucifer* et art. *Mélèce d'Antioche,* dans *Dict. Théol.* — CAVALLERA, **Le schisme d'Antioche*, 1905. — BATIFFOL, **Le Siège Apostolique,* 1924. Sur la question des fraudes littéraires dont se seraient rendus coupables des lucifériens : L. SALTET *La formation de la légende des papes Libère et Félix,* dans *Bull. litt. eccl.,* 1905, p. 225-226 ; *Fraudes littéraires des schismatiques lucifériens, ibid.*, 1906, p. 320-326; *Les lettres du pape Libère de 357, ibid.,* 1907, p. 279-283.

qui évite les offenses, même à l'égard des frères tombés. L'indignation suppléait chez lui à l'éloquence, et le bon sens lui-même s'y trouvait noyé par un torrent d'injures vulgaires et de déclamations sans fin. Il condescendait à peine à raisonner, à peine à définir sa propre foi, mais prenait satisfaction à lancer les foudres de la damnation. »

« Pas de pardon pour ceux qui ont péché », tel est le titre donné jadis à l'un de ses ouvrages; il adoptait maintenant ce principe à l'égard des faillis de Rimini. Rentré dans son île de Sardaigne, et de connivence avec l'espagnol Grégoire d'Elvire, qui était venu l'y retrouver, il posa cette inflexible ligne de conduite : ne pas admettre à la communion les évêques prévaricateurs, qui ont perdu tout caractère épiscopal, mais les ramener définitivement au rang des laïques. Pareille conception n'impliquait-elle pas les mêmes erreurs foncières et les mêmes conséquences désastreuses que le donatisme? Saint Jérôme, dont l'ironie aime à tirer d'une hérésie toutes les conséquences paradoxales et impratiques qu'elle comporte logiquement, conseillait aux Lucifériens de réitérer tous les baptêmes administrés par des évêques faillis; à quoi, d'ailleurs, ils n'eurent garde de se résoudre à l'ordinaire.

Heureusement, parmi les Occidentaux, une telle mentalité demeurait exceptionnelle. Il ne se forma guère que quelques chapelles lucifériennes, que nous révèle le *Libellus precum*, rédigé par deux prêtres de la secte pour obtenir la protection impériale. Lucifer en Sardaigne, Grégoire d'Elvire en Espagne groupèrent quelques évêques intransigeants. A Rome, il y avait un prélat luciférien nommé Aurèle dont le successeur Ephesius alla faire de la propagande en Orient. Le pape Damase procéda contre ces schismatiques avec son habituelle vigueur : il les dénonça à la police. Une nuit qu'il officiait, le prêtre Macaire fut arrêté, traîné par les rues, jugé sommairement et condamné à la déportation, émotions trop fortes dont il mourut en arrivant à Ostie. En Orient, l'évêque Ephesius fit une recrue d'élite, la vierge Hermione, qui présidait un monastère à Eleuthéropolis, où jadis Lucifer avait vécu en exil; il laissa à cette communauté les prêtres Faustin et Marcellin, contre lesquels l'évêque catholique Turbo ne tarda pas, lui aussi, à sévir. C'est alors qu'ils rédigèrent le *Libellus precum* aux empereurs. Le gouvernement leur reconnut le droit à l'existence sous la conduite de Grégoire d'Elvire pour l'Occident et d'Héraclidas d'Oxyrhynque pour l'Orient. Poussière de schisme à coup sûr, et qui disparaîtra bientôt.

IV. Le schisme d'Antioche. — Les agissements de Lucifer en Occident restent donc secondaires. En Orient il eut une intervention beaucoup plus brève, mais dont les conséquences furent autrement nuisibles : en organisant à Antioche une église séparée, il créa un schisme long et douloureux auquel est dû — plus qu'à la persécution de Valens — l'état d'anarchie où se débattirent les églises d'Orient jusqu'en 380.

Ce schisme d'Antioche — une des questions les plus compliquées de l'histoire ecclésiastique — nous révèle dans quel désarroi les luttes ariennes avaient mis certaines Églises. Après qu'Eustathe fut tombé en 330 sous les manœuvres du parti arianisant, on lui donna pour successeurs des évêques eusébiens de nuance de plus en plus foncée. A l'encontre, certains nicéens récalcitrants s'organisèrent sous la direction du prêtre Paulin. De là une situation très complexe : d'une part un groupe de catholiques qui fréquentaient la grande Église, mais où deux ascètes, Flavien et Diodore, entretenaient une orthodoxie militante, et obligeaient l'évêque à quelque circonspection; d'autre part les ariens intransigeants, rangés autour d'Aetius, que l'évêque Léonce l'Eunuque (344-358) toléra longtemps, mais que l'opinion catholique combattit avec vigueur, si bien que momentanément il dut s'éloigner; entre deux la foule des indifférents qui ne se passionnaient ni pour le *Nicaenum,* ni pour l'anoméisme; enfin, à l'extrême droite, la petite Église séparée, nicéenne jusqu'au schisme, à laquelle présidait Paulin et dont les membres s'intitulaient Eustathiens, voulant par là faire entendre qu'eux seuls se reliaient à l'orthodoxie intégrale du glorieux confesseur.

A la mort de Constance, pareille situation tendait à se simplifier. Victime à Antioche en 358 de la réaction basilienne, l'évêque homéen Eudoxe s'éleva bientôt dès 360 jusqu'au siège de Constantinople. On cherchait alors l'apaisement, grâce à des hommes nouveaux qui ne s'étaient pas compromis. Ainsi s'explique que les évêques à qui appartenait l'élection, aient nommé à Antioche un personnage assez peu connu, Mélèce, d'abord évêque nommé de Sébaste, et qui n'avait donné au parti de cour que le gage assez banal de sa signature à Séleucie. Dès son discours d'installation à Antioche il affirma sa foi au *Nicaenum,* et d'une manière assez peu voilée pour que, dans les trente jours, Constance l'exilât à Mélitène et qu'il le remplaçât par Euzoïus.

Pourtant, tandis que, groupée derrière Diodore et Flavien, la majorité des fidèles s'attachait à Mélèce, le groupe protestataire de Paulin — les eustathiens — continua à se considérer seul orthodoxe, seul pur de toute compromission : pour lui, Mélèce resta l'élu des ariens, et ses partisans de vulgaires faillis, qu'il faudrait réconcilier.

Après la mort de Julien l'Apostat, plutôt que d'assister au concile d'Alexandrie, où l'invitait Athanase et où il eût entendu des principes de paix et d'amour, Lucifer de Cagliari, revenant de son exil en Thébaïde, se rendit à Antioche. Après des pourparlers sans issue, il prit parti pour les intransigeants, chers à son cœur et, au mépris de tous les canons, consacra Paulin évêque. De là deux prélats catholiques rivaux à Antioche : Paulin, le nouvel ordonné, chef des eustathiens, et Mélèce qui rentrait d'exil lui aussi, pasteur d'autant plus authentique que le récent concile d'Alexandrie avait parlé en sa faveur. Le *Tome aux Antiochiens,* résultat de ses délibérations, tendait en effet à dirimer tous conflits : les uns personnels, en pressant les eustathiens de ne plus faire bande à part, les autres doctrinaux, en reconnaissant à la fois l'orthodoxie de l'expression « trois hypostases » employée par les mélétiens anti-sabelliens, et celle du terme « unique hypostase » préférée par les eustathiens anti-ariens. Mais, quand Eusèbe de Verceil et Astérius de Pétra arrivèrent à Antioche, porteurs du *Tome* de pacification, ils se heurtèrent au fait accompli : ils arrivaient trop tard après Lucifer; l'église à deux têtes était établie, le schisme consommé. « Le donatisme, dit M. G. Bardy, allait-il se reproduire à Antioche et l'Église des saints s'opposer à celle des pénitents? » Eusèbe repartit pour l'Occident sans avoir démêlé pareil imbroglio.

Par surcroît, quand, à l'automne 363, Athanase vint à Antioche pour s'y rencontrer avec l'empereur Jovien, Mélèce refusa la main qu'il lui tendait. Faute d'autant plus lourde qu'en s'aliénant l'évêque d'Alexandrie il écartait l'aide efficace qui lui eût facilité la reconnaissance de Rome. En vain les prélats réunis à Antioche en cet automne 393 élaborèrent-ils avec Mélèce une profession de foi nicéenne où l'homoousios recevait — comme à Alexandrie — un complément utile et nécessaire, celui des trois hypostases. Si les formules se rapprochaient, les cœurs restaient éloignés.

Ainsi d'une double faute naissait le schisme d'Antioche : la première, celle de Lucifer sacrant Paulin et fondant une église annexe, la seconde, celle de Mélèce repoussant le geste conciliateur d'Athanase, et s'aliénant du même coup Rome avec Alexandrie. On entrevoit qu'après les longues luttes, une rancœur subsistait, qui prêtait mal aux arrangements.

Qu'on ne s'y trompe pas d'ailleurs, un conflit dogmatique subsista. Non pas qu'avec certains allemands il faille voir dans la théologie mélétienne une déformation du *Nicaenum,* déformation qui, transmise aux docteurs cappadociens, aurait fini par triompher. Mais, dans l'âpreté des querelles personnelles, les eustathiens avaient beau jeu à souligner que Mélèce revenait d'un peu loin. Au surplus, malgré les conciles d'Alexandrie et d'Antioche, beaucoup restaient non moins intransigeants sur les formules que sur les personnes : comme ils anathématisaient Mélèce, ils refusaient aussi d'accepter les « trois hypostases ». De là, querelles sans fin. Veut-on les prendre sur le vif, il suffit d'évoquer le seul cas de Jérôme, au temps où il menait la vie érémitique dans les environs d'Antioche, au désert de Chalcis. « Dites donc « trois hypostases », demandaient les uns ; « non pas, mais plutôt « une seule », insistaient les autres, sans compter les questions de personnes. Au milieu de cet imbroglio, notre rude dalmate s'empêtrait, n'y comprenait plus rien, se faisait interpeller par celui-ci, bousculer par celui-là, leur répondait du tac au tac, par du mépris, voire par des mots forts, bref se rendait la vie impossible, si bien que, surexcité et n'y voyant plus clair, il cria au secours vers Rome. « Décidez, de grâce, s'il vous plaît, écrivait-il à Damase, et je ne craindrai pas de dire qu'il y a en Dieu trois hypostases... Je supplie Votre Béatitude, par le Sauveur crucifié, par la Trinité substantielle, de me dire s'il faut taire ou employer cette expression... Je sais que l'Église a été fondée sur un unique rocher. Qui se rattache au siège de Pierre est mon homme. » Par l'exemple de Jérôme, on entrevoit quelles discussions et chicanes interminables, quelles passions ardentes devaient agiter ces milieux antiochiens où beaucoup n'avaient pas, comme Jérôme, la bonne idée d'y mêler le pape. Antagonismes personnels et conflits doctrinaux rendaient l'air irrespirable et ne laissaient pas entrevoir quelque solution.

Comme jadis celui d'Athanase, le procès de Mélèce était maintenant la grande affaire. Un homme le comprit, Basile de Césarée, qui, pendant près de dix ans, s'évertuera par mille démarches à accréditer le patriarche d'Antioche à Rome. Réaliser l'union de tous les orthodoxes orientaux pour résister à la persécution de Valens, tel était son but auquel il n'aboutirait que si, dans Antioche, capitale de l'Orient, l'union s'établissait autour de Mélèce, reconnu « chef de corps ». « Si Antioche pouvait revenir à la santé, disait-il, rien n'empêcherait — la tête se portant bien — qu'elle ne procurât aux autres la santé » (*Epist.*, 66, 2). Nul doute, à ses yeux, sur le bon droit de Mélèce : pour lui milite l'avantage d'une élection légitime, pour lui une foi irréprochable sans compromissions sabelliennes, pour lui encore avec une conduite incomparable l'auréole des confesseurs.

Quelle voie prendre? Essayer de dissiper la mésentente entre Mélèce et Athanase? Basile le tenta d'abord, et des pourparlers s'esquissèrent entre Césarée, Alexandrie et Antioche, mais qui restèrent sans issue. Réunir un grand concile? Sans doute, mais comment y parvenir en pleine persécution? Dès lors, une seule ressource, l'appel direct à Rome, sauvegarde traditionnelle de l'unité.

Voici donc que Basile dépêche vers Damase le diacre mélétien Dorothée. Il l'envoie d'abord à Alexandrie, escale nécessaire sur la voie de l'Occident ecclésiastique. Qu'Athanase reçoive cet envoyé « avec des yeux pacifiques » (*Epist.*, 69, 1). Trop apostolique était l'âme du patriarche, trop préoccupée de l'universelle Église pour qu'il ne lui sacrifiât pas ses sentiments personnels. Tout en se réservant sur la reconnaissance de Mélèce, il approuva cette tactique qui consistait à s'adresser non pas tant à la collectivité des évêques orientaux, mais au seul pape.

« L'Orient presque entier, père très vénéré, écrivait Basile à Damase, est secoué par une grande tempête... Le prodige de votre charité nous a dans le passé toujours consolé » L'œuvre à accomplir se révèle si grande : « refaire l'amitié des Églises de Dieu ! » (*Epist.*, 70.) « Si vous ne vous levez pas pour nous secourir, dans peu de temps vous ne trouverez plus même à qui tendre la main, car tout sera au pouvoir de l'hérésie. » Cri d'alarme et de confiance tout à la fois, et qui est un émouvant témoignage de la puissance pacificatrice du pape. Promettre l'adhésion au credo trinitaire de Rome, lui demander qu'en retour elle envoyât sur place des personnages habilités pour mettre fin au schisme paulinien, tel fut le sens de la démarche.

Avec une prudence qui ne tranchait rien, Damase jugea que l'affaire d'Antioche était une querelle d'orientaux. Il dépêcha bien Evagrius d'Antioche avec une formule à signer, mais sur la question de personnes garda un silence qui froissa Basile. D'ailleurs, la mort d'Athanase enlevait à celui-ci sa meilleure base d'opérations. Le nouveau patriarche, Pierre, réfugié à Rome, allait augmenter les suspicions du Siège Apostolique envers Mélèce, et l'incliner toujours plus vers Paulin. En 375, Damase écrit à ce dernier une lettre qui semble lui reconnaître l'épiscopat d'Antioche en lui donnant mandat d'agréger à la communauté romaine tous ceux qui souscriront son formulaire. D'où, le mécontentement de Basile qui, en termes trop peu mesurés, dépeint Damase comme « un homme altier et sublime, jugeant de très haut, et par là incapable d'entendre ceux de la terre qui lui disent la vérité » (*Epist.*, 215).

Mais, au service de la paix religieuse, Basile apportait une ténacité singulière. Devant la postérité, Athanase s'honore par le nombre de ses exils, Basile par celui de ses négociations. En 376, nouvel appel à la charité romaine formulé par Basile et par Mélèce, et où vibre une note d'émotion et de fraternité respectueuse. « L'union selon l'esprit, note Mélèce, non la proximité des lieux produit l'amitié que nous avons confiance d'avoir avec vous. » Un tel cri trouva écho dans l'âme de Damase qui promit de s'intéresser à « la suppression des injustices ». Basile encouragé écrivit une nouvelle lettre où il s'enhardit jusqu'à « nommer par leurs noms les mauvais bergers » : Eustathe de Sébaste sans doute, un transfuge, et aussi Apollinaire de Laodicée qui veut instaurer des nouveautés sur l'Incarnation, mais encore Paulin qu'il dénonce comme « marcellien » (*Epist.*, 243).

Devant le synode romain qui reçut la lettre de Basile, Pierre l'Alexandrin répliquait en traitant Mélèce d'arien (377). On voit combien délicate était la situation de Damase, tiraillé entre deux interventions, l'une et l'autre singulièrement vénérables, celle de Pierre qui criait anathème à Mélèce, soupçonné de trahir le *Nicaenum*, celle de Basile, qui accusait Paulin de sabellianisme. Renseignée trop partialement pour y voir clair tout à fait, Rome resta dans une expectative qu'on doit juger sage, encore qu'elle laissât se prolonger le schisme : sur la doctrine, le concile romain renouvela des déclarations très explicites, mais sur les questions personnelles il se déroba. Demi succès à coup sûr, d'une importance pratique assez douteuse, puisque la question du schisme n'était pas traitée par la seule autorité compétente, le pontife suprême.

Pourtant, quand Basile mourut le 1er janvier 579, la victoire qu'il avait préparée était proche. La mort de Valens survenue six mois auparavant (9 août 378), l'avènement de Gratien, qui rappela aussitôt les exilés, permirent à Mélèce de rentrer. Le général Sapor, chargé de restituer les églises aux catholiques, devint l'arbitre du conflit. Mélèce accommodant proposait à Paulin une entente à l'amiable, en sorte que tous deux administreraient l'Église d'Antioche jusqu'au jour où la mort de l'un rétablirait une situation normale en laissant le siège au survivant. Devant l'antagonisme de Paulin, toutes les églises furent attribuées à Mélèce.

Après la reconnaissance de l'État, celle de l'Église. Dès l'automne 379, Mélèce réunissait à Antioche un concile de 153 évêques où fut rédigé un formulaire conforme à la foi romaine. Dès lors le Siège Apostolique s'inclina devant le fait accompli comme devant une salutaire mesure de police. On s'acheminait vers la paix totale. A quelque chose, discorde est bonne. Jamais peut-être ne fut tant soulignée la valeur de l'intervention romaine, sa nécessité, son bienfait, et dans quel désordre les Églises se débattent, quand elle est entravée.

V. Les Cappadociens. — Au moment où se clôt cette longue querelle, il faut se demander si l'alliance de Basile avec Mélèce infirmait son orthodoxie, et quelle était la théologie trinitaire des Cappadociens. Par ce nom on entend surtout avec Basile de Césarée, son frère cadet, Grégoire de Nysse, son « plus que frère », Grégoire de Nazianze, plusieurs autres encore tels que Didyme l'Aveugle et Amphiloque d'Iconium[1].

Cette génération d'écrivains se propose avant tout d'opérer la conciliation. Basile de Césarée est l'ami de Basile d'Ancyre ; il voudrait fondre l'homéousianisme dans l'orthodoxie. L'unité de l'Église lui tient à cœur : « Nous serions les plus insensés des hommes, s'écrie-t-il, si nous ne tenions pas pour le plus grand des biens, l'union des membres du corps du Christ. » Contre le despotisme impérial, il fallait lutter jadis; maintenant, en présence d'adversaires que séparaient scrupules verbaux ou divergences de points de vue, il suffisait de tirer les choses au clair.

Déjà le concile d'Alexandrie avait validé l'expression « trois hypostases »; dans une intention apologétique les Cappadociens travaillèrent à la mettre en plein relief[2]. Il y a, en

1. Grégoire de Nysse (335-394) était un homme qui ne manquait pas de bonhomie et de naïveté, mais beaucoup plus de prudence et d'esprit pratique en sorte que, malgré ses bonnes intentions, il desservit parfois son frère Basile. Par contre, il a mérité le double titre de mystique et de philosophe : mystique, à cause des écrits où il affirme la préoccupation de mener son disciple jusqu'à l'union divine; philosophe surtout, parce qu'il s'efforce d'harmoniser les enseignements de la foi avec les principes de la raison. Comme son maître Origène, il vise à donner de la doctrine chrétienne un système cohérent : particulièrement dans son *Discours catéchétique*, où l'ensemble du dogme — Trinité, Incarnation, Rédemption, Eucharistie et fins dernières — est exposé à l'aide des données scripturaires et rationnelles tout ensemble. Mais à Origène il emprunte aussi, avec des opinions discutables sur l'eschatologie et sur l'allégorisme biblique, un attachement excessif au néo-platonisme Pour la forme, style embarrassé et plutôt lourd. Voir, P. GODET, art. *Grégoire de Nysse*, dans *Dict. Théol.* — L. MÉRIDIER, *L'influence de la seconde sophistique sur l'œuvre de Grégoire de Nysse*, Rennes, 1906.

Comme Grégoire, Didyme l'Aveugle est un disciple trop fervent d'Origène. Né vers 313, il devint bientôt aveugle et s'adonna à l'étude et à la contemplation. Sa science est de seconde main et son style monotone. Mais, son œuvre — dont il ne nous reste guère qu'un traité *Sur le Saint-Esprit* et un autre *Sur la Trinité* — est vivifiée par un mysticisme intense, qui s'épanche souvent en tendres invocations et qui se manifeste en particulier dans sa conception de l'intimité établie entre le Christ et l'âme son épouse. Voir G. Bardy, *Didyme l'Aveugle* (Coll. *Études de théol. hist.*), 1910. — P. GODET, art. *Didyme*, dans *Dict. Théol.*

Aux Cappadociens il faut encore rattacher Amphiloque d'Iconium, presque aussi célèbre de son temps que son ami Basile, mais dont les œuvres sont perdues presque entièrement. Voir F. CAVALLERA, *Les fragments de saint Amphiloque, R. H. E.*, VIII (1907), p. 473-497.

2. Il faut insister sur le rôle prépondérant qu'eurent Basile et Grégoire dans la fixation du mot hypostase, terme aussi discuté et décrié que jadis le consubstantiel. Basile s'en explique clairement dans sa lettre XXXVIII à Grégoire de Nysse. Pour lui l'ousie est ce qui reste commun aux individus de même espèce (τὸ κοινόν), et qui les fait désigner

effet, deux façons de présenter le dogme, selon que l'on met au premier plan l'unité de substance ou la trinité des personnes. C'est la seconde position que prenaient les Cappadociens. Avec saint Basile ils disaient : il y a un Père, un Fils, un Saint-Esprit, lesquels ont même substance; tandis que, influencés par les Pères latins, les premiers Nicéens avaient dit : il n'y a pas de substance divine concrète du Père, du Fils et du Saint-Esprit. Simple différence de point de vue que commandaient les circonstances : à Nicée, il avait fallu se poser en adversaire d'Arius, donner une formule nettement anti-subordinatienne, et donc insister sur l'unité de substance; maintenant, au contraire, voulait-on ramener les homoïousiens, il fallait déjouer les soupçons de sabellianisme et, laissant au second plan l'unité de nature, mettre en relief la trinité des personnes. Pareille position restait absolument orthodoxe.

Au surplus, les armes défensives des Cappadociens ne sont point celles d'Athanase : alors qu'il abondait en comparaisons scripturaires telles que celles de la lumière et de la source, eux s'enfoncent dans la théorie et abordent le côté spéculatif de la question trinitaire, grâce à quoi ils résisteront aux attaques de l'anoméisme beaucoup plus discuteur que l'arianisme primitif et tout caparaçonné d'aristotélisme[1].

sous le même vocable : par exemple, homme pour tous les individus de notre espèce. L'hypostase, par contre, est l'individu déterminé, existant séparément : par exemple, Pierre ou Paul. De cette ferme précision lexicologique Basile peut conclure à une même substance divine — comme on l'avait dit à Nicée — et aussi à trois hypostases subsistant dans cette nature. Pour bien montrer qu'il ne sacrifie d'ailleurs en rien l'unité d'essence, il emploie l'inadéquate mais expressive comparaison de l'arc-en-ciel où diverses couleurs sont les manifestations d'une même lumière.

Pourtant, Basile gardait quelque défiance pour le mot πρόσωπον, en latin *persona*, à cause de son sens originel de masque, derrière lequel pourrait s'embusquer le modalisme : « Il ne suffit pas, disait-il, qu'on distingue les personnes, puisque Sabellius admettait cette distinction; cet hérétique disait, en effet, que Dieu est réellement un en hypostase, mais qu'il avait voulu prendre différents masques (προσωποποιεῖσθαι... διαφόρως) suivant le besoin des circonstances. Si donc il en est parmi nous qui disent que le Père, le Fils et le Saint-Esprit sont comme un suppôt, et se contentent de confesser trois personnes parfaites (τρια πρόσωπα τέλεια), ne sembleront-ils pas fournir une preuve irréfragable à l'appui de la calomnie arienne » (*Epist.*, CCXIV, 3).

Plus large, le Nazianzène admettra le terme πρόσωπον comme synonyme d'ὑπόστασις, à la seule condition qu'on en écarte le sens sabellien de rôle, de personnage. En 381, dans son discours d'adieu au concile de Constantinople, il sonnera le glas de toutes ces discussions verbales : « ... Nous croyons dans le Père, le Fils et le Saint-Esprit, consubstantiels, égaux en gloire... Il faut en finir avec cette ridicule querelle, élevée entre frères, comme si notre religion consistait dans les mots et non dans les choses. En effet, que prétendez-vous dire, vous, partisans des trois hypostases? Est-ce que vous employez ce mot pour supposer trois *ousies?* J'en suis sûr, vous professez une et identique l'*ousie* des trois. Et vous maintenant avec vos personnes. Est-ce que vous vous figurez le Un comme je ne sais quel composé, comme un homme à trois faces. Allons donc... Cela veut signifier que les Trois sont distingués non par natures, mais par propriétés... Peut-on s'accorder davantage et dire plus absolument la même chose, bien qu'en des termes différents » (*Prat.*, XLII, 16).

La transposition du mot latin *persona* traduit en grec par πρόσωπον, celle du mot grec ὑπόστασις traduit en latin par *substantia* avaient prêté à des quiproquos terribles que l'apologétique à la fois ferme et conciliante des Cappadociens dissipait enfin, de même qu'autrefois celle d'Athanase avait fait tomber les soupçons planant sur le *consubstantiel*.

1. Les principaux anoméens, Aetius et Eunomius, faisaient grand usage de la dialectique. D'où un certain discrédit jeté sur Aristote que le prêtre Faustin va jusqu'à appeler « l'évêque des ariens ». Les Cappadociens — Basile, les deux Grégoires — et avec eux Epiphane, soulignèrent quels dangers faisaient courir à la foi ces disputeurs subtils rompus au métier par un long apprentissage dans les écoles. A leurs yeux, mettre le dogme en syllogismes émanait d'un intellectualisme orgueilleux où s'évanouissait tout ensemble ce que notre religion contient de piété et de mystère.

Contre des adversaires si astucieux il convenait toutefois d'employer leurs propres armes, et ni Basile, ni le Nazianzène, ni surtout Grégoire de Nysse ne se firent faute d'argumenter. « C'est sans doute à cette attention donnée à la dialectique et aux questions de métaphysique dont elle est forcément l'occasion chez tout être pensant, qu'est due l'orientation très nette que marquent les écrits trinitaires du dernier quart du IVe siècle... Sous la pression des questions dialectiques, dont Arius d'abord, puis les anoméens de toute école, harcèlent l'orthodoxie catholique, l'esprit humain est forcé d'entrer plus avant dans l'étude du mystère et de se faire une métaphysique du dogme pour satisfaire aux exigences de la pensée, montrant une fois de plus qu'une religion sans théologie chez un être raisonnable est chose impossible. C'est que les subtilités ergoteuses, de vocabulaire purement technique, et de portée apparemment superficielle, auxquelles prenaient plaisirs les dialecticiens, étaient plus d'une fois en contact avec les

Se garder de la sophistique anoméenne, ramener les homoïousiens à une conception ferme de l'orthodoxie, tel est le double souci qui explique et justifie les positions des Cappadociens. C'est donc à tort que Harnack, Loofs et Fischer les ont accusés d'avoir trahi et falsifié le *Nicaenum*. Sans doute Basile adopte-t-il souvent des expressions plus soucieuses de l'apologétique, telles que « semblable en tout au Père » (ὅμοιος ἀπαραλλάκτως); il n'en maintient pas moins que consubstantiel et formule de Nicée suffisent à tout. Son âme croyante frémit tout entière à la seule pensée qu'on puisse soupçonner son orthodoxie, cette foi intégrale qu'il tient de sa grand'mère Macrine : « Je ne sache pas, dit-il avec fierté, avoir accueilli jamais dans mon cœur un seul mot contraire à la sainte doctrine, ou avoir eu l'âme souillée de l'infâme blasphème des ariens. » (*Epist.*, 204, 6.)

VI. Le concile de Constantinople. — Gratien et Valentinien II, un adolescent et un enfant, régissaient l'Occident depuis la mort de leur père Valentinien Ier en 375. La disparition de leur oncle Valens en 378 les rendait maîtres aussi de l'Orient. Gratien et ses conseillers comprirent qu'il fallait associer aux affaires un homme de gouvernement : en janvier 379, ils élevaient au rang d'Auguste le général Théodose, promu à la succession de Valens pour l'Orient.

Théodose adopta les dispositions bienveillantes de Gratien envers les évêques orthodoxes. L'ère de la persécution arienne était close désormais. Tombé malade à Thessalonique durant l'hiver de 379-380, Théodose s'y fit baptiser par l'évêque Acholius, nicéen déterminé. Le 27 février 380, un édit paraissait qui, énonçant le vrai dogme trinitaire, obligeait « tous les sujets » à souscrire la foi « du pontife Damase et de Pierre, évêque d'Alexandrie », légitimes héritiers « de l'enseignement donné par le divin Pierre aux Romains ».

Les prélats exilés revenaient dans l'allégresse, portés par les acclamations des fidèles. Grégoire de Nysse nous donne quelque idée de cet enthousiasme quand il nous dépeint son retour dans sa bourgade épiscopale, le peuple l'entourant soudain en rangs si épais qu'il lui devenait presque impossible de descendre de son char et qu'il fallut supplier, pour qu'on laissât passer les mules; puis, à l'entrée du péristyle, un torrent de feu se précipitant dans l'église, c'est-à-dire le chœur des vierges qui s'avançaient, cierge en main.

Cependant, les ariens conservaient un fief, Constantinople, où l'évêque Démophile trônait toujours à Sainte-Sophie tandis que son clergé occupait toutes les églises. La petite communauté catholique encore subsistante appela alors pour la diriger Grégoire de Nazianze. La Providence semblait exiger que cet homme doux, paisible, tout orienté vers la contemplation, prît sa part de labeurs apostoliques en cette heure de crise. Ainsi, alors qu'avec son ami Basile il goûtait les joies de l'ascèse et de l'étude sur les bords de l'Iris, son père, le vieil évêque de Nazianze, l'avait-il appelé auprès de lui et ordonné prêtre pour qu'il l'aidât à gouverner son diocèse. Ainsi encore, voulant créer un évêché à Sasimes pour résister aux intru-

plus graves problèmes philosophiques. » Voir J. DE GHELLINCK, *Quelques appréciations de la dialectique et d'Aristote durant les conflits trinitaires du* IVe *siècle*, *R. H. E.*, 1930, p. 5-43. Sur l'influence nouvelle de la rhétorique et de la sophistique sur les écrivains chrétiens à cette époque : M. GUIGNET, *Saint Grégoire de Nazianze orateur et épistolier*, 1911. — L. MÉRIDIER, *L'influence de la seconde sophistique sur l'œuvre de Grégoire de Nysse.* Voir aussi les travaux publiés à l'Université de Washington dans les *Patristic Studies :* J. MARSHALL CAMPBELL, *The influence of the second Sophistic on the style of the Sermons of S. Basil the Great,* 1922. — TH. E. AMERINGER, *The stylistic influence of the second Sophistic on the panegyrical Sermons of S. John Chrysostom*, 1921. — AGN. CLARE WAY, *The Language and Style of the Letters of S. Basil,* 1927. — J. A. STEIN, *Encomium of S. Gregory, Bishop of Nyssa, on his Brother S. Basil,* 1928.

sions d'Anthime, métropolitain de la Cappadoce Seconde, Basile le sacra-t-il évêque de cette bourgade « terriblement odieuse..., sans eau, sans verdure, indigne d'un homme libre », et où d'ailleurs il ne se résigna jamais à résider.

Depuis 374, date de la mort de ses parents, Grégoire avait pu enfin réaliser ses aspirations et se retirer au monastère de sainte Thècle à Séleucie d'Isaurie, quand les orthodoxes de Constantinople le supplièrent de prendre leur direction, petit troupeau de brebis perdues au milieu des loups. « Une maison pieuse m'accueillit, dit-il, une maison amie de Dieu qui fut pour moi comme celle de la Sulamite pour Élisée, maison qui m'était apparentée par le sang, apparentée par l'esprit et pleine de générosité; c'est là que prit consistance ce troupeau, obligé encore de dissimuler sa foi, non sans crainte, non sans péril. » Les ariens, en effet, ne reculaient pas devant les voies de fait; ils attendaient Grégoire à la porte et lui jetaient des pierres en criant : « A bas l'adorateur des trois dieux! » Une nuit même, pendant qu'il donnait le baptême, des forcenés pénétrèrent jusque dans l'église et s'y livrèrent aux dernières violences et aux pires sacrilèges. Grégoire, cependant, ne cédait point, et par une fine allusion à l'opportunisme de ses adversaires, il se contentait de leur dire : « Vous vous êtes montrés plus violents peut-être que le moment actuel ne le comportait. »

Autre tribulation plus cruelle au cœur tendre du Nazianzène, un aventurier de la piété, Maxime le Cynique, à qui il avait donné toute sa confiance, intrigua pour le supplanter, et, avec l'autorisation du patriarche Pierre d'Alexandrie, tenta de se faire sacrer à Constantinople par trois évêques égyptiens. L'aventure tourna d'ailleurs à la comédie : surpris au milieu de son sacre, l'aspirant évêque est chassé à demi tondu, et s'enfuit sous les sarcasmes populaires. Lassé, dégoûté, Grégoire voulait partir, lui aussi; il fit ses adieux à son peuple : « Chers enfants, leur dit-il, gardez dans votre cœur cette Sainte Trinité que je vous ai enseignée et quelque mémoire, s'il est possible, de mes travaux. » Alors, ce fut un tumulte indescriptible, une tempête de supplications, des pleurs de femmes : « Grégoire, si vous partez, vous emmenez avec vous la Trinité. »

C'est là, en effet, dans cette petite église, surnommée avec tant d'à-propos *Anastasis* ou Résurrection, que Grégoire avait prononcé des discours fameux, notamment ces cinq homélies sur la Trinité qui lui valurent le nom de *Théologien*. La foule était telle pour l'entendre que, forçant les balustres du chœur, elle s'installait jusque dans le sanctuaire; parfois, au paroxysme de l'enthousiasme, tout l'auditoire se dressait debout, battant des mains, frappant du pied et criant avec frénésie : « Orthodoxe! Orthodoxe! »

D'ailleurs, à son entrée dans la capitale, Théodose écarta Maxime et désigna Grégoire malgré lui : « Constantinople vous demande, insistait-il, et Dieu se sert de moi pour vous donner cette Église. » Il lui restitua aussitôt tous les temples enlevés à l'arien Démophile. A travers les rues où grouillait une foule turbulente, l'empereur s'avança ferme et imposant, traînant à ses côtés Grégoire, pâle et défait.

La réunion s'imposait d'un grand concile qui liquiderait la situation en Orient et y restaurerait officiellement l'orthodoxie. D'autant plus que, née à la fin du règne de Constance, une hérésie connexe à l'arianisme s'était développée sous Valens : celle des pneumatomaques

Grégoire de Nazianze. — *SOURCES : P. G.*, XXXV-XXXVIII. — *TRAVAUX :* M. GUIGNET, *Saint Grégoire de Nazianze, orateur et épistolier,* 1911. — H. PINAULT, *Le platonisme de Saint Grégoire de Nazianze*, 1925. — E. FLEURY, * *Saint Grégoire de Nazianze et son temps*, 1930. — P. GODET, *Grégoire de Nazianze,* dans *Dict. Théol.*

qui niaient la divinité du Saint-Esprit. Il est certain que ce sujet restait obscur, discuté, et que même les orthodoxes y employaient souvent quelque formule vague et prudente. Beaucoup des anciens Basiliens se refusaient à appeler Dieu le Paraclet pour le même motif étroit qui leur avait fait jadis écarter le consubstantiel : à savoir que le terme n'était pas scripturaire. Leur hérésie s'exprimait, d'ailleurs, plus souvent par une formule dubitative que par une nette affirmation d'impiété. La voilà telle que Socrate la met sur les lèvres d'Eustathe de Sébaste : « Pour moi je n'oserais donner au Saint-Esprit le nom de Dieu, ni celui de créature. » (*H. E.*, II, 44.)

L'hérésie est dénoncée d'abord par Athanase qui la réfute dans les *Lettres à Sérapion* : contre ses tenants, appelés tropiques parce qu'ils expliquent par des métaphores ou tropes les passages de l'Écriture qui ne leur sont pas favorables, le patriarche égyptien affirmait la consubstantialité de l'Esprit avec le Père. Le concile d'Alexandrie adopta ces mêmes vues, en rejetant ceux qui font du Paraclet une créature (362). Mais les pneumatomaques se développèrent surtout en Asie Mineure où Basile et Grégoire les combattirent, le premier avec quelque ménagement, le second avec une précision plus agressive. Le Nazianzène s'appuie sur la théorie du progrès de la Révélation par quoi s'explique le silence scripturaire dont veulent s'armer les hérétiques : à l'Ancien Testament revient la manifestation du Père, au Nouveau celle du Fils tandis qu'aux temps présents s'épanouit davantage l'Esprit qui déifie les âmes dans le baptême. Plus pénétrant, saint Grégoire de Nysse donnera à la procession du Saint-Esprit sa formule orientale, à savoir que le Paraclet procède du Père par le Fils : formule qui, sans nier l'influence propre du Fils, met cependant plus en relief celle du Père que ne fera le *Filioque* des Latins.

Le traité de Basile *Sur le Saint-Esprit* fut écrit en 375; Épiphane mentionne en 377 les pneumatomaques dans son *Panarion*[1]. Le parti paraît alors nettement constitué avec son aile droite ralliée au consubstantiel, son aile gauche demeurée homéousienne sans plus, mais les uns et les autres se refusant à affirmer la divinité du Saint-Esprit.

Le concile réuni par ordre de Théodose à Constantinople ne comptait que des Orientaux. Cent quatre-vingt-six évêques seulement y assistèrent parmi lesquels les soixante-et-onze du patriarcat d'Antioche. Mélèce fut nommé président, mais mourut bientôt, en sorte que se rouvrit un douloureux conflit. Éviter de pourvoir à la succession de Mélèce et reconnaître Paulin comme évêque légitime d'Antioche, telle était la solution raisonnable qui eût obtenu l'approbation romaine. Devenu président du concile, Grégoire voulut persuader ses collègues au nom de la paix : ce n'était pas seulement affaire locale, mais presque question de chrétienté : « De grâce, disait-il, ayez pitié de tous ceux que le schisme a déjà fait périr et de tous ceux qu'il perdra encore. Sachons céder aujourd'hui pour être plus sûrement maîtres demain. » Mais les plus vives passions fermentaient depuis trop longtemps pour qu'un tel langage fût écouté. Grégoire reconnaît qu'on accueillit sa harangue par des murmures comparables aux croassements des geais et au bourdonnement d'une ruche. En vain en appelait-il à l'autorité de l'Occident; l'orgueil oriental se cabrait, invoquant des arguments assez inattendus tels que celui-ci où l'astronomie s'allie à la théologie : « Il faut que les affaires s'accordent avec le

1. Notons que l'expression « pneumatomaque » n'apparaît pas avant 380. Le nom de *Macédoniens* fut donné plus tard à ces hérétiques comme si Macédonius de Constantinople avait joué un rôle dans la formation du parti. Mais cette appellation tardive ne se justifie pas historiquement. Voir G. BARDY, art. *Macédonius*, dans *Dict. Théol.*, col. 1464-1472.

soleil et qu'elles commencent là où Dieu brilla pour nous dans son enveloppe charnelle. » (Greg., *Carm.,* 1690-93.) Sans plus écouter les arguments de Grégoire, on élut au siège d'Antioche le prêtre Flavien, ami et auxiliaire du défunt.

Bientôt débarquèrent à la Corne d'Or les prélats égyptiens avec le nouveau patriarche d'Alexandrie, Timothée, successeur de Pierre. Contre Grégoire rendu responsable de l'humiliation que leur avait value la mésaventure burlesque de leur candidat Maxime le Cynique, ils manifestèrent assez mesquinement, refusant, par exemple, de prendre part aux fonctions liturgiques qu'il célébrait devant tous les membres du concile. A leurs yeux, évêque nommé de Sasimes, il n'avait pu s'installer à Constantinople que par un de ces transferts frauduleux visés par certain canon d'Antioche. Assimiler Grégoire aux vulgaires profiteurs épiscopaux tels qu'Eusèbe de Nicomédie ou Eudoxe, c'était un comble d'injure qu'il ne pouvait supporter.

Il se vit entouré d'ennemis, abandonné par les Orientaux pour avoir patronné Paulin à Antioche, détesté par les Égyptiens pour avoir évincé Maxime à Constantinople. Quelle situation intenable! « J'étais, dira-t-il, comme un cheval renfermé dans l'écurie; je ne cessais de frapper la terre et de hennir dans mes liens, regrettant mes pâturages et ma solitude. » Il annonça son intention d'abdiquer : personne ne le retint, ni le concile, ni l'empereur. Mais, avant de partir, il fit à sa chère église de l'Anastasis des adieux touchants qui sont justement restés un passage classique de l'éloquence chrétienne : « Adieu, disait-il, harmonies des psaumes, veilles pieuses, sainteté des vierges, assemblée des veuves, regards des orphelins tournés vers Dieu et vers moi. Adieu, maisons hospitalières, amies du Christ et secourables à mon infirmité. Adieu, vous qui aimiez mes discours, foule empressée où je voyais briller les poinçons furtifs qui gravaient mes paroles. Adieu, barreaux de cette tribune sainte, tant de fois forcés par le nombre de ceux qui se précipitaient pour m'entendre... Mais, je m'écrierai surtout : Adieu, ange gardien de cette Église, qui protégiez ma présence et qui protègerez mon exil. Et toi, Trinité sainte, ma pensée et ma gloire, puissent-ils te conserver parmi eux et puisses-tu les sauver. Sauve mon peuple et que j'apprenne chaque jour qu'il s'est élevé en sagesse et en vertu... » (*Or.*, XLII.)

Grégoire était bien l'orateur incomparable qui connaît « toutes les recherches de couleur, de sonorité, de rythme, tous les procédés d'amplification, toutes les habiletés dialectiques ». Il les exploitait même parfois non sans affectation et coquetterie. Mais comme ils étaient au service de sentiments vrais et d'une pensée théologique très riche, on ne trouvera rien de vieux, ni de faux dans l'éloquence de Grégoire. Théologien il l'était, non pas qu'il entrât au plus profond des discussions dogmatiques; mais, comme Athanase, il possédait avec le sens traditionnel, l'art de condenser en formules vigoureuses les vérités à définir. D'ailleurs, il était aussi un homme sensible, que les contacts avec la brutalité du monde blessaient profondément, et plutôt fait pour une vie contemplative. « Il appartient, a dit très bien son récent biographe M. E. Fleury, à la famille pathétique de ceux qui ne sont jamais satisfaits. » Retiré dans sa propriété d'Arianze, il y composera des poèmes, où il chantera ses souffrances. Lyrisme et regrets, c'était bien là son domaine.

Le concile édicta des canons[1]. Le premier formule une adhésion très nette au *Nicaenum*. Il

1. Le symbole prêté aux Pères de Constantinople ne semble pas être leur œuvre. On en trouve déjà le texte dans l'*Ancoratus* de saint Epiphane achevé dès 374, et d'ailleurs, il n'a sur le Paraclet que des définitions trop vagues pour une telle circonstance; sans compter qu'il violerait la volonté expresse du concile qu'on ne touche pas au symbole authentique de 325.

est un mot d'ordre sans réplique : « Ne pas toucher à la foi des trois cent dix-huit Pères qui se sont assemblés à Nicée en Bithynie, mais la maintenir souveraine et anathématiser toute hérésie, spécialement celle des eunomiens ou anoméens, celle des ariens ou eudoxiens, celle des semi-ariens ou pneumatomaques, et celle des sabelliens, des marcelliens, des photiniens, des apollinaristes. »

En même temps que l'arianisme, il fallait réprouver ses procédés politiques de tyrannie. D'où le canon II dirigé contre les prélats qui « s'ingèrent dans les Églises étrangères ». « L'évêque d'Alexandrie a compétence pour les choses de l'Égypte seule[1], les évêques de l'Orient pour l'Orient seul, étant saufs les droits reconnus par les canons de Nicée à l'Église d'Antioche, les évêques du diocèse d'Asie pour les choses de l'Asie seule, ceux du Pont pour les choses du Pont seul, ceux de Thrace pour les choses de Thrace seule. Les évêques ne doivent pas sortir de leur diocèse pour des ordinations ou toute autre affaire ecclésiastique, sans être invités. » A chacun sa province. Plus de ces comités de salut ecclésiastique se transportant à Tyr ou à Antioche pour juger un évêque d'Alexandrie ; plus de ces réactions partisanes qui, du jour au lendemain, sur la volonté des prélats de cour, faisaient et défaisaient les évêques.

Par contre, le canon III décrétait que « l'évêque de Constantinople a la primauté d'honneur après l'évêque de Rome parce que Constantinople est la nouvelle Rome ». Affirmation assez troublante, qui non seulement devait exciter la jalousie alexandrine, mais aussi inquiéter la papauté elle-même. Sur la Rome occidentale Byzance prétend n'avoir qu'une infériorité d'ancienneté, celle-là ne jouissant de son privilège qu'à titre purement politique, non pas comme résidence de Pierre, mais comme ancien séjour de César. Pareil argument ne laisse pas d'être très inquiétant pour l'avenir : la situation religieuse des deux cités va-t-elle subir les variations de leur fortune politique? De fait, après 381, Byzance ne cesse de grandir. Sous la présidence de l'évêque de Constantinople, le synode dit permanent (συνοδος ἐνδημοῦσα) tranche toutes questions ecclésiastiques pendantes : théologien suprême, canoniste infaillible, grand distributeur de dignités, il devient le tribunal religieux de l'Orient. Le byzantinisme sera bientôt érigé en institution, qui met le patriarche au niveau du pape, et l'empereur au-dessus de tout. Sans doute ni les Pères, ni Théodose ne tendaient à pareilles conséquences, mais le passé permettait de les entrevoir.

Dès le 30 juillet 381, Théodose publiait une loi prescrivant de remettre partout les églises aux orthodoxes. Il ne restait plus que deux points noirs : en Orient Antioche, en Occident Milan.

A Antioche, Paulin se maintint contre Flavien, l'élu du concile, avec l'appui d'un synode romain de 382; au lit de mort, il désigna Évagre pour le remplacer. Du coup, Rome et Alexandrie trouvèrent que cette petite Église abusait de la ténacité : aussi, le pape Sirice chargea-t-il le patriarche Théophile de régler définitivement le conflit. Un concile tenu à Césarée en 394 énonça enfin l'indubitable principe hiérarchique qui rendait illégales tout ensemble l'ancienne érection de l'Église eustathienne par Lucifer et la récente nomination d'Évagre par Paulin : « L'ordination faite par un seul est illégitime et ne saurait être acceptée.» En conséquence, « nous avons décidé que nous ne connaissons qu'un seul évêque d'Antioche, le religieux Flavien ».

1. Que l'archevêque d'Alexandrie soit visé et qu'il y ait quelque allusion à l'aventure du Cynique, rien d'impossible. Mais ce canon II possède une portée autrement générale.

Pourtant la réconciliation officielle entre Rome et Antioche n'eut lieu qu'en 398 par l'intermédiaire de Chrysostome. Dirigée par Acace de Bérée, une ambassade rapporta à Flavien les « lettres iréniques de l'Occident ». Sur ces entrefaites, Evagrius eut l'opportunité de mourir, on ne lui désigna point de successeur. Mais les adhérents de la petite Église tinrent bon jusqu'en 413 et la paix définitive ne fut conclue que par Alexandre, second successeur de Flavien. De cet acte solennel Théodoret nous a laissé une description émouvante, où éclate l'allégresse catholique : « A la tête de tous ses fidèles, clergé et peuple, Alexandre se rendit au lieu de réunion des eustathiens. Il les prit dans son cortège, on chanta des hymnes, on déroula les chants à l'unisson depuis la porte occidentale jusqu'à la Grande Église; la place publique était remplie d'hommes et un courant humain apparut serpentant tout le long de l'Oronte. Les juifs, les ariens et quelques païens qui restaient à Antioche, voyant ce spectacle, gémissaient et se lamentaient : tous les autres fleuves venaient ainsi se jeter dans l'Océan de l'Église. » (*H. E.*, V, 35.)

Par un record de durée, inconnu jusqu'alors, mais qui, hélas! sera dépassé dans la suite, le schisme d'Antioche s'était prolongé durant quatre-vingt-cinq ans[1].

VII. La fin de l'arianisme en Occident : saint Ambroise. — Cependant l'Illyrie demeurait pour l'arianisme un fief. Les orthodoxes n'y constituaient qu'une minorité opprimée, ainsi que l'atteste encore en 366 l'*Altercation du laïc Heraclianus avec Germinius, évêque de Sirmium*, où se trouve relatée non pas une conférence imaginaire, mais une comparution et une plaidoirie réelles : Heraclianus, jeté en prison avec deux autres confesseurs, défend contre le prélat arien les thèses catholiques sur la divinité du Fils et du Saint-Esprit. Le mot *altercation* convient parfaitement à cet entretien, où les arguments frappants semblent parfois prendre le pas sur les arguments probants : ainsi lorsque, sur l'ordre de l'évêque, Heraclianus est souffleté par un lecteur et un diacre, ou encore, quand, à la fin, les clercs et le peuple demandent que les accusés soient déférés au consulaire et mis à mort. Dix ans auparavant, un autre laïque, qui devenu évêque de Tours se rendra illustre par son ascétisme, son apostolat et ses prodiges, le pannonien Martin, était arrêté sur l'ordre de l'évêque de Sabaria, battu de verges et expulsé de la ville. Ces deux faits soulignent quel régime d'oppression régnait sur ces contrées où l'arianisme épiscopal, longtemps soutenu par l'arianisme impérial, continuait à se maintenir.

Après la mort de Constance, certains éléments moins irréductibles esquissèrent une demi-conversion : ainsi Germinius de Sirmium composa-t-il une formule mitigée où, tout en évitant le mot substance, il affirmait la similitude du Père et du Fils en tout (*per omnia similem*). Mené toujours par Ursace et Valens, un groupe de purs restait, qui essaya en vain de faire rétrograder Germinius. Eux-mêmes essuyèrent diverses condamnations, entre autres celle d'un concile damasien réuni en 368 ou 369. Tant que vécut Valentinien Ier, partisan d'une neutralité absolue, ces sentences n'entraînèrent pas la déposition effective : l'hérésie

Fin de l'arianisme en Occident. — J. Zeiller, * *Les origines chrétiennes dans les provinces danubiennes de l'Empire romain*, 1918. — De Broglie, * *Saint Ambroise* (coll. *les Saints*). — P. de Labriolle, * art. *Ambroise,* dans *Dict. Hist.* — J. Zeiller, art. *Auxence*, *ibid.* (2 articles).

1. Il resta pourtant encore un petit groupe de réfractaires. Ils ne reviendront à résipiscence qu'en 482 lorsque le patriarche Calendion demandera à l'empereur Zénon l'autorisation de transférer de Thrace à Antioche les restes de saint Eustathe, leur grand ancêtre. Pareille marque de déférence les convertira à l'unité.

était libre dans l'État libre. Gratien devint sans doute davantage le protecteur des catholiques, mais il s'associa son frère cadet Valentinien II, que régit d'abord l'impératrice mère Justine, une arienne décidée.

Elle allait entrer en conflit direct et violent avec le nouvel évêque de Milan Ambroise. L'arien Auxence s'était maintenu dans cette ville malgré l'offensive d'Hilaire de Poitiers. Isolé au milieu d'un épiscopat redevenu nicéen, il se garda bien d'ailleurs de toute provocation et essuya sans broncher une condamnation romaine. A sa mort survenue durant l'automne 374, catholiques et ariens s'affrontèrent. On sait par quelle intervention de la Providence fut dénouée la crise et comment, venu dans la basilique pour y maintenir l'ordre public, Ambroise, gouverneur de Ligurie, fut soudain interrompu dans sa harangue par une voix d'enfant disant : « Ambroise évêque! », cri aussitôt répété avec enthousiasme par tout le peuple présent. « Du coup, dit son biographe Paulin, le conflit entre ariens et catholiques fit place à une merveilleuse et incroyable unanimité. » (*Vita S. Ambrosii*, 6.) Il n'y eut d'autre résistance que celle de l'élu lui-même, résistance bientôt vaincue d'ailleurs par la sentence de l'évêque d'Italie et de l'empereur Valentinien Ier approuvant le choix populaire.

Toutefois, patronnée par la reine Justine, l'hérésie subsistait à la fois à Milan, résidence impériale, et en Illyrie dont les rapports avec la Haute-Italie étaient constants.

A la mort de Germinius de Sirmium, Justine voulut assurer sa succession à un arien. Mais Ambroise se rendit sur les lieux : en vain les hérétiques s'ameutèrent-ils pour le chasser; un fait extraordinaire — la mort presque subite d'une vierge arienne qui l'avait insulté — retourna l'opinion et lui permit de faire élire le candidat orthodoxe, Anenius. En conformité d'action avec Ambroise, celui-ci réunit dans sa ville épiscopale un concile. Rédiger une nouvelle formule de Sirmium, la cinquième, catholique enfin celle-là, et consubstantialiste, déposer plusieurs prélats ariens et porter diverses mesures disciplinaires tendant à écarter de l'épiscopat les sujets compromis par un passé hétérodoxe, telle fut cette œuvre de liquidation (378).

Pour l'achever, il restait à poursuivre deux prélats irréductibles : Palladius de Ratiara et Secundianus de Singidunum. Avec arrogance ils demandaient la réunion d'un concile général qui les jugerait. Homme d'action aux vues pratiques, ami des solutions claires et expéditives, Ambroise fit valoir à Gratien que le cas des deux personnages n'exigeait pas une telle mise en scène. Ne suffirait-il pas, pour une cause locale, de convoquer les évêques voisins, ceux de l'Illyricum occidental? Devant une assemblée restreinte aux éléments sûrs, nul moyen, au surplus, d'intriguer ni d'épiloguer. Ambroise mena la discussion « avec la décision et la netteté d'un magistrat de carrière ». En vain les accusés voulurent-ils se perdre en faux-fuyants et distinctions subtiles, alléguant d'ailleurs la composition insuffisante du concile et l'absence des Orientaux. Avec fermeté Ambroise les ramena à l'unique question : la consubstantialité du Verbe. Le subordinatianisme de leur doctrine une fois percé à jour, on les condamna (381).

Sans doute, quelques vestiges de la domination arienne subsistèrent-ils jusqu'au ve siècle, ainsi qu'en témoigne l'œuvre polémique de l'évêque Nicetas de Remesiana[1]. Peu de chose,

1. Nicetas fut évêque de Remesiana dans la Dacie méditerranéenne (non loin de Nisch, Serbie). Missionnaire infatigable, il évangélisa les barbares qui l'entouraient. Aussi son ouvrage principal est-il ses *Instructions aux catéchumènes*, dont il ne nous reste que deux livres sur six, l'un sur la foi et l'Esprit-Saint, l'autre sur le symbole. Des raisons assez probantes ont fait émettre l'hypothèse qu'il serait l'auteur du *Te Deum*. « Ainsi, remarque

à la vérité, et que la grande histoire pourrait ignorer. Par contre, l'arianisme illyrien devait déborder chez les barbares et y produire d'incalculables ravages. « Il y a une connexité indéniable, dit M. J. Zeiller, entre la diffusion de l'arianisme dans les provinces danubiennes et les suites de l'entrée des barbares dans l'Empire par cette région. Saint Ambroise, observant que l'intégrité de l'Empire avait subi ses premières atteintes dans les contrées où s'était surtout propagé l'arianisme, voyait dans ce fait un châtiment divin. Ce fut en tout cas un événement considérable que le contact établi entre la barbarie voisine de l'Empire et les provinces où le christianisme revêtit durant d'assez longues années la forme arienne. Les conséquences s'en firent sentir pendant plusieurs siècles. » Ainsi l'arianisme illyrien, agonisant dans l'empire, passait-il le brandon de l'erreur aux nations barbares : le grand apôtre des Goths Ulfila qui les convertit tout ensemble au christianisme et au subordinatianisme fut l'ami de Palladius et de Secundianus, les deux condamnés du concile d'Aquilée.

Vainqueur de l'hérésie en Illyrie, Ambroise eut encore à se mesurer avec elle dans sa propre ville épiscopale, où la communauté arienne, en soi très faible, se trouvait grossie par les Goths servant dans les troupes et à la cour impériale, et où elle acquit en 383 un chef entreprenant dans la personne d'Auxence, évêque de Durostorum en Mésie II, un ami d'Ulfila qui, chassé d'Orient par les ordonnances de Théodose, avait trouvé refuge et protection auprès de l'impératrice Justine.

De son fils Valentinien II, elle obtint qu'il obligeât Ambroise à lui céder la basilique Porcienne. Mandé au palais, l'évêque opposa à l'empereur un refus respectueux, mais catégorique : « Je n'ai pas le droit de vous rendre cette basilique, lui dit-il, et vous n'auriez pas le droit de la prendre... Qu'il n'y ait rien de commun entre vous et l'adultère. » Durant cet entretien toute une foule s'était rassemblée qui criait : « Frappez-nous si vous voulez, nous sommes prêts à mourir pour la foi de Jésus-Christ. » Il fallut qu'Ambroise lui-même se montrât et l'apaisât. De cette journée, le prélat sortait grandi et la cour humiliée.

Justine ne voulut pas rester sur pareille défaite et, quelques semaines plus tard, aux approches de Pâques, elle fit réclamer à l'évêque non plus la basilique Porcienne, mais la basilique neuve qui, à la différence de l'autre, se trouvait à l'intérieur de la ville. Ambroise demeura inébranlable. « Si l'empereur me demandait ce qui est à moi, mes terres, mon argent, répondit-il, je ne lui opposerais aucun refus, encore que tous mes biens soient aux pauvres. Mais les choses divines ne sont point sous la dépendance de l'empereur. S'il vous faut mon patrimoine, prenez-le. Si c'est ma personne, la voici. Voulez-vous me jeter dans les fers, me conduire à la mort? J'accepte tout avec joie » (*Epist.*, XX). La communauté entière d'ailleurs le soutenait : et la foule qui lui criait : « Non, Ambroise, non, ne cédez rien », et les commerçants qui, punis par le fisc, répliquaient : « Peu nous importe qu'on nous impose au double et au triple, pourvu qu'on nous laisse pratiquer notre foi », et les soldats eux-mêmes qui, commandés d'occuper la Grande Église pour la fête de Pâques répliquaient : « Que l'empereur

Mgr Duchesne, cette hymne célèbre, que toute la chrétienté chante à ses heures émues, aurait retenti d'abord dans un coin perdu de l'antique Mésie. » Voir Dom Morin, *Rev. Bénéd.*, XI (1894), p. 48-77.

Le *Te Deum* fut quelquefois attribué aussi — mais sans fondement — à saint Ambroise : d'où le nom d'*Ambrosianum* qu'on lui donnait. Par contre, parmi les hymnes dites ambrosiennes quatre sont d'une authenticité certaine (*Aeterne rerum Conditor; Deus creator omnium; Jam surgit hora tertia; Veni, Redemptor omnium*). Ces hymnes présentent des dimètres iambiques groupés en huit strophes de quatre vers. D'une forme simple et chantante, elles eurent un succès beaucoup plus vif que celles de saint Hilaire, trop savantes et trop compliquées. Ambroise est le véritable créateur de l'hymne liturgique en Occident. Voir V. Ermoni, *Ambroise hymnographe,* dans *Dict. Arch.*

vienne dans les rangs; s'il veut se réunir aux catholiques nous serons derrière lui, sinon nous allons prier avec Ambroise. » Cette fois encore la cour dut céder.

Mais l'année suivante (386), Justine voulut prendre enfin sa revanche. A sa prière, Valentinien II promulgua une loi qui accordait la liberté du culte aux tenants de la confession riminienne. En conséquence, ordre fut donné à Ambroise de céder à Auxence diverses basiliques. L'évêque resta inflexible : « Naboth, disait-il, n'a pas voulu livrer la vigne de ses pères, et moi, je livrerais la maison de mon Dieu! » La situation se tendit à tel point qu'aux approches de Pâques, craignant contre Ambroise quelque guet-apens, le peuple catholique le força à demeurer dans la basilique Porcienne barricadée. Un siège en règle s'ensuivit durant lequel, pour tromper la longueur des heures, Ambroise fit chanter aux fidèles des psaumes et des hymnes en deux chœurs alternés (Voir note supra). Il rappelait aussi avec fermeté les imprescriptibles droits de l'Église : « Je me soumets à l'empereur, je ne lui cède pas. L'empereur est dans l'Église, et non pas au-dessus d'elle. » (*Imperator intra Ecclesiam et non supra Ecclesiam est.*) Un événement providentiel — la découverte des reliques des deux frères martyrs, Gervais et Protais — suscita un tel enthousiasme populaire que la cour crut sage de renoncer à ses projets.

Le dernier mot restait à Ambroise et à l'orthodoxie. La crise arienne se terminait sur une affirmation des droits de l'Église : Ambroise donnait ainsi la réplique dernière à Constance et à ses prélats de cour. Il avait tenu tête à Justine comme bientôt Chrysostome à Eudoxie, et comme lui aussi il évoquait, à propos de l'impératrice, Hérodiade demandant la tête du Baptiste. Mais, à Milan c'était l'autorité épiscopale qui triomphait, non pas le despotisme d'une femme : il ne fallait pas que le byzantinisme devînt pour l'Occident un article d'exportation.

VIII. L'apollinarisme. — Tandis que l'arianisme déclinait, les prodromes s'annonçaient des hérésies christologiques qui, plusieurs siècles durant, troubleraient l'Orient et prépareraient le schisme grec.

Parallèlement à la controverse des trois hypostases s'en était développée une autre, la querelle apollinariste qui, elle aussi, se discuta au concile d'Alexandrie en 362, puis s'épanouit à Antioche où, en 375, Vital, chef du mouvement, fonda une Église, tant qu'enfin le concile de Constantinople porta après Rome un verdict de condamnation.

Pour s'opposer à l'hérésie arienne et bien montrer que le Verbe était Dieu, les Antiochiens avaient souligné la distinction des deux natures jusqu'à compromettre l'unité de personne. Par réaction, une théorie fut mise au jour qui, pour sauvegarder cette personne divine, réduisait l'Incarnation à l'union du Verbe divin à un corps humain sans âme[1]. Ces deux thèses inquié-

I. L'apollinarisme. — *SOURCES :* Les écrits d'Apollinaire dans l'édition de H. Lietzmann, *Apollinaris von Laodicea und seine Schule,* I. Tubingen, 1904. — *Contra Apollinarium* (anonyme), *P. G.,* XXVI, 1903 suiv. — Saint Epiphane, *Haer.*, LXXVII. — Saint Grégoire de Nysse, *Antirrheticus adversus Apollinarium, P. G.*, XLV. — Saint Basile, *Epist.*, cxxix, cclxiii. — Théodoret, *Eranistes,* Dial., V. — *TRAVAUX :* J. Draeseke, *Apollinarius von Laodicea,* Leipzig, 1892. — Voisin, **L'appollinarisme*, Louvain, 1901; *La doctrine christologique de saint Athanase, R. H. E.*, I (1900), pp. 226 suiv. — A. d'Alès, **Apollinaire. Les origines du monophysisme, Rev. apol.*, XLII, p. 131-149. — R. Aigrain, *art. *Apollinaire,* dans *Dict. Hist.*

1 En réalité cette théorie fut déjà celle d'Arius. Dans son hérésie, la christologie ne s'introduit que comme un corollaire. Elle y apparaît cependant. Au Logos, simple créature et esprit fini, l'hérésiarque laissait un corps humain, mais pour que l'unité de personne ne fût pas troublée par la présence de deux esprits finis — le Logos et l'âme

tantes furent signalées en 362 au fameux concile d'Alexandrie : il ne fallait ni assimiler l'Incarnation à l'habitation du Verbe dans les anciens prophètes, comme le faisaient certains théologiens d'Antioche, ni davantage affirmer que le Verbe a assumé un corps sans âme où il jouait le rôle de l'âme. Qui soutenait l'une et l'autre erreur ? Personne ne fut nommé.

En réalité, le principal coupable, Apollinaire, jouissait alors d'une grande réputation. Ami d'Athanase, érudit consommé, exégète avisé, véritable marteau des païens et des hérétiques, il s'était opposé à la fois à Porphyre et à Julien, puis aux ariens, aux manichéens, à Marcel d'Ancyre. Sa réputation était telle qu'en 360, sur le siège de Laodicée les nicéens les plus déclarés le substituaient à Pélage, orthodoxe moins bien noté, par un procédé assez analogue à celui qui remplaçait à Antioche Mélèce par Paulin.

Pourtant dès 352 — si nous en croyons le Nazianzène — Apollinaire émettait des idées nouvelles sur l'Incarnation. En 362, les voilà attaquées à Alexandrie, mais sans que son nom soit encore prononcé. Vers 370, on les voit répandues à Chypre par des disciples, non sans quelque déformation, et aussi à Corinthe où l'évêque Épictète dénonce à saint Athanase les deux tendances déjà signalées au concile d'Alexandrie : l'une qui donnerait deux personnes à Jésus-Christ, l'autre qui ne lui laisserait qu'une nature. Mais, comme le concile d'Alexandrie, saint Athanase, dans sa réponse à Épictète, réfuta l'hérésie signalée sans faire la moindre allusion à Apollinaire que protégeaient une vieille réputation et tant de services rendus. — Même scrupule chez Basile qui, accusé par Eustathe de Sébaste d'accointance avec Apollinaire, se contenta de formuler des réserves sur ses « idées nouvelles », mais refusa de traiter en ennemi cet infatigable défenseur de l'orthodoxie.

Il n'est pas jusqu'à l'habituelle circonspection romaine qui ne se laissât prévenir : le principal tenant d'Apollinaire, le prêtre Vital, dont l'intégrité doctrinale était suspectée, se rendit auprès du pape Damase, et, sur présentation d'une profession de foi équivoque, obtint de lui une recommandation auprès de Paulin, l'évêque que Rome reconnaissait alors à Antioche.

Cependant, mieux informé, Damase résolut d'alerter Paulin. Sans nommer personne, il condamna « cette hérésie qui a pullulé en Orient », et qui ne reconnaît pas au Christ une humanité complète. Le voile était déchiré : Vital dénoncé fut nommé par l'hérésiarque évêque et chef des apollinaristes antiochiens. Apollinaire, d'ailleurs, organisait une hiérarchie, désignait d'autres évêques, par exemple Timothée pour Béryte, enfin composait son grand traité intitulé *Démonstration de l'incarnation divine en la ressemblance de l'homme*. Il circulait aussi des petits écrits de ton religieux, des hymnes même, bref toute une littérature pieuse destinée à populariser l'apollinarisme comme jadis la Thalie avait fait pour l'arianisme. Ajoutez à cela tout un enseignement oral fort persuasif. Un parti puissant se formait ainsi : la piété personnelle des chefs, la renommée scientifique d'Apollinaire, l'opportunité qu'il y avait à combattre les théorie naturalistes des antiochiens, autant de causes qui expliquent son succès. Orgueilleux et entêté, raisonneur subtil, Apollinaire manquait de cet attachement à la tra-

humaine — il supprimait tout simplement cette âme humaine, en sorte qu'il n'y avait plus dans le Christ qu'un corps sans âme, ou plutôt sans autre âme que le Logos. Escamotage ingénieux permettant d'attribuer au Logos cette connaissance limitée et ces affections de tristesse et de joie qui soulignaient son infériorité par rapport au Père. « Afin de mieux établir sa doctrine, souligne très bien Petau, Arius disait que la divinité du Verbe — divinité secondaire d'après lui — était unie au corps du Christ à la place de l'âme. » Dans l'ardeur de la controverse trinitaire cet aspect christologique passa presque inaperçu : à peine le trouve-t-on signalé par Eustathe d'Antioche et par saint Hilaire.

dition catholique qui préserve des grandes chutes intellectuelles. A la période de propagande sournoise succédait la révolte ouverte et organisée. Au dire de Sozomène, n'eût été la résistance monastique, la contagion se fût étendue à toutes les provinces de l'Orient.

Quel était donc au juste le système d'Apollinaire? A la base un double principe : l'un pris à la foi, cette unité du Christ telle qu'elle nous apparaît dans l'Evangile; d'autre part l'axiome aristotélicien d'après quoi une personne est par le fait même une nature. D'où cette conclusion : dans le Christ, une seule nature.

Mais, comment donc réduire ainsi le composé divin? En affirmant, comme jadis Arius, que le Verbe s'est uni un corps humain à l'exclusion de l'âme raisonnable. Au total, on se trouve devant une nature composée sans doute (φύσις σύνθετος), composée de la divinité et de la chair, mais enfin devant une seule nature (μία φύσις σεσαρκωμένη) : le Christ, c'est la nature divine incarnée. « La divinité et la chair, dit sans ambages Apollinaire, sont deux parties constitutives d'une seule nature, de même que dans l'homme ordinaire on a une seule nature formée de deux parties imparfaites, l'âme et le corps. » Ainsi applique-t-il au Christ les principes aristotéliciens : d'une part la forme, élément spirituel et actif, qui est la Divinité du Verbe; d'autre part, la matière, élément passif, qui est le corps. Divinité et chair humaine constituent une seule essence, une seule nature, et une seule personne (μία φύσις — μία οὐσία). Le Christ, c'est la nature divine du Verbe, éternelle et immuable, mais existant autrement par l'adjonction d'un élément nouveau, le corps humain, pure enveloppe d'ailleurs, simple vêtement, élément passif et tout subordonné. Après l'Annonciation, de simple la nature divine devint composée, de non incarnée incarnée; mais, enfin, il n'y avait qu'une seule nature, et même qu'un seul principe d'opérations : avec le monophysisme, le monothélisme.

On conçoit quelles conséquences désastreuses comportait pareil système. Apollinaire ne semblait pas se douter qu'en ne laissant à l'Homme-Dieu qu'un corps sans âme, il ne lui reconnaissait qu'une humanité équivoque, incomplète, imparfaite, une humanité nouvelle et inconnue, qui n'était pas consubstantielle à la nôtre. Le Christ n'était plus qu'un Dieu revêtu de chair, et ce vêtement sans importance ne suffisait pas à coup sûr pour lui permettre de nous racheter par participation à notre nature. La Rédemption était compromise.

Si doctrinaire qu'il fût, l'hérésiarque ne pouvait se dissimuler combien son système était factice. « Il voulut ignorer, dit le P. A. d'Alès, la psychologie du Christ, toute sa vie intellectuelle et morale. Ces traits si profondément humains, empreints dans nos Évangiles, qui nous montrent le Christ aimant, voulant, s'étonnant, s'attendrissant, s'indignant, demeurèrent voilés à ses yeux. » Pour couper court aux objections et trouver une échappatoire il inventa vers 374 sa théorie trichotomiste : sans plus soutenir que l'humanité du Christ n'est qu'un corps quelconque, animé par l'Esprit de Dieu, il admit qu'elle se composait d'un corps et d'une âme animale (ψυχή), le Verbe faisant fonction d'âme intelligente (νοῦς, πνεῦμα). C'était toujours la même erreur, mais, ainsi habillée, elle permettait à ses partisans d'affirmer que le Christ a pris une âme humaine et d'esquiver ainsi les accusation de monophysisme [1]. On prend cette tactique sur le vif dans l'interrogatoire qu'en 376 le vigilant Épiphane fit subir à Vital d'Antioche. « Nous admettons, dit Vital, que le Christ a pris un homme parfait » : ce qui étonna et réjouit les assistants. « Admettez-vous, insista Épiphane, que le Christ

1. Le trichotomisme est donc moins une théorie qu'un procédé de tactique inventé par Apollinaire pour se dérober, bref une nécessité de la controverse. C'est à tort que Nemesius d'Ephèse s'imagina que cette conception psychologique fut l'occasion de l'hérésie nouvelle. Apollinaire dichotomiste était déjà un parfait monophysite.

a pris une vraie chair? — Je l'admets. — Une vraie chair, dans le sein de la Vierge Marie, par l'opération du Saint-Esprit? — Je l'admets. — A-t-il pris aussi une âme? — Oui. » Épiphane poursuivit : « Le Christ a-t-il pris une âme raisonnable? — Non. — Comment donc pouvez-vous dire qu'il fut homme parfait? — Parce que, la divinité tenant lieu d'âme raisonnable, il a pris la chair et l'âme animale. Ainsi est-il homme parfait, composé de chair, d'âme animale et de divinité au lieu d'âme raisonnable. »

Dès lors, on mena rude guerre contre la nouvelle hérésie. Basile n'hésita plus à en appeler à Rome, précisant ses griefs contre Apollinaire, un dialecticien qui, traitant la théologie par raisonnement et non par preuves scripturaires, annonçait des choses inédites sur l'Incarnation. En 377, un concile romain, tenu par Damase et auquel assistait Pierre d'Alexandrie, condamna l'apollinarisme. Dès lors, malgré le répit accidentel que procura aux évêques hétérodoxes la persécution de Valens, le mal se trouvait démasqué : la sentence romaine fut confirmée successivement à Alexandrie en 378, à Antioche en 379, plus solennellement au concile de Constantinople en 381, où les apollinaristes se rejoignirent dans le même anathème avec les ariens, les sabelliens et les marcelliens.

D'autre part, les réfutations abondaient. Dès 377, à la fin de son *Panarion*, Épiphane insérait une profession de foi où il affirmait que le Christ s'est uni un homme parfait, âme, corps, esprit, le péché seul excepté. Vers la même date, dans son *Antirrheticus*, ouvrage où la discussion est méthodique et poussée à fond, Grégoire de Nysse prouve contre Apollinaire que la chair du Christ n'est pas venue du ciel et que le Verbe ne tient pas chez lui la place de l'entendement humain. L'autre Grégoire qui, de retour dans sa patrie après le concile de Constantinople, trouva la communauté de Nazianze troublée par les apollinaristes, écrivit alors deux lettres au prêtre Cledonius qu'il avait établi pour administrer provisoirement le diocèse, et où il réfutait et anathématisait l'hérésie. Dans leurs attaques, les deux Grégoires maniaient des arguments probants tels que celui-ci, renouvelé d'Origène : comme dans l'homme la chair est subordonnée à l'esprit, ainsi le Verbe, suivant la hiérarchie de nature, s'unit-il à l'esprit immédiatement, et à la chair médiatement.

Réfutations valables à coup sûr, et formulées par de grands esprits, mais auxquelles manquait cette arme décisive, une terminologie précise qui opposât nettement nature et personne, φύσις et ὑπόστασις. Sur le terrain christologique reparaissaient donc ces mêmes confusions de mots, ces mêmes logomachies, à la faveur desquelles cheminait l'hérésie. Aussi bien, toutes armes lui étaient bonnes : nous verrons, en effet, que pour conserver les œuvres d'Apollinaire contre les censures impériales, les apollinaristes les attribueront à plusieurs auteurs orthodoxes, entre autres Jules de Rome, saint Athanase et saint Grégoire le Thaumaturge : supercherie habile qui ne sera vraiment dénoncée qu'au VIe siècle, et qui permettra aux monophysites d'appuyer leurs théories sur l'autorité des plus grands noms.

Malgré les doctes réfutations des Cappadociens, malgré la série de décrets que l'empereur Théodose porta contre lui, interdisant ses assemblées, et déposant ses évêques, l'apollinarisme survécut à son auteur qui mourut vers 390. Il se fractionna en deux partis : l'un radical, conduit par Timothée de Béryte et Polémon, maintenait l'enseignement du maître sous sa forme la plus provocante, excluait du Christ « l'esprit » humain, et affirmait la consubstantialité (συνουσίωσις) entre sa chair et sa divinité : d'où le nom de synousiate qui lui fut donné. L'autre, modéré, essayait de gloser dans un sens catholique les formules d'Apollinaire et d'accréditer ses œuvres sous des noms d'emprunt. Ainsi saint Cyrille croira-t-il que la fameuse formule μία φύσις τοῦ Θεοῦ Λόγου σεσαρκωμένη, *una natura Dei Verbi incarnata* venait d'Athanase, alors qu'elle avait été employée par Apollinaire dans sa lettre à Jovien.

Apollinaire avait voulu réagir contre les tendances de l'école d'Antioche et conjurer le péril dualiste. De ces théories qui compromettaient l'unité du Christ, Diodore, évêque de Tarse († vers 391) fut le tenant principal, et Théodore, évêque de Mopsueste († 428), en fournit le commentaire le plus explicite. D'après eux, il existe diversité permanente entre le divin et l'humain, dualité de l'être humain et de l'être divin, en sorte qu'il faut distinguer Fils de Dieu et fils de Marie. Nulle transformation du Logos divin en un homme, mais seulement inhabitation (ἐνοικησίς) du Logos dans l'âme par une bienveillance, par une complaisance spéciale (εὐδοκία).

Chose curieuse, Diodore et Théodore arguaient du même principe philosophique qu'Apollinaire, affirmant comme lui qu'un être individuel, qu'une personne est par le fait même une nature. « On ne saurait avancer, disait Théodore, qu'une hypostase (ou nature) est impersonnelle. » En vertu d'un tel principe, l'alexandrin Apollinaire, spiritualiste jusqu'à l'outrance, avait contraint la nature humaine à se résorber dans la divine en sorte qu'il n'y eût plus qu'une personne-nature, la personne divine revêtue de chair. Au contraire, toujours attachés à sauvegarder le côté terrestre chez le Sauveur, nos antiochiens conservaient intacte la nature humaine; et dès lors, comme toute nature est philosophiquement une personne, ils concluaient à deux personnes-natures, l'une divine et l'autre humaine. « Lorsque nous distinguons les natures en Jésus-Christ, disait Théodore, nous disons que la nature de Dieu le Verbe est complète, et complète aussi la personne : car on ne saurait avancer qu'une hypostase (ou nature) est impersonnelle; de même, nous disons que la nature de l'homme est complète, elle aussi, et complète la personne. »

Cependant, les prélats qui professaient cette erreur étaient deux saints personnages, entourés de l'estime générale. Leur théorie se répandit et chemina sans rencontrer une opposition décidée jusqu'au jour où elle s'imposa avec éclat à l'attention chrétienne, quand le patriarche même de Constantinople, Nestorius, un antiochien transplanté, s'en fit le défenseur et le propagateur.

I. Diodore et Théodore. — V. Ermoni, * *Diodore de Tarse et son rôle doctrinal*, dans le *Muséon*, 1901, p. 424-444. — L. Pirot, * *L'œuvre exégétique de Théodore de Mopsueste*, 1913. — J. M. Vosté, *La chronologie de l'activité littéraire de Théodore de Mopsueste,* dans *Rev. Bibl.*, 1925, p. 54-81. Nous n'insistons pas sur l'erreur de Diodore : une définition détaillée ferait double emploi avec celle du nestorianisme.

LIVRE IX

L'ÉGLISE A LA FIN DU IVe SIÈCLE.

CHAPITRE PREMIER

L'AGONIE DU PAGANISME

I. La politique religieuse de Gratien et de Théodose. L'influence d'Ambroise. — Après le règne de Julien, les choses redevinrent telles qu'auparavant. Le paganisme s'était montré incapable de reprendre la prépondérance. Pourquoi ne pas le laisser mourir doucement sans persécutions ni menaces, par simple application de l'Édit de Milan? Mieux que personne jusqu'alors, Valentinien visa à une tolérance absolue, à une impartialité complète. Ses convictions privées ne transparurent pas dans les actes officiels. S'il rendit aux chrétiens la liberté d'enseigner que leur avait enlevée Julien, ce fut sans phrase ni déclamation : « Quiconque, dit-il, est par ses mœurs et son talent digne d'instruire la jeunesse, aura le droit, soit d'ouvrir une école, soit de réunir à nouveau son auditoire dispersé. » (*Code Théod.*, XIII, III, 6.) Contre la magie et les sacrifices nocturnes sans doute rétablit-il les prohibitions abandonnées sous Julien, mais avec une modération attestant qu'il s'agissait à ses yeux de mesures moralisatrices et non pas vexatoires : aussi le païen Prétextat obtint-il le maintien des mystères nocturnes d'Eleusis qui ne pouvaient troubler l'ordre public. De même, Valentinien ne rangea point l'aruspicine parmi les maléfices prohibés. « Je ne considère comme délictueux, dit-il, ni cet art, ni aucune observance religieuse établie par nos ancêtres. Je défends seulement qu'on y mêle des pratiques criminelles. » (*Cod. Théod.*, IX, XVI, 9.) Des expropriations successives en sens inverse avaient attribué certains temples aux chrétiens sous Constantin et Constance, puis les avaient restitués aux païens sous Julien; on rattacha ces biens au domaine impérial : disposition habile qui maintenait la neutralité du gouvernement en même temps qu'elle l'enrichissait. Ainsi la législation religieuse de Valentinien apparaît-elle comme la liquidation impartiale d'un passé troublé par les sectarismes divergents de Constance et de Julien. « Ce qui fait la gloire de son règne, a très bien dit Ammien Marcellin, c'est qu'il se tint au milieu des diversités religieuses, n'inquiétant personne, n'obligeant personne à suivre tel ou tel culte. Il n'inclina pas

La fin du paganisme. — *SOURCES* : Saint Ambroise et saint Martin figurent surtout dans ce chapitre. Pour saint Ambroise voir les textes dans P. DE LABRIOLLE, *Saint Ambroise* (coll. *La Pensée chrétienne*), 1908 ; pour saint Martin, dans P. Monceaux, *Saint Martin*, 1926. — *OUVRAGES* : G. BOISSIER, * *la fin du paganisme*, 2 vol., 1881. — P. ALLARD, * *L'Empire romain de Néron à Théodose*. — A. DE BROGLIE, * *Saint Ambroise* (col. *les Saints*), 1899. — V. SCHULTZE, *Geschichtes des Untergangs des griechich-römischen Heidentums*, 2 vol., Iéna, 1887-1892. — J. GEFFCKEN, *Der Ausgang des griechisch-römischen Heidentums*, Heidelberg, 1920. — IMBART DE LA TOUR, * *Les paroisses rurales du IVe au XIe siècle*, 1900. — VACANDARD, *Saint Victrice* (col. *les Saints*), 1903.

par des lois menaçantes ses sujets vers ce que lui-même adorait. » (xxx, 10.) Personne encore — même pas Constantin — n'avait appliqué l'Édit de Milan avec une pareille sérénité.

Dès 367, après une grave maladie il avait associé à l'Empire son fils Gratien, âgé de huit ans. Devenu maître de l'Occident par la mort subite de son père en 375, l'impérial adolescent se montra décidé à réaliser la séparation du paganisme et de l'État. Il commença par refuser les insignes du pontificat suprême qui, selon ses propres paroles, « ne convenaient pas à un chrétien ». Décision plus significative encore et plus retentissante, il supprima la statue de la Victoire que les sénateurs encensaient avant d'entrer en séance. Inaugurée par Auguste après Actium, enlevée par Constance, rétablie par Julien, cette statue symbolisait la gloire romaine sans doute, mais plus encore l'alliance des dieux avec l'État antique. Aussi les sénateurs païens envoyèrent-ils vers l'empereur une députation protestatrice où figurait l'un de leurs plus grands orateurs, Symmaque. Elle ne fut pas reçue. Déjà, par l'intermédiaire du pape Damase et d'Ambroise, les sénateurs chrétiens, en majorité dans la curie, avaient fait savoir à Gratien qu'ils ne s'associaient pas à la démarche de Symmaque.

En cette même année 382, un édit supprima divers avantages jusqu'alors concédés au paganisme : abolition des privilèges, suppression des allocations cultuelles au profit du trésor public, restitution au fisc des terres possédées par les temples et collèges sacerdotaux auxquels on ne pourrait plus concéder désormais aucune propriété immobilière. Pareilles mesures frappaient au cœur une religion vénale. La communauté des Vestales ne survécut guère à cet édit : par les libéralités et grâce à l'obstination de la noblesse elle put subsister tout au plus jusqu'à la fin du siècle.

Saint Ambroise était le conseiller et le soutien de la politique religieuse de Gratien qui, en retirant ses privilèges au paganisme, ne prétendait point améliorer par contre-coup la situation matérielle de l'Église. Rien donc qui ne fût équitable en cette attitude nouvelle, aboutissant logique de l'égalité proclamée par l'Édit de Milan entre tous les cultes. L'empereur pontife suprême du paganisme, la statue de la Victoire imposant aux sénateurs un culte officiel, les sacerdoces rétribués, autant d'anomalies injustifiées et que seules avaient laissé subsister les nécessités politiques non moins que le respect d'un passé glorieux.

En 383, Gratien fut assassiné près de Lyon par les partisans de Maxime, l'élu des troupes de Bretagne. A la prière de saint Ambroise, l'usurpateur consentit à laisser au frère de Gratien, Valentinien II, l'Italie, les pays du Danube et l'Afrique. Cet empereur n'avait que douze ans : à Rome le vieux parti résolut de prendre sa revanche. Une délégation sénatoriale se présenta au palais, conduite par Symmaque devenu préfet de Rome. Dans le rapport qu'il prononça, celui-ci plaidait avec une sobre éloquence la cause de ce paganisme officiel, force tutélaire de l'Empire. « L'intelligence divine, affirmait-il, a assigné aux différentes villes différents protecteurs; et de même qu'une âme est attribuée à chaque enfant lors de sa naissance, pareillement chaque peuple reçoit le génie de sa destinée... Imaginons que Rome soit devant vous et qu'elle vous adresse la parole : « Princes excellents, vous dirait-elle, pères de la patrie, respectez la vieillesse où, avec ces rites sacrés, je suis parvenue. Laissez-moi mes antiques cérémonies : je n'ai point lieu de m'en repentir. Ce culte a mis l'univers sous mes lois : ce sont ces sacrifices qui ont repoussé Annibal de mes murailles, et les Gaulois du Capitole. N'ai-je donc été sauvée que pour subir un désaveu dans mes vieux jours?...» Et Symmaque s'empressait de voir dans une famine récente la revanche des dieux méconnus : « Une mauvaise moisson a déçu l'espérance de toutes les provinces. La faute n'en est pas à la terre; nous n'incriminons pas les vents; ce n'est point la nielle qui a nui aux moissons, ni l'ivraie qui a étouffé la bonne herbe : c'est le sacrilège commis qui a rendu l'année stérile. » Si ressassée qu'elle fût, cette argumentation patriotique, développée par « le plus éloquent des Romains vivants », produisit une profonde impression jusque sur les chrétiens eux-mêmes.

Mais quelqu'un veillait, ce même Ambroise, jadis vainqueur des païens dans une pre-

VESTALE.
Musée national de Rome.

mière rencontre, et qui maintenant sentait son crédit accrû par les services rendus à la dynastie. Dans une lettre énergique au jeune empereur il lui dictait pour ainsi dire quelle attitude prendre (*Epist.*, XVII). « Il faut avoir égard à la fidélité d'hommes de haute condition : j'en tombe d'accord. Mais Dieu doit être préféré à tout. S'il s'agissait d'une question militaire, il faudrait attendre l'avis d'un homme rompu aux choses de la guerre. Du moment que c'est la religion qui est en cause, ne songez qu'à Dieu. Nul ne peut se croire offensé parce qu'on lui préfère le Dieu tout puissant. » Et sur un ton respectueusement comminatoire, présage de temps nouveaux, saint Ambroise déclarait : « Si une décision contraire est prise, nous ne pourrons, nous évêques, nous en accommoder d'un cœur léger, ni dissimuler notre opinion. Vous pourrez sans doute vous rendre à l'église, mais vous n'y trouverez point de prêtre, ou il ne sera là que pour protester. » (*Licebit tibi ad ecclesiam convenire, sed illic non invenies sacerdotem, aut invenies resistentem.*) Alléguant les exemples de son père et de son frère, Valentinien II se rangea à l'avis d'Ambroise.

Sans se contenter de cette victoire pratique, celui-ci réfuta point par point la thèse développée par Symmaque (*Epist.*, XVIII). A la prosopopée mise par le païen sur les lèvres de Rome « réclamant ses anciens dieux », il en substituait une autre où, avec un bon sens accessible à tous, il détruisait la fable d'une Providence païenne : « Ce n'est pas dans les fibres des victimes, mais dans la vigueur des combattants qu'est le secret de la victoire. J'ai observé, pour conquérir l'univers, une autre méthode. C'est par les armes que Camille reprit les enseignes arrachées au Capitole, après avoir taillé en pièces les vainqueurs de la Roche tarpéienne. La religion n'avait pas su les repousser, sa valeur les abattit... Ce ne fut pas au milieu des autels du Capitole, mais parmi les troupes d'Annibal que Scipion l'Africain a trouvé son triomphe. »

D'autre part, l'évêque avait beau jeu à opposer aux doléances du paganisme privé de ses privilèges pécuniaires le désintéressement chrétien : « Admirez la magnanimité de ces gens-là. C'est au milieu des injustices, des misères, des supplices que nous avons grandi. Eux, ils jugent que leurs cérémonies ne peuvent se maintenir sans l'appui du trésor. » Et aux sept Vestales séduites par « les bandelettes, les robes de pourpre, le faste d'une litière, les immenses privilèges, les bénéfices considérables, le terme assigné à la continence », Ambroise opposait l'armée des moniales chrétiennes, consacrées à jamais, sans pourpre et sans délices. « Admettons qu'il faille accorder des gratifications aux vierges. De quel flot d'or nos chrétiennes vont-elles regorger? Quel trésor y suffira? »

Jusqu'ici, tout en refusant de regarder le paganisme comme croyance officielle, on le laissait vivre. Maître de l'Orient et véritable protecteur de tout l'Empire, Théodose se donna pour but direct de le détruire. Cet espagnol énergique et austère, aux convictions ardentes, ne pouvait continuer une politique d'équilibre religieux qui, d'ailleurs, avait fait son temps. L'avènement d'une nouvelle religion d'État, voilà ce qu'il prépara.

Dès 381, défense aux fidèles de passer au paganisme, interdiction de toute opération divinatoire. Cette dernière mesure supprima presque complètement les sacrifices sanglants où on lisait dans les entrailles des victimes : c'était enlever aux cultes idolâtriques un de leurs aspects les plus attrayants. Théodose démolissait donc le paganisme petit à petit ainsi qu'une vieille maison pierre par pierre. En 391, mesure décisive, il interdit absolument l'entrée des temples sous peine d'amende. Enfin, une loi de 392 défendit d'honorer les dieux, même en secret, fermant ainsi les sanctuaires domestiques. Entrelacer des bandelettes aux branches des arbres, dresser des autels de gazon, allumer le feu du foyer en l'honneur des lares, brûler pour les pénates les prémices du repas, autant de délits religieux qui entraînaient confiscation : « Toute maison où l'encens aura fumé appartient au fisc. » En même temps, Théodose donnait aux chrétiens les anciens temples : ainsi légua-t-il à Théophile d'Alexandrie un sanctuaire de Mithra.

A son ostracisme envers les cultes, Théodose alliait toutefois la plus grande tolérance à l'égard des personnes. Nulle différence pour les places et les honneurs entre chrétiens et infidèles : toute une série de préfets du prétoire ou de préfets de Rome, viennent du paganisme,

Symmaque, Prétextat, Nicomaque Flavien, Albinus. Mais, le général franc Arbogast ayant assassiné Valentinien II et installé à sa place le rhéteur Eugène, celui-ci, bien que chrétien, dut céder à la faction païenne dirigée par le préfet du prétoire, Nicomaque Flavien. On vit ce dernier participer à la procession d'Isis et au culte de Cybèle, se purifier par le taurobole et soumettre la Ville à une lustration de trois mois par quoi elle serait lavée de toute souillure chrétienne.

Théodose voulut venger tout ensemble l'empereur assassiné et le christianisme bafoué. D'où cette allure de véritable croisade imprimée à la lutte. Tandis que Flavien plaçait des statues de Jupiter aux foudres dorés sur les passages menacés des Alpes, Théodose faisait à ses troupes une proclamation chrétienne : « Nous ne pouvons, disait-il, faire l'injure à la croix de la considérer comme impuissante. Notre armée marche sous sa protection. » A l'Hercule invincible peint sur les étendards d'Eugène et d'Arbogast s'opposait le labarum de Constantin avec le monogramme du Christ. Théodose triompha près d'Aquilée où périrent Flavien, Arbogast et Eugène. Nulle représaille ; mais « les dieux payèrent pour les hommes », et le paganisme fut de nouveau aboli officiellement.

Mgr Duchesne observe que le catholicisme avait progressé en Afrique malgré la crise donatiste, en Orient malgré les agissements de la faction arienne. Théodose en accéléra le succès. Il instaura l'Empire chrétien.

Quelles y seraient les relations entre l'Église et l'État? Une théorie ferme et pratique devait les définir. Ce fut saint Ambroise qui l'esquissa. Romain de vieille souche, il veut des deux pouvoirs une union étroite qu'opérera la foi. « O clou sacré de la Croix, s'écriera-t-il dans l'Oraison funèbre de Théodose, clou qui tient l'univers entier et qui sert d'ornement au diadème des souverains afin qu'ils deviennent les prédicateurs de la foi, ceux qui n'en ont été longtemps que les persécuteurs », *ut sint praedicatores qui persecutores esse consueverunt.* Nul asservissement, toutefois. Le temps est passé où des prélats courtisans livraient le dogme aux caprices d'un tyran. « Dans les affaires de foi, ce sont les évêques qui sont les juges des empereurs chrétiens, et non pas les empereurs qui sont les juges des évêques. » (*Epist.*, XXI, 4.) Par contre, arrière tout absolutisme incontrôlé. Damnable est la formule antique où la volonté du prince s'affirmait indépendante et illimitée : *Quidquid principi placuit, legis habet vigorem.* Il y a des règles morales auxquelles l'empereur est tenu comme tous autres, voire davantage; les viole-t-il, l'épiscopat doit protester et lui infliger ses censures : car, il est dans l'Église et non pas au-dessus d'elle : *Imperator intra Ecclesiam, non supra Ecclesiam est.*

A Ambroise deux occasions se présentèrent d'appliquer ces principes avec fermeté. En 388, à Callinicum, petite ville mésopotamienne de la province d'Osrhöène, l'effervescence religieuse amena les plus graves désordres : un sanctuaire païen et une synagogue juive furent brûlés. Théodose intervint et ordonna que la synagogue fût reconstruite aux frais de l'évêque. Pareille mesure parut exorbitante à saint Ambroise : il ne pouvait admettre « que les dépouilles de l'Église servissent à reconstruire l'édifice où s'abrite la perfidie des juifs. » Pourquoi, d'ailleurs, trancher un tel cas sans en référer aux personnes compétentes? « Pour les affaires d'argent, vous consultez vos comtes, écrivait-il à l'empereur; n'est-il pas plus équitable encore de consulter dans les choses d'Église les ministres du Seigneur? » (*Epist.*, X, 4, 27.)

Théodose crut s'en tirer par le silence. C'était mal connaître l'inflexibilité d'Ambroise. En pleine église, il rappela les devoirs du prince et quelle obligation le pressait de « protéger le corps du Christ » s'il voulait qu'à son tour le Christ gardât son empire. Comme il descendait de l'ambon, Théodose lui demanda tout net qui il avait visé. « J'ai dit, repartit l'évêque, ce que je croyais devoir vous être utile. » Attitude toute franche de personnages sincères auxquels les détours ne convenaient pas. En vain l'empereur chercha-t-il des circonstances atténuantes, alléguant qu'il avait adouci ses ordres et que, d'ailleurs, les moines, artisans de troubles, se portaient à bien des excès. Ambroise resta planté devant Théodose dans l'attente qu'il cédât, puis il finit par lui dire : « Faites en sorte que j'offre pour vous le Saint Sacrifice en pleine sécurité. Déchargez mon âme. » Il fallut que l'empereur promît d'arrêter aussitôt l'instruction de l'affaire. « Alors seulement, rapporte saint Ambroise, je montai à l'autel dont je ne me serais pas approché s'il ne m'avait fait une promesse positive. » (*Epist.*, XLI, 28.) « Ce qui revient à dire, note Mgr Batiffol, qu'un évêque refusera d'offrir à Dieu l'offrande d'un empereur qui manquera au devoir que lui aura dicté l'évêque. » Quelque réserve qu'on puisse faire sur le bien-fondé des réclamations d'Ambroise, il faut souligner ce rappel des principes : en chose d'Église, décision d'Église, contre quoi nulle mesure de police ne peut s'inscrire. *Cedat oportet censura religioni.*

L'intervention fut non moins énergique, mais plus opportune, deux ans plus tard. En 390, Botheric, gouverneur de Thessalonique, ayant fait incarcérer pour attentat aux mœurs un cocher de cirque très populaire, la plèbe s'insurgea et, dans sa fureur, massacra plusieurs fonctionnaires et Botheric lui-même. De là une violente colère de l'empereur et l'ordre par lui donné qu'en manière de représailles la foule, massée dans le cirque, soit décimée sans merci : massacre effroyable qui dura trois heures et où périrent plusieurs milliers de victimes, frappées à l'aveugle, hommes, femmes et enfants. A cette nouvelle, réuni à Milan pour examiner une autre violence sanglante — celle des partisans de l'évêque Ithacius qui avaient demandé la condamnation capitale de Priscillien — un synode fut d'avis qu'on demandât à Théodose réparation selon la discipline ecclésiastique alors en vigueur, et qui comportait la pénitence publique.

Qui, sauf Ambroise, eût osé se charger de cette délicate mission? Après s'être retiré à la campagne, il écrivit à l'empereur une lettre confidentielle où il s'excusait d'une démarche si hardie à quoi il n'avait pu se dérober : « Dès que l'incident fut connu, il n'y eut personne qui ne gémît, personne qui en parlât de sang-froid; personne ne supposa qu'un tel acte serait absous et supporté dans la communion d'Ambroise, et je vis que l'odieux en serait accru et retomberait en partie sur moi, s'il ne se trouvait personne pour aller dire à son auteur qu'il avait à se réconcilier avec la divine justice. » (*Epist.*, LI, 6.) Et Ambroise évoquait les temps bibliques où aux rois les prêtres imposaient telles pénitences proportionnées à leurs crimes : « Aurez-vous honte, ô empereur, de faire ce qu'a fait David, le roi prophète, l'aïeul selon la chair de la race du Christ? » Au surplus, il faut choisir : pénitence ou excommunication, voilà tout le dilemme. Et à une fermeté inébranlable mêlant les protestations de tendresse et de dévouement, l'évêque finissait sur ces mots : « Je vous aime, je vous chéris, mes prières vont à vous. Si vous avez confiance en moi, faites ce que je dis. Sinon, pardonnez-moi ce que je fais : c'est que je mets Dieu au-dessus de tout. » (*Epist.*, LI, 17.)

Saint Ambroise nous atteste que Théodose se soumit : « Il pleura publiquement son péché dans l'église, dit-il; il demanda son pardon par des gémissements et des larmes. » (*De obitu Theodosii*, 34.) De cette scène Théodoret nous a laissé un récit dramatique : l'empereur s'avançant jusqu'à la proche enceinte de l'autel pour la communion, l'évêque lui faisant dire par un diacre qu'il doit se retirer. Pareil récit nous semble romancé[1] qui contient plusieurs invraisemblances, qui contraste avec la discrétion ordinaire de l'évêque et que ne confirment pas les contemporains, ni Rufin, ni Augustin, ni Ambroise lui-même. Mais ne convient-il pas que la légende dramatise parfois les grandes scènes historiques pour en souligner l'importance : telle la réconciliation de Henri IV à Canossa ou celle de Barberousse à Saint-Marc de Venise. Ces rapprochements d'ailleurs ne sont pas sans opportunité : car, la fermeté d'Ambroise avait posé devant l'État les prémices du droit public médiéval.

Aristocrate né, pénétré des idées d'ordre et d'autorité qui avaient fait la grandeur romaine, saint Ambroise transposait ces mêmes principes dans les rapports de l'Église et de l'État. A l'heure où l'Empire semblait trébucher, il songeait à le consolider en l'étayant sur l'Église. Droits divins et splendeur impériale lui paraissaient unis, tout ce qu'il aimait et qu'il admirait. De là son intransigeance sur les idées qui, en sauvegardant la liberté et les droits de l'Église, assureraient à l'État l'intégrité morale et la protection divine : ni violence, ni indiscrétion du pouvoir civil en matière religieuse, sauvegarde de la loi morale en tous les actes de la vie publique, abandon de la neutralité et faveur unique accordée au culte catholique, mais sans violation des consciences. A l'Église de veiller à ce que ce programme de politique religieuse soit sauvegardé avec fermeté et pourtant sans brutalité ni injustice.

II. La chasse aux idoles : saint Martin. — Au triomphe du christianisme sur le paganisme agonisant, la législation d'État n'était pas seule à travailler. Le christianisme vainqueur prit souvent une allure conquérante : les fidèles n'hésitaient pas à se mesurer avec les païens en des combats locaux pour la destruction d'un temple ou la dispersion d'une fête sacrilège. L'orateur Libanius nous apprend que « les hommes noirs, c'est-à-dire les moines », sortent parfois de leurs retraites pour exciter les fidèles à détruire les dernières idoles. Comme les évêques y applaudissent et que les fonctionnaires ferment les yeux, rien n'arrête plus le fanatisme populaire. Et Libanius demande à l'empereur de s'interposer.

Le rhéteur perdait bien son temps. Les événements qui se déroulèrent à Alexandrie le montrent assez. Ayant trouvé dans un ancien temple transformé en église des ex-voto, dont plusieurs fort indécents, le patriarche Théophile les fit promener à travers toute la ville pour faire honte aux païens. De là une agitation qui tourna à l'émeute : sous la conduite du philosophe Olympius improvisé stratège, les païens révoltés se réfugièrent dans le grand temple de Sérapis, le Serapeum, où ils se barricadèrent : au cours de sorties, ils firent des prisonniers qu'ils mirent dans l'alternative d'apostasier ou de périr. Il fallut parlementer avec les rebelles : Théodose leur accorda la vie sauve, mais exigea l'abolition du culte de Sérapis. En vain les païens déclarèrent-ils que, si l'on consommait pareil sacrilège, le monde s'effondrerait à l'instant. Un soldat audacieux lança sa hâche dans la tête de l'idole qui, abattue, fut traînée par les rues d'Alexandrie.

La désaffectation se poursuivit d'ailleurs dans toute la contrée : ainsi à Canope, où dans un autre temple de Sérapis des pakhômiens vinrent fonder le monastère dit de la Pénitence. En Thébaïde, le fameux Schenouti, abbé d'Atripé, invective les païens ; à la tête de moines fanatiques il s'élance, la hache et la torche à la main, contre leurs sanctuaires. On a vu déjà qu'à Callinicum, en Osrhöène, moines et fidèles employaient aussi la manière forte.

1. Voir DE BROGLIE, *Les Pères Bollandistes et la pénitence de Théodose*, dans le *Correspondant*, 25 août 1900, p. 644 et suiv. — VAN ORTROY, *Analecta Bollandiana*, t. XXIII (1904), p. 418 et suiv.

L'épisode suprême de cette « Terreur blanche », dont on ne peut louer les procédés, sera en 415 le meurtre d'Hypathie, païenne lettrée, qui dirigeait alors ce qui restait de l'école néoplatonicienne : liée d'amitié avec le préfet Oreste, elle fut tenue pour l'instigatrice de son opposition au patriarche Cyrille, spoliateur des juifs. Un simple clerc, nommé Pierre, la guetta au passage, la tira de sa voiture et l'amena dans l'église du Cesareum; après l'avoir dépouillée de ses vêtements, on l'assomma à coups de tuiles et on dépeça son corps.

Même agitation en Afrique où, après les décrets de Théodose, les sanctuaires païens sont désaffectés. En 399, les comtes Gaudentius et Jovius, chrétiens ardents, ferment tous les temples de Carthage et renversent les statues des dieux. Le sanctuaire de Cœlestis, protectrice de la ville, est transformé en une église, où la chaire épiscopale se dresse à l'endroit même de l'image de la déesse. Souvent les fidèles exploitaient comme des carrières les temples détruits : procédés de construction économique qu'on verra renouveler à d'autres époques, par exemple à la Révolution française. Tout cela n'allait pas sans troubles. Les plus tragiques furent ceux de Calama, aujourd'hui Guelma, où en 408 une émeute païenne provoqua les chrétiens, puis mit le feu à leur église.

Le zèle des évêques et des missionnaires ignorait souvent ces procédés de violence. La destruction de l'idolâtrie reste en grande partie leur œuvre. De tous le plus actif fut sans contredit saint Martin de Tours dont nous dirons ailleurs l'influence monastique. Les campagnes gauloises demeuraient plongées dans le paganisme. Martin s'en fut prêcher. En écartant les traditions médiévales, ou même le témoignage discutable de Grégoire de Tours, et à s'en tenir aux données fournies par ses contemporains et amis, Paulin de Nole et Sulpice-Sévère, on le rencontre en mainte contrée, pèlerin de l'Évangile : dans l'Ile-de-France, dans l'Est et jusqu'à Trèves, voire dans la vallée du Rhône.

La destruction des idoles est sa première préoccupation : à cette œuvre d'assainissement religieux et social il s'emploie avec le zèle hardi d'un apôtre. Parfois les paysans insurgés veulent le tuer, comme dans ce bourg éduen — peut-être Bibracte, aujourd'hui le mont Beuvray — où tandis qu'il s'acharne à coups de hache sur un pin sacré, les idolâtres s'emparent de lui : « Si, disent-ils, tu as quelque confiance en ce Dieu que tu prétends adorer, nous couperons nous-mêmes cet arbre, à la condition que tu sois dessous pour le recevoir dans sa chute. Si ton Seigneur est avec toi comme tu le prétends, tu échapperas. » Défi aussitôt accepté et aussitôt gagné. (*Vita S. Martini*, XIII.) Une autre fois, dans cette même région éduenne, comme il veut renverser un temple, les païens furieux s'élancent sur lui. L'un d'eux tire l'épée tandis que Martin présente candidement son cou nu, comme fera plus tard le bon Joinville aux Sarrasins. Mais, l'homme lève la main trop haut, ce qui le fait tomber à la renverse. Épouvanté, plein d'une frayeur divine, il implore son pardon. (*Ibid.*, XV.)

Au surplus, ces procédés extraordinaires n'étaient pas constants. L'éloquence du saint y suppléait. « Le plus souvent, dit Sulpice-Sévère, lorsque les paysans s'opposaient à la destruction de leurs sanctuaires, Martin par sa prédication apaisait si bien les esprits de ces païens que bientôt, éclairés par la lumière de la vérité, ils renversaient eux-mêmes leurs temples. » (*Ibid.*, XV.)

Sur ces ruines, d'ailleurs, Martin entendait reconstruire. Dans les bourgs importants situés aux carrefours et aux bords des voies romaines, il établissait des paroisses rurales : communautés chrétiennes que présidait un prêtre aidé de plusieurs clercs ou moines. Il eut bientôt des imitateurs, entre autres saint Victrice, évêque de Rouen, qui évangélisa la Morinie. En cette fin du IVe et durant le Ve siècle, les églises rurales se multiplient : les unes publiques, établies dans les *vici* ou les *castra,* par exemple Blaye, Amboise, Brives, Brioude, Dijon, etc...; les autres situées dans les domaines privés, telles les deux basiliques que Sulpice-Sévère fit construire dans son *Ager Primuliacus;* sans compter les oratoires que les prélats installeront dans les biens fonds ou les *villae* appartenant aux évêchés. Tous vont donc s'y employer : l'évêque qui, dans toute localité qu'il convertit, dans toute terre qu'il acquiert, laisse un autel et un prêtre; le grand propriétaire qui pour ses gens veut des oratoires où apprendre à prier et à servir; le peuple enfin — marchands, artisans — entraîné par les besoins religieux, le culte de tel saint, le souvenir de tel miracle. Souvent l'église s'élevait sur l'emplacement même de l'ancien temple : motif religieux et mystique sans doute puisque le Christ habiterait et triompherait là où jadis trônait le démon; raison pratique aussi, la foule n'ayant pas à prendre une route nouvelle pour aller au lieu nouveau de sa prière.

C'est donc vraiment l'agonie du paganisme. Les institutions disparaissent les unes après les autres : en 394, suppression des jeux olympiques, en 394, disparition des mystères d'Eleusis, puis silence sur les anciennes confréries telles que Arvales et Saliens. Sans doute les titres existent-ils encore de « flamine » et de « flamine perpétuel »; mais, privés de tout sens religieux, ils ne sont plus que des appellations honorifiques, consacrant l'ancienneté ou la richesse de l'aristocratie locale. Les deux fils de Théodose — Arcadius en Orient, Honorius en Occident — renforceront la législation anti-païenne : le premier, autorisé à plus d'audace, commandera en 399 de poursuivre l'idolâtrie jusque dans ses derniers repaires et d'abattre les temples ruraux partout où on le pourra sans troubler l'ordre public; forcé à plus de ménagement dans les régions occidentales, où l'aristocratie païenne conserve quelque prestige, le second temporisera encore, tant qu'enfin il en viendra, lui aussi, aux mesures les plus radicales : désaffectation des temples, enlèvement des statues, confiscation de tous les revenus (408). Entre la mollesse et l'indécision de ces deux princes et l'énergie de leurs arrêts contre le paganisme, il y a un contraste très suggestif. Là où le zèle de Constantin et de Constance avait dû se contenter de cotes mal taillées, ils prenaient les plus radicales mesures : signe évident que les temps étaient bien changés. Valentinien III (423-55) parachèvera la victoire : « Nous voulons, dira-t-il, que les sanctuaires — s'il en reste encore — soient détruits par l'ordre des magistrats, et que sur leur emplacement même on élève le signe de la religion chrétienne comme une expiation. » C'était la pensée des grands missionnaires — celle de saint Martin et de saint Victrice — introduite dans le code romain.

CHAPITRE II

LA SURVIVANCE MORALE DU PAGANISME

I. Luxe et plaisirs. — A qui n'y a jamais regardé de près, l'étude du milieu moral au VIe siècle réserve quelque étonnement. Après l'ère des persécutions, il s'attendrait à voir défiler une théorie de saints. Les textes — ceux d'Ambroise et de Jérôme, d'Augustin et de Chrysostome, de Sulpice-Sévère et de Salvien — lui donnent un démenti assez brutal. Trop de conversions intéressées dictées par l'opportunisme, la peur de rester isolé, le désir d'être bien en cour, l'espoir de contracter les plus honorables alliances. Beaucoup entrent ainsi dans l'Église qui ont conservé la mentalité et les habitudes païennes : même orgueil public, mêmes vices secrets. D'autre part, ceux qui sont nés chrétiens, s'abandonnent facilement à un mol épicuréisme et subissent l'influence d'une ambiance si dissolvante. Ils pratiquent leurs obligations avec une nonchalance déjà désabusée. « Les devoirs de la religion sont devenus des formalités qu'on ne remplit plus que par acquit de conscience, dit saint Jean Chrysostome; tout n'y est plus que routine. » Plus de chrétiens, moins de christianisme, voilà à quel bilan on serait tenté de conclure.

Où surtout les mœurs païennes continuent à s'étaler sans vergogne, c'est dans les grandes villes. D'après Ammien Marcellin, rien n'est changé à Rome : même plèbe exigeante, fainéante et vicieuse à qui il faut toujours festins, jeux et maisons de débauche; même dépravation écœurante, si bien qu'en temps de famine on chassera en bloc les étrangers, mais on conservera les gladiateurs, les mimes, les actrices. Trois mille danseuses séjournent là avec tout un personnel. Forums, thermes, théâtres y restent, comme auparavant, les rendez-vous de l'immoralité. Les autres grandes villes sont à l'avenant. Ainsi Carthage où saint Augustin a coudoyé la jeunesse la plus éhontée et dont Salvien nous trace un tableau répugnant. « C'est, dit-il, le déversoir de la corruption de toutes les villes. Si riche qu'elle soit en trésors, elle ne l'est pas moins en rapines et en impuretés, en ivrognes titubants, en débauchés couronnés de fleurs, en libertins parfumés. » (*De gubernatione Dei*, VII, 16.)

Survivance morale du paganisme. — Sur l'état de la société, consulter particulièrement les sermons de saint Jean Chrysostome, les lettres de saint Jérôme, les écrits de Sulpice-Sévère. Voir A. Puech, * *Saint Jean Chrysostome et les mœurs de son temps*, 1891. — F. Cavallera, * *Saint Jérôme* (*Spicilegium lovaniense*), 1923. — M. Couget, *Le clergé romain à la fin du IVe siècle*, 1911. — H. Grisar, **Histoire de Rome et des papes au Moyen Age* (trad. G. Ledos), passim.

Antioche ne valait pas mieux, cité cosmopolite où les cultes les plus sensuels avaient trouvé une terre d'élection.

Dans les hautes classes, toujours cette même profusion fastueuse : dix ou vingt palais pour une seule famille, et dans ces palais plafonds dorés, portes d'ivoire, jardins somptueux aux fontaines élégantes, aux portiques ombreux, bref tout un luxe lourd et criard que rehausse une domesticité multiple. Aux festins assiste tout un personnel de plaisir : joueuses de flûte et de cithare prêtes aux dernières complaisances, monstres grotesques et baladins. « C'est là que naissent toutes vos concupiscences, dit sans ambages Chrysostome. C'est en sortant de table, échauffés par le vin et la nourriture, que vous courez au cloaque, car c'est un cloaque que le corps de la courtisane. J'en appelle à vous-mêmes qui vous roulez dans la boue, et qui rougissez ensuite au spectacle de votre impudicité. »

La vanité féminine, contre quoi s'est tant escrimé Tertullien, reste toujours vivante. Prudence nous décrit le luxe scandaleux des romaines qui « à leur beauté naturelle ajoutent des attraits menteurs » : diadèmes, colliers, émeraudes aux oreilles, etc... (*Hamartigenia*, 264-572.) « Vous l'emportez en impudence sur les actrices, dit aux matrones saint Jean, et le pire est que vous ne vous doutez même pas que vous péchez, tant la coquetterie vous est familière. » De là ces passions fatales, ces chutes lamentables, que cause un simple regard échangé. On sauvait d'ailleurs sa réputation à bon compte : pourvu qu'on ne touchât pas aux matrones, l'honneur restait sauf. « Je contins mes désirs, je respectai toujours la pudeur, dit Paulin de Pella, confessant ses fautes de jeunesse. Jamais je n'acceptai l'amour d'une femme libre, quoiqu'il me fût plus d'une fois offert. Je me contentai de celui des femmes esclaves qui étaient au service de ma maison. »

II. Cirque et théâtre. — L'amour du cirque et du théâtre — la plus forte et la plus universelle des passions antiques — subsiste toujours; il frémit dans toutes les poitrines. Chrysostome — un de ceux qui ont le plus tonné contre ces réjouissances — nous a décrit l'empressement inouï des foules pour les jeux publics; il nous les montre emplissant les gradins du cirque, juchées sur les toits des maisons avoisinantes, insensibles à l'ardeur du soleil, à la pluie, au froid, ne pensant plus qu'à une chose, les émotions du spectacle. A celles-ci, on sacrifie tout, et jusqu'à Dieu même. Certain mercredi saint, le peuple de Byzance est à l'église, suppliant le Seigneur qu'il arrête les inondations menaçantes; l'orage calmé, le voici qui, dès le Vendredi Saint, déserte le sanctuaire pour le cirque; il est au théâtre le Samedi Saint. Ainsi, même les augustes cérémonies de la Grande Semaine comptent-elles pour rien en regard de l'amphithéâtre. Une autre fois, saint Jean a commencé ses fameuses homélies sur les Anoméens avec un succès qui emplit la Grande Église. Soudain, du jour au lendemain, c'est presque le vide. Pourquoi? « Il y a de nouveau des courses à l'hippodrome. »

Nous saisissons sur le vif quel attrait irrésistible exerçait l'amphithéâtre dans le cas d'Alypius, l'ami de saint Augustin. Des camarades l'y avaient emmené presque de force : « Mon corps, disait-il, vous pouvez l'entraîner, l'installer; mais figurez-vous que vous obligerez mon esprit et mes yeux à se fixer sur ces spectacles? J'y serai sans y être et ainsi je triompherai d'eux et de vous. » Témérité! Sans doute ferma-t-il les yeux, mais ses oreilles entendirent l'immense clameur. Elle suscita sa curiosité. « Dès qu'il eut vu le sang, du même coup il but à longs traits la férocité. Au lieu de se détourner, il fixa les yeux sur ce spectacle. Il y puisait une fureur sans même s'en apercevoir... Ce n'était plus le même homme;

il était devenu une unité dans la foule à laquelle il s'était mêlé... Que dire de plus? Il regarda, il cria, il cria, il s'enthousiasma, il emporta de là une frénésie qui l'aiguillonna non seulement à revenir avec ceux qui l'avaient entraîné, mais à les devancer et à en entraîner d'autres. » (*Confess.*, VI, 8.)

Avec une sainte hardiesse, Chrysostome s'est attaqué à ce mal plus pernicieux encore à Constantinople où, durant le Bas-Empire, il deviendra un fléau social. Il en souligne surtout les deux conséquences fatales, l'ennui et la débauche : que la vie est fade après qu'on l'a

ROME. INTÉRIEUR DU COLISÉE.

entrevue si riante sur la scène; combien l'épouse semble triste auprès de l'actrice parée, pleine d'esprit, toujours engageante. Et pour montrer combien réels étaient ces dangers, il décrit un jour avec un réalisme voulu et fort poussé dans les détails les charmes de ces femmes, leurs manèges et leurs artifices, puis sentant son auditoire enlevé par un frémissement tout profane, il s'écrie : « N'avez-vous rien éprouvé pendant que je parlais ainsi. Oh! ne rougissez pas, car c'est la nécessité de la nature qui l'exige. Mais si, en m'écoutant ici, à l'église, moi, un prêtre, vous n'avez pu vous maîtriser, qu'est-ce donc au théâtre? Oserez-vous encore dire que vous y demeurez froids comme marbre? » (*In Joan.*, XVIII.)

Pourtant, son éloquence ne peut guère contre cette vieille passion que protège toute une casuistique. Voir courir des chevaux, est-ce donc un mal? Quant aux actrices, que nous importe? Ce ne sont que des courtisanes. Aussi bien, autorisés par l'État, payés par lui, présidés par ses magistrats, ces divertissements restent des plus licites; même un empereur tel que Théodose les autorise et les protège.

Il le faut bien. Sans doute Constantin a-t-il supprimé le plus cruel des spectacles, les combats de gladiateurs; mais son arrêt demeure lettre morte. Au début du ve siècle, Prudence s'indigne encore de voir « la vestale se lever pour juger les coups, s'écrier : O délices! toutes les fois que le vainqueur enfonce son fer dans une gorge et, vierge modeste, ordonner en tournant son pouce (*converso pollice*) de briser la poitrine de celui qui est renversé à terre » (*Contra Symm.*, II, 1091-1113). Aussi, par une requête hardie, le poète supplie-t-il Honorius d'interdire pareils spectacles.

Sans doute les vers de Prudence fussent-ils restés sans écho; il y fallut l'intervention de la sainteté. Un jour qu'au Colisée les gladiateurs se mesuraient sous les regards d'une foule énorme, un homme saute soudain dans l'arène et veut séparer les combattants au nom de la paix du Christ. Silence de stupeur auquel succède bientôt un lourd grondement de colère. Mille voix crient : A mort! contre le téméraire; vers lui les combattants retournent leurs glaives et le mettent en pièces. Puis, à la colère succéda la réflexion et la pitié. L'enquête apprit que ce martyr était un moine, nommé Télémaque, venu tout exprès d'Orient pour cette démarche. Profitant de l'émotion produite, Honorius osa ordonner l'interdiction des luttes de gladiateurs à Rome. C'était la fin de ces jeux sanglants dans l'Empire. L'influence chrétienne l'avait préparée, la mort d'un saint l'obtenait[1].

Par une série d'ordonnances, les empereurs veulent aussi restituer aux femmes la liberté de la vertu : ainsi Valentinien décidant qu'après avoir reçu les derniers sacrements, acteurs et actrices ne peuvent être ramenés de force au théâtre s'ils reviennent à la santé; ainsi encore Gratien exemptant toute jeune fille convertie de figurer dans les jeux publics.

III. Habitudes antiques et superstitions. — Les anciennes croyances affleuraient dans les mémoires. Il se faisait parfois d'étranges alliages : quand, à Carthage, l'évêque Aurelius transforma en église le temple de Cœlestis et qu'il installa la chaire à l'endroit même où jadis siégeait l'idole, nombre de néophytes se crurent autorisés à confondre dans leurs prières le Christ et la déesse tyrienne. Un canon du concile d'Elvire s'élève contre les fidèles qui prêtent leurs vêtements pour les processions païennes (c. 57). Bien plus, en 374, le concile de Valence doit condamner les baptisés qui offrent des sacrifices ou se font tauroboliser. En plein ve siècle, saint Léon verra encore maints fidèles s'arrêter sous le portique de Saint-Pierre et saluer, avant d'entrer dans la basilique, le soleil du matin, si bien qu'il lui faudra expliquer que cet astre n'est pas Dieu, mais un reflet de sa beauté. Certains jours gardaient l'empreinte des festivités païennes : saint Jean nous a décrit, par exemple, les réjouissances du 1er janvier où « hommes et femmes remplissaient bouteilles et coupes » et où l'agora « ressemblait à une élégante qui étale avec orgueil ses plus beaux ornements »; partout des ivrognes titubants, partout des chants obscènes et des lazzi indécents. On sait que plus d'une fête chrétienne sera établie pour faire échec à un souvenir païen.

Jusque dans les pratiques pieuses se maintiennent les habitudes d'un paganisme inconscient. Non pas que la dévotion aux saints dérive, comme on l'a dit parfois, du polythéisme. Entre le

1. Voir Théodoret qui, écrivant vers 450, parle de Télémaque en contemporain. *Hist. eccl.*, V, 26.

Christ et les saints on faisait une tout autre différence que jadis entre Jupiter et ses satellites. Seulement, le culte rendu ressemblait trop souvent aux fêtes antiques : ainsi les festins servis dans les cimetières auprès du tombeau des martyrs s'achevaient-ils parfois dans l'orgie. Saint Ambroise et d'autres évêques les abolissent. En Afrique, pareil abus est quasi quotidien. Le manichéen Faustus a beau jeu à en faire un argument contre les fidèles : « Vos idoles, dit-il à saint Augustin, ce sont vos martyrs; vous leur adressez des vœux du même genre. C'est aussi par du vin et des viandes que vous apaisez les ombres des morts. » Aurelius de Carthage parvint à supprimer chez lui cet usage tout profane ; et Augustin put constater que chants déshonnêtes et danses lascives avaient cessé autour de la sépulture de saint Cyprien.

L'église elle-même était souvent traitée comme jadis les temples : on y causait et y négociait ses affaires ainsi qu'à l'agora, on y venait pour voir et être vu. « Si quelqu'un veut séduire une femme, va jusqu'à dire Chrysostome, aucun lieu ne lui semble plus propre que la basilique.» La balustrade qui sépare les personnes des deux sexes lui paraît encore insuffisante : « Il faudrait un mur entre vous et les femmes. » Et il évoque les temps apostoliques où tous pouvaient être confondus sans danger. L'idée que la société de son époque est en décadence sur le christianisme primitif est moins d'ailleurs chez lui un argument de censeur qu'une conviction : « J'ai entendu dire à nos pères, s'écrie-t-il, que c'était autrefois pendant les persécutions qu'on pouvait trouver de vrais chrétiens. »

La superstition antique n'a point perdu ses droits. « Ceux qui prédisent l'avenir, décrète-t-on à Ancyre en 314, ceux qui admettent dans leur maison des gens pour leur découvrir des remèdes magiques ou pour accomplir des expiations, seront soumis à cinq ans de pénitence » (*can. 24*). Même le clergé n'est point toujours indemne : « Que les clercs, dit vers le milieu du IVe siècle un concile de Laodicée, ne soient ni sorciers, ni magiciens, ni astrologues ; qu'ils ne fabriquent pas des amulettes qui sont des chaînes pour leurs âmes; ceux qui les portent doivent être excommuniés. » Les talismans abondent : un fil de laine attaché au bras, un peu de boue prise au fond des bains et placée sur le front, voilà qui protègera l'enfant mieux qu'un signe de croix. Au sortir de la maison, rencontrait-on un boiteux ou un borgne, c'était signe de malheur ; une vierge, la journée resterait infructueuse ; une courtisane, la fortune allait sourire. Dans les cas difficiles — stérilité, accouchement laborieux — on abondait en artifices magiques. Ils redoublaient dans la maladie au point que saint Jean assure à ceux qui y renonceront mérite égal à celui du martyre. Par un démarcage presque sacrilège ces pratiques passent dans le christianisme. La Bible a réponse à tout; il suffit de l'ouvrir au bon endroit. Les fausses reliques foisonnent déjà : on court voir en Arabie le fumier de Job et en Arménie l'arche de Noé.

Enfin, les cérémonies essentielles — mariage, funérailles — gardaient l'empreinte païenne. Avec véhémence Chrysostome combat l'habitude du cortège joyeux qui à la tombée de la nuit menait la fiancée de la maison paternelle vers celle de l'époux : à la lueur des torches, le groupe traversait les rues, mélangé de tout un personnel de théâtre, mimes et comédiennes, bouffons et danseuses, chantant des refrains fort libres, essuyant mille quolibets licencieux, maints souhaits indécents. Puis venait le banquet agrémenté de danses lascives et finissant dans l'orgie. Usage quasi obligatoire où l'on était habitué à voir les rites nécessaires au mariage.

Pour les funérailles, l'habitude se conservait de pleureuses à gages qui s'arrachaient les cheveux et se déchiraient les joues. Ajoutez les ablutions au retour du convoi, selon cette idée toute païenne d'une purification nécessaire après le contact du mort.

Un usage achève de démasquer l'époque : celui de différer le baptême jusqu'aux derniers moments. On entendait d'abord jouir de l'existence. « Laissez-le faire, il n'est pas encore baptisé », disait-on des étudiants qui menaient joyeuse vie ; comme si, remarque saint Augustin, on déclarait quand il s'agit du salut du corps : « Laissez-le se blesser davantage, il n'est pas encore guéri. » (*Conf.*, I, 11.) Ainsi traitait-on le baptême de même qu'aujourd'hui l'extrême-onction : le recevoir le plus tard possible pour jouir de la vie le plus longtemps possible, voilà l'idéal d'un grand nombre. Les prédicateurs sont obligés de réfuter le sophisme d'après quoi le baptisé *in extremis* deviendrait l'égal de celui qui aurait bien vécu toujours : « Tous n'ont pas même dignité dans le palais impérial. Le lecteur n'est pas sur le même rang que le préfet. Il en sera de même au ciel. »

IV. Clercs mondains et agapètes. — Cette indolence morale a envahi jusqu'au clergé où se trouve, pour des motifs intéressés, plus d'une recrue sans vocation. En des portraits fort piquants, saint Jérôme a dépeint ces clercs mondains, « parfumés, les cheveux frisés au fer, des anneaux aux doigts, ne mettant leur science qu'à connaître les demeures et les habitudes de toutes les matrones ». Il nous décrit tel de ces ecclésiastiques musqués qui, dès l'aube, s'en va porter ses hommages à ses protectrices : le cocher de la ville, dit-on de lui (*veredarius urbis*), « L'habile homme a l'art d'admirer les choses qui lui plaisent de manière à se les faire donner : il le faut bien, d'ailleurs, par crainte des coups de sa langue » (*Epist.*, XXII).

Sans doute doit-on se défier quelque peu de la verve de Jérôme. Mais on retrouve, plus nuancées, les mêmes critiques, sous la plume de l'aristocrate Sulpice-Sévère : « Qui des nôtres, dit-il, si une femme lui adresse des compliments ridiculement flatteurs ne s'enfle aussitôt d'orgueil. Dès qu'il est ordonné clerc... il dédaigne les habits grossiers et ne veut que des vêtements délicats. Tels sont les tributs qu'il attend des veuves chéries, des vierges favorites ; l'une lui ourdira un épais manteau, l'autre une robe flottante. » Le moine de Marmoutier qui entend cette description s'empresse d'approuver : « Qu'en peu de mots vous avez bien dépeint notre clergé! » (*Dial.*, I, 21.) Admettons que Sulpice et Jérôme sont des ascètes, enclins à la sévérité ; ils n'ont point inventé cependant de toutes pièces pareils types.

Autour de Chrysostome on retrouvera des personnages historiques dignes de ces portraits : un Théophile d'Alexandrie employant à des constructions insensées l'argent donné pour les pauvres, un Géronce de Nicomédie à qui sa réputation de médecin valut l'épiscopat, et ces autres prélats d'Asie qui n'avaient désiré la fonction que pour échapper aux charges municipales et qui, l'ayant achetée à beaux deniers, prétendaient cyniquement rentrer dans leurs débours. Toute la campagne de haine menée par eux contre saint Jean jette un jour cru sur les passions qui les animent, ambition, lucre, envie.

A côté des clercs mondains, les vierges folles « qui font l'œil aux jeunes gens » et les veuves vite consolées. Pour plusieurs, l'habitude ne s'est pas perdue de cohabiter avec des clercs. En vain, le concile de Nicée avait-il interdit « aux prêtres d'avoir avec eux une sœur agapète, à moins que ce ne fût une mère, une sœur, une tante, ou enfin les seules personnes qui échappent à tout soupçon » (c. 3). L'usage existait toujours. Jérôme et Chrysostome le combattront impitoyablement. Quelle engeance que ces demi-vierges! Ne feraient-elles pas mieux de ne l'être point du tout, de se marier? Comment, d'ailleurs, éviter le scandale?

CHAPITRE III

L'ASCÉTISME

Le christianisme n'est-il donc pour cette société qu'un paravent trompeur, derrière quoi s'abritent tous les vices? Non pas. La grâce y rencontre de splendides victoires. Mais tout y est lumière et ombre. Les contrastes y abondent. A la foule qui vit à la païenne s'opposent des types héroïques de sainteté; à l'épicuréisme dissolvant un ascétisme virginal du meilleur aloi.

I. L'influence de saint Ambroise. — Des hérauts de la virginité se sont levés dont l'action s'affirme rayonnante. Au premier rang, saint Ambroise et saint Jérôme.

Entre tous les sujets homilétiques, la virginité était celui qu'Ambroise préférait. Il en parlait avec un ton si persuasif que de Vérone, de Plaisance et même de Mauritanie les jeunes filles accouraient prendre le voile à Milan. Les matrones empêchaient leurs enfants d'assister aux sermons de ce dangereux séducteur d'âmes. Adressé à sa sœur Marcelline, centre d'un groupe de professes, son traité *de Virginibus* est un éloge délicat de cette vertu angélique, profitable à qui l'embrasse sans doute, mais aussi à tous les siens.

A cet état heureux, Ambroise oppose les incommodités, mécomptes et douleurs du mariage, non pas toutefois avec la crudité alarmante d'un Tertullien ou avec les exagérations d'un Jérôme. « Je ne déconseille pas l'union conjugale, dit-il sagement : j'énumère les avantages de la virginité consacrée à Dieu. Celle-ci est la part de quelques-unes; le mariage est la part de tous. La virginité même ne pourrait exister si elle n'avait un moyen de naître! Je compare des choses bonnes avec d'autres choses bonnes, afin de mieux faire ressortir celles qui l'emportent. » (I, 7.) Et avec quelque ingéniosité, Ambroise montre que les vierges participent aux joies de la maternité sans en subir les ennuis : « Vous ne connaissez ni les incommodités de la grossesse, ni les douleurs de l'enfantement, vous ne laissez pas de vous en procurer les avantages par l'ardeur de votre charité qui vous fait aimer tous les chrétiens comme s'ils étaient vos propres enfants. » (*Ibid.*) Aussi leur conseille-t-il de braver tous obstacles et toutes craintes : « Les parents disent non : mais ils veulent être vaincus. Ils résistent d'abord parce qu'ils redoutent de croire... Ils menacent de vous deshériter pour voir si vous êtes capable de ne pas craindre un dommage d'ordre temporel. Ils vous procurent mille distractions charmantes pour essayer sur vous l'effet émollient des plaisirs. Cette pression qu'on exerce sur vous, ô vierge, est un bon exercice. Ce sont vos premiers combats...

Si vous vainquez votre famille, vous vainquez le monde » (*Vince prius, puella, pietatem. Si vincis domum, vincis saeculum*) (I, 11).

Pareille propagande réussissait trop bien. Les parents abandonnés, les mondains chuchotaient leurs critiques. Saint Ambroise réplique dans son *de Virginitate*[1]. Il a réponse à tout. « ... Que l'on me dise en quoi j'ai tort de tant recommander la virginité. Est-ce quelque chose de mauvais en soi, de nouveau ou d'inutile? S'il y a du mal, il y en aurait donc a mener sur la terre la vie des anges dans le ciel? » (V.) Quant au grief social, celui de trahir les intérêts généraux, il le traite plutôt en badinant, ainsi qu'il mérite. « C'est une erreur de croire que la profession religieuse nuise à la propagation de la race. Il est d'expérience que là où il y a peu de vierges, la population est moindre; et qu'au contraire, les villes où la virginité est en honneur comptent le plus grand nombre d'habitants... Que les détracteurs de la virginité trouvent donc aussi mauvais que les femmes mariées gardent de temps en temps la continence sous le prétexte qu'elles deviendraient plus souvent mères, qu'on leur permette également d'être infidèles à leurs époux absents de peur de laisser passer l'âge où elles ont chance de les enrichir de beaucoup d'enfants. » (VII.) Aussi bien, Ambroise ne se gêne pas pour dire où sont les vrais motifs de pareilles critiques : « C'est parce qu'elles les gênent et les confondent que plusieurs me reprochent mes exhortations à la chasteté. En se plaignant, ils se démasquent. »

Parfois, des plaintes on passait aux sévices. Ainsi à Vérone, accusée sans fondement d'avoir trahi ses vœux, la vierge Indicia fut-elle soumise à un examen insultant contre quoi saint Ambroise protesta par un blâme bien senti à l'évêque trop faible. (*Epist.*, V.)

Lui qui, dans son administration épiscopale et sa politique religieuse, fut un romain à la volonté virile, au commandement ferme, offre comme moraliste un mélange de douceur et de force, celle-ci donnant plus de charme à sa tendresse. Il nous fait penser à Fénelon : on comprend qu'il ait gagné tant d'âmes à la virginité.

II. Saint Jérôme et le milieu romain. — Tout autre était saint Jérôme, rude, excessif, d'une austérité exigeante qu'il fallait aimer ou haïr; là où Ambroise s'insinuait, lui s'imposait. Et sous ces dehors, l'affection d'un père.

Né à Stridon en Dalmatie de parents chrétiens, Jérôme alla à Rome achever son éducation. Il y trouva la tentation et, à l'en croire, y succomba. De là, chez lui, cette conviction profonde que les âmes sont fragiles et que, pour rester vertueuses, elles n'ont d'autre ressource

Saint Ambroise. — *SOURCES : P. L.*, XIV-XVII; *C. V.*, XXXII (édit. SCHENKL). — *TRAVAUX :* A. BAUNARD, *Histoire de Saint Ambroise*, 1871. — A. DE BROGLIE, * *Saint Ambroise* (coll. *les Saints*), 1899; *L'Église et l'empire romain*, t. VI. — TH. FŒRSTER, * *Ambrosius, Bischof von Mailand*, Halle, 1884. — P. DE LABRIOLLE, * *Saint Ambroise* (coll. *la Pensée chrétienne*), 1908. — R. THAMIN, * *Saint Ambroise et la morale chrétienne au IVe siècle*, 1895. — P. BATIFFOL, * *Le Siège Apostolique*, p. 20-82. — M. A. ADAMS, *The latinity of the Letters of Saint Ambrose*, Washington, 1927. — M. F. BARRY, *The vocabulary of the moral-ascetical works of Saint Ambrose*, Washington, 1926. — A. LARGENT, art. *Ambroise*, dans *Dict. Théol.* — P. DE LABRIOLLE, art. *Ambroise*, dans *Dict. Hist.*

1. S'absorbant dans ses devoirs de pasteur, saint Ambroise visa à donner un enseignement clair et pratique. Ainsi apparaît-il dans le plus important de ses ouvrages : le *de Officiis ministrorum* où, sur le ton de la conversation, il donne à ses clercs des enseignements variés. Le plan de l'ouvrage est calqué sur le *de Officiis* de Cicéron : l'honnête, l'utile, les rapports entre l'honnête et l'utile. En dépit de cette division nette, le livre est composé avec négligence. Au surplus, il reste plutôt un décalque des préceptes stoïciens adaptés au christianisme à l'aide d'exemples bibliques.

que de se réfugier derrière un ascétisme rigide. Mentalité imposée d'ailleurs par la perversité du siècle, et qui allait pousser certains à s'isoler dans le monde, et plusieurs aussi à le fuir jusqu'au désert. D'une part une société décadente et dévergondée, de l'autre des âmes ardentes, passionnées pour le bien, effrayées du mal qu'elles voient autour d'elles sous mille formes. Pareille situation devait amener des séparations très tranchées, comme s'il eût existé deux sociétés : le monde où l'on s'amuse et le monde où l'on se mortifie. Plus que personne, Jérôme fut l'homme de cette séparation; il aima à l'accentuer, et jusqu'à l'extrême.

Déjà, au cours d'un voyage en Gaule où il s'arrête quelque temps à Trèves, il songe à la vie parfaite. Peu après, à Aquilée, nous le voyons faisant partie d'un cercle pieux : la maison du prêtre Chromatius en était le centre, où l'on rencontrait son frère Eusébius, sa mère, ses sœurs vouées à la virginité. Des âmes éprises de perfection y fréquentaient, telles que Héliodore, Rufin et Bonose, les amis de Jérôme, ou encore le diacre Julien qui dirigeait sa jeune sœur. Vers 374 « le chœur des bienheureux » se dispersa; chacun partit où l'appelait la voix de Dieu : Héliodore aux Lieux Saints, Rufin en Égypte pour y rejoindre Antonia Mélania, la fameuse Mélanie l'Ancienne, une grande dame dévote avec qui il fondera un monastère à Jérusalem, Bonose dans l'île de Quartero où tandis que « contre les récifs le flot se brise en mugissant, lui, tranquille, tantôt entendra Dieu dans les Saints Livres, tantôt lui parlera dans la prière ». Voilà un exemple frappant pris sans doute entre beaucoup. Combien d'autres cénacles resteront inconnus qui manquèrent d'un Jérôme pour célébrer leur ferveur. Comme une poussière d'or, la vie ascétique essaimait sur la surface de l'Empire.

Jérôme, lui, se retira bientôt au désert de Chalcis : « Thébaïde syrienne » où il connut à la fois les joies mystiques, celles de l'étude, et les tentations d'un corps épuisé. Quand, dégoûté par les querelles trinitaires, il quitta son désert et, après un séjour à Constantinople, arriva à Rome, il était mûr pour la direction spirituelle.

Des âmes l'attendaient, nobles à la fois par la naissance et par la ferveur de leurs aspirations surnaturelles. Là aussi, existait un cénacle. Venu à Rome en 359, saint Athanase fugitif y avait révélé l'ascétisme égyptien. Les moines qui l'accompagnaient, Isidore et Ammonius, tous deux très versés dans les Écritures, firent une profonde impression dans les milieux aristocratiques et dissipèrent bien des préjugés. Sur leur passage l'ascétisme fleurit. Ainsi, veuve après sept mois de mariage, la patricienne Marcella transforma-t-elle en maison de prière son palais de l'Aventin : « église domestique » bientôt augmentée de nobles recrues, telles Sophronie, Félicité, Asella. Autour de la matrone Léa se groupait aussi une petite communauté. Quel souffle généreux traversait ces âmes, la vocation d'Asella peut en donner quelque idée. En 344, âgée de dix ans, comme sa mère refuse de lui donner la robe brune

Saint Jérôme. — *SOURCES : P. L.*, XXII-XXX ; *C. V.*, LIV, LV et LVI (Lettres); LIX (Jérémie). — Dom G. Morin, *Anecdota Maredsolana*, t. III, Maredsous-Oxford (commentaires et sermons inédits). — F. Lagrange, *Lettres choisies*. — *TRAVAUX* : A. Thierry, *Saint Jérôme et la société chrétienne à Rome*, 1867. — P. Largent, *Saint Jérôme* (coll. *les Saints*), 1898. — Dom L. Sanders, *Études sur saint Jérôme*, Bruxelles-Paris, 1903. — G. Grutzmacher, *? *Hieronymus*, 3 vol., Leipzig-Berlin, 1901, 1906, 1908. — J. Brochet, *? *Saint Jérôme et ses ennemis*. — F. Cavallera, * *Saint Jérôme, sa vie et son œuvre* (*Spicileg. lovianense*), 2 vol., Paris-Louvain, 1922. — Dom Leclercq, *Saint Jérôme*, Bruxelles, 1927. — M. J. Lagrange, *Saint Jérôme et saint Augustin, à propos des origines de la Vulgate*, dans *Mélanges d'hist. rel.*, 1915, p. 167-185. — *Miscellanea Geronimiana*, Rome, 1920 (études diverses à l'occasion du xve centenaire). — H. Gœlzer, *Étude lexicographique et grammaticale de la latinité de Saint Jérôme*, 1884. — J. Forget, art. *Jérôme*, dans *Dict. Théol.* — H. Leclercq, art. *Jérôme*, dans *Dict. Arch.*

des vierges, elle vend sa *murenula*, son collier d'or et, « grâce à ce pieux négoce », s'achète le vêtement convoité.

A ces âmes ardentes saint Jérôme allait servir de guide. L'ancien moine de Chalcis jouissait d'une réputation d'ascète et de savant : le pape Damase aimait à l'interroger sur des difficultés bibliques qu'il résolvait avec érudition. Douée d'une intelligence exceptionnelle, avide de sonder les Écritures, Marcella désirait, elle aussi, les conseils de Jérôme. Avec une habileté féminine, elle réussit à le circonvenir : « J'évitais, dit-il, les regards des femmes nobles; mais, elle s'y prit de telle sorte, importunément et opportunément, comme dit l'Apôtre, qu'elle eut raison de ma réserve. » (*Epist.*, CXXVII, 7.) A la vérité, c'étaient deux âmes qui devaient se rencontrer, même si elles ne se fussent pas cherchées : affinités spirituelles plus impérieuses que toutes autres et par où Dieu accomplit ses très grandes œuvres. Ainsi allait s'opérer cette fusion de la prière liturgique et du travail intellectuel se complétant et s'alimentant l'un l'autre : ce qui était bien nouveau alors dans les annales de l'ascétisme.

Dès lors saint Jérôme devint le professeur de ces moniales de l'Aventin dont plusieurs — Marcella, Paula, Blesilla, Eustochium — savaient déjà l'hébreu ou l'apprirent rapidement. Marcella posait maints points d'interrogation : nulle difficulté scripturaire dont elle ne demandât la solution à Jérôme. « Toutes les fois que je me représente son ardeur pour l'étude, écrira-t-il plus tard, j'accuse ma paresse, moi qui ne puis ce que fait une noble femme aux heures qu'elle dérobe à l'embarras d'un domestique nombreux et au gouvernement de sa maison. »

Veuve à trente-trois ans avec quatre filles et un fils, Paula avait transformé également sa demeure en une sorte de monastère. La Bible la passionnait, elle aussi; mais davantage, semble-t-il, pour son sens mystique. Toute cette virginité aristocratique s'éprenait du texte sacré que chaque jour elle récitait : elle voulait psalmodier avec sagesse. Groupement idéal où la science ne se tournait qu'à aimer et à prier. « Très grande âme dans un tout petit corps, disait d'Eustochium Jérôme enthousiasmé; cœur où l'on entend bouillonner tout l'Ancien et le Nouveau Testament. »

Rome entière avait les yeux fixés sur ces femmes, les plus nobles de la cité, qui se vouaient au Christ. Quand Eustochium fit vœu de virginité, il y eut grand émoi, d'autant plus que Jérôme lui écrivit alors une longue lettre, véritable manifeste de l'ascétisme (*Epist.*, XXII). Avec une franchise hardie, le rude Dalmate prémunissait la tendre patricienne contre tous les périls ambiants. Point de fréquentations mondaines : « Tu es affable avec le premier venu; mais les impudiques le prennent autrement; ce n'est pas à la beauté de l'âme qu'ils en veulent, mais à celle du corps. » Point de visites : « Laisse les matrones s'empresser auprès de l'impératrice lorsqu'elle vient; pour toi, sois plus fière, tu es l'épouse du roi des rois. » Point de toilette! Attention surtout aux subtiles satisfactions de l'amour-propre. Sans ménagement, Jérôme dénonce les petites roueries d'une vanité ascétique qui voudrait se faire admirer : « Ne cherche pas à plaire par de pieux haillons... N'affecte pas de t'asseoir par terre sous le prétexte que tu ne mérites pas d'avoir un escabeau; n'atténue pas ta voix comme si tu étais accablée et n'aie pas l'air d'affermir ta démarche chancelante en t'appuyant sur l'épaule d'une autre. » Prier et travailler, voilà toute la vie d'une vierge : « Récite régulièrement l'office canonique. Médite beaucoup nuit et jour; arrose ton lit de tes larmes, psalmodie, sois la cigale des nuits. Lis assidûment les Saintes Écritures; apprends le plus que tu pourras; que le sommeil fasse tomber ta tête sur la page sacrée. » Mais, défenses et préceptes étaient vivifiés par un grand sentiment : « Tout ce que j'ai exposé paraîtra dur à celle qui n'aime pas le Christ. Rien n'est dur à qui aime, aucun labeur n'est pénible à qui est passionné. » Et Jérôme évoquait à Eustochium le jour où Marie viendrait à sa rencontre avec les chœurs des vierges, où Thècle se précipiterait pour l'embrasser et où l'Époux lui-même lui dirait : « Lève-toi; viens. »

Cette lettre fit un bruit énorme. Tandis que les vierges s'extasiaient, un *tolle* montait de la foule. Trop de préceptes gênants avaient été rappelés, trop de coupables visés et comme montrés du doigt : clercs mondains rôdant autour des dames, faux-moines « aux longs cheveux, à la barbe de bouc endoctrinant et trompant des femmelettes chargées de péchés », vierges coquettes « traînant après elles des troupeaux d'admirateurs », veuves volages qui « si elles n'ont pas désiré la mort de leur mari n'en apprécient pas moins les avantages de leur liberté », agapètes enfin « épouses non mariées, courtisanes d'un seul homme ».

Aussi trouvait-on indiscrète au suprême degré cette propagande ascétique de Jérôme. Pour une Eustochium, fille des Scipions et des Jules, quelle inconvenance de se ravaler ainsi à la condition servile. Un jour, sa tante Praetextata l'attirait chez elle, la forçait de quitter sa vilaine robe brune et, entremetteuse du diable, essayait de draper sur cette vierge du Christ une tunique de corruption pour la faire tomber dans les bras de quelque admirateur. Peines perdues ! Mais toute la colère retombait sur Jérôme. On mettait en avant des griefs sociaux considérables. Pareille campagne ascétique ne tendait-elle pas à ruiner le prestige de l'aristocratie, à l'affaiblir et à l'appauvrir ? Autour de ces jeunes nobles tout un monde gravitait, esclaves, affranchis, clients qui, du même coup, perdrait son point d'appui; les charges civiques seraient délaissées à l'heure tragique où les Barbares menaçaient l'Empire.

Le grief foncier et inavoué, c'est que Jérôme restait pour les mondains un gêneur, un trouble-fête. Par contre, ils l'attaquaient insidieusement sur tous les points où ils le voyaient et croyaient vulnérable. Prétexte scripturaire : quelle audace de vouloir corriger les antiques versions de la Bible ! Prétextes plus délicats encore : cet homme, qui houspille si fort les clercs parfumés, pourquoi vit-il lui-même dans le contact journalier de ces jolies patriciennes ?

A ces critiques chuchotées, piqué au vif, froissé dans sa sensibilité frémissante, notre Dalmate riposte avec vigueur. Les détracteurs de son œuvre scripturaire, « des petits hommes de rien », des « ânes bipèdes » ! Quant au reproche de ne s'intéresser qu'aux femmes, il est ridicule. Il s'occuperait tout aussi volontiers des hommes s'il s'en présentait. Ses rapports avec les nobles romaines ont été francs; il s'en expliquera dans sa lettre d'adieux à Asella : « Durant presque trois ans, un cercle nombreux de vierges m'a souvent environné; je leur expliquais, comme je pouvais, les Saints Livres. La lecture amenait l'assiduité; l'assiduité, la confiance. Mais qu'elles le disent : ont-elles jamais remarqué en moi rien qui ne fût digne d'un disciple de Jésus-Christ? Ai-je jamais reçu de quelqu'une d'elles de l'argent? un présent quelconque, grand ou petit?... Peut-on me reprocher un mot équivoque, un regard libre? Que trouve-t-on à alléguer contre moi? Une seule chose, ma qualité d'homme... » (*Nihil aliud objicitur, nisi sexus meus.*)

L'indignation de Jérôme était capable de tous les excès de paroles. Le précepte évangélique de tendre la joue gauche, certes il ne le suivait guère. Quand on est giflé, pensait-il, il faut appliquer ses mains avec sonorité sur la face de l'insulteur. Mais en songeant que ce qu'il défendait, c'était d'une part le Livre saint, la Bible, d'autre part les personnes saintes, les vierges, on se dit que ses colères étaient bénies et sa véhémence digne des anciens prophètes. Il faut des aboyeurs pour défendre la cité de Dieu.

L'atmosphère devenait irrespirable. Un dernier incident amena le dénouement. Blésilla, fille de Paula, veuve à vingt ans, s'était vouée à Dieu durant une grave maladie; trois mois après, elle mourait soudain. Pour sa mère, le coup fut si rude que, pendant les funérailles, elle tomba inanimée. A ce spectacle tous les détracteurs de Jérôme feignirent une pitié indignée : « N'est-ce pas, disaient-ils, ce que nous répétions si souvent? Elle pleure sa fille tuée par les jeûnes et qui ne lui a point, par un second mariage, donné de petits-enfants. Combien de temps va-t-on attendre pour chasser de Rome la race détestable des moines, pour les lapider, pour les jeter à l'eau? Ils ont séduit cette malheureuse matrone qui n'a certainement point voulu librement être moniale. Car aucune femme païenne n'a jamais pleuré ainsi ses enfants. »

Ces critiques achevèrent de décider Jérôme à quitter Rome, où la mort du pape Damase, survenue le 11 décembre 384, le laissait sans protecteur. Paula et Eustochium allaient le suivre à Bethléem, terre privilégiée de la contemplation.

III. L'ascétisme dans le veuvage et le mariage. — L'ascétisme attirait le patriciat. Il n'y avait point que les vierges à s'y laisser gagner. Dans l'entourage de Jérôme nous voyons déjà plusieurs veuves se vouer à Dieu : Marcella, Paula et sa fille Asella, Fabiola. Sans être interdites, les secondes noces étaient alors nettement déconseillées. Aux novatiens teintés d'encratisme, le concile de Nicée faisait une obligation « de se conformer aux enseignements de l'Église catholique, en particulier de communiquer avec les remariés » (*Can.*, 8). Mais les Pères s'acharnent à souligner quels inconvénients offrent les secondes noces : ainsi saint Basile, saint Grégoire de Nazianze dans son *de Virginitate,* saint Jean Chrysostome, saint Ambroise surtout dans son traité spécial *de Viduis.*

Implacablement, l'évêque de Milan rétorque tous les prétextes des veuves empressées vers un nouveau joug. « Ne dites pas : « Je suis sans appui. » C'est là la plainte d'une femme qui a envie de se marier. Ne dites pas : « Je suis seule. » La chasteté recherche la solitude... Ne dites pas non plus que vous songez à l'intérêt de vos enfants puisque vous allez les priver de leur mère. Puis, il y a des choses qu'on a le droit de faire et que pourtant la question d'âge interdit. Comment une mère préparera-t-elle ses noces au milieu des noces de ses filles, et le plus souvent après? Verra-t-on une fille déjà grande rougir devant le mari de sa mère avant de rougir devant le sien?... Quelle inconvenance d'avoir des enfants plus jeunes que ses petits-enfants? » (*De Viduis*, XI, 57.) Au total tristesse, servitude, ennuis domestiques. « ... Qu'est-ce qu'engendrer d'autres enfants sinon spolier ceux que vous avez déjà et leur ôter tout à la fois, et votre affection et le bénéfice de votre fortune. »

Ascétisme dans le monde. — *SOURCES :* Pour saint Paulin, *P. L.*, LXI; *C. V.*, XXIX-XXX. Pour Sulpice-Sévère, *P. L.*, XX; *C. V.*, I. — *TRAVAUX :* G. Boissier,*? *La fin du paganisme*, t. II. — D. Gorce, * *La lectio divina.* I. *Saint Jérôme et la lecture sacrée dans le milieu ascétique romain,* 1925. — Génier, * *Sainte Paule* (coll. *les Saints*), 1917. — Card. Rampolla, *Santa Melania giuniore*, Rome, 1906. — G. Goyau, * *Sainte Mélanie* (coll. *les Saints*), 1908. — F. Lagrange, *Hist. de saint Paulin de Nole,* 1877. — A. Baudrillart, * *Saint Paulin* (coll. *les Saints*), 1905. — J. Brochet, *La correspondance de saint Paulin et de Sulpice-Sévère,* 1906. — P. de Labriolle, *La correspondance d'Ausone et de Paulin de Nole,* 1910. — F. Mourret, *Sulpice-Sévère à Primuliac*, 1907.

(*Ibid.*, xv, 88.) Le veuvage chrétien étonnait les païens comme une virginité tardive et presque plus méritoire que la première. Chrysostome rapporte l'émerveillement de son maître en apprenant que sa mère Anthousa était veuve depuis l'âge de vingt ans : « Ah! quelles femmes, s'écria-t-il, on trouve chez les chrétiens! »

Un spectacle plus saisissant encore était celui d'époux jeunes et fortunés qui, étreints par la nostalgie de la vie parfaite, se décidaient à vivre comme frères et sœurs : Paulin et Thérasia, Mélanie et Pinien en sont des exemples exquis. Saint Jérôme a décrit cette situation inusitée dans une lettre à un riche andalou, Lucinus, qui, lui aussi, s'était laissé prendre « comme une dorade dans le filet apostolique ». « Tu as avec toi, lui écrivait-il, celle qui fut ta compagne dans la chair et qui l'est maintenant dans l'esprit. D'épouse elle est devenue sœur; de femme, homme; de sujette, égale; elle se hâte avec toi vers le ciel, sous le même joug. » (*Epist.*, LXXI, 1.)

Combien touchantes nous apparaissent ces « conversions » où se mêlent souvent la grâce céleste, la rude leçon des événements, les délicates industries d'un femme qui, toute éprise de la virginité, la regrette comme une amie lointaine.

Mélanie, qui se meurt après avoir mis au monde un enfant, dit à son mari Pinien : « Si tu veux que je vive, donne à Dieu ta parole que tu garderas avec moi la chasteté, et tout de suite Dieu me visitera. » Ainsi fut fait. Première étape d'ailleurs sur la voie de la perfection chrétienne. Peu après elle l'amenait à échanger « ses précieux vêtements de Cilicie contre de très vils vêtements d'Antioche ». Puis, ils adoptèrent un programme de vie digne d'une sœur de charité : visite des prisons et des malades, aumônes aux indigents, hospitalité pour les étrangers, secours aux voyageurs, porte ouverte à tout venant. Bientôt ils se dépouilleraient de tous leurs biens pour s'en aller mener l'existence monastique à Jérusalem.

Non moins touchant est le cas de Paulin, mais plus complexe. Né à Bordeaux d'une illustre famille, bientôt consul à Rome, gouverneur de la Campanie, célèbre par ses succès oratoires, Paulin était l'honneur de l'Aquitaine. On apprit soudain qu'après avoir vendu ses biens, il se retirait en Espagne avec sa femme Thérasia. Événement surprenant, qui résulte avant tout des réflexions salutaires causées par l'appréhension d'un péril politique mortel, mais auquel le préparèrent aussi l'influence de Thérasia et celle de trois saints évêques, Félix de Nole qu'il avait vénéré tout enfant aux côtés de sa mère, Ambroise de Milan, son père spirituel, Delphin de Bordeaux qui le baptisera. Voilà maintenant les deux époux entrés dans des rapports nouveaux et, selon l'expression même de Paulin, « toujours unis, mais d'une autre manière, restés les mêmes et cependant changés ». Dans l'émulation d'une fraternelle humilité, ils donnaient à leurs lettres cette suscription touchante : « *Paulinus et Therasia peccatores.* » Après un séjour à Barcelone dont les fidèles le contraignirent « dans une sédition d'enthousiasme » à recevoir la prêtrise, Paulin se retira à Nole près du tombeau de saint Félix. Vie toute de simplicité et de mortification, dépouillée des vanités séculières. Vie heureuse dans l'hospice par lui fondé pour les miséreux et où, avec quelques amis, il psalmodiait l'office. « Rien de ce que je possédais, déclarait-il, ne saurait se comparer aux biens dont je jouis depuis qu'on m'appelle un mendiant. »

« Quand tous ces patriciens apprendront pareilles nouvelles, écrivait Ambroise, que diront-ils? Un homme d'une telle puissance, de ce caractère, de cette éloquence, abandonner le sénat! » De même que jadis au temps des persécutions, maintenant encore on disait des chrétiens qu'ils se dérobaient au poids des affaires publiques, qu'ils désertaient les soucis d'une époque troublée pour se réfugier dans une solitude oisive, sybarites de la mystique comme d'autres de la volupté. Et puis, renoncer aux belles-lettres pour s'astreindre à la lecture quotidienne du rugueux latin de la Bible, quelle aberration, quelle conversion de l'atticisme à la barbarie! Ainsi pensait Ausone, ancien professeur de Paulin, un de ces hommes au christianisme extérieur et superficiel, qui vivaient dans un épicuréisme honnête et distingué. A l'acte héroïque de son disciple il ne comprenait rien et par ses lettres, tout ornées de souvenirs mythologiques, il essayait de le regagner au siècle, évoquant à la fois Nisus et Euryale, Oreste et Pilade, Damon et Pythias, toute la fleur de l'amitié antique. Que ces sentiments restent froids auprès de l'amour du Christ! Paulin répondit deux lettres affectueuses, mais où il formulait un congé mélancolique et ferme à son vieux maître : « Ma crainte et mon tourment, c'est que le dernier jour ne me surprenne endormi dans d'épaisses ténèbres, occupé d'actes stériles et perdant ma vie en de vagues soucis. J'ai donc voulu prévenir tous les dangers par ma résolution. » Plaidoyer de pure convenance, d'ailleurs, plutôt que réplique de l'amour-propre. Que lui importaient désormais les jugements du siècle? *O beata injuria displicere cum Christo!*

A la même époque, un ami de Paulin, aquitain comme lui, Sulpice-Sévère, avocat en renom, quittait aussi le monde après la mort de sa femme, sous l'influence de sa belle mère Bassula. Il se retirait dans le domaine de Primuliacum près de Béziers où, avec quelques amis et quelques affranchis, il vivait en ascète dans le culte de saint Martin de Tours qu'il visitait chaque année, comme Paulin dans celui de saint Félix. Paulin et Sulpice, êtres bien faits pour se comprendre, et dont la correspondance est souvent plus qu'une amicale causerie, la prière de deux âmes perdues en Dieu : « *Tu requies nostra, tu gaudium, in te reclinatio capitis nostri et mentis habitatio est.* »

IV. Charité et pèlerinages. — N'allons pas croire cependant à un égotisme replié, insoucieux de tout le reste que lui-même. A la prière, ces ascètes joignent les œuvres, et avant de quitter le monde ils abandonnent leur fortune. Après avoir vécu sept ans à Rome dans la continence, Mélanie et Pinien distribuent aux pauvres leurs immenses richesses, non sans quelque tristesse humaine qui achève de nous laisser entrevoir leur mérite : transition pénible que Mélanie compare à l'effort fait pour traverser la fente d'une muraille épaisse ouvrant l'accès de larges espaces.

Un autre mode de la charité, c'est l'émancipation des esclaves. Deux années suffirent à Pinien et à Mélanie pour en affranchir huit mille. Et combien d'autres ensuite? Gérontius, leur biographe, renonce à le compter : « C'est là un chiffre, dit-il, que Dieu seul connaît. » Parfois, ces mêmes esclaves faisaient vœu de virginité comme leurs maîtres et, côte à côte avec eux, psalmodiaient l'office : ainsi dans la maison de Paula. « Traite-les avec bonté, écrit saint Jérôme à Eustochium; n'affecte pas à leur égard des airs de dame; vous avez le même époux, vous psalmodiez ensemble, ensemble vous recevez le corps du Christ : pourquoi le bénéfice serait-il différent? »

Enfin, d'autres « convertis » emploient leurs richesses à fonder des hôpitaux pour les malades, des hôtelleries où recevoir les pèlerins [1]. Ainsi, le sénateur Pammachius, veuf de

1. L'assistance publique est d'ordinaire aux mains des évêques. Saint Basile et saint Jean Chrysostome alertent leurs fidèles et suppriment les dépenses inutiles afin d'élever les établissements hospitaliers. On admirait surtout

Pauline, de concert avec Fabiola, veuve elle aussi, construit-il à Portus Romanus, aux bords du Tibre, un xenodochium qui abritera surtout voyageurs et pèlerins attendant le moment favorable pour s'embarquer. Mélanie et Rufin à Jérusalem, Jérôme et Paula à Bethléem ne cesseront d'accueillir tous les pèlerins avec une générosité épuisante. « Jésus m'est témoin, pourra écrire Jérôme à la mort de Paula, qu'elle n'a point laissé à sa fille un seul écu, qu'elle lui a laissé beaucoup de dettes, une multitude de frères et de sœurs qu'il est malaisé de nourrir, qu'il serait impie de renvoyer. Est-il un spectacle de vertu comparable à celui-ci? Une femme de la plus noble famille, autrefois opulente, et tellement dépouillée par sa foi et sa charité, qu'elle s'est presque réduite à l'extrême indigence » (*Epist.*, CVIII, 30).

V. La réaction de l'épicuréisme chrétien : Helvidius et Jovinien. — Les adversaires de l'ascétisme restaient agressifs. Ils essayaient même d'ériger leurs idées en une sorte de système qu'on pourrait appeler l'épicuréisme chrétien.

Au temps même où saint Jérôme était à Rome, un certain Helvidius, disciple d'Auxence, l'évêque arien de Milan, écrivit un libelle pour démontrer que, vierge jusqu'à la naissance de Jésus, Marie avait ensuite donné à Joseph plusieurs enfants : d'où cette conclusion que le mariage valait bien la virginité. L'hérésiarque faisait état de plusieurs textes évangéliques et s'appuyait aussi sur l'autorité de Tertullien et de Victorin de Pettau. Bien qu'il le jugeât un homme sans lettres, Jérôme le réfuta dans son *Contra Helvidium* où il combattit surtout ses faux arguments scripturaires : ni les expressions *avant de se réunir* et *jusqu'à l'enfantement*, ni le terme de *premier-né* qui a un sens purement légal, ni ceux de *frères* et *sœurs* du Seigneur qui s'appliquent à une parenté quelconque, ne peuvent infirmer la virginité mariale. En marge des discussions exégétiques, Jérôme répandait son âcre ironie sur la thèse subsidiaire de l'égalité entre mariage et virginité, houspillant au passage les partisans intéressés de pareils principes, clercs de cabaret, vierges adultères, moines impudiques, et avec eux leur patriarche Helvidius. « O toi, le plus ignorant des hommes, s'écriait-il, sans prendre la peine de consulter l'Écriture, tu as sali la Vierge de ta bave. La légende parle d'un fou qui, pour faire parler de lui, ne trouva rien de mieux que d'incendier le temple de Diane. A l'exemple de ce monstre, toi aussi tu as incendié le temple du corps du Seigneur, tu as sali le sanctuaire du Saint-Esprit, en prétendant en faire sortir toute une charretée de frères et de sœurs... Te voilà arrivé à ton but : ton forfait t'a rendu célèbre » (ch. XVI).

Le moine dévoyé Jovinien esquissa un système à la fois plus simple et plus nuancé. Sa théorie, dit le P. Cavallera, « semble exalter par-dessus tout l'œuvre du Christ ». D'après lui, la richesse surabondante de la grâce se répand également sur toutes, vierges, veuves

Epicuréisme chrétien. — Voir les ouvrages sur saint Jérôme, en particulier Cavallera. Voir aussi W. HALLER, *Jovinianus, die Fragmente seiner Schriften, die Quellen zu seiner Geschichte, sein Leben und seine Lehre* (*Texte und Untersuchungen*), Leipzig, 1897. — G. BAREILLE, art. *Helvidius*, dans *Dict. Théol.* — J. FORGET, art. *Jovinien*, *ibidem*.

ceux de Césarée : hospice, infirmerie, hôtellerie gratuite pour les voyageurs. En ce temps où les pèlerins se rendaient nombreux à Rome et à Jérusalem, les asiles ou *xenodochia* étaient des maisons nécessaires de réfection corporelle et de préservation morale. Souvent les *xenodochia* sont attenants à l'église; parfois, comme à Nole, les fenêtres des chambres donnent sur l'intérieur de la basilique et laissent apercevoir tous les autels. Ces maisons ont pour économes des prêtres, aidés par un personnel choisi, souvent des diaconesses. On demandait aux hôtes une sorte de passeport ou brevet d'orthodoxie, les *litterae communicatoriae* ou *litterae formatae*. Voir D. GORCE, *Les voyages, l'hospitalité et le port des lettres dans le monde chrétien des* IVe *et* V^e *siècles*.

ou femmes mariées, les constituant dans l'impeccabilité, quel que soit d'ailleurs leur mode de vie, abstinence ou laisser-aller; toutes, les amenant à la parfaite récompense. Ainsi fallait-il conclure à une sorte de quiétisme pratique, à un fidéisme relâché se substituant à l'effort moral. Avec perfidie l'argumentation s'appuyait sur tout un appareil scripturaire et sur des exemples choisis dans l'Ancien et le Nouveau Testament. Il y eut aussitôt des victimes : plusieurs vierges se marièrent, à l'exemple même de Notre-Dame dont, selon Jovinien, l'enfantement n'avait pas été virginal.

Signalé au pape Sirice par quelques ascètes zélés, en particulier Pammachius, Jovinien fut excommunié dans un concile romain comme « l'ennemi de la pudeur, du jeûne et de l'abstinence, et le maître de la luxure » (390). A Milan où il se réfugia, saint Ambroise fit renouveler cette condamnation. Comme l'hérésiarque essayait encore de se justifier dans des *Commentarioli,* on les envoya à Jérôme. De Bethléem il fit parvenir une réplique, l'*Adversus Jovinianum*, monument scripturaire et chef-d'œuvre satirique tout ensemble, parmi ses traités le plus brillant et le plus soigné. Dans le premier livre, l'Épître de saint Paul aux Corinthiens sert à réfuter la thèse principale, l'égalité des mérites pour tous. Le second s'attaque aux thèses accessoires : celle de l'indéfectibilité des baptisés, à quoi l'humaine faiblesse fournit un quotidien démenti, celle de la légitimité de l'épicuréisme qui ne mérite que l'ironie.

« Tu as pour toi, disait notre ascète à ce gai compère, tu as pour toi les gras, les bien nourris, les bien lavés. Tous les jolis garçons, tous les calamistrés que j'aperçois, les chevelures harmonieuses, les joues vermillonnées, tout cela est de ton troupeau, ou plutôt tout cela grogne parmi tes porcs... » (II, 36.) Et dans un vigoureux raccourci, Jérôme fixait cet idéal d'immoralité : « Jeûner le moins possible, se marier tant qu'on voudra, s'assurer une table plantureuse arrosée de bons vins, voilà la Loi. Il faut de la vigueur à la passion et la chair s'épuise vite à l'usage. Au reste, une fois baptisé, il n'y a plus de faute possible; le mariage nous est donné pour jeter l'écume de nos passions; la pénitence pour nous relever de nos chutes, et qui a usé d'hypocrisie dans le baptême n'a qu'à user de foi le jour où il se repent. Qu'on n'aille donc pas se casser la tête à mettre une différence entre l'homme juste et l'homme repentant. Il n'y a qu'une sanction, la même pour tous : tous ceux qui sont à la droite de Dieu entreront dans le royaume des cieux » (II, 37).

Le *Contra Jovinianum* eut un succès qui fut en partie de scandale. Dans son ardeur à défendre la virginité, Jérôme avait trop déprécié le mariage. Ses adversaires en profitèrent pour le traiter comme un nouveau Tertullien, si bien que son fidèle Pammachius crut prudent de l'avertir et de retirer les exemplaires en circulation.

L'épicuréisme s'acharna contre Jérôme, apôtre impénitent de l'ascétisme, et qui, de sa solitude de Bethléem, écrivait toujours des lettres de direction. Treize à quatorze ans après Jovinien, en 406, un certain Vigilantius se mit à le critiquer selon la même manière, attaquant le célibat des clercs, sous lequel se cachaient les plus honteuses turpitudes, critiquant en particulier le culte des martyrs et la célébration des vigiles à leurs tombeaux. Dans une courte et violente réplique, dictée en une seule nuit, Jérôme assomma celui qu'il appelait Vigilantius Dormitantius, « Vigilant, l'ennemi des pieuses veilles ».

S'il faut regretter les outrances verbales de saint Jérôme, les services qu'il rendit à la cause de l'ascétisme n'en restent pas moins considérables. Il fut un des entraîneurs d'âmes les plus irrésistibles qu'on ait jamais vu. Ses lettres sont pleines de conseils pratiques. Il a beau citer Tertullien, imiter son tour véhément et sa crudité d'expression; il reste pour le fond très loin de lui, campé non seulement en pleine orthodoxie, mais en pleine sagesse. Qu'on se rappelle, par exemple, ses avis circonstanciés à Eustochium, bien propres parfois à faire rougir une vierge, mais aussi à l'instruire et à la mettre en garde. Qu'on lise tel passage, où il défend aux moniales les jeûnes immodérés : « J'ai appris par expérience que le bourriquet, lorsqu'il est fatigué, cherche à prendre la tangente... Réglons nos jeûnes de telle sorte que nous conservions nos forces ; ce serait bien mal entendre les choses que de courir la première étape pour succomber aux suivantes... Je veux bien que la vierge et le moine lâchent la bride à leurs coursiers pendant le Carême ; mais qu'ils veuillent se rappeler qu'il faudra toujours courir... » (*Epist.*, CVII, 10.) Parfois, il semble bien regarder l'union conjugale comme pure abjection ; en fait, c'est non pas contre le mariage lui-même qu'il s'inscrit ainsi, mais pour la virginité. Il souligne, et jusqu'à l'extrême, le conseil de saint Paul montrant où est le meilleur. Au total, son ascétisme reste de très bon aloi. D'ailleurs, il ne se contenta pas de le formuler, il le vécut. On en croit toujours volontiers les prédicateurs qui paient de leur personne.

VI. Le Priscillianisme. — On ne peut rendre pareil témoignage à Priscillien. Cet Espagnol se prétendait maître en ascétisme. Sulpice-Sévère, son contemporain et presque son compatriote, nous a laissé de lui le portrait suivant : « Né de parents nobles, actif, remuant, élégant, beau parleur et devenu savant grâce à ses vastes lectures, il était toujours prêt à discourir et à disputer ; heureux s'il n'eût pas gâté par des occupations perverses un si excellent naturel ! Certes vous eussiez trouvé chez cet homme, et en abondance, les dons de l'esprit et du corps. Il pouvait supporter les longues veilles, souffrir la faim, endurer la soif. Sans goût pour acquérir la richesse, c'est à peine s'il faisait usage de ce qu'il possédait. En revanche sa vanité était extrême... Il attira dans sa société beaucoup de nobles et des gens du peuple en plus grand nombre. Accoururent aussi vers lui en foule des femmes avides de nouveautés, flottantes dans leur foi, et dont l'esprit était curieux de tout connaître. Il faut dire que Priscillien en montrant, sur son visage et dans son maintien, l'apparence de l'humilité avait réussi à se faire honorer et révérer de tous. » Bref, un aventurier de l'ascétisme !

Il forma une sorte de confrérie religieuse qui s'étendit en maintes villes : cénacles d'initiés tenant des assemblées secrètes. Cette vie à part les rendait suspects, d'autant plus que, parmi eux, les laïques s'érigeaient en docteurs, et parfois les femmes. Né en Lusitanie, sans doute le mouvement gagna-t-il la Bétique, la Galice et jusqu'à l'Aquitaine ; sans doute rallia-t-il à lui-même des clercs, mais une forte opposition se manifesta dans l'épiscopat. Hydatius de Mérida, métropolitain de Lusitanie, et Itacius d'Ossonoba ouvrirent contre lui une violente campagne qui aboutit à la réunion d'un concile à Saragosse en 380. Sans condamner personne, il réprouva indirectement les pratiques attribuées à la secte : conventicules secrets tenus en dehors de l'Église dans les montagnes et les villas, à certains moments de l'année, notamment le carême, rôle attribué aux femmes dans les réunions et titre de docteur décerné à certains membres (*can.*, 1 et 7), jeûnes surérogatoires, par exemple le dimanche (*can.*, 2).

Priscillianisme. — *SOURCES :* Les écrits de Priscillien dans *C. V.*, t. XVIII (édit. G. Schepps). — *TRAVAUX :* A. Puech, dans *Journal des Savants*, 1891. — K. Kuenstle, *Antipriscilliana*, Freiburg im Breisgau, 1905. — E. Ch. Babut, ? *Priscillien et le priscillianisme* (*Bibl. Hautes Etudes, sect. hist. et phil.*, fasc. 169), 1909. — A. Puech,* *Les origines du priscillianisme et l'orthodoxie de Priscillien*, *Bul. Anc. Lit. et Arch. chr.*, 1912, p. 81 seq. — J. Monceaux,* dans *Journal des Savants*, 1911, p. 70 seq. — J Duhr,* *Le De Fide de Bachiarius*, *R. H. E.*, 1928, p. 5-41 ; 301-332.

Corroborées par ailleurs, ces données nous révèlent un mouvement ascétique anormal et à bon droit suspect. Comme Montan, Priscillien estime que « l'ère de la prophétie n'est pas close », que « le Dieu qui réside dans le cœur de l'homme religieux parle encore à ses élus ». Liberté à tout croyant de prêcher en son nom! L'Apôtre excluait-il personne de ce droit, lui qui écrivait aux membres de ses Églises : « Vous pouvez tous prophétiser? » Ainsi tendait-on à placer la prophétie en marge de l'Évangile, au-dessus de l'enseignement hiérarchique, comme si elle révélait une foi plus « intelligente », à vrai dire nouvelle en certains points. La libre inspiration réapparaissait telle qu'au début du christianisme : « L'ensemble des idées religieuses de Priscillien, avoue M. Babut, son défenseur, est plutôt d'un fidèle du premier siècle que d'un sujet de Théodose. » Pareil sens privé s'alimente d'ailleurs à des sources troubles et non autorisées, ces apocryphes où d'ordinaire les hérétiques vont chercher un confirmatur pseudo-scripturaire à leurs théories aventureuses. « Quand une religion est fondée sur une Bible, écrit très bien M. Puech, il va de soi que quiconque combat pour coudre une page à cette Bible ou en déchirer un feuillet peut être soupçonné légitimement de vouloir ajouter à ses dogmes ou en retrancher. »

Quelles étaient, en fait, les audaces théologiques de Priscillien? Ici le terrain devient plus délicat et l'embarras très grand. Son dualisme moral n'aurait-il pas abouti à un dualisme métaphysique? N'aurait-il pas été paulinien sans doute, mais davantage voisin de Manès que de saint Paul, faisant du diable non plus seulement quelque ange déchu, mais un Dieu opposé à un autre Dieu? Son histoire de l'âme pourrait à la rigueur se gloser dans un sens orthodoxe, mais ne ressemble-t-elle pas à celle qu'avaient imaginée les gnostiques? D'abord enfermée dans un lieu réservé, descendue sur terre pour combattre les puissances infernales et vaincue par le démon, l'âme aurait été enfermée dans un corps en vertu d'un engagement écrit, puis sauvée par le Christ. Sur toutes ces théories, d'ailleurs indécises, il plane donc un soupçon de manichéisme et de gnosticisme.

Tout contribue à maintenir autour de Priscillien une atmosphère d'épaisses ténèbres : et le secret dont il s'entourait et l'habileté déployée dans les ouvrages qui lui sont attribués[1]. Pourtant, ne voir en lui que le plus innocent des ascètes, poursuivi par la haine de prélats mondains, et victime d'une erreur judiciaire, c'est un paradoxe historique démenti par l'ensemble des faits. Si nous ne pourrons dire sans doute jamais à quel point Priscillien fut hétérodoxe, encore n'est-il pas possible de plaider non coupable contre les contemporains les plus autorisés, comme le prouvera un simple récit de l'affaire.

N'ayant subi au concile de Saragosse qu'une condamnation indirecte, les Priscillianistes n'en devinrent que plus actifs et plus combattifs. D'ailleurs, l'épiscopat espagnol manquait à la fois d'un chef et d'un centre : loin de se grouper pour faire front, il se divisa. Quand Priscillien eut obtenu l'évêché d'Avila, une campagne s'ouvrit contre Hydatius de Mérida, métropolitain de Lusitanie, le principal adversaire. Celui-ci parvint à se dégager et, rendant

1. En 1889, Schepss fit paraître dans le *Corpus* de Vienne onze ouvrages attribués à Priscillien et figurant sans nom d'auteur dans un manuscrit du Ve ou VIe siècle de l'Université de Würzbourg : traités déconcertants par la forme filandreuse et obscure autant que par le fond, qui trahissait seulement quelques affirmations suspectes sur le libre usage de l'Écriture et des Apocryphes. De là naquit la thèse de M. Babut pour réhabiliter Priscillien. Moins fragile est l'hypothèse de Dom Morin, d'après quoi les traités de Würzbourg seraient dus non à Priscillien, mais à Instantius : l'un d'entre eux, en effet, le *Liber apologeticus*, est un plaidoyer présenté au concile de Bordeaux en 384; or, on sait que Priscillien se déroba à ce tribunal ecclésiastique pour en appeler à l'empereur. Ainsi s'expliquerait, avec la faiblesse littéraire des traités de Würzbourg, leur médiocre intérêt doctrinal. Voir DOM G. MORIN, *Pro Instantio*, dans *Rev. Bénédict.*, 1913, p. 158 seq.

coup pour coup, obtint de l'empereur avec l'aide de saint Ambroise, un rescrit contre « les pseudo-évêques et les manichéens », nouvelle condamnation indirecte, mais transparente, du mouvement.

Priscillien partit pour l'Italie avec ses partisans Salvianus et Instantius, résolu à en appeler aux autorités ecclésiastiques. Quelles étaient-elles ? A Milan, saint Ambroise ; à Rome, le pape Damase. Tous deux éconduisirent les requérants. Alors, Priscillien intrigua à la cour où, grâce à la protection achetée d'un ministre, le maître des offices Macédonius, il extorqua un rescrit qui semblait lui donner gain de cause. Aussi, rentrés triomphants en Espagne, lui et les siens s'apprêtaient-ils à intenter un procès criminel à leur ennemi, Itacius d'Ossonoba, d'ailleurs contumace, quand l'assassinat de l'empereur Gratien et l'avènement de l'usurpateur Maxime ruinèrent toutes leurs espérances jusqu'à amener leur perte.

Un double trait commun à toute cette affaire, c'est, en effet, que, d'une part l'autorité ecclésiastique se dérobant n'intervient pas directement et que, d'ailleurs, les autorités civiles sollicitées prennent parti : de là, des enquêtes discutables et des sentences regrettables.

Maxime s'était imposé en Gaule dès 383. Par réaction, il érigea en suspects tous les protégés de l'ancien gouvernement. Itacius n'eut donc qu'à se porter accusateur de Priscillien pour être écouté. Sur l'ordre de l'usurpateur, on évoqua le différend devant un concile réuni à Bordeaux en 384. Instantius déposé, Priscillien crut n'avoir d'autre recours qu'à l'empereur : ainsi se déférait-il lui-même à de nouveaux juges, civils ceux-là, qui n'auraient ni l'indulgence relative, ni le souci de ne pas verser le sang, qui s'imposaient aux premiers. En croyant se dérober, Priscillien se perdait.

D'un procès d'hérésie on passa donc à une affaire criminelle de droit commun, qui fut jugée à Trèves, résidence de Maxime. Là, abandonnant les griefs dogmatiques, on en retint d'autres : maléfices et attentat aux mœurs. La haine d'Itacius veillait pour obtenir une condamnation capitale. Mais la charité de saint Martin, qui se trouvait alors à Trèves, intervenait : tout à la fois « il gourmandait Itacius, l'exhortant à se désister de cette accusation », puis il insistait auprès de l'empereur, faisant remarquer qu'un différend ecclésiastique ne ressortissait pas à un tribunal séculier, suppliant surtout que le sang ne fût pas versé. Maxime promit à l'homme de Dieu ; mais, celui-ci parti, d'autres influences l'emportèrent, et le préfet du prétoire, Evodius, rédigea une sentence mortelle contre Priscillien et six de ses complices, parmi lesquels Euchrotia, noble veuve d'un rhéteur bordelais.

Enhardis par le succès, les évêques espagnols firent réunir à Trèves un concile, qui les innocenta de la mort de Priscillien et qui obtint de Maxime l'envoi dans la péninsule d'une commission souveraine, chargée de réprimer l'hérésie par la violence. Sur ces entrefaites, Martin reparut à Trèves. Il refusa d'abord sa communion à Itacius et à ses complices, et tel était le prestige du grand moine, qui « par la foi, la sainteté, la puissance l'emportait sur tous les mortels », que ce blâme tacite eût équivalu pour eux devant l'opinion à une condamnation infamante. Alors, saint Martin fut mis en demeure de capituler, s'il voulait que les mesures de violence fussent contremandées en Espagne. Drame douloureux, où son âme était partagée entre la crainte d'approuver les assassins s'il cédait, et celle de permettre de nouveaux assassinats, s'il ne cédait pas. Il se résigna enfin à entrer en communion avec les évêques homicides, « estimant préférable de se résigner pour une heure, plutôt que d'abandonner des malheureux au glaive suspendu sur leur tête » (*Dial.*, III, 13). « Mais cette victoire de sa bonté lui coûta cher, note M. Monceaux ; il y perdit la paix de l'âme. Toujours, il se reprocha cette concession, dictée pourtant à sa conscience par l'héroïsme de sa charité. Rien ne montre mieux la profondeur et la délicatesse de sa vie morale. »

Un peu après, en 387, saint Ambroise vint à son tour à Trèves, envoyé en ambassade par Valentinien II. Lui aussi refusa la communion des Itaciens, jugeant inadmissibles « ces sanglants triomphes d'évêques ». Rome même intervint : le pape Sirice excommunia l'évêque de Trèves, Félix qui, non mêlé au triste procès, avait pourtant été consacré par Itacius et ses amis et demeurait leur protégé. La réaction ecclésiastique s'accentua après la chute de Maxime survenue dans l'été de 388 : Itacius et Hydatius, principaux adversaires de Priscillien, furent internés à Naples. Le parti « félicien » se groupa en un schisme contre lequel se tinrent en 401 le concile de Nîmes, puis le concile de Turin, quelques années plus tard. Il ne devait finir qu'à la mort de Félix.

Notons, toutefois, que les mêmes qui protestaient contre l'effusion du sang se gardaient bien de défendre l'orthodoxie de Priscillien : ni Martin, ni Ambroise, ni Sirice ne tenteront le moindre plaidoyer, de même qu'auparavant, lors du voyage de l'hérésiarque en Italie, Rome et Milan s'étaient dérobées à son appel. Si ses théories — à base sans doute de dualisme manichéen — demeurent obscures, on doit affirmer qu'il prôna un ascétisme suspect, un moralisme de secte, alimenté à la source des Apocryphes et qui aboutissait au triomphe du sens privé des « docteurs » et des prophètes, bref à une sorte de montanisme, plus ou moins atténué. Il tombe d'ailleurs sous le sens qu'attaquant Priscillien devant les contemporains et les témoins des faits, Itacius n'a pu inventer de toutes pièces cette hérésie et piller sans vergogne le *Contra haereses* de saint Irénée pour diffamer son adversaire. Il est non moins certain que les hommes qui, peu après sa mort, se réclamaient de Priscillien, étaient des hérétiques avérés : comment donc, en un plomb vil, l'or pur se serait-il changé ainsi que par enchantement ? La réhabilitation de Priscillien est un paradoxe historique[1].

Sa mort servit l'hérésie. Le transfert de son corps en Espagne fut un triomphe : vivant, ce n'était encore qu'un confesseur, maintenant un martyr. La Galice entière devint priscillianiste, prêtres et fidèles. Comme au temps de l'hérésiarque, il fallut que les évêques de la Bétique et de la Carthaginoise se réunissent à Saragosse pour excommunier leurs collègues galiciens, notamment Symposius, métropolitain d'Astorga. Comme Priscillien aussi, celui-ci se rendit en Italie avec quelques prélats de son parti, afin de plaider sa cause devant Ambroise. Cette fois, une transaction fut conclue, aux termes de laquelle les évêques galiciens renonceraient aux doctrines nouvelles, et en retour seraient réhabilités. Mais les promesses ne furent pas tenues. Aussi, en 400, un nouveau concile se réunit-il à Tolède où Symposius et ses amis se soumirent, tandis que d'autres, menés par Hérénas, demeurèrent irréductibles et furent déposés.

La secte continua à cheminer tant qu'enfin en 447, Turrubius d'Astorga alerta saint Léon, qui en quinze articles dressa une sorte de syllabus des erreurs priscillianistes. Le pape eût voulu qu'on réunît un concile national, ou tout au moins un synode galicien. Ni l'un ni l'autre ne purent se tenir dans une Espagne qui avait cessé d'être romaine, pour tomber sous

1. M. Babut a voulu prouver que Priscillien ne fut pas un hérétique, mais seulement le propagateur d'un ascétisme généreux, sorte de mouvement piétiste, d'ailleurs étendu au loin. Il aurait été la victime d'une cabale suscitée par les prélats mondains et entretenue par des passions politiques. Moins heureux que Jérôme retiré dans la paix de Bethléem, il n'aurait cherché refuge à Trèves que pour y tomber en martyr, malgré la généreuse intervention de Martin. Sous cette interprétation arbitraire des événements, ne sent-on pas le désir de servir certains préjugés apparentés au protestantisme ?

le joug des Barbares. On se borna à rédiger un formulaire où sont mentionnées les idées attribuées aux priscillianistes : créance aux Écritures non canoniques, encratisme, astrologie et divination, conceptions fausses sur l'âme humaine, la Trinité et le Christ. Il semble donc que ce mouvement n'ait fait qu'amplifier ses tendances hétérodoxes pour aboutir à un système très vaste d'erreurs. Heureusement, l'extension n'allait pas de pair. Le priscillianisme se cantonne dès lors dans le nord de la Galice où un concile de Braga condamnera ses doctrines une dernière fois en 563.

CHAPITRE IV

LE MONACHISME

I. L'Égypte. — Parallèlement à l'ascétisme se développe une institution nouvelle, le monachisme. Les rationalistes n'ont point manqué de lui trouver des ancêtres dans le paganisme : reclus de Sérapis, cloîtrés dans des cellules à l'intérieur de leurs temples, Esséniens ou moines juifs établis près de la Mer Morte, sans compter l'influence des ascétismes mithriaque et néoplatonicien. A la vérité, tout cela peut bien offrir quelque ressemblance et comparaison extérieures avec le monachisme : même pratique, par exemple, du jeûne, de la prière et de la vie solitaire commune à tous ceux qu'inspire un sentiment religieux de quelque profondeur. Mais l'inspiration est tout autre, qui n'a point puisé à la doctrine de Jésus. Aussi serait-ce encore se tromper que d'établir une filiation directe entre patriarches ou prophètes de l'Ancien Testament et moines du Nouveau.

Le monachisme naît de l'esprit de l'Évangile. Non pas qu'il faille y voir — avec Harnack ou Grutzmacher — une scission entre l'Église catholique « mondanisée » et les partisans de l'esprit primitif, en sorte que les moines seraient des « protestants » avant la lettre. Mais le relâchement consécutif à la paix de l'Église, l'afflux des demi-convertis provoquèrent une nostalgie intense de la perfection, qui poussa certaines âmes aux résolutions héroïques, à la

Monachisme. — *SOURCES :* Dom Butler, *The lausiac history of Palladius* (coll. *Texts a. Studies*), Cambridge, 1898-1904, 2 vol. ; traduction par A. Lucot, *Palladius, Histoire lausiaque* (coll. *Text. et Doc.*), 1912. — Cassien, *De institutis coenobiorum ; Collationes Patrum, C. V.*, t. XIII, XVII (Ed. Petschenig) ; traduction par Dom Pichery, saint Maximin, 1921-25, 4 vol. — Rufin, *Historia monachorum in Aegypto*, *P. L.*, XXI, 387-402. — *Apophtegmata Patrum*, dans Cotelier, *Ecclesiae graecae monumenta*, I, 338-712, et *P. G.*, LXV, 71-420. — Voir aussi les œuvres traduites du grec et réunies en une collection importante au XVIIe siècle par le jésuite hollandais Rosweyd, *P. L.*, t. XXIII et LXXIV. — Pour saint Pachôme : *Vita S. Pachomii* (trad. Denys le Petit), *P. G.*, LXXIII, 229-272. — *Histoire de saint Pacôme*, trad. franç. sur version syriaque par J. Bousquet et F. Nau, P. O., IV^5, 425-503. Introduction p. 409-24. — Les *Grandes Règles* de saint Basile dans *P. G.*, XXXI, 889-1052 ; les *Petites Règles*, *ibid.*, 1052-1306. — *TRAVAUX :* Parmi les ouvrages généraux, O. Zoekler, *Aszese und Mönchtum*, 2. vol., Francfort-sur-le-Mein, 1897. — A. Harnack, ? *Das Monchtum, seine Ideale, seine Geschichte*, Giessen, 1881. — F. Martinez,* *L'ascétisme chrétien pendant les trois premiers siècles*, 1913. — M. Heimbucher,* *Die Orden und Kongregationen der Kathol. Kirche*, t. I, Paderborn, 1907. — Schiwietz, *Das morgenländische Mönchtum*, 2 vol., Mayence, 1904. — D. U. Berlière,* *L'ordre monastique des origines au XIIe siècle* (coll. *Pax*), 3e éd., 1924. — D. E. C. Butler,* *Mönasticism* (Ch. XVIII dans *The Cambridge medieval history*, t. I). — S. Hilpisch,* *Geschichte des benediktinischen Mönchtums*, Freiburg i. Breisgau, 1929. — D. H. Leclercq, art. *Cénobitisme*, dans *Dict. Arch.* — G. Morin, *L'idéal monastique et la vie chrétienne des premiers jours* (coll. *Pax*), 1921. — P. Pourrat,* *La spiritualité chrétienne des origines de l'Église au Moyen Age*, 3e éd., 1919.

pratique de l'ascétisme non plus seulement dans le monde, mais hors du monde. Désir de chercher Dieu, ardeur à le trouver par le dépouillement et le silence, voilà la cause profonde du monachisme. Quant à diverses occasions parfois alléguées — fuite du martyre pendant les persécutions, ou au contraire désir d'y suppléer après, volonté de quitter des provinces dévastées par les Barbares et où la vie devenait toujours plus difficile — tous ces considérants restent secondaires [1]. Qu'on évoque aussi — si l'on veut — en Égypte une influence particulière du milieu : tempérament ascétique et mystique des coptes, insécurité particulière de la province durant la persécution dioclétienne, proximité du grand désert, ce lieu naturel de refuge, cette terre du rêve ou de la contemplation, et qui — comme la mer et plus qu'elle — exerce un enchantement quasi infini. Mais, chez ces chrétiens véritables un désir domine, celui de fuir le monde mauvais, où aux fidèles se mêlent maintenant des éléments douteux, chrétiens par le baptême, païens par les mœurs et les idées. Être tout à Dieu, tel est le but que poursuivront les moines, loin du bruit, dans la pauvreté et la mortification.

A l'origine, quelques cas isolés de retraite, causés peut-être par la persécution, et qui peu à peu font tache d'huile. Le premier exemple est celui de saint Paul l'Ermite, très étrangement connu d'ailleurs par la *Vita* de saint Jérôme, biographie édifiante où se lit un parallèle entre la vanité des joies mondaines et le bonheur profond de la vie anachorétique, où paraissent aussi des animaux assez étranges pour le zoologue, l'hippocentaure et le satyre aux pieds fourchus, et qui aboutit à l'enterrement pittoresque du vieillard par deux lions. Sans étonnement Antoine y assiste et, à la fin de cette cérémonie muette, les deux fauves viennent « en remuant les oreilles et tête basse, lui lécher les pieds et les mains ».

Mais, heureusement, pour nous renseigner sur le grand patriarche de la vie érémitique, nous avons mieux que cette histoire pieuse où saint Jérôme — comme dans la vie d'Hilarion et celle de Malchus — se dépouille de tout esprit critique, avec le seul souci d'édifier et l'espoir de susciter quelque généreuse vocation. Écrite par saint Athanase alors qu'il se cachait en Thébaïde durant la persécution arienne de **356-57**, voici la *Vita Antonii* où se

Monachisme égyptien. — Ph. Gobillot, *Les origines du monachisme égyptien et l'ancienne religion de l'Égypte, R. S. R.*, t. X-XII (1920-22). — W. Mackean, *Christian monasticism in Egypt to the close of the fourth century*, Londres, 1920. — F. Nau, *Le texte original de la vie de saint Paul de Thèbes, Anal. Bol.*, XX (1901), p. 121-157. — E. Amelineau, ? *Saint Antoine et les commencements du monachisme en Égypte, Rev. hist. rel.*, janv.-févr., 1912. — David, art. *Antoine*, dans *Dict. Hist.* — Amelineau, ? *Étude historique sur saint Pakhôme et le cénobitisme primitif*, Le Caire, 1887. — P. Ladeuze,* *Le cénobitisme packhômien*, 1898. — J. Leipoldt, *Schenute von Atripe* (*Text. und Untersuch.*), Leipzig, 1903. — H. Bremond,* *Les Pères du désert* (coll. *les Moralistes chrétiens*), 1929. — Resch,* *La doctrine ascétique des premiers maîtres égyptiens du* IVe *siècle* (coll. *Études de théol. hist.*), 1931.

1. Si la persécution ne semble pas avoir eu d'influence directe sur l'éclosion du monachisme, l'idée du martyre a informé profondément la conception première de la vie au désert. « Le monastère, a très bien dit Renan, va suppléer au martyre pour que les conseils de Jésus-Christ soient pratiqués quelque part. » Dès le IIIe siècle, une spiritualité agonistique avait prévalu d'après quoi la vie chrétienne est d'autant plus parfaite qu'elle ressemble davantage au martyre. D'où cette idée fortement ancrée qu'il faut mourir chaque jour à soi-même par le renoncement. De là aussi cette conviction déjà répandue au IVe siècle que la vie monastique possède — comme le martyre — les mêmes effets purifiants que le baptême, étant comme lui un ensevelissement dans le Christ. Fréquents sont alors les rapprochements entre martyre et virginité religieuse : « Le martyre de sang mérite une couronne de roses et de violettes, écrit saint Jérôme à Eustochium à la mort de sa mère, l'autre une couronne de lys. » Il est intéressant de constater cette soudure non factice entre la spiritualité des martyrs et celle des « confesseurs » nouveaux. Voir en particulier M. Viller, * *Martyre et perfection*, dans *Rev. d'Ascétique et de Mystique*, janvier 1925, p. 3-26; *Le martyre et l'ascèse, Ibid.*, avril 1925, p. 105-143.

révèle aussi une intention parénétique, avouée d'ailleurs dans la préface, mais qui reste pourtant une source de très bon aloi[1]. Tout le monde connaît ce merveilleux récit qui fait époque comme, dans la géographie d'exploration, les premiers grands raids : Antoine de Qeman, orphelin à dix-huit ans, entendant un jour à l'église le conseil évangélique du dépouillement : « Si tu veux être parfait, va, vends ce que tu as, donne-le aux pauvres, puis viens et suis-moi »; la résolution prise aussitôt de liquider ses affaires, puis, après avoir confié sa sœur à une communauté sainte, de se mettre lui-même à l'école d'un vieil ascète résidant près de là; ensuite, plus éloignée, la retraite dans un de ces anciens tombeaux en forme de grotte creusés aux flancs de la chaîne libyque; là, le corps à corps terrible avec le démon qui un jour le laisse pour mort; enfin, toujours plus avant, au delà du Nil, l'établissement dans un vieux château de la région de Pispir avec, pour toute boisson, l'eau qui coule d'une source parmi les éboulis, pour toute nourriture une provision de pain rassis renouvelée deux fois l'an; et cependant, malgré cette solitude cherchée au loin, l'afflux de disciples, ardents à se mettre à pareille école.

Quelle était donc leur vie? Ils habitaient des cellules séparées, occupés à chanter des psaumes, à prier, à faire de pieuses lectures, à accomplir aussi de menues besognes — tressage de nattes ou de corbeilles, tissage de sacs — qui, sans les soustraire à la contemplation, leur permettaient de vivre. Parfois, Antoine leur donnait des exhortations dont Athanase nous a laissé le schéma. Tel fut ce premier groupement semi-anachorétique, modèle bientôt d'un très grand nombre.

Cependant, hanté par l'esprit de complète solitude, Antoine émigra une fois encore dans la direction de la Mer Rouge et s'arrêta au mont Quolzoum, près d'une source. Que ces déplacements successifs ne nous laissent pas croire, d'ailleurs, à une recherche égoïste de la perfection individuelle. Outre l'intérêt porté à ses disciples, Antoine intervint dans l'Église d'Égypte aux moments les plus critiques : d'abord, durant la persécution de Maximin, lorsqu'il vint encourager publiquement les confesseurs au péril de sa vie; puis, en 354 ou 355, lorsque ce vieil ami d'Athanase reparut à Alexandrie pour combattre les ariens, acclamé par tout un peuple de fidèles qui l'appelaient « le Grand », vénéré même par les païens désireux d'approcher cet « homme de Dieu ». Il fit d'Athanase son légataire universel, c'est-à-dire qu'il lui laissa son vieux manteau et sa tunique en peau de mouton, reliques inappréciables. Peu après, il mourut en 356 dans sa cent sixième année, ordonnant à ses disciples Macaire et Amathas de ne révéler à personne l'endroit où il reposait. Cette recommandation — trait suprême d'humilité — ne pouvait le soustraire à la gloire. Agrandie par la légende son ombre se profile sur le vaste désert monastique qu'elle semble couvrir tout entier de sa protection, de son exemple et de son enseignement. Vie plus surnaturelle que merveilleuse, où les traits dominants sont moins l'austérité effrayante et le corps à corps avec le diable que l'humilité, la sérénité, la confiance en Dieu, et un sens de la mesure qui le préservait de toute exagération.

D'Antoine procède donc le modèle qui s'imposa dans la moyenne et la basse Égypte : colonies de moines, résidant tantôt seuls, tantôt deux ou trois, et où, sans obéir à une règle écrite, on suivait pourtant un mode de vie commune sous l'autorité des anciens, mais avec

1. Plusieurs savants — notamment Holl, Reitzenstein et Levy — ont tenté de rattacher la *Vita Antonii* à la littérature néo-platonicienne. Tout au plus peut-on admettre que saint Athanase a utilisé quelques réminiscences littéraires et purement verbales.

une large liberté spirituelle. Chaque jour on psalmodiait chez soi en sorte que le visiteur traversant le désert à l'heure de none « pouvait se croire transporté au paradis ». Les samedis et dimanches seulement, réunion à l'église pour les synaxes, la célébration des saints mystères et la réception des sacrements.

Tel fut le cadre de vie adopté par les solitaires établis tout le long du Nil entre le Delta et Lycopolis : le semi-anachorétisme. On distinguait surtout trois grands centres sur la rive gauche : la lugubre « vallée du Nitre » avec ses lacs salins, le désert des Cellules et celui de Scété. L'affluence fut extrême : selon Pallade qui ne vise pas à un dénombrement complet, il y avait 2.000 moines près d'Alexandrie, 5.000 en Nitrie, 600 aux Cellules, 500 à Scété : foule anonyme, saints perdus dans le désert, sans histoire, peut-être les plus beaux. Quelques figures émergent pourtant : ainsi Amoun, le père des moines de Nitrie, Macaire d'Alexandrie et Évagre le Pontique aux Cellules, Macaire l'Égyptien à Scété.

Ces milieux ne furent point fermés autant qu'on le pourrait croire. Des pèlerins nombreux visitèrent l'Égypte monastique : ainsi les deux Mélanies, sainte Paule et saint Jérôme, l'espagnole Aetheria ou Aegeria. Quelques-uns nous ont laissé des récits fort suggestifs. En 394, un groupe de voyageurs, dont Rufin a traduit le récit, s'enfoncèrent jusqu'à Lycopolis : de là l'*Historia monachorum*. Vers la même époque, après avoir été moine à Jérusalem, le galate Palladius se fixait à Alexandrie pendant trois ans, puis durant neuf années à Nitrie d'où il entreprit de vastes randonnées à travers les solitudes du Haut-Nil : telle est l'origine de l'*Histoire lausiaque,* ainsi appelée parce qu'elle fut dédiée à Lausus, chambellan de Théodose II. Les savants travaux du bénédictin Dom Butler en ont montré la réelle valeur documentaire : chronologie, géographie et topographie, données historiques, résistent à la critique et donnent l'impression d'un récit véridique dans son ensemble. Autre pèlerin de l'Égypte vers 385, Cassien y recueillait les éléments de spiritualité qu'il importerait plus tard dans notre Provence et qu'il codifia en deux traités célèbres : l'un, les *Institutions* où sont décrits les devoirs généraux de la vie monastique et la lutte contre les huit vices capitaux; l'autre, les *Conférences* (*Collationes Patrum*) qui rapportent les entretiens de Cassien avec les plus illustres Pères du désert.

Pour l'étendue et la variété de l'information, Pallade mérite le premier rang; mais il s'arrête au côté extérieur; son livre est une collection de biographies et d'anecdotes d'ascétisme, d'ailleurs singulièrement révélatrices. Moins pittoresque, l'œuvre de Cassien l'emporte en profondeur; cet esprit fin et judicieux, imprégné de culture latine, décrit vertus et vices avec une psychologie pénétrante qu'agrémentent parfois des traits d'humour délicieux; il reconstitue ainsi — sans flatterie ni dénigrement — la vraie physionomie ascétique et mystique du milieu égyptien.

A ces sources principales il faut joindre encore les *Apophtegmata Patrum,* sentences et anecdotes sur les solitaires, qui, en circulation dès le IVe siècle, furent ensuite colligées soit par ordre alphabétique sous le nom des Pères les plus fameux, soit dans un ordre logique selon une classification des vertus et des vices.

Au total, nous disposons de sources étendues. Le temps n'est plus où une critique exagérée faisait le désert parmi nos documents, où un Weimgarten et un Gwatkin considéraient la *Vita Antonii* comme pur roman, où Amelineau refusait à nos textes grecs — spécialement à l'*Histoire lausiaque* — la valeur d'originaux. Des savants tels que Preuschen, Leipoldt, Mgr Ladeuze et Dom Butler ont fait justice d'un pareil scepticisme. Si les *Apophtegmes* restent une source mêlée qu'il faut utiliser avec discrétion, les récits de Rufin et de Pallade, les constructions doctrinales de Cassien s'imposent dans leur ensemble à l'historien.

Grâce à toutes ces sources nous pouvons évoquer la vie des Pères du Désert. A première vue deux traits émergent : pénitence, lutte avec le diable. Entre les moines régnait une émulation d'austérité que ne refrénait aucune règle. Pour eux, le but dernier — l'entière domination des passions et l'établissement dans une paix sereine — ne peut s'obtenir que par un combat long et opiniâtre. Un postulant se présentait-il, on commençait par lui imposer l'épreuve du jeûne, par le soumettre aux fantaisies pénibles d'un ancien qui, travaillant à rompre sa volonté, lui donnerait les ordres les plus étranges, les plus contradictoires : après une rude besogne accomplie, on lui ferait savoir qu'elle est très mal faite et qu'incontinent il faut la recommencer. Entre les anciens, c'était à qui détiendrait le record des mortifications. Macaire l'Alexandrin se condamna pendant sept ans à vivre de légumes crus; pour vaincre le sommeil il resta trois semaines hors de sa cellule, grillé le jour par un soleil torride, et la nuit transi de froid; pour avoir — dans un mouvement d'impatience — écrasé un moustique, il ira s'exposer six mois durant à la morsure des terribles guêpes du marais de Scété, rendu bientôt si affreux qu'on ne le reconnaîtra plus qu'à la voix (*Hist. laus.*, XVIII). Évagre, second maître de Pallade après Macaire, se contentait d'une livre de pain par jour et d'un setier d'huile par trimestre; pour résister aux passions, il se plongeait des nuits entières dans l'eau glacée (*Ibid.*, XXXIII). Amoun avait adopté le régime de l'omophagie, c'est-à-dire l'usage exclusif des aliments crus. Certains s'astreignaient à une réclusion effrayante : ainsi l'ascète Jean qui passa plus de trente ans emmuré dans une grotte, telle encore Alexandra qui s'enferma dix ans dans un sépulcre, tous deux recevant leur nourriture par une petite ouverture (*Ibid.*, XXXV et V).

De toutes ces mortifications, l'ermite Dorothée nous livre le secret. Comme il s'exténuait à construire des cellules pour ses frères, portant de lourdes pierres sous l'implacable soleil d'Égypte, Pallade l'engagea à ménager un peu son corps : « Pourquoi le tuer ainsi de chaleur à votre âge? — Il me tue, répondit le farouche solitaire, je le tue. » « Que veux-tu, mauvais vieillard? se disait Macaire à lui-même... Ici, goinfre aux cheveux blancs. Jusques à quand donc serai-je avec toi? » (*Ibid.*, XVIII.) Quel dédoublement héroïque du corps réclamant encore ses aises et de l'âme aspirant à l'assujettir, ou même à se séparer de lui.

Un autre ennemi, c'est le diable. On sait avec quelle rage les démons poursuivirent saint Antoine, tantôt emplissant sa maison de scorpions, serpents et bêtes féroces, tantôt le rouant de coups jusqu'à le laisser pour mort, ou encore — tentation plus subtile — le dissuadant de jeûner avec des arguments rationnels : « Toi aussi, tu es homme et entouré de l'humaine fragilité; cesse un peu de travailler pour ne pas tomber malade. » Parfois s'offraient aux solitaires de folles hallucinations. Le jeune Pallade vient, tout apeuré, trouver son maître et lui dit : « Père, nous sommes perdus, j'ai vu un serpent dans le puits »; à quoi Dorothée de répondre en allant boire tranquillement : « Où la croix passe, dit-il, nul mal n'est à craindre » (*Ibid.*, II).

En tout ceci, le diable pouvait bien avoir pour complice le corps, les nerfs surexcités, l'imagination affolée. Pakkon fait à Pallade cette réflexion judicieuse : « La guerre de l'impureté est triple. Tantôt, la chair nous assaille parce qu'elle est bien portante; tantôt les passions au moyen des idées; tantôt le démon lui-même par jalousie. » Quoi qu'il en soit, la luxure est le cauchemar des moines. Il y a des cas de gynécophobie extraordinaires, tel celui de Pior qui ne consentit à revoir sa sœur — une très vieille femme — que, les yeux fermés, en criant : « Je suis ton frère, je le suis; regarde-moi tant que tu voudras » (*Ibid.*, XXXIX). Avec une candeur déconcertante et parfois intraduisible, les récits nous racontent par le détail ces tentations des solitaires, si pressantes qu'elles semblaient parfois se poser sur leurs genoux. Mais, c'est le diable qui tient le premier rang : « Consens à pécher une fois, dit-il à un frère, et je t'amènerai telle créature que tu voudras. »

Somme toute, les passions — orgueil, avarice, gourmandise, luxure — apparaissent comme « les machines de guerre du démon ». Lui, tout seul, ne pourrait rien : un matamore, un aspic édenté, selon la comparaison de couleur toute locale trouvée par l'abbé Pakkon. Les Pères du désert ont mis dans leur Credo pratique ce « beau dogme de l'impénétrabilité de l'âme profonde » dont parle M. H. Bremond. Saint Antoine assurait même le tenir du Très Bas lui-même : « Pourquoi viens-tu tourmenter les moines? lui avait-il dit un jour. — Ce n'est pas moi qui les tourmente; ils se troublent eux-mêmes; car, moi, je suis faible. » Les Pères ont une confiance illimitée puisée aux sources mêmes, au sang jaillissant des plaies du Crucifié. Leur spiritualité n'est point craintive; elle est moins appesantie que celle d'Augustin sous la pensée de notre malice : l'Orient réagit surtout, en effet, contre la conception manichéenne d'une nature radicalement corrompue tandis que l'Occident contre cette autre, pélagienne, d'une nature radicalement bonne. Voyez quelle confiance allègre dans ces paroles de saint Antoine à ses disciples : « Ne vous laissez pas effrayer lorsque vous entendez parler de la vertu, et ne vous faites point de ce mot un épouvantail. Elle n'est pas loin de nous; elle ne demeure pas en dehors de nous. C'est une entreprise qui dépend de nous, une chose facile; il suffit de vouloir... Homme, ne flétris pas ce que la largesse divine t'a donné. Vouloir changer les œuvres de Dieu, c'est les souiller » (*Vita S. Antonii*, XL).

Avant tout, le combat est donc spirituel. Parfois, il revêt une forme spéciale. L'âme est envahie soudain par un découragement qui lui fait prendre tout à dégoût : le moine alors n'aime plus son travail, ni sa cellule; il s'irrite pour un rien, trouve insipide la compagnie de ses frères, noue des relations extérieures, voire des familiarités dangereuses. Une envie folle le prend de courir le désert, quelquefois de regagner le monde, bref, comme dit Pallade, de « chasser son clou avec un clou ». Tel est ce mal terrible de l'*acedia*, surnommé parfois le « démon du midi » parce qu'il s'empare surtout des solitaires vers le milieu de la journée. Nul remède que le travail, le silence et la garde de sa cellule. Il y a là une crise de la volonté causée par la monotonie apparente de l'existence et contre quoi la volonté elle-même est le seul remède, soutenue par Dieu.

Au terme de cette longue lutte, on arrivait à l'impassibilité (ἀπαθεια), non point morne et orgueilleuse comme celle des stoïciens, mais humble et joyeuse. Alors, allégée pour ainsi dire de son corps, l'âme se perd toute en Dieu : ni les révoltes de la chair, ni les fantasmagories diaboliques, ni les inventions de l'imagination ne l'en peuvent plus détourner. Ainsi Evagre vieillissant pouvait-il dire enfin : « Voilà trois ans que je n'ai été importuné d'aucune concupiscence » (*Ibid.*, XXXVIII). Tel était l'état où se trouvait le grand Antoine : « Ce bienheureux, dit l'abbé Isaac, nous l'avons vu souvent si appliqué à la prière qu'il arrivait quelquefois que le ravissement où il avait passé la nuit lui faisait dire au soleil levant : « Soleil, que tu m'es importun! Pourquoi m'empêches-tu? Il semble que tu ne te lèves que pour me dérober ma véritable lumière. » A cette contemplation surhumaine, joignez des charismes merveilleux tels que don de lire dans les cœurs, prophéties, exorcismes infaillibles, voire puissance inouïe sur les animaux, évocatrice pour nous du Poverello[1].

Pourtant, il y a des ombres au tableau. Cette vie libre, non régie par une règle stricte, abandonne les anachorètes à leur propre discrétion, ce qui leur permet parfois d'en manquer beaucoup. D'où certaines extravagances invraisemblables, voire de lamentables chutes. Il faut déplorer surtout cette surenchère de mortification, éloignée de la prudence, et qui offrait tous les dangers de l'amour-propre. Pallade nous parle de ces moines qui « par présomption déraisonnable, pour plaire aux hommes », ou bien « par rivalité et pour la gloriole », s'engageaient à ne presque rien manger : tel cet Alban, d'une mortification sans égale et d'une arrogance toute pareille, mais qui finit par céder au dégoût, et courut à Alexandrie où il tomba « dans la fange de la concupiscence féminine », fréquentant théâtres, hippodromes et tavernes (*Ibid.*, XXVI).

Ces inconvénients d'une vie sans règle fixe avaient frappé un jeune moine, nommé Pakhôme, disciple du solitaire Palamon, qui avait son ermitage dans la Haute-Égypte, sur la rive droite du Nil, en face de Denderah. Un jour, s'étant aventuré jusqu'à un village abandonné nommé Tabennisi, au nord de Thèbes, il entendit une voix lui crier du ciel : « Reste ici et construis-y un monastère; car, beaucoup d'hommes, désireux d'embrasser la vie monastique, viendront ici te trouver. » Que fit donc Pakhôme? Achever simplement une évolution. En effet, les ascètes tendaient à se réunir toujours plus nombreux auprès de solitaires en renom tels que Macaire ou Antoine. Pakhôme n'eut qu'à élever une enceinte autour d'un de ces groupements pour créer le cénobitisme.

A ce changement extérieur correspondaient des modifications profondes. Désormais, une règle commune, marquée au coin de la discrétion, et qui, pour être accessible non seulement aux grands athlètes, mais à tous, restera pleine de modération[2]. « Ne savez-vous pas,

1. Rien d'étonnant que cette sainteté ait parfois fleuri en travaux remarquables de spiritualité. Ainsi les œuvres d'Évagre le Pontique, parmi lesquelles l'*Antirrhétique* ou *Traité des huit pensées de malice, le Moine, le Gnostique, les Problèmes prognostiques, les Maximes aux moines et aux vierges*, tous recueils de sentences. Sans doute Évagre a-t-il été condamné comme origéniste dès 553 au Ve concile œcuménique, puis au concile de Latran en 649. Son influence n'en fut pas moins très étendue : de son vivant d'abord, puisque Pallade et Cassien furent ses disciples; puis, sur les écrivains spirituels postérieurs, notamment au VIIe siècle sur saint Maxime, qui rejetant de son œuvre toutes les idées dogmatiques entachées d'origénisme — éons, préexistence des âmes, apocatastase - s'appropria cependant ses théories mystiques. « Comme Evagre dépend surtout d'Origène et de Clément d'Alexandrie, Maxime en lui empruntant la charpente de sa spiritualité assure la continuité de la doctrine sur le terrain ascétique et mystique. Par là une bonne partie de l'origénisme parfaitement orthodoxe a été sauvé. Vaincu sur le terrain dogmatique, l'alexandrinisme persévéramment conserve son empire sur les esprits dans le domaine spirituel. » Maxime, en effet, devait avoir sur le moyen âge byzantin une influence considérable. Voir M. VILLER, * *Aux sources de la spiritualité de saint Maxime. Les œuvres d'Évagre le Pontique. Rev. asc. et myst.*, 1930, p. 156-185; 239-269. — P. J. HAUSHERR, *Les versions syriaque et arménienne d'Évagre le Pontique*, dans *Orientalia christiana*, vol. XXII, 2, Rome, 1931.

Saint Isidore de Péluse († vers 440) fut abbé d'un monastère situé près de cette ville du Delta. Il nous a laissé une vaste correspondance — plus de 2.000 lettres —, la plus belle collection épistolaire que nous ait transmise l'antiquité chrétienne. Isidore fut le conseiller des personnages les plus variés, ecclésiastiques, laïques, moines; il écrivit à l'empereur, à des préfets, à des gouverneurs et à des magistrats, à des évêques. Isidore vise à une élégance discrète : beaucoup de choses en peu de mots, sobriété et concision, telle est la règle de ce moine qui avait fait profession de silence Pour le fond, ses lettres revêtent un très grand intérêt, soit qu'elles visent les questions politiques ou les controverses dogmatiques, soit qu'elles énoncent la doctrine morale et ascétique, soit encore qu'elles expriment une méthode exégétique opposée à l'allégorisme alexandrin : mêler du sien à l'Écriture. pensait-il, serait ressembler au cabaretier qui frelate le vin avec de l'eau. Rien mieux que l'œuvre épistolaire d'Isidore n'évoque l'ascendant des milieux monastiques à cette époque. *SOURCES : P. G.*, LXXVIII, col. 177-1646. — *TRAVAUX :* E. BOUVY, *De S. Isidoro Pelusiota* (thèse), Nîmes, 1884. — E. LYON, *Le droit chrétien. Isidore de Péluse*, dans les *Etudes historico-juridiques offertes à M. Th. Girard*, 1912, p. 209-223. — G. BAREILLE, art. *Isidore de Péluse*, dans *Dict. Théol.*

Sur saint Nil et sur les œuvres macariennes, voir *infra* à propos du monachisme d'Asie Mineure.

2. Au point de vue ascétique, la grande source de renseignement sur Pakhôme reste, comme pour Antoine, sa

dira Pakhôme, que les frères — surtout les plus jeunes — ne peuvent pas persévérer dans la vertu, si on ne leur accorde de temps en temps quelque relâchement et quelque repos? » Seulement, tout ce qu'il retranche à la mortification corporelle, le père des cénobites le donne à la mortification spirituelle qui est l'obéissance. Vie sage, bien ordonnée, exempte sans doute des prodiges d'austérité, mais aussi protégée par la règle et la vie commune, gardée par la direction des supérieurs, à l'abri des illusions de la vaine gloire, somme toute plus proportionnée à la moyenne, mieux adaptée à l'humaine fragilité. Aussi bien, Pakhôme ne prétendait-il pas arrêter l'élan des grandes âmes qui pourraient davantage.

Voici quel était l'ensemble de l'organisation nouvelle. Au sommet de la congrégation, un supérieur nommé à vie, et dont le pouvoir reste absolu sur tous les monastères affiliés. Deux fois par an, à Pâques et au mois de Mésoré (août), assemblée générale où les supérieurs locaux rendent leurs comptes à Pakhôme, où lui-même donne ses ordres, où l'on discute les questions d'administration temporelle. Dans chaque monastère, diverses « maisons groupent les artisans pratiquant un même métier sous l'autorité d'une sorte de chef de travaux. Plusieurs maisons forment une tribu, et il y a une hiérarchie des tribus. Chaque maison fait successivement « la semaine », c'est-à-dire assure le service général dans le monastère : convocation de la communauté aux exercices, transmission des ordres des supérieurs, distribution des matériaux nécessaires pour le travail, etc. Au total, organisation puissante et hiérarchisée, presque militaire, et qu'animent deux éléments non plus facultatifs, mais nécessaires : la prière conventuelle, qui réunit les frères cinq fois par jour, le travail manuel, qui prend des formes variées.

Au surplus, les précautions sont prises pour que l'institution pakhômienne ne dégénère pas en une « vaste coopérative de production », mais qu'elle reste animée par l'esprit de contemplation. Certaines heures sont réservées à la *lectio divina,* à l'étude et à la méditation de l'Écriture. Tout religieux doit apprendre par cœur au moins le Nouveau Testament et le psautier : exigence qu'expliquent sans doute les nécessités liturgiques, mais où se montre aussi le souci d'alimenter la vie du moine aux sources de l'Écriture. Enfin, il y a un enseignement conventuel : deux fois par semaine, aux jours de jeûne, instruction spirituelle des « chefs de maison » à leur communauté; le samedi et le dimanche catéchèses données par le Père du monastère.

L'entreprise de Pakhôme répondait à un besoin si réel qu'elle recueillit une large succès. Il dut construire bientôt au nord de Tabennisi un second monastère au lieu dit Pebôou, puis un troisième à Schénésit; d'autres suivirent[1]. Ainsi se forma une congrégation, dont Pakhôme

vie écrite par ses disciples, et où sa doctrine s'étale sous forme de conférences. A celles-ci Amélineau lui-même maintient une valeur historique : « On peut se demander, dit-il, si les nombreux discours qui sont placés dans la bouche de Pakhôme sont authentiques ou non. S'il s'agissait d'un auteur d'Occident, je répondrais sans hésiter que ses discours doivent être mis sur le même pied que ceux que Tite-Live met dans la bouche des personnages de son histoire; mais, quand il s'agit d'un auteur copte, il faut procéder avec beaucoup de prudence. Il y a dans toutes les paroles attribuées à Pakhôme un tel air de parenté réciproque, une telle marque d'origine, si je puis ainsi parler, que je ne serais pas le moins du monde surpris qu'elles fussent en effet authentiques. Je ne veux pas prétendre cependant que les termes soient ceux mêmes que Pakhôme a employés; mais je suis tout porté à croire que le fonds est le même. » AMELINEAU, *Annales du Musée Guimet*, t. XVII, p. XCVIII, 1889. Amélineau donne là l'*Histoire de saint Pakhôme et de ses communautés* (textes copte et arabe avec traduction française). A ce texte il faut préférer celui qu'a publié Th. LEFORT, *S. Pacomii vita bohairice scripta*, dans *Corpus script. christ. Orient., Scriptores Coptici*, sér. III, t. VII, 1925. Voir aussi *Vie du bienheureux Pacôme, texte grec et traduction française*, dans *Patrologia Orientalis* (GRAFFIN-NAU), Tomus quartus, V, 425-503.

1. Ce fut d'abord la communauté de Temouschons, sur la rive occidentale, au nord de Pebôou. Puis, sur l'invitation de l'évêque d'Akmin ou Panopolis, trois monastères s'établirent dans sa ville épiscopale; deux autres furent érigés

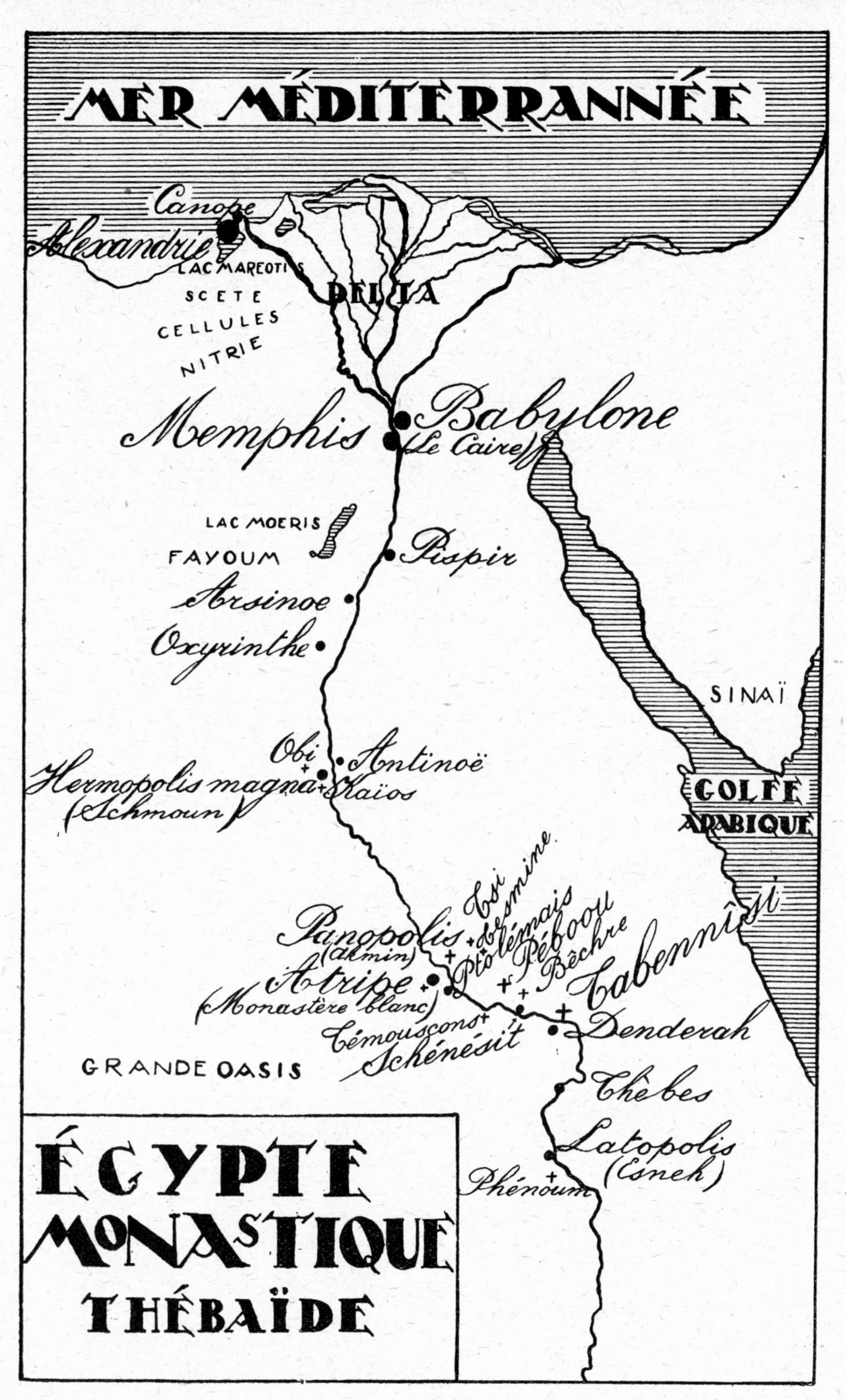

ÉGYPTE MONASTIQUE.

transféra le centre de Tabennisi à Pebôou, et qui compta neuf monastères, tous situés entre Panopolis (Akmin) au Nord et Latopolis (Esneh) au Sud. Bref, quelque trois mille moines. Il faut y joindre deux couvents de femmes, l'un à Tabennisi sous la direction de Marie, sœur de Pakhôme, l'autre près de Panopolis.

Cet établissement du cénobitisme s'opéra sans heurt avec le clergé séculier. D'une part, l'influence le protégeait du grand Athanase qui se proclamait l'ami des moines, qui, dès 331, durant sa tournée pastorale dans la Thébaïde, les visitait à Tabennisi, et qui plus tard trouvera refuge chez eux contre les poursuites de Constance. D'ailleurs, Pakhôme avait assez de sagesse et de sens ecclésiastique pour se soumettre humblement à la hiérarchie.

La seule opposition vint du monachisme lui-même. Il fallut lutter contre l'esprit propre de ceux qui, après avoir quitté la libre vie du désert, trouvaient trop dure la stricte subordination du cloître : preuve péremptoire qu'il est moins aisé de pratiquer l'humble obéissance que de s'adonner à des mortifications personnelles, fussent-elles athlétiques. A ces récriminations faisaient écho les anachorètes voisins qui voyaient fondre leur clientèle. D'ailleurs, ce même esprit d'ascétisme excessif et fougueux devait s'infiltrer jusque dans le cloître, tentant d'y faire échec à la discrétion pakhômienne.

Au patriarche, emporté par la peste en 346, succédèrent Horsisii et Théodore qui étendirent les fondations[1] et maintinrent son esprit. Mais, d'autres allaient y contredire. Aux environs d'Akmi, près des ruines du village d'Atripé, sur un saillant de la chaîne libyque, l'anachorète Bgoûl avait fondé le « monastère blanc », d'après le modèle pakhômien. Son neveu Schenoudi imposa à ses disciples des règlements beaucoup plus stricts. Autoritaire, tout à l'action, doué d'un enthousiasme quasi prophétique, avec le même zèle qu'il met à évangéliser les coptes du voisinage et à les tirer de la misère, avec la même ardeur déployée pour marcher à l'assaut des temples païens ou pour critiquer les vices du clergé, avec ce même esprit emporté il impose à ses moines des obligations dures — prières, jeûnes, mortifications supplémentaires — sous peine de châtiments corporels implacablement infligés : à la moindre faute, c'est la bastonnade, même pour les moniales. De là l'insubordination qui parfois se témoigne à Atripé. Sans doute est-ce pour la mieux dompter et pour lier ses moines par d'irrévocables engagements que Schenoudi leur impose une profession écrite, usage inconnu à Tabennisi.

De ces innovations le résultat fut médiocre; la réforme d'Atripé avorta et ne réunit jamais que quelques centaines de sujets. Cette vertu maîtresse, armature puissante du cénobitisme, la discrétion, faisait défaut à l'œuvre de Schenoudi qui s'opposa à celle de Pakhôme comme plus tard le monachisme colombanien au monachisme bénédictin. Toute la raison d'être du monachisme pakhômien était dans l'esprit de mesure : pour n'y point rester fidèle, autant retourner aux libres prouesses de l'anachorétisme.

L'arbre pakhômien développa sa gigantesque ramure. Vers l'an 400, Pallade et Cassien n'évaluent pas à moins de 5 à 7.000 les cénobites qui vivent sous cette observance. La branche féminine s'était accrue aussi : le seul monastère de Panopolis comptait 400 nonnes. (*Hist. laus.*,

aux environs : Tsî et Tesminé. Enfin, vers le Sud, au delà de Thèbes, dans les environs d'Esneh, on créa le monastère de Phenoum.

1. Signalons deux fondations près d'Hermopolis Magna, Obi et Kaios, sur la rive occidentale du Nil; une autre aux environs d'Hermothis; une communauté de femmes à Bêchré près de Pebôou, et un monastère non loin de Ptolémais. Ainsi s'étendait-on depuis Hermopolis Magna (Schmoun) au Nord jusqu'à Latopolis (Esneh) au Sud.

xxxiii.) Sur la vie intérieure de ces couvents féminins Pallade nous livre divers détails intéressants : ainsi nous révèle-t-il qu'en celui d'Antinoë, la supérieure, Mère Talis, était si tendrement vénérée de ses sœurs qu'il n'y avait pas de clef au monastère et que l'amour y tenait lieu de clôture. (*Ibid.*, lix.) Pourtant, l'institution des monastères doubles fut agréée par saint Pakhôme, dans le but de protéger les religieuses, quelque peu exposées dans le désert.

Au total, l'influence du monachisme égyptien s'avère immense. Sa spiritualité fut une école de perfection authentique dont l'influence dure encore : par Cassien elle se transmit à saint Benoît et à tout le monachisme médiéval. Malheureusement, le déclin viendra dès le ve siècle lorsque les moines — jadis grands tenants de l'orthodoxie athanasienne contre l'arianisme — se rangeront derrière Dioscore et consolideront ainsi l'Église monophysite d'Égypte.

II. L'Orient. — L'ascétisme égyptien essaima en Palestine. Disciple de saint Antoine, Hilarion l'implanta sur la plage aride qui s'étend au sud de Gaza. Comme son maître, il vivait seul dans une petite cabane; mais, comme lui aussi, il dut prendre la direction des solitaires voisins. Une fois l'an, à l'époque des vendanges, il les visitait, leur prodiguant les conseils de son expérience. Jérôme lui a consacré une biographie assez semblable à celles de Paul et de Malchus, et donc plus édifiante qu'historique. Il y relate des mortifications et des abstinences qui, tout impossibles qu'elles soient à notre faiblesse, ne dépassent point les capacités d'un solitaire formé à la méthode d'Égypte. Peut-être trouvera-t-on d'un merveilleux plus suspect les miracles rapportés : celui du boa contraint de monter sur un bûcher comme un malfaiteur, cet autre de la mer obligée en trois signes de croix à rentrer dans son lit.

Aux environs de Jérusalem, Chariton tenta ce qu'Hilarion avait réalisé dans la Palestine méridionale, voisine de l'Égypte. Originaire d'Iconium en Lycaonie, cet ermite s'établit sur les bords du Jourdain au début du ive siècle. Par ses migrations successives, sa vie ressemble à celle d'Antoine. Il se retira d'abord dans la gorge de Pharan, à 10 kilomètres de Jérusalem, où de nombreux disciples affluèrent; puis, cherchant une plus grande solitude, en un endroit nommé Douca, au nord-ouest de Jéricho; enfin, dans le désert de Juda, à l'est de Thécoa, en une gorge que les Syriens appellent Souka et les Grecs la Vieille Laure. Le but de ces déplacements n'était jamais atteint, la solitude cherchée jamais trouvée; à peine Chariton installé, un grand nombre d'ascètes accouraient se grouper sous sa direction; son refuge devenait une vraie cellule-mère autour de laquelle d'autres se construisaient : ainsi se formait une sorte de

Monachisme oriental. — S. Schiwietz, **Das morgenländische Mönchtum*. II. *Das M. auf Sinaï und in Palaestina im vierten Jahrh.*, 1913. — Dom Besse, **Les moines d'Orient antérieurs au concile de Chalcédoine.* — S. Vailhé, *Saint Euthyme le Grand, moine de Palestine* (376-479), *Rev. Or. chr.*, 1907, p. 298-312, 337-355; 1908, p. 181-91, 225-46, 389-405; 1909, 189-202, 256-263. — R. Génier, *Vie de saint Euthyme le Grand*, 1909. — H. Lietzmann, *Das Leben des h. Symeon Stylites*, 1908. — H. Delehaye, **Les saints stylites*, Bruxelles, 1923. — S. Vailhé, *Les premiers monastères de la Palestine*, *Bessarione*, 1907-08. — Dom Leclercq, art. *Laures palestiniennes.* — Marin, *Les moines de Constantinople* (330-898), 1897. — J. Pargoire, *Les débuts du monachisme à Constantinople*, *R. Q. H.*, 1899, p. 69-79. — J. Pargoire, art. *Acémètes*, dans *Dict. Arch.* — S. Vailhé, art. *Acémètes*, dans *Dict. Hist.* — P. Allard, *Saint Basile* (col. *les Saints*), 1899. — Clarke, *St. Basil. A study in monasticism*, Cambridge, 1915. — Morison, *St. Basil and his rule*, Oxford, 1912. — Clarke, *The ascetic works of saint Basil*, Londres, 1925. — Sister M. G. Murphy, * *St. Basil and monasticism* (Patristic studies, t. XXV), Washington.

communauté, la *laure;* elle possédait une église où samedi et dimanche on se rassemblait pour les saintes veilles et la liturgie eucharistique.

Sur ce même modèle, se constituèrent de nombreux groupes dont l'emplacement fut souvent dicté par les préoccupations exégétiques : puits de Jacob, lieux saints que consacraient les souvenirs plus ou moins authentiques d'Abraham, de Laban, de Rébecca, de Moïse, d'Élie. On n'hésita guère à préciser ainsi les étapes de l'*Exode.*

La Palestine et la Syrie ne connurent pas comme l'Égypte une belle efflorescence cénobitique. Signalons toutefois une fondation du type pakhômien, celle du Vieil Ad, organisée par Épiphane d'Eleutheropolis, le futur évêque de Salamine.

Dans ces régions, l'ascétisme érémitique prend un aspect excessif, parfois effrayant, souvent bizarre. Voyez plutôt, peint par lui-même, l'exemple de Jérôme retiré, avant sa venue à Rome, au désert de Chalcis, sur la frontière syrienne, à quelque cinquante milles d'Antioche : « Je faisais peur à voir, dit-il, dans le sac qui déformait mes membres; mon extérieur inculte donnait à ma chair l'aspect de la race éthiopienne... Je ne dis rien du manger et du boire; car, même les malades n'ont à leur disposition que de l'eau froide, et manger chaud paraît être du relâchement » (*Epist.*, XXII). On vit en Syrie d'étranges prouesses : les uns, surnommés brouteurs, se contentaient d'herbes crues; d'autres s'entraînaient à des paris d'endurance, restant immobiles pendant des heures entières, ou bien s'ingéniant aux plus incommodes postures. Certains se faisaient attacher à un roc par des chaînes scellées.

La plus célèbre de ces mortifications fut celle des *stylites* qui vivaient juchés sur une colonne, moins sans doute pour se rapprocher du ciel que pour se séparer de la terre. Au sommet, une cellule entourée d'une balustrade. Le reclus aérien partageait sa vie entre la contemplation et l'exercice de la charité. En effet, les stylites durent souvent haranguer les foules grouillant à leurs pieds et sur lesquelles ils possédaient un étonnant empire. Vers Siméon l'Ancien, le premier et le plus fameux d'entre eux, accouraient Arabes, Perses, Arméniens, voire Occidentaux; humble et patient, il condescendait à écouter les demandes, à résoudre les différends, à opérer de merveilleuses guérisons. Il convertit des Arabes par milliers. Cet homme à la réputation universelle, dont le portrait se trouvait dans les boutiques de Rome et qui échangea des compliments avec sainte Geneviève, eut des funérailles royales. Il trouva ensuite un grand nombre d'imitateurs.

Pour expliquer les anomalies de l'ascétisme syrien, ses mortifications sans mesure, ses allures théâtrales, il faut se rappeler le tempérament excessif de la race et, comme dit le P. Delehaye, « se transporter dans le monde oriental où l'on vit en plein air, où l'on craint moins les yeux du public, où les démonstrations bruyantes cadrent mieux avec des mœurs plus simples que les nôtres ». Néanmoins, les inconvénients de la liberté érémitique devaient se faire sentir ici plus qu'en Égypte. « J'ai honte à le dire, écrivait Jérôme à Chalcis, du fond de nos cellules nous jugeons l'univers; pelotonnés sous le sac et la cendre nous condamnons les évêques... Que vient faire sous l'habit de pénitent cet orgueil royal? Les chaînes, a crasse, les cheveux longs, ce sont là les signes d'un remords qui gémit, et non des emblèmes de domination. » (*Epist.*, XVII.) Dictées sans doute par le ressentiment, ces paroles n'en dévoilent pas moins un péril réel qui se développera au temps des querelles christologiques et origénistes.

En Palestine, à cet érémitisme indigène se juxtaposa un monachisme latin, mais sans qu'il s'établît de réelles relations entre l'un et l'autre.

En 386, désabusé de la société romaine, saint Jérôme se retira à Bethléem, accompagné de plusieurs moines, ainsi que de Paula, d'Eustochium et de quelques vierges. Avec ce qui restait de la fortune de Paula, on construisit plusieurs monastères : l'un pour hommes que dirigea Jérôme, trois autres pour femmes, presque contigus; des hôtelleries furent annexées à l'usage des pèlerins, et une école pour les enfants. Le temps se partageait entre la prière et le travail. Programme bien équilibré où une place assez large était faite aux occupations intellectuelles, mais une autre également aux besognes manuelles. Sans doute est-ce à Bethléem que Jérôme composa presque tous ses travaux d'exégèse, sans doute trouvèrent-ils leurs origines dans les conférences faites à ses chères moniales, et celles-ci en retour l'aidèrent-elles par d'attentives transcriptions du texte sacré avec ses obèles et ses astérisques. Mais il y avait des occupations plus prosaïques auxquelles personne ne se dérobait : Jérôme s'improvise hôtelier, si onéreuse que soit la fonction ; avec leurs tendres mains de patriciennes, Paula et Eustochium « allument le feu et les lampes, nettoient les parquets, épluchent les légumes, font la lessive, apportent les plats, se prodiguent un peu partout dans la maison ». Travaillant et priant, tout ce monde vit dans la joie. Il faut voir sur quel ton lyrique Bethléem est décrite à Marcella restée dans la Rome païenne, et qui devrait s'empresser de rejoindre ses sœurs : « Dans la petite demeure du Christ, seuls les psaumes rompent le silence... Ici du pain bis, des herbes arrosées de nos mains, du lait, rustique gourmandise, telle est notre nourriture, vile mais innocente... Au printemps, la campagne se peint de fleurs, et parmi les gazouillements des oiseaux le chant des psaumes est plus doux. » (*Epist.*, XLIII.) N'est-ce pas le style des Bucoliques appliqué à la vie monastique? Évidemment, la dure réalité est parfois plus prosaïque.

A Jérusalem, au mont des Oliviers, un autre groupe latin. Vers 375, Mélanie l'Ancienne y avait fondé un couvent qui contenait environ cinquante moniales, et où elle vécut, vingt-sept ans durant, occupée — comme son ami Rufin — à recevoir les pèlerins de passage. Après elle, sa petite-fille, Mélanie la Jeune, s'établissait sur ces mêmes pentes sacrées; elle chargeait son mari Pinien du recrutement des vierges, puis construisait un monastère dont, par humilité, elle refusa d'être l'abbesse, et où elle introduisit la liturgie romaine. A l'esprit qui y régnait, on reconnaît la discrétion latine. Point de mortifications téméraires et prétentieuses, mais avant tout la charité, l'humilité, la douceur et l'obéissance : « Le diable, disait Mélanie à ses sœurs, peut imiter complètement les serviteurs de Dieu, en fait de jeûne, puisqu'il ne mange point, et en fait de veilles, puisqu'il ne dort point, mais il ne peut imiter la charité et l'humilité. Autant qu'il dépend de vous, ayez de la charité les unes pour les autres. » Après la mort de Pinien en 432, elle fondera un monastère d'hommes, l'Apostolion, chargé de desservir la grande église bâtie sur le lieu de l'Ascension, et dont Géronce, son futur biographe, sera le premier abbé.

Par les hôtes qu'ils recevaient, plus encore par la correspondance de Jérôme, l'influence des moines latins de Terre Sainte se répandit au loin. Mais, en Palestine même, ils furent toujours considérés comme des étrangers. On leur préférait les ascètes indigènes : tel saint Passarion, fondateur d'un monastère à Jérusalem, tel surtout saint Euthyme qui donnera au ve siècle une si vive impulsion à la vie des laures palestiniennes. Au surplus, les querelles origénistes entachèrent la réputation de Jérôme et de Rufin qui n'y déployèrent pas une mansuétude exemplaire.

Au delà de la Syrie, en Mésopotamie, l'initiateur monastique fut Marc Agwin, un simple pêcheur de perles, originaire de l'île de Klysma (près de Suez), et qui, après un apprentissage auprès de Pakhôme à Tabennisi, fonda un couvent aux environs de Nisibe († 363). Il y avait aussi des ascètes dont le plus célèbre, saint Jacques de Nisibe, vécut avant son épiscopat dans la montagne, se nourrissant de fruits et d'herbes sauvages. Les origines du monachisme persan ont prêté à beaucoup de controverses. Il semble qu'au début certains pratiquaient la vie ascétique sans quitter le monde. Cependant, pour éviter les critiques des païens et obvier aux inconvénients de la prosmicuité, des monastères furent édifiés, ainsi qu'en témoigne le canon III du synode d'Isaac en 410. Mais il se trouvait également des hommes « voués » qui vivaient sans doute un état intermédiaire librement embrassé et facile à quitter.

« On raconte, écrit Sozomène, qu'Eustathe, évêque de Sébaste en Arménie, introduisit la vie monastique chez les Arméniens, les Paphlagoniens et leurs voisins du Pont. » (*H. E.*, III, 14.) Eustathe fit école; mais, nous avons dit que ses disciples en vinrent à professer un ascétisme teinté d'encratisme, que le concile de Gangres condamna vers le milieu du IVe siècle.

Le véritable fondateur du monachisme en Asie Mineure fut saint Basile. Sa sœur Macrine avait gagné sa mère à la vie ascétique, si bien que toute la famille, maîtresses et servantes, s'adonna à la contemplation, dans le domaine héréditaire d'Annesi, près de Néocésarée, sur les bords de l'Iris : communauté bientôt augmentée de recrues d'élite parmi lesquelles la veuve Vestiana, fille d'un sénateur. Gagné au projet, Basile entreprit d'abord en 357 et 358 un grand voyage d'investigation à travers tout l'Orient monastique, Égypte, Palestine, Syrie et Mésopotamie. Il en revint avec des idées très nettes, convaincu de la supériorité du cénobitisme sur l'érémitisme, résolu cependant à modifier sensiblement la conception pakhômienne. Avant tout, Basile veut renforcer les avantages moraux du cénobitisme, fruits de l'obéissance. Au gouvernement à deux degrés que détiennent l'abbé et les chefs de maison il substitue celui d'un supérieur unique, dont on dépendra directement, dans le cadre d'une communauté peu nombreuse : ainsi remplace-t-il l'ordonnance régimentaire de l'institution pakhômienne par une autre, toute familiale, où l'abbé est le père direct de ses moines, qu'il connaît jusque dans l'intime, et où il n'y a qu'un seul toit, une table, une prière commune. Nulle extravagance ascétique, mais des austérités conventuelles réglées — comme tout le reste — par l'abbé. Ainsi s'esquisse un mode de vie discret que s'appropriera la sagesse romaine de saint Benoît.

On le trouve non pas codifié, mais plutôt dilué dans les *Règles* écrites par saint Basile : un premier recueil contient le résumé de 55 entretiens ou « lectures spirituelles » (*Regulae fusius tractatae*); un second comprend 313 règles, moins développées (*Regulae brevius tractatae*); tandis que l'un donne plutôt les principes qui président à la formation monastique, l'autre répond aux questions de la casuistique ascétique. Il n'y a pas là une règle au sens strict où nous l'entendons en Occident, pas plus que Basile ne se préoccupa de fonder un ordre proprement dit. En fait, il se contenta d'appliquer son idéal dans le couvent qu'il fonda en face d'Annesi, et où il ne vécut que cinq ans. Et pourtant, ses idées allaient informer tout le monachisme oriental, et aussi la règle de saint Benoît. Si celui-ci se réfère davantage pour le détail à Cassien, il dépend plus de saint Basile quant aux principes essentiels.

A la fin du IVe siècle, non seulement le monachisme a envahi les déserts d'Égypte et de Syrie ainsi que les solitudes d'Asie Mineure[1], mais il s'implante également dans les villes :

1. Il faut sans doute restituer à l'Asie Mineure deux écrivains dont l'origine resta longtemps mystérieuse : saint Nil et le pseudo Macaire

D'après les données traditionnelles, Nil, officier de la cour de Théodose, aurait embrassé la vie monastique au ainsi, à Alexandrie, à Jérusalem, à Antioche. A Byzance, ses origines semblent toutefois plus tardives qu'on ne l'a prétendu : nulle trace historique à l'époque de Constantin, ni durant les conflits de l'arianisme; les premiers cénobites furent sans doute des hérétiques, disciples de Macédonius et de Marathonius : tentative prématurée et éphémère. L'établissement véritable revient à un moine syrien, Isaac, personnage d'ailleurs entreprenant et brouillon, fort mêlé aux affaires du dehors; son successeur, saint Dalmate, donna son nom au monastère et assit sa célébrité. Le ministre Rufin fit aussi bâtir un couvent pour des Égyptiens qu'il avait appelés à Byzance. Mais, la plus célèbre des fondations constantinopolitaines fut celle des Acémètes. Son instaurateur, Alexandre, l'établit sur un modèle strictement évangélique; pauvreté absolue, apostolat actif et prière ininterrompue, en ce sens que différents chœurs de moines se relevaient l'un l'autre pour ne pas laisser la psalmodie chômer un seul instant : d'où ce surnom d'Acémètes qui signifie ceux qui ne dorment pas. Durant les luttes christologiques, ce monastère se signalera par son attachement inébranlable à la foi de Chalcédoine.

III. L'Occident. — Le monachisme ne s'étendit pas d'abord en Occident comme en Orient. Néanmoins, nombre d'évêques italiens groupèrent des moines autour de leur église cathédrale : ainsi à Milan Ambroise, à Verceil Eusèbe qui, exilé par les ariens, avait pu contempler les exemples de la Thébaïde, à Crémone Vincent (407-422), à Novare Gaudence (394-417), à Naples Sévère (367-412), etc. De nombreuses fondations s'établissent à Rome. On trouve des moniales réunies non seulement à Milan par l'influence d'Ambroise, mais à Bologne, Plaisance, Pavie, Verceil. Vers 412, Jérôme écrivait qu'en Italie « les couvents de vierges étaient nombreux, ceux des moines innombrables » (*Epist.*, CXXVII). Mais ils n'ont pas laissé d'histoire.

Par contre, la figure du patriarche gaulois, saint Martin, est évoquée d'une manière saisissante par son biographe, Sulpice-Sévère. Né à Sabaria, en Pannonie, de parents païens [1], Martin fut catéchumène à l'âge de dix ans, et, dès lors « rêvant du désert, il eût satisfait ses

Sinaï avec son fils Théodule. Bien que cette biographie ait sans doute un fondement historique, elle ne se rapporte pas à l'auteur des écrits ascétiques. Celui-ci serait le supérieur d'un monastère d'Ancyre en Galatie, disciple fervent de saint Jean Chrysostome. Il composa divers traités relatifs aux vertus chrétiennes tels que le *de Oratione;* d'autres regardent le monachisme comme le *de Voluntaria potestate* et le *Liber de monastica exercitatione;* mais il faut surtout admirer la volumineuse correspondance — plus de mille lettres, authentiques dans l'ensemble — et où se révèle un maître spirituel, à la fois doux et autoritaire, étendant son influence non seulement sur les hommes d'Église, mais sur les fonctionnaires impériaux. Voir Fr. Degenhart, *Der hl. Nilus Sinaita,* Münster-i-W., 1915. — K. Heussi, *Untersuchungen zu Nilus dem Asketen* dans *Texte u. Unters.,* Leipzig, 1917. — Didier, art. *Nil,* dans *Dict. Théol.*

On attribuait jadis à Macaire d'Égypte toute une littérature comprenant en particulier une série d'opuscules ascétiques et 50 homélies exposant les principes de la vie spirituelle. En fait, la doctrine contenue dans les homélies s'apparente à celle des Euchites ou Messaliens, sectaires qui, originaires de la région d'Édesse, se répandirent en Asie Mineure et furent condamnés au Concile de Sidé en 390 : même doctrine de l'union personnelle du démon avec le pécheur et de Dieu avec le juste; même conception d'une efficacité souveraine de la prière suppléant aux sacrements ; même affirmation d'un triomphe plénier de l'Esprit-Saint s'unissant hypostatiquement à l'âme. Dom Wilmart incline à penser que le recueil des homélies pseudo-macariennes remonterait à la première période du mouvement messalien et que son auteur aurait appartenu à un groupe d'ascètes non encore brouillés avec les autorités ecclésiastiques. Voir Dom L. Villecourt, *La date et l'origine des Homélies spirituelles attribuées à Macaire,* dans *Comptes rendus de l'Ac. Insc. Belles-Lettres,* 1920, p. 250-258. — Dom A. Wilmart, *L'origine véritable des homélies pneumatiques,* dans *Rev. asc. et myst.*, 1920, t. I, p. 361-377; *La lettre spirituelle de l'abbé Macaire, Ibid.,* 1920, t. I, p. 58-83 (donne un texte critique de la seule lettre authentique de Macaire). — E. Amann, art. *Messaliens,* dans *Dict. Théol.*

1. La chronologie de saint Martin présente de grandes difficultés. Les uns le font naître vers 316, les autres vers 335. Pour les premiers, il aurait quitté l'armée en 341 à vingt-cinq ans, pour les seconds en 356, à vingt-et-un.

aspirations, si la faiblesse de l'âge n'y eût mis obstacle » : précocité surnaturelle propre aux grandes âmes, et qui l'apparente à une Thérèse ou à une Gertrude. On connaît l'histoire de sa jeunesse : comment, fils de vétéran, il fut contraint de s'enrôler dans l'armée, quelle humilité il y montra, prenant ses repas avec son serviteur, nettoyant ses chaussures, pansant son cheval; quelle charité surtout, immortalisée par la scène de la porte d'Amiens, où il partagea de son épée sa chlamyde pour en protéger la nudité d'un pauvre, tandis qu'en récompense le Seigneur lui apparaissait couvert de cette même étoffe et qu'il disait : « Martin, simple catéchumène, m'a revêtu de ce manteau. »

Libéré, au retour d'un voyage en Pannonie qui lui a permis de convertir sa mère, il s'initie à la vie monastique : d'abord, à Milan où il vécut dans une cellule d'anachorète, mais dont le chassa le sectarisme arien de l'évêque Auxentius; ensuite, avec un prêtre ami, dans l'île de Gallinaria sur la côte ligure; enfin, durant une dizaine d'années, dans la solitude de Ligugé (*Lociciacum*), à quelques milles de Poitiers, sous la protection de l'évêque, saint Hilaire. Là, un groupement de moines s'esquissa, analogue à ceux d'Orient, une sorte de laure. Arraché à Ligugé par la perspicacité des Tourangeaux, qui veulent pour chef cet homme de Dieu, il parvient toutefois à sauvegarder sa vie monastique. Le voilà qui établit sa résidence épiscopale à deux milles de Tours, à Marmoutier (*majus monasterium*) : « endroit si isolé qu'il n'avait rien à envier au désert, enfermé d'un côté par les rochers escarpés d'une haute montagne, de l'autre par un petit coude de la Loire, et accessible par un seul sentier très étroit » (*Vita*, x). Bientôt, quatre-vingts disciples s'y installèrent auprès de lui. S'ils habitaient des cabanes séparées, ils se réunissaient pour la prière et les repas. Jeûne, vêtement grossier, stricte pauvreté sauvegardaient la rigidité monastique telle qu'au désert, mais endiguée par la règle. Point de travail manuel, la lecture des Évangiles, la copie des Livres Saints, surtout l'assistance à l'évêque durant ses missions, parfois lointaines, toujours périlleuses. Somme toute, réglementation assez lâche, nulle stabilité nécessaire. Martin ne se posa point — comme Pakhôme ou Benoît — en organisateur qui lègue un code de vie. Mais il fut un merveilleux entraîneur d'âmes, et il offrit un exemple de sainteté qui susciterait en Gaule un grand courant monastique.

Comme Antoine, il possède une foi sans défaillance. « Jamais, dit Sulpice-Sévère, il n'a laissé passer une heure, un moment, sans se livrer à la prière ou s'absorber dans la lecture; et encore, même en lisant ou en faisant autre chose, jamais il ne cessait de prier » (*Vita*, XXVI). Comme Antoine, il livre avec le démon des combats incessants, selon que lui avait prédit déjà sur la route de Pannonie un mystérieux passant : « Partout où tu iras, dans tout ce que tu tenteras, tu trouveras devant toi le diable. » Mais, comme Antoine aussi, Martin conservait une inaltérable espérance qu'il eût voulu donner à tous, et au démon lui-même à qui il disait un jour : « Si toi-même, malheureux, tu cessais de poursuivre les hommes, si tu te repentais de tes méfaits, eh! bien, j'ai tant de confiance dans le Seigneur Jésus-Christ, que je te promettrais miséricorde » (*Vita*, XXII).

Pauvre et humble — pauper et modicus —, patient, inépuisablement charitable, tel il se profile devant la postérité, véritable type de l'idéal évangélique. Parmi ses disciples se rencontraient des trempes frustes, barbares, tel ce Brice qui, certain jour, lui fit une scène d'une violence inouïe, lui reprochant « de s'être jadis souillé des ignominies de la vie militaire et de tomber maintenant dans les vaines superstitions, dupe des ridicules fantasmagories de ses prétendues visions ». Mais, lui, conservait sa sérénité : « Le Christ a supporté Judas; je puis bien, moi, supporter Brice » (*Dial.*, III, 15). Pareille charité porta ses fruits. Marmoutier devint une pépinière de saints évêques : ainsi Corentin de Cornouailles, Maurille d'Angers, Victorius du Mans.

Pour subir l'ascendant de Martin, il suffirait de lire le récit de sa mort et d'écouter ses *ultima verba* : « Seigneur, j'ai assez des luttes soutenues jusqu'ici; mais si tu m'ordonnes de peiner encore pour monter la garde devant ton camp, je ne refuse pas. » Puis, à ses frères qui insistaient pour qu'il reposât son corps en changeant de côté : « Laissez-moi, laissez-moi

LE SAINT-HONORAT. — CLOITRE DE L'ANCIEN MONASTÈRE DE LÉRINS.

regarder le ciel plutôt que la terre, pour mettre dès maintenant mon âme droit dans le chemin qui doit la conduire au Seigneur. » Enfin, ce suprême défi jeté au diable debout près de lui : « Eh! pourquoi te tiens-tu ici, bête sanguinaire? Tu ne trouveras rien en moi qui t'appartienne, maudit. C'est le sein d'Abraham qui va me recevoir » (*Epist. III, ad Bassulam*). Deux mille moines assistèrent à ses funérailles.

L'enthousiasme ne s'est pas éteint. Partout saint Martin trouve encore des admirateurs : « Le Christ mis à part, écrit M. Camille Jullian, aucun personnage n'a exercé vivant, et surtout après sa mort, une si tenace influence. C'est, dans toute l'histoire du christianisme le phénomène le plus semblable au phénomène initial, le nom, la vie et le souvenir du Christ. » En lui, Gaston Boissier saluait « l'idéal d'un saint français » et décrit par un biographe « qui est aussi l'un des nôtres [1] », au style clair et coulant, sans obscurité, sans effort, à la bonhomie un peu malicieuse, à la verve parfois frondeuse.

Quelques années plus tard, sur la côte de Provence, d'importantes fondations fleurirent. Au sud de Cannes, dans l'île de Lérins, saint Honorat, après avoir abandonné ses richesses, groupait des moines qui vivaient dans des cellules séparées, mais suivaient les mêmes exercices. Vers 410, au retour de ses voyages d'Orient où il avait puisé aux sources mêmes toute une expérience monastique, Cassien fondait à Marseille l'abbaye de Saint-Victor. Lérins et Marseille, institutions sœurs, mais au but assez différent : tandis que, répondant aux besoins pratiques de l'Église, Lérins lui fournissait des pasteurs fameux, tels Honorat et Hilaire, métropolitains d'Arles, Loup de Troyes, Eucher de Lyon, Valérien de Cimiez, Rurice de Narbonne, moines qui, devenus prélats, fondèrent à leur tour des monastères; par contre, l'abbaye de Cassien restait toute concentrée en sa prière liturgique. Signalons encore dans le Jura, Condat — plus tard Saint-Claude — fondé par les deux frères Romain et Lupicin, et où l'esprit cénobitique était plus prononcé qu'à Lérins.

Somme toute, aucune tendance à l'unification, nulle législation fixe. On possède en Occident, diverses règles orientales : celle de Pakhôme traduite par Jérôme, celle de Basile adaptée par Rufin, une autre encore attribuée à Macaire. Mais tous les monastères restent autonomes et le *modus vivendi* à la discrétion de l'abbé. Pareille diversité ne s'effacera qu'à l'apparition des règles colombanienne et bénédictine.

1. Pourtant, le témoignage de Sulpice-Sévère a été attaqué. D'après M. Babut, « la *Vie* de saint Martin serait une véritable anthologie de faits merveilleux de provenance diverse, que Sulpice aurait mis arbitrairement au compte de son personnage », les empruntant à la Vie de saint Antoine par saint Athanase, à saint Jérôme, à saint Hilaire. Ainsi ne serait-ce qu'une sorte de *rapiarium* hagiographique, obtenu par des citations multiples cousues les unes aux autres. A cette invention littéraire, il faudrait opposer le véritable Martin, moine fanatique, évêque isolé de ses confrères, ascète compromis dans l'aventure du priscillianisme et mort schismatique, sans influence d'ailleurs sur le développement du christianisme en Gaule. A la vérité, des deux historiens — Sulpice-Sévère et M. Babut — c'est le dernier qui bâtit un roman à quelque quinze cents ans de distance, tandis que, parfait honnête homme, de sens critique avisé, ainsi qu'en témoigne sa *Chronique*, le premier raconte à ses contemporains ce qu'il a vu et entendu sur place, à Marmoutier, du vivant même du saint. Tout au plus peut-on dire que, selon les idées du temps, il a ajouté à ses souvenirs personnels et sincères tout ce qu'on racontait dans l'entourage de Martin. Somme toute, ni plagiat, ni démarcage, mais récit documenté, enrichi des légendes naissantes qui auréoleront le personnage historique. Au surplus, cette superposition légendaire possède elle-même une valeur documentaire : elle nous permet d'enregistrer l'enthousiasme qui, grandissant le saint dès sa mort, ne peut s'expliquer sans un réel fondement. Les héros mythologiques auraient-ils trouvé des contemporains pour les acclamer. Voir E. Ch. Babut, ? *Saint Martin de Tours*, 1918; combattu par le P. Delehaye, * *Saint Martin de Tours et Sulpice-Sévère*, dans *Anal. Boll.*, 1920, p. 5-136. — P. Monceaux, * *Saint Martin. Récits de Sulpice-Sévère mis en français avec une introduction.* — P. Ladoué, * *Saint Martin de Tours*, Marseille, 1930.

CHAPITRE V

LA QUERELLE ORIGÉNISTE

I. Un émule d'Origène : les travaux scripturaires de saint Jérôme. — En même temps que maître d'ascétisme, Jérôme fut un bibliste fameux. Sa vocation s'éveilla au désert de Chalcis. D'où naquit-elle? D'une pensée religieuse, à coup sûr, de cette conviction « qu'on ignore le Christ si on ignore les Livres Saints ». Du désir aussi de purger son âme par la mortification intellectuelle. « Dans ma jeunesse, écrira-t-il au moine Rusticus, je ne pouvais supporter les excitations des passions et l'ardeur de la nature. J'avais beau chercher à les briser par la fréquence des jeûnes, mon âme était toute embrasée par les pensées mauvaises. Pour les dompter, je me mis sous la conduite d'un moine hébreu converti. Aux pointes de Quintilien, aux fleurs de Cicéron, à la gravité de Fronton, à la placidité de Pline succédait maintenant l'étude de l'alphabet, des mots sifflants et haletants à ruminer. Ah! quel labeur de pensée! Quelles difficultés à vaincre! Combien de fois j'ai désespéré, combien de fois j'ai renoncé! Puis, m'entêtant, résolu à apprendre, je me remettais à l'étude... ». Commencé dans les larmes, ce labeur ne tarda pas à le passionner : car, sa nature ardente ne pouvait rester indifférente; il fallait qu'il aimât ou qu'il détestât.

Quand Jérôme vint d'Orient à Rome, il était déjà un exégète réputé, possédant l'hébreu. Il avait très bien choisi ses maîtres, tous deux à vrai dire de réputation équivoque : pour l'interprétation historique, Apollinaire, dont il avait suivi les leçons à Antioche avant de se rendre à Chalcis, pour l'établissement même du texte et pour l'interprétation allégorique, Origène : ce qui ne l'empêchera pas de rester agressivement orthodoxe. Jusque-là on avait traité la Bible avec une liberté assez grande : les uns, orateurs, n'y voyant que thèmes à déclamation, les autres, moralistes, assouplissant les textes à leurs canevas d'homélies. « Tout le monde, écrivait Jérôme indigné, y va de son hypothèse : depuis la femme bavarde jusqu'au sophiste prétentieux, en passant par le vieillard ramolli. On déchire les textes, on les enseigne avant d'avoir soi-même rien appris. »

Jérôme comprit toute l'importance d'un renouveau scripturaire. Un travail préparatoire s'imposait, l'établissement d'une traduction critique. En effet, tandis que les Grecs possédaient du Nouveau Testament le texte original, et de l'Ancien, une version alexandrine, les Septante, réputée presque à l'égal du texte hébraïque; par contre, les Latins n'avaient à leur usage que des versions faites au second siècle et très variables.

Le pape Damase chargea Jérôme d'opérer un premier travail d'approche, la revision des traductions latines du Nouveau Testament. Entreprise délicate pour laquelle notre Dalmate y alla avec prudence : ne corrigeant le texte latin que s'il décelait d'évidents contresens par rapport au grec et, quand les versions latines différaient entre elles, choisissant celle qui se rapprochait le plus du grec. Par un procédé analogue, il donna des psaumes une version plus adaptée aux Septante : le psautier dit romain.

Jérôme qui avait prévu les critiques les réfutait déjà dans la préface de sa traduction des Évangiles, dédiée à Damase. « Tu m'obliges, lui disait-il, à tirer une œuvre nouvelle de l'ancienne. Pieux travail, mais périlleuse présomption!... Quel homme docte ou ignorant, voyant que la leçon qu'il a coutume de réciter n'est plus la même, ne se mettra pas aussitôt à vociférer, à crier que je suis un faussaire et un sacrilège d'oser ainsi dans les vieux exemplaires ajouter, changer, corriger! »

Le plaidoyer était nécessaire. On ne manqua pas de l'accuser d'avoir profané la lettre même de l'Écriture : « J'ai appris, écrivait-il à Marcella, que quelques bonshommes m'attaquent pour avoir corrigé les Évangiles... Me croient-ils donc assez stupide, d'une stupidité assez crasse — en quoi ils mettent la sainteté, se disant disciples des pêcheurs — que de corriger quoi que ce soit des paroles du Seigneur. Tout ce que j'ai fait a été de ramener aux originaux grecs les manuscrits latins dont la corruption se fait voir à leurs divergences. Après cela, si la source pure leur déplaît, qu'ils s'abreuvent aux ruisseaux bourbeux » (*Epist.*, XXVII). Mauvaise querelle au fond, et où derrière l'exégète on vise insidieusement l'ascète. Il ne se prive pas de le souligner.

Sans se laisser rebuter, Jérôme allait poursuivre son œuvre dans la paix relative de Bethléem et l'élargir singulièrement. Il avait consulté à Césarée les fameux *Hexaples* d'Origène, concordance synoptique du texte hébreu et des différentes traductions grecques de l'Ancien Testament. D'après ces Hexaples, il continua sa revision à travers presque toute la Bible. Nous n'en avons conservé que le livre de Job et le *Psalterium* dit *Gallicanum* qui trouva en Gaule sa première diffusion.

Tout cela restait travaux d'approche. Les traductions anciennes, même les Septante, étaient souvent des infidèles, et qui n'avaient même pas toujours l'excuse d'être jolies. Nulle autre ressource que de remonter jusqu'au texte primitif, l'*hebraïca veritas*. Jérôme s'y mit avec un admirable courage intellectuel. Copies de textes et leçons de rabbins payées au poids de l'or, labeur acharné plus souvent de nuit que de jour, rien ne lui sembla trop cher pour mener à bonne fin une œuvre qui ne lui rapporterait — il le savait fort bien — que critiques et ennuis multiples. Achevée en moins de quinze ans, entre 390 et 404, elle décèle un traducteur de génie. Sans doute y a-t-il des endroits faibles; et comment s'en étonner si l'on considère avec quelle rapidité inouïe furent faites certaines parties : ainsi *Tobie* en un jour, et *Esther* en une nuit? Mais l'ensemble se révèle d'une fidélité méritoire, exempt de tout littéralisme obscur, conforme au bon goût, et avec cela non révolutionnaire, mais approprié — autant qu'il était possible — aux expressions devenues traditionnelles en Occident.

Jérôme avait beau faire. Un *tolle* presque général s'éleva contre ce faussaire et ce sacrilège qui osait porter la main sur le texte vénérable des Septante, celui-là même que les Apôtres avaient cité. Sur un ton pacifique, Augustin se fera l'écho des critiques multiples. Pourquoi recommencer l'œuvre des précédents traducteurs du texte hébraïque? Est-il bien sûr que ce sera mieux? Au surplus, ne va-t-on pas créer un désaccord entre les Églises latines et les Églises grecques fermement attachées aux Septante? Jérôme avait réponse à tout, opposant en particulier l'infidélité des Septante à son propre souci d'exactitude. Et avec une fierté quasi prophétique, il en appelait du présent trop partial à l'avenir mieux informé.

II. Saint Jérôme et Rufin. — Au milieu de ces travaux Jérôme fut distrait par un conflit douloureux. En 393, un moine nommé Aterbius se présenta dans les monastères de Palestine en inquisiteur, demandant qu'on s'y prononçât sans ambages contre Origène. A Bethléem Jérôme s'exécuta. Par contre, à Jérusalem Rufin répondit qu'il était absent, tout en faisant savoir à l'indiscret que, s'il insistait, ses épaules pourraient en pâtir.

Comment expliquer ce geste de Jérôme? Origène n'était-il point l'homme dont son labeur d'érudit restait le plus tributaire? Sans doute; encore lui demandait-on son avis non pas sur le savant, mais sur le penseur, mais sur le métaphysicien et le théologien accusé d'hérésie. En pareille matière, Jérôme ne transigera jamais; il est tout le contraire d'un libéral ou d'un moderniste : « J'aime encore mieux, dira-t-il, une pieuse ignorance qu'une hérésie savante. »

Outre un allégorisme scripturaire poussé à l'extrême, on reprochait à Origène diverses idées très discutables, notamment qu'il existe une certaine infériorité du Fils par rapport au Père, que les corps ressusciteront sous une forme purement éthérée et que les âmes se purifieront à travers plusieurs mondes tant qu'enfin toutes parviendront à la félicité : simples opinions d'école sans doute aux yeux d'Origène, mais dont, après les précisions dogmatiques formulées pendant le IVe siècle — et notamment à Nicée — il devenait impossible de maintenir les données. Toute cette gnose plus orientale que grecque, plus rationnelle que chrétienne, plutôt philosophique et « laïque », Jérôme en sait les côtés faibles. Devant l'injonction de les condamner, il se résigne, navré au fond d'avoir à renier dans Origène le dogmatiste qui ne l'intéresse guère, tandis qu'il admire si fort le savant. Combien n'eût-il pas désiré qu'avec calme et sagesse un jugement fût porté assez nuancé pour faire le départ entre l'un et l'autre. « Faut-il, écrira-t-il plus tard à Tranquillinus, rejeter complètement Origène ou, avec d'autres, en admettre la lecture. Je suis avec ces derniers. Origène, à cause de son érudition, est parfois à lire selon moi, comme Tertullien et Novat, Arnobe et Apollinaire et quelques auteurs ecclésiastiques grecs et latins. Il faut choisir ce qu'ils ont de bien et éviter le contraire, selon ce que dit l'Apôtre : « Examinez tout; gardez ce qui est bon. »

Au surplus, on peut se demander si cette mise en demeure était bien nécessaire. Autrement dit, existait-il alors un péril origéniste? Il ne semble pas. Sans doute lisait-on le grand Alexandrin : ainsi faisaient déjà les Cappadociens, Basile et le Nazianzène, quand ils composaient leur *Philocalie,* recueil des meilleurs passages du maître. Par contre, on n'entendait point dire que ses thèses risquées se propageassent alors. « Le crime d'origénisme, note malicieusement Tillemont au sujet d'Évagre, est commun à beaucoup de personnes qu'on peut croire avec fondement avoir été très bons catholiques. »

L'auteur de tout ce branle-bas — et probablement déjà l'instigateur d'Aterbius dans

Saint Jérôme et Rufin. — J. Brochet, ? *Saint Jérôme et ses ennemis,* 1905 (trop sévère pour Rufin). — F. Cavallera,* *Saint Jérôme,* 2 vol. (*Spicilegium Lovaniense*), 1922. — G. Bardy,* *Recherches sur l'histoire du texte et des versions latines du « de Principiis » d'Origène,* 1923. — Fritz, art. *Origénisme,* dans *Dict.Théol.*

sa malencontreuse démarche — était Épiphane de Salamine, grand pourchasseur d'hérésies, et qui dans son *Panarion* fait comparaître tous les mal pensants de l'époque; or de ces monstres variés, à ses yeux, Origène est le père. Il se croit mandaté par la Providence pour le poursuivre partout. Synthétiser en quelques formules ses opinions éparses, puis sommer les suspects de souscrire aux anathématismes qu'il en tire, voilà son procédé. Ainsi entra-t-il en lutte avec Jean, patriarche de Jérusalem.

Ancien moine du couvent du Vieil Ad à Besanduc, au diocèse d'Eleuthéropolis, Épiphane quittait parfois son île pour revenir en Palestine. A Jérusalem l'évêque Jean et les moines — en particulier Rufin — l'accueillaient avec empressement. Mais, peu importait maintenant à sa farouche orthodoxie, s'ils restaient attachés à Origène. Il s'en allait dénonçant partout les nouveaux hérétiques, tant et si bien que, fatigués de cette indiscrète campagne, les suspects ou prétendus tels, répliquèrent et firent planer sur Épiphane l'accusation plus ou moins voilée d'anthropomorphisme, à quoi pouvait donner prétexte son refus d'interpréter allégoriquement les premiers chapitres de la Genèse. Un jour, aux environs de Pâques, dans l'église du Saint-Sépulcre, le vieil Épiphane rompit en visière et prêcha contre Origène, « père d'Arius, racine et patron des hérésies ». L'après-midi même, Jean riposta en protestant contre l'anthropomorphisme. Sans se laisser démonter, Épiphane approuva publiquement : « Il est juste, déclara-t-il, en condamnant cette hérésie d'anathématiser aussi les dogmes pervers d'Origène. » Ainsi eut-il le dernier mot. Mais de telles joutes oratoires le mirent dans une situation si fausse à Jérusalem qu'il se réfugia soudain à Bethléem, puis à Besanduc.

Après l'intervention d'Aterbius, pareil incident soulignait à nouveau l'antagonisme de Jérusalem et de Bethléem sur la question d'Origène. Dans un récit plein de verve Jérôme a peint lui-même le différend de Jérusalem : Jean et les siens écoutant le discours d'Épiphane « avec un rictus de bouledogue, les narines contractées, se grattant la tête et indiquant par des hochements que le vieillard radotait », puis l'évêque prononçant en réplique son réquisitoire contre les anthropomorphites, « les yeux, les mains, le buste tournés vers Épiphane pour le rendre suspect de cette stupide hérésie », enfin « le rire universel et les acclamations » qui accompagnèrent les dernières paroles justificatives d'Épiphane.

L'indiscrétion de ce dernier aggrava encore la situation. Une campagne d'opinion, à laquelle se mêlèrent Jérôme et les siens, fut ouverte afin d'obliger Jean à renier Origène. Soutenu par Rufin et ses amis, l'évêque de Jérusalem tint bon. Pour les Bethléémites, un péril liturgique existait, celui d'être privés du Saint-Sacrifice le jour où, par représailles, Jean se refuserait à leur procurer un prêtre. Aussi quand, en 394, Épiphane revint à Besanduc, profitant de ce que Paulinien, frère de Jérôme, était venu l'y saluer, il l'ordonna diacre et prêtre « de force et en lui tenant la bouche ». Sans doute, composé d'étrangers, le monastère de Bethléem ne relevait pas de l'évêque Jean; celui-ci n'en considéra pas moins le fait comme un empiétement sur sa juridiction, auquel il fut d'autant plus sensible qu'il succédait à un autre tout récent. Comme il se rendait à Bethel, passant par Anablatha, village du diocèse de Jérusalem, Épiphane avait vu à la porte de l'église une tapisserie où était brodée la figure du Christ; il la déchira en rappelant les prohibitions de l'Ancien Testament contre les images peintes, ce qui n'était pas à coup sûr d'un anthropomorphite. Sans doute s'offrit-il ensuite à la remplacer, on pouvait trouver « qu'il abusait vraiment de la simplicité chrétienne ».

De tels heurts aggravèrent les malentendus. Comme il avait écrit à Jean pour s'expliquer sur l'affaire de Paulinien et pour l'exhorter encore une fois à se garder des erreurs d'Origène, Épiphane n'en reçut pas de réponse. D'où la consommation publique de la rupture : Épiphane invitant tous les moines palestiniens, et Jérôme en particulier, à rompre avec Jean; celui-ci, par représailles, fermant aux moines latins l'église de la Nativité, ce qui les privait du secours religieux et les obligeait à envoyer leurs catéchumènes jusqu'à Diospolis. Ainsi à une excommunication arbitraire Jean répliquait-il par l'interdit. Il est trop évident qu'il n'avait pas à rendre compte de sa foi à ses subordonnés, fût-ce Jérôme. Sa position était la meilleure.

A ce point aigu, la querelle se corsa encore. Une indiscrétion livra à Jean la traduction, faite par Jérôme, de la dernière lettre comminatoire d'Épiphane. D'où la preuve matérielle, maintenant fournie, que Jérôme s'associait à toute cette campagne. Exaspéré, Jean sollicita contre Jérôme un décret d'exil dont le sauvèrent seuls un commencement d'invasion des Huns et la mort de Rufin, ministre de Théodose.

Puis, Jean eut l'idée d'en appeler à Théophile d'Alexandrie, jusqu'alors partisan d'Origène. A Isidore que députa le patriarche à Bethléem on répondit par une fin de non-recevoir : il n'avait point ses lettres de créance. Cependant il ne rentra pas à Alexandrie les mains vides : il y rapportait une épître où, après avoir refait à son point de vue tout l'historique de la querelle, Jean prononçait une profession de foi très explicite. Cette « Apologie » fut rapidement à Rome. Averti par son fidèle Pammachius, Jérôme répondit en un violent pamphlet. Théophile tenta alors un second arbitrage, et écrivit une lettre d'exhortation à la concorde. Jérôme esquissa enfin un geste conciliant : il ne demandait pas mieux de faire la paix, pourvu qu'on ne le calomniât plus. Une réconciliation s'opéra sans conditions : nul vaincu, même pas Origène. Un matin de l'année 397, Jérôme et Rufin se serrèrent les mains en public. Quand, bientôt après, Rufin partit pour l'Occident, Jérôme l'accompagna une partie du chemin. Longue et acharnée, violente par le ton, mesquine dans les procédés, cette guerre n'avait servi à rien. On pouvait croire les adversaires guéris de toute pensée belliqueuse. Ils allaient pourtant reprendre la lutte avec un acharnement plus vif.

En Italie, Rufin trouva comme à point nommé un honnête laïque, Macaire qui, désireux de réfuter l'astrologie, s'adressa à lui. Après l'avoir assuré qu'il trouverait son bien dans Origène, il entreprit de le lui traduire. Cause toute occasionnelle, à coup sûr, et presque factice. La vérité est que, sans avoir jamais été origéniste au sens hétérodoxe du mot, Rufin demeurait fidèle à la mémoire du grand Alexandrin; il se persuadait que ses œuvres seraient fort utiles aux Occidentaux, et qu'il ne pouvait mieux faire que de les mettre à leur portée. Seulement, une idée apologétique le préoccupait : celle de vider l'œuvre d'Origène de tout origénisme pour en donner une édition expurgée. Ainsi, ni la mémoire du maître ne serait desservie, ni les esprits latins contaminés par des idées bizarres ou franchement condamnables. Pour justifier un tel procédé, il se basait d'ailleurs sur un argument pseudo-critique : tout ce qui, dans les écrits d'Origène était répréhensible, venait d'hérétiques qui les avaient interpolés. Prétexte d'ailleurs assez tentant si l'on songe que, dans l'œuvre touffue d'Origène, certains passages semblaient en contredire d'autres et qu'ainsi — pour ne pas opposer un si grand esprit à lui-même — il paraissait raisonnable de les attribuer à quelque faussaire, puis d'y susbtituer ceux où le grand Alexandrin s'exprimait sur ces mêmes matières avec rectitude. Origène réhabilité et vengé par lui-même, quelle heureuse trouvaille!

Pareille méthode, Rufin ne l'employa d'ailleurs qu'avec discrétion, visant surtout à expurger la partie trinitaire, mais, quant au reste, laissant subsister encore maints passages scabreux. Aussi peut-on dire que *in globo* la traduction reproduisait l'original : constatation de suprême importance puisque ni le texte grec n'a été conservé, ni davantage la traduction de Jérôme, et que celle de Rufin demeure seule garante pour Origène. « La traduction de Rufin, dit M. G. Bardy, n'est pas une apologie; nous pouvons croire ce qu'il affirme; car, la lecture attentive de cette œuvre montre bien que Rufin, tout en corrigeant les audaces excessives, a rendu dans l'ensemble la doctrine du maître. Nous ne retrouverons pas sans doute dans cette traduction tous les détails de la doctrine d'Origène; mais les grandes lignes en sont fidèlement conservées, et aussi — ce qu'il y a de plus important — l'esprit à la fois audacieux et timide du grand docteur transparaît encore sous le vêtement que lui donne Rufin. Nous savons qu'Origène aimait les hypothèses, qu'il multipliait les solutions possibles, qu'il ouvrait de multiples issues à la pensée curieuse. Tout cela on le retrouve dans la version de Rufin. La sympathie que le prêtre ressentait pour Origène ne l'a, somme toute, pas trop mal servi. »

Dans l'œuvre de Rufin il y a pourtant une partie nettement apologétique. D'abord, il fit précéder sa traduction du *de Principiis* par celle de l'Apologie, que jadis le martyr Pamphile avait rédigée en faveur du maître. Ensuite, pour accréditer son entreprise, il rappela dans sa préface du *de Principiis* le propre exemple de Jérôme : n'est-ce pas lui qui, à l'instigation du pape Damase, traduisit naguère diverses homélies d'Origène, promettant, d'ailleurs, de « faire don aux oreilles romaines d'autres ouvrages du maître en plus grand nombre »? N'est-ce pas lui aussi qui dans les homélies de l'Alexandrin « a si bien tout nivelé et corrigé que le lecteur latin n'y trouvera rien en désaccord avec la foi »? Ainsi Rufin montrait-il

Chronologie abrégée des œuvres de Saint Jérôme

Dates.	Controverse ascétique.	Dates.	Revision de la Bible.	Dates.	Origénisme.
382-84	Adversus Helvidium.	384	Revision des versions latines des Evangiles.		
384	Epistola ad Eustochium.	384	1re Revision des Psaumes (*Psalt. romanum*).		
		386-91	2e Revision des Psaumes d'après le grec (*Psalt. gallicanum*).		
392	Contra Jovinianum.				
				395-96	Contra Johannem Jerosolymitanum.
		398-404	Revision de l'Ancien Testament (d'après l'hébreu).		
				399	Traduction du Peri-Archon.
				402	Contra Rufinum, l. II.
406	Adversus Vigilantium.			c.403	Contra Rufinum, liber III
415	Dialogus adv. Pelagianos.				

Jérôme comme son maître, et Origène comme le maître de tous les deux. Manœuvre habile qui utilisait un fait connu — Jérôme traducteur d'Origène — et où il ne faudrait voir aucune déloyauté directe. Manœuvre trop habile cependant et qui, après la volte-face de Jérôme, pouvait sembler empreinte de quelque ironie et susciter des sourires. Pour se couvrir, Rufin découvrait Jérôme, mais en employant envers lui des expressions si flatteuses qu'il faut y voir surtout de la candeur et assez peu de malice.

Autre fut l'avis des amis romains de Jérôme. Ils guettaient la traduction de Rufin, que leur procura l'indiscrétion d'Eusèbe de Crémone, véritable agent indicateur dépourvu de vergogne. A sa lecture deux sentiments les saisirent : un premier d'indignation devant la tactique esquissée par Rufin dans sa Préface; un second d'étonnement, en lisant que la pensée d'Origène fût si orthodoxe. Aussitôt Pammachius et Océanus alertèrent Jérôme, le suppliant de répliquer par une traduction nouvelle du *de Principiis*, intégrale celle-là et sans atténuation. Mauvaise suggestion puisqu'une version intégrale poserait les erreurs toutes crues sous les yeux des Romains, rallumerait nécessairement la guerre civile, puis mettrait Jérôme en posture délicate, lui, l'ancien traducteur et admirateur d'Origène.

Conscient de tout cela, se souvenant aussi de la récente et sincère réconciliation, Jérôme hésita. A la réflexion une chose lui parut en jeu à quoi il tenait par-dessus tout : sa réputation d'orthodoxie. Au surplus, il sentait là une attaque indirecte qu'en vieux lutteur il ne pouvait s'empêcher de parer. Il le fit toutefois avec une modération relative. Sur un ton où le reproche se nuançait de délicatesse, il écrivit à Rufin : « La vraie amitié ne doit point dissimuler ses sentiments. On m'a envoyé une petite préface du *Periarchôn,* où j'ai reconnu ton style et où, obliquement ou plutôt ouvertement, je suis attaqué. Dans quelle intention elle est écrite, c'est ton affaire; comment elle est comprise, les sots eux-mêmes s'en rendront compte. Mais, je t'en prie, si désormais tu veux imiter quelqu'un, contente-toi de ton jugement. Car nous recherchons ou le bien ou le mal : pour le bien nous n'avons besoin du secours de personne; pour le mal la multiplicité des coupables n'apporte aucun patronage à l'erreur. J'ai préféré t'exposer amicalement ces observations plutôt que de m'indigner publiquement. Tu t'en rendras compte : je cultive sincèrement l'amitié rétablie et ce n'est pas, selon le mot de Plaute, avec une pierre dans une main que de l'autre j'offre du pain. » (*Epist.*, LXXX.)

Malheureusement, confisquée par les Romains, la lettre ne parvint jamais à Rufin qui, après la mort de sa mère, s'était rendu à Aquilée. Par contre, dans le mémoire à ses amis Pammachius et Océanus, Jérôme mettait moins de ménagement et plus de mordant. Tous ces fervents d'Origène, il les dévoilait comme des artisans de mensonge, anguilles qui vous glissent des mains et retournent sous roche : « L'un dit : Personne n'a jamais condamné cette idée; pourquoi le ferais-je, moi? L'autre : les Pères n'ont rien décidé sur ce point; il n'y a point urgence à se déclarer. Enfin, un troisième s'écrie : Comment veut-on condamner ce que le concile de Nicée n'a même pas touché? S'il avait réprouvé les doctrines d'Origène, ne les aurait-il pas condamnées en même temps que celle d'Arius? » Bref, « on mesure ses mots, on tourne sa phrase, on mêle habilement les équivoques pour paraître catholique tout en persistant dans l'hérésie. » (*Epist.*, LXXXIV.)

Était-ce là un ton très conciliant? Au surplus, la traduction des *Principes* par Jérôme avait un tel caractère polémique et soulignait si bien les erreurs d'Origène que Pammachius apeuré la mit sous clef : la laisser circuler représentait sans doute à ses yeux la même faute morale que pour nous l'édition d'un livre à l'Index. Ainsi, des trois pièces qui constituaient la réplique de Jérôme, deux furent subtilisées : la première ou lettre à Rufin, par pur abus de confiance; la seconde, ou traduction du *de Principiis,* par une prudence qui s'explique. Seule put parvenir à Rufin la lettre ou « Apologie » à Pammachius et à Océanus, qui contenait quelques traits blessants, et à laquelle les Romains donnèrent la plus large publicité, semblant prendre à cœur de rallumer l'incendie.

La mort du pape Sirice, resté toujours sur l'expectative, et son remplacement par Anastase, favorisèrent les intrigues romaines (fin 399). De ce nouveau pontife Jérôme écrira : « Plein d'une sollicitude apostolique, il frappa *aussitôt* à la tête du mal et fit taire l'hydre qui sifflait. » (*Epist.*, cxxvii.) Marcella, une femme de tête, constitua un dossier d'extraits des des deux traductions du *Periarchôn* afin de montrer combien perfide était l'œuvre de Rufin. Eusèbe de Crémone s'en fit le colporteur. Une pression fut faite sur le pape, que Jérôme n'a point dissimulée : « On produisit des témoins, écrira-t-il, qui avaient été endoctrinés. » Bref, Anastase porta une catégorique sentence : « Nous réprouvons et condamnons tout ce qui nous a paru contraire à la foi dans les œuvres d'Origène... Sachez que nous condamnons également l'auteur. » Le pape chargea l'inévitable Eusèbe de porter cet arrêt à Milan; il y rencontra Rufin avec qui il eut une violente altercation et qui, dès lors bien fixé sur les intentions de ses adversaires, résolut de donner la réplique.

En une lettre au pape, il se déclare simple traducteur d'Origène, et non pas le premier : « ... Je l'ai fait après d'autres parce qu'on m'en a supplié. S'il est défendu de le faire, la défense vaut pour l'avenir. Si on inculpe ceux qui l'ont fait avant la défense, il faut commencer par les premiers coupables. » Le pape n'insista pas. A Jean de Jérusalem lui demandant que penser de Rufin, Anastase répond qu'il l'abandonne à sa conscience et au jugement de Dieu; tout dépend de l'intention; s'il a cherché à mettre en lumière la nocivité de la doctrine d'Origène, il l'approuve; et n'est-ce pas là une manière de lui faire entendre qu'il le désapprouve?

La véritable réplique de Rufin fut son *Apologie à Apronien,* désignée à l'ordinaire sous le nom d'*Invectives.* Là, Rufin passe à l'offensive, soulignant cette contradiction apparente entre l'ancien Jérôme, qui jadis traduisait Origène comme un docteur, et le nouveau, qui poursuit sa condamnation : « Ou il approuve ce qu'il disait alors, et dans ce cas il n'agit aujourd'hui que par envie et par esprit de chicane, et il n'y a pas lieu de l'écouter; ou il réprouve ses propres paroles. Quel jugement est-il alors en droit d'attendre des autres, s'il se condamne lui-même? » (*Inv.*, i, 22.) Et le grave Rufin compare lestement Jérôme repentant à une femme légère qui, revenue à résipiscence, prétendrait faire la leçon à d'autres. Rappeler à son adversaire ses compromissions anciennes, lui imposer telle et telle rectification, voilà à quoi s'acharne Rufin, avec l'impitoyable netteté d'un juge d'instruction. Ainsi d'un confesseur sévère, interrogeant quelque pénitent incapable de bien avouer ses fautes et de préciser exactement leur nombre et gravité. « Vous avez loué parfois Origène. Deux fois, dites-vous. Réfléchissez. Ne serait-ce pas plutôt dix? Ne l'avez-vous pas pillé? Ne l'avez-vous pas altéré, supprimant ce qui vous paraissait malsonnant? »

Pareils interrogatoires vont encore au sujet, la question origéniste. Mais Rufin fait flèche de tout bois. A tout endroit vulnérable il vise l'adversaire. Ainsi lui reproche-t-il des liaisons encore plus dangeureuses, celles avec les auteurs païens, en dépit des avertissements reçus dans un songe fameux, et des serments contractés. « Pas une page de son œuvre qui ne nous montre un pur cicéronien, pas une seule où il ne nous dise : Mais notre Tullius, notre Horace, notre Virgile », et cela pour « jeter de la poudre aux yeux de ses lecteurs ». (*Inv.*, II, 6.) « Écrit-il à des jeunes filles et à des femmes qui ne lui demandent que la science des Livres Saints? Son style n'est qu'un tissu de citations de son Horace, de son Cicéron ou de son Virgile. » (*Ibid.*, II, 7.)

Autre grief qui trouvera écho chez beaucoup, n'est-ce pas plus grande témérité de refaire la traduction des Écritures que de faire celle d'Origène? Audace inouïe, qui à la version de la Primitive Église en substitue une autre, empruntée à la synagogue avec l'assistance de quelque juif. — Enfin, dernier argument, tout *ad hominem* — quelque peu fondé en fait, avouons-le — Jérôme est un mauvais caractère; tous ceux qui ne lui plaisent pas, il les dénigre en des libelles « dégoûtants ». « L'esprit de chicane, la haine et l'envie, dit Rufin, inspirent sa langue, son cœur, sa tête » (*Ibid.*, II, 22); et parmi ceux qu'il insulte, on se trouve en assez bonne compagnie.

Somme toute, c'est un rude morceau polémique que ces *Invectives.* Sans doute Rufin n'a-t-il pas la verve et le mordant de Jérôme, mais il possède des dossiers bien fournis et les exploite à fond. Même lorsqu'ils ne vont plus *ad rem,* ses arguments portent; ils portaient surtout à cette époque où Jérôme avait tant d'ennemis. Rufin bat le rappel, il les rassemble, il les lance à l'assaut.

On pense bien que Jérôme les attendait de pied ferme. Point par point, il réfute l'argumentation de Rufin. Pour le fond, il défend sa propre traduction du *de Principiis :* nul autre but que de démontrer la nocivité de l'ouvrage. Quant à la version de Rufin, il y souligne deux fautes : pourquoi y avoir parlé de lui, Jérôme, sans quoi il ne serait pas intervenu? Quelle théorie dangereuse et sans fondement que celle de l'interpolation qui, appliquée à chacun des hérétiques, les innocenterait tous! Il n'oublie pas les griefs accessoires : celui de lire les auteurs païens, — mieux vaut s'en confesser que de « dévorer Cicéron en cachette », — cet autre d'avoir refait une traduction des Écritures : « Personne n'est obligé de la lire »; elle est faite « pour les esprits studieux, non pour ceux qui passent leur vie à bâiller ». En tout ceci le raisonnement n'est pas exclu, mais l'ironie prime sur le raisonnement.

Peu après, Jérôme reçut de Rufin même, avec le texte des *Invectives*, une lettre où il accentuait ses reproches antérieurs, allant jusqu'à le menacer de poursuites judiciaires. Sans écouter le saint évêque d'Aquilée, Chromatius, qui le suppliait de se taire, Jérôme reprit la plume pour un nouveau pamphlet : le troisième livre de son *Apologie* où la virulence du ton dépasse toutes les bornes.

Rufin fut plus grand; il garda le silence et, dans sa retraite studieuse d'Aquilée, se mit à traduire infatigablement ce qui, dans la littérature grecque chrétienne, lui paraissait digne de passer aux Latins, en particulier l'*Histoire ecclésiastique* d'Eusèbe : labeur de vulgarisateur et d'érudit tout ensemble. Sa fin fut belle et tragique; alors qu'il fuyait avec Mélanie l'Italie ravagée par Alaric, à Messine il mourut la plume à la main, traduisant les homélies d'Origène sur les *Nombres :* « Devant nos yeux, les Barbares incendient Rhegium; l'étroit bras de mer qui sépare l'Italie de la Sicile est notre seule protection. Comment trouver le calme d'esprit pour écrire et surtout pour traduire? Toutefois, j'ai profité des nuits où la crainte de l'ennemi était moins menaçante, où il restait quelque loisir, si court qu'il fût, pour le travail, pour recourir à ce qui est l'adoucissement de notre exil à travers le monde... » (411.) Admirable attitude d'énergie intellectuelle qui l'apparente, malgré tout, à Jérôme.

Moins généreux, celui-ci n'avait jamais désarmé. Il continuait à darder ses traits contre Rufin, l'appelant le « scorpion », « le porc qui grogne » (*Grunnius*), le définissant une autre fois « Caton au dehors, Néron au dedans », jouant aussi sur le nom de sa fidèle Mélanie, celle « dont le nom indique assez la noirceur », bref, très oublieux du conseil évangélique qui recommande de se réconcilier avec ses ennemis avant le soir tombé.

Étrange querelle où l'on entrevoit que les questions de personnes tinrent au fond plus large place que les intérêts doctrinaux. Peut-être certaines rivalités monastiques y furent-elles pour quelque chose : la stricte observance de Bethléem s'opposait à l'observance mitigée du mont des Oliviers; par contre, aux yeux de Rufin, la mortification intellectuelle était inconnue de Jérôme qui continuait à savourer ses chers classiques païens. De là quelques heurts, et sur place même, un antagonisme qu'accentuait le contraste entre la rudesse de Jérôme et les manières douces et polies de Rufin. Rien là pourtant qui explique une lutte si inexpiable. L'intransigeance d'Épiphane, les habiletés de Rufin, la susceptibilité combattive de Jérôme, telles sont les raisons psychologiques de ce conflit qui compromit les plus nobles réputations comme fera plus tard la querelle quiétiste pour Bossuet et Fénelon. On ne peut que partager les sentiments de saint Augustin déplorant « qu'entre des personnes si intimes, que presque toutes les Églises savaient unies du lien le plus étroit, un si grand mal de discorde se soit produit. Quel ami ne redoutera de devenir quelque jour ennemi, s'il a vu entre Jérôme et Rufin se produire ce que nous pleurons? » Quant au véritable origénisme, soyons sûrs qu'il n'était ni chez Jérôme malgré ses anciens travaux où il n'avait utilisé d'Origène que l'érudition, ni chez Rufin malgré sa traduction des Principes qui, tout au contraire, visait à être une édition expurgée et irréprochable.

Il ne faudrait pas juger Jérôme d'après ces violents incidents. Sur lui, personnage très franc, mais aussi très complexe, que conclure? A vrai dire, il n'est point taillé sur le patron de ceux qu'on canonise aujourd'hui. Mais, c'est un saint quand même. Tous ses efforts passionnés ont convergé vers un seul but, la gloire de l'Église : ainsi sa défense de la virginité, où il donna et reçut de terribles coups, ainsi sa grande entreprise scripturaire, par laquelle il voulut restituer dans son original le texte inspiré, et enfin ces autres luttes contre origénistes et pélagiens, la seconde toute justifiée, la première moins heureuse, mais où s'affirme ce souci d'orthodoxie parfaite animant le *vir ecclesiasticus* qu'il voulut être toujours.

Et, au service d'une si noble cause, il déploya non seulement ce labeur acharné qui révèle un grand amour, mais aussi des qualités d'écrivain que la latinité chrétienne n'avait pas encore connues : « Qu'y a-t-il d'étonnant, demandait Jérôme, si la sagesse profane m'a charmé par la grâce de son langage et par la beauté de ses formes, et si d'une esclave et d'une captive je veux faire une fille d'Israël? » (*Epist.*, LXX.) Il y a parfaitement réussi, et jusqu'à séduire nos plus fins universitaires. « C'est un enchantement, déclare M. Monceaux, que cette prose d'épistolier, de conteur ou de pamphlétaire : une prose presque classique d'allure, mais avec je ne sais quoi de plus personnel et de plus vibrant, une verve primesautière, des fantaisies de styliste, des échappées populaires, des éclairs de génie. » Jérôme anime le IVe siècle finissant, comme Tertullien les débuts du IIIe. S'il n'était pas là, toute cette période manquerait un peu de couleur et paraîtrait plutôt grise à l'historien. Sa passion, sa flamme court à travers tous ces événements et les éclaire d'une chaude et vivante lumière. Par moments, le ton se hausse jusqu'à la dispute, voire jusqu'à l'insulte : le vieux lion pousse des rugissements terribles qui, partis du désert, se répercutent à travers la chrétienté entière. Avec un cœur d'or, une griffe d'acier. Malheur à qui tombe sous son emprise. Pas plus qu'avec Tertullien, ne nous laissons donc entraîner trop vite. A la critique de remettre au point avec les jugements à l'emporte-pièce les morceaux satiriques. Mais tout le reste demeurera : et son idéal ascétique qui préparait le merveilleux épanouissement monastique du moyen âge, et sa version de l'Écriture que l'Église adoptera à Trente sous le nom de Vulgate, et aussi ce sens de l'orthodoxie par quoi elle se maintient en combattant.

III. Saint Jean Chrysostome et Théophile. — L'offensive occidentale contre l'origénisme est liée à une autre de grande envergure, que déclencha en Orient Théophile d'Alexandrie. Jadis défenseur d'Origène dans l'affaire de Jean de Jérusalem, voilà soudain que, par un sorte de coup de théâtre et de changement à vue, il convoque en l'an 400 un concile pour sa condamnation. Deux sentiments peu avouables semblent avoir dicté cette volte-face : d'une part, celui de la peur à l'égard des moines anthropomorphites de Nitrie, violents adversaires d'Origène, qui, après ses lettres dogmatiques contre leurs erreurs, étaient venus manifester en bandes à Alexandrie; d'autre part, celui de la haine envers les moines origénistes coupables d'avoir recueilli et pris sous leur protection le vieil Isidore, jadis l'homme de confiance du patriarche, mais qui s'était brouillé avec lui pour avoir blâmé ses dilapidations financières.

L'assemblée réunie par Théophile rédigea une synodique où l'on condamnait diverses propositions hétérodoxes tirées d'Origène : les unes trinitaires, que « le Fils par rapport à nous est vérité, par rapport au Père erreur », ou encore « qu'il est inférieur au Père dans la même mesure que Pierre et Paul sont inférieurs au Fils »; les autres eschatologiques, d'après lesquelles, par exemple, « le diable purifié de toutes souillures recevra l'honneur qui lui revient et sera soumis avec le Christ » tandis que nos corps disparaîtront. A ces griefs dogmatiques s'en ajoutent plusieurs qui ressemblent à des boniments : contre Isidore, une histoire de femmes; contre Origène, une accusation de magie. En tout ceci, on découvre un évident procès de tendance qui réapparaîtra dans les citations d'Origène par saint Épiphane ou saint Jérôme, et dont M. G. Bardy a défini très justement l'inspiration : « un esprit de partialité qui pousse le rédacteur à ne signaler que ce qui est mauvais et à omettre tout ce qui est bon; à forcer les couleurs violentes; à exagérer les contrastes, mais à dissimuler les nuances; à donner comme des affirmations absolues et sans réserves ce qui, dans l'esprit de l'auteur primitif, était proposé sous forme d'hypothèses et écrit comme la présentation de simples possibilités ».

A cette synodique de Théophile, les évêques palestiniens adhèrent sans enthousiasme, faisant d'ailleurs remarquer que de toutes ces erreurs il n'y avait pas l'ombre dans leur province, bref un mythe. A Rome, cette même synodique stimula le zèle du pape Anastase, qui se prononça contre Origène et envoya sa sentence à Simplicius de Milan, puis à son successeur Venerius, ainsi que nous avons dit. De même, les empereurs Honorius et Arcadius interdisaient la lecture de l'Alexandrin.

Au service de ses haines soi-disant théologiques, Théophile mit facilement deux personnages considérables : l'évêque de Salamine et le moine de Bethléem, l'un et l'autre si compromis déjà dans la querelle. Sans plus se souvenir que jadis il avait manœuvré contre eux en faveur de l'évêque Jean, voici que le patriarche demande leur concours. A Épiphane, l'habile Égyptien écrivit, le félicitant d'avoir donné l'alarme le premier, l'incitant à soutenir ceux qui, après lui, se jetaient maintenant dans la mêlée, le priant d'envoyer à Constantinople un homme actif qui mettrait en branle le clergé et la cour. Sans hésiter, l'évêque de Salamine réunit un concile pour condamner Origène, sa bête noire; copie de la synodale fut envoyée à Byzance.

De son côté, Jérôme se faisait le secrétaire de Théophile. Après sa synodique de l'an 400, il traduisait ses lettres festales de 401, 402 et 403; et comme le patriarche lui annonçait que sa « faux prophétique » avait fait merveille en Nitrie, il l'engageait à ne la point laisser se rouiller. Dans ces lettres de Théophile, tous arguments sont repris contre Origène, et amplifiés. Il se croit, dirait-on, un second Athanase, luttant contre un nouvel Arius. Peut-être, tout n'est-il pas « fourberies » dans son cas, et a-t-il été « converti » vraiment par la campagne anti-origéniste; il reste que celle-ci était bien factice, qu'elle s'attaquait à des fantômes d'hérétiques. Par contre, une triste réalité, c'était la haine du « pharaon ecclésiastique » pour Isidore et les moines égyptiens, ses défenseurs, en attendant que ne se dévoilât une autre de ses passions : la jalousie envers le nouveau patriarche de Constantinople.

Après la mort de Nectaire, à l'instigation de l'eunuque Eutrope, un syrien célèbre par son éloquence fut élu au siège de Byzance, Jean. Parmi les ambitieux déconvenus se trouvait Théophile qui avait convoité la place pour une de ses créatures; il n'en eut pas moins l'habileté politique d'accepter l'élu qu'il consacra lui-même, le 26 février 398. Rompant avec les traditions trop bourgeoises de son prédécesseur, Chrysostome ne tarda pas à déployer un zèle ardent, qui parut agressif, et lui aliéna des personnages influents.

Au clergé, il imposa d'abord la rude leçon de l'exemple personnel : tandis que Nectaire se complaisait jadis en de fastueux banquets, il mangea seul et se refusa à toute ostentation, si bien qu'on l'accusa de « mener une vie de cyclope ». Voulant que ses prêtres suivissent ses traces, et qu'ils renonçassent au luxe, il exhortait les riches donateurs à bien placer leurs aumônes : « Quand un des chefs de l'Église vit dans l'abondance, ne lui donnez pas, même s'il est un homme pieux; mais préférez-lui celui qui a soif, ne fût-il pas distingué de même par sa piété. » (*In Epist. ad Phil.*, II.) En particulier, il parvint à faire entendre de tels conseils à la riche veuve Olympias qu'entourait une nuée de parasites ecclésiastiques. Il crut faire meilleur emploi des biens mis à sa disposition en instituant de vastes hôpitaux; ou bien encore, il invitait les riches à créer sur leurs domaines ruraux des sanctuaires.

Chrysostome veillait aussi sur la chasteté de son peuple, blâmant la cohabitation des clercs avec les agapètes et rédigeant contre eux des traités hardis, dénonçant aussi cette coquetterie chrétienne d'autant plus insinuante que modeste par le dehors : « Il peut y avoir dans une toilette simple assez de recherche pour qu'elle surpasse une toilette riche... On peut choisir dans les étoffes sombres une nuance particulière; on peut mettre de l'art à bien arranger sa ceinture, et il est des vierges qui s'y montrent aussi expertes que des actrices. Elles combinent des plis harmonieux, et tout cela a plus de séduction que des vêtements de soie... Que dire des mouvements des yeux, de la démarche, des gestes? Mais, disent certaines, je fais cela tout naturellement et sans y penser; aussi, on n'honore plus les vierges, on les raille, et c'est leur faute. » Ainsi Jean se montrait-il à Constantinople tel que Jérôme à Rome, prédicateur d'ascétisme. Son zèle ardent gênait plutôt qu'il n'édifiait en cette ville où la cour donnait le ton d'une vie facile et frivole.

Voisinage dangereux pour un apôtre sans peur. Là où il eût fallu déployer une grande habileté, Chrysostome ne savait que dire la vérité en face : nulle parole qui fût plus franche ou plus hardie. Il ne tarda pas à critiquer Eutrope qui, maître tout-puissant, commettait des exactions et gouvernait par l'arbitraire. Quand l'eunuque voulut passer outre au droit d'asile d'après quoi tout homme réfugié dans une église ne peut être poursuivi, Jean protesta avec véhémence.

Cependant, la fortune tournait vite à Constantinople. Suscitée par l'impératrice Eudoxie qui convoitait le pouvoir, une intrigue aboutit à l'émeute de la garnison. Nulle autre ressource pour Eutrope que de se réfugier dans le sanctuaire : ainsi implorait-il ce même droit d'asile, qu'il avait naguère violé et supprimé. Le discours est devenu classique que Jean prononça alors sur la chute d'Eutrope : « C'est toujours le moment, mais c'est aujourd'hui le moment plus que jamais de s'écrier : Vanité des vanités, et tout est vanité. Où est maintenant l'éclatante dignité du consul? Où est aujourd'hui la lumière des torches? Où est le bruit de la foule, le vivat du cirque, la flatteuse acclamation du théâtre? Ne t'ai-je pas dit, Eutrope, que la richesse est fugitive? Mais tu ne voulais pas m'entendre... L'Église, au contraire, que ta colère frappa sans raison, fait tout pour t'arracher à ta perte. » Et le patriarche terminait par un geste magnanime : « Il a commis de grandes injustices; nous ne le nions point; mais ce n'est pas le moment de juger, c'est celui de s'apitoyer. » Un tel cri de commisération ne devait pas être entendu : la grande église investie et forcée, le patriarche saisi et conduit devant l'empereur, mais inébranlable dans sa charité, Eutrope eût pu se sauver encore, s'il n'eût, par crainte, abandonné son asile. On le relégua à Chypre où, peu après, il fut exécuté.

Aux yeux du peuple ces événements pouvaient grandir encore Chrysostome, la cour restait scandalisée d'une opposition si hardie aux vouloirs impériaux; on le traitait, dit-il lui-même, « de gêneur, d'être insupportable ». Il n'en continua pas moins sa campagne apostolique. « La haine et la guerre ne m'effraient pas, proclamait-il; une seule chose me tient à cœur, l'amélioration de mes auditeurs. »

Gaïnas, gouverneur militaire de Constantinople, avait beaucoup contribué à la chute d'Eutrope. Révolté à son tour, il posa à l'empereur des conditions très dures. Chrysostome intervint heureusement. Gaïnas arien réclamait pour ses coreligionnaires une église à l'intérieur de Byzance, où ils formaient un parti encore puissant et où, peu auparavant, une de leurs processions avait heurté des catholiques. N'allait-on pas voir la capitale retomber dans la même effervescence religieuse qu'au temps du Nazianzène? Parlant au Goth avec énergie, Chrysostome obtint qu'il abandonnât ses exigences. Succès considérable, mais qui excita encore la jalousie des gens de cour.

Cependant, Jean étendait son influence au delà de son évêché. « Préludant à l'établissement de la juridiction patriarcale de l'évêque de Constantinople », il convoquait un synode d'Asie (400). Eusèbe de Valentinopolis y porta plainte contre Antonin, métropolitain d'Éphèse, qu'il accusait, entre autres crimes, d'avoir mis à l'encan la dignité épiscopale. L'enquête n'aboutit pas. Chrysostome se rendit alors sur les lieux, y réunit un concile; preuve fut établie que six évêques avaient obtenu leurs sièges par simonie; on les déposa, non sans leur avoir restitué les sommes qu'ils avaient déboursées : trait suprême par où s'avère à quel point la vénalité, même confondue, gardait ses droits. Avant de regagner Constantinople, Jean fit remplacer à Éphèse Antonin défunt par un moine austère nommé Héraclide; de passage à Nicomédie, il y substitua l'honnête Pansophios à l'indigne Géronce, ancien moine de Milan déjà déposé par saint Ambroise. Nul doute que ce voyage d'Asie n'ait étendu au loin les haines qui s'accumulaient contre Jean.

Mais, son plus grand ennemi, c'était Théophile d'Alexandrie. La querelle origéniste lui offrit l'occasion de la vengeance, quand les quatre Longs Frères, Dioscore, Ammonios, Eusèbe et Euthymos, redoutant sa colère, arrivèrent avec une cinquantaine de moines à Constantinople. Aussi charitable que prudent, Jean accueillit ces fugitifs, mais sans les recevoir à la communion; il ne désespéra pas de les réconcilier avec Théophile.

Rien ne met mieux en relief le pouvoir discrétionnaire de l'empereur qu'un tel incident semi-doctrinal; on l'assiège comme un vrai pape; le jugement qu'il rendra sera irréformable. La lutte ne tourna pas d'abord au profit de Théophile. « Les très saints ascètes », accusateurs de Chrysostome en son nom, furent déboutés de leurs plaintes et condamnés aux mines. Lui-même se vit déféré par le basileus à un tribunal d'évêques que présiderait Chrysostome. En vain envoya-t-il saint Épiphane défendre à Byzance ses intérêts : celui-ci finit par y voir clair, et prié d'ailleurs de se rembarquer, mourut en retournant dans son île d'où il n'aurait pas dû sortir.

Cependant, l'or égyptien et les intrigues de Théophile avaient fait leur œuvre, lorsque lui-même arriva à la Corne d'Or, si sûr du succès qu'il disait : « Je vais à la cour faire déposer Jean. » Dignitaires du palais achetés par lui, évêques et moines mécontents étaient prêts à l'appuyer; enfin — circonstance fatale à Chrysostome — l'impératrice Eudoxie se retournait contre lui, après une homélie sur le luxe où elle avait cru se reconnaître.

Si Jean voulait l'emporter, il lui fallait, sans délai, prendre l'offensive. Mais, basée sur les canons mêmes de Nicée, la règle est formelle, qui défend qu'un évêque juge hors de sa province, et Théophile n'a pas manqué de le rappeler à Jean. Celui-ci se refuse à enfreindre cette loi malgré les instances d'Arcadius. Moins scrupuleux, Théophile passe à l'offensive. Arrivé à Constantinople avec une escouade de vingt-neuf évêques égyptiens à lui dévoués jusqu'au fanatisme, il s'était installé sur l'autre rive du Bosphore, à Chalcédoine. Après avoir attiré les prélats que Jean avait indisposés par sa rigidité, sous la protection impériale il réunit un synode près de Chalcédoine, dans une maison de campagne appartenant au préfet Rufin, la villa rufiniana, encore appelée *ad Quercum* (ἐπι δρῦν), d'où le nom de synode du Chêne donné à cette assemblée.

On y présenta un libelle rédigé par un clerc byzantin, et qui comprenait jusqu'à vingt-neuf chefs d'accusation. Plusieurs sont mesquins, et tels qu'on peut les formuler en Orient : ainsi « celui d'avoir des bains pour lui seul », « de manger d'une manière immodérée comme un cylope », « de s'habiller et de se déshabiller sur le siège épiscopal et d'y manger une pastille de miel ». D'autres tendaient à déshonorer le patriarche, par exemple celui-ci : « Il reçoit des visites de femmes sans témoin. » Dans son exil, encore écœuré par une si odieuse insinuation, il écrira à son ami l'évêque Cyriaque : « Ils ont osé m'accuser d'adultère, les malheureux! Si je pouvais montrer au peuple la frêle charpente de mon corps, ce serait ma seule justification. La mort m'a frappé tout vivant, et le corps que je traîne n'est déjà plus qu'un cadavre. » Cependant, les griefs fonciers étaient autres : crimes contre la hiérarchie et contre l'autorité impériale. N'avait-il pas reçu avec égard les Longs Frères excommuniés? N'empiétait-il point sur la juridiction d'autrui en intervenant en Asie? N'avait-il pas critiqué sans respect l'impératrice Eudoxie?

De son côté, Jean réunissait à Constantinople une assemblée où figuraient quarante évêques dont sept métropolitains : véritable concile provincial celui-là, légitime s'il en fût, et en faveur duquel Jean aurait beau jeu à invoquer Nicée. A la sommation de Théophile il fit donc répondre « qu'il ne convenait pas que ceux qui sont en Égypte jugent ceux qui sont en Thrace ».

Comme l'empereur insistait en vain pour qu'il comparût devant le synode usurpateur, celui-ci le déposa. Arcadius confirma la sentence. A cette nouvelle, le peuple de Constantinople s'indigna. Mais Chrysostome, qui n'était pas un révolutionnaire, se laissa arrêter après des adieux poignants à son troupeau : « Nous ne sommes qu'un corps, lui dit-il, le corps ne se laissera pas séparer de la tête, ni la tête du corps. Si nous sommes séparés par l'espace, nous sommes unis par l'amour. La mort même ne peut nous séparer; si mon corps meurt, mon âme vit encore et garde mémoire de ses fidèles. Je suis prêt à donner mille fois ma vie pour vous, et vous n'avez pas besoin de m'en savoir gré; je ne fais que mon devoir; car un bon pasteur donne sa vie pour ses brebis. » Bien qu'il se fût laissé arrêter à l'insu de la foule, celle-ci avertie l'accompagna jusqu'au Bosphore.

A peine était-il parti que, sur les instances mêmes d'Eudoxie effrayée par la surexcitation populaire, et peut-être aussi par un tremblement de terre, Arcadius rapportait la sentence. Ainsi va la fortune des évêques de Byzance : une colère d'impératrice les chasse de leur siège, une frayeur d'impératrice les y ramène. Chrysostome eût voulu ne point rentrer avant que, d'après les canons dits d'Antioche, un plus grand concile ne l'eût réhabilité. Mais, comment résister à l'engouement général? Tandis que s'enfuyaient Théophile et ses complices, il prononçait un discours où semblait consacrée sa réconciliation avec Eudoxie.

Pourtant, à peine deux mois écoulés, et la guerre recommençait. Comme, sur la place de la cathédrale, on avait élevé une statue d'argent à l'impératrice et que des divertissements païens en accompagnaient l'inauguration, Jean protesta vivement. D'une manière à peine voilée il aurait même comparé l'impératrice à Hérodiade demandant la tête du Baptiste. Eudoxie résolut sa perte. Un prétexte fut mis en avant : la violation des canons d'Antioche. Cédant bientôt à la camarilla épiscopale dirigée par Acace de Bérée, l'âme damnée de Théophile, Arcadius ordonna que Jean « sortît de l'Église ». Jamais, répondit le fier pasteur, jamais sinon contraint par la violence. On l'incarcéra dans son propre palais épiscopal. Une telle situation se prolongea durant le temps pascal, tant qu'enfin, cinq jours avant la Pentecôte, les adversaires de Jean dirent à Arcadius : « O empereur, Dieu ne t'a pas soumis à nous, mais tout t'est soumis, et il t'est permis de faire ce que tu veux... Nous te disons devant tous : Que la déposition de Jean retombe sur nous. » « Palladios est si passionné, note Mgr Batiffol, que l'on peut douter que ce discours qu'il rapporte ait été tenu à l'empereur par les ennemis de Jean. Mais ces paroles expriment bien la situation : une coalition d'évêques recourt à la toute-puissance du prince, lui sacrifiant d'un cœur léger la justice, les canons, l'indépendance de l'Église pour obtenir une sentence d'exil contre l'évêque de Constantinople. Jean distinguait l'Église et la cité, et ne donnait tout pouvoir au prince que sur la cité; les évêques ennemis de Jean nous ramènent au césaropapisme du temps de Constance II, de Valens et des pires jours de l'arianisme. »

Enfin, un décret du 24 juin 404 ordonna le bannissement de Chrysostome. Toujours intrépide, mais jamais révolté, après avoir fait ses adieux à son peuple, il sortit à la dérobée par la porte orientale de l'église, tandis que, pour donner le change, son mulet l'attendait devant la porte occidentale. On l'exilait à Cucuse, dans la petite Arménie : pays inculte, au climat rude, dévasté par les brigands isauriens. Cependant, le saint évêque ne perdit rien de son calme : « Je suis en bonne santé et joyeux, écrivait-il à la diaconesse Olympias, et une seule chose me trouble, c'est de n'être pas certain que vous êtes en joie comme moi. » (*Épist.*, XI.) Après un voyage affreux, « jour et nuit tourmenté par la chaleur, épuisé par les veilles, le manque de soins et de subsistances », il parvint à Cucuse. D'une énergie chrétienne indomptable, il continuait à travailler : s'occupant des missions de Cilicie et de Phénicie, songeant à convertir la Perse, poursuivant aussi son activité littéraire[1]. « Tel est l'amour, écrivait-il, il n'est pas vaincu par les assauts que lui donne le malheur; au contraire, il se fait jour à travers tous les obstacles et imite la flamme dans son allure. » (*Epist.*, CCXXII.)

Mais la haine veillait. On le relégua plus loin encore, à Pityonte, sur la côte occidentale de la Mer Noire, au nord de la Colchide. Ainsi lui fallut-il recommencer toute la traversée de l'Asie Mineure : trop de fatigue pour un homme si affaibli. A Comane, dans le Pont, il tomba épuisé, et mourut en disant : « Gloire à Dieu pour toutes choses. » (14 sept. 407.)

Saint Jean Chrysostome tombait victime de ses audaces. Il avait oublié qu'il fallait sur le siège épiscopal de Byzance un personnage docile et souple, toujours prêt à exécuter les ordres impériaux, à flatter la cour et la basilissa. Il traita le pouvoir avec la même liberté évangélique qu'avait montrée saint Ambroise à Milan. Mais le byzantinisme avait déjà la vigueur d'une institution, voire d'une tradition. Le pouvoir s'emporta avec une fureur d'autant plus grande que le sceptre était dans une main féminine. Contre le blasphémateur

SOURCES : P. G., XLVII-LXIV (Edit. Montfaucon, 1718-38). Traductions françaises par JEANNIN (avec le texte grec), 11 vol., Bar-le-Duc, 1863-1867; par l'abbé BAREILLE, 20 vol., 1864-1872. — *TRAVAUX :* A. PUECH, * *Un réformateur de la société chrétienne au* IVe *siècle. Saint Jean Chrysostome et les mœurs de son temps,* 1891; *Saint Jean Chrysostome* (coll. *les Saints*), 1891. — DOM C. BAUR, * *Saint Jean Chrysostome et ses œuvres dans l'histoire littéraire,* Louvain-Paris, 1907. — DOM C. BAUR, * *Johannes Chrysostomus und seine Zeit,* t. I. *Antiochen;* t. II. *Konstantinopel,* Munich, 1929-1930. — P. BATIFFOL. * *Le Siège apostolique,* ch. V. — G. BARDY, *Jean Chrysostome* (saint), dans *Dict. Théol.* — Sur Chrysostome orateur. PAUL ALBERT, *Saint Jean Chrysostome considéré comme orateur populaire,* 1858 — AMERINGER, *The stylistic influence of the second sophistic on the Panegyrical Sermons of S. J. Chr.* (*Patristic Studies*), Washington. — Sister M. A. BURNS, *Saint John Chrysostom's homilies on the statues : a study of their rhetorical qualities and form,* Washington, 1930.

1. Les œuvres de saint Jean Chrysostome sont beaucoup moins d'un théologien que d'un moraliste Ainsi, son traité *sur le Sacerdoce,* le premier grand ouvrage de pastorale, où il étudie la sublimité de la prêtrise et les lois de l'éloquence sacrée. Ainsi, les divers écrits où il se fait l'apôtre de l'ascétisme chrétien, tels celui *Contre les adversaires de la vie monastique,* ou cet autre *sur la Virginité,* ou encore l'opuscule *de la Persévérance dans le veuvage.* Son œuvre oratoire — soit les sermons proprement dits, soit les homélies exégétiques où il commente les psaumes, les Évangiles et saint Paul — tend aussi à l'instruction morale de son troupeau. Pas une faiblesse, pas une tentation de ses fidèles qu'il ne connaisse et à laquelle il ne veuille porter remède. Il s'y emploie avec un naturel, une simplicité de ton, une finesse psychologique et une chaleur de persuasion qui révèlent chez lui un vrai pasteur et directeur d'âmes. A l'occasion, cette éloquence simple fait place, d'ailleurs, aux discours d'apparat, pathétiques et imagés, comme ceux prononcés à Antioche après l'incident des statues en 387, ou à Constantinople lors de la chute d'Eutrope.

se retournèrent tous les thuriféraires de la divinité impériale, les évêques avec les eunuques. Les jalousies ecclésiastiques qui couvaient secrètement — les unes asiatiques, les autres alexandrines — en profitèrent pour s'assouvir. Théophile d'Alexandrie coalisa les haines, mena par deux fois les contingents épiscopaux à l'assaut du patriarcat byzantin, et apparut pour un temps comme le chef de l'Orient chrétien. Hélas! ce n'est pas vers l'unification qu'il le menait. Au contraire, en aiguisant les rivalités d'influence, il creusait le gouffre qui bientôt séparerait Constantinople d'Alexandrie.

D'autant plus que le procès de Chrysostome n'était pas terminé. Quelqu'un exigeait la révision : l'évêque de Rome, Innocent. Sans doute avait-il appris la sentence par Théophile, mais aussi par Jean qui, dans une lettre circulaire adressée à Rome, à Milan et à Aquilée, protestait contre une procédure inique : « Si de telles entreprises sont tolérées, disait-il, si l'on permet à n'importe qui d'opérer dans des provinces lointaines où il est étranger, d'y déposer les évêques qu'il voudra, et d'y faire d'autorité ce qui plaira, c'en est fait, et une guerre implacable est déchaînée contre l'Église entière. » En réponse, Innocent récusa l'autorité du concile du Chêne et offrit à Chrysostome une véritable cour d'appel. Quand il apprit ensuite son exil à Cucuse, il lui envoya une lettre de consolation, affirmant qu'il le maintenait dans sa communion malgré tout. Les johannites dépêchèrent ensuite au pape plusieurs ecclésiastiques pour lui expliquer quelle persécution continuait à sévir contre eux. Avec énergie Innocent protesta : « ... Voici que arbitrairement sont expulsés des prélats sans reproche... On ne produit pas d'accusation, on n'écoute pas de défense... Des évêques vivants encore reçoivent des successeurs. Rien de pareil n'a été osé par nos pères à notre connaissance. Les canons édictés à Nicée sont les seuls que doive observer et reconnaître l'Église catholique. » Ne dirait-on pas un pontife du IVe siècle défendant Athanase contre l'oligarchie arienne!

Arcadius éventa toutes les tentatives d'Innocent pour la tenue d'un concile revisionniste. Avant sa mort, Chrysostome put connaître cette suprême intervention du pape : « Votre charité, lui écrit-il, est pour nous un mur, une sécurité, un port tranquille, un trésor innombrable, un sujet de joie profonde, et si nous devions aller dans un lieu plus désert encore, nous partirions en trouvant dans votre charité un adoucissement sensible à nos souffrances. »

Jean mourait peu après, laissant la cause pendante. « La résolution de l'Église des Romains, écrit Pallade, est de n'avoir pas de communion avec les évêques orientaux, en premier lieu avec Théophile, jusqu'à ce que le Seigneur permette de tenir un concile œcuménique, où puissent être traités les membres gangrénés, cause de tout le mal. Jean est enterré, mais la vérité veille, et l'instruction reste ouverte. » (XX.) Comme signe de sa réhabilitation, Rome exigeait qu'on inscrivît son nom dans les diptyques. Après une longue résistance, les trois patriarches orientaux cédèrent : Alexandre d'Antioche le premier, puis Atticus de Constantinople, enfin Cyrille, neveu et successeur de Théophile à Alexandrie. Rome et la justice l'avaient emporté, vengeant ainsi les cendres du confesseur héroïque.

Quelles leçons ne suggèrent pas cette cruelle aventure de Chrysostome où l'origénisme fut à coup sûr pour peu de chose, où s'affirma la tyrannie du prince et des conciles commis à ses ordres, mais où l'intervention enfin victorieuse de l'Occident nous découvre une primauté romaine efficace.

CHAPITRE VI

L'EXPANSION CHRÉTIENNE AUX FRONTIÈRES

I. La frontière romaine d'Asie. — A l'est de la province d'Asie, en Cappadoce et dans le Pont, le christianisme s'implanta tôt. Cependant, le Pont ne fut vraiment converti qu'au IIIe siècle par saint Grégoire de Thaumaturge. Originaire de Néocésarée, il se rendait avec son frère Athénodore à la fameuse école de droit de Beyrouth, quand il rencontra à Césarée Origène, dont la science le subjugua. Il a dit lui-même quel enthousiasme le saisit soudain au contact d'un pareil génie : « Ce fut comme une étincelle qui pénétra le fond de mon âme, qui s'y alluma et y brûla, l'amour pour le Verbe sacré lui-même, le tout aimable, celui dont la beauté nous attire invinciblement, aussi bien que pour cet homme, son ami et son interprète. » (*Remerciement*, VI.) Rentré à Néocésarée, Grégoire en devint le premier évêque. A travers la biographie assez légendaire qu'en écrivit un siècle plus tard Grégoire de Nysse, on entrevoit un apôtre à l'éloquence entraînante, appuyant ses enseignements sur l'exemple personnel, sur le don de prophétie et sur les miracles.

Il s'adapta à la mentalité des populations et par des procédés habiles leur ménagea la transition du paganisme à la vraie foi. « Remarquant, dit Grégoire de Nysse, que la foule ignorante demeurait fidèle au culte des idoles, à cause des plaisirs corporels qui l'accompagnaient, il permit à ces gens, pour obtenir l'essentiel, c'est-à-dire l'abandon des vaines superstitions et l'attachement au vrai Dieu, de célébrer des réjouissances en l'honneur des martyrs, espérant que, avec le temps, ils reviendraient d'eux-mêmes à ce sérieux et à cette rigueur de vie que la foi leur indiquait. » Il sut mener son troupeau à travers les plus rudes épreuves : d'abord, en 250, la persécution de Dèce pendant laquelle il se réfugia dans la montagne avec une partie de ses néophytes ; puis, en 254, une invasion de Goths et de Borades qui fut l'occasion de cette *Épître canonique* où il stigmatise les chrétiens complices des envahisseurs par le vol ou le pillage.

Auréolée par la légende, cette figure se présente à nous sous un double aspect : celle d'un grand convertisseur comme saint Martin, à la fois thaumaturge et organisateur, mais aussi, celle d'un lettré qui goûte toute la saveur de la gnose chrétienne, et qui se complaît dans la philosophie et la théologie selon qu'en témoignent son traité *Sur l'impassibilité et la passibilité* de Dieu, et encore son *Credo* où s'affirme avec netteté la distinction des personnes divines, leur égalité et leur éternité.

Entendue dans un sens large, la Syrie englobe tous les pays de langue syriaque depuis la Méditerranée jusqu'au plateau de l'Iran : soit la Syrie occidentale avec Antioche pour métropole, la Syrie moyenne ou Osrhoène sur le Haut-Euphrate, dont Édesse est la capitale, enfin la Syrie orientale ou Mésopotamie comprenant la haute vallée du Tigre.

Nous avons dit que dès la fin du IIe siècle le petit royaume de l'Osrhoène fut en ces régions l'enfant perdu de l'expansion chrétienne. Au IIIe, encore que les villes voisines, et Carrhae (Harran) en particulier, demeurent païennes, Édesse devient le grand boulevard de la foi aux frontières orientales.

Après la retraite désastreuse de Julien l'Apostat, l'empereur Jovien dut céder à Sapor II, roi des Perses, les provinces de Mésopotamie. Saint Éphrem, le plus illustre écrivain de race syriaque, quitta Nisibe pour se retirer à Édesse, en territoire romain. Il avait déjà composé des chants, les *carmina nisibena*, où il retraçait les exploits de ses concitoyens assiégés. Il se révéla ensuite grand poète théologique et liturgique. Ascète sévère, vivant de pain, d'orge et de légumes secs, si bien que « son corps était desséché sur ses os, semblable à un tesson d'argile », Ephrem avait l'âme vibrante d'un mystique. Sans doute nombre de ses poèmes ont-ils une allure polémique et visent-ils divers hérétiques, bardesanites, manichéens, marcionites, ariens; mais, avant tout, il voulut chanter les divins mystères en des homélies métriques ou *menré* et en des hymnes ou *madrasché*. Poésie noble, harmonieuse, lyrique au plus haut point, prenant même parfois une forme dialoguée, qui l'apparente déjà au drame liturgique. « Lorsque saint Ephrem, rapporte son biographe, vit le goût des habitants d'Édesse pour les chants, il institua la contre-partie des jeux et des danses des jeunes gens. Il établit des chœurs de religieuses auxquelles il fit apprendre des hymnes divisées en strophes, avec des refrains. Il mit dans ces hymnes des pensées délicates et des instructions spirituelles sur la Nativité, la Passion, la Résurrection et l'Ascension, ainsi que sur les confesseurs, la pénitence et les défunts. Les vierges se réunissaient le dimanche, aux grandes fêtes et aux commémoraisons des martyrs; et lui, comme un père, se tenait au milieu d'elles, les accompagnant de la harpe. Il les divisa en chœurs pour les chants alternants, et leur enseigna les différents airs musicaux, de sorte que toute la ville se réunit autour de lui, et que les adversaires furent couverts de honte et disparurent. » Nul texte qui souligne mieux la valeur apologétique de la liturgie.

Ephrem fut le plus prestigieux représentant de la littérature syriaque. Une thèse même, assez plausible, soutient que ses poésies, basées sur le syllabisme et le parallélisme, auraient influencé l'hymnologie byzantine. Les couleurs éclatantes de ces morceaux lyriques n'enle-

Saint Grégoire le Thaumaturge. — *SOURCES : P. G.*, X, 983-1104. — *TRAVAUX :* V. Ryssel, *Gregorius Thaumaturgus, sein Leben und seine Schriften,* Leipzig, 1880.

Saint Ephrem. — *SOURCES :* J. et Ev. Assemani, *Opera omnia, graece, latine, syriace,* 6 vol., Rome, 1732-1746. — G. Bickell, *S. Ephrem syri carmina nisibena,* Leipzig, 1866. — J. Lamy, *S. Ephræm syri Hymni et sermones,* 4 vol. Malines, 1882-1902. — Mercati, *S. Ephræm syri opera,* fasc. 1, Rome, 1915. — *TRAVAUX :* Rubens Duval,* *La littérature syriaque,* 1899, p. 331-338. — E. Emereau,* *Saint Ephrem le syrien, son œuvre littéraire grecque,* 1918. — E. Le Camus, art. *Ephrem (saint),* dans *Dict. Bibl.* — F. Nau, art. *Ephrem (saint),* dans *Dict. Théol.*

Aphraate. — *SOURCES : Patrologia syriaca* (par Mgr R. Graffin), I et II, 1894, 1907. — *TRAVAUX :* J. Forget, *De vita et scriptis Aphraatis,* Louvain, 1882. — J. M. Chavanis, *Les lettres d'Afrahat, le sage perse, étudiées au point de vue de l'histoire de la doctrine,* Saint-Etienne, 1908. — J. Parisot, art *Aphraate,* dans *Dict. Théol.*

vaient rien d'ailleurs à leur orthodoxie, si bien que Benoît XV a pu élever Éphrem au rang de docteur (1920).

A l'est du Tigre, la province d'Adiabène, dont la partie centrale se trouve située dans le triangle que forme le Tigre et le petit Zab, possédait aussi un centre chrétien, Arbèles. La Mésopotamie est déjà christianisée au IIIe siècle : saint Denys d'Alexandrie, vers 250, cite cette

ORIENT. EXPANSION CHRÉTIENNE.

contrée comme remplie de fidèles; Eusèbe atteste que la persécution dioclétienne y fit des victimes; Jacques de Nisibe assistera au concile de Nicée en 325.

Voici, d'ailleurs, un témoin indigène, Aphraate, qui fut moine et évêque, sans doute à Mar-Mattaï, au nord de Mossoul, dans la première moitié du IVe siècle (280?-345). Il nous a laissé vingt-trois pièces groupées sous le titre de *Démonstrations*. Il nous révèle un christianisme qui a vécu en dehors des controverses de la Grande Église, et dont le principal souci fut de se défendre contre le judaïsme ambiant.

II. La Perse. — Nous arrivons aux confins de l'Empire romain et du royaume perse :

frontière mouvante sans cesse disputée, et passant tour à tour d'un maître à l'autre. D'où difficulté singulière de connaître les origines chrétiennes en ces régions. Ici, comme partout ailleurs, fleurirent bientôt des traditions légendaires et pseudo-apostoliques : ni les mages, ni saint Thaddée ou Addaï avec ses deux disciples Aggaï et Mari, ni même saint Thomas, malgré le témoignage d'Eusèbe, ne paraissent accrédités historiquement. Un seul fait semble à retenir : celui que l'évangélisation partit d'Édesse, où le christianisme était religion d'État depuis la fin du IIe siècle. Au début, elle dut s'appuyer sur les colonies juives florissantes en Babylonie, et aboutir à la formation de communautés judéo-chrétiennes qui n'ont laissé aucune trace. Lorsqu'en 224, l'empire arsacide des Perses tomba sous les coups d'Ardasir Ier, pour faire place à la dynastie des Sassanides, il existait des églises chrétiennes plus ou moins organisées.

Aux diocèses imparfaitement délimités, aux élections sans contrôle, l'évêque de Séleucie-Ctésiphon, Papa bar Aggai voulut substituer une hiérarchie ferme sous sa propre hégémonie. C'était au début du IVe siècle. Des récits assez divergents, il résulte que Papa rencontra une forte opposition, et qu'il en appela aux « évêques occidentaux ». L'évêque de Séleucie-Ctésiphon devint chef de l'Église perse avec le titre de catholicos, c'est-à-dire « chargé de tout »; en pratique, son autorité n'en restait pas moins discutée par une aristocratie ecclésiastique peu scrupuleuse dans ses procédés. Outre le clergé, il y avait des moines et des vierges consacrées, « fils et filles du pacte », qui s'adonnaient à la prière et au jeûne et ne devaient pas cohabiter.

Les Sassanides rêvèrent de reconstituer la Perse antérieure à Alexandre, celle des Achéménides. D'où la substitution d'une monarchie fortement organisée à la féodalité libertaire de l'époque des Arsacides. De là aussi une protection spéciale donnée au mazdéisme où l'on trouverait le principe de l'unité nationale. Ce double aspect militaire et religieux de la nouvelle dynastie allait être funeste au christianisme. D'une part, très puissants dans les conseils royaux et jaloux de la propagande chrétienne, les mages excitaient le prince. D'autre part, quand l'Empire romain fut devenu chrétien, les « nazaréens » résidant en Perse passèrent pour les secrets partisans de l'ennemi extérieur. Pareils soupçons n'étaient point, d'ailleurs, sans quelque fondement. Lassitude causée par les exactions fiscales d'administrateurs rapaces, attraction de la culture occidentale et de cette Rome antique, illustrée par tant de victoires, plus encore désir d'échapper à une situation instable pour se placer sous l'égide des princes chrétiens, protecteurs des évêques, autant de sentiments qui inclinaient les « nazaréens » perses vers Byzance. L'empire romain, c'était la civilisation catholique; le gouvernement des Sassanides, la tyrannie asiatique. En des prophéties à peine voilées, Aphraate annonce le triomphe des armes romaines.

Aussi, dès que la guerre éclata entre Constance et Sapor II, une persécution ouverte et violente succéda aux tracasseries intermittentes dues jusqu'alors aux intrigues des mages. A Simon Barsabba'e, successeur de Papa, Sapor ordonna de lever une double capitation « sur tout le peuple des Nazaréens... qui habitent notre territoire et partagent les sentiments

Perse. — *SOURCES : Chronica Ecclesiae Arbelensis*, traduction latine par le PÈRE ZORELL, dans *Orientalia christiana,* t. VIII, fasc. 4, n. 31. — P. BEDJAM, *Acta martyrum et sanctorum,* t. II et IV, 1891 et 1894. — *Patrologia Orientalis,* t. V, passim. — *TRAVAUX :* J. LABOURT, * *Le christianisme dans l'empire perse sous la dynastie sassanide* (224-632), 1904. — M. A. WIGRAM, *An introduction to the history of the assyrian Church,* Londres, 1910. — Mgr TISSERANT, art. *Nestorienne* (*L'Église*) *sous les Sassanides,* dans *Dict. Théol.*

de César notre ennemi! » Refus du catholicos; fureur du roi des rois. « Simon, s'écria-t-il, veut exciter ses disciples à la rébellion contre mon empire. Il veut en faire les esclaves de César, leur coreligionnaire : voilà pourquoi il n'obéit pas à mes ordres. » Traîné devant le monarque, Simon est mis en demeure d'apostasier : « Adore une fois seulement le soleil, lui dit le roi, et tu ne l'adoreras plus ensuite; ainsi tu échapperas aux embûches de tes ennemis. » Inflexible, Simon périt le lendemain, après une centaine de captifs, évêques, prêtres, diacres, moines, entassés dans les prisons de la ville. Ce fut le signal d'une persécution générale et incontrôlée qui, après quelques jours, fit place à une autre plus méthodique quand on eut trouvé parmi les victimes le cadavre d'un eunuque, favori de Sapor.

Sur cette épopée chrétienne, nous possédons un recueil hagiographique de toute première valeur, rédigé dès la première moitié du ve siècle : récit simple, dépourvu des miracles et prodiges qui ornent les productions douteuses, mais où déborde cependant un enthousiasme émouvant.

Bien que l'ordre fût général, la persécution ne sévit que là où les fonctionnaires s'y prêtèrent : particulièrement violente dans les résidences de la cour et sur l'itinéraire de l'armée royale, excitée par les prêtres mazdéens, surtout les grands mobeds. Leur haine perspicace comprit que, pour triompher du christianisme, il fallait avant tout le frapper à la tête : évêques, prêtres et diacres. Aux supplices ordinaires, décapitation ou lapidation, la cruauté orientale s'ingéniait parfois à ajouter des raffinements de tortures. On vit des martyrs sciés en deux, d'autres brisés aux articulations : c'était l'affreux supplice des « neuf morts » où l'on coupait d'abord les doigts des mains, puis les orteils, puis le carpe, puis les chevilles, ensuite les bras au-dessus du coude, les genoux, les oreilles, les narines, et enfin la tête. Sozomène parle de 16.000 martyrs, et Mari de 100.000 ou même 160.000. Mais toute évaluation reste impossible, et si vraiment la persécution ne frappa que clergé et moines, celles-ci paraissent exagérées.

Cependant, les hostilités reprenaient avec l'empire : la défaite et la mort de Julien permirent aux Perses d'occuper Nisibe qui deviendra, après Séleucie-Ctésiphon, le centre chrétien le plus important de leur royaume. L'avènement de Sapor III en 383 amena avec les Romains un rapprochement qui fit cesser la persécution et permit de pourvoir aux sièges épiscopaux vacants : paix religieuse précaire, toutefois, et basée sur le bon plaisir du prince.

Le rapprochement légal entre le christianisme et la royauté persane fut l'œuvre des ecclésiastiques Marouta et Isaac. D'ordinaire, parmi les ambassadeurs que les empereurs romains déléguaient en Perse, figurait quelque évêque, choisi souvent en Mésopotamie, où la connaissance de la langue et des affaires syriennes était générale. Ainsi Marouta, évêque de Maipherqat, fut-il envoyé en 399 par Arcadius vers le roi des rois, Yadgert Ier. Accrédité par son titre de plénipotentiaire romain, par sa dignité de vie, peut-être aussi par sa science médicale, il obtint bientôt sur le prince persan un ascendant considérable, dont il sut user au profit de ses coreligionnaires. Yadgert se laissa persuader qu'en persécutant les chrétiens on sacrifiait à la fois l'unité intérieure et la paix extérieure. Un synode put alors se tenir où le catholicos Quaysuma donna sa démission au profit d'Isaac, homme énergique et entreprenant.

Dans ses projets réformateurs, celui-ci semble avoir rencontré la même opposition que jadis Papa. Mais Marouta veillait : dans l'hiver 409-410, il revint en Perse, porteur de lettres qui, signées par les « Pères occidentaux », Porphyre d'Antioche, Acace d'Alep, Paqida d'Édesse, Eusèbe de Tella, Acace d'Amid, l'accréditaient comme leur délégué. Le roi autorisa un synode général : par les soins des marzbans ou gouverneurs de province, quarante évêques s'assemblèrent à Séleucie pour l'Épiphanie 410. L'Assemblée reconnut les canons de Nicée, la hiérarchie, la discipline telles que dans l'Église latine. A l'issue du concile, deux grands dignitaires proclamèrent la liberté religieuse et la reconnaissance par le roi des nominations épiscopales. Ainsi Yadgert faisait-il figure de Constantin : d'où les qualificatifs de « pécheur » et « d'impie » que lui décernèrent les mages. Cette restauration religieuse fut consolidée, lorsqu'en 419 un nouvel ambassadeur romain, Acace d'Amid, réunit un concile où l'œuvre disciplinaire fut renforcée par l'acceptation des canons des synodes mineurs, Ancyre, Néocésarée, Gangres, Laodicée.

Malgré tout, la paix restait précaire. Pour lier d'amicales relations avec les Romains, le Roi avait pu protéger les chrétiens, mais le mazdéisme n'en demeurait pas moins la religion nationale : nobles et mages entretenaient un fanatisme que les rapides succès du prosélytisme chrétien — surtout parmi les hauts fonctionnaires — rendaient plus ombrageux. Vers la fin du règne d'Yadgert, la destruction d'un pyrée, par un prêtre nommé Osée, fit éclater une nouvelle persécution, qui prit toute son ampleur sous Bahram V : évêques, nobles, fonctionnaires furent recherchés. Hécatombe effroyable dont Théodoret nous a dépeint les supplices raffinés. Écorcher les mains ou le dos, arracher la peau du visage depuis le front jusqu'au menton, environner le martyr de roseaux brisés qu'on serrait étroitement avec des liens et qu'on retirait ensuite avec force, ce qui lui déchirait tout le corps, enfermer les chrétiens dans des fosses où grouillaient rats et souris affamés, tels étaient les raffinements tout asiatiques auxquels se complaisait la cruauté des bourreaux. D'aucuns faiblirent; beaucoup s'enfuirent ou restèrent cachés. Comme les Perses osaient réclamer les fidèles réfugiés sur le territoire des Romains, ceux-ci déclarèrent la guerre. Après un an, elle se termina par un traité, où l'on se promettait une tolérance réciproque : les chrétiens obtenant la liberté de conscience dans le royaume persan, et les mazdéens dans l'empire romain.

La persécution, d'ailleurs, n'avait pas empêché les dissensions. Élu en 421, le catholicos Dadiso rencontra une si vive opposition qu'il se retira dans un monastère. Quand on le supplia d'en sortir, il posa ses conditions : père de tous, le catholicos ne pourrait être jugé par personne, et ne relèverait que du Christ. C'était tout ensemble renforcer son pouvoir au dedans et rejeter le protectorat des « Pères occidentaux ». Peut-être les évêques espéraient-ils ainsi détruire le préjugé qui regardait les « Nazaréens » comme partisans de Rome et ennemis du roi des rois. L'Église persane devenait autonome; en s'isolant, elle se préparait à elle-même des destinées schismatiques.

III. L'Arménie. — Limitée au Nord par le Caucase, au Sud par la Mésopotamie, à l'Est par la mer Caspienne et à l'Ouest par l'Euphrate qui la sépare de l'Arménie romaine ou Arménie mineure, la Grande Arménie[1] possède des origines chrétiennes obscures. Ici, comme partout, les légendes apostoliques ne supportent pas la critique : ni celle de Thaddée,

1. Notons qu'il ne s'agit point ici de l'Arménie romaine ou Arménie mineure qui, avec ses deux provinces d'*Armenia prima* (métropole civile Sebastia ou Sivas) et d'*Armenia secunda* (métropole Mélitène), reconnaissait la juridiction de Césarée. Cette Arménie mineure connaissait le christianisme avant le IVe siècle ; son histoire religieuse ne se confond nullement avec celle de l'Arménie proprement dite.

ni celle de Barthélemy. Cependant, les provinces occidentales et méridionales en bordure de l'empire furent sans doute évangélisées dès le IIe siècle : Édesse, capitale de l'Osrhoène, Césarée de Cappadoce, Mélitène dans l'Arménie mineure, ou même Néocésarée du Pont, autant de centres d'où missionnaires grecs et syriens pouvaient s'avancer dans ces régions. Aussi, vers l'an 200, Tertullien range-t-il l'Arménie parmi les contrées qui renferment des fidèles.

Toutefois ce n'est ni à des Syriens, ni à des Grecs, ni à des Arméniens hellénisés que les chroniques nationales rapportent la conversion du pays, mais à un arménien de race, saint Grégoire l'Illuminateur. Un fait reste certain : comme beaucoup de ses compatriotes, chassé de son pays soit par la menace extérieure des Perses, soit par les troubles intérieurs, Grégoire émigra en territoire romain où il reçut le baptême. Rentré dans son pays, il réussit à convertir le roi Tiridate qui l'envoya à Césarée pour recevoir la consécration épiscopale des mains de Léonce (vers 294). Fait à souligner, par où l'Église d'Arménie se rattache à la communion universelle, en dépit de divers apocryphes. Le nouveau catholicos n'est qu'un légat ou vicaire et maints successeurs de Grégoire recevront, eux aussi, l'épiscopat du métropolitain de Cappadoce.

Dès cette date — et bien avant l'Empire romain — la nation arménienne était officiellement convertie et le christianisme y devenait — comme dans l'Osrhoène — religion d'État. Cet acte généreux se mélangeait-il de quelque calcul politique? Peut-être les chefs voulurent-ils opposer ainsi à l'envahissement du mazdéisme persan une religion nouvelle, capable de susciter l'enthousiasme.

Imposé par décret royal, le christianisme ne s'implanta point sans résistance. « Le nombre de ceux qui l'auraient embrassé sincèrement, dit le chroniqueur Faustus, était très restreint et se composait uniquement des personnes versées dans le grec et le syrien », les deux langues qui possédaient seules avec la traduction des Écritures une littérature chrétienne. La foi ne semblait donc accessible qu'aux lettrés. Les autres — nobles comme prolétaires — demeuraient attachés à l'ancien culte. Aussi, Tiridate et Grégoire érigèrent-ils des écoles où les jeunes arméniens devraient apprendre ces deux langues, truchements naturels de la foi. D'autre part, pour recruter le clergé et asseoir son influence, Tiridate le dota en dépouillant les prêtres païens : à lui une part des troupeaux et la dîme des récoltes, à chaque Église quatre fermes dans les campagnes et sept maisons dans les villes. Le haut clergé surtout reçut des domaines considérables : ainsi Grégoire celui d'Achdidad pour lui et ses descendants. On admit, en effet, la transmission héréditaire des charges ecclésiastiques : concession assez naturelle, puisque plusieurs étaient mariés avant le sacerdoce, mais concession destinée à amener de nombreux abus. Pendant un demi-siècle, on verra le catholicat passer successivement aux fils, aux petits-fils et aux arrière-petits-fils de Grégoire. Le surnom d'Illuminateur resta à celui-ci, titre bien mérité si l'on envisage qu'il fut vraiment le grand propagateur de la foi dans ces régions, où son culte s'est transmis d'âge en âge.

Le premier successeur de Grégoire fut son fils cadet Aristakès qui assista au concile de Nicée. Son frère Verthanès lui succéda, à qui leur père avait confié déjà l'Église de Géorgie :

Arménie. — FR. TOURNEBIZE, * *Histoire politique et religieuse de l'Arménie,* t. I, 1900. — S. WEBER, *Die katholische Kirche im Armenien. Ihre Begründung und Entwicklung vor der Trennung,* Freiburg i. Br., 1903. — KÉVORK ASLAN, * ? *Études historiques sur le peuple arménien,* 2e éd., 1928. — S. VAILHÉ, * *Origines de l'Arménie,* dans *Echos d'Orient,* 1913 (XVI). — Mgr L. PETIT, art. *Arménie,* dans *Dict. Théol.* — Fr. TOURNEBIZE, art. *Arménie,* dans *Dict. Hist.*

il s'empressa de la rattacher au siège central d'Arménie, tout en lui laissant un catholicos particulier.

Cependant, la conversion du pays était assez superficielle. Les mœurs restaient païennes, et la cour elle-même en donnait l'exemple. D'où conflit avec les catholicos intrépides. Quand Youssic, petit-fils de l'Illuminateur, reproche au roi Tirane son inconduite et sa cruauté et qu'il lui interdit l'entrée de l'église, celui-ci le fait mourir sous la bastonnade. Même liberté apostolique du nouveau catholicos Pharène qui périt, lui aussi, d'une manière tragique, étranglé sur l'ordre du roi. Abandonné par son protecteur, l'empereur Constance, celui-ci tomba entre les mains de Sapor II.

Il fut remplacé par son fils Arsace, qui éleva au trône patriarcal Narsès (352-73), arrière-petit-fils de Grégoire l'Illuminateur. Formé en Cappadoce, Narsès le Grand y avait connu un christianisme plus sérieux que celui de l'Arménie. Il voulut faire fleurir dans son pays les vertus et les institutions qu'il y avait admirées. D'où une certaine réforme des mœurs décrétée dans un synode tenu à Achdidad vers 365 : prohibition des mariages à un degré de parenté trop rapproché, interdiction des lamentations païennes dans les funérailles. De là encore diverses fondations charitables : création de léproseries, d'hôpitaux et surtout d'écoles où l'on apprendrait le grec et le syrien. Enfin, comme après les désastres de Julien l'Apostat, l'Arménie était exposée aux coups du roi des Perses, Sapor II, Narsès se rendit à Byzance pour y contracter alliance avec les romains; mais son catholicisme intégral froissa l'arianisme de Valens qui l'éconduisit.

Malgré ses services éminents, Narsès fut persécuté par les rois à cause de sa hardiesse apostolique. Comme Arsace avait fait périr ses neveux Knel et Tirite, compétiteurs éventuels, qu'il avait épousé la veuve de Knel, Pharenzem, et qu'il vivait aussi en concubinage avec Olympias, Narsès protesta et fut disgracié. Quand Arsace eut été attiré dans un guet-apens et égorgé sur l'ordre de Sapor, son fils Papa rétablit Narsès. Non moins cruel que son père, Papa se vit interdire l'accès de l'église par Narsès, qu'on a pu appeler « le Thomas Becket de l'Arménie »; il se vengea en l'empoisonnant.

Patriarches d'Arménie.	Dates.	Arsacides chrétiens.	Dates.	Rois sassanides.	Dates.
Grégoire	305	Tiridate III	297-330	Sapor III	310
Aristakès	325				
Verthanès	332				
		Tirane	338-349		
Youssic	339				
Pharène	347-51				
Narsès	352-373	Arsace	350-367		
		Papa	368-374		
		Varazdat	374-378		
		Arsace	379-86	Artaschir II	379
				Sapor III	383
Isaac	387-439			Bahram IV	389
				Yadgert I	399
				Bahram V	420-439

NOTA : Liste abrégée ne contenant que les personnages intéressant notre récit.

Une réaction antireligieuse suivit, au cours de laquelle les anciennes dotations furent supprimées, les institutions de bienfaisance anéanties, les usages païens restaurés. Papa voulut accréditer auprès de saint Basile de Césarée un candidat à lui, nommé Phaustos; impuissant à se faire reconnaître, celui-ci s'adressa alors à Anthime de Tyanes, qui s'efforçait alors de ravir à Basile la juridiction sur la Cappadoce. Fait à souligner parce qu'il montre que — même brouillé avec l'évêque de Césarée — le roi n'ose pas faire consacrer son catholicos par l'épiscopat arménien, mais maintient sa subordination à l'égard d'une métropole romaine, Tyanes, en place de Césarée. La thèse de l'indépendance de l'Église arménienne ne repose donc pas sur une base historique ancienne.

En 384, l'empereur Théodose négociait avec Sapor III un traité qui opérait le partage de l'Arménie : tandis que les districts occidentaux tombaient sous le protectorat romain, la plus grande portion du pays devint un État vassal de la Perse. Combinaison doublement malheureuse : au point de vue politique, elle supprimait entre les deux empires une zone intermédiaire, un État tampon, bien propre à retarder et à amortir les chocs; au point de vue religieux, elle livrait les chrétiens à la merci du sectarisme mazdéiste.

Et pourtant, à cette heure même deux hommes d'Église posaient les principes durables de l'indépendance arménienne. Non pas que le nouveau patriarche Isaac le Grand ait rompu avec l'Église grecque; sans doute les lieux saints d'Achdidad et d'Echmiadzin, où résidaient d'ordinaire les catholicos, se trouvaient-ils dans le lot attribué aux Perses par les traités; mais, descendant de l'Illuminateur, fils de Narsès, formé à Constantinople, Isaac maintint l'ancienne subordination hiérarchique : ainsi en appelle-t-il avec succès à l'empereur Théodose contre le métropolitain de Césarée qui voulait ravir à sa juridiction les territoires arméniens rattachés à l'Empire.

Par contre, plus que personne, Isaac travailla à donner à son Église une individualité forte et indélébile. Pour aider à la pénétration du christianisme, Grégoire et Narsès avaient multiplié les écoles où apprendre le grec et le syriaque. Procédé imparfait toutefois, puisque le peuple ne savait que l'arménien, une langue encore rudimentaire et sans alphabet écrit. Isaac comprit que le perfectionner servirait à la fois l'Église et la patrie : l'Église en augmentant ses moyens de propagande, la patrie en contrecarrant la double tendance qui portait à proscrire le syriaque dans les provinces devenues romaines et le grec dans celles devenues persanes. Une liturgie nationale permettrait au peuple arménien d'affirmer et de protéger l'ancienne culture. Traduire l'Écriture afin d'affranchir la liturgie de l'emploi des langues étrangères, telle fut la pensée commune du patriarche Isaac et du savant moine Mesrop. Aidé par le calligraphe grec Rufin, Mesrop façonna un alphabet arménien. Après quoi, lui et Isaac composèrent une version de l'Écriture et des Pères dans la langue nationale. Par là, ils assurèrent la conservation religieuse et politique de leur patrie.

Pendant ce temps, le roi des rois poursuivait son œuvre d'assimilation et de déchristianisation. Vers 419, Yadgert, persécuteur des fidèles,[1] installe en Arménie non plus un Arsacide, mais son propre fils Sapor. Dix ans plus tard, Bahram V faisait de la Persarménie une simple province et destituait le catholicos, en qui semblait incarné le nationalisme. Retiré dans son domaine héréditaire d'Achdidad, Isaac rendit à son peuple un dernier service : alors qu'au lendemain du concile d'Éphèse les nestoriens répandaient en Arménie les écrits de leurs patrons Théodore de Mopsueste et Diodore de Tarse, il interrogea Proclus, patriache de Byzance. Celui-ci répondit par un traité où, mettant en relief l'unité de la personne du

Verbe, il éloignait sans doute le péril nestorien, mais préparait les voies au monophysisme par l'adoption sans réserve de la terminologie cyrillienne.

Grégoire l'Illuminateur, Narsès, Isaac, voilà les noms glorieux auxquels se rattachent les origines de l'Église et du peuple arméniens. Aussi, la royauté a bien pu s'éteindre en 428, le catholicat va la remplacer et sauver la nationalité.

IV. L'Éthiopie. — Au sud de l'Égypte, l'Éthiopie connaissait aussi le christianisme. Non pas qu'il faille lui donner pour premiers apôtres des contemporains du Seigneur, soit l'eunuque de la reine Candace, soit saint Mathieu, soit saint Barthélemy. Mais le récit de Rufin mérite créance, qui place l'évangélisation du pays au IVe siècle (*Hist. eccl.,* I, 9). D'après lui, à la suite d'un naufrage, deux jeunes phéniciens, Frumentius et Aedesius furent capturés au retour des Indes dans les parages de la mer Rouge et emmenés à la cour du roi d'Éthiopie, à Aksoum. Celui-ci leur confia l'éducation de ses fils et leur laissa une grande liberté, qui leur permit de construire des oratoires pour les marchands grecs séjournant dans le pays; ils auraient même converti quelques indigènes. Après sa libération, Frumentius se rendit à Alexandrie auprès d'Athanase, le priant d'envoyer un évêque dans ces régions. Le patriarche ne pouvait faire meilleur choix que Frumentius lui-même à qui il adjoignit des auxiliaires.

Tel est le récit de Rufin auquel Athanase lui-même vient donner un confirmatur dans son *Apologie à Constance.* Il y insère, en effet, une lettre de l'empereur aux rois d'Aksoum Hïzanas et Saïzanas pour les mettre en garde contre l'évêque Frumentius, les priant de l'envoyer à Alexandrie où Georges, l'évêque arien intrus, lui fera passer un examen doctrinal. Précieuses données qui nous montrent que l'Abyssinie avait reçu de Frumentius une foi orthodoxe, contre laquelle vint se briser le zèle de l'arien Théophile, natif de l'île Dibous. Pourtant cette chrétienté dut rester à l'état informe de mission : nulle trace de diocèse ou de province ecclésiastique organisée.

V. Les provinces danubiennes. — Au delà de la frontière romaine, du Bosphore au Rhin, vivait un peuple barbare, les Goths, qui, dès le IIIe siècle, menacèrent l'Empire. Entre les règnes de Dèce et d'Aurélien, ils y multiplièrent les incursions.

Il nous faut distinguer les riverains de la mer Noire et ceux du Danube. Les premiers, ou Goths criméens, s'établirent dans le voisinage de deux petits États déjà chrétiens : le royaume du Bosphore Cimmérien, dont la capitale était Panticapée, et la république de Chersonèse. Sans doute à ce contact, les Goths criméens se convertirent au début du IVe siècle : on voit un de leurs évêques signer au concile de Nicée en 325. Isolée du monde goth, cette petite chrétienté garda son orthodoxie : à la fin du IVe siècle Constantinople lui fournissait ses évêques, et elle y était en rapport avec un monastère goth, dit de Promotus, qui dut devenir pour elle une sorte de centre ecclésiastique.

La majorité des Goths campait dans les plaines de la Scythie sud-occidentale, au nord de la frontière romaine du Danube. A leur évangélisation on peut attribuer plusieurs causes. D'une part, les prisonniers chrétiens qu'ils firent au cours de razzias en Asie Mineure implantèrent chez eux leur religion, et le plus fameux apôtre de la nation, Ulfila, sera lui-même

Abyssinie. — I. Suidi, art. *Abyssinie,* dans *Dict. Hist.* — E. Coulbeaux, art. *Éthiopie,* dans *Dict. Théol.*

d'origine cappadocienne; d'ailleurs, les soldats goths dits « fédérés » qui servaient dans l'armée impériale durent, en quittant le service de Rome, rapporter dans leur pays les idées par eux apprises. Prisonniers cappadociens et soldats « fédérés » furent donc pour le christianisme des agents d'exportation. D'autre part, Constantin voulut organiser des missions qui, des provinces romaines, rayonneraient chez les Goths d'Outre-Danube : apostolat fort divers selon qu'il partait d'un évêché arien comme Marcianopolis ou d'un autre resté orthodoxe comme Tomi. Ajoutons enfin la propagande faite par les Audiens : on sait qu'Audius était un mésopotamien qui refusa de se conformer aux décisions nicéennes sur la date de Pâques; relégué en Scythie à cause de ses intrigues schismatiques, il pénétra chez les Goths qu'il évangélisa, et où il fonda même des monastères.

L'origine du christianisme chez les Goths est donc chose plus complexe qu'on ne le disait jadis quand on les représentait convertis en bloc à l'arianisme par l'évêque Ulfila : celui-ci ne fut qu'un de leurs apôtres, et non pas le premier. En réalité, il y eut chez eux une Église arienne, une Église audienne et une Église catholique. Celle-ci allait même connaître bientôt la persécution et compter des martyrs.

Athanaric, prince des Wisigoths, avait soutenu l'usurpateur Procope contre Valens : d'où une guerre qui dura trois ans et au terme de laquelle le chef barbare dut accepter la paix. Aigri contre tout ce qui était romain ou d'origine romaine, il s'en prit alors à ses compatriotes chrétiens et déclancha une persécution qui atteignit sans distinction ariens et orthodoxes : parmi ces derniers le plus fameux martyr fut saint Saba dont la *Passio* est un document contemporain de tout premier ordre. On y voit la population chrétienne s'efforcer de sauver Saba et ne montrer aucun fanatisme. La persécution se termina par une expulsion en masse des fidèles, qui durent passer sur la rive droite du Danube en territoire romain, ce qu'on appelait déjà alors la *Romania*.

Cependant, un homme allait assurer dans ces régions la fortune de l'hérésie, Ulfila. Endoctriné par Eusèbe de Nicomédie, ce Goth d'origine cappadocienne était devenu arien. Il eut l'idée géniale, analogue à celle que Mesrop et Isaac avaient réalisée en Arménie, de mettre les livres saints à la disposition de ses compatriotes, en composant un alphabet gothique et en traduisant dans la langue gothique l'Ancien et le Nouveau Testament. Chassé par les autorités gothiques à cause de son zèle pour la foi vers 350, accueilli par l'empereur Constance, il s'installa avec ses fidèles près de Nicopolis de Mésie, leur tenant lieu à la fois d'évêque et de prince.

Lorsqu'en 376, les Huns menacèrent les Wisigoths, un de leurs chefs, Frithigern, chercha refuge en Thrace auprès des Romains qui les accueillirent comme *fœderati*. Valens leur envoya des missionnaires, choisis évidemment parmi le clergé arien, à un moment où le credo de Rimini-Constantinople faisait autorité en Orient. Si l'on ajoute que le Bas-Danube possédait encore tout un groupe d'évêques ariens, tels que Palladius de Ratiara, Domninus de Marcianopolis et Auxentius de Durostorum, si l'on tient compte de l'attraction qu'Ulfila devait exercer sur ses frères de Dacie par son prestige personnel, et plus encore par sa traduction

Goths. — J. Zeiller, * *Les origines chrétiennes dans les provinces danubiennes de l'Empire romain*, 1918. — J. Mansion, *Les origines du christianisme chez les Goths*, dans *Anal. boll.*, XXXIII (1915), p. 5-30 et XLVI (1928), p. 365-66. — H. Delehaye, *Martyrs de l'Eglise de Gothie*, dans *Anal. boll.*, XXXI (1912), p. 274-294. — H. Leclercq, art. *Goths*, dans *Dict. Arch.* — A. Lambert, art. *Athanarich*, dans *Dict. Hist.*

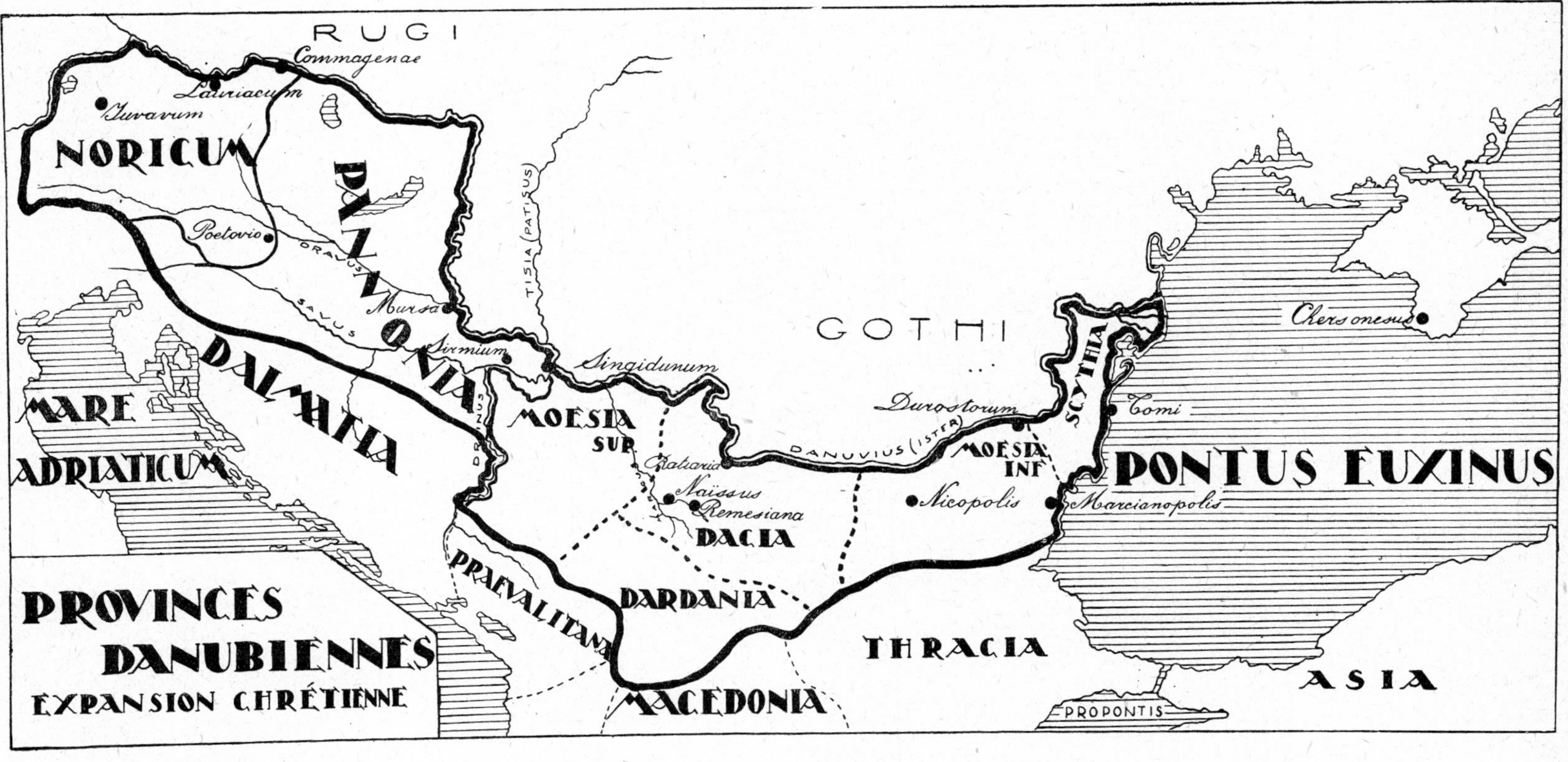

PROVINCES DANUBIENNES.

gothique de la Bible, on comprendra que ces Barbares entrés dans l'Empire ne pussent guère devenir qu'ariens.

D'autres Goths suivirent qui voulurent se frayer un passage par la force : après avoir vaincu le comte Lucipinus à Marcianopolis, puis en 376 près d'Andrinople Valens lui-même, qui y trouva la mort, ils furent contenus par Théodose et confinés dans la Mésie Inférieure en qualité de fédérés. Ce prince pensa bien à les ramener au catholicisme : après le concile œcuménique de 381, il en réunit un autre à Constantinople en 383. Ufilla s'y rendit, mais tout aussitôt tomba malade et mourut, laissant une profession de saveur nettement arienne, où il affirmait que le Fils n'est qu'une divinité d'ordre inférieur « soumise et obéissant en tout au Père ». Malgré la bonne volonté de Théodose, l'empreinte arienne allait rester imprimée sur l'ensemble de la nation gothique.

Parmi ces barbares, il faut distinguer ceux qui, comme fédérés, s'enrôlèrent sous les aigles romaines et ceux qui, demeurés libres, habitèrent les bords du Danube ou s'ébranlèrent pour d'immenses migrations.

Dans les capitales — Byzance en Orient, Milan en Occident — les fédérés nombreux disposèrent d'une réelle influence. On sait qu'à Milan où ils composaient la garde du jeune Valentinien II, ils voulurent — soutenus par l'impératrice Justine — reprendre aux catholiques la basilique Porcia, mais qu'ils en furent empêchés par la fermeté de saint Ambroise. (*Voir supra.*) L'édit de 386 les autorisa cependant à professer la foi de Rimini et, par un illogisme que la politique imposait, cette tolérance leur fut maintenue, même après que des lois très nettes eussent, de 381 à 438, interdit l'arianisme dans l'Empire. Liberté religieuse d'ailleurs assez restreinte : ainsi à Constantinople, les fédérés ne purent-ils pratiquer leur culte que hors les murs. Répétant la tentative esquissée quinze ans plus tôt à Milan, leur chef Gaïnas essaya bien d'obtenir l'accès de la ville; mais, lui aussi, fut mis en échec par un évêque aussi ferme qu'Ambroise : saint Jean Chrysostome. Quand les Goths ariens voulurent tourner la prohibition, sous prétexte de se rendre avec solennité à leur basilique extra-urbaine, Chrysostome répliqua par des processions adverses : ce qui amena certaine nuit une sérieuse bagarre. D'où une loi nouvelle, qui prohiba tout cortège hétérodoxe en ville. Dans les cités frontières des provinces danubiennes, où les fédérés étaient nombreux, il y eut sans doute tolérance tacite.

Tout cet arianisme gothique implanté dans l'Empire n'eût encore été qu'un moindre mal. Mais, comme les provinces danubiennes furent le principal lieu géographique par où les barbares déferlèrent sur l'Occident, ils y contractèrent les germes de l'arianisme qu'ils dispersèrent partout. Dans ces régions on peut citer quelques chefs ecclésiastiques qui, non contents de les endoctriner, suivirent leurs migrations : ainsi Valens de Pœtovio dans l'Italie du Nord et Auxence de Durostorum à Milan; ainsi encore Maximinus qui suivit en Afrique le comte Sigisvult, et Sigisharius qui entrera avec Alaric dans la péninsule en 410. Nous verrons comment des Wisigoths d'Ulfila aux Ostrogoths, puis aux autres tribus barbares, l'hérésie se transmit; l'arianisme danubien contamina si bien l'Occident qu'avec plus de vérité que sous Constance, il put au ve siècle « s'étonner d'être arien ».

Non point, d'ailleurs, que le catholicisme n'eût tenté de réagir sur la frontière danubienne dès la fin du IVe siècle. Saint Ambroise travailla à la conversion des Marcomans, campés au nord du Norique : avec leur reine Fritigild, il esquissa des relations, qui aboutiront à une alliance romaine et à des conversions. Transitoires sans doute en eux-mêmes, puisque cette nation allait céder la place à d'autres ou se mêler à elles, les résultats seraient par ricochet considérables, si l'on considère que les rares marcomans demeurés en ces régions transmettront vers la fin du VIe siècle aux Lombards les germes du catholicisme.

A l'autre extrémité de l'Empire, saint Jean Chrysostome ne se contenta pas d'affecter aux Goths orthodoxes une église où il prêchait lui-même, et où il attirait des fédérés au détriment de l'église arienne extra-urbaine; il porta aussi ses regards vers les tribus cantonnées au nord du Danube. « Ayant appris, dit Théodoret, que les Scythes qui menaient au delà de l'Ister une vie vagabonde avaient soif du salut, sans que personne vînt les désaltérer, il demanda des hommes capables de rivaliser en labeur avec les Apôtres, et les leur confia. » (*H. E.*, VI, 32.) De même, Théotime de Tomi et Niceta de Remesiana[1] évangélisèrent-ils les Huns et les Goths, le premier sur les rives du Bas Danube, le second dans la Dacie Inférieure. Grâce à ces efforts, il y eut là-bas au Ve siècle un certain nombre de catholiques goths.

VI. La Germanie et la Bretagne. — Sur le Rhin, au delà des marches militaires, c'était l'impénétrable forêt habitée par des peuplades farouches. Il n'y eut d'établissements chrétiens que le long des fleuves. Marchands occidentaux, grecs et syriens, venus par la vallée du Rhône, esclaves, légionnaires et fonctionnaires romains, autant d'éléments susceptibles d'importer le christianisme en ces régions. Non qu'il faille accepter les légendes apostoliques : Crescent à Mayence, Clément à Metz, Eucharius à Trèves, Maternus à Cologne ne furent pas sans doute disciples, le premier de saint Paul et les autres de saint Pierre; tout au plus pourrait-on les faire remonter à la fin du IIe ou au début du IIIe siècle.

L'évangélisation de ces contrées ne sort vraiment des brumes de la légende qu'au IVe siècle. Voici des martyrs : à Augsbourg sous Dioclétien sainte Afra, en Norique à Lauriacum (Lorsch sur l'Ems) saint Florian. Dans toute cette région de la Germanie méridionale située entre les Alpes et le Rhin des évêchés existent alors : Augsbourg et Lauriacum, Tiburna en Carinthie sur la Drave inférieure, Coire, Juvava (Salzbourg), Batava (Passau), Vindonissa (Windisch) et Strasbourg. Mais ces chrétientés naissantes furent dévastées par le flot des barbares.

Au nord, dans la Germanie rhénane et les deux Belgiques, un établissement romain plus ferme protégeait davantage les colons; les villes où résidaient les gouverneurs, — Mayence, Cologne, Trèves — devinrent des centres ecclésiastiques. Leurs évêques participent à l'activité générale de l'Église romaine : ainsi, au concile d'Arles en 314 trouvons-nous Agricius de Trèves et Maternus de Cologne. Deux saints, d'ailleurs, influèrent sur le

Germanie. — HAUCK, *? *Kirchengeschichte Deutschlands*, t. I, p. 1-85, Leipzig, 1922. — P. RICHARD, art. *Allemagne*, dans *Dict. Hist.*

Angleterre. — HUNT, *? *The English Church from its fondation to the Norman Conquest*, Londres, 1899. — DOM F. CABROL, * *L'Angleterre chrétienne*, 1909. — J. CHEVALIER, art. *Angleterre*, dans *Dict. Hist.*

1. Niceta de Remesiana est un théologien doublé d'un apôtre : aussi le recueil de ses *Instructions* vise-t-il surtout les catéchumènes (*De ratione fidei ; De Spiritus Sancti potentia; De symbolo*). On lui a attribué la paternité du *Te Deum*. Mais cette assertion a été combattue sérieusement. Voir : DOM PAUL CAGIN, *L'Euchologie latine étudiée dans la tradition de ses formules et de ses formulaires. Te Deum ou Illatio?* — DOM AGAESSE, *Que Nicetas de Remesiana n'est pas l'auteur du Te Deum*, *Rev. des Sciences eccl.*, 1909-1910, p. 201-220, 410-428, 553-584.

catholicisme rhénan : Athanase qui passa trois années à Trèves durant son premier exil (334-337) ; plus tard Martin, qui n'y vint pas moins de trois fois plaider auprès de l'empereur Maxime la cause des priscillianistes (384-386). Aussi l'orthodoxie eut-elle là d'intrépides champions : en 344, les évêques de la région, qui déposent Euphratès de Cologne, un failli de Rimini ; à Arles, Paulin de Trèves, bravant les foudres impériales, et se refusant à souscrire la condamnation d'Athanase ; à Rimini, Servais de Tongres tenant tête aux ariens. Devant les Barbares déferlant par le Rhin sur la Gaule, ces évêques se montreront les vrais chefs de la communauté, intrépides défenseurs de la cité et de la romanité.

Nous connaissons très peu les premières manifestations de la foi en Grande Bretagne. Il y a bien ce vague témoignage de Tertullien : « Quant aux Bretons, des régions inaccessibles aux Romains ont été soumises au Christ. » (*Adv. Jud.*, VII.) On suppose que les premiers apôtres vinrent des Gaules. Rapports étroits entre la liturgie des Églises bretonnes et la liturgie gallicane, emploi par ces Églises de la vieille version latine de l'Écriture jusqu'au milieu du VIe siècle, adoption du cycle pascal romain par les évêques bretons au concile d'Arles en 314, autant de faits pour prouver que le christianisme celtique est non pas d'origine orientale — comme le voudrait certaine thèse anglicane — mais d'origine romaine. Le particularisme celtique n'apparaîtra que plus tard. Il est faux, d'ailleurs, que le christianisme n'ait pas atteint les éléments autochtones ; sans doute la population romaine dut-elle fournir le noyau original des communautés, et les premiers évêchés bretons s'établirent-ils là où se trouvaient la force et la protection militaire, à York, à Londres, peut-être aussi à Lincoln et à Carleon ; mais la foi pénétra aussi dans les villes et les campagnes bretonnes : le nom de l'évêque d'York qui assista au concile d'Arles, Eborius, est de consonance celtique. Au surplus, le grand nombre d'inscriptions retrouvées — quelque cent trente — témoigne d'une pénétration non superficielle du christianisme. Durant la persécution dioclétienne, ces jeunes Églises reçurent le baptême du sang ; Gildas enregistre trois martyrs en 304 : saint Alban à Vérulan, saint Aaron et saint Jules à Carléon. Dès 410, Rome abandonnait la Grande Bretagne, qui devint le champ clos où se mesurèrent Pictes d'Écosse et Scots d'Irlande, en attendant l'invasion anglo-saxonne au milieu du Ve siècle. Dans la débâcle sombra l'organisation épiscopale.

LIVRE X

L'ÉPOQUE DE SAINT AUGUSTIN

CHAPITRE PREMIER

SAINT AUGUSTIN EN AFRIQUE

I. La vie d'Augustin. — Le rôle considérable du personnage, l'influence de ses premières attaches religieuses et morales sur le développement ultérieur de sa théologie, l'intérêt surnaturel de son autobiographie, autant de motifs qui imposent à l'historien ecclésiastique d'esquisser la vie de saint Augustin. Pour comprendre cette évolution intellectuelle et morale, une source s'impose avant tout : les *Confessions*. Gardons-nous de prendre ce titre dans le sens ordinaire « d'aveux » ; il le mérite sans doute, mais très discrètement. Avant tout, selon l'acception biblique du mot, les *Confessions* d'Augustin sont une action de grâces, une longue prière d'amour au Dieu qui l'a retiré d'en bas. D'où cette place considé-

Augustin. — *SOURCES : P. L.*, XXXII-XLVI ; *C. V.*, XXV, XXVIII, XXXIII (*Confessions*), etc... Voir A. INGOLD, *Histoire de l'édition bénédictine de saint Augustin*, 1903. — Traductions françaises des Œuvres complètes par RAULX et POUJOULAT, 17 vol., Bar-le-Duc, 1872 ; par PÉRONNE, ECALLE, VINCENT, etc., 32 vol., 1872. — P. DE LABRIOLLE, *Les Confessions*, trad., 1924. — L. BERTRAND, *Les plus belles pages de saint Augustin*, 1914. — *TRAVAUX* : Sur la conversion et la vie, A. HATZFELD, *Saint Augustin* (coll. *les Saints*). 1897. — L. GRANDGEORGE, *Saint Augustin et le néoplatonisme*, 1896. — G. V. HERTLING, *Augustin*, Mayence, 1902. — L. BERTRAND, * *Saint Augustin*, 1913 ; *Autour de saint Augustin*, 1922. — P. ALFARIC, ? *L'évolution intellectuelle de saint Augustin*, 1918. — C. BOYER, **Christianisme et néo-platonisme dans la formation de saint Augustin*, 1920. — P. MONCEAUX, *Journal des Savants*, nov.-déc. 1920. — P. GUILLOUX, * *L'âme de saint Augustin*, 1922. — K. HOLL, *Augustins innere Entwicklung*, Berlin, 1923. — H. GROS, * *La Valeur documentaire des Confessions de saint Augustin*, dans la *Vie spirituelle*, mai 1926-août 1927. — G. PAPINI, *? *Saint Augustin* (traduit de l'italien par P.-H. MICHEL), 1930. — P. DE LABRIOLLE, art. *Augustin*, dans *Dict. Hist.* et *Hist. litt. latine chrétienne*, livre IV, ch. I. — Sur les idées de saint Augustin : O. ROTTMANNER, *Der Augustinismus*, Munich, 1892. — J. MARTIN, *Saint Augustin* (coll. *les Grands Philosophes*), 1901. — E. PORTALIÉ, * art. *Augustin (saint)*, dans *Dict. Théol.* — P. BATIFFOL, * *Le catholicisme de saint Augustin*, 1920. — E. GILSON, * *Introduction à l'étude de saint Augustin*. — B. ROLAND-GOSSELIN, * *La morale de saint Augustin*, 1925. — F. CAYRÉ, * *La contemplation augustinienne*, 1927. — G. PHILIPS, *La raison d'être du mal d'après saint Augustin* (coll. *Museum Lessianum*), Louvain-Paris, 192[illegible]. — C. VAN CROMBRUGGE, * *La doctrine christologique et sotériologique de saint Augustin dans ses rapports avec le néo-platonisme*, *R. H. E.*, 1904, p. 237-57 ; 477-504. — G. COMBÈS, * *La doctrine politique de saint Augustin*, 1927. — R. W. et A. CARLYLE, *? *A history of the mediæval political theory in the West*, t. I, Edimbourgh et Londres. — Sur le style de saint Augustin : G. COMBÈS, *Saint Augustin et la culture classique*, 1927. — W. PARSONS, *A study of the vocabulary and rhetoric of the letters of S. Augustine*, Washington, 1921. — M. C. COLBERT, *The syntax of the Civitate Dei of S. Augustine*, Wash., 1921. — M. R. ARTS, *The syntax of the Confessions of S. Augustine*, Wash., 1927. — M. COMEAU, *La rhétorique de saint Augustin d'après les Tractatus in Joannem*, 1931. — CONSTANTIN I. BALMUS, *Etude sur le style de saint Augustin dans les Confessions et la Cité de Dieu*, 1930.

rable que prennent dans sa narration et les effusions de gratitude, et les descriptions psychologiques, et les discussions philosophiques. Montrer comment Dieu l'a captivé et lui en dire merci, voilà tout son but.

L'enfance d'Augustin évoque bien l'époque : mariage mixte et baptême manqué. Il naquit, en effet, à Thagaste en Numidie d'une mère chrétienne, Monique, d'un père païen, Patricius : d'où ces deux influences contraires qui expliquent plus ou moins les indécisions de sa jeunesse, les suggestions catholiques de Monique se trouvant combattues par l'éducation toute profane que Patricius lui faisait donner. D'une part, il est initié au catéchuménat, et dans une maladie grave demande le baptême : ce que, selon l'usage du temps, on lui refuse dès qu'il se trouve mieux; d'autre part, après les premiers rudiments appris à Thagaste, il fait ses humanités à Madaure, milieu païen où il assiste aux fêtes des idoles, et où il reçoit un enseignement tout pénétré de mythologie, s'enflammant dès lors pour les scènes de l'Énéide — les amours de Didon, par exemple, et son désespoir d'amante trahie — beaucoup plus que pour les récits évangéliques. Les vacances furent fatales, qu'il passa à Thagaste dans l'attente que ses parents eussent réuni les ressources nécessaires à la continuation de ses études.

A Carthage, ville cosmopolite et sensuelle, il arrivait mûr pour la tentation. Elle le guettait partout, au théâtre qu'il fréquentait, parmi les mœurs licencieuses des étudiants. « J'aimais à être aimé », avoue-t-il. D'où sa liaison avec une femme qui lui donna un enfant nommé Adéodat, « le fils de son péché ». N'allons point toutefois le prendre pour un débauché vulgaire. Il conserva une certaine dignité naturelle et morale : restant fidèle à sa concubine, fuyant les étudiants désordonnés qui aiment « le chambard » (*eversores*), bref ce que la gravité de Tillemont appelle « se régler dans son dérèglement ».

Ce fut alors, à dix-neuf ans, qu'il lut ce dialogue où Cicéron explique à son ami Hortensius que le bonheur consiste dans la vie de l'esprit, dans la poursuite de la sagesse. Dès ce moment, malgré lui, l'Infini le tourmente : « Cette lecture transforma mon état d'âme; elle tourna vers vous mes prières, Seigneur : elle rendit tout autres mes vœux et mes désirs. Je ne vis plus soudain que bassesse dans mes vaines espérances, et je convoitai l'immortelle sagesse avec un incroyable élan de cœur. Déjà je commençais à me lever pour revenir à vous... » Tout cela pourtant, restait vide et inefficace : l'*Hortensius* n'était que d'un païen. « Une chose ralentissait un peu cette grande flamme, dit-il : le nom du Christ n'était pas là. Ce nom, suivant le dessein de votre miséricorde, Seigneur, ce nom de mon Sauveur votre Fils, avait été bu tendrement par mon cœur d'enfant avec le lait de ma mère; il y était demeuré au fond; et sans ce nom, nul livre, si littéraire, si élégant, si véridique fût-il, ne pouvait me ravir tout entier. » (*Conf.*, IV, 8.) En de telles dispositions il aborda la Bible, expérience décevante qui ne lui révéla que fables grossières, style incompréhensible et barbare, « indigne d'être comparé à la majesté de Cicéron ».

A ses aspirations idéalistes il crut trouver quelque satisfaction en adhérant au manichéisme. Résolution qui à première vue nous étonne plutôt, nous qui ne voyons maintenant dans pareil système que rêveries orientales agrémentées de fantasmagories. Mais autre chose l'y attirait : d'une part, au point de vue intellectuel, cette attitude rationaliste qui, sans livrer la philosophie au frein de la foi, discutait avec hardiesse les données bibliques, tout en se nuançant d'un christianisme verbal; d'autre part, au point de vue moral, l'austérité apparente et les vertus affectées des initiés, à quoi s'opposait d'ailleurs cette théorie centrale du dualisme qui aboutissait à une négation de la liberté et à une irresponsabilité, favorables aux plus misérables passions. Pour le jeune homme, tel qu'il s'est dépeint lui-même, fier de son talent, ajoutez encore le plaisir de discuter, l'enivrement des succès oratoires, l'orgueil d'opérer des « conversions ». N'allons point croire, d'ailleurs, qu'il soit devenu un fanatique de la secte : ni il n'adhère au manichéisme intégral, ni il ne se range parmi les « élus » voués à une rude ascèse, se contentant de rester un simple « auditeur » qui pense et vit librement.

CHRONOLOGIE DE SAINT AUGUSTIN AVANT SON PONTIFICAT

354. Naissance à Thagaste.
367. Premières études à Madaure.
370. Retour et séjour à Thagaste.
371. Séjour à Carthage comme étudiant.
372. Naissance d'Adéodat.
373. Lecture de l'*Hortensius*.
374. Professeur de grammaire à Thagaste.
375. Professeur d'éloquence à Carthage.
383. Entretiens avec Fauste de Milève.
383. Départ pour Rome.
384. Professeur de rhétorique à Milan.
385. Fiançailles. Nouvelle concubine.
386. Etude des néoplatoniciens.
386 (juillet). La scène du jardin.
386 (fin août), Départ pour Cassiciacum.
387 (24-25 avril). Baptême.
387. Mort de Monique à Ostie. Séjour à Rome.
388. Retour à Thagaste.
391. Ordination.
396. Coadjuteur de Valérius d'Hippone.

Après ses études, dédaigneux du barreau, il devint professeur à Thagaste, puis, durant neuf ans, à Carthage. Deux événements ébranlèrent son âme : d'abord la mort d'un ami très cher baptisé à la dernière heure, choc moral à longue répercussion qui lui dévoila l'abîme de son impuissance; ensuite sa rupture avec le manichéisme dont les fables lui semblaient absurdes, l'exégèse faible, les prétendus ascètes fort immortifiés, les docteurs sans valeur scientifique, ainsi qu'acheva de le lui montrer un dialogue avec Faustus, le grand homme de la secte.

Aussi quand, dégoûté de ses élèves indisciplinés, il quitta Carthage pour Rome, adopta-t-il un scepticisme académique, sorte de désenchantement intellectuel qui le portait à prendre la vérité pour une éternelle fugitive, sans toutefois qu'il pût supprimer en lui le besoin de croire. Il quitta bientôt Rome, où les étudiants avaient la fâcheuse habitude de ne point payer leurs maîtres.

Il vint alors enseigner à Milan. Il y assista aux sermons d'Ambroise chez qui il admira une éloquence douce et persuasive, et aussi cette méthode allégorique et alexandrine d'interpréter l'Écriture qui dissipa ses vieux préjugés sur l'anthropomorphisme et la grossièreté bibliques. Il se considère à nouveau comme catéchumène. Dans son esprit un immense travail de réflexion se produit qui l'amène à admettre un signe manifeste de salut, à savoir l'existence, la diffusion et l'autorité de l'Église. Dès lors, il a retrouvé une mentalité catholique, ce qui n'empêche pas son âme de rester toujours traversée par de tragiques conflits : à quels maîtres se confier? Jusqu'à quel point refréner les appétits de la chair?

Un guide, il crut en trouver quelqu'un dans Plotin, chef de l'école néo-platonicienne, dont il lut les *Ennéades*. Non qu'il y cherchât une croyance nouvelle, mais — par une adaptation de cette philosophie spiritualiste au dogme catholique — la confirmation de sa foi : ainsi reçut-il indirectement des éclaircissements sur plusieurs points importants, sur le Verbe éternel, lien du monde intelligible, sur le mal qui, sans exister en soi comme le veulent les manichéens, n'est que la privation d'un bien, tandis que toute créature est bonne et faite pour la louange. Voilà donc qu'il perçoit des lumières, mais fragmentaires et mêlées d'ombres : ni sur l'Incarnation, ni sur la Rédemption, le néoplatonisme ne lui apprenait rien. Cette philosophie débarrasse son intelligence des ferments manichéens : un antiseptique, mais rien de plus.

Troublante restait la question morale. Monique, qui avait rejoint Augustin, essayait de la résoudre. Certes, on ne peut sous-estimer l'influence de cette sainte veuve sur la conversion de son fils : « Aie confiance, lui avait dit jadis un évêque, il est impossible que l'enfant de telles larmes soit perdu. » Pourtant, il faut reconnaître qu'ici son empressement maternel l'avait amenée à une inefficace démarche. On sait que, pour le fiancer à une jeune fille de sa condition, elle le sépara de la mère d'Adéodat, et comment, par une trop naturelle réplique, il reporta son affection charnelle sur une autre femme. « Ainsi, dit-il, mes péchés se multipliaient. » « C'est la volonté perverse, observe-t-il tristement, qui fait la *libido,* c'est l'asservissement à la *libido* qui fait l'habitude, et c'est la non résistance à l'habitude qui fait la nécessité. » (*Conf.*, VIII, 5.)

Dès lors, la crise se resserre : cruel conflit entre les deux volontés, l'une charnelle et l'autre spirituelle, telles que saint Paul les révèle. Il voit très bien où en venir : se vouer à la virginité, renoncer aux carrières profanes ; au fond, c'est déjà l'idéal monastique à l'horizon. Mais la nature résiste. Il se compare lui-même à un dormeur qui, n'ayant pas le courage de se lever, soupire : « Encore un moment », et ce moment s'éternise. Qui donc l'en tirera? Cette contagion de l'exemple, plus forte que toute théorie. Elle s'insinue d'abord à lui lorsque le prêtre Simplicianus, futur successeur d'Ambroise, évoque à ses regards l'événement du jour, cette conversion publique du rhéteur Victorinus qui, au jour de sa profession de foi, monta sur l'estrade et « articula la formule de vérité avec une si belle assurance que tous auraient voulu l'enlever pour le mettre au fond de leur cœur ». Elle s'impose ensuite lorsque son ami Pontinianus lui révèle tout un idéal monastique vécu : des moniales aux portes mêmes de Milan, les déserts peuplés de communautés, et le spectacle récent de ces deux officiers palatins qui, soudain, à Trèves, après la lecture de la *Vie d'Antoine,* quittèrent le monde et, de concert avec leurs fiancées, consacrèrent à Dieu leur virginité. « Eh ! bien, et nous autres, crie Augustin à Alypius, finissons-en, finissons-en. »

Mais, en un spasme convulsif, les passions se débattent. « Ce qui me retenait, avoue saint Augustin, c'étaient ces misères de misères, ces vanités de vanités, mes anciennes amies, qui me tiraient doucement par mon vêtement de chair, et me murmuraient tout bas : « Est-ce que tu nous renvoies ? Quoi ! Dès ce moment, nous ne serons plus avec toi pour jamais ! et, dès ce moment, ceci et ceci encore ne te sera plus permis, plus jamais ? » Et tout ce qu'elles me suggéraient dans ce que j'appelle « ceci et ceci », ce qu'elles me suggéraient, ô mon Dieu ! Que votre miséricorde l'efface de l'âme de votre serviteur ! Quelles ordures ! Quelles infamies ! Mais il s'en fallait de beaucoup que j'entendisse à moitié leur voix, car elles ne m'abordaient pas en face, comme pour une loyale contradiction : elles chuchotaient dans mon dos, et quand je voulais m'éloigner, elles me tiraillaient furtivement pour me faire tourner la tête. Elles réussissaient à me retarder, car j'hésitais à les repousser, à me débarrasser d'elles pour me rendre où j'étais appelé ; et la toute-puissante habitude me disait : « T'imagines-tu que tu pourras vivre sans elles ? » (*Ibid.*, VIII, 11.) Et, d'autre part, la continence semblait lui dire avec une encourageante ironie : « Quoi ! ne pourras-tu ce qu'ont pu ces enfants, ces femmes? Pourquoi t'appuyer sur toi-même et chanceler? Jette-toi hardiment vers Dieu, n'aie pas peur, il te recevra, il te guérira. »

Poignant réalisme psychologique que la description de ces derniers combats où l'âme voudrait bien, mais sans pouvoir encore tout à fait. Combien, par sa propre expérience, Augustin sera préparé à comprendre, à défendre et presque à sentir cette idée que le premier mouvement bon vient de Dieu seul. Il y a ici avant la lettre, toute une douloureuse réfutation du semi-pélagianisme.

De fait, il n'y manquait plus que le coup de la grâce. C'est la scène du jardin : une voix soudain entendue — voix de garçon ou de jeune fille — lui disant à plusieurs reprises : « Prends! lis! Prends! lis! »; les Épîtres de saint Paul ouvertes alors par hasard sur ce passage où l'Apôtre recommande de ne pas vivre dans les excès et les voluptés, mais de revêtir Jésus-Christ; puis « une lumière de sécurité emplissant son cœur pour y dissiper toutes les ténèbres de son incertitude » (*Ibid.*, VIII, 12). Voilà le fardeau devenu léger, une joie d'enfant en place du tragique duel. *O Domine, ego servus tuus et filius ancillae tuae*[1].

Après une retraite dans la villa de Cassiciacum près de Milan, Augustin fut baptisé par saint Ambroise à Pâques 387. Résolu à se retirer en Afrique pour y mener la vie monastique, il avait averti les familles qu'elles eussent à se pourvoir d'un autre « brocanteur de paroles ». A Ostie, il perdit sa mère après une commune extase où « tandis qu'ils parlaient de la sagesse, ils y touchèrent un moment par un suprême élan de leurs cœurs » (*Conf.*, IX, 24). A Thagaste, il se dépouilla de ses biens et Dieu lui ravit son fils Adéodat. C'était la pauvreté absolue, celle de la vie monastique, qu'il mena avec quelques amis dans l'oraison et l'étude de l'Écriture.

Un jour qu'il priait dans l'église d'Hippone, le peuple s'écria soudain : « Augustin prêtre! Augustin prêtre! » Plébiscite populaire, semblable à celui qui, jadis à Barcelone, avait contraint Paulin à se laisser consacrer. Augustin se cramponna toutefois à la vie religieuse, et fonda un second monastère dans les dépendances de l'église de Thagaste. De pair, il menait le ministère sacerdotal, s'adonnant à la prédication, combattant les hérétiques, surtout les manichéens.

Bientôt, le vieil évêque Valerius d'Hippone voulut, malgré lui, se l'adjoindre comme coadjuteur : il fut sacré en 395 ou 396. Son palais devint, lui aussi, un monastère où, vivant la vie commune, les clercs s'engagèrent à observer la pauvreté. Cette maison épiscopale devint

1. Pourtant d'aucuns — tels Harnack, Boissier et Alfaric — ont nié le caractère définitivement chrétien de cette conversion. D'après eux, Augustin se serait tourné seulement alors vers la vie de la sagesse, vers le néoplatonisme. Ils allèguent qu'à Cassiciacum où Augustin se retira avec sa mère et quelques amis, les conversations échangées roulèrent surtout sur la philosophie. Ils objectent que les *Dialogues* composés alors ne révèlent pas une mentalité chrétienne. Retraite à la campagne, telle que l'avait vécue Cicéron à Tusculum et où l'on causait rhétorique, grammaire et philosophie. Entre ces entretiens et le récit tout brûlant de repentir et d'amour, n'y a-t-il pas un abîme? Ce n'est qu'à l'analyse et en louant Dieu de toutes choses qu'Augustin aurait donné à la scène du jardin une importance exagérée et décisive; en réalité, sa véritable conversion chrétienne ne se serait achevée que plus tard avec la rédaction des *Confessions*. Thèse subtile qui infirme le récit d'Augustin comme si lui-même avait déplacé inconsciemment « les pierres de la mosaïque ». Bref, là où il dit conversion, la critique moderne répond évolution.

Nul doute qu'il faille donner raison à Augustin. Sans doute vit-il à Cassiciacum en philosophe qui développe avec ses amis les thèmes préférés : ainsi, la vérité et la certitude dans le *Contra Academicos*, l'ordre providentiel du monde et le problème du mal dans le *de Ordine*, Dieu et l'âme dans les *Soliloquia* et le *de Immortalite animae*. Cependant, même à travers ces œuvres philosophiques, le chrétien transparaît : qu'on lise plutôt la prière qu'il adresse à Dieu chaque jour. Au surplus, comment admettre que cette crise d'âme inouïe et cette scène du jardin n'aient abouti qu'à un recueillement de philosophe, que le baptême reçu bientôt à Pâques 387 n'ait été qu'une cérémonie incomprise et sans portée, et encore que les apologies composées dès 388 — le *de Moribus Ecclesiae catholicae* par exemple — ne soient pas d'une plume toute chrétienne? Certes, le philosophe n'était pas mort et, grâce à Dieu, il ne mourrait pas de si tôt, mais le chrétien vivait aussi, tout brûlant d'amour, exultant d'action de grâces.

même une pépinière de prélats et d'abbés pour toute la région. Dépouillement extrême, simplicité, charité qui lui faisait construire un xenodochium ou vendre jusqu'aux vases sacrés pour racheter les captifs, zèle sans borne qui le portait à prêcher chaque jour à ses concitoyens, activité dévorante que révèle une correspondance énorme, autant de qualités par où se dévoile le pasteur idéal tout donné à son troupeau. Mais Augustin allait être plus que l'évêque d'Hippone : le pacificateur de l'Église d'Afrique et le grand docteur de l'Occident.

II. L'influence d'Augustin. — D'où lui vient cette prodigieuse influence? Intelligence d'élite, Augustin veut sans doute adhérer à sa foi, mais aussi la connaître. Non pas qu'il ait quelque confiance en ses propres forces. Son humilité intellectuelle est émouvante : « Comprenez bien que vous ne comprenez pas, répétait-il souvent; car, sans cela, vous ne comprendrez rien. » Aussi base-t-il toute connaissance sur l'autorité : Écriture, Tradition, Église. Pour lui, selon la formule de M. E. Gilson, « la vraie philosophie débute par un acte d'adhésion à l'ordre surnaturel qui libère la volonté de la chair par la grâce et la pensée du scepticisme par la Révélation ». Il n'en veut pas moins éclairer son christianisme à la lumière néo-platonicienne, de même que plus tard saint Thomas à celle de l'aristotélisme. A condition toutefois que la philosophie reste servante et la théologie maîtresse. La clef de voûte sera l'idée de Dieu à quoi se subordonnent le monde et l'âme humaine : ainsi verra-t-on Augustin déployer dans le *de Trinitate* une ingéniosité subtile pour interpréter psychologiquement le mystère divin, grâce à la comparaison des opérations de l'âme.

Tout cela n'expliquerait pas encore pourquoi Augustin fut un des plus grands séducteurs d'âmes qui ait jamais existé. Mais cette vérité cherchée est aussi aimée. Tandis que les néo-platoniciens s'arrêtaient à un intellectualisme impassible, lui, 'ette les idées dans son cœur et son cœur en Dieu. Ni spéculation abstraite abordable aux seuls initiés, ni piétisme inconsistant sans fondement thélogique, mais un mysticisme ardent basé sur un dogmatisme ferme et précis. Hors de là tout est vain. « Que désires-tu connaître? — Dieu et l'âme. — Rien de plus? — Non, absolument rien » (*Sol.*, I, 2). Peut-être l'œuvre de saint Augustin nous paraîtrait-elle plus ou moins rebutante — car il faut compter avec des longueurs, des répétitions, et aussi une évolution de la pensée très délicate à schématiser —, mais il y a ces cris de l'âme qui vous jettent soudain, comme malgré vous, non pas seulement dans la méditation, mais dans la contemplation. Pour ces minutes de Paradis, que ne donnerait-on pas? Qui y a passé, veut encore y goûter. Aussi Mgr Duchesne a-t-il écrit sincèrement : « Sur telle de ses pages il tombera toujours des larmes. »

Pareil amour de la vérité explique aussi la robustesse intellectuelle d'Augustin. Le prodige est qu'il suffise à tant de tâches. Qu'on dresse un tableau synchronique de ses œuvres, et on sera émerveillé de la variété des buts tout ensemble poursuivis. Dans le même temps, par exemple, où il achève son ouvrage contre le manichéen Faustus, il termine ses *Confessions,* travaille à son grand traité *de Trinitate* et donne encore du temps à la controverse donatiste, qui est pour lui, selon la jolie expression de Mgr Batiffol, « une sorte d'alerte quotidienne ». « Je n'avais pas fini les livres *de Trinitate* et les livres *de Genesi ad litteram,* dit-il lui-même, lorsque tomba sur moi (*irruit*) la tâche de répondre à la lettre de Petilianus le Donatiste contre la *Catholica,* tâche que je ne pus différer » (*Retract.*, II, 25). Un trait dominant chez Augustin, c'est donc l'énergie de la volonté, la suite dans les idées, la résolution tenace d'arriver coûte que coûte à ses fins. Notons d'ailleurs, qu'il n'est parvenu que par étapes à la précision de chaque vérité. D'où la nécessité d'étudier ses œuvres dans l'ordre historique, sous peine de trahir sa pensée, ce qui n'est arrivé que trop souvent, des semi-pélagiens à nos modernistes en passant par les luthériens et les jansénistes.

III. La lutte contre le manichéisme. — Ses premiers adversaires furent ceux-là mêmes qui, les premiers, l'avaient séduit. Contre les manichéens, une législation très rigoureuse s'était acharnée : ainsi, dès 382, un édit de Théodose institua-t-il à leur endroit le régime de la délation. C'est que dans leurs conventicules secrets ils se livraient, disait-on, à d'abominables pratiques rituelles. Quand, au début du ve siècle, chassés de Milan et de Rome, ceux d'Italie vinrent en Afrique, on les poursuivit impitoyablement. Les rétractants devaient signaler leurs coreligionnaires sous peine de voir annuler l'indulgence à eux accordée. Voici un exemple de ces dénonciations forcées : « Moi, Félix, converti du manichéisme, j'ai dit, en prenant Dieu à témoin, que je déclarais toute la vérité quand j'ai affirmé que je connais pour manichéens dans la contrée de Césarée, Marie et Lampadie, femme de l'orfèvre Mercure, avec lesquels nous avons prié, l'élu Eucharisté, Césarée et Lucile, sa fille, etc... Si l'on trouve que j'en sais davantage, je me reconnais coupable. »

Comme toujours, cependant, il y avait assez loin de la teneur des lois à la répression réelle : vers l'an 400, celle-ci n'était ni universelle, ni implacable puisque des manichéens notables pouvaient argumenter en public contre des catholiques. Augustin aborda cette lutte avec un sentiment de paternelle pitié : « Que ceux-là se déclarent contre vous, disait-il, qui ne savent pas au prix de quelle peine on conquiert la vérité. Pour moi, je dois avoir avec vous la même patience que m'ont témoignée mes frères lorsque j'errais, aveugle et plein de rage, dans vos doctrines. » Son premier soin fut de démasquer l'hypocrisie morale de la secte, en soulignant quelle différence existait entre les mœurs de ses prétendus élus et celles des vrais chrétiens : antithèse que fait ressortir surtout le *de Moribus*. A divers docteurs manichéens il opposa aussi des réfutations personnelles : ainsi à Adamantius, à Secundinus, et surtout à Faustus de Milève, sophiste audacieux, dont la critique biblique était presque d'un moderne, mais qui, derrière sa faconde, cachait une intelligence assez superficielle. Augustin le réfuta dans un gros traité de 33 livres.

Il employa aussi les conférences contradictoires, où excellaient son génie oratoire et son talent de discussion courtoise, apte à acculer son adversaire en y mettant les formes. En 392, à Hippone, dans les thermes dits de Sossius, il confondit un des chefs de la secte, Fortunatus, qui n'eut d'autre ressource que de déclarer qu'il allait communiquer les objections d'Augustin à ses supérieurs. En 404, nouveau colloque avec un autre manichéen qui, plus loyal, s'avoua vaincu et embrassa sur-le-champ le catholicisme : conversion au retentissement immense et fort dommageable à la secte.

Tout ce grand effort apologétique erre à travers un imbroglio d'arguties, d'objections toujours insidieuses et souvent puériles; pour en rendre la lecture supportable, il y faudrait la verve des *Provinciales*. Pourtant, remarque M. P. de Labriolle, « naturellement soucieux d'approfondir, Augustin ne se contenta pas de réfuter les théories manichéennes. Il tira de ces débats des conclusions positives, d'ordre philosophique et théologique, sur les rapports de la science et de la foi, sur l'origine et la nature du mal, sur le libre arbitre, sur l'économie de la Révélation, manifestée soit dans l'Ancien, soit dans le Nouveau Testament ».

Lors de l'invasion vandale en Afrique, les sectateurs manichéens reflueront vers l'Italie, où ils iront grossir la communauté de Rome. Averti des infamies qui se commettaient dans leurs conventicules, le pape saint Léon les signalera à la police, qui arrêtera tous les « élus », y compris les évêques. Après leurs aveux significatifs, Léon fera un discours qui achèvera d'édifier le peuple sur la valeur morale de la secte.

IV. La victoire sur le donatisme. — Le donatisme vivait toujours. Après l'édit d'union de 347, édicté par Constant, l'Église d'Afrique avait traversé quatorze années de trêve religieuse, que rompit l'avènement de Julien. Rappel des exilés, liberté du culte pour ces schismatiques et restitution de leurs basiliques, autant de mesures qui rallumèrent la guerre civile. Partout deux partis, et souvent deux évêques en présence. Assoiffés de vengeance, les donatistes occasionnent des bagarres, et parfois des prélats prennent d'assaut les basiliques, tels Félix de Zabi et Januarius de Flumenpiscensis celle de Lemellef en Sitifienne; ou bien encore ils attaquent des villes avec leurs bandes, ainsi Urbanus de Formae et Félix d'Idiera, celle de Tipasa en Mauritanie Césarienne. Saint Optat nous a décrit ces scènes atroces et fratricides, les hommes mis en pièces, les matrones violées ou contraintes à avorter, les enfants tués, le saint chrême jeté par la fenêtre et l'eucharistie livrée aux chiens, les baptêmes, ordinations et consécrations de vierges réitérés, l'insolence et la niaiserie poussées jusqu'à laver avec de l'eau salée les murs des sanctuaires contaminés par les catholiques, les cimetières même confisqués, bref, tous les procédés des circoncellions remis en honneur.

Contenu plus ou moins par Valentinien, cet état anarchique reprend de plus belle lorsqu'en 371 se soulève le chef mauritanien Firmus, une sorte d'Abd-el-Kader, entraînant après lui tous les mécontents qu'excitent, avec le souvenir des anciennes rigueurs, l'éternelle revendication de la race, et les passions religieuses des donatistes. Entre tous se signala Optatus, l'évêque de Thamugadi, au nord de l'Aurès, surnommé « le prélat brigand »; bien que rallié à l'Empire, il parcourait la Numidie avec ses bandes armées, étendant la terreur de son nom jusqu'au fond de la Mauritanie. Sans doute le pouvoir tint-il rigueur aux schismatiques d'avoir trempé dans la révolte : par les édits de 373 et 377, Valentinien, puis Gratien visèrent les rebaptisants; mais les donatistes restèrent sur les positions conquises, en possession de nombreuses basiliques.

Avec cette offensive brutale, une autre, littéraire, s'était conjuguée. Au primat de Carthage, Donat le Grand, mort vers 355, les schismatiques avaient fait succéder Parménien. Sans tremper dans les violences, il entama aussitôt une guerre de plume. Tandis que Donat avait arboré une éloquence de tribun, où abondaient déclamations violentes et rodomontades, Parménien — qui n'était pas africain d'origine, mais gaulois ou espagnol — discutait sans éclats, affectant dans la polémique un ton conciliant et modéré, avec quelques échappées belliqueuses comme pour donner satisfaction aux énergumènes de son entourage. Au demeurant, homme pratique, politique avisé, bien capable de relever le parti.

Mais la littérature donatiste était vouée à tourner autour des mêmes thèmes : celui-ci — toujours défendu et pourtant burlesque — que la petite église dissidente est catholique à l'exclusion du reste des mortels; cet autre, repris de Cyprien, que personne ne peut donner ce qu'il ne possède pas, et donc que tout baptême conféré en dehors de l'Église donatiste reste nul et doit être renouvelé; enfin ce troisième sujet, tout apologétique, que les donatistes sont des innocents persécutés par les catholiques, et qu'ils ont pour eux la sainteté rouge. Au total, prose de sectaires basée sur des sophismes et sur des mensonges historiques.

Enfin, un africain se trouva pour donner la réplique. Saint Optat, évêque de Milève, écrivit vers 366 un traité intitulé *Contra Parmenianum*, alias *de Schismate donatistarum*, où il réfutait avec l'œuvre de Parménien toute l'apologétique donatiste.

Au point de vue historique, Optat prouve, pièces en mains, dans son premier livre, que les origines du schisme ne se justifient pas, que ses auteurs furent traditeurs, que Cécilien ne le fut pas, et donc que toute l'argumentation donatiste retombe sur ses propres bâtisseurs. Une autre question, chère à Parménien, était celle des rigueurs exercées contre les dissidents; il avait rédigé une sorte de réquisitoire contre la *persécution macarienne* et contre l'Église, qui l'aurait requise de l'État : « *Quid christianis cum regibus, aut quid episcopis cum palatio?* » Dans son troisième livre, Optat réplique que les donatistes ont recouru les premiers à l'intervention de l'État, et que celui-ci n'a d'ailleurs sévi que pour réprimer les violences des bandes fanatiques. Où les donatistes voient des martyrs, il n'y a donc que brigands, révoltés, condamnés de droit commun. Nul catholique, au surplus, pour avoir participé à ces répressions : « Qui d'entre nous a jamais persécuté personne? » Par contre, le livre sixième d'Optat montrera, en un récit palpitant et indigné, l'horreur des attentats commis par les donatistes, surtout depuis leur retour sous Julien l'Apostat. Toute cette partie historique repose sur un dossier considérable, incomplet sans doute pour l'époque du schisme, mais abondant pour la période suivante, comprenant non seulement tout un ensemble de pièces capitales, édits impériaux, lettres de gouverneurs, mandements des évêques donatistes, actes des conciles, etc..., mais encore maints témoignages oraux ou souvenirs personnels. Documentation considérable dont les travaux de Mgr Duchesne et de M. Monceaux ont mis en lumière la haute valeur, et où Optat apparaît vraiment comme le précurseur d'Augustin lui-même.

La réfutation théologique n'est pas moins vigoureuse. Dans son livre cinquième, Optat s'inscrit contre le principe de la rebaptisation soutenu par Parménien; il défend cette doctrine catholique, d'après quoi la validité baptismale dépend de la formule trinitaire employée, et non pas du ministre : ainsi d'un fabricant de pourpre qui, sans produire lui-même la précieuse liqueur, doit l'emprunter aux coquillages marins. Optat met aussi en vive lumière les notes de la véritable Église : d'une part, l'universelle diffusion, la catholicité géographique, résultat providentiel auquel la petite Église donatiste africaine ne peut prétendre; d'autre part, la primauté romaine acceptée partout selon la volonté du Sauveur.

Toute cette controverse est menée d'une manière conciliante qui contraste avec le ton toujours passionné et souvent injurieux de la polémique donatiste. Souligner les points communs aux deux partis, rappeler qu'il n'existe entre eux aucune divergence doctrinale profonde, qu'ils possèdent même baptême et mêmes Écritures, insister sur la nécessité d'une complète réconciliation et multiplier à tout propos les appels à la concorde, voilà les procédés nouveaux d'une apologétique moins appliquée à confondre qu'à ramener, et dont l'espérance est de rallier les âmes. Avec cela, les qualités d'un lettré : entente réelle de la composition et juste proportion des parties, précision des termes, aisance et clarté de la phrase, verve spirituelle et ironique sans âpreté ni colère; au demeurant quelque afféterie et quelque emphase. Somme toute, un apôtre doublé d'un styliste. Mais qu'importait aux donatistes?

Saint Optat. — *SOURCES : P. L.*, XI. — *C. V.*, XXVI. — *TRAVAUX :* P. Monceaux, * *Hist. litt. Afrique chrétienne,* t. V. *Saint Optat et les premiers écrivains donatistes.* — P. Batiffol, * *Le catholicisme de saint Augustin,* p. 86-108.

Parmi eux, toutefois, quelqu'un vint en renfort aux catholiques. Laïque, homme d'étude au franc parler, Tyconius prétendait dire tout ce qu'il pensait, et ne se refusait pas à croire que ses adversaires eussent raison parfois; il lui plaisait même — bravant le sectarisme des siens — de souligner le bien-fondé de certaines thèses catholiques. Contre les prétentions donatistes au monopole de la sainteté, il admet avec Optat la catholicité géographique qu'évoque la parabole évangélique où le bon grain se mêle à l'ivraie. Il ose ainsi toucher aux dogmes donatistes dans son *de Bello intestino* et dans ses *Expositiones diversarum causarum*. D'où sa réfutation par le primat Parménien, puis sa condamnation par un conciliabule. Réfugié dans l'étude des Écritures, Tyconius composa un *Liber Regularum*, sorte de manuel d'exégèse, puis un commentaire de l'Apocalypse, resté classique jusqu'à la Renaissance. Singulière figure, honnête, franche, sans parti pris, égarée parmi des fanatiques, qui s'en voit reniée, et qui pourtant ne rallie point le catholicisme, tels au XIXe siècle ces ritualistes qui à vrai dire ne sont plus anglicans, et qui pourtant ne veulent pas être romains.

Vers la fin du IVe siècle, le donastisme allait connaître des dissensions intestines autrement redoutables. En 391, à la mort de Parménien, Primianus lui succéda, homme maladroit, brouillon et violent qui eut tôt fait de semer la zizanie. Les dissidents se groupèrent autour du diacre Maximianus, personnage très estimé, d'une réelle éloquence, ayant l'oreille des dévotes, et par surcroît apparenté au grand ancêtre Donat. Primianus crut l'emporter en excommuniant son adversaire, et cela sans même l'avoir convoqué. De là un mouvement étendu de protestation qui aboutit à un concile où 43 évêques appelants entamèrent le procès de Primianus. En retour, nouvelles rigueurs de celui-ci intentant une action contre Maximianus pour se faire restituer une maison. Seconde assemblée des évêques opposants qui, réunis à Cabassussa au nombre d'une centaine, prononcent la déposition de Primianus et élisent son adversaire (24 juin 393). Enfin, réplique des Primianistes qui à Bagaï condamnent Maximianus en une célèbre et farouche sentence, toute encombrée de phraséologie biblique et de métaphores haineuses. De 395 à 397, ils visent en d'innombrables procès à récupérer les basiliques accaparées par les évêques maximianistes. Les restitutions étant trop lentes à leur gré, on les vit parfois se faire prompte et roide justice : ainsi à Membressa où Salvius, l'un des consécrateurs de Maximianus, dut se laisser attacher au cou des chiens morts, puis danser ainsi affublé, tandis que ses adversaires se livraient autour de lui à une sarabande et hurlaient des chansons obscènes. Parmi cette agitation forcenée, le fameux Optat de Thamugadi multipliait les scènes de brigandage, terrorisant à la fois maximianistes et catholiques, tant qu'enfin il périt dans la révolte organisée contre Rome par son protecteur, le chef indigène Gildon. Quelques mois après, la lutte aboutissait à la victoire définitive des Primianistes qui vers 396-97, à Constantine et à Milève, réglèrent les conditions de pardon pour leurs adversaires.

Ce schisme, qui avait affaibli les donatistes, fournissait aux catholiques des arguments irréfutables : ainsi, quand les primianistes en appelaient aux tribunaux pour les basiliques, qu'était-ce là sinon ce même recours au bras séculier tant reproché aux fidèles romains? De même, quand, réconciliant leurs adversaires maximianistes, ils déclaraient valables les baptêmes par eux conférés, ne reniaient-ils point leur propre intransigeance sacramentaire? Au surplus, toute cette histoire renouvelait celle même du donatisme à ses débuts : mêmes discordes et intrigues, Maximianus faisant pendant à Majorinus, et à côté de lui une riche et dévote intrigante évoquant Lucilla. Fût-ce en Afrique, le ridicule anémie un parti. De

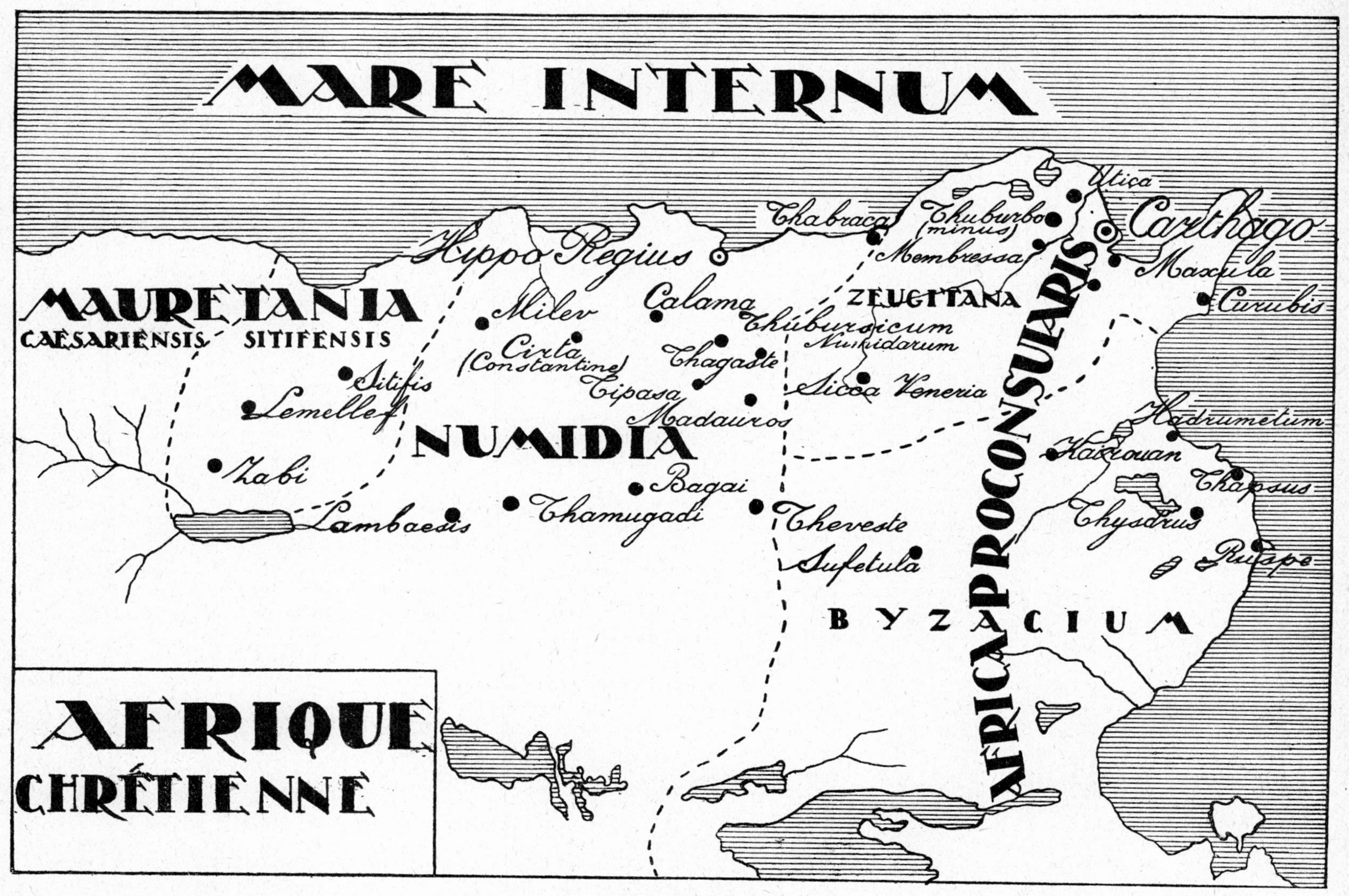

AFRIQUE CHRÉTIENNE.

cette crise, le donatisme sortait déconsidéré. Telles étaient pourtant ses attaches profondes dans le sol indigène qu'il allait survivre encore pendant des années.

Crise d'autant plus sensible qu'elle coïncidait avec un regroupement des forces catholiques. Deux hommes apparaissent alors pour diriger la lutte. Au doux Genethlius succède sur le siège primatial de Carthage Aurélius, homme à la politique simple et nette, très modéré dans le langage, fort conciliant pour les personnes, mais aussi très ferme sur les principes et très énergique dans l'action, bref une vraie trempe de chef. A ses côtés se range Augustin qui par ses conférences contradictoires, ses écrits, son action directe sera le vrai marteau des dissidents. Toutes les armes qu'avait brandies Optat, il va les perfectionner : complétant le dossier historique sur les origines donatistes, et par ailleurs définissant d'une manière quasi définitive les notes ou caractères de la véritable église, en particulier cette catholicité, si étrangère à un schisme local, et qui doit s'entendre d'une manière géographique puisque hors de l'Église ni effusion du Saint-Esprit, ni salut. Une telle idée, Augustin la soulignera surtout dans son long traité *Contra Epistolam Parmenii* où, avec Tyconius, il soutient que l'Église est ici-bas un corps mixte, et qu'elle doit apparaître universelle. Dans le *de Baptismo* il s'inscrira contre les réitérations sacramentaires : baptême d'hérétique, baptême inefficace sans doute puisque la grâce est momentanément arrêtée par l'absence des dispositions morales requises, et toutefois baptême valide qui imprime un caractère. Cette doctrine sera reprise par Augustin dans ses polémiques avec le principal défenseur du donatisme, Pétilien de Cirta, que soutenait Cresconius, avocat dans la même ville : d'où le *Contra litteras Petiliani*, le *Contra Cresconium* et le *De uno baptismate* [1].

En cette fin du IVe siècle, on mettait son espoir dans une politique de conciliation. Elle s'affirma au concile d'Hippone en 393, à ceux de Carthage en 397 et 401, où prévalurent des mesures pacificatrices : ni rebaptisation, ni réordination des convertis, maintien dans leurs fonctions des clercs donatistes qui n'auraient pas rebaptisé, et de ceux qui ramèneraient avec eux leur peuple. Conscient de ses erreurs passées, hostile par charité aux mesures violentes, Augustin était bien l'homme d'une telle politique. Il multiplie ses avances, soit dans les sermons prononcés à Hippone, à Carthage et ailleurs, soit dans sa vaste correspondance avec des évêques, clercs ou laïques dissidents, soit encore — procédé qui avait toutes ses préférences, et qui amènera un jour la victoire — en provoquant ses adversaires à des colloques contradictoires, où un auditoire fébrile interrompait souvent par ses trépignements, ses acclamations ou ses huées. Ainsi Augustin put-il en 397-98 se mesurer à Thubursicum Numidarum d'abord avec un groupe de donatistes modérés, puis avec l'évêque Fortunius.

Par une initiative hardie, le concile carthaginois de 401 esquissa même un large plan d'offensive pacifique, d'après quoi une députation épiscopale serait envoyée aux dissidents, pour dissiper leurs préjugés et souligner tout particulièrement dans quelle inconséquence

1. Pendant son sacerdoce, Augustin avait déjà écrit pour les masses populaires un *Psaume abécédaire*. Chacune des strophes qui le composent débutait par une lettre choisie dans l'ordre alphabétique et se terminait par le refrain suivant : *Omnes qui gaudetis pace, modo verum judicate*. Sous une forme très simple Augustin y retraçait les origines ruineuses du donatisme, flétrissait ses pratiques, et à la fin, en une prosopopée mettait sur les lèvres de l'Eglise des objurgations pathétiques pour ramener les dissidents :

Ego Catholica dicor, et vos de Donati parte,
Vos me quare dimisistis, et crucior de vestra morte?

« Fixité du nombre des syllabes, césure immuable, rime ou assonance, hémistiches égaux avec deux accents fixes, ces éléments fondamentaux du vers roman se retrouvent, dit M. P. de Labriolle, dans le *Psaume abécédaire*, d'où Augustin avait exclu à dessein toute prosodie traditionnelle. »

avec leurs propres principes s'étaient mis les Primianistes. En ce pays de *latifundia*, la propagande catholique était d'ailleurs favorisée par les grands propriétaires, qui travaillaient eux-mêmes à convertir leurs colons. En 403, nouvel effort au concile de Carthage qui prône un essai de rapprochement des deux épiscopats : dans chaque ville, le prélat catholique

Écrits polémiques de saint Augustin (388-418).

DATES	CONTRE LES MANICHÉENS	DATES	CONTRE LES DONATISTES	DATES	CONTRE LES PÉLAGIENS
388-89	De moribus eccl. cathol. et de moribus Manichaeorum.				
388-90	De Genesi c. Manichaeos l. II				
388-95	De libero arbitrio l. III.				
391-92	De duabus animabus				
392	Contra Fortunatum disputatio.				
		393-94	Psalmus abecedarius c. partem Donati.		
394-95	Contra Adimantum.				
396-97	Contra epistulam Fundamenti l. I.				
400	Contra Faustum Manichaeum l. XXXIII.	400	Contra epistulam Parmeniani l. III.		
		401-03	Contra litteras Petiliani l. III		
		401	De Unitate Ecclesiae.		
404	De actis cum Felice manichaeo l. II.				
405	De natura boni.				
405-06	Contra Secundinum Manichaeum				
		406-07	Contra Cresconium l. IV.		
		410	De unico baptismo c. Petilianum.		
		411	Breviculus conlationis cum Donatistis.		
		412	Contra partem Donati post gesta.	412	De peccatorum meritis et remissione et de baptismo parvulorum l. III.
				412	De spiritu et littera.
				415	De natura et gratia.
				415	De perfectione justitiae hominis.
		418	Sermo ad Caesariensis ecclesiae plebem gesta cum Emerito.	417	De gestis Pelagii ad Aurelium.
				418	De gratia Dei et de peccato originali l. II.

NOTA : Paraissent ensuite contre Julien d'Eclane : *De nuptiis et concupiscentia* l II (419-20); *De natura et origine animae* l. IV (419); *Contra duas epitulas Pelagian. ad Bonifacium* (420); *Contra Julianum haeresis pelagianae defensorem* l. VI (421). Puis, contre les semi-pélagiens : *De gratia et libero arbitrio* l. I (426-27); *De correptione et gratia* (426-27); *De Praedestinatione sanctorum* (428-29); *De dono perseverantiae* (428-29). Enfin le dernier ouvrage contre Julien d'Eclane : *Opus imperfectum contra Julianum* (429-30).

négocierait avec le donatiste pour préparer une conférence générale entre les deux partis. « Vous êtes nos frères, disait l'invitation. Vous ne devez donc pas mépriser notre démarche charitable, et si vous estimez posséder quelque vérité, n'hésitez pas à la produire. »

A ces procédés de douceur les donatistes ne répondirent que par la mauvaise volonté et la violence. Aux offres de conférences contradictoires ils se dérobaient, alléguant en toute insolence que les « fils des martyrs » ne pouvaient se commettre avec « la race des traditeurs ». Ils multipliaient d'ailleurs les acte s du plus haineux sectarisme : un donatiste se ralliait-il au catholicisme comme Rogatus à Assuras, les circoncellions le surprenaient, lui coupaient la langue et une main. Les évêques catholiques subissaient des sévices terribles, tel Maximianus de Bagaï, criblé de blessures et précipité du sommet d'une tour, tel encore Possidius de Calama, ami de saint Augustin; et c'est miracle si celui-ci échappa aux sicaires qui le traquaient comme une bête fauve.

Devant pareils procédés l'épiscopat africain dut changer d'attitude. Contre la force bruale, nul autre recours qu'à l'Etat. Des ordonnances antidonatistes existaient déjà : une loi de Théodose privant les hérétiques de la faculté de tester, une autre imposant de dix livres d'or les dissidents qui procèderaient à des ordinations, et les clercs par eux consacrés, tandis qu'elle attribuait au fisc l'immeuble où le rite aurait été conféré. Mais, par un parti pris miséricordieux auquel ils croyaient une valeur apologétique, les évêques catholiques n'avaient jamais réclamé qu'on appliquât pareille législation. « Les lois ne manquaient pas, dira Augustin; mais, elles étaient comme si elles eussent manqué; elles dormaient entre nos mains. » Aussi les donatistes pouvaient-ils ouvertement posséder des basiliques et exercer leur ministère. Dès 404, un synode de Carthage avait porté plainte auprès d'Honorius, réclamant la protection impériale pour les catholiques, et l'application aux donatistes de la législation existante. L'intervention de l'évêque de Bagaï, si gravement molesté, amena en 405 la promulgation de toute une législation répressive qui imposait le ralliement aux dissidents, sous peine de fortes amendes pour les fidèles, de l'exil pour les évêques et le clergé.

Appliqué tantôt avec rigueur et tantôt avec indulgence, pareil régime porta des fruits, appréciables surtout dans la Proconsulaire, plus tardifs dans les Mauritanies et surtout dans la Numidie qui serait le dernier refuge des hérétiques. Combien ne restaient attachés au donatisme que par habitude, par tradition de famille, ou par crainte des sévices, et qui se rendaient compte qu'un tel schisme n'avait aucun fondement sérieux. Couverts par la nouvelle législation, ils s'enhardirent jusqu'à l'apostasie. Ces résultats pratiques amenèrent Augustin à admettre qu'il existe en certains cas une « utile terreur », capable de ramener hésitants et timorés, et que l'intervention du bras séculier se justifie alors. Principe raisonnable, appuyé sur ce fait qu'obligé par ses fonctions à réprimer les abus, le pouvoir civil doit pouvoir atteindre le mal social par excellence, infidélité ou hérésie. Principe, pourtant, très délicat à appliquer, et dont le Moyen Age, confiant dans la doctrine d'Augustin, tirera un jour de terribles conséquences; contre quoi, d'ailleurs, par avance il protestait en excluant du droit coercitif la peine capitale. Si l'on considère que, d'une part, les fanatiques continuaient leurs œuvres de sauvagerie, exerçant des sévices sur le clergé catholique, brûlant ou détruisant les églises, à Bagaï, à Sétif, à Constantine, et en maints autres endroits, que, d'autre part, la législation édictée ne fut pas appliquée à la lettre et qu'en particulier le clergé dissident ne fut pas déporté, qu'enfin — même alors — les catholiques, et Augustin en particulier, continuaient à réclamer l'intervention pacifique d'une grande conférence contradictoire, on conclura que la répression légale se justifiait tout autant par son mode d'application que par ses résultats.

En 411, les désirs d'Augustin furent enfin comblés : à la prière des prélats catholiques, Honorius convoqua les deux épiscopats à un colloque que présiderait un commissaire impérial, le tribun Marcellinus, et où la liberté de discussion serait sauvegardée. Les donatistes

PORTRAIT D'HONORIUS.

s'y préparèrent dans l'exaspération, les catholiques dans un esprit tout évangélique. « Et vous, disait Augustin à son peuple quelques jours avant l'ouverture, qu'avez-vous à faire dans cette rencontre? Ce qui produira peut-être les fruits les plus abondants. Nous parlerons, nous disputerons pour vous; vous autres, priez pour nous. Fortifiez vos prières par des jeûnes et des aumônes : ce sont là les ailes par lesquelles la prière s'envole jusqu'à Dieu... »

L'assemblée compta 268 prélats catholiques, 279 donatistes. Chaque parti avait choisi 7 porte-parole ou *actores :* parmi les orthodoxes, on distinguait Aurelius de Carthage, Alypius de Thagaste, Possidius de Calama, Augustin surtout; chez les dissidents, Primianus de Carthage, Gaudentius de Timgad, sectaire forcené, Pétilianus de Cirta, avocat retors. Aux arguments catholiques on ne pouvait guère s'opposer avec quelque chance de succès. Pour ces fanatiques opiniâtres un seul recours, l'obstruction puérile, incessante, prolongée. Pétilianus, devant qui s'effaçait la nullité de Primianus, mena la lutte avec vigueur : multipliant les observations, les interruptions injurieuses, joignant à une violence sectaire toutes les habiletés procédurières. Aussi les deux premières journés furent-elles absorbées par de misérables chicanes. Mais, à la troisième, Augustin put enfin amener l'adversaire sur le véritable terrain. Contre les ridicules prétentions donatistes, la thèse catholique affirmait que l'Église s'étend à tout l'univers, que paille et froment s'y trouvent mélangés, et que, même traditeur, Cécilien n'eût pu la corrompre. Au point de vue historique, les orthodoxes apportaient un dossier considérable et irréfutable. Augustin défendit ses positions avec une lucidité et une vigueur qui en firent le vrai triomphateur de la conférence.

Par un souci de légalité qui enlevait toute échappatoire aux donatistes, Marcellinus patienta jusqu'au bout, tant qu'enfin il put rendre sa sentence. D'ailleurs, elle ne faisait que renouveler les jugements ecclésiastiques portés quelque cent ans plus tôt à Rome et à Arles, ainsi que le verdict de Constantin : pour les dissidents, interdiction de s'assembler, attribution de toutes leurs églises aux catholiques. Les évêques orthodoxes s'étaient déclarés prêts à ouvrir leurs rangs aux clercs schismatiques : ce geste de conciliation fut sanctionné. Honorius aggrava la décision de Marcellinus en édictant pour les réfractaires des amendes considérables, voire la confiscation des biens et l'exil (30 janvier 412).

Une double action fut alors exercée : l'une morale par les évêques qui opérèrent des conversions individuelles; l'autre répressive par les fonctionnaires impériaux, qui veillèrent en particulier à la reprise des basiliques donatistes. Ces commissaires extraordinaires, ces agents d'exécution (*executores*) allaient de diocèse en diocèse, pour aider le clergé au rétablissement de l'unité : parmi eux, Marcellinus, le président de la conférence de 411 et le tribun Dulcitius. Quant aux évêques, ils menaient une active propagande : édition des procès-verbaux de 411 répandue partout, publication par Augustin d'un abrégé des *actes* (*gesta*), très précis, complet et court, le *Breviculus collationis*, rédaction par le concile de Numidie d'une lettre synodale, *Avertissement aux donatistes*, où par l'infatigable plume d'Augustin les conséquences des débats étaient tirées clairement. D'ailleurs, l'évêque d'Hippone multiplie alors les sermons, les lettres; il écrit même d'importants traités : en 412 l'*Ad donatistas post collationem* où il réfute les calomnies des prélats dissidents; puis, cinq ans plus tard, le *de Correctione donatistarum*, où il expose au comte Boniface sa théorie sur la légitimité des lois répressives.

Alors, « de grandes multitudes », des cités entières reviennent au catholicisme. Au surplus, aucune contrainte brutale, nulle application de la partie la plus drastique de l'édit. Un prélat tel qu'Emeritus de Césarée se promène en toute liberté; il argumente publiquement contre Augustin; l'épiscopat donatiste peut même réunir encore un synode vers 418.

Mais, quel synode! Rien que 30 évêques au lieu des 300 que le parti mettait jadis en ligne. Seuls les fanatiques et les fortes têtes tenaient toujours. D'aucuns se suicidaient, croyant acquérir ainsi la gloire du martyre; d'autres ne reculaient ni devant l'incendie, ni devant le meurtre. Brûler les basiliques, tuer évêques et clercs ou leur crever les yeux était pour eux des exploits familiers. Sommé d'évacuer son église, le farouche Gaudentius de

Timgad jura qu'il s'y laisserait plutôt brûler vif avec ses derniers fidèles. Le tribun Dulcitius par une lettre et Augustin dans un traité répondirent à l'énergumène que rien n'était si tragique, et que personne ne voulait sa mort. Telle était bien l'attitude prônée par le grand évêque d'Hippone : contraindre les dissidents à l'unité, mais non pas avec brutalité. Que la main soit de fer, et gantée de velours !

De 412 jusqu'à l'invasion vandale, la législation impériale multiplie ses interventions ; de même, les conciles. Parmi eux, celui de 418 s'efforce de préciser la situation des prélats réconciliés : « Si l'évêque donatiste s'est converti, les deux évêques (lui et le catholique) doivent se partager en deux lots le diocèse, si bien qu'une partie obéisse à l'un, et l'autre partie à l'autre. Le prélat le plus ancien par ordination fera la division, et l'autre optera. » (*Can.*, 10.) Le même concile stimule le zèle des pasteurs catholiques : « Lorsque, dans son Église, l'évêque ne montre aucun zèle contre les hérétiques, ses voisins lui en feront des remontrances. S'il passe six mois sans ramener d'hérétiques, quoique les commissaires impériaux aient été dans sa province, on lui refusera la communion ecclésiastique jusqu'à ce qu'il s'exécute. » (*Can.*, 15.)

Malgré tout, le donatisme survécut. Longtemps encore, il conservera des adeptes, mais non plus un véritable corps d'Église. Son agonie durera deux siècles, se prolongeant surtout dans les régions écartées, en particulier la Mauritanie césarienne ; mais il avait été frappé à mort en 411.

CHAPITRE II

SAINT AUGUSTIN DANS L'ÉGLISE

I. Le pélagianisme. — Originaire de l'île de Bretagne, le moine Pélage se fixa à Rome sous le pontificat d'Anastase (399-401). Il ne tarda pas à fréquenter des personnes très pieuses, clientèle qu'il dirigeait dans les voies d'un ascétisme rigide. Comme à Jérôme, le spectacle lui paraissait révoltant des demi-convertis qui entouraient le sanctuaire, ou même y entraient, sans rien changer à leur vie morale. Par réaction, il érigea en système un moralisme dur et intransigeant, basé sur une conception stoïcienne de la nature humaine. D'après lui, en effet, l'homme, créé libre, possède une pleine vigueur de volonté qui lui permet de choisir toujours ses décisions. Des trois éléments constitutifs de l'acte humain — pouvoir, vouloir et réaliser — le premier seul appartient à Dieu. En effet, si nous créant il nous donne le pouvoir, par contre le vouloir et le faire nous appartiennent comme à celui qui tient le gouvernail. La volonté est une balance bien équilibrée dont le fléau ne peut être infléchi à droite ou à gauche que par la volonté. D'où, pour notre nature, la possibilité absolue de ne point pécher et de s'établir dans cette « apathie » chère aux stoïciens. D'un tel principe Pélage prétendait d'ailleurs trouver la confirmation dans l'histoire : il dressait la liste des justes de l'Ancien Testament et des saints du Nouveau qui, à l'en croire, n'avaient jamais péché.

Une conception si optimiste impliquait d'une part la négation du péché originel — comment l'admettre sans affirmer une nature radicalement viciée et mauvaise, bref le manichéisme? — d'autre part, la négation de la grâce — pourquoi, en effet, un secours divin si notre nature suffit à tout? Sans doute les pélagiens maintiendront-ils une certaine grâce,

Pélagianisme. — *SOURCES :* Les écrits de Pélage, *Commentarium in epistulas sancti Pauli, P. L.*, XXX; *Epistula ad Demedriadem, P. L.*, XXX; *Libellus fidei ad Innocentium, P. L.*, XLV. — Les ouvrages de ceux qui l'ont réfuté, saint Augustin, surtout *P. L.*, XLIV, XLV; Marius Mercator, *Commonitorium; Liber subnotationum in verba Juliani, P. L.*, XLVIII; Saint Jérôme, *Dialogus contra Pelagianos;* Paul Orose, etc... — *TRAVAUX :* F. Woerter, *Der Pelagianismus nach seinem Ursprunge und seiner Lehre*, Fribourg-en-Br., 1866. — F. Klasen, *Die innere Entwicklung des Pelagianismus*, Fribourg-en-Br., 1882. — Jacobi, *Der Lehre des Pelagius*, Leipzig, 1892. — A. Bruchner, *Julian von Eclanum*, Berlin, 1897. — Juengst, *Pelagianismus und Augustinismus*, Giessen, 1901. — Tixeront,* *Hist. des dogmes*, II, pp. 436-513. — Rivière*, *Le dogme de la Rédemption*, 1905. — Batiffol,* *Le catholicisme de saint Augustin*, II. — J. Forget, art. *Julien d'Eclane*, dans *Dict. Théol.*

mais entendue *in lato sensu* et tout extérieure : ainsi les dons naturels, l'Ancienne Loi, les enseignements évangéliques.

On voit quelles erreurs impliquait ce système naturaliste. Au point de vue dogmatique, le christianisme se trouvait vidé de tout surnaturel ; Jésus était venu nous offrir un bel exemple, rien de plus ; la Rédemption n'avait plus aucun sens, l'effusion du sang divin devenait inutile. La religion se confinait à un pur moralisme, mais d'autant plus exigeant qu'il se suffisait à lui-même. Pareille robustesse impliquait la sainteté : puisque nous pouvions toujours faire le bien, nous le devions toujours aussi, et le moindre péché nous déroberait le ciel. Plus de distinction entre conseils et préceptes : ainsi les riches devaient-ils quitter leurs biens sous peine d'être damnés. Ce que l'encratisme n'avait prescrit que par excès de zèle, le pélagianisme l'exigeait au nom d'un principe impérieux.

Pareil système se heurtait sur deux points essentiels aux habitudes chrétiennes. Il niait pratiquement l'utilité de l'oraison : car si nous pouvons nous sauver tout seuls, à quoi bon prier ? Tout au plus, prononcerions-nous la supplique du pharisien, celle que Pélage recommandait à ses dirigées, et dont Jérôme et Augustin nous ont conservé la formule : « Vous savez, Seigneur, combien saintes, combien innocentes, combien pures et exemptes de toute fraude, de toute injustice et de tout mal sont les mains que j'élève vers vous. » D'autre part, pourquoi baptiser les enfants s'ils naissent innocents ?

En résumé, dans l'affaire du salut, tout était nôtre : nous naissions en pleine intégrité, nous gagnions notre éternité à la force du poignet. Dieu n'intervenait que comme un guide pour indiquer la route, puis comme un débiteur qui proportionne strictement le salaire au mérite : système froid et orgueilleux, stoïcisme à peine teinté de christianisme, où la Rédemption n'a plus de sens ni d'utilité, puisque le Verbe incarné ne nous rachète pas, ne nous vivifie pas.

Contre un naturalisme si hautain, Augustin devait se révolter, lui qui, de sa jeunesse troublée, gardait le sentiment que la volonté est débile, l'impression que la vie est « une longue suite de tentations », et que, pour s'y opposer, l'aide surnaturelle reste à chaque instant nécessaire. A ses yeux, le pélagianisme ne pouvait être qu'un contresens psychologique formel et une monstrueuse doctrine érigée par l'orgueil humain prétendant se passer de Dieu. A Rome même, il y eut comme une escarmouche préliminaire. Vers 405, Pélage s'indigna qu'on lût cette prière dans les *Confessions :* « Vous avez commandé la continence, donnez ce que vous commandez, et commandez ce que vous voulez. » *Da quod jubes, et jube quod vis.* « Pourquoi, objectait Pélage, demander ce qu'on possède déjà ? Il s'agit seulement d'utiliser le pouvoir que Dieu nous a donné par nature. »

Cependant, les deux hommes n'eurent point l'occasion de s'affronter. Sans doute, fuyant les hordes d'Alaric, Pélage passa-t-il par l'Afrique, mais sans y résider. Par contre, son disciple Célestius se fixait à Carthage. Ainsi l'invasion barbare aidait-elle indirectement à la propagation de cette hérésie qui, par sa rigidité, était propre à séduire les âmes élevées, éprises d'une vertu héroïque. « Pélage, dit très bien Mgr Duchesne, doit être considéré comme le représentant d'une tendance, beaucoup plus que comme un initiateur. »

Pour la première fois, l'erreur est attaquée par le diacre Paulin, futur biographe de saint Ambroise, et qui administrait en Afrique les propriétés de l'Église de Milan. Comme Célestius intriguait pour obtenir la prêtrise, il dénonça sa doctrine condensée en six propositions. Négation du péché, intégrité de la nature humaine, inexistence de la grâce efficace, tels étaient les points incriminés. La sixième proposition les condensait en une formule d'un naturalisme absolu : « Le genre humain n'a pas été plongé dans la mort par la prévarication d'Adam, et il n'est pas davantage sauvé par la résurrection du Christ. » Devant l'injonction de se rétracter, Célestius ergota : prétendant libre la question du péché originel et assurant d'ailleurs qu'il admettait le baptême des nouveau-nés. Le concile de Carthage n'en condamna pas moins son erreur. Après en avoir appelé au pape, il se dirigea vers l'Orient.

Il laissait derrière lui des partisans. « Nous avons ici quelques-uns de ces malheureux, surtout à Carthage, écrivait Augustin ; mais ils se contentent de murmurer en secret, redoutant d'entreprendre contre les croyances inébranlables de l'Église. » L'évêque d'Hippone s'emploie dès lors à réfuter le pélagianisme : d'abord en maints sermons sur le péché originel et la grâce, puis en divers traités, le *de Peccatorum meritis et remissione*, le *de Spiritu et littera,* le *de Natura et gratia* (413). Il posait nettement la thèse adverse : « Nul homme qui ne soit malade, nul homme qui puisse être guéri, sinon par la grâce du Christ. » Et pour l'étayer il utilisera toutes les armes de l'arsenal catholique : l'Écriture, les Pères, et aussi la pratique de l'Église, témoignage implicite de sa croyance.

En Palestine, Pélage rencontrait également un maître adversaire. Jadis directeur de conscience, il s'était mis en relation avec l'illustre Mélanie. Résolu à imiter saint Jérôme, il vint s'établir à Jérusalem, où le précédait une réputation ascétique. Mais le moine de Bethléem eut vite dépisté l'hérésie. Dès 414, il signale à la vierge Démédriade cette « doctrine impie et scélérate ». Dans son *Commentaire sur Jérémie* il affirme qu'il faut écraser le nouveau monstre, et que la lutte reprend avec les satellites du démon : « Oui, tandis que celui-ci reste muet, il fait aboyer pour lui son chien de Bretagne gros et gras, plus capable de ruer que de mordre. Ce Scot mériterait comme Cerbère qu'on lui assénât un bon coup de trique spirituelle pour le museler à jamais avec son maître Pluton. » Toujours même ton agressif, même ardeur. On reconnaît là l'inflexible défenseur de la vérité catholique, partout prêt à livrer combat.

Après avoir rétorqué dans une lettre à Ctésiphon les théories de l'impeccabilité et de l'apathie, Jérôme fit paraître une réfutation détaillée sous forme de *Dialogue,* où s'affrontent deux personnages fictifs, un catholique Atticus, et un hérétique Critobule : montrer que la vertu humaine demeure toute relative et que l'aide divine est nécessaire, voilà à quoi tend Jérôme avec l'aide d'un répertoire scripturaire abondant. Il perce à jour cette subtilité pélagienne qui prétend rester orthodoxe, en admettant encore une certaine grâce extérieure ; il prouve que le secours divin doit être non seulement adjuvant, mais efficace, qu'il opère à la fois le vouloir et le faire. Avec quelle habileté, d'ailleurs, Jérôme manie les arguments pratiques. Si la grâce n'existe pas, riposte-t-il à Pélage, pourquoi jeûner et prier? « A quoi bon prendre de la peine pour obtenir ce que ma volonté me donnera ? » D'autre part, si le péché originel n'existe pas pourquoi donc l'Église baptise-t-elle les petits enfants *in remissionem peccatorum?* Chez eux, point de péché volontaire. Il faut donc qu'il s'agisse d'un péché de nature.

Malheureusement, Pélage était parvenu à capter la confiance de Jean de Jérusalem. Sans doute celui-ci réunit-il un concile où s'affrontèrent l'hérésiarque et le prêtre espagnol Paul Orose, envoyé par Augustin. Mais Pélage parvint à se dégager par une double habileté : on dénia à l'évêque d'Hippone toute compétence pour une cause jugée en Palestine ; à quoi l'évêque Jean fit écho par ces paroles tranchantes : « A Jérusalem, c'est moi qui suis

Augustin. » D'ailleurs, on admit, sans plus, que le secours divin est indispensable à notre perfectionnement moral : vague concession derrière laquelle le naturalisme pourrait continuer à s'embusquer.

Cependant l'orthodoxie occidentale veillait. Chassés par des troubles politiques, et guidés vers la Palestine par l'attrait des pèlerinages, deux évêques gaulois, Héros d'Arles et Lazare d'Aix, dénoncèrent l'hérésie. En décembre 415, un synode se tint à Diospolis, aujourd'hui Lydda. Pélage y renouvela ses subtilités théologiques : à ses affirmations que « l'homme peut vivre sans péché et garder facilement, s'il le veut, les préceptes divins », il se contentait d'ajouter « non, toutefois, sans l'aide de Dieu », *non sine adjutorio Dei,* ce qui n'était ni une rétractation, ni une précision. A la fin, on se décida, puisqu'il s'agissait d'une question née en Occident, à en référer au pape. Somme toute, le procès doctrinal se terminait par un non-lieu. De cette double confrontation avec les évêques palestiniens, Pélage sortait grandi et, pour ainsi dire, réhabilité.

Ses partisans s'enhardirent jusqu'à attaquer directement leur grand adversaire, Jérôme. Contre lui, peu enclin à se laisser berner, nulle autre dialectique que les arguments frappants. Durant l'été ou l'automne 416, une bande de moines pélagiens s'abattit sur le couvent de Bethléem : un diacre fut massacré, on brûla les bâtiments. Jérôme et les siens n'échappèrent à la mort qu'en se réfugiant dans les tours bâties contre les invasions bédouines. L'Occident s'indigna, et le pape Innocent ordonna à Jean de Jérusalem qu'il mît un terme à pareils désordres. Cependant, Jérôme écrivait : « Notre maison, pour les ressources matérielles, a été complètement ruinée par les persécutions des hérétiques ; mais, par la faveur du Christ, elle est pleine de richesses spirituelles. Il vaut mieux n'avoir que du pain à manger que de perdre la foi. » (*Epist.,* CXXXVIII.) Belle formule de tranquillité, que ses adversaires eussent dû lui envier ! Qui peut écrire de telles phrases est moine jusqu'au fond du cœur.

Maintenant les idées pélagiennes allaient se répandre en Orient, patronnées en particulier par Théodore de Mopsueste, l'ancêtre du nestorianisme. Sans doute était-ce là le résultat d'une affinité secrète entre l'hérésie qui divise l'Homme-Dieu et celle qui rejette la nécessité de son aide surnaturelle. « Le naturalisme pratique des hérétiques d'Occident et le rationalisme spéculatif des Orientaux se cherchaient, à travers les distances, pour s'embrasser. »

Augustin et les siens veillent toujours. Mais l'affaire n'est plus seulement d'Afrique : contre le pélagianisme qui menace toute la catholicité il faut invoquer une autorité s'étendant à toute la catholicité. Voilà donc qu'on en appelle au Siège apostolique : le concile de Carthage pour la Proconsulaire, celui de Milève pour la Numidie, enfin, dans une lettre, Augustin, Aurélius, et trois autres prélats, représentatifs de toute l'opinion africaine. « La famille du Christ, le cœur en suspens, attend le secours du Seigneur avec crainte et tremblement par la charité de Votre Vénération. » « Que notre ruisseau, si mince soit-il, écrit Augustin, coule de la même source que le vôtre, qui est si abondant. » Comparaison gracieuse et expressive, par où s'affirme la primauté doctrinale de Pierre.

Dans sa triple réponse du 27 janvier 417, Innocent la reprend avec une signification quelque peu différente : plutôt que le ruisselet africain se jette dans le fleuve romain, c'est celui-ci — source puissante — qui répand dans toutes les Églises particulières la pureté doctrinale. Aussi Innocent s'empresse-t-il de condamner la théorie incriminée avec ses fauteurs : contre Pélage et Célestius, l'excommunication, jusqu'au jour où, devant le pape, ils se seront disculpés. Ayant ainsi approuvé la sentence africaine, Innocent demeure, pour le reste, dans une prudente expectative. Sur le concile de Diospolis, sur ses actes, aucune donnée certaine. Pourquoi dès lors se prononcer? Qu'importait d'ailleurs, si la vérité était vengée. Augustin s'écriait : « Maintenant les rescrits sont venus, la cause est finie. Puisse également être finie l'erreur! » Passage qui deviendra classique, transformé en cet aphorisme péremptoire : « Rome a parlé, le procès est jugé. » *Roma locuta est, causa finita est.* « L'autorité du Siège romain, constate le protestant Reuter, est placée là si haut, que l'on doit convenir qu'un vrai ultramontain a écrit ces mots. »

Et pourtant l'affaire allait se rouvrir. C'est que, derrière les procès doctrinaux, où la primauté romaine rendait d'irréformables sentences, certaines questions de personnes apparaissaient, réclamant toujours nouvelles enquêtes, nouvelles dépositions et nouvelles confrontations. En tout ceci, l'ample débat théologique — existence du péché originel et nécessité de la grâce — s'entremêle aux arguties, aux manœuvres louches par quoi les condamnés se prétendent indemnes des erreurs qu'on leur attribue. Ainsi arriva-t-il que Pélage et Célestius rédigèrent tous deux un mémoire justificatif.

Au nouveau pape Zozime, Célestius présenta une profession, où il affirmait son orthodoxie sur tous les points du symbole non en cause; par manière de conclusion, il ajoutait que sur toute question libre il s'en remettait au Saint-Siège : on n'est pas plus filial. Devant le clergé romain assemblé, Célestius consentit à accepter la doctrine d'Innocent Ier, et à s'associer aux condamnations qu'il avait portées. Du coup, Zozime crut à une erreur judiciaire. Aux Africains il écrivit pour les blâmer de leur précipitation, déclarant que si dans les deux mois personne ne se portait accusateur de Célestius, il se retrouverait absous. Nul autre souci, d'ailleurs, affirmait Zozime, que de rendre à l'Église « une paix sans nuages ». Sur ces entrefaites, parvenait au pape un *Libellus fidei* où Pélage mettait une égale habileté à ne pécher que par omission, laissant dans l'ombre les questions de la faute originelle et de la grâce. Redresseur des torts, Zozime l'innocentait à son tour. Il invita même Paulin, l'ancien accusateur de Célestius, à venir soutenir à Rome ses dires.

Situation délicate, où l'opposition africaine était partagée entre le respect dû au Saint-Siège et la nécessité de ne point laisser courir l'erreur. En fait, elle allait se montrer digne et ferme, sans l'ombre d'arrogance. Paulin envoya à Zozime un mémoire justificatif où il maintenait ses accusations, couvert d'ailleurs par les plus respectables autorités, Cyprien, Ambroise, Grégoire de Nazianze, le pape Innocent. D'autre part, l'archevêque Aurélius réunit à Carthage un concile, qui déclara insuffisante la rétractation de Célestius et maintint la condamnation des deux hérétiques. Zozime répondit par une lettre où, tout en veillant à situer l'autorité romaine au-dessus de ce qui reste question personnelle et simple procès, il admettait que les choses restassent en l'état. Ainsi reconnaissait-il implicitement que les inculpés méritaient plus de méfiance qu'il n'avait témoigné.

Cette lettre arrivait le 29 avril 418 à Carthage, deux jours avant l'ouverture d'un grand concile, où figureraient plus de 224 évêques. Contre l'hérésie pélagienne, on y formula neuf canons. Déclarer Adam mortel en toute hypothèse, affirmer que les enfants n'ont pas contracté la faute originelle, regarder seulement la grâce comme une rémission des péchés et non pas comme un adjuvant pour les éviter à l'avenir, comme une simple lumière et non pas comme une force, ou bien encore comme une force sans doute, mais non pas absolument nécessaire; oser dire enfin que c'est par pure humilité qu'on s'avoue coupable et qu'on souscrit au *Dimitte nobis debita nostra* du *Pater,* autant d'aspects de l'hérésie que ces neuf canons condamnaient avec une précision inéluctable. Dans une synodale ajoutée, les Africains affirmaient que l'arrêt du pape Innocent contre Célestius et Pélage subsisterait tant qu'ils n'admettraient pas que la grâce est nécessaire pour tout acte bon, fût-ce une simple pensée.

Un attitude si ferme impressionna Zozime, d'autant plus que — sans doute à la requête des Africains — l'empereur Honorius avait porté une sentence d'expulsion contre Célestius et Pélage. Procédé sans doute un peu leste, et qui semble plutôt moyen d'intimidation envers le Siège Apostolique : « L'épiscopat africain, note Mgr Duchesne, aurait pu ne pas jeter la gendarmerie à travers les délibérations de l'Église romaine. »

Décisions carthaginoises et rescrit impérial, attitude dilatoire de Célestius qui, cité par la papauté, ne répondait que par la fuite, autant de circonstances propres à éclairer Zozime. Bientôt le pontife romain publiait sa longue *Epistula tractoria,* adressée à la catholicité entière, où, après avoir résumé l'affaire, il condamnait Célestius et Pélage et, sans adopter les neuf anathématismes du concile carthaginois, affirmait avec précision la nécessité de la grâce pour tout bien : *omnia enim bona ad auctorem suum referenda sunt, unde nascuntur*. Apaisée, l'orthodoxie africaine put dès lors envoyer à Zozime le témoignage de sa satisfaction : « Tu as tiré le glaive de la vérité, et tu as exécuté ceux qui exaltent la liberté de l'arbitre humain contre l'aide de Dieu. »

Aussi bien, qu'on ne croie pas que Zozime ait jamais pactisé en quelque manière avec l'erreur. Tout au plus regrettera-t-on qu'il n'ait pas poussé assez loin son enquête sur Célestius et Pélage, hommes si astucieux. Trop de mobilité, peu de perspicacité, quelque naïveté, peut-être aussi un secret plaisir de trouver en flagrant délit d'exagération l'intransigeance africaine, voilà tout ce qu'on peut reprocher ici à Zozime, d'ailleurs fidèle gardien des prérogatives pontificales.

Tandis qu'il envoyait la *Tractoria* à tous les évêques, Honorius leur intimait d'y souscrire. Ainsi, selon la remarque de saint Augustin, le pélagianisme se vit-il condamné par l'univers entier. Du fond de sa retraite, seul avec ses deuils, — Eustochium venait de mourir, — vieux et délabré, mais toujours vaillant, tenace dans ses amours comme dans ses haines, Jérôme se soulevait encore pour crier à l'évêque d'Hippone : « Courage et bravo! Le monde entier vous célèbre; les catholiques vous vénèrent, vous tiennent pour le restaurateur de leur foi séculaire et, témoignage plus sûr de votre gloire, tous les hérétiques vous détestent, comme moi-même... » (*Epist.*, CXLI.) Ayant poussé ce dernier rugissement, les griffes posées sur sa proie, le vieux lion s'en alla dormir son éternel sommeil (419). Il entrait dans la gloire, rude et énergique silhouette d'ascète et de polémiste, âme sans peur, le premier des croisés.

Cependant, en Italie surgirent des opposants : plusieurs évêques de la province d'Aquilée rédigèrent un *Libellus fidei* de saveur sabellienne, menaçant d'en appeler à un concile général. De même, il y eut quelques protestataires romains, et Zozime prononça dans un synode, avec la condamnation renouvelée de Célestius et de Pélage, celle de Julien d'Eclanum et de divers prélats.

Fils d'un certain Memorius, prélat de l'Italie méridionale, qui lui donna une culture classique achevée, Julien dirigeait l'évêché d'Eclanum, modeste ville de l'Apulie, située au sud-est de Bénévent. On fondait sur lui de sérieuses espérances quand, en deux lettres successives au pape Zozime, il protesta contre la condamnation de Pélage et de Célestius, sous prétexte qu'on ne les avait ni convoqués, ni entendus. Dès 418 et 419 il exposa sa pensée.

Avec une logique franchise, que n'avaient pas montrée ses prédécesseurs, il énonce l'erreur et remonte à sa source, posant avec une terrifiante netteté le principe d'un rationalisme qui subordonne toute croyance à la philosophie et qui n'admet Écriture et Tradition que si elles corroborent les données naturelles. Ses théories confinent à un humanisme qui voue une inaltérable confiance à la bonne nature.

Saint Augustin lui fit face. A celui qui l'accusait de diffamer le mariage il répondit par le *de Nuptiis et concupiscentia* (419). Quand l'hérésiarque eut composé son principal ouvrage *ad Tubantium,* il le réfuta dans son *Contra Julianum* (421). On comprend qu'il se soit donné cette peine : l'évêque d'Éclane est en effet un polémiste dangereux, qui excelle à harceler l'adversaire, à révéler les points faibles de son argumentation ou à en tirer des conclusions forcées. A l'entendre, Augustin soulignant la corruption naturelle de l'homme retournait à l'erreur de sa jeunesse, le manichéisme, d'après quoi la chair procède du principe mauvais; de là à condamner le mariage, rien que la distance des prémisses à la conclusion. Julien accusait encore son adversaire de prédestinianisme : selon lui, soutenir la nécessité absolue de la grâce divine implique que Dieu justifie ou condamne qui il veut, indépendamment des œuvres. Outrée et déloyale, toute cette argumentation était d'ailleurs semée de railleries et d'injures grossières envers le vénérable adversaire, que Julien qualifiait « très érudit bipède », ou encore « Aristote des Carthaginois ». Admirons la douceur surnaturelle d'Augustin, qui à un tel énergumène répond avec un calme et une probité inaltérables.

En fait, l'évêque d'Hippone réfuta victorieusement les objections pélagiennes. Mais sa position était difficile, compromis qu'il semblait tout à la fois par les attaches manichéennes de sa jeunesse, d'où l'on pouvait tirer contre lui un argument *ad hominem,* et aussi par sa réfutation même du manichéisme, qui le vouait à une contradiction apparente. « Il est remarquable, en effet, que le manichéisme et le pélagianisme constituent deux excès opposés, si bien qu'Augustin, après avoir démontré l'impossibilité d'un mal moral involontaire, se trouva amené à établir l'existence d'un péché qui n'ait pas sa source dans la volonté personnelle de celui qui en est réputé coupable. » En ces circonstances ardues, il donna pourtant la définition classique du péché originel : déchéance universelle transmise par cet Adam, tout ensemble chef physique de l'humanité entière, et son représentant moral en vertu d'un décret divin; déchéance qui atteint la nature humaine et s'identifie avec la concupiscence mauvaise en tant qu'elle résulte de la privation de la justice et de la rectitude morale conférées à notre premier père. Telle est la ferme doctrine qui s'affirme dans les deux traités *Contra Julianum.*

Excommuniés par Zozime, exilés par l'empereur Honorius, Julien et ses partisans errèrent misérablement. En vain Julien voulut-il gagner tour à tour Rufus de Thessalonique et Atticus de Constantinople. Théodore de Mopsueste accueillit cependant le révolté; en 429, il intriguera près de Nestorius. Au concile d'Éphèse, où il se rendra en 431, il n'obtiendra qu'une nouvelle condamnation de son erreur. Le malheureux continuera à mener une vie de proscrit, jusqu'à ce qu'il se voie réduit à se faire maître d'école dans une bourgade de Sicile.

L'hérésie qu'il persistait à défendre, les papes ne cessèrent de la poursuivre : Boniface (418-22), Célestin (422-32), Sixte III (432-40), saint Léon (440-61), et plus tard Gélase (492-96). Elle subsistait d'ailleurs sous une forme édulcorée et illogique, ne niant plus la chute originelle, mais repoussant toujours le péché et la grâce. Le pélagianisme se retrouve dans les écrits de l'évêque breton Fastidius; il est prêché en Grande Bretagne vers 429 par un certain

Agricola, ce qui nécessite la mission de saint Germain d'Auxerre et de saint Loup de Troyes.

Le moine gaulois Leporius s'était réfugié en Afrique, tout à la fois pélagien et nestorien : preuve vivante que les deux hérésies ont entre elles quelque connexité. Il lui fit signer une rétractation (*Libellus emendationis*) qui, authentiquée par le concile de Carthage, lui permit de rentrer dans son pays.

II. Les aspérités de l'augustinianisme. — Dirigée contre les Pélagiens, la dogmatique d'Augustin vise surtout un but : défendre les droits divins. D'où cette insistance à souligner la gratuité de l'aide surnaturelle et son indépendance des mérites humains. L'idée centrale se trouve toute condensée dans cette apostrophe de saint Paul qui avait frappé Augustin : « Qu'avez-vous que vous n'ayez reçu? » *Quid autem habes quod non accepisti?* (I *Cor.*, IV, 7.) Grâces, bonnes œuvres, et jusqu'à la foi initiale, rien qui ne soit secours divin. Nul homme vertueux, fût-ce une seule fois, sans que Dieu y mette la main. Notre sort est donc en son pouvoir. Sans doute, perdue par la faute d'Adam l'humanité ne forme-t-elle plus qu'une masse de péché (*massa peccati*), vouée à la damnation, et le Seigneur aurait pu nous y abandonner. En fait, il en tire certains hommes qu'il sauvera, et cela par pure miséricorde, en dehors de tout mérite prévu, selon sa volonté toute-puissante et mystérieuse « Nous cherchons le mérite qui a suscité la miséricorde, dit Augustin, et nous ne le trouvons pas, parce qu'il n'y en a point; il n'y aurait plus de grâce si elle était donnée non pas gratuitement, mais comme récompense des mérites. » (*Epist.*, CXCIV, 3.)

Ainsi, il y a des prédestinés, appelés à la foi, justifiés par des grâces efficaces, favorisés de la persévérance finale, et tellement bien entourés des prévenances divines que, même si pour un temps ils s'égarent, Dieu les ramènera là où il veut les conduire, sur la voie du salut. Prédestination mystérieuse à coup sûr, mais où brillent en pleine lumière ces deux sentiments chers au converti d'Hippone et à l'adversaire du pélagianisme : la miséricorde infinie et toute gratuite de Dieu, l'impuissance humaine, l'une et l'autre engendrant une action de grâces éperdue : « Qu'étais-je, moi, et quel étais-je? Quelle malice n'ai-je pas mis dans mes actes; ou, sinon dans mes actes, dans mes paroles; ou, sinon dans mes paroles, dans ma volonté? Mais vous, Seigneur, bon et miséricordieux, mesurant du regard la profondeur de ma mort, vous avez de votre main épuisé au fond de mon cœur un abîme de corruption (*dextera tua... a fundo cordis mei exhauriens abyssum corruptionis*). Et cela revenait à ne plus rien vouloir de ce que je voulais et à vouloir ce que vous vouliez. » (*Conf.*, IX, 1.)

Mais, voici l'envers : après le mystère joyeux, le douloureux. Ceux que Dieu ne sauve pas par décret miséricordieux, il les abandonne à leur sort. Non point qu'il les damne positivement, mais il les laisse dans cette masse de perdition d'où il n'était tenu à tirer personne : ainsi d'un promeneur qui, sur la plage, assisterait impassible au naufrage d'un navire. Par là ressort en un terrible relief cet autre attribut divin, la justice, sans quoi la miséricorde même n'aurait point tout son éclat. Le Seigneur ne prédestine pas les non-appelés à la damnation: ils s'y jettent spontanément sans que Dieu les conduise sur une fausse route, mais parce que la lumière qu'il leur donne, suffisante en elle-même, ne leur profitera pas.

En tout ceci reste sauvegardée la liberté humaine. De ce qu'elle est aidée, il ne s'ensuit pas qu'elle soit enlevée; voire, elle sera d'autant plus autonome que, se détournant de tout bien apparent, elle restera plus volontiers soumise à la miséricorde et à la grâce.

Pour comprendre cet ensemble dogmatique il fallait se placer sous le même angle qu'Augustin et se baser sur le même principe. Plusieurs se récrièrent, attentifs à sauvegarder avant tout, non plus la toute-puissance et la miséricorde divines, mais notre liberté qui, dans pareil système leur paraissait ligotée par une fatale prédestination divine et par une radicale impuissance humaine.

Les premiers protestataires furent certains moines d'Adrumète dans la Byzacène, scandalisés par la lettre d'Augustin au prêtre Sixte, où l'intervention divine est soulignée avec vigueur : « Il reste, y lisait-on, qu'il faut attribuer la foi, non au libre arbitre, ni à des mérites précédents..., mais à un don gratuit de Dieu tout seul... » (*Epist.*, cxciv, 9.) De même, le bon plaisir divin prédestinant à son gré revêtait une forme qui parut provocante : « Dieu, disait Augustin, a fait les vases de colère pour leur perte, afin de manifester son courroux et de montrer la puissance dont il use vis-à-vis des méchants. » (*Ibid.*, 6.) Et au sujet des bons : « Ils sont couronnés par miséricorde; lorsque Dieu couronne leurs mérites, il ne couronne en réalité que ses propres dons. » (*Ibid.*, 5.) D'où, formulées par des esprits sans nuances, ces conclusions rapides que liberté humaine et justice divine n'existent pas, et donc que toute instruction reste inutile comme toute responsabilité inexistante. « Pourquoi enseigner les hommes, s'écriait-on, pourquoi leur prescrire de faire le bien et d'éviter le mal, si nos actions ne sont pas à nous, si c'est Dieu qui engendre dans nos âmes le vouloir et l'agir? » On objectait encore : « Comment nous reprocher de ne pas avoir ce que Dieu seul peut nous donner? Nous n'y pouvons rien. » (*De correptione,* iv, vi, ix.)

Augustin répondit en deux traités : le *de Gratia et libero arbitrio,* puis le *de Correptione.* Il affirma l'existence du libre arbitre en se fondant sur le témoignage de la Bible : « Souvent dans l'Écriture, dit-il, Dieu nous ordonne d'observer ses commandements. De quel droit, si la liberté n'existe pas? » (*De gratia et lib.*, iv.) Seulement, ce libre arbitre nous entraîne non pas au bien, mais au mal. D'où la nécessité de l'intervention divine, celle de l'union entre la grâce et la volonté pour poser l'acte méritoire. « ... Nulle œuvre de piété, s'il n'opère pas pour que nous voulions, et s'il ne coopère pas quand nous voulons. » On comprend dès lors que les réprimandes soient utiles, instruments de la grâce par quoi les prédestinés sont poussés à l'acte bon.

III. Le semi-pélagianisme. — Aux moines d'Adrumète, qui étaient moins des opposants que des ignorants, ces explications parurent suffisantes. La critique aiguë devait venir d'ailleurs. Deux laïques dévoués à sa cause, Prosper et Hilaire, signalèrent à Augustin quelle opposition rencontrait sa doctrine dans les milieux monastiques provençaux, Lérins et Saint-Victor de Marseille.

Tandis qu'Augustin prenait pour base l'idée que l'homme est par lui-même radicalement impuissant, ces théologiens gaulois reconnaissaient à la nature quelque bonté : « N'allons pas croire, disait Cassien, que Dieu ait laissé l'homme dans l'impuissance de vouloir et de faire le bien. Nous n'avons pas le libre arbitre, si nous n'avons d'attrait et de force que pour

Semi-pélagianisme. — *SOURCES :* Cassien, *P. L.*, XLIX; *C. V.*, XII et XVII; lettres CCXXV et CCXXVI d'Augustin. — *TRAVAUX :* Tixeront, *op. cit.*, III, pp. 274-313. — Sublet, *Le semi-pélagianisme*, Namur, 1897. — Woerter, *Beitrage zur Dogmengeschichte des Semipela gianismus*, Paderborn, 1898; *Zur Dogmengeschichte des Semipelagianismus,* Münster, 1900. — J. Jacquin, * *La question de la prédestination aux* v^e^ *et* vi^e^ *siècles*, dans *R. H. E.*, VII (1906), pp. 269-300. — J. Rivière, * *Le dogme de la redemption dans saint Augustin,* 1927.

le mal et nullement pour le bien... » (*Collet.*, XIII, 12.) Toute volonté peut donc s'approprier la grâce qui lui est offerte. D'où cette idée que le ciel est non point le royaume du privilège, mais la république de la justice où tout le monde peut accéder dans la mesure où il fait effort pour correspondre à la grâce. Alors qu'Augustin regardait la prédestination sous la lumière de cette miséricorde divine qui, voyant tous les hommes perdus, en retire plusieurs de l'abîme, ces théologiens gaulois insistaient sur l'idée de justice, d'après quoi tout homme, qui ne mésuse pas des grâces à lui concédées, arrivera au terme. Ainsi la prédestination n'est-elle plus absolue, mais conséquente à la prescience divine du mérite. Les élus seront donc plus ou moins nombreux, selon qu'en décidera la bonne ou la mauvaise volonté des hommes. Somme toute, ni prédestination véritable, ni don de persévérance finale, ni grâce spéciale, personnelle, et — ainsi que nous disons maintenant — efficace, mais une grâce générale et commune à tous. A qui en usera, le salut; à qui en mésusera, la damnation.

Avec certaines précisions, il n'eût pas été défendu d'envisager la destinée humaine sous cet angle agonistique qui favorisait l'effort moral. Mais le système reposait sur une confiance excessive en l'homme déchu. Sans doute ces théologiens ne niaient-ils pas la grâce; encore prétendaient-ils que, tout affaiblie qu'elle fût, notre nature n'était point radicalement impuissante pour le bien : d'où cette idée que, sans l'aide divine, l'homme peut déjà désirer et vouloir le bien surnaturel et commencer à croire, bien que la grâce soit nécessaire pour passer à l'acte et arriver à une foi complète. Optimisme trop robuste qui sans supprimer, à la manière des pélagiens, l'intériorité de la grâce, préjuge cependant trop de notre nature déchue, comme si, par le péché originel, l'instrument humain avait été affaibli, et non point réduit à l'impuissance. Tel plaidoyer des Marseillais pour le libre-arbitre leur fit attribuer « des restes du pélagianisme »; d'où ce nom de semi-pélagiens, qui leur sera conféré à la fin du XVIe siècle, et qui deviendra courant.

Cassien, abbé de Saint-Victor à Marseille, fut le principal tenant de ces opinions, nettement formulées dans sa XIIIe conférence. Témoin en Égypte des prodigieux efforts monastiques, disciple de Chrysostome qui, par ses prédications, tendait à réformer la société, on comprend qu'il ait surestimé la puissance humaine. De ces matières, il parlait d'ailleurs, moins en théologien constructeur qu'en moraliste : but immédiat et pratique qui excuse en partie son erreur. Les milieux provençaux, tout gagnés à l'ascétisme, et qui avaient hérité de Cassien la tradition monastique orientale, inclinaient naturellement à suivre sur ce point comme sur tous autres les enseignements du maître.

Ainsi s'explique le cri d'alarme que jetèrent vers Augustin Hilaire, un Africain qui vivait à Marseille, et Prosper, un moine originaire d'Aquitaine, tous deux simples laïques : ils ne se sentaient pas de taille à lutter contre des hommes d'une vertu si éminente et dont plusieurs élevés en dignité. En réponse, Augustin leur envoya deux dissertations : l'une le *de Praedestinatione sanctorum* qui soulignait le rôle de la grâce dans l'acte de foi, l'autre, le *de Dono perseverantiae* qui faisait reposer toute prédestination sur le seul bon plaisir divin. Somme toute, il demeurait ferme sur ses positions, recommandant seulement certaines précautions verbales propres à rassurer les fidèles, comme d'employer non le style direct, mais l'indirect qui est moins effrayant pour les auditeurs : « Ne dites point par exemple : « Prédestinés à la perdition, vous aurez beau faire; vous manquerez de la grâce qui vous permettrait d'obéir. » Dites plutôt : « Ceux qui obéissent sans être prédestinés ne persévèreront pas dans l'obéissance. »

Malgré ces ménagements oratoires, le système d'Augustin gardait sa nocivité aux yeux des Marseillais. Un respect mêlé de crainte les avait empêchés de passer contre lui à une offensive directe. Après sa mort, ils s'enhardirent. Restées jusqu'alors dans les cercles monastiques auxquels elles étaient dédiées, les *Conférences* de Cassien reçurent une plus large divulgation. Les Provençaux osèrent même condenser en quinze propositions (*quindecin capitula Gallorum*) la doctrine augustinienne sur la prédestination et la grâce : exposé tendancieux et, somme toute, inexact. A ces « ingrats », comme il les appelait, Prosper donna la réplique en vers et en prose[1]. Débordé, il se rendit à Rome avec Hilaire pour solliciter du pape une intervention doctrinale. Célestin consentit volontiers à rendre témoignage à Augustin « que jamais l'ombre d'un soupçon n'effleura »; mais pour le fond du débat, il se déroba. Les Provençaux conclurent sans doute que Prosper n'avait reçu que de l'eau bénite de cour; c'était trop peu pour les exorciser; ils continuèrent bravement leur opposition à Augustin décédé.

Toute une littérature polémique parut, anonyme à l'ordinaire. Deux œuvres en émergent : l'une prétendait condenser la doctrine augustinienne en seize propositions telles que celles-ci : « Jésus-Christ n'est pas mort pour tous » ou encore « Dieu est l'auteur de tout le mal que font les non-prédestinés et de leur damnation, et quand ceux-ci demandent à Dieu que sa volonté soit faite, ils précipitent eux-mêmes leur perte ». L'auteur de ces *Objections,* Vincent de Lérins, composait deux ans plus tard le fameux *Commonitorium* où, à l'autorité d'un maître, fût-il génial, il déclarait préférer la tradition immuable et universelle, autrement dit ce qui est cru partout, toujours et par tous (*quod ubique, quod semper, quod ab omnibus*). Principe excellent à coup sûr, mais qui, dans l'occurrence semblait viser Augustin[2].

Bravement Prosper fit face aux Provençaux. Après avoir donné la réplique à Vincent de Lérins (*Pro Augustino responsiones ad capitula objectionum vincentianarum*), il s'en prend directement à Cassien dans le *Contra Collatorem.* En général, Prosper maintient la doctrine de son maître, mais en adoucit quelque peu l'expression. De même, par une concession plus apparente que réelle, abandonnant la formule augustinienne d'après quoi il y a une prédestination absolue pour les élus et pour les réprouvés, il admet que Dieu se borne à prévoir le mal. Enfin, pour sauvegarder la volonté salvifique universelle, il aurait distingué dans le *De vocatione omnium gentium* une grâce de salut générale, offerte à tous, et une grâce spéciale toute gratuite, apanage des prédestinés : ce qui ne change rien au mystère[3].

Sur saint Prosper. *SOURCES : P. L.*, LI. — *TRAVAUX :* L. VALENTIN, * *Saint Prosper d'Aquitaine,* 1900. — L. COUTURE, *Saint Prosper d'Aquitaine, Bull. litt. eccl.,* 1900 et 1901. — M. JACQUIN, * *La question de la prédestination aux* v^e *et* vi^e *siècles, R. H. E.*, 1906, p. 269-300. — D. CAPPUYNS, * *Le premier représentant de l'augustinisme médiéval, Prosper d'Aquitaine,* dans *Rech. théol. anc. et méd.*, 1929, p. 309-337.

1. Avant la mort de saint Augustin, Prosper avait déjà écrit pour le défendre un long poème de 1000 hexamètres *De ingratis,* puis deux *Epigrammata in obtrectatorem Augustini,* et le *Pro Augustino responsiones ad excerpta Genuensium,* réponse aux questions que lui avaient posées les deux prêtres gaulois Camille et Théodose sur neuf passages d'Augustin. Au pamphlet des Provençaux il opposa les *Pro Augustino responsiones ad capitula objectionum Gallorum calumniantium.*

2. Ce fameux *canon de saint Vincent* ne fait que répéter sous une forme plus nerveuse une règle admise tacitement par les Pères, et déjà esquissée dans le *de Praescriptione* de Tertullien. Un mérite plus original de Vincent, c'est d'avoir établi au chapitre XXIII la loi du progrès dogmatique : progrès qui peut être considérable, à condition qu'il ne soit pas un changement (*habeatur plane et maximus... sed ita tamen ut vere profectus sit, non permutatio*), bref ce que Newman appellera progrès *vital* et *unité de type.* De nos jours, le bruit mené par les modernistes autour de ces délicates questions donnera un regain d'actualité au *Commonitorium.* Voir P. DE LABRIOLLE, *Saint Vincent de Lérins* (coll. *la Pensée chrétienne*), 1906.

3. C'est peu à peu que Prosper a rétrogradé. Du vivant d'Augustin dans le *Pro Augustino responsiones ad excerpta Genuensium,* son intransigeance est absolue : faire dépendre la prédestination de la prescience, dit-il alors, c'est

Au fond, en voulant faire admettre pour doctrine officielle de l'Église les vues particulières d'Augustin, Prosper prétendait tenir de Rome ce que Rome n'avait jamais dit[1]. Rédigé sans doute par le diacre Léon, futur pape, un recueil parut sous Sixte III (432-40) qui reflète bien la pensée officieuse du Siège Apostolique : damnable est l'erreur des semi-pélagiens; par contre, grâce efficace, prédestination et volonté salvifique de Dieu, autant de points qu'il n'est pas nécessaire de trancher[2]. Ainsi les questions libres le resteraient-elles. Le nom des écoles changera, l'ardeur à discuter ne passera pas.

tendre au pélagianisme. Après les attaques des Provençaux et de la dérobade romaine, non seulement il souligne la volonté salvifique universelle, mais encore il admet que la réprobation des méchants est postérieure à la prévision de leurs péchés personnels. (*Pro Augustino responsiones ad capitula objectionum vincentianarum*). Enfin, plus tard, durant son séjour à Rome, dans son *De Vocatione omnium gentium* paru vers 450, il imagine cet expédient où s'affirme son humeur pacifique : d'une part, octroi d'une grâce générale, médiocrement salutaire, offerte à tous; d'autre part, grâces spéciales accordées aux élus. Un tel universalisme « se réduit en dernière analyse à une excellente intention ». Il n'empêche qu'en négligeant les « questions obscures » et en posant des formules nettement universalistes, Prosper prenait l'attitude pacifique que voulait Rome, qui sera adoptée plus tard au concile d'Orange en 529, et qui guidera l'augustinisme médiéval. Sur cette évolution de saint Prosper, voir l'étude pénétrante de dom Cappuyns citée plus haut.

1. Lors même que furent éteintes les controverses semi-pélagiennes, Prosper continua à lire saint Augustin, rédigeant des extraits de ses œuvres, soit en sentences, soit sous forme de distiques, soit dans une explication des psaumes 100-150 tirée des *Enarrationes*. Dans sa *Chronique*, écrite « à la manière de Bossuet », il insiste sur les controverses pélagiennes, mettant en plein relief le rôle capital de saint Augustin.

2. Même à ce moment d'accalmie paraissait le *Praedestinatus*, attribué par Dom Morin à Anatole le Jeune, et où Augustin était montré comme le père de l'hérésie prédestinatienne, ainsi définie : « Ceux que Dieu a prédestinés à la vie, même s'ils vivent lâchement, même s'ils pèchent, sont amenés malgré eux à la vie; par contre ceux que Dieu a prédestinés à la mort, même s'ils courent, même s'ils s'empressent, se donnent de la peine pour rien. »

CHAPITRE III

LES INVASIONS

I. L'invasion de 406. — Au début du ve siècle, l'assaut donné à l'Empire semble lui réserver une destruction totale. Voici l'Italie envahie et le sanctuaire de Rome violé.

Ce furent les Goths campés aux frontières danubiennes qui pénétrèrent dans la péninsule. Un fédéré, issu de la famille des Baltes, Alaric, demanda à l'empereur d'Orient, Arcadius, la dignité de *magister militum;* éconduit, il vint ravager la Macédoine et la Grèce où il détruisit Corinthe. Puis, dans l'Illyricum, contrée intermédiaire disputée entre les deux empires, Arcadius commit l'imprudence de l'installer (396). N'était-ce pas lui ouvrir l'accès de l'Italie? Dès 402, Alaric passa les Alpes Juliennes. Heureusement, l'empire possédait à son service le grand général Stilicon, vandale de naissance, mais qu'avait conquis et policé la civilisation romaine. Il accourt de la Gaule, bat le chef goth à Pollentia et à Vérone et le rejette en Illyrie. Deux ans après, nouvelle invasion par un autre guerrier d'origine gothique, Radagaise. Stilicon cerne ses bandes sur les rochers de Fiesole et les anéantit (405). Mais inquiet de la puissance de Stilicon, Honorius le laisse assassiner en 408 : ainsi disparaissait le seul homme qui pût contenir le flot des Barbares.

Rien n'arrêterait plus désormais Alaric. En 408, il paraît devant Rome et ne s'en éloigne

Invasions en général. — O. SEECK, * ? *Geschichte des Untergangs der antiken Welt,* 6 vol., Berlin et Stuttgart, 1895-1921. — J.-B. BURY, * ? *History of the later Roman Empire from the death of Theodosius I to the death of Justinian,* 2 vol., Londres, 1923. — F. DAHN, *Die Könige der Germanen, das Wesen des ältesten Königstums der germanischen Stämme und seine Geschichte bis zur Auflosung des Karolischen Reiches,* 20 vol., Munich, puis Wurzbourg et Leipzig, 1861-1909. — TH. HODGKIN, * ? *Italy and her invaders,* 8 vol., nouv. édit., Londres, 1931. — VILLARI, * *Le invasioni barbariche in Italia,* Milan, 1900. — L. HALPHEN, * *Les Barbares* (dans *Peuples et civilisations*), 1926.

Vandales. — L. SCHMIDT, *Geschichte der Wandalen,* Leipzig, 1901. — A. AUDOLLENT, * *Carthage romaine* (*Bibl. Écoles Athènes et Rome*), 1901. — F. MARTROYE, * *Genséric, La conquête vandale en Afrique et la destruction de l'empire d'Occident,* 1907; art. *Genséric,* dans *Dict. d'Arch.* — H. LECLERCQ, *L'Afrique chrétienne,* t. II. — A. AUDOLLENT, art. *Afrique,* dans *Dict. Hist.*

L'Église et les barbares. — *SOURCES:* OROSE, *Historiae adversus Paganos, P. L.,* XXXI, 663-1172; *C. V.,* V, 1-564. — SALVIEN, *P. L.,* LIII; *C. V.,* VIII. — SAINT AUGUSTIN, *De civitate Dei, P. L.,* XLI, 11-804; *C. V.,* XL. — *TRAVAUX* : GRISAR, * *Histoire de Rome et des papes au Moyen Age,* 2 vol. (trad. G. LEDOS). — G. KURTH, * *Les origines de la civilisation moderne,* t. I. — G. BOISSIER, * ? *La fin du paganisme,* t. II. — DE LABRIOLLE, * *Hist. litt. lat. chrétienne,* p. 579 et suiv. — E. MÉJEAN, *Paul Orose et son Apologétique,* 1862. — E. AMANN, art. *Orose,* dans *Dict. Théol.*

qu'après avoir exigé une énorme rançon. Quitter l'Italie, il n'y consentira qu'à des conditions très dures : tribut annuel, concession de la Dalmatie, du Norique et de la Vénétie. Inaugurant le rôle pontifical d'intermédiaire entre la *Romania* et les Barbares, le pape Innocent Ier se rendit à la cour de Ravenne; mais l'intransigeance hautaine d'Honorius fit échouer tous les pourparlers. Une seconde fois, Alaric parut devant Rome; s'il ne réussit pas encore à s'en emparer, il y suscita pour compétiteur à Honorius le préfet de la ville, Attale, qui s'abandonna à l'aristocratie païenne : on remplaça le Labarum par l'antique Victoire.

Cela n'empêcha point le retour d'Alaric. Arien, il pouvait compter sur la connivence des éléments hostiles au catholicisme, sur celle aussi des esclaves qui espéraient l'affranchissement. Le 24 août 410, la porte salarienne lui fut ouverte par trahison. Dans la ville, pillage affreux, mais respect des sanctuaires. Si au Latran on enleva le tabernacle d'argent qui pesait 2.000 livres, par contre Saint-Pierre resta inviolé et devint même un lieu d'asile. Orose a raconté comment un goth ayant découvert les vases précieux de la basilique, la vierge qui les tenait en dépôt lui déclara que saint Pierre saurait défendre ses biens. Prévenu, Alaric ordonna qu'ils fussent portés au Vatican sous bonne escorte. A travers la ville saccagée, on vit ce cortège s'avancer, grossi de fidèles qui chantaient des psaumes; les Barbares mêmes mêlaient leurs voix à celles des Romains. A Saint-Pierre une belle matrone fut aussi conduite, qu'un soudard avait voulu violer; résolue plutôt à la mort, cette chrétienne tendit le cou à son épée; saisi d'un respect craintif, il releva son arme, conduisit sa captive à l'église et donna huit pièces d'or aux officiers présents pour qu'ils la renvoyassent sauve à son mari. A un goth cupide qui lui demandait son or, Marcella montrait en vain ses pauvres habits de moniale; il la rouait de coups. « Tout en larmes, écrira saint Jérôme, elle s'était jetée aux pieds des barbares, et demandait seulement qu'on ne séparât point Principia d'avec elle, et que la jeunesse de cette vierge n'eût pas à souffrir ce que son grand âge ne pouvait redouter. Jésus-Christ amollit la dureté de leurs cœurs : la pitié trouva place entre leurs épées teintes de sang. Quand les Barbares les eurent conduites à la basilique de l'Apôtre saint Paul pour qu'elles y trouvassent un refuge ou un sépulcre, Marcella éclata en transports d'allégresse : elle rendait grâce à Dieu d'avoir préservé la pudeur de Principia... » (*Epist.*, CXXVII.) Peu après, elle mourut écrasée par ces formidables émotions. Pareils incidents montrent, toutefois, qu'à ces Barbares déjà chrétiens deux choses imposaient quelque respect : objets sacrés et personnes consacrées.

La chute de Rome remplit d'un émoi indicible les fidèles pour qui le loyalisme était un devoir aimé, et qui avaient entretenu cette douce illusion que, le sort du christianisme restant lié désormais à celui de l'Empire, tous deux étaient éternels. « Ma voix s'éteint, écrivait de Bethléem saint Jérôme, et les sanglots étouffent mes paroles. Elle est conquise cette ville qui a conquis tout l'Univers. Que dis-je? Elle périt par la faim avant de périr par le glaive. Cette cité fameuse, tête de l'empire romain, est dévastée par l'incendie. Point de région qui ne reçoive de Rome des fugitifs. J'ai voulu me mettre aujourd'hui à l'étude d'Ézéchiel, mais au moment même où je commençais à dicter, j'ai ressenti un tel trouble, en songeant à la catastrophe d'Occident, que les mots cessaient de s'offrir à moi. Longtemps je suis demeuré silencieux, me rendant bien compte que c'était le temps des larmes. » (*Epist.*, CXXVI.) Saint Augustin ne fut pas moins affligé : « Voici que nous arrivent, dit-il à son peuple, des nouvelles effrayantes : pillages, incendies, rapines, meurtres, tortures. Combien n'en souffrons-nous pas. Souvent nous en pleurons et nous n'arrivons pas à nous en consoler. »

La mort prématurée d'Alaric à Cosenza, dans la Basse Italie (410), fut un soulagement pour

Rome et la péninsule. Ataulf, son beau-frère, possédait des intentions plus pacifiques : « Je me suis donné pour tâche, lui fait dire Paul Orose, d'affermir le nom romain avec la force des Goths, et j'ai mis ma gloire à être appelé le restaurateur de ce nom. » Il avait épousé

PORTRAIT DE GALLA PLACIDIA ET DE SES ENFANTS.
(Musée de Brescia.)

Galla Placidia, sœur d'Honorius, prise au sac de Rome. Lorsqu'il mourut assassiné en 415, Wallia lui succéda, qui guerroya en Espagne pour le compte de l'Empire et reçut l'Aquitaine en récompense (419). Les premiers rois Wisigoths se montreront bienveillants pour le catholicisme : on verra un Théodoric Ier (419-51) écouter les conseils de saint Orient, évêque d'Auch, et Théodoric II (453-66) entretenir d'amicales relations avec Sidoine Apollinaire.

II. Genséric en Afrique. — Tandis que les Goths d'Alaric forçaient les passages de l'Italie septentrionale, d'autres Barbares, Germains, Suèves, Vandales et Alains rompaient la barrière du Rhin et déferlaient sur la Gaule. Refoulés par les Wisigoths, rejetés en Espagne, ils s'y établirent : les Suèves en Galicie et en Lusitanie, les Vandales en Andalousie.

Ces derniers étaient commandés par un chef valeureux et sans scrupule, Genséric. Il eut bientôt l'attention attirée de l'autre côté du détroit. Boniface, comte d'Afrique, servait avec loyalisme l'empire d'Occident gouverné depuis la mort d'Honorius par sa sœur Galla Placidia, régente durant la minorité de Valentinien III. Pourtant certaines intrigues, qu'avaient suscitées la jalousie du général Aetius, compromirent la réputation de Boniface à la cour de Ravenne : ne voulait-il pas se tailler en Afrique un royaume indépendant? Et quel scandale, son mariage avec une arienne! Après l'échec d'une première expédition, une seconde fut confiée au comte Sigisvult (427-29). Boniface appela à son aide les Vandales d'Espagne. Sous les ordres de Genséric, ils débarquèrent en Afrique en 429. Ariens farouches, ils semèrent partout la dévastation, détruisant les églises, torturant prêtres et évêques.

En vain, Boniface essaya-t-il d'arrêter ces auxiliaires devenus conquérants. Battu, il s'enferma dans Hippone, qui seule tenait encore avec Cirta (Constantine) et Carthage; il y subit un siège de quatorze mois durant lequel mourut saint Augustin, à l'âge de 76 ans, quelques semaines après Aurélius de Carthage (28 août 430). Ainsi disparaissaient à la fois les deux

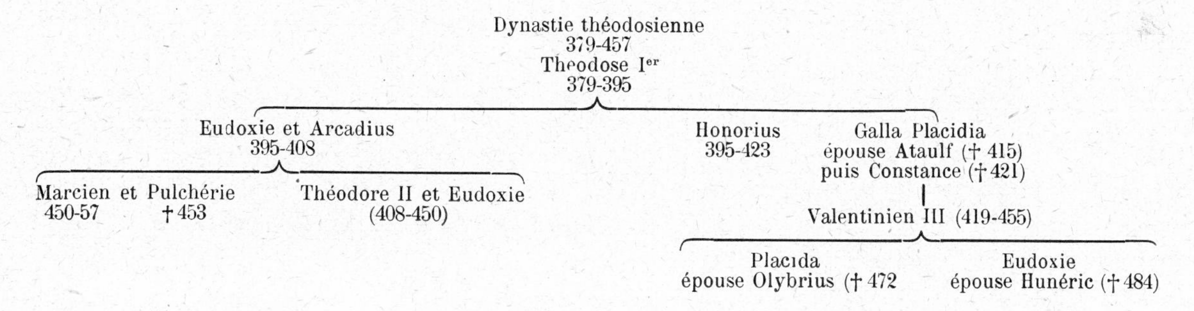

chefs de l'Église africaine, la laissant toute désorientée à l'heure du plus grand péril. A l'été 431, les Vandales durent lever le siège d'Hippone. Mais Boniface essaya vainement de leur tenir tête en rase campagne et se retira en Italie. De là un découragement général. Les habitants d'Hippone ayant abandonné leur ville, Alaric y entra et la saccagea. Entre lui et l'empereur Valentinien III un accord fut signé en 435; dès 439, le Barbare le viola soudain, et par ruse ou trahison s'empara de Carthage, boulevard de l'Afrique romaine (19 octobre). Bientôt, en 442, un traité partagea le pays entre Vandales et Romains : à l'Empire, la Mauritanie et la Numidie occidentale, « contrées dévastées »; aux conquérants, la Numidie orientale et la Byzacène que Genséric s'arrogea avec leurs grands domaines, la Proconsulaire ou Zeugitane qu'il abandonna à ses guerriers.

Après le premier moment accordé au pillage, quelle serait l'attitude de Genséric? Jordanès nous a laissé de lui un portrait célèbre : « Il était d'une taille médiocre; une chute de cheval l'avait rendu boiteux. Sobre de parole et d'un esprit profond, il méprisait la volupté, mais ne se possédait plus dans la colère, et son avidité restait sans bornes. Très habile à attirer les diverses nations dans ses intérêts, il se montrait sans cesse attentif à semer entre elles dissensions et haines. » Si Genséric n'était pas sectaire, l'intérêt politique restait pour lui la Loi et les Prophètes. Or le clergé constituait avec les notables l'élément romain, dont l'opposition pouvait être dangereuse. A ses yeux, catholique signifiait partisan de Rome, ultramontain, ou plutôt, comme on disait en Afrique, « transmarin », *transmarinus*. Au surplus, considérables étaient les appuis sur lesquels il pouvait compter : connivence des ariens déjà nombreux dans le pays, soit qu'ils y fussent venus avec Sigisvult qui avait combattu Boniface à la tête d'un contingent goth, soit que la complicité leur eût été acquise de Boniface lui-même, époux de Pélagie, princesse espagnole et arienne; connivence aussi des donatistes, qui dès l'arrivée de Genséric aspirèrent à la vengeance et cherchèrent à reconquérir par la force leurs anciennes églises; connivence enfin des païens, puissants encore dans les campagnes et parmi les populations berbères non assimilées. Ainsi les éléments d'indépendance nationale et religieuse, qui s'étaient ligués contre la domination romaine et catholique, durant la longue crise du donatisme, se retrouvaient groupés autour de Genséric, tout disposés à le seconder dans ses entreprises persécutrices.

Dès 437, avant d'engager la lutte décisive pour la possession de Carthage, Genséric avait voulu que les catholiques qui peuplaient l'administration passassent à l'arianisme. Ainsi quatre Espagnols, ses conseillers intimes, Arcadius, Paschasius, Probus et Eutychianus; ils lui opposèrent un refus formel, qui excita à la fois sa fureur et la constance des fidèles. A Arcadius, l'évêque Antoninus de Cirta, écrivit une lettre digne des premiers temps de l'Église : « Courage, âme fidèle, disait-il, courage, confesseur de l'unité catholique! Réjouis-toi, car tu as mérité de souffrir les outrages pour le nom du Christ, comme les apôtres lorsqu'ils étaient flagellés... Ne te laisse émouvoir par personne! Le Christ se réjouit et te contemple, les anges sont dans la joie... Te voici dans l'arène, lutte avec force, sois sans crainte... Toute l'Église prie pour toi, l'Église catholique t'attend pour t'honorer comme son martyr... Le Christ lutte avec toi, l'Église résiste avec toi! Sois assuré de la couronne, et ne crains point les péchés que tu as pu commettre, ils sont effacés. » S'il n'y eut pas alors de décret formel contre le catholicisme, une persécution véritable s'affirma par des exils, voire par des sentences capitales. Plusieurs évêques, entre autres Novatus, Severianus et Possidius de Calama, ami et biographe d'Augustin, se virent exilés de leur cité.

Après la prise de Carthage, l'évêque Quodvultdeus fut, avec son clergé, embarqué sans vivres sur des navires vermoulus qui les emportèrent pourtant, par la grâce de Dieu, jusqu'à Naples. La ville demeura sans culte, les principales églises, la *basilica Majorum* où reposaient Perpétue et Félicité, celle de Celerina et celle des Scillitains, furent livrées au clergé arien. Lorsque, par la paix de 442, la Proconsulaire revint à Genséric, il en fit chasser les évêques, les menaçant d'esclavage s'ils tardaient à s'exiler. La persécution continua à grandir, surtout lorsque, dès 455, Genséric reprit la lutte contre l'Empire romain. Les plus illustres victimes furent Sébastien, gendre de Boniface, Armogaste, Saturus procurateur de la maison d'Hunéric, fils du roi. « Aie pitié de moi et de toi, dit à Saturus sa femme tenant dans les bras une petite fille qu'elle nourrit encore de son lait; aie pitié de nos enfants que tu vois là devant toi; ne fais pas qu'on les réduise en esclavage, eux que notre sang ennoblit; ne me laisse pas du vivant de mon mari devenir l'épouse d'un homme de basse extraction. » Mais Saturus lui répond : « Qu'ils dégradent mes enfants, qu'ils me séparent de ma femme, qu'ils m'ôtent toute ma fortune. Dieu a dit : Si tu ne renonces pas à ta femme, à tes enfants, à tes champs et à ta maison, tu n'es pas digne d'être mon disciple. »

Toutefois, la persécution ne fut pas générale. Nul édit porté, mais des mesures individuelles prises par ordre royal, pour des motifs ou des prétextes déterminés. Dans la Proconsulaire même, il y aura des accalmies : ainsi, en 454, sur l'intervention de Valentinien III, Genséric autorisera-t-il l'ordination d'un nouvel évêque de Carthage, Deogratias, et plusieurs églises seront réouvertes. Mais, en 458, après la mort de Deogratias, on interdira à nouveau de nommer des évêques, et le délégué Proculus parcourra toute la province pour y confisquer les objets sacrés, ce qui donnera lieu à des violences inouïes.

Si la persécution fut surtout vive en Proconsulaire où les guerriers de Genséric avaient reçu leur part de terres (*sortes Vandalorum*), dans les autres provinces où ils n'étaient pas établis à demeure il ne régnait pourtant qu'une sécurité très relative; les défiances politiques y entretenaient un espionnage sévère; d'après Victor de Vite, qu'un prêtre prononçât le nom de Pharaon, de Nabuchodonosor ou d'Holopherne, et aussitôt on l'exilait.

A l'arrivée des Vandales, l'Afrique se trouvait dans une profonde décadence morale. Non sans quelque exagération, Salvien nous la dépeint comme « le réceptacle de tous les vices : inhumanité, ivrognerie, mensonge, déloyauté, cupidité, perfidie ». « Quant à la débauche, ajoute-t-il, ce mal est si répandu que ce serait cesser d'être africain que de cesser d'être impudique. » (*De gub. Dei*, VII.) La persécution amena un certain renouveau, si bien que les catholiques semblaient augmenter à mesure qu'on les châtiait; tant est vrai le mot de Tertullien, *sanguis martyrum semen christianorum*.

Tout ce drame nous est surtout connu par l'évêque Victor de Vite, en Byzacène, qui composa son *Historia persecutionis Africanae provinciae* vers 486. Son récit nous émeut profondément, bien qu'on y trouve une tendance à déclamer là où la simple narration des faits eût été par elle-même assez poignante. La valeur historique de cet ouvrage est réelle, moindre cependant pour l'époque de Genséric que pour celle d'Hunéric, où Victor fut témoin direct.

III. L'attitude de l'Église : saint Augustin, Paul Orose et Salvien. — Dans ces calamités, il fallait voir la main divine dont les barbares étaient les justiciers irrésistibles. On rapportait qu'Alaric avait répondu à un pèlerin le suppliant d'épargner Rome qu'une puissance supérieure, une voix intérieure lui criait sans cesse : « Anéantis-la. » « Voici longtemps, écrit Jérôme, que nous savons Dieu offensé, et que nous ne songeons pas à l'apaiser. Malheureux qui obligeons la colère céleste à se servir des Barbares comme d'un fléau vengeur! Les légions de Rome ont soumis le monde; nos défenseurs succombent aujourd'hui à des troupes sans discipline, dont l'aspect seul les glace d'effroi. » (*Epist.*, LX.)

Belle et tragique occasion de prêcher le renoncement et de redire le *meditemur duriora* prononcé par Tertullien au temps des persécutions. Jérôme ne s'en prive pas. Sa campagne pour la virginité n'est-elle point servie par de telles calamités? « Réponds-moi, écrivait-il à la jeune veuve Agérochia pour la détourner des secondes noces, réponds-moi : c'est dans de telles circonstances que tu épouseras? que tu prendras un mari? Ce sera sans doute ou un fuyard ou un combattant : tu saisis la conséquence de l'un et de l'autre. Au lieu du chant fescennin, le son terrible et rauque de la trompette éclatera. Les filles d'honneur seront peut-être tout en deuil. Quelles commodités de la vie, quand tu auras perdu les revenus de tes domaines, quand tu verras ta petite famille dépérir par la faim et la maladie. » (*Epist.*, CXIII.) Parmi les réfugiés, plusieurs se consacrèrent au Seigneur, frappés par cette terrible leçon de choses qui enseignait et imposait le parfait dépouillement : ainsi la vierge Démédriade, tels encore Pinien et Mélanie, qui vinrent enrichir de leurs aumônes les communautés africaines, en attendant d'aller fonder un monastère à Jérusalem.

Des problèmes de conscience spéciaux se posaient alors, que le bon sens et le tact chrétien d'Augustin résolvaient. Sur l'attitude que doit prendre le clergé, nulle hésitation; il lui faut rester. « Dans de semblables calamités, dit-il, les uns demandent le baptême, les autres la réconciliation; tous veulent qu'on les console, et qu'on affermisse leur âme par les sacrements. Si les ministres manquent, quel malheur pour ceux qui sortent de la vie sans être régénérés ni déliés! Quelle affliction pour leurs parents qui ne les retrouveront pas avec eux dans la vie éternelle! Enfin, quels gémissements de tous, et quels blasphèmes contre ceux qui les auront laissés seuls au dernier moment. »

De même, Augustin prescrira aux vierges chrétiennes de rester calmes sous l'outrage; il leur interdira le désespoir païen de l'antique Lucrèce, qui dans son propre sang vengea sa vertu. « La volonté immuable dans le bien sauvegarde de toute faute le corps qui subit violence. On peut lui infliger le plaisir sans entamer la chasteté de l'âme, qui résiste avec fermeté... La souillure dont vous menace l'impudicité d'autrui ne souille qu'autrui... Sinon la chasteté ne serait plus une vertu de l'âme, mais une qualité physique, comme la beauté et la vigueur, dont l'altération n'a rien à voir avec la pureté du corps... Celle qui a été profanée ne doit donc en aucune manière attenter à sa vie, non plus celle qui appréhende cette profanation, et qui commettrait un crime certain, pour empêcher un crime encore incertain... » (*De civit. Dei*, I, c. 16-19.)

Si pareils malheurs pouvaient amender les catholiques, les autres en profitaient pour retourner une dernière fois contre le christianisme cette objection, qu'il avait attiré sur l'Empire le courroux des dieux méprisés : « Ah! si l'on sacrifiait encore! Si on immolait aux dieux comme autrefois! Nous n'aurions pas vu venir les maux dont nous souffrons, ou ils seraient finis déjà. » « Le corps de saint Pierre est à Rome, murmurent les gens; le corps de saint Paul est à Rome, et Rome est méprisable... Où sont donc les *memoriae apostolorum?* »

En réalité si, avec M. Gaston Boissier, on reprend les différentes causes assignées à la ruine de l'Empire, il est facile de voir que le christianime n'y fut pour rien. La désaffection religieuse? Mais elle était accomplie depuis longtemps, et le renouveau factice réalisé sous Auguste n'avait abouti qu'à des cérémonies de parade. La désaffection politique? Mais, comme tous autres, les fidèles pouvaient participer aux charges municipales, à la seule condition de ne point s'associer aux sacrifices. La dépopulation? Mais, tout au contraire, une religion si chaste favorisait les naissances. L'abandon des vertus guerrières? Mais le christianisme ne condamne pas la guerre quand elle est juste, ainsi que l'enseigne saint Augustin.

Pourtant, inquiet des objections païennes, celui-ci résolut d'y répondre. Tel fut l'objet de divers sermons à son peuple d'Hippone, et surtout d'un traité adressé à la chrétienté entière, le *de Civitate Dei*. Dans cet ouvrage, auquel il travailla près de quinze ans (412 à 426), prenant les choses de très haut, il ramasse toute l'histoire de l'humanité en une grande lutte engagée entre deux cités : la céleste qui comprend tous les serviteurs de Dieu, la terrestre qui englobe tous ses ennemis. « Deux amours, dit-il, ont créé deux cités : l'amour de Dieu jusqu'au mépris de soi, la cité céleste; l'amour de soi jusqu'au mépris de Dieu, la cité terrestre. » (XIV, 28.) Telle est l'idée centrale qui guide Augustin à travers l'histoire universelle, où il nous montre d'abord l'impuissance du polythéisme à procurer toute prospérité présente, à préparer tout bonheur futur (I-IX), où il nous révèle ensuite comment le christianisme reste l'explication véritable de l'action divine dans le monde. Après cela, peu importe que l'ouvage abonde en digressions dogmatiques, morales ou historiques, dont plusieurs ne nous intéressent plus guère — elles passionnaient d'ailleurs les contemporains, pour qui elles étaient brûlantes d'actualité; peu importe encore qu'en maints endroits l'érudition de l'auteur soit déficiente. La réfutation demeure des radotages païens, par une haute philosophie de l'histoire; de même, une conception de l'État chrétien, où l'Église, maîtresse des peuples, se voit aidée dans ses luttes contre l'hérésie, par le prince, serviteur de Dieu. Toute la politique médiévale est là en germe, et cette idée de chrétienté, dont Charlemagne sera le prestigieux metteur en scène.

Pourtant, saint Augustin n'admire qu'à moitié l'Empire romain, voulu sans doute par la Providence, mais dont l'appétit de domination a vicié les grandes entreprises. Le même pessimisme qui a dominé sa théologie, et qui l'a fait se défier du vouloir humain, le même lui fait conclure sur le terrain historique qu'aucun État — fût-ce l'Empire — n'a réalisé la vraie justice. Habitant de la cité de Dieu, il ne se cramponne à aucune forme politique; il ne lie pas étroitement, comme un Prudence, les destinées du christianisme à celles de l'Empire converti; avec l'Église, il est prêt à s'adapter aux circonstances.

Un prêtre espagnol, que son admiration pour Augustin avait conduit en 414 jusqu'à Hippone, Paul Orose, écrivit sur son conseil l'*Adversus paganos libri VII*, déjà presque terminé en 417. C'était aussi une vaste histoire universelle, qu'inspirait un but apologétique. Pour prouver à ses contemporains qu'ils ne sont pas plus malheureux qu'à d'autres époques, Orose s'évertue à composer « une sorte de musée des horreurs de l'histoire ». Cet optimisme un peu forcé se tourne aussi vers les Barbares, qu'il trouve susceptibles d'être éduqués. Tandis que Prudence faisait entre Barbares et Romains la même différence qu'entre l'homme et la brute, lui accentue le geste conciliateur d'Augustin.

Par là, il annonce une orientation nouvelle : l'Église se confiant aux peuples nouveaux. Vingt ou trente ans plus tard, lorsque paraît le *de Gubernatione Dei* du prêtre marseillais Salvien, cette conversion est déjà très accentuée. Qu'est cet ouvrage sinon un réquisitoire ardent contre les Romains, entachés de tous les vices, un plaidoyer pour les Barbares qui, au moins, possèdent certaines vertus? « Les Goths, dit-il, sont perfides, mais chastes; les Francs sont menteurs, mais hospitaliers... Tous ces Barbares ont des vices; mais ils ont aussi du bon dans leur caractère. » (VII, 15.) Par contre, tant de malheurs ne peuvent faire réfléchir les Romains : « Quelle misère, s'écrie Salvien, quelle abjection peut égaler la nôtre? Et néanmoins, le monde romain continue, au milieu de ses calamités, à s'abandonner à la volupté. Réduits à la mendicité, les Romains s'amusent. Demain c'est pour eux la dure captivité, et ils ne songent qu'au cirque. La mort nous environne, et nous nous gaudissons dans les jeux publics. On dirait que tout ce peuple s'est rassasié d'herbe sardonique. Il meurt et il rit. » (VII, 1.) « Nous nous étonnons, conclut-il, de voir nos biens tomber aux mains de guerriers qui abominent nos vices? La seule cause de notre défaite, c'est la corruption de nos mœurs » (VII, 23). *Sola nos morum nostrorum vitia vicerunt.*

N'oublions pas que Salvien est un ascète rigide, excessif même : il vit avec sa femme ainsi qu'avec une sœur et s'en excuse auprès de ses beaux-parents dans une lettre; il écrira un traité *ad Ecclesiam* pour prouver que tout bon chrétien doit léguer ses biens à la communauté et aux pauvres, ne se réservant que le strict nécessaire. N'y a-t-il pas quelque encratisme dans cette mentalité? On comprend dès lors qu'il ait trouvé à se scandaliser parmi ses contemporains. Salvien est une sorte de Juvénal chrétien qui, pour faire rougir les Romains, a grossi leurs vices, tandis qu'il voile plutôt ceux des Barbares âpres et brutaux. A l'entendre, le christianisme n'est qu'un vernis superficiel : « Qui d'entre vous ne s'est point souillé de sang humain ou sali de quelque amour honteux? » On a pu appeler Salvien « le Jérémie de son temps ». Au moins orientait-il les esprits non plus surtout vers la résignation comme Orose, mais vers l'espoir dans les peuples nouveaux? La politique si avisée d'un saint Rémy est plus ou moins en germe dans les écrits emportés d'un Salvien.

Au total, la mentalité des grands apologistes de cette époque est complexe comme la situation même. Le prestigieux passé impérial, combien ne voudraient-ils pas le voir revivre. Les pleurs d'Augustin et de Jérôme sur Rome profanée sont d'une sincérité poignante. Penché avec mélancolie sur les souvenirs antiques, Salvien lui-même regrette les grands incorruptibles, les Fabius, les Fabricius, et tous « ces magistrats pauvres qui rendaient la République opulente »; il évoque la richesse d'autrefois : « Le monde romain, comme un beau corps, montrait alors ses membres florissants de santé; les greniers devenaient trop étroits tant l'abondance était générale. » (VI, 50.) Maintenant, c'est la crise économique et sociale, l'invasion mortelle partout... Mais, plutôt que de rester figés dans un morne désespoir, ces grands chrétiens montrent quelles leçons morales tirer des événements, et où trouver les remèdes; déjà ils entr'ouvrent les bras pour accueillir les Barbares qui se hâtent vers la cité de Dieu. Dramatique tournant d'histoire où seule l'Église se révèlerait capable de guider et d'éduquer les peuples.

LIVRE XI

LES LUTTES CHRISTOLOGIQUES

CHAPITRE PREMIER

LE NESTORIANISME

Durant le ve siècle, le problème christologique passe au premier plan des préoccupations doctrinales. Le Christ est-il doué d'un corps réel? Ce corps est-il animé par une âme rationnelle? Si oui, ce composé humain constitue-t-il une personne ou simplement une nature? Graves questions que l'apollinarisme avait soulevées et où s'affrontaient — nous l'avons déjà vu — deux écoles rivales. Idéaliste, la théologie alexandrine s'attache principalement à considérer dans le Christ la divinité : elle le définit « un Dieu incarné », θεὸς ἔνσαρκος; au contraire, la christologie antiochienne envisage surtout la nature humaine du Christ; elle le définit « un homme Dieu », ἄνθρωπος θεός.

A la naissance des erreurs christologiques apparaît la divergence des points de vue. Préoccupée de réfuter l'apollinarisme, l'école dyophysite d'Antioche affirmait nettement les deux natures divine et humaine; mais, peu portée à établir que ces deux natures concourent à former un seul être, elle inclinait à distinguer en Jésus deux personnes physiquement indépendantes : c'est à quoi avaient abouti Diodore de Tarse et Théodore de Mopsueste; à quoi tendait aussi un autre antiochien, le patriarche de Constantinople, Nestorius.

I. Les débuts du nestorianisme. — Né à Germanicie en Syrie, celui-ci vint étudier les belles-lettres à Antioche, puis entra au monastère d'Eutrepios, voisin de cette ville. Incomparable fut sa réputation d'orateur : un autre Chrysostome. Ce petit homme, aux grands yeux charmeurs, à la voix forte, claire et agréable, captivait son auditoire par la chaleur passionnée de ses improvisations, la finesse de sa psychologie, l'à-propos de ses applications morales et de ses citations scripturaires. Il possédait d'ailleurs une formation théologique. Mais, fanatique des idées antiochiennes, il ne voulait s'appuyer que sur Diodore et Théodore.

En 427, à la mort de Sisinnius, l'empereur Théodose II, écartant les candidatures indigènes, l'appelait au patriarcat. Sans retard, Nestorius déploya un zèle fougueux qu'inspirait en partie la vanité de s'affirmer. Dès son premier discours au peuple, il se proclama l'intrépide tenant de l'orthodoxie : « Donne-moi, ô empereur, un pays purgé d'hérétiques, et je te donnerai le ciel en échange; extermine les mécréants avec moi, et j'exterminerai les Perses avec toi. » Voilà qu'il poursuit tout ensemble ariens, novatiens, quartodécimans, macédoniens, débris des vieilles hérésies. Il se pose aussi en réformateur du clergé autant que du peuple : « Il supprima, rapporte la légende syriaque, les jeux, les théâtres, les chants, les concerts, les danses et tous les amusements dont s'occupaient les Romains, et à cause de cela la ville conçut contre lui une haine profonde. » Aux vices du clergé et des moines il donna la chasse. Bref, il s'acquit la réputation d'un censeur indiscret. « Une torche incendiaire », dira de lui Pulchérie, sœur de l'empereur.

Contre lui-même, pourtant, les plus graves soupçons allaient peser soudain. « Un jour, dit l'historien Socrate, le prêtre Anastase, que l'évêque avait amené d'Antioche, recommanda dans un sermon de ne pas appeler Marie mère de Dieu (Θεοτόκος) par la raison qu'elle n'avait été qu'une créature humaine. » A ces paroles l'émoi fut grand dans Constantinople où pareille appellation était coutumière à la piété populaire. L'intervention du patriarche s'imposait : « J'ai été averti depuis peu, dit-il, que plusieurs désiraient savoir s'il faut donner à la Vierge Marie le titre de Mère de Dieu (Θεοτόκος) ou celui de Mère de l'homme (Αντρωποτόκος). Dire que le Verbe divin, seconde hypostase de la Trinité, a une mère, n'est-ce pas justifier la folie des païens qui donnent des mères à leurs dieux? La chair ne peut engendrer que la chair, et Dieu, pur esprit, ne peut avoir été engendré par une femme; la créature d'ailleurs n'a pu enfanter le Créateur... Marie n'a enfanté que l'homme dans lequel le Verbe s'est incarné. Le Verbe a pris chair dans un homme mortel; mais lui-même n'est pas mort, et il a ressuscité celui dans lequel il s'est incarné. J'adore le vase à raison de son contenu, le vêtement pour ce qu'il recouvre, ce qui m'apparaît extérieurement à cause du Dieu caché que je n'en sépare pas. »

En ces quelques lignes s'exprime toute l'erreur nestorienne. Chose curieuse, pour s'opposer à la christologie d'Apollinaire, Diodore de Tarse et Théodore de Mopsueste avaient argué du même principe philosophique sur quoi il étayait son système; comme lui, ils affirmaient qu'une nature est par le fait une personne. De là, spiritualiste à outrance, Apollinaire avait conclu à résorber la nature humaine dans la divine, en l'escamotant par la suppression de l'âme raisonnable. Au contraire, toujours attachés à sauvegarder dans le Seigneur le côté terrestre, nos Antiochiens conservaient intacte la nature humaine; et dès lors, comme toute nature est philosophiquement une personne, ils affirmaient deux personnes en Jésus-Chrit : l'une divine, l'autre humaine. Nestorius leur fait écho : « Toute nature complète, dit-il, n'a pas besoin d'une autre nature pour être et pour vivre; car elle a reçu tout ce qu'il faut pour être.

Nestorius. — *SOURCES :* 1° lettres, discours et fragments réunis par F. Loofs, *Nestoriana*, Halle, 1906. — 2° *Le livre d'Héraclide de Damas* (texte syriaque), édité par P. Bedjan, 1910; traduction française par F. Nau, 1910 (contre l'authenticité voir J. Lebon, *R. H. E.*, 1911, p. 513-519). — 3° *Acta conciliorum œcumenicorum,* t. I, 5 vol., *Concilium universale Ephesenum*, édité par Ed. Schwartz, Berlin-Leipzig, 1923-1930. — *TRAVAUX :* Héfélé-Leclercq,* *Histoire des conciles*, t. II. — G. F. Bethune-Baker, ? *Nestorius and his teaching*, Cambridge, 1908. — Nau, *Saint Cyrille et Nestorius, contribution à l'histoire de l'origine des schismes monophysite et nestorien*, *Rev. Orient chr.*, XV (1910), p. 365-391; XVI (1911), p. 1-51. — Fendt, *Die Christologie des Nestorius*, 1910. — M. Jugie,* *Nestorius et la controverse nestorienne*, 1912. — Junglas, *Die Irrlehre des Nestorius*, Trèves, 1912. — F. Loofs, *Nestorius and his place in the history of christian doctrine,* Cambridge, 1914. — E. Schwartz, *Die Gegenanathematismen des Nestorius* (dans les *Sitzungsberichte* de l'Académie de Bavière), 1922. — Ed. Weigl,* *Christologie vom Tode des Athanasius bis zum Ausdruck des nestorianischen Streites* (373-429), Munich, 1925. — P. Galtier,* *De incarnatione et redemptione*, 1926, n. 101-114. — P. Déodat de Basly,* *L'Assumptus homo*, dans *la France franciscaine*, XI (1928), p. 265-314; *Le Moi de Jésus-Christ. Le déplacement des autonomies, ibid.*, XII, p. 125-160; p. 325-352. — A. d'Alès,* *Le dogme d'Éphèse*, 1931. — A. Michel, art. *Hypostatique* (*Union*), dans *Dict. Théol.* — E. Amann, art. *Nestorius, ibid.*

L'humanité est complète et n'a pas besoin de l'union de la divinité pour être homme. » Parler autrement équivaudrait à éliminer et vaporiser la nature humaine pour aboutir à quelque monophysisme.

Est-ce donc que divinité et humanité du Sauveur demeurent éloignées? Non pas, insinue Nestorius, car il faut admettre entre elles un ineffable lien moral. Tout autant que le roi communique la noblesse de sa personnalité à son ambassadeur si bien « qu'il fait connaître que lui-même est celui-là et que celui-là est lui-même », tout autant et plus « la divinité se sert du personnage (πρόσωπον)[1] de l'humanité et l'humanité de celui de la divinité ». Union toutefois purement extérieure : car les natures divine et humaine sont des personnes au même titre que le roi et l'ambassadeur restent des individualités distinctes. Seule la volonté amoureuse crée ici la liaison : « Les natures sont séparées dans l'essence, dit nettement Nestorius, mais conjointes dans l'amour. » Union d'ailleurs sans égale qu'une telle amitié entre Dieu le Verbe et l'homme Jésus, intimité unique (ακρα συνάφεια), et qui se perd dans les régions du mystère. Si l'on voulait imaginer quelque milieu entre l'unité physique ou substantielle et l'union morale, il faudrait l'attribuer à cette liaison, tant elle dépasse les relations ordinaires entre l'âme et Dieu. Et soucieux d'étayer sa thèse sur l'Écriture, Nestorius souligne la force de certains textes johannites, ceux-ci par exemple : « Le Père et moi, nous sommes un » (x, 30); « Celui qui me voit, voit Dieu » (xiv, 9); « Ce que Dieu fait, moi aussi je le fais comme lui » (x, 37). « Personne parmi les prophètes ni parmi les anges n'a osé parler de la sorte. »

Il y a là un pur effet de la faveur gratuite du Verbe (εὐδοκία). « Ce n'est ni grâce au progrès des actions humaines, ni grâce à la science et à la foi, mais en vertu d'une disposition bienveillante qu'il en a été ainsi », et dès la conception de Marie. Toutefois, si admirable qu'elle fût au début, pareille union amoureuse devait grandir en Jésus par l'épreuve, s'enraciner et se fortifier par les victoires morales. « Privé de tout attrait, dit Nestorius, et sollicité violemment par des tentations contraires, Jésus ne s'est détourné en rien de la volonté divine, bien que Satan ait tout fait pour l'en éloigner... Quand il eut achevé le travail de sa perfection, il agit désormais pour nous et fit tous ses efforts pour nous délivrer de l'oppression du tyran. »

Ainsi exposée, l'erreur nestorienne reste plutôt grossière. Elle n'est insidieuse que dans sa terminologie à double sens qui tend à confondre personne morale et personne physique, union de complaisance et union réelle. Toute l'hérésie s'embusque derrière la subtilité verbale; et la grande difficulté — aujourd'hui encore — est de restituer aux mots tel sens exact que le patriarche a voulu leur donner, et non pas celui qu'il a semblé y mettre. Notre impression documentée, c'est que, antiochien décidé, orgueilleux et vindicatif, Nestorius s'est affirmé au début fidèle élève de Théodore de Mopsueste : ainsi à propos de l'expression « Mère de Dieu ». Plus tard, préoccupé de se refaire une virginité théologique, lui ou quelqu'un des siens — car on ne sait trop à qui attribuer le *Livre d'Héraclide* — a minimisé son erreur en soulignant, et jusqu'à l'extrême, l'union des deux natures. Attitudes équivoques et quasi contradictoires : d'une part la volonté de rester un pur antiochien et de réagir contre l'apollinarisme pousse Nestorius à souligner fortement l'indépendance des deux natures,

1. L'hérésie nestorienne gît surtout, d'après le P. Jugie, dans cet emploi du terme πρόσωπον pour désigner des notions aussi différentes que celles de personne physique et de personne morale (πρόσωπον φυσικόν et πρόσωπον τῆς ἑνώσεως).

par où il inquiète les catholiques; d'autre part, le désir de se justifier lui fait employer certaines expressions qui renforcent l'union des deux natures et qui insistent sur l'échange des prosôpons.

Mais, en restant sur le plan psychologique et moral, il n'a fait que des concessions de pure forme, sans rien rétracter d'essentiel. Peu importe que l'union de complaisance soit soulignée, si la véritable union hypostatique n'est jamais affirmée clairement : dérobade habile, telle que jadis celle des ariens, et plus sournoise encore. En fait, attaqué sur le terrain métaphysique, Nestorius devait s'y transporter, y fournir des explications nettement orthodoxes, bref se laver de tout soupçon. Quand un accusé ne répond pas à la question, son cas est mauvais. Pour rester justes, admettons que ses préoccupations anti-apollinaristes lui firent redouter certaines expressions susceptibles d'une interprétation monophysite. Simples circonstances atténuantes, toutefois, et qui ne doivent nous donner le change ni sur le sens incomplet de son *prosôpon* d'union et de sa *connectio ineffabilis,* ni sur la raison véritable de ses exigences mariales. Le moins qu'on puisse dire contre un tel système, c'est que, trop exclusivement psychologique, il n'a pas l'intelligence vraie et profonde de l'unité personnelle dans le Christ. « Le dogme du Verbe incarné, a très bien dit le P. A. d'Alès, est à la base des Évangiles. On le supprime quand on veut l'enfermer dans la formule d'une sympathie morale. »

Au surplus, qu'en pensent les juges attitrés, en particulier le pape Célestin? Son sentiment est clair : il s'agit là non point seulement d'incartades oratoires et d'une phobie verbale — celle du Theotocos —, mais d'une erreur spécifiquement définie. Mieux vaut penser comme lui que de plaider non coupable ou à moitié innocent, à la remorque de quelques historiens protestants[1].

Enfin, où l'hérésiarque se trahit malgré lui, c'est dans les conclusions et corollaires de sa christologie. Si Nestorius admettait que la personne de Jésus-Christ est vraiment le Verbe incarné, identique au Verbe trinitaire, pourquoi ferait-il difficulté de lui attribuer les actions et passions de l'humanité, en vertu de ce que les théologiens appellent la communication des idiomes? Sans doute, poursuivant son équivoque, admet-il quelque échange entre les deux natures, mais honorifique, moral, verbal, en réalité superficiel et non pas intime et essentiel. Le seul sujet sur lequel il consentira à reporter les douleurs et la mort sera la personnalité d'emprunt qu'il appelle Christ : « Si tu lis tout le Nouveau Testament, tu ne trouveras pas que la mort soit attribuée à Dieu le Verbe, mais au Christ, au Seigneur et au Fils. » Réalisée par l'humiliation et le sang versé, la Rédemption reste une œuvre d'homme. Ainsi s'accuse une disjonction essentielle du Verbe glorieux et du Jésus souffrant, simple habitacle du Très-Haut. Toute la sotériologie chrétienne s'en trouve compromise.

Le défaut du système se trahit encore en matière eucharistique où Nestorius s'efforce de restreindre à la seule humanité la portée des textes johannites concernant le pain vivant : « La nature de Dieu reçoit le sacrifice, ce n'est pas elle qui est immolée. » Sur l'autel comme sur la croix, il n'y a donc qu'un homme, si intimement uni qu'il soit à la divinité.

1. N'oublions pas non plus un argument *a posteriori* développé par S. S. Pie XI dans sa récente encyclique sur le concile d'Ephèse : « Il est connu de tous qu'un grand nombre de partisans de Nestorius — témoins oculaires n'ayant aucune relation avec Cyrille — malgré l'amitié qui les liait à Nestorius, malgré l'attrait de ses œuvres littéraires et l'ardeur enthousiaste de ses discussions contre la partie adverse, abandonnèrent peu à peu, comme poussés par la lumière de la vérité, après le Concile d'Ephèse, l'évêque hérétique de Constantinople. » Le pape définit ainsi l'hérésie de Nestorius : « Il soutenait que le Verbe divin ne s'unissait pas à la nature humaine dans le Christ d'un façon substantielle et hypostatique, mais par une certaine unité accidentelle et morale. » (Encyclique *Lux veritatis,* 25 décembre 1931.)

Mais, de toute cette christologie dualiste, voici le plus important corollaire historique, sur quoi s'ouvrit la querelle et par où, aux yeux du populaire, Nestorius fut un odieux blasphémateur. « Marie, simple créature, dit-il, n'a pas engendré le créateur, mais elle a enfanté un homme instrument de la divinité... Je dis qu'il n'y a qu'un seul qui soit Theotocos, Dieu le Père. » Et il prône une appellation de prétendu juste milieu : non pas mère de Dieu, ni mère de l'homme, mais mère du Christ (Χριστοτόκος). Le catholicisme se refusera à cette transaction, et le Theotocos deviendra pour saint Cyrille la tessère de l'orthodoxie christologique, comme jadis pour saint Athanase *l'homoousios* celle de l'orthordoxie trinitaire[1].

Au total, le nestorianisme était une force. D'une part, dans son ensemble, il apparaît comme un système cohérent, logiquement déduit de ce principe philosophique : « Toute nature complète est une personne. » Ainsi peut-il rallier à lui les rationalistes, tous ceux qui au mystère veulent une explication. D'autre part, tout caparaçonné de subtilités verbales, il sait donner l'illusion de l'orthodoxie. Aujourd'hui encore, il fait des dupes, ceux pour qui Nestorius ne prétendait qu'à une explication psychologique des actes du Sauveur et de sa personnalité. Et pourtant, le nestorianisme n'est pas l'ingénieuse et artificielle explication d'un mécanisme, mais une solution foncière puisée aux sources d'un antiochénisme hétérodoxe : celui de Théodore, bien qu'édulcoré.

Le milieu où il naquit, celui où il se développa, achevèrent de rendre le nestorianisme redoutable. Système d'école, il fut assuré à l'avance de la sympathie de tous les antiochiens : même orthodoxes, ils l'interprèteront avec indulgence, toujours prêts à lutter contre le péril apollinariste et monophysite, toujours disposés à gloser les subtilités nestoriennes dans un sens acceptable. Ainsi feront un Jean d'Antioche, un André de Samosate, plus encore un Théodoret de Cyr. Par ailleurs — au début du moins — Nestorius put compter sur l'appui de la cour : elle défendit son patriarche contre les attaques de celui d'Alexandrie, et Nestorius eut beau jeu à poser en victime de l'orgueil égyptien, nouveau Chrysostome d'un autre Théophile.

En cette âme d'hérésiarque, la suffisance est le trait dominant. Ses succès oratoires l'ont grisé, et son élévation à la première dignité ecclésiastique d'Orient. « Ceux qui vous enseignèrent avant moi, dit-il avec désinvolture, n'ont pas eu le loisir de vous exposer correctement le dogme. » Bientôt, une ferme opposition se dessina contre Nestorius : nouveau Paul de Samosate, autre Photin, tel le qualifiait-on sommairement. Quelques opposants instruits lui donnaient d'ailleurs une réplique plus détaillée : ainsi le prêtre Proclus qui exaltait publiquement la maternité divine de Marie, ou encore Eusèbe, futur évêque de Dorylée, qui interrompit en plein sermon Nestorius au moment où il déclarait que Dieu n'est pas né deux fois : « Ce que nous entendons là est mensonge et blasphème; la vérité est que le même Verbe de Dieu, engendré par le Père de toute éternité, a pris une seconde naissance au sein d'une femme pour opérer notre rédemption. » Bientôt, le même Eusèbe fit placarder dans la ville une adresse finissant par ces mots : « Anathème à qui sépare le Fils de Dieu du Fils de Marie. » Un parallèle y était mené entre Paul de Samosate et Nestorius : comparaison à coup sûr inexacte, mais qui, une fois lancée, sera reçue sans contrôle [1].

Piqué au vif, Nestorius riposta. Réunir le synode permanent, lui faire porter des sentences

1 Voici quelques assertions de Nestorius relevées par Eusèbe : « Marie n'a pas enfanté la divinité. Ces gens-là assignent une mère dans le temps à la divinité qui a fait les temps. Comment Marie aurait-elle enfanté plus ancien qu'elle-même? C'est un homne que la Vierge a enfanté. » Voir A. D'ALÈS, *Le dogme d'Ephèse*, p. 87-88.

contre les plus ardents, en appeler même au bras séculier, tels furent ses procédés. Comme les moines s'agitaient et que plusieurs esquissaient une démarche auprès de lui, il les fit maltraiter, flageller, jeter en prison.

En plus, le recours à Rome. Dès 429, il dévoile au pape Célestin la doctrine de la maternité divine comme une « corruption de l'orthodoxie », comme « apparentée à la pourriture d'Apollinaire et d'Arius » : réquisitoire bien audacieux contre une appellation qui avait le prestige d'être traditionnelle. D'autre part, Nestorius annonçait au pape que les pélagiens réfugiés à Constantinople s'agitaient beaucoup, demandant la révision de leur procès, qu'ils trouvaient du soutien à la cour même, et que lui, Nestorius, ne savait qu'en penser. Ainsi insinuait-il à Célestin que le moment serait mal venu de lui créer des embarras. Mais c'était préjuger du pape que le croire susceptible de reculer en matière dogmatique. C'était aussi démasquer sur quels procédés comptait l'habileté du patriarche byzantin, et dévoiler la qualité inférieure de ses sentiments. Dans l'attitude de Célestin envers Nestorius, il y aura une inflexible rigueur prouvant qu'il a flairé en lui non seulement un hérétique dangereux, mais aussi un madré auquel il ne faut laisser aucune échappatoire.

Pourtant, Nestorius eut la maladresse d'envoyer à Rome un recueil de ses homélies, pièces à conviction qui aideraient le pape à se faire une religion. Célestin ne pouvait recourir aux lumières de saint Augustin à l'heure où l'invasion vandale déferlait sur l'Afrique. Il envoya ce dossier, avec une lettre de l'archidiacre Léon, le futur pape, à Cassien, abbé de Saint-Victor qui possédait alors une réputation considérable. Rude lutteur, tout préoccupé de démêler l'ambiance hérétique de son époque, le moine marseillais établit dans un traité en sept livres, le *de Incarnatione Christi*, que, frère d'armes des pélagiens, Nestorius était un adoptianiste décidé. Et il aboutit à cette définition, assurément caricaturale, de la nouvelle hérésie : « Jésus-Christ, né de la Vierge, est un homme ordinaire (*homo solitarius*) ; ayant pris le chemin de la vertu, il a obtenu par sa vie pieuse et religieuse, par la sainteté de son existence, que la majesté divine s'unît à lui ; sa dignité lui vient non de la splendeur de son origine, mais des mérites qu'il s'est acquis. Ce qu'il a obtenu de devenir, les autres peuvent aussi y parvenir » (v, 1).

II. Nestorius, Cyrille et Célestin. — L'écrit de Cassien fut peut-être à Rome durant l'été de 430. Mais, à cette date, un dossier décisif y parvenait, celui de saint Cyrille.

Bientôt renseigné sur les événements de Constantinople, Cyrille s'était inquiété aussitôt. Préoccupation sans doute d'un patriarche qui épie plus ou moins le patriarche rival, et que renseignent des représentants dévoués. Souci plutôt de théologien alexandrin, pour qui l'unité du Christ est un dogme très cher : dès 420, n'avait-il pas protesté déjà contre ceux « qui divisent le Christ en deux et veulent faire de lui un homme uni au Verbe par une simple union morale » (*Hom. pasc.*, VIII)? Au surplus, la propagande nestorienne gagnait l'Égypte, troublant les retraites monastiques : intervenir était un devoir du pasteur. Cyrille le fit, d'une part dans la lettre pascale de 429 où il affirmait que « Marie, Mère de Dieu, a enfanté non pas un homme, mais le Fils de Dieu incarné » ; d'autre part, dans une épître aux moines égyptiens, où, pour défendre les prérogatives de la Vierge, il en appelait à toute une tradition : Athanase, qui à chaque page la nomme Mère de Dieu, le symbole de Nicée, d'après quoi le Seigneur, Fils unique de Dieu, consubstantiel au Père, s'est fait homme pour nous. Exposé calme, non point unilatéral, puisque, se montrant averti du péril apollinariste,

Cyrille note que la chair prise par le Fils de Dieu est vivifiée par une âme raisonnable; exposé pourtant tourné surtout vers le péril présent et qui, par opposition au naturalisme antiochien, souligne la transcendance du Christ, à la manière de saint Jean, l'apôtre du Verbe fait chair, à celle de saint Paul, celui du Dieu anéanti. Au surplus, la prudence charitable était gardée : point d'allusions personnelles, mais seulement quelques citations anonymes des sermons de Nestorius, juste assez pour l'avertir indirectement que c'était lui l'homme visé. Peu sensible à la délicatesse du procédé, il répondit en jetant à la cantonade quelques qualificatifs disgracieux : bavardages d'hérétiques, coassements de grenouilles.

Entre les deux prélats, un duel serré allait s'engager. Dans toute cette querelle il ne faut certes pas oublier l'antagonisme patriarcal depuis longtemps entretenu. Mais on a vite fait de représenter Cyrille comme « un pharaon ecclésiastique ». En réalité, au cours de ces premiers incidents, toute l'insolence vient de Nestorius ; lui, au contraire, prêche la paix avec des accents bien sincères, et il n'en appelle à Rome qu'après avoir essayé les procédés de persuasion. Vouloir avec Harnack confiner — ou presque — toute cette affaire à un conflit d'ambitions ecclésiastiques, c'est détourner les yeux du point essentiel, la lutte doctrinale. Nouveau moyen d'excuser Nestorius, non seulement pur de toute hérésie, mais victime de lâches intrigues.

Cyrille écrivit coup sur coup à Nestorius deux lettres personnelles. La première est un avertissement courtois, mais motivé et pressant. « Les homélies mises en circulation ont laissé croire à plusieurs que, pour l'auteur, le Christ ne serait qu'un organe, un instrument de la divinité, un homme théophore. On peut parler déjà d'un scandale universel. Des textes du même genre, parvenus en Occident, ont mis en émoi le pape Célestin, qui s'est informé à Alexandrie de leur origine. Il est grand temps que l'archevêque de Constantinople coupe court à ces bruits fâcheux, qu'il reconnaisse son erreur en admettant que la Vierge est vraiment Theotocos.

Peu après, au début de 430, Cyrille envoya une deuxième missive d'une tout autre importance doctrinale. Aux affirmations de Nestorius il opposait nettement les siennes : le Verbe, incarné, non par simple adhésion de volonté ou complaisance, mais par l'union réelle des deux natures, d'où résulte un seul Christ ; la double génération du Fils, l'une par le Père avant tous les siècles, l'autre selon la chair par une femme ; le Verbe vulnérable et souffrant parce que ce corps ensanglanté c'est le sien propre ; enfin, la théorie de l'union hypostatique et de la communication des idiomes, hors de quoi on serait acculé à la doctrine des deux fils. La lettre se terminait par un pressant appel à la charité du Christ pour la paix des Églises.

Dans sa réponse, Nestorius maintient toutes ses positions, toute sa terminologie, et prétend l'appuyer sur l'enseignement des Pères : au Theotocos cyrillien il oppose nettement son Christotocos. L'hérésiarque, au surplus, garde toute sa suffisance. D'après lui, à Constantinople règne le calme, la cour a pris position : « En somme, on voit se réaliser chez nous le mot de l'Écri-

Saint Cyrille. — *SOURCES : P. G.*, LXVIII-LXXVII. — Édition partielle, Pusey, 7 vol., Oxford, 1868-77. — *TRAVAUX :* Weigl, *Die Heilslehre des hl. Cyrille von Alexandrien*, Mainz, 1905. — J. Mahé, * *Les anathématismes de saint Cyrille, R. H. E.*, 1906 (VII), p. 505-542 ; *L'Eucharistie d'après saint Cyrille, ibid.*, 1907 (VIII), p. 677-696 ; *La sanctification d'après saint Cyrille, ibid.*, 1909 (X), p. 30-40, 469-492. — A Largent, *Saint Cyrille et le concile d'Éphèse, R. Q. H.*, 1872 (XII), p. 5-70 (Voir *Etudes d'hist. eccl.*, 1872). — J. Mahé, *Cyrille d'Alexandrie* (*saint*), dans *Dict. théol.*

ture : La maison de Saül déclinait, — entendez l'hétérodoxie, mais aussi Alexandrie; par contre se fortifiait celle de David, autrement dit Constantinople. »

A la pensée que l'agitation était alors extrême à Byzance, qu'Eusèbe et Proclus développaient en public leurs réfutations, que les protestations monastiques et populaires grondaient toujours plus menaçantes, on est abasourdi par de telles paroles. « N'a-t-on jamais étudié avant lui, écrivait Cyrille déconcerté? Est-il donc plus éloquent que Chrysostome? D'où lui viennent ses prétentions? »

Le patriarche alexandrin, qui n'est pas le pourfendeur que d'aucuns ont décrit, voudrait éviter la lutte; son loyalisme ecclésiastique le contraint d'agir : « Nul ne veut plus de bien que moi au Seigneur Nestorius. Mais si, pour éviter quelques désagréments, nous renonçons à la vérité, de quel front pourrons-nous encore nous présenter pour faire l'éloge des martyrs, qui ont combattu pour la vérité jusqu'à la mort. » Intrépide formule, et qui semble un digne écho des protestations d'Athanase.

Dès lors, une seule ressource : s'en remettre à Rome. Sans doute Cyrille en appelle-t-il aussi à la Cour dans trois traités : l'un envoyé à Théodose, le second à ses deux jeunes sœurs, Arcadie et Macrine, le troisième à sa femme, l'impératrice Eudoxie, et à sa sœur aînée, l'impératrice Pulchérie. Mais c'est dans le pape Célestin que le patriarche met toute sa confiance. Quelle reconnaissance singulière de la primauté romaine dans ce recours spontané! « La longue coutume des Églises, disait Cyrille, veut que l'on partage la vigilance doctrinale avec Votre Sainteté. » Et il lui retraçait à grands traits toute cette première phase de la lutte engagée : Nestorius refusant à Marie le titre de Mère de Dieu, le peuple scandalisé, les monastères en émoi, enfin cette correspondance échangée entre patriarches. Cyrille soulignait que l'opinion était défavorable à Nestorius : « Lui ne l'ignore pas; mais il s'estime plus sage que tous; il croit entendre seul le sens de l'Écriture et le mystère du Christ. Son arrogance est extrême; appuyé sur la puissance du trône, il se flatte de nous amener, nous et tous les autres, à son sentiment. »

A cette missive, confiée au diacre alexandrin Posidonius, Cyrille joint toute une documentation : sermons de Nestorius, lettres échangées avec lui, syllabus de ses erreurs, enfin un recueil de témoignages favorables à l'unité du Verbe incarné. Cyrille inaugure ce procédé de dossiers patristiques, où chacun pourra puiser, et qui constituent une preuve d'autorité propre à renforcer les arguments scripturaires, allégués surtout jusqu'alors. Son résumé de la doctrine nestorienne était d'ailleurs admirable par la netteté et la précision. Dans l'Incarnation, Nestorius ne voit qu'une aide spéciale donnée par le Verbe au Fils de la Vierge; spéciale, et pourtant analogue à celle fournie jadis aux prophètes. D'où l'emploi du terme juxtaposition (συνάφεια) et non pas de celui d'union (ἕνωσις); d'où le titre de Dieu reconnu seulement à Jésus comme pur effet de la bienveillance divine; d'où encore le refus de dire que le Fils de Dieu est mort pour nous, qu'il est ressuscité, qu'il est offert sur l'autel. Dans le Christ séparation du Verbe et de l'Homme, voilà la grande erreur de Nestorius.

Ce réquisitoire nerveux acheva d'éclairer la religion de Célestin, déjà renseigné d'ailleurs par les propres aveux de l'hérésiarque. Sans retard, en août 430, il réunit un concile romain. Contre les théories nouvelles, la tradition occidentale fut aussi invoquée : Ambroise, Hilaire, le pape Damase. Quatre lettres spécifièrent la sentence. Dans la première, mandat était donné à Cyrille pour transmettre à Nestorius la décision portée : du patriarche égyptien le pape faisait son fondé de pouvoir, à qui le patriarche byzantin devrait obéir comme à lui-même. Entre Rome et Alexandrie jamais la partie n'a été plus liée. Autrefois, Rome soutenait Athanase, mais comme accusé; maintenant, elle institue Cyrille son homme de confiance, qui a parlé ainsi qu'elle l'aurait fait. Dure humiliation à coup sûr pour Nestorius, si on se souvient non seulement de l'audace qu'il avait mise à contredire Cyrille, de la suffisance hautaine avec laquelle il l'avait renvoyé à ses propres affaires, mais encore de la prééminence que réclamait le siège byzantin dans tout l'Orient, et aussi des récentes tragédies, qui appelaient la vengeance, et où le patriarche de Constantinople était tombé victime de la jalousie égyptienne. Mais, sans faire acception de personnes, Rome jugeait d'après les faits : comme elle avait blâmé jadis l'oncle d'avoir participé au coup de main exécuté contre la sainteté de Chrysostome, maintenant elle félicitait le neveu de s'être fait en Orient le champion du dogme de l'Homme-Dieu. L'alliance dogmatique semblait scellée entre les deux grands sièges : alliance réalisée jadis en matière trinitaire entre Jules Ier et Athanase, et maintenant consolidée sur le terrain christologique.

D'autre part, la lettre de Célestin à Nestorius contenait une claire et inéluctable injonction avec menace d'un verdict à court terme : « Sachez bien que telle est notre décision : si dans les dix jours vous ne condammez pas par une confession nette et par écrit cette nouveauté perfide, qui prétend séparer ce que la Sainte Écriture réunit, vous êtes exclu de toute communion avec l'Église catholique. » Avis d'ailleurs en est donné au clergé et aux fidèles de sa ville épiscopale. Enfin, comme l'affaire est vraiment de chrétienté, le pape signifie son œcuménique sentence à tout ce qui possède un nom ecclésiastique en Orient : les titulaires des grandes métropoles, Jean d'Antioche, Juvénal de Jérusalem, Rufus de Thessalonique, Flavien de Philippe. Le cas de Nestorius apparaît d'autant plus important qu'il est l'évêque de « la très grande ville où pour honorer le siège de l'empire on accourt de tout l'Univers ».

Jean d'Antioche comprit la gravité de l'heure. A Nestorius il écrivit aussitôt une lettre d'ami, où il le suppliait de s'incliner, d'admettre l'expression Theotocos, terme inoffensif, facile à gloser, et d'ailleurs familier à l'antiquité chrétienne. Dix jours sans doute, c'est bien court pour se décider, mais une heure n'y suffirait-elle pas? Quant à l'humilité qui inspirera sa soumission, elle lui vaudra de tous une plus grande estime, comme il arriva jadis au bienheureux évêque Diodore après que, s'étant trompé un jour en public, il fit en public une rétractation. Au fond, raideur et fatuité, voilà ce que Jean redoute chez son ami. Il le supplie de céder, et avec lui tout un groupe d'évêques, Théodoret entre autres, qui à l'arrivée de la lettre romaine se trouvaient à Antioche.

Par malheur la psychologie du patriarche Jean n'était point en défaut. Nestorius éconduisit les envoyés de Cyrille; puis, quelques jours après, il monta en chaire et dit : « Je le répète plus clairement et à haute voix : la Sainte Vierge est Mère de Dieu et Mère de l'homme, Θεοτόκος et Ανθρωποτόκος; Mère de Dieu, à raison du temple en elle créé par l'Esprit-Saint et uni à la divinité; Mère de l'homme, à raison des prémices de notre nature, accueillies par la divinité. » Orthodoxe en elle-même, pareille phrase n'était ni une rectification, ni une rétractation; elle se taisait sur le point en litige, la vraie union entre les deux natures. Dans sa réponse à Jean d'Antioche, Nestorius montrait d'ailleurs toute sa rancœur : « Que votre piété, disait-il, ne s'étonne pas de l'habituelle présomption des Égyptiens; ils en ont fourni de multiples exemples dans le passé. »

En fait, une vérité dominait toutes les préoccupations et toutes les démarches de Cyrille :

l'unité du Verbe incarné, de cette personne divine qui a pu faire sienne l'humanité prise de la Vierge, mais sans se trouver changée : état nouveau, mais être toujours identique à lui-même. Sans doute, le patriarche égyptien maintient-il, comme les Antiochiens, la réalité des natures, chacun des éléments restant « dans sa propriété naturelle », sans quoi la Rédemption serait compromise. Pourtant, fidèle aux traditions de son école, et surtout voyant clairement où était le péril, c'est la personne du Verbe qu'il souligne. De là les principes fermement rappelés dans les trois premiers anathématismes que Nestorius devra souscrire : divinité de l'Emmanuel, union physique et réelle entre le Verbe et sa chair. Les propositions suivantes ne font que tirer les conclusions diverses : entre autres que les paroles dites du Christ dans l'Écriture sont réservées à une seule et même personne; que l'Emmanuel, Dieu et homme, a droit à une adoration unique; que, Pontife offert à son Père, le Verbe souffrit et mourut pour nous, et que l'Eucharistie est sa propre chair vivifiante.

Rien dans cet exposé qui soit anormal. Mais la terminologie employée allait choquer les Antiochiens, engendrant ou plutôt aggravant les malentendus. Les précisions verbales, auxquelles avaient abouti enfin les querelles trinitaires du IVe siècle, ne furent pas adoptées en christologie. Sans doute, comme Cyrillle, les Antiochiens identifiaient-ils les termes hypostase et nature; mais, sous ces mots, Cyrille voyait la personne et, les Antiochiens, sous ces mêmes mots, la nature[1]. D'où le scandale causé par cette expression des anathématismes « une seule nature du Verbe incarné[2] ». Aux yeux du patriarche égyptien, elle pouvait bien signifier une seule personne divine, mais possédant une nature humaine qu'elle n'avait pas avant l'Incarnation, autrement dit la seule personne du Verbe, mais humanisée (σεσαρκωμένη). Par contre, pour les Antiochiens qui prenaient le mot nature dans la même acception que nous aujourd'hui, une telle formule rendait un son monophysite. Combien leur indignation n'eût-elle pas encore augmenté s'ils avaient su — ce qu'on n'apprendra qu'au VIe siècle par Léonce de Byzance — que l'expression n'était pas d'origine athanasienne, comme le croyait Cyrille, mais qu'elle provenait de certains écrits pseudépigraphes d'Apollinaire? Même équivoque d'ailleurs provoquée par cette autre formule des anathématismes « union physique » (ἕνωσις φυσική), et encore par cette troisième « union selon l'hypostase » (καθ' ὑπόστασιν). Sans doute toutes deux signifiaient-elles l'union réelle, par opposition à la simple liaison morale nestorienne, mais les Antiochiens les gloseront dans le sens de la fusion des natures et du monophysisme pur et simple.

Plus encore peut-être que la différence des formules, la divergence des points de vue opposait les Orientaux à Cyrille. Tandis que, soucieux de démasquer l'erreur nestorienne et de maintenir l'unité substantielle du Verbe incarné, le patriarche égyptien soulignait par les expressions les plus énergiques l'union indissoluble de la divinité et de l'humanité, eux, visant avant tout le péril apollinariste, mettaient en plein relief la distinction des deux natures dans le Christ. Dès lors les anathématismes ne pouvaient leur apparaître que comme une provocation et un blasphème. Pareille mentalité les amènera à combattre aussi la comparaison menée par Cyrille entre l'union de l'humanité et de la divinité dans l'Incarnation et celle de l'âme et du corps dans l'homme : là où le patriarche n'avait voulu

1. Autrement dit, Cyrille est en opposition avec notre terminologie actuelle parce qu'il donne à φύσις (nature) le sens de personne; au contraire les Antiochiens parce qu'ils donnent à ὑπόστασις (personne) le sens de nature.
2. Μία φύσις τοῦ Θεοῦ Λόγου σεσαρκωμένη, *una natura Dei Verbi incarnata.*

qu'éclairer le caractère réel de l'acte par lequel humanité et divinité s'unifient de manière à former une seule personne, là même les Orientaux soupçonneront des intentions monophysites et quelque escamotage des éléments associés, comme faisait Apollinaire.

Quand Jean d'Antioche reçut de Constantinople les anathématismes, il ne put les croire de Cyrille et il pria ses confrères Théodoret de Cyr et André de Samosate qu'ils en écrivissent la réfutation. Ils s'y employèrent, le premier avec plus de passion, le second avec moins d'intelligence, tous deux également prévenus. Dans toute cette affaire, les Orientaux trouvaient que le péril venait non de Nestorius et du dyophysisme, mais de saint Cyrille et du monophysisme : ils interprétaient avec indulgence l'hérétique sorti de leur milieu, et par contre dans le sens le plus malveillant le défenseur de l'orthodoxie, chef d'une école rivale. L'esprit d'obéissance leur manqua. Il aurait fallu qu'Antioche se ralliât comme Alexandrie aux avis de Célestin, et qu'avec lui on y vît dans le nestorianisme une hérésie menaçante contre quoi toutes les forces vives devaient se coaliser. Encore une fois le manque de sens romain mettait l'Orient en péril.

III. Le concile d'Éphèse. — Si, le 7 décembre, Nestorius put éconduire l'ambassade alexandrine, c'est que, dès le 19 novembre, une décision des empereurs Théodose II et Valentinien III en avait annulé ou tout au moins ajourné l'effet : la convocation d'un concile œcuménique adressée à tous les métropolitains. Ainsi Cyrille, mandataire du Saint-Siège, se trouvait-il dessaisi par l'initiative impériale[1] qui, d'autorité, confiait à une assemblée la solution du différend dogmatique. Au même Cyrille, Théodose II envoyait d'ailleurs une lettre très dure où, le traitant d'indiscret et de brouillon, il lui reprochait d'avoir écrit séparément à lui et aux impératrices, comme s'il escomptait ainsi des discordes domestiques et qu'il s'en faisait l'agent : « Tout cela procède d'un seul et même besoin : diviser les Églises et les princes, faute de pouvoir s'illustrer autrement. » A cette seule phrase, on voit le ton. Lettre fulminante, a dit Tillemont, et qui montre bien qu'on avait monté Théodose au plus haut diapason contre Cyrille, en sorte qu'il était disposé à employer au besoin la manière forte.

Le pape eût pu considérer la décision impériale comme la violation de son propre verdict. Geste d'indignation dangereux qui eût exposé l'Église à des représailles séculières. Il adopta une façon de ne pas céder tout ensemble honorable et pacifique. Avec calme, Célestin répond à Leurs Majestés pour les féliciter de leur zèle. Mais sous cette forme respectueuse il maintient ses droits et sa sentence : ses droits, en annonçant qu'il se fera représenter au concile ; sa sentence, en priant l'autorité impériale de ne point soutenir « ceux qui prétendent restreindre la puissance de la majesté divine à ce que comprend la raison humaine » ; entendez par là Nestorius et ses suppôts. Ainsi, tandis que l'empereur voit dans le concile une cour d'appel qui innocentera l'hérésiarque, lui, Célestin, maintient l'irréfragable condamnation. *Roma locuta est, causa finita est.*

Non point toutefois qu'il n'incline à la miséricorde : à Cyrille lui demandant si l'on doit

1. Nul doute que Nestorius n'ait suggéré cette décision à Théodose II. Célestin l'affirmera dans sa lettre du 15 mars 432 au peuple de Constantinople ; Evagre le Pontique note d'ailleurs que l'imputation était courante et que Nestorius n'y répondait pas directement ; le *Livre d'Héraclide* la met encore sur les lèvres de Théodose. Pourtant le patriarche byzantin ne fut pas seul à conseiller cette diversion : « Des orthodoxes bien intentionnés et très confiants dans cette panacée préconisent aussi et réclament de l'empereur ce moyen de mettre fin au trouble de l'Église. » Voir V. GRUMEL, *Le concile d'Éphèse. Le pape et le concile*, *Échos d'Orient*, juillet 1931, p. 300-301.

traiter Nestorius en contumace ou bien l'admettre au concile, il répond qu'il faut lui accorder le bénéfice des circonstances nouvelles qui lui impartissent encore un délai : on l'entendra à Éphèse où Dieu veuille que « ce malade consente à reconnaître son mal ». Toutefois, la sentence n'était qu'ajournée : le rôle du concile consisterait simplement à se rallier au verdict pontifical déjà formulé, et qui lui serait transmis par les légats romains, les évêques Arcadius et Projectus, le prêtre Philippe. A ceux-ci un mot d'ordre ferme et précis : « Attachez-vous en tout aux intentions de notre frère et évêque Cyrille[1]. Rangez-vous en tout à son avis et sauvegardez l'autorité du Siège Apostolique. » Somme toute, d'après Célestin, le concile devait seulement aboutir à une plus grande solennité de l'intangible sentence romaine. Rien n'était changé, l'affaire suivait son cours.

A Éphèse arrivèrent successivement Nestorius et seize évêques, puis, après une difficile traversée et une escale forcée à Rhodes, Cyrille, cinquante évêques égyptiens et toute une escorte. Suivirent Juvénal de Jérusalem et Flavien de Thessalonique avec leurs contingents; Mennon d'Éphèse mobilisa à lui seul une cinquantaine d'Asiates. A coup sûr, ce n'était point la représentation proportionnelle, et le groupe purement nestorien se trouvait d'autant plus isolé que ses alliés du patriarcat d'Antioche tardaient à venir. Dans l'attente, Nestorius servait à ses contradicteurs des boutades plutôt provocantes et qui, citées au concile, achèveront de le confondre. Ainsi à Théodote d'Ancyre : « Je n'admettrai jamais un Dieu de deux mois, un Dieu qui a sucé le lait, un Dieu né d'une vierge. » Et à Acace de Mélytène : « Ou bien le Fils de Dieu ne s'est nullement fait homme, ou bien le Père et le Saint-Esprit se sont incarnés avec lui, puisque la Trinité est triple et une dans sa substance. »

Cependant, le 21 juin, les Orientaux ne paraissant toujours pas, Cyrille et les siens résolurent d'entrer en séance dès le lendemain. Sans doute Jean d'Antioche avait-il fait dire seize jours auparavant : « Si je tarde trop, commencez sans moi »; sans doute les évêques étaient-ils las d'attendre, à bout de ressources. Néanmoins on ne peut guère échapper à l'impression que Cyrille a brusqué le dénouement. Il savait que Théodose II avait désigné Jean d'Antioche comme président du concile, que le comte Candidien était là pour l'appuyer avec la force armée, et il pouvait craindre qu'en l'absence des légats, non encore arrivés, une sentence ne prévalût contraire aux décisions romaines dont il était dépositaire.

Malgré les énergiques protestations du comte Candidien, le 22 juin, le concile s'ouvrit. Après trois sommations de comparaître faites à Nestorius on entama son procès. On lut la correspondance échangée entre les deux patriarches, puis la sentence du synode romain transmise par Célestin. On cita d'autre part tout un dossier patristique touchant l'union des deux natures en Jésus-Christ : ainsi les plus authentiques témoignages contemporains — ceux du pape et de saint Cyrille — rejoignaient-ils l'enseignement des anciens Pères orthodoxes pour condamner Nestorius. D'où cette sentence de déposition : « Poussés par les canons et par les lettres de Notre très Saint Père et collègue Célestin, évêque de Rome, nous avons dû avec larmes en venir à ce verdict : le Seigneur Jésus-Chrit qu'il a blasphémé décide par ce saint concile que Nestorius est privé de la dignité épiscopale et de la communion sacerdotale. » Nul décret dogmatique; aucune profession de foi spéciale; pas d'anathèmes doctrinaux.

1. Les légats pontificaux, porteurs des lettres investissant Cyrille, n'arriveront à Éphèse qu'après la sentence déjà lancée contre Nestorius durant la première session. Mais on peut croire que, par des courriers spéciaux, Cyrille avait déjà reçu la lettre pontificale du 7 mai (Voir GALTIER, *Le centenaire d'Éphèse*, *R. S. R.*, 1931, p. 274). Aussi bien, eût-il été assez naturel qu'il considérât son premier mandat comme prorogé.

Toute la besogne préliminaire ayant été faite par Rome, c'est sur l'initiative constatée du pape Celestin que s'appuie la déposition.

A Éphèse, cette sentence fut protégée et acclamée par l'enthousiasme populaire. En cette ville où une tradition marquait déjà la mort de la Vierge, on acclama frénétiquement la victoire de la Théotocos. « Tout le peuple de la ville était demeuré en suspens du matin au soir, attendant le jugement, écrit Cyrille aux Alexandrins. A notre sortie de l'église, on nous reconduisit avec des flambeaux jusqu'à nos demeures. C'était le soir; toute la ville illumina; des femmes marchaient devant nous avec des cassolettes d'argent. A ceux qui blasphémaient son nom, le Seigneur a montré sa toute-puissance. »

Pourtant, ils n'étaient point désarmés. Tandis que Cyrille envoyait son bulletin de victoire à l'empereur, à ses amis de Constantinople, à son peuple d'Alexandrie, la minorité protestait. Le comte Candidien écrivait à Théodose II que les cyrilliens avaient brimé leurs adversaires et qu'ils l'avaient lui-même bafoué. D'ailleurs, quatre jours plus tard, Jean d'Antioche paraissait avec ses Orientaux. En manière de réplique, il réunit sur-le-champ quarante-huit de ses partisans qui déposèrent Cyrille et Mennon, coupables d'arianisme et d'apollinarisme. Mais — fait caractéristique — jugeant sans doute Nestorius indéfendable, ils le passèrent sous silence. A leur tour, ils communiquèrent leur verdict à Byzance tout entière, empereur, impératrice, sénat, clergé et peuple. Toutefois, nul parallèle possible — comme le voudrait Loofs — entre ce conciliabule mesquin et l'assemblée de Cyrille qui, comptant quelque deux cents évêques, s'appuyait sur les décisions romaines.

Au surplus, voici qu'arrivaient bientôt les trois légats pontificaux. L'un d'eux, le prêtre Philippe, lut la lettre où, accréditant Cyrille, Célestin invitait les Pères à ratifier sans plus l'arrêt porté à Rome. D'autre part, le procès-verbal fut communiqué de la réunion du 22 juin qui avait donc exécuté avant la lettre les ordres du pape. Ainsi étaient approuvés au moment le plus opportun les actes récents du concile, assemblée non point de revision comme l'aurait voulu l'empereur, mais de simple approbation. Les acclamations retentirent : « A Célestin, nouveau Paul! A Cyrille, nouveau Paul! A Célestin, gardien de la foi! A Célestin d'accord avec le concile! A Célestin, la reconnaissance de tout le concile! Un Célestin! Un Cyrille! Une foi du concile, une foi du monde! » Ainsi pontife romain, patriarche d'Alexandrie et assemblée œcuménique sont-ils confondus dans une même action de grâces pour une commune besogne d'assainissement doctrinal.

Le lendemain, 11 juillet, après lecture publique des actes conciliaires, à son tour le prêtre Philippe remercia les Pères de cette adhésion au pape qui, sans conteste, authentiquait leurs décisions : « Les membres, dit-il, se sont joints à la tête. Il est connu de tous les siècles que le bienheureux Pierre, colonne de la foi, fondement de l'Église catholique, a reçu de Jésus-

Éphèse. — *SOURCES* : *Acta conciliorum œcumenicorum*, t. I, 5 vol., *Concilium universale Ephesenum*, édité par Ed. Schwartz, Berlin-Leipzig, 1923-1930. — *TRAVAUX* : Outre les ouvrages précédemment cités et en particulier A. d'Alès,* *Le dogme d'Éphèse*, 1931, il faut signaler divers articles parus à l'occasion du centenaire : R. Devreesse,* *Les actes du concile d'Éphèse*, dans *Rev. sciences phil. et théol.*, 1929, p. 223-243; 408-432. — P. Galtier,* *Le centenaire d'Ephèse. Rome et le Concile*, *R. S. R.*, 1931, p. 169-200; 269-299. — M. Jugie,* *Le décret du concile d'Éphèse sur les formules de foi et la polémique anticatholique en Orient*, *Echos d'Orient*, 1931, p. 257-271. — R. Devreesse,* *Après le concile d'Éphèse. Le retour des Orientaux à l'unité*, *ibid.*, p. 271-293. — V. Grumel,* *Le concile d'Éphèse. Le pape et le concile*, *ibid.*, 293-314. — M. Th. Disdier,* *Le pélagianisme au concile d'Éphèse*, *ibid.*, p. 314-334. — H. du Manoir,* *Le symbole de Nicée au concile d'Éphèse*, *Gregorianum*, 1931, p. 104-137. — G. Bardy,* *Le concile d'Éphèse*, *Rev. Apol.*, 1931, p. 641-652.

Christ les clés du royaume et le pouvoir de lier et délier. Et Pierre, jusqu'ici et toujours, vit et juge dans ses successeurs. Notre saint évêque le pape Célestin nous a envoyés pour le représenter à ce saint concile... Valide est donc la sentence portée contre Nestorius par toutes les Églises; car ont siégé dans cette assemblée les évêques, tant de l'Orient que de l'Occident[1]. »

Restait à régler le sort des dissidents, Jean d'Antioche et ses Orientaux, séparés non seulement de la majorité, mais de Rome même. Dans la troisième session, tenue le 16 juillet, après trois sommations de comparaître, ils furent excommuniés[2]. Aux deux cent dix évêques unis à l'universalité de l'épiscopat d'Orient, pouvait-on comparer un conciliabule de trente prélats? Telle était la question que les cyrilliens posaient à l'empereur en lui communiquant cette sentence.

On revint ensuite, le 22 juillet, au problème doctrinal pour condamner la propagande nestorienne faite en Lydie par deux prêtres byzantins, et que dénonçait un certain Charisius, clerc de Philadelphie. Pour dépister toute prédication analogue d'un symbole hérétique, le concile décréta qu'à l'avenir il serait interdit « d'écrire ou de composer une formule de foi autre que celle définie par les Pères de Nicée ».

Mais qu'allait faire l'empereur? Il maintint sinon ses positions, du moins ses sentiments. Si la cause de Nestorius était devenue indéfendable, encore voulut-il atteindre Cyrille qui l'avait frappé; une égale sentence les atteindrait : « Nous approuvons, disait-il, la déposition de Nestorius, de Cyrille et de Mennon d'Éphèse, suggérée par la piété. Quant aux autres mesures prises par vous, nous les réprouvons pour nous attacher à la pureté de la foi chrétienne qu'affirma unanimement le très saint concile tenu par Constantin de divine mémoire. » C'était d'un trait de plume condamner toute l'œuvre d'Éphèse et revenir à l'arbitraire impérial qui sévissait jadis au temps de Constance. Quand le comte Jean vint lire cette sentence à Éphèse, ce fut un beau tumulte, presque une sédition épiscopale. Il ne parvint pas à dissoudre l'assemblée, mais fit consigner les trois évêques déposés.

Les partis en appelaient à Théodose. D'une part, résignés à l'abandon de Nestorius, heureux que les Égyptiens fussent battus, les Orientaux félicitaient l'empereur et s'acharnaient à dénoncer les théories cyrilliennes, disant « qu'il n'y aurait pas de paix possible pour les Églises de Dieu, tant qu'on n'en aurait pas fait justice ». D'autre part, le concile indigné criait au scandale et à l'imposture, et que la même sentence atteignait avec Cyrille l'Occident entier, et Rome, et toute l'Afrique, et l'Illyricum.

A qui s'en remettre? Le faible Théodose II, qui n'avait pas la raideur impérieuse d'un Constance, ne savait où entendre. Il décida que chaque parti déléguerait vers lui une ambassade : de la discussion naîtrait sans doute la lumière. Les cyrilliens députèrent les représentants romains Philippe et Arcadius, qui à eux seuls constituaient un irréfragable argument; et avec eux, les titulaires restés libres des deux plus grands sièges, Juvénal de Jérusalem et Flavien de Philippe. Parmi les délégués orientaux figuraient Jean d'Antioche lui-même et Théodoret de Cyr. La partie décisive allait s'engager. On obligea la double ambassade à s'arrêter à Chalcédoine : mesure prudente, car, au delà du Bosphore la cité impériale était remuée par des passions intenses et pareille apparition y eût soulevé une véritable tempête.

1. Ces déclarations contiennent la substance des définitions portées en 1870 par le concile du Vatican sur l'infaillibilité pontificale : aussi les a-t-il insérées dans le chapitre II de la constitution *Pastor æternus*.
2. Parmi eux, Alexandre d'Apamée, Paul d'Emèse, Théodoret de Cyr.

Des influences persuasives s'exercèrent à la cour. Tout d'abord, la pression monastique et populaire. Malgré le blocus organisé autour de la capitale, un mendiant réussit à apporter dans un bâton une lettre de Cyrille à l'abbé Dalmatius. Celui-ci, dont la sainteté était prestigieuse, sort alors du cloître, que depuis quarante-huit ans il n'a jamais quitté. Entouré de tous les archimandrites, et suivi d'un immense cortège de moines, il se rend au palais où, avec clarté, il expose à l'empereur la vérité entière : « Aimeriez-vous mieux, dit-il, écouter un impie plutôt que toute la chrétienté orthodoxe? » Théodose est ébranlé et Dalmatius se rend à l'église Saint-Mocius où, devant le peuple, il explique la situation et quel accueil bienveillant lui a réservé le basileus ; à quoi un cri unanime fait alors écho : « Anathème à Nestorius! » Ainsi retrouvait-on compacte à Byzance en faveur de la vérité christologique, cette même puissance monastique qui, l'autre siècle en Égypte, se groupait derrière Athanase pour la défense du *Nicœnum*.

D'ailleurs, Théodose ne pouvait se dérober à l'évidence même, et qui devenait aveuglante à la lecture des Actes envoyés par les cyrilliens. « Il y a peu de chose à espérer d'un plus long séjour, conclut Théodoret dépité, l'or a fait ici son travail. » Même remarque d'Acace de Bérée qui reproche au patriarche égyptien d'avoir acheté certains personnages puissants dans les conseils impériaux.

Au total, complète déception pour les Orientaux. Nestorius fut sacrifié : comme il avait fait entendre que « si la vérité était sauve » il regagnerait volontiers son monastère d'origine, on l'envoya au couvent d'Eutrepios, près d'Antioche. A Constantinophe on élut pour le remplacer Candidien, vieux moine de cette Église, et que tous estimaient. Les délégués cyrilliens purent assister à son ordination, tandis que les Antiochiens étaient laissés de l'autre côté du Bosphore : mortification toute à leur avantage, d'ailleurs, si l'on se souvient à quel point le peuple de Byzance était monté contre eux. D'autre part, les efforts des délégués orientaux pour obtenir la condamnation des anathématismes s'étaient heurtés à un refus obstiné du basileus.

Devant l'impossibilité d'une entente, celui-ci rendit bientôt tout le monde à la liberté, cyrilliens comme antiochiens. Cyrille, d'ailleurs, devançant la décision impériale, avait regagné Alexandrie. Ainsi l'autorité civile retirait-elle son épingle du jeu théologique, où jamais elle n'aurait dû intervenir à l'encontre d'une décision romaine. Mais le pape, lui, maintenait ferme ses positions : dans une lettre du 15 mars 432, Célestin se réjouit du remplacement de Nestorius, « ce sacrilège », regrettant toutefois qu'on l'ait relégué à Antioche, point trop rapproché d'où il pourrait nuire encore. Par contre, il refuse de suivre l'assemblée œcuménique dans la condamnation des Orientaux : qu'ils viennent à résipiscence, et on les recevra. Ainsi, tandis que les décisions pontificales s'imposent au concile, le jugement du concile reste sous le contrôle du pape. Rien n'a donc été adopté à Éphèse qui ne fût pleinement romain. Maintenant il allait falloir recoudre ; et c'est à quoi l'âme apostolique de Cyrille devait s'employer avec une inlassable patience et une souplesse conciliante combien distante de la raideur orgueilleuse à lui prêtée par la légende.

IV. L'Édit d'union de 433. — Sans doute l'orthodoxie avait-elle triomphé à Éphèse; mais l'Orient restait divisé sur deux point principaux : la personne de Nestorius que les Orientaux répugnaient à déposer, les anathématismes de Cyrille qu'ils voulaient condamner.

Une condition essentielle à la paix, c'était qu'un accord fût conclu entre Cyrille d'Alexandrie et Jean d'Antioche, chefs des deux groupes rivaux. Avide d'unité, Théodose II leur demanda qu'ils eussent une entrevue où le patriarche d'Antioche souscrirait purement et simplement la sentence d'Éphèse. Solution plutôt simpliste qui, telle quelle, ne pouvait prévaloir : car chaque parti avait ses défiances, ses scrupules et son amour-propre. Comment Cyrille aurait-il pu admettre qu'on souscrivît sans plus au Credo de Nicée comme si rien ne s'était passé depuis, et qu'il n'y eût pas une erreur nouvelle à proscrire? Les Orientaux, d'ailleurs, exigeaient que Cyrille donnât des explications claires sur ses inquiétants anathématismes.

Un intermédiaire fut pressenti, Acace de Césarée, que tout le monde vénérait comme confesseur de la foi à l'époque arienne, et aussi à cause de son grand âge — quelque cent dix ans —, et enfin pour ne s'être pas compromis dans les dernières collusions, impuissant qu'il s'était trouvé à se rendre à Éphèse. C'est un privilège réservé à l'extrême vieillesse de ne pas connaître l'intrigue et d'être apaisante d'elle-même, comme si déjà elle se trouvait plus proche du ciel que de la terre. « Il convient à votre grand âge, lui écrivit l'empereur, d'entreprendre ce combat. Si vous en sortez vainqueur, vous aurez surpassé tous vos anciens exploits. »

Une conférence se réunit donc qui groupa Jean d'Antioche, Alexandre de Hiérapolis et Théodoret, et où furent rédigées en six articles les propositions suivantes : maintien du *Nicœnum* nécessaire et suffisant, rejet absolu des anathématismes et ralliement sur la formule jadis exprimée par Athanase dans sa lettre à Épictète de Corinthe, et où la vérité christologique était heureusement définie.

Saint Cyrille repoussa de telles avances. Se rallier au seul Nicœnum, c'était fermer les yeux sur l'hérésie qui ravageait les Églises et assurer à Nestorius la liberté du blasphème : ainsi des formulaires élastiques que tous ariens souscrivaient jadis volontiers au IVe siècle. Intrépide contre l'erreur, le patriarche se montrait d'ailleurs conciliant sur tout le reste : faisant bon marché de son amour-propre, il reléguait au second plan ses anathématismes, admettait même qu'il avait bien pu employer quelque expression inexacte et, pour calmer les scrupules de l'orthodoxie antiochienne, affirmait très haut qu'il repoussait les erreurs d'Arius et d'Apollinaire, soulignant que le corps du Christ était animé par une âme raisonnable et qu'il n'y avait des deux natures ni confusion, ni mélange. Pareille sincérité et largeur de vue étaient bien propres à faire réfléchir des hommes probes tels que Jean d'Antioche et Théodoret. L'âme du vieil Acace de Bérée en fut toute remuée. Si Théodoret, qui ne pouvait se faire à l'idée d'abandonner Nestorius, resta sourd pour le moment, Jean d'Antioche écrivit à Cyrille une lettre cordiale qui laissait entrevoir la possibilité d'une entente.

Tandis qu'avec les Orientaux Cyrille montrait une bonne volonté engageante, il lui fallait à Constantinople déjouer les intrigues de cour et se prémunir contre l'extrême versatilité de Théodose. Dans ces milieux, où le régime du backchich prévalait depuis longtemps, il n'hésita pas à employer les seuls moyens efficaces : grand chambellan, cubicularii, cubiculariae, aides de camp furent sollicités à se laisser toucher. La liste nous a été conservée assez étonnante des pourboires et cadeaux : espèces sonnantes et trébuchantes, et aussi multiples dons en nature, tapis, coussins, dessus de tables et dessus de lits, couvertures, sièges ornés d'ivoire, et jusqu'à des autruches[1]. Le but est clairement indiqué : à un tel pour qu'il

1. Sur ces procédés de la diplomatie cyrillienne, voir BATIFFOL, *Études de liturgie et d'archéologie chrétienne*, 1919. *Les présents de saint Cyrille à la cour de Constantinople.*

nous aide, à une telle pour qu'elle fasse le siège de sa maîtresse, à tel autre pour qu'il ne nous combatte plus, etc... Moyens à coup sûr déplaisants, mais auxquels Cyrille était réduit dans un milieu vénal où ses adversaires ne se faisaient pas faute d'employer les mêmes armes.

Cependant, les pourparlers décisifs s'engageaient entre Cyrille et Paul d'Émèse, homme de confiance d'Acace et ambassadeur de Jean d'Antioche. Négociations laborieuses, où Cyrille se montra très ferme sur l'essentiel, exigeant qu'avant tout arrangement Paul et Jean d'Antioche souscrivissent la déposition de Nestorius. Séduit par la franchise et la large mentalité de Cyrille, Paul retourna à Antioche pour emporter l'adhésion du patriarche. L'entente se fit sur un formulaire proposé par Jean, et qui reste le complément indispensable des décisions prises à Éphèse : « Nous confessons donc que Notre-Seigneur Jésus-Christ, fils unique de Dieu, est vrai Dieu et vrai homme composé d'une âme raisonnable et d'un corps, qu'il a été engendré avant tous les temps quant à la divinité, et quant à l'humanité qu'il est né de la Vierge Marie à la fin des temps, pour nous et notre salut; qu'il est consubstantiel au Père selon la divinité, consubstantiel à nous selon l'humanité. Car il s'est produit une union des deux natures ; aussi ne reconnaissons-nous qu'un seul Christ, un seul Fils, un seul Seigneur. — A cause de cette union, exempte de tout mélange, nous confessons que la sainte Vierge est Mère de Dieu, parce que Dieu le Verbe s'est fait chair, s'est fait homme, et s'est uni, depuis le moment de la conception, le temple qu'il a pris de celle-ci. En ce qui concerne les expressions évangéliques et apostoliques relatives au Seigneur, nous savons que les théologiens emploient les unes indistinctement comme se rapportant à une seule personne, et distinguent les autres, parce qu'elles s'adressent à l'une des deux natures, celles qui conviennent à Dieu, à la divinité du Christ, celles qui marquent l'abaissement, à l'humanité. »

Tel quel ce formulaire n'était autre que le symbole présenté l'année précédente par les députés orientaux à Chalcédoine : preuve évidente qu'entre antiochiens orthodoxes et cyrilliens il y avait surtout un malentendu. De nouveau, il faut rendre ici hommage à la mentalité conciliante de Cyrille : sa terminologie préférée, il n'en exige pas l'acceptation et se rallie même à celle de ses adversaires[1] pourvu que, sous ces vocables nouveaux, on trouve nettement exprimée l'idée défensive et opportune : l'identité personnelle (τον αύτον) du Verbe avec le Seigneur incarné. Elle est nettement marquée par le fait qu'on a substitué au terme antiochien de συνάφεια, juxtaposition, cet autre d'ἕνωσις, union absolue.

Une fois admise cette idée, Cyrille ne craint plus de faire certaines concessions de détail propres à favoriser l'entente. Ainsi, malgré son quatrième anathématisme, accorde-t-il qu'on attribue, selon les circonstances, tantôt à l'une, tantôt à l'autre des natures les expressions évangéliques; ainsi encore, malgré son onzième anathématisme, qu'on emploie pour l'humanité du Chrit cette comparaison du temple (ναός), à saveur si dyophysite : tous procédés et expressions qui ont cessé d'être dangereux depuis qu'on s'est entendu sur le fond des choses, et que, dès lors on les glosera dans le sens des deux natures en Jésus-Christ, et non plus dans celui des deux personnes.

Qu'on ne croie pas, pour autant, qu'il ait renié ses anathématismes; leur doctrine triomphait sur celle de Nestorius, mais sous une autre forme. A Maxime de Constantinople,

1. Au lieu de μία φύσις et ἕνωσις φυσική, on a ἕν πρόσωπον et δύο φύσεων ἕνωσις.

inquiet des concessions faites, il pourra dire : « Au début les Orientaux ont écrit... qu'ils étaient tout prêts à conclure l'accord sur le seul texte du symbole en annulant les lettres et traités par nous composés... A cela j'ai répondu *en souriant* que, par le désaveu de nos écrits, nous condamnerions ma propre foi; je n'ai rien voulu entendre, rien désavouer de mes écrits; ils sont justes et conformes à la vérité. » Ne rien rétracter de ce qu'il a composé, accorder à des adversaires bien intentionnés des concessions verbales, mais en échange de ces concessions, maintenir et souligner l'unité personnelle du Verbe que Nestorius avait compromise, enfin réclamer de tous le ralliement bien net à la déposition du même Nestorius, telles étaient les conditions précises formulées par Cyrille dans l'Édit d'union de 433 : non pas marché de dupes, mais entente pacifique, raisonnable et prudente : « Ce symbole ainsi accepté, déclarait Jean d'Antioche, il nous a plu, pour le bien de la paix et l'éloignement de tous les scandales, de tenir pour déposé Nestorius, ex-évêque de Constantinople. Nous anathématisons aussi ses propos vides, défectueux et profanes. »

Cyrille entonnait un chant d'action de grâces dans sa fameuse lettre *Laetentur coeli :* « Joie au ciel, allégresse sur la terre. » Jean d'Antioche y faisait écho: « La piété triomphe, à bas toute la haine du diable... Nous sommes allés à la paix sans arrière-pensée. » Plus touchantes encore sont les expressions du nouveau pontife Xyste III dans une épître à Cyrille qui est vraiment celle du Bon Pasteur évangélique jubilant sous le poids de la brebis hier égarée : « Nos frères nous sont revenus; ils nous sont revenus, à nous qui d'un même zèle nous sommes appliqués à guérir leurs âmes... Réjouis-toi, frère très cher... Ici nous sommes heureux de n'avoir rien précipité, maintenant que nous recueillons le fruit de notre patience. »

Pourtant si tout était amorcé, rien ne paraissait fini. L'Édit d'union n'est qu'un accord à deux contracté entre le patriarche d'Alexandrie et celui d'Antioche. Maintenant il s'agissait d'y faire adhérer tout à la fois l'épiscopat oriental et les amis de Cyrille. Parmi les Antiochiens l'opinion se divisa : d'aucuns adhérèrent au pacte avec le patriarche Jean; plusieurs, tout en reconnaissant que Cyrille s'était « converti », refusèrent d'en passer par ses conditions et de sacrifier la personne de Nestorius; enfin, il y eut les fanatiques irréductibles.

Le chef de ces derniers était Alexandre de Hiérapolis. Pour lui Cyrille reste un hérétique, Apollinaire ressuscité. Nul accord avec l'Égyptien, plutôt le martyre et l'exil. Mentalité farouche, telle que jadis celle de Lucifer de Cagliari, mais au service d'une plus mauvaise cause. A toute tentative d'accommodement il répondit par une fin de non recevoir : à l'entendre, la foi était sacrifiée et Nestorius avec elle. Le centre de cette résistance se trouvait dans la Cilicie première. L'opposition s'affirma à Anazarbe où, déplorant l'attitude de ralliés tels que Jean de Germanicie et André de Samosate, on décréta qu'aucune paix ne serait possible qu'avec un Cyrille répudiant ses propres *Capitula* et souscrivant le *Nicœnum* sans plus. Autre manifestation d'intransigeance, mais plutôt naïve, les évêques Euthère de Tyane et Hellade de Tarse rédigèrent un mémoire où ils demandaient au pape Xyste qu'il délivrât Israël du péril égyptien, qu'il condamnât les anathématismes cyrilliens, qu'il réhabilitât Nestorius et rappelât les pasteurs expulsés. Opposition sans conséquence, *telum imbelle!* N'importe, quelques-uns s'acharnèrent dans la résistance. Toutes les démarches de Théodoret se brisèrent devant l'inflexible ténacité d'Alexandre, tant qu'enfin on dut l'arracher à son Église.

Bien différente et autrement nuancée fut l'attitude de Théodoret. Condisciple de Nestorius et son ami intime, il partageait tout ensemble sa vénération pour Théodore de Mopsueste, leur maître commun, son antiochénisme exagéré, et plusieurs de ses expressions incorrectes, sans que toutefois on puisse le tenir pour hérétique : car, même dans ses écrits les plus conpromettants — le *de Incarnatione Domini* et la critique des anathématismes — les formules fautives[1] sont corrigées par d'autres passages d'une orthodoxie parfaite. Ainsi sans être un nestorien proprement dit, était-il partisan de Nestorius. Attitude indécise et plus ou moins contradictoire qui, dans cette âme noble et fidèle, s'explique par des préjugés d'école sans doute, mais aussi par ces raisons du cœur que la raison ne connaît pas.

Mais Théodoret était d'une loyauté admirable. A l'assemblée de Zeugma, où il se rencontra avec les principaux de son groupe, tels que André de Samosate et Jean de Germanicie, il s'opposa nettement à l'intransigeance brutale et irraisonnée d'Alexandre de Hiérapolis. Constatant que, par ses dernières explications, Cyrille avait prouvé son orthodoxie, il se déclara prêt à faire la paix, voire à condamner ceux qui divisent Jésus-Christ en deux fils; pourvu, toutefois, qu'on ne l'obligeât pas à anathématiser Nestorius le juste. Il resta donc dans l'expectative, ni révolté, ni rallié, regardant d'ailleurs les concessions cyrilliennes comme un triomphe de la cause antiochienne et orthodoxe : « Enfin l'erreur est convaincue. Ceux dont le langage impie avait confondu les deux natures du Sauveur et qui avaient affirmé une seule nature, les mâchoires brisées par le frein et le mors, tirés à gauche et à droite, ont appris la vérité. »

Cependant, Maximien de Constantinople étant mort le 12 avril 434, on le remplaça par Proclus de Cyzique, homme à la fois aimable et patient, bien propre à la conciliation. Il fit paraître une encyclique où, tout en épousant la foi de Cyrille, il s'évertuait à ne point froisser les susceptibilités théologiques des Orientaux. Avec ces moyens persuasifs se conjuguaient d'ailleurs les procédés plus énergiques de l'autorité militaire : faire l'union avec Jean d'Antioche ou être expulsé, tel était pour les retardataires le dilemme. Théodoret se rencontra alors avec son patriarche : ils tombèrent d'accord sur une nouvelle formule d'union, où sans doute l'essentiel de celle de 433 était gardé, mais dont la condamnation de Nestorius restait exclue.

Ce n'était là encore qu'une paix boiteuse : lorsqu'en 435 un décret impérial eut assimilé les partisans de Nestorius aux « simoniens », on résolut d'exiger des évêques une nette formule de ralliement comportant adhésion au concile d'Éphèse et à la condamnation de Nestorius. Sans entrain, les Orientaux s'exécutèrent. Théodoret s'était éloigné peu à peu de l'hérésiarque. Dans son cas il y a moins de faiblesse que de fidélité, et il faudrait beaucoup de dureté pour ne pas admettre les circonstances atténuantes. On se souviendra d'ailleurs quels efforts désespérés fit l'évêque de Cyr pour ramener tous les prélats orientaux à l'orthodoxie : tandis que les exaltés, comme Alexandre de Hiérapolis, se refusaient à rien entendre, d'autres — tels André de Samosate ou Helladius de Tarse — se laissaient convertir.

Cyrille d'Alexandrie, Jean d'Antioche, Théodoret de Cyr, voilà les trois personnages qui, par leur zèle ecclésiastique, assurèrent une paix durable. Il y a plus d'envergure théolo-

1. Ces formules vaudront à Théodoret d'être condamné au ve concile œcuménique pour ses écrits « contre la vraie foi, contre le premier et saint synode d'Éphèse, et contre saint Cyrille et ses douze anathématismes ».

gique chez Cyrille, plus d'habileté diplomatique chez Jean, mais chez Théodoret plus d'humaine tendresse, et un talent supérieur d'écrivain et d'exégète.

Sur l'erreur nestorienne le bras séculier s'abattit — ainsi qu'il est d'ordinaire — plus lourdement que n'eût fait tout bras ecclésiastique. Un édit du 3 août 435 poursuit sans merci les dissidents : « Nous décidons, disait-il, que les partisans de l'opinion impie de Nestorius seront appelés désormais simoniens. Car il est juste que ceux qui ont imité Simon le Magicien dans sa lutte contre Dieu, reçoivent une appellation manifestant cette ressemblance, de même que les ariens, selon une loi de Constantin, ont été appelés porphyriens en souvenir des attaques de Porphyre contre le Christ. Que personne n'ose donc posséder, lire ou transcrire les livres impies de Nestorius; ils seront recherchés avec soin par l'autorité publique et brûlés... Les simoniens n'auront droit de tenir de réunions nulle part, même dans les campagnes et les faubourgs des villes, à peine de confiscation de tous leurs biens. »

Trop politique, soucieux avant tout d'enregistrer des « conversions », fussent-elles incomplètes, Jean d'Antioche acceptait parfois des professions de foi imprécises; et Cyrille dut lui rappeler cette condition *sine qua non* de la réconciliation : l'anathème à Nestorius.

D'ailleurs les réfractaires cherchaient quelque faux-fuyant. Puisque l'on avait proscrit les ouvrages de l'hérésiarque, ils se dédommageaient en faisant circuler ceux de ses ancêtres attitrés, Théodore et Diodore. Cette propagande sournoise se produisit plus spécialement aux frontières de l'Empire, en Arménie surtout, où sans penser à mal, Mesrob travaillait alors à traduire, dans la langue nationale par lui inventée, toutes les œuvres grecques. Mais deux cyrilliens ardents veillaient dans ces parages, Acace de Mélitène et Rabbula d'Édesse, qui signalèrent la nocivité des œuvres de Théodore aux évêques arméniens. Réunis en concile, ceux-ci décidèrent de consulter Proclus de Constantinople qui, dans une lettre synodique d'un cyrillisme fort marqué, se prononça contre tout dyophysisme exagéré : il y employait une expression destinée à faire beaucoup de bruit, « un de la Trinité s'est incarné » (*unum ex Trinitate incarnatum*).

Animé de l'esprit le plus irénique, Proclus s'était bien gardé de citer quelque nom, et surtout celui de Théodore de Mopsueste. Mais des *zelanti* s'agitaient qui voulaient une condamnation expresse du personnage. L'un d'eux, le diacre Basile, se rendit à Alexandrie et à Constantinople; il remit à saint Cyrille et à Proclus des libelles violents contre celui qu'il considérait comme l'ancêtre attitré du nestorianisme. Proclus se contenta d'envoyer à Jean d'Antioche son « tome » à signer, en y joignant les *capitula* ou extraits de Théodore qu'on avait soumis à son examen. Toujours pacifique, il ne prononçait pas d'ailleurs le nom de l'évêque de Mopsueste. Mais le porteur de la lettre, le diacre Maxime, fut moins discret : de sa propre autorité, il inscrivit devant les capitula les noms de Théodore et de quelques autres. On devine l'indignation des Orientaux chez qui la mémoire de ce saint évêque était en particulière vénération. En des lettres à Proclus, à l'empereur Théodose et à Cyrille, ils protestèrent : condamner une telle mémoire, l'élève de Flavien, le condisciple de Chrysostome, le défenseur de l'orthodoxie pendant près de cinquante ans, quel sacrilège! Ne sont-ce pas là procédés de croque-morts? Et si l'on se met ainsi à glaner parmi les anciens Pères dans le dessein de les trouver en défaut, qui d'entre eux restera indemne? Personne, ni Ignace, ni Athanase, ni Basile, ni les deux Grégoire. Proclus s'empressa de calmer tout cet émoi en déclarant qu'il n'avait jamais condamné Théodore de Mopsueste et en semonçant le faussaire[1]. Saint Cyrille blâma aussi pareilles manœuvres; il s'employa à sauver le nom de Théodore; mais très persuadé de la nocivité de sa théologie, il le combattit alors dans un traité.

Toute cette campagne s'apaisa d'ailleurs. Appelés enfin à la vision de ce Verbe incarné qu'ils avaient confessé de manière différente, les grands protagonistes disparaissaient de la scène : Jean d'Antioche en 441 ou 442, saint Cyrille en 444, Proclus en 446. Théodoret restait; pacifié, assagi, il amenuisait toujours plus sa christologie à l'orthodoxie.

Il y avait bien encore Nestorius, mais mis à jamais dans l'impossibilité de nuire. Signataire de l'Édit d'union, on ne lui aurait pas rendu sans doute le patriarcat; du moins ne l'eût-on plus traité en suspect. Mais dans cette Syrie où l'œuvre des « conversions » s'opérait lente et délicate, la présence de l'hérésiarque restait gênante, voire dangereuse. D'autant plus qu'il n'était point encore résigné : dans une longue lettre à Théodoret il regardait l'Édit d'union et les prétendues explications de l'Égyptien comme pures concessions verbales : acte d'hypocrisie analogue à celui d'une courtisane qui prendrait les airs d'une chaste matrone. D'ailleurs, il travaillait à sa *Tragédie*[2], récit des origines de la controverse et du concile d'Éphèse où, selon la forte expression d'Évagre, « il fait à sa manière l'apologie de son propre blasphème ». Il composait aussi son *Théopaskhite*, discussion dialoguée entre un nestorien et un cyrillien accusé de monophysisme théopaschite.

Il importait d'éloigner ce personnage. Un ordre impérial confisqua ses biens à Constantinople et l'exila à Pétra d'Arabie, grosse bourgade païenne fréquentée par les Arabes; puis on le transféra dans l'Oasis d'Égypte, sorte de prison d'État gardée par un océan de sable. Sans doute y composa-t-il son *Livre d'Héraclide* où les faits sont souvent travestis, et les idées. Au temps où il composait cet écrit une bande de Blemmyes, tribu pillarde du désert, vint dévaster la Grande Oasis; il fut emmené en captivité, puis abandonné par ses ravisseurs sur les frontières de la Thébaïde comme butin sans valeur.

Ramené à Panopolis, il dut y mourir vers l'époque du concile de Chalcédoine. Il resta jusqu'au bout plein de duplicité, affectant de voir dans le Tome de saint Léon la consécration de ses propres idées. Il recouvrait de piété son entêtement et déclarait : « Je ne refuserais pas de retirer ce que j'ai dit, si j'étais sûr que les hommes peuvent être ainsi ramenés à Dieu. » Son livre se termine sur ces paroles d'un stoïcisme qu'on voudrait chrétien : « Réjouis-toi avec moi, désert, mon ami, mon soutien, ma demeure; toi aussi, terre d'exil, ma mère, qui gardera mon corps jusqu'à la résurrection. »

V. La survivance du nestorianisme. — Exilé de l'Empire, le nestorianisme se réfugia aux frontières. A Édesse brillait une école fondée, croit-on, au IVe siècle par saint Éphrem. Située en bordure de la Perse, elle attirait les chrétiens de ce royaume où la persécution toujours menaçante empêchait tout établissement sérieux. L'école d'Édesse alimentait son enseignement à la pensée antiochienne, c'est dire qu'elle ne jurait au début du Ve siècle que par les maîtres de Nestorius, Diodore et Théodore.

1. Sur toutes ces intrigues, voir R. DEVREESSE, *Le début de la querelle des Trois-Chapitres*, *Rev. sc. rel.*, 1931, p. 543-566.

2. Évagre appelle la *Tragédie Historia.* Il existe une autre histoire du concile d'Ephèse, intitulée aussi *Tragédie*, et qu'écrivit l'ami de Nestorius, le comte Irénée. D'abord excommunié comme lui, il rentrera en grâce et deviendra évêque de Tyr vers 445.

Après que l'empereur Théodose II eut ordonné de détruire les écrits de Nestorius, Ibas, qui professait à l'école d'Édesse, voulut traduire à la fois en syriaque, en arménien et en perse l'œuvre de Théodore de Mopsueste : ainsi travaillait-il indirectement à la survivance et à la propagation du dyophysisme hétérodoxe. Mais, cyrillien décidé, Rabbula, évêque d'Édesse, contrecarra pareille entreprise et c'est lui qui, alertant les évêques d'Arménie, provoqua leur consultation à Constantinople et le tome de Proclus dont nous avons parlé. D'autre part, en une lettre au persan Maris, destinée à illustrer son auteur d'une manière posthume, Ibas avait raconté à sa manière le concile d'Éphèse et dénoncé l'Édit d'union : il s'y montrait violent à l'égard de Cyrille et de Rabbula. Or quand celui-ci mourut en 435, ce fut Ibas lui-même qui le remplaça sur le siège d'Édesse : d'où le champ laissé libre à la propagande dyophysite, malgré les protestations de quelques cyrilliens, en particulier le monophysite Philoxène, futur évêque de Mabboug. L'enseignement nestorien fut alors donné sans ménagement dans l'école d'Édesse par Narsaï. On peut en juger par certaine homélie en l'honneur des trois grands docteurs de la secte, Diodore, Théodore, Nestorius, et où la communication des idiomes est absolument rejetée : « Les propriétés de la nature humaine sont étrangères au Verbe, déclare-t-il. A la nature humaine s'attachent les misères de la nature humaine, mais non à la nature élevée, placée au-dessus des souffrances. A l'homme appartient tout ce qui est écrit du Fils de l'homme : la conception, la naissance, la croissance et la mort. »

Lorsque Ibas mourut en 457, une violente réaction se produisit. Invité à se rétracter sous peine d'être brûlé vif, Narsaï se réfugia en Perse, à Nisibe dont était évêque un de ses anciens élèves d'Édesse, Barsauma, nestorien farouche. Ainsi naquit l'école de Nisibe dont l'influence devint prépondérante en Perse[1]. Telle qu'elle apparaît dans les œuvres de Narsaï la doctrine christologique s'y affirmait nettement hétérodoxe : en Notre-Seigneur deux natures et deux personnes, entre le Dieu et l'homme nulle autre union que par la grâce, nulle autre unité que celle-là, purement nominale, qu'engendre l'amour, bref non seulement les expressions habiles du nestorianisme, mais le brutal dualisme de Théodore de Mopsueste que Narsaï avait visité dans sa jeunesse et qu'avec vénération il appelait « l'homme dont l'œil s'est obscurci dans l'étude des Écritures sans arrêt et sans interruption ». Or les anciens disciples d'Ibas et de Narsaï, formés aux écoles d'Édesse et de Nisibe, occupèrent bientôt maints sièges épiscopaux en Perse où ils répandirent partout le nestorianisme.

Cependant, Barsauma trouvait devant lui l'autorité supérieure du catholicos de Séleucie, Babowaï, apostat de la religion nationale et chrétien fervent. Mais, suspect de ce fait au pouvoir, il était à la merci d'une dénonciation : une lettre écrite par lui à l'empereur Zénon, et confisquée au passage par Barsauma, fut livrée au roi des rois Péroz qui, l'interprétant comme une trahison, ordonna son supplice : on le condamna à être suspendu par le doigt qui portait le sceau dont il avait cacheté la fatale missive (484).

Église nestorienne. — *SOURCES* : *Chronique de Séert*, dans *Patr. Orientalis*, t. VII. — *TRAVAUX :* J. Labourt, * *Le christianisme dans l'Empire Perse*, 1904. — M. J. Lagrange, * *Un évêque syrien du* v^e^ *siècle, Rabulas évêque d'Édesse*, dans *Mélanges d'hist. relig.*, 1915. — Peeters, * *La vie de Rabboula, évêque d'Édesse, R. S. R.*, 1928. — R. Duval, * *La littérature syriaque*, 1899. — A. Boumstark, * *Geschichte der syrischen Litteratur*, Bonn, 1922.— Mgr Tisserant, * *Nestorienne* (*Église*), dans *Dict. Théol.* — Mgr Tisserant, art. *Narsai*, *Ibid.*

1. L'école d'Édesse végéta encore cependant quelque trente ans jusqu'à ce que l'empereur Zénon la fît fermer en 489 comme un foyer de nestorianisme : ses derniers membres vinrent grossir les effectifs de l'École de Nisibe.

Acace lui succéda, formé à l'école d'Édesse. En 486, le synode réuni à Séleucie promulgua pour toute l'Église perse un credo de saveur nettement dyophysite, mais qui pouvait s'entendre d'une manière orthodoxe : « Notre foi doit être, en ce qui concerne l'Incarnation du Christ, dans la confession des deux natures de la divinité et de l'humanité. Nul de nous ne doit introduire le mélange, la « commixtion » ou la confusion entre les diversités de ces deux natures ; mais la divinité demeurant et persistant dans ses propriétés et l'humanité dans les siennes, nous réunissons en une seule majesté et adoration les divergences des natures, à cause de l'union parfaite et indissoluble de l'humanité avec la divinité. Et si quelqu'un enseigne que la passion ou le changement est inhérent à la divinité de Notre-Seigneur, et s'il ne conserve pas, relativement à l'unité de personne, la confession d'un Dieu parfait et d'un homme parfait, qu'il soit anathème. » Il y a loin déjà de cette pièce irénique aux emportements du fougueux Narsaï. On entrevoit que les esprits sont plus calmes et les divergences christologiques moins accentuées. En effet, les nécessités de la polémique avec les monophysites amenèrent peu à peu les nestoriens de Perse à se rapprocher de la foi catholique : on note que, dès le règne de Justin, au début du VIe siècle, les Persans fréquentèrent les Saints Lieux, et il est probable que sur cette terre romaine ils communiquèrent *in sacris* avec les orthodoxes.

Pourtant, toutes les concessions ne furent qu'apparentes et verbales ; dans l'Église persane, Théodore restera le docteur par excellence, « l'Interprète ». « Il n'est permis à aucun homme, dira encore le synode d'Iso'yahb Ier en 585, de diffamer ce docteur de l'Église, en secret ou en public, ni de rejeter ses saints écrits. Quiconque le fera sera excommunié, jusqu'à ce qu'il vienne à résipiscence et devienne le disciple sincère des maîtres contre qui il a déblatéré. » Aussi la christologie nestorienne se borna-t-elle à gloser la doctrine de Théodore : conservatisme rigide et étroit qui est aux antipodes de la fermentation théologique et de la multiplication des sectes propres au monophysisme. Sans doute le grand docteur persan Babaï (550-627)[1] rejettera-t-il comme insuffisantes, les formules antiochiennes d'adhésion et inhabitation ; mais, derrière l'unité affirmée de la personne du Sauveur, unité purement morale, se cache un dualisme foncier : chaque nature jouissant de son indépendance ontologique. Ainsi Babaï n'a-t-il guère fait que démarquer la pensée de Nestorius pour la transposer en langage catholique : la nocivité demeure entière.

La morale n'était pas moins entamée que le dogme. Barsauma avait donné l'exemple en vivant avec une moniale, Mamaï. Au surplus, jaloux du prestige de la virginité sacerdotale, les mages s'étaient toujours plaints que le haut clergé chrétien restât célibataire ; et plus d'une fois, ils avaient invoqué ce peu honorable grief durant les persécutions. Le synode de 486 décida que les évêques ne pourraient obliger leur clergé à faire vœu de virginité, que les diacres auraient toute facilité de se marier, et que le célibat ne serait permis qu'aux moines. Ainsi se fixaient les deux caractéristiques de l'Église persane : en théologie le nestorianisme ; pour la vie morale, le mariage des prêtres.

1. Sur Babaï, voir V. GRUMEL, *Un théologien nestorien, Babaï le Grand*, dans *Echos d'Orient*, 1923 (XXII), p. 153-181, 257-280 ; 1924 (XXIII), p. 9-33, 162-177, 257-274, 395-399. Dans un sens assez différent, LABOURT, *Le christianisme dans l'Empire perse*, p. 280-287.

CHAPITRE II

L'EUTYCHIANISME

I. Les prodromes de la crise. — Les concessions faites par Cyrille dans l'Édit d'union n'avaient pas suscité moins de défiance chez certains cyrilliens que parmi les nestoriens. Tandis que ceux-ci trouvaient qu'il ne concédait rien, ceux-là lui reprochaient de sacrifier la vérité dogmatique au désir d'apaisement. Ils prétendaient ne plus reconnaître la doctrine des anathématismes dans le pacte de 433 où certaines formules adoptées ou tolérées avaient quelque saveur nestorienne : ainsi la comparaison du temple concernant la nature humaine du Sauveur, ainsi encore l'application des expressions évangéliques tantôt à l'une et tantôt à l'autre des natures. Il y avait de ces cyrilliens extrémistes, en Égypte sans doute et à Alexandrie, mais aussi à Antioche même où dès 433 le diacre Maxime faisait opposition au patriarche Jean.

Nul doute qu'il y ait eu liaison, d'ailleurs, entre les futurs monophysites et les apollinaristes. Les plus avancés de ces derniers affirmaient la consubstantialité du Christ avec le Verbe — du moins par la participation à ses noms et propriétés — ce qui menait à la négation de sa consubstantialité avec nous. Ainsi créèrent-ils une ambiance favorable au monophysisme dans ces milieux qui, imbus de la christologie alexandrine, acharnés à réagir contre le péril nestorien, n'étaient déjà que trop exposés à exagérer l'unité du Verbe incarné. D'autre part, à une époque où l'argument d'autorité prenait plus d'ampleur et où, par l'initiative de Cyrille, on aimait à appuyer les idées théologiques sur d'amples dossiers patristiques, les apollinaristes mirent en circulation des écrits pseudépigraphes qu'ils firent admettre comme d'un Athanase, d'un Grégoire le Thaumaturge ou d'un Jules de Rome, et qui étaient en réalité d'Apollinaire : ainsi le poison monophysite s'infiltrait-il partout sous l'autorité des plus grands noms. Prodigieuse mystification dont, sur le moment, tout le monde fut dupe, et qui mit dans l'embarras les plus orthodoxes. On sait que Cyrille dut employer toute sa dextérité à gloser cette fameuse formule qu'il croyait athanasienne — apollinariste en fait — : *Una natura Verbi Dei incarnata* (μία φύσις τοῦ Θεοῦ Λόγου σεσαρκωμένη). Tandis qu'il la traduisait ainsi : « une seule personne, celle du Verbe, mais humanisée » ; à l'opposé, les alexandrins outrés l'interprétaient plus ou moins dans le sens d'une seule nature en relation quelconque avec la chair.

Un homme vit très nettement le péril, Théodoret. Dès 447, il écrit l'*Eranistès* (le Mendiant), exposé christologique dialogué où il dénonce les erreurs et absurdités mendiées par ses adversaires chez les hérétiques anciens. Dans le premier dialogue il établit qu'il n'y a aucun changement de la nature divine du Christ, dans le second qu'elle ne se mêle pas à la nature humaine, et dans la troisième qu'elle reste sans douleur. Immuable, inconfusible, impassible, tel apparaît le Christ de Théodoret (ἄτρεπτος, *immutatus;* ἀσύγχυτος, *inconfusus;* ἀπαθής, *impassibilis*). L'ennemi visé était presque montré du doigt, le monophysisme; et cela, à l'aide d'une méthode à vrai dire plus philosophique que théologique, mais avec des arguments fortement étayés sur des témoignages patristiques.

Cependant, le parti adverse s'agitait. Il détenait l'influence, maître qu'il était à Constantinople où il pouvait compter sur la faveur impériale, à Alexandrie aussi où le nouveau patriarche Dioscore exerçait l'autorité d'une main impérieuse et brutale, maltraitant, spoliant et exilant les héritiers de saint Cyrille, jouant au Pharaon ecclésiastique et prétendant imposer ses opinions théologiques à travers l'Orient entier. Manière indirecte, d'ailleurs, d'affirmer la prééminence de son siège patriarcal sur ceux d'Antioche et de Byzance qu'il voulait humilier.

La guerre s'ouvrit sur le territoire d'Antioche où le patriarche Domnus était un cyrillien modéré, ni enclin à un dualisme outré, ni davantage aux exagérations monophysites. D'après les exaltés, trois évêques de son ressort se trouvaient compromis par leurs anciennes attaches avec Nestorius : Irénée, Ibas et Théodoret.

Quel scandale que fût devenu évêque de Tyr, ce même comte Irénée qui, ami personnel de l'hérésiarque, s'était constitué à Éphèse son garde du corps, et qui, comme lui exilé à Pétra, avait composé une *Tragédie,* récit tendancieux de la crise. Contre lui on produisit un argument — non pas théologique, puisqu'il s'était rallié à l'orthodoxie —, mais canonique : il avait été marié deux fois. Pourtant l'arrêt impérial, qui le chasse de son siège, visait « les tenants de la foi impie de Nestorius »; il renouvelait et étendait la sentence de 435 contre les

Monophysisme eutychien. — *SOURCES :* Mansi, *Concil.*, VI, VII. — P. Martin, *Le brigandage d'Éphèse d'après les actes du concile récemment retrouvés*, dans *R. Q. H.*, 1874 (XVI), p. 5-68; *Le pseudo-synode connu sous le nom de Brigandage d'Éphèse étudié d'après ses actes récemment retrouvés en syriaque*, 1875. — Saint Léon, *P. L.*, LIV. — *Le livre d'Héraclide de Damas,* traduction française par F. Nau, 1910. — Théodoret, *Eranistès, Hœreticarum fabularum compendium, P. G.*, LXXXIII, etc. — *TRAVAUX :* P. Batiffol, * *Le Siège Apostolique.* — G. Krüger, ? *Monophysitische Streitigkeiten im Zusammenhange mit der Reichspolitik,* Iéna, 1884; art. *Monophysiten,* dans *Realencyclopädie für protest. Theologie.* — Loofs, * art. *Eutyches und der eutychianische Streit, ibid.;* art. *Christologie, Kirchenlehre, ibid.* — M. Jugie, art. *Eutychès et eutychianisme,* dans *Dict. Théol.* — Sur le concile de Chalcédoine : A. Largent, *Le brigandage d'Éphèse et le concile de Chalcédoine,* dans *Etudes d'histoire ecclésiastique,* 1892. — J. Bois, art. *Chalcédoine,* dans *Dict. Théol.*

Monophysisme sévérien. — *SOURCES :* 1° Ce qui est édité des œuvres de Sévère : L. W. Brooks, *The sixth book of the select Letters of Severus, patr. of Antioch,* London, 1902-1904. — R. Duval et M. Brière, *Les homélies de Sévère d'Antioche, trad. inedite de Jacques d'Édesse,* Homélies LII à LXIX, dans *Patrologia Orientalis* (*P. O.*) de R. Graffin et F. Nau, t. IV et VIII. — E. W. Brooks, *The hymns of Severus of Antioch, ibid.*, t. VI et VII. — A Kugener, *Allocution prononcée par Sévère après son élévation sur le trône patriarcal d'Antioche,* 1902. — 2° Les historiens anciens qui ont traité de Sévère et du monophysisme, en particulier : K. Ahrens et G. Krueger, *Die sogenannte Kirchengeschichte des Zacharias Rhetor,* Leipzig, 1899. — J. B. Chabot, *Chronique de Michel le Syrien,* 1901-02. — A. Kugener, *Vie de Sévère par Zacharie le Scholastique. Vie de Sévère par Jean de Beith-Aphtonia, P. O.*, t. II. — E. J. Goodspeed, *The conflict of Severus, patr. of Antioch, by Athanasius, ibid.*, t. IV. — *TRAVAUX :* M. Peisker, *Severus von Antiochen,* Halle, 1903. — J. Lebon, * *Le monophysisme sévérien. Étude historique, littéraire et théologique sur la résistance monophysite au concile de Chalcédoine jusqu'à la constitution de l'Eglise jacobite,* Louvain, 1909. — J. Maspéro, *? *Histoire des patriarches d'Alexandrie depuis la mort de l'empereur Anastase jusqu'à la réconciliation des Églises jacobites* (518-616), 1923. — M. Jugie, art. *Monophysisme,* dans *Dict. Théol.*

écrits de l'hérésiarque. A Domnus d'expulser son suffragant et de le remplacer sans délai : rude humiliation qu'à Alexandrie Dioscore dut savourer comme une victoire personnelle.

En cette même année 448, plainte est portée contre Ibas d'Édesse par quatre de ses clercs qui — non sans quelque fondement — lui reprochent ses sympathies nestoriennes. Accueillis avec peu d'empressement par Domnus et le concile d'Antioche, les accusateurs d'Ibas se rendent à Constantinople où Théodose II, fidèle à la tradition byzantine, évoque à lui l'affaire et la confie à un tribunal extraordinaire composé de trois évêques, Ouranios d'Himeria en Osrhoène, Photios de Cyr et Eustathios de Béryte. Contre Ibas, dix-huit inculpations s'alignaient, celle-ci capitale « qu'il est nestorien et traite Cyrille d'hérétique ». Pourtant l'affaire ne se termina point en tragédie : on demanda seulement à l'inculpé qu'il fît une déclaration propre à rassurer son clergé, et aussi qu'il ne cherchât point vengeance contre ses accusateurs.

Mais l'adversaire principal, c'était Théodoret. Par sa large culture d'esprit et son éloquence, il jouissait d'un ascendant extraordinaire, surtout à Antioche, où il prêchait souvent, et aussi dans son vaste diocèse où, vrai pasteur d'âmes, il travaillait inlassablement à ramener tous les hérétiques. Bref, pour l'Orient « une sorte d'Augustin », selon la forte expression de Mgr Duchesne. C'était plus qu'il n'en fallait pour susciter la jalousie du patriarche Dioscore. Chef moral des anciens tenants de l'école antiochienne, Théodoret restait d'ailleurs un suspect, tout « rallié » qu'il fût. En écrivant récemment son *Eranistès,* il avait dénoncé avec opportunité le péril d'un cyrillisme outrancier et esclave des formules. En Égypte l'indignation éclata. Comme l'accusé se disculpait du reproche d'hérésie, on se rabattit sur des prétextes futiles, tels qu'autrefois on les brandissait contre Athanase et Chrysostome. Trop remuant, suspect d'être un agent de troubles, Théodoret devrait désormais se cantonner dans son diocèse : ainsi l'ordonnait un décret impérial.

C'est qu'en effet le centre de la faction était plus encore à Byzance qu'à Alexandrie. Là, un eunuque tout-puissant, Chrysaphius, dominait le faible basileus Théodose II. Inféodé au parti alexandrin, il détestait le patriarche Flavien qui, comme Domnus d'Antioche, en était resté à l'attitude pondérée de l'Édit d'union. Par contre, il reportait toute sa confiance et sa faveur sur son parrain Eutychès, archimandrite d'un couvent de trois cents moines. Jadis disciple de l'abbé Dalmatius, héritier de son prestige ascétique et monastique, mêlé activement à toute la campagne anti-nestorienne, honoré de l'estime particulière de saint Cyrille, qui lui envoya un exemplaire des actes du concile de 431, Eutychès passait pour l'orthodoxie incarnée. En réalité, l'homme était ignorant, obtus et téméraire. Sans les bien comprendre et en les glosant dans un sens monophysite, il rabâchait les formules cyrilliennes, heureux qu'il était d'appuyer son hétérodoxie sur diverses citations empruntées par mégarde à Apollinaire.

Peu importe, il détenait la faveur de l'opinion et celle de Chrysaphius. Auprès de lui, le patriarche Flavien, personnage suspect, se trouvait rejeté au second rang. A l'archimandrite impérial revenait une juridiction mal définie, une sorte de droit de contrôle qui, rejoignant celui de Dioscore, couvrait l'Orient ecclésiastique et se traduisait par toute cette campagne

Théodoret. — *SOURCES : P. G.,* LXXX-LXXXIV. — *TRAVAUX :* P. Forest, *Un évêque du* v^e^ *siècle, Théodoret de Cyr*, dans *Université cath.*, 1901 (XXXVII), p. 161-183. — L. Saltet, *Les sources de l'*Ἐρανιστής *de Théodoret*, dans *R. H. E.*, 1905 (VI), p. 289-303, 513-536, 741-754. — J. Schulte, *Théodoret von Cyrus als Apologet,* Vienne, 1904. — J. Lebreton, * *Le dogme de la transsubstantiation et la théologie antiochienne au* v^e^ *siècle,* dans *Études*, 1908 (CXVII), p. 477-497.

dont nous avons vu les manifestations principales : déposition d'Irénée, procès d'Ibas, mise en surveillance de Théodoret, rappel à l'ordre de Domnus. « Comme il n'était pas évêque, dit le *Livre d'Héraclide*, il se donnait un autre rôle, celui d'évêque des évêques. C'est lui qui dirigeait les affaires de l'Église et il se servait de Flavien comme d'un serviteur pour exécuter les ordres de la cour... Il chassait de l'Église tous ceux qui ne partageaient pas ses opinions : quant à ceux qui l'aidaient, il les élevait et leur portait secours. » Dans son zèle, il alla même jusqu'à écrire au pape pour lui dénoncer ce retour de nestorianisme. En homme prudent, et qui connaît l'Orient de longue date, saint Léon lui répondit simplement qu'il attendait plus ample information, et que d'ailleurs on pouvait compter sur la vigilance romaine.

De fait, ce fut bientôt un autre son de cloche. Au début de 448, Domnus d'Antioche le dénonçait pour ses tendances apollinaristes dans une lettre synodale adressée à l'empereur Théodose II : accusation qui, de si haut qu'elle tombât, se perdit pourtant dans le concert d'éloges montant sans cesse vers Eutychès. Ce patriarche, qu'était-ce? Un téméraire et un suspect. L'archimandrite, par contre, un ascète et un saint, enflammé du zèle de la vraie foi.

II. Le procès d'Eutychès. — Cependant, un homme osa mettre l'archimandrite en accusation, Eusèbe de Dorylée, le même qui jadis avait dénoncé Nestorius. Comme le synode permanent s'était réuni le 8 novembre 448, pour l'examen d'un conflit local survenu entre le métropolitain de Sardes, Florentin, et deux de ses suffragants, et que, le cas une fois expédié, on allait se retirer, Eusèbe formula sa plainte. Timide et conciliant, Flavien eût voulu, sinon étouffer l'affaire, du moins temporiser. Accusateur tenace, Eusèbe s'y refusa. Force fut au patriarche et à son concile de s'exécuter.

Le 12 novembre, Flavien énonça clairement quel credo formuler et imposer à Eutychès : Jésus-Christ, Dieu parfait et homme parfait, consubstantiel à son Père par sa divinité, à Marie par son humanité, une personne en deux natures, bref la foi christologique telle que dans l'Édit d'union. Cependant l'accusé ne se pressait pas de comparaître : à une première monition il objecta qu'il avait fait vœu de réclusion perpétuelle; à une seconde, puis à une troisième qu'il était malade. Toujours pacifique, Flavien lui laissa encore jusqu'au 22 novembre, délai que le rusé archimandrite utilisa à travailler les monastères de la capitale, où il essaya de faire signer des formules monophysites.

Enfin, il comparut, escorté de moines nombreux, de soldats, de fonctionnaires, entre autres le patrice Florent, délégué spécial de l'empereur. Si, par tout cet appareil, il avait espéré intimider l'assemblée, grande fut sa déception. Un interrogatoire précis commença qui révéla la faiblesse théologique d'Eutychès. Sans doute, dans l'ensemble, ses déclarations étaient-elles orthodoxes : en Jésus-Christ, une seule personne, Dieu parfait et homme parfait, sans mélange de l'humanité et de la divinité, né dans une chair prise de la Vierge, et non pas d'origine céleste. Mais, esclave de formules cyrilliennes qu'il ne savait pas interpréter, il se refusa à dire que le Verbe est en deux natures après l'union[1]; puis, par une audace nou-

1. On sait que Cyrille avait pu supposer que l'humanité du Sauveur était une personne (φύσις) avant l'union, c'est-à-dire en pure théorie et à un moment irréel. Qu'il se soit prêté à cette fiction, prouve assez quelle ingéniosité apostolique il déployait pour ramener les nestoriens. Incapable de comprendre qu'il ne s'agissait là que d'un procédé apologétique, Eutychès répétait la formule « deux *personnes* avant l'union, une seule après », en donnant à *personne* (φύσις) le sens de *nature*. Ainsi devenait-elle l'expression d'un monophysisme sommaire et radical.

velle, il ajouta que le Christ n'était pas consubstantiel à nous; d'après lui, il aurait eu un corps humain, mais non pas un corps d'homme. Autant prétendre qu'il restait étranger à notre humanité, qu'il en possédait une autre, toute propre à lui, et résorbée en quelque sorte dans « l'unique nature du Verbe incarné ». Somme toute, le monophysisme.

L'accusé fut violent, unilatéral, sans nuances. Entêté dans ses formules, il se réfugiait, pour les soutenir, derrière l'autorité de saint Cyrille et de quelques Pères illustres. « Confessez-vous, lui disait-on, deux natures après l'union? — Ordonnez, répliquait-il, qu'on lise les écrits d'Athanase afin que vous sachiez qu'il n'a rien dit de tel. » Sommé de répudier les deux articles qu'on lui reprochait : « Si je prononçais l'anathème, objectait-il, malheur à moi! Car il retomberait sur mes Pères. »

Il n'y avait plus qu'à porter la sentence. « Eutychès, jadis prêtre et archimandrite, est pleinement convaincu d'être imbu de l'erreur de Valentin et d'Apollinaire et de suivre obstinément leurs blasphèmes. Il a méprisé nos admonestations et nos enseignements et a rejeté la saine doctrine. C'est pourquoi, pleurant et gémissant sur sa perte totale, nous déclarons, de la part de Jésus-Christ, qu'il a blasphémé, qu'il est privé de toute dignité sacerdotale, de notre communion et du gouvernement de son monastère. Tous ceux qui désormais, étant avertis, lui parleront ou le fréquenteront, seront eux-mêmes soumis à l'excommunication. »

III. Les divers monophysismes. — Dès lors Eutychès devenait le chef de tous ceux qui, dans le Sauveur, nient la permanence des deux réalités distinctes — divinité et humanité —, soit qu'entre elles s'opèrent quelque confusion et mixtion, soit que cette humanité du Christ ne soit pas de même nature que la nôtre. Théories assez confuses développées peu à peu après l'édit d'union, auxquelles tout à la fois apollinarisme et cyrillisme fournirent un lexique, mais qui n'inspirèrent pas d'abord le soupçon, authentiquées qu'elles semblaient par l'argument d'autorité, par un zèle anti-nestorien et comme par une super-orthodoxie. Multiples étaient les raisons et les sentiments qui entraînaient vers de telles idées : l'ardeur de la foi peut-être, mais aussi les vieilles passions opposant Antiochiens et Alexandrins; chez plusieurs une conception religieuse et un mysticisme, développés surtout dans les milieux monastiques, et qui aboutissaient au rêve d'un Christ, non revêtu de notre misérable chair, mais idéalisé, tout éthéré, l'ombre d'une ombre, un fantôme; chez d'autres, par contre, un argument en forme tel qu'il apparaissait déjà à Apollinaire : toute nature concrète doit être une personne, or il ne doit y avoir en Jésus-Christ qu'une personne, donc il faut éliminer de quelque manière l'une des natures, de préférence l'humaine.

Pour y arriver, nombreux aussi étaient les procédés de résorption. D'après certains, l'humanité avait été diluée dans la divinité comme une goutte de miel dans l'eau de la mer : théorie assez grossière qui consistait donc non dans l'Incarnation de Dieu, mais dans la déification de l'homme, et qui logiquement devait aboutir au théopaschitisme ou attribution des souffrances à la nature divine, seule existante[1], au docétisme aussi puisque le corps du Christ n'est plus qu'apparent : d'où le nom de phantasiates donné à ces sectateurs. A l'opposé, d'autres admettaient l'évanouissement du Verbe dans l'humanité, sa transformation en chair : ainsi, par l'effet de sa toute-puissance, aurait-il changé d'état,

1. Notons toutefois que l'expression théopaschitisme a été attribuée à tous les monophysites en général à cause des mots *qui crucifixus es pro nobis* ajoutés bientôt par eux au triple *Sanctus* ou *Trisagion*.

comme l'eau vive qui, congelée, devient de liquide solide. Pareille christologie nie absolument la maternité de Marie à laquelle le Christ n'aurait rien emprunté.

Mais voici la théorie classique, celle du mélange de la divinité et de l'humanité pour former un être nouveau à qui ne reviennent ni les attributs divins, ni les humains, mais d'autres tout spéciaux. S'ils avaient vécu à notre époque, ces hérétiques auraient eu la ressource variée des comparaisons chimiques : ainsi celle de l'hydrogène et de l'oxygène se combinant pour donner l'eau, autre corps aux propriétés toutes différentes que celles des deux premiers.

Enfin, une christologie plus subtile enseigne que, sans confusion ni mélange, la divinité et l'humanité, substances incomplètes, s'unissent pour former une essence nouvelle et complète, à la manière du corps et de l'âme en nous. Une telle invention est toute voisine de l'apollinarisme qui ne laissait à l'homme uni au Verbe que les facultés sensibles inférieures, lui-même remplissant dans le composé le rôle de l'intelligence et de la volonté[1].

IV. Le Brigandage d'Éphèse. — Sans retard Eutychès en appela au pape Léon et à Pierre Chrysologue de Ravenne : déclarations dogmatiques assez sournoises qu'il faisait reposer encore sur des autorités patristiques. D'ailleurs Théodose II l'appuya d'une lettre personnelle[2]. Saint Léon y répondit par les compliments d'usage : il attendait que Flavien éclairât sa religion. Dans une lettre du 18 février 449, celui-ci définit enfin clairement au pape l'erreur d'Eutychès : refus de reconnaître l'union des deux natures en une personne, négation de la consubstantialité de la chair du Seigneur avec la nôtre. Saint Léon y vit clair aussitôt et, avec perspicacité, jugea son homme. Dès lors, à Rome, la manœuvre de l'hérésiarque était déjouée.

En Orient elle allait se poursuivre, œuvre collective de toute la faction monophysite, dirigée par Dioscore et Chrysaphius, avec l'appui du faible empereur. Celui-ci commença par demander à son patriarche qu'il n'exigeât d'Eutychès que la signature du symbole de Nicée confirmé à Éphèse. Autant laisser un blanc-seing à l'hérésie nouvelle au-dessous des vieux credos; Flavien s'y refusa. — Ne pourrait-on pas aussi incriminer le verdict porté? Le 13 avril 449, une nouvelle assemblée se réunit à Constantinople où, sans succès, on voulut prouver que les Actes avaient été falsifiés, et la sentence rédigée par Flavien antérieurement à la séance finale.

Alors on en revint au procédé classique, le même déjà tenté pour sauver Nestorius : un grand concile œcuménique. L'empereur y convoqua le patriarche Dioscore et ses évêques, l'archimandrite syrien Barsauma avec ses moines aux lourds gourdins. Par contre, ordre à Théodoret de ne point paraître; et quant aux prélats accusateurs d'Eutychès ils ne participeraient point aux votes, puisqu'il s'agissait de contrôler leurs sentences : ainsi, les rôles renversés, devenaient-ils d'accusateurs accusés. Par ordre impérial, Dioscore présiderait, ayant à ses côtés Jules de Pouzzoles, chef de la légation romaine. Somme toute, la même place qu'avait tenue à Éphèse son prédécesseur Cyrille en 431, il l'y reprendrait, lui

1. Il faut rappeler que saint Cyrille a souvent employé la comparaison de l'âme et du corps pour illustrer son exposé de l'union hypostatique, mais sans prétendre y trouver davantage qu'une expressive et incomplète analogie.

2. La réponse de saint Pierre Chrysologue est une fin de non recevoir basée sur le respect de l'autorité apostolique : « Le bienheureux Pierre... assure à ceux qui la cherchent la vérité de la foi... Pour nous... nous ne pouvons pas connaître des vérités de la foi en dehors du consentement de l'évêque de Rome. »

Dioscore, en 449; toutefois avec un mandat émané non plus du pape, mais de l'empereur.

Le programme était des plus clairs : renverser l'œuvre du synode byzantin, réhabiliter Eutychès et, en représailles, destituer le patriarche Flavien, ainsi que les évêques suspects de nestorianisme : bref, une besogne de haine. En vain les légats romains demandèrent-ils par deux fois qu'on écoutât la lettre du pape au concile; Dioscore s'y refusa. Par contre il fit lire les Actes du synode de Constantinople. A ce passage décisif, où Eutychès est sommé de confesser les deux natures, une clameur s'éleva : « Eusèbe de Dorylée au feu! Qu'il soit brûlé vivant! En deux morceaux celui qui divise le Christ! » Quant à la formule cyrillienne telle qu'Eutychès l'avait glosée dans un sens monophysite : « C'est ce que nous croyons », affirma Dioscore. « Anathème à qui met deux natures dans le Christ! s'écria-t-on. Qu'on chasse, qu'on déchire, qu'on massacre ceux qui veulent deux natures! » Peu d'évêques dans l'assemblée avaient l'étoffe de confesseur ou de martyr. Domnus d'Antioche, d'ailleurs, donna le signal de la capitulation, entraînant après lui ceux qui eussent montré quelque velléité de résistance. Ignorants du grec, réduits à regarder sans comprendre, les légats du moins ne signèrent pas. Tout était perdu sauf l'honneur romain.

Après la réhabilitation d'Eutychès, la condamnation de ses juges. Elle fut amorcée perfidement à la faveur même du concile d'Éphèse. Dioscore rappela qu'une de ses décisions interdisait toute modification au symbole de Nicée. Or, les accusateurs d'Eutychès, Eusèbe et Flavien, n'y avaient-ils pas contrevenu en accréditant leur formule des deux natures? En vain la minorité essaie-t-elle un effort désespéré. « Je te récuse », crie Flavien à Dioscore. « *Contradicitur* », proteste le diacre romain Hilarinus. Alors, feignant d'être débordé : « Où sont les comtes? » clame Dioscore.

Aussitôt, les portes ouvertes, s'élance dans l'église une tourbe où à des soldats de police et aux parabolans et matelots égyptiens on voit mêlés les moines terroristes de Barsauma. Ce fut un tumulte indescriptible, un sauve-qui-peut. Ceux qui restèrent durent apposer leur nom au bas de feuilles blanches; dans leur frayeur, ils eussent d'ailleurs signé tout ce qu'on eût voulu. « Si quelqu'un ne souscrit pas, disait Dioscore, il aura affaire à moi. » Formule elliptique, mais dont personne n'ignorait le sens. « En sorte, écrit Tillemont, qu'on pouvait dire avec vérité que c'étaient moins les évêques que les soldats qui déposaient Flavien. » Tous s'exécutèrent, jusqu'à ce pauvre Domnus d'Antioche, infidèle à sa propre cause. Sur pareille scène, le pape Léon a dit le mot juste, et qui restera : non pas concile, mais brigandage (*latrocinium*).

La haine pourtant n'était point satisfaite. Il lui fallait toutes ses vengeances. Quinze jours plus tard, les conjurés tinrent séance à nouveau. On déposa, en particulier, Ibas, accusé non seulement d'hérésie, mais de mauvaises mœurs et de dilapidations. Contre lui recommencèrent les vociférations de commande : « Qu'Ibas soit brûlé vif! Les démons n'ont point osé parler comme lui! Les pharisiens n'ont rien dit de pareil! Les Juifs ne s'exprimaient pas ainsi. Celui qui aime Ibas est nestorien. »

Puis, vint le tour de Théodoret, la plus noble de ces victimes, contre qui toutefois la fureur débordante n'osa retenir que des griefs dogmatiques, faciles à ramasser dans les anciens écrits où, après Éphèse, l'évêque de Cyr avait combattu Cyrille, sans assez de discernement. Enfin, Domnus lui-même ne fut pas épargné, malgré sa récente et lamentable capitulation. « Le concile termina ses opérations par l'acceptation des anathématismes de Cyrille. Celui-ci, remarque Mgr Duchesne, avait en effet raison de tous ses adversaires; mais en bien triste compagnie. » De son vivant, jamais il ne s'y serait résigné, lui qui avait fait tant de concessions à l'esprit de paix.

Quand Domnus se fut retiré tristement au monastère d'Apamée et qu'un certain Maxime eut pris sa place, quand Dioscore eut installé à Constantinople Anatole, un Égyptien qu'il consacra lui-même, les Eutychiens purent se croire les maîtres incontestés; et, vainqueur des deux patriarches rivaux, le « Pharaon ecclésiastique » fit figure d'un vrai pape d'Orient.

V. Le concile de Chalcédoine. — Cependant, vers Rome affluaient les protestations : celles du légat Hilaire et d'Eusèbe de Dorylée qui, parvenus à s'enfuir, firent à saint Léon un récit direct des événements; celles de l'infortuné Flavien qui, avant de mourir à Hypère en Lydie, sur le chemin de l'exil, en appela à la Grande Église contre pareilles injustices et brutalités, dont il succombait; celles enfin de Théodoret, si nobles et si filiales tout ensemble, où il célèbre Rome « qui possède le tombeau de nos pères et de nos maîtres communs, Pierre et Paul ». Est-ce donc pour une telle humiliation qu'il a tant servi l'Église? « Dieu sait que de pierres les hérétiques m'ont jetées, tout ce que j'ai lutté dans les villes de l'Orient contre les Gentils et les Juifs. Et après toutes ces sueurs et ces besognes, me voilà condamné sans avoir été entendu. Si vous m'ordonnez de m'en tenir à la sentence portée, je m'y soumettrai et n'importunerai plus personne, et j'attendrai le juste jugement de Dieu, notre Sauveur. » Nul souci de son honneur, mais seulement la crainte que, par le scandale causé, ne soient ébranlés « les simples et surtout les nouvelles brebis que son labeur a retirées de l'hérésie ».

Avec ces passions orientales et ces violences sauvages, la mentalité de saint Léon fait un singulier contraste, lui, « calme, simple, majestueux, et sur lequel les émotions du dehors n'ont laissé que de faibles traces ». Il évoque ces âmes de la Rome antique que rien n'ébranlait : visage impassible, cœur sans émoi. Avec le même sang-froid qui le conduit devant Attila, fléau de Dieu, il aborde la tumultueuse question d'Orient. Comme Ambroise il possédait le don du commandement, la notion impérieuse de l'ordre et de la discipline. Il était le chef; qu'il parlât, et il n'y aurait plus qu'à obéir[1]. L'ampleur même de son style au magnifique cursus donne bien cette impression de dignité majestueuse : un beau Tibre aux flots sereins. Nul à qui convienne mieux le surnom de « grand ».

Son *Épître dogmatique,* dont les furieux d'Éphèse avaient empêché la lecture, contenait une claire exposition de la christologie catholique : en Jésus-Christ une seule personne, et dans cette hypostase unique deux natures, la divine et l'humaine, chacune gardant ses facultés et opérations, sans détriment de la communication des idiomes. Qu'y avait-il là? Une réfutation du monophysisme? Pas le moins du monde. Un essai de débrouiller les formules orientales? Un Romain avait mieux à faire que de s'égarer parmi ces labyrinthes. Ni discussion, ni spéculation; une simple catéchèse, modèle d'enseignement commun, où tout le monde lirait — exposé avec une netteté et une vigueur remarquables, dans une forme à la fois claire et ample

1. On comprend que les anti-romains aient détesté saint Léon en qui ils voient l'un des fondateurs de la monarchie pontificale. Grégorovius écrit sans sourciller : « Léon Ier fonda la primatie du Siège Apostolique de Rome, et ses menées ambitieuses trouvèrent le plus empressé des concours dans une femme bigote Augusta Placidia et dans un empereur imbécile, son fils Valentinien. »

— le credo des Églises. C'était bien la vieille manière de Rome qui, témoin indiscutable de la tradition apostolique, formule la vérité sans plus, avec toute l'autorité à elle conférée par l'argument de prescription. Reconnaissante et émerveillée, la légende dira, à l'époque de saint Grégoire, que Léon, après avoir déposé l'*Epistula* sur le tombeau de saint Pierre durant tout un carême, la trouva ensuite retouchée et amendée par la main même du prince des Apôtres.

A cette lettre, chef-d'œuvre de pondération, le *Brigandage d'Éphèse* avait préféré les vociférations et les anathématismes des forcenés que menait Dioscore. Mais, aux yeux de Léon, l'*Epistula* restait la seule définition. Il n'eut plus qu'une idée : réunir une assemblée qui vengerait la christologie officielle et réhabiliterait les victimes. Encore fallait-il persuader Théodose II. Après avoir assemblé à Rome un concile, deux fois il lui écrit dans ce sens. Nulle réponse. Alors le pape recourt aux plus augustes intermédiaires : l'empereur d'Occident Valentinien III vint à Rome avec sa mère Galla Placidia et sa femme Eudoxie, sœur de Théodose II; après que, le 22 février, jour de la fête de la chaire de saint Pierre, ils eurent apporté leurs riches offrandes au tombeau des Apôtres, saint Léon leur exposa les misères de l'Église d'Orient; si importante était la requête, si chers à l'Église les intérêts en jeu que, pour une fois, son émotion se trahit, et que des sanglots étouffèrent sa voix; il conjura les souverains qu'ils fissent pression sur Théodose II pour obtenir la tenue d'un concile en Italie. Ils écrivirent, et dans sa requête Placidia soulignait « quel tribut de respect méritait le Siège Apostolique auquel l'Apôtre clavigère a laissé la préséance sur l'épiscopat ». Saint Léon, d'ailleurs, insistait auprès de l'impératrice Pulchérie, la seule personne sur qui il pût se fier à la cour byzantine. Peines perdues! En avril 450, sous l'inspiration du tout-puissant eunuque, Théodose répondait que l'œuvre entreprise à Éphèse était d'assainissement et de justice.

Cependant, le 28 juillet, il mourait d'une chute de cheval, « par accident ou par une spéciale Providence », selon l'expression divertissante de Kidd. C'était, du jour au lendemain, la situation politique et ecclésiastique renversée. Brouillée avec son mari, l'impératrice Eudoxie s'était retirée à Jérusalem. Le pouvoir revenait donc à la sœur du défunt empereur, Pulchérie, d'une orthodoxie ardente. Elle s'associa le sénateur Marcien qu'elle épousa.

Dès lors, revirement rapide et complet. Trois mois après son avènement, Pulchérie peut déjà dire au pape quels gages Marcien et elle ont donnés au parti romain : retour des cendres de Flavien à Constantinople, rappel des évêques exilés avec lui, pression faite sur le nouveau patriarche Anatole pour qu'il rejoigne le Siège Apostolique. Jusqu'alors, en effet, saint Léon avait différé d'agréer Anatole, attendant de lui qu'il adhérât publiquement à l'*Epistula dogmatica*, expression de l'orthodoxie romaine. Sous la pression impériale, Anatole s'y est résigné dans un synode tenu vers novembre 450. Tous ces gages ne doivent-ils pas amener le pape à accéder à la proposition byzantine : celle d'un concile général que présiderait en Orient Léon lui-même?

Pourtant celui-ci n'en est plus d'avis. Une fois le succès assuré par l'alliance sincère de la papauté avec l'empire, ne suffirait-il pas aux légats romains — l'évêque Lucentius et le prêtre Basile — de liquider la situation en réglant les cas individuels des faillis d'Éphèse? Quant à

Saint Léon. — *SOURCES : P. L.*, LIV-LVI. — *TRAVAUX :* KUHN, *Die Christologie Leo's I des Grossen*, Würzburg, 1894. — A. RÉGNIER, *Saint Léon le Grand* (coll. *les Saints*), 1910. — J. PSCHMADT, *Leo d. G. als Prediger*, Elberfeld, 1912. — W. KISSLING, *Das Verhaltniss zwischen sacerdotium und Imperium nach den Anschauungen der Paepste von Leo d. G. bis Gélasius I*, Paderborn, 1921. — P. BATIFFOL,* *Le Siège Apostolique*, p. 417-618; art. *Léon I*er *(saint)*, dans *Dict. Théol.*

un nouveau concile, à quoi bon? Saint Léon, qui avait le sens du gouvernement, trouvait que son *Epître* suffisait à tout, que tous pouvaient bien y souscrire sans assemblée délibérante, et même que ce serait le meilleur moyen d'éviter les frictions à une heure où les partis étaient encore tout frémissants au souvenir du *Brigandage*.

Mais le gouvernement voulait davantage. Si bons qu'ils fussent, les nouveaux souverains n'avaient pas une suffisante confiance dans la force absolue des décisions romaines : « pour abattre le puissant parti alexandrin le procédé des signatures leur paraissait anodin ». Il leur fallait une décision œcuménique qui, par sa splendeur, en imposât à tous : déploiement de force impériale tout autant que d'autorité pontificale. Sans tenir compte des objections, Marcien lança, le 17 mai 451, la lettre d'indiction qui fixait l'ouverture à Nicée, le 1er septembre. Ainsi que jadis Célestin, saint Léon fit contre mauvaise fortune bon cœur; comme lui il sourit à la décision byzantine, mais comme lui aussi il affirma que sa propre sentence doctrinale aurait force de loi et que l'assemblée se bornerait à souscrire l'*Epistula dogmatica* remise à ses trois légats, les évêques Paschasius et Lucentius, et le prêtre Boniface. Nulle discussion, une simple adhésion à la formule de Pierre.

Avec la fermeté, la douceur et la longanimité : Léon parle des « remèdes de la bénignité ». Rien contre la pacification, nulles représailles envers les personnes, aucune déposition d'évêque. Jamais les ordres pontificaux n'ont rendu un son plus romain. Mgr Batiffol l'a bien dit : « Chalcédoine sera l'apogée en Orient du principatus du Siège Apostolique. » Après quoi, tout y déclinera.

Jamais on n'avait vu si nombreuse assemblée ecclésiatique : plus de 520 évêques, tous orientaux sauf les légats et deux africains. Dioscore arriva avec 17 prélats, bien déchu toutefois par le seul fait de la défaveur impériale. Il tenta aussitôt une manœuvre *in extremis* en prononçant la condamnation de saint Léon, coup d'épée dans l'eau qui lui laissa entrevoir l'issue fatale. Après que, pour la facilité de l'empereur, les Pères se furent transférés de Nicée à Chalcédoine, le concile s'ouvrit le 8 octobre dans l'église de Sainte-Euphémie.

Tout aussitôt on requit la mise en jugement de Dioscore. Avec l'appui des légats, Eusèbe de Dorylée prononça son réquisitoire : « J'ai été lésé, dit-il; la foi aussi; Flavien a été tué, ce saint évêque dont je ne puis prononcer le nom sans verser des larmes. J'accuse Dioscore de tout cela. »

Un autre témoin à charge fit son entrée, Théodoret. Alors, ce fut une tempête inouïe, un soulèvement d'indignation réciproque, des hurlements et des trépignements sans fin, comme si toute la fureur du *Brigandage* allait reparaître. De la droite où ils siégeaient, Dioscore et ses Égyptiens criaient : « Hors d'ici l'ennemi de Dieu, le juif, le précepteur de Nestorius! » A quoi leurs adversaires répondaient : « A la porte, Dioscore l'assassin! A la porte, les ennemis de Flavien! »

Quand la fermeté des commissaires impériaux eut rétabli le calme, le procès commença, tout entier basé sur la lecture des Actes du Brigandage et sur l'audition des témoins. Rien de bien glorieux ni pour les terroristes, ni pour les victimes. Celles-ci prouvèrent sans peine quelle violence on leur avait faite : « Ce sont les soldats qui ont déposé Flavien. Qu'aurions-nous pu faire? Il y allait de notre vie; nous étions au pouvoir des hérétiques. » A quoi Dioscore et ses Égyptiens avaient beau jeu de répliquer : « Vous avez eu peur! Est-ce qu'un chrétien a peur? Les beaux martyrs que vous auriez faits! » Peu importe, l'iniquité des procédés de Dioscore était patente. Après une séance qui dura jusqu'à la nuit, il fut déposé, et avec lui ses principaux complices, Juvénal de Jérusalem, Thalassius de Césarée, Eusèbe d'Ancyre, Eustathe de Béryte et Basile de Séleucie.

Peu après, le 13, on reprit le procès personnel de Dioscore. Des témoins égyptiens vinrent déposer contre le scandale de son despotisme, les uns se plaignant qu'il eût commis des exactions, comme, par exemple, la saisie des blés envoyés par les empereurs aux évêques de Libye; les autres incriminant ses procédés envers les neveux et héritiers de Cyrille qu'il avait dépossédés et exilés; plusieurs aussi lui reprochant son immoralité, ses maîtresses, dont la plus connue Pansophia, dite la Montagnarde, avait les honneurs de la chanson populaire à Alexandrie. A ces griefs contre l'arbitraire local du patriarche, d'autres s'ajoutaient, visant le tyran ecclésiastique d'Éphèse, l'homme qui avait reçu, dès avant l'ouverture du synode, Eutychès condamné par son évêque, le parjure qui avait refusé de faire lire l'*Épître dogmatique* devant l'assemblée, le terroriste qui avait tenu ses collègues sous la menace des épées et des bâtons, le sacrilège enfin qui, à la veille de Chalcédoine, osait lancer l'excommunication contre le Siège Apostolique lui-même. Que révélaient tant de témoignages? Une ambition œcuménique. Contre Dioscore contumace, rebelle aux trois sommations de comparaître, la sentence fut donc portée par les légats romains : « Le très saint et bienheureux archevêque de la grande et ancienne Rome, Léon, par nous et par ce saint concile, en union avec le bienheureux Apôtre Pierre, qui est la pierre angulaire de l'Église et le fondement de la foi catholique, l'a dépouillé de l'épiscopat et de tout ministère sacerdotal. »

Plus audacieux, les moines monophysites se présentèrent à l'assemblée; parmi eux, le fameux Barsauma. Dès qu'il l'aperçut, Diogène de Cyzique s'écria : « Ce Barsauma que vous voyez là a tué Flavien. » Alors, de nouveau, un *tolle* retentit : « Hors d'ici l'assassin! A l'amphithéâtre! Qu'on le livre aux bêtes! Anathème à Barsauma! » Enfin l'un des archimandrites, Carausius, put lire sa requête où il ne demandait rien moins que la réintégration de Dioscore. Sommés de condamner Eutychès, ces moines fanatiques s'y refusèrent et furent déposés. Comme ils en appelaient à l'empereur, celui-ci répondit simplement : « Ce que le saint concile décide est une règle pour moi. »

L'œuvre d'assainissement comportait aussi la pleine réhabilitation des victimes du *Brigandage*. De toutes la plus noble était Théodoret. « Soyez convaincu, déclara-t-il, que je ne suis pas venu ici pour la conservation de mon évêché ou de mes honneurs; mais, comme on m'a calomnié, j'ai tenu à justifier mon orthodoxie. » Et, à la requête de l'assemblée, toujours soupçonneuse envers les « Orientaux », il dit sans ambages : « Anathème à Nestorius et à quiconque n'appelle pas la Vierge Marie Mère de Dieu, et divise en deux Fils le Fils unique. J'ai souscrit comme les autres la définition du concile et la lettre de Léon. Telle est ma foi. » « Théodoret est digne de l'épiscopat, s'écrièrent les Pères. L'Église doit recouvrer son docteur orthodoxe. » Ainsi se dissipaient après vingt années les dernières équivoques.

Autre victime d'un cyrillisme intransigeant et combattif, Ibas fut gracié à son tour. Contre lui la pièce accusatrice était cette lettre au persan Maris, où sans doute il jugeait arbitrairement les anathématismes de Cyrille qu'il accusait d'apollinarisme, mais où il formulait aussi une nette profession dans l'unité d'un seul Christ en deux natures. Pourquoi incriminer un écrit polémique, rédigé à une époque de combat, alors que la poussière soulevée empêchait chacun de voir le vrai visage de l'adversaire? D'ailleurs, comme Ibas adhérait maintenant à la définition de Chalcédoine et qu'il anathématisait Nestorius « dix mille fois », on lui rendit son siège d'Édesse.

Si brûlantes que fussent les questions de personnes, on n'oublia pas pour autant le problème doctrinal dont l'autorité romaine rendait la solution claire et aisée. Souscrire l'*Epistula dogmatica* telle était la consigne pontificale à laquelle se rallia l'assemblée. A la deuxième session on acclama d'abord les vieux symboles qui avaient triomphé l'autre siècle, ceux de Nicée et de Constantinople, puis les documents qui dirimèrent les récentes querelles christologiques, lettre de Cyrille à Nestorius sur l'union des deux natures ratifiée à Éphèse, lettre *Laetentur cœli* écrite par Cyrille à l'occasion de l'Édit d'union en 433, enfin l'*Epistula dogmatica* de Léon à Flavien.

L'empereur, toutefois, voulait plus et mieux : une formule nette et concise dont la souscription serait pour tous un brevet obligatoire d'orthodoxie. Sa rédaction n'alla point sans quelque difficulté. Un texte fut proposé par Anatole de Constantinople où l'on affirmait que Jésus-Christ est de deux natures (ἐκ δύο φύσεων), expression ambiguë et insuffisante. Gardiens vigilants de la foi, les légats restèrent inflexibles : ils maintinrent l'expression « en deux natures ». Qu'on l'admît, ou c'était la rupture. « Si l'on n'adhère pas à la lettre de Léon, dirent-ils aux commissaires impériaux, nous demandons acte de votre opposition pour rentrer chez vous et tenir un concile en Occident. » Même dilemme imposé avec force à l'assemblée qui s'entêtait : « Il faut s'entendre, déclarèrent-ils. Dioscore a condamné l'expression : Il y a dans le Christ deux natures ; il a approuvé celle-ci : Le Christ est formé *de* deux natures ; le pape Léon dit au contraire : Il y a dans le Christ deux natures unies. Qui voulez-vous suivre? Léon ou Dioscore? » D'une seule voix les évêques répondirent : « Nous croyons comme Léon et non pas comme Dioscore; quiconque n'a pas ces sentiments est eutychien ! »

Enfin on aboutit à cette claire profession de foi : « Suivant donc les saints Pères, nous enseignons tous unanimement un seul et même Fils, Notre-Seigneur Jésus-Christ, complet quant à la divinité et complet quant à l'humanité, vraiment Dieu et vraiment homme, composé d'une âme raisonnable et d'un corps, consubstantiel au Père selon la divinité, et consubstantiel à nous selon l'humanité, semblable à nous en tout hormis le péché, engendré du Père avant les siècles selon la divinité et, selon l'humanité, né pour nous et pour notre salut dans les derniers temps, de la Vierge Marie mère de Dieu; un seul et même Christ, Fils Seigneur, Fils unique *en deux natures*, sans mélange, sans transformation, sans division, sans séparation; car l'union n'a pas supprimé la différence des natures : chacune d'elles a conservé sa manière d'être propre et s'est rencontrée avec l'autre dans une *unique personne et hypostase*. De même, Jésus-Chist n'a pas été partagé ou divisé en deux personnes ; mais il n'y a qu'un seul et même Fils, Fils unique, Dieu Verbe, le Seigneur Jésus-Christ, selon que les prophètes jadis nous l'ont annoncé, que le Seigneur Jésus-Christ nous l'a enseigné lui-même et que le symbole des Pères nous l'a transmis. »

On a pu comparer la victoire remportée à Chalcédoine sur les monophysites à celle de Nicée sur les ariens : même essai d'échappatoire derrière quelque vague credo, d'apparence orthodoxe; même adoption quand même d'une formule claire.

Et pourtant l'œuvre doctrinale du concile est jugée parfois avec sévérité. On lui reproche de n'être pas entré assez à fond dans la discussion des formules, d'avoir adopté et imposé la terminologie pontificale sans plus s'occuper de la tradition cyrillienne chère à tant d'Orientaux et sans montrer comment l'expression alexandrine « *une seule nature du Verbe incarné* » ne contredit pas le dogme romain des « deux natures ». D'où un immense malentendu verbal, et cette apparence d'avoir sacrifié Cyrille à Léon, contre quoi les protestations s'élèveront ardentes en Égypte et en Syrie.

Au surplus, s'il est un monophysisme prochain dont toute l'hétérodoxie vient de l'opiniâtreté de ses adeptes à maintenir certaines expressions que le concile n'avait pas consacrées, qu'il avait donc proscrites, pareil entêtement a des causes multiples et profondes. Le concile de Chalcédoine ne demandait pas aux cyrilliens — et à beaucoup près — autant de concessions que n'en avait faites Cyrille dans l'Édit d'union. Sa définition « sauva la croyance au Christ historique menacée de périr dans les rêveries eutychiennes »; écarter le danger, on ne le pouvait que par les nettes formules romaines, et par elles toutes seules. D'ailleurs les eût-on glosées et interprétées selon le goût des cyrilliens, l'antagonisme n'en aurait pas moins subsisté entre Alexandrins et Antiochiens, et qui à la longue aboutissait à une tension extrême, à une incompréhension mutuelle, à une fureur de se contredire et de s'opposer: d'où les violences d'Éphèse et les sauvages vociférations de Chalcédoine. Des adversaires qui crient ainsi à tue-tête auraient-ils pu jamais se comprendre encore? L'entente doctrinale est comme l'amitié; elle s'entretient ou se défait au jour le jour, et il y a des ruptures sur lesquelles on ne revient pas. — Puis, dans les conflits futurs il entrera pour beaucoup les rivalités de personnes et de patriarcats, les tendances autonomistes. A tout cela les définitions dogmatiques ne peuvent pas remédier. C'est affaire de gouvernement. Tout au plus une meilleure compréhension de la terminologie orientale, une certaine adaptation des formules les unes aux autres, eussent-elles dissipé quelque peu le désaccord verbal. Mais d'autres auraient subsisté. Il faut distinguer entre l'essence d'une hérésie et les causes de son développement : la lumière était faite depuis longtemps sur les origines du donatisme, et le donatisme existait toujours.

A ses jugements sur les personnes et à sa définition dogmatique, l'assemblée ajouta des canons disciplinaires dont le plus fameux est le XXVIIIe. Soixante-dix ans plus tôt, le concile de Constantinople avait décidé que les évêques d'Asie et du Pont devraient dirimer sur place leurs propres affaires ecclésiastiques, ce qui semblait vouloir écarter tout empiètement du siège byzantin. Mais, en fait, amenés à la capitale par leurs rapports avec les administrations séculières, les évêques d'Asie en profitaient souvent pour évoquer devant le patriarche leurs questions religieuses, en sorte qu'ils lui offraient les éléments d'un concile permanent. Personnage officiel, sorte de ministre des cultes, il possédait un prestige qui les poussait à lui demander bien des choses, les ordinations épiscopales, les nominations aussi, et encore diverses faveurs moins surnaturelles, que leur laissait espérer le voisinage de la cour. L'empereur n'était point pour décourager ces usages, qui tendaient à devenir coutume.

Ainsi le XXVIIIe canon ne fit-il que consacrer un fait en prescrivant : « Les métropolitains des trois diocèses du Pont, de l'Asie proconsulaire et de la Thrace seront consacrés par le saint siège de Constantinople. » D'ailleurs, ce patriarcat prendrait place le second après Rome, parce qu'il était « celui de la nouvelle Rome, honorée de la résidence de l'empereur et du sénat, et jouissant des mêmes avantages que l'ancienne ». Rien non plus qui fût ici nouveau, mais une simple redite de ce qu'affirmait déjà le concile de 381. Seulement, jamais la papauté n'avait sanctionné ces audaces hiérarchiques, qui menaçaient avec la paix de l'Orient la prééminence romaine. Argument troublant, en effet, que celui qui proportionne le rang ecclésiastique d'une cité à son importance politique et séculière. D'après cela, il faut que, désertée par le pouvoir suprême, la vieille Rome décroisse toujours, tandis que la nouvelle grandira toujours. Pareillement, en Italie même, Ravenne, résidence impériale, devrait supplanter Rome et saint Pierre Chrysologue passer avant saint Pierre tout court.

Saint Léon resta inflexible : ni les requêtes du concile, ni celles d'Anatole et de Marcien ne purent l'ébranler. La même lettre pontificale qui approuvait l'œuvre dogmatique de Chalcédoine, blâmait sans ambages le XXVIIIe canon : « Les droits de l'Église doivent demeurer tels qu'en ont décidé les trois cent dix-huit Pères de Nicée, divinement inspirés[1]. Qu'une ambition coupable ne désire donc pas ce qui appartient à d'autres, que nul ne cherche à se grandir en rapetissant les autres. Tout ce qu'un vain orgueil a gagné par des votes extorqués, pensant donner force à ses convoitises par les décisions d'un concile, est caduc et sans valeur, en tant qu'il est en opposition avec les canons des Pères susdits » (*Epist.*, CXIV). Coup droit porté aux ambitions patriarcales, et auquel Anatole eût répondu par une rupture formelle, sans l'intervention de Marcien[2]. Comprimant son ressentiment, il écrivit à saint Léon une lettre pleine d'hypocrite humilité : à l'entendre, il n'y était pour rien; seuls les évêques orientaux et le clergé de Constantinople l'avaient voulu.

On passa outre; mais ni le texte ne fut démenti par le patriarche, ni surtout son attitude changée d'un iota. Le XXVIIIe canon n'avait fait que constater une situation acquise, et déjà presque traditionnelle. Deux schismes s'esquissaient : celui tout proche d'Alexandrie, naissant des prétentions christologiques et politiques des Égyptiens, cet autre plus lointain de Constantinople par l'alliance du patriarche byzantin avec l'empereur[3].

1. Il faut avouer que cet argument d'autorité est sans grande portée : en 325 la ville de Constantinople n'existait même pas encore. Il ne pouvait donc en être question à Nicée.

2. Mgr Batiffol fait cette réflexion que nous nous contentons de rapporter : « Il est permis de regretter que saint Léon n'ait pas plutôt cherché le moyen de se concilier cette primauté orientale, en la reconnaissant, comme son légat Julien de Kos lui en donnait le conseil, en s'assurant son concours par une liaison permanente et purement ecclésiastique. » Voir *Le Siège Apostolique*, p. 617.

3. Notons aussi que s'opère à Chalcédoine le démembrement du patriarcat d'Antioche : d'abord par l'émancipation des Églises chypriotes, puis par le rattachement au nouveau patriarcat de Jérusalem des trois Palestines, tandis que les deux Phénicies et l'Arabie restaient à la vieille métropole.

CHAPITRE III

LES LUTTES CHRISTOLOGIQUES APRÈS CHALCÉDOINE

I. Le monophysisme sévérien. — Par des édits successifs, Marcien avait rendu la foi de Chalcédoine obligatoire dans l'empire (452). Dioscore et Eutychès envoyés en exil, on eût pu croire toute résistance vaincue. Belle illusion que dissiperaient quelque deux siècles de luttes mortelles.

Sans doute l'eutychianisme, négation de la consubstantialité avec nous du Verbe incarné, restait-il discrédité. Tout seul il n'eût pas été si inquiétant, et peut-être fût-on parvenu à le rejeter, comme le nestorianisme, hors de l'empire. Mais un groupe existait qui, moins nettement hérétique, pourrait se réclamer de personnages aussi marquants que Dioscore, Timothée Aelure, Philoxène et Sévère. Notons déjà qu'à Chalcédoine même, Dioscore — cependant bouc émissaire — n'avait point été condamné pour motif doctrinal, ce que déclara solennellement Anatole à la cinquième session.

La christologie alexandrine triomphait depuis Éphèse, agréée par les Orientaux selon les termes qu'avait adoptés l'Édit d'union; par contre, exaltée dans toutes ses formules par le parti égyptien. Cet attachement exclusif à la nomenclature cyrillienne allait opposer celle-ci au concile qui avait reçu d'autres expressions empruntées à saint Léon et à son *Epistula dogmatica*. Ces alexandrins maintinrent la terminologie cyrillienne, mais à l'exclusion de la profession chalcédonienne, à laquelle ils prêtèrent une saveur nestorienne, et qui, authentiquée par le pape, avait pourtant une valeur indiscutable. Par cet ostracisme verbal envers les expressions mêmes qu'adoptait l'Église, ils se jetèrent dans l'hérésie : car l'Église détient la vérité jusque dans la forme.

Préoccupée avant tout de sauvegarder une rigoureuse identité entre le Verbe éternel et le Verbe incarné, toute leur christologie se fixe éperdument sur le prologue de saint Jean Maintenir l'unité absolue et l'identité totale du Verbe, telle est leur préoccupation constante, quitte à rejeter à l'arrière-plan la vie terrestre du Christ à laquelle ils ne prêtent qu'une valeur quasi épisodique. Sans doute leur christologie ne s'en trouvait pas altérée foncièrement, ni l'humanité du Christ sacrifiée ou escamotée. Mais il en résultait une intransigeance absolue des formules, en sorte que la vérité leur semblait ne pouvoir s'exprimer qu'à la manière de Cyrille. Rivés dès lors à cette expression du patriarche « Une nature de Dieu le Verbe incarné », ils l'opposèrent — sans vouloir rien entendre — à cette autre de saint Léon « en deux natures ». Pour eux le mot *natura* (φύσις) signifiait la nature personne du Sauveur incarné, et ainsi — sans exclure d'ailleurs la réalité de l'humanité — soulignait-elle l'unité du Verbe qui leur était si chère. Pour saint Léon, par contre, le mot *natura* indiquait la nature, mais abstraite de son suppôt ou personne. Faute d'admettre cette acception, les cyrilliens devaient donner à l'expression « en deux natures » un sens nettement nestorien. De même, ils s'étonnaient qu'à Chalcédoine on n'eût pas adopté telle de leurs formules les plus chères, par exemple *unio naturalis,* union physique (ἕνωσις φυσική) qui, d'après eux, équivalait à union personnelle et hypostatique. Ainsi, canonisant leurs expressions, rejetaient-ils celles de l'Église.

S'ils firent parfois des concessions verbales, elles ne restèrent qu'apparentes. Sans doute plusieurs — Sévère entre autres — admettront-ils l'expression *duo naturae* (δύο φύσεις), mais toujours dans le sens de personne dont ils ne voulaient pas démordre. Aussi ne l'accepteront-ils qu'*en théorie,* c'est-à-dire à un moment fictif antérieur à l'union, et où l'on pourrait concevoir divinité et humanité existant séparément. Il le fallait bien d'ailleurs ; car, du moment qu'ils ne voulaient pas sacrifier leur terminologie propre, ils ne pouvaient aller plus loin sans écorner le dogme même, sans tomber dans les bras de leurs mortels ennemis, les nestoriens. Ainsi pourront-ils dire parfois deux natures, toujours ils prendront ce mot *natura* (φύσις) dans le sens chalcédonien, et jamais dans l'acception cyrillienne.

D'ailleurs, pour mettre en lumière la parfaite unité du Christ, ils en arrivaient à certains excès de langage : ainsi de cette comparaison avec l'âme et le corps, prise à saint Cyrille, mais qui, exprimée sans aucune réserve et poussée à l'extrême, acquérait une saveur de synousiasme apollinariste et de théopaschitisme ; ainsi encore de ces termes *mixtion* et *mélange* employés pour la divinité et l'humanité du Sauveur, et qui évoquaient d'autant mieux le monophysisme réel que Dioscore avait absous Eutychès au brigandage d'Éphèse et que les vrais eutychiens continuaient à s'embusquer derrière les sévériens.

Pour excuser quelque peu cet entêtement, il faut se rappeler qu'une fois fait ce contresens sur le mot *nature,* toute la suite du Tome de saint Léon n'était plus qu'une déduction de blasphèmes s'appuyant et se renforçant : conservation des propriétés respectives de la divinité et de l'humanité, attribution d'une activité propre au Verbe et à la chair, application des textes scripturaires tantôt à l'une, tantôt à l'autre des deux natures, autant de corollaires logiques, mais qui persuadaient toujours plus les opposants que les chalcédoniens s'étaient acoquinés à fond avec les nestoriens.

Rappelons-nous d'ailleurs quel culte ils portaient non seulement à Cyrille, ce marteau de l'hérésie, mais aussi à Athanase, au pape Jules et à tant d'autres qui, grâce à la fraude apollinariste, leur paraissaient les artisans vénérés des formules par eux défendues. Pourquoi dès lors y substituer des termes nouveaux, sans précédent dans la tradition alexandrine, et qui exhalaient un relent de nestorianisme ?

Leur méfiance envers le concile s'accroissait encore du fait qu'il avait réhabilité ces Orientaux, les Théodoret et les Ibas, si longtemps amis de Nestorius et qui, à leurs yeux, n'avaient dû prononcer contre l'hérésiarque qu'un anathématisme de pure commande. Ajoutez encore, si faciles à colporter, telles et telles légendes : par exemple que Nestorius, convoqué à Chalcédoine, avait approuvé la doctrine de Léon et de Flavien ; ou encore que, contents d'une christologie qui fait du Christ un pur homme, les juifs songeaient à se convertir ; davantage et surtout qu'au concile la condamnation d'Eutychès fut pur prétexte et la réhabilitation de Nestorius le vrai motif. Si l'on se souvient quel antagonisme déjà presque séculaire existait entre les écoles d'Antioche et d'Alexandrie, on pourra entrevoir comment, passant de bouche en bouche, tous ces préjugés et toutes ces légendes purent créer parmi le peuple même des convictions monophysites ardentes jusqu'au fanatisme.

D'autant plus qu'un argument d'autorité s'ajoutait. En Égypte, ce monophysisme verbal était soutenu par un patriarche qui incarnait, avec la gloire ecclésiastique de la province, ses aspirations plus ou moins autonomistes; propagé aussi par ces moines qui possédaient sur les foules un merveilleux ascendant. Patriarche et moines pouvaient-ils avoir tort, incarnations qu'ils étaient de la religion? En comparaison, le pape n'était qu'une lointaine lumière, comme un falot vacillant au fond des ténèbres de l'Occident. Une telle gloire revenait à ce siège d'Alexandrie! Le souvenir même d'Athanase et de Cyrille, en rehaussant la fonction patriarcale, venait desservir l'orthodoxie à la défense de laquelle ils avaient voué pourtant leur vie entière. Qu'on songe aussi à la supériorité de plusieurs chefs : Dioscore, Timothée Aelure, Philoxène de Mabboug, Sévère, tous hommes intelligents, et d'une énergie inébranlable. Quand les représailles impériales auront forcé à l'exil, avec les patriarches et les évêques tant de moines et tant d'ascètes, alors l'auréole des persécutés éclairera non seulement leur visage, mais toute la christologie qu'ils défendent jusqu'au martyre : ainsi Dioscore deviendra-t-il « le confesseur du Christ, le gardien de l'orthodoxie, le seul qui n'a pas plié le genou devant Baal ». Les peuples en croient toujours les témoins qui se font égorger, même si ces témoins sont des révoltés ou des ignorants. Nul fanatisme ne fut plus vibrant, ni ne trouva un milieu plus propice.

Par tout cet ensemble, on comprend bien que le grief des réfractaires est avant tout religieux : convaincus ils le sont, et jusqu'à l'exaltation. Aussi Harnack s'est-il trompé, qui a voulu voir dans le seul jeu des facteurs politiques les causes profondes du désaccord. A l'entendre, toute l'attitude christologique de Rome aurait été dictée par la préoccupation de balancer en Orient les forces rivales : alliée d'abord à Cyrille pour humilier le siège de la ville impériale, la papauté aurait opéré contre le Pharaon ecclésiastique ce renversement des alliances aboutissant à Chalcédoine. D'où une lutte à mort des patriarches alexandrins fortement retranchés dans leur province et appuyés sur une armée de moines, contre les attaques combinées de Rome et de Byzance. Sans oublier la rivalité des grands sièges, ni l'autonomisme provincial toujours croissant en Égypte, voire en Syrie[1], il faut maintenir que le point de vue religieux fut prédominant dans la lutte. Sans doute se battait-on pour le patriarche alexandrin contre l'empereur, mais surtout pour l'unique Christ, Verbe incarné de Cyrille, contre le Sauveur en deux natures de Léon et des Occidentaux[2].

Un tel mélange de passions religieuses et politiques explique l'acharnement inouï et, à certains moments, la sauvagerie de la lutte : parfois le remous brutal des foules en délire s'élève soudain comme une lame de fond, enlevant, balayant, détruisant tout, n'épargnant

1. « On ne voit pas, note très bien M. J. Lebon, que dans les régions lointaines de l'Orient la suprématie du siège d'Alexandrie, l'abaissement de Constantinople, l'opposition au pouvoir impérial, ou l'esprit particulariste et l'aspiration à la constitution d'Églises nationales aient exercé une influence sensible chez les monophysites. Au fond la résistance avait sa cause plus intime. » *Le monophysisme sévérien*, p. 507.

2. A certains théologiens qui incriminent les formules de Chalcédoine, il faut rappeler qu'à côté de la question doctrinale, d'autres problèmes, politiques et régionaux, eussent suffi à aggraver la querelle. Par contre, aux rationalistes qui ne voient là que conflits d'ambition, autonomisme et rivalité de patriarcats, on doit souligner quelle importance le dogme prenait dans toutes ces luttes, et qu'il en était toujours le pivot. Un dosage approximatif de ces causes religieuses et politiques n'est possible qu'à un observateur impartial que les préjugés confessionnels n'aveuglent pas.

rien ni personne, pas même le patriarche alexandrin s'il est traître à Cyrille et vendu aux Chalcédoniens.

II. Premières oppositions à Chalcédoine en Égypte et en Palestine. — Les événements prirent aussitôt un tour des plus tragiques. A Dioscore exilé à Gangres en Paphlagonie on avait donné comme successeur l'archiprêtre Proterius. Bientôt la révolte gronda dans Alexandrie : des luttes s'engagèrent où, au début, les troupes surprises et impuissantes durent se réfugier dans le Sérapéum et y périrent dans les flammes. Mais le gouvernement opéra avec une énergie singulière : suppression des distributions de blé, fermeture des bains et théâtres, envoi de renforts, bref l'état de siège. L'épuration épiscopale se poursuivit qui remplaça les anti-chalcédoniens. Cependant à la mort de Dioscore survenue le 4 septembre 454 après trois ans d'exil, l'opposition était loin d'avoir rendu les armes; elle possédait deux chefs intelligents : un prêtre, Timothée, surnommé Aelure, c'est-à-dire le chat (αἴλουρος), un diacre Pierre, dit Monge ou l'Enroué (μόγγος). Les Alexandrins profitèrent de l'avènement de Léon Ier, successeur de Marcien, pour se révolter à nouveau; ils s'emparèrent de l'église du Césaréum où ils firent patriarche Timothée Aelure. La lutte s'engagea alors entre le pouvoir, défenseur de Proterius, le prélat chalcédonien, et la foule attachée à Timothée, héritier de toute la popularité de Dioscore. Après qu'il eut d'abord chassé Timothée, le général Denys débordé dut consentir à sa rentrée : d'où deux patriarches dans la ville. On courait à une catastrophe sanglante. Le jeudi saint 28 mars, Proterius fut interrompu durant la fonction sacrée par une tourbe hurlante qui l'arracha au baptistère de l'église de Quirinus, le massacra, le traîna par les rues, le pendit au Tétrapyle; puis le brûla « après mille outrages et des excès de cannibales ». Voilà à quelles scènes pouvait aboutir ce que Harnack appelle « le fanatisme copte ».

Le pouvoir impérial resterait-il donc sur cette affreuse défaite? Après avoir songé à un nouveau concile œcuménique qui peut-être apporterait quelque apaisement, le basileus demanda par écrit à l'épiscopat entier s'il fallait reconnaître Timothée Aelure et quelle confiance accorder à la christologie chalcédonienne. Encouragé par les réponses des prélats, par celles aussi de plusieurs moines syriens, entre autres Siméon Stylite, stimulé encore par le patriarche Anatole, Léon Ier resta fidèle au catholicisme romain. Dans sa longanimité, d'ailleurs, le pape envoyait une lettre d'apaisement où Cyrille était mis à l'honneur. Timothée ne voulut rien entendre, donnant ainsi la mesure de son sectarisme. Alors on se résigna à employer la manière forte : soutenues par les partisans du défunt Proterius, les troupes du duc Stylas l'emportèrent dans de sanglantes bagarres où il y eut dit-on, quelque dix mille morts. Timothée alla remplacer à Gangres son prédécesseur Dioscore; comme lui, il dut à cet exil un regain de popularité. D'ailleurs, il continua à encourager par ses écrits ses fidèles égyptiens. Pour combattre ce prosélytisme indomptable, on le dirigea vers la lointaine Cherson aux extrémités de l'Empire; il y poursuivit son œuvre anti-chalcédonienne en rédigeant son grand ouvrage *Contre ceux qui disent deux natures.*

Fidèles à sa consigne, les Alexandrins tenaient bon, eux aussi. En vain leur avait-on nommé pour patriarche un nouveau Timothée dit Salofaciol (Turban blanc); il ne put faire oublier l'autre. Toute sa douceur se heurta à leur fanatisme. Peu importaient les qualités de l'homme, si c'était un chalcédonien. « Nous vous aimons bien, lui disaient-ils, mais nous ne voulons pas de vous pour évêque. »

Des résistances si opiniâtres, des révoltes si furieuses supposent une surexcitation populaire jetée à son paroxysme. Comment expliquer cela? Déjà les séances de Chalcédoine nous révèlent une vénération, un véritable culte pour le patriarche. Sommés de souscrire l'*Epistula dogmatica* les évêques égyptiens font alors remarquer qu'y consentir sans l'autorisation de Dioscore serait pour eux s'exposer à tous les périls. « Qu'on ait pitié de nous, disaient-ils, et qu'on nous permette d'attendre notre archevêque, sinon toutes les provinces de l'Égypte se tourneront contre nous. » Ils se jetaient aux genoux des commissaires impériaux en gémissant : « Nous ne pourrons plus résider dans notre pays si nous avons cette audace... On nous tuera si nous le faisons; mieux vaut périr ici de votre main que d'être tués dans notre patrie. »

Derrière le patriarche, d'ailleurs, se groupait l'armée des moines. Alexandrie, ville cosmopolite, offrait toutes les variétés du monachisme, le plus indépendant et le plus vagabond, le plus discipliné aussi; les faubourgs étaient peuplés d'ermitages et de couvents, le long des routes, sur le bord de la mer, partout. Que le monachisme égyptien fût alors en décadence, c'est une affirmation souvent répétée sans preuve, et qui s'appuie sur cet aphorisme que là où l'hérésie pullule il ne peut y avoir vie religieuse intense. En fait, il faut bien constater que les couvents se multiplient au ve siècle et que les institutions monastiques progressent. Influence sociale, surtout effective aux époques de troubles, de maladie et de famine où les portes des *cœnobia* égyptiens s'ouvraient toutes grandes pour secourir les malheureux, guerre acharnée faite aux cultes idolâtriques, lutte contre les mœurs et coutumes païennes, autant de services rendus par les moines à la cause de la religion et de la civilisation. D'où cette emprise extraordinaire sur le peuple, et que justifiaient la ferveur réelle et les austérités de la vie.

Leur attitude dans la crise chalcédonienne aurait donc une extrême importance. Or, si quelques-uns d'entre eux — surtout les moines pakhômiens — se rallièrent au concile, la plupart prirent parti fougueusement pour Dioscore. Ignorants à l'ordinaire, absorbés presque complètement dans le travail manuel et la prière, incapables de saisir les distinctions métaphysiques et comment la chrystologie de saint Léon pouvait se concilier avec celle de saint Cyrille, mais d'autant plus obstinés qu'ils n'y voyaient goutte, ils se rallièrent à l'avis de patriarches qu'ils prenaient pour de nouveaux Athanases. S'ils tinrent tellement à leurs idées, c'est qu'ils n'en avaient pas. L'influence des évêques syriens exilés en Égypte, l'ardeur exaspérée du sentiment national copte, enfin la profondeur de conviction qu'entraîne une vie repliée et religieuse, tous ces facteurs achevèrent d'en faire les propagandistes fanatiques du monophysisme.

Dans les événements que nous avons décrits ils apparaissent déjà partout. Dès la première heure Longin organise la résistance dans la célèbre laure de l'Ennaton; ce sont ses moines qui, réunis avec ceux de l'Oktokaidekaton et de l'Eiskàton, décident d'élire un successeur à Dioscore; eux qui conduisent Timothée Aelure au Césaréum pour y être sacré; eux aussi qui, après les grandes hécatombes, offrent des refuges aux clercs « fidèles », aux confeesseurs du monophysisme; eux encore qui, pour assurer l'avenir, décident avec les chefs de la ville qu'au cas où le Salofaciol viendrait à mourir, on le remplacerait par Pierre Monge, un pur, digne successeur de Dioscore et de Timothée. Ainsi l'alliance du peuple et des moines, leur ignorance égale, le culte qu'ils portaient à leur patriarche, voilà les causes qui, jointes à l'esprit autonomiste, expliquent la violence de la réaction anti-chalcédonienne en Égypte.

L'opposition s'affirma aussi en Palestine où les ascètes étaient particulièrement nombreux dans les déserts à l'est de Jérusalem, vers le Jourdain et la mer Morte. Là aussi la révolte théologique ne fut pas rapide et surprenante comme un coup de foudre à l'horizon d'un ciel serein. Après s'être associé au Brigandage d'Éphèse, soucieux de justifier sa conduite, le patriarche de Jérusalem, Juvénal, avait stigmatisé l'*Epistula dogmatica* en termes tranchants et sans nuance : « Celui qui adhère à cette lettre, disait-il, a sa place à côté de Simon le Magicien et du traître Judas; il lui faut se faire circoncire comme un juif. » Pareils propos se répandirent dans les milieux monastiques où ils firent loi comme l'Évangile, les infestant dès lors profondément. Les premiers dignitaires, un Géronce, ancien confident de Mélanie la Jeune, un Marcien, un Théodose, adhérèrent au monophysisme, et avec eux d'immenses couvents, comme celui de Romanus à Thécoa. L'impératrice Eudoxie qui, brouillée avec Théodose II, vivait retirée à Jérusalem, s'y laissa gagner également, et employa son influence à le propager.

Aussi, quand Juvénal revint de Chalcédoine rallié à la lettre de saint Léon, l'accueillit-on comme un apostat. Jérusalem s'insurgea. L'émeute populaire et monastique élut patriarche le moine Théodose, tandis que parvenu à s'échapper, Juvénal allait rejoindre au désert Domnus d'Antioche qu'à Ephèse il avait déposé, et avec qui maintenant il expiait. L'usurpateur Théodose avait su fasciner et conquérir des ascètes tels que Gérasime, Géronce et Romanus : hommes pieux et austères sans doute, mais non pas humbles et dociles, et qui aimaient à opposer le parti des moines à ce qu'ils appelaient le parti des évêques. Entraînée comme en Égypte par l'exemple de ces religieux qu'elle vénérait, la foule suivait docile. « Le peuple, dit Jean de Maïouma, accourait avec un grand zèle et s'approchait de Théodose; car il plaisait à tout le monde. Déjà il s'employait à épurer la hiérarchie en substituant des évêques monophysites aux chalcédoniens. »

Cependant il ne put vaincre la résistance de deux moines célèbres par leur sainteté : Gélase, abbé près de Scythopolis, et surtout saint Euthyme, chef de la laure du Sahel, près de Jéricho, le père de toute une génération de religieux, entre autres saint Sabas. D'ailleurs l'empereur intervint avec vigueur; mais les moines fanatisés résistèrent jusqu'au sang, préférant se faire tuer sur place plutôt que de se rendre. Dans Jérusalem revenue à la foi de Chalcédoine, Juvénal rentra, tandis que le pseudo-patriarche Théodose s'enfuyait en Égypte. Diplomatie impériale de Marcien et de Pulchérie, intervention pontificale de saint Léon, influence monastique de saint Euthyme, autant d'agents qui peu à peu rétablirent quelque calme.

III. L'Encyclique de Basilisque. — Après Marcien (450-57) et Léon Ier (457-74), le trône échut à Zénon avec qui les isauriens accédèrent au pouvoir. Mais un certain Basiliscus le supplanta bientôt, qui se laissa circonvenir par les amis de Timothée Aelure (475-76).

On rappela de Gangres, son lieu d'exil, le patriarche monophysite. Il fit paraître une *Encyclique* où, répudiant le Tome de saint Léon et l'œuvre de Chalcédoine, il adhérait aux deux conciles d'Éphèse : ordre aux évêques et clercs de souscrire sous peine de déposition. Exalté dans les milieux officiels, reçu avec pompe au palais, Timothée éprouva cependant à Constantinople même des résistances : celle du patriarche Acace qui, sous la pression de l'opinion religieuse, se refusa à contresigner l'*Encyclique,* celle des moines fidèles qui l'empêchèrent de faire à Sainte-Sophie une entrée solennelle, voire aussi celle des Eutychiens pour qui son monophysisme n'était pas d'assez bon aloi. Toujours hanté par la rivalité des patriarcats, il fit escale à Éphèse où, dans un grand concile provincial, il décréta contre le canon XXVIIIe de Chalcédoine l'autonomie des Églises asiates en même temps qu'il déposait Acace opposant à l'*Encyclique*. Son voyage triomphal s'acheva à Alexandrie où — tel un autre Athanase — il fut accueilli à la lueur des torches par une foule frémissante d'enthousiasme. N'était-il pas déjà le martyr, celui qui avait souffert pour la foi de Dioscore dont il ramenait les restes sacrés? Rendu toutefois prudent par l'expérience, et avec le pressentiment que cela ne durerait pas toujours, il affecta un esprit conciliant : pourvu qu'on condamnât le Tome de Léon et Chalcédoine, il suffisait sans plus. Indulgence excessive, odieuse aux intransigeants qui, dirigés par Théodose, évêque exilé de Joppé, firent schisme et poussèrent le fanatisme jusqu'à oindre de nouveau ceux qui se joignaient à eux.

Même réaction en Syrie où un vieux levain d'apollinarisme fermentait toujours, et où l'âme mystique des orientaux inclinait tout naturellement vers le monophysisme, comme vers une religion moins matérielle et plus éthérée. A Antioche, Pierre le Foulon, ex-moine du couvent byzantin des Acémètes, dirigeait le mouvement. Sous sa pression, le patriarche Martyrius démissionna : « Je renonce, dit-il, à un clergé rebelle, à un peuple insoumis, à une Église souillée. » Pierre parvint alors à occuper le siège (470-71). Chassé après quelques mois, il reparut à Antioche comme patriarche en même temps que Timothée Aelure à Alexandrie (476). Lorsque Anastase, successeur du Juvénal eut, lui aussi, signé l'*Encyclique,* le triomphe du monophysisme — du moins sous sa forme verbale — fut complet en Orient.

Tout cela pourtant demeura sans lendemain. Le centre de la résistance était Constantinople où patriarche et moines se liguaient pour défendre l'orthodoxie, et où l'usurpateur Basilisque restait impopulaire. Sentant le terrain glisser sous lui, il voulut faire un pas en arrière et publia une Contre-Encyclique qui rétablissait la foi chalcédonienne. Peines perdues. Rien n'empêcha le retour de Zénon qui s'empressa d'abolir toutes les mesures de Basilisque (476). L'épiscopat oriental se retourna aussitôt; il s'était trouvé quelque cinq cents prélats, peut-être plus, pour souscrire l'*Encyclique;* avec une égale conviction ils acclamèrent la réaction triomphante. L'opportunisme était déjà une tradition fortement implantée dans le clergé byzantin; sauf les cas de fanatisme sectaire, les évêques y ressemblaient à des girouettes qui tournaient au moindre zéphyr venu de la cour.

Timothée Aelure voyait disparaître tout espoir d'humilier Acace. « Constantinople l'emportait sur le Pharaon. » Il ne dut qu'à sa vieillesse de pouvoir passer ses derniers jours à Alexandrie, où il mourut bientôt le 31 juillet 477. Cependant un monophysite, Théodore d'Antinoë, conféra l'épiscopat à Pierre Monge qui, après avoir présidé les obsèques de son prédécesseur, s'enfuit, tandis que Salofaciol reprenait son rang officiel. Ainsi l'Église monophysite était-elle proscrite à nouveau : proscrite, mais non pas supprimée.

IV. L'Hénotique de Zénon. — L'arbitre de la situation paraissait être Acace. Pour sa résistance à Basilisque, on l'honorait comme un confesseur. N'avait-il pas rétabli les orthodoxes sur leurs sièges et condamné les grands chefs de l'hérésie : Pierre Monge, Pierre le Foulon et Jean d'Apamée? Rien ne lui manquait d'ailleurs qui assure le succès : à l'égard des princes, flatterie et complaisance; envers ses inférieurs, libéralité et serviabilité; en plus, de la gravité, et une popularité si grande qu'on trouvait son portrait dans toutes les églises. Au demeurant, l'esprit de gouvernement et la passion de dominer partout en Orient. Il fait songer déjà à Photius et à Cérulaire.

L'occasion lui fut donnée bientôt de s'immiscer dans les autres patriarcats : car c'est une des plus fâcheuses conséquences du monophysisme, qu'en livrant les grands sièges d'Antioche et d'Alexandrie à des compétitions multiples, il les affaiblissait et les abandonnait souvent à l'arbitrage du patriarche byzantin, dont l'autorité s'en fortifiait d'autant. L'agitation post-chalcédonienne marque une crise d'autorité des plus importantes non seulement parce qu'elle accentue les tendances séparatistes en Égypte et en Syrie, mais encore parce qu'elle assure la prédominance orientale de l'archevêque de « la nouvelle Rome ».

A Antioche brûlaient des passions intenses. Le même déchaînement de colère sauvage que jadis à Alexandrie amena une tragédie tout aussi atroce : le catholique Étienne, qui avait succédé à Pierre le Foulon et à son acolyte Jean Codonat, fut assassiné par les hérétiques, son cadavre mutilé et jeté dans l'Oronte. Comme on le pressait d'intervenir, Acace nomma de sa propre autorité un nouveau patriarche et l'ordonna lui-même. Aux protestations du pape Simplice, lui et l'empereur Zénon opposèrent la gravité de la situation, la nécessité d'opérer avec rapidité et vigueur : solution d'ailleurs exceptionnelle, toute de circonstance, et qui — affirmait-on — ne créerait pas de précédent. Toutefois, mis en défiance, le pape ordonna de ne plus commettre jamais pareil empiétement : à quoi le patriarche put comprendre que ses vues ambitieuses étaient éventées.

Sur ces entrefaites, s'offrit à lui une occasion plus tentante et plus conséquente d'intervenir aussi en Égypte. En juin 482, à la mort de Timothée Salofaciol, les Alexandrins élurent Jean Talaïa, dit le Tabennesiote, grand économe de leur Église. Contre lui, Acace nourrissait des griefs personnels, d'ailleurs mal débrouillés. Talaïa aurait froissé son irritable épiderme de patriarche œcuménique : d'abord, apocrisiaire à Constantinople, en le négligeant ouvertement et en s'appuyant trop sur le ministre impérial Illus, puis en tardant à lui adresser ses lettres synodales après son élection.

Quoi qu'il en soit de ces frictions, la question revêtit aussitôt un aspect politique prédominant. Chalcédonien, Talaïa ne pouvait être qu'un patriarche indésirable à la plus grande partie de son troupeau, comme jadis Protérius et Timothée Salofaciol. Ne pourrait-on trouver un candidat dont le passé inspirerait confiance aux hérétiques et qui, pourtant, en signant quelque profession plus ou moins orthodoxe, ne s'aliénerait pas les vrais fidèles :

Hénotique et schisme acacien. — *SOURCES :* Ahrens et Krüger, *Die sogenannte Kirchengeschichte des Zacharias Rhetor,* Leipzig, 1899. — Evagre, *Histoire ecclésiastique*, II, 11; III, 4-21, *P. G.*, LXXXVI, col. 2534, 2597-2641. (On y trouvera le texte de l'Encyclique, III, 4; celui de l'Hénotique, III, 14; l'excommunication d'Acace, III, 21.) — Théodore le lecteur, *Hist. eccl.*, I, 27-36, *P. G.*, LXXXVI. — Théophane, *Chronographie, P. G.*, CVIII, col. 301-324. — Liberatus, *Breviarium causae Nest. et Eutych.*, XVI-XVIII, *P. L.*, LXVIII, col. 1019-1029. — Gélase, *Epist.*, XIII, XIV, XV, *P. L.*, LIX, col. 61-99. — Les lettres des papes Simplice et Félix dans *P. L.*, LVIII, col. 41-64, 891-967. — Voir aussi les sources concernant Sévère, en particulier les *Vies de Sévère* (A. Kugener) et la *Chronique de Michel le Syrien.* (Chabot), dans *Patr. Orient.*, t. II. — *TRAVAUX :* J. Hergenröther, * *Photius*, t. I, p. 110-133, 1867. — Revillout, *Le premier schisme de Constantinople. Acace et Pierre Monge*, *R. Q. H.*, 1877 (XXII), p. 83-134. — S. Salaville, * *L'affaire de l'Hénotique ou le premier schisme byzantin au Ve siècle*, dans *Échos d'Orient*, 1918 (XVIII), p. 255-265; 1919 (XIX), p. 49-68, 415-433. — J. Lebon, * *Le monophysisme sévérien.* — J. Maspéro, *? *Hist. des patriarches d'Alexandrie.* — S. Salaville, art. *Hénotique,* dans *Dict. Théol.* — M. Jugie, art. *Acace,* dans *Dict. Hist.* — S. Vailhé, art. *Acéphales, ibidem.*

bref un personnage tout à la fois assez compromis et assez souple pour opérer enfin la réconciliation des partis? Acace crut découvrir l'homme voulu en ce Pierre Monge, excommunié sans doute, mais non pas exilé, jouissant d'un grand crédit parmi les monophysites, et dont l'intransigeance ne paraissait pas si farouche. Après qu'il lui eut demandé divers gages, Acace alla hardiment de l'avant. De quel crédit ne jouirait-il pas à la cour s'il réconciliait ainsi les frères ennemis dont l'antagonisme menaçait l'unité de l'Empire. Entreprise plus politique que religieuse, et qui ne pouvait que sourire au basileus Zénon. A ce propos, Vasiliev fait très bien remarquer quelle importance les provinces orientales — Égypte, Palestine, Syrie — avaient acquise pour l'Empire depuis que, l'Occident s'en étant pratiquement détaché, le centre de gravité du monde se trouvait déplacé.

Somme toute, de quoi s'agissait-il? Pour l'empereur Zénon, de réconcilier les partis. Pour le patriarche byzantin, d'acquérir une primauté effective. Pour Pierre Monge, d'arriver en situation et de s'y maintenir. En tout cela la théologie n'était qu'un moyen.

On rédigea donc un Hénotique (ἑνωτικον) ou Édit d'union. Adressé aux évêques, clercs, moines, et au peuple de l'Égypte, de la Libye et de la Pentapole, il requérait l'adhésion au symbole de Nicée-Constantinople, aux décisions d'Éphèse et aux formules de Cyrille. Anathème à Eutychès et à Nestorius. Proclamation de l'unité du Christ, consubstantiel à Dieu par sa divinité, à nous par son humanité. Arrière ceux qui divisent, ceux qui confondent, et les phantasiastes. Tout cela était bien. Mais pourquoi donc omettre la formule capitale « en deux natures », tessère officielle sur laquelle s'appuyait l'orthodoxie depuis un quart de siècle? Pourquoi abandonner la théologie de saint Léon, voire la discréditer par une allusion perfide, en anathématisant « ceux qui avaient pensé autrement que dans l'Hénotique, à Chalcédoine et ailleurs »? Jeu de formules traîtresses, et telles qu'en composaient jadis les eusébiens après Nicée.

Il fut facile d'écarter Talaïa pour brigue et concussion, facile de faire signer l'Hénotique à Pierre Monge, un homme à l'échine souple. Mais la masse se rebiffa : les catholiques y voyant une trahison envers la foi de Chalcédoine, les monophysites un credo évasif inconciliable avec l'intransigeance de leur fanatisme. Ainsi, sans regagner Alexandrie, allait-on se brouiller avec la papauté.

Après s'être enfui à Antioche, Jean Talaïa s'en alla porter ses réclamations à Rome, et avec lui d'autres évêques déposés. De leur côté, les Acémètes y donnaient l'alarme. Fondé vers la fin du IVe siècle en Orient par un personnage assez turbulent, nommé Alexandre, leur monastère s'était fixé enfin presque en face de la capitale. On y célébrait, par groupes qui se relayaient, la *laus perennis* ou prière liturgie continuelle : d'où le nom d'Acémètes, c'est-à-dire les non-dormants. Leur orthodoxie était, elle aussi, singulièrement vigilante. Durant toutes ces luttes, ils seront les véritables postiers de la papauté, lui apportant sans tarder les nouvelles de Byzance, devançant à Rome les courriers de l'empereur ou du patriarche, et y dévoilant telles intrigues ourdies, telle corruption des légats romains, telle entorse au dogme. Ils se feront les champions intrépides, et parfois outrés, de la foi de Chalcédoine. D'où la haine que leur porteront les monophysites. Tel écrivain de la secte les décrira, au début du VIe siècle, comme d'hypocrites sybarites, adonnés, sous les dehors de la rigidité, à tous les plaisirs charnels, vrais sépulcres blanchis, toujours inféodés à Nestorius dont ils célèbrent la fête.

Alertée, Rome resta fidèle à ses traditions de prudence. A l'empereur qui, dès avant l'Hénotique, lui écrivait que Pierre Monge, candidat agréé par le peuple alexandrin, serait en Égypte le patriarche de la concorde, et le seul possible, le pape Simplice avait répondu déjà que les antécédents du personnage le rendaient inacceptable. L'admettre parmi les fidèles, soit; mais l'élever au pontificat, jamais : « de crainte que, sous le prétexte d'une feinte abjuration, il n'ait la liberté d'enseigner l'erreur ». Et Simplice reprochait dès lors à Acace ses mystérieux manèges, son mutisme. Le basileus et le patriarche avaient passé outre.

La nouvelle en venait non pas à Simplice mort au printemps 483, mais à son successeur Félix III. Issu d'une famille illustre à laquelle se rattachera Grégoire le Grand, ce romain était doué d'une grande énergie. Il envoya à Constantinople deux légats, Vital de Fruentum et Misène de Cumes, qui enquêteraient sur l'affaire et signifieraient à Acace d'avoir à se justifier devant un synode romain : injonction plutôt humiliante, et qui remettrait à sa place le trop œcuménique patriarche. Malheureusement, les mandataires firent peu d'honneur à leur maître : dans cette atmosphère corruptrice de Byzance, où tant d'autres se laisseront séduire, ils consentirent à communier avec Acace, à assister à ses offices, ce qui, pour le public, équivalait à une reconnaissance de l'Hénotique.

Mais ils avaient compté sans le zèle rapide des Acémètes. Quand ils arrivèrent en Italie, porteurs de lettres, où Zénon et Acace formulaient leur réquisitoire contre Talaïa et esquissaient le panégyrique de Pierre Monge, ils se heurtèrent à un pape bien informé. Il fit justice : dans un concile romain, les deux légats furent déposés et Acace excommunié. Usurpation sur les droits des autres sièges, faveur accordée aux hérétiques que lui-même avait d'abord frappés, traitements indignes infligés aux légats pontificaux, persécution des évêques orthodoxes, refus de répondre aux accusations de Jean Talaïa, voilà les principaux griefs invoqués contre le patriarche byzantin. « Tu es privé de la prêtrise, concluait le pape, retranché de la communion catholique; tu n'as plus droit aux fonctions sacerdotales. Telle est la condamnation que t'inflige le jugement du Saint-Esprit et l'autorité apostolique dont nous sommes dépositaires, sans que jamais tu puisses être relevé de l'anathème. » Tandis qu'une lettre sommait l'empereur de choisir entre « Pierre l'Apôtre et Pierre l'hérétique », une autre éclairait clergé et peuple de la capitale.

Malgré les précautions du basileus, le défenseur Tutus put acquitter sa mission. Il parvint à se rendre auprès des Acémètes, et plusieurs d'entre eux eurent la belle audace d'attacher la lettre pontificale au pallium d'Acace durant une cérémonie à Sainte-Sophie. Selon Victor de Tunnuna, ils auraient payé de leur vie cet acte courageux, si bien que Baronius n'a pas hésité à les mettre parmi les martyrs. Tutus se montra moins héroïque : séduit par des promesses d'argent, il dévoila à Acace tout ce qui se tramait à Rome contre lui. Cette fois encore, les Acémètes dénoncèrent la trahison au pape, qui déposa Tutus à son retour (485).

Inflexible, Acace avait rayé des diptyques Félix III. Il consommait ainsi le schisme, méditant d'y entraîner l'Orient entier. « Avec une violence de tyran », il prétendit imposer à l'épiscopat l'Hénotique et la communion de Pierre Monge; maints prélats — entre autres, Martyrius de Jérusalem — cédèrent. Parmi les inflexibles, signalons à Antioche Calendion' l'ancien protégé d'Acace, qui fut sacrifié sous des prétextes politiques ; on le remplaça par le monophysite Pierre le Foulon, jugé suffisamment orthodoxe puisqu'il avait souscrit l'Hénotique. A cette nouvelle, Félix III réunit un second synode romain, qui anathématisa derechef les trois patriarches complices : Acace, Pierre Monge et Pierre le Foulon.

Le schisme acacien se consommait. La politique religieuse de l'Hénotique s'implantait partout, qui voulait satisfaire à la fois monophysites syriens ou égyptiens, catholiques de Byzance ou de la Grèce. Acace mourut en 489 sans s'être réconcilié avec Rome : vrai prototype de Photius et de Michel Cérulaire, il avait organisé le patriarcat byzantin comme une puissance schismatique imposant son despotisme à toute l'Église d'Orient.

Tel fut le plus clair résultat de l'Hénotique : séparer Constantinople de la communion romaine. Par contre, en Orient, il ne supprima pas les divergences théologiques, mais tout au contraire embrouilla davantage la situation, en Égypte comme en Syrie.

A l'aile gauche du monophysisme, tout un groupe se refusait à admettre l'Hénotique parce qu'il ne se prononçait pas assez nettement à son gré contre Chalcédoine. Ainsi se forma une secte appelée d'abord celle des dissidents ou ἀποχίσται, puis celle des acéphales : terme qui, consacré par l'histoire, indique qu'ils n'étaient en communion avec aucun des cinq patriarches, mais qu'ils ne se constituaient pas toutefois en Église strictement séparée, munie d'une hiérarchie distincte.

Dès lors, le malheureux Pierre Monge se trouva tiraillé entre deux politiques théologiques : l'une consistant à demeurer fidèle à Constantinople, à l'empereur, à Acace, bref aux tendances libérales et pacifistes de l'Hénotique; l'autre qui le portait à sacrifier aux acéphales intransigeants. Il paraît bien que l'influence toute proche de ces derniers s'imposa d'une manière très persuasive; car, en un sermon au peuple, Pierre Monge consentit, pour leur complaire, à condamner le concile de Chalcédoine.

Voilà qu'aussitôt la cour inquiète ordonne en Égypte une enquête : celle-ci conclut à l'innocence de Pierre Monge qui, paraît-il, n'avait jamais renié explicitement Chalcédoine. Car il connaissait la manière de dire et celle de ne pas dire. A cette nouvelle, grande agitation parmi les acéphales : deux d'entre eux, venus de Palestine, l'évêque Pierre l'Ibérien et le moine Élie opèrent une contre-enquête et, dans les discours de Monge, découvrent quatre passages hostiles à Chalcédoine. Opportuniste infatigable, le patriarche reconnut volontiers ces textes pour siens, ce qui amena nombre de moines acéphales à lui faire confiance. D'autres, toutefois, persistaient dans l'opposition : pour un antichalcédonien se rallier à l'Hénotique qui ne condamne pas expressément Chalcédoine, quelle inconséquence ! Furieux, Monge confisqua leurs monastères et les expulsa. Ils firent alors plaider leur cause à Byzance par le nubien Néphalios; et l'empereur dépêcha en Égypte le spathaire Cosmas.

L'agitation y continuait très vive. Trente mille moines se réunirent au martyrium de sainte Euphémie; voulant empêcher les désordres, Cosmas n'autorisa que deux cents d'entre eux à venir à Alexandrie. En leur présence, Pierre Monge, « l'un des plus forts équilibristes byzantins », renouvela la condamnation des décrets chalcédoniens et du Tome. Mais les acéphales persistaient à lui demander davantage : la rupture avec les partisans de l'Hénotique. En vain essayait-il de leur montrer que pareil décret était une arme de guerre contre le concile. Chacun resta sur ses positions. Dans leur exaspération, les acéphales auraient même choisi un autre patriarche, si Théodore d'Antinoë ne s'y était opposé. Cependant la victoire resta à Pierre Monge qui, en soutenant l'Hénotique, méritait l'appui du gouvernement. Tous les réfractaires furent chassés de leurs couvents. Ainsi le monophysisme radical se trouva-t-il vaincu en Égypte par la souple résistance de Monge, gardien fidèle de l'Hénotique. Mais si celui-ci signifiait édit d'union, c'était à coup sûr par antiphrase.

Même situation en Palestine où, rallié à l'Hénotique, le patriarche Martyrius entraîna avec lui maints catholiques et une partie des monophysites, expulsant de leurs couvents les irréductibles, comme Géronce ou les disciples de Romain à Thécoa. Cependant tout le groupe monastique de la région de Gaza s'entêtait dans l'hérésie. A sa tête, deux ascètes réputés : Pierre l'Ibérien et Isaïe. Zénon, lieutenant du spathaire Cosmas, enjoignit à ces deux chefs de signer l'Hénotique sous peine de déportation. Ils se soumirent en apparence, ce qui n'empêcha pas leurs monastères de rester acéphales. Pierre l'Ibérien mourut sans doute en 488; mais, dirigé par un certain Épiphane, son couvent demeura le centre de la résistance monophysite; on y reçut le grand théologien de la secte, Sévère.

A Antioche, Pierre le Foulon se montrait un digne émule de Pierre Monge pour la souplesse théologique, toujours prêt à s'asseoir sur le siège patriarcal ou à s'éloigner selon l'opportunité de l'heure : il en était maintenant en moins de vingt ans à son troisième épiscopat, un vrai record, même en Orient[1]. Non content d'adhérer à l'Hénotique, il inventa des pratiques liturgiques susceptibles d'en infuser l'esprit dans le peuple. Ainsi fit-il réciter à la messe le Credo de Nicée, manière indirecte et habile de protester contre Chalcédoine. De même aux paroles du *Trisagion* « Dieu saint, saint et fort, saint et immortel », il ajouta « Crucifié pour nous », ce qui pouvait rendre un son orthodoxe, mais qui soulignait aussi l'unité personnelle d'une manière agréable aux monophysites. De là son singulier succès et les protestations ardentes qu'il suscita. « Le *Crucifié pour nous*, dit Mgr Duchesne, devint pour les monophysites un cri de guerre, comme le *Deo Laudes* pour les donatistes. »

V. La politique religieuse d'Anastase. — Le nouvel empereur Anastase (491-518) ne pouvait rester indifférent. Homme religieux, il avait pris parti ardemment pour les monophysites au point que, le trouvant un jour dans l'église en train de prêcher, le patriarche Euphémios l'avait chassé avec menace de lui faire couper les cheveux, c'est-à-dire de l'interner dans un monastère. Aussi, avant de le couronner, lui prescrivit-il l'engagement écrit de respecter les canons de Chalcédoine : précédent en vertu duquel on imposera désormais à l'empereur élu la signature d'une profession de foi. Ainsi lié contre son gré, Anastase ne tarda pas à s'émanciper. Bientôt il déposait Euphémios sous prétexte d'intelligence avec les Isauriens révoltés et le remplaçait par Macédonius qu'il contraignit à signer l'Hénotique.

Dès lors, nul espoir de s'entendre avec Rome où le pape Gélase, africain tenace, maintenait toutes les exigences doctrinales : reconnaissance de Chalcédoine, anathème à Acace. Non pas qu'il fût d'une intransigeance étroite : après l'avènement d'Anastase il lui avait écrit d'une manière amicale. Seulement, ainsi qu'il le disait en une lettre à l'épiscopat de Dardanie, admettre dans les diptyques les Hénoticiens, n'était-ce pas « se faire complice de leur erreur »? Avec une grande élévation de langage, il affirmait l'indéfectibilité du siège romain : « Il ne

1. Résumons ce cas compliqué. Pierre le Foulon est à Antioche vers 468 et se substitue au patriarche Martyrius démissionnaire, mais il ne peut se maintenir; en 471, Gennade de Constantinople obtient de l'empereur Zénon un ordre d'exil contre lui. Recueilli par les Acémètes, il reparaît à Antioche au temps de l'usurpateur Basilisque en 476, et souscrit l'Encyclique (2e fois) Contraint de s'enfuir par la réaction qui rend le trône à Zénon, il est condamné en 478 par un concile de Constantinople comme coupable d'avoir « eutychianisé » le Trisagion. Au catholique Etienne tué en 481 par l'émeute monophysite, Acace avait fait succéder d'abord sur le siège d'Antioche Calendion qui, pour opérer la concentration de tous les orthodoxes, fit ramener les reliques de saint Eustathe, dissipant ainsi les restes d'un schisme, vieux de plus d'un siècle. Rebelle à l'Hénotique, Calendion dut céder la place à Pierre le Foulon, patriarche pour la 3e fois. — Voici la chronologie des patriarches d'Antioche durant cette période : Martyrius, 459-68. — Pierre le Foulon, 470-71. — Julien, 471-76. — Pierre le Foulon, 476-77 (2e fois). — Jean Codonat, 477-78. — Etienne, 478-81. — Calendion, 481-85. — Pierre le Foulon, 485-88 (3e fois).

saurait subir le contact d'aucune fausse doctrine. Si pareil malheur se produisait chez nous, à quelle erreur étrangère pourrions-nous bien faire front, d'où pourrions-nous attendre le redressement des écarts d'autrui? » Au surplus, il voyait l'orgueil du patriarcat byzantin à humilier, les tendances schismatiques à réprimer : sans ambages il déclare que le voisinage impérial n'autorise aucunement le siège de Constantinople à réclamer une primauté quelconque, mais que doivent l'emporter les droits d'Alexandrie, second siège, et d'Antioche, troisième siège de la chrétienté. En une lettre à l'évêque de Lyon Rusticus, on saisit sur le vif la force d'âme du saint pape en un si douloureux conflit : « Que de peines, que de persécutions fait peser sur nous l'affaire de l'impie Acace! Mais nous tenons ferme; au milieu de ces tribulations, nous ne cédons pas, et la peur ne fait pas fléchir notre courage. Dans les angoisses et les tribulations qui nous oppressent, nous plaçons notre confiance en Celui qui peut laisser un poids peser sur nous, mais qui ne nous y laissera pas succomber. »

Maintenir et protester ne suffisaient pas à ce grand pape. Il profita du conflit pour définir les rapports des pouvoirs civil et ecclésiastique, et pour montrer quelles limites respectives ils devaient garder, Gélase admet qu'avant l'ère chrétienne certains étaient légitimement rois et prêtres tout ensemble, comme Melchisédech; parmi les païens, Satan d'ailleurs les singeait en sorte que le même y était empereur et pontife suprême. Mais, conscient de la faiblesse humaine, le Christ sépara les deux pouvoirs : à chacun ses fonctions, à chacun ses devoirs spéciaux. Aussi tandis que les évêques sont sujets des rois ès choses temporelles, en matière spirituelle les princes s'en remettent à l'Église dont ils sont les fils et non pas les maîtres. Là, leur rôle est d'apprendre plutôt que d'enseigner (*quod ad religionem pertinet, discere eis convenit, non docere*).

Principes essentiels, diamétralement opposés à tout ce que pensait Byzance, héritière de l'axiome païen de l'omnipotence religieuse du basileus. Principes rappelés avec une fermeté courtoise et même déférente, où l'on sent la volonté d'honorer ce souverain dont l'autorité vient d'En-haut, mais aussi celle de lui faire respecter les droits spirituels [1]. Dans telle lettre, Gélase esquisse une évocation suggestive des heures où le clergé dut résister en face au pouvoir séculier : David contre Nathan, Ambroise excommuniant Théodose le Grand, saint Léon affrontant Théodose II, et, tout récemment encore, Simplice et Félix en conflit non seulement avec l'usurpateur Basilisque, mais aussi avec Zénon, légitime souverain (*Gél. I*er. *Ep.*, XXVI, 11). Pareil rapprochement entre David et Zénon, entre le ravisseur de Bethsabée et l'auteur de l'Hénotique, insinue que les crimes commis se ressemblent : d'une part comme de l'autre, l'adultère. Car l'Église, elle aussi, est une épouse, et l'épouse du Christ qu'on ne peut prostituer à toutes les volontés d'un basileus. Quelle vigoureuse réplique au byzantinisme! On y sent déjà toute la fermeté inébranlable de la papauté médiévale. La théorie de la séparation des pouvoirs, qu'on appellera des deux glaives, est posée définitivement; Gélase en a constitué le bréviaire. Sans doute ces principes avaient-ils été rappelés par Athanase à un Constance en quelques phrases vengeresses, à un Théodose par Ambroise en quelques autres

1. Influencé par la mentalité protestante, Carlyle souligne que les événements encourageaient l'énoncé de la thèse pontificale: il lui faut pourtant reconnaître qu'elle n'était pas née de la veille. « Les circonstances, dit-il, devenaient favorables au développement d'une attitude indépendante en Occident : c'était la période des invasions gothiques et l'occupation avait détruit pratiquement tout pouvoir du basileus en Italie. Voilà qui peut expliquer sans doute en partie l'assurance de ton adoptée par les papes envers les empereurs. Toutefois, on se méprendrait à croire que pareille attitude fût sans précédent : nous avons vu quelque chose de semblable dans le cas d'Ambroise. » A. J. CARLYLE *A history of medioeval political theory in the West,* I, p. 185.

d'une netteté toute romaine, mais jamais encore avec cette ampleur qui permet de retrouver dans les lettres de Gélase tout un petit traité sur la matière, et qui deviendra classique : formules auxquelles le moyen âge aimera à se reporter comme vers un sûr refuge contre les intrusions du pouvoir civil [1].

La succession de Gélase amena un schisme à Rome où les hénotisants opposèrent à Symmaque, l'élu légitime, l'antipape Laurent. (Voir *infra*.) Le basileus Anastase persista dans son hostilité et jusqu'à traiter Symmaque de manichéen et de pontife indigne. En réponse, celui-ci lui rappela quelles étaient les limites de son pouvoir et combien il restait fragile et éphémère : « Crois-tu n'avoir pas à redouter le jugement de Dieu? Te crois-tu comme empereur soustrait à l'autorité de Pierre, prince des apôtres?... Compare donc la dignité impériale à celle du chef de l'Église. L'un n'a souci que d'intérêts temporels, l'autre a souci des choses de Dieu. Empereur, c'est de lui que tu reçois le baptême et les sacrements; tu lui demandes ses prières et sa bénédiction, tu sollicites de lui une pénitence. Respecte Dieu en nous et nous le respecterons en toi. Jette un regard sur la longue file de ceux qui ont insulté la foi depuis les origines du christianisme. Ils sont tombés; tandis que la vraie religion voit grandir l'éclat de sa puissance en raison des persécutions qu'elle subit. »

D'Orient, le cri des opprimés montait vers Rome où l'on trouve toujours aide et lumière : « Prends soin des membres brisés du corps de notre Église, écrivaient-ils à Symmaque; rends la force à nos mains affaiblies, redresse nos genoux fléchissants, assure nos pas incertains... Enseigne-nous la route royale entre les deux erreurs opposées et damnables de Nestorius et d'Eutychès. »

Durant la seconde partie du règne d'Anastase, les dissidents acquirent une influence nouvelle par l'entrée en scène de deux personnages : l'un Philoxène, qui jadis s'était signalé à l'école d'Édesse par son monophysisme violent et par son opposition à Ibas, et que, dès 485, Pierre le Foulon avait sacré évêque de Mabboug (Hiérapolis); l'autre le fameux Sévère en qui le monophysisme trouva son grand docteur.

Baptisé à Tripoli vers 488, celui-ci entra à la laure de Mayouma que dirigeait Pierre l'Ibérien. Bientôt, avec sa fortune personnelle, il construisit un monastère près de Gaza et devint le véritable chef des acéphales. Il trouva un adversaire intraitable en Néphalios, le même qui jadis, monophysite intraitable, avait combattu Pierre Monge en Égypte, mais qui, frustré dans ses ambitions — celles de devenir économe de l'Église d'Alexandrie — était passé aux

1. Saint Gélase a laissé six traités parmi lesquels trois regardent le schisme acacien; un autre, le *de Duabus naturis*, étudie la doctrine christologique en s'appuyant sur le dossier patristique utilisé par le groupe anticyrillien à Ephèse et par Théodoret dans son *Eranistès*. La théorie sur les rapports des deux pouvoirs se trouve dans la correspondance. (Voir en particulier, *Epitres* I, VII, X, XII, XXVI et XXVIII). *SOURCES : P. L*, LIX, 13-191. — A. THIEL, *Epistolae romanorum pontificum* (ann. 461-523), p. 287-607, Bamberg, 1868. — *TRAVAUX :* A. ROUX, *Le pape Gelase Ier*, 1880. — P. GODET, art. *Gélase Ier*, dans *Dict. Théol.*

Il existe aussi un *Décret* dit *gélasien*, mais dont l'attribution à notre pape n'est rien moins que prouvée. L'œuvre vise à mettre en lumière les sources de l'autorité, garantes de la foi : le Christ par qui parle l'Esprit-Saint, le canon des Écritures admis par la catholicité, l'Eglise romaine avec les autres Églises pétriniennes, Alexandrie et Antioche, enfin les conciles et les Pères. Somme toute le *Décret* provient d'une préoccupation analogue à celle de Vincent de Lérins dans le *Commonitorium :* le problème de l'autorité. Il faut souligner l'intérêt du chapitre III où la primauté romaine est basée non sur les documents conciliaires, mais sur la volonté même du Christ, le *Tu es Petrus*, ainsi que sur le séjour commun des apôtres Pierre et Paul dans la capitale de l'Empire. Voir E. VON DOBSCHÜTZ, *Das Decretum gelasianum de libris recipiendis et non recipiendis* (*Texte und Untersuchungen*), Leipzig, 1912 (compte rendu par E. AMANN, dans *Rev. Biblique*, 1913, p. 602-608). — R. MASSIGLI, *Le décret pseudo-gelasien*, dans *Rev. hist. et litt. relig.*, 1913, mars-avril, p. 155-170. — DOM J. CHAPMAN, *On the Decretum Gelasianum*, dans *Rev. bénédictine*, 1913, p. 187-207, 325-333. — H. LECLERCQ, art. *Gélasien* (*décret*), dans *Dict. Arch.* (donne le texte d'après l'édition de E. von Dobschütz).

hénotisants. Orateur irrésistible, Néphalios excitait les plus violentes passions populaires : un jour qu'il avait prêché devant l'église de Mayouma, la foule, ivre de sectarisme, se rua sur le couvent des acéphales et les expulsa. Quelque deux cents moines fugitifs se rendirent alors à Constantinople sous la conduite de Sévère.

Le chef du monophysisme y séjourna durant trois ans (508-511). L'empereur Anastase était tout disposé à l'écouter. Outre que ses difficultés avec Rome l'éloignaient toujours plus des Chalcédoniens, l'Hénotique se révélait à l'expérience comme une tentative bâtarde : pseudo-condamnation du Tome de Léon qui mécontentait les catholiques sans satisfaire les acéphales. Pourquoi s'y cramponner et sacrifier inutilement ses propres convictions? L'influence de Sévère acheva la conversion d'Anastase.

Les monophysites affluaient à Constantinople : palestiniens, syriens, asiates, sans compter les ennemis personnels du patriarche Macédonius. Une formule leur servait de ralliement : le Trisagion remanié, c'est-à-dire augmenté du *Crucifixus pro nobis*. Après l'avoir chanté dans la chapelle du palais, ils voulurent l'imposer à Sainte-Sophie. Mais le peuple tenait pour l'orthodoxie et pour le patriarche. Une foule énorme, que menaient les moines orthodoxes, marcha sur le palais en criant : « Chrétiens, voici le moment du martyre. N'abandonnons pas notre père. » Ils proféraient d'ailleurs les plus terribles menaces contre « l'empereur manichéen, indigne du trône ». Apeuré, Anastase feignit de céder; puis, l'émeute apaisée, il fit pression sur Macédonius tant qu'enfin il en obtint un acte d'adhésion à l'Hénotique. Mais, bientôt repentant, le patriarche se rendit au monastère de Dalmatius où il protesta de son invincible attachement à la foi romaine. Quel argument employer contre lui? On l'accusa de crime infâme, et un concile le déposa (6 août 511). L'officier chargé de lui signifier la sentence le trouva méditant, la tête sur les genoux : « Le maître du monde, lui dit-il, a ordonné votre bannissement. — Où? demanda-t-il. — Au même lieu que votre prédécesseur », c'est-à-dire aux Euchaïtes. Scène sobre et suggestive qui illustre bien tout le byzantinisme et le symbolise. Ainsi jadis contre Chrysostome et bientôt contre plusieurs autres qui n'auront pas eu la souplesse de s'adapter ou la faiblesse de fermer les yeux.

On remplaça Macédonius par Timothée, trésorier de l'Église. Le siège de Constantinople était donc gagné au monophysisme. Voilà à quoi avait aidé l'exil de Sévère. S'il n'eût écouté que ses préférences, l'empereur l'aurait même nommé patriarche. Mais cela, il ne l'osait pas, tant il sentait l'opinion frémissante, et que la provoquer amènerait de nouvelles émeutes.

Contre Flavien semblable tentative d'éviction avait été entreprise à Antioche. La tactique consista à demander au pauvre patriarche isolé des concessions toujours plus grandes. Ce fut d'abord la souscription de l'Hénotique; puis, dans un concile tenu en 509, l'anathème contre Diodore, Théodore de Mopsueste, Théodoret, Ibas et consorts; enfin la signature d'une pièce appelée le *Type* (Τύπος), émanée de l'empereur, inspirée de Sévère, et contenant la condamnation explicite de la christologie romaine. Le rusé Flavien crut s'en tirer par de subtiles distinctions; dans l'œuvre chalcédonienne il discernait deux choses : la définition doctrinale qu'il voulait ignorer, la condamnation des hérétiques Eutychès et Nestorius qu'il approuvait. Soutenu par de nombreux partisans, il parvint à faire admettre cette tactique, et qu'on ne touchât ni au Tome de Léon, ni à la profession de Chalcédoine; on prouva d'ailleurs qu'à Alexandrie, se contentant de l'Hénotique sans plus, ni Pierre Monge, ni son successeur Athanase II n'avaient réclamé pareil anathème.

Mais, terriblement tenace, Philoxène de Mabboug parut dans Antioche avec ses moines fanatiques; Flavien tremblant capitula et consentit à anathématiser le grand concile. Apostasie tardive, et qui ne le sauva pas. Plus encore qu'à lui-même, on en voulait à sa place. Il fallait à Antioche comme à Constantinople un homme sûr : toujours réputé chalcédonien de cœur, Flavien fut déposé par un synode de Laodicée et exilé à Pétra. On lui substitua Sévère, le docteur de la secte, sacré le 6 novembre 512. Comme Pierre Monge en Égypte, il ne se montra pas trop farouche, soucieux qu'il était de rallier une majorité stable, et ne voulant point faire métier de paraître et disparaître périodiquement à la manière de son prédécesseur Pierre le Foulon. Dans un synode d'Antioche (513), le principe fut adopté d'une modération toute politique, d'une tolérance prudente. Pourvu que les évêques rejetassent Chalcédoine et reçussent l'Hénotique, on ne leur demandait pas qu'ils fissent amende honorable. C'était renoncer à l'attitude des acéphales, tout en donnant à l'Hénotique un sens plus antichalcédonien que la lettre, et en désavouant ceux qui l'interprétaient, comme jadis Flavien, dans le sens d'une demi-reconnaissance du grand concile.

Un synode important se tint à Tyr où vinrent les évêques des provinces d'Antioche, d'Apamée, d'Euphratésie, d'Osrhoène, de Mésopotamie, d'Arabie et de Phénicie libanaise : derrière Sévère et Philoxène, on y confirma l'interprétation extrême donnée à l'Hénotique. Comme en Égypte, il y eut des acéphales purs pour protester et résister. Sévère tint bon; mis en demeure de se conformer, les réfractaires furent chassés par l'autorité civile. D'autre part, les partisans d'un commentaire modéré de l'Hénotiqne entreprirent une guerre de plume, après s'être réunis à Alexandrette : parmi eux Jean de Scythopolis et Jean Grammaticus. Celui-ci donna une vigoureuse réfutation du grand ouvrage de Sévère, le *Philalèthe;* puis il composa une *Apologie* à laquelle Sévère opposa un *Contra Grammaticum* en trois livres.

Mais la plus irréductible opposition fut celle de Jérusalem, où le patriarche Élie se refusa à reconnaître Sévère. Il était d'ailleurs bien gardé par les moines orthodoxes, que dirigeait la prestigieuse sainteté de Sabas. Celui-ci alla même plaider à Constantinople la cause de son patriarche : « Eh! bien, bon vieillard, lui dit l'empereur, prie pour nous, quitte tout souci; à cause de ta sainteté nous ne ferons rien contre votre archevêque. » La promesse toutefois ne fut pas gardée bien longtemps; l'année suivante, en 513, Anastase reléguait Élie à Aïla sur le glofe d'Akabah et le remplaçait par le diacre Jean, un hénotisant. De nouveau, la sainteté de Sabas se fit persuasive, non plus pour obtenir grâce, mais pour convertir. Sur ses instances, Jean refusa la communion de Sévère, se laissant interner plutôt que de céder; quand, par la longueur de l'incarcération on crut l'avoir ébranlé, il put paraître dans la basilique, mais ce fut pour maudire Sévère. Exaspéré par les résistances, celui-ci n'hésitait point à employer parfois les arguments frappants : ainsi fit-il attaquer des moines qui se rendaient au sanctuaire de Siméon Stylite; on dit qu'il en périt quelque trois cent cinquante. Quel rapport entre pareilles scènes de haine et de carnage, et l'union hypostatique, mystère d'amour?

A Constantinople, la réaction prit une grande envergure et un tour des plus tragiques. Après la chute de Macédonius, on avait cru pouvoir utiliser la manière forte : tandis que le nouveau patriarche Timothée envahissait les monastères orthodoxes à la tête de bandes paysannes pour massacrer les récalcitrants, les officiers impériaux prétendaient imposer dans les Églises le Trisagion remanié de Pierre le Foulon. Le 6 novembre 512, le conflit se transporta dans la rue où, menée par les moines, toute une foule protesta. C'était plus qu'une émeute, une révolution. On criait : « A bas Anastase! Aérobinde empereur! » Le peuple s'assembla à l'hippodrome dont les partis avaient déjà une teinte religieuse : les bleus tenant pour l'orthodoxie, les verts pour le monophysisme. Là, on chanta les prières selon la liturgie catholique. Trois jours durant, l'émeute fut maîtresse de la ville. Quand elle sembla apaisée quelque peu, le vieil empereur parut dans sa loge, tête nue, sans insignes, comme prêt à abdiquer. C'était exploiter habilement la mobilité d'une foule énervée : une telle résignation l'émut. Anastase accorda des promesses; mais, une fois le troupeau humain dispersé, il fit exécuter les meneurs.

L'opposition était loin d'être éteinte. Le comte Vitalien, chef des Barbares fédérés, en profita pour appuyer sa révolte toute politique sur des revendications religieuses : acceptation de Chalcédoine et rejet du Trisagion monophysite, rappel de Macédonius à Constantinople et de Flavien à Antioche. Ainsi ses troupes, marchant vers le Bosphore, pouvaient-elles compter sur la connivence du peuple catholique de Byzance. Mais le basileus sut bien le berner comme il avait fait le peuple révolté : une première fois par de fallacieuses promesses, une deuxième en lui proposant la tenue d'un concile à Héraclée. Toujours trompé, Vitalien revint encore vers Contantinople, et pour entreprendre un siège en règle; mais son armée fut repoussée, sa flotte anéantie par des projectiles incendiaires, prototypes du terrible feu grégeois. S'il fut vaincu, sa révolte n'en marque pas moins une date importante dans l'histoire de Byzance. « En amenant par trois fois sous les murs de Constantinople ses armées disparates et en obtenant du gouvernement d'énormes sommes d'argent, dit Oupenski, Vitalien révéla aux Barbares la faiblesse de l'Empire, et les habitua à des mouvements combinés par terre et par mer. » Après un entr'acte éblouisant, le règne de Justinien, l'ère des périls chroniques et de l'insécurité constante allait bientôt s'ouvrir, tandis que les schismes monophysites contribueraient à préparer la scission politique de l'Égypte et de la Syrie.

Vers la fin de son règne, menacé à la fois par l'effervescence populaire et la révolte de Vitalien, Anastase avait esquissé un geste de réconciliation. Au début de 515 il demandait sa médiation au nouveau pape Hormisdas (514-23). Très conciliant, celui-ci ne mettait d'autre condition à la paix que la condamnation de la mémoire d'Acace; il envoya successivement à Byzance deux ambassades. Anastase essaya de corrompre la seconde où figuraient Ennodius de Pavie et Pérégrinus de Misène. N'y parvenant pas, il les fit embarquer sur de vieux navires avec défense d'atterrir avant d'arriver à Rome. D'où venait donc ce retour d'insolence? Vitalien vaincu, le vieux fourbe se retrouvait en sécurité : « On peut nous injurier et nous compter pour rien, écrivait-il à Hormisdas; mais quant à nous donner des ordres, non. » C'était la rupture complète.

Quand Anastase meurt en 518, il semble que l'Orient retombe pour de longues années dans l'hérésie et le schisme : à Alexandrie, le préfet d'Égypte vient d'imposer un patriarche monophysite, Dioscore (517). Mais le nouvel empereur va remettre l'Orient sur la voie de l'orthodoxie romaine.

VI. La fin du schisme acacien : paix d'Hormisdas. — Justin n'était qu'un soldat parvenu, homme grossier et ignorant, déjà âgé de 68 ans; mais il tenait ferme pour la foi de Chalcédoine. Son neveu Justinien l'inspirait, très lettré, lui, imbu de culture grecque, philosophe, théologien, et qui par le retour à l'orthodoxie poursuivait un double but : le triomphe de ses propres convictions religieuses sans doute, mais aussi le rapprochement politique avec les Italiens qui, rebutés par le monophysisme d'Anastase, s'étaient résignés à la domination arienne de Théodoric. « Un État, une Église », pensait-il : les mêmes à Rome qu'à Constantinople, et partout.

Au surplus, ces aspirations animaient aussi le peuple de Byzance. Gardé dans l'orthodoxie par l'influence des moines, il n'avait supporté qu'à contre-cœur le joug d'Anastase. Sur le vieil empereur se colportèrent aussitôt de vengeresses légendes : ainsi, qu'il était devenu fou peu avant sa mort, ou encore qu'un ange lui apparut alors pour rayer du livre de sa vie quatorze années en punition de son impiété.

A peine trois mois écoulés, le dimanche 15 juillet, tout le peuple se réunissait dans la Grande Église, criant : « Longue vie au patriarche ! Longue vie à l'empereur ! Longue vie à l'impératrice ! Pourquoi restons-nous excommuniés depuis tant d'années ? » Débordé, le patriarche fut sommé de reconnaître solennellement le concile de Chalcédoine : « Vous ne sortirez pas, lui disait-on, que vous n'ayez anathématisé Sévère. » Avec la même docilité qu'il montrait jadis envers Anastase monophysite, il obéit à cette foule frénétiquement orthodoxe. « Annoncez-nous tout à l'heure la fête du concile de Chalcédoine », lui demanda-t-on encore. Sur l'heure elle fut fixée au lendemain. Ce jour-là, nouvelles exigences, et non moins impérieuses : « Envoyez les lettres synodales à Rome ; rendez complète la fête de l'Église ; mettez les quatre conciles dans les diptyques, et Léon, l'évêque de Rome. » Sans se faire plus prier que la veille, le patriarche obtempéra à tout ce qu'on exigeait ; après quoi la foule entonna un cantique. Tel fut à Constantinople ce retour impromptu à l'orthodoxie, que les moines firent estampiller par le synode permanent.

L'autorité impériale ne demandait qu'à suivre l'opinion. Deux édits parurent coup sur coup : l'un ordonnant qu'on rétablît les évêques chassés par Anastase et qu'on reconnût la profession de Chalcédoine ; l'autre déclarant les hérétiques inaptes aux fonctions publiques. A tous les prélats, ordre de se soumettre ou de se démettre : confiscation des biens, exil, persécutions, tel serait le lot des réfractaires. Beaucoup, comme Sévère d'Antioche et Julien d'Halicarnasse réussirent à gagner l'Égypte, terre d'immunité ; d'autres cherchèrent quelque asile dans les déserts de Syrie. Et avec eux, des laïques, des femmes, des enfants, des couvents entiers : lamentable cortège d'égarés, mais dont les convictions étaient sans doute aussi sincères qu'aveugles. « Aujourd'hui, dit Michel le Syrien, ils couchaient dans un endroit ; le lendemain, on les y en chassait. Ils n'étaient pas jugés dignes d'avoir un gîte. Ils habitaient dans le désert avec les animaux sauvages. » Les prélats qui ne purent fuir subirent l'exil et les mauvais traitements : ainsi Philoxène de Hiérapolis conduit à Gangres où il mourut bientôt ; ainsi encore maints évêques de Cilicie, d'Asie, de Cappadoce. Partout, on opéra à la manière forte.

Restait à estampiller le revirement en s'adressant à Rome. Dès septembre 518, les trois personnages qui représentaient l'Orient — Justin, son neveu Justinien et le patriarche Jean — prièrent le pape d'envoyer à Constantinople une légation. Les pourparlers viseraient à la fois la doctrine — Tome de Léon, formulaire de Chalcédoine — et aussi les personnes, — Acace et ses complices. Sur le premier point l'accord était conclu d'avance ; par contre Byzance montrait une réelle répugnance à excommunier Acace, comme si l'honneur de l'empire eût été lié à ce personnage funeste. Position illogique, puisque le retour officiel à la théologie de Chalcédoine impliquait le désaveu de qui l'avait combattue officiellement. « Recevoir le

Tome de Léon et maintenir dans les diptyques le nom d'Acace, ce sont choses contradictoires », écrivait avec justesse le pape au patriarche. Bien plus, il englobait dans la même condamnation ses successeurs Euphémius et Macédonius qui, orthodoxes, n'avaient point cherché à renouer avec le siège romain.

Toutes ces exigences étaient contenues dans un formulaire jadis proposé sans succès au vieil Anastase par Hormisdas. Ce document restera fameux dans l'histoire, moins encore pour avoir mis fin à un long schisme, qu'à cause de son éclatante affirmation de la primauté romaine. « On ne peut passer sous silence, dit-il, l'affirmation de Notre-Seigneur qui a dit : « Tu es Pierre. » Cette parole s'est vérifiée dans la réalité, car c'est par le Siège Apostolique que s'est toujours conservée sans tache la religion catholique. » Suit non seulement la condamnation de Nestorius, Eutychès, et Dioscore, mais encore la malédiction contre Timothée Aelure, Pierre Monge, Acace, les grands colporteurs de l'Hénotique. L'ambassade qui porta à Constantinople ce formulaire, reçut un accueil magnifique : quatre jours à peine écoulés, et l'accord se concluait avec le patriarche, qui donna sa signature le Jeudi Saint aux acclamations de tout un peuple. « Par vos prières, écrivaient les légats à Hormisdas, la paix est rendue aux cœurs chrétiens; il n'y a plus dans l'Église qu'une seule âme, une seule joie. Seul en gémit l'ennemi du genre humain, terrassé par votre piété. »

C'était, sous le coup de la joie, montrer beaucoup d'optimisme. Sans doute quelque 2.500 évêques signeraient-ils le formulaire. Mais, outre que des convictions nouvelles si nombreuses peuvent paraître en bloc plus ou moins suspectes, il y eut des résistances acharnées. D'où ces lamentables exodes déjà signalés, ces expulsions, ces sentences d'exil. En Syrie, la stabilité monastique fit place à la vie la plus errante; reclus tirés de leurs trous, stylites descendus de leurs colonnes allèrent grossir la masse des proscrits, persuadant à tout un populaire simpliste que, puisqu'ils souffraient, eux, les saints, pour défendre la théologie cyrillienne, la romaine ne pouvait être que damnable. Convictions non pas raisonnées, mais senties; de là un fanatisme à toute épreuve.

En plusieurs endroits, d'ailleurs, la résistance fut non point passive, mais violente. Ainsi à Thessalonique où, quand arriva le légat pontifical Jean, une émeute insidieusement suscitée par le métropolitain Dorothée faillit tourner au tragique. Fortement contusionné dans la bagarre, le légat en appela au pape, et celui-ci à l'empereur. Mais à Constantinople, où Dorothée parut « avec une somme capable d'aveugler non seulement des hommes, mais des anges », on ne le relégua quelques mois à Héraclée que pour le rétablir ensuite sur son siège sans qu'il eût souscrit le formulaire. Incident qui jette un jour crû sur la corruption byzantine, montrant que, même aux jours de l'orthodoxie la plus enthousiaste, il y avait toujours moyen de « composer ». A Antioche, situation non moins précaire pour les catholiques, d'autant qu'on y a remplacé le prestigieux Sévère par un personnage assez louche, le patriarche Paul, qui, au bout de deux ans, préférera se démettre plutôt que de subir l'enquête exigée sur sa moralité; encouragé par le milieu, son successeur Euphrasius osera rayer des diptyques Hormisdas et le concile de Chalcédoine, et ne s'assagira que sous l'empire de la crainte.

Ainsi la manière forte n'était-elle point applicable partout. Justinien s'en rendait compte et, soulignant auprès du pape quelles résistances on rencontrait, il le priait de n'exiger qu'un minimum : rayer les noms spécifiés dans le formulaire, soit; mais qu'on n'aille pas en exiger autant contre des prélats très pieux et très populaires coupables seulement de s'être laissé aller à la dérive du courant acacien. Quittons les procédés rigoureux, demandait Justinien; essayons plutôt la persuasion. Mais, les yeux fixés sur ce schisme que les équivoques personnelles entretiendraient, Hormisdas restait fidèle à son intransigeante consigne : aucun nom de schismatique dans les diptyques : « Que le monarque veuille bien persévérer dans son désir de l'unité, écrivait-il le 26 mars 521; qu'il ne redoute point à l'occasion de mettre la force au service de la vérité. On verra bien si l'obstination de ceux qui déchirent l'Église sera plus forte que tous nos désirs de paix. Il y a des blessures devant lesquelles il ne faut pas reculer, puisqu'elles sont infligées pour le salut de l'âme. Et qu'on ne dise pas que nous nous montrons plus sévére que nos prédécesseurs. Ce n'est point l'opiniâtreté qui nous engage dans cette voie, mais bien les scandales dont nous avons été témoin. »

VII. Les variations du monophysisme : le julianisme. — L'opposition conservait une terre d'asile, l'Égypte. Là, en effet, la réaction chalcédonienne n'a point pénétré. Pourquoi? Mystère. Timidité impériale devant une force hérétique imposante et vraiment nationale, effet de la diplomatie protectrice de Théodora? Peut-être. En tous cas, nulle sommation ne fut faite au patriarche Timothée III de signer le formulaire [1]. Vers l'oasis égyptienne refluèrent tous les exilés de marque : ainsi Sévère d'Antioche, Julien d'Halicarnasse, Thomas de Damas, Pierre l'Ibérien, et tant d'autres « martyrs ».

Leur chef à tous Sévère, l'ex-patriarche d'Antioche, avait une personnalité théologique si dominante qu'il laissera son nom au monophysisme post-chalcédonien. A une érudiction étendue et à une facilité merveilleuse qui lui permettait de cultiver tous les genres — sermons, commentaires exégétiques, hymnes — il joignait une vigueur polémique vivifiée par des convictions ardentes jusqu'au fanatisme. Au surplus, orgueilleux, dominateur, peu scrupuleux sur les moyens, pourvu que la cause fût sauve. Toujours parlant, toujours agissant, il communiquait à la colonie des exilés son ardeur apostolique. Dans cette Égypte, pays du mirage, où les miracles levaient sous ses pas, sa réputation fut bientôt telle qu'on l'appelait « le patriarche », désignant par là non seulement son ancienne prééminence à Antioche, mais une papauté véritable sur tous les monophysites.

Pourtant, il rencontra un puissant adversaire parmi ses compagnons d'exil : Julien d'Halicarnasse. Voici quelle aurait été, d'après Liberatus, l'occasion de leur implacable querelle. Vers 520, interrogé par un moine si le corps du Christ avait été corruptible ou incorruptible, Sévère aurait répondu « corruptible », en s'appuyant sur le témoignage des Pères. Dans les milieux populaires et monastiques, toujours inclinés vers un Christ plus éthéré et moins humain, il y eut scandale. On en référa donc à Julien qui ne craignit pas de contredire le maître. Une correspondance s'ensuivit qui aboutit à une rupture complète : aux lettres firent

1. « Le pape et l'empereur étaient d'accord pour continuer à Alexandrie l'œuvre commencée à Antioche. Mais le pape avait un candidat pour le trône de saint Marc; Justin ne l'agréait pas, ce qui dut retarder la solution. Il est également permis de supposer que le diacre Dioscore, présenté par le pape, ne se souciait pas trop de ce périlleux honneur. Le meurtre de Protérius, patriarche catholique sous Zénon, était encore présent à sa mémoire. Il faut reconnaître aussi que les pontifes alexandrins n'avaient pas les allures provocantes de Sévère d'Antioche; ils avaient suscité moins de haines. Ils paraissaient plus excusables, et surtout moins dangereux. Le rôle de Dioscore II, celui de Timothée son successeur n'avaient rien d'éclatant. Ils n'étaient pas la tête de l'hérésie, et peut-être les ménageait-on dans l'espérance qu'ils feraient des concessions. L'Église d'Alexandrie représentait l'élément modéré dans le monophysisme : Perre Monge et presque tous ses successeurs avaient accepté l'Hénotique. Plus tard encore Justinien se berçant de cette illusion cherchera un terrain d'accommodement avec Théodose. Telles sont les hypothèses que l'absence de tout document permet de former. » MASPERO, *Hist. des patriarches d'Alexandrie*, p. 78.

suite de longs traités, et la lutte littéraire ne dura pas moins de sept ans ; elle battit son plein entre 523 et 528 [1].

D'après Sévère, tout en conservant les prérogatives essentielles à la divinité, Jésus-Christ fut, comme homme, passible et mortel, et il n'accéda que par la résurrection à l'impassibilité et à l'immortalité : position qui prouve à elle seule que le monophysisme sévérien n'était que verbal, puisque l'humanité du Christ y restait bien sauvegardée.

Tout en admettant, lui aussi, que le corps du Christ avait souffert réellement la Passion, Julien enseignait pourtant qu'il était incorruptible et immortel (ἄφθωρτος, ἀπαθής, ἀθάνατος). Pourquoi donc? A cause de l'union hypostatique. Tout homme est corruptible parce que infecté de la souillure originelle; or dans l'Homme Dieu, il y a incompatibilité absolue entre la nature divine et une attache quelconque au péché; il s'ensuit, d'après Julien, qu'il ne doit pas subir la corruption, conséquence du péché. Comment donc y échappera-t-il? Grâce à sa conception virginale qui, excluant toute concupiscence, ne peut avoir pour fruit un être marqué de la tache originelle et corruptible. Ainsi le Christ a-t-il pris de la nature corruptible (φθαρτή) un corps incorruptible (ἄφθαρτον), d'une manière incorruptible (ἄφθαρτῳ τροπῳ). Et ce corps n'en reste pas moins consubstantiel au nôtre; car le type de la nature humaine doit être cherché dans l'état où Dieu l'avait créée avant la chute.

Pourtant le Christ a subi les souffrances et la mort. Sans doute, admet Julien; encore ne résultent-elles pas chez lui de cette corruption, fruit du péché, qu'il n'a pas connue. Mais il s'y est soumis volontairement et spontanément, impassible par nature, passible par amour, grâce à un miracle souvent renouvelé et qui lui permettait de déroger aux lois régissant son impassibilité.

Ainsi la théorie julianiste se base-t-elle non sur la christologie, mais sur une théorie particulière de l'état de déchéance auquel le péché d'Adam a réduit la nature humaine. Constatation importante, mise en pleine lumière par M. R. Draguet [2], et qui venge Julien du reproche traditionnel d'eutychianisme, comme si, pour rendre le corps du Christ incorruptible, il lui avait donné une humanité déjà glorieuse et éthérée, telle que l'imaginaient les phantasiastes.

Sans doute, dans ses traités polémiques contre Julien, — entre autres le *Contra Additiones*, l'*Adversus apologiam Juliani* et l'*Apologie du Philalèthe,* — Sévère a-t-il appelé son adversaire hérétique, docète, eutychien; mais ne sont-ce pas là ouvrages passionnés, où la doctrine adverse est interprétée au pire? « Les Grecs, a écrit Richard Simon, ont toujours esté de grands disputeurs et le plus souvent leurs disputes n'estoient que de métaphysique et de pures équivoques, d'où ils tiroient ensuite des conséquences à leur manière, venant enfin aux injures; et par là les choses devenoient irréconciliables ; au lieu que si les parties eussent

1. Après six lettres échangées, Julien écrivit le *Tome*, qu'il compléta par ses *Additions;* il donna ensuite un vaste traité intitulé *Adversus blasphemias Severi.* L'ex-patriarche d'Antioche répliqua dans la *Critique du Tome*, la *Réfutation des propositions de Julien*, le *Contra Additiones*, l'*Adversus Apologiam Juliani*, et enfin *l'Apologie du Philalèthe* où il se défend d'avoir soutenu jadis les idées julianistes dans son grand ouvrage le *Philalèthe*, écrit vers 510 à Constantinople contre les chalcédoniens. Les traités de Sévère existent en syriaque, mais n'ont pas encore été publiés; de Julien il ne reste que divers extraits conservés dans les écrits de ses adversaires. Voir J. Lebon, *Le Monophysisme sévérien*, Louvain.

2. R. Draguet, *Julien d'Halicarnasse et sa controverse avec Sévère d'Antioche sur l'incorruptibilité du Christ*, Louvain, 1924; art. *Julien d'Halicarnasse* dans *Dict. Théol.* Contre cette thèse, voir M. Jugie, *Julien d'Halicarnasse et Sévère d'Antioche, Echos d'Orient*, 1925 (XXIV), p. 129-162; 257-285. D'après lui, l'aphtartodocétisme impliquerait une nature humaine impassible et immortelle; il résulterait de la tendance monophysite à resserrer les liens entre la divinité du Christ et son humanité jusqu'à donner à celle-ci toutes les perfections possibles.

expliqué modestement leur pensée, il n'y eust pas eu le plus souvent la moindre apparence d'hérésie. » Propos dont il ne faut pas trop conclure, et pourtant utile à retenir. Qu'on se rappelle à quoi se réduisent les divergences théologiques entre Chalcédoniens et Sévériens. Pour le fond rien qu'à une compréhension différente du mot φύσις (*natura*), que les premiers interprétaient dans le sens de *nature,* les seconds dans celui de *personne.* D'un tel différend, verbal sans plus, ils en concluaient pourtant : les Chalcédoniens, que leurs adversaires disaient « une seule nature », d'où monophysisme foncier ; les sévériens, que les orthodoxes disaient « deux personnes », d'où nestorianisme.

Sévère ne fit qu'employer envers Julien des procédés analogues : il l'accusa d'eutychianisme. A quoi d'ailleurs Julien répliqua en lui reprochant de défendre le nestorianisme. Sévère nestorien, n'était-ce pas pourtant le blanc pour du noir? Tous griefs basés sur des équivoques, sur des contresens, sur des déductions non fondées en raison, mais qui frappaient et scandalisaient le populaire. Sans ambages Sévère écrivait : « Les julianistes disent que le Christ souffrit en apparence, et que la chair était impassible et immortelle au temps de la croix volontaire et rédemptrice ; et outre d'autres impossibilités, ces impies parlent avec folie de souffrances imaginaires et, usant de termes mensongers, ils dénomment incorruptibilité la *phantasia !* » On comprend dès lors les insultes et les sobriquets échangés entre frères ennemis : les sévériens traitant les julianistes de phantasiastes et d'aphtartodocètes, ceux-ci répliquant par l'épithète de phtartolâtres contre ceux qui adoraient une chair passible et la recevaient dans l'Eucharistie.

Reste à savoir pourquoi Sévère s'opposa à la doctrine de Julien, si elle n'était pas l'eutychianisme et si elle n'entamait pas sa propre christologie. N'être pas tradionnelle, rejeter la terminologie des anciens Pères qui appelaient corruptible et passible le corps du Christ, voilà d'abord ce qu'il lui reproche. Puis il la trouve pratiquement dangereuse parce que, faisant le jeu des chalcédoniens, elle leur permet d'accréditer cette calomnie que les sévériens sont purs phantasiastes : « Il ne peut souffrir, dit-il en propres termes, que l'égarement d'un seul devienne un reproche contre l'Église entière. » Il craint d'ailleurs qu'en fait ces critiques ne finissent par devenir vraies, et que, victime de ces thèses trop subtiles, la foule des simples, « pieux archimandrites et dévots solitaires », ne s'envolent fort mystiquement vers les théories de la *phantasia,* passant ainsi du Christ incorruptible au Christ fantôme. Somme toute, griefs d'un chef d'Église qui veut tenir ses troupes en mains et qui reproche à la subtilité julianiste de les exposer aux coups de l'ennemi et à leurs propres égarements.

Il fallait insister sur le julianisme, non seulement parce qu'il scinda les forces hérétiques, mais parce qu'il nous fait entrevoir la pensée populaire monophysite. Estomper, éthérer, volatiliser même la nature humaine du Christ, tel est le rêve des moines ignorants. Plus le Christ sera dégagé de notre humanité, plus ils l'admireront, et davantage il excitera leur dévotion. Sous l'étiquette sévérienne, certains durent s'égarer très loin, quelque apparition mystérieuse.

Pour beaucoup, l'idée de la corruptibilité devint pur blasphème. Il resta surtout autour de Sévère le haut clergé alexandrin et le monde officiel. Dès lors le monophysisme égyptien est profondément divisé. Sévère semble comme un exilé dans sa terre d'asile. Les julianistes prédominants deviendront une force organisée au jour proche où ils éliront un patriarche dissident, Gaïanos : d'où leur surnon de gaïanites.

LIVRE XII

L'ÉGLISE ET LES BARBARES

CHAPITRE PREMIER

LES INVASIONS

I. La sauvegarde catholique contre les envahisseurs. — Tandis que l'Orient s'acharnait à des luttes théologiques, l'Occident était en proie à de sanglantes tragédies. Après avoir forcé la barrière du Rhin au printemps, les Huns prenaient Metz le 7 avril 451 et la livraient aux flammes. De là ils s'avancèrent vers la Seine. On connaît l'horrifique description donnée déjà par Ammien Marcellin de ces êtres petits, trapus, et si laids qu'ils semblent des « animaux à deux pattes », et non pas des hommes. Couverts de peaux, ils ne quittent guère leur monture où ils « boivent, mangent et dorment ». Guerroyer et piller, voilà leur vie. Pour les envahis, en la carence de tout pouvoir, nul recours que dans une confiance supraterrestre. Le christianisme allait ici et là arrêter le désarroi et donner courage. Ainsi à Paris où, sans se soucier qu'elle n'est qu'une fille et qu'elle n'a que trente ans, Geneviève réunit au baptistère de Saint-Jean-le-Rond les femmes de la ville : qu'on prie et Attila n'entrera pas. Sa surnaturelle confiance s'impose à tous, telle — dix siècles plus tard — celle de Jeanne d'Arc.

Cependant, soucieux de marcher contre les Wisigoths, les Huns laissèrent Paris à leur droite et marchèrent sur Orléans, l'antique *Genabum*, pour y passer la Loire. Là, ils trouvèrent devant eux l'évêque saint Aignan : c'est lui qui, à l'approche du péril, s'était rendu en hâte à Arles vers le général romain Aetius pour le presser d'intervenir, et lui aussi qui, rentré dans la cité, y organisait la résistance. Bientôt, avec l'appui de fédérés wisigoths que commandait leur roi Théodoric, Aétius obligeait Attila à reculer vers l'Est (24 juin 451). Les murs de Troyes lui furent encore fermés, grâce à un autre évêque, saint Loup, l'ami de saint Germain d'Auxerre. A quelques kilomètres de la ville, au lieu dit *Mauriacus*[1], Aetius remportait une victoire qui obligeait les Huns à repasser le Rhin.

Pourtant, après un hivernage en Pannonie, dès le printemps 452, l'infatigable Attila portait ses dévastations dans la Haute-Italie. Aquilée enlevée, rien ne semblait l'empêcher de descendre jusqu'à Ravenne où Valentinien III s'était enfermé. Incapable de lutter, celui-ci ne put qu'envoyer vers le Barbare une ambassade. Au moins eut-il l'idée d'en confier la

1. C'est à tort que l'on a placé souvent le lieu de la bataille dans la plaine de Châlons ou « Champs catalauniques ». *Mauriacus* serait peut-être à identifier avec Moirey, dans la commune de Dierrey-Saint-Julien.

direction au pape Léon. L'entrevue eut lieu non loin de Mantoue, au confluent du Mincio et du Pô. « Attila, dit Prosper dans sa *Chronique,* reçut la légation avec dignité, et il se réjouit tant de la présence du pape qu'il décida de renoncer à la guerre et de se retirer derrière le Danube après avoir promis la paix. » Résultat imprévu auquel a contribué l'ascendant de l'auguste pontife, et sans doute aussi la crainte superstitieuse du chef barbare au souvenir qu'Alaric était décédé peu après avoir profané Rome. Lui-même Attila mourait dès 453.

Une fois encore la civilisation antique semblait échapper au péril, et par l'intervention de la papauté. Cette scène du Mincio, n'est-ce pas toute une apologétique? Réplique triomphante du christianisme aux calomnies ressassées par la vieille Rome, et contre quoi même la *Cité de Dieu* d'Augustin n'avait point une telle valeur : car les exemples vivants sont d'un autre pouvoir. Ce pontife majestueux s'avançant seul au-devant du Barbare ravageur, quel prestigieux symbole de la romanité et de la catholicité, seules forces morales capables d'arrêter encore et d'intimider les brutalités déchaînées. Telle fut sur les imaginations l'impression produite qu'une légende naquit, enregistrée pour la première fois par Paul Diacre, popularisée par Jacques de Voragine et par Raphaël, et où l'on voit les apôtres Pierre et Paul planant au-dessus du pape durant l'entrevue. « Dans les sombres jours prochains, dit Hodgkin, sénat et peuple n'oublieraient pas que là où le successeur de César s'était montré impuissant, le successeur de Pierre apparaissait en sauveur. Aussi n'est-il point paradoxal de dire qu'indirectement Attila contribua, plus peut-être qu'aucun autre personnage historique, à la création de ce facteur puissant dans la politique de l'Italie médiévale, le pape prince des Romains, *the Pope-King of Rome.* »

A peine ce péril écarté, un autre menaça Rome, qu'elle ne put éviter. La violence s'y était installée : voici que le maître de la milice Aetius est égorgé le 21 septembre 454 par Valentinien III, puis celui-ci quelques mois plus tard, pauvre « empereur de palais dont jamais les armées n'avaient vu la majesté pâle ». De l'autre côté de la mer, le vandale Genséric veillait qui, solidement installé à Carthage, n'attendait qu'une occasion pour opérer en Italie une fructueuse razzia. Sous prétexte de venger Valentinien III, il déclara la guerre à son successeur Pétrone Maxime et débarqua soudain à Porto avec une armée. Aussitôt ce fut une panique effroyable des Romains qui, éperdus, essayaient par milliers, riches et pauvres, de s'enfuir n'importe où; parmi eux figurait le nouvel empereur que ses soldats tuèrent dans le désarroi.

Un seul personnage était resté dans Rome, vrai défenseur de la cité, le pape Léon qui, sans trembler, vint à la rencontre de Genséric, à la Porta Portuensis. Le Barbare était trop près du but, la proie trop riche et trop tentante pour qu'on obtînt le salut de la ville. Au moins Genséric promit-il à saint Léon qu'elle ne serait point brûlée, ni les habitants massacrés. Mais il y eut un pillage éhonté et, pendant quinze jours, les Vandales déménagèrent sur leurs vaisseaux toutes les richesses qu'ils purent emporter; ce n'est pas sans motif que leur sauvage rapacité est devenue proverbiale. Pourtant, tandis que les églises mêmes

Invasions. — Sur les invasions, voir les ouvrages généraux de O. Seeck, J.-B. Bury, F. Dahn, Th. Hodgkin, L. Halphen déjà signalés p. 428. Plus spécialement, F. MARTROYE, **Genséric. La conquête vandale et la destruction de l'empire d'Occident,* 1906. — F. DE COULANGES, *? *L'Invasion germanique,* 2e éd., 1886 (série intitulée *Histoire des Institutions politiques de l'Ancienne France*). — GRISAR, **Histoire de Rome et des papes au moyen âge,* 2 vol. (trad. G. LEDOS).

étaient dévastées, on épargna les basiliques de Saint-Pierre et de Saint-Paul, peut-être aussi celle du Latran ; s'il existait encore quelque génie tutélaire de Rome, c'était la majesté du prince des Apôtres.

Pour remercier Dieu d'avoir épargné aux Romains de plus tragiques horreurs, on célébrera dans les années suivantes une fête spéciale durant l'octave de la saint Pierre. Mais saint Léon devait constater à quel point la foule restait oublieuse et légère, telle que toujours aux époques calamiteuses où l'on veut jouir aujourd'hui par crainte de mourir demain. *Edamus et bibamus, cras enim moriemur.* « Combien peu parmi vous, dit-il, sont venus ces jours-ci à l'église. Pareille constatation me remplit de tristesse. Cet oubli n'est-il pas une preuve que la verge divine ne vous a pas été salutaire? Sont-ce donc les jeux du cirque qui vous ont préservés de la mort, n'est-ce pas plutôt l'intercession des saints? N'avons-nous pas été épargnés pour rentrer en nous-mêmes et demander pardon? » Constatations et reproches qui, rejoignant le pessimisme de Salvien, le justifient en partie : car saint Léon est un romain calme, impartial, à l'intelligence équilibrée s'il en fut jamais, et peu porté à dénigrer son peuple.

On voit quelle providence étaient alors les chefs des Églises : ils ont bien mérité le nom de « défenseur de la cité » (*defensor civitatis*) qu'on leur a décerné, sans qu'ils en aient — à l'ordinaire du moins — rempli la charge[1].

Plus extraordinaire encore fut l'influence exercée par saint Séverin dans le Norique. Les provinces danubiennes, passage naturel des Barbares se précipitant vers l'Italie, avaient été très éprouvées. La plupart des Églises disparurent pour un temps : Sirmium même, sous les coups des Huns, en 448. Seul le Norique, bien qu'occupé en partie par les Ruges, semble avoir gardé quelque organisation ecclésiastique : ainsi l'évêché de Lauriacum, métropole probable du Norique ripuaire et Teurnia, celle du Norique intérieur. Située aux confins de la Romanité, sur la rive droite du Danube, entre la Rhétie ou Bavière au Nord-Ouest et la Pannonie supérieure ou Hongrie au Sud-Est, la province du Norique formait, selon l'expression de Bury, « un îlot romain au milieu d'une mer barbare ». Car, pénétrant vers l'Ouest comme un coin le long des Alpes Juliennes, les Germains avaient séparé le Norique de l'Italie. Ostrogoths établis depuis l'irruption des Huns sur les rives de la Save, Thuringiens, Ruges et Hérules au Nord et au Nord-Est, Alamans et Suèves au Nord-Ouest, autant de peuples qui, toujours prêts à le dévaster, encerclaient le Norique. De là une profonde désorganisation politique, militaire et morale. Tandis que les officiers impériaux abandonnaient un poste si dangereux, les troupes indisciplinées et sans solde se payaient sur l'habitant.

En cette détresse, un sauveur parut, seul et sans force : Séverin. C'était, nous dit son

1. Il faut bien s'entendre. Les *defensores civitatis* étaient des personnages municipaux institués dans la seconde moitié du IVe siècle, et dont les attributions varièrent passablement. Comme ils étaient nommés à l'élection, et que d'ailleurs ils remplissaient diverses fonctions telles que juridiction civile volontaire, protection des femmes contre les *lenones*, nomination des tuteurs, etc..., fonctions communes avec les évêques, la thèse fut soutenue longtemps que ceux-ci cumulaient avec leurs attributions ecclésiastiques cette magistrature municipale. En fait, l'explication ne s'appuie sur aucun texte, et « c'est à tort que l'on a cru discerner dans les documents des IVe et Ve siècles une participation de l'évêque au gouvernement de la cité ». L'hypothèse prouve du moins qu'ils s'étaient rendus dignes d'un si beau titre, sans qu'ils en aient — à l'ordinaire du moins — rempli la charge. Voir : E. CHÉNON, **Étude historique sur le defensor civitatis*, dans *Nouvelle Revue historique du droit français et étranger*, 1889, XIII, p. 321-362, 515-561. — H. LECLERCQ, art. *Defensor civitatis*, dans *Dict. Arch.*

biographe[1], au temps de la mort d'Attila, vers 453. D'où venait-il? Mystère. A son parler on pouvait savoir seulement qu'il était romain. Aucune recommandation extérieure : ni mandat impérial, ni sacerdoce. Rien que le prestige de son ascétisme : il apparut à ces malheureux comme une sorte de Baptiste. Le prophétisme l'anime, accréditant sa mission, et il se conjugue avec une parfaite sagesse humaine. A Astura, petite ville danubienne, à la limite de la Pannonie et du Norique, il annonce que les Barbares vont attaquer : prédiction qui laisse les habitants sceptiques et qui se réalise aussitôt pour leur perte. A Favianes, il conseille la résistance : « Qu'importe le nombre, dit-il au gouverneur Mamertinus, qu'importe le courage humain là où Dieu lui-même combat. » Et avec lui il concerte une attaque contre les Barbares voisins qui prennent la fuite. Dès lors la réputation de Séverin est consacrée, qui lui permettra de sauver le pays. Il s'assure une aide spirituelle : celle des moines qu'il établit dans le cloître de Favianes où souvent il séjourne.

Saint Séverin voulut grouper pour une assistance mutuelle ces villes dispersées, réduites périodiquement à la misère, soit par les razzias des Barbares, soit par le fléau des sauterelles. On soumettrait tous les citoyens à une dîme dont les produits, s'accumulant à Favianes, seraient ensuite envoyés là où besoin serait. Il ne se peut dire combien de misères furent soulagées par cette charitable prévoyance.

Les plus dangereux ennemis étaient les Alamans, pillards incorrigibles, qui menaçaient surtout Passau, ville frontière située à l'embouchure du Danube et de l'Inn. Séverin eut assez d'ascendant sur les indigènes pour les faire émigrer jusqu'à Lauriacum, puis même jusqu'aux places du Norique oriental, Favianes, Comagène et Astura, où régnait un prince à demi allié qu'il avait subjugué par sa sainteté, le roi des Ruges, Féléthée. Cet exode organisé sauva les habitants d'une destruction totale.

Pendant près de trente ans, Séverin gouverna ainsi le Norique (453-485) : exemple unique du prestige de la sainteté tout à la fois sur les Romains qu'il gardait et à qui il rendait confiance, sur les Barbares d'alentour aussi qu'il contenait. Lui mort, tout s'effondra : le roi ruge Frédéric pilla le monastère de Favianes et l'anarchie désola la province, tant qu'enfin Odoacre, maître de la péninsule, ordonna l'exode en Italie des Noriciens sujets de Rome. En tête de ce peuple émigrant se trouvaient les moines de Séverin emportant les restes vénérés de leur père. Une riche napolitaine, nommée Barbaria, les recueillit dans l'antique villa de Lucullanum, au fond du golfe de Baïes. Le corps de « l'apôtre du Norique[2] » traversa Naples parmi les acclamations, semant les miracles sur son passage. Il faut évoquer saint Martin pour trouver une pareille emprise sur l'âme populaire.

L'influence de Séverin ne devait pas disparaître avec lui. Sans doute n'avait-il point converti dans le Norique beaucoup de Barbares, mais grâce à lui y survécut la vie romaine. Quand les Lombards pénétreront dans ces régions, ils y découvriront quelques vestiges de catholicisme qui aideront plus ou moins à leur conversion.

II. La persécution vandale en Afrique après Genséric[3]. — En Afrique, on

1. La biographie de Séverin est l'œuvre d'un disciple du saint, Eugippe, qui écrivit durant la deuxième année du consulat d'Importunus, c'est-à-dire en 511. Suippe l'a éditée dans les *Mon. Germ. Hist.* Voir A. Baudrillart, **Saint Séverin* (coll. *les Saints*).

2 Ce titre d'apôtre du Norique est courant. Pourtant les habitants étaient déjà chrétiens avant la venue de Séverin.

3. Sur les Vandales voir la bibliographie, p. 428.

avait pu espérer que la mort de Genséric mettrait fin à la persécution. Il y eut, en effet, quelque accalmie à l'avènement de son fils Hunéric, qui autorisa de pourvoir au siège de Carthage, vide depuis vingt-quatre ans. Eugène fut élu, personnage très populaire par sa sainteté et sa charité. Sans doute rétablit-on partiellement la liberté du culte ; mais Vandales et Romains ralliés n'en devaient pas jouir, tant — aux yeux du Barbare — la religion catholique paraissait attachement aux anciens maîtres et opposition politique. Comme Hunéric ordonnait donc à Eugène qu'il interdît l'entrée des églises à tous ceux qui portaient l'habit barbare, et comme sans peur l'évêque lui répondait que la maison de Dieu est ouverte à tout le monde,

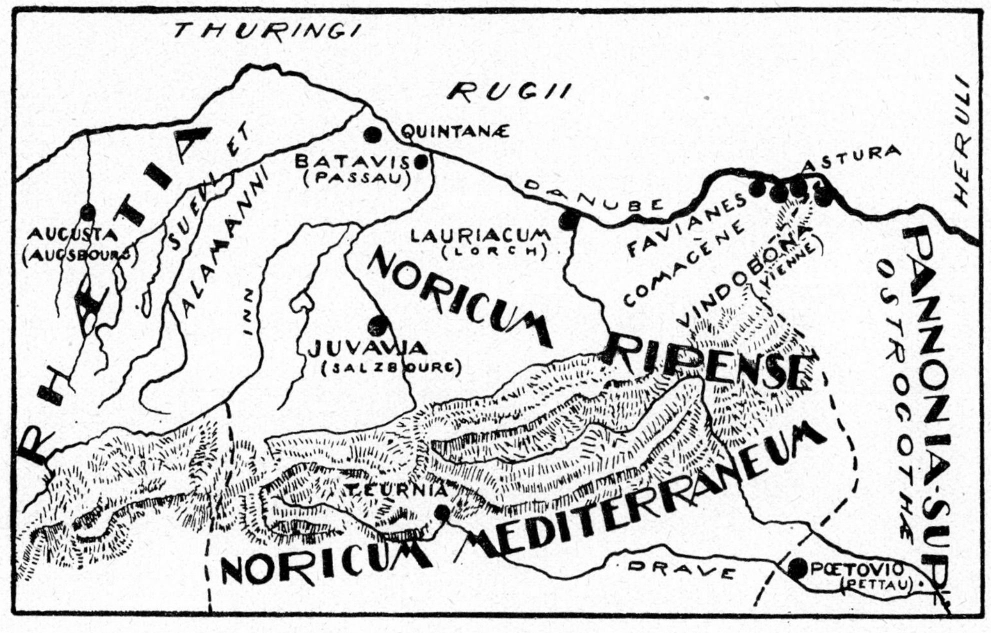

CARTE DU NORIQUE.

le tyran recourut aux voies de fait : apostés à l'entrée des églises, les policiers saisissaient avec des peignes gigantesques les chevelures flottantes par quoi les Barbares se distinguaient des Romains et, après avoir scalpé leurs victimes, les exposaient à la risée d'une foule grossière.

Au surplus, Hunéric n'avait restauré cette partielle tolérance que sous la pression de l'impératrice Placidie, sa belle-sœur, sous celle aussi de l'empereur Zénon, requérant en retour une égale tolérance pour les ariens dans l'empire. Frustré, le tyran rouvrit la persécution. Des mesures préliminaires furent prises : ordre aux fonctionnaires de professer l'arianisme, ce qui obligea maints catholiques à démissionner, tortures infligées à des religieuses pour leur faire avouer des fautes commises avec des prêtres et ameuter ainsi le populaire. Peines perdues ! Alors Hunéric n'y mit plus aucun ménagement. Il exila les fidèles par milliers dans les déserts du Hudna et du grand chott algérien : un groupe de 4.970 fidèles, clercs et laïques qui, réunis à Sicca Veneria (Lekef) et confiés à des Maures, furent conduits vers le Sud-Ouest aux environs de Maeri ; puis un autre qui, rassemblé à Lares (Lorbeus) dut s'enfoncer vers le Sud jusqu'au pays des Gétules.

Exode lamentable dont Victor de Vite nous a raconté les détails horribles : les confesseurs du Christ parqués d'abord comme des sauterelles en une étroite prison, puis la longue course à travers le désert. Les uns mouraient exténués, les autres marchaient jusqu'à épuisement, forcés de courir par les Maures qui leur jetaient des pierres ou les piquaient avec leurs lances ; plusieurs aussi, incapables d'aller plus loin, étaient attachés par les pieds et traînés à travers le terrain rocailleux jusqu'à la mort. Mais sur la cruauté des bourreaux l'emportait la constance des persécutés. Combien n'est-il pas touchant l'exemple de cette vieille femme qui suivait l'héroïque cortège avec un enfant, lui disant parfois : « Cheminez, mon petit seigneur, ne voyez-vous pas la gaîté des serviteurs de Dieu, et avec quelle hâte ils courent au martyre. » Et comme les confesseurs eux-mêmes s'étonnaient de la voir là : « Bénissez-moi, bénissez-moi, leur dit-elle, priez pour cet enfant qui est mon petit-fils. Je me rends en exil avec lui de peur que le diable, le trouvant tout seul, ne le fasse choir de la vie en la mort. » (II, 9.) Sur le passage des proscrits, les foules affluaient, avides de les voir, de les acclamer, de leur faire toucher les petits enfants.

Il y eut encore d'autres victimes : ainsi les sept moines de Capsa qui, conduits sur un navire rempli de fagots, cloués sur le pont pieds et mains étendus, furent envoyés au large. Comme le feu mis au bâtiment s'éteignait, Hunéric ordonna qu'on assommât ces martyrs à coups de rames et qu'on leur brisât le crâne.

Cependant, rien n'était fini si on ne frappait le catholicisme à la tête. Le 20 mai 483, Hunéric convoqua tous les évêques « homoousiens » à un colloque avec leurs collègues ariens. Ils s'y rendirent au nombre de 466 ; mais éconduits par la duplicité du patriarche Cyrila, impuissants à se faire écouter, ils se bornèrent à présenter un exposé écrit de leur foi. Avant même que la conférence fût terminée, Hunéric publiait un édit de totale proscription : puisque les « homoousiens » rejetaient le credo de Rimini, leur culte serait interdit, leurs églises et leurs biens confisqués, leurs évêques exilés.

Dépouillés de tout, ceux-ci restèrent toutefois à Carthage parce que, la conférence n'étant pas officiellement dissoute, ils craignaient le reproche d'avoir fui. Un jour qu'ils rencontrèrent par hasard le roi aux environs de la ville, ils se portèrent courageusement vers lui et lui exprimèrent leurs doléances ; pour toute réponse, il ordonna à ses cavaliers de les charger. On se débarrassa d'eux par le plus grossier stratagème. Comme on les mettait en demeure de promettre fidélité au fils d'Hunéric, les assermentés — sous prétexte qu'ils avaient méconnu le précepte évangélique de ne point jurer — furent destitués et réduits à la condition d'ouvriers agricoles ; les réfractaires — coupables d'avoir trahi la dynastie — furent envoyés en Corse où on les employa à couper les bois de marine. C'était la ruine de la hiérarchie. Il y eut des raffinements de sectarisme en vue d'obtenir l'apostasie à tout prix : ainsi plusieurs, comme Faustus en Byzacène, furent-ils envoyés dans le voisinage de leur propre siège épiscopal afin d'être séduits par les souvenirs du passé, par les perspectives du bien-être, ou encore par les sollicitations de l'amitié. A une tentation si provocante, d'aucuns se dérobèrent par la fuite, tel ce Rufinianus qui se réfugia en Sicile où il construisit un monastère.

L'épiscopat dispersé, on s'acharna sur les fidèles. Tous les supplices furent employés : les verges, la corde, le feu. On ne respecta même pas l'honneur des femmes. Partout de glorieux mutilés, ayant perdu qui les mains ou les pieds, qui les yeux, les oreilles ou le nez. Tel, par suite d'une pendaison prolongée, avait les omoplates en saillie et la tête enfoncée entre les épaules ; tel autre, suspendu par les mains à un édifice élevé, finissait par s'effondrer sur le sol, le crâne fracassé, les yeux hors des orbites. Les plus célèbres martyrs furent ceux de Tipasa en Mauritanie Césarienne, à qui on coupa la langue et les doigts, mais qui n'en continuèrent pas moins à parler. Comme signe d'apostasie on exigeait la rebaptisation. Parfois les malheureux y étaient contraints de force : ainsi l'évêque Habetdeum qui, voyant écrire l'acte de son faux baptême, déclara fièrement que « dans le prétoire de son cœur les anges avaient dressé un procès-verbal de sa protestation, et qu'il le présenterait un jour à l'empereur céleste ».

Quant au roi, il ne jouit guère de son triomphe. Une horrible famine vint se greffer sur la persécution. « On voyait errer çà et là, dit Victor de Vite, pêle-mêle sur tous les chemins, semblables à des convois funèbres, des troupes de jeunes gens et de vieillards. » (III, 7.) Hunéric fut parmi les victimes et mourut le 13 décembre 483, consommé par les vers, à la manière de Galère.

Après lui, il laissait une désolation universelle : plus d'églises, un clergé dispersé partout, au désert, dans les îles de la Méditerranée et jusqu'en Orient, des fidèles désolés, mutilés, spoliés. Telle était cette Afrique qui, soixante ans plus tôt, au temps d'Augustin semblait encore la plus belle province de la catholicité.

Avec le nouveau roi Gundamund, neveu d'Hunéric, on en vint peu à peu à un certain apaisement (484-96). Après trois ans il rappela d'exil l'archevêque Eugène pour qui il avait une sympathie personnelle, et il l'autorisa à rouvrir une église cimitériale, Saint-Agilée. Sept ans plus tard il accordera la rentrée de l'épiscopat. La question s'était posée des *lapsi* ou rebaptisés qui, nombreux, demandaient à réintégrer l'Église. Dès 487, en l'absence de l'épiscopat africain, la cause fut déférée tout naturellement à Rome où le pape réunit un concile au Latran : celui-ci décida que les évêques, prêtres et diacres rebaptisés feraient pénitence toute leur vie et ne recevraient la communion laïque qu'à l'article de la mort; pour les clercs inférieurs, moines, vierges et fidèles, la peine était graduée selon les cas.

Gundamund avait consenti à remettre les choses dans l'état où elles étaient à la mort de Genséric, non pas à opérer une restauration complète : moins pénible en Byzacène où les évêchés demeuraient encore assez nombreux et où des monastères se réformaient, la situation était plus précaire en Zeugitane où prédominaient l'élément vandale et le clergé arien. Si Guntamund avait autorisé ce retour, il restait qu'aux yeux de tout souverain vandale, le catholicisme était un obstacle à l'assimilation des indigènes. La raison d'État dictait la persécution : il s'agissait de « déromaniser ».

Aussi, à sa mort survenue en 496, l'entr acte d'apaisement fut clos, et son frère Thrasamund (496-523) reprit les traditions intolérantes. Il défendit donc qu'on nommât de nouveaux évêques. En Byzacène, quand le nombre des sièges vacants s'accrut, les catholiques passèrent outre. Dès qu'il l'apprit, le roi ordonna d'exiler les nouveaux prélats et ceux qui les avaient ordonnés : on en compta jusqu'à cent vingt. Parmi eux, saint Eugène, l'évêque de Carthage, et saint Fulgence, récemment nommé au siège de Ruspe. Cependant Thrasamund ressemblait à Julien l'Apostat plutôt qu'à Dèce : pas de persécution sanglante, mais l'appât des richesses et des dignités, la provocation à des discussions et à des controverses. Ainsi le tyran, qui se piquait de théologie, fit-il revenir de Sardaigne saint Fulgence pour lui soumettre diverses objections : coup sur coup, l'évêque de Ruspe le réfuta victorieusement en deux écrits; pour toute réplique, à la prière des prêtres ariens, Thrasamund le renvoya en Sardaigne. Là, les confesseurs vivaient tant bien que mal, grâce surtout à l'argent et aux vêtements que leur envoyait le pape Symmaque (498-514), fidèle à la tradition charitable de l'Église romaine. Saint Fulgence avait même fondé à Cagliari un monastère. Il était l'âme des persécutés, leur chef toujours vaillant.

Quand Thrasamund mourut en 523, Hildéric lui succéda, fils d'Hunéric et de la fille de Valentinien III, Eudoxie. Il y avait alors en Orient un basileus puissant, soucieux de faire respecter partout les catholiques, et qui, d'ailleurs, considérait toutes les anciennes provinces de l'Empire comme appartenant à lui et au Christ. Envers un tel prince, on ne pouvait plus agir avec désinvolture. Sans doute les catholiques durent-ils à l'alliance que Thrasamund conclut avec Justinien la fin de la persécution. Les évêques exilés en Sardaigne furent rapatriés : une foule délirante les accueillit dès qu'ils débarquèrent. Parmi eux brillait saint Fulgence de Ruspe : « C'était à qui, dit son biographe, placerait sa tête sous ses mains bénissantes, à qui le toucherait du bout des doigts, ou seulement l'apercevrait de loin. »

Fulgence fut en petit l'Augustin de ces jours malheureux. Non point qu'il puisse lui être comparé pour le génie. Mais, nourri de la moelle des Écritures et possédant à fond la tradition patristique — surtout les grands Africains — il se révéla tout à la fois vigoureux polémiste et admirable directeur de conscience. Bossuet l'a appelé « le plus grand théologien de son temps » ; mais c'était une époque troublée où on avait peu de loisir pour penser, et où d'ailleurs, après les grands démêlés antérieurs, les questions théologiques étaient en général au point. Le mérite de Fulgence fut qu'il les exposa clairement. Au demeurant, admirable figure, « un de ces moines évêques qui surent allier avec une rare perfection la vie active à la vie contemplative. »

III. La Chute de l'empire d'Occident. L'occupation gothique. — Après le pillage de Rome par Genséric en 455, Rome traversa une période de vingt années où des empereurs fantômes se succédèrent rapidement selon le caprice des chefs barbares. Flavius Avitus de Clermont échange la pourpre impériale contre l'évêché de Plaisance, puis Julius Valérius Majorianus, élevé en 457, est renversé sans tarder par le Suève Ricimer qui devient le beau-père du Grec Anthémius, envoyé à l'Occident par le basileus Léon. Bientôt brouillé avec son gendre, Ricimer l'assiège dans Rome qu'il pille et à laquelle il impose pour souverain Olybrius; le chef barbare et son protégé meurent bientôt de la peste. Glycérius, majesté éphémère, préfère bientôt, lui aussi, au sceptre la houlette pastorale et devient évêque de Salona en Dalmatie; Julius Nepos ne fait que traverser la scène. En vain le Pannonien Oreste veut-il élever à l'empire son fils Romulus Augustule, âgé de dix ans; le guerrier ruge Odoacre le détrône et renvoie à Byzance les insignes impériaux comme inutiles désormais.

Événement sans grande importance qui n'a pas retenu l'attention des chroniqueurs, cette suppression des souverains d'Occident ne semble guère une date d'inauguration pour une ère nouvelle[1]; elle ne se rattache à aucune révolution profonde, puisque depuis longtemps le nom

Saint Fulgence. — *SOURCES : P. L.*, LXV. — *TRAVAUX :* LAPEYRE, * *Saint Fulgence de Ruspe*, 1931. — P. GODET, art. *Fulgence* (S.), dans *Dict. Théol.*

1. M. Vasiliev fait d'ailleurs cette juste remarque : « Autrefois on considérait l'année 476 comme celle de la chute de l'Empire romain d'Occident; mais ce point de vue est faux, car au ve siècle il n'y a pas encore d'Empire romain d'Occident distinct. Il y eut, comme auparavant, un Empire romain gouverné par deux empereurs, l'un dans la partie orientale, l'autre dans la partie occidentale. En l'an 476, il se trouva seulement qu'il n'y eut plus qu'un empereur, à savoir Zénon, le maître de la *pars orientalis.* » A. A. VASILIEV, *Histoire de l'empire byzantin*, t. I, p. 136 (traduction du russe). Justinien l'entendra bien ainsi qui considèrera l'Italie et l'Afrique comme provinces naturelles de son empire.

impérial n'était plus qu'un hochet, et puisque Rome conserva, après comme avant, son merveilleux cadre antique : mêmes thermes, mêmes jeux du cirque, même prestige extérieur du sénat romain et, malgré les sacs plusieurs fois subis, même éblouissement fastueux des temples et des monuments qui arrache un cri d'admiration à l'africain saint Fulgence, venu visiter la Ville vers l'an 500 : « Si la Rome terrestre, s'écrie-t-il, rayonne d'une telle magnificence, combien doit être belle la céleste Jérusalem. Et si tant d'éclat et d'honneur entourent les mortels, quelle souveraineté doit donc être le partage des élus, eux qui ont méprisé la gloire du monde pour imiter le Christ et ses Apôtres! »

Rien d'ailleurs n'était changé. « Un roi barbare remplaçait à Ravenne les empereurs d'Occident; c'était tout. » A une époque où tout gouvernement semblait caduc, Odoacre se maintint pendant quinze années. Il fut le premier Barbare qui tenta d'établir en Italie un régime durable; il conserva d'ailleurs le cadre antique : législation et administration romaines, sénat. Sa victoire sur les Ruges devint l'occasion de sa perte. Frédéric, fils de leur roi, emmené en captivité se sauva auprès du chef des Ostrogoths, Théodoric, qui habitait la Pannonie. Celui-ci obtint de l'empereur l'autorisation de conquérir l'Italie. En trois batailles livrées l'une sur l'Isonzo, l'autre à Vérone, la troisième sur l'Adda, il épuisa les forces d'Odoacre qu'il contraignit à s'enfermer dans Ravenne; après un blocus de trois ans, Odoacre dut se résigner à traiter (493). Au chant des psaumes l'archevêque se rendit à la rencontre de Théodoric avec son clergé; il se prosterna à ses pieds, le priant d'épargner la ville. Le chef barbare en fit la promesse et n'y fut point infidèle. Mais, malgré la paix conclue avec Odoacre, il le poignarda bientôt dans un festin.

Après les ravages d'Odoacre, puis ceux des Ostrogoths, l'Italie n'était plus que ruines. Pour comble de malheur, Théodoric porta un édit enlevant le droit de tester à tous ceux qui avaient soutenu son adversaire : mesure d'autant plus terrible qu'on pouvait y englober le plus grand nombre des Italiens. Une fois encore, l'Église se dressa pour la défense des opprimés. Saint Épiphane, évêque de Pavie, dont la charité était la providence de la Ligurie, n'hésita point à se rendre auprès de Théodoric : il lui représenta combien il serait politique de ne point s'aliéner les vaincus, mais de s'en faire aimer. Le Barbare se laissa persuader : au rescrit de proscription en masse il substituerait des exils individuels. Épiphane lui conseilla aussi de racheter les captifs emmenés jadis par les Burgondes, s'offrant d'ailleurs à les aller chercher. Tout fut accordé. « Saint Épiphane, rapporte son biographe, exposa au roi Gundebaud l'objet de sa mission et lui dit qu'il venait pour être témoin devant Dieu entre deux grands princes, que la miséricorde, qui obligeait l'un à demander la liberté de tant de captifs, obligeait l'autre à l'accorder, que l'un était louable de n'épargner point ses ressources pour une œuvre de piété et que l'autre ne le serait pas moins s'il rendait les prisonniers et refusait l'argent qu'on lui apportait. » L'arien Gundebaud, qui devait ménager tout ensemble Théodoric au dehors et les catholiques dans son propre royaume, se montra très généreux. Saint Avit de Vienne aida d'ailleurs au rachat. Épiphane rentra en Italie escorté par la foule immense des captifs libérés. Deux ans plus tard, en 497, il se rendait encore à Ravenne pour obtenir un dégrèvement fiscal en faveur de la Ligurie épuisée; il mourut quelques jours après.

Théodoric. — Outre les ouvrages déjà cités de Bury, Hodgkin et Grisar, L. M. Hartmann, * *Geschichte Italiens im Mittelalter*, t. I. *Das Italienische Konigreich*, 2e éd. Stuttgart et Gotha, 1923. — Martroye, * *Goths et Vandales*, 1905.

Les exhortations d'Épiphane firent-elles réfléchir Théodoric sur l'utilité politique de se rattacher les indigènes vaincus en les traitant sans dureté? Toujours est-il qu'il travailla à fondre dans l'Italie conquise l'élément romain avec le barbare : au premier l'administration

RAVENNE. — ÉGLISE DE SAINT-APOLLINAIRE CONSTRUITE PAR THÉODORIC POUR LES ARIENS.

et le sénat, au second l'armée. D'autre part, arien d'origine, il veilla à ne point froisser les orthodoxes. Ce fut la juxtaposition des cultes : ainsi à Rome où à côté des basiliques catholiques s'en élevèrent plusieurs ariennes, entre autres Sancta Maria Agata in Subura et l'église in Merulana.

C'était le temps où le schisme acacien avait pour contre-coup à Rome le schisme laurentien. A la mort d'Anastase II, successeur de Gélase, tandis que la majorité du clergé élisait au Latran le diacre Symmaque, quelques autres acclamaient Laurent à Sainte-Marie (498). Celui-ci pouvait compter sur le sénat, tout particulièrement sur Festus, jadis en ambassade à Constantinople, et qui avait promis au basileus un pape à sa dévotion dont on obtiendrait l'acceptation de l'Hénotique. Dès lors l'agitation s'empara de Rome pour plusieurs années, querelles et batailles de rues telles qu'on en avait vu jadis au temps du schisme damasien, et qui font présager la tumultueuse Ville du moyen âge. D'un côté, les politiques soucieux au premier chef de finir la controverse et de renouer avec le pouvoir impérial, représentant lointain de la vieille Rome perdue au milieu des Barbares; de l'autre, clergé, moines et peuple, pour qui le Tome de Léon et la foi de Chalcédoine importaient plus que tout et ne pouvaient se sacrifier à rien.

Consulté, Théodoric répondit avec sagesse que le pontificat revenait au candidat premier nommé, et qui avait réuni la majorité des suffrages. Son élection ainsi validée, Symmaque rentra à Rome et, pour écarter à jamais pareils abus, un synode romain interdit d'intriguer désormais, le pape vivant, au sujet de son successeur : défense sans portée effective, et qui sera violée périodiquement dans la Rome médiévale. D'autre part, voulant liquider la situation, Symmaque concéda l'évêché de Nuceria à son rival évincé.

En faveur de celui-ci militait toujours un parti hénotisant et impérialiste. Comme il ne pouvait plus contester la légitimité de Symmaque, il s'acharna à le discréditer par de cruelles attaques d'un caractère privé; on incriminait ses mœurs, son intimité avec des femmes, et aussi le gaspillage qu'il aurait fait des biens ecclésiastiques pour assurer son élection : cancans odieux et sans fondement, tels que ceux jadis colportés contre Damase.

Sollicité à nouveau, Théodoric désigna un « visiteur », Pierre d'Altinum, qui se laissa accaparer par la faction laurentienne, et confisqua toutes les églises, n'abandonnant au pape que la basilique vaticane. L'idée fut suggérée d'un concile qui jugerait Symmaque. Celui-ci consentit à comparaître. Mais, le 1er septembre, tandis qu'il se rendait donc à Sainte-Croix de Jérusalem, rendus furieux sans doute par les ovations que lui prodiguait la foule des fidèles, ses adversaires se jetèrent sur son escorte. Plusieurs blessés, deux prêtres frappés mortellement, tel fut le bilan; et Symmaque lui-même ne dut son salut qu'à la protection de trois Goths courageux. Mais il jura bien qu'on ne l'y reprendrait plus, répondant à toute injonction : « J'ai autorisé votre réunion; je venais à votre audience; moi et mes clercs, nous avons été massacrés cruellement. Je ne me soumets plus à votre examen. Dieu et le roi feront de moi à leur volonté. »

Au surplus, devant les violences du parti sénatorial, une réaction se produisait parmi les Pères du concile : réunis dans le portique de Saint-Pierre appelé *ad Palmata,* ils décidèrent que juger le Pontife suprême ne leur appartenait pas, mais à Dieu seul : principe de haute sauvegarde hiérarchique auquel le moyen âge restera fidèle (*summa sedes a nemine judicatur*). En fait, quatre ans durant, Rome resta le théâtre de luttes sanglantes : le pape se voyait confiné au Vatican tandis que son rival Laurent tenait le haut du pavé sous la protection du prétendu « visiteur », Pierre d'Altinum. Au dehors, l'opinion était partagée : ainsi les archevêques de Milan et de Ravenne tenaient-ils pour Symmaque, et celui d'Aquilée pour Laurent. A la fin, un diacre grec, Dioscore sut persuader au roi Théodoric d'intervenir : on restitua les églises à Symmaque, le clergé dissident se rallia à lui; et, définitivement évincé, Laurent se retira dans l'un des domaines ruraux de son protecteur Festus.

Le schisme laurentien avait suscité aussi toute une guerre de plume qui, elle du moins, eut quelque utilité[1]. Car les partisans de Symmaque — Ennodius en particulier — soulignèrent ce principe que « le premier siège ne peut être jugé par personne[2] ».

Il faut approuver aussi l'attitude réservée que garda durant toute cette période le roi Théodoric, déclarant qu'il n'appartient pas au prince de trancher les litiges religieux. C'était là un autre son de cloche qu'à Byzance. Quand il vint à Rome en l'an 500, le roi barbare se vit accueilli par le sénat et le clergé, pape en tête; et sa première visite fut pour la basilique vaticane. D'ailleurs, il prit comme premier ministre un catholique convaincu, Cassiodore. « Effort pour le rapprochement, la collaboration, l'union des deux peuples dans l'œuvre de la civilisation, c'est là le plus beau trait de caractère par lequel le monde politique romain pouvait clore sa grandiose histoire. »

IV. Théodoric contre Rome. — En matière religieuse, la neutralité, marque insuffisante de bienveillance respectueuse, ne suffisait pas à conquérir les cœurs. Tandis qu'en Gaule la conversion de Clovis lui attirait aussitôt la sympathie des vaincus, dans la péninsule une barrière morale continua à séparer le vainqueur de ses sujets catholiques. L'opposition d'ailleurs se trahissait même extérieurement : ainsi, à Rome et à Ravenne, les églises ariennes se trouvaient-elles dans un quartier excentrique. Pareille situation devint plus délicate encore après la paix d'Hormisdas. N'était-elle pas le prodrome diplomatique et religieux d'une guerre qu'entreprendrait l'empire pour récupérer sa vieille capitale, Rome, et les provinces, berceau de son histoire?

Dès 524, les défiances de Théodoric s'accentuèrent, quand Justin promulgua un édit infligeant aux hérétiques des châtiments sévères, et les excluant de toute charge et dignité. Une telle législation atteignait indirectement les ariens. L'exception faite pour les étrangers à la solde de l'empereur, impliquait que tous autres tombaient sous cette loi, y compris les Goths d'Italie. Bientôt on persécuta les ariens dans les provinces byzantines : interdiction du culte sous peine de mort, destruction des églises. Dans cette mesure, Théodoric, chef officiel de l'arianisme, vit une insulte et une menace directe : il put craindre que sénat et vieux Romains n'en profitassent en Italie pour soulever le peuple au nom de la cause religieuse.

Il interdit alors le port des armes aux Romains et les menaça de fermer par représailles les églises dans la péninsule. Pour contenir toute résistance, il résolut de faire un exemple. Anilius Manlius Severinus Boethius appartenait à la gens des Anicii. Illustre entre tous les sénateurs, il était devenu très populaire, en consacrant aux malheureux son immense fortune; catholique et romain, il incarnait le parti national. Après une longue captivité, Théodoric le fit mourir ainsi que son beau-frère Symmaque.

Dans sa prison, Boèce avait composé l'ouvrage qui immortaliserait son nom; *la Conso-*

1. Saint Avit, évêque de Vienne, fut l'un des plus fermes protestataires contre la mise en jugement de Symmaque : « Mettre en question l'autorité du pontife romain, écrivait-il, ce n'est pas ébranler celle d'un évêque, mais l'épiscopat tout entier. »

2. Après un riche mariage et une vie plutôt légère, Ennodius (473-521) entra dans le clergé tandis que son épouse devenait moniale. Comme diacre de Pavie, il assista au *Synodus Palmaris*, puis composa, pour la défense de Symmaque, un Libellus lu au concile de réhabilitation en 503. Devenu évêque de Pavie vers 510, il fit partie des deux ambassades qu'Hormisdas envoya à Constantinople, et que fit échouer la mauvaise foi du basileus Anastase. Ses œuvres sont déparées par la déclamation, le mauvais goût, l'abus des réminiscences païennes et mythologiques, toute la défroque antique. Elles gardent pourtant une valeur historique, surtout ses lettres qui nous renseignent sur la civilisation de l'Italie à l'époque de Théodoric *SOURCES* : *P. L.*, LXIII. — *C. V.*, VI (édit. G. HARTEL). — Traduction française des *Lettres* par M. LÉGLISE, 1906. — *TRAVAUX* : F. MAGANI, *Ennodio*, Pavie, 1886. — A. DUBOIS, *La latinité d'Ennodius*, 1903. — P. GODET, art. *Ennodius*, dans *Dict. Théol.*

lation de la Philosophie. Cette noble personne lui apparaît « au visage imposant, aux regards pleins d'éclat et d'une puissance de pénétration extraordinaire, au teint coloré, enfin douée d'une vigueur toute juvénile, bien qu'elle fût si remplie d'années qu'elle avait tout l'air d'appartenir à un autre âge ». En elle Boèce reconnaît la compagne de toute sa vie et lui raconte ses infortunes, témoignant quel scandale lui cause le triomphe des méchants et le retrait de la Providence. Sur cette âme endolorie, Dame Philosophie verse alors son précieux onguent. Où est donc le bonheur? Non pas dans les richesses et les honneurs, mais en Dieu le souverain bien. Tel est l'argument central, celui du livre IIIe, « monument littéraire élevé à la gloire de la vraie Béatitude ».

Habilement composé, ce traité contient avec des réminiscences nombreuses le meilleur de la sagesse antique : c'est d'un Sénèque, mais spiritualisé davantage par la douleur. Rien de plus : comme saint Augustin dans les traités de Cassiciacum, Boèce a écrit un ouvrage purement philosophique où les données du dogme ne sont point contredites, mais où elles n'interviennent pas directement. Rien là qui doive nous choquer, et le moyen âge n'y trouva pas à redire, qui le lut et relut, copia aussi des centaines de fois, qui le commenta et imita souvent, jusque et y compris Gerson, auteur d'une *Consolation de la Théologie*.

C'est que pareil livre touchait au fond de nos préoccupations et résolvait les éternels problèmes que se pose l'angoisse humaine devant le triomphe apparent des méchants. Par endroits, Boèce donne aussi des définitions brèves et fortes qui resteront dans le langage philosophique médiéval, et qui seront reprises ensuite par saint Thomas : ainsi celle de l'éternité, « possession à la fois complète et parfaite d'une vie sans fin » (*interminabilis vitae tota simul et perfecta possessio*), ou cette autre de la Béatitude, « état rendu parfait par la possession de tous les biens » (*status omnium bonorum congregatione perfectus*), ou encore celles de la Providence et du Destin, la première étant « la raison divine elle-même qui placée au principe suprême de toutes choses les dispose toutes » (*ipsa divina ratio in summo omnium principe constituta, quae cuncta disponit*), la seconde se révélant comme « une disposition donnée au cours des choses par où la Providence les lie chacune à ses ordres » (*Inhaerens rebus mobilibus dispositio, per quam Providentia suis quaeque nectit ordinibus*). Il y avait là comme un bréviaire des réalités transcendantes que ces âmes simples et profondes balbutieront avec ferveur[1].

En songeant qu'un écrit si paisible a été rédigé durant une captivité mortelle, on admire cet homme qui par sa naissance héritait du courage antique, et par son baptême des vertus chrétiennes : le dernier des Romains, a-t-on dit de lui.

Les meurtres de Boèce et de Symmaque n'étaient que farouches mesures d'intimidation. Rien ne serait fini tant que le basileus maintiendrait sa législation antiarienne. Théodoric eut l'idée étrange de faire porter ses doléances à Constantinople par le pontife romain en personne. Dès 524, il mandait à Ravenne le successeur d'Hormisdas, Jean Ier (523-526). Celui-ci devait demander au basileus qu'il restituât aux ariens avec leurs églises la liberté

1. Comme éducateur du moyen âge, Boèce doit être rapproché de Cassiodore. Il lui a fait connaître Aristote et Porphyre, l'initiant à la logique péripatéticienne et au problème des universaux. D'où son nom d'introducteur de la scolastique. Citons son commentaire de l'*Isagogé* de Porphyre, sa traduction des *Analytiques*, Ier et IIe et de la *Réfutation des sophistes*, son explication des *Catégories*. *SOURCES : P. L.*, LXIII-LXIV. — *TRAVAUX :* A. HILDEBRAND, *Boethius und seine Stellung zum Christentum*, Regensburg, 1885. — L. C. BOURQUARD, *De Boetio christiano viro, philosopho ac theologo*, 1887. — M. GRABMANN, *Die Geschichte der scholastischen Methode*, I, p. 148-177. — P. GODET, art. *Boèce*, dans *Dict. Théol.*

du culte; Théodoric eût même voulu qu'il réclamât le retour à l'arianisme des hérétiques déjà convertis: négociation indigne d'un pape et à laquelle Jean Ier se refusa avec courage. Il partit cependant accompagné de plusieurs évêques et sénateurs; c'était la première fois qu'un pontife romain quittait ainsi l'Italie pour se rendre en Orient.

A Byzance, on l'accueillit avec enthousiasme; empereur, clergé, sénat se portèrent à sa rencontre; devant lui le basileus se prosterna « comme s'il eût été le bienheureux Pierre en personne »; il voulut être couronné à nouveau de ses mains. On lui accorda tout ce qu'il demandait concernant la cessation de la persécution. Le jour de Pâques, 19 avril 525, prenant le pas sur le patriarche, il célébra les offices selon le rit latin (*romanis precibus*). A une déférence sincère s'alliait l'intention de souligner quelle différence existait entre le basileus catholique et Théodoric l'arien.

Furieux, celui-ci voulut consommer sa politique d'intimidation : au retour du pape, il le fit jeter en prison. Peu après, le 18 mai 526, Jean Ier y mourait. Le corps du martyr « glorieusement tombé » fut transporté de Ravenne à Rome, dans la basilique Saint-Pierre, au milieu d'un concours immense. Chacun voulut avoir de ses reliques et sur son tombeau on traça cette épitaphe en vers : « Pontife du Seigneur, tu meurs, victime du Christ; telle est la manière dont les papes ont acquis ici-bas les biens de là-haut. »

Théodoric allait attribuer aux ariens les basiliques catholiques quand il fut emporté subitement par la dysenterie, le 30 août 526. Regardée comme une vengeance divine, sa mort fut entourée de traits terrifiants : ainsi saint Grégoire rapporte-t-il qu'un anachorète habitant l'île de Lipari aurait vu précipiter son âme dans le volcan. Pour réussir, qu'avait-il manqué à Théodoric? Ni le génie militaire, ni celui de l'administration. Non, rien d'humain; mais cette grâce divine qui, en le convertissant au catholicisme, l'eût rapproché des populations indigènes toujours défiantes, et qui eût tenu en échec la politique religieuse de Byzance.

A Théodoric succéda un enfant, Athalaric, né du mariage de sa fille Amalasonthe et du wisigoth Eutharic. Princesse noble et instruite, Amalasonthe prit la régence, aidée par le ministre catholique Cassiodore, qui avait échappé à la tourmente. Elle voulut renouer les relations avec l'Église romaine. Au nouveau pape Félix IV (526-530), élu sous l'influence de Théodoric, elle fit diverses concessions : ainsi, sur la plainte du clergé romain, rétablit-elle l'usage antique de porter devant le Siège Apostolique toute plainte d'un laïque contre un ecclésiastique.

Cependant, à Rome, l'antagonisme des éléments byzantin et gothique persistait. A qui reviendrait l'influence? Du vivant même de Félix IV, le parti impérial adopta pour candidat Dioscore, prêtre alexandrin très estimable qui avait aidé jadis Hormisdas dans ses négociations pacifiques. Au contraire, Félix IV désigna l'archidiacre Boniface, romain de naissance, mais sans doute goth d'origine. Par une lettre affichée dans les titres, le pape gravement malade notifiait cette décision qu'il croyait propre à prévenir les luttes intestines. Aussitôt Félix IV mort, tandis qu'on consacrait Boniface dans la basilique Julienne, Santa Maria in Trastevere, le parti byzantin élisait Dioscore à Saint-Jean de Latran. Un nouveau schisme était donc en perspective quand, un mois plus tard, Dioscore mourut providentiellement.

Ses partisans eurent le bon esprit de ne point s'acharner. Quelque soixante prêtres l'anathématisèrent dans une lettre à Boniface. Avec audace celui-ci décréta qu'à l'avenir le pape pourrait — comme l'avait fait Félix IV — désigner lui-même son successeur : seul moyen, pensait-il d'empêcher la collusion ecclésiastique des factions impériale et gothique, et d'épargner à l'Église romaine les horreurs d'un schisme. Dans un synode réuni à Saint-Pierre, il choisit le diacre Vigile pour prendre sa place.

Toutefois, devant l'opinion soulevée il dut se rétracter publiquement et jeter aux flammes son propre décret. D'ailleurs voulant couper court à toute intrigue, les sénateurs interdirent d'offrir ou recevoir quelque argent au profit d'une candidature pontificale. Rédigé par Cassiodore, un édit d'Amalasonthe et d'Athalaric corrobora cette décision; il spécifiait même que, si une élection contestée était portée devant la cour de Ravenne, celle-ci recevrait 3.000 solidi à distribuer aux pauvres. Décision humiliante pour l'Église, et qui dévoile une période troublée où les partis n'y regardaient à aucun moyen.

A la mort de Boniface, après une vacance de deux mois, Jean II, prêtre romain, lui succéda (533-535). Cette nomination ne dut pas se faire sans tiraillement : un defensor de l'Église romaine se plaignit de ce que l'on eût aliéné des biens ecclésiastiques destinés aux pauvres pour couvrir les frais de la campagne électorale.

A Jean II succéda l'archidiacre Agapet, d'origine romaine et sénatoriale. Avec lui le parti byzantin l'emportait. Aussi voulut-il reviser l'affaire de Dioscore et fit-il brûler dans une assemblée ecclésiastique les actes de sa condamnation; c'était du même coup blâmer à nouveau le principe auquel s'étaient opposés les Dioscorites : à savoir la nomination d'un pape par son prédécesseur.

V. Les premiers éducateurs de la barbarie : saint Benoît et Cassiodore. — C'est le génie romain, surnaturalisé par l'Évangile, qui anime le législateur du monachisme occidental, dont la vie se déroula dans l'Italie troublée de l'époque gothique.

« L'homme de Dieu » Benoît, originaire de la province de Nursie, appartenait à une famille distinguée. Tout jeune, il se rendit à Rome pour y recevoir son éducation littéraire. Dans la lourde atmosphère de volupté où les raffinements d'une société décadente s'alliaient aux brutalités de la barbarie, ce jeune provincial honnête se dégoûta vite, plus vite qu'Augustin à Carthage; il eut un haut-le-cœur et s'enfuit vers la solitude, avide de pureté, de silence et de perfection. Il se retira sur les montagnes de la Sabine, dans la grotte de Subiaco (*Il Sacro Speco*), à quarante milles de Rome : lieu pittoresque et sauvage où l'âme s'élevait naturellement vers Dieu. Il vécut là trois ans dans une complète solitude,

Saint Benoît. — *SOURCES : La Règle bénédictine* et les *Dialogues* de saint Grégoire, l. II. — *TRAVAUX :* Sur la vie du patriarche : Dom Tosti, *Della vita di S. Benedetto*, Mont Cassin, 1892; trad. franç., Lille, 1898. — D. Ber. Maréchaux, *Saint Benoît, sa vie, sa règle, sa doctrine spirituelle*, 1911. — D. H. L'Huillier, *Le patriarche saint Benoît*, 2e éd., 1923. — Dom Ild. Herwegen, *Der hl. Benedikt*, 3. Aufl., Düsseldorf, 1926. — Dom I. Ryelandt, *Essai sur la physionomie morale de saint Benoît* (coll. *Pax*), 1924. — D. S. du Fresnel, *saint Benoît. L'œuvre et l'âme du Patriarche* (coll. *Pax*), 1926 Sur l'esprit de l'ordre de saint Benoît : D. Guéranger, *Règlement du noviciat,* Solesmes, 1885; ou *Notions sur la vie religieuse et monastique*, Solesmes, 1886. — D. Besse, *Le moine bénédictin*, Ligugé, 1898. — D. G. Morin, *L'Idéal monastique et la vie chrétienne des premiers jours* (coll. *Pax*), 1921. — Dom Delatte, *Commentaire sur la règle de saint Benoît*, 1913. — Dom C. Butler, *Benedictine monachism,* Londres, 1919; 2e éd., 1924; *Le monachisme bénédictin. Etudes sur la vie et la Règle bénédictine,* trad. par Ch. Grolleau, 1924. — Etudes générales sur l'histoire de l'ordre : H. Heimbucher; *Die Orden und Kongregationen der Kath. Kirche,* t. I, Paderborn, 1907. — U. Berlière, *L'ordre monastique des origines au XIIe siècle* (col. *Pax*), 3e éd., 1924. — G. Schnürer, *Kirche und Kulter im Mittelalter*, 2 Bde, Paderborn, 1924-26. — S. Hilpisch, *Geschichte des benedicktinischen Mönchtums*, Fribourg-en-Brisgau, 1929. — D. Berlière, *L'ascèse bénédictine des origines à la fin du XIIe siècle* (coll. *Pax*), 1927. — Dom Chapman, *Saint Benedict and the ninth century*, Londres, 1930.

connu du seul moine Romain, qui appartenait à un cœnobium voisin, et qui pourvoyait aux nécessités de son existence. Il y pratiqua l'ascèse la plus stricte et, comme tous ceux qui sont appelés à une grande influence dans l'Église, y connut les terribles assauts du démon. Ainsi un jour l'image d'une femme jadis entrevue s'imposa-t-elle à lui, et déjà son imagination s'affolait et ses sens s'enflammaient quand, avisant un proche buisson d'épines, il s'y roula longtemps jusqu'à ce que s'éteignît l'ardeur de la convoitise. Thérapeutique cruelle et salutaire, homéopathie spirituelle et corporelle, ce que saint Grégoire appelle si bien, avec

SUBIACO. — LE SACRO SPECO. MONASTÈRE DE SAINT-BENOIST.

plus de profondeur encore que de naïveté, « triompher du péché en changeant la nature de l'incendie ». Ce fut un de ces tournants décisifs dans la vie des saints où, l'héroïsme une fois préféré, ils iront jusqu'au bout.

Il faut souligner que le patriarche vécut d'abord en ermite : expérience qui lui révéla que cette vie exceptionnelle ne convenait pas au grand nombre. Ainsi que jadis les solitaires d'Égypte, il vit affluer des disciples avides de perfection. Il accepta la direction des moines de Vicovaro, mauvaises brebis qui, le trouvant trop austère, tentèrent d'empoisonner leur pasteur. Pour les recrues nombreuses, il fonda non seulement un cœnobium qu'il présidait, mais douze autres dans le voisinage, où il exerçait un rôle tel qu'aujourd'hui celui d'un supérieur général de congrégation. Étonnant mélange des races et des conditions : aux

Goths rudes et illettrés se mêlaient des nobles romains, par exemple Placide, fils du patrice Tertullus, et Maur, fils d'Equitius.

Il expérimenta alors la rivalité ecclésiastique locale. Toujours pacifique, il s'éloigna sans livrer combat et s'installa au sommet du Mont Cassin, en Campanie, à mi-chemin entre Rome et Naples. Au bois sacré et au temple d'Apollon qui s'y trouvaient, il substitua un monastère et une chapelle dédiée à notre saint Martin, ce père des moines, lui aussi grand destructeur du paganisme. On doit noter qu'ici saint Benoît fonda un seul cloître, sans

ABBAYE DU MONT CASSIN.

prévision d'une congrégation, accréditant ainsi l'autonomie de chaque maison, cette pierre angulaire et cette idée centrale du gouvernement bénédictin. La congrégation, l'ordre, voilà des conceptions beaucoup plus tardives qui n'apparaîtront que sous l'inspiration clunisienne et cistercienne, à une époque — celle de la féodalité — où le groupement des maisons était une nécessaire mesure défensive, mais qu'on ne pourrait transporter au VIe siècle sans le plus malencontreux anachronisme.

Que vient-on faire, en effet, au monastère? « Militer sous une règle ou un abbé. » Ainsi Règle et Abbé, c'est tout un, la même entité, partie vivante, partie écrite, à quoi est vouée l'obéissance. Dans la carence de tout pouvoir fort, dans le désarroi inouï et le pêle-mêle sanglant des invasions, qu'incarne saint Benoît? Une autorité et une discipline qui s'imposent d'une façon constante. La stabilité obligatoire qui lie ensemble les moines sous un abbé, voilà l'une des grandes innovations bénédictines, par où sont supprimées toutes les fantaisies de l'esprit propre telles que libre usage et libre abus des mortifications, et encore « gyrovagie » ou droit de se promener à son gré.

Pourtant cette autorité absolue n'est point raide, n'est point hautaine, n'est point brutale, n'est point romaine à la vieille manière, mais toute enveloppée de mansuétude évangélique, directement façonnée sur l'idéal du Bon Pasteur, toujours soucieuse que les ordres donnés soient accessibles aux plus faibles et non pas aux seuls soldats de Gédéon. D'où cette discrétion très humaine qui tempère toutes les observances et les rend praticables au commun des baptisés. *Discretio mater virtutum*. Par là, cette règle[1] se révèle un code d'avenir qui, ne rebutant aucune bonne volonté, permettra au patriarche du Cassin de devenir le père d'un grand peuple, ainsi qu'en Orient saint Pachôme et saint Basile.

L'ascèse n'est plus terrifiante comme jadis parmi les Pères du désert, comme bientôt chez les disciples de saint Columban; mais elle reste modérée, endiguée par l'obéissance. On ne s'y livrera qu'autant qu'il sera permis. A un ermite de son voisinage qui s'était rivé à un rocher Benoît dit sévèrement : « Si tu es le serviteur de Dieu, que la chaîne du Christ t'attache, et non une chaîne de fer. » S'il veut ajouter quelque mortification — même en carême — le moine ne le pourra qu'avec la permission expresse de l'abbé. Ainsi est déjouée cette émulation d'austérité, souvent vaine, parfois orgueilleuse, voire morbide, importée de l'Orient monastique, et d'autant plus dangereuse que plus épuisante sous un climat moins clément. Même les privations journalières — et surtout celles-là — seront exemptes de violence et discrètes : une nourriture suffisante, pour sommeil quelque huit heures à l'ordinaire, et en été cinq à six, sans compter la méridienne. Bref, rien que ne puisse supporter une santé moyenne. Voilà ce que demande « cette petite règle pour débutants » qui devait former tant de saints à travers les siècles.

C'est que, malgré tout, cette vie est très austère : pauvreté et obéissance en sont la loi. Selon cette expression bénédictine d'une tranchante énergie, tout vice de la propriété « sera radicalement amputé » : pas un poinçon, pas une aiguille n'est au moine, « rien du tout ». Suivre mot à mot les ordres de l'abbé, rester là où il vous a mis, telle est l'authentique mortification qui ne laisse place à aucune illusion. Vie pacifiée et pacifiante qui n'aura d'autre mérite que l'humble obéissance au supérieur et au règlement commun, d'autre merveille que la continuité du service, la fidélité tranquille aux obédiences imposées, pour imprévues qu'elles soient. Rien de plus grand que la simplicité de la vie chrétienne : ainsi

1. L'histoire du texte de la Règle a été étudiée par DOM SCHMIDT dans les *Prolegomena* de son édition critique, Ratisbonne, 1880, et surtout par L. TRAUBE, *Textgeschichte der Regula S. Benedicti* (Munich, 1898; revu par H. PLENKERS, 1910). Voir l'*Editio critico-practica* de DOM C. BUTLER, Fribourg-en-Brisgau, 1912. Il y a deux groupes de manuscrits : l'un, représenté surtout par celui d'Oxford, contient le texte répandu dans toute l'Europe occidentale jusqu'au IXe siècle; l'autre, accrédité alors par la renaissance carolingienne, provient d'un Codex du Mont Cassin, dont une copie fut envoyée à Charlemagne, et qui fit loi dans les monastères de son empire. Cette seconde famille est représentée par le manuscrit 914 de Saint-Gall; Dom G. Morin en a publié en 1900 une copie exacte. Traube a montré que c'est le codex cassinien qui possède le texte le plus pur, encore qu'entre les deux groupes les variantes soient de second ordre.

Parmi les commentaires de la règle, citons : PAUL DIACRE, *Expositio Pauli diaconi super Regulam S. Benedicti abbatis*, dans *Bibliotheca Cassinensis*, vol. IV, *Florilegium*, 1880. — HAEFTEN, *Disquisitionum Monasticarum Libri XII*, Anvers, 1644. — MÈGE, *Commentaire sur la Règle de saint Benoît*, 1687. — MARTÈNE, *Commentarius in Regulam S. P. Benedicti*, 1690. — CALMET, *Commentaire sur la Règle de saint Benoist*, 1732; traduction latine, 1750. — DOM P. DELATTE, *Commentaire sur la Règle de saint Benoît*, 1913.

en a jugé Benoît après l'Évangile. Idéal très rigide au fond. Nulle échappatoire vers la renommée, vers un ascétisme surprenant, ou vers une mystique transcendante : l'anonymat. Si saint Benoît avait connu l'*ama nesciri* de l'Imitation, il en eût fait sa formule. Peut-être même y eût-il trouvé quelque chose d'un peu personnel et comme un reploiement de l'âme sur elle-même qui n'était pas de son siècle. Nulle introspection. Chercher Dieu, — *quaerere Deum,* — même s'il se fait chercher. Le chapitre « De l'Humilité » contient un programme de renoncement illimité : l'héroïsme des souffrances supportées en silence, avec une affection toujours gardée pour le maître qui frappe, même trop fort; l'empressement à se complaire dans « tout abaissement et extrémité », fût-ce le régime le plus inconfortable, l'obédience la plus humble, la place la plus effacée.

Et pourtant quelque chose reste encore et toujours humain : les moines s'aiment entre eux, l'abbé les aime. Il met même toute son industrie à gagner leur affection, à la regagner au besoin : bon pasteur qui prendra sur ses épaules la brebis égarée, sage médecin qui, pour guérir l'âme malade emploiera toute la thérapeutique spirituelle. Un grand courant de tendresse évangélique vivifie la vie commune. L'*imperium* romain et la *fraternitas* chrétienne se rencontrent ici et s'embrassent. C'est un idéal de gouvernement, et si saint Benoît a pu le formuler sans utopie, c'est qu'il légiférait pour un petit nombre, voué à la vie parfaite.

Chercher Dieu. Mais par quels moyens? De quoi s'agit-il avant tout? De psalmodier avec sagesse en présence des anges. Telle est « l'œuvre de Dieu » par excellence, la part de service que le moine lui doit (*opus Dei, servitutis pensum*). A cela rien ne doit être préféré (*nihil operi Dei praeponatur*). On dira par jour quelque quarante psaumes divisés en huit *heures*. Parmi celles-ci, les *vigiles* ou office de nuit étaient de beaucoup les plus longues : quatorze psaumes, diverses lectures de la Bible. Elles se célébraient à un moment variable selon les saisons, à l'ordinaire vers deux heures; elles pouvaient prendre de une heure à une heure et demie; suivait un espace qui n'était que de quelques minutes en été pour s'étendre davantage en plein hiver, et qui demeurait réservé à la lecture de l'Ecriture ou à la prière privée. L'office du matin, qu'aujourd'hui nous appelons *laudes,* se célébrait à la pointe du jour; prime, tierce, sexte et none aux heures appropriées; vêpres dans l'après-midi; enfin, avant la nuit, tandis qu'il faisait encore assez clair pour lire, les *complies* précédées d'une brève lecture pieuse.

Un autre élément essentiel c'était le travail qui prenait même notablement plus de temps que les offices ou la lecture : quelque six à sept heures contre quatre environ de prière, selon les calculs de Dom Butler. Ce travail restait manuel, soit dans les champs, soit à l'intérieur du monastère. Somme toute, aucune « spécialité »; le cloître est « une école du service de Dieu »; rien de plus. Prière liturgique et travail manuel sont, pour s'y épanouir, deux moyens conjugués.

En vue d'une telle œuvre, les recrues peuvent venir de partout, et de tous les milieux; elles ne doivent pas être agréées au hasard. Si discrète qu'elle soit, la règle bénédictine n'est accessible qu'à une élite. De là un noviciat régulier, où on exposera au postulant « les choses dures et âpres par lesquelles on va à Dieu » (*dura et aspera*). De cette formation un moine sera chargé, le maître des novices, apte à discerner si les nouveaux venus cherchent Dieu, s'ils aiment l'office divin, l'obéissance, l'humilité. Il les initiera à la lettre de la règle par une triple lecture, et plus encore à son esprit.

Tels sont les éléments essentiels du code de vie légué par saint Benoît, « une ébauche ».

Quelque cent petites pages, mais à travers lesquelles le génie latin transparaît précis, concis, énergique et clair. Au demeurant ni érudit, ni artiste, et toutefois fortement documenté : on retrouve chez lui les enseignements des *Vies* d'Antoine et de Pacôme, de l'*Historia monachorum* de Rufin, des *Apophtegmes* ou sentences des Pères égyptiens, des ouvrages de saint Basile et de Cassien, toute l'expérience du passé monastique, et en plus et surtout la sienne propre.

On admet généralement, en effet, que saint Benoît écrivit sa règle vers la fin de sa vie[1] pour son monastère du Cassin, œuvre à ses yeux d'une portée toute locale, bien qu'il ait envisagé le cas où elle serait adoptée ailleurs, voire sous d'autres climats. A coup sûr, il n'avait prévu ni les moines défricheurs du moyen âge, ni les grands travailleurs intellectuels des XVIIe et XVIIIe siècles, l'immortelle équipe de Saint-Germain-des-Prés.

Et pourtant, sa règle était vouée à une large diffusion. Tout y contribuait : d'abord, l'inquiétude générale, le dégoût d'un monde agité par les révolutions et les invasions, d'où pour beaucoup un immense désir de solitude et de silence; puis cette discrétion et cette humanité qui rendaient la vie bénédictine accessible à toutes les bonnes volontés; ajoutons, ce régime d'égalité conventuelle, bien propre à réconcilier dans le Christ les éléments disparates qui se heurtaient à une époque si troublée. Nos modernes théoriciens de la question sociale ont-ils admiré suffisamment une telle confiance dans la vertu réconciliante du christianisme, et chez un homme si avisé, si pondéré, si discret?

La règle bénédictine connut-elle un succès immédiat? D'après Dom Chapman, elle aurait été citée aussitôt après sa publication par un empereur à Byzance, Justinien, par le métropolitain d'Arles, saint Césaire, par un canoniste en Afrique, Ferrand, par le premier ministre de Théodoric, Cassiodore : bref, célèbre partout dès 530 et 534. Au contraire, Mgr Duchesne disait que saint Benoît n'avait été qu'un petit moine dont un prestigieux biographe devait faire ensuite la fortune, saint Grégoire le Grand. Boutade qui vise seulement à souligner l'humilité des origines bénédictines. Des deux conceptions — celle qui croit la règle répandue, appréciée du vivant même du saint, et celle qui attend au moins le VIIe siècle pour la voir divulguée — c'est la seconde qui reste la plus sûre, la moins hypothétique. Tout un long silence des textes parle pour elle, tandis que la première ne se documente ici et là qu'avec beaucoup d'ingéniosité et quelque peu d'arbitraire.

En fait, le moment historique qui inaugurera la diffusion de la règle semble bien être le sac du mont Cassin par les Lombards en 589 et l'établissement des fils de saint Benoît dans un monastère adjacent à la basilique du Latran, au cœur de la chrétienté latine, sous les regards du pape. C'est là que saint Grégoire recueillera les éléments de la vie du patriarche, là aussi qu'il prendra contact avec la règle. Ensuite, l'autorité du Siège Apostolique la portera d'Italie en Angleterre, d'Angleterre en Germanie, partout.

Comme saint Benoît allait disparaître vers 540, Cassiodore, l'ancien ministre de Théodoric, se retirait à Vivarium, dans ses domaines du Bruttium, où il fondait un monastère.

Il instaura un idéal plus spécialisé que celui de saint Benoît : à la prière il joignit le

1. Sur la vie de saint Benoît, les précisions chronologiques font défaut dans les *Dialogues* de saint Grégoire le Grand, notre unique source biographique : nulle date qui fixe l'arrivée à Rome, l'établissement à Subiaco, le départ pour le Mont Cassin. On ne peut y suppléer que par des hypothèses plus ou moins plausibles : les données traditionnelles sont 480 pour la naissance et 543 pour la mort. Dom Chapman propose, non sans quelque intrépidité : naissance vers 480, quitte Rome vers 496, fonde le Mont Cassin vers 520, compose la règle de 523 à 526, reçoit la visite de Totila en 542 et meurt vers 553-555.

travail intellectuel, vers lequel il orienta ses moines dans son *Traité de l'enseignement des lettres divines et humaines.* (*Institutiones divinarum et saecularium litterarum.*) Deux parties dans ce grand ouvrage : l'une, introduction à la théologie et à l'Écriture sainte; l'autre, précis des sept arts libéraux, par quoi il faut entendre la grammaire, la rhétorique et la dialectique formant le *trivium,* l'arithmétique, la musique, la géométrie et l'astronomie constituant le *quadrivium.* D'où vient donc cette juxtaposition, qu'on pourrait juger sacrilège, des sciences sacrées et profanes? C'est qu'en réalité Cassiodore vise à les unir; il voudrait que celles-ci fussent les servantes de celles-là, et il insiste sur le fait qu'elles doivent être « comme une sorte de propédeutique à l'approfondissement de la Bible ». Ainsi a-t-il montré « le nœud littéraire intellectuel » qui réunirait l'antiquité classique au moyen âge; par là — comme jadis Origène — il est un initiateur.

Cassiodore recommandait aussi à ses religieux la copie des manuscrits des Écritures. Tel est le labeur de ceux qu'il appelle les *antiquarii,* et il leur marque à quelles règles ils doivent se conformer pour l'orthographe et aussi pour la grammaire, les corrections textuelles ne devant se pratiquer qu'avec une très prudente réserve, de peur que la parole divine n'en soit altérée. Il leur montrait d'ailleurs le service considérable ainsi rendu aux lettres chrétiennes et à l'Église : « Satan, s'écriait-il, reçoit autant de blessures que l'*antiquarius* transcrit de paroles du Seigneur! En donnant à son propre esprit une occupation salutaire il est un semeur qui répand au loin les commandements divins. » (*Inst.*, I, 30.)

Il conseillait encore à plusieurs amis d'adapter du grec au latin diverses œuvres patristiques qui seraient mises ainsi à la disposition des gens moins lettrés : Mutianus traduisit donc les *Homélies* de saint Jean Chrysostome sur l'Épître aux Hébreux, Bellator celles d'Origène, Denys le Petit les fameuses collections de canons par lesquelles il a rendu tant de services.

Ainsi, dans le naufrage général de la culture, Cassiodore exhortait ses disciples à recueillir du moins quelques débris : sauvetage salutaire s'il en fût. Mais il ne pouvait dès lors prétendre à un rôle aussi étendu que saint Benoît : car les élites intellectuelles sont toujours peu nombreuses; les *écoles* n'ont à l'ordinaire qu'une influence locale, et pour un temps plus ou moins restreint[1].

1. D'autre part, Cassiodore a laissé des œuvres personnelles étendues : 1° une *Chronique* depuis Adam jusqu'à 519, peu développée dans sa première partie, mais très précieuse pour l'histoire de 496 à 519, à cause des souvenirs personnels qu'elle contient; 2° une Histoire des Goths (*de Origine actibusque Getorum*), dont il ne reste qu'un abrégé, les *Getica* de Jordanis; 3° une *Historia tripartita,* compilation plutôt maladroite des Histoires de Socrate, de Sozomène et de Théodoret; 4° douze livres de Recueils de lettres ou *Variae,* pièces officielles réunies entre 534 et 538, et rédigées dans un style grandiloquent.

SOURCES : *P. L.*, LXIX-LXX. — *TRAVAUX* : DOM DE SAINTE-MARTHE, *Vie,* 1694. — A. FRANZ, *Cassiodorius,* Breslau, 1872. — G. MINASI, *Cassiodoro Senatore*, Naples, 1895. — P. BATIFFOL, art. *Cassiodore*, dans *Dict. Bibl.* — P. GODET, art. *Cassiodore*, dans *Dict. Théol.*

CHAPITRE II

L'ÉTABLISSEMENT DU CATHOLICISME EN GAULE

Trois peuples occupaient la Gaule vers la fin du ve siècle : les Burgondes à l'Est dans la vallée du Rhône avec Lyon pour capitale, les Wisigoths au Midi, les Francs au Nord. Partagés entre les divers royaumes de Cologne, Tongres, Tournai, Cambrai, ces derniers ne représentaient qu'une force dispersée; comme ils ne descendaient pas au delà de la Somme, les généraux romains avaient pu se maintenir tant bien que mal dans la vallée de la Seine. L'avenir semblait appartenir aux Burgondes et surtout aux Wisigoths qui tenaient les plus importantes cités du Midi, Bordeaux et Toulouse, et qui menaçaient la Provence.

I. Saint Sidoine Apollinaire et les Wisigoths. — Le roi de Toulouse Euric (466-84)[1] était un barbare arrogant pour qui ni le droit antique, ni la religion catholique n'existaient, et qui voulait les proscrire au fur et à mesure qu'il conquérait : offense mortelle à l'égard des populations gallo-romaines. Cependant sa marche en avant semblait irrésistible, fort qu'il était de toute la faiblesse de ses ennemis. Alors qu'après avoir vaincu les troupes romaines à Déols près de Châteauroux (469), il s'emparait du Berry et s'étendait le long de la Loire, poursuivant la conquête méthodique du Massif Central, personne ne songeait plus à défendre ce donjon de la Gaule.

L'organisateur de la défense fut saint Sidoine Apollinaire. Figure étrange à coup sûr, mais qui évoque bien cette période de transition. Né d'une illustre famille provinciale, — de père en fils on s'y transmettait la charge de préfet du prétoire des Gaules, — époux de Papianilla, fille de Fl. Eparchus Avitus, membre important du patriciat arverne, il accompagna à Rome son beau-père, devenu pour quelques mois empereur, et prononça son panégyrique. Ainsi fit-il encore pour deux empereurs fantômes, Majorien et Anthemius; il devint en 468 préfet de Rome et patrice. Il est alors le représentant officiel de l'éloquence et de la poésie antiques à leur déclin. Rien ne lui manque de ce qui les caractérise : apostrophes, énumérations, amplifications, réminiscences érudites, clichés mythologiques, tout l'appareil vieilli et

Saint Sidoine Appollinaire. — *SOURCES : P. L.*, LVIII. — *Mon. Germ. hist.*, VIII, 1887 (éd. LUTJOHANN). — *TRAVAUX* : P. ALLARD, *Saint Sidoine Apollinaire* (coll. *les Saints*), 1910.

1. Les premiers successeurs d'Ataulf († 415) avaient été Wallia (415-18), Théodoric Ier (418-51), Thorismud (451-53), Théodoric II (453-66).

factice derrière quoi se cachait un néant de pensée. Tel épithalame est un modèle du genre, où il décrit, en un langage d'ailleurs chaste, les splendeurs de la maison de Vénus, les charmes de la fiancée qui dépassent ceux de toutes les héroïnes de l'antiquité classique, et enfin le triomphe de Cupidon perçant de ses flèches toujours aiguisées le cœur de l'époux. Dans ses écrits, les dieux, frappés à mort, semblent reprendre un peu de vie pour esquisser quelques derniers gestes banals.

Et pourtant, ce même écrivain qui fait une dépense si profane de mythologie, les Arvernes vont l'élire en 471 malgré lui évêque de Clermont. Qui choisissaient-ils donc ainsi? Un saint homme sans doute qui, aussitôt nommé, délaissera les divinités de l'Olympe pour les Pères latins et grecs, qui prendra soin de son diocèse, veillant sur les moines établis par le solitaire oriental Abraham au pied de la colline de Montjuzet, visitant ses ouailles, charitable envers tous les pauvres, et jusqu'à vendre sa vaisselle d'argent, au grand mécontentement de Papianilla. Mais aussi les Arvernes le reconnaissaient pour un gallo-romain de vieille souche qui, dans la domination wisigothique, voyait un double péril menaçant à la fois culture antique et religion catholique.

Spes contra spem. Il croit jusqu'au bout à cette vieille thèse des Apologistes sur l'union de l'Église et de la Romanité, et qu'elles ne doivent pas périr, mais ensemble triompher. Et le voilà qui se débat héroïquement contre une situation quasi perdue. Dès 474, maîtres du Berry, les Wisigoths envahissent l'Auvergne et assiègent Clermont. L'évêque ne néglige rien pour sauver la cité. Rien : ni l'intervention d'Ecdicius, son beau-frère, qui force le blocus, et délivre la place, « l'empêchant ainsi de devenir barbare »; ni l'influence oratoire du prêtre Constantius qu'il fait venir à Clermont pour exhorter les habitants et remonter les courages; ni les secours charitables de Patiens, évêque de Lyon, qui envoie des vivres à l'Auvergne dévastée; ni non plus les procédés diplomatiques, dépêchant vers le préfet du prétoire en résidence à Arles le juif Goralas pour qu'on entre en pourparlers avec Euric et qu'on en obtienne une trêve; ni surtout l'aide divine que Sidoine implore d'une manière nouvelle en introduisant à Clermont ces prières des Rogations, récemment instituées par saint Mamert de Vienne, et que lui-même appelle si joliment « la solennité des fronts humiliés » (*festa cervicum humiliatarum*).

La fermeté de Sidoine avait, pour quelque temps, écarté le péril. Il reparut bientôt sous une forme plus dangereuse. A l'empereur Nepos Euric mettait le marché en main, lui déclarant qu'il déposerait les armes et ne toucherait pas aux autres territoires si on lui abandonnait l'Auvergne. Cruelle alternative. Des conférences s'ouvrirent auxquelles participèrent du côté romain quatre évêques de la Gaule méridionale, Léonce d'Arles, Fauste de Riez, Graecus de Marseille et Basile d'Aix. On comprend que, la mort dans l'âme, ils fussent tentés — se résignant à l'inévitable — de sacrifier l'Auvergne pour sauver la Narbonnaise, leur propre province et la plus romaine de toute la Gaule.

Sidoine les supplie pourtant de n'en rien faire dans une lettre admirable où son patriotisme évoque toutes les souffrances consenties : « Est-ce donc là ce qu'ont mérité la famine et l'incendie soufferts par nous, le fer, la peste courageusement affrontés, nos glaives engraissés du sang de l'ennemi, et nos combattants amaigris par les jeûnes? Est-ce dans l'attente de cette bienheureuse paix que nous nous sommes nourris des herbes poussées dans le creux de nos murailles, et que nos mains pressées par la faim, les ont arrachées au hasard? Est-ce pour récompenser de si grandes preuves de notre dévouement que l'on a décidé notre ruine? Je vous en supplie, rougissez d'un tel traité qui n'est ni utile, ni honorable... S'il le faut, nous accepterons avec joie d'être assiégés, de combattre encore, de souffrir encore la faim. Si nous sommes livrés, nous que l'on n'a pu vaincre, on saura que c'est l'œuvre de votre lâcheté... Toute autre province que vous auriez livrée s'attendrait à la servitude, l'Auvergne s'attend au supplice. »

Dans une autre lettre à Basilius d'Aix, il demandait au moins pour ses concitoyens deux garanties : liberté du culte et celle d'élire leurs évêques. « Ainsi demeurerions-nous unis par la foi si nous ne le sommes plus par la communauté de la patrie. » Et Sidoine d'évoquer les ravages de la persécution gothique, les évêques exilés et les fidèles abandonnés à eux-mêmes, les églises désaffectées et l'herbe croissant jusqu'au milieu du sanctuaire : « Dans les diocèses, dans les paroisses, tout est à l'abandon. Les toits des églises pourrissent et s'effondrent, les portes en sont arrachées, l'entrée en est obstruée de ronces. O douleur! les troupeaux y pénètrent et broutent l'herbe qui croît au flanc des autels. Dans les villes même, les assemblées des fidèles deviennent plus rares. »

L'Auvergne annexée, Euric exila son défenseur à Livia, près de Carcassonne. Sidoine ne fut pas le seul à pâtir : il évoque deux prélats de la Narbonnaise, Crocus et Simplicius, bannis comme lui; quant à l'évêque de Lescar, on l'exécuta. Nombreux étaient les sièges vacants, et où le roi s'opposait au remplacement des titulaires défunts : ainsi à Bordeaux, Périgueux, Limoges, Auch.

Un tel régime ne pouvait durer, simple transition violente destinée à intimider et à assouplir les catholiques. En 477, ne voit-on pas Sidoine gracié se rendre sur invitation à la cour wisigothique de Bordeaux et même ornementer de quelques vers le miroir d'argent de la reine Ragnahilde? Le gouverneur goth, installé en Auvergne, y faisait construire des sanctuaires catholiques : les temps s'éloignaient déjà où, selon l'expression de Sidoine, « loin de bâtir de nouvelles églises, on n'osait même pas réparer les anciennes ». Ainsi sa résistance ne fut-elle point inutile : elle contraignit le barbare arien à composer, en lui révélant quelle force était le catholicisme, et qu'il valait mieux le ménager que le persécuter.

Sidoine est le dernier représentant épiscopal de l'opposition aux Barbares. « Tu les évites parce qu'ils passent pour méchants, écrivait-il à un ami; je les fuirais, fussent-ils bons. » Pareille mentalité s'explique par le conservatisme qui animait cet aristocrate, gallo-romain de vieille date, et aussi par les nécessités d'une situation tragique ne laissant pas d'alternative entre combattre ou vivre en lâche, enfin et surtout parce que l'envahisseur s'affirmait arien et persécuteur.

II. La conversion de Clovis. — A peine Clovis, roi des Francs, succédait-il à son père Childéric, qu'il recevait de Rémi, métropolitain de la deuxième Belgique, une lettre où se lisait ce conseil : « Montrez-vous plein de déférence pour vos évêques, et recourez toujours à leurs avis. Si vous vous entendez avec eux, votre pays s'en trouvera bien. » Qui plaît à l'épiscopat, agrée aussi aux catholiques indigènes : le ménager, les gagner, telle est

Clovis et les Francs. — *SOURCES :* Dom Bouquet, *Recueil des historiens de la Gaule*, III et IV. — *Monumenta Germaniae historica :* les 3 vol. des *Scriptores rerum merovingicarum* (surtout Grégoire de Tours). — *TRAVAUX* : Lavisse, *? *Hist. de France*, t. II, 1re partie, par C. Bayet, C. Pfister et A. Kleinclausz. — Kurth, * *Clovis*; *sainte Clotilde* (coll. *les Saints*). Voir aussi Mgr Duchesne, * *L'Eglise au VIe siècle*, 1926.

la politique d'avenir. Ainsi s'esquisse une orientation nouvelle, dont l'empire impuissant fera les frais, et où les Francs trouveront l'appui moral nécessaire au triomphe. Personne qui jusqu'ici eût montré la voie d'une manière si claire. Le païen Clovis était trop intelligent pour ne pas comprendre l'opportunité de cette attitude au moment où il songeait à conquérir la Gaule septentrionale. En ces régions où Syagrius, fils du général romain Aegidius, n'avait guère qu'un pouvoir nominal, les évêques restaient la seule autorité apte à maintenir l'ordre, à imposer des directives.

Isolé de l'Italie, entouré de toutes parts, au Sud par les Wisigoths de Toulouse qui avaient poussé jusqu'à la Loire, au Sud-Est par les Burgondes occupant la vallée du Rhône, au Nord-Est par les Francs, riverains du Rhin, le prétendu royaume de Syagrius, terre vacante, serait au premier occupant. Clovis défit dans le Soissonnais l'infortuné général, et peu après ordonna sa mort.

Que serait l'occupation? Une anecdote restée fameuse souligne combien le conseil politique de Rémi agréait au guerrier barbare. L'évêque de Soissons avait prié Clovis de lui conserver tel vase précieux auquel il tenait beaucoup. Bien que la coutume germanique ne lui donnât droit qu'à sa part personnelle de butin, le chef franc demanda donc qu'on lui octroyât l'objet. Protestation de l'un des guerriers, affirmant qu'il aura seulement ce que le sort lui réservera. On sait comment, à la vue du même soldat mal équipé, Clovis le reprit sévèrement, lui jeta sa hache à terre et tandis que l'autre se baissait pour la ramasser, lui fendit le crâne de sa francisque avec ces mots : « Voilà ce que tu as fait au vase de Soissons. »

Peu après, il épousait une princesse burgonde : Clotilde, fille de Chilpéric, le défunt roi de Lyon. Préservée de l'arianisme officiel, élevée dans le catholicisme par sa mère Carétène, cette princesse, dont la sœur Sædebunda devait prendre le voile, apportait au foyer du guerrier barbare l'exemple séduisant des vertus chrétiennes. Peut-être Clovis comprit-il combien son union avec une princesse catholique encouragerait à la confiance ses sujets gallo-romains; sans doute aussi la pieuse industrie des évêques — Avit et Rémi surtout — lui ménagea-t-elle cette alliance.

C'est un nouveau gage — et plus précieux — qu'il leur donnait, en laissant baptiser son enfant premier né : preuve incontestable de l'ascendant que les vertus de Clotilde prenaient déjà sur lui. Ainsi engageait-il les destinées de la race et orientait-il les Francs vers le catholicisme. Toutefois l'influence de l'épouse chrétienne allait être mise à bien rude épreuve. L'enfant expira presque aussitôt, et dans sa douleur Clovis de s'écrier : « C'est votre cérémonie qui est la cause de sa mort; si je l'avais consacré à nos dieux, il serait encore vivant. » L'année suivante naquit un nouveau fils, Clodomir : la reine obtint de nouveau qu'on le baptisât. Mais, cette fois encore, l'enfant sembla près de trépasser, et déjà Clovis s'exaspérait quand les prières et la foi de Clotilde obtinrent la guérison. De là chez le chef franc une admiration grandissante pour le Christ : d'après les victoires qu'ils les aidaient à gagner les païens estimaient leurs dieux, et c'est un triomphe sur la mort que le dieu de Clotilde avait remporté. D'ailleurs Clovis se trouvait comme enveloppé d'une atmosphère catholique : partout où, dans cette Gaule, il tournait les regards, soit vers les évêques, soit vers l'aristocratie urbaine, tout ce qui détenait culture, influence et honorabilité se montrait chrétien. La bienveillance politique du barbare pour le catholicisme évoluait maintenant vers une sympathie morale.

Maître de la Belgique première, Clovis se trouvait directement en contact avec les

Alamans cantonnés sur l'autre rive du Rhin. Ceux-ci s'attaquèrent d'abord, semble-t-il, aux Francs ripuaires dans la région de Cologne ; non loin de là, à Tolbiac, une grande bataille s'engagea qui ne dut point tourner à leur avantage ; car le franc Sigebert demeura libre

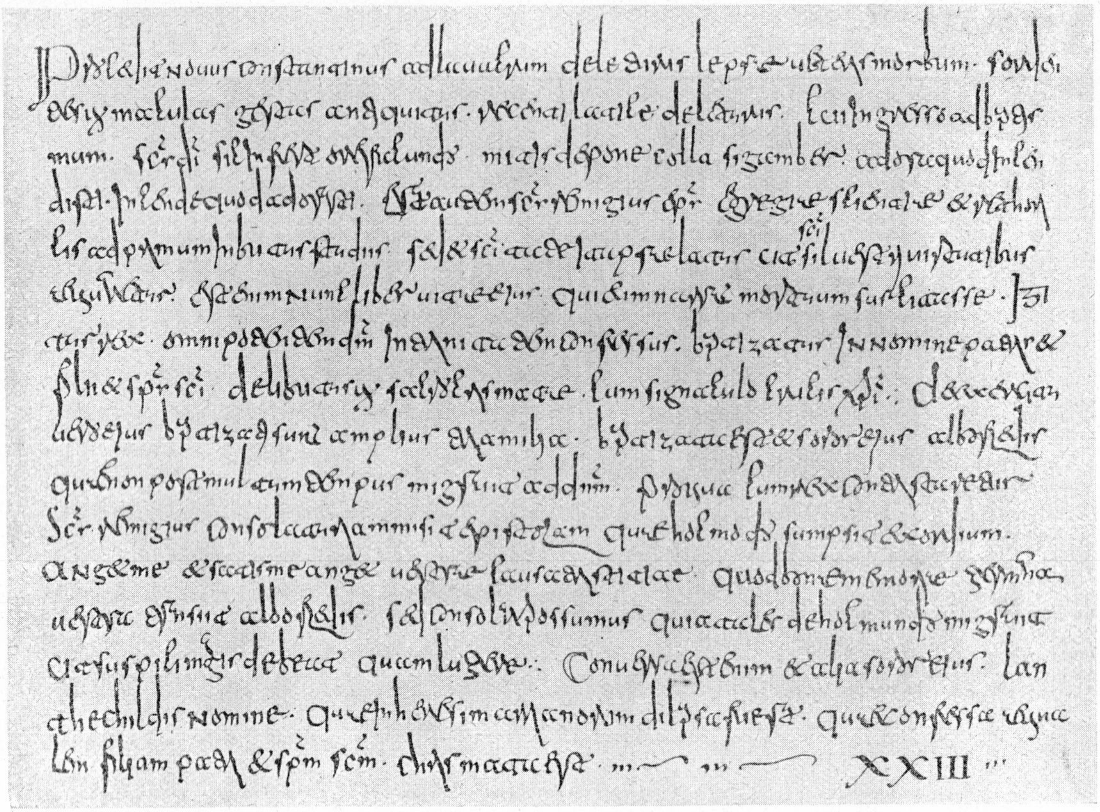

LA CONVERSION DE CLOVIS TEXTE DE GRÉGOIRE DE TOURS.

(Manuscrit du VIIe siècle en lettres cursives.)

TRANSCRIPTION DU MANUSCRIT DE GRÉGOIRE DE TOURS.

1. Procedit novus Constantinus ad lavacrum deleturus leprae veteris morbum, sorden-
2. tesque maculas gestas antiquitus recenti latice deleturus. Cui ingresso ad baptis-
3. mum sanctus dei sic infert ore facundo : mitis depone sigamber, adora quod incen-
4. disti, incende quod adorasti. Erat autem sanctus remigius episcopus egregiae scientiae et rhetori-
5. cis adprimum imbutus studiis, sed et sanctitate ita praelatus ut sancti silvestri virtutibus
6. aequaretur. Est enim nunc liber vitae ejus, qui eum narrat mortuum suscitasse. Igi-
7. tur rex, omnipotentem deum in trinitatem confessus, baptizatus est in nomine patris et
8. filii et spiritus sancti, delibutusque sacro chrismate, cum signaculo crucis christi. De exercitu
9. vero ejus baptizati sunt amplius tria millia. Baptizata est et soror ejus albofledis
10. quae non post multum tempus migravit ad dominum. Pro qua cum rex contristaretur
11. sanctus remigius consolatoriam misit epistolam quae hoc modo sumpsit exordium :
12. anget me et satis me anget vestrae causa tristitiae, quod bonae memoriae germana
13. vestra transiit albofledis. Sed consolari possumus quia talis de hoc mundo migravit
14. ut suspici magis debeat quam lugere. Conversa est enim et alia soror ejus, lan-
15. thechildis nomine, quae in heresim arianorum dilapsa fuerat. Quae confessa aequa-
16. lem filium patri et spiritum sanctum, chrismata est.

possesseur de son royaume. Alors ils voulurent opérer leur trouée plus au Sud, à hauteur de l'Alsace : ainsi affrontèrent-ils Clovis.

La rencontre décisive eut lieu à quelque endroit de la frontière de l'Est, peut-être Toul, ou bien encore Strasbourg. Si rude fut le choc que les Francs plièrent. « A cette vue, dit Grégoire de Tours, Clovis levant les yeux au ciel, touché de componction dans le fond de son cœur et ému jusqu'aux larmes, s'écria : « O Jésus-Christ, toi que Clotilde affirme être le fils du Dieu vivant, si tu me donnes la victoire, je croirai en toi et me ferai baptiser en ton nom. *Tantum ut eruar ab adversariis meis.* » Certes, ce n'était point la foi du centurion. Pourtant, à peine poussé cet appel, l'aspect de la bataille change : les Alamans plient à leur tour, jetant les armes et demandant grâces. Déjà visité par la douceur chrétienne — oh! il ne le restera pas toujours — le roi franc les épargne tous.

Sur les faits qui suivirent, les érudits ont beaucoup discuté. La difficulté consiste à accorder les trois récits de saint Avit, de saint Nizier de Trèves et de Grégoire de Tours. Voici comment — sans solliciter les textes, mais en les éclairant l'un par l'autre — on pourrait ordonner le processus des événements [1].

A l'annonce de la miraculeuse victoire, Clotilde fit venir aussitôt saint Rémi pour qu'il instruisît le royal catéchumène. Outre le regret d'abandonner le paganisme ancestral, le chef franc se trouvait ballotté entre l'arianisme de ses beaux-frères, le goth Théodoric, les burgondes Gondebaud et Godegivil, et le catholicisme de Clotilde. Impossible que dans les cours de Toulouse, de Vienne et de Ravenne on restât indifférent. Ne devait-on pas y prévoir que sa conversion créerait entre Clovis et les populations catholiques de la Gaule entière un lien de sympathie, « une espèce de complicité morale »? Sur lui une pression très forte fut tentée que saint Avit note expressément. Moment décisif où, dans le secret de cette âme barbare se jouait la décisive partie.

C'est alors sans doute que Clovis entreprit le pèlerinage à Saint-Martin de Tours relaté par la lettre de Nizier. Si la victoire sur les Alamans avait été, à ses yeux, un véritable *jugement de Dieu* entre paganisme et christianisme, cette pieuse visite en fut un autre entre arianisme et catholicisme. Les miracles qui se produisirent au tombeau du saint dissipèrent toutes ses hésitations; nature simple et loyale, il voulut le baptême sans retard (*sine mora*).

Non pas qu'il l'ait reçu à Tours sur-le-champ. Un tel honneur accordé à sa cité, Grégoire n'eût pas manqué de le souligner. Par contre, il note que saint Rémi baptisa Clovis; et voilà

1. L'ordre chronologique des trois documents est le suivant : 1. La lettre de saint Avit à Clovis (*Ep.* 46, éd. Paper) écrite peu après le baptême. 2. La lettre de saint Nizier de Trèves vers 570. Nizier avait connu Clotilde. 3. Le récit de Grégoire de Tours, quelque peu légendaire (*Hist. Franc.*, II, 28-31). Pour Krusch, Clovis aurait été baptisé à Tours : cette opinion est basée sur une interprétation étroitement littérale du récit de Nizier d'après lequel, converti au tombeau de saint Martin, le chef franc reçut le baptême sans retard (*baptizari se sine mora promisit*). Kurth maintient les données traditionnelles : double influence de sainte Clotilde et de saint Rémi sur l'âme du barbare et baptême à Reims. Voici d'ailleurs la reconstitution tentée par M. L. Levillain : « Clotilde échoue dans ses premières tentatives pour convertir son mari ; celui-ci, dans une bataille contre les Alamans, fait vœu de croire au Christ et de se faire baptiser; catéchisé secrètement par saint Rémi il hésite, pour des raisons d'ordre politique, à renoncer aux dieux païens; il est entre temps disputé au Dieu de Rémi par les ariens. Le pèlerinage de Tours (11 novembre) est une victoire de saint Martin. Des préparatifs sont faits pour donner à la cérémonie du baptême un grand éclat. Elle est celébrée dans la nuit de Noël à Reims, en 496. »

Le récit de Grégoire de Tours a été attaqué : ce qui s'explique si l'on se souvient qu'il écrit plus de trois quarts de siècle après les événements, vers 576, qu'il s'appuie principalement sur des sources orales, et que les intentions parénétiques y sont évidentes.

D'après Jonas de Bobbio, qui écrivit vers 630, saint Vaast, futur évêque d'Arras, fut le catéchiste de Clovis et l'accompagna de Toul à Reims (*Vita Vedasti*, c. 2 et 3, édit. KRUSCH, dans *M. G. H.*, *Script. rerum merovingicarum,* t. III, p. 406-409).

qui, d'après la règle canonique, implique que la cérémonie eut lieu à Reims. Saint Avit en précise la date, le 25 décembre : la Gaule avait déjà rompu avec l'obligation de ne baptiser qu'au temps de Pâques. Grégoire nous a décrit cette scène fameuse : le nouveau Constantin s'avançant vers la piscine sacrée, et saint Rémi lui adressant les paroles historiques où l'on a pu voir une formule indirecte de renonciation au démon : « Courbe la tête, Sicambre; adore ce que tu as brûlé et brûle ce que tu as adoré. »

La conversion de Clovis n'eut point cet aspect national qu'on serait tenté de lui donner. Avec lui furent baptisés ses antrustions, autrement dit les 3.000 soldats de sa garde. Rentrés dans leurs foyers après la victoire, les autres demeureront païens jusqu'à l'heure, encore lointaine, où quelque missionnaire les évangélisera. Pour eux, la conversion de leur chef resta une décision individuelle, dont les motifs profonds leur échappèrent, et à quoi ils n'auraient pu s'associer sans rompre avec des traditions chères.

Ne diminuons point pour autant la portée de l'événement. Vision de Constantin, baptême de Clovis, couronnement de Charlemagne, voilà les trois faits qui ouvrent les destinées politiques du catholicisme. En transmettant à la Gaule cette vocation de tutrice de l'Église que l'Italie effondrée dans les horreurs de l'invasion ne pouvait plus remplir, la conversion de Clovis modifiera les résultats de celle de Constantin; désormais l'avenir est non plus aux Romains, mais aux Barbares [1]. Cependant l'évolution ne sera complète, estampillée du sceau même de Pierre, qu'à la Noël de l'an 800.

De cette vocation catholique de la nation franque, le prologue de la Loi salique se fera le héraut enthousiaste : « Vive le Christ qui aime les Francs ! Qu'il leur garde leur royaume, qu'il remplisse leurs chefs de la lumière de sa grâce, qu'il protège leur armée, qu'il leur accorde l'énergie de la foi, qu'il leur concède par la clémence — lui, le Seigneur des Seigneurs, — les joies de la paix et des jours pleins de félicité. Car cette nation est celle qui, brave et vaillante, a secoué de ses épaules le joug très dur des Romains; et c'est eux, les Francs, qui après avoir reçu le baptême, ont enchâssé dans l'or et dans les pierres précieuses les corps des saints martyrs, que les Romains avaient brûlés par le feu, mutilés par le fer ou livrés aux dents des bêtes. »

III. La conquête franque : le concile d'Orléans. — Le baptême de Clovis rendait possible cette fusion des éléments barbares et gallo-romains qu'entravaient dans le reste des Gaules les divergences confessionnelles. Au roi converti, saint Avit écrivait une lettre enthousiaste : « La Providence a découvert l'arbitre de notre temps; le choix que vous avez fait pour vous-même est une sentence que vous avez rendue pour tous. Votre foi, c'est notre victoire à nous. Beaucoup d'autres, quand les pontifes de leur entourage les sollicitent, objectent les traditions de leur race. Désormais de telles excuses ne peuvent plus être admises... N'en doutez pas, roi puissant, votre robe de catéchumène donnera désormais plus de force à vos armes ; tout ce que jusqu'aujourd'hui vous deviez à une chance heureuse,

1. Rien d'étonnant que la légende ait voulu amplifier une telle cérémonie. On raconta qu'au moment du baptême, comme le clerc chargé d'apporter le chrême qui devait être mêlé à l'eau vivificatrice, n'avait pu traverser la foule, saint Rémi vit une colombe descendre du ciel, portant dans son bec une fiole pleine du précieux onguent. Telle est l'origine de la sainte ampoule et du privilège que recueillit l'Église rhémoise de sacrer nos rois ; car, par une démarcation de la légende, on imagina que le miracle s'était opéré non plus en vue du baptême, mais pour le sacre de Clovis. Combien d'ailleurs cette légende ne demeure-t-elle point vraie en son symbolisme : n'est-ce pas au baptistère de Reims que naît la souveraineté de ceux qu'on appellera quelque jour « les rois très chrétiens » ? Ne convenait-il pas qu'on les sacrât là où Clovis fut baptisé, là où la France avait commencé ?

vous le devrez à la sainteté de votre baptême. » Pareils présages n'autorisent pas toutefois à imaginer que saint Avit désirât l'annexion de la Burgondie au royaume franc. Comme tant d'autres depuis, il lui fallut séparer douloureusement sa foi d'avec le loyalisme envers son prince. Le baptême de Clovis n'allait pas moins développer avec rapidité ses conséquences politiques : tandis que, marchant à la conquête des Gaules, il se sentirait soutenu par tous ses sujets, au contraire, dans les pays qu'il attaquerait, le dualisme religieux énerverait et paralyserait les résistances.

Prince d'une haute culture, Gondebaud eût voulu réaliser la fusion des Gallo-Romains avec les Burgondes. Aussi, dans sa loi Gombette les met-il sur un pied d'égalité : « Que Burgondes et Romains soient soumis aux mêmes règles », aime-t-il à répéter. Bien plus, pour s'attirer la sympathie des indigènes, ne va-t-il pas jusqu'à édicter une « Loi romaine des Burgondes » où il essaie de concilier la législation antique avec la loi Gombette ? Une préoccupation se trahit jusque dans les moindres détails, celle de conserver à toutes choses quelque extérieur demi-romain, si bien que l'effigie impériale subsistait encore sur les pièces de monnaie.

Comment, dès lors, Gondebaud eût-il pu devenir persécuteur? Loin de maltraiter les catholiques, il leur procure les libertés les plus étendues, y compris celle de s'assembler en concile. Il accueille avec bienveillance saint Avit de Vienne, la première personnalité de son royaume. Laisser vivre côte à côte arianisme et catholicisme ainsi que deux religions sœurs, tel est son rêve. Encore cette tolérance ne suffit-elle point à lui gagner les cœurs des Gallo-Romains : la fusion morale reste incomplète, précaire, artificielle, sans profondeur.

D'ailleurs, jusque dans la famille royale régnait la division. Jaloux de son frère, Godegisil fit cause commune avec Clovis. Bientôt, Francs et Burgondes s'affrontent près de Dijon, sur les bords de l'Ouche. Gondebaud vaincu se retire à Avignon tandis que Godegisil entre dans Vienne. Court triomphe toutefois : par un brusque retour offensif, Gondebaud reprend sa capitale, fait égorger Godegisil et récupère tout son royaume. Les résultats de la campagne de Clovis étaient donc annulés. En tout ceci, Clovis avait exploité des divisions intestines où la question religieuse entrait en jeu plus ou moins. La conquête franque n'était que différée.

Dans le royaume wisigothique, bien que d'humeur tolérante, Alaric II, qui succéda à son père Euric en 584, crut devoir, par mesure de salut public, s'attaquer aux catholiques des régions frontières, suspects de connivence avec les Francs; certains prélats du Sud-Ouest ou des pays transligérins furent exilés : ainsi Ruricius de Limoges, ainsi coup sur coup deux évêques de Tours, saint Volusien et Vérus. A l'autre extrémité du royaume, le métropolitain d'Arles, l'illustre saint Césaire, se vit aussi inculpé de trahison. Comme il était d'origine burgonde et qu'il avait au delà de la Durance plusieurs suffragants, on l'accusa d'avoir voulu livrer Arles à Gondebaud. Une pensée l'avait pourtant inspiré dans ses prédications au peuple, celle de se conformer à la parole du Christ : « Rendez à César ce qui est à César, à Dieu ce qui est à Dieu »; d'où cette distinction nécessaire établie par lui entre l'obéissance politique due au roi et la fidélité religieuse exclusive de toute transaction avec « la perversité arienne ». Trompé par ses conseillers, sans enquête et avec la brutalité d'un barbare, Alaric II relégua à Bordeaux le métropolitain d'Arles ; mais, dans un entretien avec le prince, Césaire n'eut pas grand peine à se justifier.

N'y avait-il pas d'ailleurs moyen plus habile de préparer la défense que de persécuter les évêques ? Ne fallait-il point au contraire réaliser l'union en donnant la liberté aux catholiques ? Sous la menace directe du péril franc, Alaric II le comprit enfin. D'où le rappel des prélats exilés, notamment Verus de Tours et Ruricius de Limoges ; de là encore la rédaction d'un abrégé du code théodosien, appelé à l'ordinaire *Loi romaine des Wisigoths* ou *Bréviaire d'Alaric*.

A l'époque de Théodose II, l'empereur du concile d'Éphèse, se rattache la plus ancienne collection de décrets qui nous soit parvenue : notre meilleure source pour l'histoire intérieure des IVe et Ve siècles, est d'autant plus importante que, réunie au moment où le christianisme devient religion d'État, elle enregistre les progrès légaux réalisés sous son influence. De ce code théodosien, la fameuse *Lex Romana Wisigothorum* n'est rien autre chose qu'un abrégé : d'où son nom de Bréviaire d'Alaric (*Breviarium Alaricianum*). Jusqu'à la fin de l'époque carolingienne ce compendium restera la principale source du droit romain en Occident où le code justinien ne sera connu que beaucoup plus tard, vers le XIIe siècle. Or, ce *Bréviaire* qui assurait à ses sujets catholiques le bénéfice de la législation chrétienne adoptée peu à peu par l'empire, Alaric II l'avait fait préparer par une commission où plusieurs prélats figuraient à côté de sénateurs ; il le soumit d'ailleurs à l'approbation générale de l'épiscopat.

Gage plus considérable, Alaric autorisa un concile d'Agde, où se réunirent un grand nombre d'évêques, présidés par les métropolitains d'Arles et de Tours (506). Après avoir prié solennellement pour Alaric « leur très glorieux et magnifique Seigneur », ils travaillèrent à accorder les canons ecclésiastiques avec la législation nouvelle. A plusieurs articles de la loi civile, l'assemblée prêta la sanction religieuse : ainsi celui concernant la tutelle des enfants trouvés (c. 21), ou l'âge de l'imposition du voile aux vierges (c. 19). En retour, appui assuré du bras séculier pour l'exécution des canons disciplinaires : par exemple, la force publique ramènerait à son abbé le moine déserteur, ou encore, si un clerc était dégradé, sanctionnant la sentence, l'État le ferait participer aux charges civiles. Enfin Alaric approuvait les décisions conciliaires touchant les biens d'Église. L'accord semblait tel que les Pères d'Agde résolurent de tenir l'année suivante une nouvelle assemblée, où on inviterait les prélats d'Espagne.

Nul doute que dans ce revirement il faille constater, avec l'influence de Théodoric, la peur des armes franques. Mais quelques ménagements que prît Alaric, il ne pouvait supprimer ni l'antagonisme confessionnel dans ses propres États, ni l'admiration universelle des catholiques gallo-romains pour le chef franc baptisé à Reims. Au surplus, entre les deux rois voisins, inévitable était le conflit. La rencontre qu'ils eurent aux confins de leurs États, sur une île de la Loire, en face d'Amboise, retarda à peine les événements tragiques. En vain, Théodoric envoya-t-il une ambassade pacifique, Clovis ne voulut rien entendre. Contre les Wisigoths affaiblis et divisés, n'était-il pas sûr du succès ?

Habileté ou conviction, soit plutôt l'une et l'autre, il donna à cette lutte l'aspect d'une véritable croisade. « Je ne puis supporter, dit-il, que ces ariens occupent une bonne partie de la Gaule. Marchons donc contre eux et, après les avoir battus, soumettons leur terre à notre autorité. » Même conviction chez saint Avit qui dit aux catholiques de l'armée burgonde allant combattre pour Clovis : « Partez heureux et revenez vainqueurs. Gravez votre foi sur vos armes, et par vos prières forcez le ciel à vous venir en aide. » En Touraine, avant d'entrer en campagne, Clovis assure par un édit royal la sauvegarde des biens ecclésiastiques. De sa propre main il tue un soldat qui a pris du foin à un pauvre : « Comment espérer vaincre si

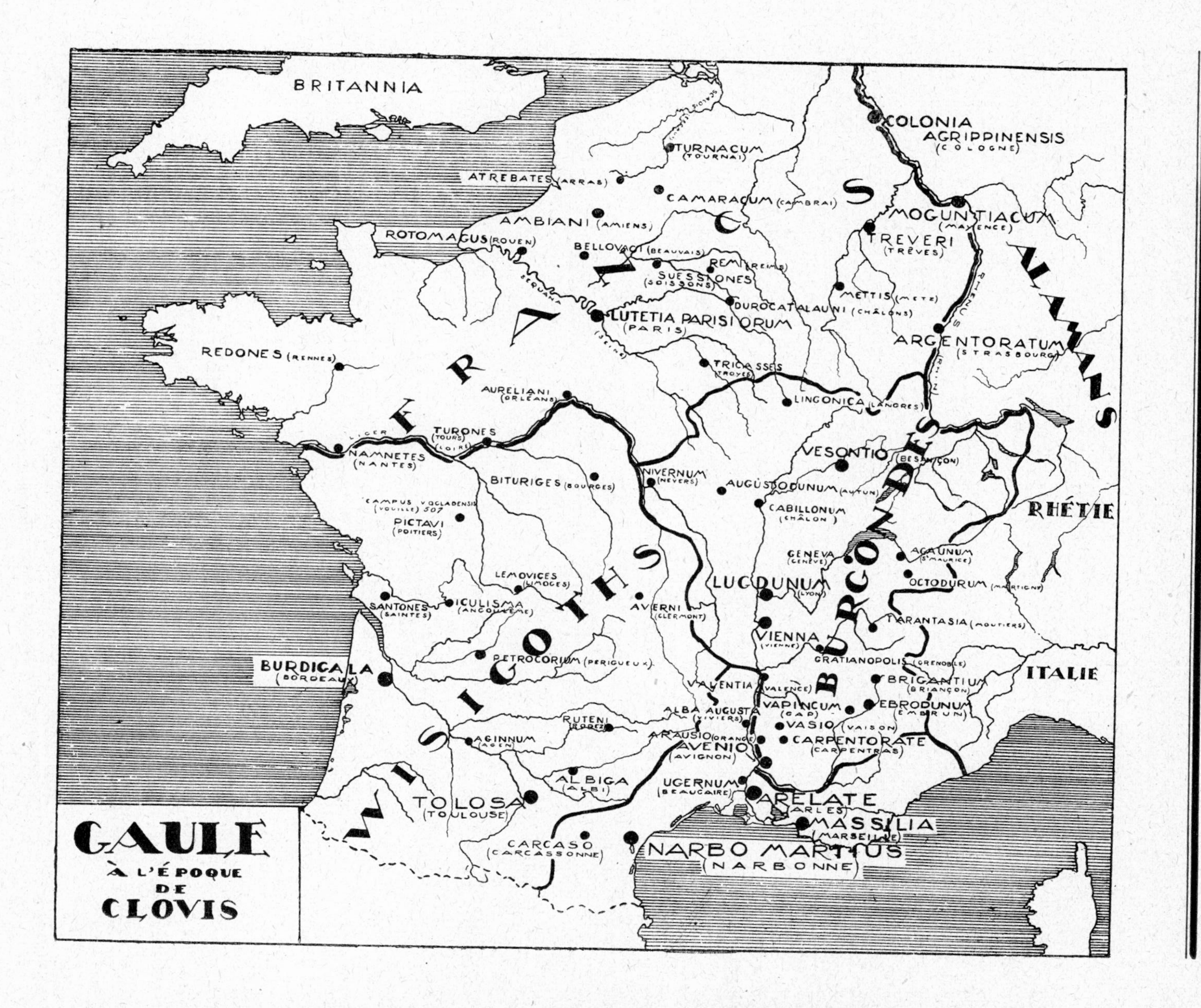

GAULE À L'ÉPOQUE DE CLOVIS

nous offensons saint Martin. » A ce patron des Gaules il vient demander protection. Arrivé près de Poitiers, il ordonne qu'on respecte les biens de saint Hilaire : n'est-ce pas ranger à son parti le grand adversaire de l'arianisme? Car, pour ces Barbares convertis d'hier, les saints sont tout voisins des héros antiques : comme eux ils combattent pour leurs clients, et les grâces consistent surtout en bienfaits terrestres, guérisons, interventions guerrières, sans quoi les bénédictions spirituelles passeraient inaperçues. Au lieu d'une crosse pacifique, c'est une lance qu'il leur faut dans la main ; quand leur protégé l'emporte, ils triomphent avec lui : ainsi jadis des divinités locales, gardiennes de chaque cité. Selon la tradition reproduite par Grégoire de Tours, les prodiges éclatent sur le passage des Francs : comme une forte crue rend la Vienne infranchissable, une biche apparaît soudain, et, traversant la rivière sous les yeux du roi, lui indique ainsi l'endroit du gué. De telles légendes ne naissent point d'elles-mêmes : l'imagination populaire qui les a créées rêvait en faveur de son héros.

A Vouillé, près de Poitiers, la victoire des Francs fut complète, où Clovis tua lui-même Alaric. Tandis qu'il pénétrait dans Toulouse et soumettait l'Aquitaine, son fils Thierry s'empa-rait de l'Auvergne. Grégoire de Tours vit dans le triomphe des Francs l'intervention céleste ; comme les dieux païens avaient été vaincus avec les Alamans, ainsi le Christ d'Arius à Vouillé : « Clovis qui adhéra au dogme de la Trinité, par elle ruina les hérétiques et étendit sa domination sur toute la Gaule. Alaric qui la nia fut dépouillé de son royaume, de son peuple, et — ce qui est plus grave — de la vie éternelle. » Comme plus tard le bon Joinville, Grégoire avait sa philosophie de l'histoire qui, d'ailleurs, n'était que celle de ses contemporains.

La suprême récompense vint à Clovis de Byzance. Ruiner le royaume wisigothique de Toulouse et menacer ainsi la sécurité de celui de Ravenne, n'était-ce pas rendre un signalé service au basileus pour qui Théodoric restait le principal adversaire? En remerciement « Clovis, dit Grégoire, reçut de l'empereur Anastase le diplôme de consul. Dans la basilique Saint-Martin, il revêtit la tunique de pourpre, la chlamyde, et plaça sur sa tête un diadème, puis il parcourut à cheval la distance comprise entre la porte de l'atrium de la basilique et l'église de la ville, en jetant des pièces d'or et d'argent au peuple. A partir de ce jour il fut appelé consul. » Voilà donc Clovis accrédité définitivement auprès des Gallo-Romains : délégué impérial et champion du Christ, il acquérait une incontestable autorité.

Cependant il manquait à la conquête de la Gaule son achèvement dernier. Théodoric, qu'avait surpris l'offensive brusquée de Clovis, parvint du moins à empêcher la ruine complète du royaume wisigothique. Son armée enraya l'attaque combinée des Francs et des Burgondes qui déjà assiégeaient Arles. Alors, nouveaux soupçons contre saint Césaire, provoqués sans doute par la haine insidieuse des juifs, mais aussi entretenus par ce préjugé toujours vivace qu'un évêque catholique ne pouvait que souhaiter le triomphe de Clovis sur un prince arien. Césaire se venge par une miséricorde admirable. La brutalité des conquérants — barbares de toujours, baptisés d'hier seulement — il l'a vue s'exercer sur les habitants emmenés captifs : « les matrones forcées de partir, les seins qui étaient prêts d'enfanter déchirés, les femmes séparées de leurs nourrissons qu'on arrachait de leurs mains et qu'on jetait sur les routes sans leur permettre de garder avec elles ceux qui étaient vivants, ni d'ensevelir ceux qui mouraient, de dures corvées imposées à des personnes délicates et de sang noble ». Rien qui fût épargné : ni églises, ni clergé, ni vierges sacrées, ni aucune cité. A pareil spectacle le cœur du bon pasteur s'émeut : pour racheter ces malheureux, il vend tout, jusqu'aux objets sacrés, calices, patènes, encensoirs ; avec une admirable confiance il donne les provisions de son cellier. En vain, dans son entourage, plusieurs murmurent-ils, allant jusqu'à l'accuser de sacrilège. « Je voudrais bien savoir, réplique-t-il, ce que diraient ceux qui me critiquent s'ils étaient à la place des captifs que je libère. Dieu qui s'est donné lui-même pour prix de notre rédemption, ne m'en voudra pas de racheter des prisonniers avec le métal de son autel. »

Quand Césaire dut venir à Ravenne, inculpé de trahison, son procès était gagné d'avance : captifs et pauvres qui l'entouraient plaidaient pour lui mieux que toute parole humaine. Lorsqu'on apprit qu'il avait vendu le cadeau à lui offert par Théodoric, l'enthousiasme fut tel que, parmi les courtisans, ce fut à qui lui donnerait davantage. Après avoir racheté une multitude de prisonniers, il revint à Arles, rapportant en surplus la somme de huit mille sous d'or, énorme pour l'époque.

Personnage d'avant-garde, cet évêque d'origine gallo-romaine qui fait bon accueil à des rois barbares, même ariens, leur conservant un loyalisme sans défaillance, malgré les soupçons et les persécutions, quelle belle image de l'Église qui s'offre toute à tous, et qui s'adapte aux situations nouvelles avec une merveilleuse abnégation, jadis respectueuse de l'empire persécuteur, aujourd'hui la main tendue vers le guerrier farouche.

Clovis demeura en étroite union avec le clergé, s'efforçant de lui complaire. Après la conquête du royaume wisigothique, il décréta que toute personne — ecclésiastique, religieuse, veuve, clerc ou fils de clerc, ou serf d'Église — emmenée en captivité, serait libérée sur réclamation écrite de son évêque; celui-ci pourrait même confier à des délégués le droit de racheter les laïques prisonniers.

Bientôt Clovis convoquait à Orléans un concile national du royaume franc, où se rendirent trente-deux évêques (511). Cyprien de Bordeaux le présida, ce qui montre combien rapide s'opéra la fusion de l'Aquitaine. Par contre, on remarque que les prélats des deux Germanies et de la Première Belgique en sont absents : preuve évidente que, dans le vieux royaume des Francs Saliens, la hiérarchie catholique avait sombré pendant les Invasions : ni Mayence, ni Trèves, ni Cologne, ni Tongres ne semblaient plus avoir de pasteurs; pas davantage Metz, Toul et Verdun.

Le concile d'Orléans délibéra sur plusieurs questions à lui proposées par Clovis. Ainsi les canons 1 et 3 reconnurent-ils clairement un droit d'asile qui s'étendrait jusqu'à l'atrium de l'église et jusqu'à la maison épiscopale, attestant par là que les privilèges ecclésiastiques devenaient inviolables pour l'autorité civile. D'ailleurs, toutes les mesures prises furent transmises finalement à Clovis avec cette suscription : « Puisque, dans le zèle d'une âme vraiment sacerdotale, vous avez réuni les évêques pour délibérer en commun sur les besoins de l'Église, nous, en conformité de cette volonté, et en suivant le questionnaire que vous nous avez donné, nous avons répondu par les sentences qui nous ont paru justes. Si ce que nous avons décidé est approuvé par vous, le consentement d'un si grand prince augmentera l'autorité de nos décisions. » Pareille marque de déférence souligne assez quel accord parfait existait entre l'épiscopat et le roi franc, « fils de l'Église catholique ». Quand on songe que

Saint Césaire. — *SOURCES : P. L., XXXIX* et *LXVII*. — *Mon. Germ. Hist.*, III, p. 433-501. — Dom Morin, *Rev. bénédictine*, XIII (1896), p. 97; XVI (1899), p. 241, 289 et 337 (sermons inédits). — *TRAVAUX :* A. Malnory, * *Saint Césaire*, 1894. — M. Chaillan, *Saint Césaire* (col. *les Saints*), 1921. — C. F. Arnold, *Cœsarius von Arlata*, Leipzig, 1894. — P. Lejay, *Le rôle théologique de saint Césaire,* dans *Rev. hist. litt. rel.*, 1905; art. *Césaire* dans *Dict. Théol.*

ces prélats venaient de tous les coins de la Gaule, autrement dit des régions jadis partagées entre Syagrius, les Wisigoths et les Burgondes, on a l'impression bien nette que l'unité était faite déjà : l'unité politique par l'unité religieuse, ce qui n'existait nulle part ailleurs en Occident.

Aussi les évêques ont-ils sur le roi une influence grande : ils prennent rang au nombre de ses conseillers. Parfois vraie et parfois légendaire, l'hagiographie s'est complue à souligner de quelles marques d'estime Clovis les comblait, et par quels miracles ils l'en remerciaient. Ainsi Fridolin de Poitiers qui, invité à la table royale, s'empresse de réparer avec bonne grâce la coupe que le prince a brisée en la lui présentant. Ainsi encore Séverin, abbé de Saint-Maurice en Valais qui, durant une maladie de Clovis, se présente à lui, le revêt de son manteau et le guérit sur-le-champ : épisode auquel se rattachera la dédicace d'une fameuse église de Paris.

Clovis passa à Lutèce les dernières années de sa vie. Il y fit construire une basilique dédiée aux saints apôtres Pierre et Paul. La crypte royale recevra la dépouille de l'humble bergère qui avait exhorté les Parisiens à se défendre contre les Huns : aussi dès le XIIe siècle, le nom de sainte Geneviève prévaudra-t-il pour désigner l'église fondée par le roi franc.

Clovis mourut le 27 novembre 511. « Ce roi excellent fut non seulement un grand conquérant, mais encore le défenseur de la foi » : telle est la phrase de saint Rémi qui pourrait servir d'épitaphe à son tombeau. Qu'il soit resté chez lui du barbare, comment s'en étonner? Les meurtres de Sigebert et de Chlodéric qui marquèrent l'annexion du royaume de Cologne, ceux de Ragnachar et de Chararic qui suivirent la conquête de Cambrai furent-ils antérieurs ou postérieurs au baptême? Nulle raison décisive ne permet de déplacer ces récits où d'ailleurs la légende a sa part : Grégoire de Tours les situe vers la fin du règne. Tant de scènes sanglantes qui éclabousseront la période mérovingienne, ne nous autorisent guère à déclarer ces crimes psychologiquement impossibles. Après Reims, Clovis demeure naturellement assez proche de son passé. Que le baptisé ait supplanté du jour au lendemain le barbare, il s'en faut de beaucoup. Le problème chronologique que nous soulevons ici éclaire du moins les temps qui vont s'ouvrir; il laisse prévoir combien long et difficile sera le labeur des ouvriers évangéliques : ainsi que les vastes plaines aujourd'hui fertiles, les âmes étaient alors en friche. Mais pour que le labeur apostolique pût être fructueux, il fallait une préparation politique dont Clovis fut l'artisan.

IV. La fin du semi-pélagianisme : Fauste de Riez et Césaire d'Arles. — L'Église des Gaules était infestée d'un poison plus subtil que l'arianisme wisigothique, le semi-arianisme provençal. Dans le conflit jadis engagé sur la grâce entre les théologiens lériniens et l'aquitain Prosper, l'intervention du pape Célestin Ier avait sans doute amené une sorte de trêve. Mais le différend couvait toujours : ni les augustiniens n'abandonnaient leur maître, ni ses adversaires ne se résignaient à admettre tout son système. D'où une défiance réciproque qui tôt ou tard amènerait des escarmouches, voire des conflagrations.

Vers 470, l'évêque Fauste de Riez, ancien abbé de Lérins, accusa l'un de ses prêtres,

Fauste de Riez. — *SOURCES : P. L.*, LVIII; *C. V.*, XXI (éd. ENGELBRECHT). — *TRAVAUX :* A. ENGELBRECHT, *Studien zu den Schriften des Faustus*, Vienne, 1889; *Patristiche Analekten*, Vienne, 1892. — A. KOCH, *Der hl. Faustus*, Stuttgart, 1895. — MALNORY, *Saint Césaire d'Arles*, passim. — P. GODET, art. *Fauste de Riez*, dans *Dict. Théol.* — E. AMANN, art. *Lucidus*, *ibid.*

d'erreur sur la grâce et la prédestination. Par écrit il lui signifia quelles doctrines il devrait reconnaître et quelles erreurs condamner. Comme Lucidus tardait à s'exécuter, un concile se tint en 473 à Arles, où il dut reconnaître humblement sa culpabilité et souscrire un credo. Une seconde assemblée, réunie à Lyon, s'occupa encore de l'affaire. Enfin Fauste en profita pour écrire un traité resté famenx : le *De Gratia.*

On voit que le cas de Lucidus fut pris très au sérieux et causa de l'agitation. Plus sans doute qu'il n'eût mérité. Non pas qu'il faille avec les jansénistes — tel le président Gilbert Mauguin — affirmer que l'inculpé était blanc comme neige, et que Fauste aurait inventé de toutes pièces son hérésie; mais à lire les anathèmes qui lui furent imposés on a l'impression qu'il n'était coupable que d'avoir interprété saint Augustin avec trop peu de nuances et quelque dureté. Prédestination serait un bien gros mot; si on le prononça alors, c'est que l'atmosphère était vibrante et les têtes surchauffées. La formule de Fauste tendait à rétablir cet harmonieux accord entre grâce divine et liberté humaine qu'on accusait Lucidus d'avoir rompu : « Illuminés par le Christ, nous affirmons en toute vérité et confiance : que celui qui périt par sa faute aurait pu se sauver par la grâce, s'il n'avait pas refusé à la grâce sa laborieuse coopération; que celui qui, par la grâce, mais en lui prêtant son concours, est arrivé heureusement au terme, aurait pu tomber par paresse et périr par sa faute. Nous donc qui, sous la conduite du Christ, essayons de garder le juste milieu, nous affirmons, après la grâce sans laquelle nous ne sommes rien, le travail indispensable du bon serviteur qui remplit son devoir. » (*Laborem officiosae servitutis.*)

Somme toute, épisode sans grande importance, si Fauste n'avait eu l'idée dangereuse d'écrire une réfutation méthodique du prédestinianisme, le traité *De Gratia,* qui allait rouvrir la querelle à l'aube du VIe siècle. Contre Lucidus Fauste établissait que sans les œuvres, fruits de la volonté, la foi, don de la grâce, est illusoire. Affaibli par la tare originelle que Fauste ne nie point, le libre-arbitre peut encore toutefois produire le bien. Le salut nous vient par l'accord des deux éléments : grâce et volonté. Mais quel est le processus de leur intervention? Ici le semi-pélagien se découvrait. D'après Fauste, en effet, la volonté entre en jeu la première, engendrant d'abord pieux désirs et humbles prières qui nous attireront les grâces spéciales de Dieu : « Dans le cas du centurion Corneille, dit-il textuellement, c'est la volonté qui précède la grâce, et celle-ci survient alors avant la régénération. » (*Praecessit voluntas, ideo praevenit et gratia regenerationem.*) A la volonté qui opère, la grâce ne fait donc que coopérer; sans guider le libre-arbitre, elle se contente de l'accompagner. La volonté s'affaiblit-elle, les décisions qui sauvent deviennent impossibles; et Fauste n'accordait aucune confiance à ces conversions *in extremis* où la grâce apparaît si impérieuse et la part de l'homme si ténue.

Tout de même que Cassien, Fauste était un très saint homme, qui à Riez se multipliait en œuvres de miséricorde. Sa vertu couvrit ses écrits : il mourut à la fin du Ve siècle sans qu'on l'eût inquiété. Enthousiasmées par les triomphes guerriers de l'orthodoxie franque, les Églises des Gaules pouvaient se croire enracinées dans la paix. Cependant, en 519, venus à Rome pour faire authentiquer leur nouvelle formule christologique [1], les moines scythes dénoncèrent au pape Hormisdas la doctrine de Fauste; l'évêque africain Possessor, alors

1. Il s'agit de la formule « Un de la Trinité a été crucifié », expression accréditée jadis par Pierre le Foulon, et de aveur monophysite; les moines scythes la patronnaient par crainte d'une réaction nestorienne après la paix d'Hormisdas. Voir *infra.*

exilé à Constantinople, joignit bientôt ses alarmes aux leurs. Hormisdas répondit pacifiquement que, si les écrits de Fauste ne faisaient point autorité, on pouvait toutefois les lire avec discrétion. Au reste, ajoutait-il, c'est saint Augustin qui demeure le docteur de la grâce.

Mais les moines scythes ne se tinrent pas tranquilles. Leur archimandrite Jean Maxence n'hésita pas à blâmer l'attitude équivoque du pape Hormisdas : comment autorisait-il la lecture d'un auteur sans oser l'approuver? Au surplus, en confrontant la doctrine de l'évêque d'Hippone avec celle de l'évêque de Riez, Maxence prouvait que celui-ci était hérétique. Ajoutons que les moines scythes avaient confié leurs inquiétudes aux prélats africains réfugiés en Sardaigne. Ils leur remirent un mémoire où la doctrine de la grâce s'appuyait sur saint Augustin ; dans l'anathème final, Fauste voisinait avec Pélage.

Émus, les Africains chargèrent saint Fulgence d'intervenir. Coup sur coup, il écrivit le *Liber de incarnatione et gratia,* les trois livres *Ad Monimum,* sept autres *Contra Faustum,* le *De Veritate praedestinationis et gratiae,* enfin, au nom de douze évêques consultés par les moines scythes, l'*Epistula XV.* Ne faut-il pas l'orthodoxie ardente et ombrageuse des Africains pour multiplier ainsi contre un adversaire condamné au silence du tombeau les réfutations passionnées? Sans doute contre les semi-pélagiens saint Fulgence avait-il raison d'établir que « pas une parcelle de l'œuvre du salut — fût-ce la première en date — ne se dérobe à la grâce » ; que notre volonté est impuissante à faire le bien, voire à le désirer ; que, récompense de nos efforts, le salut reste pourtant, d'un bout à l'autre, œuvre divine. Mais chez Fulgence l'augustinisme revêtait un aspect provocant, et jusqu'à affirmer que l'omnipotence céleste ne veut point sauver tous les hommes (*non ergo omnes homines vult salvos fieri*). En vain lui eût-on opposé la formule paulinienne du salut universel (I *Tim.*, II, 4) ; selon l'exégèse augustinienne, l'évêque de Ruspe expliquait qu'elle ne désigne que ceux qui sont rachetés effectivement ; tout au plus indiquerait-elle que les élus se recruteront dans toutes les nations, toutes les conditions, tous les âges. Prédestination totale sans doute, et certaine, mais enfin restreinte. Pour les réprouvés, leur abandon s'explique assez par le péché originel, et aussi par leur orgueil.

Comment formules aussi tranchantes n'eussent-elles point envenimé les débats théologiques ! La sainteté de Fulgence restait africaine et batailleuse. Il s'était bien assimilé la pensée du docteur d'Hippone, et jusqu'à mériter le surnom « d'abréviateur d'Augustin » (*Augustinus abbreviatus*) : bref, héritier éminent, un de ceux dont Bossuet dira « que les disciples de saint Augustin étaient les maîtres du monde ». Mais, en soulignant la dureté de certaines thèses, à une heure où les partis étaient déjà échauffés, il ne pouvait qu'entretenir la mésentente.

La sainteté de Césaire d'Arles demeurait plus pacifique. Formé à Lérins, mais pénétré ensuite de la doctrine augustinienne, il était tout préparé à comprendre quelles répugnances animaient les Provençaux à l'égard de formules trop peu humaines, et en même temps quelles nécessités d'orthodoxie exigeaient qu'on conservât en général l'enseignement du Maître. Que les antiaugustiniens ne fussent point irréprochables, rien de plus certain. Contre eux, au concile tenu à Valence[1], Cyprien de Toulon, délégué de Césaire, exhiba un mémoire où la nécessité de la grâce prévenante était soulignée. « Sans elle, disait-on, nul ne peut faire un seul pas dans les sentiers divins. »

1. L'antériorité du concile de Valence sur celui d'Orange n'est pas démontrée.

Augustinien « de stricte observance », Césaire désirait sur ces questions un formulaire net et clair. Il envoya à Félix IV un exposé intitulé *Capitula sancti Augustini in Urbe Romae transmissa*. De ces dix-neuf canons, le pape ne conserva que huit; reprenant l'attitude prudente adoptée l'autre siècle par saint Léon, il écarta les articles qui touchaient à la prédestination et à la réprobation. Par contre, sur la grâce il se montra fort explicite; à ces *capitula* il ajouta seize propositions empruntées aux sentences que Prosper avait extraites de saint Augustin. Après avoir fermé ce dossier par une profession doctrinale, saint Césaire l'alla porter aux quatorze Pères venus à Orange[1] pour la dédicace d'une basilique; sans difficulté, ils y souscrivirent.

Voici en résumé la teneur de ces *capitula*. Tout d'abord, le dogme du péché originel : « Le péché d'Adam n'a pas nui seulement au corps mais à l'âme de l'homme; pas seulement à son auteur, mais à sa postérité » (c. 1 et 2). Puis, à l'encontre des semi-pélagiens, la nécessité d'une grâce prévenante et concomitante pour tout acte surnaturel : « La grâce ne nous est pas concédée uniquement parce que nous la demandons, mais c'est elle qui fait que nous la demandons. — Dieu n'attend pas que nous désirions d'être purifiés du péché; mais c'est lui qui fait naître en nous le désir par le Saint-Esprit. — Le commencement de la foi, le penchant vers la foi est en nous l'œuvre de la grâce, et ne se produit pas naturellement comme la croissance. Si cette foi était naturelle en nous, tous ceux qui sont étrangers à l'Église du Christ devraient être appelés fidèles. — La grâce ne se contente pas de fortifier dans l'homme l'humilité et l'obéissance, mais c'est elle qui fait que l'homme est humble et obéissant. — Toutes les bonnes pensées et toutes les bonnes œuvres sont des présents divins. — Nous ne pouvons consacrer à Dieu rien que nous n'ayons déjà reçu de lui. — Ce que Dieu aime en nous est aussi un présent de Dieu. — Dieu fait dans l'homme beaucoup de bien sans la coopération de l'homme, mais l'homme ne peut pas faire de bien sans que Dieu ne lui accorde de le faire. » (*Can.*, 4, 5, 6, 7, 9, 11, 12, 20.) Autant d'apophtegmes où la grâce divine est exaltée et mise au premier plan, l'activité humaine reléguée à son humble place, coopérante sans doute, mais radicalement impuissante par elle-même dans l'ordre surnaturel.

Suivait une profession de foi où l'on condamnait avec le semi-pélagianisme l'hérésie contraire ou prédestinatianisme. « Après avoir reçu la grâce par le baptême, tous peuvent avec la coopération divine accomplir ce qui est nécessaire au salut de l'âme. Notre foi n'enseigne pas que certains soient prédestinés au mal par Dieu; mais lorsque quelqu'un a de si mauvaises croyances, nous lui disons avec indignation : anathème. »

Les quatorze évêques présents à Orange souscrivirent le formulaire, et avec eux les officiers laïques, notamment le patrice Libère. Pourtant une opposition éclata assez violente dans la province de Vienne : derrière les objections dogmatiques on pouvait deviner l'antagonisme d'une nationalité, celle des Burgondes, la rivalité d'un siège épiscopal envers un siège

1. Quelle fut l'occasion du concile d'Orange? D'après Malnory, il serait la conséquence du débat sur Fauste. Celui-ci aurait produit en France « une reviviscence des idées semi-pélagiennes, que Césaire aurait jugé prudent d'arrêter dans ses premiers symptômes, de concert avec le Saint-Siège ». Pour Lejay, se basant sur le récit du biographe de Césaire, le concile de Valence aurait été une manifestation théologique des évêques de la province de Vienne contre le trop puissant métropolitain d'Arles; à quoi celui-ci aurait répliqué par le concile d'Orange où son intégrité dogmatique et son autorité furent mises en un haut relief par la condamnation des erreurs semi-pélagiennes ambiantes. Pures hypothèses, en réalité, que ces origines données au concile d'Orange : son lien avec l'affaire de Fauste ou avec le concile de Valence ne s'impose pas. Il suffit de constater la situation telle qu'elle était : des tenants du semi-pélagianisme existaient encore en Gaule; gardien attitré de l'orthodoxie, Césaire était un augustinien convaincu; et voilà ce qui lui fit prendre l'offensive en s'appuyant sur le Saint-Siège. Ces faits sont certains; les autres enchaînements proposés restent problématiques. Voir : G. Fritz, art. *Orange,* dans *Dict. Théol.*

primatial, Vienne s'opposant à Arles. Mais les décisions d'Orange prenaient le bon chemin pour se faire authentiquer : celui de Rome. Le 25 janvier 531, le pape Boniface II y donnait son approbation, soulignant la nécessité de la grâce prévenante et concomitante : « Pour toute bonne œuvre, c'est la grâce divine qui nous prévient afin que nous voulions la faire lorsque nous ne la voulions pas, qui est en nous quand nous la voulons, et qui la suit afin que nous persévérions dans la foi. » Ainsi parlait saint Jean : « Nul ne peut venir à moi si le Père ne l'attire. » (VI, 44.)

Ce confirmatur pontifical donna au concile d'Orange une importance décisive. Vieux déjà de tout un siècle, le conflit semi-pélagien fut dirimé pour toujours, sans appel ; et ces canons signés seulement par quatorze Pères, mais venus de Rome et approuvés par Rome, acquirent une portée œcuménique.

A un succès si absolu, veut-on chercher quelque autre cause, on la trouvera dans la teneur même des formules où la vérité s'affirme, mais non point d'une manière irritante. Si le semi-pélagianisme fut réfuté copieusement, on évita — selon le sage conseil donné un siècle plus tôt par saint Léon — de remuer les questions éternellement obscures : petit nombre des élus, volonté salvifique de Dieu, prédestination ; on se contenta d'affirmer que tout fidèle peut, avec la grâce divine, parvenir à la vie éternelle (*possint, si voluerint*).

« Les générations précédentes de l'Église des Gaules, par les écrits mêmes où des erreurs s'étaient glissées, avaient obtenu qu'un rayon de bonté divine, propice à tous les hommes, baignât désormais d'une clarté plus douce la crudité des thèses augustiniennes : Césaire et le Saint-Siège, dans l'acte même par lequel ils consacraient ces thèses, laissaient tout son éclat à cette lumière d'espérance que le Christ, mourant pour tous les hommes, avait offerte à tous, et que nos grands moines du ve siècle n'avaient jamais accepté de laisser voiler. » On ne peut donner au semi-pélagianisme excuse plus valable que ne fait ainsi M. G. Goyau. Promue par des ascètes, cette hérésie voulut réhabiliter tout à la fois liberté humaine, vaillance humaine, et aussi bonté divine, à leurs yeux compromises : ils craignaient que l'augustinisme aboutît à un sombre déterminisme divin dont les âmes ne s'échapperaient que par l'indolence morale. Fils spirituels de Cassien, héritiers des moines égyptiens qui avaient étonné le monde en leurs austérités, ils voulaient sauvegarder par des principes théologiques cette même rigidité morale. Ramené à une juste compréhension de la sagesse augustinienne, qui n'était paradoxale que pour les interprètes infidèles, l'un d'eux, Césaire, avait rectifié rapidement, avec l'aide de Rome, leurs théories si longuement et si âprement discutées. L'Occident ecclésiastique reprenait sa face vraie et naturelle : il redevenait paisible. Il n'avait d'ailleurs discuté que sur des questions toutes pratiques malgré leur transcendance : il s'agissait de renseigner le confesseur et le pénitent.

Conversion de Clovis en 496, concile d'Orange en 529, étaient deux victoires décisives qui orientaient les Églises des Gaules vers une orthodoxie absolue : ni arianisme, ni semi-pélagianisme. Elles s'obtenaient, la première avec les armes de la royauté, la seconde par l'autorité irréfragable de la papauté.

CHAPITRE III

LES DÉBUTS DU CHRISTIANISME DANS LES PAYS CELTIQUES

I. En Grande-Bretagne. — C'est par l'île de Bretagne, devenue romaine dans le premier siècle de notre ère, que la foi chrétienne se répandit tout d'abord dans le monde celtique insulaire, et c'est des régions de l'île de Bretagne demeurées celtiques malgré la conquête romaine et ensuite malgré les premières incursions anglo-saxonnes, principalement du Pays de Galles de la *Dumnonia* et du Cornwall actuels, que le christianisme passa en Armorique avec une bonne partie de la population et ses zélés pasteurs aux ve et vi^e^ siècles.

Le fait positif le plus ancien de l'histoire ecclésiastique de la Grande-Bretagne est la présence de trois évêques de ce pays au concile d'Arles de l'an 314. Les premiers chrétiens de Bretagne furent des Romains venus à la suite des légions. Cependant l'un des évêques présents à Arles, Eborius, ou mieux Eburius, porte un nom dérivé d'un thème celtique. On retrouve plusieurs évêques bretons au concile de Rimini, en 359. L'année d'avant, saint Hilaire de Poitiers, exilé en Phrygie, dédie aux évêques des provinces bretonnes, en même temps

Christianisme dans les pays celtiques. — *SOURCES : Vitae sanctorum Hiberniae,* éd. C. Plummer (Oxonii, 1910); *Lives of Irish Saints*, éd. C. Plummer (Oxford, 1922); *Annals of Ulster*, éd. W. M. Hennessy et B. Mac Carthy (London, 1887-1901); Bède, *Historia Ecclesiastica gentis Anglorum,* éd. C. Plummer (Oxonii, 1896); *Liber Ardmachanus. The Book of Armagh,* éd. John Gwynn (Dublin, 1913); Hyacinthe Morice de Beaubois, *Mémoires pour servir de preuves à l'histoire ecclésiastique et civile de Bretagne* (Paris, 1742-1746); *Councils and ecclesiastical documents relating to Great Britain and Ireland,* éd. A. W. Haddan et W. Stubbs (Oxford, 1869-1878); James F. Kenney, *The sources of the early History of Ireland. — I. Ecclesiastical* (New-York, 1929); A. O. Anderson, *Early Sources of Scottish History* (Edinburgh, 1922). — *TRAVAUX :* Jacques Chevalier, *Essai sur la formation de la nationalité et les réveils religieux au Pays de Galles des origines à la fin du sixième siècle* (Lyon et Paris, 1923); F. Duine, *Inventaire liturgique de l'hagiographie bretonne* (Paris, 1922); Du même, *Mémento des sources historiques de Bretagne, V^e^-Xe siècles* (Rennes, 1918); Arthur le Moyne de la Borderie, *Histoire de Bretagne,* I-III (Rennes, 1896-1899); René Largillière, *Les saints et l'organisation chrétienne primitive dans l'Armorique bretonne* (Rennes, 1925); J. E. Lloyd, *A History of Wales from the earliest times to the Edwardian Conquest* (London, 1912); W. F. Skene, *Celtic Scotland* (Edinburgh, 1876); John Ryan, *Irish Monasticism* (Dublin et Cork, 1931). — La matière de ce chapitre a été traitée avec plus de détails dans *Les chrétientés celtiques* (Paris, 1911) et, encore plus amplement, dans *Christianity in Celtic Lands* (London, 1932).

Ce chapitre a été rédigé par Dom Louis Gougaud, moine bénédictin de l'abbaye de Saint-Michel de Farnborough.

qu'à des évêques du continent, son traité *De synodis*. Donc, au IVe siècle, l'existence d'une Église bretonne était un fait reconnu en Occident.

D'après Gildas, auteur du *De excidio et conquestu Britanniae* (composé avant l'an 547), les indigènes auraient, en général, accueilli sans enthousiasme (*tepide*) le christianisme. Il rapporte cependant que plusieurs martyrs versèrent leur sang pour le Christ et il cite les noms de saint Alban de Verulamium et des saints Aaron et Julius de Caerleon.

Les légions se retirèrent de l'île pendant la première décade du Ve siècle, et les invasions anglo-saxonnes commencèrent en 428. Gildas nous a laissé une peinture tragique des ravages accumulés par ces envahisseurs dans les chrétientés bretonnes : prêtres mis à mort, églises pillées et incendiées, autels profanés. Les populations furent réduites à se cacher dans les montagnes ou dans les anfractuosités du littoral, contraintes même de s'expatrier au delà des mers. Eddius, le biographe de saint Wilfrid, rapporte aussi que, dans diverses régions, le clergé breton, assailli par les armées ennemies, dut déserter les « lieux saints ».

A la fin du IVe siècle, il s'était produit des dissentiments assez graves parmi les évêques d'Outre-Manche, si bien que Victrice, évêque de Rouen († av. 409), fut invité à passer la mer pour rétablir la paix parmi eux. On ignore si ces dissentiments eurent pour origine des démêlés théologiques. Ce qui mit vraiment en péril l'intégrité de la foi, ce fut la diffusion, dans les chrétientés bretonnes, de l'hérésie de Pélage, dans la première moitié du Ve siècle.

II. Les missions de saint Germain d'Auxerre. — Les témoignages des contemporains ne permettent pas de fixer avec certitude la patrie de Pélage; certains le donnent comme Breton, d'autres en font un Irlandais. On a cherché à concilier ces témoignages divergents en disant qu'il naquit en Bretagne insulaire, mais de parents appartenant à une colonie gaélique fixée dans ce pays.

Ayant quitté sa patrie et s'étant fait moine, Pélage, on le sait, voyagea beaucoup, séjournant à Rome, en Sicile, en Afrique, en Orient. Il ne revint probablement jamais dans sa patrie; mais plusieurs de ses compatriotes, notamment l'évêque Fastidius, se laissèrent séduire par ses doctrines. Introduite en Grande-Bretagne par un certain Agricola, fils d'un autre évêque pélagien, Severianus, l'hérésie y fit de si rapides progrès que les orthodoxes, ne se sentant plus assez forts pour la combattre par eux-mêmes, demandèrent du secours à l'Église de Gaule. C'est alors qu'un synode désigna Germain, évêque d'Auxerre, comme le plus propre à ramener les Bretons pélagiens à l'orthodoxie. Il semble que, sur la demande du diacre Palladius, le pape Célestin ait tenu à confirmer lui-même dans sa mission l'évêque choisi. Saint Loup de Troyes lui fut adjoint. Les deux évêques s'acquittèrent de leur tâche avec un zèle remarquable. Ils ramenèrent beaucoup d'égarés dans le droit sentier.

Cette première mission dura de 429 à 431. Mais, après le départ des évêques gaulois, l'hérésie releva la tête. Saint Germain fut obligé de repasser une seconde fois la Manche, une quinzaine d'années plus tard (446-447). Il fut alors accompagné d'un évêque du nom de Sévère, dont Constance, le biographe de Germain, n'indique pas le siège, mais que Bède donne comme l'évêque de Trèves de ce nom.

Le pélagianisme ne survécut pas à cette nouvelle campagne. Gildas, qui écrit au siècle suivant, ne fait en aucune manière allusion à cette hérésie, qui fut pourtant en quelque sorte l'hérésie nationale des Bretons.

Germain semble avoir produit une impression considérable sur les chrétiens des Iles Britanniques, qui vouèrent à sa mémoire un culte durable et le mêlèrent à leurs légendes.

A une date inconnue, antérieure au temps où Germain accomplissait sa première mission, un Breton, instruit à Rome dans la foi et les lettres sacrées, traversait la Gaule, puis la Bretagne méridionale, pour venir porter aux populations du Nord, principalement aux Pictes de Galloway, les lumières de l'Évangile : c'était Ninian.

Ce saint évêque établit son siège dans la presqu'île de Galloway, en un lieu qui reçut, à cause de l'éclat des pierres qu'il employa pour édifier son église, le nom de *Candida Casa* (Whithorn, dans le Wigtownshire). C'était une rareté, chez les Celtes, qu'une église de pierre. Longtemps ils se contentèrent de rustiques oratoires faits de clayonnages, de rondins ou de planches. Cette église fut placée par Ninian sous le vocable de saint Martin de Tours.

III. L'Irlande avant saint Patrice. — Le christianisme ayant pénétré, aux environs de l'an 400, jusqu'au golfe de Solway et aux bords de la Clyde, il serait surprenant que l'Irlande, si voisine de la Bretagne, fût demeurée jusque vers 430, privée de toute influence chrétienne. Les relations commerciales des Scots d'Érin avec les Bretons et avec les peuples du continent européen, leurs incursions armées à l'étranger, les établissements de colonies gaéliques en Grande-Bretagne, la traite des esclaves, alors très active, et la guerre, qui jetaient sur les côtes d'Hibernie des captifs dont beaucoup étaient chrétiens, voilà autant d'occasions favorables à la propagation de peuple à peuple, d'individu à individu, de la religion chrétienne. Mais, au surplus, nous disposons de textes formels pour établir cette propagation.

D'un passage au moins de la *Confession* de saint Patrice, œuvre dont l'authenticité est admise aujourd'hui par presque tous les critiques, il ressort que des missionnaires avaient précédé ce saint apôtre en certaines régions de l'Irlande, puisqu'il parle expressément de certaines autres régions où nul n'était parvenu avant lui pour baptiser, ni pour ordonner des clercs, ni pour confirmer. Les deux plus anciens biographes du même saint, Muirchu et Tirechan (dernier quart du VIIe siècle) conduisent à la même conclusion. Mais aucun témoignage n'est plus catégorique que celui du chroniqueur Prosper d'Aquitaine, d'après lequel le pape saint Célestin envoya, en 431, aux Scots (c'était alors le nom des habitants de l'Irlande), « qui croyaient dans le Christ » (*ad Scottos in Christum credentes*), comme premier évêque, Palladius, ordonné par lui. L'envoi d'un évêque par le pape en Irlande laisse supposer qu'il existait, dans le pays, des communautés chrétiennes d'une certaine importance. Mais il faut aussi tenir compte d'un autre texte, où Prosper dit, à la louange de saint Célestin, que ce pape s'appliqua, d'une part, à conserver catholique l'île romaine, faisant ici allusion à la mission antipélagienne de saint Germain en Grande-Bretagne et, d'autre part, à christianiser l'île « barbare », c'est-à dire l'Irlande : *dum Romanam insulam studet servare catholicam, fecit etiam barbaram christianam.* La nécessité de christianiser l'île « barbare » des Scots prouve assez qu'elle n'avait encore fait que de bien faibles progrès dans la foi.

C'est, aussi bien, l'impression qui résulte des écrits de saint Patrice. Il montre le paganisme régnant encore en maître dans l'Irlande de son temps, c'est-à-dire dans la seconde moitié du Ve siècle, époque à laquelle il écrit. Il habite, dit-il, parmi les « gentils », au milieu de païens barbares, adorateurs d'idoles et de choses immondes.

Cependant ce serait une grave erreur que de prétendre avec Zimmer qu'en l'an 431 l'œuvre de la conversion de l'île était déjà bien avancée. Entre tous ceux qui travaillèrent à l'établissement du christianisme en Irlande, saint Patrice, dont la carrière fut si extraordinaire, si ardue et si féconde, demeure le grand apôtre du pays.

IV. L'œuvre apostolique de saint Patrice. — Né en Grande-Bretagne dans le dernier quart du IVe siècle, Patrice fut, à l'âge d'environ seize ans, pris par des pirates qui l'emmenèrent en Irlande. Pendant sa captivité, qui dura six ans, il acquit la connaissance de la langue des Scots, qui devait lui être, un jour, indispensable. Étant revenu dans son pays après d'étranges aventures, il y entendit des voix mystérieuses qui le déterminèrent à se préparer à la carrière de missionnaire pour évangéliser l'Irlande. C'est à Lérins et en divers autres lieux du continent, notamment à Auxerre, qu'il reçut sa formation. La nouvelle de la mort prématurée de Palladius étant parvenue en Gaule, Patrice reçut la consécration épiscopale, probablement des mains de saint Germain d'Auxerre, qui venait d'achever sa première campagne en Bretagne, et il fit voile immédiatement pour l'Irlande (432).

L'évangélisation du pays fut extrêmement laborieuse. L'apôtre eut particulièrement à lutter contre les druides, magiciens aux machinations redoutables qui exerçaient une très grande influence dans l'île. Elle était alors divisée en un très grand nombre de petits états ayant, chacun, un roi à sa tête. Au-dessus de ces petits rois il y avait les rois chefs des grandes provinces, d'abord au nombre de cinq puis de sept, et, au-dessus de tous les rois du pays, le roi suprême. A l'arrivée de Patrice, le roi suprême d'Irlande était Loegaire, fils de Niall aux neuf Otages, qui resta fidèle à ses druides et au culte des ancêtres. Mais deux filles du roi embrassèrent la foi chrétienne, elles furent catéchisées et baptisées par Patrice.

Le missionnaire sillonna toutes les provinces, prenant partout des multitudes d'âmes dans ses filets, mais c'est de beaucoup sur son activité et ses fondations d'Églises dans le Meath, l'Airgialla, l'Ailech et le Connacht, c'est-à-dire dans la partie nord de l'île, que nous sommes le mieux renseignés par ses propres écrits et surtout par ceux des hagiographes Tirechan et Muirchu. Il eut des auxiliaires de diverses nationalités : Tirechan parle de Gaulois et de Francs. Un texte du VIIIe siècle, le *Catalogus sanctorum Hiberniae,* mentionne, en outre, des Romains, des Bretons et des Scots. Mochta, que Patrice établit à Ardpatrick, à l'est de Louth, était originaire de l'île de Bretagne. La nationalité d'Auxilius, commémoré à Killossy, près de Naas, est inconnue. Iserninus, autre grand collaborateur du saint, était Scot, son nom irlandais étant Fith. Parmi les autres indigènes que Patrice associa à son œuvre, il faut nommer Benen (Benignus), qui lui succéda sur le siège d'Armagh, et Fiacc, évêque de Slébte (Sletty).

Le siège d'Armagh fut fondé, à ce que l'on croit, en 444. Il était destiné à devenir plus tard le siège primatial de l'Irlande. Le grand apôtre national mourut, croit-on, en l'an 461. On sait quel culte les Irlandais ont voué à sa mémoire. Pour avoir annexé l'île des Scots au royaume de Dieu, parmi tant de traverses et de tribulations, avec un héroïsme surnaturel inégalé, son peuple l'a honoré et béni à travers les âges comme aucun autre apôtre national ne l'a été.

V. Le monachisme en Bretagne et en Irlande. — Dès ces temps primitifs on peut apercevoir les premiers linéaments des institutions monastiques dans cette terre qui allait être appelée « l'île des saints ». Tirechan parle de « moines de Patrice », et celui-ci dit lui-même : « Les fils des Scots et les filles des rois devenus moines et vierges du Christ, je ne puis les énumérer. » On ne connaît, en Bretagne, aucun monastère dont l'existence remonte à des temps si anciens, mais, aux VIe et VIIe siècles, le monachisme est extrêmement florissant dans les deux îles. D'où vinrent les semences qui, si rapidement, donnèrent de si belles fleurs et de si beaux fruits?

On sait que saint Athanase, qui était fort au courant des usages monastiques de l'Orient, fut exilé, une première fois, à Trèves, en 336-337. Il n'avait pas encore écrit sa *Vie de Saint Antoine*, qu'il ne composa probablement que durant son troisième exil dans la Haute-Égypte, entre 356 et 362. Cet ouvrage fut écrit à la demande des moines d'Occident et leur fut dédié. Il fascina ses lecteurs et contribua puissamment à l'éclosion de la vie religieuse dans nos régions. Son influence se fit-elle sentir jusqu'en Bretagne?

L'*Epistola ad Jovianum de fide* d'Athanase nous apprend que le saint était renseigné sur l'état doctrinal de l'Église bretonne. Rouen possédait, à la fin du IVe siècle, un monastère d'hommes et un *chorus virginum*. Il est possible, d'après un historien de saint Victrice, que ce soit à Trèves que l'évêque rouennais ait emprunté la règle de ses moines. Peut-être Victrice apporta-t-il, lui-même, en Grande-Bretagne quelques germes de ce monachisme issu des enseignements de saint Athanase.

Les longs voyages n'effrayaient pas les Bretons. Au temps de saint Jérôme, ils entreprenaient volontiers le pèlerinage des lieux saints. Or, un pèlerinage de cette nature comportait ordinairement, soit à l'aller, soit au retour, une excursion chez les solitaires d'Égypte, dont la vie angélique émerveillait l'Occident. D'ailleurs, la Palestine était, elle-même, riche en monastères. Saint Siméon Stylite, « ce miracle de l'univers », comme l'appelle Cyrille de Scythopolis, attira aussi au pied de sa colonne, entre autres étrangers, de nombreux Bretons. C'est Théodoret de Cyr, qui écrivait du vivant même du stylite, qui nous l'apprend.

Voilà bien des occasions de contact entre gens de l'Occident et Orientaux, sans parler des voyages qui se sont accomplis sans laisser aucune trace dans l'histoire.

Les missions de saint Germain d'Auxerre n'eurent pas pour unique résultat de ramener l'Église bretonne à l'orthodoxie, elles contribuèrent, de plus, au développement du monachisme en Bretagne. Un document du VIIIe siècle lui attribue, ainsi qu'à saint Loup de Troyes, l'introduction du *cursus* de Lérins dans les îles. A la différence de son compagnon, Germain n'avait pas été moine, mais sous l'influence de Trèves, de Lérins et de Tours, le monachisme avait fait de si remarquables progrès en Gaule de son temps qu'il est vraisemblable qu'il aura essayé d'en assurer aussi le développement au delà de la Manche. De fait, le biographe de saint Samson parle d'un monastère gallois qui passait pour avoir été fondé par Germain. Le même auteur rapporte que l'évêque gaulois aurait ordonné prêtre, sans doute lors de son second voyage (447), Illtud, *egregius magister Britannorum,* qui eut pour disciples les saints Samson, Paul Aurélien, et, peut-être, Gildas, lesquels devaient, dans la suite, — au moins les deux premiers, — passer en Armorique, et, peut-être encore, saint David.

L'action de David paraît avoir été fort puissante. Il demeure le grand saint national de Galles. Maintes églises de ce pays sont encore placées sous le vocable de Dewi Sant. Il fonda le siège de Mynyw (vieux gallois, *Moniu*, latin, *Menevia*) sur un âpre promontoire qui domine la mer d'Irlande, dans un site sauvage, grandiose, mieux approprié à la vie contemplative des moines qu'aux nécessités d'un siège épiscopal.

Saint Cadoc fut un autre grand moine breton du VIe siècle. Formé par un maître scot, il passa en Irlande, où il recruta des disciples, entre autres Finnian de Clonard. Rentré dans son pays, il fonda le monastère de Llancarvan (ou Nantcarvan).

Dans ces cloîtres bretons on priait, on pratiquait une vie ascétique rigoureuse et l'on cultivait les lettres profanes et sacrées. Le travail manuel entrait aussi pour une bonne part dans les occupations du moine.

Au commencement du VIIe siècle, le monastère de Bangor-is-Coed, sur la Dee, non loin

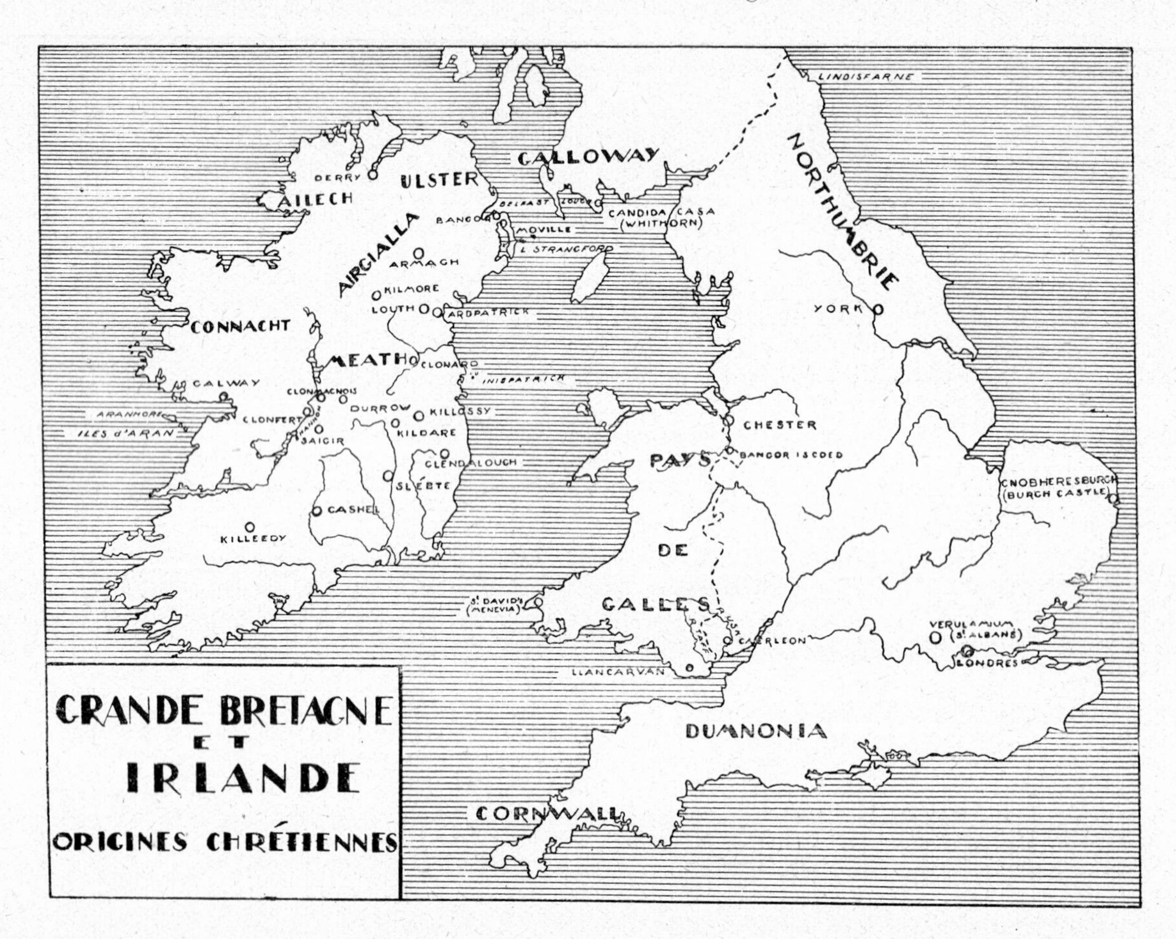

de Chester, passait pour le plus célèbre du pays breton. Il avait pour abbé, Dinoot, qui prit part aux négociations entre les tenants des usages celtiques, dont il était, et saint Augustin de Cantorbéry, le porte-voix de Rome et l'apôtre des Anglo-Saxons. Le Vénérable Bède rapporte que le personnel de Bangor comprenait sept divisions claustrales, chacune d'au moins trois cents moines, ayant à sa tête des prévôts. Tous vivaient du travail de leurs mains.

Quant à l'Irlande, nous avons vu que, dès le temps de saint Patrice, un grand nombre de baptisés, à peine régénérés au contact des eaux sacramentelles, se sentirent attirés dans les voies des conseils évangéliques. Devenus chrétiens, c'est à l'intégralité du christianisme que leur sainte ardeur les entraîna sans retard. Une vigoureuse poussée d'ascétisme se produisit chez ces convertis. « La première ardeur de la foi, a écrit très justement Frédéric Ozanam, qui partout ailleurs conduisait les chrétiens au martyre, poussait les néophytes irlandais au monastère. »

Le monastère de Killeany (Cell Enda), situé dans la principale des îles d'Aran (baie de Galway), passe pour le plus ancien de ces grands centres religieux qui firent le renom de l'Irlande dans le haut moyen âge. Son fondateur fut saint Enda († vers 530), chef d'une tribu puissante. Une fois baptisé, Enda se serait rendu à Candida Casa, puis, ayant obtenu Aranmore du roi de Cashel, y aurait ouvert un monastère qui s'emplit bientôt de disciples de choix. Au nombre de ceux-ci on vit Brendan de Clonfert, saint Ciaran de Clonmacnois, saint Finnian de Moville et saint Columba d'Iona, tous futurs fondateurs de nouvelles abbayes, tous inscrits par l'auteur du VIIIe siècle au catalogue des grands saints d'Irlande.

Saint Finnian passa la mer pour venir se mettre à l'école de saint David et de saint Cadoc. Il revint en Irlande accompagné de disciples bretons. Sa principale fondation fut Clonard, dans le Meath, qui fut, tout à la fois, comme toutes ces grandes colonies religieuses, un monastère et une école très célèbres.

L'abbaye de Moville (Magh Bile), qui s'élevait au nord du Strangford Lough, dans l'Ulster, fut fondée vers 540 par l'autre Finnian († 589), déjà nommé parmi les élèves de saint Enda d'Aranmore. Il était, comme son maître, de descendance princière. Comme lui, il aurait aussi passé quelque temps à Candida Casa.

Formé à Clonard et à Aranmore, saint Ciaran, dit « le fils du charpentier », établit plusieurs monastères dont Clonmacnois, le plus célèbre, sur la rive gauche du Shannon (544 ou 548). Il ne survécut pas longtemps, mais son monastère prospéra pendant plusieurs siècles.

Nous ne pouvons retracer les origines de tous les grands monastères insulaires. Il faut cependant mentionner encore Derry et Durrow, fondés par saint Columba (ou Columcille) avant son départ pour l'île d'Iona, d'où partirent des essaims de moines-missionnaires pour Lindisfarne et la Northumbrie ; Glendalough, fondé par saint Coemgen (ou Kevin) († 618 ou 622) ; Clonfert, fondé par saint Brendan le Navigateur († 577 ou 583), dont les odyssées, racontées sous diverses formes, ont charmé le moyen âge ; enfin Bangor, construit par saint Comgall († 602) au nord de Moville, sur le rivage septentrional du Belfast Lough. C'est de là que sortirent saint Colomban, qui devait tant faire pour le développement de la vie monastique sur le continent, et saint Gall, dont le nom est devenu celui d'une des plus célèbres abbayes du moyen âge et d'un canton de la Suisse.

On voit par ce qui vient d'être dit que l'Irlande monastique entretint de constants rapports avec la Bretagne. Les deux pays s'aidèrent mutuellement à progresser dans la vie religieuse. Saint Cadoc de Llancarvan eut, on s'en souvient, un maître irlandais. Il passa, en outre, plusieurs années en Irlande ; il demeura notamment trois ans à Lismore « jusqu'à ce qu'il eût acquis la perfection du savoir de l'Occident ». Cybi, un autre Gallois, vécut quatre ans à Aranmore sous la discipline de saint Enda. Saint Samson demeura moins longtemps dans l'île ; il s'y rendit avec des Scots très instruits qui revenaient de Rome. Mais Cadoc, David de Menevia et Gildas exercèrent une action capitale sur le monachisme et la liturgie de l'Irlande.

A l'époque du grand épanouissement de la vie religieuse dans ce pays on constate l'existence de grandes fédérations monastiques, ayant à leur tête de puissants abbés, qui exerçaient leur juridiction dans toute l'étendue de la *parochia*. Bon nombre de ces abbés étaient évêques. De diocèses épiscopaux, on ne trouve aucune trace à cette époque. Les évêques non-abbés étaient certes honorés, mais cependant relégués au second plan.

Un grand nombre de ces monastères irlandais furent à la fois de remarquables écoles d'ascétisme et des centres d'études, qui attirèrent beaucoup d'étudiants indigènes et étrangers. La science des Saintes Écritures y était notamment enseignée avec éclat. Il en sortit des moines, des missionnaires, des savants qui rendirent le nom irlandais fameux dans toute l'Europe occidentale sous les Mérovingiens et les Carolingiens.

La vierge irlandaise la plus connue est sainte Brigide, abbesse de Kildare. Il exista beaucoup d'autres monastères de femmes; ceux de Moninne (Monenna, Darerca) à Killeevy et d'Ita à Killeedy acquirent une particulière réputation.

VII. Les commencements de la chrétienté armoricaine. — Dans la mesure où l'on peut se fier aux sources assez troubles de Gildas et de Nennius, on est amené à croire que les Bretons tinrent tête assez longtemps aux envahisseurs anglo-saxons. Ces deux auteurs parlent notamment d'une éclatante victoire que les Bretons auraient remportée (en 516, d'après les *Annales Cambriae*) sur leurs adversaires en un lieu, non encore identifié, appelé le mont Badon. Cette victoire fut suivie d'une période d'accalmie, qui durait encore au temps où Gildas rédigeait son ouvrage (avant 547). Même en tenant compte des exagérations de cet écrivain déclamatoire et outrancier, il est impossible de ne pas croire que la réalité des choses ne lui ait fourni quelque raison de charger de sombres couleurs le tableau qu'il trace de la Bretagne de son temps : luttes acharnées, calamités matérielles et déchéances morales, abus de l'autorité civile et ecclésiastique, dévastation et dépeuplement du territoire. Ainsi on a constaté qu'un grand nombre d'habitants de la *Dumnonia* orientale (la *Dumnonia* comprenait le Devonshire actuel et le Cornwall) émigrèrent en Armorique dans la première moitié du VIe siècle ou même auparavant, s'installant dans la partie nord de la péninsule, qui prit dès lors le nom de Domnonée. Ce serait donc plutôt la menace de l'invasion saxonne que l'occupation même de leur pays qui aurait poussé les populations bretonnes de *Dumnonia*, de Cornwall, de Galles et d'ailleurs, à chercher un refuge au delà des mers. Les autres malheurs du pays décrits par Gildas ne furent pas étrangers non plus à cet exode. Pris entre les Saxons, qui s'avançaient de l'Est, et les pirates scots et pictes, qui, d'Irlande ou du nord de l'île d'Albion, fondaient fréquemment sur leurs rivages, les infortunés Bretons abandonnèrent en gémissant leur pays. « *Alii transmarinas petebant regiones cum ululatu magno*, dit Gildas toujours emphatique, *ceu celeumatis vice hoc modo sub velorum sinibus cantantes : Dedisti nos tanquam oves escarum et in gentibus dispersisti nos.* » Quelques fugitifs allèrent se fixer jusqu'en Galice; quelques bandes cinglèrent même vers la *Scotia* (Irlande), « terre pourtant ennemie », remarque un auteur armoricain. Mais les flottilles les plus nombreuses abordèrent aux rives d'Armorique.

A l'époque où les premières bandes d'émigrants débarquèrent, le *tractus Armoricanus* était, comme tout le reste de la Gaule, soumis à la domination romaine. Administrativement, il faisait partie de la IIIe Lyonnaise. Cinq cités gallo-romaines se partageaient ce territoire, celles des *Namnetes* (pays de Nantes), des *Redones* (pays de Rennes), des *Veneti* (pays de Vannes), des *Curiosolites* (ou mieux *Coriosopites*) et celle des *Osismi*.

Le martyre des enfants nantais, Donatien et Rogatien, vers 288, est l'événement le plus ancien de l'histoire chrétienne dans la région armoricaine. De saint Clair, en qui l'Église de Nantes salue son premier évêque, on ne sait rien. Le pontife Similien paraît avoir vécu dans la seconde moitié du IVe siècle. Eumelius, évêque de Nantes, est peut-être identique à l'Eumerius qui figure, en 374, au concile de Valence sur le Rhône. Eusebius, évêque du même siège, se rend au concile de Tours de 461.

En dehors de la cité des *Namnetes,* deux autres cités, celle des *Redones* (Rennes) et celle des *Veneti* (Vannes), étaient sûrement pourvues de sièges épiscopaux au moment de l'arrivée des Bretons. Saint Patern fut consacré évêque de Vannes au concile qui se réunit dans cette ville, sous la présidence de Perpetuus, métropolitain de Tours, vers 465. Patern est un Gallo-Romain, non point un Breton. Ses relations avec le prétendu chef breton Caradoc Breichbras sont fabuleuses. Au reste, Patern ne fut pas le premier évêque de Vannes.

Certains historiens croient même que les deux autres *civitates* mentionnées dans la *Notitia Galliarum,* celle des *Coriosopites*, et celle des *Osismi*, étaient également pourvues, chacune, d'un siège épiscopal dès avant la fin de la période romaine. Mais où étaient établis ces sièges? On ne saurait le dire. A l'époque bretonne quatre évêchés furent établis sur les territoires de ces deux *civitates,* à Quimper, Léon, Tréguier et Saint-Brieuc. Les origines du siège de Quimper sont très obscures. Sur saint Corentin, que l'on regarde comme son premier titulaire, nous ne possédons, en dehors de quelques simples mentions de son nom dans d'anciennes litanies, que des textes de très basse époque, manifestement erronés.

Paul Aurélien, originaire de Galles, établit un premier monastère dans l'île d'Ouessant, où il débarqua, puis un autre sur le continent, à Lampaul en Ploudalmézeau (*Lanna Pauli in plebe Telmedoviae*), puis un troisième dans l'île de Batz. Il fut le premier évêque du Léon. On place vers 530 la fondation de Castel-Pol, qui devint plus tard la petite ville de Saint-Pol-de-Léon.

La *Vita prima Samsonis,* qui fut écrite soixante ans environ après la mort du saint, arrivée vers 565, nous apprend que Samson était déjà évêque (non diocésain) et abbé avant de franchir la Manche. En Armorique, il fonda le monastère de Dol. Sous les rois Nominoé et Salomon, Dol deviendra le siège le plus important de Bretagne, Festinien, contemporain du pape Nicolas Ier, et ses successeurs s'arrogeant le titre de « métropolitain », revendiquant le pallium et refusant, pendant plus de trois siècles, de se placer sous la juridiction du métropolitain de Tours.

Le premier occupant du siège le plus proche, celui d'Alet, sur les bords de la Rance, aurait été saint Malo. On ne saurait dire si le fondateur vécut au VIe ou au VIIe siècle. Le grand monastère de la *parochia* d'Alet s'élevait à Saint-Méen, dans le Poutrocoët, ou « région située au delà de la forêt ».

La *Chronique de Nantes* (composée entre 1050 et 1059), qui donne encore à Dol la dénomination de *monasterium Doli,* appelle Saint-Brieuc *monasterium Brioci* et Tréguier *monasterium Sancti Tutualis Pabut*. Le monastère construit par saint Brieuc sur le Gouët au champ du Rouvre fut le noyau de la ville qui porte maintenant son nom. Celui de Tudual, moine originaire, comme saint Brieuc, de Grande-Bretagne, devint l'évêché de Tréguier, en breton Lan-Dreger, qu'une Vie de saint Cunwal du XIe siècle appelle encore *monasterium Cunuali episcopi*. Plusieurs des cités épiscopales bretonnes semblent donc avoir été, à l'origine, des abbayes-évêchés.

Parmi les grands monastères qui n'ont jamais été sièges d'évêchés on peut citer, outre

Saint-Méen, Landévennec, fondé par saint Guénolé, à la fin du ve siècle, à l'embouchure de l'Aulne, Ruis dans le Vannetais, dont les origines sont obscures, et l'abbaye de saint Conwoïon à Redon, qui ne fut fondée que vers 832.

La péninsule armoricaine était parsemée de monastères de moindre importance (*lann*) et d'ermitages avec oratoire ou chapelle (*loc*). Le mot *lann* aurait eu dans les pays celtiques le sens primitif de « lieu enclos ». En Bretagne, il a encore souvent eu le sens d'église, de chapelle.

Il n'y a pas de noms de lieu en *loc* (du lat. *locus*) en Galles, ni en Cornwall. En Bretagne,

les *loc* sont postérieurs au xe siècle, et ils n'apparaissent qu'en Basse-Bretagne. Le terme *loc* est toujours suivi d'un nom de saint. Il n'y a qu'une exception Locminé (*Loc-menech; locus monachorum*). Mais les éponymes des noms de lieu en *loc-* ne sont pas des saints dont le culte est ancien en Bretagne, et ils ne peuvent en aucune façon servir à éclairer l'histoire des origines du christianisme dans la péninsule.

Par contre, le terme *plou* (du latin *plebem*) est d'une importance capitale en hagio-toponomastique bretonne, comme l'ont montré les belles recherches de feu René Largillière. Cet auteur a démontré que le terme *plou-* désigne toujours le territoire d'une paroisse, et d'une paroisse primitive remontant au début de l'organisation de la vie religieuse dans le pays. En Galles, *plwyv* a encore aujourd'hui le sens de « paroisse ».

Le terme *plou-* est suivi d'un nom commun (Plougastel, Pléchâtel : *plebs castelli;* Plescop : *plebs episcopi*), ou bien d'un adjectif (Plémeur : grande paroisse ; Plounévez, Pléneuf : paroisse neuve) ; mais beaucoup plus souvent il est associé à un nom de saint. Plestin, par exemple, a pour éponyme saint Gestin ; Pleucadeuc, saint Cadoc ; Ploërmel, saint Armel. Le nom propre est très souvent celui d'un saint fort obscur, d'un humble missionnaire dont aucun document écrit n'a conservé le souvenir. Ce modeste ouvrier dans la vigne du Seigneur doit être néanmoins considéré comme le vrai organisateur de la paroisse, qui, actuellement encore, porte son nom.

Les noms de lieu en *plou-* se trouvent dans presque toute la Bretagne ; ils se sont même conservés dans la zone française, d'où la langue bretonne s'est depuis longtemps retirée.

Le mot *tré-* désigne un hameau. Parfois, lorsque le hameau possédait une chapelle, cette chapelle a été érigée en église succursale, et ainsi le hameau et le territoire voisin ont constitué une « trêve » au sens ecclésiastique du mot.

Ces églises paroissiales ou trêviales, ces chapelles de *lann* et de *loc,* qui, à travers les âges, ont perpétué le souvenir du pasteur primitif, sont restées chères à la piété du peuple breton. Les fidèles y accourent, le jour de la fête du saint local, pour y gagner l'indulgence du « pardon ».

Au IXe siècle, on voit, non seulement des chapelles, mais même quelques églises paroissiales devenues, en Bretagne, — en bien moins grand nombre toutefois que dans le reste de la Gaule — la propriété privée de laïques.

Tel est le tableau qu'on peut tracer de l'organisation ecclésiastique en Bretagne durant le haut moyen âge, soit à l'aide des documents écrits qui se sont conservés, soit en utilisant les données fournies par l'étude de la toponymie. Concluons avec René Largillière : « Les prêtres qui venaient de l'île de Bretagne trouvaient en Armorique un terrain vierge, une population absolument flottante, qui n'était qu'à peine installée et n'avait encore aucune organisation. Aucune autorité locale antérieure ne s'est imposée à eux ; ils ont agi en toute indépendance, fondant des paroisses là où cela leur semblait nécessaire, sans attendre que l'évêque y établisse une église rurale et ne les délègue pour l'exercice du culte en ce lieu. La situation est donc toute différente de celle de la Gaule, où les églises rurales sont des succursales de l'église baptismale primitive établie au chef-lieu de la *civitas.* En Armorique, il n'y a pas d'églises rurales filiales de l'église urbaine, les églises sont toutes des églises rurales, indépendantes, contemporaines. »

LIVRE XIII

L'ÉGLISE SOUS LA DYNASTIE JUSTINIENNE

CHAPITRE PREMIER

LES DÉBUTS DE JUSTINIEN

I. La politique religieuse de Justinien. — Justinien est un chrétien des plus sérieux, et qui fait passer ses convictions dans sa vie privée. Il croit véritablement à l'aide divine : choisi par Dieu, il compte sur lui pour triompher de tous les obstacles. Lui, l'empereur aux desseins ambitieux et universels, il a des formules humbles et confiantes, telles que sur les lèvres d'un moine : « La chose semblait difficile, impossible, dit-il en parlant de sa grande œuvre législative; mais ayant levé les mains au Ciel et invoqué son appui, nous avons retrouvé le calme, confiant en Dieu qui, par sa puissance, peut faire aboutir les entreprises les plus désespérées. » De même pour ses projets guerriers : « Ce n'est point dans les armes que nous avons confiance, ni dans les soldats, ni dans les généraux, ni dans notre propre génie, mais nous rapportons toute notre espérance à la providence de la sainte Trinité. »

Justinien s'inscrit donc résolument comme le champion de Dieu. En quoi consiste son métier de basileus? A assurer partout l'unité de foi autant qu'à restaurer les droits historiques du vieil empire romain. Aussi voudrait-il tout à la fois chasser les hérétiques de ses domaines, ou bien les convertir, et au dehors conquérir les royaumes ariens et les terres éloignées encore au pouvoir des infidèles. But immense offert à sa piété et à ses ambitions, et qu'il poursuivra avec un enthousiasme de croisé.

A ces motifs religieux sincères, d'autres s'ajoutent, politiques et plus intéressés. Sentiment traditionnel chez les basileis que défendre la foi est une prérogative impériale, un héritage dynastique, volonté d'établir sur l'unité de croyance l'universelle entente selon cette nette et brève formule « un État, une Loi, une Église », persuasion absolue que tout relève du prince, le spirituel ainsi que le temporel, l'administration ecclésiastique comme la civile, nécessité

Justinien (Bibliographie générale). — Bury, *A History of the Later Roman Empire,* vol. I, Londres, 1923. — Diehl, *Justinien et la civilisation byzantine au VIe siècle*, 1901. — W. G. Holmes, *The age of Justinian and Theodora*, 2 vol., Londres, 1912.

Sur Théodora : Diehl, *Théodora, impératrice de Byzance,* 1904; *Figures byzantines,* I, p. 51-75. — H. Stadelmann, *Theodora von Byzanz,* Dresden, 1926. — E. Grimbert, *Theodora. Die Tänzerin auf dem Kaiserthron*, München, 1928

Pour une vue d'ensemble : A. A. Vasiliev, *Histoire de l'Empire byzantin* (trad. franç. par P. Brodin et A. Bourguina), 1932.

sentie de remédier aux scissions religieuses déjà profondes, et qui menacent d'aboutir quelque jour à des schismes politiques très graves, autant de raisons qui inspiraient à l'empereur d'intervenir partout dans les questions d'Église.

Un faux principe, legs du paganisme et de l'arianisme, et qu'il exploite à fond, vicie sa politique religieuse. Sans doute, reconnaît-il dans le pape « le chef de toutes les saintes Églises » et appelle-t-il Rome « la source du sacerdoce ». Mais l'inflexible politique lui fait

JUSTINIEN.
(Mosaïque de Saint-Vital, Ravenne.)

voir dans le Pontife suprême le premier des agents religieux qui doivent servir à l'exécution de ses ordres; il devra plier coûte que coûte. « Sois de mon avis, dit-il à Agapet, ou je t'exile. » Et celui-ci de répliquer : « Je suis venu à Constantinople croyant trouver Constantin, et me voilà en face de Dioclétien. » Pareille réplique n'est point forcée : simple constatation d'un fait. Cet absolutisme universel attribué à l'empereur *Summus Pontifex* est le même qui provoqua t jadis les décrets persécuteurs, et qui maintenant fait de Justinien l'adversaire de quiconque — fût-il pape — contrecarre sa politique religieuse. La piété restera sauve d'ailleurs [1], même aux jours de guerre ouverte, et on s'en tirera par une très subtile distinction

1. Quelles furent chez Justinien les raisons les plus déterminantes? Pour Knecht plutôt les motifs politiques. Par contre Lebedev croit « que ce second Constantin était prêt à oublier ses devoirs directs d'administrateur partout

entre le *sedes* et le *sedens*, entre le Siège Apostolique que l'on ne cesse de vénérer, et son titulaire que l'on frappe ou que l'on violente. Incohérence dernière d'un système qui veut se justifier en toutes circonstances.

Outre ces motifs généraux, il faut en signaler de spéciaux, provoqués par la mentalité personnelle de Justinien, par les conditions politiques du moment, par l'influence ambiante, spécialement celle de l'impératrice Théodora.

Tout d'abord ce prince a la manie de dogmatiser. D'une culture étendue, esprit subtil et raisonneur, parfois jusqu'au sophisme, bref véritable grec, Justinien se complaît à discuter avec ses adversaires. Quel plus beau triomphe pour lui que de les persuader? Ainsi l'unité religieuse et politique se trouverait-elle refaite par celui-là même qui a fonction de la garder. Le voilà donc qui passe des jours, et parfois des nuits, à creuser les problèmes christologiques; qui écrit des traités sur ces questions, et aussi d'interminables lettres en réponse aux hérétiques. Le voilà encore qui mande les égarés pour des conférences contradictoires, pour des *colloques :* beau parleur qui s'écoute et s'admire, persuadé qu'il va convaincre par la séduction de son raisonnement, et entouré de flatteurs ecclésiastiques qui le lui font croire : « Si je n'avais, écrit un prélat, entendu de mes oreilles les paroles qui, avec la grâce de Dieu, sortirent de la bouche bénie du prince, j'aurais peine à y croire, tant on y trouvait réunies la mansuétude de David, la patience de Moïse et la clémence des Apôtres. »

Ainsi s'expliquent les contradictions de sa politique religieuse : comment d'une part il hait les hérétiques jusqu'à leur refuser un seul pouce de terrain dans tout l'empire, et comment d'ailleurs il va parfois jusqu'à les recevoir et les héberger dans son propre palais, comment aussi il les tolère et les persécute tour à tour, aussi indulgent aujourd'hui que terrible demain, tantôt engageant comme quelqu'un qui veut séduire, tantôt menaçant à la manière d'un bourreau qui va frapper. Vaste utopie au fond que toute cette apologétique : le basileus théologien s'est épuisé en argumentations subtiles pour trouver quelque terrain d'entente avec des monophysites qui étaient l'intransigeance et l'aveuglement incarnés, bien décidés à ne se convertir à la théologie impériale que si la théologie impériale reniait purement et simplement Chalcédoine. Dès lors, toute demi-concession, toute tentative renouvelée de l'Hénotique était vouée à un insuccès : beaucoup de discussions, beaucoup de troubles pour rien. Pauvre basileus déçu dans tous ses rêves de conversions! A la fin il lui fallait en revenir aux procédés d'intimidation classiques : prison, exil, bûcher. Et tandis que ses adversaires demeuraient irréductibles, lui-même s'exposait, au cours de ses joutes théologiques, à des innovations dangereuses : il pourra lui arriver de perdre la vraie foi, mais non pas d'y ramener les autres.

Versatile, Justinien l'était d'ailleurs, non seulement dans sa théologie, mais intimement, et par tempérament. D'un absolutisme théoriquement inflexible, il se laisse influencer en pratique par les uns et les autres : aujourd'hui par Sévère, demain par l'apocrisiaire Pélage, en autre temps par Théodore Askydas, toujours par Théodora.

Théodora! Nul nom peut-être qui soit plus décrié. Baronius lui décoche déjà les plus fortes épithètes : nouvelle Dalila, autre Hérodiade, citoyenne de l'enfer, que la mouche du

où il s'agissait de matières religieuses ». Mais pourquoi disjoindre ce qui, dans l'esprit de Justinien, ne faisait qu'un bloc? L'Etat, c'est l'Église; l'Église, c'est l'Etat; et tous deux s'incarnent dans l'empereur. Voilà qui coupe court à toute discussion.

diable a piquée. Qu'eût ajouté notre oratorien s'il eût connu l'*Histoire secrète* de Procope découverte au XVIIe siècle? Et pourtant il faut en rabattre et bien se souvenir que Procope est beaucoup moins historien que pamphlétaire. Sans doute la fille du gardien des ours de l'amphithéâtre dut-elle avoir une jeunesse plus que légère, amusant, charmant et scandalisant tout Constantinople à plaisir et à profit. Mais d'un séjour en Afrique elle revint transformée. Ce n'était plus l'actrice d'autrefois; elle filait la laine, fréquentait les églises, s'intéressait aux questions religieuses. Sa beauté, qui n'était point passée, séduisit Justinien; il l'associa à sa vie et à l'empire. Sur elle, il faut donc réformer les jugements courants. Grande courtisane, non pas — ou tout au plus dans sa jeunesse, et pour « arriver »; mais plutôt grande ambitieuse, qui tenait à son lambeau de pourpre, et qui s'en drapait avec fierté; qui entendait bien remplir sa fonction d'impératrice en commandant à tous, même et surtout à Justinien. Car elle est plus homme que lui, et même plus homme d'État : il lui cède souvent, parce qu'il l'aime sans doute, mais aussi parce qu'elle a toutes les roueries, toutes les habiletés de la femme, et en plus une ténacité, une énergie vraiment viriles.

Dans sa politique ecclésiastique, Justinien a tergiversé cent fois; elle, jamais. Sa christologie ne varie pas : le monophysisme. Sa diplomatie religieuse non plus : protéger les monophysites, et par tous les moyens, dut-elle les cacher dans son propre palais comme des amants de contrebande. Pourquoi les défend-elle? Par conviction d'abord, persuadée qu'elle est — tout comme Sévère — que le monophysisme se confond avec l'orthodoxie trahie à Chalcédoine. Par politique, davantage encore, pour sauver l'empire au bord d'un schisme fatal. Selon l'image exacte de Bury le gouvernement de Justinien était un Janus à double face : l'une tournée vers l'Occident romain, l'autre vers la Syrie et l'Égypte monophysites. Hypnotisé par ses rêves conquérants, Justinien songeait davantage à la question italienne : il voulait recouvrer le berceau de l'Empire, et pour cela rester en paix avec le pape, moyen qui lui agréait d'autant plus qu'il était au fond chalcédonien convaincu. Par contre, froidement réaliste, Théodora considérait surtout le schisme menaçant qui séparerait de Byzance les provinces méridionales, et qui laisserait l'Empire affaibli devant les multiples périls orientaux : Barbares à gauche, Perses à droite. Ainsi ses vues politiques s'harmonisaient-elles avec ses passions religieuses.

Protéger les monophysites, elle s'y emploiera de mille manières : faisant pression sur son époux indécis, exploitant ses goûts théologiques, l'amenant à argumenter et à pérorer plutôt qu'à sévir, réussissant à rendre à la secte des services constants et signalés, comme d'imposer le patriarche Théodose à Alexandrie, de permettre la fuite de Sévère en 536, de cacher dans ses appartements le patriarche Anthime recherché par la police, et plus tard de susciter l'affaire des Trois Chapitres, d'y compromettre le pape Vigile, enfin de sauver la hiérarchie monophysite en favorisant l'odyssée de Jacques Baradaï. Au surplus, obéie autant et plus que l'empereur : car efficaces sont ses bienveillances, et — on ne le sait que trop — implacables ses vengeances. Justinien qui ne peut se passer d'elle, qui l'appelle en jouant sur son nom « le don que Dieu lui a consenti », lui l'autocrate, la laisse faire et bien souvent la suit, trop énergique encore quand, ne cédant qu'à moitié, il adopte une voie médiane, une voie neutre, ce terrain des pourparlers et discussions qu'il préférait par goût intime, et où du moins il ne s'opposait pas directement à celle qu'il chérissait.

On comprend maintenant ses tergiversations religieuses. Tout l'y poussait : le dualisme politique, Rome d'un côté, la Syrie et l'Égypte de l'autre; le dualisme aussi de son esprit, autoritaire et romain par principe, discuteur, subtil et grec par goût; le dualisme enfin de sa propre situation, chalcédonien qu'il était sans doute, mais marié à une femme monophysite, et qu'il aimait encore plus que la théologie.

Le voilà donc inaugurant ce qu'on pourrait appeler son métier de dupe. Décréter une amnistie générale en fut le préambule. « Au bout de six ans, dit Michel le Syrien, la fureur se calma parce que l'empereur avait changé, et, par les soins de Théodora, les moines orientaux revinrent à leurs couvents. » Non content de les gracier, Justinien convoque à Constantinople les survivants des évêques exilés. Une année et plus, il discute avec eux, essayant tous les arguments pour les convaincre. Peines perdues! Ils exigeaient maintes concessions, résolus à n'en faire aucune et retranchés fermement derrière les écrits pseudépigraphes attribués aux plus grands noms, tels que Grégoire le Thaumaturge, Athanase, les papes Jules et Félix, tout ce que le IVe siècle avait connu de plus orthodoxe, et en outre Denys l'Aréopagite : car ils tiraient aussi à eux ce mystérieux auteur qui semble avoir appartenu au parti sévérien, bien que occupé surtout d'autre chose que de christologie et nullement inféodé à ces formules classiques du cyrillisme intransigeant qu'il ne cite même pas[1].

1. Denys l'Aréopagite doit son nom à la pieuse fraude d'après laquelle il prétend avoir connu les apôtres Pierre, Jacques et Jean, et se donne pour celui que convertit saint Paul à Athènes. Le premier combat sur l'apostolicité de ses œuvres se livra au VIe siècle entre monophysites et chalcédoniens : ceux-là, qui croyaient pouvoir le tirer à eux, plaidant pour, et ceux-ci contre. La piété médiévale, qui n'était rien moins que critique, crut sans discuter à l'apostolicité sur l'autorité de saint Grégoire le Grand et de saint Maxime le Confesseur. Popularisés par les versions d'Hilduin et de Scot Erigène, les écrits dionysiens exercèrent alors une large influence sur la théologie et la mystique : saint Thomas consacra un commentaire aux *Noms divins*, Hugues de Saint-Victor et Albert le Grand à la *Hiérarchie céleste,* saint Bonaventure à la *Hiérarchie ecclésiastique*. Battue en brèche durant la Renaissance et au XVIIe siècle, défendue au XIXe par des talents dignes d'une meilleure cause — entre autres Mgr Darboy et Mgr Freppel — la thèse de l'apostolicité reste aujourd'hui sans avocat.

Les études du Père Stiglmayr et de Koch ont prouvé, semble-t-il, que la littérature dionysienne doit se placer durant la période post-chalcédonienne, plus exactement entre 480 et 530. A cela, deux raisons probantes : disciple du philosophe Proclus, mort en 485, Denys cite presque textuellement son traité *Sur l'existence du mal;* d'autre part, il connaît l'usage liturgique du Credo à la messe qui fut inauguré à Antioche par Pierre le Foulon en 476. — Le P. Stiglmayr a même voulu préciser davantage et reconnaître en Denys l'Aréopagite Sévère lui-même qui aurait composé avant la publication de l'Hénotique ses deux traités sur *la Hiérarchie*, et après ceux sur *les Noms divins* et sur la *Théologie mystique;* par une supercherie alors assez courante et qui rappellerait celle des apollinaristes, le patriarche monophysite d'Antioche aurait couvert sa propre prose d'une autorité soi-disant apostolique pour accréditer le cyrillisme intransigeant de ses formules, bien qu'en réalité le pseudo-Denys ne contienne aucune erreur christologique, se contentant, dans un milieu antichalcédonien, d'éviter prudemment les termes une et deux natures. Cette opinion, insuffisamment étayée, n'a pu rallier les suffrages de critiques tels que M. M. J. Lebon, G. Bardy et H. C. Puech. Voir en particulier : J. STIGLMAYR, *Der neuplatoniker Proklus als Vorslage des sog. Dionysius Areopagita in der Lehre vom Uebel,* dans *Historisches Jahrbuch*, 1895, p. 253-273; 721-748; *Das Aufkommen der Pseudo-Dionysischen Schriften und ihr Eindringen in die christliche Literatur*, Feldkirch, 1895; *Der sog. Dionysius Areopagita und Severus von Antiochen,* dans *Scholastik*, 1928, p. 1-27 et 161-189. — J. LEBON, *Le Pseudo-Denys l'Aréopagite et Sèvère d'Antioche,* dans *R. H. E.,* 1930, p. 880-915.

Une double originalité marque les écrits de Denys : il a adapté le néoplatonisme à l'explication des croyances chrétiennes, il a donné un exposé rigoureux de la théologie mystique en connexion étroite avec la théologie ecclésiastique. A ses yeux, deux moyens d'approcher Dieu : la raison (λὸγος) et la contemplation mystique (μυστικὸν θέαμα). La connaissance par la raison est bien imparfaite : nous n'affirmons en Dieu toutes les qualités des créatures que pour les nier ensuite parce qu'il les dépasse. Pareille infirmité de la connaissance acquise, qui met en relief cette transcendance divine chère au néo-platonisme, il existe un moyen d'y suppléer : la contemplation infuse. Ici reparaissent les étapes mystiques du système plotinien : purification, illumination, extase. L'âme se plonge dans les « ténèbres lumineuses » et, ayant suspendu toutes ses opérations, atteint la vision directe de Dieu. L'exposé d'une doctrine si élevée ne va pas sans obscurités : le style d'ailleurs est hérissé de néologismes, les phrases souvent touffues. Denys pourtant reste orthodoxe : ni l'accusation d'agnosticisme, ni celle de panthéisme ne se justifient. Denys a été le premier théoricien de la mystique : grâce à lui le néoplatonisme restera au moyen âge la philosophie de la théologie mystique.

SOURCES : P. G., III et IV. Trad. franç. G. DARBOY, 1845; J. DULAC, 1865. — *TRAVAUX :* O. SIEBERT, *Die Metaphysik und Ethik des Pseudo-Dionysius Areop.*, Iéna, 1894. — *Pseudo-Dionysius Areop. in seinen Beziehungen zum Neoplatonismus und Mysterienwesen,* Maintz, 1900. — H. MEERTZ, *Die Gotteslehre des Pseudo-Dionysius Areopagita*, Bonn, 1908.

Aux orthodoxes, cependant, on recommandait calme, douceur, pardon des injures pour un plus grand bien. Le mot d'ordre était : Tout supporter en silence à la manière du Seigneur lui-même. Comme si l'*iota unum* ne demeurait pas le plus impérieux précepte de l'Évangile ! « Ils sont exaspérés, disait Justinien; appliquez-vous donc, comme il convient à de saintes personnes, à leur donner satisfaction en toute tranquillité. » Justinien crut achever la victoire par un colloque en règle qui durerait trois séances et où six évêques catholiques affronteraient six monophysites. « Ce n'est point, déclara le président, en vertu de son autorité souveraine, c'est avec la tendresse d'un prêtre et d'un père que l'empereur vous a réunis, afin qu'à tous vos doutes les évêques ici présents donnent satisfaction. » Dans son discours de clôture, Justinien sut unir, affirme un flagorneur, « à la douceur de David, la patience de Moïse et la clémence des Apôtres ». Quand il eut fini, les monophysites étaient toujours là. Un seul se laissa gagner, Philoxène de Dolichè. Sans se rebuter, Justinien « continua à espérer dans la grâce divine pour ramener les dissidents ».

En cette même année 533, afin que son libéralisme ne scandalisât pas trop, il publiait une série de rescrits où il s'inscrivait avec force contre la « folie » de Nestorius et d'Eutychès, et à l'heure même où il courtisait les monophysites, il prodiguait au Saint-Siège les assurances de sa très respectueuse orthodoxie, d'autant plus qu'il préparait alors l'expédition d'Afrique, prélude de celle d'Italie. Combien contradictoire n'était pas ce double programme qui comportait des triomphes pacifiques et théologiques à l'Est par des concessions aux sévériens, des succès diplomatiques et guerriers à l'Ouest en s'appuyant sur l'autorité morale du Siège Apostolique.

II. Le monophysisme toléré : l'affaire des moines scythes. — Justinien montra encore son libéralisme dans un épisode délicat, et dont l'origine remontait jusqu'au début du précédent règne, alors que les légats d'Hormisdas se trouvaient à Constantinople. Certains moines venus de Scythie — Jean Maxence, Léonce et quelques autres — les prièrent de souscrire l'expression « Un de la Trinité a été crucifié » ou « a souffert dans la chair » (*Unus de Trinitate crucifixus est* ou *passus est in carne*). On sait que Pierre le Foulon avait lancé cette formule, véritable tessère du monophysisme modéré, et dont on trouvait le quasi-équivalent dans l'Hénotique (*Unus de Trinitate incarnatus*). Orthodoxe en soi, elle mettait pourtant l'accent sur la nature divine du Christ, et cela à propos d'incarnation, de souffrances et de crucifixion, à quoi seule peut accéder la nature humaine.

Pourquoi les moines scythes voulaient-ils la restaurer au moment même où triomphait la théologie romaine? C'est que, précisément, ils disaient craindre qu'à la faveur de la réaction chalcédonienne, les nestoriens blottis dans l'ombre n'osassent reparaître. En réalité on menaçait de rouvrir ainsi les anciennes querelles au moment même où les légats venaient signer la paix. Tandis que les moines scythes jetaient à leurs adversaires l'épithète de nestoriens, rangés derrière le diacre Victor, ceux-ci ripostaient en les traitant de monophysites. Sollicités par les deux partis, les légats n'eurent garde de se compromettre, ni la paix qu'ils venaient conclure : « Ce qui n'est point défini dans les quatre conciles, ni dans le Tome de Léon, dirent-ils, nous ne pouvons l'ajouter. » C'était une fin de non-recevoir opposée aux moines scythes.

Trop intrigants et trop passionnés pour se tenir cois, ils prirent le chemin de Rome, où ils arrivèrent dans l'été 519. Ils eurent vite fait de semer l'agitation partout, mettant en cause l'orthodoxie des légats pontificaux avec celle du diacre Victor. Bien haut ils se réclamaient de Cyrille dont leur formule évoquait le douzième anathématisme attaqué jadis par Théodoret. Ce rappel d'une autorité très grande en Orient était une habileté, mais dangereuse, et qui rouvrait autour du grand docteur les éternelles questions. Hormisdas pourtant devait quelques ménagements aux moines scythes, si brouillons qu'ils fussent. En effet, Justinien, alors kronprinz, soutenait leur formule, ou du moins une autre toute voisine (*Unus in Trinitate incarnatus*). N'était-il pas conforme à sa politique qu'il patronnât une expression propre à agréer aux sévériens, et qui peut-être ferait tomber leurs vieilles défiances contre Chalcédoine? Premiers pas dans cette voie de la diplomatie théologique où il ne trouverait que désillusions.

Ni le pape, ni les Occidentaux ne s'y laissèrent engager. Les moines scythes essayèrent de gagner à eux la fraction byzantine du sénat, et aussi les évêques africains exilés en Sardaigne. Mais Hormisdas veillait. Au prélat africain Possessor, qui de Constantinople lui demandait que penser, il ne cacha point combien le zèle de ces agités l'importunait. N'avaient-ils point été jusqu'à promouvoir dans Rome une émeute populaire, jusqu'à placarder sur la statue de l'empereur leurs protestations contre les « nestoriens », par qui ils entendaient ses propres légats. Autant de procédés mieux adaptés aux mœurs politiques qu'aux revendications religieuses. « Ils viennent à nous, disait le pape, non pour s'instruire, mais pour disputer; dans leur emportement aveugle ils sont incapables de saisir toute pensée étrangère; ils s'imaginent que l'Orient et l'Occident, que les deux hémisphères, devraient n'avoir d'oreilles que pour leurs inventions; des moines, ils n'ont que l'habit; les deux premières vertus du monachisme, humilité et obéissance, leur font de tout point défaut. »

En bon africain, Possessor publia la lettre pontificale. L'abbé Maxence en contesta l'authenticité : tactique habile et insolente qui lui permettait de traiter le pape de haut en bas, en ayant l'air d'en viser un autre. A l'entendre, l'auteur de pareil écrit ne pouvait être qu'un hérétique, quelque nestorien sournois, acoquiné d'ailleurs avec le semi-pélagien Fauste de Riez[1]. Quant à eux, les moines scythes, ni obstinés, ni prétentieux, ils restaient seulement les intrépides tenants de l'orthodoxie menacée.

Hormidas n'était pas homme à se laisser intimider par les intrigues des moines scythes ou par la pression impériale. Le 25 mars 521 il adressa à Justin son avis motivé sur cette querelle théopaschite : pas d'expression inusitée, rien que le Tome de Léon et les décisions de Chalcédoine, ni plus, ni moins. Qu'on sache distinguer dans la Trinité ce qui revient à l'essence, et ce qui est le propre des personnes, voilà tout. Cette énergie à repousser toute formule nouvelle était d'un chef qui savait bien quelles agitations pouvaient en naître; elle était aussi d'un orthodoxe qui répugnait aux procédés d'un libéralisme indulgent, lui fussent-ils suggérés par la cour.

Le conflit ainsi dirimé continua à couver durant quelque dix ans. L'opposition aux moines scythes avait pour centre le couvent des Acémètes, défenseurs inlassables de Chalcédoine. Ils jugèrent la formule « Un de la Trinité » non seulement inopportune, mais erronée : de là à nier la communication des idiomes et la maternité divine, il n'y avait qu'un pas, et plusieurs d'entre eux le franchirent, semble-t-il. Très intrigants, d'ailleurs, ils ne regardaient pas aux procédés; falsifier et fabriquer des pièces leur paraissait de bonne guerre : ainsi pour certaines lettres du pape Félix III. C'était le moment où, en pourparlers et conférences,

1. On sait, en effet, que redresseurs de tous les torts, les moines scythes avaient ouvert le procès de Fauste sous l'inculpation de semi-pélagianisme. Voir supra, p. 535.

Justinien s'ingéniait à prouver aux monophysites sa bonne volonté. Quel moyen plus assuré que d'écarter toute compromission avec les Acémètes, éternels adversaires des sévériens. Le voilà qui lance l'anathème contre quiconque niera « que Jésus-Christ, le Fils de Dieu, notre Dieu incarné, fait homme et crucifié, est un de la sainte et consubstantielle Trinité » (15 mars 533). Le voilà aussi qui dénonce au pape les Acémètes comme de vrais juifs, blasphémateurs de la Mère de Dieu. Il le supplie d'agir, lui de qui dépend « l'unité des Églises ».

Quelle entorse, en réalité, à la saine conception hiérarchique : c'est l'empereur qui porte un décret dogmatique, et qui ensuite prie le Siège Apostolique d'y souscrire. Cette fois pourtant, comme le péril était non illusoire, le pape Jean II ne crut pas pouvoir se dérober; il porta une sentence d'excommunication contre les Acémètes (25 mars 534). Malgré lui il faisait ainsi le jeu de la diplomatie impériale.

De ce coup droit au nestorianisme, de cette approbation à une expression cyrillienne qui si longtemps avait servi de ralliement aux sévériens, Justinien se prévalut devant les monophysites. Jamais l'orthodoxie chalcédonienne ne s'était montrée plus conciliante. « La théologie de Justinien, dit Knecht, remportait sa première victoire. » Qu'attendaient les dissidents pour se soumettre? Plein de confiance, Justinien ordonna à tous les évêques de souscrire les formules approuvées. Quant aux monophysites qui avaient pour principe de tout exiger et de ne rien concéder, ils restèrent sur leurs positions, antichalcédoniens après comme avant.

Il serait d'ailleurs injuste d'assimiler avec Harnack cette concession pontificale à un nouvel Hénotique. L'intention de Jean II ne ressemblait point à celle de Justinien : tandis que l'empereur ne songeait qu'à courtiser les monophysites, le pape ne se résignait à souscrire la formule que pour refouler les tendances nestorianisantes; sa décision était beaucoup moins une avance aux sévériens qu'une condamnation des Acémètes[1]. Le fait que ni les Occidentaux, ni les Africains ne protestèrent prouve assez que l'autorité du grand concile ne fut pas entamée.

Il y avait, toujours réfugié en Égypte, un homme, vrai chef des monophysites, celui qu'ils appelaient « le rocher du Christ, le gardien inébranlable de la vraie foi ». Justinien se dit que s'il parvenait à convertir Sévère, tout serait gagné. Il le manda à Constantinople. Après s'être fait prier très longuement, le patriarche d'Antioche daigna consentir à ces sollicitations, et avec d'autant plus d'opportunité qu'à Alexandrie les julianistes, soutenus par le populaire, lui rendaient la vie impossible. Fait curieux, il quittait la retraite où ses coreligionnaires le contredisaient pour s'en aller dans la capitale du basileus persécuteur, où il devait être admiré, exalté, choyé de toutes manières. A la cour, on l'accueillit comme une puissance à ménager. Théodora, que sa science théologique avait complètement séduite, le traitait en ami, presque en père. Justinien rêvait; il croyait tenir le triomphe. Mais il ne savait pas où on le menait. Tout l'état-major monophysite entoura bientôt Sévère à Byzance : au premier rang, Pierre d'Apamée et Zooras. On se fût cru revenu à l'époque du vieil Anastase : cinq cents moines monophysites vivaient dans un des palais comme « dans un grand et merveilleux désert de solitaires », sous la protection de l'impératrice.

De concert avec Sévère, elle multipliait les intrigues, travaillant à donner aux monophy-

1. Il n'y avait d'ailleurs qu'un petit nombre d'Acémètes à « nestorianiser ». Les supérieurs ne se compromirent pas dans l'hérésie, et on retrouve l'archimandrite Jean du côté de l'orthodoxie au concile de Constantinople tenu en 536.

sites la haute direction ecclésiastique, tant à Alexandrie qu'à Constantinople. Là-bas, après la mort du patriarche Timothée, survenue le 7 février 535, la basilissa pourvut à la succession : réunis sur son ordre, les évêques présents, le haut clergé alexandrin et les membres de l'aristocratie, élurent le diacre Théodose, un ami de Sévère. En vain l'opposition populaire, monastique et nationale voulut-elle évincer ce candidat du gouvernement; sans doute réussit-elle à troubler les funérailles de Timothée, à arracher Théodose du trône pontifical où il était déjà assis, et à lui substituer l'archidiacre Gaïanus, de nuance julianiste; mais celui-ci fut bientôt saisi et exilé à Carthage, tout nouvellement reconquise. Puis, procédant à la manière forte, Théodora envoya à Alexandrie le cubiculaire Narsès qui réédita l'élection patriarcale de Théodose aux applaudissements d'un public servile.

Pourtant autour du malheureux élu, c'est le désert. De 535 à 537, il ne se maintiendra que par la terreur des armes byzantines. A chaque instant, des émeutes, des soldats tués en de vraies batailles, ou insidieusement frappés par les projectiles lancés du haut des toits. En représailles, des massacres, des exécutions, des quartiers incendiés. Alexandrie se défend avec une fureur exaspérée. Le patriarche Théodose, homme débonnaire et peu combattif, voudrait bien s'enfuir; mais Théodora a de l'énergie pour deux : elle le maintient au poste, malgré lui.

Son action à Constantinople n'était pas moins efficace. A la mort du patriarche Épiphane, elle y imposa aussi son candidat : l'évêque de Trébizonde, Anthime, un de ces orthodoxes subtils qui, dans l'œuvre de Chalcédoine, distinguaient la condamnation de Nestorius et d'Eutychès à admettre, le décret de foi et les deux natures à rejeter. On n'eut pas grand mal à le convertir tout à fait : quelques entretiens avec Sévère, et il s'avoua vaincu. Après échange de lettres, les trois patriarches Sévère, Anthime et Théodose s'entendirent sur la vieille formule de l'Hénotique « publié pour la ruine du concile de Chalcédoine et du Tome impie de Léon ». Tout cela, « dans l'intérêt de la paix ».

A Byzance, soutenus par Théodora, il n'était pas d'insolence que les moines monophysites ne se permissent. Tenir des réunions, prêcher dans les maisons, « convertir » les femmes, baptiser les enfants, consacrer les évêques, tout leur était permis. Ils exerçaient surtout leur propagande dans les hautes classes, parmi les fonctionnaires du Palais Sacré où tous savaient que l'empereur ne leur en tiendrait pas rigueur, et que la basilissa ne leur en voudrait que du bien. Ainsi la politique religieuse de Justinien, champion de Chalcédoine, aboutissait-elle à cet arrogant triumvirat de Sévère, d'Anthime et de Théodose, véritable défi au catholicisme. Qu'adviendrait-il? Et le même prince, qui avait tant contribué à briser le schisme acacien, se déjugerait-il à ce point?

III. La réaction d'Agapet. — Des événements très graves menaçaient une fois encore l'Italie. Après que Bélisaire, son grand général, eut pris l'Afrique, Justinien songea à reconquérir la péninsule. La tragédie qui s'y déroulait lui en fournissait le prétexte. Le roi goth Athalaric venait de mourir à dix-huit ans en 534. La régente Amalasonthe crut étayer le trône chancelant en épousant son cousin Théodat, seul survivant des Amali. Mais contre cette reine intelligente, instruite, de culture presque romaine, travaillaient toujours des influences barbares et gothiques. En 535, renversée par une révolution nationale, Amalasonthe fut incarcérée et bientôt mise à mort sur l'ordre de Théodat. A un siècle de distance, deux princesses s'étaient essayées à dissiper en Italie l'anarchie dissolvante : l'une Galla Placidia, en consolidant l'Empire dit d'Occident, l'autre Amalasonthe, en sauvant la dynastie ostrogothique : la première, fille de Théodose le Grand, la seconde, fille de Théodoric. Elles n'y réussirent pas malgré leur intelligence et tout leur courage.

Comme Amalasonthe s'était toujours montrée l'alliée de Justinien, il fit de ce drame un *casus belli*. Affolé, Théodat craignit, cette fois encore, que la complicité de l'élément romain n'assurât à l'empereur un facile succès. « Par instinct de conservation, note Hodgkin, les poltrons deviennent naturellement cruels. » Aussi menaça-t-il les sénateurs de les tuer tous avec leurs femmes et leurs enfants s'ils traitaient avec Justinien. Comme Théodoric, il ordonna au pape d'aller négocier à Byzance la réconciliation. Agapet lui obéit par loyalisme, et aussi pour épargner à la péninsule les horreurs d'une nouvelle guerre. Intercéder pour la paix politique de l'Italie, pour la paix religieuse de l'Orient, tel était son double but. Il partit au printemps 536, non sans avoir dû, par indigence, engager aux fonctionnaires du trésor gothique les vases précieux de Saint-Pierre.

Au plaidoyer pontifical Justinien opposa une fin de non-recevoir très catégorique; il était trop engagé dans l'entreprise, y avait dépensé trop d'argent pour reculer maintenant. Négociation délicate où le pape eût paru vite très indiscret, et qu'il ne poursuivit pas à fond.

Par contre, la question monophysite était son terrain à lui. D'une famille illustre d'où était sorti Félix III et qui donnera à l'Église saint Grégoire le Grand, il possédait avec la virilité romaine et le don du commandement une foi à toute épreuve. Alerté et renseigné par Ephrem d'Antioche et par les moines de Byzance, il savait à quel point le péril était grand. Il fut inébranlable absolument, accomplissant sans faiblir le mandat apostolique, ce que Libératus appelle « l'ambassade du Christ » (*Christi legatio*). Ni menaces, ni promesses ne le purent fléchir tant soit peu. Théodora employa toutes ses ressources — intimidation et séduction —, mais sans succès; de ses mains pleines de présents il se détourna. Même force d'âme devant Justinien. Le *Liber Pontificalis* a dramatisé ce choc des deux grandes puissances en une de ces scènes renouvelées du IVe siècle, quand Libère affrontait Constance et le cinglait de ses ripostes : « Consens à mes demandes, ou je t'exile. — J'étais venu, pécheur que je suis, voir le très chrétien empereur Justinien, répartit Agapet, et voilà que je trouve Dioclétien. Mais tes menaces ne m'émeuvent pas. » Il aurait même ajouté : « Pour que tu constates que tu n'entends rien à la doctrine chrétienne, que ton patriarche confesse les deux natures du Christ. »

Récit enfantin, a-t-on pu dire, mais non pas faux. Les situations sont là historiquement décrites. Agapet requérait d'Anthime une claire profession qui rendît un son nettement chalcédonien; il le sommait aussi de réintégrer Trébizonde, ce premier siège auquel il était lié comme l'époux à l'épouse et que, selon la règle de l'époque, il n'eût pas dû abandonner. Devant cette mise en demeure doctrinale et canonique, Anthime n'eut plus qu'à rendre aux souverains son pallium. On le passa à Ménas (536-552) que le pape sacra lui-même. Agapet triomphait non seulement de l'empereur, mais de l'impératrice, tous deux conjurés. Succès sans précédent.

Il est vrai qu'il se sentait soutenu par l'opinion populaire que dirigeaient les moines. Bientôt, dans un édit officiel, l'empereur parlera de la sentence prononcée par les patriarches et évêques « avec l'assentiment de l'ordre monastique ». Agapet mourut presque subitement à Constantinople : victime des maléfices monophysites, selon les catholiques, frappé par la colère divine, d'après les sévériens.

La réaction lui survécut. Aux couvents syriens et palestiniens se joignirent les soixante-sept monastères byzantins pour demander que l'épuration fût poursuivie et poussée à fond. Le nouveau patriarche Ménas entendit leur requête : un concile, tenu à l'été 536, anathématisa avec Anthime, déjà terrassé, Sévère, Pierre d'Apamée et le moine Zoroas, tout l'état-major monophysite, hier encore si provocant et si agissant. Un synode palestinien fit écho à cette sentence que Justinien approuva par un solennel édit (6 août 536). Le basileus chassait de Constantinople ces hérétiques impénitents; quiconque les recueillerait aurait ses biens

THÉODORA.
(Mosaïque de Saint-Vital, Ravenne.)

confisqués. La venue d'Agapet avait donc tourné à nouveau Justinien vers Rome en réveillant sa conscience chalcédonienne. Après les négociations sans issue, soudain il recommençait la guerre.

Théodora dut plier et se résigner à un rôle plus modeste, et pourtant considérable : abriter et soulager les vaincus. Elle recueillit Anthime dans son palais, où elle le tint caché jusqu'à sa mort. Mêmes pieux égards envers le patriarche alexandrin Théodose qui, mandé à Constantinople, longuement sollicité par Justinien comme jadis Sévère, et sommé enfin de souscrire une profession chalcédonienne, s'y refusa net et fut exilé à Derkos en Thrace vers la fin de 531, mais que la basilissa rappela à Byzance où il vécut quelque trente ans, s'occupant de travaux théologiques et de missions. Sévère, chassé de Constantinople, mourait à

Zoïs dans le Delta, le 8 février 538. En lui le parti monophysite faisait une perte d'autant plus sensible qu'il laissait l'Égypte partagée entre ses partisans et ceux de Julien d'Halicarnasse ou, comme on disait, entre Théodosiens et Gaïanites.

Qu'on juge des résultats obtenus par Agapet. Deux ans auparavant, Sévère, Anthime et Théodose constituaient un triumvirat puissant, soutenu ostensiblement par l'impératrice, ayant l'oreille du basileus et qui pouvait, semble-t-il, prétendre à tout. Maintenant, des trois l'un était mort, les deux autres déposés et officiellement exilés. La haute hiérarchie redevenait catholique partout : à Constantinople Ménas, à Antioche Ephrem, à Jérusalem Pierre, tous unis à Rome.

D'ailleurs la persécution reprenait telle que sous Justin. Tous ceux qui à Byzance prêchaient naguère avec insolence la foi monophysite, clercs, moines, séculiers, aujourd'hui se dispersaient, troupeau éperdu. En Syrie, en Mésopotamie, en Arménie, on revit les cénobites chassés de leurs monastères, les fidèles arrêtés, battus de verges, torturés, voire brûlés vifs. Défense à tous, sous peine capitale, d'accueillir les proscrits. Le plus illustre, Jean de Tella, apôtre si persuasif du monophysisme qu'il y avait converti 170.000 personnes, erra longtemps, continuant sa propagande, tant qu'enfin il tomba aux mains du patriarche Ephrem d'Antioche qui le fit périr. « Ce tortionnaire des fidèles » fit une tournée dans toute la Mésopotamie et, par les moyens les plus énergiquement persuasifs, obtint des conversions nombreuses. « Et le peuple, dit le chroniqueur monophysite Jean d'Asie, n'ayant plus personne qui lui apportât les vivifiants sacrements, se trouva dans un grand deuil. »

En Égypte, citadelle puissante où l'hérésie semblait invincible, on n'hésita plus à intervenir. Une sanglante expérience avait montré combien l'élection et l'intronisation des patriarches à Alexandrie étaient cause de trouble, et que parfois l'émeute populaire supprimait brutalement en quelques minutes les résultats longuement préparés. Il fallait donc choisir et consacrer à Constantinople les patriarches égyptiens qui n'auraient ensuite qu'à débarquer à Alexandrie, tout flambants de l'éclat de leurs pouvoirs nouveaux. Ainsi fut fait pour Paul, moine de Tabenne, qu'ordonna Ménas[1]. Comme Ephrem à Antioche, il inaugura un régime de fer : destitution en masse de l'épiscopat égyptien, serment d'obédience imposé aux fonctionnaires. Tout le monde plia, jusqu'aux moines.

IV. La survivance du monophysisme : Jacques Baradaï. — Chalcédoine imposé partout, on eût pu croire l'hérésie agonisante. Mais il y avait Théodora. Si les monophysites étaient épiés et traqués, leur protectrice restait libre de ses mouvements.

A la frontière orientale de la Syrie, les Arabes romanisés avaient fondé un petit État; leur chef, le ghassanide Harith ibn Djabala, chrétien monophysite, recommanda à l'impératrice deux moines, Théodore et Jacques Zangalus. Le patriarche d'Alexandrie Théodose, qui vivait toujours retiré près de Constantinople, les sacra évêques : l'un de Bostra pour l'Arabie et la Palestine, l'autre d'Édesse pour la Syrie, la Mésopotamie et l'Asie mineure (543). Tandis que Théodore restera dans l'ombre, Jacques deviendra l'infatigable missionnaire du monophysisme, courant par tout l'Orient malgré les périls mortels, déguisé en

1. C'est sur la proposition de l'apocrisiaire Pélage, maintenant très en crédit auprès de Justinien, que fut nommé Paul, supérieur des Tabennésiotes à Canope. Chassé par ses subordonnés, celui-ci était venu protester à Constantinople, et ainsi sa disgrâce monastique amena-t-elle son élévation ecclésiastique.

mendiant pour échapper à la police impériale : d'où son nom de Jacques Baradaï, c'est-à-dire Jacques la Guenille.

Au début il ne consacrait que des prêtres ; mais il se rendit compte bientôt quelle force acquerrait l'hérésie si elle possédait un épiscopat capable d'établir partout une hiérarchie. Il se rend à Constantinople où il fait authentiquer son projet par le patriarche alexandrin Théodose; puis, avec deux moines éprouvés, Conon et Eugène, en Égypte où il obtient qu'on leur confère la consécration épiscopale.

Ainsi était instaurée cette Église dite jacobite du nom de son fondateur, bientôt répandue dans tout l'Orient. Baradaï lui donna comme patriarche d'Antioche Jean de Tella, puis en 547 l'abbé Paul d'Alexandrie; elle compta une trentaine d'évêques. A la vérité, toujours hors la loi, sans cesse épiés et traqués, ces prélats et ces prêtres ne résidaient point. Ils n'en dirigeaient pas moins leur troupeau et étaient d'autant mieux obéis que les périls affrontés leur donnaient figure de confesseurs et presque de martyrs.

Tout cela grâce aux intrigues occultes de Théodora. On a dit que, politique experte, elle eût sauvé l'empire d'un schisme mortel et rallié les provinces méridionales si on l'eût laissé développer toute sa politique tolérante et monophysite. C'est oublier que les sévériens voulaient toujours toutes les concessions et tout de suite, mais sans jamais rien accorder en retour, et donc qu'ils n'auraient cessé de regarder les chalcédoniens d'au delà du Bosphore comme les pires ennemis. C'est aussi ne pas vouloir supposer que si la réaction catholique n'avait pas été entravée par les intrigues de l'impératrice, elle eût pu aboutir à un écrasement absolu de la secte.

En Égypte, le nouveau patriarche, Paul le Tabennésiote, devait faire face à une tâche très ardue : sauf à Alexandrie parmi le haut clergé et les fonctionnaires, il ne trouverait partout qu'opposition sourde ou déclarée. Mais Justinien lui donna des pouvoirs illimités et vraiment dictatoriaux : droit de nommer et révoquer à volonté fonctionnaires, ducs et tribuns, autorisation de fermer toutes les églises monophysites à Alexandrie, libre disposition des troupes pour son œuvre de conversion. Il mata toute velléité de révolte avec brutalité.

Inébranlables, les monophysites opposèrent pendant un an la résistance passive : plus de cérémonies, plus d'administration des sacrements. Après quoi, ils construisirent de nouvelles églises, consacrant ainsi leur schisme. Justinien répondit en les soumettant aux mêmes pénalités légales que les autres hérétiques : aux hommes, interdiction d'exercer quelque fonction publique, aux femmes refus des privilèges dotaux, et à tous défense de construire des églises. Dans la rude main du Tabennésiote ces armes devinrent terribles. Mais jalousement épié par son entourage, détesté surtout par Théodora qui voyait avec dépit les progrès menaçants de l'orthodoxie, il fut impliqué dans un assassinat et exilé en Palestine.

Le même concile de Gaza qui déposa le Tabennésiote, lui donna pour successeur un autre catholique, Zoïle, personnage très effacé d'ailleurs et assez médiocre : « un homme très simple », dira Vigile avec plus d'ironie sans doute que de bienveillance. Somme toute, la conversion des Coptes était inachevée, donc manquée. Ici encore la tenacité astucieuse de Théodora tenait les fils de toutes les intrigues et empêchait la pleine victoire.

CHAPITRE II

LA QUERELLE DES TROIS CHAPITRES

I. Vigile pape. — Après l'offensive d'Agapet, l'impératrice comprit que, pour l'emporter, il lui faudrait un pape à elle, qui lui devrait son élévation et qui serait sa créature. Elle crut que le diacre Vigile serait cet homme-là.

A Rome, sous la domination gothique, il s'était fait désigner pour son successeur par Boniface II : papauté lointaine, presque aussitôt disparue qu'entrevue; car Boniface II — nous l'avons vu — était revenu sur sa décision. Voyant décliner la dynastie gothique, Vigile se rapprocha alors du vrai soleil, et se fit nommer apocrisiaire à Byzance. Connaisseuse fort perpiscace, Théodora eut vite fait de l'apprécier. En termes plus ou moins nets, elle lui mit le marché en main : qu'il promît de suivre sa politique religieuse, elle lui donnerait la dignité pontificale, et en plus sept cents livres d'or. Alla-t-il jusqu à conclure un accord exprès avec les chefs du triumvirat monophysite, Théodose, Anthime et Sévère? Rien ne nous le dit que certains documents, peut-être apocryphes[1]. Toujours est-il qu'il se

Trois Chapitres. — *SOURCES :* Facundus, *Pro defensione trium capitulorum, P. L.*, LXVII, col. 527-852; *Epistola catholicae fidei in defensione trium capitulorum, ibid.*, col. 867-878. — Liberatus, *Breviarium causae nestorianorum et eutychianorum, P. L.*, LXVIII, col. 969-1062. — Le texte du *Judicatum, P. L.*, LXIX, col. 111 (fragments). — Les protestations dans *Epist. Clericorum Italiae, ibid.*, col. 113-115. — Le second édit de Justinien contre les Trois chapitres, *P. G.*, LXXXVI, I, col. 993-1035. — Le *Constitutum, P. L.*, LXIX, 67-114. — L'approbation définitive de Vigile, *ibid.*, 122-158; 143-178. — Les actes du concile de Constantinople; Mansi, IX, 376 sq. — Ed. Schwartz, *Acta Conciliorum œcumenicorum*. T.IV. *Concilium universale Constantinopolitanum sub Justiniano habitum*. Vol. II. — *TRAVAUX:* A. Gasquet, *? *De l'autorité impériale en matière religieuse à Byzance*, 1879. — A. Knecht, *Die religionspolitik K. Justinians I*, Würtzbourg, 1896. — Hodgkin, *Italy and her invaders*, t. III, ch. iv et v. nouv, éd., 1931. — Ch. Diehl, *? *Justinien et la civilisation byzantine au VIe siècle*, p. 315-366, 593-627. — F. Diekamp, *Die origenistichen Streitigkeiten im VI Iahrundert*, Munster, 1899. — A. de Meissas, *Nouvelles études sur l'histoire des Trois Chapitres*, dans *Ann. de Phil. chrét.*, 1904. — Glaizolle, *Un empereur théologien. Justinien, son rôle dans les controverses, sa doctrine christologique*, 1905. — H. S. Avisilatos, *Die kirchliche Gesetzgebung des Kaisers Justinian I*, 1913. — J. Pargoire, * *L'Eglise byzantine de 527 à 847*, p. 11-141. — J. Maspero, *? *Histoire des patriarches d'Alexandrie*, 1923. — Mgr Duchesne, *? *Vigile et Pélage, R. Q. H.*, 1884, p. 369-440; *Les protégés de Théodora, Mel. arch. et hist.*, 1915 (XXXV), p. 57-79; *L'Eglise au VIe siècle*, 1925. — Mgr P. Batiffol, * *L'empereur Justinien et le siège Apostolique, R. S. R.*, 1926 (XVI), p. 193-264. — G. Kruger, art. *Justinian I*, dans *Realencyclopädie* de Haurk. — M. Jugie, art. *Justinien I*, dans *Dict Théol.* — H. Leclercq, art. *Justinien*, dans *Dict. Arch.*

1. Le fait est affirmé par Liberatus et Victor de Tonnena; mais on peut s'étonner que les monophysites n'en aient pas fait état. Aussi serait-on tenté de croire qu'il n'y a là qu'un faux sans plus, et qui traduirait l'impression que le public avait retenue des conversations imprudentes de Vigile avec Théodora.

compromit assez pour que Bélisaire, débarquant en Italie après avoir conquis la Sicile, eût en mains les lettres qui accréditaient sa candidature.

Malheureusement, avant de disparaître, renversé par les Goths eux-mêmes, l'infortuné roi Théodat avait nommé et fait acclamer le sous-diacre Silvère, fils d'Hormisdas. Ainsi la place était prise. Il semblait qu'on ne tendît à Vigile le Siège Apostolique que pour le lui retirer juste au moment où il allait s'y asseoir. Peut-être le dépit de Théodora fut-il plus grand encore que le sien. Il lui fallait l'emporter coûte que coûte.

A peine entré à Rome, Bélisaire s'y trouva assiégé par le nouveau chef Goth Vitigès. Un infâme complot fut alors tramé contre Silvère : comme son palais du Latran était tout proche de la porte Asinaria, on l'accusa d'avoir voulu la livrer aux assiégeants : il y suffit d'une fausse lettre. Bélisaire offrit bien au pape une échappatoire : faire à Théodora ces mêmes concessions qu'elle espérait de Vigile. Fidèle au sang d'Hormisdas et à l'honneur romain, Silvère s'y refusa et, pour écarter les soupçons, se contenta de se retirer loin du secteur d'attaque, sur l'Aventin.

Dès lors sa perte était assurée. Voici la scène, l'une des plus caractéristiques du byzantinisme : le pape mandé au Pincius où résidait Bélisaire, les membres de sa suite arrêtés dans l'antichambre « à la première et à la seconde tapisserie », Silvère se présentant seul devant le général qui était assis aux pieds de sa femme Antonine mollement étendue sur un lit de repos, celle-ci ancienne actrice comme Théodora et beaucoup plus digne qu'elle d'une réputation infâme, s'exclamant alors avec l'arrogance d'une parvenue et d'une courtisane : « Eh! bien, seigneur pape, que vous avons-nous donc fait, nous et les Romains, pour que vous vouliez nous livrer aux Goths? » puis, sur ce chef d'accusation formulé sans la moindre preuve, le pontife dépouillé de ses insignes, revêtu de l'habit monastique et exilé en Orient, à Patare, dans la province de Lycie.

Vigile fut nommé pape le 29 mars 537. Il faillit pourtant voir le pouvoir suprême lui échapper une fois encore. Indigné, l'évêque de Patare se plaignit à l'empereur : « Comment, disait-il, a-t-on pu déposséder ainsi l'évêque d'un tel siège? Il y a dans le monde beaucoup de rois ; mais aucun ne gouverne comme le pape l'Église entière ; et voici qu'il erre banni et vagabond. » Alors Justinien ordonna que le pape fût renvoyé en Italie, où on le jugerait selon les formes. Mais ni Théodora, ni Vigile n'étaient disposés à lâcher leur proie. A peine débarqué, Silvère fut dirigé sur l'île Palmaria dans la mer Tyrrhénienne où on le mit à un régime très austère, « le pain de la tribulation et l'eau de l'angoisse ». Il ne tarda pas à mourir. « Quels qu'aient pu être les dessous de cette triste affaire, conclut Mgr Batiffol, elle ne dut compter pour Justinien que comme une affaire d'État et point d'Église. Mais elle montre que, au regard de sa souveraineté impériale, un évêque de Rome pouvait être brisé comme tout autre. »

Maintenant Théodora avait son pape. Seulement du même jour il changea d'attitude. Il ne parut plus disposé à sacrifier l'orthodoxie. Et comme l'impératrice insistait pour qu'il rétablît Anthime sur le siège de Constantinople, il répondit fièrement : « Quelque indigne que je sois, je n'en suis pas moins le vicaire de l'apôtre saint Pierre comme mes prédécesseurs les vénérables Agapet et Silvère qui ont condamné Anthime. »

II. L'origénisme et la question des Trois Chapitres. — L'hérésie persécutée ne survivait que par l'astucieuse tenacité de Théodora dont toute l'administration était complice : grâce à elle un îlot monophysite subsistait à Byzance et Jacques Baradaï posait dans tout l'Orient les jalons d'une hiérarchie. Pourtant son âme passionnée se résignait mal à cette attitude défensive. Elle guettait l'occasion d'une revanche.

Ce fut l'origénisme qui la lui procura indirectement. Depuis quelque trois siècles il sévissait à l'état endémique dans la Palestine monastique. En vain, saint Sabas, fondateur de la Grande Laure près de Jérusalem, avait-il poursuivi avec acharnement les cénobites origénistes; à la Nouvelle Laure de Thécoa, peuplée de dissidents, quelques hérétiques dirigés par un certain Nonnus répandirent timidement leurs idées sur la préexistence des âmes. A peine Sabas mort en 532, ils s'enhardirent. Tandis qu'ils gagnaient des adhérents, même à la Grande Laure, leurs chefs, Domitien, higoumène de l'ermitage de Martyrius, et Théodore Askydas, diacre à la Nouvelle Laure, devenaient le premier évêque d'Ancyre, le second de Césarée en Cappadoce : récompense des convictions chalcédoniennes par eux déployées lors de la déposition d'Anthime.

Ainsi soutenus, que ne pouvaient oser les origénistes palestiniens? En vain Gélase, second successeur de Sabas à la Grande Laure et tout fidèle à son orthodoxie, essaya-t-il de résister : d'abord en faisant lire à ses moines l'ouvrage composé au ve siècle par Antipater de Bostra contre le grand Alexandrin, puis en chassant quarante d'entre eux. Débordé, il capitula plus ou moins. Une agitation s'ensuivit au cours de laquelle certains religieux orthodoxes crurent devoir dénoncer les « blasphèmes » d'Origène tels qu'ils étaient cités par Antipater de Bostra. Trop édifié, le patriarche Éphrem d'Antioche n'hésita pas à réunir en 542 un concile qui anathématisa la doctrine incriminée. D'où vengeance des origénistes palestiniens qui, forçant la main à l'évêque de Jérusalem, l'obligèrent à rayer des diptyques son collègue d'Antioche. D'où encore réplique de l'évêque de Jérusalem qui, une fois libéré, et de concert avec l'abbé de la Grande Laure, envoya à Justinien un double mémoire pour dénoncer les « nouveautés » origénistes.

Pour l'impérial théologien, c'était un trop beau cas. Comment eût-il pu résister à si grande tentation? « Porter des décrets en pareille matière! dit Libératus. Justinien ne se sentait pas de joie. » Il n'y tint plus, et contre Origène rédigea un long réquisitoire qui se terminait par dix anathématismes à faire souscrire par tout l'épiscopat. Ménas tout le premier devait dans ce but rassembler les prélats présents à Constantinople. Même prière ou plutôt même injonction « au très saint et bienheureux pape de la vieille Rome Vigile » et « aux autres très saints évêques et patriarches ».

Au point de vue hiérarchique, l'attentat restait digne de la tradition byzantine. Qu'était-ce là en effet? Une lettre doctrinale telle qu'on l'attendrait d'un pape, non d'un empereur. Tandis que Justinien prend l'initiative, le pontife Vigile souscrira humblement : bref tous les rôles renversés, et qui doit être instruit enseignant qui doit l'instruire. Quant au fond même de l'accusation, on peut croire avec M. G. Bardy que les citations empruntées à Origène n'étaient « que des fragments détachés de leur contexte, choisis à dessein pour noircir la mémoire du célèbre docteur ; qu'ils exprimaient sous une forme affirmative des hypothèses simplement proposées par Origène, peut-être même attribuées par lui à d'autres philosophes; qu'ils avaient pu être quelquefois tronqués ou que des interpolations s'y étaient glissées ».

Il fallut pourtant obéir, et tout le monde s'exécuta, depuis le pape Vigile et les patriarches jusqu'au moindre évêque, sans excepter Théodore Askydas, si notoire origéniste qu'il fût. Seulement, il médita une vengeance et une diversion. Pour détourner l'attention de Justinien, il lui suggéra une manœuvre théologique propre à ramener les dissidents. Il y avait en Orient deux personnages longtemps suspects, que le concile de Chalcédoine avait réhabilités au grand scandale des monophysites : Ibas d'Édesse et Théodoret de Cyr. Qu'on fulminât donc contre certains de leurs écrits, rédigés dans le feu de la première bataille nestorienne, aux environs du concile d'Éphèse ; qu'on anathématisât aussi Théodore de Mopsueste, l'ancêtre du nestorianisme ; ainsi seraient fournis aux opposants des gages qui rendraient inexcusable leur obstination. Influent à Byzance, où il résidait beaucoup plus souvent qu'à Césarée, Askydas eut vite fait de rallier tout un parti. Pélage d'ailleurs n'était plus là pour déjouer ses manœuvres ; apeuré par l'invasion gothique, le pape Vigile venait de le rappeler en hâte à Rome.

Que penser d'un tel projet ? Nul doute que Théodore de Mopsueste ne fût le premier des nestoriens, voire le plus authentique : avec Diodore de Tarse, et par réaction contre les apollinaristes, il avait proclamé dans le Christ la dualité de l'être divin et de l'être humain. Quant à Ibas et à Théodoret leur cas ne laissait pas que d'être complexe : les formules premières de saint Cyrille et les décisions d'Éphèse leur parurent entachées d'apollinarisme, voilà pourquoi ils les rejetèrent ; mais, expliquées et clarifiées ensuite par saint Cyrille lui-même, ils les admirent. A la vérité ils furent plus longtemps à reconnaître la culpabilité de Nestorius ; tout en condamnant l'erreur qu'on lui reprochait, ils ne pouvaient croire qu'il l'eût professée ; l'amitié a de ces aveuglements prolongés. Mais, à Chalcédoine, après avoir anathématisé Nestorius, dont le cas n'était alors que trop clair, tous deux furent réhabilités. On comprend dès lors que les condamner eût quelque chose d'odieux : autant, après l'absolution, reprocher à des pénitents leurs fautes passées. Au surplus, pourquoi soulever ces querelles d'outre-tombe ? Besogne de croquemorts, dira avec mépris Facundus. Ajoutons qu'ouvrir un tel procès était entamer plus ou moins l'autorité du concile de 451. Évidemment, à l'aide d'un distinguo perfide, on pouvait prétendre attaquer en ces personnages les opposants d'Éphèse, non les réhabilités de Chalcédoine. Exacte en soi, cette condamnation rétrospective n'en semblerait pas moins un blâme indirect à la christologie de saint Léon.

Hypnotisé par son rêve d'union, Justinien n'en publiait pas moins dès 544 un édit dont quelques phrases nous sont parvenues seules, et où l'on anathématisait Théodore, les écrits de Théodoret contre saint Cyrille et le concile d'Éphèse, la lettre d'Ibas à Maris. Inutile de dire que, promulguée par le pouvoir civil, cette décision dogmatique était nulle de plein droit. Après avoir résisté quelque peu, les évêques orientaux se résignèrent à souscrire : ainsi Pierre de Jérusalem, Ephrem d'Antioche menacé de déposition, et Zoïle d'Alexandrie. Quant au patriarche byzantin Ménas, il s'exécuta lui aussi, mais à la condition que, si le pape protestait, il pourrait retirer sa signature : indirect éloge accordé au Siège Apostolique comme à une suprême cour de cassation. Sur ce, il déploya un tel zèle en faveur de l'édit, et agit si bien par contrainte que plusieurs prélats portèrent plainte entre les mains du nonce.

III. Condamnation des Trois Chapitres par Vigile. — Rien n'était fait tant que le pape n'avait pas acquiescé. Après ses premières compromissions, on eût pu croire que Vigile allait signer sans hésiter. Outre que la conscience du pontife n'était plus celle de l'apocrisiaire, il devait compter maintenant avec son entourage romain très défiant envers une entreprise qui paraissait bien attenter à l'autorité de saint Léon et à celle de Chalcédoine, toutes deux sacrées. Il opposa donc cette résistance passive, la meilleure de toutes, surtout à distance. A Constantinople, on résolut de l'arracher à son milieu. Au surplus, reformés sous un chef national, les Goths recommençaient à menacer Rome : se dérober à leurs vengeances dut paraître plus prudent à Vigile, lui qui avait évincé Silvère et qui s'était fait le champion des Byzantins. Selon le *Liber Pontificalis,* l'impératrice Théodora envoya en Italie le fonctionnaire Anthemius avec mission d'emmener le pape de force. Le 22 novembre, alors qu'il célébrait l'office anniversaire dans l'église de Sainte-Cécile, les troupes l'enlevèrent et l'embarquèrent, peut-être avec sa propre complicité. Le rendant responsable des misères de la guerre gothique à cause de son attachement au parti impérial, la populace lui lança des pierres et le poursuivit de ses insultes : « Emporte avec toi la famine ! Emporte avec toi la mort ! Tu as fait du mal aux Romains ! Que le mal t'accompagne ! » (novembre 545).

A Constantinople d'autres dangers plus subtils attendaient Vigile. Il ne se pressa donc pas. Durant les dix mois qu'il fit escale à Syracuse, il étudia la situation, recueillant les bruits de l'opinion et se donnant le temps de réfléchir. L'opposition occidentale se fortifiait. L'évêque africain Dacius écrivait à l'empereur une lettre protestatrice. Mêmes sentiments exprimés par le diacre carthaginois Ferrandus consulté par Pélage. « On ne doit pas, écrivait-il, condamner la lettre d'Ibas approuvée par le concile de Chalcédoine, ni signer les Trois Chapitres, sinon c'en est fait de l'autorité de toutes les décisions synodales. » Approuvée sans nul doute par l'archevêque Reparatus, la lettre de Facundus représentait la pensée des Africains, solidaires des Romains en cette affaire. Enfin, le patriarche d'Alexandrie Zoïle écrivit au pape sur l'inopportunité de l'édit nouveau.

Vigile quitta donc Syracuse pour l'Orient avec des convictions arrêtées. Par lettre il ordonna au patriarche Ménas de retirer son adhésion à l'édit impérial ; par des envoyés spéciaux il fit prier Justinien d'abandonner sa politique religieuse. Cependant on prépara au pape une réception magnifique ; le 25 janvier 547, l'empereur, entouré d'un brillant cortège, se porta au-devant de lui ; les deux majestés s'embrassèrent en pleurant ; puis on les conduisit à Sainte-Sophie avec toute la pompe des processions grecques, tandis que le peuple chantait : « Voici venu le Seigneur, notre maître. *Ecce advenit dominator, dominus.* » Vigile prit ensuite logis au palais de Placidie, résidence officielle des nonces romains : une prison dorée.

Justinien brûlait d'aborder l'affaire des Trois Chapitres. Vigile eût voulu détourner la question, parler d'autre chose, de l'Italie ensanglantée pour laquelle il demandait le rattachement à l'empire. « Le basileus promit bien de ne pas oublier la Péninsule, dit Procope qui raconte l'affaire avec un naturel surprenant ; mais ce qui l'intéressait le plus, c'étaient les dogmes chrétiens et son zèle se préoccupait surtout de supprimer les points controversés en théologie. »

Dans les premiers temps, Vigile se montra aussi intrépide qu'il l'avait annoncé ; il punit Ménas, le privant pendant quatre mois de sa communion ; même sanction contre tous les évêques signataires. D'après saint Grégoire, il aurait même excommunié Théodora et les acéphales, ce qui doit s'entendre sans doute assez largement.

Pourtant, circonvenu par la diplomatie grecque, compromis plus ou moins par son passé, Vigile ne tarda pas à fléchir. Pour vaincre ses résistances, le couple impérial mit tout en œuvre : Théodora, les ressources infinies de sa diplomatie féminine, roueries, promesses, rappel des engagements contractés, menaces déguisées ; Justinien, les arguments théologiques, l'espoir de ramener ainsi au bercail les brebis errantes, l'unanimité de l'épiscopat grec parfaitement domestiqué, l'obligation où se trouverait bientôt l'Occident de capituler sans condition. C'était bien là cette atmosphère capiteuse et troublante qui souvent avait perdu des légats pontificaux partis de Rome bien disposés. Au surplus, Vigile n'était pas un caractère ; on le savait et on multipliait les instances. Le châtiment de ceux qui ont déjà cédé, c'est de donner espoir qu'ils faibliront encore. D'Agapet on savait bien qu'il n'y avait rien a attendre : une barre de fer ; de Vigile on se promettait beaucoup à la longue. En effet, il remit bientôt aux deux Augustes une déclaration expresse — communication d'ailleurs essentiellement privée — et où, « pour éviter tout scandale, pour apaiser les esprits, pour porter remède à une situation très grave », il déclarait condamner les Trois Chapitres.

On voulait plus : une abdication pure et simple, son adhésion absolue à la décision de Justinien. Alors, se drapant dans sa dignité pontificale, il déclara : « Je suis votre captif, mais vous ne tenez pas pour cela l'apôtre Pierre. » Beau geste de se rejeter en arrière tel qu'en esquissent les faibles au moment où ils se sentent fléchir. De fait, la victoire byzantine était proche. Tout en maintenant ses prérogatives et sans accepter de mettre une simple signature au bas de l'édit impérial, Vigile consentit à ouvrir des conférences, où se réuniraient sous sa présidence quelques évêques consulteurs. Parmi eux argumentait l'africain Facundus d'Hermiane dont l'âpreté rappelait la manière de ses illustres compatriotes : pour lui, toucher à Théodoret et à Ibas, c'était compromettre Chalcédoine. Embarrassé, Vigile fit cesser le débat et demanda que chacun lui remît simplement son vote par écrit ; soixante-dix évêques se prononcèrent contre les Trois Chapitres.

Fort de cet appui, le pape publiait le 11 avril 548 son *Judicatum* ou *Epistola ad Mennam* dont nous ne connaissons que quelques fragments. Les Trois Chapitres étaient condamnés sans ambages ; mais, par contrepoids on accentuait les protestations de fidélité envers la théologie chalcédonienne : « Nous anathématisons quiconque regarde comme ayant force de loi ce qui, dans le précédent écrit, paraîtrait en opposition avec le concile de Chalcédoine, ou bien ce qui, ayant été écrit par nous ou par d'autres, présenterait le même caractère. Ce concile irréformable a la même autorité que ceux de Nicée, de Constantinople et d'Éphèse. »

C'était trop de chalcédonisme pour rallier les monophysites, trop peu pour contenter les Occidentaux. Au surplus la mort de Théodora ravivait les courages. Les protestations se firent particulièrement vives en Afrique : réunis en concile plénier sous la présidence de Réparatus de Carthage, les évêques signifièrent à Vigile qu'ils l'excluaient de leur communion jusqu'à résipiscence. Même attitude énergique en Dalmatie et dans l'Illyricum, où on anathématisa Benenatus, vicaire pontifical, et d'où l'on envoya à Justinien une défense des Trois Chapitres. Dans l'entourage de Vigile, l'opposition se groupait derrière les diacres Sébastien et Rusticus. En vain les déposa-t-il et Justinien envoya-t-il aux Africains et aux Illyriens une apologie du *Judicatum,* l'opposition subsistait toujours. Présent à Constantinople, l'archevêque de Milan Dacius se faisait l'interprète des prélats protestataires de la Haute-Italie. Le patriarche d'Alexandrie, Zoïle, retirait la signature d'abord accordée.

Parmi toute cette littérature de combat, la maîtresse pièce fut le traité de Facundus d'Hermiane *Pour la défense des Trois Chapitres* (*Pro defensione Trium Capitulorum*), déjà ébauché, mais qu'il s'empressa de publier. Dans cette condamnation, il dénonçait une offensive sournoise contre le concile de Chalcédoine; il blâmait surtout le renversement hiérarchique qui permettait à un basileus de porter des décrets doctrinaux; avec complaisance il évoquait ces princes, serviteurs dociles de l'Église : ainsi Marcien déclarant « que le prince ne doit pas anticiper sur les décrets ecclésiastiques, mais y souscrire », tel encore Théodose soumis et repentant; il rappelait aussi le châtiment des rois usurpateurs des droits sacrés, un Osias frappé de la lèpre pour avoir mis lui-même l'encens sur l'autel, un Constance fustigé par la verve de saint Athanase et celle de saint Hilaire. Jamais la polémique africaine ne fut plus âpre, plus mordante, plus cinglante [1]. L'Occident ecclésiastique tressaillait d'indignation. Quel embarras pour Vigile! Cet honneur pontifical qu'il avait recherché si ardemment, et par des procédés plutôt louches, il sentait maintenant combien il pesait et qu'il était vraiment une charge.

IV. La résistance de Vigile à Justinien et le Ve concile œcuménique. — Devant un tel orage, Vigile et Justinien résolurent le retrait du *Judicatum;* on remettrait la décision à un concile général. Par précaution, l'empereur fit jurer au pape devant Askydas et le consulaire Cethegus, sur les clous de la Passion et les quatre Évangiles, qu'il se ferait en toutes occasions et sans défaillances le champion de la condamnation des Trois Chapitres.

Mais l'opposition occidentale durait toujours. En vain Justinien manda-t-il à Byzance Reparatus de Carthage et quelques autres Africains ; menaces, caresses, tout fut inutile; on n'eut raison d'eux qu'en les accusant de trahison, et en renouvelant à leur égard les brutalités faites au pape Silvère. Pareille victoire n'était qu'une défaite déguisée. On pouvait donc prévoir quelles résistances surgiraient au sein du concile et que, se sentant soutenu, Vigile s'y rallierait. Mieux valait donc, si l'on voulait triompher, revenir à l'ancien procédé et lancer contre les Trois Chapitres un nouveau décret impérial : de quoi Askydas n'eut pas grand mal à persuader Justinien (**551**).

Ce long document comprenait un exposé de foi, une série de treize anathématismes, une réfutation d'objections. Dans la déclaration doctrinale, l'empereur justifiait contre l'exégèse nestorienne la terminologie de saint Cyrille : « Nous acceptons l'expression de Cyrille *una natura Dei Verbi incarnata* (μίχ φύσις τους Θεοῦ Λόγου σεσαρκωμένη), car toutes les fois qu'il s'est servi de cette expression le mot *natura* (φύσις) a pour lui le sens de *hypostasis* (ὑπόστασις, *persona*); en effet, dans les livres où cette manière de parler revient souvent, on voit qu'il la remplace tantôt par Logos, tantôt par Fils (υἱός) ou par Fils unique (μονογενής), prouvant par là que cette expression désigne pour lui la personne, l'hypostase, et non pas la nature... » Se retournant ensuite vers les monophysites, Justinien réfutait leurs objections, entre autres celle-ci : « De même, disaient-ils, que corps et âme ne constituent qu'une seule nature, de même divinité et humanité dans le Christ ne forment, en se réunissant, qu'une seule nature. » « S'il n'existait dans le Christ qu'une seule nature, répliquait Justinien, elle devrait être ou bien sans aucune chair et n'être égale qu'avec Dieu, au point de vue de la substance;

1. Facundus restera opposant irréductible. Enfermé dans un monastère en 564, il mourra dans le schisme vers 571, après avoir essayé de montrer que la question des Trois Chapitres ne repose pas sur un conflit doctrinal (*Epistola catholicae fidei in defensione Trium Capitulorum*). Voir les traités de Facundus dans *P. L.*, LXVII, 527-878. — P. GODET, art. *Facundus*, dans *Dict. Théol.*

Il faut aussi signaler Liberatus, diacre de Carthage, qui retraça l'histoire des controverses christologiques de 428 à 453 dans son *Breviarium causae nestorianorum et eutychianorum*, *P. L.*, LXVIII, 959-1062.

ou bien n'avoir que la chair, ne former qu'un homme et n'être égale qu'avec nous sous le rapport de la substance; ou bien de ces natures réunies a dû naître une nouvelle forme également différente de celle dont elle est tirée; mais, dans ce cas, le Christ ne serait ni Dieu ni homme, et il ne serait pas plus égal à Dieu sous le rapport de la substance qu'il ne le serait avec nous. Pareille supposition serait impie. »

Ainsi se combinaient sans heurt les doctrines chalcédonienne et éphésienne. Justinien terminait d'ailleurs son exposé dogmatique en donnant pour règle la doctrine des quatre premiers conciles. « Les choses étant ainsi, poursuivait-il, nous voulons ajouter des anathématismes contenant en abrégé la vraie foi et la réfutation des hérétiques. » Ils réapparaîtront textuellement au Ve concile général; notons seulement que les XIe, XIIe et XIIIe condamnaient les Trois Chapitres.

Si savant que fût l'édit impérial, Vigile le trouva souverainement déplacé et attentatoire à la parole donnée. Aux évêques il commanda de n'y pas adhérer sous peine d'excommunication. Même protestation formulée par Dacius de Milan en union avec les épiscopats gaulois, burgonde, espagnol, ligurien, émilien et vénitien. Au surplus, Vigile se sentait réconforté par l'énergie de Pélage qui avait pu quitter Rome et revenir à Byzance. Bref, une fois encore, c'était l'Occident tout entier qui se dressait contre le basileus.

Ne se sentant plus en sûreté au palais de Placidie, Vigile et Dacius se réfugièrent dans la basilique Saint-Pierre in Hormisda. Là les satellites de l'empereur vinrent les relancer. Drame où le ridicule et le sacrilège se rejoignirent : le pape se cramponnant aux colonnes de l'autel tandis que les soldats le tiraient par les pieds, par la barbe; puis la table sainte croulant sous les efforts des ravisseurs; la foule indignée éclatant en cris d'horreur, les soldats apeurés s'enfuyant sous les huées, et le pontife regagnant — tristement vainqueur — le palais de Placidie. Mais plus qu'auparavant celui-ci devenait une prison insupportable où les vexations ne se comptaient plus. Alors, deux jours avant Noël, durant une sombre nuit, Vigile s'évada au péril de la vie, en se laissant glisser sur un mur en démolition. Il se réfugia sur la rive asiatique à Chalcédoine, dans cette même église de Sainte-Euphémie où le célèbre concile avait tenu ses séances.

On juge de l'embarras impérial : comme Agapet, et à meilleure raison, Vigile pouvait à travers Justinien évoquer Dioclétien. Après que l'empereur lui eut envoyé une lettre injurieuse (31 janvier 552), voulant prévenir de nouvelles violences, il publia une *Epistula Encyclica* (5 février 552) où, après avoir rappelé les événements récents et les violences de l'église Saint-Pierre in Hormisda, il formulait son adhésion très ferme aux décisions de Chalcédoine, sans mention aucune des Trois Chapitres. En vain une ambassade impériale essaya-t-elle d'intervenir, l'*Encyclique* parut, adressée « à tout le peuple de Dieu », au nom de Vigile, « évêque de l'Église catholique ».

En même temps, le pape publiait la condamnation de Théodore Askydas, conseiller et âme damnée de Justinien; il le dénonçait pour avoir suggéré au prince ce récent édit rédigé « en violation de toutes les traditions... alors que personne n'ignore à qui le Seigneur a confié le soin d'instruire son peuple et à qui il a donné sur terre le pouvoir de lier et de délier ». Il y a là « un affront direct à l'évêque du Siège Apostolique ». Belle protestation par où Vigile libère enfin sa conscience et qui, à travers Askydas vise l'empereur théologien, usurpateur du pouvoir des clefs. Tous les complices étaient aussi atteints, et en premier lieu le patriarche Ménas. On parvint d'ailleurs à afficher la condamnation dans les basiliques et les lieux les plus fréquentés de la capitale. Un tel sursaut d'énergie rachète tout le passé de Vigile.

Devant cette volonté solennellement affirmée, Justinien dut biaiser. Sur son conseil, le patriarche Ménas, Askydas de Césarée, André d'Éphèse, Pierre de Tarse et d'autres prélats courtisans présentèrent à Vigile dans l'église de Sainte-Euphémie une humble profession doctrinale où, avec chaleur, ils affirmaient leur attachement aux quatre conciles en général, à celui de Chalcédoine et à toutes les lettres de saint Léon en particulier. Sur la valeur illusoire de ce repentir Vigile ne s'abusa pas ; toutefois il pouvait désormais, sans manquer à sa dignité, se rapprocher de la cour ; il rentra donc à Constantinople. Le 6 janvier 553, le patriarche Eutychius, qui succédait à Ménas mort au mois d'août, souscrivait lui aussi à la foi de Chalcédoine, déclarant s'en rapporter pour les Trois Chapitres au futur concile.

Le pape fût revenu volontiers à ce projet. Mais comment se composerait l'assemblée et où siègerait-elle ? Vigile eût désiré l'Italie, où l'Église latine serait largement représentée ; l'empereur, au contraire, voulait une réunion orientale, composée surtout d'évêques grecs, et qu'il manœuvrerait à sa guise. Les deux conceptions — servilisme et liberté — se heurtaient. En vain Justinien imagina-t-il des projets hybrides : par exemple un colloque entre trois latins et quatre grecs ; encore et mieux, une conférence où chacun des patriarcats serait représenté par quatre légats. Dans ce dernier cas, l'Occident compterait pour un, l'Orient pour quatre et Rome serait assimilée en importance à Alexandrie ou à Antioche : arithmétique toute byzantine. Au surplus, le pape ne savait pas le grec, et d'ailleurs il était malade après tant d'émotions. La dignité et la prudence lui commandaient de s'abstenir. Spectacle étrange, note le P. Grisar, un concile impérial et prétendument œcuménique, et dans la même ville le successeur de Pierre refusant d'y paraître !

Le 5 mai 553, dans le secretarium de Sainte-Sophie s'ouvrit l'assemblée sous la présidence d'Eutychius de Byzance. En une lettre d'ouverture sournoisement habile Justinien se posa en prince libéral qui consulte les évêques : ainsi fit-il jadis avec le pape Vigile qui anathématisa les Trois Chapitres une fois, deux fois, plusieurs fois encore. En vain envoya-t-on vers celui-ci une délégation solennelle qui l'inviterait aux séances : il se déroba. Même échec d'une ambassade impériale conduite par Bélisaire. Le concile n'en accomplit pas moins la besogne qu'avait tracée Justinien ; on trouva facilement chez Théodore, voire dans Théodoret diverses expressions de saveur nestorienne. Plus compliqué fut le cas d'Ibas : pour démontrer que sa lettre à Maris était hétérodoxe, on fit appel à une série de documents empruntés aux actes d'Éphèse et de Chalcédoine, toute la bibliothèque christologique du dernier siècle. Tandis que, soucieux avant tout de charger Ibas, on prouvait que la première partie de sa lettre injuriait le concile d'Éphèse et saint Cyrille et qu'elle défendait Nestorius, on ne pensait pas à noter que l'autre moitié corrigeait celle-là, avouant qu'on avait fini par s'entendre avec le patriarche alexandrin et concluant sur une profession doctrinale très correcte en l'unité d'un seul Seigneur dans les deux natures. Ainsi pareil document était-il un miroir de la vie même d'Ibas et de Théodoret, anticyrilliens à Éphèse, catholiques à Chalcédoine. Cependant le réquisitoire prononcé par Askydas emporta toutes les adhésions.

C'est alors que Vigile fit paraître le 14 mai 553 son *Constitutum,* une des meilleures compositions théologiques du VIe siècle. Après un exposé récapitulatif des faits, le pape y esquissait un véritable plaidoyer pour les Trois Chapitres. Sans doute la doctrine de Théodore était-elle hétérodoxe manifestement, mais pourquoi la condamner alors qu'on ne l'avait fait ni à Éphèse, ni à Chalcédoine, et que le péril nestorien était maintenant lointain ? Ne valait-il pas mieux laisser aux morts le soin d'enterrer leurs morts ? Même attitude envers Théodoret et Ibas. Pourquoi les poursuivre alors qu'ils avaient renié Nestorius et que le concile de Chalcédoine les avait réhabilités ? Après un siècle et davantage, allait-on se montrer plus exigeant et plus chatouilleux que saint Cyrille pardonnant à ses adversaires ? Par une sage distinction, Vigile plaidait tout à la fois coupables et dignes d'absolution. Somme toute, il voulait l'acquittement pur et simple ; mieux que cela, une ordonnance de non-lieu. L'erreur était à condamner, mais les personnes à épargner. Qu'on était loin ici de l'humeur chicanière des Grecs. Des procédés de croque-morts, Vigile n'en voulait à aucun prix. Chalcédoine sans plus, telle était sa consigne. Elle s'adressait à tout dignitaire ecclésiastique ; mais l'empereur n'était pas visé. Rien qui pût être plus modéré, ni plus sage, ni plus courageux.

Justinien jugea le *Constitutum* non avenu. En vain Vigile le fit-il parvenir au palais par l'un de ses prêtres : ni les évêques, ni Bélisaire lui-même ne furent assez braves pour le transmettre. L'empereur se refusa à le recevoir. « Si cette sentence condamne les Trois Chapitres, dit-il, nous n'en avons pas besoin ; car Vigile les a condamnés déjà. Si elle les défend, Vigile se condamne lui-même en se contredisant, et comment pourrions-nous accepter son papier ? » Dilemme en apparence sans réplique. Le basileus restait hypnotisé par la valeur apologétique de sa manœuvre théologique. Des monophysites il avait une conception idéale ; il les voyait non pas tels qu'ils étaient, mais tels qu'ils auraient dû être : personnages sincères, convaincus, les yeux toujours fixés sur le Christ, notre lumière, alors qu'ils étaient au contraire orgueilleux, inflexibles, têtus, les plus fanatiques des fanatiques.

Il voulut donc avoir le dernier mot. Sans retard il ordonna qu'on rayât de tous les diptyques Vigile parjure (26 mai). Par une subtile distinction entre le *sedes* et le *sedens*, entre la dignité et celui qui l'occupe, il n'entendait pas pour autant rompre avec la papauté. L'argument était d'avenir : rejeter l'homme, mais vénérer toujours la fonction, et d'autant plus qu'on condamnait celui qui en était indigne. Sans ironie l'assemblée loua le zèle du très pieux empereur « pour l'unité des saintes Églises ». « En réalité, dit Mgr Batiffol, depuis Constance on n'avait pas vu un empereur du style de Justinien et disposant d'un concile et d'un pape avec cette rigueur. » « Le Dioclétien de la théologie », dit énergiquement Harnack, qui avait encore dans l'oreille la réplique d'Agapet.

Enfin, le 2 juin, à la VIIIe session, le concile paracheva son œuvre, condamnant les Trois Chapitres et portant quatorze anathématismes. Dans ceux-ci on trouvait une réfutation enchaînée et logique des erreurs de Théodore, notamment au cinquième ainsi énoncé : « Si quelqu'un dit que c'est selon la grâce ou selon une certaine autorité d'honneur que s'est faite l'union du Dieu Verbe avec l'homme, ou qu'elle a été une union de complaisance... et s'il ne confesse pas qu'elle s'est faite selon l'hypostase, qu'il soit anathème. » La christologie de Théodore ainsi dénoncée, on exposait quelques-unes de ses fâcheuses conséquences : négation de la maternité divine de Marie (6e anath.), double adoration du Seigneur, l'une s'adressant à l'homme, l'autre au Verbe (7e anath.), impossibilité de la communication des idiomes (11e anath.). Après cette longue réfutation venait la condamnation expresse des écrits de Théodoret et de la lettre d'Ibas (13e et 14e anath.).

Maintenant Vigile allait-il céder ? Ses conseillers ordinaires furent écartés ; ainsi Rusticus, son neveu, envoyé en Thébaïde, Pélage jeté en prison où il put composer divers traités polémiques, littérature qui, d'ailleurs, embarrasserait quelque jour leur auteur devenu pape. Isolé, fatigué, Vigile pensa à des accommodements. Dans une lettre au patriarche Eutychius, puis dans un nouveau *Constitutum* du 23 février 554, il souscrivit enfin la condamnation des Trois Chapitres, alléguant sans grande opportunité l'exemple de saint Augustin, « maître de l'éloquence romaine », qui n'avait pas hésité à rétracter ses propres écrits.

Après dix ans d'exil, Vigile se rembarqua pour l'Occident, mais mourut à Syracuse le 7 juin 555, non sans quelque à-propos : on peut se demander, en effet, quel accueil les Romains lui eussent réservé. Il laissait un passé discuté et à son successeur un avenir chargé de menaces.

V. Pélage et le schisme d'Aquilée. — D'autant plus que l'empereur désigna ce même diacre Pélage, qui si longtemps avait guidé et soutenu Vigile dans sa résistance, qui hier encore rédigeait dans sa prison des libelles passionnés contre les adversaires des Trois Chapitres[1], et qui maintenant en acceptait la condamnation. Quelles raisons le guidèrent à son tour dans cette volte-face? Est-ce le sentiment que la paix de l'Église valait bien une capitulation sans conséquence doctrinale? Peut-être. Ou bien encore, l'ambition d'arriver? Sans doute aussi.

Son passé romain était des plus glorieux. Tandis que Vigile discutait à Byzance avec les théologiens impériaux, c'est lui qui en Italie avait représenté la papauté aux plus tragiques heures.

Après que Vitigès, successeur de Théodat, eut vainement essayé d'enlever Rome (février 537-mars 538), Bélisaire put passer à l'offensive, s'emparer de Ravenne en 539, et reparaître à Constantinople, traînant après lui le roi ostrogoth prisonnier. Tout semblait fini lorsque s'imposa aux vaincus un chef national énergique et valeureux, Totila : dans une randonnée guerrière éblouissante, il traversa l'Italie, enrôlant des soldats au passage, et vint assiéger Naples qui capitula durant le printemps 543. Quand, en 546, il encercla Rome, y faisant srégner une épouvantable famine, Pélage se fit de toutes manières le protecteur des habitants, oit qu'il consacrât à leur soulagement sa fortune considérable, soit que — nouveau Léon — il affrontât le chef barbare et négociât avec lui, soit encore que, la ville une fois prise, il se tînt au seuil de la basilique Saint-Pierre pour demander au vainqueur, le livre des Évangiles en main, qu'il laissât les vies sauves et qu'il épargnât le sénat[2]. « Tu viens aujourd'hui me

1. *Pelagii diaconi Ecclesiae romanae in defensione Trium Capitulorum*, texte édité avec introduction par Robert Devreesse (*Studi e Testi*, fasc. 57), Rome, 1932.

2. Entre Totila et Bélisaire rappelé en hâte, l'ancienne capitale du monde devint l'enjeu de la lutte. Bélisaire y rentra en 547; mais après sa disgrâce, Totila s'en empara une seconde fois (549). Narsès, un eunuque de soixante-cinq ans, prit la direction de l'armée byzantine; Totila fut battu et tué dans un combat au nord de l'Ombrie, près de la petite ville de Gualdo Tadino (552).

La rencontre est restée célèbre de Totila avec saint Benoît telle que la raconte saint Grégoire dans ses *Dialogues*. Le chef barbare était si ému que, prosterné aux pieds du patriarche, il n'osait se relever : « Tu fais et tu as fait beaucoup de mal, lui dit Benoît; désormais, fais trêve à ton impiété. Tu entreras à Rome, tu passeras la mer; tu as dix ans de règne; dans dix ans tu mourras. » De fait, la scène se passait en 542.

Bury voit dans cette trouble période la transition entre l'antiquité et le moyen âge. « Avec Bélisaire, dit-il, l'ancien monde jette comme un dernier éclat. Les infortunes qui marquent son retour en Italie, l'apparition de Totila, sa visite à Benoît, le saint dont l'ombre domine les siècles médiévaux, tout cela nous donne l'impression que commencent les âges sombres. » Le sentiment exprimé par cet anglais peut sembler quelque peu romantique, il est aussi historique. En tous cas, mieux vaut parler ainsi que de prétendre imposer une date fixe et factice comme l'année 476. Sur cette guerre de Byzance et des Ostrogoths, voir Bury, *? *A history of the later Roman Empire from Arcadius to Irene*, 2e édit., 1923, t. II, p. 151-286. — Hodgkin, *op. cit.*, t. IV. — Diehl, *Justinien*, p. 181-201. — W. G. Holmes, *The age of Justinian and Theodora*, Londres, 1912, t. II, p. 544-583.

supplier, Pélage », disait Totila railleur. « Dieu m'a fait son serviteur, répondait Pélage; pardonne à tes serviteurs. » Sa prière fut en partie exaucée; si la ville fut affreusement ravagée, au moins le sang ne coula-t-il pas.

Chose étonnante, tous ces services éminents étaient maintenant bien estompés. L'oubli se faisait aussi sur le soutien qu'il avait procuré à Vigile dans sa résistance à Justinien. On ne voyait plus en lui que le stipendié de l'empereur, un renégat devenu antichalcédonien par ambition. L'opposition était si universelle que pour sa consécration on ne trouva même pas les trois évêques requis [1].

Il lui fallait manœuvrer. Sa tactique fut simple, habile et pacifiante : protester très fort de son orthodoxie, chanter très haut les louanges de Chalcédoine, ne dire aucun mal des Trois Chapitres, et surtout n'exiger d'aucun évêque qu'il en dise du mal. Pour frapper les esprits il fit une grande manifestation ; à Saint-Pierre, devant le peuple assemblé, il jura sur la croix et les Évangiles qu'il était innocent des trahisons qu'on lui imputait, qu'il voulait maintenir les quatre conciles œcuméniques, et en particulier celui de Chalcédoine, celui de saint Léon. Rome se calma. De même la Toscane septentrionale où il envoya sa profession de foi qui exaltait sans plus Chalcédoine et saint Léon.

Restaient les trois régions ecclésiastiques de l'Italie septentrionale. L'Émilie, dont la capitale était Ravenne, ne protesta point. Par contre les métropolitains Paulin d'Aquilée et Vitalis de Milan rompirent avec l'Église romaine. Pélage prônait une intervention armée : on eût envoyé les deux entêtés à Constantinople, le pays de toutes les conversions. Pour légitimer pareils procédés, le pape arguait d'ailleurs l'autorité de saint Augustin, toujours invocable. Mais Narsès ne tenait pas à ameuter la Haute Italie pour une querelle d'évêques. Faute de mieux, Pélage prit le ton persuasif : il prêcha paix et union, rappela la parabole des branches séparées de la vigne, insista sur la confirmation doctrinale conférée à Pierre; rien n'y fit.

Quand plus tard, devant l'invasion lombarde, les métropolitains de Milan et d'Aquilée se réfugièrent en territoire byzantin, le premier à Gênes, le second à Grado, ils ne firent que déplacer le schisme. Pourtant, vers 574, menacé par le compétiteur Fronton, le nouveau titulaire de Milan, Laurent, céda le premier et fit sa paix avec Rome. Mais à Grado, Élie s'obstina avec ses évêques, malgré toutes les instances de Pélage. « Croyez-vous donc, leur écrivait celui-ci, qu'au tribunal divin Théodore de Mopsueste et Ibas vous assisteront de leurs lettres pour vous sauver? » A la mort d'Élie survenue vers 586, l'exarque Smaragde résolut enfin d'intervenir : il arrêta le nouveau patriarche Sévère et trois évêques qui, après qu'on les eût internés un an à Ravenne, finirent par céder. Mais, au retour, Sévère dut rétracter sa soumission devant un synode de Marano (589).

Peu après, les schismatiques réunirent encore deux assemblées protestatrices en réplique à un concile d'union préconisé par saint Grégoire le Grand. Ils écrivirent à l'empereur Maurice une lettre insidieuse, lui exposant qu'il n'était guère habile de semer la division dans l'Italie septentrionale alors que les Lombards la menaçaient. Enfin, après la mort de Sévère, le gouvernement de Ravenne put faire élire à Grado un patriarche catholique, Candidien. Mais les dissidents se réfugièrent alors sur le continent et, protégés par le duc Gisulf de Frioul,

1. Il fallut aller chercher en dehors de la région romaine l'évêque de Pérouse, l'évêque de Ferentino et un prêtre d'Ostie. Si désolées que fussent les Églises, il y avait au moins un siège suburbicaire occupé, celui de Préneste. Mais, sans doute son titulaire, Maurus, partageait-il les préjugés courants contre Pélage. Voir R. Devreesse, *op. cit.*, XLIII-XLIV.

élirent à Aquilée le moine Jean. De là ce double patriarcat qui devait subsister : l'un, de terre ferme, établi à Aquilée pour le territoire lombard; l'autre qui, après avoir résidé à Grado, se transportera à Venise, et qui comprendra avec les évêchés d'Istrie la zone côtière ou insulaire occupée par les Byzantins. Le schisme ne prendra fin qu'au concile tenu à Pavie vers la fin du VIIe siècle sur l'initiative du roi lombard Cunipert (688-700).

En Gaule où l'on avait témoigné aussi quelque inquiétude, le roi Childebert demanda à Pélage de franches explications, et s'il souscrivait à la doctrine de saint Léon. Dans sa réponse, le pape lui en donna l'assurance, ajoutant qu'il serait trop long d'expliquer l'affaire : « quelques chapitres qui ne regardent pas la foi », pas davantage. « Sous le rapport doctrinal, ajoute-t-il, l'Église n'a plus, depuis la mort de Théodora, rien à craindre là-bas, Dieu merci! » Pourtant, même en Gaule où les esprits ne péchaient pas alors par trop de subtilité, on opposait aussi le diacre Pélage qui défendit les Trois Chapitres au pape Pélage qui les condamnait : réflexion embarrassante à quoi l'inculpé ne pouvait opposer qu'une très grande humilité : « Pourquoi ces récriminations, écrit-il à l'archevêque d'Arles? Quand j'ai défendu les Trois Chapitres, n'étais-je pas avec la majorité des évêques? J'ai changé de sentiment, c'est vrai, mais avec cette même majorité : saint Pierre n'a-t-il pas cédé à la correction fraternelle de saint Paul? Saint Augustin n'a-t-il pas écrit des rétractations? Je me suis trompé, j'en conviens, mais n'étant encore qu'un simple diacre dont l'opinion devait suivre celle des pontifes. Maintenant ils se sont déclarés. L'Afrique, l'Illyrie, l'Orient avec ses milliers d'évêques, ont condamné les Trois Chapitres; c'est une folie que de s'écarter de telles autorités pour suivre quelques colporteurs de fausses nouvelles. » Au fond, ces questions lointaines n'intéressaient qu'indirectement la Gaule et l'Espagne; on n'y vit point motif suffisant pour rompre avec le Siège Apostolique. Somme toute, Pélage s'était tiré avec habileté d'un pas très hasardeux.

En Afrique, Justinien triompha par la manière forte. Il exila les principaux opposants, entre autres Reparatus de Carthage et son diacre Liberatus. Le nouveau métropolitain Primasius se prêta à la politique impériale qui, par intimidations et promesses, réussit à s'imposer. La victoire paraissait complète.

Cette condamnation des Trois Chapitres n'en fut pas moins une malheureuse affaire où les tergiversations de Vigile — traversées, il est vrai, par quelques éclairs d'héroïsme — firent tort au crédit de la papauté, où s'affirma à l'extrême l'arbitraire impérial, et qui n'aboutit d'ailleurs à aucun résultat véritable : pas un monophysite ne rentra dans l'orthodoxie; par contre, on compta en Occident un groupe de schismatiques inattendus.

VI. La théologie de Justinien et de Léonce de Byzance. — Justinien persévéra dans la même politique religieuse : dogmatiser et sourire à l'hérésie. Aussi versa-t-il à la fin de sa vie dans l'aphthartodocétisme : cette théorie du Christ incorruptible, il crut qu'on pouvait l'entendre d'une manière catholique et ramener ainsi à l'Église tous les julianistes. Il trouva bien à Byzance des prélats courtisans pour l'approuver (avril 565), mais les patriarches s'honorèrent en protestant : Eutychius de Constantinople et Apollinaire d'Alexandrie y gagnèrent, le premier une sentence, le deuxième une menace d'exil. Anastase d'Antioche alla jusqu'à ouvrir une campagne directe, réunissant quelque deux cents évêques et adressant à Justinien une lettre opposée à ses théories. Audace qui lui eût coûté cher, si le basileus ne se fût éteint bientôt le 14 novembre 565, fidèle jusqu'au bout à son rêve.

Cette ultime aventure valut à Justinien la réputation d'avoir fini en hérétique. Ainsi, trente ans après sa mort, Évagre déclare-t-il que « s'étant engagé dans un sentier que n'avaient frayé ni les Apôtres, ni les Pères, il tomba dans un fourré d'épines et de ronces dont il faillit emplir l'Église ». Pour être juste, il faut pourtant reconnaître l'orthodoxie de sa christologie. Non pas qu'il soit un philosophe très sûr : ni sa définition de la nature et de la personne n'est parfaite, ni sa compréhension de l'union hypostatique précise. Au moins a-t-il vu pourquoi s'entêtaient les hérétiques : comme ils prêtaient aux termes *natura* et *hypostasis* (φύσις, ὑπόστασις, πρόσωπον) un sens synonyme, les monophysites traduisaient *duae naturae* par « deux personnes », les nestoriens *una natura* par « une seule nature » : ainsi les premiers incriminaient-ils une expression chalcédonienne, et les seconds une autre cyrillienne, alors que toutes deux, bien glosées, pouvaient et devaient rendre un son très orthodoxe.

Il existe une grande ressemblance entre la théologie de Justinien et celle de son contemporain, le moine Léonce de Byzance. Celui-ci part du concept de personne ou hypostase, tel que l'avaient donné les Cappadociens, surtout le Nazianzène; il le précise, lui donnant sa vraie place dans l'échelle des réalités. L'hypostase est non seulement une nature individuelle et concrète, mais un individu existant à part soi (καθ' ἑαυτό) et en soi (ἐν ἑαυτῷ) en sorte qu'elle reste physiquement indépendante; aussi ne peut-elle être une de ces parties d'un tout qui inexistent dans une autre. De telles données les applications psychologiques et théologiques deviennent aisées : dans le Christ, le Verbe et l'humanité, complets en soi, ne le sont pas vis-à-vis du tout dont ils ne constituent que des parties; ils sont les composants de la seule personne du Christ. Ainsi dans un tout, une nature concrète, réelle, individuée, n'est pas nécessairement une hypostase; il se peut qu'elle ait l'être dans un autre et non en elle-même, qu'elle soit *enhypostasiée* (ἐνυπόστατος).

Par ces précisions se trouve écarté l'axiome sur quoi reposait le double courant des hérésies christologiques, nestorianisme et monophysisme : à savoir que toute nature est nécessairement une personne. Non pas, objecte Léonce; mais il arrive qu'une nature inexiste dans une autre dont elle partage l'hypostase. Cette distinction valait contre les nestoriens pour qui l'humanité est complète et parfaite (τελεία). Parfaite sans doute en elle-même, admettait Léonce, mais non pas complète par rapport au tout, au Christ; et donc simple nature inexistante, et non pas personne subsistant en soi. La même distinction portait aussi contre les monophysites pour qui il y aurait une espèce, une nature *christique* participable, alors que l'humanité du Christ *enhypostasiée* possède un caractère bien concret et individuel qui permet de la compter à part de la nature divine, même dans l'union. Bref, « c'est Léonce qui a conduit le concept d'hypostase jusqu'à sa suprême explication philosophique en en marquant l'essence dans l'existence autonome ».

Léonce de Byzance. — *SOURCES : P. G.*, LXXXVI; MAI, *Spicilegium romanum*, X. — *TRAVAUX* : F. LOOFS, *?Leontius von Byzanz*, Leipzig, 1887. — W. RÜGAMER, *Leontius von Byzanz*, Wurtzbourg, 1894. — P. JUNGLAS, *Leontius von Byzanz*, Paderborn, 1908. — V. GRUMEL, art. *Léonce de Byzance*, dans *Dict. Théol*

CHAPITRE III

JUSTINIEN EMPEREUR CHRÉTIEN

I. Lutte contre l'hérésie et le paganisme. — Les monophysites furent les seuls hérétiques que Justinien ait traités parfois avec cette coquetterie conquérante. Envers tous autres il se montre inflexible. Il a dit quelque part « que leur contact seul est une souillure et que leur trace et leur nom devraient disparaître de la surface de la terre ». Il les déteste tout à la fois comme croyant et comme souverain : à ses yeux ils sont une offense à Dieu et un obstacle à l'unité de l'empire. Il les poursuivra donc sans merci. « Trouvant, dit Procope, les croyances à l'abandon, l'Église tiraillée en tous sens, il ferma toutes les routes qui mènent à l'erreur et assit la religion sur les bases d'une foi unique. »

Les mesures de répression contre les hérétiques furent aggravées et mises en pleine vigueur. « Il est juste, disait Justinien, de priver des biens terrestres ceux qui n'adorent pas le vrai Dieu. » Exclusion de toutes les fonctions et dignités, interdiction des professions libérales telles que le barreau et le professorat « par la crainte qu'ils n'entraînent les âmes simples dans leurs erreurs », défense de pratiquer le culte, même en secret, fermeture des temples et synagogues qu'on transformera en églises, enfin suppression des droits les plus personnels tels que celui de témoigner en justice et celui d'hériter, voilà les mesures sévères qui de l'hérétique, du juif et du païen faisaient des parias dans l'empire. Sans doute ces châtiments furent-ils parfois appliqués avec modération, mais dans d'autres cas aussi avec une inflexibilité cruelle.

Ainsi contre les manichéens, ces « maudits » que Justinien essaya en vain de convaincre, et qu'il pourchassa ensuite partout, ordonnant qu'on les brûlât, eux et leurs livres, qu'on aliénât leurs biens. Même rigueur envers les montanistes dont l'illuminisme avait — sans faiblir — traversé les siècles, et qui en Phrygie préférèrent se laisser rôtir dans leurs temples plutôt que de se rendre. Les ariens conservaient d'importantes richesses ; on les confisqua, et eux furent mis dans l'alternative de se convertir sans retard ou de quitter l'empire.

De tous, les plus châtiés furent les juifs. Devant l'intolérance légale et l'avidité du fisc les Samaritains se révoltèrent en 529. Soutenus par les juifs, comptant sur l'aide des Perses, ils massacrèrent les chrétiens, incendièrent les églises, s'emparèrent de Scythopolis et de Naplouse, ravageant toute la contrée ils allèrent même jusqu'à offrir la couronne au brigand

Julien. L'empereur étouffa l'émeute dans une répression si cruelle que vingt mille Samaritains périrent; autant furent livrés comme esclaves aux Arabes, et on apporta en trophée à Constantinople la tête de leur chef. La lutte prit le caractère d'une guerre inexpiable, et en 530 les révoltés appelèrent à leur aide les Perses. Traqués dans les montagnes, beaucoup périrent tandis qu'on appliquait aux autres toute la rigueur édictée.

Il est vrai que leur obstination restait irréductible. En vain, à la prière de Sergius de Césarée, Justinien adoucit-il leur sort vers la fin de son règne; ils ne s'insurgeront pas moins à nouveau en 572, si bien que Justin II devra rétablir contre eux les mesures d'exception, en arguant « qu'ils se sont rendus indignes par leur folie de l'humanité de la loi et qu'ils ne peuvent accuser qu'eux-mêmes d'être exclus de la clémence divine et de la libéralité impériale ».

Par ricochet la persécution contre les Samaritains atteignit aussi les juifs, complices plus ou moins avoués de leur insurrection. Une surveillance tracassière s'immisça jusque dans leur dévotion privée : on leur ordonna de lire l'Ancien Testament non plus dans le texte hébreu, mais dans la version grecque des Septante. D'autre part, on tenta de les convertir, à quoi ils ne se prêtèrent pas avec sincérité.

Le paganisme se survivait en certains sanctuaires fameux : tels en Égypte celui de l'oasis d'Angila consacré à Jupiter Ammon et celui de Philé dans l'île Éléphantine dédié à Isis, l'ancienne déesse nationale; tels encore en Syrie, Byblos, Héliopolis, l'actuelle Baalbeck, Carrhae, aujourd'hui Harran dans l'Osrhoène. Contre eux le zèle impérial sévit : ainsi Justinien fit-il fermer Angila et Philé. Contre eux aussi, surtout en Syrie, l'exaltation populaire. Nul triomphe plus grand que de convertir en maison du Christ un temple païen : « Le rendez-vous des démons est devenu la maison du Seigneur, lit-on au frontispice de l'église d'Ezra; la lumière du soleil éclaire le lieu qu'obscurcissaient les ténèbres, les sacrifices idolâtriques sont remplacés par les chœurs des anges; où se célébraient les orgies d'un dieu, se chantent maintenant les louanges de Dieu. »

A côté de ce paganisme oriental, il en existait un autre infiniment plus discret : le paganisme lettré attaché aux traditions glorieuses de l'antiquité païenne, à l'hellénisme et à la philosophie bien plus qu'à la superstition. Il avait encore deux centres : Athènes et Constantinople. A Athènes, c'était un paganisme d'école; à Constantinople, plutôt un paganisme de salon.

Dans les écoles d'Athènes, les maîtres continuaient « la chaîne d'or » d'Aristote, de Platon et de Plotin, et au mysticisme néoplatonicien mêlaient les mystères religieux. Bien que depuis Proclus, mort en 485, l'enseignement y fût en décadence, beaucoup se piquaient encore d'y avoir fait leurs études. Le zèle de Justinien vit là un défi au christianisme : une ordonnance impériale supprima en 529 l'université d'Athènes, confisquant fondations et dotations. Plusieurs professeurs se retirèrent auprès de Chosroès, roi réputé lettré et philosophe; il les accueillit gracieusement, et quand cet exil volontaire leur eut semblé trop lourd, il négocia en 532 leur tranquille rentrée. Sans importance foncière, cette fermeture des écoles d'Athènes possède toutefois une valeur symbolique souvent soulignée : « La même année, dit Knecht, où saint Benoît détruisait le dernier sanctuaire païen en Italie, le temple d'Apollon du bois sacré du Mont Cassin, vit aussi la destruction du rempart du paganisme classique en Grèce. » Et tandis qu'Athènes n'était plus qu'une petite ville de province, Constantinople devenait toujours davantage le centre de la civilisation chrétienne.

Un paganisme mondain et un paganisme populaire subsistaient encore, le premier dans certaines villes et dans l'entourage même de l'empereur; le second en des campagnes éloignées ou en des régions montagneuses, notamment sur les plateaux de l'Asie Mineure.

Contre les infidèles, la législation était non moins implacable qu'envers les hérétiques. Un édit l'aggrava encore : pour tout païen converti, puis renégat, la mort; aux autres l'injonction de se faire connaître et baptiser en toute hâte : « Qu'ils sachent, s'ils refusent, qu'ils sont exclus de tout ce qui constitue l'État, qu'ils ne pourront posséder ni biens meubles, ni immeubles, mais que, dépouillés de tout, ils seront réduits à la misère, sans préjudice des peines qu'ils méritent. » Bref, pour ces maudits « c'était bien assez de vivre ».

Pareilles rigueurs légales se conjuguaient avec une sorte d'Inquisition que dirigeait un moine, le monophysite Jean, auquel ce nouvel emploi vaudra le surnom de Jean d'Asie ou Jean d'Éphèse. A Constantinople il organisa une véritable terreur. Comme un paganisme élégant et lettré subsistait au sénat et jusqu'à la cour, Jean dénonça en 546 « certains hommes illustres et nobles avec une foule de grammairiens, de sophistes, de scolastiques et de médecins ». Leur fronde religieuse fut jugée un cas pendable : emprisonnements, flagellations, tortures s'abattirent sur eux, et une étroite surveillance s'assura que, convertis, ils ne retournaient plus à leurs idoles.

Le zèle de Jean d'Éphèse s'en prit aussi à l'Asie Mineure où il organisa une grande mission. Il commençait par fonder un couvent auprès de la région à conquérir; puis, accompagné de ses moines, il s'en allait prêcher partout. Les paysans convertis l'aidaient ensuite dans l'œuvre d'épuration, renversant les statues, démolissant les temples, coupant les arbres sacrés. On les remplaçait par des églises que la générosité impériale dotait de vases précieux et d'ornements sacerdotaux. Dans les quatre provinces d'Asie, Carie, Lydie et Phrygie, Jean convertit quelque cent mille personnes : il mérita le titre de « destructeur des idoles et marteau des païens ». Beau succès, mais pour l'orthodoxie : car le catholicisme de Justinien n'eût pas admis que ces âmes ne fussent baptisées qu'au profit du monophysisme.

Est-ce à dire que le paganisme disparut de l'Empire? Pas absolument. Peu après la mort de Justinien, en 579, on découvrira encore des conventicules à Héliopolis, à Édesse et à Antioche où le patriarche Grégoire lui-même sera soupçonné d'avoir participé à Daphné aux sacrifices nocturnes. Mais le paganisme n'était plus alors qu'un amusement pour les beaux esprits, un mode d'opposition politique pour les ténébreux, affiliés à des sociétés secrètes. De l'antiquité — fait infiniment plus grave — subsistera le culte des empereurs, l'idée qu'ils sont les maîtres de tout, de la religion comme du reste; puis l'usage officiel du grec. Et voilà qui tendra particulièrement à séparer l'Orient ecclésiastique de l'Occident, où le pontife romain était réputé seul chef de l'Église, et où bientôt l'on n'entendra plus que le latin. Justinien, qui eût voulu l'unité religieuse, travailla inconsciemment contre elle.

II. La Guerre sainte. — Le basileus visait non seulement à consolider et rendre exclusif le christianisme à l'intérieur, mais aussi à le faire dominer partout, à le rendre conquérant du monde. Ainsi l'idéal romain du prince qui veut reconquérir les provinces perdues se conjugue-t-il avec son sentiment chrétien qui voit avec dépit ces mêmes provinces occupées, tant en Afrique qu'en Italie et en Espagne, par des hérétiques ariens. D'où cet air de croisade donné à ses entreprises guerrières d'Occident : comme jadis Constantin, et comme plus tard Charlemagne, Justinien est le soldat du Christ, le champion de l'Église, et en satisfaisant ses ambitions dominatrices, en réalisant son plan de restauration romaine, il entend bien accomplir les Gestes de Dieu. Il reprend pratiquement cet idéal jadis énoncé par

JUSTINIEN DÉFENSEUR DE LA FOI. IVOIRE BYZANTIN DU IVe SIÈCLE.
(Plat de reliure. Musée du Louvre.)

Eusèbe : « Un seul Dieu annoncé à tous, un seul empire debout pour les recevoir et les contenir, à savoir l'empire romain. »

De là cette phraséologie pieuse dont il entoure projets et victoires. « Ce n'est point, dit-il, dans les armes que nous avons confiance, ni dans les soldats, ni dans les généraux, ni dans notre propre génie — il y croit pourtant —, mais nous rapportons toute notre espérance à la providence de la Sainte Trinité. » Sur le socle de sa statue au Forum Augusteon on lit : « I montera les chevaux du Seigneur et sa chevauchée sera le salut. Le roi place son espoir en Dieu et son ennemi ne pourra le vaincre. » De même, ses bulletins de victoire résonnent comme des *Te Deum* : « Habitants du monde, rendez grâces au ciel, qui a réservé à votre siècle l'accomplissement d'une si grande œuvre. Ce dont l'antiquité n'avait pas semblé digne au jugement de Dieu s'est réalisé de notre temps. »

Justinien commença par l'Afrique. Le successeur du persécuteur Thrasamund, Hildéric, y régnait. Fils d'Eudoxie, l'une des captives impériales du sac de Rome en 455, il était à demi-romain, avait rendu la liberté aux catholiques et s'affirmait le partisan décidé de l'alliance byzantine. Mais le parti arien et vandale le renversa, lui substituant son cousin Gélimer. De sa prison Hildéric appela à son secours Justinien. Vers l'empereur montaient aussi les supplications de toute la population catholique depuis si longtemps opprimée, celle des évêques africains exilés qui affluaient au palais. En 533 Bélisaire débarqua en Afrique et, avec une rapidité foudroyante, s'ouvrit le chemin de Carthage.

La restauration catholique marcha de pair avec la reconquête : églises, domaines, vases et ornements sacrés furent restitués aux orthodoxes tandis qu'on supprimait le culte arien[1]. Sous la présidence de Reparatus de Carthage un concile se tint pour liquider la situation. Fallait-il maintenir en fonction les prêtres ariens convertis? Admettrait-on dans la hiérarchie des personnes baptisées par les hérétiques? Fidèle à la tradition, l'assemblée en déféra à la papauté. Sur les deux points Agapet répondit par la négative, estimant que la prudence et la crainte des apostasies devaient faire écarter de l'autel ceux qui jadis avaient eu contact avec l'hérésie. Par contre, dans une touchante pensée de charité qui contraste avec les procédés des Vandales persécuteurs, il demandait qu'on indemnisât ces clercs ariens convertis, mais rendus à la communion laïque.

En Italie, les Byzantins étaient aussi attendus comme des libérateurs : avant tout on détestait dans les Goths des hérétiques, des ariens; au sort que Théodoric avait fait subir à Jean Ier, on opposait l'accueil empressé de Justin. Représentants de la grandeur impériale, défenseurs du catholicisme, tels apparaissaient les soldats de Bélisaire. Vainqueur, il tint à accentuer cette impression : remettant une croix d'or qui rappelait ses triomphes entre les mains du pape Vigile, donnant aussi à la basilique vaticane deux grands luminaires d'argent, fondant et dotant richement un monastère près d'Orte en l'honneur de saint Juvénal, construisant à Rome sur la Via Lata une hôtellerie pour les pèlerins.

En Orient, la guerre contre les Perses revêt aussi un aspect de croisade : lutte entre deux croyances ennemies. Les traités contiennent toujours des clauses religieuses : ainsi, lors de « la paix de cinquante ans » signée en 562, Chosroès s'engage-t-il à laisser toute liberté de conscience à ses sujets chrétiens qui pourront élever des églises et célébrer publiquement leur culte.

1. Aux ouvrages déjà cités sur les Vandales en Afrique, ajouter CH. DIEHL, *L'Afrique byzantine, histoire de la domination byzantine en Afrique,* 533-709, 1896.

En Afrique, Justinien procéda d'abord avec une certaine clémence et une demi-tolérance, propre à calmer les passions. Ainsi, tout en ordonnant la restitution des vases sacrés aux catholiques, une loi d'avril 534 autorisa-t-elle les desservants des églises ariennes à se maintenir en fonction durant un certain laps de temps. Mais en 535, sous la pression des catholiques, Justinien édicta la novelle 37 qui remettait purement et simplement tous les biens ecclésiastiques aux orthodoxes, en se retranchant d'ailleurs derrière d'autres textes employés deux siècles plus tôt contre les donatistes : habileté juridique, souvent renouvelée depuis, et qui consista à retirer du vieil arsenal des lois telle ou telle prescription tombée en désuétude, et à lui rendre une pleine vigueur persécutrice. Voir CH. SAUMAGRE, *Étude sur la propriété ecclésiastique à Carthage d'après les novelles 36 et 37 de Justinien*, dans *Byzantinische Zeitschrift*, 1913, p. 77-87.

Au total, il ne faut pas refuser quelque admiration à cet empereur qui sait conjuguer ses ambitions romaines avec les intérêts du catholicisme. Rêve d'ailleurs trop vaste pour n'être pas chimérique, et qui expose l'Orient aux attaques des Perses, des Slaves et des Huns, tandis qu'en Occident les troupes de Bélisaire reconquièrent l'Afrique et l'Italie. Une politique réaliste, tablant non sur des droits historiques mais sur des faits, eût reconnu que cette idée de réunir les provinces occidentales à Byzance était déjà au VIe siècle un anachronisme, qu'elles y pourraient être maintenues seulement par la force, et qu'au contraire le front oriental restait d'un intérêt vital. Avant de conquérir, il faut garder ses frontières.

III. Les missions. — Non content de rendre ses anciennes provinces au catholicisme, Justinien voulut encore lui gagner des territoires nouveaux. C'est là un des aspects les moins discutables de sa politique. Du missionnaire faire le collaborateur du soldat, envoyer des moines qui prépareront les voies aux diplomates, qui circonviendront et convertiront les rois, et prépareront ainsi la conquête romaine et religieuse, telle est la tactique de Justinien à toutes les frontières.

Sur le front du Danube où la menace barbare est toujours prête à déborder en territoire byzantin, cette politique joue effectivement : en 528, Justinien sert de parrain à Gretès, roi des Hérules; la nation presque entière reçoit le baptême et se trouve entraînée dans l'alliance impériale. Mêmes procédés avec Grod, roi des Huns, mais couronnés d'un moindre succès, puisque celui-ci est massacré par ses sujets païens. Tour à tour passent au christianisme les Abasges, riverains du Phasis, sur la côte méridionale de la Mer Noire, et les Tzanes au nord de l'Euphrate : Justinien leur envoie des missionnaires grecs, leur bâtit des églises et les oblige à les fréquenter. Même les tribus de la Germanie retiennent le zèle de celui qu'on appelle « l'Isapostole », c'est-à-dire l'égale des Apôtres : il sollicite Théodebert, roi des Francs, pour qu'il collabore à son œuvre d'évangélisation. Aussi l'évêque de la lointaine Trèves peut-il lui écrire : « Tu brilles comme un soleil dans le monde entier, et nous tous, par la grâce de Dieu, directeurs des Églises, nous nous réjouissons de ta sagesse. »

Mais c'est surtout à la frontière orientale que Justinien voulut garder l'empire par une ceinture de provinces chrétiennes. Dans les déserts qui à l'est de la Syrie romaine séparaient Byzance de la Perse vivaient des tribus arabes. Il existait un état dépendant des Sassanides et fixé à Hira sur l'Euphrate; son chef, l'émir Moundhir III (505-554) fut un adversaire redoutable pour Justinien, au point que Procope a pu dire « qu'il fit pendant cinquante ans tomber à genoux la fortune des Romains ». Brûlant et massacrant tout au cours d'impétueuses razzias, il immolait les chrétiens captifs aux vieilles divinités sémites. En vain essaya-t-on de le convertir, il opposa toujours une ironie sceptique à toute prédication. Pourtant le christianisme s'infiltra dans ses États et sa femme fonda même un monastère à Hira. Par contrepoids, Justinien établit un État arabo-romain dont toutes les tribus obéirent à Aréthas, chef de la puissante famille des Ghassanides. Il était monophysite; Théodora lui obtint un siège épiscopal à Bostra avec juridiction sur l'Arabie et la Palestine.

Il importait à l'empereur que, déjà maître de la route de l'Inde par le golfe Persique, le roi des Perses ne pût occuper les deux rives de la Mer Rouge et intercepter ainsi tout commerce byzantin avec l'Extrême-Orient. Il fallait donc s'assurer une influence politique et religieuse d'un côté sur les Homérites de l'Arabie méridionale, de l'autre sur les Abyssins du royaume d'Axoum. Vers la fin du Ve siècle, des moines pacômiens avaient affermi la conversion des

Abyssins à peine ébauchée au IVe par la mission de Frumentius. Par contre, en Arabie, les Homérites du royaume d'Himyar restaient païens. Sans doute une colonie chrétienne s'était-elle établie à Nedjran, mais la majorité de la population pratiquait le vieux polythéisme sabéen ; d'autre part, inféodés à la Perse, les princes d'Himyar détestaient l'influence byzantine. Ainsi, sur la rive africaine un état abyssin chrétien et allié du basileus, sur la rive asiatique, le royaume d'Himyar ou des Homérites, païen et ami des Perses.

A l'instigation de Constantinople, Kaleb, roi d'Axoum, passa en Arabie, renversa la dynastie indigène, établit un vice-roi abyssin ; l'œuvre des missionnaires marcha de pair avec la conquête et une Église fut établie à Safar; bientôt, le juif Dhû Nowas, membre de l'ancienne famille royale, présida à une sanglante réaction où prêtres, moines et vierges furent massacrés en masse. Puis, le négus Kaleb reprit possession du pays et mit à mort Dhû Nowas. Dans ces guerres qui se poursuivront jusqu'à l'unification de la péninsule arabique après Mahomet, la diplomatie byzantine, qui pousse en avant les Abyssins, s'arme en même temps de la croix. Mais ces chrétientés d'Axoum et d'Himyar ne pouvaient échapper à l'influence toute proche de l'Égypte monophysite; elles se rattachèrent au patriarcat dissident ou copte.

Au sud de l'Égypte, sur la frontière romaine, se trouvaient deux peuplades pillardes, les Blemmyes et les Nobades ou Nubiens. Vers 540, le prince des Nobades Silko, établi à Dongala, était assez puissant pour se proclamer « roi de tous les Éthiopiens », et pour affirmer en son orgueil de demi-sauvage que « non seulement il ne marchait pas à la suite des autres rois, mais qu'il marchait devant eux ». Là aussi, la diplomatie byzantine chercha un allié, et toujours par les voies religieuses. Vers 540, le prêtre monophysite Julien résolut d'évangéliser les Nobades. Encouragé par Théodora, porteur de ses riches cadeaux, il réussit à baptiser le roi Silko et tout son peuple. Dès lors, avec l'aide des Nobades, on put entreprendre la soumission des Blemmyes situés plus au Sud ; vaincus, ils durent se convertir. C'est alors que Narsès ferma définitivement le temple de Philé : là où jadis on adorait Isis un évêché fut établi dont le premier titulaire Théodore continua l'œuvre de Julien et acheva l'épuration, remplaçant partout les sanctuaires païens par des églises. Dès lors, tout le pays au sud de l'Égypte était à la fois chrétien et byzantin. Mais ici encore, en devançant Justinien, Théodora était parvenue à implanter le monophysisme au lieu de l'orthodoxie.

A l'extrême frontière, il y avait encore le royaume des Alodes, situé en plein Soudan actuel. Appelé par leur prince, Longin, successeur de Théodore, s'y rendit à travers un désert sablonneux, où il faillit succomber à la soif. Le roi se convertit avec tout son peuple. « Un jour viendra, à l'époque arabe, où les royaumes chrétiens du Haut-Nil rendront à leurs coreligionnaires coptes en aide matérielle le secours qu'ils en auront reçu au VIe siècle. »

L'Afrique proprement dite fut aussi touchée par la conquête chrétienne. Ainsi au sud de la Tripolitaine, les premières oasis sahariennes, notamment celle d'Augila où une église dédiée à la Vierge remplaça le temple d'Ammon; de même, les Maures gabaditains en Tripolitaine, ceux de Ghadamès beaucoup plus au Sud. C'était là le résultat de la pénétration byzantine.

En sens inverse, les rois indigènes qui s'étaient annexés certains territoires romains, y trouvant une civilisation supérieure, s'y rallièrent : par exemple à l'extrémité occidentale de la Mauritanie césarienne où se forma le royaume maure de Masuma et où l'on a retrouvé des tombes chrétiennes à Altava (Lamoricière) et à Pomarium (Tlemcem). Un fait certain, c'est que l'invasion arabe trouvera le christianisme implanté chez les Berbères ; mais l'histoire de cette propagation nous échappe ; et d'ailleurs les conversions, toutes de surface, ne résisteront pas à l'Islam.

De telles conquêtes pacifiques reculaient les frontières du vaste empire et tout ensemble les protégeaient. Sur la dynastie justinienne en rejaillit un grand éclat, et beaucoup eussent rappelé volontiers ces mots d'un chef wisigoth : « L'empereur est sans aucun doute Dieu sur la terre, et quiconque lève la main contre lui est comptable du sang divin. » Encore est-il qu'en maints endroits, grâce surtout aux intrigues de Théodora, ce fut non pas l'orthodoxie qu'on implanta, mais le monophysisme.

CHAPITRE IV

LE MONOPHYSISME APRÈS JUSTINIEN

Si Justinien ne réussit point à anéantir le monophysisme, c'est que sa politique religieuse manqua de continuité et qu'elle s'abandonna trop souvent au mirage de colloques sans issue; c'est aussi que, sévérienne par conviction et par raison d'État, Théodora vint y mettre sous main tous les obstacles. D'ailleurs l'opposition fanatique des hérétiques syriens et égyptiens se doubla vite d'une autre à tendance séparatiste et autonomiste. Il suffisait d'un chef énergique pour ranimer et surexciter dans ces provinces les convictions : Jacques Baradaï fut celui-là, et partout où passa cet apôtre ardent il opéra comme une résurrection et pourvut à la conservation des cadres hiérarchiques. Par contre, les patriarches officiels n'avaient alors ni prestige, ni popularité, et Justinien ne sut pas les soutenir : à Alexandrie, Paul le Tabennesiote fut sacrifié à la rancune monophysite de Théodora, puis Zoïle au caprice théologique de l'empereur qui ne lui pardonna pas d'avoir fait quelque opposition à la condamnation des Trois Chapitres.

Sans doute le monophysisme subit-il alors, surtout en Égypte, une crise marquée. Pas de chef : Théodose vivait tranquillement à Constantinople, entouré d'une partie de son clergé, sans trop s'inquiéter de sa province, très résigné à un exil doré, nullement animé de l'ardent prosélytisme d'un Sévère ou d'un Baradée, satisfait au fond d'être patriarche honoraire. Pas d'évêques, peu de prêtres, et déjà les places vacantes reprises par les catholiques. Aussi en Egypte aboutit-on à une certaine résignation du parti : outre que la réaction orthodoxe s'y montra moins brutale qu'en Syrie, le tempérament copte était plus enclin à la patience qu'à l'héroïsme : on supportait, quitte à maudire en secret.

I. La désagrégation doctrinale : les sectes. — Le monophysisme tendait à se désagréger en une poussière de sectes. Nous avons vu quel schisme profond avait amené la lutte entre Julien d'Halicarnasse et Sévère d'Antioche sur la corruptibilité du Christ. Dès 535 les julianistes sont assez forts pour élire un patriarche, Gaïanus, et pour le substituer quelque temps par violence au patriarche impérial; ils eurent toujours dès lors une hiérarchie séparée. Le seul fait que Justinien ait songé à imposer cette théorie dans tout l'Empire pour rallier les monophysites prouve assez quelle vogue elle possédait. Au surplus, le julianisme déborde l'Égypte, gagne les couvents de Syrie et de Mésopotamie, l'Arménie.

Sur cette querelle, diverses sectes se greffaient encore. Du sévérianisme, qui affirmait la corruptibilité du corps du Christ, Thémistius concluait que si Jésus connut les besoins et les faiblesses de l'humanité, il dut aussi ignorer certaines choses. Il appuyait d'ailleurs sa thèse sur divers textes évangéliques, tel celui où Jésus demande le lieu de la tombe de Lazare, tel surtout cet autre où, à ses disciples l'interrogeant sur la fin du monde, il ne fait que cette réponse mystérieuse : « Ni les anges, ni le Fils, le Père seul connaît le jour du jugement. » Ainsi se forma la secte des *agnoètes* (Ἀγνοῆται). Le patriarche orthodoxe Eulogius (580-607) voudra la réfuter en prouvant que les textes scripturaires ainsi allégués ne doivent s'entendre que d'une ignorance économique ou même anaphorique : ignorant, soit; non pas toutefois à titre personnel, mais comme représentant de l'humanité; ou mieux, à le considérer théoriquement comme homme, en dehors de l'union. Tout cela était fort subtil. Les hérétiques égyptiens inventaient toujours du nouveau, et pour les réfuter force était bien de ra finer.

D'ailleurs parmi ceux qui avec les julianistes avaient tendance à spiritualiser le corps du Christ, d'aucuns en vinrent à déclarer qu'il était incréé aussi bien que sa divinité : d'où leur nom d'actistètes (Ἀκτιστῆται). Un pas de plus dans cette voie, et le sophiste alexandrin Étienne Niobé identifiait absolument les deux natures après l'union : à l'entendre, toute conception moins spirituelle aboutirait au nestorianisme. Niobé fit des recrues non seulement en Égypte, mais en Syrie; le patriarche monophysite Damien (578-605) dut le réfuter et le condamner; de même, un concile tenu à Antioche par Pierre le Callinique (578-591).

D'autres enfin portèrent la lutte sur le terrain trinitaire. Identifiant les termes *nature* et *hypostase*, ils en déduisirent sans doute le monophysisme, mais aussi que s'il y a dans la Trinité trois hypostases, elle doit compter trois natures : d'où le nom de *trithéistes* donné à ces sectateurs que dirigea, après un certain Asquçnagès, l'alexandrin Jean, surnommé Philoponos ou « ami du travail »; il était soutenu par Athanase, petit-fils de l'impératrice Théodora, et moine monophysite. Sur ce trithéisme, Philoponos greffa des vues eschatologiques étranges, jusqu'à prétendre que nous ne ressusciterions pas au dernier jour avec nos propres corps, mais avec d'autres créés sur l'ordre de Dieu, le jour du jugement devant inaugurer un monde nouveau. Il y eut donc dans l'Église trithéiste deux camps : ceux qui avec Athanase acceptaient les rêveries de Philoponos, ceux qui avec un certain Conon les rejetaient, Athanasiens contre Cononites.

Malgré une vogue passagère à Alexandrie, le trithéisme s'apparentait à la Syrie. Asquçnagès, son fondateur, était d'Apamée; ses propagateurs Conon et Eugène, l'un de Cilicie, l'autre d'Isaurie. Quand le patriarche monophysite d'Alexandrie, Damien (578-604) voudra lutter contre l'hérésie, il se heurtera à l'opposition de celui d'Antioche, Pierre le Callinique qui l'accusera, par réaction, d'un réalisme exagéré. Pour soutenir que les trois personnes ne sont ensemble qu'un seul Dieu, Damien en faisait de pures formes en qui la divinité se manifeste, bref le vieux sabellianisme; à moins qu'il ne distinguât de ces trois personnes le Dieu en soi (καθ' ἑαυτὸν Θεὸν φύσει) auquel elles participent : d'où une quaternité et le nom de *tétradides* parfois donné à ses adeptes.

II. Les schismes provinciaux : l'Égypte contre la Syrie. — Dans ce dernier conflit, les fidèles prennent parti avec le plus grand acharnement, mais sans y rien comprendre; ils anathématisent le patriarche adverse, mais sans savoir pourquoi; ils canonisent le leur, mais sans paraître se douter que ses théories auraient indigné, après Chalcédoine, les disciples de Dioscore et de Sévère. C'est que la lutte n'était point entre deux thèses théologiques, mais entre deux peuples : Syriens contre Égyptiens [1].

Tandis, en effet, que l'hérésie subissait les plus fantaisistes variations, elle s'affaiblissait aussi par l'antagonisme des deux provinces. Antioche et Alexandrie, dont les écoles furent longtemps rivales, s'étaient réconciliées dans le monophysisme. Mais durant quelque cent ans, et jusqu'au milieu du VIe siècle, c'est Alexandrie qui avait tenu le premier rang : à elle le grand docteur Cyrille, à elle Dioscore, à elle aussi l'initiative de la résistance dont l'épisode suprême fut l'assassinat du patriarche orthodoxe Protérius, à elle encore l'honneur d'avoir accueilli tous les proscrits, y compris le premier patriarche monophysite d'Antioche, Sévère, élu seulement en 512. Mais sous Justinien l'exil nonchalant de l'alexandrin Théodose à Constantinople contraste singulièrement avec l'épopée héroïque du syrien Jacques Baradée qui, au péril de sa vie, sauve la secte en restaurant la hiérarchie non seulement dans sa propre province, mais en Égypte : car il est partout, et partout insaisissable. Ce renversement des rôles, cette prépondérance prise par l'élément syrien porta ombrage aux Égyptiens : bientôt Baradée lui-même leur devint odieux qu'ils accusèrent de jouer au dictateur ecclésiastique et d'instaurer sans mandat jusqu'à des patriarches. Au fond antipathie de deux races que seule avait rapprochées une haine commune envers l'orthodoxie impériale. Maintenant le nationalisme égyptien tendait à reparaître étroit, fermé, soupçonneux, envieux. A l'éparpillement des sectes allait donc s'ajouter le schisme des deux provinces.

Le deuxième patriarche que Baradée avait installé à Antioche, Paul, était un ambitieux, désireux de jouer un grand rôle. La persécution ne lui permit pas de rejoindre son poste dangereux, et il vivotait à Constantinople auprès du patriarche égyptien exilé Théodose, quand celui-ci mourut. Alexandrin de naissance, Paul se dit qu'il gagnerait tout à échanger son inhabitable siège d'Antioche contre celui d'Alexandrie où il deviendrait le véritable chef du monophysisme. Mais ses intrigues échouèrent et on lui préféra le trithéiste Athanase, petit-fils de Théodora. Il se vengea dans un pamphlet violent; les Égyptiens répliquèrent en incriminant sa vie privée, en attaquant la canonicité de son ordination par Baradée, qui n'avait pas consulté les provinces intéressées. Lui-même d'ailleurs se discréditait par ses palinodies : apostat sous la pression du basileus Justin II en 571, puis repentant et rétabli à Antioche trois ans plus tard grâce à la protection du chef ghassanide Harith Ibn Djabala.

Il recommença à intriguer en Égypte. A Alexandrie, après un fragile accord (570-573), l'anarchie monophysite était à son comble : julianistes ou gaïanites d'une part, sévériens ou théodosiens d'autre part nommaient des patriarches antagonistes. Mais, au loin, dans les régions profondes de la Thébaïde, subsistait un monophysisme pur et ardent qui — nous l'avons vu déjà — s'épanouissait en missions chez les barbares de l'extrême Sud. Longin, évêque des Nobades, et Théodore de Philé voulurent nommer un patriarche nouveau, non compromis dans les querelles de sectes; ils se rendirent au « désert des solitaires », l'Oued Natroum, et y choisirent l'archimandrite Théodore. Acte parfaitement anticanonique, accompli avec la complicité de Paul d'Antioche, et qui suscita à Alexandrie les plus indignées protes-

1. Sur toute cette période très compliquée voir surtout : J. MASPERO, *? *Histoire des patriarches d'Alexandrie*, 1923. — G. ROUILLARD, *L'administration civile de l'Égypte byzantine*, 2e éd., 1928.

tations; par manière de réplique, on y élut un vieillard simple et ignorant nommé Pierre. D'où un schisme nouveau en Égypte : Théodoriens contre Pétrites.

Le schisme théodorien avorta misérablement et Pierre devint le vrai titulaire du patriarcat jacobite d'Alexandrie. Les monophysites dissidents conservaient toutefois leurs chefs : le gaïanisme un certain Dorothée, le trithéisme Athanase, tous deux d'ailleurs en décroissance. « La rapidité avec laquelle les mouvements passaient et s'apaisaient dans cette ville, dit Maspero, ne peut se comparer qu'aux remous analogues de la Révolution française. Et de fait, on peut bien dire de l'Alexandrie de ce temps que c'était une ville en révolution. Les passions étaient aussi exaltées par ces dissensions religieuses qu'elles peuvent l'être aujourd'hui par les luttes politiques. »

On en voulait surtout à Paul d'Antioche d'avoir prétendu imposer un patriarche à Alexandrie : une première fois en sa propre personne, une seconde en celle de Théodore. Désormais, c'était la lutte ouverte : on commença par s'insulter copieusement, puis Pierre d'Alexandrie alla jusqu'à excommunier Paul d'Antioche et à lui susciter un rival. Tout l'Orient monophysite fut dès lors partagé en Paulites et Pétrites. Parmi ces querelles aiguës un arbitre semblait tout désigné : le vieux Jacques Baradée auquel son apostolat avait conféré à la fois l'auréole du confesseur et celle du martyr. Il se rendit à Alexandrie et, circonvenu par Pierre, authentiqua la déposition de Paul d'Antioche. Décision malheureuse qui allait mettre à sang sa propre province : les uns le suivant, lui Baradée, à cause de son prestigieux passé; les autres, restant fidèles quand même à Paul d'Antioche par haine des Égyptiens.

Quand Pierre mourut en 577, on élut Damien, moine de l'Énaton, qui avait été son secrétaire (578-604). Énergique et brave, enhardi d'ailleurs par la demi-tolérance du pouvoir impérial et des patriarches melkites [1], il refusa de pratiquer comme ses prédesseurs un monophysisme timide et caché, osa se produire à Alexandrie, voire à Antioche et à Constantinople, tint des synodes, prêcha dans les églises. D'ailleurs, il menait rude guerre contre les dissidents, surtout les trithéistes. Mais son ambition et sa déloyauté ne firent qu'élargir le fossé qui séparait l'Égypte de la Syrie. Jacques Baradée était mort mystérieusement au moment où il se rendait en Égypte, non plus pour y déposer Paul d'Antioche, mais pour lui nommer un successeur de concert avec Damien. Celui-ci persista dans la lutte, et passant à l'offensive, se rendit même en Syrie, sous prétexte de conférences contradictoires, en réalité pour y susciter un compétiteur à Paul. Il n'y réussit pas et partit à Constantinople où, sous la protection du ghassanide Moundhir Ibn Harith, alors présent à la cour, se tint un concile monophysite; il dut y reconnaître Paul d'Antioche. Mais, au retour, les clercs égyptiens l'obligèrent à reprendre la lutte : il consacra de ses propros mains un patriarche d'Antioche, Pierre le Callinique.

Mais l'antagonisme subsistait entre Égyptiens et Orientaux froissés de ce qu'Alexandrie eût triomphé et reconquis le premier rang. La lutte reprit bientôt entre Damien et Pierre le Callinique qui s'appelèrent respectivement trithéistes et tétradistes. « Des deux côtés — en Syrie comme en Égypte — le peuple suit son pontife aveuglément sans s'inquiéter où il le mène. Le conflit n'est point entre deux évêques séparés sur un point du dogme : il est entre deux peuples. » Pour le terminer, Damien se rendit en Syrie où plusieurs fois s'amorcèrent en vain les pourparlers tant qu'enfin on se joignit à Gabitha, sur le Yarmouth, non loin de

1. Melchite (du syriaque *melech*, roi) c'est-à-dire partisan du roi, de la cour.

Bostra. Tout finit très mal en une scène de la dernière violence. Damien entendait trancher du patriarche œcuménique et juger son rival : « Vous êtes donc venu en Orient pour accuser, s'écriait Pierre, et non pour vous expliquer. — Oui, clamaient les Égyptiens, nous sommes venus pour accuser. » Un tumulte indescriptible suivit, durant lequel Damien s'échappa, craignant pour sa vie. Il regagna Alexandrie où Pierre vint le relancer, mais ne le trouva pas. Quand Damien mourut en 604, le parti jacobite n'avait point encore retrouvé son unité.

Son successeur, le moine Anastase, était plus modéré, plus pacifique. Mais à Alexandrie il subsistait des Damianites intransigeants, si bien que la réconciliation des Églises syrienne et égygtienne ne put se faire qu'en 616 lorsqu'un laïc de la secte, Patricius, duc d'Arcadie, s'entremit pour un colloque. Un accord fut conclu, où on condamna à la fois le trithéisme de Pierre le Callinique et le trétadisme de Damien, mais non pas leurs personnes, en sorte qu'ils restèrent dans les diptyques de leurs Églises respectives, ce qui importait seul à l'orgueil des Syriens et des Égyptiens. Les deux patriarches, Anastase d'Alexandrie et Athanase d'Antioche, se rejoignirent au couvent de Caesaria la patricienne, dans le Delta, où des fêtes solennelles scellèrent une réconciliation si longtemps attendue. Mais, tant sont grands l'amour-propre et l'entêtement des sectaires orientaux, un groupe d'Égyptiens, conduit par Jean de Beith Aphtonia, chefs des Damianites, persista à faire opposition.

III. L'attitude du pouvoir impérial et des patriarches melkites. — Pourquoi le monophysisme ne sombra-t-il pas dans ce chaos doctrinal et hiérarchique? Il dut son salut à la débonnaireté de ses adversaires : empereurs et patriarches melkites.

Le successeur de Justinien, son neveu Justin II (565-578), n'avait pas comme lui la manie de dogmatiser. Un seul désir semble l'avoir inspiré, celui d'unifier. « Nous voulons, écrivait-il, Dieu en est témoin, qu'il n'y ait qu'une seule Église... Nous voulons établir la concorde. » A pareil but, les procédés violents lui paraissaient tout contraires : « Notre Seigneur et notre Dieu, disait-il encore, ne nous permet pas d'emprisonner quelqu'un à cause de sa foi. » D'où le retour à la voie des conférences, d'autant plus que sa femme Sophie, nièce de Théodora, soutenait les monophysites. On vit donc alors Jacques Baradée à Constantinople comme jadis Sévère. En 567, un congrès se tint à Callinique, où le patrice Jean communiqua le projet impérial le plus libéral; rien que la foi de Nicée, silence sur Chalcédoine, condamnation renouvelée des Trois Chapitres, bref toutes les concessions faites depuis un siècle, de Zénon à Justinien, et en plus cette énormité, la réhabilitation de Sévère « anathématisé iniquement et sans motif ». Le catholicisme était trahi, le monophysisme accepté. Ce qui se passa alors prouve assez quelle était l'inutilité de toutes les tentatives pacificatrices, et que ces dissidents resteraient irréductibles toujours. Tandis que Jacques Baradée et ses évêques inclinaient vers l'acceptation, les moines présents s'indignèrent; l'un d'eux, Cosmas, s'emporta jusqu'à se jeter sur le lecteur de la proposition, jusqu'à lui arracher son texte et le déchirer devant l'assemblée. Témoin de cette fureur agressive, Baradée lui-même abandonna toute velléité d'accord, et le patrice Jean s'en retourna à Constantinople, outré de colère.

Du coup, comme sous Justinien, une réaction se déclencha. Un édit parut en 571, qui ordonnait le strict ralliement à l'orthodoxie : à Byzance les églises monophysites furent fermées, les autels renversés, les ecclésiastiques incarcérés, les moines sommés de souscrire la foi chalcédonienne. Maints prélats cédèrent, parmi lesquels Paul d'Antioche.

A Justin II, devenu fou, succéda le commandant de ses gardes, Tibère (578-582). Envers les hérétiques il inaugura un régime de tolérance auquel se rallieront les patriarches melkites d'Alexandrie Jean (570-581), puis saint Euloge (581-608). L'historien monophysite Jean d'Éphèse prête au nouvel empereur ce dialogue : « Sont-ils païens ces gens que vous m'excitez à persécuter ? — Non pas. — Vous avouez donc qu'ils sont chrétiens. — Certes, ils sont chrétiens. — Alors, dit Tibère, pourquoi voulez-vous faire de moi un persécuteur comme Dioclétien et les autres princes païens? » Au patriarche Eutychius qui en 581 eût voulu opérer tout au moins l'épuration de la capitale, il opposa un refus absolu : « Nous avons assez de guerres contre les Barbares ; nous ne pouvons exciter une autre guerre entre nous, ni faire en sorte que les chrétiens soient aux prises les uns avec les autres. Allez et restez tranquille. Tâchez de les persuader, en les exhortant par la parole. Sinon, cessez de persécuter. » Son successeur Maurice (582-602) resta dans les mêmes dispositions et tint les mêmes propos.

D'ailleurs les patriarches sont aussi imbus de cet esprit tolérant, qui contraste avec le caractère guerrier de leurs devanciers. A Antioche, pendant de longues années, siège Grégoire que le monophysite Michel le Syrien qualifie lui-même « un ascète pacifique et humble, agissant charitablement même avec nous, et soucieux de susciter une paix générale ». A Alexandrie, c'est Jean (570-581), puis saint Euloge (581-600), personnage instruit, large d'idées et de vues, qui ne combattit l'hérésie que dans des écrits polémiques ; enfin saint Jean l'Aumônier, qui fut la providence de l'Égypte et même de tout l'Orient, secourant sans distinction monophysites et orthodoxes au moment où, durant l'invasion perse, les fugitifs affluaient dans la province.

Loin de rallier les dissidents, pareils procédés aidèrent les hérétiques à traverser cette période de dissensions et de schismes sans trop s'affaiblir. En fait le patriarcat catholique est une puissance factice, ignorée dans la Haute-Egypte, ne possédant un noyau de fidèles qu'à Alexandrie : moines attardés dans l'orthodoxie, fonctionnaires byzantins, gent domestiquée aux convictions bien rétribuées. « Les politiques de Byzance, dit très bien Maspero, ne réussirent pas à fonder une Église catholique égyptienne, mais seulement une enclave catholique au milieu des Coptes. » Une fois franchie la banlieue d'Alexandrie, à travers le Delta et surtout l'Arcadie et la Thébaïde, « dans ce ruban de villes isolées du monde que la vallée du Nil allongeait à travers le désert jusqu'aux cataractes », on rencontrait un peuple profondément fanatique, que les discussions théologiques n'atteignaient point, mais qui, aussi simple que pieux, restait fidèle à la mémoire des grands patriarches, Dioscore et Sévère.

Comment les atteindre, protégés qu'ils étaient par la complicité d'officiers souvent indigènes, gardés par leurs moines, en qui ils conservaient une foi toute aveugle? Il n'y avait pas à se mettre en frais pour leur recruter une hiérarchie. En 576, le patriarche Pierre créa d'un coup soixante-dix évêques. « On voudrait, dit Jean d'Asie étonné, trouver un aussi grand nombre d'ouvriers pour un travail agricole, que l'on aurait sans doute quelque peine à les réunir. Mais soixante-dix évêques ! » Gens obscurs et médiocres, fellahs parmi les fellahs! Qu'importe? Ils ne suffisaient que trop à leur charge : maintenir leurs ouailles dans la foi au grand Dioscore. Pour prouver la vitalité du monophysisme égyptien, il n'y aurait qu'à souligner la prospérité de son monachisme, et aussi l'ardeur de son prosélytisme qui aboutit — nous l'avons vu — à la conversion de la Nubie.

D'ailleurs, malgré les avances impériales et la douceur des derniers patriarches melkites, le monophysisme syrien et égyptien continua à entretenir la haine de Byzance, et tendit implacablement à la séparation. Plutôt les Perses, plutôt les musulmans que les Grecs et leurs pontifes. Aux yeux des Syriens la conquête arabe sera le châtiment providentiel des Chalcédoniens.

IV. Le monophysisme hors de l'Empire : Arménie et Perse. — Outre ces provinces méridionales, le monophysisme conquit à l'Est une vaste et riche contrée, l'Arménie.

Contre les entreprises persanes ce pays eut à défendre tout ensemble sa foi et sa nationalité. Nous avons dit qu'en 384, sous Théodose le Grand, un traité en avait opéré le partage : la portion principale devenant la Persarménie, vassale des Sassanides, tandis que les districts occidentaux tombaient sur le protectorat romain.

En Persarménie, les habitants durent opposer aux Perses durant un demi-siècle la plus énergique résistance pour obtenir la liberté religieuse. Tranquille du côté romain, Yadgert II (439-457) décréta la guerre non seulement aux chrétiens de Perse, mais aux Arméniens, aux Ibériens et aux Albaniens. Un édit parut qui ordonnait à tous d'adhérer à Zoroastre. Mais le patriarche Josèphe réunit évêques et grands dans une assemblée nationale où tous jurèrent de mourir plutôt que d'apostasier. Une députation envoyée à Yadgert, et que conduisait Vardan Mamicomien, n'obtint rien du tyran. Alors la révolte éclata : les temples du feu furent renversés, les mages et les Perses massacrés. Sans doute les insurgés furent-ils battus dans la plaine d'Artaze, à Avarair dans la Petite Arménie; mais cette glorieuse défaite, où périt Vardan, épuisa les Perses et sauva la foi chrétienne : aussi l'Église arménienne la célèbre encore aujourd'hui. Le nouveau marzpan ou gouverneur de la Persarménie, Adr-Hormuzd, parut disposé à la douceur; mais le patriarche Josèphe et plusieurs prêtres furent emprisonnés à Newschapour, puis mis à mort comme artisans de la révolte nationale et religieuse.

Sous le roi Péroze (459-484), de nouvelles vexations amenèrent une seconde insurrection que mena Vahan, neveu de Vardan. Il enleva Dvin, résidence du marzpan Adr-Veschnasp qu'il massacra bientôt. La lutte ne prit fin qu'avec le roi Valarse (484-489), successeur de Péroze, qui promit aux Arméniens la tolérance : il fit même de Vahan le marzpan du pays, et le patriarche Jean Mandacouni le bénit solennellement dans la cathédrale de Valarsapat.

Cette double insurrection de Vardan et de Vahan, héros de l'indépendance, avait sauvé le christianisme en Arménie. Durant les guerres qui éclatèrent au VIe siècle, sous la dynastie justinienne entre Byzantins et Perses, l'Arménie fut ménagée par ceux-ci comme une puissance non négligeable.

La grande autorité était toujours les patriarches, véritables représentants de la nation arménienne depuis la chute de la royauté. A la fois grands personnages religieux et politiques, ils administraient la justice : juger au civil comme au criminel, tenir l'état civil étaient parmi les prérogatives de leurs évêques. Après avoir résidé à Valarsapat, les patriarches, depuis le milieu du Ve siècle jusqu'au Xe eurent leur siège à Dvin, alors capitale de la Persarménie.

Quelle attitude adopta l'Arménie dans les querelles christologiques? Au moment de Chalcédoine, elle était trop engagée dans sa lutte contre les Perses pour prendre parti. Durant la seconde moitié du Ve siècle, l'empereur Zénon, auteur de l'Hénotique, contracta avec les Arméniens une alliance défensive contre les Perses. Son successeur Anastase, monophysite militant, imposa en 506 aux Perses un traité favorable aux Arméniens. D'ailleurs ceux-ci étaient peu renseignés sur les débats théologiques : toujours cramponnés à la terminologie cyrillienne dans son acception première, ils ne connaissaient l'Épître dogmatique de saint Léon que par une traduction infidèle et nestorianisante, bien propre à entretenir leurs soupçons. Aussi, sous l'influence des moines sévériens, le patriarche Babguen réunit-il en 506 un grand synode où fut condamnée cette doctrine chalcédonienne qui, à leurs yeux, divisait le Christ en deux personnes.

Quand, sous Justin, Byzance souscrivit le formulaire d'Hormisdas, l'Arménie ne la suivit pas. Sous l'influence des julianistes, un synode tenu à Dvin rejeta les décrets de Chalcédoine et prononça l'excommunication contre l'Église grecque. Dans la partie romaine, les Arméniens furent d'ailleurs persécutés par le clergé byzantin orthodoxe. Pour triompher des monophysites arméniens, Justinien ne craignit pas d'employer la manière forte, jusqu'à les disperser dans les colonies de la Thrace et à les remplacer par des Bulgares.

L'Arménie resta monophysite. Menacée par la domination persane comme par l'ingérence byzantine, elle vit là un moyen d'affirmer sa nationalité religieuse : repoussant tout ensemble le nestorianisme des Perses et l'orthodoxie chalcédonienne des Grecs, professant d'ailleurs l'aphthartodocétisme julianiste qui lui permettait également de rompre avec l'Église syrienne ou jacobite, elle se réfugia dans un isolement doctrinal favorable à son indépendance. Sans doute y eut-il parfois des retours fugitifs au chalcédonisme : ainsi celui du patriarche Jean, quand en 571, compromis dans une révolte contre les Perses, il se sauva à Constantinople ; ainsi encore quand l'empereur Maurice (582-602) devint maître des deux tiers du pays et qu'il créa le catholicat orthodoxe d'Avan opposé au catholicat monophysite et persan de Dvin ; ainsi enfin, au concile de Théodosiopolis en 633, après la conquête de toute la région par les Byzantins. Conversions en réalité superficielles et éphémères, que dictaient seules les nécessités politiques du moment, mais à quoi les âmes ne se résignaient pas. En fait le monophysisme devint vite chez les Arméniens une forme du nationalisme : la théologie y fut pour peu. Bientôt les divergences liturgiques renforceront les convictions arméniennes : « Eh ! quoi, s'écriait le patriarche Moïse (574-607), je franchirais l'Achat pour aller manger du pain cuit au four et boire de l'eau chaude ! » Nous sommes aussi loin ici de la question des deux natures que plus tard les Byzantins du problème de la primatie romaine quand ils appelleront les Occidentaux azymites.

Dans la Perse même, citadelle du nestorianisme, le monophysisme s'était infiltré. Au ve siècle, le fameux Barsauma l'avait combattu efficacement : d'abord, par l'intervention du roi Péroze à qui il sut persuader que cette cause se confondait avec celle de l'empereur, son protecteur ; ensuite, grâce à la fondation du centre théologique de Nisibe où il groupa les membres de l'école d'Édesse exilés par Zénon en 489, et dont il confia la direction au docteur Narsès, « cette harpe du Saint-Esprit ».

Mais, au vi^e^ siècle, Jacques Baradée, l'apôtre au zèle dévorant, envoya en Perse un certain Ahudemmeh qu'il sacra évêque de Tagrit, sur le Tigre, au sud de Mossoul ; après avoir fait des prosélytes et baptisé même un fils de Chosroès Ier, celui-ci fut exilé en 575. D'autre part, pénétrant par les routes commerciales du désert sous la protection des Ghassanides, les prédicateurs itinérants venaient réveiller la foi des captifs romains et égyptiens, nombreux en Mésopotamie et en Chaldée. Les moines missionnaires avaient pour centre le célèbre couvent de Mar-Mattaï (saint Matthieu), près des ruines de Ninive. De Tagrit et de Mar-Mattaï, l'évangélisation monophysite pénétra partout.

Cependant les nestoriens se défendaient avec vigueur. En 580, le patriarche Isoyahb condamne dans un synode général le monophysisme. Grâce au voisinage de Nisibe, la défense religieuse s'organisait, chaque bourg ayant son école. Pourtant, au début du VIIe siècle, sous Chosroès II la propagande monophysite fera des progrès, soutenue par Gabriel, médecin du roi; ses intrigues obtiendront qu'à la mort du patriarche nestorien Grégoire le siège reste vacant pendant quelque vingt ans (609-628). D'autre part, les négociants syriens jacobites entraient alors en Perse à la suite des armées de Chosroès qui revenaient de leurs expéditions en terre byzantine. La propagande monophysite s'intensifia et s'organisa. Le siège métropolitain fut transféré de Mar-Mattaï à Tagrit « la Bénie », ville proche de Séleucie où l'on espérait pénétrer un jour. L'Église nestorienne traversa alors une crise dont elle triompha grâce à l'activité théologique de son grand docteur, Babaï le Grand.

CHAPITRE V

LA SOCIÉTÉ CHRÉTIENNE SOUS JUSTINIEN

Nous avons vu quelle lamentable confusion Justinien avait faite des pouvoirs politique et religieux, et qu'il avait dogmatisé à outrance. Pourtant, sa vie est honnête, sa piété sincère : bref, un convaincu. S'il confond trop l'Église avec l'État, il désire sincèrement sa prospérité. D'où les efforts tentés pour que l'ordre y règne. Aussi l'empereur va-t-il fixer avec soin sa législation et donner aux canons ecclésiastiques la même rigueur d'obligation qu'aux lois civiles.

I. La sollicitude impériale : législation ecclésiastique. — Le code de Justinien — son œuvre la moins critiquable, celle qui l'immortalise et lui mérite le surnom de Grand — possède un aspect nettement religieux : on y lit à plusieurs reprises le Credo, un grand respect s'y formule envers Rome, lettres pontificales et rescrits impériaux y voisinent; la législation religieuse y prend une place importante. Tandis qu'il n'y avait encore que des dispositions canoniques éparpillées en vingt conciles au hasard des circonstances, lui, nous offre une codification, c'est-à-dire un ensemble ordonné et rangé par titres.

Dans les *Novelles,* d'ailleurs produits de la législation courante, et qui reflètent naturellement les conditions et besoins de la vie contemporaine, tout est traité, précisé : depuis l'élection des évêques et la tenue des conciles jusqu'aux obligations cléricales et au règlement du noviciat monastique. « Rien, dit Justinien, n'échappe au monarque à qui Dieu a confié le soin de tous les hommes. » Qu'il y ait là encore quelque intrusion, on ne peut le nier; n'empêche que ces prescriptions détaillées sont à l'ordinaire très pratiques, capables d'engendrer l'ordre et d'inspirer une crainte salutaire. Ce serait trop vite fait de l'appeler « empereur sacristain », sans plus.

La protection gouvernementale couvre l'évêque; il possède un droit de regard sur l'administration. Quand un magistrat sort de charge, il peut, durant quinze jours, accueillir les réclamations des provinciaux. Dans la cité, de concert avec les notables, il nomme les fonctionnaires municipaux et surveille leurs actes. Bref, une sorte de providence locale, pouvoir supérieur qui, dans la province et la cité, domine les personnages civils par son autorité et son intégrité morale : redresseur naturel des torts et des injustices, protecteur attitré des pauvres, des prisonniers et des esclaves. Que, directement conférés par le pouvoir civil, pareils droits en fassent plus ou moins un fonctionnaire, c'est là le seul danger, mais très inquiétant pour l'avenir. Car, tout ce que l'empereur édicte — au spirituel comme au temporel — patriarches, métropolitains et évêques doivent le publier dans leur ressort au même titre que des préfets : il leur faut veiller à l'observation de la *Loi*, qui est souveraine et qui les domine.

L'Église jouit de privilèges judiciaires et fiscaux. Il existe des tribunaux où, pour tous les clercs, l'autorité épiscopale reste seule juge. Un des principaux soucis de Justinien fut de conserver et d'accroître la propriété ecclésiastique. Il se montra très généreux, multipliant églises, monastères, établissements de bienfaisance, prodiguant les présents aux sanctuaires fameux, créant ainsi d'ailleurs dans toute la société byzantine un courant de générosité, une émulation de largesse : c'était à qui doterait les églises, et à qui leur donnerait le plus. A ces libres présents, ajoutez encore de nombreux droits légaux : subsides de l'État, part dans la succession abintestat des fidèles morts sans héritiers, bénéfice de certaines peines pécuniaires prononcées contre les délits religieux : par exemple, les amendes pour hérésie, pour célébration de la messe dans les maisons privées sans autorisation, pour simonie, pour crimes envers la piété filiale, etc. De ces richesses considérables s'impose un emploi judicieux. Tout un personnel est prévu qui aidera l'évêque dans l'administration : au sommet, l'économe investi de pouvoirs étendus; sous lui, les *defensores ecclesiarum*, chargés de la protection judiciaire et extrajudiciaire des biens ecclésiastiques, les *administratores* ou *ordinatores* pour la gestion des fonds de terre, les *custodes* qui ont la garde des objets précieux.

II. Le monachisme et le peuple. — A une classe revient tout spécialement protection et faveurs impériales : les cénobites. « La vie monastique, dit Justinien, met l'homme en communication directe avec le ciel. C'est en outre une chose profitable à la société tout entière par la sainteté de ses ascètes et leurs prières. » Il les regarde donc comme des porte-bonheur, chrétiens d'élite qui peuvent beaucoup pour le prince. « Si ces mains pures et sanctifiées priaient pour l'Empire, déclare-t-il, l'armée en serait plus solide, la prospérité de l'État plus grande, l'agriculture et le commerce plus florissants, sous la bienveillance assurée de Dieu. »

Aussi, non seulement multiplie-t-il les fondations, mais il veille à l'observance cénobitique et en règle minutieusement le détail, comme ferait un chef d'ordre, un saint Basile ou un saint Benoît. Son exemple est entraînant : à sa suite beaucoup fondent des couvents, soit mode, soit vanité de laisser leur nom à un monastère, soit aussi véritable et ardente piété : il y a des nobles qui vendent leurs biens pour les partager avec les moines, des matrones qui donnent leurs vêtements précieux pour les transformer en ornements d'église.

Grâce à cette émulation merveilleuse, les cénobites affluent partout : Byzance compte soixante-sept monastères d'hommes en 536, et quelques-uns sont par le nombre de véritables cités. Les plus importants se trouvent sur la côte de Marmara entre la Porte d'Or et le palais sacré : ceux de Stoudion, de Dalmatios, des Acémètes, des Saints Serge et Bacchus. Même affluence monastique dans les grandes villes orientales telles que Jérusalem et Édesse. Alexandrie et le Delta sont encore plus envahis; le fameux groupe de l'Enaton rassemble tout un peuple.

A Constantinople, les moines dirigent l'opinion au point que les souverains doivent compter avec eux et que leur intervention dans les querelles christologiques demeure souvent dominante. Quand l'humble saint Sabas vint en 530 dans la capitale, on l'accueillit comme un roi : empereur et impératrice se jetèrent à ses pieds. A Justinien il arracha les plus étendues concessions : « Ce que nous demandons, déclara-t-il, c'est l'allégement de l'impôt pour les deux Palestines ruinées par les Samaritains ; c'est le rétablissement des églises incendiées, la création d'un hospice à Jérusalem pour les pèlerins malades, l'achèvement de l'église de la Vierge, enfin la construction d'une forteresse au centre des monastères que j'ai fondés. » Rien ne lui fut refusé. Non moins audacieux, mais d'une effronterie sans bornes, certains moines monophysites insultaient l'empereur en face : ainsi Zoroas qui lui parlait « avec une liberté divine ». « La ville entière, dit Jean d'Éphèse, courait vers Zoroas, et même le sénat tout entier, sachant l'extrême franchise qu'apportait cet homme à avertir ceux qui, au nom de Dieu, exercent le droit de vie et de mort. » Le décès de ces personnages monastiques ressemblait à une calamité publique : on leur faisait des funérailles qu'on pourrait appeler nationales, et auxquelles assistaient, de service commandé, les premiers du palais, des cubiculaires, des sénateurs, des évêques, des clercs, et la foule des cénobites.

L'idéal religieux comporte stricte clôture, prière en commun, pauvreté et mortification : à côté du grand carême prennent place celui des Saints Apôtres et celui de la Dormition de la Vierge. L'équilibre n'est pas pleinement réalisé tel que le découvrait à la même époque en Occident saint Benoît.

Les vocations ont pour origine soit une piété profonde, un besoin d'humilité et de pénitence, soit aussi des motifs plus humains, tels que le désir du repos, le dégoût du monde causé par les disgrâces. L'engouement est général et il gagne toutes les classes de la société : humbles artisans et cultivateurs, marchands et grands seigneurs, et jusqu'aux princesses de la cour. Aussi certains transportent-ils parfois dans le cloître les vanités et superfluités de leur vie mondaine. Mais l'ensemble est d'une belle tenue ascétique. Dans les monastères il existe à l'ordinaire un certain nombre de cellules isolées nommées laures où, avec l'autorisation de l'higoumène, les profès peuvent pratiquer une solitude plus stricte, une mortification plus rigoureuse. D'autres s'évadent vers une existence exceptionnelle : ainsi les stylites et les solitaires des cavernes.

Parmi les personnalités monastiques de l'époque émerge saint Sabas, disciple de saint Euthyme qui avait fondé en Palestine la fameuse laure du Sahel. En 483, il s'établit dans une caverne au sud-est de Jérusalem, sur la rive occidentale du Cédron et y éleva la Grande Laure, où affluèrent soixante-dix moines. Bientôt reconnaissant sa sainteté et son talent d'organisateur, Salluste, patriarche de Jérusalem, le nommait archimandrite de toutes les laures de la région. Il rencontra des opposants qui fondèrent la Nouvelle Laure où son influence finit cependant par s'imposer, mais qu'infesta l'origénisme.

A la Grande Laure brilla encore Cyrille de Scythopolis, qui composa des biographies historiques, où se révèle à côté du goût pour le merveilleux un véritable souci d'information : les plus célèbres sont consacrées à saint Euthyme et à saint Sabas. Jean Moschus, autre moine palestinien, mais qui erra un peu partout en Syrie, puis en Égypte, composa son *Pré spirituel*, recueil d'anecdotes où, à travers la naïveté du récit, plein de traits édifiants, d'austérités héroïques, de visions enfantines, se révèle la vie intime des monastères contemporains. Au couvent du Sinaï brilla saint Jean Climaque qui écrivit *l'Échelle du Paradis,* traité d'ascétique et de mystique tout à la fois, où sont décrites par le menu les étapes de la perfection, mais sans plan d'ensemble très strict. L'ouvrage, rédigé avec concision, et où abondent les maximes profondes, eut un succès considérable et devint la lecture favorite des moines byzantins : il fut traduit en syriaque, en grec moderne, en latin, en italien, en espagnol, en slavon.

Pourtant tout n'est point parfait. La plaie dans le monachisme, c'est la gyrovagie, autrement dit l'infraction aux règles de la clôture avec toutes ses conséquences ; dans le peuple, c'est le formalisme et la superstition qui séviront à Byzance plus que partout ailleurs.

Signalons très spécialement la passion, la fièvre des spectacles. Le théâtre est aussi immoral qu'autrefois. Sans doute essaie-t-on alors d'organiser des représentations religieuses, mais les pantomimes sont toujours à la mode, dont le fond reste l'adultère. Fêtées par le public, les actrices parviennent aux plus hautes situations : telle Théodora, devenue impératrice, ou encore Antonine qui épousera un jour Bélisaire. Justinien essaie de réagir : ainsi édicte-t-il ou remet-il en vigueur une loi qui interdit à une danseuse de paraître dévêtue au théâtre; ainsi autorise-t-il un homme à divorcer si sa femme, contre son gré, se rend au théâtre; il en interdit l'accès aux évêques et aux clercs.

L'engouement pour le cirque est plus intense encore : c'est comme une frénésie générale. Les partis du cirque ont maintenant des tendances politiques, sociales, religieuses : ils sont une force avec laquelle l'État doit compter. « En l'absence d'une presse, dit Ouspenski, l'hippodrome devint le seul endroit où pût s'exprimer librement l'opinion publique qui, à certains moments, donna des ordres au gouvernement. » Ainsi Bleus et Verts s'attribuent les partis religieux : Bleus chalcédoniens, Verts monophysites. Ils donnèrent la mesure de leur puissance en cette fameuse insurrection de 532 qui mit la dynastie justinienne à deux doigts de sa perte, et où seul le sang-froid de Théodora, plus virile encore ce jour-là que son époux, en imposa à tous : « Être fuyard quand on est empereur, s'écria-t-elle, voilà qui est intolérable ; si tu veux fuir, César, c'est bien : tu as de l'argent, les vaisseaux sont prêts, la mer est ouverte... Mais réfléchis, et crains après la fuite de préférer la mort au salut. J'aime cette vieille maxime que la pourpre est un beau linceul. » Bélisaire eut enfin raison de l'émeute, mais après avoir tué 30 à 40.000 rebelles cernés dans l'hippodrome. Telle fut la « sédition Nika », ainsi appelée parce que les révoltés s'ébranlèrent au cri de Nika, c'est-à-dire « Victoire ».

On retrouvait Bleus et Verts partout, non seulement dans les grandes villes comme Alexandrie, mais dans les cités moindres qui possédaient leurs hippodromes, en Égypte aussi bien qu'en Asie Mineure. Jusque dans les bourgades, Verts s'opposaient à Bleus. Et l'ardeur des convictions politiques et religieuses, en prenant cette forme, se trouvait encore accrue. Les passions du cirque, héritées de la Rome antique, s'unissaient à celles qu'avaient fait naître Éphèse et Chalcédoine pour composer un milieu nouveau, celui du Bas Empire.

« Ceux qui veulent établir une démarcation entre histoire romaine et histoire byzantine, écrit Bury, peuvent regarder la sédition Nika comme la dernière scène d'histoire romaine ; car il en résulta une victoire impériale qui établit la forme d'absolutisme caractéristique de l'histoire byzantine : ce qui est sans doute inclus dans cette remarque de Procope, que la révolte fut fatale tout ensemble au sénat et au peuple. On a dit qu'elle fut la dernière convulsion qui marque le passage de l'antiquité gréco-romaine au moyen âge. »

Saint Jean Climaque. — *SOURCES : P. G.*, LXXXVIII, col. 691-1210. — *ÉTUDES :* S. SALAVILLE, *Saint Jean Climaque : sa vie et son œuvre*, dans *Échos d'Orient*, 1923, p. 440-454. — A. SAUDREAU, *Doctrine spirituelle de saint Jean Climaque*, dans *Vie spirituelle*, 1924, p. 353-370. — P. POURRAT, *La spiritualité chrétienne*, p. 453-469. — Mgr L. PETIT, art. *Jean Climaque (saint)*, dans *Dict. Théol.*

LIVRE XIV

L'OCCIDENT A L'ÉPOQUE DE SAINT GRÉGOIRE LE GRAND

CHAPITRE PREMIER

SAINT GRÉGOIRE LE GRAND ET L'ITALIE

I. Saint Grégoire avant son pontificat. — Comme saint Ambroise avec qui il présente plus d'un trait de ressemblance, saint Grégoire naquit à Rome d'une vieille famille patricienne; comme lui aussi il suivit d'abord une brillante carrière de fonctionnaire. A trente-quatre ans, le voilà déjà qui gère la préfecture de Rome, c'est-à-dire la plus haute charge civile, comprenant avec les finances, l'édilité, le ravitaillement, la police, bref tout le gouvernement urbain. Noviciat providentiel de la vie pratique qui initiait Grégoire aux affaires, et qui aussi dans son âme romaine renforçait ce sentiment de l'ordre et de la discipline à lui légué par ses ancêtres. Commander et administrer seront désormais son domaine.

Pourtant, voué à Dieu dès son enfance, il tendait vers un recueillement contemplatif. Entre ces appétances de cloître et sa vie occupée, il hésita : « J'ai longtemps, dit-il, longtemps différé la grâce de la conversion... Les habitudes m'enchaînaient et je ne me décidais pas à changer ma vie extérieure. » Rome pourtant lui fournissait des exemples multiples, cette ville que, pour ses couvents de vierges et sa multitude de moines, saint Jérôme comparait déjà à Jérusalem, et où les membres de sa famille lui donnaient l'exemple, sa mère Silvia retirée près de la basilique Saint-Paul, ses tantes Tarsilla et Aemiliana qui pratiquaient l'ascétisme dans leur demeure.

De même, Grégoire transforma en monastère son propre palais au mont Celius, tandis qu'avec le reste de sa fortune il en érigeait six autres en Sicile, à l'abri des invasions. De son avoir, en effet, il ne conserva rien, et selon sa propre expression, quand il quitta le monde où

Saint Grégoire le Grand. — *SOURCES : P.L.*, LXXV-LXXIX. — *Gregorii papae registrum epistularum*, édité par P. Ewald et L. M. Hartmann dans *Monum. Germ. hist.*, 2 vol., Berlin, 1891-1899. — *TRAVAUX* : E. Clausier, *Saint Grégoire le Grand*, 1886. — H. Grisar,* *San gregorio Magno*, Rome, 1904. — H. Dudden, **Gregory the Great*, 2 vol., Londres, 1905. — T. Tarducci, *Storia di Gregorio Magno e del suo tempo*, Rome, 1909. — H. Howorth, *St. Gregory the Great*, 1912. — P. Batiffol,* *Saint Grégoire le Grand* (coll. *les Saints*), 1928. — P. Godet, art. *Grégoire (saint)*, dans *Dict. Théol.* — H. Leclercq, art. *Grégoire (saint)*, dans *Dict. Archéol.*

Sur la politique de saint Grégoire : Pingaud, *La politique de saint Grégoire de Grand*, 1877. — Doizé, * *Le rôle politique de saint Grégoire pendant les guerres lombardes*, dans *Études*, 1904 (t. XCIX), p. 182-208. — Doizé, * *Les patrimoines de l'Église romaine au temps de saint Grégoire, ibid.*, p. 672-693. — Ch. Diehl, **Études sur l'administration byzantine dans l'Exarchat de Ravenne* (*Écoles franç. Athènes et Rome*, fasc. LIII), 1888.

faisait rage la tempête, « il se sauva nu du naufrage ». Pauvreté, humilité, obéissance : ce fondateur refuse la première place ; simple moine, il impose à un autre l'honneur de diriger. Temps bénis, les plus heureuses années de sa vie, et où dans le silence il médita et étudia la Sainte Écriture : « Je pouvais alors, dira-t-il plus tard, épargner à ma langue toute parole oiseuse et tenir mon esprit continuellement fixé dans la volonté de prier. »

Hélas! ce ne fut pas pour longtemps. Dès 579, Pélage II l'ordonnait diacre et en faisait son apocrisiaire, autrement dit son nonce à Constantinople auprès de l'empereur Maurice. Poste délicat et difficile à l'heure où les incursions lombardes menaçaient l'Italie et Rome même, et où le représentant impérial, l'exarque de Ravenne, ne pouvait rien pour elles, toutes les forces byzantines se trouvant employées en Orient à écarter un autre péril, celui des Perses. « La république est à un point tellement critique, écrivait Pélage II à Grégoire, que, si Dieu ne met au cœur du prince l'inspiration de montrer à ses sujets la piété qu'il a pour eux et de nous accorder un maître de la milice, nous sommes perdus. » En ces conjonctures tragiques, Grégoire s'initiait à la diplomatie, apprenait à connaître l'Orient, ses hommes, ses intrigues, toutes choses qui le préparaient au pontificat suprême.

Mais, dans le fond du cœur, il demeure un contemplatif. Comme saint Augustin, affamé de vie monastique, il la transporte avec lui là où ses obédiences l'appellent. Plusieurs moines romains l'ont accompagné à Constantinople. Il s'y réserve encore le loisir de s'adonner à ses chères études bibliques et d'entreprendre son fameux commentaire sur Job, les *Moralia;* celui aussi d'être un directeur de conscience auquel s'adressent les femmes du plus haut rang, dames d'honneur comme Dominica et Grégoria, princesses comme Théoctista sœur de l'empereur Maurice, ou comme Constantina son épouse. Malgré tout, Byzance fut toujours pour Grégoire l'exil : « Comment, écrira-t-il à la patricienne Rusticiana, comment être séduit par Constantinople? Comment en oublier Rome? »

Aussi, après quelque six ans, en 586, fut-il heureux de revenir à la fois vers Rome et vers la vie monastique, tout ce qu'il aimait le plus au monde. Il retrouva son humble place au monastère de Saint-André, où en 587, dans une donation faite par lui, il se qualifie « indigne diacre du Siège Apostolique ». Il reprit alors ses chères études, commentant à ses frères diverses parties de l'Ancien Testament, Rois, Proverbes, Cantique, Prophètes.

Ce double amour — celui de l'humilité et celui de la « lecture divine » et de la contemplation — Grégoire l'a dû en partie à saint Benoît dont il fut le dévot admirateur. En ce VIe siècle finissant, la règle du Patriarche régissait-elle le monastère de Saint-André? C'est probable, mais non pas certain [1]. Quoi qu'il en soit, l'influence bénédictine se répandait à Rome où, en 589, les moines du Mont Cassin, chassés par les Lombards, s'établissaient près du Latran, et où, de leurs lèvres mêmes, Grégoire recueillerait les éléments de sa *Vie* de saint Benoît, au deuxième livre des *Dialogues.* Biographie merveilleuse qui manque de précision chronologique, mais à travers laquelle le grand moine nous apparaît comme un thaumaturge dont les miracles enchanteront les imaginations médiévales : personnage grave, humble, judicieux, tout en Dieu, modèle de cette vie contemplative désirée par tant d'âmes à cette époque troublée. Le récit des *Dialogues* révéla saint Benoît à l'Occident, il l'érigea en patriar-

1. « Ceux qui le soutiennent arguent qu'avant d'être moine, Grégoire, selon toute probabilité, connaissait déjà la vie et l'œuvre de Benoît, que certainement durant les années suivantes il se familiarisa avec la substance et les expressions de la fameuse Règle et qu'Augustin semble l'avoir implantée en Angleterre. » DUDDEN, *Gregory the Great,* t. I, p. 108.

che, et dès lors — quoi qu'il en soit de la divulgation antérieure — la fortune de sa règle fut assurée.

On comprend qu'à pareille école saint Grégoire ait été un vrai moine : chercher Dieu.

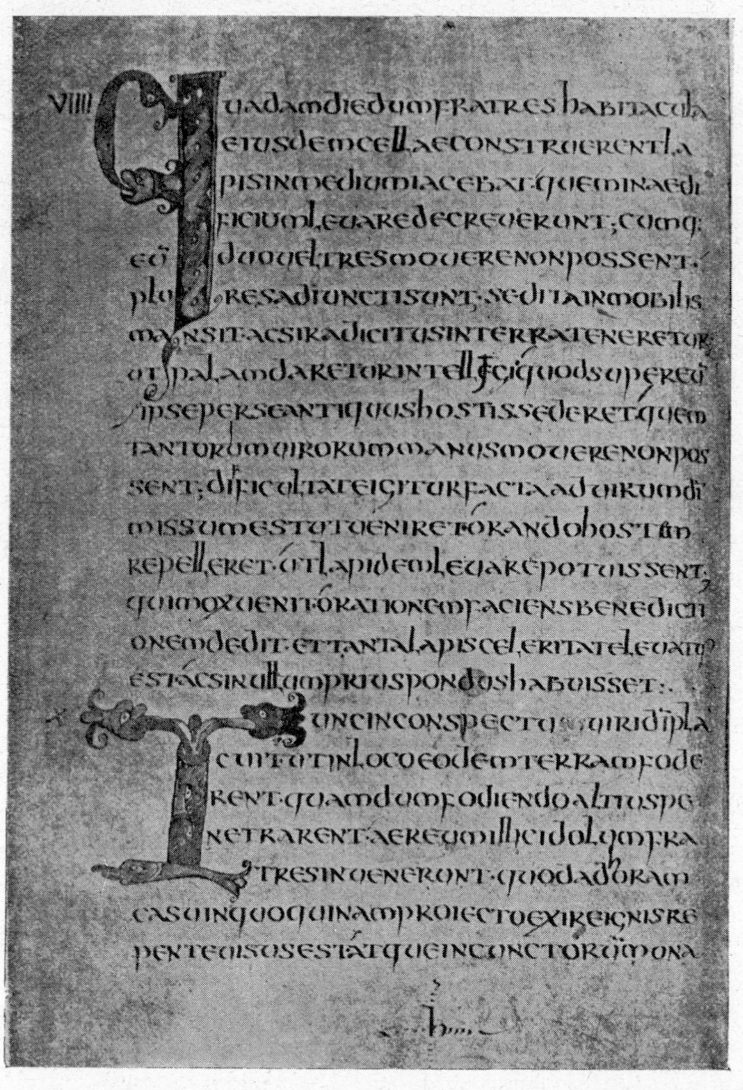

SAINT GRÉGOIRE LE GRAND. DIALOGUES (VIE DE SAINT BENOIT).

(Milan. Bibliothèque Ambrosienne.)

Quadam die dum fratres habitacula ejusdem cellae construerent, lapis in medio jacebat, quem in aedificium levare decreverunt; quumque eum duo vel tres movere non possent, plures adjuncti sunt : sed ita immobilis mansit, ac si radicitus in terra teneretur : ut palam daretur intelligi, quod super eum ipse per se antiquus hostis sederet, quem tantorum virorum manus movere non possent; difficultate igitur facta, ad virum dei missum est ut veniret, et orando hostem repelleret, ut lapidem levare potuissent; qui mox venit, et orationem faciens, benedictionem dedit, et tanta lapis celeritate levatus est, ac si nullum prius pondus habuisset.

Tunc in conspectu viri dei placuit ut in loco eodem terram foderent : quam dum fodiendo altius penetrarent, aereum illic idolum fratres invenerunt. Quo ad horam casu in coquinam projecto, exire ignis repente visus est atque in cunctorum mona(chorum oculis).

persévérer dans son amour, tel est à ses yeux tout le programme des cénobites : « L'invincible langue de la componction silencieusement parle en eux, écrira-t-il; pour eux le chant céleste ne dort pas (*concentus coeli non dormit*), parce que leur esprit connaît la suavité de la louange divine et tend l'oreille de l'amour pour la percevoir. La vie présente, hostile qu'elle leur est, et même si elle les favorise, ils la supportent péniblement. Ce n'est pas à cela qu'ils aspirent... ; et le concert du ciel, qui fait irruption en eux par l'oreille de leur cœur, les établit chaque jour dans la compagnie des citoyens d'en-haut. »

Si la charge de préfet révéla à Grégoire l'art d'administrer, et celle d'apocrisiaire le don de négocier, la vie monastique l'établit définitivement dans cette paix contemplative qui lui permettra de traverser les plus difficiles situations et de se répandre en mille besognes sans jamais perdre ni la confiance en Dieu, ni le recueillement surnaturel.

En 590, Pélage II succombait frappé par la peste. D'une voix unanime, clergé, sénat, peuple, acclamèrent le diacre Grégoire. Tout comme jadis saint Paul, d'une sentence mortelle, il en appela à César, utilisant à Constantinople ses anciens amis pour qu'ils soutinssent ses protestations et obtinssent l'annulation. Mais tous le trahirent; nulle part la moindre complicité. A Théoctista, sœur de l'empereur, il écrivit sur un ton de doux reproche : « Vos bienveillances anciennes m'ont manqué dans cette épreuve qui, sous couleur de me faire évêque, me ramène dans le siècle; je vais avoir à servir les intérêts de la terre plus que je n'ai fait quand j'étais dans le monde. »

En vain voulut-il fuir. On le conduisit de force à la basilique Saint-Pierre, où il fut consacré le 3 septembre. Mais la nostalgie de la vie monastique ne le quitta plus. « Le labeur de ma charge pastorale, écrira-t-il à saint Léandre, m'écrase à ce point que j'ai plutôt envie de pleurer que de parler... En pleurant je me rappelle le tranquille rivage du repos que j'ai perdu. » Et dans la préface de ses *Dialogues* : « Mon esprit infortuné, souffrant de la tâche présente comme d'une blessure, se souvient de ce qu'il était dans le monastère. » Sans cesse il gémira : « A l'imitation du Christ j'avais voulu être l'opprobre des hommes et le dégoût du peuple... L'honneur qui m'a été fait m'accable de son poids, les soucis innombrables m'étourdissent, me percent comme des glaives. Plus de repos pour mon cœur... L'asile de la contemplation ne peut plus — ou si rarement — me soulever. Que dirais-je de plus? Mon âme succombant sous son propre poids est couverte d'une sueur de sang... » Combien n'envie-t-il pas ceux qu'il a laissés dans le cloître : « Souvent à aggraver ma douleur contribue le souvenir qui me revient de quelques-uns, qui ont abandonné le siècle de toute leur âme : je vois le sommet par eux atteint, je mesure le bas-fond où je gis! » Il y a, croyons-nous, dans ces plaintes un peu de romantisme, mais profondément sincère, et de si bon aloi!

Pareils regrets sont d'un contemplatif sans doute, mais aussi d'un homme écrasé par les difficultés multiples de sa charge : « Je suis contraint de discuter les intérêts des Églises, des monastères, de juger la vie et les actes des uns, des autres, tantôt de me mêler des affaires des particuliers, tantôt de trembler devant les glaives des barbares. »

II. Les Dialogues et l'âme populaire. — Quelle époque fut jamais plus troublée. Grégoire a été nommé en pleine peste. Partout l'épidémie sème la mort. Par une image hardie, il la compare à un arbalétrier qui d'en haut viserait froidement ses victimes : « On voyait des yeux du corps des flèches venir du ciel et frapper les gens un à un. » Du moins en profite-t-il pour ranimer la foi, organisant des processions expiatoires, exhortant les fidèles à la pénitence : « Il faut, dit-il, frères très aimés, que les fléaux de Dieu, don nous devions redouter la venue, nous inspirent de la crainte quand nous en traversons l'épreuve. Que la douleur nous ouvre le chemin de la conversion. » La peste disparut enfin, laissant Rome décimée : « Du peuple innombrable que vous étiez, pouvait dire Grégoire, vous voyez combien vous restez. »

Mais divers maux subsistent : ainsi les inondations, la famine. A chaque instant il faut que Grégoire s'occupe de l'approvisionnement de Rome et qu'il stimule le zèle du préteur de Sicile afin que les arrivages n'aient aucun retard : sans quoi, « ce n'est pas un homme, c'est tout le peuple qui pâtit ».

D'autre part et surtout, à travers l'Italie l'invasion lombarde a semé l'épouvante. Ces Barbares, Grégoire nous les dépeindra dans ses *Dialogues* comme de purs brigands et des persécuteurs. Nulle route qui soit sûre et où le voyageur ne coure le risque d'être dévalisé. Partout la terreur : dans les villes toujours exposées aux surprises et aux pillages; dans les couvents les mieux défendus où, après l'assaut, les moines sont mis à la torture et tués. A la sauvagerie se joint l'impiété : car ces ariens, qui ont conservé des coutumes païennes, veulent parfois, en des accès de violence, les imposer aux populations : ainsi massacrent-ils quarante paysans parce qu'ils n'ont pas voulu manger des viandes sacrifiées aux dieux; ainsi encore quatre cents hommes pour avoir refusé d'adorer la tête de chèvre que « selon leur coutume ils immolaient au démon, courant en cercle autour d'elle et lui chantant des hymnes blasphématoires ».

Ajoutez les voleurs impunis, la multitude des pauvres et aussi ces troupeaux de captifs que Grégoire a vu conduire sur les marchés de la Francie, « la corde au cou comme des meutes de chiens ». On entrevoit donc une désolation immense de l'Italie, analogue à celle des pires époques. Il faut fondre parfois une Église avec une autre : telle celle de Minturnum « par la désolation présente dépourvue de clergé et même de peuple » avec celle de Formiae; tel encore l'évêché de Rosella avec celui de Populonia où « il n'y a plus ni prêtres pour administrer la pénitence aux mourants, ni personne pour baptiser les petits enfants ». Au total, nous ne voyons que deuil partout, nous n'entendons que lamentations de toutes parts. Villes détruites, fortifications renversées, campagnes dépeuplées, la terre réduite en désert. Pas un homme dans les champs, presque plus un habitant dans les villes, et cependant pas un jour où sans répit le peu qui reste du genre humain ne soit frappé. Les uns sont emmenés en captivité, les autres décapités, massacrés ».

En plus de ces dangers incessants, d'autres surgissent chaque jour que Grégoire souligne. Habileté d'un pasteur d'âmes qui veut faire réfléchir les siens, les entretenir dans la crainte salutaire, et qui, à travers tant d'événements désastreux croit entrevoir la fin du monde toute proche. Les plus naturels phénomènes lui sont occasion de rappeler ces terrifiantes vérités : « Avant-hier vous avez vu un ouragan subit arracher des arbres chargés d'années, renverser des maisons, détruire des églises jusqu'aux fondements. Combien qui, le soir, sains et saufs pensaient à ce qu'ils feraient le lendemain, ont été dans la nuit emportés par une mort soudaine et ensevelis dans les ruines de la ville! » Encore n'est-ce là que le commencement des maux : « Ne vous attristez pas, écrit-il à l'évêque de Salone; car ceux qui viendront après nous verront des temps plus calamiteux encore, si bien que, en comparaison de leurs épreuves, ils estimeront que nous avons connu des jours heureux. »

A la crainte il faut joindre toutefois l'espérance. Et voilà pourquoi Grégoire dédiera à ses contemporains les *Dialogues*[1] dont Mgr Batiffol a pu dire « qu'ils étaient la *Cité de Dieu* récrite pour les simples ». A chaque page surgissent des miracles attendus, mais toujours plus surprenants ; ils manifestent que Dieu est présent quand même et que, s'il châtie les

L'EXTASE DE SAINT GRÉGOIRE APERÇUE PAR LE DIACRE PIERRE A TRAVERS LE RIDEAU PERCÉ DE SON STYLET.
(Bruxelles. Bibliothèque royale. Art liégeois. XIIe siècle.)

siens, il les protège aussi : « Nous sommes dans de grandes tribulations, remarque le diacre Pierre, ce comparse au bon sens court et robuste, véritable prototype de l'homme du

1. Les *Dialogues* se divisent en quatre livres : les trois premiers s'occupent de personnages vivant en Italie, parmi lesquels saint Benoît, dont la biographie occupe tout le deuxième livre. Le quatrième décrit divers miracles ayant trait à l'eschatologie : immortalité de l'âme, existence du purgatoire, devoir de prier pour les défunts (Traduction française des *Dialogues* par CARTIER, 1875).

peuple; mais que nous ne soyons pas abandonnés par notre créateur, des miracles si étonnants en témoignent assez. » Le merveilleux chrétien s'épanouit là, qui enchantera la naïveté médiévale, et d'où naîtra la *Légende dorée*.

Il n'en faut discuter la valeur historique qu'avec précaution. A coup sûr ces récits émanent de contemporains sur les lèvres desquels saint Grégoire les a recueillis fidèlement. Ainsi pour la vie de saint Benoît nous cite-t-il ses sources : « Je n'ai pas, dit-il, connu tous ses *gesta,* mais le peu que j'en raconte, je le tiens de quatre de ses disciples : Constantius, homme très vénérable, qui lui succéda dans le gouvernement du monastère, Valentianus qui longtemps régit celui du Latran, Simplicius qui, troisième après Benoît, gouverna la communauté, Honoratus enfin qui est à la tête de la *cella* où Benoît vécut d'abord. » Quels témoins peuvent être plus véridiques? Grégoire d'ailleurs ne manque point de critique : il ne nous raconte que les histoires qu'il a quelque raison de croire exactes d'après la valeur morale des répondants.

Sans doute, mais il y a aussi la lucidité intellectuelle. Or, il faut bien admettre qu'à cette époque les esprits restaient prédisposés en faveur du miracle. L'hypothèse merveilleuse était invoquée sans cesse, non seulement pour l'explication des phénomènes extraordinaires ou crus tels, mais encore pour celle des événements les plus courants. Comme il y a aujourd'hui une certaine mentalité scientiste qui à priori nie le miracle, à l'opposé une autre existait alors trop crédule qui trouvait tout simple, tout naturel si j'ose dire, que Dieu intervînt visiblement presque partout et presque toujours : les hommes de ce temps ne pouvaient se faire à l'idée qu'un saint n'accomplît pas des miracles, et nombreux, et extraordinaires. Volontiers ils auraient dit tous comme le diacre Pierre à l'audition des merveilles de saint Benoît : « Pour moi, des miracles, plus j'en bois, plus j'en ai soif. » (*Miracula quo plus bibo, plus sitio.*)

Saint Grégoire sut bien désaltérer cette génération désolée qui avait besoin de voir le ciel descendre sur la terre, pour en oublier les misères, ou tout au moins s'en consoler. Les légendes fleurissent dès lors comme un témoignage de la Providence qui guide son peuple, qui punit les méchants, qui guérit les bons et les emmène finalement en son paradis. En l'hagiographie miraculeuse toute la science du temps semble enclose, histoire, théologie, philosophie, sans compter la poésie. Aussi, quelle que soit la valeur documentaire du récit — et bien subtil qui saurait la discerner — ces légendes, évocatrices fidèles des coutumes, mœurs et croyances contemporaines, n'en gardent pas moins un grand intérêt historique. « Comme le *Décaméron* de Boccace reflète la vie du XIVe siècle, dit très bien Dudden, ainsi les *Dialogues* celle du VIe, la vie des paysans d'Italie, des moines, des évêques dans les bourgs et les petites villes, aussi bien que l'existence des citoyens romains. » Bref une mine d'informations, d'où l'on peut conclure en bloc que ces braves gens étaient généralement fort malheureux et guettés par tous les périls, — inondations, peste, famine, pillards lombards et voleurs de grands chemins, — mais que, d'autre part, la religion les consolait merveilleusement, les introduisant jusqu'au vestibule du paradis. Dans les *Dialogues*, il y a telle et telle scène mortuaire toute frémissante d'enthousiasme et d'espérance comme un tableau de fra Angelico. Deux chœurs s'arrêtent devant la cellule de la pieuse Romula, les hommes chantant le psaume, les femmes disant le cantique, à preuve qu'on les discernait à leurs voix. « Et à mesure que les chœurs remontaient vers le ciel avec la sainte âme libérée, la psalmodie devenait de plus en plus douce jusqu'à ce que le son s'en éteignît dans l'éloignement et qu'avec lui se dissipât la suavité du parfum. »

Par contre, la crainte du jugement reste suspendue sur les têtes. Dans tel chapitre, un revenant nous décrit le paradis qu'il a entrevu avec « ses maisons aux briques d'or, ses riantes campagnes couvertes de verdure et ornées de fleurs odoriférantes ». Mais pour y parvenir il faut traverser un pont, où les méchants chancellent et tombent « dans le fleuve ténébreux et corrompu ». Le revenant a assisté aux luttes terribles d'un passager : « Lorsqu'il voulut traverser, le pied lui manqua; des hommes tout noirs sortaient du fleuve et le tiraient en bas par les jambes, tandis que d'autres vêtus de blanc et d'une grande beauté, le tiraient en haut par les bras... Sa vie fait comprendre cette vision; les péchés de la chair luttaient contre ses aumônes; il était tiré en bas par les jambes et en haut par les bras, parce qu'il avait aimé à faire l'aumône, mais n'avait pas bien résisté aux vices de la chair qui l'entraînaient en bas » (IV, 36).

Il y a des agonies terribles, telle celle de ce pauvre frère dans un monastère, qui criait aux assistants : « Retirez-vous, retirez-vous; voici le dragon qui doit me dévorer, et c'est votre présence qui l'empêche de le faire. Ma tête est déjà dans sa gueule : laissez-le libre pour qu'il ne me tourmente pas davantage, mais qu'il fasse ce qu'il doit. » « Pourquoi parler ainsi? lui dirent les frères. Faites sur vous le signe de la croix. » Mais il répondit en gémissant : « Je ne peux me signer; je ne le puis pas, parce que le dragon me presse de ses écailles. » A ces paroles, les frères se prosternèrent, demandant sa délivrance. Devenu plus calme, le malade déclara : « Grâces à Dieu, le dragon qui devait me dévorer s'enfuit; vos prières l'ont forcé de partir. » Tel autre « qui avait été dans le monde un homme très capable, mais aussi rempli de vices, à son dernier moment, vit devant ses yeux des esprits noirs et horribles qui menaçaient de l'entraîner en enfer. Lorsqu'il était couché sur le côté gauche, il ne pouvait supporter leur aspect; il se tournait vers le mur, et il les voyait encore. Comme il se sentait cerné sans espoir d'échapper, il se mit à dire de toutes ses forces : « Trêve jusqu'à demain; trêve jusqu'à demain. » Et en criant ainsi, son âme quitta le corps » (IV, 38). Les châtiments de l'au-delà sont rendus visibles : du tombeau d'un certain mécréant « il sortait une flamme qui finit par brûler ses ossements, détruire son monument, et rejeter la terre même qui s'y trouvait » (IV, 32). Un cadavre est chassé mystérieusement hors de l'église de sa sépulture et transporté, les pieds liés, dans un caveau profane, par deux démons affreux.

C'est déjà la croyance naïve de la mère de Villon, qu'emplit une eschatologie simpliste : paradis où sont harpes et luths, enfer où méchants sont bouillis. Craindre et espérer, voilà tout le sentiment religieux d'alors. L'image, l'anecdote servent de truchement au dogme et à l'enseignement moral, que sans cela ces trempes frustes ne retiendraient pas.

D'ailleurs, l'emprise du Malin est considérable, les cas de possession fréquents. Sous quelque déguisement le démon va jouer des tours multiples aux moines et aux moniales. Il hante les maisons des hommes de Dieu pour les terrifier. La nuit il fait à Datius, évêque de Milan, le plus beau des charivaris : « rugissement des lions, beuglement des troupeaux, braiement des ânes, sifflement des serpents, bruit des porcs et des rats », rien n'y manque. Mais le saint prélat sait bien lui donner la réplique : « Voilà que par ton orgueil tu es devenu semblable aux pourceaux et aux rats; tu voulais, dans ta folie, imiter Dieu, et voilà que tu es digne d'imiter les bêtes. » Du coup, l'esprit malin rougit et s'enfuit.

A la faveur des péchés commis, le Très-Bas s'implante dans les corps. « Une noble dame de Toscane avait une bru qui, peu après son mariage, fut invitée à la dédicace d'une chapelle de saint Sébastien. Bien que sa conscience fût troublée par une faute, la honte la poussa à se rendre à la fête. A peine les reliques du saint martyr Sébastien furent-elles entrées dans l'oratoire, que l'esprit malin s'empara de la jeune femme. Ses parents confièrent aux sorciers le soin de son corps. On la porta à la rivière et on la plongea dans l'eau, en employant des formules magiques pour chasser le diable. Mais par un jugement merveilleux de Dieu, dès qu'un démon eut cédé à ce moyen coupable, il fut aussitôt remplacé par une légion d'autres... Enfin ses parents la conduisirent à saint Fortunat, évêque de Todi. Il la reçut, passa plusieurs jours en prières et la rendit saine et sauve » (I, 10).

On retrouve par ailleurs dans les *Dialogues* une puissance thaumaturgique comparable à celle des Pères du désert. Ainsi l'emprise sur les animaux : l'ermite Florentius « se trouvant bien seul, pria le Dieu tout-puissant de lui envoyer quelque compagnie agréable. A peine eut-il terminé sa prière qu'il trouva un ours devant la porte de son oratoire. La bête baissait la tête jusqu'à terre, et ne donnait dans ses mouvements aucun signe de férocité; elle faisait, au contraire, comprendre qu'elle venait se mettre à la disposition de l'homme de Dieu. Il lui dit : « Va me conduire mes brebis au pâturage, mais tu reviendras à l'heure de sexte. » L'ours entra aussitôt en fonctions et se mit à remplir la charge de pasteur. Même lorsqu'il était à jeun, il gardait les brebis qu'il avait autrefois l'habitude de dévorer » (III, 15).

Les combats contre la chair rappellent aussi ceux des moines égyptiens. Voici un récit qui, par sa pureté et sa poésie, est aussi ravissant que les plus beaux de Pallade : il raconte les derniers moments d'un prêtre de Nursie. « Dès qu'il était entré dans les Ordres, il avait aimé sa femme comme une sœur, mais il la redoutait comme un ennemi; il ne la laissait jamais venir le trouver, ne lui permettait de l'approcher en aucune occasion, et supprimait avec elle tout rapport d'intimité... Il y avait quarante ans qu'il était prêtre, lorsqu'il fut pris d'une fièvre violente qui le réduisit bientôt à l'extrémité. Sa femme, voyant ses membres affaissés, comme s'il était mort, approcha son oreille de ses narines, pour reconnaître s'il respirait encore. Mais lui, qui avait à peine le souffle, s'en aperçut, fit un effort suprême pour parler, et dit de toute son âme, aussi haut qu'il put : « Femme, retire-toi de moi; il y a encore une étincelle, éloigne la paille. » Elle obéit, et il vit les saints Apôtres Pierre et Paul qui venaient chercher son âme » (IV, 11).

Pareilles citations ne sont point des hors-d'œuvre. La mentalité médiévale est née, et bien née. Déjà les *Dialogues* nous la font entrevoir, naïve, pleine de foi, de terreur et d'amour. A entendre certains récits nous croyons rêver, et nous avons quelque tentation de sourire. Mais ces hommes rudes et simples ne souriaient pas; s'extasiant ou tremblant, ils en profitaient pour s'amender et s'élever vers Dieu.

III. Saint Grégoire exégète. — Grégoire d'ailleurs ne se contentait pas d'historiettes moralisantes : à son peuple, il offrait un haut enseignement et, malgré sa chétive santé, s'imposait le devoir de la prédication, faisant du moins lire son sermon par un clerc, quand il était aphone. Composées pour des fêtes ou pour des dimanches ordinaires, et prononcées soit à Saint-Pierre ou au Latran, soit dans telle autre basilique stationale, les quarante homélies sur les Évangiles nous font connaître sa manière oratoire. « Nous voilà, dit-il, un jour qu'il prêche à Saint-Mennas, nous voilà bien loin de la ville, et je ne veux pas que nous rentrions trop tard... Il faut que j'abrège mon sermon. Car tout a été trempé par la pluie du dernier orage. » On voit combien le genre est familier. A cela aussi s'annonce le moyen âge, et ses sermons populaires. Peu de dogme, l'application allégorique et morale de la péricope commentée, tout cela entremêlé d'anecdotes et de détails pittoresques, ou rehaussé de légères touches d'humour : « Vous êtes venus nombreux, mais examinez si vous demandez au nom de Jésus : Je veux dire, si vous demandez les biens du salut. Hélas! celui-ci demande à Dieu une épouse, celui-là une villa, cet autre un vêtement ou de quoi manger... En voici un qui demande à Dieu la mort de son ennemi. »

C'est sur la leçon morale du texte que Grégoire insiste le plus : il la résume en formules, et l'illustre souvent de quelque histoire. Il se répand, et à propos d'un passage parfois banal en vient à des remarques très éloignées de la lettre, mais fort appropriées à l'auditoire. A ses yeux « le commentateur de l'Écriture doit se conduire comme un fleuve » : déborder pour fertiliser. On est tenté de dire qu'il a le genre « bonhomme ». Prenons garde que sous cette bonhomie se cache toute une richesse d'enseignement pratique à laquelle le moyen âge empruntera avidement.

De même dans son commentaire sur Job, les *Moralia*. Sur le texte littéral se greffe d'abord un sens allégorique d'une incomparable grandeur : Job, figure du Christ, dépouillé pour nous, souffrant pour nous; et les amis de Job qui le contredisent effrontément, ce sont les hérétiques dans l'Église. Mais la préoccupation dominante de l'exégète est ici encore moraliser, bien que son enseignement s'adresse à un auditoire plus relevé, les moines, et qu'il ait souci de les initier à l'ascétisme, voire aux secrets de la mystique. La pensée de saint Grégoire s'identifie avec celle de saint Benoît : le moine homme de prière, la lecture sacrée occupation habituelle de sa vie, la contemplation but dernier : « Le moine, dit-il, a renoncé au désir de jamais posséder quelque chose; il ne se nourrit que de l'aliment de la contemplation, et il trouve sa joie dans les larmes que fait couler l'espérance des célestes récompenses; il s'interdit même ce qu'il est permis d'avoir, et il s'efforce de converser sans cesse avec Dieu, aucun souci de ce monde fugitif n'altère la paix de son âme, que dilate sans interruption l'attente des célestes délices. » Saint Benoît eût signé ces lignes, qui font écho à sa Règle.

Si les *Homélies*[1] visent les fidèles, et les *Moralia* les moines, Grégoire s'adresse tout spécialement aux prêtres dans son *Pastoral*. Après avoir étudié quelles qualités sont requises pour le sacerdoce, il enseigne au IIIe livre 'art de la prédication, qui consiste essentiellement à s'adapter à l'auditoire présent : car avant tout Grégoire est un homme pratique. « Il faut, dit-il, exhorter les hommes d'une manière, et les femmes d'une autre; autrement les jeunes gens, autrement les enfants », faire telle recommandation aux silencieux et telle aux bavards, celle-ci aux paresseux et celle-là aux agités. Autant de conseils qui, d'ailleurs, baignent dans une atmosphère surnaturelle : nul ministère efficace sans prière et contemplation.

Tout cela est dit avec simplicité, dans une langue familière assurément, mais dont la latinité n'en reste pas moins bien au-dessus du langage populaire, et somme toute remarquable pour une époque décadente. Comparez le style de Grégoire de Tours à celui de Grégoire le Grand, et vous apprécierez davantage la culture de ce dernier. De même, il serait injuste de prétendre avec Harnack que Grégoire « a créé le type vulgaire du catholicisme médiéval ». En réalité, avec son bon sens romain, il a pris les hommes de son temps tels qu'ils étaient, et leur a approprié son enseignement. Peu de dogme, puisqu'ils n'y auraient

1. Citons les *Homélies sur Ezéchiel*, adressées au peuple romain en 593-594. Ici encore le sens allégorique prédomine, et aussi les maximes morales qui, plus que tout le reste, devaient retenir l'attention de ses auditeurs. Ce commentaire resta inachevé.

rien vu. Beaucoup de morale, puisqu'il fallait d'abord leur apprendre à bien vivre. Et surtout des histoires, beaucoup d'histoires puisqu'il avait affaire à de grands enfants, dont il fallait emplir les yeux de la terreur et des espérances de l'au-delà, ainsi que des miracles des saints. Au surplus ses formules claires, pleines, portatives, vont bien plus loin que sa génération; elles enchantent encore aujourd'hui tous ceux qui ont pour souci dernier chercher Dieu et l'aimer. Le secret de son influence, c'est qu'il resta sur le trône apostolique un moine parfait, affamé de prière et de contemplation. Il n'a donné aux autres que le trop-plein de ce qu'il possédait. Revenons-en encore à la comparaison des eaux qui fertilisent en débordant, elle lui convient à merveille.

Comme l'*Historia Francorum* de Grégoire de Tours, les *Dialogues* évoquent au mieux la société de l'époque, sa mentalité religieuse; ils constituent le plus précieux des témoignages historiques, celui qui nous fait pénétrer jusqu'aux âmes. Jamais « la vieille chanson qui berce la misère humaine » n'eut des accents plus prenants.

IV. La politique de saint Grégoire. — Le grand péril était alors celui des Lombards. Longtemps campés sur les rives de la Morava, puis du Danube, ces Barbares avaient pénétré en Italie dès 572, conquérant le Frioul et une partie de la Vénétie, occupant Milan et Pavie dont ils firent leur capitale. Après avoir abandonné toute la plaine du Pô, le préfet d'Italie et l'archevêque de Milan se replièrent sur Gênes, qui devint le centre d'une étroite province côtière : la Ligurie maritime, de Nice à Porto Venere. L'exarque de Ravenne, sorte de vice-roi byzantin, se trouva resserré le long de l'autre côte, celle de l'Adriatique. Ses possessions directes — Exarchat et Pentapole — ne se rattachaient plus au duché de Rome que par une petite pointe de terre au sud de Pérouse. Communications instables menacées au Nord, du côté de la mer Tyrrhénienne par le duché toscan, au Sud par ceux de Spolète et de Bénévent, tous trois lombards; situation d'autant plus critique que, retenu en Orient par le péril perse, le basileus ne pouvait rien distraire en faveur des Italiens. Les choses en vinrent à ce point qu'en 579 les relations furent coupées entre Ravenne, le chef-lieu byzantin, et Rome, la ville pontificale. De l'Italie impériale il ne restait donc que tronçons épars.

En cette carence de l'autorité séculière, la papauté incarna la résistance. Esquissant une politique d'avenir, Pélage II requit l'aide des Francs qui, en 584 et 585, descendirent en Italie, sans grand succès d'ailleurs. Quand en 590 le roi des Lombards Autharis et le pape Pélage II meurent, la situation apparaît des plus angoissantes. La paix qu'a signée en 586 l'exarque Smaragde n'est pas renouvelée en 589 par son successeur Romanus. La politique impériale ne se résout à rien, impuissante qu'elle est à soutenir la lutte, et d'autre part non résignée à traiter à perte avec l'ennemi : ni guerre, ni paix.

Les Lombards en profitent pour tenter d'achever l'adversaire; tandis que le duc de Bénévent Aragis menacera Naples, celui de Spolète Ariulfe cernera Rome. Ici, nulle défense organisée : rien qu'une faible garnison, et qui, mal payée, consent à peine à monter la garde. Grégoire en devient malade : « Au moment où Ariulfe aux portes de Rome tuait et décapitait, écrit-il à l'évêque Jean de Ravenne, j'ai été atteint d'une telle tristesse que je suis tombé dans une crise de bile » (juillet 592). Il se redresse pourtant, seul organisateur de la défense. Son loyalisme ardent s'efforce de ranimer les courages : qu'ils soient prêts à tout, il s'agit du salut de l'État. Il s'emploie partout, nommant des gouverneurs, à Naples Constantius, à Nepi Leontius. Dictature spontanée, a-t-on dit, mais que justifient et l'urgence du péril, et la nullité de l'exarque. Un souffle de patriotisme anime Grégoire envers cette romanité agonisante qui représente toujours pour lui la gloire antique, l'ordre, la discipline en face de l'anarchie. On dirait déjà un Jules II, la piété en plus.

Rome fut sauvée par la retraite inopinée d'Ariulfe. L'exarque se hasarda à descendre

jusqu'à la capitale et à occuper Pérouse, succès trop facile et trop éphémère. L'année suivante, en 593, Agilulfe, roi des Lombards, marche lui-même sur Rome pour y châtier le pape, « son plus mortel adversaire ». Commentant alors le prophète Ezéchiel, Grégoire souligne la désolation de la Ville, qu'il compare à un aigle vieilli, chauve et tout déplumé. « Où sont ceux qui s'exaltaient de joie dans la gloire de Rome? Où sont leurs cortèges? Où est leur orgueil? Où est l'habitacle des lions et la mangeoire des lionceaux? » Si grande est l'angoisse du pontife que — tels Jérôme et Augustin apprenant la prise de Rome par Alaric

— il s'arrête d'écrire et de parler : « Ne me demandez pas de commenter la parole sacrée. Mon luth, comme celui de Job, ne rendrait que des sons plaintifs, et les larmes feraient trembler ma voix. »

Pourtant, il ne s'abandonne pas. Personne ne tient plus, sauf lui. Il a le prestige du sacerdoce suprême, les ressources du Patrimoine, et sa propre énergie. Il possède l'ascendant mystérieux qui rend craintif le Barbare : Genséric et Totila ne sont-ils pas morts après avoir osé entrer dans Rome? Tout cet ensemble permet au pape de négocier : sans trop ajouter foi à la légende d'après laquelle Grégoire serait allé au-devant d'Agilulfe comme jadis Léon vers Attila, il faut admettre que des pourparlers s'engagèrent, et que le chef lombard se retira moyennant le paiement d'un tribut annuel.

Encore n'était-ce là qu'une trêve toute locale. Grégoire voulait une paix durable, et pour l'Italie entière. Rejetant le programme démesuré et périlleux d'un Justinien, le pape, en contact direct avec l'impuissance byzantine, proposait un arrangement à l'amiable, afin que le royaume lombard devînt une marche impériale aux frontières d'Occident. Cette politique pacifique — la plus sage, le seule possible, la plus réaliste au fond — le basileus et son lieutenant, l'exarque Romanus, la repoussaient comme un aveu d'impuissance et une résiliation. Influencé par son épouse, la bavaroise et catholique Théodelinde, le roi des Lombards eût accepté de traiter. « Sachez, écrit Grégoire à l'exarque, qu'Agilulfe ne refuse pas de faire une paix générale. » Mais l'exarque, lui, s'obstina dans son refus et, par un procédé tout byzantin, il alla jusqu'à faire placarder dans Ravenne un libelle anonyme contre le pape. Celui-ci y répondit aussitôt en lançant contre son auteur l'excommunication. « Vous savez sans doute, écrivait-il à l'évêque de Risano, ce que je souffre du seigneur exarque; il est impossible d'en donner l'idée. Je n'en dirai qu'un mot : sa méchanceté laisse bien loin derrière elle la cruauté lombarde. Oui, vraiment, ces Barbares qui nous égorgent me paraissent doux à côté des maîtres de la république, dont la malice et la déloyauté nous font mourir d'angoisse. Car avoir la sollicitude des évêques et des clercs, des religieux et du peuple chrétien, être à toute heure sur ses gardes pour déjouer les ruses de l'ennemi, puis se trouver en butte aux trahisons, aux indignes procédés de nos chefs, dites-moi, est-il une peine, un chagrin plus cuisants? »

Enfin, Romanus mort, son successeur Callinicus consentit à traiter. Grégoire put se réjouir à la pensée que ne coulerait plus « le sang des pauvres paysans » (*miserorum rusticorum sanguis*); il en remercia avec effusion la reine Théodelinde : « Nous n'attendions pas moins de votre esprit chrétien. » Cette politique, qui est d'un pasteur soucieux de préserver ses brebis, eût d'ailleurs gardé en Occident les prérogatives impériales et, en protégeant l'Italie sans le recours aux armes franques, elle eût empêché les transformations qui aboutirent sans doute au prestigieux couronnement de l'an 800, mais aussi à la rupture avec l'Orient, au schisme. C'est donc vite dit : politique de prêtre. Sagesse, bon sens, ferme regard sur l'avenir, telles sont en réalité les marques des interventions de Grégoire qui voulait sauvegarder la romanité par les voies les plus ordinaires, les plus naturelles.

A Constantinople, on ne lui en sut aucun gré. Au temps de l'exarque Romanus, l'empereur Maurice envoya même au pape une lettre insultante. Tant d'ingratitude, un si complet oubli des souffrances de ses sujets romains, un attachement si insensé à sa souveraineté fictive sur l'Italie provoquèrent une réplique indignée de Grégoire, et telle, constate Dudden, que « rarement empereur n'en reçût d'un de ses sujets ». « Le prince ne m'accorde évidemment aucune prudence, écrit le pape ; je ne suis, à ses yeux, qu'un étourdi. C'est entendu, et je me tairais, joyeux d'être méprisé et moqué, si la captivité de mon pays ne s'aggravait de jour en jour. Que mon très pieux Seigneur pense de moi tout le mal qu'il voudra, à condition que, pour l'utilité de la république et pour la cause de la délivrance de l'Italie, il n'écoute pas n'importe qui, mais daigne croire aux choses plus qu'aux mots. » Il y a quelque courage civique à écrire pareilles phrases qui, sous Justinien, eussent sûrement valu à leur auteur l'exil.

Si accablé qu'il soit par l'invasion lombarde, par l'inertie byzantine, par le manque de tout, Grégoire garde une patriotique confiance. La source en est très élevée : à ses yeux saint Pierre lui-même défend sa ville, et plus jalousement que les divinités antiques ne faisaient leurs cités. A Rusticiana fugitive il écrit : « Que si vous redoutez les glaives et les guerres de l'Italie, vous devez considérer combien est grande à Rome la protection du bienheureux Pierre, prince des Apôtres, dans cette ville où, si réduite que soit la population, et sans secours militaire, depuis tant d'années nous avons été par Dieu gardés sans blessure au milieu des glaives. »

Au surplus, la politique pacifique de saint Grégoire visait un but directement religieux : l'évangélisation des Lombards. Très faible chez eux à l'origine, le mouvement de conversion s'accentuait dès la fin du VIe siècle. Les mariages mixtes durent y contribuer dont rois et ducs lombards donnaient eux-mêmes l'exemple : ainsi Audoin avait-il épousé Amalafrid, sœur d'un général de Justinien, Alboin la fille du roi franc Clothaire, Autharis enfin la princesse bavaroise Théodelinde. Sans doute, inquiet de ces progrès, Autharis avait-il publié en 590 un édit interdisant de conférer le baptême catholique aux enfants nés de semblables unions. Mais il mourait peu après, tandis que, restée sur le trône, Théodelinde épousait Agilulfe. Sur lui elle eut une suffisante emprise pour obtenir — telle en Gaule Clotilde — qu'il laissât baptiser leur fils Adalwald (603). Saint Grégoire cultivait l'amitié de la princesse : au nouveau-né il envoyait une relique de la Sainte Croix avec une « leçon du Saint Evangile », et à sa sœur trois bagues. « Nous prions Dieu, écrivait-il à Théodelinde, afin que cet enfant, grand déjà parmi les hommes, soit glorieux aussi par ses actions devant Dieu. » La reine s'employa discrètement à la conversion de son peuple : elle fit construire maintes basiliques, entre autres, Saint-Jean-Baptiste de Monza où sera déposée la fameuse couronne de fer des rois lombards ; on lui doit aussi le monastère de Bobbio où saint Colomban finira ses jours. Si le catholicisme n'arriva officiellement au pouvoir qu'avec son neveu Aripert en 653, pourtant son entente avec saint Grégoire avait préparé et devancé cet événement. Ainsi la politique pontificale aboutirait-elle malgré tout à un résultat durable.

V. Le Patrimoine de Saint-Pierre. — A cet inestimable bienfait surnaturel, saint Grégoire en joignit d'autres plus palpables. Il se fit le grand pourvoyeur de l'Italie ravagée et affamée. Ancien par ses origines, le Patrimoine pontifical provenait de sources multiples : concessions impériales, legs faits par des particuliers, apports ecclésiastiques provenant des évêques et des prêtres morts sans enfants, amendes diverses. La générosité s'était accrue en ce VIe siècle lamentable, alors que beaucoup se réfugiaient en Orient ou entraient au monastère, léguant à Saint-Pierre leurs terres italiennes.

A l'époque de saint Grégoire, les possessions pontificales constituaient un immense domaine divisé et subdivisé : divers lots ou *fundi* constituaient une *massa,* et plusieurs *massae* un patrimoine. Les patrimoines formaient trois groupes : les uns italiens, les autres insulaires, enfin plusieurs extra-italiens. Les patrimoines proprement italiens s'étendaient au Nord dans les environs de Ravenne, au centre dans la province de Samnium, dans la vieille Sabine près de Nurcie et dans la région de Tivoli. A Rome même, le *patrimonium Urbanum* comprenait surtout des maisons, jardins, terrains de culture, vignes, entours de basiliques, sans compter plusieurs bureaux d'octroi. Aux environs, le pape possédait sur la rive droite du Tibre une contrée appelée le Patrimoine de Tuscie, d'autre part le district compris entre la Via Appia, la Via Latina et la mer, ce qui sera plus tard la Maritime. Au Sud, ajoutez encore de grandes possessions en Campanie, dans le voisinage de Naples, et plus bas dans la Lucanie et le Bruttium, enfin dans le talon italien, notamment aux environs d'Otrante et de Galli poli. Les patrimoines insulaires se trouvaient en Sardaigne, en Corse et surtout en Sicile où il y avait deux grands domaines très fertiles en blé, l'un aux environs de Syracuse, l'autre de Palerme. Enfin il y avait quelques possessions moindres en Dalmatie, en Gaule et en Afrique.

A la tête de chaque patrimoine se trouvait un recteur, à l'ordinaire quelque clerc, qui y représentait le pape. Il était investi de son office auprès de la Confession de Saint-Pierre, « devant le très sacré corps du bienheureux Apôtre » et, par devant notaires il jurait de maintenir les intérêts de l'Église, de protéger pauvres et opprimés, d'obéir en tout aux directions pontificales. Une instruction *capitulaire* lui retraçait ses devoirs : « Tous ordres que vous recevrez de nous pour le profit des pauvres, disait-elle, vous l'exécuterez avec justice et vigueur. Vous aurez à rendre compte de toutes vos actions au jugement de Dieu. » Tel rappel des sanctions divines s'adressait opportunément à des fonctionnaires munis de pouvoirs étendus en des régions parfois lointaines.

Véritables préfets, les recteurs avaient la haute main sur les finances et sur la justice : recueillant par leurs agents la rente de toutes les tenures, réglant tout différend entre paysans et fermiers. Ils devaient à la fois gérer les biens, protéger les pauvres et les opprimés, dispenser la charité. Ils possédaient même des pouvoirs extraordinaires qui en faisaient parfois de véritables légats. Ainsi les voyons-nous commissionnés pour s'occuper des diocèses vacants, pour convoquer des synodes locaux, pour veiller au maintien de la discipline et en châtier les transgresseurs, fussent-ils prélats : « Nous envoyons Hadrien qui administrera notre patrimoine de Syracuse, écrit saint Grégoire, et s'il entend parler de quelque irrégularité commise par nos très révérends frères les évêques, nous l'avons chargé de les admonester, d'abord en privé et modestement ; puis, si ces manquements ne sont pas corrigés, d'en référer à nous. » Pourtant l'autorité rectorale ne doit point contredire l'épiscopale : ainsi le pape rappelle-t-il à ce même recteur de Syracuse que le jugement d'un clerc n'appartient pas à lui, mais à l'évêque local : « Si vous ne respectez pas sa juridiction autorisée, vous ne faites rien autre chose que détruire cet ordre ecclésiastique que vous avez mission spéciale de maintenir. »

Comme intermédiaire entre le recteur et le travailleur agricole se trouvait le conducteur, sorte de gros cultivateur qui prenait à bail un fonds de terre (*conduma*) formé d'un certain nombre de tenures ; à son tour il les louait à divers « colons » qui lui payaient les redevances et lui devaient certains services. Ces colons n'étaient point des esclaves, mais des serfs attachés au sol : « Ils ne peuvent, dit Grégoire, quitter le domaine auquel leur naissance les attache. » Ajoutons qu'ils ne le veulent pas : car le gouvernement pontifical demeure le plus juste, le plus humain, le plus protégé contre les exactions.

Saint Grégoire y tient lui-même la main. Du haut en bas il rappelle à tous avec le précepte de la charité la crainte des rigueurs divines : « Fixez vos pensées sur le terrible juge qui va venir, dit-il au diacre Pierre, recteur de Sicile, et redoutez son avènement. » Et encore, au même : « Si vous n'observez pas mes directives, vous m'aurez en témoignage contre vous au dernier jour. » Ainsi, pour tous ceux qui gèrent le Patrimoine, grands et petits, il y a, outre les récompenses ou punitions terrestres, une rémunération définitive qu'octroiera le grand saint Pierre à la porte du Paradis. Dudden parle de la *strictness* de l'Apôtre, mot adéquat à la pensée de Grégoire et intraduisible en français. Toujours le pape en revient à ces vues eschatologiques, les plus capables de faire réfléchir ses contemporains. Il dit même que leur loyauté se retournera en sa propre faveur, à lui qui conserve la responsabilité suprême de la gestion : « Sachez que vous acquérez pour moi de grandes richesses, si vous cherchez à accumuler les récompenses du ciel plutôt que les trésors de la terre. » En tout ceci, quelle admirable constance du point de vue surnaturel. Toujours moine, Grégoire continue à agir, lui pape, selon le vœu de pauvreté.

Que personne ne soit donc lésé. Il veille surtout à protéger les sans-défense, ces humbles colons que guettent les exactions des conducteurs et des recteurs. Contre les mauvais procédés courants d'abord. Ainsi, dans les bonnes années où l'acquisition des denrées est plus facile et leur écoulement malaisé, ne doit-on pas cesser de leur acheter la quantité de blé convenue, ni laisser à leur charge les risques des transports, ni leur imposer des majorations multiples, des bonnes mains, ni selon une habitude injuste, leur faire payer les redevances à raison de soixante-treize sous et demi la livre d'or, alors qu'en réalité elle n'en compte que soixante-douze, ni à fortiori utiliser avec eux des faux poids. Il y a aussi les exactions proprement dites, les vols. L'œil partout, Grégoire ne souffre aucune malhonnêteté : il fait rendre gorge à tel fermier concussionnaire ou restituer aux paysans tel impôt touché deux fois. L'argent mal acquis devra retourner aux pauvres colons : « Nous désirons, écrit Grégoire au notaire Pantaléon, que vous fassiez une liste des paysans indigents et qu'avec la monnaie accumulée par fraude vous achetiez et leur distribuiez des vaches, moutons et porcs selon leur degré de pauvreté. »

Grégoire, en effet, vise non seulement à la justice, mais à la charité. Pour ces braves gens il veut un certain bien-être : les dégrever et les aider tant qu'il peut. Exposés aux exigences des agents du fisc qui percevaient un impôt d'État appelé *burdatio,* ils devaient souvent s'adresser à des prêteurs à gages. Grégoire ordonna à ses recteurs qu'ils se substituassent à ces usuriers et qu'ils consentissent des prêts sans intérêt, remboursables seulement après les moissons engrangées (*paulatim ut habuerint*). De même, il défendit ses colons contre les racoleurs militaires, recommandant à ses recteurs de les amadouer, voire de les acheter. Pareilles préoccupations sociales, si étrangères à l'époque, sont l'honneur du pontife. Elles révèlent, outre son sentiment chrétien, son sens pratique. « Si l'on souffre chez vous de vexations, disait-il au recteur de Sicile, si l'on est écrasé de corvées, il arrivera que vos gens vous quitteront pour aller servir ailleurs, et par ce temps de guerre que deviendrez-vous? Vous aurez ouvert toute grande la porte à l'ennemi. »

Ces dernières paroles nous révèlent que Grégoire est un administrateur vigilant. Le même homme qui a rédigé les commentaires sur Ézéchiel et les *Moralia,* et qui fut poursuivi toute sa vie par la nostalgie du cloître, le même veille minutieusement à la bonne gestion du Patrimoine, comme un parfait *gentleman landlord.* On ne se douterait guère qu'il doit lutter contre l'inertie byzantine, contre l'offensive lombarde, et s'affronter avec mille difficultés : c'est à croire qu'il n'a rien d'autre à penser. Ainsi écrit-il au sous-diacre Pierre, recteur du patrimoine de Sicile : « Vous gardez du bétail inutile, des bœufs qui ne peuvent plus tirer la charrue, des vaches qui ne donnent plus de lait ; il faut les vendre. Vous avez des troupeaux de juments bien trop nombreux ; choisissez-en quatre cents parmi les plus jeunes pour en faire de bonnes poulinières. Nous dépensons annuellement soixante sous d'or pour les pâtres qui les gardent, et ces troupeaux ne rendent pas seulement soixante deniers ; avouez que c'est dur. Vendez donc tout cela. Quant aux pâtres il ne faut pas les léser. Vous les emploierez à la culture. » Et encore au même, non sans quelque ironie : « Vous m'avez envoyé un cheval misérable et cinq ânes excellents. Je ne puis monter ce cheval, puisque je vous dis qu'il ne vaut rien ; quant aux ânes, ils sont bons, mais ce sont des ânes. Envoyez-moi donc, je vous prie, quelque chose de meilleur. »

Admirable sollicitude pratique d'un homme qui veut faire tout son devoir, et qui ne se croit exempté ni par ses fonctions augustes, ni par les tragiques événements, des plus humbles détails. Ici exégète accompli, là contemplatif élevé ou prédicateur de la pénitence, ailleurs diplomate expert, patriote ardent, organisateur de la défense, que, malgré tout cela, que, toujours malade, sans souci de ses interminables crises de goutte et de gastralgie, Grégoire ait pu se montrer encore administrateur émérite et grand propriétaire terrien, voilà pour nous prouver combien l'homme religieux se plie à tout, est propre à tout, ne recule devant rien. Une telle variété de talent et d'occupations nous dévoile le saint mieux que toutes les sublimités écrites.

Le dernier mot de cette vigilance, c'est que le Patrimoine appartient aux pauvres si nombreux en ces temps calamiteux. « Les empereurs, écrit Grégoire à l'impératrice, ont à Ravenne leur trésorier-payeur ; à Rome, c'est moi qui remplis la fonction ; seulement j'ai pour clients les indigents de la Ville entière, sans compter les Lombards. » Il eût même pu dire que tout ce qu'il y avait en Italie de détresse, de ruine et d'infortune, se tournait naturellement vers lui comme le seul pourvoyeur et sauveur. L'idée que le Patrimoine est le bien des pauvres lui reste sans cesse présente ; il veut l'inculquer profondément à tous ses agents, sûr qu'alors ils se conduiront avec conscience. « Je vous rappelle, écrit-il à l'un d'eux, que vous devez agir comme mon représentant, non pas tant pour promouvoir les intérêts matériels de l'Église que pour aider les pauvres dans leur détresse. »

A Rome où la misère afflue, la charité est bien organisée grâce aux diaconies des sept régions ecclésiastiques, sortes de bureaux de bienfaisance. Comme certains diacres passent leur temps à cultiver leur voix pour briller dans les cérémonies, Grégoire leur rappelle que le soin des pauvres reste leur fonction principale. Il fait établir un registre de toutes les personnes secourues avec leurs adresses et la date de l'allocation. Orphelinats, hospices, asiles pour les pèlerins sont bâtis ou entretenus par ses soins. Ses générosités s'étendent au loin, prennent mille formes, s'adressent à tous. Voyez ces exemples : à une personne aveugle, 24 mesures de froment, 12 de fèves ; à deux dames ruinées, Palatina et Viviana, 20 sous et 300 mesures de fèves ; au sous-diacre Pierre, 50 sous pour acheter des vêtements aux catéchumènes ; à un vieil évêque infirme la meilleure monture des écuries pontificales, etc... De ces charités on remplirait tout un volume. Elles allaient aussi aux monastères, aux églises : ainsi envoie-t-il une rente annuelle à des moines pauvres de Nole ; de même, à Pierre, abbé dans l'île d'Eumorphiana, 1.500 livres de plomb afin qu'il bâtisse ; ou encore, pour la dédicace d'un oratoire à Palerme, 10 sous d'or, 30 amphores de vin, 2 mesures d'huile, 12 moutons, 100 poules...

Si vigilante à recueillir, à amasser, à garder, cette main s'ouvre pourtant toute grande avec une générosité que d'aucuns trouvent inquiétante. Quand un pauvre abbé écrit à Grégoire en faveur de ses moines affamés, et qu'il demande au lieu de 50 sous 40, suggérant d'ailleurs qu'il pourrait peut-être se suffire à moins, Grégoire lui répond avec un délicieux humour chrétien : « Puisque vous vous montrez si soucieux de notre fortune, nous ne devons pas l'être moins de vos besoins. Nous vous avons envoyé 50 sous ; mais de crainte que ce ne soit trop peu, nous en ajoutons 10 ; et même, pour plus de sûreté, nous en remettons encore 12. Nous reconnaissons votre affection à votre confiance. » A cette pauvreté qui s'y est reprise à trois fois pour demander moins, il répond donc en s'y reprenant, lui aussi, à trois fois pour accorder plus. Ses générosités franchissent même les limites de la péninsule : ainsi dote-t-il un monastère à Jérusalem ; ainsi envoie-t-il à l'évêque Zénon en Épire 1.000 mesures de blé pour son peuple. En vérité, pareille charité n'est ni romaine, ni italienne, mais œcuménique.

Une misère émeut particulièrement le pape : celle des captifs. Pour les racheter il faudrait tout vendre, voire les vases sacrés, comme Grégoire le conseille expressément à l'évêque de Fano. Il dépêche des agents négocier leur liberté jusque dans la lointaine Libye. En leur faveur il suscite la générosité des particuliers. Thèoktista, sœur de l'empereur Maurice, lui envoie-t-elle un jour 30 sous d'or, il demande aussitôt d'en consacrer la moitié à libérer les captifs faits récemment par les Lombards lors du sac de Crotone : « Beaucoup de nobles ont été emmenés, les enfants séparés de leurs parents, les épouses de leurs maris. » Hélas ! ces misérables Lombards exigent des rançons inouïes, et Grégoire s'en désole. Ardent à aiguillonner les riches, il flagelle de ses reproches les gaspilleurs éhontés : « Ne point regarder à des largesses pour nourrir les histrions quand les pauvres du Christ sont torturés par la faim », quelle infamie[1] !

Qu'on totalise, si possible, les lourdes charges pesant sur le budget du pape : ses propres dépenses, et en plus celles de la république, la solde des troupes, l'approvisionnement de la population, les tributs aux Lombards, tant de misères à aider partout, le rachat des captifs. Fidèle à ses traditions, le Siège Apostolique fut alors la Providence de l'Italie, et la seule. En 751, quand Pépin le Bref enverra une ambassade au pape Zacharie pour le consulter « au sujet des rois qui existaient alors chez les Francs et qui portaient le nom de roi sans avoir l'autorité royale », Zacharie répondra « qu'il vaut mieux appeler roi celui qui a le pouvoir que celui qui s'en trouve dépourvu ». Telle fut l'estampille de la jeune dynastie carolingienne. D'après ce raisonnement, le pouvoir temporel des papes existait déjà sous Grégoire le Grand, et les Carolingiens ne feront, eux aussi, que reconnaître un fait acquis.

1. Nous citons ici, tirée d'une lettre de saint Grégoire, la formule des affranchissements ecclésiastiques dont nous reparlerons ailleurs : « Comme notre Rédempteur, qui a formé toute créature, a, dans sa mystérieuse bonté, pris la forme humaine, afin que, brisant par sa grâce le lien de l'esclavage qui nous retient captifs, il nous replaçât dans notre liberté primitive, c'est agir d'une manière salutaire de faire que les hommes créés libres dans le principe et que le droit des gens soumet à l'esclavage, soient par le bienfait de leurs maîtres rendus à la liberté dans laquelle ils étaient nés. Mus par cette pieuse pensée et par la considération de cette vérité, nous vous déclarons libres à partir de ce jour, et nous vous faisons citoyens romains, vous Montana et Thomas, esclaves de la Sainte Église romaine, et nous vous abandonnons tout le pécule que vous avez pu faire. »

CHAPITRE II

L'ESPAGNE WISIGOTHIQUE

I. La conversion des Suèves et des Wisigoths. — L'Espagne des Invasions semblait perdue pour le catholicisme : Wisigoths et Suèves étaient ariens. Ces derniers occupaient seulement la Galice au nord-ouest de la péninsule. Vers 550 une ambassade du roi suève Théodemir vint à Tours demander des reliques de saint Martin pour son fils malade. Sa guérison, d'autres encore, convertirent le prince et son peuple. Telle est du moins la version accréditée par Grégoire de Tours.

En tous cas, les Suèves trouvèrent un catéchiste émérite en la personne d'un autre Martin, lui aussi pannonien d'origine. Après un séjour en Orient, il vint en Galice; il y établit un monastère à Dumio, non loin de Braga, la capitale, dont il devint bientôt évêque. Il se consacra à l'éducation des Suèves comme Grégoire à celle des Italiens. Toute son œuvre est pratique : traités de morale qui sont un démarcage de Sénèque, mais si absolu que le moyen âge en a attribué plusieurs au philosophe païen; le *De correctione rusticorum,* sorte de catéchèse détaillée où il combat en particulier les diverses survivances du paganisme; enfin les sentences des Pères égyptiens et les « propos des anciens » qui mettaient la sagesse de l'Orient monastique[1] à la portée des barbares.

D'autre part, il réunit des conciles dont l'un notamment — celui de Braga, en 572 — demande aux évêques de visiter les paroisses et de s'assurer que les prêtres remplissent bien leurs fonctions, surtout celles d'instructeurs des catéchumènes. Certaines prescriptions conciliaires révèlent à quel point le clergé était parfois ignorant de l'essentiel, et combien il restait exposé à des pratiques bizarres et superstitieuses : ainsi le concile de Braga en 675 édicte-t-il « qu'on ne doit plus, lors du saint sacrifice, user de lait au lieu de vin »; un

1. Martin est considéré comme l'ancêtre du monachisme espagnol dont le grand organisateur et propagateur sera, un siècle plus tard, cet autre évêque de Braga, saint Fructueux. Celui-ci couvrit la Cantabrie et la Lusitanie de communautés des deux sexes. Sa règle se présente sous l'aspect original d'un contrat synallagmatique : les moines s'engageant à militer sous l'abbé et lui reconnaissant le droit d'infliger telles pénitences fixes pour certaines fautes déterminées, mais d'autre part se réservant d'en appeler à d'autres abbés ou à l'évêque en cas d'arbitraire ou de tyrannie. Il y eut encore les règles de saint Léandre et de saint Isidore, indépendantes aussi de l'influence bénédictine qui n'apparaîtra qu'après la *reconquista.* Les moines de l'Espagne wisigothique se vouèrent souvent à l'apostolat des campagnes. Non touchés par l'influence colombanienne, ils ne parvinrent pas à l'exemption, mais restèrent dans une étroite dépendance de l'évêque, qui conserva le droit de nommer l'abbé, d'enseigner les moines et de les visiter canoniquement.

autre dénonce que « lors des fêtes des martyrs quelques évêques attachent à leur cou les reliques et se font ensuite porter dans l'église par les lévites en aube, comme s'ils étaient eux-mêmes des reliquaires ».

Martin éduqua toute cette barbarie populaire et ecclésiastique ; il composa même une sorte de *Codex* en 84 canons, les *Capitula Martini*, où se condensait la sagesse des anciens conciles. Il partagea l'Église suève en deux provinces ecclésiastiques, celle de Braga au Sud, celle de Lugo au Nord : car, au début du VIe siècle les Suèves s'étaient annexé la partie septentrionale du Portugal actuel.

Grégoire de Tours nous affirme que Martin était parmi les plus instruits de son temps. N'allons point nous imaginer quelque spécialiste ; sa science, comme celle de Grégoire ou d'Isidore, ce sont les rudiments nécessaires et suffisants pour que clergé et fidèles sortent de l'ignorance. Et voilà qui suffit à illustrer son nom.

Dans l'Espagne wisigothique, la situation était plus complexe. Entre envahisseurs barbares et anciens babitants, les divergences ethniques se doublaient d'une opposition religieuse, les wisigoths étant ariens et les hispano-romains catholiques. Nul rapprochement, au point que, selon une vieille constitution de Valentinien, les mariages mixtes restaient interdits.

Vers la fin du VIe siècle, cet antagonisme aboutit à une tragédie royale. Herménegild, fils du prince régnant, Léovigild, avait épousé une princesse franque et catholique, Ingonde, fille de Brunehaut et de Sigebert. Autre Clotilde, conseillée par l'évêque de Séville, Léandre, autre Rémy, elle convertit son mari. Appuyé sur les catholiques d'Andalousie qui l'acclamèrent, fort de l'alliance byzantine, Herménegild s'opposa à la politique religieuse de son père et s'installa à Séville. A l'instigation de la reine Gaswinthe, arienne fanatique et marâtre sans entrailles, Léovigild persécuta : pour favoriser les apostasies, un concile arien de Tolède dispensa d'un nouveau baptême les catholiques qui passaient à l'hérésie, se contentant d'une imposition des mains sans plus (580). Sans doute y eut-il quelques défections retentissantes, entre autres celle de l'évêque de Saragosse, Vincent ; mais la masse des fidèles tint bon. Alors Léovigild résolut d'attaquer le rebelle ; il enleva Séville après deux ans de siège tandis que Herménegild s'enfuyait à Cordoue. Saisi, le malheureux prince fut exilé à Valence, puis à Tarragone, où le duc Sigebert l'enferma dans un cachot et, après l'avoir sommé en vain d'apostasier, le fit mettre à mort (3 avril 385).

Sanguis martyrum semen christianorum. Un an plus tard Léovigild mourait, laissant le trône à son second fils, Récarède. Celui-ci savait les catholiques irréductibles. Peut-être la politique lui persuada-t-elle — comme jadis à Clovis — que l'unité ne se réaliserait que par un rapprochement entre la royauté et les espagnols romains : unité relative néanmoins, car l'opposition arienne demeurerait longtemps très forte, et même reparaîtrait parfois sur le trône, appuyée tantôt sur l'ennemi extérieur, les Francs, tantôt sur les nobles soulevés. Récarède proclama son adhésion au catholicisme dans un grand concile de Tolède tenu en 589, et où figurèrent 62 évêques et 5 métropolitains. Une révolte fut étouffée, qu'avait suscitée la reine mère Gaswinthe, avec l'aide de quelques prélats ariens. Récarède fit savoir à saint

Église wisigothique. — H. Leclercq, * *L'Espagne chrétienne*, 1906. — E. Magnin, * *L'Eglise Wisigothique au VIIe siècle*, t. I, 1912. — Dom P. Séjourné, * *Saint Isidore de Séville. Son rôle dans l'histoire du droit canonique*, 1929. — G. Bareille, art. *Isidore (saint)*, dans *Dict. Théol.* — E. Amann, art. *Martin de Braga* et *Léandre de Séville, ibid.* — J. Forget, art. *Julien de Tolède, ibid.*

Grégoire l'heureux événement et un échange de cadeaux s'effectua : non toutefois sans longueurs ni difficultés, car la voie maritime — seule possible — restait bien peu sûre.

II. Les conciles nationaux. — Une telle cause explique en partie la rareté des rapports de l'Espagne avec Rome. Ils ne firent pourtant jamais défaut. Ils furent intimes

SCISSIMO FRI LEANDRO EPO
GREGORIVS EPS SERVVS
SERVORVM DEI;
VDVM TE FRATER
beatissime in constantinopolitana urbe
cognoscens. cū me illic sedis aplice respon
sa constringerent. & te illuc iniuncta p causis
fidei gotharū legatio pduxisset. omē in tuis
aurib; qđ michi de me displicebat exposui.
qm diu longeq; conuersionis grām distuli.
& postquā celesti sum desiderio afflatus.

SAINT GRÉGOIRE LE GRAND ET SAINT LÉANDRE.
Lettre dédicatoire des *Moralia*. (Bibliothèque de Saint-Omer, XIIe siècle.)

entre saint Grégoire et saint Léandre de Séville qui s'étaient connus jadis à Constantinople : Grégoire envoie le pallium à Léandre, c'est à lui qu'il dédie ses *Moralia*. Léandre d'ailleurs consulte Grégoire, il lui demande s'il faut baptiser par immersion baptismale triple ou une. Après saint Grégoire, les relations furent plus rares : durant tout le VIIe siècle et jusqu'à la chute de la monarchie wisigothique en 711, on ne mentionne que huit lettres pontificales envoyées en Espagne. L'autorité romaine n'est point mise en discussion pour autant : le IIIe concile de Tolède décrète que les synodales des papes doivent rester en vigueur. Survient-il une décision œcuménique — la condamnation du monothélisme par le VIe concile général en 680 — elle est spécifiée à l'Église d'Espagne comme à toutes autres, et ses prélats sont invités à la contre signer.

Pourtant, à l'ordinaire, l'Église wisigothique se suffisait à elle-même; fortement groupée autour des évêques et du roi, elle promulguait ses décisions au cours de conciles nationaux. Sortes d'États Généraux où figuraient auprès des grands les évêques, ces assemblées étaient convoquées par le roi qui y jouait un rôle prépondérant; c'est lui qui soumettait aux délégués le *tomus* ou discours-programme fixant par avance tout ou partie des délibérations; lui aussi qui ratifiait les décisions prises et leur donnait force de loi; ainsi restait-il l'alpha et l'oméga de ces consultations.

D'ailleurs ordre civil et ordre religieux s'y emmêlent et s'y compénètrent. Sans doute les conciles de Tolède règlent-ils diverses affaires ecclésiastiques particulières, telles que élections et dépositions d'évêques; sans doute portent-ils des décisions disciplinaires; mais la politique les envahit : la plus importante question qu'ils aient souvent à régler, c'est la nomination ou la confirmation des rois.

Leur compétence est si étendue qu'elle paraît quasi illimitée. Ils sont appelés par le prince lui-même à reviser et à compléter la législation civile : « Je vous en prie d'une façon générale, leur demandait Erwige, tout ce que dans les lois vous trouverez de malsonnant ou d'injuste, corrigez-le d'un jugement unanime. » « S'il se trouve dans les textes, disait Receswinthe, des décisions qui paraissent d'un droit corrompu, oiseuses ou hors de propos, ordonnez d'observer seulement ce qu'exige une justice sincère et la bonne conduite des affaires. » De là naquit la *Lex Receswindiana* qui, sanctionnant la fusion des races, abrogeait la *Lex Romana Wisigothorum* et supprimait certains préjugés ethniques comme la défense de se marier entre personnes de races différentes.

En matière judiciaire, les conciles nationaux étaient des tribunaux suprêmes, où les procès venaient en appel, où même des causes particulièrement importantes pouvaient paraître en première instance. Le canon quatrième du concile de 633 va même plus loin : « Si, dit-il, un prêtre quelconque, ou un clerc, ou un laïque de ceux qui se tiennent en dehors, croient devoir en appeler au synode pour n'importe quelle affaire, qu'il la communique à l'archidiacre de l'Eglise métropolitaine, lequel en fera part au concile. » Attributions qui font honneur à l'autorité morale de l'assemblée, à son souci d'équité et de procédure régulière, mais qui vouaient ses assises à l'encombrement : pouvait-on demander à un grand concile national qu'il expédiât ainsi toutes les causes à lui évoquées, tel saint Louis sous le chêne de Vincennes?

Juger pareille institution est chose délicate. Tout laïque sera tenté de conclure que la royauté tombait ainsi sous la tutelle des évêques, tout ecclésiastique, au contraire, que la monarchie wisigothique en profitait pour donner à ses décisions un caractère quasi divin. Mieux vaudrait dire que le système aboutissait à une compénétration et à un asservissement mutuels, presque à une fusion. D'où une certaine laïcisation de l'épiscopat, sa compromission fâcheuse dans les affaires séculières, et par conséquent son goût médiocre pour les vraies questions d'Église, à savoir la pureté du dogme et son développement. De là encore un certain exclusivisme national, non agressif à vrai dire comme le gallicanisme à l'époque de

Louis XIV, mais sans vue large sur la chrétienté, sans grand souci du rapport mutuel des Églises.

Toutefois, veut-on en juger équitablement, il faut y regarder avec les yeux mêmes des contemporains pour qui le prince, « l'oint » du Seigneur, participe à l'absolutisme sacerdotal des rois d'Israël et des césars romains; envisager aussi combien, dans l'effondrement consécutif aux invasions, l'intervention de l'épiscopat — soit isolé, soit groupé — était partout nécessaire, et que, sans cet indispensable soutien, la royauté eût été submergée par l'anarchie; se rappeler enfin que l'épouse vraiment chrétienne sanctifie toujours son mari, et qu'ainsi l'Église wisigothique acquit sur les princes une emprise qui, tempérant l'autorité royale, l'empêcha de verser dans le byzantinisme, et aboutit à une série de réformes justes et humaines : régularité plus grande de la procédure, discrétion des impôts, et surtout établissement d'une législation rationnelle et équitable qui mit sur le même pied Romains et Wisigoths et qui tendit à la fusion des races. Au total, voilà bien le grand bienfait : la coordination des efforts, la tendance à l'unité non seulement politique, mais disciplinaire, en sorte que partout les mêmes règles fussent promulguées et que partout la moralité publique fût protégée par les mêmes mesures et sanctions. Il n'y faut pas contredire : c'est là un résultat considérable, et qui mit l'Espagne wisigothique en supériorité sur ses voisins Francs.

Soulignons d'ailleurs le bienfait politique. La royauté espagnole était non point héréditaire, mais élective : principe qui prêtait à des agitations périodiques, voire à des révolutions. Le concile donna au pouvoir une estampille qui l'authentiqua. C'est lui qui élit le souverain : le IVe concile de Tolède, présidé par saint Isidore, décrète, « qu'après la mort du roi, son successeur sera nommé dans l'assemblée des grands de tout le royaume, siégeant avec les évêques ». L'autorité conciliaire pouvait être invoquée avec succès pour clarifier la situation et désigner le souverain légitime, ou du moins légitimé : ainsi les Pères de Tolède ratifieront-ils successivement l'usurpation de Sisenand, puis l'accession discutée de son frère Chintila, et encore l'usurpation de Chindaswinthe dont les adversaires furent copieusement couverts d'anathèmes et de sanctions, enfin celle d'Erwige, supplantateur de Wamba.

Et cette protection conciliaire continuait à couvrir le prince contre les révoltes si fréquentes : anathèmes, excommunication à vie, pénitences énormes, dégradation, exil, confiscation, réduction en esclavage, prison perpétuelle, autant de condamnations civiles et religieuses qui pleuvaient sur les rebelles. A coup sûr, ces remèdes n'étaient point sans inconvénients : l'autorité royale s'y épuisait à la longue, et pour l'épiscopat n'y avait-il pas quelque inconséquence à fulminer contre ceux qui toucheraient au nouveau prince, souvent usurpateur lui-même? Toutefois, au milieu du gâchis occasionné par le système électif et les intrigues des nobles, l'intervention conciliaire introduisit quelque stabilité entre deux révolutions dans un pays où, selon l'expression de Frédégaire, « l'épidémie conspiratoire » était chronique.

Au surplus, ce roi qu'ils soutiennent, les évêques lui rappellent ses stricts devoirs. Lisez par exemple cette leçon au prince donnée par le IVe concile de Tolède que présidait saint Isidore (633) : « Vous qui régnez sur nous présentement, nous vous supplions de vous montrer modéré et doux envers vos sujets, de gouverner avec piété et justice... Ne portez pas de sentence à vous tout seul dans les affaires capitales ou les procès pécuniaires, mais faites que les coupables soient convaincus par une délibération publique où vous ayez l'assistance des magistrats; réservez-vous les droits du pardon; établissez votre puissance sur les délinquants plutôt par la miséricorde que par la sévérité. En tous ces actes, gardez avec l'aide d'en-haut une sage modération. C'est ainsi que les rois chez les peuples, les peuples chez les rois et Dieu chez tous, ne trouveront qu'occasion de se réunir. » Magnifique exhortation, qui est un écho de la *Cité de Dieu,* et que reprendront à l'envi au cours du moyen âge comme un véritable programme de politique chrétienne, Jonas d'Orléans, Hincmar, Abbon, Grégoire VII, et aussi les Décrets de Burchard, d'Yves de Chartres et de Gratien. La souveraineté n'était donc point sans devoir; elle supposait implicitement une sorte de contrat synallagmatique : « Tu seras roi, si tu agis selon la justice; et si tu n'agis pas selon la justice, tu ne seras pas roi. »

Quelque critique qu'on fasse des conciles espagnols, on ne peut donc nier leur influence considérable, tout à la fois politique, législative, judiciaire, disciplinaire et religieuse[1]. Le centre de la vie nationale est là sans conteste. Qu'on en juge par un seul exemple, celui du IVe concile de Tolède en 633. Il allait au point de vue politique acclamer et reconnaître solennellement Sisenand qui avait détrôné Suinthila; au point de vue religieux, promulguer un symbole, prendre des mesures liturgiques et uniformiser le chant de l'office et les rites de la messe, porter des décrets disciplinaires sur la chasteté sacerdotale, sur les droits et privilèges du clergé sur la fondation d'un séminaire dans chaque diocèse, en outre régler l'épineuse question juive.

Il y avait aussi des synodes provinciaux[2], plus importants qu'ailleurs, et composés également d'une manière mixte, en ce sens que fonctionnaires et administrateurs royaux y coudoyaient les évêques. Ils avaient pourtant un caractère beaucoup moins politique que les conciles nationaux. Une de leurs principales attributions était de contrôler les actes des autorités locales, ecclésiastiques et laïques, et tout spécialement la gestion des finances; une autre de trancher les litiges ou les cas difficultueux à eux déférés. Lisez par exemple les actes du IIe concile de Séville (619), et vous verrez qu'il tranche surtout des cas particuliers : « Anianus, le défunt évêque de Cabra, a ordonné un prêtre et deux diacres, en se contentant parce qu'il était aveugle, de leur imposer les mains, tandis qu'un prêtre lisait la bénédiction. Ces ordinations sont sans valeur... Élisée, affranchi de l'Église de Cirta, sera de nouveau réduit à l'esclavage, parce qu'il a tenté d'empoisonner l'évêque, etc... ». Grands redresseurs des torts, défenseurs des fidèles contre exactions et injustices, tels apparaissent donc les conciles provinciaux. Toutefois ils n'eurent point l'influence attendue, parce que l'épiscopat négligea de les réunir chaque année.

III. L'épiscopat . saint Isidore. — Sous le concile et le roi, la plus haute autorité était celle de l'archevêque de Tolède, métropolitain de la capilale (*regiae urbis metropolitanus*). Autour de lui les prélats voisins se réunissaient souvent, lui formant une sorte de cour ecclésiastique et l'assistant, comme à Rome et à Constantinople. Son intervention dans le choix des évêques est en apparence considérable. Le VIe canon du

1. De 589 à 711 il faut compter onze conciles nationaux d'Espagne : on disait alors conciles généraux. S'ils se multiplièrent à certaines époques, ce fut moins par souci de la discipline que par la nécessité où se trouvaient les rois d'appuyer sur eux leur autorité usurpée ou chancelante.

2. L'Espagne comptait six provinces ecclésiastiques : Tolède pour la Carthaginoise-Carpétanie, Braga pour la Galice, Tarragone pour la Tarraconaise, Séville pour la Bétique, Mérida pour la Lusitanie, Narbonne pour la Narbonnaise.

XIe concile de Tolède, s'exprimera ainsi : « Il a paru bon qu'il soit permis dorénavant à l'évêque de Tolède, toutes les fois que l'autorité royale aura choisi un candidat, que ce prélat l'aura, après examen, trouvé digne, de placer l'élu à la tête d'un diocèse vacant en quelque province que ce soit, et de donner ainsi un successeur aux évêques défunts. » Mais derrière ce texte, que transparaît-il? L'initiative toute-puissante du roi qui désigne le candidat, l'archevêque de Tolède n'ayant plus qu'à vérifier ses aptitudes et à le consacrer. Ainsi achève de se dégager la centralisation de l'Église wisigothique. Roi, archevêque, concile général, tout est là.

L'entremêlement des choses civiles et ecclésiastiques se retrouve encore dans les attributions de l'évêque. Son pouvoir judiciaire est des plus étendus : non seulement il a seul compétence dans les causes d'Église, mais il dirime souvent les procès ordinaires entre chrétiens, sous contrôle possible du métropolitain ou du concile. D'ailleurs il possède un droit de regard sur l'administration urbaine avec pouvoir d'excommunier les oppresseurs du peuple : « Lorsqu'un évêque s'aperçoit qu'un juge maltraite les pauvres, dit un canon du concile de 633, il doit lui faire des remontrances; s'il ne s'amende pas, il le dénoncera au roi. » De tels personnages étaient d'autant plus considérables que la propriété ecclésiastique ne faisait que grandir, dotée par les rois, les riches particuliers, voire les esclaves du fisc, inaliénable d'ailleurs comme bien des indigents. L'évêque touche en plus la *tertia,* provenant de l'offrande des fidèles, et dont il doit faire trois parts, l'une pour lui, l'autre pour les prêtres et diacres, la troisième pour les autres clercs.

Il y eut des prélats concussionnaires. Comme toujours à travers l'histoire, le mal venait des investitures. L'intervention royale, maîtresse des nominations épiscopales, aboutit parfois à des choix scandaleux : brigue et simonie interviennent. Peu original, même dans ses invectives, saint Isidore s'en plaint, en empruntant à saint Jérôme : il parle d'élections faites à table. Les conciles poursuivent la simonie avez un zèle périodique, et donc non couronné d'un entier succès : « C'est un mal invétéré, dit le IVe de Tolède, les Pères l'ont souvent condamné, et cependant il est nécessaire de l'amputer par une sévérité plus grande encore. Dorénavant celui qui aura obtenu un ordre par des présents sera excommunié et privé de ses biens ainsi que ceux qui l'ont ordonné. » On compare cette plaie au cancer, aux têtes sans cesse renaissantes de l'hydre de Lerne. Aux candidats à l'épiscopat le XIe concile de Tolède imposera même une sorte de serment antisimoniaque : « Quiconque viendra devant l'autel pour y recevoir la plénitude du sacerdoce prêtera le serment que pour être ordonné il n'a fait aucun présent ni promesse de présent. »

Malgré ces misères, l'Église wisigothique donne l'impression d'un corps fortement hiérarchisé où l'autorité des métropolitains et l'intervention périodique des conciles nationaux et provinciaux empêchaient et corrigeaient maints abus. Il y eut de grandes figures, au premier rang saint Isidore de Séville, frère de saint Léandre qui l'avait élevé. L'un et l'autre présidèrent les deux plus importants conciles de l'Espagne wisigothique : Léandre, le troisième de Tolède en 589, où Récarède se rallia au catholicisme, Isidore le quatrième en 633 où — nous l'avons dit — tant de sujets capitaux furent abordés.

Isidore instruisit le peuple espagnol. Il réunit tout un bagage encyclopédique dans ses *Etymologiae* ou *Origines,* divisés en vingt livres, dont les premiers abordent le Trivium et le Quadrivium, d'autres ensuite la théologie, puis la zoologie et la minéralogie, tant qu'enfin l'ouvrage s'achève sur les « provisions de bouche et les ustensiles domestiques et rustiques ».

Érudition immense, mais toute de seconde main, exposition claire et rapide, telles sont les qualités de ce vulgarisateur infatigable qui avait tout lu, tout retenu. Avant la lettre il eût

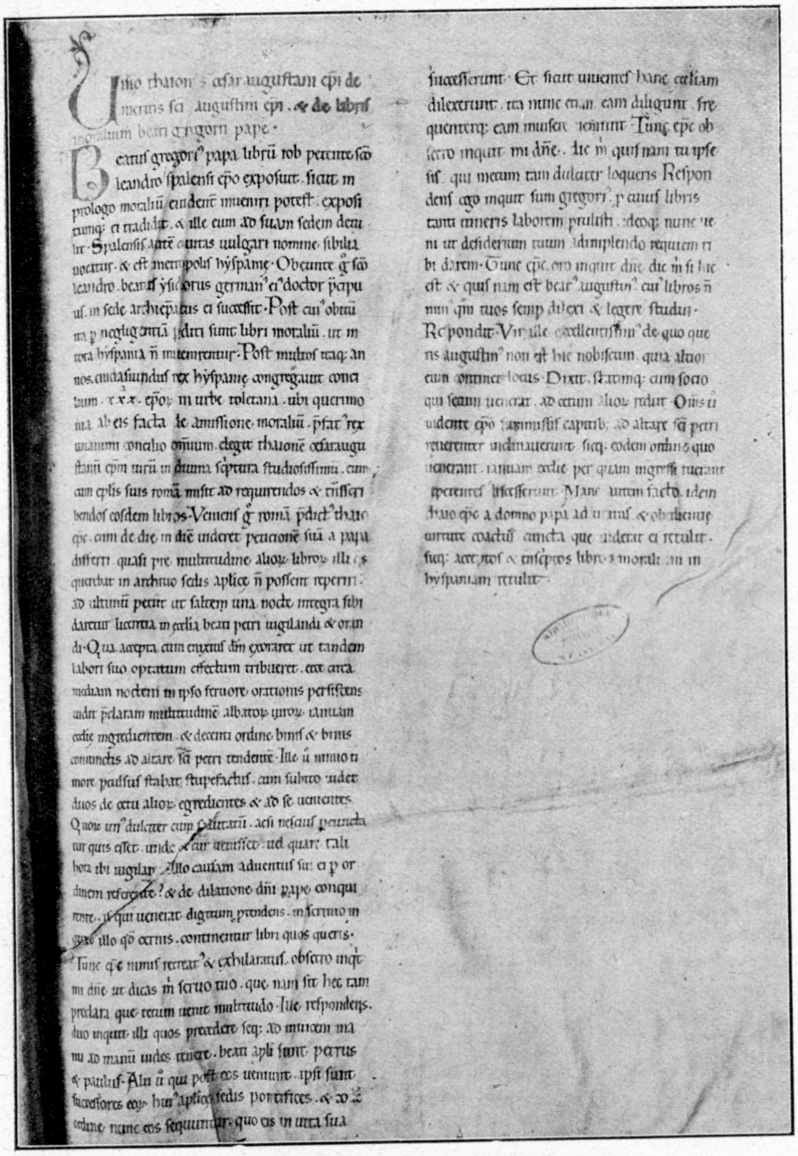

VISION DE TAÏON, ÉVÊQUE DE SARAGOSSE.

(Bibliothèque de Saint-Omer. XIIe siècle.)

Comme les *Moralia* de saint Grégoire étaient devenus introuvables en Espagne, un concile de Tolède envoya Taïon de Saragosse à Rome pour faire recopier ce commentaire. Voyant que le pape différait de lui répondre, l'évêque alla veiller une nuit dans la basilique de Saint-Pierre pour obtenir ce qu'il désirait. Des personnages vêtus de blanc — tous les pontifes romains, saint Pierre et saint Paul en tête — lui apparurent alors. L'un d'eux se détacha pour lui demander ce qu'il désirait, et lui dit : « Les livres que tu cherches sont dans ce carton (*scrinium*) que tu vois. » C'était saint Grégoire lui-même. Le lendemain, au récit de cette vision, le pape lui donna recopié le texte des *Moralia* qu'il rapporta en Espagne.

pu adopter cette fameuse devise de Pic de la Mirandole : *de omni re scibili et de quibusdam aliis*. Très féru d'étymologie, il prétendait ne pas se payer de mots. En connaître l'origine et le sens lui paraissait condition primordiale de la vraie science : « car, dit-il, lorsqu'on voit d'où un mot est issu, on en comprend mieux la valeur ». Principe excellent, mais dont l'application par Isidore fut loin d'être toujours heureuse. Il a des explications étymologiques aussi ingénieuses qu'arbitraires : pour lui *amicus*, ami, vient de *hamus*, hameçon, parce qu'on est attiré par un ami et qu'on s'y cramponne; *nox*, nuit, de *nocere*, nuire, parce que minuit, c'est l'heure des crimes. Mais peu importe! Isidore atteint son but : instruire pour édifier. Le sermon affleure toujours, à propos des moindres détails, alors qu'on ne s'y attendrait guère,

Isidore est le premier des grands compilateurs médiévaux : car l'œuvre même de Cassiodore n'embrassait pas une telle matière. Qu'on ne le définisse pas trop vite « une bonne paire de ciseaux ». Comme le remarque Dom Séjourné, « il faut lui reconnaître ce mérite d'avoir été chercher son bien en de multiples endroits et aux meilleures sources », tandis que les vulgarisateurs postérieurs, Bède, Raban Maur, Wallafrid Strabo, *e tutti quanti*, n'auront plus qu'à le copier, lui, « sans presque rien changer ». Il a donc été le principal instructeur, non seulement de la barbarie wisigothique, mais encore indirectement, de la franque et de l'anglo-saxonne. Braulion de Saragosse a bien dit : « Dieu l'a suscité après une période de décadence en Espagne pour rétablir les monuments des anciens et préserver ce royaume d'être entièrement gâté par la rusticité[1]. »

Au surplus, saint Isidore n'est point un isolé; le haut clergé espagnol conserve quelque culture : des bibliothèques existent dans les principaux évêchés, et les manuscrits voyagent, preuve qu'ils sont lus. Science médiocre à coup sûr, suffisante néanmoins pour initier les Barbares à la civilisation.

IV. La question juive. — Un problème religieux et social se pose dès lors qui préoccupera l'Église d'Espagne durant tout le moyen âge : la question juive. Les circoncis habitaient nombreux l'Espagne et la Gaule méridionale, se distinguant d'ailleurs par leurs qualités de race, application aux travaux manuels et au commerce, goût de l'étude. Longtemps la législation leur fut assez clémente. « Nous ne voulons, disait Théodoric, imposer notre religion à personne, ni contraindre les hérétiques d'agir contre leurs convictions. » Toutefois on veilla à ce qu'ils n'eussent aucune influence sur les fidèles : « Nul juif, dit en 589 le IIIe concile de Tolède, ne doit avoir une chrétienne pour femme ou pour concubine... Les juifs ne peuvent exercer aucune fonction publique qui leur permette de porter des peines contre les catholiques; ils ne doivent pas acheter d'esclaves baptisés, et si ceux-ci ont été soumis à des rites judaïques, ils seront affranchis sans rachat et retourneront à la vraie foi » (c. 14). Sages mesures de protection qui, d'ailleurs, ne lésaient point les juifs.

Il eût fallu s'en tenir à ce double principe : tolérance envers les circoncis, protection à l'égard des chrétiens. Mais vers 612 le roi Sisebut prit une brutale offensive : il ordonna que tous les juifs reçussent le baptême, sous peine de bannissement et de confiscation des biens. Arrêt où l'on peut voir tout ensemble le désir de s'enrichir et l'effet d'un zèle excessif : car prince très pieux, Sisebut composa même des biographies édifiantes, entre autres celle de saint Desiderius. Ainsi, selon l'expression désinvolte de l'anonyme de Cordoue, « convoqua-

1. Sur les origines de la grande collection qui porte le nom de saint Isidore, voir *infra*.

t-il par la force les juifs à la foi du Christ ». Contre une telle intolérance, le concile de 633, que présida saint Isidore, protesta sans doute; mais il ajouta que les juifs jadis contraints « devraient garder la foi chrétienne » par respect des sacrements reçus. Une stricte surveillance les empêcherait de judaïser à nouveau; anathème « aux évêques, clercs et laïques » qui, corrompus par leurs présents, fermeraient les yeux. D'ailleurs on renforça la législation qui isolait les juifs : défense pour eux de posséder ou acheter des esclaves chrétiens; en cas de mariage mixte, séparation des conjoints et obligation d'élever les enfants dans la foi catholique, interdiction renouvelée des fonctions publiques, et suppression des nominations obtenues par fraude.

Les derniers conciles wisigothiques visent encore à maintenir les juifs convertis dans la fidélité, notamment le XIIe de Tolède en 681 qui entre dans un luxe de détails et précautions; voyagent-ils, ils doivent, dès leur arrivée dans un autre diocèse, se présenter au juge ou à l'évêque, et en partant solliciter quelque lettre testimoniale. De toutes ces tracasseries le résultat sera clair : lors de l'invasion arabe, en 711, les juifs se rangeront avec les musulmans envahisseurs. Tertullien l'avait bien dit : « La religion ne doit pas être contrainte par la religion; elle doit être spontanée, non pas violentée » (*sponte, non vi*). Des mesures préservatrices, tant qu'on voudra, à condition qu'elles ne soient pas mesquines et tracassières; des sentences d'oppression, jamais.

LIVRE XV

L'ORIENT AU VIIe SIECLE

CHAPITRE PREMIER

LE MONOTHÉLISME

I. Le péril perse. Héraclius. — A la fin du VIe siècle l'empire byzantin est menacé d'un double péril : au Nord, par l'Europe, les Avares et les Slaves, à l'Est par l'Asie, les Perses, sans compter l'anarchie intérieure. Contre l'usurpateur Phocas, qui terrorisait Constantinople, l'exarque d'Afrique Héraclius provoqua un soulèvement; son fils, appelé aussi Héraclius, dirigea la flotte africaine vers Byzance, où on l'acclama empereur.

Prétextant son attachement pour Phocas, le roi des Perses, Chosroès II, envahit l'Empire. Tandis qu'une de ses armées ravageait l'Asie Mineure, l'autre pénétrait en Syrie : Damas tomba en 613, Jérusalem en 614[1]. La Ville Sainte fut dévastée, ses sanctuaires détruits, entre autres l'église du Saint-Sépulcre élevée jadis par Constantin le Grand et sa mère sainte Hélène. Les juifs firent cause commune avec les Perses, et aidèrent au massacre où périrent 60.000 chrétiens. La Sainte Croix, cette relique des reliques, vénérée dans toute la chrétienté, fut emmenée à Ctésiphon. Dévastation inouïe, telle qu'on n'en avait point vu depuis les horreurs du siège sous Titus, et qui frappa non seulement Jérusalem, mais la Palestine entière, détruisant de nombreux monastères. Devant ces ruines une élégie de saint Sophrone formule un appel à la divine vengeance : « Enfants des chrétiens bienheureux, venez gémir sur Jérusalem aux collines élevées. Pleurez les générations des chrétiens saints. O Christ bienheureux, toi qui es le Roi, irrite-toi contre les Mèdes parce qu'ils ont détruit la Ville qui t'était donnée. L'objet des vœux du monde a péri; la Ville céleste a subi un sort déplorable. O Christ! puisses-tu dompter par la main des fidèles les enfants homicides de la Perse qui enfante pour le malheur. »

Beaucoup s'étaient réfugiés en Égypte où les accueillit la charité compatissante du patriarche Jean l'Aumônier. L'un d'eux, saint Modeste, higoumène de Saint-Théodore, recueillit des sommes considérables pour la restauration des Lieux Saints. L'invasion perse s'étendit aussi à l'Égypte où Alexandrie succomba en 618; les monastères du Delta furent dévastés, l'Ennaton

1. La basilique de la Nativité à Bethléem dut sa préservation à une circonstance étrange. La mosaïque décorant le fronton représentait l'adoration des mages qui figuraient, vêtus du costume perse, bonnet phrygien sur la tête, tunique bouffante serrée à la taille par une ceinture. Sous ces dehors les envahisseurs crurent reconnaître le dieu Mithra et les mages persans, observateurs des astres, leurs compatriotes. « Par respect et par affection pour leurs ancêtres, rapporte une synodale du IXe siècle, les vénérant comme s'ils étaient vivants, ils épargnèrent l'église. »

toutefois resta sauf. Ici encore, d'après Makrisi, « les juifs aidèrent les Perses dans le massacre et la destruction ». Les monophysites avaient regardé la domination persane comme une délivrance ; leurs évêques évincèrent presque partout les catholiques.

Héraclius voulut reconquérir les provinces perdues. La lutte prit dès lors l'aspect très net d'une croisade que dirigeaient tout ensemble l'empereur et le patriarche Sergius : ne s'agissait-il pas de recouvrer Jérusalem et les Lieux Saints avec la Vraie Croix? On n'hésita pas à convertir en monnaie l'immense trésor des églises. Les soldats marchèrent sous la bannière de la Vierge, électrisés par les proclamations d'Héraclius telles que celle-ci : « Ne craignez pas le nombre de vos ennemis ; car, Dieu aidant, un seul Romain poursuivra un millier de Perses. Pour le salut de nos frères, sacrifions nos vies au Christ, et nous mériterons ainsi la couronne du martyre. »

Après avoir recruté des troupes en Asie Mineure, Héraclius entreprit contre les Perses une longue et difficile campagne, paralysée d'ailleurs par les incursions des hordes avaro-slaves sur Constantinople. En 627, près des ruines de l'ancienne Ninive, actuellement Mossoul, il remporta une décisive victoire. Tandis qu'une révolution intérieure renversait Chosroès, le nouveau roi Kawad-Sheroë signait un traité, où il restituait avec la Sainte Croix tout le territoire romain, Syrie, Palestine, Égypte. Héraclius rentra à Constantinople en triomphateur, accueilli à Sainte-Sophie par le patriarche Sergius. Peu après, avec l'impératrice Martine il se rendit à Jérusalem (21 mars 630). « Il y eut beaucoup d'allégresse ce jour-là, note un contemporain, l'historien arménien Sébéos : bruit des pleurs et des soupirs, larmes abondantes, une immense flamme dans les cœurs, un déchirement des entrailles du roi, des princes, de tous les soldats et des habitants de la ville ; et personne ne pouvait chanter les hymnes du Seigneur à cause du grand et poignant attendrissement du roi et de toute la multitude. Il rétablit la Croix en son lieu et remit tous les objets ecclésiastiques chacun à sa place ; il distribua à toutes les églises et aux citoyens des présents et de l'argent pour l'encens. »

Mais l'empire byzantin restait épuisé par sa victoire même. D'autre part l'occupation persane avait souligné la désaffection des provinces méridionales, trop résignées à un joug étranger, qui les débarrassait de l'autocratisme religieux du basileus. Au surplus les Perses avaient favorisé la rentrée du clergé monophysite. Tué par les juifs au cours d'une émeute en 610, le patriarche catholique d'Antioche n'eut pas de successeur, en sorte que le monophysite Athanase se trouva la seule autorité ecclésiastique en Syrie ; grâce à la protection de Schirin, l'épouse favorite de Chosroès, il avait régi les églises monophysites et, même après les victoires d'Héraclius, il continua à les diriger. Héraclius comprit qu'une fusion religieuse était absolument nécessaire si l'on voulait rétablir le loyalisme en Syrie et en Égypte : d'où l'idée de chercher quelque accommodement avec les hérétiques.

II. Les origines du monothélisme. — Durant ses campagnes contre les Perses, sans se laisser absorber par les opérations militaires, il préparait tout un plan de restauration religieuse. Le patriarche Sergius qui, durant son absence, exerçait la régence à Constantinople, lui avait suggéré un nouveau terrain d'entente : non plus celui des deux natures, trop brûlant, et qui réveillait toutes les querelles vieilles d'un siècle et demi, mais celui des volontés dans le Christ. Aux catholiques agréer en maintenant deux natures, aux monophysites en concédant énergie unique et volonté unique, arriver donc au même point que ces derniers, mais par un chemin moins suspect aux catholiques, telle serait la tactique : ainsi tandis que les monophysites partaient de l'unité de nature, Sergius, lui, s'appuierait sur l'unité de personne pour conclure à l'unité d'énergie, au monénergisme. De là à admettre une seule volonté il n'y avait qu'un pas, et qui bien vite serait franchi. « Le monothélisme, dit très bien le P. Grumel, fut un système moyen entre le dyophysisme et le monophysisme, gardant du premier les deux natures, empruntant au second l'unique énergie et l'unique volonté, dans le but de proclamer que les deux partis, par l'acceptation de cet élément commun, dissipaient leurs malentendus et devaient se réconcilier. »

La tactique agréerait-elle aux monophysites? Trouveraient-ils suffisante la concession? Le patriarche opéra les premiers sondages; dès avant 619, par Sergius d'Antinoë, évêque copte, il entre en pourparlers avec Théodore de Pharan, chef des monophysites du Sinaï; puis en 619, il s'abouche avec Georges Arsas, chef des paulianistes égyptiens, et en 622 avec Paul le Borgne, chef des acéphales chypriotes, qui se refuse à la manœuvre, et subit tout à la fois les sanctions impériales et les anathèmes patriarcaux.

Au fur et à mesure de ses conquêtes, Héraclius se fait le propagateur de la nouvelle panacée. Dès 623 à Théodosioupolis (Erzeroum) il endoctrine plusieurs clercs arméniens; en 626, durant son occupation du Lazique, il entreprend Cyrus, évêque de Phase. Celui-ci montre quelque scrupule. Ne lit-on pas dans le Tome de saint Léon cette phrase apparemment inconciliable avec la nouvelle doctrine : « Chaque nature réalise en communion avec l'autre ce qui lui est propre? » (*Agit utraque forma, cum alterius communione quod proprium est.*) Mais l'empereur consulte le patriarche qui a tôt fait de découvrir un écrit de son prédécesseur Ménas au pape Vigile où les nouvelles formules étaient authentiquées avant la lettre, et appuyées sur des témoignages patristiques. Cyrus se déclare convaincu : avec Sergius il sera bientôt le grand champion du monothélisme. En 630, au concile de Théodosioupolis, l'union se fait entre l'Église arménienne et la grecque sur une formule de transaction appropriée aux circonstances : les Arméniens adhéreront à Chalcédoine, mais on leur concèdera la formule d'une énergie et d'une volonté. Tels sont, en effet, les éléments du marché que devront passer catholiques et monophysites.

Quand Athanase d'Antioche, chef des jacobites syriens, eut conclu avec l'empereur un accord à Hiérapolis, et que Cyrus de Phase fut nommé au trône d'Alexandrie, on put croire la fortune du monothélisme assurée en Orient. Cyrus manœuvra si bien qu'il passa un accord avec les coptes. C'était en 633, juste deux siècles après cet autre traité d'union conclu entre Jean d'Antioche et saint Cyrille. De fait, les expressions alexandrines reparaissaient ici au premier plan, en particulier le *una natura Dei Verbi incarnata*. Le monénergisme s'imposait au septième anathématisme où l'on condamnait quiconque niait « qu'il n'y eût qu'un seul Christ et Fils, opérant les actions divines et les humaines par une seule opération théandrique, selon ce que dit saint Denys, les éléments dont l'union s'est faite se distinguant par la seule considération de l'esprit et le discernement de l'intelligence ». Grande fut l'allégresse du patriarche Sergius qui envoya à Cyrus ses félicitations. Les monophysites ne se réjouissaient pas moins : d'une seule opération à une seule nature il y a courte distance, et si vite franchie.

L'union une fois signée par les trois groupes monophysites, Arménie, Syrie, Égypte, la réconciliation politico-religieuse semblait en bonne voie. Pourtant la Palestine monastique esquissait quelques protestations, ne voulant pas se rallier sous la houlette du patriarche Athanase converti au monothélisme. « J'entends, écrivait de saint Sabas le moine Antiochus, j'entends dire que l'Orient voit arriver un précurseur de l'Antéchrist, qui veut s'emparer du trône d'Antioche. On l'appelle Athanase, il prêche les dogmes d'Apollinaire, d'Eutychès, de Jacques Baradaï, troublante nouvelle pour les habitants orthodoxes de la Ville sainte et pour les monastères de son voisinage. »

En Égypte, d'ailleurs, l'union n'était pas moins factice. Cette réconciliation solennelle, rien qu'un spectacle à effet occupant le devant de la scène ! En fait, pour quelques satisfaits, on compta des milliers d'irréductibles : puisque Cyrus n'avait pas anathématisé Léon et son Tome, Cyrus n'était pas un pur ; et ils l'appelaient « le Chalcédonien », ou encore « le Caucasien », soulignant ainsi son origine étrangère. Il répondit par la manière forte. La torture devint son moyen favori de conversion, puisque le monénergisme n'y suffisait pas : battre de verges, noyer, brûler vif ses adversaires lui sembla de bonne guerre. Le frère du patriarche monophysite Benjamin est entouré de torches, et « la graisse coule de ses flancs sur le sol » ; on lui arrache les dents puis, après trois sommations inefficaces, on le jette à la mer. Coupable d'avoir appelé le patriarche juif chalcédonien et athée, l'abbé Samuel de Kalamoun n'échappe à la mort que par l'intervention d'un fonctionnaire civil. Plus ils sont menacés, plus les coptes s'acharnent dans leur resistance fanatique ; les monophysites se risquent à exercer un ministère de contrebande jusque dans Alexandrie : ainsi tel prêtre de Maréotis, qui y vient déguisé en charpentier, portant un sac d'outils. Un complot se trame contre la vie du patriarche : découverts dans une église, les conjurés sont tués et percés de flèches, ou bien on leur coupe les mains. Jusqu'à la fin, alors même que les Arabes seront déjà en Egypte, la persécution continuera : le jour même de leur entrée au Caire, on torturera encore des obstinés. Quoi d'étonnant si les coptes furent tentés d'accueillir les conquérants en libérateurs ? D'ailleurs ils prenaient à l'occasion leur belle revanche : tel monophysite est brûlé vif avec toute sa famille pour s'être fait chalcédonien.

III. Atermoiements pontificaux : Honorius. — Outre cette lutte locale forcenée, une autre se livra sur le terrain doctrinal. Un moine palestinien très considéré se trouvait alors à Alexandrie, Sophrone. Avant de proclamer l'édit d'union, Cyrus le lui présenta. « Dès la première lecture, rapporte saint Maxime, il poussa des cris lamentables, versa des torrents de larmes, se précipita sur le pavé aux genoux du patriarche et le supplia en

Monothélisme. — *SOURCES* : Mansi, X et XI. — Lettre de Sergius à Honorius, Mansi, XI, 529-37. — Les lettres d'Honorius, Mansi, XI, 537-544 ; 577-581 ; *P. L.*, 470-475. — L'Ecthèse, Mansi, X, 992-997. — Le Type, *ibid.*, 1029-1032. — *Epistula dogmatica* d'Agathon, *P. L.*, LXXXVII, 1161-1213. — *TRAVAUX* : L Duchesne, * *L'Eglise au VIe siècle*. — Héfélé-Leclercq, * t. III, 1. — Pargoire, * *L'Eglise byzantine*. — Pernice, * *L'imperatore Eraclio*. Florence, 1905. — G. Owsepian, *Die Entstehungsgeschichte des Monothelismus*, Leipzig, 1897. — Chillet, *Le monothélisme, exposé et critique* (thèse), Brignais, 1911. — J. Maritch, * *Celebris Cyrilli Alexandrini formula christologica de una activitate Christi, in interpretatione Maximi Confessoris et recentiorum theologorum*, Zagreb, 1926. — S. Vailhé, * *Sophrone le Sophiste et Sophrone le Patriarche*, *Rev. Orient. chr.*, 1902, p. 360-385 ; 1903, p. 32-69 et 356-387. — V. Grumel, * *Recherches sur l'histoire du monothélisme*, *Echos d'Orient*, 1928, p. 6-16 ; 237-277 ; 1929, p. 19-34, 272-83. — Krueger, art. *Monotheleten*, dans *Realencyklop.* — E. Amann, art. *Monothélisme*, dans *Dict. Théol.* — J. Bois, art. *Constantinople*, dans *Dict. Théol.* — Sur Maxime le Confesseur : H. Straunbinger, *Die Christologie des hl. Maximus Confessor*, Bonn, 1906. — V. Grumel, *Notes d'histoire et de chronologie sur la vie de saint Maxime le Confesseur*, *Échos d'Orient*, 1927, p. 24-32. — R. Devreesse, *La vie de S. Maxime*, dans *Anal. Boll.*, 1928, p. 5-49. — V. Grumel, art. *Maxime de Chrysopolis* ou *Max. le Conf.* (*saint*), dans *Dict. Théol.* — Sur Honorius : Grisar, art. *Honorius*, dans *Kirchenlexicon*. — F. Cabrol, art. *Honorius*, dans *Dict. Apol.* — E. Amann, art. *Honorius*, dans *Dict. Théol.* — Dom Chapman, *The condamnation of pope Honorius*, Londres, 1907. — Voir encore, E. Amann, art. *Martin I*, dans *Dict. Théol.*

pleurant de ne pas lire du haut de l'ambon un décret qui renouvelait l'hérésie d'Apollinaire. » N'ayant point obtenu gain de cause, il résolut d'en appeler à Constantinople. Les voyages, en effet, ne l'effrayaient pas : jadis, avec son ami Jean Moschus, il avait visité les monastères syriens et égyptiens à la manière d'un Cassien ou d'un Pallade, et pour en recueillir les traditions dans cet écrit rempli d'anecdotes, le *Pré spirituel*. A Byzance, Sergius essaya de le calmer : qu'il gardât le silence, qu'il s'engageât à ne dire ni une ni deux énergies, et lui-même veillerait à ce que Cyrus se tût également.

Cependant Sergius se sentit découvert. Sa position n'était-elle pas louche quelque peu? « Il aurait dû réfléchir depuis longtemps, note très bien Mgr Duchesne que, du moment où il s'agissait d'interpréter Chalcédoine et le Tome, il fallait prendre langue à Rome. Il finit par en venir là; c'est la crainte de Sophrone qui le décida. » Dans sa lettre au pape Honorius, il commençait par rappeler les origines du débat, et comment on avait abouti à l'édit d'union. A l'entendre, résultats magnifiques. « Toute Alexandrie, toute l'Égypte *presque*, la Thébaïde, la Libye et les autres diocèses d'Égypte ne forment maintenant qu'un troupeau ; auparavant divisé, le peuple n'a plus aujourd'hui, grâce au zèle de Cyrus, qu'une seule voix. » Tableau idyllique, particulièrement savoureux à la lumière incendiaire des persécutions relatées plus haut. Au surplus, le patriarche aggrave singulièrement son inexactitude en affirmant que tous les ralliés font maintenant mention, dans la liturgie, de Léon et de Chalcédoine, deux noms que l'édit d'union s'était pourtant bien gardé de citer.

Pourquoi donc un moine, ce Sophrone, venait-il inquiéter les frères réconciliés ! D'après ce trouble-fête, la solution trouvée, le talisman pacifique n'était qu'une hérésie ; il fallait affirmer dans le Christ deux opérations, et supprimer l'article sur l'unique énergie. Voilà donc encore une querelle de mots ! Qu'on y coupe court dès le début, conseille Sergius, et qu'on interdise à tous ces expressions nouvelles : d'une part *l'unique activité*, « qui agace certaines oreilles et pourrait faire supposer la suppression des deux natures » ; d'autre part les *deux activités*, « d'où paraîtrait découler qu'il existe dans le Christ deux volontés opposées ». Politique doublement habile : en elle-même, parce qu'elle réduisait au silence un adversaire documenté et subtil, le moine Sophrone ; mais aussi dans ses considérants, parce qu'elle faisait craindre que la théorie des deux opérations n'aboutît à deux volontés contraires dans le Christ. Ce faux aspect psychologique et moral du problème — au fond superficiel et nullement en cause — va intimider Honorius et retenir son attention. Là gît l'explication de son attitude, et là aussi toute son excuse : il a voulu affirmer non pas l'unité physique, mais l'unité morale des volontés qu'on lui disait compromise.

Dans sa réponse Honorius approuve sans réserve la tactique du silence prônée par le patriarche : pour un Romain n'est-elle pas de bon gouvernement, et susceptible de couper court aussitôt à de nouvelles et interminables discussions : « Nous louons votre fraternité d'avoir écrit à Alexandrie avec tant de prudence et de circonspection, en demandant de supprimer tous ces mots inusités, fort capables de scandaliser les âmes simples. » En cela d'ailleurs pourquoi ne pas s'en référer au vieux principe de n'admettre que ce qui est traditionnel? « Il ne faut pas ajouter aux dogmes ecclésiastiques des choses que ni les synodes n'ont réglées, ni l'autorité des canons n'a paru éclaircir, au point qu'on ose proclamer *une* ou *deux énergies* au sujet du Christ : formules que ni les Évangiles, ni les écrits apostoliques, ni les jugements synodaux ne paraissent avoir définies d'une manière expresse. » Qu'importe-t-il donc de confesser? « Un seul Seigneur Jésus-Christ opérant dans les deux natures les œuvres de la divinité et celles de l'humanité. » Bref, il faut sauvegarder avant tout l'unité personnelle d'où dérivent les deux catégories d'action.

Mais il y a aussi l'unité morale que les adversaires de Sergius semblaient compromettre. Et voilà pourquoi Honorius ajoute cette phrase qui, mal interprétée, le compromettra si gravement : « Nous confessons aussi une *volonté unique,* parce que selon toute évidence la divinité a pris la nature, mais non point le péché qui est en elle, la nature telle qu'au sortir des mains du Créateur avant le péché, non point celle qu'a corrompue la prévarication. » Et deux textes évangéliques viennent corroborer cette affirmation d'une volonté morale unique en Jésus, unique et non contrariée, toujours conforme au vouloir trinitaire : « Je ne suis pas venu, dit Jésus, faire ma volonté, mais celle de celui qui m'a envoyé » (Jo., VI, 38); puis, durant l'agonie : « Non point comme je veux, Père; mais comme vous voulez » (Mat., XXVI, 40).

Les affaires de Sergius eussent marché au mieux. Sophrone semblait bridé. A la vérité, au moment où on lui ordonnait de se taire, il avait parlé déjà. En effet, nommé patriarche de Jérusalem, il rédigea — selon qu'il était coutume — une synodique pour annoncer son élection et formuler son exposé de foi. Il n'eut garde d'y omettre la question brûlante, celle des deux opérations. Il n'était plus maintenant le simple petit moine auquel on fermait la bouche; il faudrait donc bien que tous l'entendissent. Deux énergies, divine et humaine, où aboutissent la dualité des natures et la persistance de leurs propriétés, voilà sur quoi il insiste : « Toute parole et opération, dit-il, qu'elle soit divine et céleste, ou humaine et terrestre, provient du seul et même Christ, qui produit de lui-même selon ses natures chaque opération sans division, ni confusion : selon la nature divine l'opération divine..., selon la nature humaine l'opération humaine. » « Chaque nature dans le Christ, selon que résume le P. Grumel, a son opération physique, non point par opposition ou contrariété, mais en concorde et coopération (συνέργεια) : coopération obtenue par l'emprise du gouvernement du Verbe sur l'humanité assumée. Cette emprise rend impossible l'opposition entre les deux natures et établit une parfaite unité morale. » Notons d'ailleurs qu'avec une prudence où se révèle un haut souci de la paix ecclésiastique, Sophrone ne fait aucune allusion aux récents événements : c'est l'exposé catéchétique le plus calme où ni l'apologiste, ni le polémiste ne semblent avoir part. Bel exemple de charité dont l'Orient avait donné rarement l'exemple depuis Éphèse.

Ses adversaires avaient une tout autre attitude. En Palestine même, Sergius de Joppé, prétendant au patriarcat, faisait ouvertement campagne pour le monothélisme. Sophrone résolut d'avertir le pape. En une scène à la fois solennelle et touchante, il délégua vers Rome son ami Étienne de Dora. L'ayant conduit en effet sur le Calvaire, il l'adjura ainsi : « Vous rendrez compte à celui qui a été crucifié en ce saint lieu, quand il viendra juger les vivants et les morts, si vous négligez le péril où la foi se trouve. Faites donc ce que je ne puis faire en personne, à cause de l'invasion des Sarrasins, que nos péchés ont attirée. Allez promptement vous présenter au Siège Apostolique, où sont les fondements de la doctrine orthodoxe; informez les saints personnages qui y résident de tout ce qui s'est passé par ici, et ne cessez pas de les prier, jusqu'à ce qu'ils jugent cette nouvelle doctrine et la condamnent canoniquement. »

Honorius reçut l'ambassade. Inébranlable dans sa politique, il la pria de redire à Sophrone cette impérieuse consigne : silence sur les deux énergies. Il la formula encore dans sa deuxième lettre, dont nous ne possédons que des fragments. « Il ne faut pas, répétait-il, obnubiler le brillant message des Églises de Dieu par le brouillard des discussions pleines d'ombre. Il faut au contraire bannir l'appellation nouvellement importée d'une seule ou de deux énergies. » Suivaient d'importantes précisions dogmatiques : « Nous devons ne définir ni une ni deux énergies au sujet du médiateur de Dieu et des hommes, mais confesser les *deux natures unies* en unité dans le Christ un, *opérantes et effectives chacune en communion avec l'autre,* la divine opérant ce qui est de Dieu, l'humaine accomplissant ce qui est de la chair : indivisément et inconfusément, sans enseigner le changement de la nature divine en l'humanité, ni de la nature humaine en la divinité, confessant au contraire intactes les différences des natures... Détruisant le scandale de la nouvelle invention, il nous faut confesser en vérité *l'unique opérant,* le Christ Seigneur, *dans les deux natures* et au lieu des deux énergies, que l'on proclame plutôt avec nous *les deux natures;* à savoir de la divinité et de la chair assumée dans l'unique personne du Fils unique de Dieu le Père, *toutes deux opérant ce qui leur est propre* sans confusion, sans séparation, sans changement. » Honorius affirmait donc deux natures opérantes dans un seul Christ. N'était-ce pas le langage même de Sophrone[1]?

Les deux lettres pontificales ont donné lieu, et jusqu'à nos jours, à des débats sans fin. Au concile du Vatican, la question d'Honorius fut le grand cheval de bataille des antiinfaillibilistes, qui y virent un argument historique irréfragable. Leurs adversaires ne répliquèrent pas toujours avec bonheur. Ainsi quand ils niaient à ces lettres le caractère *ex cathedra,* sous prétexte qu'elles étaient adressées au seul Sergius, et encore sous cet autre qu'elles ne contenaient aucun anathème, se contentant de fermer les bouches. Argument pitoyable qui déroberait à la littérature théologique les trois quarts des lettres pontificales, et les plus importantes, telles que le Tome de Léon à Flavien, comme si derrière Flavien Léon ne visait pas toutes les Églises, et Honorius derrière Sergius ou Sophrone également toutes les Églises. Autant dire qu'en politique les « lettres ouvertes » publiées dans un grand journal regardent l'unique destinataire, et non pas tout un public.

L'apologiste se trouve sur un meilleur terrain lorsqu'il tend à prouver que par volonté unique Honorius entendait une volonté morale, soulignant ainsi que le Seigneur n'a point de tendances déréglées. Telle est l'explication d'un contemporain, digne émule de Sophrone pour la précision christologique : d'après saint Maxime, Honorius a voulu seulement « déclarer que jamais en aucune manière la nature humaine virginalement conçue n'a été entraînée par la volonté de la chair ou une pensée passionnée ».

Il n'en reste pas moins que l'expression *une seule volonté* était bien mal venue. En l'employant, Honorius assouplissait sans doute la terminologie pontificale à la terminologie impériale : petite habileté, mais qui devait lui coûter bien cher et jeter sur son orthodoxie les plus tenaces soupçons. Il n'y avait là encore que maladresse. Mais où Honorius tombait sous le blâme, c'est lorsqu'il intimait silence à l'un et l'autre parti. Cette politique ne

1. « La première lettre d'Honorius, dit le P. Grumel, est sans doute orthodoxe, mais *négativement,* en ce sens qu'elle n'enseigne pas l'hérésie; la seconde l'est *positivement,* en ce sens qu'elle s'y oppose et proclame la vérité même niée par les novateurs. Il y a là une différence capitale pour l'intelligence des événements subséquents. L'une laissait en paix Sergius et même l'avantageait par l'emploi imprudent de *l'unique volonté :* l'autre était une vraie condamnation de son monénergisme en des termes auxquels, par la faute des circonstances, il n'a manqué que de devenir traditionnels. » V. Grumel, *Recherches sur l'histoire du monothélisme, Échos d'Orient,* 1929, p. 282.

pouvait que favoriser l'erreur. Fausse manœuvre, grosse de conséquences, et qui permettra aux monothélites de consolider leurs positions. Le rôle d'un pape serait-il d'imposer silence également à ceux qui compromettent la vérité et à ceux qui la défendent? A pareil compte, Jules Ier eût fermé la bouche à Athanase après Nicée, et Célestin aussi à Cyrille avant Éphèse sous prétexte de logomachies à éviter et de charité à garder. Insuffisamment renseigné, Honorius a commis sans nul doute une erreur de tactique. A côté de la volonté morale par lui affirmée dans le Christ, la dualité des énergies, qu'il a défendu de proclamer, était aussi la vérité, et autrement opportune à formuler. Ce pape a donc fait un pas de clerc. Sous cet angle la dure sentence est justifiée, que lui infligera le concile de 680.

Honorius mourut le 12 octobre 638, sans avoir prévu quelles tempêtes s'amoncelaient sur sa mémoire. A Byzance on publia une exposition ou « Ecthèse » de la foi orthodoxe; conforme à la consigne de silence imposée par le pape, elle reprenait d'ailleurs son expression *unique volonté*, entendue toutefois non plus dans le sens de volonté morale, mais de volonté naturelle. Ainsi, bien que l'invasion arabe ne permît plus de se leurrer sur les résultats d'un expédient trop tardif — 638 est l'année du désastre du Yarmouk; bien que aussi la politique monénergiste eût échoué partout — en Égypte « malgré les rigueurs cruelles de Cyrus, en Palestine où elle n'avait rallié que quelques chalcédoniens libéraux, en Syrie où elle ne recueillait du succès que dans certains milieux monastiques; néanmoins, par orgueil de ne se point déjuger, les théologiens impériaux en venaient à une nette profession de l'hérésie monothélite : « Nous confessons en Jésus-Christ, vrai Dieu, une seule volonté : car, en aucun temps, sa chair vivifiée par une âme intelligente, n'a — séparément et de sa propre initiative, et contre l'assentiment du Verbe divin qui lui était hypostatiquement uni — exercé son activité naturelle, mais bien quand, et de la façon et autant que le Dieu Verbe le voulait. »

Le même décret qui interdisait l'expression du monénergisme, énonçait donc le monothélisme. A la distance qui sépare la première lettre d'Honorius d'une telle formule, on peut juger que l'orthodoxie pontificale était restée sauve. L'Ecthèse favorisait l'interprétation de l'unique volonté dans le sens physique, si bien qu'il n'y aurait plus en Jésus-Christ qu'une seule activité vraiment spontanée et libre, l'humanité demeurant un docile et aveugle instrument, telle la hache dans la main du bûcheron. Ainsi aboutit-on aux assertions mêmes, héritées de l'apollinarisme, qui escamotent l'âme humaine du Christ, organe inerte sous l'emprise de la nature divine.

IV. La réaction dyothélite : saint Martin Ier et saint Maxime. — En Orient, il se trouva bien un épiscopat docile pour souscrire l'Ecthèse : Sergius de Joppé, Macédonius d'Antioche, Cyrus d'Alexandrie. A Constantinople deux conciles estampillèrent le décret théologique, l'un tenu en 638 par Sergius, l'autre en 639 par son successeur Pyrrhus. Mais qu'allait dire l'Occident?

Durant les premières années du VIIe siècle, la papauté avait pu recueillir les fruits du gouvernement de saint Grégoire le Grand. Préoccupés du péril perse, les empereurs mettaient quelque coquetterie à maintenir les bons rapports avec Rome : ainsi Phocas installant à Grado, cité schismatique, un patriarche pacifique; ainsi encore, Héraclius multipliant les dotations et abandonnant les monuments pour être transformés en églises.

Honorius avait employé d'ailleurs toute son ingéniosité à satisfaire l'impérial théologien sans sacrifier l'orthodoxie. Maintenant les choses en étaient au point où la résistance devenait strict devoir. Après Séverin qui ne fait que passer sans obtenir la confirmation byzantine, Jean IV anathématise le monothélisme et ses fauteurs dans un concile romain (janvier 641). Héraclius mort, le pape écrit à son successeur Constantin II pour lui prouver qu'Honorius n'a point versé dans l'hérésie : premier essai d'apologie que suivront tant d'autres jusqu'au concile du Vatican. L'argumentation est simple, voire un peu trop : Honorius aurait seulement voulu dire qu'il n'y avait point dans le Christ cette dualité des volontés, l'une portée vers le bien, l'autre tendant au mal, résultat en nous de la faute originelle. Ainsi s'expliquerait l'expression employée par lui d'*unique volonté.*

Aux protestations pontificales, d'autres se joignirent parmi lesquelles celles de saint Maxime. Devant l'invasion arabe, une foule d'Égyptiens s'étaient enfuis à Carthage ; certains monothélites venus d'Alexandrie et des couvents libyens se livrèrent à une scandaleuse propagande. L'orthodoxie ardente des Africains s'en trouva encore surexcitée, surtout après que le préfet Georges, coupable d'avoir réprimé l'hérésie, eût été disgracié par Byzance. Parmi les réfugiés se trouvait le plus illustre représentant de l'orthodoxie, l'abbé Maxime. « Non seulement, dit son biographe, les clercs et les évêques, mais encore le peuple et les magistrats, étaient suspendus à ses lèvres, et s'attachaient au saint comme le fer à l'aimant, ou comme les navigateurs se laissent entraîner au chant des sirènes de la fable. » Bref, un théologien doublé d'un charmeur.

Quand, en 645, le patriarche Pyrrhus, démissionnaire pour cause politique, arriva à Carthage, Maxime s'empressa de l'évangéliser. Quel coup pour l'hérésie, si son ancien chef se laissait persuader. Une discussion publique et contradictoire, engagée devant l'exarque et les évêques de la province, tourna au désavantage de Pyrrhus qui s'avoua vaincu et fit sa soumission (juillet 645). Tout un mouvement conciliaire suivit : en 646, les évêques de Numidie, de Byzacène et de Mauritanie condamnèrent avec vigueur le monothélisme; au nouveau patriarche Paul, au nouvel empereur Constant II, ils envoyèrent une protestation collective. En même temps, ils se serraient davantage contre l'Église romaine. Ils écrivirent au pape Théodore (642-649) un mémoire, l'engageant à sommer patriarche et empereur de se convertir. On reconnaît bien ici la manière africaine[1].

Ainsi, inventée pour ramener vers Byzance la Syrie et l'Égypte, l'hérésie n'aboutissait-elle qu'à en séparer l'Afrique du Nord. Lorsqu'en 646 le gouverneur Grégoire se révolta contre le jeune Constant II, personne ne s'indigna. On rapportait même que l'abbé Maxime avait entendu deux chœurs d'anges criant au plus fort, les uns vers l'Orient « Victoire à Constantin Auguste », les autres vers l'Occident « Victoire à Grégoire Auguste », mais qu'à la fin les voix de l'Occident l'avaient emporté. En effet, Africains romanisés et tribus berbères n'eurent qu'une voix pour acclamer Grégoire. Les rêves devaient s'effondrer lorsque, l'année suivante, il périt à la bataille de Suffetula livrée aux Arabes envahisseurs.

1. Comme il arrive à chaque période de crise, le témoignage romain est sollicité avec angoisse ou proclamé avec enthousiasme par tout ce qui est orthodoxe. Ainsi ces paroles de Sergius de Chypre au pape Théodore Ier en 643 : « Pilier de construction divine et de solidité inébranlable, stèle où la foi est clairement inscrite, voilà, ô tête sacrée, ce qu'est votre chaire apostolique, fondée par le Christ, notre Dieu. Oui, vous êtes Pierre..., vous êtes le destructeur des hérésies profanes, en votre qualité de prince et de docteur de la foi orthodoxe et immaculée. »

Maxime et Pyrrhus se rendirent à Rome pour y confesser la foi. Hélas! A Ravenne, sous la pression de l'exarque Platon, Pyrrhus devait faillir à nouveau, ce qui forcerait le pape à le condamner. Dans sa conversion, d'ailleurs, la politique joua un rôle : il avait compté sur le patrice Grégoire, devenu empereur, pour recouvrer le trône patriarcal.

Devant pareilles résistances, le jeune empereur voulut fermer la bouche à tous. Cette politique du silence par où Héraclius avait voulu se concilier Syrie et Égypte, il la reprenait maintenant pour réprimer le mouvement séparatiste en Italie et en Afrique. Sur le conseil du patriarche Paul, il publia donc un nouvel édit théologique, le *Type* qui, supprimant l'Ecthèse, ordonnait qu'on ne dît plus désormais ni une, ni deux opérations, ni une, ni deux volontés (648). Il était facile de supprimer ainsi d'un trait de plume la question. Mais comment obtenir le silence à l'heure où, dans la surexcitation grandissante, tout le monde voulait parler? Que les catholiques obéissent aux ordres impériaux, et la vérité désertée serait mise en pièces par les hérétiques.

Ancien apocrisiaire à Constantinople, le nouveau pape Martin Ier ne connaissait que trop bien la mentalité orientale. Cette complicité muette qu'on voulait imposer à la chrétienté, il n'y souscrirait jamais. Non pas que, rompant avec la diplomatie grégorienne, il voulût précipiter la crise et accentuer la séparation entre l'Italie et l'Empire. Cette calomnie du complot ne se trouvera que sur des lèvres byzantines. En réalité, il songeait seulement à proclamer le dogme des deux volontés, que menaçait la traîtresse politique du silence.

C'est pourquoi il réunit au Latran un concile italien, où figurèrent 105 évêques (octobre 649). L'audition des textes confondit les accusés : ainsi Théodore de Pharan dont les affirmations sur la volonté unique supposaient un docétisme plus ou moins larvé; ainsi encore Cyrus et Sergius, qui avaient patronné « l'unique opération théandrique », et qu'on retrouvait en une compagnie très mal famée, celle du monophysite Thémistius, auteur de la proposition suivante : « Confessons donc une opération théandrique, et non pas une seule opération divine. » Quant à la récente attitude imposée par le *Type,* on la qualifiait déplorable. Sans doute vouloir rétablir la paix partait-il d'un bon naturel, encore n'eût-il pas fallu y tendre en mettant sur un pied d'égalité erreur et vérité. Au surplus, le concile eut l'habileté — d'ailleurs inutile — de mettre en cause non point le basileus Constant II, mais son conseiller ecclésiastique, le patriarche Paul : son loyalisme restait donc sauf, et ses préoccupations théologiques sans arrière-pensée politique. Après avoir confronté les documents monothélites avec la doctrine des Pères, on annexa à l'intangible profession de Chalcédoine les précisions suivantes : « Si nous reconnaissons deux natures dans le Christ, de même deux volontés naturelles, la divine et l'humaine, et deux opérations. Nous proclamons le Christ Dieu parfait et homme parfait en sorte qu'il veut et opère notre salut à la fois divinement et humainement. » Même doctrine dans les anathématismes où l'on affirme que le Verbe incarné a souffert pour nous spontanément (*propter nos sponte passum*); ainsi soulignait-on quelles graves conséquences sotériologiques comportait la discussion. La formule dyonisienne de l'opération théandrique motivait le canon suivant : « Si quelqu'un, avec les criminels hérétiques, traduit follement l'expression grecque d'opération théandrique par opération *unique,* et ne confesse pas avec les Saints Pères que cette opération théandrique est double, à savoir divine et humaine..., qu'il soit condamné. » Le XVIIIe anathématisme excommuniait après les anciens hérétiques Théodore de Pharan, Cyrus d'Alexandrie, Sergius, Pyrrhus et Paul de Constantinople, en même temps que l'Ecthèse et le Type (*scelerosum Typum*).

A l'injonction de se taire, le concile de Latran répondait en proclamant bien haut les deux opérations. Nulle bravade toutefois, ni arrogance : il se contentait d'anathématiser le patriarche Paul, tandis que le pape écrivait à l'empereur une lettre cordiale et respectueuse.

Peines perdues, Constant II envoya en Italie l'exarque Olympius qui, coûte que coûte, par ruse ou par violence, devrait vaincre l'opposition pontificale. Olympius vint à Rome : impuissant à s'emparer de Martin Ier, il essaya en vain de le faire assassiner par son porte-glaive.

ec une armée; le pape se
Mais, dans la nuit du 18
èrent du pontife, malgré le
rté atteinte à la vraie foi. »
Calabre et à Naxos, le pape
i quatre-vingt-treize jours
paraître sous l'inculpation
terrain, celui de l'hérésie
Troïlus, tu ne dois parler
is ce qu'Olympius tramait
mis d'accord avec lui. »
bjecta Martin, agir contre
lie? » Puis, sentant bien sa
stance au nom du Seigneur,
me sera un bienfait. »
res, un fonctionnaire sur-
nit au préfet, en disant :
uillé de ses vêtements, on
. Tout cela avec une telle
embre 654). Sa résistance
onctionnaire Démosthène.
ne serai jamais en com-

rche Paul très malade, et
charge contre moi pour
oient ainsi traités? » Au
tocratisme impérial avait
Italie, et que la papauté
ux siècles précédents sous
, on avait enlevé de Rome
s assiégeants. Quel éton-
tures et en deux volontés
l'intégrité doctrinale im-

ù, arrivé le 15 mai, il
stopol) disent dans quel
qu'ils lui envoient de la
qu'on ne voit jamais ».

ité à Constantinople, on

politanae.

l'exile à Bizia sur la mer Noire. Tout est invoqué contre lui, mais à tout il donne la réplique. Comme on lui reproche d'avoir anathématisé le *Type*, c'est-à-dire l'empereur : « L'empereur, non, dit-il, mais une pièce contraire à la foi. — Où a-t-elle été condamnée? — Dans l'église du Sauveur (le Latran), et dans celle de la Mère de Dieu (Sainte-Marie-Majeure). — Pourquoi aimes-tu les Romains et détestes-tu les Grecs? — J'aime les Romains parce que nous avons même foi; les Grecs, parce que nous avons même langue. » « Le synode du Latran, objecte-t-on encore, n'est pas régulier, car celui qui l'a célébré a été déposé. — Chassé, oui; déposé, non. » Contre Maxime le grief politique est aussi retenu : « C'est toi, et toi seul, qui as livré aux Sarrasins l'Égypte, la Pentapole, la Tripolitaine et l'Afrique. »

Théodosyus, archevêque de Césarée, vint discuter christologie avec saint Maxime, et à certains moments, on se crut tout proche d'une entente, tant le dignitaire mettait de fausse bonne volonté dans ses assertions. On transporta ensuite l'inculpé non loin de la capitale, dans le couvent de saint Théodore à Rhegium; là des envoyés impériaux lui annoncèrent que Constant lui ferait une magnifique réception s'il souscrivait le Type. Aux tentatives de séduction succédèrent bientôt menaces et coups. En 656, il fut relégué à Salymbria, puis au fort de Peibera, à l'extrémité de l'empire. Cinq ans plus tard, nouvelles instances et refus invincibles. A lui et à ses deux disciples on arrache la langue et on coupe la main, afin qu'ils ne puissent plus témoigner pour la vérité. Internés au fort de Lasique, dans la Colchide, au pied du Caucase, ils y mourront peu après.

Avec la papauté les relations ne s'améliorèrent point. Soit qu'on crût l'exil de Martin définitif, soit que le clergé romain eût subi la pression impériale, on élut dès le 10 août 654 un nouveau pontife, le romain Eugène, d'une sainteté reconnue. Peut-être sa douceur dénouerait-elle le conflit? De fait, il envoya à Byzance des ambassadeurs. Mais, circonvenus, ils acceptèrent une doctrine hybride, qui professait en Jésus-Christ trois volontés, deux naturelles, et une hypostatique : simple variété du monothélisme puisque cette volonté hypostatique était principe de l'activité humaine du Sauveur et que les trois volontés s'en trouvaient réduites à une seule. Ainsi s'exprimait la synodique rédigée par le patriarche Pierre (655-666), successeur de Pyrrhus. Le signal d'alarme fut donné en Occident par l'un des compagnons de saint Maxime, le moine Anastase. Réunis à Sainte-Marie-Majeure, clergé et peuple protestèrent avec véhémence contre cette lettre traîtresse, et exigèrent du pape qu'il la réprouvât formellement. De là une tension extrême entre Rome et Byzance. Sans doute Eugène eût-il repris la voie douloureuse de Martin Ier, si la victoire navale des Arabes au Phénix n'eût entravé les projets impériaux.

V. Le sixième concile général. — A Eugène, mort le 2 juin 657, succéda un pontife très partisan d'un accommodement : Vitalien. Il envoya à Constantinople une ambassade qui fut reçue avec honneur; il évita de condamner le Type expressément. D'autre part, l'empereur Constant II offrait des cadeaux au pape et au peuple romain; on insérait le nom de Vitalien dans les diptyques. Bref une entente sembla s'esquisser, mais basée sur le silence, non sur la réparation du passé. D'après ses plans politiques, on comprend que Constant II ait renoncé à son sectarisme violent : détesté à Constantinople, il aurait voulu reporter la résidence impériale à Rome même, d'où il eût pu lutter à la fois contre les Lombards et contre les Arabes d'Afrique. Ainsi préparée, sa venue fut assez bien agréée à Rome dont il dota les églises (663). Il devait mourir assassiné à Syracuse en 668.

Son fils Constantin Pogonat (668-685) ne continua pas sa politique, en sorte que Vitalien put passer d'une prudente expectative à la défense directe de l'orthodoxie. Après les pontificats obscurs d'Adéodat (672-676) et de Donus (676-678), la paix allait s'affermir sous Agathon (678-681). Le fanatisme de ses troupes recrutées surtout dans les provinces hérétiques, une opinion encore contaminée par une propagande monothélite ancienne, autant de facteurs avec lesquels Constantin dut compter au début. En 678, il se hasarda à proposer la réunion d'un grand concile.

Pour connaître la pensée de l'Église d'Occident, Agathon provoqua divers synodes : ainsi à Milan sous la présidence de l'archevêque Mansuet, à Heathfield en Angleterre sous celle de Théodore de Cantorbéry. Le plus important se tint à Rome vers Pâques 680 : 125 prélats y assistèrent, entre autres l'archevêque d'Arles représentant l'épiscopat gaulois. A l'empereur, on envoya une adresse, véritable lettre dogmatique à la manière du Tome de saint Léon, et où la foi catholique était formulée nettement : « Nous confessons dans le Christ-Jésus deux natures, deux volontés naturelles et deux opérations naturelles qui ne se contredisent, ni ne s'opposent ; elles ne sont pas séparées en deux personnes, mais nous disons que le même Seigneur Jésus-Christ possède avec deux natures deux volontés et opérations naturelles, l'une divine et l'autre humaine. » A cette doctrine, le pape trouvait ensuite un fondement scripturaire et patristique.

Constantin n'avait songé qu'à une conférence, où s'aboucheraient les représentants byzantins et antiochiens avec les pontificaux. On ne pouvait compter sur les patriarcats d'Alexandrie et de Jérusalem, alors aux mains des Arabes. Cependant, comme ils purent être représentés par des fondés de pouvoir, l'assemblée devint œcuménique. A l'empereur, présidence d'honneur ; aux légats direction des débats. Il ne semble pas qu'ils aient soupçonné peu ou prou à quoi on allait les obliger. Du procès monothélite, on avait toujours exclu le pape Honorius. Pourquoi ne pas rester fidèle envers lui à la politique du silence? Comme pour protéger sa mémoire, la lettre d'Agathon magnifiait le Siège Apostolique, son intégrité, sa vigilance doctrinale : « Grâce à l'assistance divine, déclarait-elle, cette Eglise apostolique ne s'est jamais écartée du chemin de la vérité » (*numquam a via veritatis in qualibet erroris parte deflexa est*).

De cette assemblée, on a dit qu'elle fut « un concile de critiques et de paléographes » : les discussions sur l'authenticité et l'intégrité des textes allégués y prirent une place considérable. Pour les Orientaux, en effet, les procès personnels gardent toujours une importance première : à leurs yeux un concile semble moins encore une autorité définissant la vérité et anathématisant l'erreur qu'un tribunal, où comparaissent des accusés, et qui rédige un verdict. Les dossiers romains convainquirent le patriarche byzantin Georges qui, au cours de la VIIIe session, adhéra à la doctrine d'Agathon. Par contre Macaire d'Antioche resta inébranlable, et fut déposé à la IXe session (8 mars 681).

Tous les accusés devaient comparaître. Comment eût-on épargné le plus illustre, Honorius, alors que les byzantins goûteraient une revanche d'amour-propre à accoler son nom à celui des patriarches délinquants, Sergius, Cyrus, et leurs successeurs? « Avec eux, déclara-t-on, il faut bannir de la Sainte Église et anathématiser Honorius, jadis pape de l'ancienne Rome : car nous avons trouvé dans les lettres envoyées par lui à Sergius qu'il a suivi en tout l'opinion de celui-ci, et qu'il a sanctionné ses enseignements impies. » Fait apparemment étrange, nulle objection des légats pontificaux, soit — comme le suppose

Héfélé — que des négociations préalables aient eu lieu, soit aussi — ainsi que le suggère Mgr Duchesne — qu'entre Rome et les légats une correspondance se soit échangée, où le pape aurait consenti à sacrifier Honorius ; il faut vivre avec les vivants, et quelquefois leur abandonner les morts. La paix de l'Église demandait cette humiliation romaine. Peut-être d'ailleurs, les Pères de 681 étaient-ils tentés eux-mêmes de porter un jugement trop dur sur Honorius, négateur de la double opération, cette tessère de l'orthodoxie maintenant consacrée par quarante années de luttes ; il était assez naturel qu'à son égard ils commissent un anachronisme plein de sévérité.

A la XVIIIe session, le 16 septembre 681, on promulgua le décret dogmatique. Après la reproduction du symbole de Chalcédoine étaient proclamées « deux volitions ou vouloirs naturels en Jésus-Christ et deux opérations naturelles, sans division, sans changement, sans partage, sans confusion selon l'enseignement des Saints Pères ; et non pas — il s'en faut — deux vouloirs naturels opposés l'un à l'autre, comme l'ont dit les impies hérétiques ; mais un vouloir humain subordonné, et qui — loin de lui résister et d'entrer en lutte avec lui — se soumet bien plutôt à son divin et tout-puissant vouloir ». Ainsi se trouvait rétorqué le sophisme grossier qui, confondant unité physique et unité morale, prétendait qu'attribuer au Christ deux volontés ou deux opérations, c'était rompre l'harmonie qui présidait à tous ses actes. « Car il faut, ajoutait-on, que le vouloir de la chair soit mû et qu'il soit soumis au vouloir divin, d'après le très sage Athanase. »

On affirmait ensuite les deux opérations « l'une divine, l'autre humaine, selon la très claire formule de saint Léon : « Chacune des deux formes opère avec le concours de l'autre ce qui lui est propre, le Verbe accomplissant ce qui relève du Verbe, et la chair ce qui relève du corps. » Toute l'argumentation se base sur un principe philosophique sous-entendu, d'après quoi l'opération découle de la nature : *operatio sequitur esse*, diront les scolastiques ; ainsi à chaque nature doit correspondre une opération différente. Rien d'ailleurs en cela qui soit attentatoire à l'unité personnelle. Ici encore la terminologie scolastique précisera les données en distinguant le *principium quo* et le *principium quod*.

L'édit impérial affiché à Sainte-Sophie rappelait que c'était presque toujours parmi les gens d'Église que le diable trouvait des complices : affirmation bien osée, destinée sans doute à couvrir les majestés impériales pourtant si compromises, Héraclius et Constant II. Il anathématisait les mêmes personnages, sans faire grâce à Honorius. Nulle trace de la distinction souvent prétendue entre les instigateurs orientaux du monothélisme et le pape Honorius qu'on aurait frappé seulement pour sa négligence à défendre la foi menacée : rien de plus dur que cette épithète accolée à son nom par l'édit impérial, « affermisseur de l'hérésie » (ὁ βεβαιωτῆς τῆς αἱρεσέως) ; on le traite comme solidaire « en tout » des patriarches monothélites. Par contre, pas un mot de saint Martin Ier et de saint Maxime, les grands défenseurs de l'orthodoxie : après avoir été à la peine, n'eût-il pas été juste qu'ils fussent à l'honneur? Mais on eût du même coup stigmatisé le pouvoir impérial qui contre eux avait retenu des griefs politiques.

Qu'allait faire le Siège Apostolique? Lorsqu'on apprit à Byzance la mort d'Agathon (10 janvier 681), une lettre fut adressée par le basileus au nouveau pape Léon II. Soucieux d'obtenir l'adhésion pontificale, Constantin soulignait en termes hyperboliques avec quelle vénération le concile s'était rallié aux désirs d'Agathon : « A le lire, disait-il, il nous a semblé voir le chef même du chœur apostolique, Pierre, nous exposant le mystère de l'Incarnation et redisant comme dans l'Écriture : « Vous êtes le Christ, fils du Dieu vivant. » Nous aurions cru recevoir Pierre lui-même dans nos bras. »

Situation angoissante. En Occident, un axiome ne s'imposait-il pas d'après quoi le pape ne relève de personne? Mais résister n'était-ce pas aggraver et prolonger le conflit à l'heure où l'Orient témoignait quelque bonne volonté? Léon II se résigna donc à l'inévitable : dans sa lettre du 7 mai 683 il anathématisa avec les hérésiarques orientaux « Honorius qui n'a point fait effort pour éclairer cette Église apostolique par l'enseignement de la tradition, mais a permis que l'Immaculée fût souillée ». Dans une lettre aux Espagnols, le pape semble atténuer un peu et isoler la sentence contre celui « qui n'a point — comme il convenait à l'autorité apostolique — éteint la flamme commençante du dogme hérétique, mais l'a entretenue par sa négligence ». Ainsi semble-t-il mettre quelque différence entre le cas d'Honorius et celui d'un Cyrus ou d'un Sergius. Notons d'ailleurs que l'épithète d'hérétique s'applique aujourd'hui à celui qui persévère dans une doctrine condamnée, tandis qu'alors elle englobait facilement ceux-là mêmes qui — inconscience ou imprévoyance — avaient fourni des armes aux révoltés postérieurs. En ce sens élargi, Honorius méritait sa condamnation; de sa pensée, orthodoxe dans le fond, les monothélites pouvaient tirer un argument en leur faveur. Au surplus, la sentence visait surtout cette politique du silence qui, non moins que l'équivoque des expressions, favorisait indirectement l'hérésie[1].

On sait de quel expédient s'avisa Baronius pour couper court à toute difficulté : admettant la falsification des actes du VIe concile, ou tout au moins celle des lettres d'Honorius. Dans cette voie trop facile plusieurs le suivirent, entre autres Bellarmin. Melchior Cano sera le premier à réagir. Pourtant, du moment que, par une étude littérale, on pourra prouver qu'il n'y a aucune erreur christologique dans la correspondance d'Honorius, l'infaillibilité pontificale restera hors de cause. Tel est le point où doit porter une apologétique franche et intelligente[2].

Le VIe concile général infligea au monothélisme une défaite mortelle. Sans doute connut-il un bref renouveau lors de la révolution qui en 711 coûta la vie au fils de Constantin Pogonat, Justinien II. Philippe, arménien d'origine, né dans la colonie hétérodoxe de Pergame, fit dis-

1. L'Occident ne semble pas s'être scandalisé de la sentence ou l'avoir cachée; on la retrouve dans la notice du *Liber Pontificalis* sur Léon II ; de même au *Liber Diurnus* ou recueil des formules en usage dans le cérémonial, elle figure pour une profession où le pontife promet de défendre la foi du Christ.

2. Le monothélisme soulève un problème local, celui de l'Église maronite. Son ancêtre fut saint Maroun, un de ces ermites orientaux adonné à toutes les mortifications. Après sa mort, ses disciples se groupèrent dans le monastère dit de saint Maron aux environs d'Apamée. En butte aux violentes persécutions des monophysites syriens, ils comptèrent des martyrs. Il semble bien que, submergés par les invasions arabes, coupés ainsi du reste de la chrétienté, les Maronites restèrent étrangers aux discussions monothélites du VIIe siècle. Quand, sur le tard, elles parvinrent à leurs oreilles, ils rejetèrent l'affirmation des deux volontés, par cette même crainte d'un dualisme moral dans le Christ qu'avait éprouvée Honorius : « Vous êtes des nestoriens », disaient-ils aux dyothélites.

Cependant l'invasion arabe avait trouvé le patriarcat catholique d'Antioche sans titulaire : situation qui devait se prolonger jusqu'en 742. Pour y obvier les maronites se donnèrent un chef : n'était-ce pas le cas de nécessité? Dans cet isolement, ils s'attachèrent donc à leur patriarche, incarnation vivante d'un patriotisme ardent. Ils eurent, en effet, à se défendre tout à la fois contre les monophysites ou jacobites, et contre les dyothélites ou maximites qui les dénonçaient aux Arabes. D'où leurs déplacements géographiques : originaires des environs d'Apamée, répandus ensuite dans la vallée de l'Oronte, en particulier à Hamah et à Homs (Emèse), ils quittèrent ces riches plaines syriennes pour se réfugier dans les montagnes sauvages du Liban. Dans leur détresse ils furent amenés parfois à demander l'appui des patriarches nestoriens, bien vus à la cour de Bagdad. Cette circonstance, leur isolement, les coutumes particulières qu'ils adoptèrent, plus encore leur opposition au dyothélisme, autant de circonstances qui les firent regarder souvent comme hérétiques et schismatiques, mais sans preuves péremptoires. Voir VAILHÉ, *L'Église maronite du Xe siècle*, dans *Echos d'Orient*, 1906 (IX), p. 258 seq. — Mgr DIB*, *L'Église maronite*, t. I. *L'Église maronite jusqu'à la fin du moyen âge*, 1930 ; art. *Maronite (Église)*, dans *Dict. Théol.*

paraître du Palais Sacré le tableau représentant le concile de 681 ; il remit Sergius dans les diptyques. Geste aussi éphémère que le règne de cet usurpateur.

VI. La mentalité byzantine : concile in Trullo. — Le concile de 681 et la condamnation solennelle d'Honorius marquaient bien que la mentalité grecque n'avait point changé : se rapprocher de Rome, soit, mais à la condition de l'humilier. Sur terre, un seul intangible, l'empereur ; il pouvait bien, certes, porter des décrets dogmatiques, mais se tromper, jamais. Du moins, on n'avait pas le droit de le dire : aux patriarches dociles, aux papes mêmes de subir les frais.

D'ailleurs à Rome aussi le prestige byzantin était considérable : influence des moines grecs sur le clergé séculier qui tend à s'helléniser, infiltration de fêtes et d'hymnes grecques dans la liturgie, dédicaces d'églises et d'oratoires à des saints orientaux comme Georges, Siméon, Anastase, Pantaléon, plus que tous ces signes extérieurs, pression des exarques sur les élections pontificales, en sorte que de 685 à 715 sept papes se succéderont grecs ou orientaux, voilà bien des marques pour témoigner la vitalité de l'hellénisme ecclésiastique en Occident.

Justinien II, successeur de Constantin IV, résolut même d'unifier dans l'empire le droit canonique en imposant partout la coutume byzantine. A cet effet il réunit un synode dans le Palais à Coupole : d'où son nom de concile *in Trullo* [1].

La réforme s'opéra avec une raideur administrative qui dénote une suffisance absolue : tous usages durent se plier à ceux de Constantinople, même et surtout les romains. D'où plusieurs divergences notoires, nettement soulignées, solennellement confirmées. Ainsi sur le célibat ecclésiastique le canon 13 édictait-il : « Dans l'Église romaine, ceux qui veulent recevoir le diaconat ou la prêtrise promettent de n'avoir plus commerce avec leurs femmes. Quant à nous, observateurs des *Canons Apostoliques,* nous permettons la continuation de la vie conjugale. Quiconque veut dissoudre de pareilles unions sera déposé, et le clerc qui, sous prétexte de religion, abandonne sa femme, sera excommunié [2]. » Même antagonisme sur d'autres points secondaires : « On jeûne à Rome tous les samedis du carême. Cette coutume est opposée au 66e canon apostolique, et ne doit plus être observée. Le clerc qui s'y conforme sera déposé, et le laïque excommunié. » (*C. 55.*) Et encore : « On ne doit offrir à l'autel ni miel ni lait. » Or à Rome on en donnait aux nouveaux baptisés, selon qu'y fait encore allusion l'introït *Quasimodo.*

Quelle désinvolture ! Légiférer pour la chrétienté sans souci de ce qu'en penserait son chef ! Par contre, on ne manquait pas de rappeler le fameux vingt-huitième canon de Chalcédoine, jamais admis par le Siège Apostolique, et qui assurait à Constantinople les mêmes privilèges qu'à l'ancienne Rome. Comment ne pas se blesser de tels procédés ? Le pape Serge II refusa d'accepter le concile. Justinien II voulut sévir : il fit d'abord arrêter l'évêque de Porto Jean et le conseiller Boniface ; puis il ordonna au protospathaire Zacharie d'emmener le pape en Orient. Mais Justinien II n'était pas Justinien le Grand, ni Serge II un autre Vigile. Depuis

1. En grec ὁ τρουλλος signifie coupole. On appelle aussi ce concile *quinisexte* (*quinisextum*), parce qu'il devait être le complément des Ve et VIe conciles œcuméniques.

2. Le canon 30 insiste encore : « Lorsque des prêtres habitant les pays des barbares croient devoir aller à l'encontre du canon apostolique qui défend de renvoyer sa femme sous prétexte de religion, et se séparent en effet de leurs épouses avec l'assentiment de celles-ci, nous le leur permettons, mais à eux seuls, à cause des anxiétés qui les tourmentent et de leurs habitudes étrangères ; dans ce cas la cohabitation est interdite. »

un siècle et demi que la papauté suppléait à la carence de l'État byzantin, qu'elle s'affirmait la Providence de l'Italie et sa grande sauvegarde contre les intrusions lombardes, un loyalisme ardent s'était développé envers le Pontife qui, bien plus effectivement que le lointain basileus, régissait ces provinces. A la nouvelle que se perpètre un attentat sacrilège, les troupes de Ravenne et de la Pentapole marchent sur Rome. Situation bien symptomatique et quelque peu grotesque : ce protospathaire qui devait arrêter Sergius, c'est Sergius lui-même qui le cache dans sa propre chambre, et il lui faut paraître au balcon pour calmer les révoltés ses défenseurs. Ils ne s'apaisèrent qu'après avoir rejeté lestement hors des murs l'envoyé impérial.

L'échec était complet, du moins pour le moment. Le grand Justinien avait restauré l'unité territoriale, Justinien II entreprenait l'unité canonique. A chacun sa gloire! Mais l'entreprise du second n'était pas moins périlleuse que celle du premier. Car les divergences disciplinaires, soulignées et toujours accrues, entretiendront — grandes et petites — la mésentente entre les deux Églises. Une atmosphère grandira toujours plus de défiance et d'hostilité, et petit à petit le peuple se persuadera — surtout en Orient — qu'il y a là deux religions différentes, puisque ce qui tombe sous ses yeux et à quoi il attache importance — c'est-à-dire rites et coutumes — ne sont plus les mêmes. Et voilà pourquoi un jour viendra où les Grecs n'auront point pire insulte envers les Latins que de les appeler azymites!

Très instructif, très entrant dans les mœurs de la société grecque, parce qu'il essaie d'en corriger les abus, le concile *in Trullo* désigne nettement quelques-unes des plaies contemporaines. Ainsi les faux moines, les gyrovagues, exploiteurs de la crédulité populaire : « Quiconque veut habiter un ermitage particulier, doit auparavant avoir vécu trois ans dans un monastère. Si, après cela, il s'est retiré dans un ermitage, il ne doit plus le quitter. » « Il arrive que des ermites vêtus de noir, et portant de longs cheveux, se rendent dans les villes et vont avec les gens du monde; à l'avenir ceux qui agissent ainsi auront les cheveux coupés, et on les fera entrer de force dans un monastère, après les avoir revêtus de l'habit religieux. S'ils s'y refusent, ils seront chassés des villes. » (*C. 41 et 42.*)

La passion des spectacles existe toujours, dont il faut détourner même les clercs. (*C. 55 et 56.*) Enfin la superstition, un des traits du formalisme byzantin, est longuement prohibée : « Quiconque interroge sorciers et devins subira une pénitence de six mois, ainsi que l'ont réglé nos Pères... De même ceux qui expliquent les sorts, présagent les naissances, interrogent les mages, font des sortilèges, vendent des amulettes, etc... »

Non moins autocrate dans l'Empire que dans l'Église, Justinien II fut victime en 695 de révolutionnaires qui lui coupèrent le nez et la langue : d'où son surnom de Rhinotmète. On l'exila à Cherson, au même endroit que jadis Martin Ier. Quand il put reprendre la couronne (705-711), il demanda au pape Constantin de venir à Byzance. La rencontre eut lieu à Nicomédie : le tyran se prosterna devant le pontife et baisa ses pieds; il voulut entendre sa messe et communier de sa main. Quant au concile *in Trullo,* le pape déclara « qu'il acceptait tous ses canons qui n'étaient pas en contradiction avec la vraie foi, les bonnes mœurs et les décrets de Rome ».

CHAPITRE II

L'APPARITION DE L'ISLAM

I. La vie de Mahomet. — L'Islam naquit dans l'Arabie occidentale ou Hidjaz, que borne au nord la Syrie, au sud le Yémen, à l'ouest la Mer Rouge, à l'est le Najd. Des Arabes nomades l'habitaient, vivant sous la tente : ni religion, ni morale; le pillage comme moyen d'existence; par contre, deux amours farouches, celui du clan et celui de la liberté. Pareils hommes n'eussent jamais pu fournir des recrues véritables à un fondateur de religion. Mais il y avait d'autres Arabes, les sédentaires, groupés dans la capitale, La Mecque.

Cette ville importante où dominait la tribu des Qoraichites était à la fois commerçante et religieuse. Admirablement campée entre l'Asie et l'Afrique, au carrefour des grandes caravanes, qui amenaient par la Syrie les productions du monde méditerranéen, et en sens inverse celles du Moyen Orient et de l'Inde, La Mecque était riche et affairée : cité de cour-

Mahomet et l'Islam. — *SOURCES : Coran,* trad. E. Montet, 1929; trad. Bonelli, Milan, 1929.

Recueils bibliographiques sur l'Islam : V. Chauvin, *Bibliographie des ouvrages arabes,* 11 vol., 1892 et suiv. (t. X, *Le Coran et la Tradition;* t. XI, *Mahomet*). — G. Gabrieli, *Manuale di bibliografia musulmana,* 1906. — G. Pfanmuller, *Handbuch der Islam-Literatur,* Berlin, 1923. — *Revue de l'Islam,* 1896-1902. — *Revue du monde musulman,* 1906-1927. — *Revue des études islamiques,* 1927 seq.

Sur les origines et la vie de Mahomet : T. Noldeke, *Das Leben Mohammed,* Hannover, 1863. — H. Grimme, *Mohammed,* 2 vol , 1892. — Lammens, *Les Juifs de La Mecque à la veille de l'Hégire, R. S. R.,* 1918, p. 145-193; *L'Arabie occidentale avant l'Hégire,* Beyrouth, 1928; *Coran et Tradition, R. S R.,* 1910, p. 27-51; *Mahomet fut-il sincère? ibid.,* 1911, p. 25-53, 140-166; *Fatima et les filles de Mahomet,* Rome, 1912; *Le Berceau de l'Islam,* Rome, 1914. — P. Casanova, *Mohammed et la fin du monde. Etude critique sur l'Islam primitif,* 3 fasc., 1911-24. — Caetani, **Studi di Storia Orientale,* t. III. *La biographia di Mahometto, Profeta ed Uomo di Stato,* Milan, 1914; *Annali dell'Islam,* 8 vol., Milan, 1905-18. — Dermenghem, *Vie de Mahomet,* 1930. — Aigrain, art. *Arabie,* dans *Dict. Hist.* — Mgr M. d'Herbigny, **L'Islam naissant. Notes psychologiques* (*Orientalia christiana,* XIV, 2, 1929).

Exposé d'ensemble sur le dogme, la morale et l'histoire de l'Islam : Goldziher, *Le dogme et la loi de l'Islam; histoire du développement dogmatique et juridique de la religion musulmane* (trad. Arin), 1920. — Carra de Vaux, **La doctrine de l'Islam,* 1909; *Les penseurs de l'Islam,* 5 vol., 1921 sq. — H. Lammens, **L'Islam : Croyances et institutions,* Beyrouth, 1926. — E. Montet, *L'Islam* (coll. *Payot*), 1921. — H. Massé, *L'Islam* (coll. *Armand Colin*), 1930. — C. Huart, *Histoire des Arabes,* 2 vol., 1912. — Th. Houstma et R. Basset, *Encyclopédie de l'Islam. Dictionnaire géographique, ethnographique et biographique des peuples musulmans* (en cours de publication depuis 1908). — E. Power, **L'Islam,* dans *Christus,* ch. xv. — Carra de Vaux, art. *Islamisme,* dans *Dict. Apol.* — E. Power, art. *Mahomet, ibid.* — H. Leclercq, art. *Mahomet,* dans *Dict. Arch.* — Carra de Vaux et Palmieri, art. *Coran,* dans *Dict. Théol.* — P. Casanova, art. *Mahomet et mahométisme, ibidem.*

tiers, d'entremetteurs et de banquiers qui jouaient à la hausse et à la baisse, groupement de trafiquants qui organisaient et armaient des expéditions marchandes.

D'autre part, elle possédait un temple fameux, la Kaaba, édifice cubique où était enchassée la pierre noire, le grand fétiche, la principale divinité des Qoraichites. Durant les mois sacrés, où guerre et pillage étaient interdits, les Bédouins affluaient vers La Mecque pour le pèlerinage annuel et les foires des stations voisines ; on y entendait aussi les plus fameux poètes arabes, tels plus tard aux pèlerinages de France et d'Espagne les diseurs de *Chansons de Geste*. Ainsi la religion valait-elle aux Mecquois de nouveaux profits : au fond, la raison mercantile primait pour eux toute autre considération. Milieu d'hommes rusés, rompus à la diplomatie, habitués à « manœuvrer » les Bédouins jaloux, à contracter des alliances avec leurs chefs, à choisir parmi eux ses caravaniers, ses guides. On retrouvera chez Mahomet cette mentalité astucieuse, habile aux expédients de l'au jour le jour.

La religion des Arabes païens était une forme de fétichisme qui consistait souvent dans l'adoration de la pierre. Le culte comprenait essentiellement un sacrifice, où le sang de la victime était répandu sur la pierre sacrée, et sa chair consommée dans un banquet, puis une procession qui faisait plusieurs fois le tour du sanctuaire, enfin diverses pratiques divinatoires. Chaque tribu possédait ses dieux et déesses; mais parmi eux émergeait Allah, sorte de *Summus Deus,* par lequel cette religion naturiste et grossière confinait pourtant au monothéisme. Au fond, dans la religion les Mecquois voyaient surtout une source de profits d'abord, puis une forme de l'esprit de clan qui les reliait aux ancêtres et les rendait solidaires. De là une morale toute locale, si l'on peut dire : nulle obligation envers qui n'appartient pas au clan; le tuer ou le massacrer sont de bonne guerre. Par contre, protéger ses compatriotes reste un devoir sacré; tant qu'elles n'ont pas été vengées, les âmes des défunts rôdent autour de leurs tombeaux sous la forme de hiboux, en criant : « Donnez-moi à boire. » Somme toute, il ne faut songer qu'à jouir : sang, ivresse et volupté, voilà le but dernier et temporel. De la vie future, rien qu'une vague notion. Au monde supra-terrestre appartiennent seuls les djinns, sortes de génies malfaisants, cordialement redoutés.

Une influence plus spirituelle avait pénétré dans le Hidjaz : celle des juifs et des chrétiens. Les juifs occupaient les oasis et dominaient à Yatrib, ville importante située au nord de La Mecque. De la Syro-Mésopotamie, de l'Abyssinie, de la vallée du Nil, et encore du Yémen, les chrétiens avaient abordé dans le Hidjaz : groupements sporadiques, il est vrai, sans organisation, et où entraient des éléments divers par le pays, la langue et le credo, les uns nestoriens. les autres monophysites. A La Mecque les disciples de Jésus n'étaient qu'une poignée.

Pourtant, juifs et chrétiens jouissaient d'une véritable considération : on les regardait comme des êtres supérieurs par la vertu et l'intelligence, comme « les détenteurs de la moralité et du savoir », et volontiers on les consultait. « Vous qui lisez les Livres Saints, leur disaient les Arabes, vous savez; quant à nous, nous sommes des ignorants. » Ils les croyaient plus proches de la divinité et, en cas de fléau, s'adressaient à leur intercession, d'autant plus que les juifs passaient pour connaître la sorcellerie et les secrets de la cabale. « Les gens des deux livres », « les scripturaires » étaient donc des hommes d'élite. Dans le christianisme un trait avait surtout frappé les Arabes, le détachement du monde : les ermites syriens avaient acquis sur eux un grand empire, entre autres saint Siméon Stylite, qu'ils venaient consulter.

Ainsi, comme le christianisme, l'islamisme connut-il alors une certaine préparation. Il y eut, un peu avant Mahomet, des sages Arabes à la recherche de la vraie religion : ils s'abstenaient de l'idolâtrie, refusaient d'adorer la pierre noire de la Kaaba, et souvent connaissaient les Écritures, où ils prenaient d'ailleurs ce qui leur convenait. Ni juifs, ni chrétiens, ils tendaient pourtant vers une religion spiritualiste : pour le dogme, monothéisme ; pour la morale, respect de la femme et égards envers sa faiblesse. Quelques-uns, « intellectuels cosmopolites », avaient couru le monde et « de leurs visites aux cités de Palestine et de Mésopotamie ils rapportèrent une poignée d'idées généreuses et les claironnèrent aux quatre coins de la péninsule ». Toutefois ces « Hanîfs » trouvaient la récompense dans leurs expériences personnelles; aucun ne cherchait à créer un mouvement étendu. Le propre de Mahomet fut qu'il voulut être un hanîf convertisseur, remuer les masses et se faire conducteur d'hommes.

Mais l'éveil de sa vocation fut progressif. Nulle vie qui soit plus documentée, et nulle aussi dont l'histoire reste plus incertaine. Sous le nom de *Sira* ou *Vie,* il existe une énorme bibliothèque empruntée surtout au *hadît* ou tradition musulmane; mais des travaux tels que ceux de Goldziher et de Nöldeke ont prouvé que le Qoran fournissait la seule base historique de la *Sira,* et que la tradition surajoutée n'était que développements apocryphes et légendaires, adaptés violemment au Qoran, et qu'il ne faut utiliser qu'avec la plus prudente discrétion[1]. Comme, d'autre part, la chronologie des versets coraniques n'est pas absolument établie, on peut juger dans quel embarras se trouve le biographe, surtout pour la période mecquoise.

Sur l'enfance et la jeunesse de Mahomet, une seule donnée certaine : sa qualité d'orphelin pauvre, fils d'Abdallah, appartenant à la tribu déchue des Hachimites, recueilli d'abord par son grand-père paternel Abd-el-Moutalib, puis par son oncle Abou-Talib. Selon la *Sira,* pendant des voyages commerciaux, il serait entré en relations avec des moines chrétiens. Dès lors un idéal religieux le hanta, plus élevé que celui de ses compatriotes mecquois : déjà il vivait en hanîf. A vingt-cinq ans — on était alors au début du VIIe siècle[2] — il épousa une riche veuve, Khadidja, qui avait dépassé la quarantaine : « la vieille édentée[3] » eut sur lui une influence considérable, le maintint pendant vingt-cinq ans dans a fidélité conjugale et l'honorabilité morale, lui donna plusieurs enfants, entre autres la mélancolique Fatima, qui par son mariage avec Ali sera l'aïeule des innombrables descendants du Prophète, enfin l'encouragea dans sa mission, alors qu'au début il rencontrait presque partout la contradiction.

En effet, vers l'âge de trente ans, il subit une crise grave. Il était alors un hanîf qui, dégoûté du grossier fétichisme, avait adopté le monothéisme, et que hantait le problème de la vie future. Il eut des révélations, ou plutôt des visions, que la légende a dramatisées. Durant un séjour prolongé dans les gorges du mont Hira, il aurait entendu ces paroles de l'Ange : « Lis : Au nom de ton Seigneur qui a créé l'homme du sang coagulé. Lis : Et ton Seigneur est le plus généreux, c'est lui qui a enseigné à l'homme ce que celui-ci ne savait pas. » Au retour, saisi d'un tremblement nerveux, il aurait dit à sa femme : « Enveloppez-moi »; puis, revenant de sa frayeur : « O Khadidja, je crains pour ma vie. » Scène

1. « La rédaction de la Sira, dit le P. Lammens, relève non de deux sources parallèles, se contrôlant mutuellement, mais d'une seule, le Qôran, servilement interprété et développé par la Tradition d'après des idées préconçues. » LAMMENS, *Qôran et Tradition, R. S. R.*, 1910, p. 47.

2. D'après le P. Lammens, sa naissance se placerait non pas vers 570, date traditionnelle, mais aux environs de 580. Voir *L'Islam*, p. 29.

3. C'est l'expression trouvée par la jalousie d'Aïcha.

à effet imaginée par la tradition pour conférer à Mahomet une sainteté islamique qui le rendît comparable au Moïse de l'Horeb ou au Jésus du Thabor. Une conclusion historique se dégage pourtant : tempérament nerveux et impulsif, Mahomet eut des visions, sans doute durant son sommeil. La foi aux songes, qu'il partageait d'ailleurs avec tous ses compatriotes, telle fut l'origine et la nature de son inspiration, sans qu'il faille admettre — pour cette période du moins — l'imposture. Il se crut dès lors appelé à une mission auprès de ses compatriotes : il leur prêcherait la croyance en un seul Dieu, et aussi celle au jugement suprême, où les méchants seront châtiés. Programme religieux assez pauvre qui pouvait tenir alors dans cette simple formule : « Dieu et le dernier jour. »

Par le côté eschatologique son « hanîfisme » religieux se reliait à tout un programme social. Déjà certains redresseurs de torts avaient surgi à La Mecque, groupés en quelque association ou *hilf* pour stigmatiser les abus des riches marchands et l'oppression des faibles. Mahomet reprend leur rôle : il voudrait qu'une taxe, sorte d'impôt sur le revenu, fût perçue en faveur des pauvres. Il s'inscrit contre les abus publics des commerçants : « Malheur aux faussaires! Négocient-ils une transaction, ils exigent du vendeur une mesure complète. Ont-ils eux-mêmes à mesurer ou à peser, alors ils deviennent trompeurs. » Contre les ploutocrates sans entrailles fulmine le Prophète : « Malheur à l'oppresseur... qui accapare l'argent et se plaît à le compter, comme si cette fortune devait le rendre éternel. Non pas! Il sera précipité dans l'abîme. »

Attitude sincère à coup sûr, mais où la politique jouait son rôle, le programme social aidant à promouvoir le religieux. Ce mélange de sacré et de profane assurerait quelque jour le succès de l'Islam. Trait à noter, né au milieu des marchands retors, Mahomet est un habile qui avec une rare perspicacité, dose le surnaturel et le naturel afin de n'effrayer personne, mais de « rendre la religion facile », engageante. Ainsi rallia-t-il à lui le futur groupe des *prédestinés*, gens du petit commerce et de la plèbe qoraichite, où brillait pourtant un notable commerçant Abou-Bakr, et auquel se joignit toute une *familia* composite d'esclaves, d'affranchis, de sans-patrie et de crève-faim. Aventure risquée sans doute, mais où Mahomet n'avait rien à perdre, d'autant plus qu'il serait toujours gardé contre les suprêmes représailles par son appartenance à une tribu.

Seulement, cette même habileté qui lui attirait les misérables, lui aliénait tout ce qu'il y avait à La Mecque de puissant et d'influent : pareilles tendances socialistes firent craindre, en effet, aux marchands pour leurs richesses. Contre ce révolutionnaire le conservatisme arabe se hérissa, résolu à lui faire la vie dure. On l'accabla sous les railleries, on le traita de fou et de « poète », c'est-à-dire d'imaginatif. En vain affirmait-il qu'il était le Prophète suscité parmi les Arabes pour les guider « dans la voie droite »; comment eussent-ils cru à la mission céleste d'un homme qui « mangeait comme eux, qui se promenait comme eux dans les marchés »? Ils ironisaient sur la croyance à la vie future : comment, disaient-ils, Dieu pourra-t-il « rendre le mouvement aux os carriés et réduits en poussière »? Bref à un système religieux qui menaçait leurs intérêts mercantiles ils opposaient le scepticisme.

Cependant, il se cramponnait à sa mission. De cette époque date le récit merveilleux de son « voyage nocturne » à Jérusalem, consigné dans la XVIIe sourate. « Gloire à Celui qui nuitamment transporta son serviteur du sanctuaire sacré (La Mecque) au sanctuaire lointain, dans le pays que nous avons béni (la Terre Sainte), à l'effet de lui révéler ses merveilles. » Un animal fabuleux, nommé Borak, sorte de centaure femelle, l'aurait emporté en Palestine, et le Prophète aurait laissé la marque de son pied imprimée dans le rocher de la mosquée de Jérusalem. Mahomet gagna d'ailleurs une recrue d'élite dans la personne d'Omar qui, d'abord son adversaire, se donna brusquement à lui, lui livra bientôt sa fille Hafsa, et devint son principal inspirateur[1]. « Nous avons vu croître sans cesse la puissance de l'Islam, note justement la Tradition, depuis le moment où Omar a embrassé cette religion. »

Pourtant, l'opposition du parti qoraichite ne cessait pas; en vain, Mahomet essaya-t-il de trouver des appuis à Taïf, il en fut expulsé. Sans doute obtint-il de rentrer à La Mecque, mais l'atmosphère y devenait irrespirable. Des marchands de Yatrib (Médine) lui offrirent alors l'hospitalité. Quelques-uns d'entre eux, les futurs Ançars ou « auxiliaires » lui prêtèrent serment de fidélité : « Nous vous appartenons, et vous nous appartenez; et si vous et vos compagnons vous venez chercher un refuge chez nous, sachez que nous vous défendrons comme nous nous défendrions nous-mêmes. » Après ses adeptes, il quitta le dernier La Mecque à une date fixée plus tard au 16 juillet 622 : c'est l'hégire ou « émigration » qui fournira le début de l'ère musulmane, et qui inaugure une période toute nouvelle dans la vie de Mahomet. La tradition l'a orné de légendes merveilleuses, qui marquent la protection d'Allah sur les fugitifs, quelque cent cinquante personnes : ainsi le couple de pigeons venant faire son nid et l'araignée tissant sa toile au seuil de la grotte où ils étaient réfugiés pour tromper les Qoraichites acharnés à leur poursuite.

Désormais le politique va prendre le pas sur le prophète, l'homme d'action sur l'homme de prière. Quelle cause amenait donc ainsi Médine, contrairement aux habitudes arabes, à se confier à un étranger? La profonde anarchie où elle se débattait. Tandis que deux tribus — les Aus et les Khazradj — s'y disputaient l'autorité, les juifs très nombreux et très puissants menaçaient de prendre l'hégémonie. En imposant l'unité religieuse et politique « l'Islam » ne serait-il pas le salut? De fait, le nouveau régime tendit à une fusion complète de tous les éléments hétérogènes : égalité absolue entre Mahométans, païens et juifs, tous alliés, sous l'autorité du Prophète, contre les ennemis de Dieu, les Qoraichites. Bref, l'union sacrée. Ainsi s'opposa à La Mecque, cité d'incrédulité, la « Ville du Prophète » (*al Madina en nabi*, d'où Médine).

Une telle alliance entre les éléments païens et monothéistes souligne assez le caractère opportuniste de la politique de Mahomet pour qui réussir est la loi suprême. Désormais les préoccupations terrestres vont l'absorber. Que lui importe-t-il avant tout? A l'intérieur, d'unifier Médine à son profit en réduisant tous éléments hostiles, juifs et autres; à l'extérieur de réaliser ses vengeances contre La Mecque et de s'en emparer. Pour arriver à son but, il lui faudra beaucoup de diplomatie, peu de scrupule. L'ancien marchand trouvera partout matière à transaction : sa politique sera éminemment arabe.

Il organise bientôt la guerre sainte et ouvre la période des razzias contre les riches caravanes mecquoises : « O Prophète! excite les croyants au combat. Vingt hommes fermes d'entre eux terrasseront deux cents Infidèles. » En l'an II de l'hégire, il attaqua un important convoi que dirigeait Abou Sofyan; les troupes de renfort organisées en hâte à La Mecque furent complètement défaites au combat de Badr qui exalta l'orgueil des musulmans. L'année suivante, les Mecquois prirent leur revanche à la journée d'Ohod (625), succès pourtant sans lendemain

1. Il reprochera particulièrement aux chrétiens d'avoir ajouté à l'Évangile le récit de la Passion et l'affirmation de la divinité de Jésus; et tout au contraire, d'avoir effacé l'annonce de la mission de Mahomet.

parce qu'ils n'osèrent attaquer Médine. En vain reparurent-ils en 627; arrêtés par le fossé creusé autour de la place, ils durent lever le blocus après trois semaines. Mahomet résolut alors de se rendre à La Mecque, en profitant des mois sacrés. Sans doute se laissa-t-il arrêter en un endroit appelé Hodaïbya, mais il conclut un accord où, traitant d'égal à égal avec les Qoraichites, il augmentait singulièrement son prestige. Ainsi tant par les armes que par la diplomatie, l'emportait-il sur ses ennemis extérieurs.

A Médine même il lui fallait compter avec de puissants adversaires : les juifs. Tandis que les *mohadjir* ou émigrés mecquois et les *amsar* ou auxiliaires médinois acceptaient son autorité, eux y contredisaient. En bon politique, il eût désiré s'allier à eux; il avait cru d'abord son idéal monothéiste quasi semblable au leur. Mais à sa prétendue mission ils opposèrent — comme jadis les Qoraichites — de cruels sarcasmes. Ils se raillaient de sa fausse science biblique : « Nous croyons, disaient-ils, ce qui nous a été envoyé d'en haut à nous. » Ils relevaient les erreurs contenues dans les versets coraniques et se proclamaient « les élus d'Allah à l'encontre du reste des humains ».

Alors Mahomet donna la réplique. Désormais il criera à l'imposture contre les « gens du Livre », et affirmera qu'ils ont « déplacé les mots » des Écritures. Il prétendit d'ailleurs restaurer l'œuvre et la mission d'Abraham, obscurcies par les juifs et les chrétiens. Il confisqua donc, au profit de sa race, ce patriarche, père d'Ismaël, de qui descendent les Arabes du nord : il en fit un vrai croyant, ni juif, ni chrétien, mais seulement *musulman*, ce qui veut dire « soumis à la volonté divine ». Il déclara que la Kaaba n'était que l'ancien temple d'Abraham, et qu'il fallait prier tourné non plus vers Jérusalem, mais vers La Mecque. Ainsi, tout en s'incorporant les données bibliques, l'Islam devenait-il une religion nationale : tout ensemble, Mahomet lui fournissait un ancêtre prestigieux et tendait à dépaganiser le vieux sanctuaire national. Supercherie évidente qui révèle l'habile politique plutôt que le hanîf sincère. « Le succès, dit le P. Lammens, était devenu fatal à sa loyauté; elle y sombra définitivement. »

Aux juifs d'ailleurs il livra une guerre inexpiable. « Si tu redoutes une trahison, recommande Allah à son Prophète, n'hésite pas à prendre les devants. » Il débuta par une campagne de presse extrêmement violente, dénonçant les juifs comme ennemis, traîtres, conspirateurs. Puis, après avoir semé parmi eux la terreur au moyen de lâches assassinats, il les expulsa par groupes : d'abord les Banû Quainuqa, envoyés en Syrie, puis les Banû Nadhir, exilés à Khaibar, enfin les Banû Quraiza, massacrés au nombre de 700 sous prétexte de trahison. Les juifs de Khaibar et de Fodak durent aussi se soumettre. Jadis « rois de l'Oasis », les juifs en devenaient les tributaires; et Mahomet avait pu sans peine lâcher contre ces riches créanciers leurs débiteurs médinois qui « s'engraissèrent de la substance d'Israël », de même que les émigrés mecquois, ainsi indemnisés. Plus tard, Omar mettra le sceau à cette politique qui privait les oasis du Hidjaz de cultivateurs intelligents et travailleurs : se couvrant d'un testament apocryphe du Prophète, il les expulsera définitivement. En tout ceci, Mahomet avait encore agi comme un véritable Arabe : l'état normal, c'est la guerre; les moyens ordinaires, la perfidie, les stratagèmes; tuer pour ne pas être tué, mentir pour ne pas être trompé, voilà comment tout Arabe intelligent doit agir.

Mahomet s'était imposé à Médine par la terreur : à tous adversaires, aux juifs surtout, il avait montré combien Allah a soif de sang. Il allait maintenant poursuivre son but dernier : la prise de La Mecque, devenue le centre de la religion nouvelle. Après l'échec à Mouta, à l'est de la Mer Morte, d'une razzia médinoise de grande envergure, Mahomet, qui d'ailleurs avait eu la prudence de ne s'y point mêler, négocia un accord secret avec le souple Qoraichite, Abou-Sofian, son beau-père, qui lui promit de le faire entrer dans la ville, à condition qu'il accorderait pleine amnistie pour le passé et respecterait les privilèges de La Mecque. Mahomet prit possession de la Kaaba, reçut l'hommage des vaincus et se contenta de faire périr cinq ou six de ses ennemis.

Peu après, il dispersa à la journée de Honaim une redoutable coalition des bédouins; nombreuses furent les tribus qui se soumirent alors. En 631, il fit une grande randonnée vers la Syrie comme pour venger les morts de Mouta, mais s'arrêta à l'oasis de Tabouk, limite du territoire byzantin. Mahomet, qui était parvenu à grouper sous sa puissance politique Médine, La Mecque et les tribus du Hidjaz, ne devait pas franchir les limites de sa province; il n'entrevit jamais l'idée d'un grand empire. Après avoir fait à La Mecque son premier et unique pèlerinage, « le pèlerinage d'adieu », il mourut, le 8 juin 632, dans les bras d'Aïcha, l'épouse préférée et jalouse, qui a évoqué ses derniers moments en quelques mots d'un réalisme écœurant.

Il laissait une révélation contenue dans le Qoran. Pour les musulmans, les sourates de ce livre ont été révélées par l'ange Gabriel à Mahomet au cours de sa vie, selon les circonstances, et des secrétaires les ont pieusement transcrites. Par crainte d'altérations, sous le califat d'Othman, une commission se réunit qui établit le texte définitif en 114 sourates ou chapitres, sans aucun souci, voire à l'encontre de la chronologie : les mecquoises se trouvant à la fin, toutes flambantes du feu prophétique, pressées, haletantes, menaçantes ou angoissées à l'annonce de l'au-delà; les médinoises au début, plus longues et visant surtout à organiser la communauté musulmane. Au total, nul enseignement complet et enchaîné, mais des répétitions et variantes multiples, entre lesquelles Mahomet lui-même restait perplexe : « Le Qoran, disait-il, a été révélé avec sept variantes de lectures. Employez celle qui vous est le plus commode. » Tel qu'il est, le Qoran exerce toutefois sur le musulman une influence comparable à celle de l'Évangile sur le chrétien. « Le Qoran, dit le P. Lammens, flatte l'amour-propre du croyant et le soutient au milieu des épreuves. C'est pour lui un épitome d'histoire sainte et d'histoire profane, un manuel de prières, un code pour la vie religieuse et sociale, un memorandum pour la conduite quotidienne, enfin un recueil de définitions et de maximes d'ordre pratique. Son style sentencieux invite le musulman à la réflexion, il concentre toute son attention sur la puissance de Dieu et sur son incessante intervention dans le gouvernement du monde. »

II. L'Inspiration du Prophète. — Pareille autorité est-elle fondée? Autrement dit, comment le Qoran fut-il révélé à Mahomet, et quel fut le caractère de son inspiration? Sujet difficile et délicat, où nombreuses s'échafaudent les hypothèses. Divination analogue à celle des poètes qu'excitaient les djinn, cas pathologique apparenté à l'épilepsie, à la catalepsie, à l'hystérie et autres névroses, ou plus simplement songes et hallucinations, autant d'explications proposées, et qui ni les unes ni les autres ne résolvent complètement le cas. Mais il est certain que les révélations de Mahomet subirent nettement le cours de ses ambitions politiques et de sa décadence morale. Ainsi, après l'hégire tendent-elles à organiser la communauté et accusent-elles un changement marqué d'orientation : tandis qu'à La Mecque, elles recommandaient aux disciples d'être musulmans (*moslin*), c'est-à-dire de croire en Dieu et de se résigner à sa volonté, maintenant le mahométisme passe au premier rang, où l'intervention du Prophète devient prépondérante, son invocation nécessaire au salut.

D'autre part, s'avère l'influence du milieu, celle des femmes, notamment Aicha, fille d'Abou-Bekr, que Mahomet épousa âgée seulement de neuf ans. Sur lui elle eut un empire tel que celui de Khadidja à La Mecque. Une autre épouse, Afsa, était la fille d'Omar qui sera, après la mort de Mahomet, le grand organisateur de l'Islam. Personnalité forte et impérieuse, il dirigera aussi l'inspiration du Prophète. « J'ai eu, dira-t-il, la même idée que le Seigneur dans trois circonstances »; une fois il s'agissait de reconnaître la Kaaba comme temple d'Abraham et sanctuaire national, point capital; une autre, du droit pour Mahomet à répudier toute épouse.

Car plus celui-ci s'enfonce dans la volupté — il aura, outre ses esclaves concubines, neuf femmes « légitimes » — plus il subit l'influence ambiante, et d'ailleurs plus la révélation se fait complice de ses débordements. « O Prophète, lui dit-elle, il t'est permis d'épouser les femmes que tu auras dotées, les captives que Dieu a fait tomber entre tes mains. » Et encore : « Tu peux donner tes caresses à celle que tu voudras, à celle même que tu désires après l'avoir renvoyée. Agis ainsi et tu ne seras pas coupable. Ainsi pourras-tu facilement rafraîchir leurs yeux, les consoler. » C'est le droit illimité à la volupté sanctionné par Dieu en faveur de Mahomet : « O Prophète, pourquoi te priver des plaisirs que Dieu te permet? Tu veux plaire à tes femmes. Le Seigneur est indulgent et miséricordieux. »

Telles sont les sources troubles de l'inspiration qoranique : politique sans scrupule, sensualité toujours croissante. Qu'on y ajoute l'influence et l'apport incontrôlés des secrétaires, et il sera loisible d'apprécier ces révélations qui, aux yeux des « croyants », constituaient le « miracle » par excellence, authentiquant la mission du Prophète : pareil recueil, dans une langue arabe si belle, et composé par un illettré! En tous cas le résultat est clair : de la sincérité première Mahomet passa à une duplicité plus ou moins consciente, qui aboutissait à exalter tous ses actes, sa politique comme sa vie privée. « Sa règle pratique, constate Mgr d'Herbigny, initialement théocentrique et théocratique, devient pour lui et les autres égocentrique et autocratique. » Ses succès inattendus le persuadent qu'il est le « sceau des prophètes », celui qui, à ses compatriotes oubliés dans la répartition de la Révélation, apporte le mot dernier. La sincérité de cette inspiration tardive est celle d'un Arabe qui doit réussir à tout prix, dominer les autres, et sanctifier ses passions les plus abjectes.

III. Dogme et morale. — Pour compléter le Qoran, incomplet et souvent obscur, il y a encore la *sunna,* la coutume observée par Mahomet et ses compagnons, puis consignée dans un ensemble de traditions, les *hadith.* Dans un hadith il y a deux parties : le texte lui-même, puis sa référence, c'est-à-dire les noms des personnes qui l'ont recueilli, *çâhabis* ou compagnons de Mahomet, *tâbi'oum* ou « successeurs des compagnons », enfin « successeurs des successeurs ». Il devait arriver que chacun — juriste ou théologien — tirât à lui cette pauvre tradition, déjà en elle-même sujette à caution : on fabriqua des hadith, par une pieuse fraude on les adapta à des situations nouvelles, à des idées personnelles. D'ailleurs il est permis de suppléer aux lacunes du Qoran et de la Tradition : c'est *l'idjtihâd,* soumis d'ailleurs à des règles sévères, mais qui au début dut s'exercer avec la plus grande liberté. Combien nous sommes loin ici de cette chaîne d'or imbrisable que représente pour le christianisme la Tradition apostolique.

La théologie de l'Islam est basée sur le monothéisme. Allah est le Dieu unique, créateur et souverain du monde, doctrine essentielle résumée dans la fameuse Chahâda ou credo musulman : « Il n'y a de Dieu qu'Allah et Mahomet est le prophète d'Allah »; ou encore, dans cette autre formule courante, analogue à notre signe de croix : « Au nom d'Allah, le Clément, le Miséricordieux. » Dogme sans originalité puisque Mahomet l'avait emprunté au judaïsme. D'ailleurs, bien que le Qôran insiste sur les bienfaits d'Allah, sa conception du monothéisme ne va pas sans quelque dureté : nulle place pour les émotions tendres, pour la vie contemplative; à quoi les mystiques musulmans suppléeront plus tard en empruntant au christianisme.

Allah a eu des envoyés terrestres dont les six principaux s'appellent Adam, Noé, Abraham, Moïse, Jésus, et enfin Mahomet, « le sceau des prophètes », intermédiaire indispensable[1]. Ajoutez des ministres célestes, les anges : à leur tête les quatre archanges, les « proches » d'Allah, surtout Gabriel, l'agent attitré des révélations prophétiques, et que Mahomet identifie avec l'Esprit-Saint. Ils s'opposent à Iblis, le démon, chassé du Paradis pour avoir refusé son hommage à la supériorité d'Adam.

La fin du monde obsède Mahomet : dogme à double tranchant, tout à la fois menace à l'égard de ses ennemis et promesse envers les siens. A côté de l'enfer éternel, il y a un ciel dont il fait une description toute matérielle : « Le sort des bons sera la paix éternelle et l'éternelle joie dans un paradis de plaisir, au milieu d'arbres touffus, de sources jaillissantes, de rivières roulant une eau incorruptible, de rivières de lait d'une saveur inaltérable, de rivières d'un vin délectable, et de rivières de miel clarifié; et là, reposant sur des couches tissées d'or, les uns vis-à-vis des autres, ils n'éprouveront ni l'ardeur du soleil, ni la morsure du froid. Au-dessus d'eux, tout près, seront les ombrages du jardin, et les arbres pencheront leurs fruits, pour qu'ils puissent les cueillir. Autour d'eux circuleront des échansons, éternellement jeunes; ils n'éprouveront à boire ni mal de tête ni trouble d'esprit. Ils auront pour épouses des jeunes filles aux yeux de gazelle, pures comme des perles dans leur nacre, vierges au regard modeste et à la poitrine haletante, d'une jeunesse éternelle. Telle sera la récompense de leurs actions. » Que les mystiques soient venus ensuite greffer sur une telle description un sens allégorique et spirituel, peu importe; pour Mahomet et les siens, elle évoquait avant tout un lieu de plaisirs sensuels.

Aux derniers jours est liée l'idée de l'îman mahdi. Le hadîth prête, en effet, à Mahomet cette affirmation : « La fin du monde n'arrivera pas qu'un homme de ma famille, dont le nom sera comme le mien, ne règne sur les Arabes. » D'où le chiisme, forme politique du madhisme, qui maintiendra à Ali et à la descendance de Mahomet le droit de fournir le dernier prophète[2]. « Il est dans les nuages; l'éclair est son fouet, le tonnerre sa voix; à l'heure dite il viendra rétablir sur la terre la justice et le bonheur universel. »

Le déterminisme régit-il la morale musulmane? Question complexe et souvent débattue. La vérité est que dans le Qoran on trouve là-dessus des textes opposés. Mais ceux qui militent contre la liberté ont plus de relief, et en fait l'Islam tend à cette disposition morale lâche et abandonnée, qui voit dans l'homme le jouet du destin, ballotté au gré de circonstances imprévues et inévitables. « L'imprécision de la notion de la responsabilité humaine, dit M. Gaudefroy-Demonbynes, pèse sur toute l'éthique musulmane. » Par contre, la vie du

1. David, Jacob, Joseph, Job sont d'importance secondaire.
2. Actuellement le chiisme n'a plus guère d'adeptes qu'en Perse et dans les Indes. Partout ailleurs, le sunnisme domine.

fidèle se trouve impliquée dans tout un réseau de prescriptions légales, évocatrices du judaïsme rituel, mais que l'intention pieuse doit animer, du moins en principe.

Le culte est fondé sur cinq obligations fondamentales, « les piliers de l'Islam » : foi, prière, aumône, jeûne et pèlerinage. La foi consiste à réciter la fameuse chahâda : « Il n'y a de Dieu qu'Allah et Mahomet est son prophète », formule d'une efficacité souveraine, équivalemment baptismale, dont l'émission introduit 'infidèle dans la communauté musulmane, et qu'il faut exprimer dans toutes les circonstances solennelles, en particulier à l'heure de la mort. Il y a cinq *salât* ou prières quotidiennes, de réglementation d'ailleurs extracoranique : à l'aube, à midi, l'après-midi, au coucher du soleil, après la nuit close. Elles doivent être précédées d'une purification d'origine juive[1], et prononcées dans la direction de La Mecque (*qiblâ*). Il y a une prière spéciale du Vendredi qui se fait à la mosquée à midi, sous la direction d'un président ou *îman;* les femmes n'y assistent pas.

Le *zakâ* ou aumône légale est aussi une sorte de purification par le sacrifice partiel des biens; prélevé en nature, il ne doit être dépensé, d'après le Qoran, que pour des fins humanitaires telles que rachat des esclaves, aide aux pauvres, aux volontaires de la guerre, etc...

Viennent enfin le jeûne et le pèlerinage. Le jeûne s'étend à tout le mois de Ramadan. Depuis l'aurore jusqu'au coucher du soleil, on doit s'abstenir du boire, du manger, des relations conjugales, voire de fumer et d'avaler sa salive ; à la nuit, par contre, toutes les interdictions se trouvent levées et toutes les compensations permises. Quant au pèlerinage de La Mecque, c'est un devoir moins absolu, qu'il faut sans doute accomplir une fois dans sa vie, mais pour lequel on peut se faire remplacer par quelque mandataire. Il comprend quatre rites essentiels : faire sept fois le tour de la Kaaba, baiser la pierre noire, boire l'eau du Zamzam, aller et revenir à la course entre les deux collines d'as-Safa et d'al-Marwa, toutes cérémonies païennes dans leur origine, mais que la légende musulmane a rattachées au prétendu séjour d'Abraham et d'Ismaël en ces lieux.

Les Arabes doivent à Mahomet quelque progrès moral, bien imparfait toutefois. A la plus effrénée polygamie il en substitua une autre, limitée et régulière : le droit à quatre épouses, à condition de les entretenir, mais sans compter les unions ancillaires. Ainsi Mahomet endiguait-il l'immoralité arabe plutôt qu'il la contraignait. Au mari il assurait d'ailleurs l'autorité absolue avec pouvoir de répudier sa femme quand il lui plaît. L'épouse est jalousement recluse jusqu'à ne pouvoir se rendre à la mosquée, jusqu'à ne voir que ses proches et à être obligée au port du voile ; adultère, le mari peut la laisser mourir de faim. « L'islam, conclut le P. Lammens, est une religion de mâles, la consécration de l'absolutisme masculin. Celui-ci a pourchassé de partout la femme désarmée : des réunions, des affaires, sans même la tolérer aux cérémonies du culte ; comme refuge, il lui a abandonné le foyer, mais en lui mesurant l'espace et en la déconsidérant devant ses fils. »

Au total le succès humain de l'Islam ne se comprend que trop. Mahomet a su doser vérités et prescriptions morales en sorte que l'homme ne soit point gêné dans ses passions et qu'il ait pourtant l'impression de rester un être religieux : nul dogme qui dépasse 'intel-

1. L'ablution ordinaire comprend le visage, les mains, les bras jusqu'au coude, et les pieds y compris la cheville : rite si indispensable que dans le désert il faut suppléer à l'eau en se frottant avec du sable. En cas d'impureté majeure, il faut une ablution extraordinaire de tout le corps, y compris les cheveux.

ligence, liberté laissée à la sensualité et à l'esprit de domination; par contre, toute une série de prescriptions légales, une certaine ascèse, quelques articles de foi, bref l'art de se sauver à bon compte en restant un véritable Arabe, c'est-à-dire un homme voluptueux, âpre au gain et ardent à la vengeance. Mahomet d'ailleurs n'avait pas vécu autrement : qu'ils suivissent son exemple et le ciel des houris était assuré aux croyants.

IV. Le choc arabe. — A sa mort, Mahomet n'était ni le chef politique de l'Arabie, ni son chef religieux. Confinée à la province du Hidjaz, son autorité restait d'ailleurs discutée. Sans doute la nomination du successeur du Prophète, son beau-père, Abou-Bakr, imposé par Omar [1], rétablit-elle la paix à Médine et à La Mecque. Mais les Bédouins restaient toujours les Bédouins, soldats pillards et indisciplinés. Souvent Mahomet avait eu maille à partir avec leurs chefs : trahir, refuser tel secours promis était pour eux tactique coutumière. Abou-Bakr mena la répression avec vigueur, faisant des coupes sombres parmi l'aristocratie bédouine. Lorsqu'il mourut en août 634, la conquête de l'Arabie était presque achevée.

Dès lors, cette humeur inquiète et ce goût du pillage innés chez les Bédouins exigeaient quelque issue, d'autant que l'Arabie ne pouvait plus suffire à sa population : aux razzias contre les caravanes de passage, on substitua donc des expéditions extérieures qui par leur succès grandissant engendrèrent à la longue l'idée d'occupation et de conquête. Ces Bédouins n'étaient pas encore convertis à l'Islam, mais il y avait longtemps que piller était leur vie; comme on les lançait à la curée, ils partirent avec entrain pour cette « guerre fraîche et joyeuse ». Au début nous sommes donc très loin de la guerre sainte. « Il a été facile naguère, dit M. Gaudefroy-Demonbynes, de représenter les conquêtes musulmanes comme la conséquence foudroyante de l'ardeur religieuse des hommes du désert, fanatisés par le monothéisme coranique et lancés par Mahomet à l'assaut du vieux monde, sur leurs chevaux rapides, crinières au vent. Il faut malheureusement oublier ce tableau si simple et si saisissant, qui reproduit insuffisamment la réalité. »

La « conversion » des guerriers arabes ne devait se faire que petit à petit, et par une autre voie. L'Islam était alors une religion citadine, vivante à La Mecque et surtout à Médine. Mais, durant le VIIe siècle, ces éléments religieux essaiment dans les armées, y opèrent des groupements d'hommes pieux, « lecteurs » du Coran, évangélisent autour d'eux, et authentiquent après coup la razzia bédouine, en y reconnaissant la guerre sainte ordonnée par Allah. Dès lors une force nouvelle anime ces guerriers : aux qualités de race, endurance physique, sobriété, souplesse, esprit d'initiative, une autre s'ajoutera et les rendra plus

Sur la première expansion arabe en Afrique : CAETANI, * *Annali dell' Islam*, 8 vol. — DE GOEJE, *Mémoire sur la conquête de la Syrie*, 2e éd., Leyde, 1900. — H. LAMMENS, * *La Syrie, précis historique*, t. I, Beyrouth, 1921. — A. J. BUTLER, * *The Arab conquest of Egypt and the last thirty years of the Roman domination*, Oxford, 1902. — E. AMELINEAU, *La conquête de l'Egypte par les Arabes*, dans *Revue historique*, 1915 (CXIX), p. 273-310; 1915 (CXX), p. 1-25. — J. MASPERO, *Histoire des patriarches d'Alexandrie*, 1924. — CH. DIEHL, * *L'Afrique byzantine; histoire de la domination byzantine en Afrique*, 1896. — Voir aussi les histoires générales de l'empire byzantin, en particulier : J.-B. BURY, * *History of the later Roman Empire from Arcadius to Irène*, t. II, Londres, 1889. — CH. DIEHL, * *Histoire de l'empire byzantin*, 4e éd., 1922. — A. A. VASILIEV, * *History of the byzantine empire*, 2 vol. traduction française par P. BRODIN et A. BOURGUINA, 1932. — Vue d'ensemble dans L. HALPHEN, **Les Barbares*, p. 118-151 (coll. *Peuples et civilisations*), 1926.

1. D'où la déception d'Ali, le mari de Fatima, et l'origine du schisme chiite, si dommageable à l'unité intérieure de l'Islam.

braves et plus confiants encore : ce fanatisme exalté qui leur promet la conquête du monde. Ces indisciplinés se rangeront avec docilité sous la bannière des khalifes, représentants du Prophète; vivre pour la victoire, mourir en combattant, puis remonter au paradis des hoûris, voilà tout l'idéal, et qui décuple leurs forces.

Au surplus, un exceptionnel concours de circonstances milita en leur faveur. Au premier rang, la désaffection envers Byzance dans ces provinces de Syrie et d'Égypte ravagées par l'hérésie, et où les répressions impériales avaient, depuis Chalcédoine, accumulé les rancunes. La haine déborde des écrits monophysites : plutôt devenir sujets des Arabes dont on connaissait la tolérance, ils seraient non des oppresseurs, mais des libérateurs. Tel est le témoignage fourni par le jacobite syrien Bar-Hebreus : « Le Dieu des vengeances, écrit-il, envoya les Arabes pour nous délivrer des Romains. Nos églises ne nous furent pas rendues, car chacun conserva ce qu'il possédait, mais nous fûmes du moins arrachés à la cruauté des Grecs et à leur haine envers nous. » Mêmes aveux échappés à l'égyptien Jean de Nikiou : « Voyant, dit-il, la faiblesse des Romains et l'hostilité des habitants envers l'empereur Héraclius, à cause de la persécution qu'il avait exercée dans toute l'Égypte contre la religion orthodoxe à l'instigation du patriarche chalcédonien Cyrus, les musulmans devinrent plus hardis et plus forts dans la lutte. » Et encore : « L'expulsion des Romains et la victoire des musulmans furent amenées par la tyrannie de l'empereur Héraclius et par les vexations qu'il avait fait subir aux orthodoxes. »

D'autre part les catholiques honnissaient du gouvernement byzantin le libéralisme religieux, les concessions aux hérétiques, et en particulier la dernière de toutes, ce monothélisme, expédient trompeur et blasphématoire. Sur les lèvres des chrétiens d'Émèse l'historien arabe Eutychius met cette réplique à l'empereur : « Vous êtes un maronite (monothélite), et un ennemi de la foi » ; par contre, un autre musulman Beladsori leur fait dire aux envahisseurs : « Votre gouvernement et votre justice me sont plus agréables que cette tyrannie et ces insultes que nous avons subies[1]. » La désaffection est patente, voire la défection.

D'ailleurs s'ils haïssaient Byzance, les Syriens n'étaient pas sans sympathie pour les Arabes, frères de race, et qui parlaient leur langue. Que feraient donc ceux-ci ? « Revendiquer une partie de leur propre héritage, qui déclinait pour ainsi dire sous le sceptre de l'étranger. » Il y avait comme un essor de la nationalité, une sorte de mouvement pan-arabe, susceptible d'éveiller des sympathies.

En Égypte, l'hostilité envers Byzance était — si possible — plus grande encore qu'en Syrie. L'orgueil national des Coptes s'affirmait inouï : « férus d'admiration pour eux-mêmes », ils affichaient le mépris de l'étranger, du Romain. Attaché à sa langue, à sa littérature, à ses croyances, l'Égyptien voulait l'autonomie absolue. Dans ce pays, où le prestige des personnages ecclésiastiques et des grands propriétaires tendait à créer un régime féodal, la centralisation byzantine aboutissait à des heurts violents, à l'anarchie et aux désordres intérieurs : en marge de la fiscalité impériale s'installait celle des évêques et des « maisons » importantes; le sabotage était continuel[2].

1. Longtemps l'Islam fut réputé parmi les chrétiens non pas nouvelle religion, mais simple hérésie, une sorte d'arianisme. Cette conception subsistera au moyen âge, et Dante appellera encore Mahomet un semeur de scandales et de schisme, *seminator di scandale et di scisma.*

2. Pourtant la désaffection ne fut pas unanime. Dans la Basse Égypte les habitants se divisent en deux groupes : les uns favorables aux musulmans, les autres à Théodose, commandant des troupes impériales. Aussi la résistance se prolongea-t-elle durant des années.

Enfin, Perses et Byzantins, épuisés par les guerres incessantes, ne pouvaient offrir une résistance sérieuse aux forces fraîches des Arabes. L'état militaire était particulièrement lamentable en Égypte : aucune unité d'action, des troupes disséminées sur un parcours énorme et commandées par des chefs divisés. Au surplus, que l'étendue de l'empire byzantin ne fasse pas croire à une grande supériorité numérique sur les Arabes : de part et d'autre les effectifs durent rarement atteindre 30.000 hommes et ne dépassèrent jamais 50.000[1]. Dès lors comment, rompus à la guerre, braves, tenaces, bien commandés, les Bédouins ne l'eussent-ils pas emporté?

Complicité au moins latente des habitants, supériorité militaire, tout leur promettait la victoire. On a parlé du « miracle » arabe. Le « miracle » eût été que les Byzantins divisés et affaiblis eussent pu résister. La conquête, dit Bell, ne fut « ni un miracle, ni un exemple de la vengeance divine sur la chrétienté dans l'erreur, mais seulement l'affaissement inévitable d'un édifice pourri jusqu'à la moelle ».

Cette randonnée guerrière n'en est pas moins éblouissante. Notre rôle n'est pas de la raconter en détail, tout au plus d'en jalonner les étapes : en 634, premières victoires arabes en Syrie; en 635, prise de Damas; en 636, contre-offensive d'Héraclius et bataille du Yarmouk[2] où la force byzantine est anéantie; en 637, reddition de Jérusalem, dont le patriarche Sophrone obtient, moyennant tribut, la liberté des habitants, le respect de leurs maisons et de leurs églises, tandis que les chrétiens réussissent à enlever la Sainte Croix et à l'envoyer à Constantinople.

Avec la conquête de la Syrie, voici la chute de l'empire perse. En 637, l'année même où tombait Jérusalem, Ctésiphon, capitale des Sassanides succombait, tandis que le roi des rois, Yezdeguert, n'avait d'autre ressource que de s'enfuir. Les provinces tombent l'une après l'autre sous la domination des Arabes : tout l'Irak, c'est-à-dire l'ancienne Babylonie, puis la Mésopotamie où, dès 641, ils sont à Mossoul. En vain Yezdeguert tente-t-il, comme Héraclius, une suprême résistance : Nehavend, cette victoire des victoires, achève la déroute des Perses (642).

Entre la bataille du Yarmouk et celle de Nehavend, les Arabes avaient conquis l'Égypte. Vainqueur en 640 près d'Héliopolis, le général Amrou s'empara du Caire, et ne rencontra de résistance vigoureuse qu'à Alexandrie, où le patriarche Cyrus signa une capitulation nécessaire (642). Sans doute, après la mort d'Héraclius, sous l'empereur Constant II, le patrice Manuel reprit-il la grande ville, mais bientôt Amrou l'enlevait de nouveau, et cette fois la livrait à un pillage, dont la fameuse bibliothèque ne se trouvait plus en état de souffrir beaucoup. Seule, royaume chrétien isolé, l'Abyssinie défia l'envahisseur dans ses régions montagneuses.

Les provinces de l'Afrique septentrionale allaient-elles couvrir l'Europe? Les mêmes causes y affaiblissaient la défense : désorganisation de l'administration byzantine, tendance de la nationalité berbère à se reformer en États quasi indépendants, et — plus que tout — mécontentement des Africains froissés dans leurs convictions catholiques par l'essai monothélite d'Héraclius, et surexcités encore par la propagande des réfugiés jacobites, venus d'Alexandrie et des couvents libyens.

1. On évalue à 27.000 les forces des Arabes durant les campagnes de Syrie et de Palestine.
2. Le Yarmouk est un affluent de gauche du Jourdain.

Lorsqu'en 646, le gouverneur Grégoire se révolta contre le jeune Constant II et se proclama empereur, personne ne s'indigna. Dès 642 Amrou, le conquérant de l'Égypte, poussait une pointe jusqu'à Tripoli. Son successeur Abdallah ben Abi envahit la Byzacène, et défit près de Sufetula le patrice Grégoire, qui périt dans le combat.

Cependant les révolutions politiques allaient plus de vingt ans arrêter la conquête : impopularité et assassinat d'Othman en 656, règne agité d'Ali, « le dernier Khalife orthodoxe », tué à son tour en 661[1]. Enfin, le triomphe de Moawyah qui force Hasan, fils d'Ali, à capituler, marque un retour aux projets guerriers. Durant les vingt années que régna ce fondateur de la dynastie des Ommeiades, l'Islam tenterait deux grandes expéditions extérieures : à l'ouest, la conquête de l'Afrique septentrionale, à l'est la prise de Constantinople.

Les États berbères dirigèrent la croisade défensive : ce furent leurs chefs Koçeila et la Kahena qui devinrent les organisateurs de la résistance. Ainsi l'Afrique échappait-elle à la direction impériale.

Le khalife Moawyah confia l'expédition au général Oqbâ, vrai fanatique de l'Islam. « Quand un iman, disait-il, entre en Afrique, les habitants mettent leurs vies et leurs biens à l'abri en faisant profession de l'islamisme, mais aussitôt que l'iman s'éloigne, ces gens-là se retirent dans l'infidélité. Il faut donc fonder une ville qui puisse servir de camp et d'appui à la conquête. » Oqbâ parcourut l'Afrique septentrionale de l'est à l'ouest en une randonnée éblouissante : il ne se serait arrêté qu'à Sous, devant l'Atlantique. Mais au retour il fut attaqué soudain par des forces chrétiennes considérables à Téhouda, au nord-est de Biskra, où il périt après un combat héroïque. Devant le soulèvement berbère, les Arabes abandonnèrent toutes leurs conquêtes, jusqu'à évacuer Kairouan.

Une tranquillité relative subsista durant dix ans. Les indigènes se groupèrent dans l'Aurès sous la Kahena, reine de la tribu juive des Djéraoua. Troupes byzantines et contingents berbères opposèrent aux Arabes une sérieuse résistance. Pourtant, en 695, Hassan, gouverneur de l'Egypte, envahit la Byzacène et, longeant le littoral, s'empara de Carthage : tous les chrétiens qui ne purent s'embarquer pour la Sicile furent massacrés ou emmenés en esclavage. A l'annonce d'une si insigne défaite, Léontius, supplantateur de Justinien II, envoya une armée qui reprit Carthage. Défait aussi dans l'Aurès par la Kahéna, Hassan dut évacuer tout le pays.

Dès 698 il reparaissait. Tandis qu'une flotte arabe contraignait l'escadre byzantine à s'éloigner, il emportait Carthage d'assaut. Dans l'Aurès, la Kahena périt après un combat acharné, laissant un renom légendaire. Sa défaite marquait la fin de la résistance des Berbères qui, en masse, quittèrent le christianisme pour l'islamisme. « Pendant près de deux siècles, conclut M. Diehl, l'empire byzantin avait, dans une partie de l'Afrique du Nord, maintenu les traditions de la civilisation antique, et initié par sa propagande religieuse les Berbères à une culture plus haute : en cinquante ans la conquête arabe ruina tous ces résultalts. »

L'Islam n'avait rencontré une résistance sérieuse qu'en Orient. Impuissant à défendre ses provinces d'Afrique, l'empire devait ramasser ses forces pour garder la capitale,

1. Ali était soutenu par la Perse, réfractaire au système électif, et qui eût adopté le Khalifat héréditaire dans la famille du Prophète. Mais les musulmans de Syrie et d'Égypte lui préférèrent Moawyah, qui les gouvernait depuis quinze ans.

l'Asie Mineure et la péninsule balkanique, et s'y maintenir dans une défensive qui durerait jusqu'au xve siècle. Contre ces régions les Arabes organisèrent une flotte Sous Constant II, ils s'emparèrent de Chypre et de Rhodes, ravagèrent la Crète et la Sicile. Bientôt, traversant l'Egée et l'Hellespont, ils établissaient à Cyzique leur base d'opération contre Constantinople. Cette ville, boulevard de la chrétienté orientale, fut alors sauvée par l'énergie de son empereur, Constantin IV Pogonat (668-685); les terribles ravages du « feu grégeois » contribuèrent à arrêter les Arabes dont la flotte fut détruite par une tempête en 677. Le péril musulman s'en trouva ajourné pour l'Europe.

Quel fut le régime des pays conquis? L'Islam ne fut pas convertisseur : « Crois ou meurs » n'était pas alors la formule politique, mais bien plutôt « Crois ou paie ». « Les champions de l'Islam, note Goldziher, se proposèrent non pas tant la conversion des infidèles que leur sujétion. » S'ils se convertissent, ils obtiennent même régime que les conquérants; restent-ils chrétiens, on leur laisse la liberté du culte, à seule condition d'acquitter une capitation ou impôt de tolérance établi par le Qoran : « Faites-leur la guerre, disait-il, jusqu'à ce qu'ils paient le tribut. » De là une double tendance assez inattendue : chez les conquérants, celle de mettre obstacle à des conversions qui diminuent la rentrée des impôts; chez les vaincus, celle de passer à l'Islam pour échapper à de lourdes obligations fiscales. Ces nouveaux convertis doteront même le mahométisme de toute une philosophie; ils aideront ainsi au développement de la théologie musulmane et, sous les Ommeiades, naîtra la grande querelle du libre arbitre.

La tolérance fut très large en Syrie, Palestine et Égypte, où les Arabes n'avaient pas rencontré une sérieuse résistance[1]. Mais le sort des Melkites y fut beaucoup plus pénible que celui des monophysites : les patriarcats catholiques d'Alexandrie, d'Antioche et de Jérusalem furent longtemps inoccupés. Jérusalem resta pourtant le centre de pèlerinage qu'on visitait des confins de la chrétienté occidentale. L'historien arabe Masudi affirme au xe siècle que les quatre cimes sacrées, Sinaï, Horeb, Thabor et mont des Oliviers demeurèrent aux catholiques. Le partage des *lieux saints* ne se fera que plus tard.

1. L'Afrique du Nord fut traitée beaucoup plus durement. « Aujourd'hui encore, écrit M. Diehl, dans les cités mortes de la Tunisie, demeurées pour la plupart en l état où les mit l'invasion arabe, on retrouve à chaque pas les traces de ces terribles ravages. » *L'Afrique byzantine*, p. 590. Après la défaite les apostasies se multiplièrent; il ne subsista plus que quelques Eglises isolées; celle de Carthage végétait encore à la fin du XIe siècle.

Large fut la faveur accordée aux nestoriens de Perse qui, persécutés par les Sassanides, avaient accueilli les Arabes en libérateurs : « Loin d'attaquer la religion chrétienne, dit le patriarche de Sélencie-Ctésiphon Iso' yahb III, les Arabes recommandent notre foi, honorent les prêtres et les saints du Seigneur, sont les bienfaiteurs des églises et des monastères. »

C'est alors que les missions nestoriennes sillonnèrent l'Asie. Le premier apostolat en Chine nous est connu par la stèle de Singau-fou découverte par les jésuites en 1625. Les empereurs T'ai Tsoung (627-49) et Kao Tsoung (650-83) accordèrent des concessions aux chrétiens. Dans maintes villes on construisit des monastères. Les prêtres nestoriens occupèrent en Chine des fonctions publiques : à la fin du VIIIe siècle l'un d'eux, Yazk-bozéd, sera mandarin de premier rang, commandant militaire en second pour la région septentrionale de l'empire, et inspecteur des examens de la salle impériale. On ne peut nier l'esprit apostolique de ces chrétiens nestoriens dont « beaucoup traversaient les mers vers l'Inde et la Chine avec une besace seulement ». Par eux la pénétration religieuse s'opéra aussi dans l'Inde et l'Asie centrale. Voir E. TISSERANT, *Nestorienne* (*Église*) dans *Dict. Théol.*

LIVRE XVI

L'ÉGLISE FRANQUE

CHAPITRE PREMIER

LA SOCIÉTÉ MÉROVINGIENNE

Apprécier la moralité d'une époque est toujours difficile. La nôtre même, la connaissons-nous? Tel excuse trop, tel autre déprécie tout; et, prise à des sources incertaines, notre documentation reste en tous cas bien fragmentaire. A l'ordinaire, vices et crimes lui servent de trame. Le bien ne fait guère de bruit; mais le mal, beaucoup; et le scandale, énormément; d'autant plus qu'on l'invente parfois, et qu'on l'exagère toujours. Quelle idée ne se ferait-il pas de notre époque celui qui, dans cinq cents ans, voudrait en juger d'après les faits divers, pris au jour le jour dans une de nos feuilles populaires.

I. Cruauté et immoralité. — Pour évoquer la société mérovingienne, nos sources sont peu nombreuses : Grégoire de Tours et la *Chronique dite de Frédégaire,* plusieurs poésies d'apparat, quelques épîtres, des vies de saints, divers diplômes royaux, et voilà tout. Au fond, enlevez l'*Histoire des Francs*, et vous n'y verrez plus guère : seule source vivante, et presque unique source. Le tableau qu'elle nous impose n'est pas flatteur. Sans doute les belles actions consignées par Grégoire dans ses écrits hagiographiques y font contrepoids plus ou moins.

Église franque. — *SOURCES :* A. Molinier, *Les sources de l'histoire de France*, t. I, 1901. — *Epistolae Merov. et Karolini aevi*, t. I, *Mon. Germ.*, 1892. — *Scriptores rer. Meroving*, t. I. VII, *Mon. Germ.*, 1885-1902. Dans le premier vol. *Gregorii Turonensis opera*, éd. W. Arndt et B. Krusch. — *Concilia aevi Merovingici*, éd. F. Maassen, *Mon. Germ. Legum sectio III,* 1893. — Héfélé-Leclercq, *Histoire des conciles*, t. II et III. — *TRAVAUX :* Bien qu'émanant d'auteurs protestants, les meilleurs exposés généraux sont : A. Hauck, *? *Kirchengeschichte Deutschlands,* t. I, nouv. éd. Leipzig, 1922 et H. von Schubert, *? *Geschichte der christlichen Kirche im Frühmittelalter,* Tubingue, 1917. — Pour un rapide aperçu, l'excellente synthèse de G. Goyau, * *Histoire religieuse,* dans *Histoire de la Nation française,* de G. Hanotaux, s. d. — Voir aussi les Histoires générales récentes : F. Lot, *? *La fin du monde antique et le début du moyen âge* (Coll. *L'évolution de l'humanité* dirigée par H. Berr) et L. Halphen, * *Les Barbares* (Coll. *Peuples et civilisations*, dirigée par L. Halphen et H. Sagnac), tous deux très succincts. — De même, A. Fliche, * *La chrétienté médiévale* (coll. *Histoire du monde*, dirigée par E. Cavaignac) et F. Lot, C. Pfister, et F. Ganshof, *? *Les destinées de l'Empire en Occident de 395 à 888* (coll. *Hist. générale*, dirigée par G. Glotz), plus amples. — Le récit est plus détaillé, plus vivant, mais assez tendancieux dans Lavisse, *Histoire de France*, t. II. On consultera aussi avec fruit Prou,* *La Gaule mérovingienne*, s. d. — Marignan, * ? *Études sur la civilisation française,* t. I. *La société mérovingienne*; t. II. *Le culte des saints sous les Mérovingiens,* 1889. — S. Dill, *? *Roman Society in the Merovingian Age*, Londres, 1926. Parmi les travaux spéciaux qui seront signalés au fur et à mesure, les plus importants sont : Imbart de la Tour, * ? *Les paroisses rurales du* IVe *au* XIe *siècle*, 1900. — Mgr Lesne, * *Histoire de la propriété ecclésiastique en France*, t. I, 1910.

Mais cette méthode du clair-obscur ne risque-t-elle pas, elle aussi, de fausser l'histoire? A mettre ici le merveilleux et les belles actions, parfois problématiques, là les crimes trop réels, on aurait pour ainsi dire une société en parties doubles, mais non pas égales. A la vérité, les saints restaient l'exception; l'ensemble se révélait moralement païen. Comment, en effet, hier encore barbares, ces âmes se seraient-elles transformées à vue? Entre Gallo-Romains et Barbares il y eut échange de vices, sans qu'on puisse imputer plutôt aux premiers d'avoir corrompu les seconds. Il faut même constater que la civilisation trouve alors son dernier refuge dans les anciennes familles romaines, et surtout dans l'Église.

Telle qu'elle apparaît à travers l'*Histoire des Francs,* cette période reste un chaos sanglant, un pêle-mêle où les scènes de luxure alternent avec les assassinats, où nul prince n'est sûr, puisqu'au meilleur, au plus dévôt il arrive de commettre l'adultère, de poignarder l'adversaire dans le dos, ou de rançonner le pauvre hère. Décousu, passant sans transition d'une donation pieuse à un meurtre ou à une félonie, le récit de Grégoire nous semble comme filmé. Jugements, exécutions, repentirs, tout alors était sommaire. Le chrétien restait si mâtiné de barbare que le signe de croix précédait le crime, le couvrant de sa protection. Si le ciel n'aidait pas à réussir, pourquoi donc existerait-il?

Voilà, dans Grégoire de Tours, la note générale et, à condition de ne point se laisser trop impressionner par le pittoresque du récit, il faut reconnaître qu'elle doit être vraie. Notre historien est un très honnête homme : mentir ou inventer lui feraient horreur. Il vise à l'exactitude se documente, raconte les choses telles qu'il les a vues ou comprises. Que le récit soit parfois romancé plus ou moins, sans doute; mais bien à son insu, et parce que les témoins ont gross ou déformé les faits, à une époque où l'imagination était vive et la crédulité sans bornes. Enchaînement des événements, rapports de cause à effet semblent lui échapper presque totalement; un devoir lui incombe surtout, édifier en instruisant et, à la manière d'un Lactance, montrer comment Dieu frappe les méchants et récompense les bons.

Mais cette absence même de suite est un gain pour nous : plus préoccupé de politique, Grégoire eût fait œuvre moins vivante. Dans ce récit touffu où les faits se pressent et où nous parcourons toute la Gaule du VIe siècle, les détails contribuent à l'impression d'ensemble : redisons-le, un vrai film. Comme plus tard chez le bon Joinville, nous trouvons à chaque page la couleur locale, cette simplicité naïve qui dit tout et ne cache rien, en sorte qu'après treize cents ans on croit encore y vivre. Peu importe après cela que le style soit incorrect et que notre écrivain reste brouillé avec les plus élémentaires règles de la déclinaison et de la conjugaison. Il est, nous avoue-t-il, l'ânesse de Balaam, mais si humble, si persuadé de sa nullité que Dieu — il n'en doute pas — lui viendra en aide. Comme Saint-Simon, il appartient à la race des grands écrivains incorrects; mais lui, pour de vrais motifs d'ignorance[1]. Il n'en a pas moins l'art du récit détaillé et vivant, où les scènes se succèdent pleines de sang, riches en rapines, tout encadrées de merveilleux, sans qu'interviennent trop moralités et anathèmes. On l'a dit insensible à l'horreur des faits. Outre qu'il n'avait pas notre sensibilité moderne, voudrait-on qu'il éclatât sans cesse en imprécations contre les adultères, les parjures, les assassins, les sacrilèges. A ce compte il y en aurait pour chaque page et pour chaque ligne. Et quel énervant pathos!

1. Son bagage patristique n'est pas bien lourd : Prudence, Orose, Sidoine Apollinaire, quelques hagiographes, voilà presque tout. De l'antiquité classique il n'a guère pratiqué que les six premiers livres de Virgile et la conjuration de Catilina. Telle quelle, sa langue est un précieux témoin : voisine du parler populaire, elle permet de saisir la transition du latin aux langues romanes, spécialement au français. Voir M. BONNET, *Le latin de Grégoire de Tours,* 1890.

L'éloquence et l'histoire ne sont pas cousines : il faut choisir. A nous de juger, à Grégoire de raconter. Il le fait si amplement et si uniquement que, comme Cassiodore pour les Ostrogoths, Paul Diacre pour les Lombards, Isidore pour les Wisigoths, Bède pour les Anglais, il est l'historien attitré de nos origines. « C'est dans sa fontaine, a très bien dit Claude Fauchet, qu'il faut puiser nos vieilles mœurs et coutumes françaises, comme chez le plus ancien auteur fran-

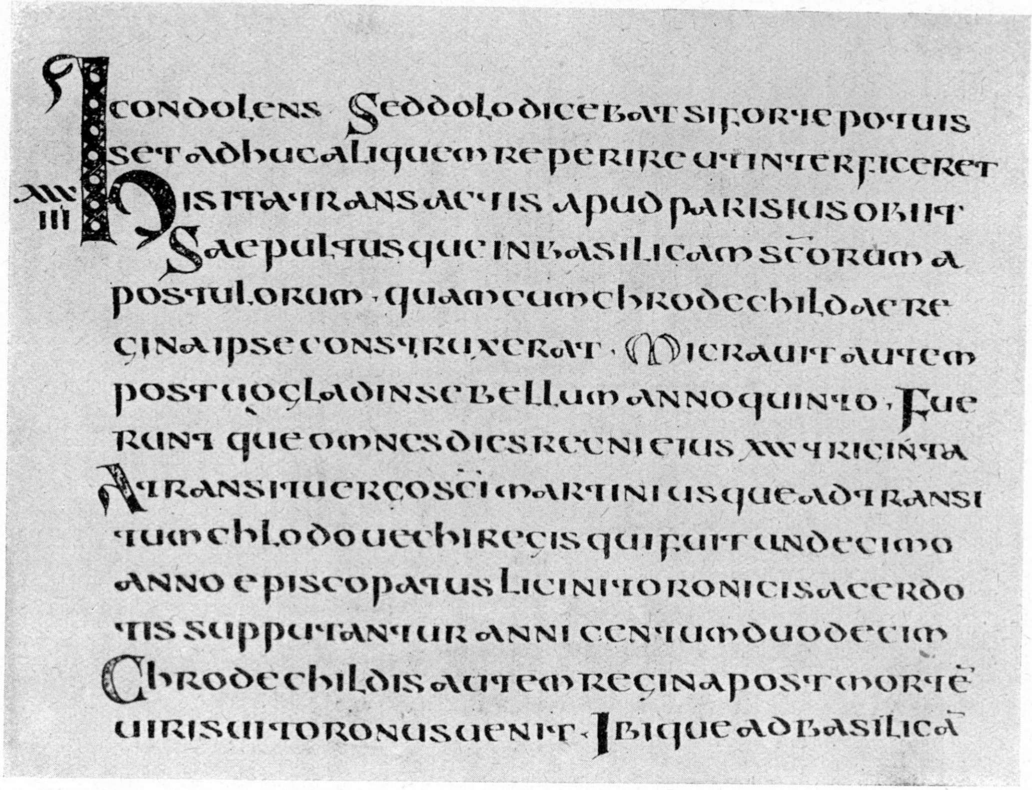
condolens sed dolo dicebat si forte potuis
set adhuc aliquem reperire ut interficeret
XXIII His ita transactis apud parisius obiit
sepultusque in basilicam scorum a
postulorum quam cum chrodechilde re
gina ipse construxerat. Migravit autem
post uogladinse bellum anno quinto. Fue
runtque omnes dies regni eius xxx triginta
A transitu ergo sci martini usque ad transi
tum chlodouechi regis qui fuit undecimo
anno episcopatus licini toronici sacerdo
tis supputantur anni centum duodecim
Chrodechildis autem regina post mortē
uiri sui toronus uenit. Ibique ad basilicā

GRÉGOIRE DE TOURS. — *Historia Francorum.*

Page où est racontée la mort de Sainte Clotilde. Manuscrit du VIIe siècle en lettres onciales. — *Bibl. Nat.*

SOURCES : P. L., LXXI (éd. Ruinart). — *Mon. Germ. script. rer merov.*, t. I. éd. W. ARNDT et BR. KRUSCH. — Édition et traduction française par GUADET et TARANNE (*Société de l'Histoire de France*), 1836-38 ; H. L. CORDIER, 1857-1864 ; 1859-1861 ; GUIZOT, 1823 et 1861. Traduction anglaise, par M. DALTON, *The history of the Franks by Gregory of Tours,* Oxford, 1927. — *TRAVAUX :* A. LECOY DE LA MARCHE, *De l'autorité de Grégoire de Tours,* 1861. — G. MONOD, *Études critiques sur l'époque mérovingienne* (*Bibl. de l'École des hautes Études,* fasc. 9), 1872. — M. BONNET, *Le latin de Grégoire de Tours,* 1890. — L. HALPHEN, *Grégoire de Tours, historien de Clovis,* dans *Mélanges Lot,* 1925, p. 235 et suiv. — H. LECLERCQ, art. *Grégoire de Tours,* dans *Dict. Arch.*

On apprécie davantage les mérites littéraires de Grégoire de Tours quand on compare à son *Histoire des Francs* la *Chronique dite de Frédégaire,* rédigée au VIIe siècle par un anonyme burgonde. Résumé médiocre de Grégoire pour les événements antérieurs à 544, elle est dans sa seconde partie un témoignage bien informé. Mais le style demeure sans relief : « Le monde est devenu vieux, note le préfacier, l'acuité de l'esprit s'est émoussée. A notre époque personne n'est capable ou n'a la prétention de ressembler aux orateurs d'autrefois. » Au point de vue politique la narration est aux gages des maires du palais, et se termine par une chronique familiale officieuse des Pippinides. Voir *Chronicarum quae dicuntur Fredegarii Scholastici,* éd. BR. KRUSCH, *Mon. Germ. script. rer. merov.*, t. II.

çais gaulois que nous ayons. » Il est « le père de notre histoire », et de l'ecclésiastique autant que de la civile[1].

Avec son aide, essayons donc d'illustrer par quelques exemples cette société troublée. En politique, le moyen ordinaire est l'assassinat, perpétré sournoisement, exécuté d'une façon sauvage, avec un sang-froid de boucher. On sait les crimes imputés à Clovis : ils sont psychologiquement vrais[2]. Quand Clotaire et Childebert veulent tuer les enfants de leur frère Clodo-

DYNASTIE MÉROVINGIENNE

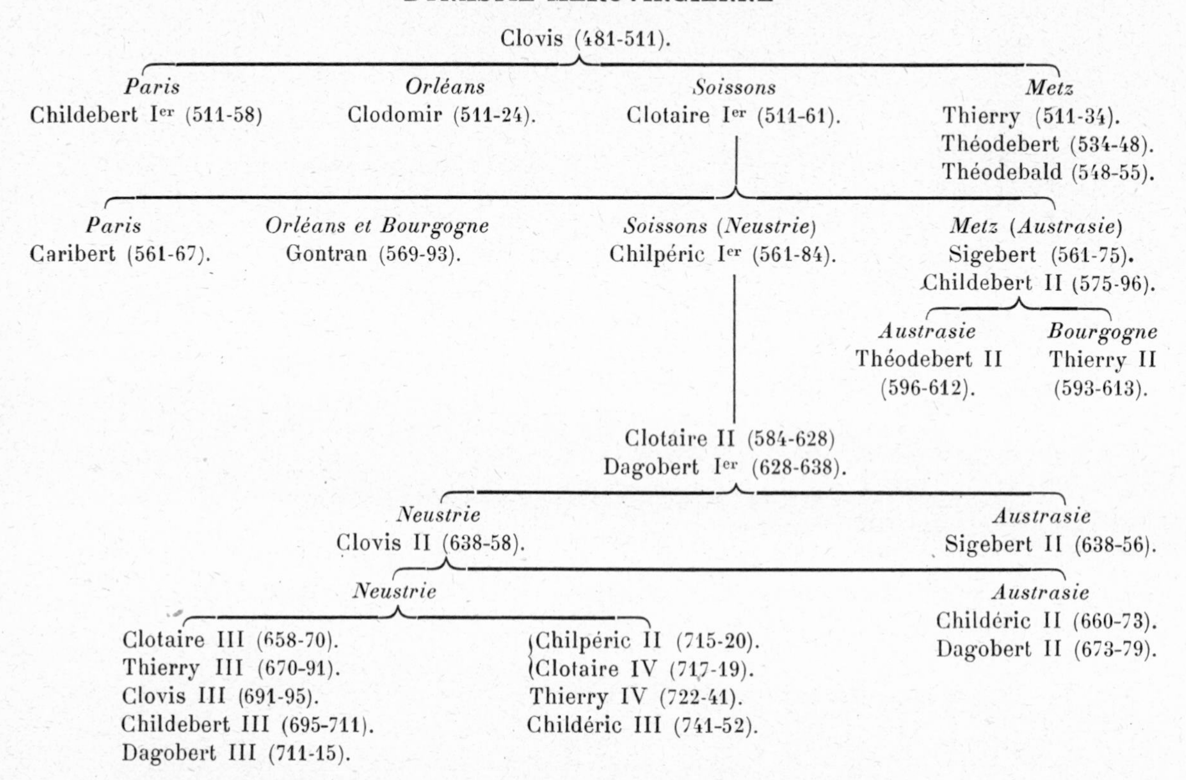

1. Né à Clermont-Ferrand, d'une famille sénatoriale, Grégoire devint évêque de Tours en 573. Son principal ouvrage est l'*Histoire des Francs*. Dans les quatre premiers livres qui s'étendent de la Création à la mort de Sigebert en 575, Grégoire n'est point témoin direct. D'où la délicatesse de certains problèmes critiques. Si, par exemple, le récit de la conversion de Clovis au livre deuxième demeure discuté, c'est qu'il fut composé trois quarts de siècle après l'événement. Par contre les quatre derniers livres qui s'étendent de 575 à 591, sont en quelque sorte des mémoires basés sur quantité d'informations écrites et orales de premier ordre. Tout à la fois austrasien résolu et ennemi des hérétiques, Grégoire apporte à son œuvre des passions politiques et religieuses ; mais il se montre impartial et sincère. Il est le premier des chroniqueurs français.

A l'*Histoire des Francs* il faut ajouter la *Collection hagiographique*, assemblage d'écrits composés à différentes époques, et qui comprend : 1° le livre *De la gloire des martyrs*, récit des miracles de Notre-Seigneur, des apôtres et de certains martyrs gaulois ; 2° les *Miracles de saint Julien de Brioude ;* 3° les *Miracles de saint Martin*, relatant les prodiges accomplis par le thaumaturge sous l'épiscopat de Grégoire ; 4° La *Vie des Pères*, recueil de vingt-trois biographies d'évêques ou moines gaulois ; 5° le livre *De la gloire des confesseurs*, récit de divers miracles. Sur ce terrain du merveilleux, la crédulité de Grégoire vaut celle de ses contemporains, autant dire qu'elle n'a pas de bornes. C'est ici le paradis des folkloristes, un paradis terrestre où la Providence intervient par des coups de force surprenants.

2. Pourtant Schnürer écrit : « N'insistons pas sur les cruautés de Clovis ; on admet, en effet, que les récits relatant ces actes sanguinaires sont empruntés à la légende populaire répandue parmi les Francs païens. Cette légende se plaisait à imaginer des traits de perfidie et de brutalité ; elle les attribuait volontiers aux rois puissants et prudents. » *L'Église et la civilisation au moyen âge* (trad. franç.), t. I, p. 306.

mir, ils commencent par répandre dans le peuple le bruit qu'ils vont les élever au trône. A leur grand'mère Clotilde ils disent : « Envoie-nous-les pour cela. » Puis, dès qu'ils les tiennent, ils mettent Clotilde devant ce cruel dilemme : « Veux-tu qu'ils vivent avec des cheveux coupés ou qu'ils soient égorgés. » Au hasard, dans sa douleur, elle répond : « J'aime mieux les voir morts que tondus. » « Aussitôt Clotaire prend le plus âgé par le bras, le jette contre terre, et le tue impitoyablement en lui enfonçant un couteau dans l'aisselle. » Même sort au second, malgré ses supplications éperdues et l'intervention de Childebert attendri. — Autre exemple non moins typique. Thierry veut tuer son frère Clotaire auquel il était redevable d'un bienfait : « Ayant aposté des hommes armés, il le fit venir comme pour traiter secrètement de quelque affaire. Après avoir disposé dans une partie de sa maison une tenture d'un mur à l'autre, il plaça ses hommes derrière, mais comme elle était trop courte, elle laissa voir leurs pieds. Clotaire averti entra dans la maison bien accompagné. Thierry comprit alors qu'il était découvert..., et ne sachant comment faire oublier sa trahison, fit présent à Clotaire d'un grand plat d'argent. Clotaire lui dit adieu, le remercia, et s'en alla chez lui. Mais Thierry se plaint aussitôt aux siens d'avoir sacrifié sans utilité son plat d'argent et dit à Théodebert : « Va trouver ton oncle, et prie-le de consentir à te céder le présent que je lui ai fait. » Théodebert y alla et obtint ce qu'il demandait. Thierry excellait dans ces sortes de ruses. » Rien n'y manque, même pas le remords, celui d'avoir perdu son plat.

La vie de la reine Frédégonde est un tissu de crimes. Elle ne se maintient qu'au prix du sang répandu. Voyez par quel procédé rapide elle réconcilie trois ennemis : « Ayant invité beaucoup de personnes à un même festin, elle fit asseoir les trois adversaires sur une même banquette; on but tant de vin que les serviteurs s'endormirent dans tous les coins. Alors trois hommes envoyés par la reine, et armés chacun d'une hache, se placent derrière les trois convives, et pendant que ceux-ci conversaient entre eux, ils les frappent pour ainsi dire d'un seul coup; et les trois Francs étant tués, on se retira. » Cette mégère inflige à ses ennemis — hommes et femmes — des supplices indicibles en aucune langue, mais que Grégoire rapporte quand même, parce que, après avoir tout vu et tout entendu, il peut bien tout redire.

La guerre partout. Nulle sûreté du lendemain, ni même du jour présent. A Paris, où il ne bouge d'un pas sans son escorte, le roi Gontran fait au peuple en pleine église cette exhortation : « Je vous conjure tous, hommes et femmes qui m'écoutez, ne me tuez pas, comme vous avez fait dernièrement de mes frères. Qu'il me soit permis d'élever, au moins pendant trois ans, mes neveux, qui sont mes fils adoptifs, de peur — à Dieu ne plaise — qu'après ma mort vous ne périssiez avec ces enfants, quand il n'existera plus de notre famille un seul homme fort pour vous défendre. »

Encore cette fureur homicide s'explique-t-elle plus ou moins chez les rois par la politique, ou bien comme application légale du dernier supplice; mais les particuliers s'y livrent aussi, selon le principe de la vendetta tenu pour légitime, et surtout parce qu'ils sont tous violents et cupides, et que le pouvoir civil reste quasi inexistant. Quels ravages exerce une troupe en marche, ne respectant rien, ni lieux saints, ni choses et personnes consacrées. Incendier les églises, enlever vases et ornements, tuer les clercs, détruire les monastères d'hommes, insulter ceux de filles, et faire un désert de toute la contrée, voilà les menus passe-temps des soldats de Chilpéric, à travers le Limousin et le Quercy. « Et l'on entendit alors dans les églises des gémissements plus douloureux qu'au temps de Dioclétien. » Une autre fois, cette même « armée vint jusqu'à Tours, brûlant, dévastant toute la contrée : elle n'épargna même pas les biens de saint Martin; mais tout ce qui tombait sous sa main, elle le pillait sans respect ni crainte de Dieu. »

Déchaînés, ces hommes commettent les derniers sacrilèges. Voyez jusqu'où vont les violences du cubiculaire Evroul, racontées par Grégoire, cette fois témoin direct à Tours : « Il ne témoignait aucun respect pour saint Martin. Souvent il commit des meurtres dans le portique même de sa basilique, et s'y livra à des orgies. Un jour qu'un prêtre tardait à lui donner du vin, parce qu'il le voyait ivre, Evroul le jeta sur un banc, le frappa à coups de poing et avec tout ce qu'il put trouver, de manière à lui faire rendre l'âme; et le prêtre en serait mort en effet, si les médecins ne l'eussent sauvé par des ventouses. » Jusque dans l'église éclatent les altercations meurtrières : « A Paris une femme fut accusée d'abandonner son mari... Son père, élevant les mains sur l'autel du bienheureux martyr Denys, jura qu'elle n'était pas coupable. Mais les autres, du côté du mari, déclarèrent qu'il avait fait un faux serment. Alors ils tirent leurs épées, se précipitent les uns sur les autres, et se frappent en présence même de l'autel. Or, c'étaient des hommes de la plus haute naissance, et les premiers auprès du roi Chilpéric. Plusieurs sont blessés par le glaive; la sainte basilique est arrosée de sang humain; les portes sont percées de javelots et d'épées. »

Nulle immunité si la passion déborde. Albin, gouverneur de Provence, arrête un archidiacre en pleine fonction : « Or, le saint jour de Noël, au moment où l'évêque entrait dans l'église, l'archidiacre revêtu d'une aube s'avançait vers lui, selon la coutume, l'invitant à approcher de l'autel; à l'instant, Albin s'élance de son siège, saisit et entraîne le diacre, le frappe du pied et du poing, et le fait resserrer dans une prison. » Quand les yeux brillent de convoitise, rien n'arrête plus : ni le respect de la mort, ni la majesté du sanctuaire. « Une parente de la femme de Gontran Boson mourut sans enfant et fut enterrée dans la basilique de Metz avec ses bijoux et beaucoup d'or. Quelques jours après on célébrait la fête de saint Remi, qui tombe le 1er octobre. Comme beaucoup d'habitants, en particulier les grands personnages et le duc, étaient sortis de l'église avec l'évêque, des serviteurs de Gontran Boson arrivèrent dans la basilique, où la cousine de sa femme était inhumée. Ils y entrèrent et, après avoir refermé les portes sur eux, ouvrirent le tombeau et en enlevèrent tous les joyaux qu'ils purent trouver sur le cadavre. Les moines de la basilique, ayant eu vent de la chose, arrivèrent dans l'église. Alors ils firent prévenir leur évêque et le duc. Cependant les serviteurs de Gontran Boson montèrent à cheval et prirent la fuite, emportant leur butin avec eux. Mais dans la crainte d'être arrêtés en route et soumis à divers supplices, ils revinrent à la basilique et déposèrent sur l'autel les objets qu'ils avaient pris; toutefois ils n'osèrent se hasarder au dehors et se mirent à crier : « C'est Gontran Boson qui nous a envoyés. »

Avec la cruauté et l'avidité, la dépravation. Ici encore l'exemple vient de haut. Charibert, mari d'Ingoberge, « avait à son service deux jeunes personnes, filles d'un pauvre artisan : l'une, appelée Marcovefa, portait l'habit religieux; la seconde s'appelait Méroflède; et le roi en était éperdument amoureux. » Il les épousa toutes deux. Lorsque Chilpéric se marie à la princesse espagnole Galswinthe, la jalousie de Frédégonde, sa concubine, suscite un drame. « Comme Galswinthe se plaignait au roi d'être continuellement outragée, il l'apaisa d'abord avec des paroles caressantes, puis la fit étrangler par un esclave, et la trouva morte dans son lit. » « Quant aux actes de débauche, dit Grégoire, on n'en peut imaginer aucun qu'il n'ait accompli en réalité. » Théodebert, « roi plein de grandeur et de bonté » a épousé Deutérie. « Lorsque celle-ci vit sa fille tout à fait adulte, elle craignit que le roi n'en devînt amoureux et ne la prît pour lui; elle la fit monter dans un chariot attelé à des bœufs indomptés, et la précipita du haut d'un pont dans le fleuve où elle périt. Cela se passa dans la ville de Verdun. » Ainsi épouser successivement les deux sœurs, ou encore la mère et la fille, ne fait pas horreur. Du sang et de la volupté, voilà ce qu'on trouve dans les palais mérovingiens. Pourquoi Radegonde fuit-elle Clotaire? Par dégoût, voyant que des concubines souillent son lit. Par horreur aussi, puisque son propre frère est tombé sous le poignard du prince. La corruption royale, loin de décroître, ne fera qu'augmenter, au point d'abâtardir la race. A Clotaire « prince instruit, pieux, généreux envers les églises, mais trop enclin aux suggestions des femmes et des filles », succédera Dagobert qui, en plus de « ses trois reines possédera *ad instar Salomonis* des concubines qu'on ne peut dénombrer ». Son fils Clotaire II est l'abjection même. Pères à quinze ans, les derniers mérovingiens n'ont plus la force de commander : les rois fainéants. Après eux, leudes et princes forment avec leurs esclaves de véritables harems.

Mœurs d'exception, dira-t-on, triste privilège des grands? Non pas. Si les pages sanglantes où Grégoire de Tours dépeint les crimes contemporains visent peut-être des cas exceptionnels, un orateur populaire comme Césaire d'Arles nous est garant que l'immoralité était partout. A tout degré de la société, l'adultère : nobles, négociants en voyage privés de leurs femmes, fonctionnaires et soldats par pétulance de métier, tous ont la fureur de « se commettre avec beaucoup de servantes », y joignant même une pointe de vantardise deux fois gauloise, « se disputant dans leurs conversations à qui proclamerait en avoir fait le plus, et accueillant leurs aveux réciproques par des éclats de rire stupides ». D'autre part, le concubinage ancillaire est fréquent, quasi admis par l'opinion; il convient aux fils de famille qui attendent l'union légale; et aussi aux individus de basse extraction qui espèrent, après s'être enrichis, faire un beau mariage. Unions plus répréhensibles encore que l'infidélité, note Césaire, « parce que celui qui se livre à l'adultère s'efforce au moins d'accomplir en cachette un mal si grand et éprouve encore quelque honte à le commettre en public, tandis que celui qui s'établit ouvertement avec une concubine s'arroge avec impudence le droit de faire cette chose exécrable au vu et au su de tous ». Enfin les gens mariés eux-mêmes abusent des droits conjugaux : d'où, remarque encore Césaire, ces enfants mal nés, sujets à toutes les infirmités, voire aux plus offensantes pour la nature humaine, telles que la lèpre, ou encore l'épilepsie, si fréquente alors. Avec une crudité médicale, Césaire, qui parle à des *rustici,* détaille les abus, et leurs conséquences pour la race.

A cette même catégorie d'auditeurs, il reproche l'ivrognerie. A telle fête on fera bombance sans interruption cinq ou six jours; et, soit effet de paris stupides, soit que l'hôte fixe la capacité des convives, il faudra tenir tête aux plus intrépides. Aux solennités religieuses, ces exploits sont aussi de mode : danser autour des basiliques, se saoûler dans les tavernes qui bornent la route, manger des mets pimentés pour pouvoir boire encore, davantage et toujours, telle est la manière populaire de s'associer à la pompe liturgique. Césaire évoque ces scènes de bestialité renouvelées du paganisme : « J'en ai vu, dit-il, se lever tout à coup, se mouvoir avec frénésie, et danser d'après un rite bachique comme un homme atteint de folie, en hurlant d'infâmes chansons d'amour et de luxure. Est-ce que ce sont des hommes ceux-là? Non, ces êtres qu'on relève dans les ruisseaux ne sont pas des hommes. Ils ne se tiennent pas debout comme des hommes. »

II. Paganisme et superstition. — L'impression générale est donc que le paganisme imprègne encore cette société. Le culte idolâtrique subsiste même en diverses régions comme les ronces et les broussailles : ainsi notamment dans la Gaule septentrionale, sur les bords du Rhin, de l'Escaut et de la Moselle, où des temples s'élèvent encore nombreux. Veulent-ils les démolir, les missionnaires se heurtent au même fanatisme homicide que jadis saint Martin. Lorsque saint Gallus met le feu au temple de Cologne, les Barbares le poursuivent, et il ne trouve le salut qu'en se réfugiant au palais du roi Thierry. Dans le pays de Trèves, le solitaire Aredius ayant découvert une statue de Diane, prêche aux paysans « que les idoles et le culte qu'on leur rend, tout cela n'est que néant, et il fait si bien qu'ils attachent des cordes tous ensemble à l'idole pour l'abattre eux-mêmes ». L'exemple est connu de la reine Radegonde qui, se rendant à un dîner, apprit en chemin qu'un temple se dressait non loin de là; sans hésiter, elle ordonna à ses serviteurs d'y mettre le feu. Aussitôt, grand concours de paysans. Armés de glaives et de bâtons, ils veulent faire à Radegonde un mauvais parti; mais son attitude calme et intrépide leur en impose tellement qu'ils finissent par s'apaiser. Le concile d'Orléans en 549 parle d'esclaves placés sous la férule de maîtres infidèles : d'où cette conclusion qu'en pleine monarchie franque on trouverait non seulement des gens de basse condition, mais des propriétaires encore païens. Childebert doit ordonner la destruction des dieux termes toujours nombreux dans les campagnes : « Que tous ceux qui n'enlèveront pas de leurs domaines statues et idoles dédiées aux démons, ou ceux qui empêcheront les évêques de les détruire comparaissent devant notre tribunal. » Bien plus tard, en 626, le concile de Clichy notera qu'il y a toujours « des païens qui immolent à des idoles » et — chose plus grave — des chrétiens pour les regarder faire, voire pour prendre part aux sacrifices.

Souvent dans l'entourage des princes, chrétiens et païens se coudoient. On a dit déjà que seuls les soldats de sa garde accompagnèrent Clovis au baptême. Théodebert est un prince zélé, dont Grégoire bénit la piété; mais lorsque son armée va en Italie combattre les Goths, ses soldats jettent dans le Pô femmes et enfants pour se concilier les génies de la guerre. Dans un banquet offert à Clotaire par un prince franc figurent des vases pleins de bière bénits pour les convives chrétiens, et d'autres pour les païens. On n'est pas plus libéral.

Évidemment, il y a lieu de distinguer entre les régions. Le centre et le midi de la Gaule restaient moins infestés, et il ne semble pas que l'idolâtrie proprement dite y ait survécu au VIe siècle. Là où elle demeura le plus tenace, ce fut dans les régions septentrionales : ainsi et surtout dans les diocèses de Thérouanne et de Tournai, longtemps laissés en friche, et où le zèle d'un saint Omer, d'un saint Géry et d'un saint Amand s'emploieront activement; de même dans le pays entre Seine et Somme, et jusqu'au milieu du VIIe siècle, selon qu'en témoignent les *Vies* de saint Valéry, de saint Éloi, de saint Loup, de saint Romain, de saint Ouen et de saint Wandrille [1].

D'ailleurs, par un étrange alliage, les baptisés eux-mêmes entremêlent le culte chrétien avec des pratiques païennes, la dévotion du Christ avec celle des divinités. L'idolâtrie agreste

1. Contre Fustel de Coulanges (*La Monarchie franque*, p. 507-508), l'abbé Vacandard a prouvé que l'idolâtrie proprement dite subsista en Gaule à l'époque mérovingienne. Voir *L'idolâtrie en Gaule au* VIe *siècle, R. Q. H.*, 1899, p. 424-454. Au fur et à mesure que l'idolâtrie disparaissait, le christianisme s'implantait davantage. Tandis qu'au Ve siècle évêques et prêtres sont presque tous de nationalité romaine, au cours du VIe le nombre augmente de ceux qui portent des noms germaniques. Au concile de Paris en 614, sur 79 évêques 37 porteront un nom germanique. A la fin du VIIe siècle, ces prélats au vocable tudesque sont en majorité, sauf dans la Gaule méridionale où ils n'apparaîtront qu'au VIIIe siècle. G. SCHNÜRER, *op. cit.*, p. 298-299.

subsistait : culte des arbres et des sources auprès desquels avaient lieu lustrations et orgies, dévotion au soleil et à la lune. Du paganisme on conservait encore certaines fêtes : ainsi, dédié à Janus, le premier janvier, où l'on se livrait aux mascarades et à la débauche; ou encore le jeudi, chômé en l'honneur de Jupiter. Au surplus mille superstitions : danses, sauteries, caroles et chants diaboliques, port de phylactères et de talismans, invocations à Minerve.

Enfin sorcières et pythonisses jouissent d'une vogue énorme. Sous le roi Gontran, une devineresse fameuse s'impose à la crédulité populaire et fait fortune. Plusieurs femmes de Paris avouent qu'elles sont sorcières, et qu'elles ont fait périr diverses personnes, entre autres le fils du roi Chilpéric; elles meurent dans les tortures.

Dans leur ignorance d'ailleurs les pauvres gens sont à la merci du premier imposteur venu. L'un d'eux, avait pris avec lui une femme, soi-disant sa sœur, qu'il faisait appeler Marie. La multitude accourait vers lui, et lui présentait des malades, qu'en les touchant il rendait à la santé. Ceux qui venaient le trouver lui apportaient de l'or, de l'argent et des vêtements; de son côté, pour les mieux séduire, il distribuait ces présents aux pauvres, en se prosternant contre terre et en se répandant en prières avec sa femme; puis, se relevant, il ordonnait de nouveau aux assistants de l'adorer. Il prédisait l'avenir, et annonçait aux uns des maladies, aux autres des malheurs imminents, le salut à venir à un très petit nombre. Je ne sais par quel art diabolique, par quels prestiges il faisait tout cela. Il séduisit ainsi une immense multitude, et non seulement des hommes grossiers, mais des prêtres. Il était suivi de plus de trois mille individus. Cependant il se mit à dépouiller et à piller ceux qu'il trouvait sur son chemin, et à distribuer leurs dépouilles à ceux qui n'avaient rien. Quand on l'eut abattu, les victimes de ses impostures « continuèrent à soutenir qu'il était le Christ et que Marie participait à sa divinité » (x, 25). En voici un autre, nommé Didier, qui vient à Tours durant l'absence de Grégoire, se vante d'avoir commerce avec les Apôtres Pierre et Paul et use des artifices de la nécromancie. « Il avait un capuchon et une tunique de poil de chèvre. Devant le monde il s'abstenait de nourriture et de boisson; mais lorsqu'il était dans son logement, il mangeait si gloutonnement en cachette, que le valet ne suffisait pas à le servir. » Son renom était grand; paralytiques et infirmes accouraient pour qu'il les guérît. Sa thérapeutique d'ailleurs restait plutôt simple : « Ses serviteurs prenaient les malades, les uns par les mains, les autres par les pieds, et les tiraient chacun de leur côté, au point qu'on eût cru que les nerfs en devaient être rompus. Il les guérissait ou il les tuait; plusieurs, en effet, moururent pendant ce supplice. » Tel autre « était vêtu d'une tunique sans manches, recouverte d'un suaire, et portait une croix à laquelle pendaient des fioles qui, suivant lui, contenaient de l'huile sainte. Il venait d'Espagne, disait-il, et montrait des reliques du diacre saint Vincent et de saint Félix, martyrs ». A Grégoire de Tours il dit d'un ton superbe : « Tu aurais dû nous préparer un meilleur accueil; mais j'instruirai de tout ceci le roi Chilpéric; et il vengera le mépris qu'on fait de moi. » Grégoire ordonne qu'on l'arrête. « On fit alors l'examen de tout ce qu'il portait, et on trouva sur lui une grande poche pleine de racines de diverses plantes; il y avait aussi des dents de taupes, des os de souris, des ongles et de la graisse d'ours, instruments de maléfice. » « La nuit suivante, dit encore Grégoire, ce malheureux ayant échappé à ses gardiens, vint, chargé de chaînes, dans la basilique; se précipita sur le pavé à l'endroit où j'avais coutume de me tenir, et s'y endormit, accablé de sommeil et de vin... Quatre clercs le prirent sur leurs bras, et le jetèrent dans un coin de l'église... Nos chants ne purent jamais interrompre son sommeil, et il ne se réveilla que lorsque le soleil dardait déjà ses rayons » (IX, 6). Dans sa brutale horreur, ne dirait-on pas quelque scène de la Russie paysanne?

III. Les remèdes : la prédication populaire. — Parlant des hommes de cette époque, les mots *simples* et *naïfs* sont ceux qui reviennent le plus naturellement sous la plume, et il faut quelque attention pour n'en point abuser. Mais sous cette simplicité, voyez aussi la roublardise, et encore les passions violentes. Ainsi ils ne sont point chrétiens, mais peuvent le devenir. L'Église les approche aussi facilement que nos missionnaires les nègres de l'Afrique.

Quels sont donc ses moyens? D'abord la prédication populaire. Toute clarté, toute simplicité, allure directe, rude franchise, saint Césaire est le modèle du genre[1]. Il prêche comme ferait aujourd'hui un missionnaire dans les campagnes, quelque rédemptoriste. Éloquence essentiellement pratique, où abondent reproches et conseils, sans autre prétention que faire réfléchir et faire trembler, dépourvue d'appareil théologique ou littéraire, mais que domine cette seule préoccupation : être compris de tous et profiter à tous. « Si je voulais, dit-il, faire entendre l'exposition des Écritures dans l'ordre et le langage employés par les Saints Pères, l'aliment de la doctrine ne pourrait parvenir qu'à quelques savants, et le reste du peuple, la multitude serait affamée. C'est pourquoi je demande humblement que les oreilles des doctes consentent à tolérer des expressions rustiques, afin que tout le troupeau du Seigneur puisse recevoir la nourriture céleste dans un langage simple et uni; et puisque les ignorants ne peuvent s'élever à la hauteur des savants, que les savants daignent descendre à l'ignorance de leurs frères. » S'adapter à la rusticité du milieu, voilà le secret.

Voyant quelle est l'importance de la prédication pour ces âmes incultes, Césaire rappelle aux évêques que là est leur primordial devoir. « Il ne s'agit pas de vous occuper uniquement du temporel de vos églises, leur signifie-t-il; vous avez aussi à prêcher. » Si vous « restez bouche close au milieu de vos temples comme les chiens muets de l'Écriture », à vous tous les péchés d'ignorance commis par vos fidèles. Pour convaincre ses confrères absorbés et affairés, il écrit ses *Admonitions aux évêques,* où il détruit toutes les fausses excuses, leur montrant qu'il n'est point difficile de faire une simple exhortation morale, qu'ils peuvent s'inspirer des Pères, les copier au besoin, ou même se faire suppléer. De fait, à son instigation, le IIe concile de Vaison (529) attribuera aux prêtres, voire aux diacres, le droit de prêcher : autorisation urgente, si l'on songe que, dans cette Gaule en friche, l'évêque ne pouvait guère faire qu'une seule visite par an à ses plus importantes paroisses rurales. Enfin, pitoyable à la détresse des prédicateurs, Césaire composa des sermonnaires où ses propres homélies alternaient avec celles de saint Augustin. Cet effort ne resta pas infructueux; Césaire fit école, s'il est permis d'employer ici un terme trop ambitieux. Les grands apôtres des temps mérovingiens, un saint Éloi, un saint Firmin suivront son exemple et s'inspireront de ses *Admonitions*. Le branle est donné.

La prédication populaire porte surtout alors contre les deux maux dominants : luxure et superstition. Saint Césaire décrit la plaie telle qu'elle est, avec une crudité d'expression parfois intraduisible; il propose et impose le remède. Contre l'adultère du mari il défend la femme outragée : « Puisque les hommes veulent que leurs épouses soient chastes, quel éga-

1. Voir A. MALNORY,* *Saint Césaire*, 1894. — M. CHAILLAN,* *Saint Césaire* (coll. *les Saints*), 1921.

rement de conscience leur fait commettre des choses abominables, et prendre licite pour eux ce qui est tout à fait illicite pour elles? Comme si Dieu avait fait des préceptes différents pour les hommes et pour les femmes. Ils ne font pas attention que l'homme et la femme ont été rachetés pareillement par le sang de Jésus-Christ, purifiés ensemble par son baptême, qu'ils s'approchent ensemble de l'autel du Seigneur, et qu'enfin il n'y a pas en Dieu distinction de mâle et de femelle, ni acception de personnes. Par conséquent, ce qui n'est pas permis aux femmes, pareillement ne l'a jamais été aux hommes et ne le sera jamais[1]. » De même, contre le concubinage : « Je voudrais bien savoir si ceux qui vivent ainsi consentiraient à ce que leurs futures avant de les épouser eussent été souillées par quelque débauché. Puisqu'il n'y a personne qui le souffrirait, pourquoi tout homme ne donne-t-il pas à sa fiancée la foi qu'il exige d'elle? De quel droit, étant lui-même corrompu, veut-il une épouse vierge? »

A montrer que l'impudique s'aliène Dieu, Césaire emploie de simples et énergiques comparaisons : « Puisque le soldat s'abstient de retourner auprès de sa femme par crainte du roi, il doit s'abstenir aussi de toucher la femme qui ne lui appartient pas par crainte de Dieu. Car de même que le roi peut mettre à mort celui qui retourne auprès de sa femme sans la permission de quitter l'armée, ainsi Dieu peut livrer à la damnation éternelle celui qui, se trouvant loin de sa femme, commet l'adultère. Le négoce, la volonté du roi valent la peine qu'on reste un très long temps sans avoir affaire à son épouse, et l'amour de la volonté de Dieu ne vaudrait pas la peine qu'on s'abstienne pendant longtemps d'une autre que de l'épouse? » Quand un mari abuse des satisfactions conjugales, il ressemble, d'après Césaire, à un cultivateur sans discernement : « Je voudrais que celui qui use de son épouse avec incontinence me dît quelle moisson il pourrait récolter, s'il labourait ou ensemençait son champ autant de fois dans l'année qu'il a cédé à la luxure avec son épouse. Car, comme vous le savez très bien, toute terre qu'on a ensemencée trop fréquemment dans la même année est incapable de produire les fruits qui sont de sa nature. Pourquoi donc fait-on dans son corps ce qu'on ne voudrait pas faire dans son champ? »

Aux coupables, les châtiments. Césaire avertit ceux qui vivent en concubinage : « Dieu vous punira, et moi je vous refuserai la bénédiction nuptiale le jour de votre mariage. » Que les épouses lésées se portent accusatrices, et l'excommunication suivra avec toutes ses conséquences religieuses et sociales. Bon sens et menaces, voilà donc à quoi sont accessibles et sensibles les âmes frustes des mérovingiens[2].

1. L'Église réclamait donc pour la femme son juste rang de baptisée, semblable qu'elle est à l'homme par sa dignité surnaturelle. Il faut rappeler ici la légende grossière d'après quoi le deuxième concile de Mâcon en 585 aurait refusé une âme aux femmes. En réalité, un évêque — sans doute dans des conversations privées — y suscita un débat grammatical : il niait qu'on pût employer le terme *homo* dans une acception générique pour signifier que la femme appartient à l'espèce humaine; « il n'admettait pas que *homo* pût être traité comme un mot épicène, et désigner indifféremment des individus de l'un ou de l'autre sexe ». Ses collègues lui objectèrent l'usage contraire, existant même dans l'Écriture : ainsi l'expression Fils de l'homme appliquée à Jésus, né de la Sainte Vierge. (*Hist Franc.*, VIII, 20.) Le moyen âge féodal devait user de cette licence : dans certaines chartes ou *homo* est synonyme de vassal les seigneurs appellent parfois des femmes qui sont leurs vassales *homo mea, homo nostra;* « Sire, si vos requier com vostre cousine et vostre hom », écrit la comtesse Marguerite de Flandre à saint Louis. Tout cela n'a rien à faire avec la question de l'âme féminine. Voir GODEFROID KURTH, *Le concile de Mâcon et les femmes*, *R. Q. H.*, 1892, p. 556-560; art. *Femmes (Ame des)* dans *Dict. Apol.*

2. Dans la réforme des mœurs les rois soutinrent plus ou moins le clergé. Ainsi un édit de Childebert sanctionna-t-il les empêchements matrimoniaux pour affinité ou parenté : interdiction d'épouser sa belle-sœur, sa belle-fille, sa belle-mère, sa nièce et sa cousine-germaine; défense au ravisseur de se marier avec celle qu'il a séduite. De même on assimila les fiançailles à un contrat légal non résiliable sous peine de compensation. En 614, Clotaire II défendit de disposer « par ordre » des jeunes filles qui désormais feraient elles-mêmes leur choix. — A noter aussi l'influence des *Pénitentiels* où se trouvent cotées et tarifées les fautes des fidèles.

Contre les superstitions multiples s'acharnent aussi les prédicateurs, montrant à ces gens simples combien elles sont ridicules, s'essayant à les en détourner par des arguments à leur portée. A ceux qui voyaient dans la lune une divinité, et qui lors des éclipses — s'imaginant qu'elle était en travail — poussaient des cris pour la soulager, saint Maxime disait : « ... Je m'étonne de votre vanité, et de ce qu'en dévots chrétiens vous portiez secours à Dieu. Vous criez, en effet, comme si en gardant le silence vous eussiez été cause qu'il perdît la lune. Sans votre secours vous pensez donc qu'il ne peut conserver les flambeaux qu'il a créés. Vous faites bien d'aider ainsi Dieu, afin qu'avec le secours de vos prières et de vos vœux il puisse gouverner le ciel. » De même Césaire raille ceux qui à la fête de Janus s'accoutrent en bêtes sauvages : « Par là ne montrent-ils pas qu'ils ont les sentiments de la bête, plus encore que les dehors? D'autres efféminent leur virilité en prenant des figures de jeunes filles; ils ont des faces barbues et veulent avoir l'air de femmes. Et vraiment, par un juste jugement de Dieu, ils ont perdu la force qui fait l'homme en se déguisant ainsi... Qu'on leur ferme la porte au nez, et non seulement qu'on ne les reçoive pas, mais qu'au besoin on les repousse avec des coups. »

Parfois encore, le prédicateur soulignait les conséquences directement néfastes de certaines coutumes. A ceux qui la veille de la Saint-Jean prenaient des bains nocturnes, saint Césaire disait : « Cet acte sacrilège cause non seulement la mort de l'âme, mais encore très fréquemment celle du corps. Redoutez au moins ce péril si vous oubliez le salut de votre âme. »

Tel reste l'attachement de ces paysans aux superstitions ancestrales que le prédicateur risque de se voir appréhendé par une foule furieuse. Ainsi contre saint Éloi attaquant les danses idolâtriques : « Jamais, Romain que tu es, bien que tu nous rabâches souvent la même chose, tu ne pourras détruire nos coutumes; nous célébrerons toujours nos solennités comme nous l'avons fait jusqu'ici, et il n'y a personne au monde qui puisse nous interdire ces jeux antiques si chers à nos cœurs. »

IV. Le culte des saints[1]. — Pour supprimer fêtes et coutumes païennes, l'Eglise employa aussi le procédé de démarcage. Porter des phylactères soit; mais renfermant des passages évangéliques. Pratiquer la divination, mais à l'aide des Écritures. Réprouvé par son père Chilpéric, Mérovée se rend au tombeau de saint Martin, y dépose le livre des Rois, les psaumes et les Évangiles et, après un jeûne préparatoire, lit au hasard du manuscrit cette phrase fatale : « Dieu vous a livré aux mains de vos ennemis. » Pouvait-il dès lors douter du sort qui l'attendait?

Sans calquer d'aussi près les procédés superstitieux, l'Église substitua aux fêtes païennes d'autres chrétiennes : ainsi à la solennité de Janus le 1er janvier un triduum de jeûnes, puis la Circoncision. De même le *Natale Petri de Cathedra* au 22 février supplanta la fête des défunts, la *cara cognatio,* vestige tenace du culte domestique. Saint Césaire eût voulu supprimer aussi la nomenclature mythologique des jours : lundi consacré à la lune, mardi à Mars, mercredi à Mercure, etc...; mais la vieille coutume resta la plus forte. Au moins déracina-t-on l'usage de chômer le jeudi, *Jovis dies.*

On pratique aussi la désaffectation. Là où persistait l'adoration des sources et des arbres, les évêques installèrent le culte rival d'un saint. Sur une montagne du Gévaudan il y avait

1. Voir MARIGNAN,* *Études sur la civilisation française*, t. II, *Le culte des saints sous les Mérovingiens,* 1899. — C. A. BERNOUILLI,* *Die Heiligen der Merovinger,* Tubingen.

un étang, où chaque année les paysans venaient jeter maints objets en offrande, se livrant à des réjouissances prolongées ; après d'inutiles exhortations, l'évêque eut l'idée victorieuse de construire là un oratoire dédié à saint Hilaire et d'y déposer ses reliques. Plus d'une source magique devint ainsi lieu de pèlerinage. Procédé licite et très habile que saint Grégoire recommandera aux apôtres de l'Angleterre : « car tant que la nation verra subsister ses anciens lieux de prière, elle sera disposée à s'y rendre. »

Détourner ces hommes grossiers des coutumes païennes et, par le culte des saints satisfaire leur besoin d'un surnaturel tangible, n'était-ce point procédé authentique d'apologétique populaire? En ces héros chrétiens ne retrouveraient-ils pas des amis, des protecteurs, des guérisseurs, des sauveurs?

Au début on n'honora que les martyrs. Mais dès le IVe siècle, après le triomphe de l'Église, il parut que ceux qui avaient pratiqué leur christianisme à un degré sublime méritaient, eux aussi, une vénération spéciale : tels les moines ou les saints évêques. Dans la Gaule mérovingienne le culte des confesseurs l'emporte même singulièrement sur celui des martyrs. Les fameux *Lugdunenses,* Pothin, Blandine et leurs compagnons étaient restés dans l'ombre, et Grégoire de Tours les connaît à peine. D'après Fortunat, les plus vénérés s'appellent Genès et Césaire d'Arles, Victor de Marseille, Denys de Paris, Symphorien d'Autun, Julien d'Auvergne, Privat du Gévaudan, Ferréol de Vienne, Hilaire de Poitiers, et au premier rang Martin de Tours. Les lieux si nombreux qui portent leurs noms suffisent à attester leur popularité : 700 paroisses dédiées à saint Martin, 274 à saint Germain, etc... Si peu aptes à la spéculation, ces pauvres gens avaient besoin d'une religion accessible à leurs sens et où le surnaturel se mît à leur portée, et pût — si j'ose dire — être vu, palpé, baisé. Le culte des saints leur offrait ces consolations.

Des saints, on attend miracles et guérisons. Voués à la garde de telle cité, ils s'en constituent la sentinelle vigilante, barrant l'accès aux démons perturbateurs. En cas de siège, on organise des processions, on mène les reliques du saint à travers les rues, souvent même jusqu'aux remparts, et bientôt voici l'ennemi en fuite, soit qu'un tremblement de terre l'épouvante, soit qu'une épidémie ou la famine le décime. Même recours au saint protecteur contre tout péril. En 546, alors que la peste ravage la Germanie Première, les Rémois viennent prier devant le tombeau de saint Rémy durant une nuit entière; le matin venu, ils déposent sur un cercueil fictif le tapis qui recouvre le mausolée, et s'en vont ainsi par la ville, chantant des cantiques. Leur foi ne fut point déçue; la peste rôda jusqu'au pied des murailles, mais sans les franchir.

Aux saints on demandait aussi des services journaliers, menus, infiniment variés : pour ces gens simples, qui se déclaraient leurs *alumni*, leurs protégés, leurs pensionnaires, ils étaient vraiment des familiers dont on espérait le soleil aux jours d'humidité, la pluie durant la sécheresse. Une femme est-elle stérile, craint-elle pour son accouchement, elle implore le saint. A la vérité, parmi ces multiples et naïves requêtes, plusieurs se glissent plutôt audacieuses, voire immorales; mais qu'importe, le saint saura bien faire le départ, il s'entendra à diriger et à rectifier l'intention.

Qu'il s'exécute; il y va de sa popularité, de son crédit: s'il abandonnait les siens, eux aussi le délaisseraient. Ses faveurs viennent-elles à trop tarder, plus de présents sur sa tombe, plus de chants et d'illuminations dans son sanctuaire, et peut-être ira-t-on jusqu'à lui reprendre ce qu'on lui avait donné. Il arrive que, dans un bel accès de colère, le prêtre lui-même brise les lampes du sanctuaire, ferme l'église et déclare tout net qu'il ne les rouvrira que le saint n'ait exaucé ses prières. A peine a-t-il cédé, on lui rend toute la faveur ancienne, et même elle s'en trouve accrue.

Donc les miracles foisonnent. « Après la mort du bienheureux confesseur Illide, dit Grégoire de Tours, il s'opéra tant de prodiges à son glorieux tombeau, qu'on ne pourrait ni les écrire en entier, ni les retenir dans sa mémoire. » Encore saint Illide n'est-il, parmi tant d'autres, qu'une simple unité. Que sera-ce donc de saint Martin? A lui tout pouvoir, et jusqu'à diriger le cours des événements et le processus de l'histoire. Avant Vouillé, Clovis envoie ses serviteurs à Tours; ils entrent dans la basilique au moment même où le primicier entonne cette antienne : « Seigneur, vous m'avez revêtu de force pour la guerre, et vous avez abattu ceux qui s'élevaient contre moi. » Dès lors, victoire certaine. Quand Childebert et Théodebert marchent contre leur frère Clotaire, Clotilde va prier le saint national, qui sur les agresseurs envoie une tempête et une pluie de pierres écrasantes. Même Chilpéric, ce grand mécréant, lui demande conseil par lettre, laissant d'ailleurs une page blanche pour la réponse; mais son envoyé l'attend en vain pendant trois jours; car le saint ne soutient que les honnêtes gens. Rien ne lui résiste. La fureur des éléments s'arrête devant lui. Quand le feu détruit l'église de Mareuil, où sont les reliques de Martin, « sa puissance se montre en ce que, malgré la violence de l'incendie, les nappes placées sur l'autel ne sont point consumées, ni même les fleurs cueillies depuis longtemps, et qui se trouvent dans le sanctuaire. » Martin — et on nous permettra de raconter ici quelque anecdote savoureuse — guérit toutes les maladies, y compris l'épilepsie, la plus fréquente et la plus terrible de l'époque. Rien qu'une prière sincère avec l'attouchement de la tenture suspendue devant son tombeau, et voilà Grégoire débarrassé d'une arête qui lui obstruait le gosier : « Je ne sais pas ce qu'est devenu l'aiguillon, dit-il, car je ne l'ai ni vomi, ni senti passer ». Guérir les maux de dents est un jeu pour Martin. « O thériaque inénarrable, s'écrie Grégoire émerveillé, ineffable pigment! admirable antidote! supérieur à toutes les habiletés des médecins, plus suave que les aromates, plus fort que tous les onguents réunis! tu nettoies l'intestin aussi bien que la scammonée, le poumon aussi bien que l'hysope, tu purges la tête aussi bien que le pyrèthre! » Le tombeau de Martin à Tours deviendra vite le grand carrefour de la chrétienté souffrante, tel que Lourdes aujourd'hui : toutes les misères y afflueront, et combien y seront guéries.

Car la crédulité des contemporains peut nous faire sourire; elle n'explique pas à elle seule tant de prodiges. Nul doute que Dieu ait souvent récompensé la foi de ces gens naïfs qui dans le miracle voyaient la manisfestation ordinaire et normale de sa bonté. Grégoire, en particulier, se fait une idée très élevée du rôle des saints. Commentant le récit biblique d'après quoi Dieu fit deux grands luminaires, puis les étoiles, il voit dans les deux premiers le Christ et son Église, et dans les étoiles les apôtres et les saints. N'est-ce pas ceux-ci en effet qui par la prédication et par l'exemple, vont dissiper les brouillards des cultes et des superstitions païennes? Pour simple qu'elle soit, la vue de Grégoire est très juste, et elle porte loin.

Trésor principal de l'église, le tombeau du saint s'élevait soit dans le sanctuaire, soit à l'ouverture de l'abside, soit encore dans une crypte placée sous le maître-autel, et dont l'accès était interdit par une grille en fer ou en marbre sculpté. Une riche *palla* de soie le recouvrait, ornée de pierres précieuses. Mille ex-voto rappelaient les miracles obtenus : couronnes d'or et d'argent, inscriptions, chaînes de prisonniers libérés, objets d'art dont plusieurs représentaient les parties malades guéries.

C'est surtout pour la fête du saint que les pèlerins accouraient nombreux jusqu'à déborder hors de l'église. Souvent dans l'ignorance où l'on se trouvait de l'anniversaire du *natale*, la solennité était placée à une date arbitraire, mais plus pratique : à l'arrière-saison, alors que les paysans pouvaient s'absenter sans que la moisson en souffrît. Malades, pénitents condamnés à plusieurs années de pèlerinages, nombreux fidèles attirés par une pieuse curiosité, convergent vers la ville en longues files qui chantent des hymnes, des psaumes, voire des refrains populaires. Vers les grands sanctuaires ils accourent de loin, et pour ainsi dire de tous pays. A leur piété avide s'offre maints spectacles ; outre la basilique, d'autres sanctuaires commémorent divers épisodes : transformée en un riche oratoire orné de fleurs, voici l'humble cellule où l'ermite se mortifia ; là, rappelant les miracles du saint, un gardien les localise sans souci excessif de la critique : à tel endroit il a ressuscité un mort, à tel autre accompli une guérison, un peu plus loin — comme Moïse — fait jaillir la source du rocher.

Mais le principal attraît c'était le tombeau dans la basilique. Au grand jour, la messe solennelle se célébrait durant laquelle quelque diacre lisait la passion du saint. Un banquet commun réunissait ensuite tous les fidèles, sans distinction de classes, dans une admirable fraternité. L'après-midi, procession aux divers oratoires sous la conduite du clergé. Si l'on ajoute qu'à ces fêtes religieuses étaient annexées des réjouissances séculières et qu'elles coïncidaient souvent avec les foires et les marchés placés sous la protection même du saint, on peut comprendre que c'était là le grand événement de l'année, et pour ainsi dire le seul.

D'où parfois l'air trop profane que prennent les pèlerinages. Comme nos kermesses ils tournent souvent à la ripaille et à la beuverie ; sous les portiques mêmes du temple, on danse et on chante. Contre de telles pratiques renouvelées du paganisme populaire, le concile de Chalon s'inscrira avec force au VIIe siècle : « Chacun sait, dit-il, qu'au jour de la dédicace de l'église et aux fêtes des martyrs, qui attirent beaucoup de fidèles, plusieurs chantent des cantilènes obscènes au lieu de prier, ou dansent quand ils devraient écouter les psalmodies des clercs. Il faut que les prêtres les chassent de l'enceinte des basiliques, des portiques et de l'atrium, et qu'ils excommunient, ou tout au moins punissent sévèrement, ceux qui ne se corrigeraient pas de bon gré. »

Le miraculeux tombeau n'était pas fréquenté qu'au jour de la fête. Sans cesse les malades venaient y demander leur guérison. Paralytiques, sourds, aveugles, fiévreux s'y installaient pour de longs mois, misérables qui n'avaient plus confiance que dans le ciel. La nuit, après la ronde du gardien, une fois l'église fermée, à la seule lueur de la lampe du tombeau, ils restaient là à prier, soit étendus, soit à genoux, un cierge à la main.

A l'efficacité de ces oraisons, joignez celle des remèdes saints. On grattait la pierre des tombeaux pour en mêler la poussière à de l'eau et du vin : pieuse pratique si usitée que certains mausolées étaient perforés, tel à Poitiers celui de saint Théomaste, guérisseur des maux de dents et de la fièvre. Autres remèdes : recueillir la cire des cierges, l'huile des lampes et en frotter les membres malades, ou encore faire des tisanes avec le feuillage qui orne le tombeau. Le malheureux arbre témoin du martyre de saint Genès à Arles se trouva ainsi complètement dépouillé; encore les fidèles s'acharnèrent-ils sur son tronc dénudé, dont ils se disputèrent les fragments. Plus simplement, rien que l'attouchement du voile du tombeau ou du bois de la grille pouvait amener la guérison.

Au fond c'était là déjà l'emploi des reliques miraculeuses. A cette époque donner des ossements de saints était fort rare. On y suppléait à bon compte. Qu'une étoffe ait touché le mausolée, un cierge brûlé dans la basilique, il suffit, voilà des reliques. Aussi simples que Grégoire, nous rapporterons comment il put faire élever à Tours un sanctuaire à saint Julien de Brioude. « Il arriva qu'après mon ordination je me rendis en Auvergne. Pendant mon voyage je visitai la basilique du saint et, après la fête j'arrachai, pour m'en faire une sauvegarde, quelque peu de la frange du voile qui couvrait le tombeau. Or des moines de Tours construisirent en l'honneur du saint une basilique qu'ils désiraient voir consacrer par ses miracles. Sachant que j'avais rapporté des reliques, ils me prièrent d'enrichir leur église de ces dépouilles à l'occasion de la dédicace. Je pris secrètement la boîte et, au commencement de la nuit, je me hâtai de la porter à la basilique de saint Martin. Un homme pieux qui se trouvait à distance, raconta qu'au moment où nous entrâmes il vit une éclatante lumière descendre sur l'édifice et pénétrer à l'intérieur. Lorsque nous l'apprîmes le lendemain par les fidèles, nous conjecturâmes que cela était dû à la vertu du martyr. Après avoir déposé les reliques sur l'autel et veillé la nuit, nous les portâmes au chant des psaumes à l'église dont j'ai parlé. »

Mais voici plus fort, toujours sous la plume du bon Grégoire de Tours. « Le tombeau de saint Pierre, dit-il, placé sous l'autel de l'église du Vatican, est un ouvrage des plus rares. Celui qui veut y adresser ses prières ouvre la grille qui l'entoure, s'approche du sépulcre, et, passant la tête par une petite fenêtre qui s'y trouve, il demande ce dont il a besoin ; ses prières sont aussitôt exaucées, pourvu seulement qu'elles soient justes. Désire-t-il rapporter du tombeau quelque relique, il y jette un morceau d'étoffe qu'il a d'abord pesé ; ensuite, dans les veilles, le jeûne, il prie avec ardeur que la vertu apostolique daigne exaucer son désir. Chose admirable, si la foi de celui qui agit ainsi est suffisante, l'étoffe, quand on la retire du tombeau, se trouve si remplie de la vertu divine, qu'elle pèse beaucoup plus qu'auparavant. » Avec le Bollandiste H. Delehaye, nous pouvons douter que cette bizarre épreuve de la balance ait été pratiquée jamais. Ce n'est pas l'anecdote — si étrange soit-elle — qui nous intéresse surtout, mais la mentalité qui la fait rapporter par un homme de la culture de Grégoire. Où s'arrêtait dès lors la crédulité populaire? Évidemment l'hypercriticisme ne menaçait guère ces générations.

Les ossements restaient à cette époque la possession de la basilique, centre du pèlerinage [1]. La vente des reliques, telle qu'elle se pratiquera plus tard sur une très vaste échelle, n'était point encore connue. Cependant on voit déjà les puissants rechercher les ossements de saints, surtout à la veille d'entreprises périlleuses, avec l'espoir qu'ils leur serviront d'égide. De passage à Bordeaux, apprenant qu'un marchand syrien, Eufrone, possède des reliques du fameux saint Serge, le prétendant Gondoald et son allié Mummole, le somment de livrer son trésor ; comme il refuse, on assiège la maison ; un diacre ouvre la châsse, y prend un os du doigt et en coupe un morceau que Mummole s'approprie. « Je ne crois pas, dit mélancoliquement Grégoire, que cela ait fait plaisir au bienheureux. » Mais peu importe ; fin justifie moyens.

1. En quoi l'Occident différait de l'Orient où transferts et sectionnements de reliques étaient admis depuis longtemps. Quand l'impératrice Constantine demande à saint Grégoire le Grand le chef de saint Paul, il lui répond : « Les corps saints font briller autour d'eux les miracles, et même pour prier on ne s'approche pas d'eux sans grande crainte. Qui oserait les toucher mourrait. Aussi les Romains, lorsqu'on leur demande des reliques à l'occasion de la consécration d'une église, se contentent-ils de placer dans le tombeau un morceau d'étoffe ; ils l'envoient ensuite à l'église nouvelle où il opère autant de miracles que les reliques elles-mêmes. » Tout au plus le pape promet-il à l'impératrice quelques parcelles des chaînes que saint Paul a portées.

Les rois possèdent un trésor de reliques qu'ils emportent dans tous leurs voyages, et sur quoi ils font jurer fidélité et prêter serment judiciaire. Entre toutes brille — si l'on peut dire — la chape de saint Martin. D'où le nom de *capella,* chapelle, donné à l'oratoire royal, et celui de chapelains à ses desservants que dirige l'abbé du palais, *abbas palatinus.*

Des reliques on use donc, et on abuse. Bonnes à tout, elles doivent même parfois protéger le mal. Après s'être emparé de Paris malgré ses serments, Chilpéric y entre précédé des reliques, pensant ainsi se couvrir contre toute vengeance humaine ou céleste. Bref, un talisman. Quand Frédégonde arme deux assassins contre Sigebert, elle leur dit : « Si vous revenez vivants, je vous honorerai, vous et votre lignée; si vous périssez, je répandrai pour vous des aumônes dans les lieux où les saints sont honorés. » Le paradis par le crime avec la protection des saints.

On cherche à se ménager une sépulture auprès de leurs tombeaux. D'où la coutume d'établir les cimetières autour des églises; les bienfaiteurs insignes réclament même la suprême faveur d'être enterrés à l'intérieur non loin du mausolée; et malgré les protestations des conciles, l'usage tend à se généraliser.

Appréciés d'un point de vue trop terrestre, les saints ont pourtant une influence moralisatrice. Bienfaiteurs, ils font parfois aussi figure de justiciers. A ces fidèles mal dégrossis, le christianisme est montré comme une institution où toute faute est châtiée rigoureusement : pour arrêter le débordement brutal des passions, évêques et prêtres n'ont souvent d'autre moyen que d'évoquer les châtiments célestes. Les saints, de même. A Chalon, nous voyons quelqu'un devenir soudain muet au moment où il va prêter un faux serment sur les reliques de saint Marcel; à Brioude, pour une faute semblable, saint Julien frappe de la foudre le coupable attablé avec d'autres convives qui demeurent indemnes. Les incrédules sont châtiés cruellement. Dans le pays de Bourges on honorait le bienheureux Marcien qui n'avait vécu que de fruits durant sa vie d'ermite. Tandis que, le jour de sa fête, un mécréant s'occupait à faire griller du grain : « Comment, lui cria un passant, t'occupes-tu aujourd'hui d'une telle besogne? — Penses-tu, repartit l'autre, qu'un homme qui est tombé d'un arbre pour avoir satisfait sa gourmandise ait été admis à la société des anges. Il vaut mieux travailler chez soi à des œuvres utiles que de vénérer pareil saint. » A peine avait-il parlé que la foudre s'abattit sur sa maison. L'anecdote montre d'ailleurs que même alors il y avait des esprits forts.

Mais le saint a des procédés plus doux pour rendre vertueux : ses propres exemples. Les *Vies* s'élaborent alors, instruments de moralisation entre les mains du clergé. Aussi visent-elles moins à établir la stricte vérité historique qu'à édifier. Tandis que les néo-manichéens rééditent les *Apocryphes* antiques, et sur les fondateurs d'églises et les martyrs composent toute une littérature hagiographique où ils inventent épisodes et dialogues qui accréditeront leurs idées; en réplique, les catholiques écrivent des récits merveilleux, expurgés et orthodoxes : épisodes évangéliques, actes de martyrs, mais aussi histoires de confesseurs telles qu'en composeront Grégoire de Tours et Fortunat. Souvent les récits fourmillent d'anecdotes extraordinaires : des modèles circulent, véritables passe-partout qui servent pour un grand nombre. Le caractère fabuleux de multiples légendes n'est que trop certain : par exemple saint Christophe ou Christophore, les sept dormants d'Éphèse, Denys de Paris identifié avec l'Aréopagite. Pourtant il y a des explications scientifiques plus légendaires parfois que les légendes elles-mêmes : ainsi maintes suggestions de l'école mythique pour qui saint Georges ne serait qu'un Mithra asiatique, et sainte Gertrude une Walkyrie germanique. Ne médisons pas de l'hagiographie mérovingienne : d'une part, reflet de la mentalité contemporaine, elle constitue, comme les *Dialogues* de saint Grégoire, une documentation psychologique importante; en outre, certaines vies — telles celles de saint Germain et de sainte Radegonde, de saint Remi, de saint Médard, de saint Didier de Vienne, de saint Géry de Cambrai, de saint Vaast, de saint Arnould de Metz et de sainte Gertrude — comptent parmi les meilleures sources d'information.

Aux saints revient aussi un rôle social, ou — si l'on peut dire — municipal et paroissial. Toute ville tient à honneur et à profit de posséder dans ses murs les restes d'un saint. Comme un prêtre de Trèves se répandait en injures contre l'évêque Nicet, qui avait légué tous ses biens à des sanctuaires étrangers, le saint lui apparut, accompagné de personnages célestes. Il lui reprocha de n'avoir point compris que son corps légué à la basilique, c'était le plus précieux des trésors; et corroborant ses paroles par d'autres arguments, la troupe angélique frappa si rudement l'incrédule qu'il en demeura malade quarante jours durant. Nicet avait dit vrai. Aussi la possession des reliques fit-elle parfois l'objet d'un ardent conflit entre diverses cités. Poitevins et Tourangeaux se disputèrent ainsi celles de saint Martin, les plus célèbres de toute la Gaule. Il faut les voir s'escrimer au moyen d'une dialectique encore novice : les Poitevins arguant que Martin fut abbé à Ligugé dans leur diocèse, les Tourangeaux qu'il avait accompli des miracles multiples en Poitou, notamment deux résurrections, tandis que dans leur province une seule; d'où la nécessité pour eux de justes compensations. Raisonnement trop subtil, nous semble-t-il, et pourtant assez attaquable : car c'était précisément l'habitude que les reliques reposassent là où, vivant, le saint avait exhibé sa puissance de thaumaturge. Mais peu importe : en ces temps-là, on l'emportait à l'ordinaire autrement que par le syllogisme en forme. Comme les partis en litige veillaient ensemble les reliques, profitant du sommeil des gardes, les Tourangeaux descendirent le précieux trésor par une fenêtre, l'embarquèrent sur la Vienne et, au chant des hymnes et des psaumes, l'introduisirent solennellement dans leur cité. Ce n'était point une petite victoire, ni une petite bénédiction, ni un petit profit : et les résultats en subsisteraient durant de longs siècles.

Un saint, en effet, est une ressource considérable pour une ville. Non seulement il la protège, et par l'afflux des pèlerins qui y accourent lui donne gloire et richesse; mais encore les dotations se multiplient en sa faveur, soit du roi et des grands, soit des particuliers. La cité de Tours obtient l'exemption d'impôts à cause de saint Martin. Quand Childebert ordonne un nouveau recensement, et que les officiers royaux s'y présentent, avec une fermeté redou-

1. Parmi les *Vitae* mérovingiennes qui ont prêté à discussions, signalons particulièrement celle de sainte Geneviève. L'hypercriticisme de Br. Krusch a été pris là en défaut, et l'authenticité du texte démontrée : cette *Vita*, écrite vers 530, émane d'un moine originaire de Meaux qui, sans avoir connu la sainte, s'est documenté soigneusement sur elle. Voir : KUENSTLE, *Vita s. Genovefae parisiensis*... Leipzig, 1910. — DEPOIN, *La Vie de sainte Geneviève*, *Rev. Études hist.*, 1913. — KURTH, *Étude critique sur la Vie de sainte Geneviève*, *R. H. E.*, 1913, p. 5; *A propos de la Vita Genovefae, ibid.*, 1914, p. 437.

Sur saint Didier, évêque de Cahors (630-655) : voir R. POUPARDIN, *La Vie de saint Didier, évêque de Cahors*, 1900. — Sur saint Philibert, fondateur de Jumièges, voir R. POUPARDIN, *Monuments de l'histoire des abbayes de saint Philibert*, 1905. — Sur les saints de l'Ancienne Belgique, L. VAN DER ESSEN, *Étude critique et littéraire sur les Vitae des saints Mérovingiens de l'Ancienne Belgique*, Louvain, Paris, 1907. — E. DE MOREAU, *Étude critique sur la plus ancienne biographie de saint Amand*, R. H. E., 1926, p. 27-67.

Parmi les vies les plus suggestives et qui évoquent le mieux les temps mérovingiens selon une sûre méthode historique : MALNORY, * *Saint Césaire*, 1894. — VACANDARD, * *Vie de saint Ouen*, 1902. — E. DE MOREAU, * *Saint Amand*, Louvain, 1927.

table Grégoire leur oppose les privilèges du saint : « Vous pouvez soumettre la ville au tribut; mais prenez garde aux suites fâcheuses de votre entreprise[1]. »

1. Propriétaire des biens ecclésiastiques, patron et protecteur de la communauté, le saint joue un certain rôle dans le développement de la paroisse. « On lui donne, dit Imbart de la Tour, on lui lègue, il est vraiment propriétaire, et comme lui-même est sacré, sa propriété est inviolable; comme il ne meurt pas, elle est perpétuelle. Dans une société grossière qui tend à se représenter tout sous une forme sensible, État, Église, surnaturel, il devient le médiateur entre les fidèles et Dieu. C'est autour de lui que se groupe la communauté dont il est le chef visible et présent. Mais église, clergé, propriété, qu'est-ce autre chose que les éléments qui ont formé la paroisse et lui ont assuré l'existence en lui donnant l'autonomie? Ainsi les idées de protection, de patronage ont produit dans l'Église les mêmes effets que dans la société. Le patronage des grands a été, dès le ve siècle, la cause de cette décentralisation politique qui a enlevé les hommes au pouvoir de l'État et les a peu à peu soumis à l'aristocratie. Le patronage du saint a provoqué la décentralisation religieuse qui a brisé la communauté primitive et détaché de l'église de la cité les églises des *vici* ou des domaines. C'est par lui que la petite église locale, érigée en souvenir d'un confesseur ou d'un martyr, est devenue un centre religieux, un organe doué de sa vie propre et de ses fonctions. On peut dire que c'est surtout par le culte du saint que la paroisse rurale s'est constituée. » Il y a quelque exagération dans la thèse ainsi formulée : en fait ce sont essentiellement les *vici* et les églises de domaines qui sont à l'origine des paroisses rurales que le saint patronne et protège. Nous y reviendrons.

CHAPITRE II

L'ÉPISCOPAT MÉROVINGIEN

I. Les élections épiscopales. — De tout temps la question des investitures fut le brûlant terrain de démarcation où Église et État se disputèrent l'influence. Qu'en était-il aux temps mérovingiens, et d'abord avant l'arrivée des Francs?

Nous avons le témoignage officiel de la papauté. En 428 saint Célestin écrivait à l'épiscopat de la Viennoise et de la Narbonnaise : « Qu'aucun évêque ne soit donné à une population malgré elle. » En 445, Hilaire d'Arles ayant ordonné l'évêque de Die sans consulter peuple et clergé, saint Léon le rappelle à la tradition : « Que celui qui doit être au-dessus de tous soit choisi par tous. » « D'après le rituel gallican, où se trouve la description authentique de l'ordination épiscopale à l'époque mérovingienne, métropolitain et comprovinciaux présidaient l'élection au siège vacant. Après qu'on avait négocié le choix du candidat, une fois l'unanimité morale réunie sur tel personnage, le métropolitain le présentait dans l'église au clergé et au peuple, rappelant ses titres à la confiance publique; puis il prononçait cette formule d'exhortation : « Mes frères, acclamez donc ce candidat choisi sur le témoignage de sa sainteté et pleinement apte au sacerdoce; reconnaissez qu'il est digne. » Et la foule de s'écrier : « *Dignus est!* Il est digne! »

Voilà donc le procédé régulier. Mais en pratique on pouvait s'attendre à des brigues, et que les partis adverses élevassent d'inconciliables prétentions. Pour y parer le concile d'Arles édictait en 452 le canon suivant : « Lorsqu'il s'agit d'ordonner un évêque, trois candidats doivent être désignés par les comprovinciaux; puis les clercs et les citoyens du diocèse ont la faculté de choisir un des trois. » Mais ce canon ne parvint point à faire autorité, et l'usage de l'élection populaire se maintint partout en Gaule.

Toutefois l'élection peut offrir, selon les circonstances, des modes divers, parfois inattendus. En 470, à la succession de Paulus de Chalon se présentent trois candidats également indignes : au premier, note Sidoine Apollinaire, pour recommandation ses ancêtres; au second, les nombreux amis de sa cuisine; au troisième, les profiteurs alléchés par la promesse des gratifications. Pour éviter un sacrilège, métropolitain et évêques nommèrent eux-mêmes un prêtre recommandable appelé Jean; et c'est seulement après l'avoir consacré qu'ils l'imposèrent aux acclamations populaires. Deux ans plus tard, à Bourges, difficultés non moindres : « Tel était le nombre des compétiteurs, dit Sidoine, que tous ces candidats à un seul siège n'auraient pu tenir sur deux bancs... Par bonheur le peuple déclara tout à coup qu'il s'en remettait au jugement des évêques. »

Parfois au contraire c'est de la foule qu'une humble voix s'élevait pour désigner l'élu. Ainsi à Clermont où, tandis que les évêques restaient indécis, une sainte femme leur indiqua soudain un certain Rusticus, entrevu par elle dans sa vision. Et sur-le-champ, communiant à cette inspiration, le peuple s'écria : *Dignus est!* Il arrivait aussi que, justicière inflexible, la foule refusât avec une victorieuse obstination le candidat imposé : en 462, les gens de Béziers renvoyèrent à l'évêque de Narbonne un clerc qui leur arrivait tout sacré.

Bref soit qu'il désigne son candidat, soit qu'on le lui suggère, le peuple demeure l'électeur canonique : le peuple, c'est-à-dire le clergé, l'ordre des décurions et une partie considérable des fidèles de la cité (*clerus, ordo, plebs*).

Tel était le mode d'élection à l'avènement de Clovis. Lui, voulait régner. Sans toucher à la coutume, il désigna parfois aux électeurs tel candidat qui lui agréait : ainsi Euspicius à Verdun et Eptadius à Auxerre. D'ailleurs, en matière connexe, le concile de 511 interdit qu'un laïque devînt clerc sans l'autorisation royale. Autant de précédents dangereux par où s'insinue l'intervention séculière à l'encontre de la « législation existante ». Il y a des désirs qui sont des ordres et, comme le faisait remarquer saint Rémy aux évêques qui lui reprochaient d'avoir ordonné sans transition un simple laïque, nommé Claudius, il fallait céder à Clovis à cause de sa gloire et de ses catholiques victoires : « Le triomphateur des nations a commandé, j'ai obéi. » N'était-ce pas sentiment tout naturel? Lavisse a bien dit, l'Église mérovingienne ressentait envers ces rois barbares, les seuls qui fussent orthodoxes, « la dangereuse tendresse d'une mère pour un fils unique ».

Cette candidature royale, que Clovis n'avait fait que suggérer, ses fils, jaloux de leur autorité, l'imposèrent souvent. Maître du pays de Reims et de l'Auvergne, Thierry nomme coup sur coup à Clermont, par intervention directe et impérative, Apollinaire, puis Quintanius, puis saint Gall. Dans ce dernier cas son choix s'oppose à celui des électeurs; en vain viennent-ils lui présenter leur candidat; pour toute réponse il leur dit qu'ils auront Gall comme évêque. A la mort de celui-ci, tandis que la foule nomme le prêtre Caton, des intrigues de cour désignent l'archidiacre Cautinus, et on le sacre contre le gré des Clermontois, si bien que surgit un schisme local. Même désinvolture de Clotaire, roi de Soissons au nord et d'une partie de l'ancienne Wisigothie au sud : à Saintes par exemple, il fait sacrer Emerius sans souci du métropolitain absent. Ainsi durant cette période de transition l'intervention royale semble-t-elle plus indiscutable que le principe canonique d'élection populaire.

De là certains abus parmi lesquels la simonie et l'élévation des laïques à l'épiscopat. A coup sûr les membres de la noblesse gallo-romaine y apportaient souvent cette dignité et cette culture ailleurs introuvables; et en plus, l'habitude du gouvernement, voire la richesse personnelle, garanties de prospérité municipale. Mais n'y aurait-il pas danger que, préoccupés surtout d'acquérir le prestige, plusieurs montrassent une moindre conscience de leurs obligations religieuses et morales? Et d'ailleurs, le prince ne serait-il pas tenté de donner la crosse à ses familiers, voulant d'abord récompenser les services rendus, ou s'assurer des fonctionnaires épiscopaux fort dociles?

Un double remède s'imposait, ou plutôt une double précaution : maintenir l'élection populaire, obliger les laïques promus à une sorte d'épreuve morale ou — si l'on veut — de noviciat. C'est à quoi s'emploient les conciles mérovingiens durant la première moitié du

VIe siècle : ainsi celui de Clermont en 535, et le IIIe d'Orléans en 538 : « Que personne ne recherche l'honneur du pontificat, si ce n'est par ses mérites; cette fonction divine ne s'acquiert pas par des biens, mais par les mœurs. On ne doit s'élever à cette éminente dignité que par l'élection de tous, non par la faveur de quelques-uns. » Quant aux laïques, saint Césaire avait précisé déjà que leur ordination devrait être précédée d'un temps d'épreuve (*praemissa conversio* ou *conversionis propositum*), durant lequel ils mèneraient une vie conforme à ces aspirations nouvelles. En 524, le concile d'Arles fixait à un an la durée minima de la préparation. Même prescription du Ve concile d'Orléans en 458 : « Pendant ce temps, disait-il, le candidat laïque devra être soigneusement instruit sur la discipline et les règles ecclésiastiques par des hommes savants et éprouvés [1]. »

Fort bien. Mais contre l'ingérence royale, menaçante et tyrannique, nulle protestation. Sans doute n'est-elle pas reconnue, mais non plus condamnée. Alors que depuis Clovis tant d'abus ont été commis, ce silence demi-séculaire semble trop résigné. L'axiome ici est bien vrai : « Qui ne dit rien, consent », ou du moins semble consentir, ce qui revient au même. D'ailleurs le concile de 549 va bientôt admettre le principe de l'assentiment royal, autrement dit d'un *veto* qui pourra tout arrêter et tout remettre en question tant que le candidat officiel n'aura point été admis (*cum voluntate regis*). Capitulation tardive sans doute, et exprimée rien qu'une fois, mais qui permettait aux rois d'interpréter les silences antérieurs en leur propre faveur. Aussi les mérovingiens de la deuxième génération, les petits-fils de Clovis, barbares effrénés, allaient-ils — forts de ces silences et de cette autorisation — multiplier les ingérences.

A la mort de Clotaire Ier (561) qui, pour un temps, restaura l'unité territoriale, le royaume subit de nouveau un quadruple partage entre ses fils : Caribert, Gontran, Sigebert et Chilpéric (Voir tableau généologique *supra*). Gontran, roi de Bourgogne, établi à Orléans, était un prince bon, voire débonnaire : « Ce n'est pas l'habitude de notre gouvernement, déclara-t-il aux candidats de Bourges, qu'il vende l'épiscopat à prix d'argent, et il ne convient pas à vous de l'acheter par des présents. » Belles paroles, accompagnées même d'un serment, celui de ne jamais désigner un laïque pour l'épiscopat. Il n'empêche qu'il nomma au siège de Paris un riche marchand syrien, appelé Euphrone, dont il avait reçu maints cadeaux. Après la mort de Clotaire, un concile provincial avait déposé Emérius, nommé par lui évêque de Saintes, et lui avait substitué un certain Héraclius. Celui-ci va trouver Caribert, le compliment aux lèvres. Mais le prince de lui répondre en grinçant des dents : « Ah ! tu crois que les fils du roi Clotaire ne sauront pas faire respecter les actes de leur père? » Et le voilà conduit en exil sur un char rempli d'épines, tandis qu'Emérius récupère son siège. Quant aux Pères du concile, à eux de payer les frais : une amende énorme.

Sigebert Ier, roi d'Austrasie, qui avait Metz pour capitale, se montra respectueux du droit des électeurs. Mais son fils Childebert II, sous la tutelle de l'impérieuse Brunehaut, commit de notables infractions : souvent l'évêché fut au plus offrant. Avec une sainte hardiesse, d'ailleurs stérile, Colomban, l'abbé de Luxeuil, protesta, allant jusqu'à demander au pape s'il pouvait rester en communion avec les prélats simoniaques. De son côté, saint Grégoire le Grand poussait Brunehaut à réunir un concile réformateur : peines perdues [2]. Avec un peu

1. Cette *praemissa conversio* était d'ailleurs un adoucissement et supprimait la loi des interstices entre les différents ordres. Mais comment demander aux membres des grandes familles gallo-romaines qu'ils prissent rang d'abord dans le clergé inférieur avec des *rustici*, et qu'ils suivissent toute la filière?

2. Voir *infra*, p. 697.

moins d'insuccès, par d'habiles insinuations, certains évêques essayaient de guider discrètement le choix royal. Le vouloir de Brunehaut était, en effet, l'électeur unique.

DAGOBERT INVESTIT SAINT OMER PAR LA CROSSE.
Bibl. de Saint-Omer (Xe siècle).

Dans la Neustrie, le roi de Soissons, Chilpéric, fit montre — si possible — d'un arbitraire plus grand encore. Ce mari de Frédégonde était un affreux tyran que Grégoire sans ambages appelle « le Néron et l'Hérode de son temps ». Dans les prélats, que voyait-il ? Des rivaux d'influence. « Ce sont les évêques qui règnent, disait-il ; notre honneur s'en va à rien ;

il est passé à l'épiscopat. » Aussi dirigea-t-il les élections à sa guise, visant à faire parvenir ses propres créatures, le plus souvent des laïques : tels au Mans le maire du palais Badégésile, à Aix le comte Nicetius, à Nantes Monnichius.

Au début du VIIe siècle, après la défaite de Brunehaut, une réaction se produisit avec le fils de Chilpéric, Clotaire II, qui pour la troisième fois rétablit l'unité de la monarchie franque. Nullement héritier de la jalousie paternelle envers l'Église, il aimait s'entourer de clercs irréprochables comme Sulpice, Rusticus, Didier, Éloi, Dadon, tous futurs évêques, et en qui la postérité honorera des saints. En 614 il assembla à Paris les prélats du royaume. Le mode des élections épiscopales fut nettement précisé : nulle corruption, octroi du droit électoral — et non plus seulement consécratoire — au métropolitain et aux comprovinciaux, d'entente avec clergé et peuple ; réprobation des procédés simoniaques, où après tant d'abus criants, les princes ne pouvaient pas ne pas être visés ; par contre, silence sur le droit royal de confirmation, où il fallait voir — semble-t-il —, la désapprobation de tout un passé. Encore ce blâme n'était-il pas exprimé, et pouvait-on trouver que si cela allait sans dire, cela eût été encore mieux en le disant. En général, cet épiscopat mérovingien, qui compte plusieurs unités d'une indépendance et d'une hardiesse saintement téméraires, apparaît en groupe plutôt timide, loyaliste à l'extrême. Pour rappeler aux rois la justice et les droits de l'Église, il n'a pas cette vigueur, digne des prophètes d'Israël, qui caractérisera certains conciles de l'époque carolingienne[1].

Devant cette demi-résistance et ce silence équivoque, la royauté — même libérale — d'un Clotaire II n'hésita point, et par écrit rétablit aussitôt les choses à son profit, maintenant — auprès de l'élection par le clergé et le peuple — le consentement du prince qui pourra présenter un candidat et qui autorisera d'ordonner ou non l'élu (*per imperium principis ordinetur*). Ainsi fut consacrée et légalisée l'ingérence royale. Vrai coup de légiste avant la lettre. Ne se croirait-on pas sous Philippe le Bel, au XIIIe siècle finissant, et ne dirait-on pas que quelque Pierre Flotte a tenu la plume? La brutalité d'un Chilpéric ou d'une Brunehaut en moins, le résultat demeure pareil, avec ce fait aggravant que jusqu'alors il n'y avait que des abus particuliers, tandis qu'ici c'est le principe abusif qu'on décrète formellement. La matrice est coulée, munie de l'estampille officielle, d'où peuvent sortir tous les excès, désormais légaux. Dès lors, n'y aurait-il pas quelque naïveté à parler ici d'un concordat? En fait, non pas entente à deux, mais domination d'un seul.

Peu importe après cela que sous Clotaire II et son fils Dagobert les choix aient été plutôt heureux. La porte restait ouverte à tous les abus. Dagobert, qui vécut mal et leva des impôts excessifs, se laissa du moins influencer par son pieux entourage, un saint Éloi ou un saint Ouen. Mais à la fin du VIIe siècle la monarchie mérovingienne tomba littéralement en enfance sous des rois de quinze ans, bientôt épuisés par leurs débauches. Au sein d'une anarchie sans nom, pouvait-on s'attendre a voir respecter le principe électif? Le recueil de Marculf composé vers 660, et qui contient les modèles des divers actes usités au VIIe siècle, possède trois formules au sujet de l'épiscopat : l'une, où les électeurs présentent humblement au roi leur candidat et le supplient de l'agréer; les deux autres, où le prince, sans plus mentionner le vœu des électeurs, leur impose pour évêque tel personnage que ses courtisans

1. Il semble que l'Église franque se soit résignée à souscrire cette législation aux conciles de Bonneuil (c. 1, vers 615) et de Clichy (c. 4, vers 625). On y admet, en effet, sans distinction les constitutions rédigées à Paris tant par les évêques que par le roi.

lui ont recommandé; au métropolitain de le consacrer sans délai. Les palatins accaparent l'épiscopat.

Rien de plus normal qu'une telle conclusion. Du moment où la consécration impliquait l'assentiment royal, pourquoi le prince n'aurait-il pas donné les évêchés à ceux qu'il préférait et dont il était sûr? Comment cette royauté barbare, autoritaire et rapace, n'eût-elle pas fait de la nomination aux évêchés un instrument de règne? Elle tenait en main une arme très efficace. Par quelle folie vertueuse l'eût-elle laissé se rouiller? Puissance morale de l'épiscopat, richesse croissante des églises, dangers politiques nés de la multiplicité des royaumes, autant de facteurs qui suggéraient au prince d'y nommer ses fidèles, d'en récompenser ses partisans. Aussi croyons-nous avec Hauck que l'élévation de saint Ouen à Rouen, celle de saint Éloi à Noyon, comme celle de toute une pléiade d'évêques palatins, fut au VIIe siècle un acte d'administration royale plutôt qu'une application des procédés canoniques[1].

II. Caractère mêlé de l'épiscopat. — Du moins ce souci de trouver parmi les évêques de bons serviteurs suggéra-t-il souvent aux princes des choix dignes, voire remarquables. A la cour mérovingienne, sous Clotaire II, Dagobert et Bathilde, se forment de saints prélats tels que Didier de Cahors et Faron de Meaux. Même les ingérences royales n'enlèvent pas à l'épiscopat un air de fierté et de rude franchise, en sorte que souvent il traite les princes comme Césaire ses ouailles, avec les menaces de la vengeance divine, et en brandissant sur leurs têtes sacrilèges des excommunications à grand effet.

Nizier de Trèves se refuse à officier devant Théodebert qui vit mal; il excommunie Clotaire, subit l'exil et dit sans trembler : « Je mourrai volontiers pour la justice. » Aredius de Lyon, qui reproche au roi Thierry ses mauvaises mœurs, paie de la vie son audace apostolique; comme on l'arrête et qu'on l'emmène, un soldat lui brise la tête avec une pierre. Au même prince mêmes reproches de saint Colomban; en vain Brunehaut demande-t-elle une bénédiction pour les enfants qu'il avait eus de sa maîtresse : « Sache bien, dit le rude Irlandais, que ceux-ci ne porteront jamais les ornements royaux, parce qu'ils sortent de lupanars. » Lui aussi sera proscrit et errant. Saint Léger blâmera également Childéric d'avoir épousé sa cousine Blichilde et il le menacera en public.

Prétextat de Rouen incarne bien cette vaillance épiscopale. A Frédégonde il ne craint point de tenir tête : « En exil et hors d'exil, lui dit-il, j'ai toujours été, je suis et je serai toujours évêque; mais toi, tu ne jouiras pas toujours de la puissance royale. » Frappé à mort par un sicaire stipendié, il trouvera encore la force de crier à Frédégonde jouant la comédie de l'indignation : « Quelle personne en est l'auteur si ce n'est celle qui a fait périr des rois,

1. Somme toute le jugement de Fustel de Coulanges doit être maintenu : « La vieille règle canonique qui voulait que l'évêque ne fût institué que par la consécration du métropolitain restait théoriquement hors d'atteinte; seulement, c'était le roi qui donnait au métropolitain l'ordre de consacrer. L'autre règle, qui voulait que le clergé et le peuple de la cité fussent consultés et indiquassent leur choix, restait écrite dans les canons de l'Église, et n'était pas contestée officiellement par l'État; on l'appliquait même assez souvent; seulement cette élection pouvait avoir lieu après que le roi avait désigné l'homme de son choix; et si elle se faisait sans cette désignation, elle n'aboutissait qu'à une présentation dont le roi était juge. La lettre d'accord, *consensus,* lui était envoyée. Cette lettre n'était au fond qu'une simple *suggestio,* une proposition; moins encore, une demande, *petitio,* une supplique, *preces.* Le roi pouvait à son gré l'accepter ou la rejeter. C'était proprement son *decretum* qui faisait l'évêque. » *La monarchie franque,* p. 557-558. Contre l'avis de Fustel de Coulanges, VACANDARD, *Les élections épiscopales sous les Mérovingiens,* R. Q. H., 1898 (t. LXIII), p. 321-384, reproduit dans *Etudes de critique et d'hist. rel.,* 1905, p. 123-187. En réaction contre Vacandard, CLOCHÉ, *Les élections épiscopales sous les Mérovingiens, Moyen Age,* sept.-déc. 1924, p. 203-254. Voir aussi : A. DULAC, *Les élections épiscopales dans l'Église latine au Moyen Age, Rev. hist. des Religions,* 1926. — G. MOLLAT, art. *Élections épiscopales,* dans *Dict Apol.*

qui souvent a répandu le sang innocent, et qui a causé tant de maux?... C'en est fait, les ordres de Dieu m'ont rappelé de ce monde; mais toi qu'on retrouve toujours la première dans les crimes de cette espèce, tu seras maudite sur la terre, et Dieu vengera mon sang sur ta tête. »

Déjà auparavant Prétextat avait subi un procès fameux. Comme les prélats convoqués pour le condamner n'osent protester, Grégoire de Tours les exhorte à la vaillance : « Donnez au roi un saint conseil, un conseil d'évêque; qu'il craigne, en s'irritant contre un ministre du Seigneur, de périr par sa colère et de perdre son royaume. » Chilpéric alors mande Grégoire : « Tu soutiens l'iniquité, lui dit-il, et tu justifies bien le proverbe : le corbeau ne crève pas l'œil du corbeau... Je convoquerai le peuple de Tours, et je lui dirai : Vociférez contre Grégoire; appelez-le homme injuste. » Mais notre évêque ne tremble pas : « ... Pourquoi tant de paroles? Tu as la loi et les canons. Il te faut les consulter avec soin : si tu n'observes pas ce qu'ils t'auront ordonné, sache que le jugement céleste te menace de près. » Alors, sur un ton nouveau, le roi essaie de l'amadouer, et lui montrant un mets placé devant lui : « Je l'ai fait préparer pour toi; il n'y entre que de la volaille et des petits pois. » Mais lui, qui n'est point un Esaü, et qui démêle l'artifice : « Notre nourriture, répond-il, doit être de faire la volonté divine[1]. »

Cette emphase biblique peut bien nous faire sourire. Elle frappait ces princes barbares qu'il fallait saisir et intimider. Devant eux les évêques évoquent souvent l'exemple des rois d'Israël, David et Salomon, ou encore ceux des empereurs chrétiens. On dirait que la politique de saint Ambroise leur revient à la mémoire. Conscience du devoir, remords de leurs fautes, crainte des jugements divins, voilà les sentiments simples et terribles qu'ils inculquent de force à ces grands enfants indomptés. « Sache que tu es le ministre de Dieu, institué par lui pour que tous ceux qui font le bien trouvent en toi un auxiliaire bienveillant, tous ceux qui font le mal un vengeur énergique. Donc, le cœur plein de frayeur, songe avec sollicitude comment, dans toute ta vie, tu seras gouverné par Dieu, afin que tu gouvernes les autres longtemps et heureusement. »

En ces cœurs barbares, susceptibles de remords soudain, de revirement complet, pareilles paroles font écho. A preuve, l'exemple de Frédégonde, la plus éhontée et la plus cruelle des mégères royales. Menacée de perdre ses enfants, elle dit à Chilpéric : « Longtemps la miséricorde divine a supporté nos mauvaises actions; elle nous a avertis par des fièvres et d'autres maux, et nous ne nous sommes pas amendés. Maintenant nos fils disparaissent; maintenant larmes des pauvres, lamentations des veuves, soupirs des orphelins, les font périr, et ne nous laissent plus l'espoir d'amasser pour personne. Nous thésaurisons sans savoir pour qui... Eh! bien, si tu veux, allons, brûlons tous nos registres iniques; qu'il suffise à notre fisc ce qui suffisait à ton père le roi Clotaire... Quoi, tu hésites! fais comme moi; si nous perdons nos chers enfants, du moins échappons à la peine éternelle. » La voilà parlant comme un évêque, elle qui hier tuait les évêques.

Cependant tous les prélats n'ont ni même intrépidité, ni même vertu qu'un Nizier de Trèves ou un Grégoire de Tours. Le choix royal a promu souvent des indignes, et à cette époque entendons par indignité les pires vices, c'est-à-dire non seulement couardise devant le pouvoir, mais rapacité, cruauté et inconduite. Tandis que Grégoire tient tête à Chilpéric

1. Un tel courage fait oublier les éloges trop peu mesurés que Grégoire décernait à des rois indignes, mais qui savaient racheter leurs scandales par des libéralités envers les Églises, et surtout envers Saint-Martin-de-Tours.

pour défendre Prétextat, ses collègues disent à celui-ci : « Écoute, frère; tu n'as pas les bonnes grâces du roi; ainsi tu ne peux plus compter sur notre amitié avant que le roi te pardonne. » Et les voilà prêts à le laisser dégrader, pleutres et veules qu'ils sont.

Parmi ces prélats sans vocation ni préparation, on voit des ivrognes titubants. « Eonius de Vannes souvent s'enivrait d'une manière si ignoble qu'il ne pouvait plus faire un pas. » De même, Cautin de Clermont « que quatre hommes avaient peine à emporter de table, en sorte qu'il devint par la suite épileptique; et plusieurs fois le peuple fut témoin de ses accès. Il était en outre excessivement livré à l'avarice; et quelle que fût la terre dont les limites touchaient à la sienne, il se croyait mort s'il ne s'en appropriait pas quelque partie, l'enlevant aux plus forts par procès et querelles, l'arrachant aux plus faibles par violence. » Comme il convoitait la propriété du prêtre Anastase, il le fit substituer vivant à un cadavre dans un sépulcre, dont l'autre d'ailleurs parvint à s'échapper.

De Salonius d'Embrun et de Sagittarius de Gap, Grégoire nous a tracé un portrait à peine croyable : boire et festoyer tandis que les clercs chantent matines, dormir ensuite jusqu'à la troisième heure du jour et se livrer à la débauche, puis ne se lever que pour prendre le bain et se remettre à table, voilà — d'après lui — le plus qu'édifiant programme de leurs journées. Ils auraient commis mille crimes, pillages, meurtres, adultères, bref déchaînés en tout comme les autres puissants de l'époque. N'allèrent-ils pas jusqu'à armer des bandes pour rançonner leurs collègues dans l'épiscopat : tel Victor, évêque des Trois-Châteaux, qu'ils surprirent en l'anniversaire de sa naissance, et dont, après avoir tué les serviteurs, ils enlevèrent les vases précieux? Badegisil du Mans, ancien maire du palais, « ne laissait point passer un jour, ni même une heure sans commettre quelque brigandage; souvent il se livrait à des voies de fait en disant : « Parce que je suis clerc, est-ce une raison pour ne pas venger mes injures? » Invités à la table royale, Pallade de Bordeaux et de Saintes « s'emportèrent l'un contre l'autre jusqu'à se reprocher maints adultères et fornications, se traitant aussi de parjures. Cela donna à rire à plusieurs; mais d'autres qui voyaient plus loin, s'affligeaient que le démon pût semer de telles zizaines parmi les prêtres du Seigneur ».

Il y avait aussi l'évêque politique comme Egidius de Reims, célèbre par ses perfidies, et qui dut comparaître devant un synode pour avoir tramé la mort de Sigebert : « Je suis coupable, avoua-t-il enfin, condamnez-moi; j'ai mérité la mort, je le sais; car j'ai commis le crime de lèse-majesté en agissant toujours contre les intérêts du roi et de sa mère (Brunehaut); par mes conseils ont eu lieu bien des guerres, maintes régions ont été ravagées. » Le roi lui fit grâce de la vie, se contentant de le déposer et de l'exiler à Strasbourg[1].

On voit donc combien, nommé sous le contrôle ou pour mieux dire sous l'inspiration du prince, l'épiscopat est un monde mêlé où l'on retrouve avec les pires échantillons de la grossièreté ambiante les plus saints personnages qu'anime la flamme de l'apostolat. Mais au VIIe siècle, par suite de la crise du régime, les tares s'aggravent : preuve évidente que

1. Ce n'est pas que tout rôle politique soit interdit à un évêque. Il est des circonstances où il faut intervenir. La carrière du saint Léger illustrera la fin troublée des temps mérovingiens. Nommé évêque d'Autun par la protection de la reine sainte Bathilde, il s'opposa avec la noblesse au maire du palais Ebroïn quand celui voulut imposer pour roi à la mort de Clotaire III, fils de Bathilde, Théodoric en Neustrie (673). Ebroïn vaincu, Léger devint le premier personnage de la cour. Mais peu après, la lutte reprit. Assiégé dans Autun par les partisans d'Ebroïn, saint Léger se rendit, plutôt que d'exposer ses fidèles à des représailles. Durant la captivité qui précéda sa mort, les yeux crevés, les lèvres mutilées, il écrivait à sa mère : « Dieu veuille garder pur de haine le cœur des chrétiens fidèles. » Voir DOM PITRA, *Saint Léger,* 1846. — R. DU MOULIN ECKART, *Leudegar, Bischof von Autun,* Breslau, 1890. — CAMERLINCK, *Saint Léger* (coll. *les Saints*), 1910.

l'Église franque n'est point parvenue à conquérir la liberté des élections épiscopales.

Somme toute, il y a un assujettissement par la royauté. Non pas que les Mérovingiens aient voulu, comme les empereurs, porter des décrets dogmatiques; ils en auraient été bien empêchés, ignorants qu'ils restaient de toute théologie[1]. Mais, à juste titre, ils considéraient l'épiscopat comme une force considérable, et ils le voulaient dans leur main. Non seulement les élections épiscopales sont à leur dévotion, mais ils se croient libres de remanier à leur guise les circonscriptions ecclésiastiques. Comme la Gaule est partagée en royaumes, la situation demeure instable, souvent modifiée par la mort des princes ou par les conquêtes : l'évêque de Reims, par exemple, est déjà écartelé — comme il le sera longtemps encore — entre l'amitié de plusieurs rois. D'où impossibilité d'une forte cohésion épiscopale : l'Église franque n'existait pas à proprement dire, il y avait les Églises des Gaules, dépendant chacune d'un prince. Ainsi l'anarchie politique aboutissait-elle à la désagrégation ecclésiastique : plus de synodes, ni par provinces, ni par royaumes, mais un agglomérat d'évêchés; chacun chez soi sans contrôle. « Le christianisme, a très bien dit Fustel de Coulanges, est alors une fédération de cités-églises, dont chacune est une petite monarchie. »

Quand le pouvoir était plus fort, il se tenait des conciles. Le roi les convoquait, ou tout au moins y donnait son consentement. L'injonction du concile de Nicée avait été renouvelée qui ordonnait la convocation bi-annuelle des conciles provinciaux. Sur ce point, le 2e concile de Tours, en 567, est catégorique et sévère : « Il doit y avoir tous les ans deux synodes provinciaux, ou tout au moins un. Seul le cas de maladie, mais non un ordre du roi, peut dispenser de s'y rendre. Si l'évêque n'y assiste pas, il sera exclu de la communion jusqu'au prochain grand concile. » Il semble bien toutefois que, par la misère des temps, ces assemblées régionales aient souvent été négligées.

Par contre l'importance est primordiale des grands conciles royaux dont, entre 516 et 614, il ne se tint pas moins d'une trentaine. Grands redresseurs de torts, sous la présidence d'un métropolitain ils abordent tous sujets : conduite des évêques et des clercs, situation des monastères, lois matrimoniales, droit d'asile, condition des esclaves, etc... Aussi sont-ils une mine de renseignements sur les maux de l'époque et évoquent-ils au mieux la sollicitude ecclésiastique qui veut y remédier. Souvent on se contentait de rappeler les décisions traditionnelles de l'Église, parfois on les adaptait à des situations nouvelles.

Ces conciles n'avaient point l'aspect politique des grandes assemblées espagnoles. Ils ne furent donc jamais des assemblées mixtes; en 614, deux réunions se tiennent à Paris à quelques jours de distance : l'une conciliaire qui ne comprend que des évêques, l'autre politique où grands et prélats se coudoient. Si, comme au concile de Bordeaux tenu vers 660, des laïques figurent, du moins ne souscrivent-ils pas les décisions. Toutefois il arrivait que les rois s'appuyassent sur les conciles pour donner plus de poids à leurs sentences, pour dirimer un grave conflit : ainsi Gontran s'en remit-il en 573 aux évêques pour trancher un différend survenu entre lui et son frère Sigebert; de même en 589 pour apprécier les accusations qu'il porte contre Brunehaut.

Les sentences conciliaires n'étaient point assimilées aussi étroitement que dans le

1. Chilpéric fait seul exception qui soutenait l'arianisme devant Grégoire de Tours, mais avec des arguments pitoyables. Rétorqué péremptoirement, il s'écriait furieux : « Mon âme s'échappera des liens de ce corps avant de me laisser bénir par aucun prêtre de votre religion. » Il composait aussi des vers « qui clochent sans pouvoir se tenir sur leurs pieds, mettant des brèves pour des longues, et des longues pour des brèves ».

royaume wisigothique à des édits royaux : elles n'entraînaient pas nécessairement la rigueur des sanctions civiles. Pourtant l'influence et parfois l'ingérence royale ne laissent pas de se faire sentir. Ainsi au concile tenu à Paris « sur la convocation du très glorieux roi Clotaire », plusieurs décisions sont confirmées par une constitution royale, mais avec certaines modifications.

Au VIIe siècle, l'intervention du prince tend à s'affirmer davantage : fait nouveau, il arrive que les rois imposent leur présence, comme fait Thierry III en 679, au synode de Malay, ou encore le maire du palais Ebroïn au concile qui condamne saint Léger d'Autun. Mais c'est là le fait d'une situation troublée, et la marque d'une crise de régime. Au fond si les conciles mérovingiens n'échappent pas toujours aux ingérences laïques, du moins, ne consacrent-ils point — comme les grandes assemblées wisigothiques — la compénétration étroite de l'Église et de l'État. L'Église légiférait; l'État parfois sanctionnait; mais ce n'était pour lui ni une obligation, ni encore moins un droit. Quelle force d'ailleurs avait alors le bras séculier?

III. Rapports de l'Église franque avec Rome[1]. — Les concessions à la royauté portent-elles atteinte à la souveraineté pontificale, et celle-ci ne subit-elle pas une éclipse? Beaucoup d'écrivains l'ont affirmé, tels en France Fustel de Coulanges, et en Allemagne Loening ou Hauck. Thèse chère aux écrivains protestants pour qui la primauté romaine dépend de la politique et en subit les fluctuations. Ainsi sous les Mérovingiens l'influence royale aurait-elle étouffé celle du pape, et le pouvoir civil pris dans l'Église une attitude autoritaire que Charlemagne n'aurait fait que prolonger; par contre, plus tard, morcellement des forces carolingiennes et apparition de la féodalité auraient permis un développement exorbitant du pouvoir pontifical tel que durant le moyen âge. Argumentation d'autant plus captieuse qu'en fait, sous les Mérovingiens, les interventions romaines restèrent en France rares et discrètes.

Il y en eut pourtant, et significatives, surtout sous le pontificat de saint Grégoire le Grand. On le voit juger divers cas disciplinaires : blâme à Vigile d'Arles et à Théodore de Marseille pour avoir contraint des Juifs à recevoir le baptême, réprimande au dit Vigile et à Soacre d'Autun qui ont permis l'enlèvement et le mariage d'une religieuse, de même à Didier de Vienne, admirateur excessif des auteurs profanes, et encore à Serenus d'Arles qui, d'un geste iconoclaste, a brisé les saintes images dans son église. De la même main qui décerne les blâmes, Grégoire distribue les faveurs : ainsi à Soacre d'Autun l'octroi du pallium, et à Arez de Gap le droit de porter la dalmatique dans les cérémonies religieuses

Grégoire connaît l'état troublé de l'Église franque : il veut y porter remède. A Brunehaut devenue, après la mort de son fils Childebert, la véritable reine de l'Austrasie, il écrit lui demandant qu'elle travaille à la réforme : suppression de la simonie, épiscopat interdit aux laïques, extirpation des restes du paganisme. Mêmes avertissements aux évêques des Gaules dans une encyclique où fond et forme évoquent les grandes décrétales de ses prédécesseurs, Innocent, Léon le Grand, Gélase : « En votre qualité de membres de l'Église, vous devez vous efforcer de rester unis à votre chef le Christ. Vous ne pourrez le faire qu'en

1. Voir outre les ouvrages déjà cités sur saint Grégoire le Grand, VAES,* *La papauté et l'Église franque à l'époque de saint Grégoire*, *R. H. E.*, 1905 (VI), par 537-556 ; 755-784.

combattant la simonie, directement contraire aux règles canoniques et aux préceptes évangéliques. Travaillez donc à faire disparaître cet abus : que l'élection se fasse en toute indépendance, que le *consensus* soit vrai et désintéressé et porte sur le siège épiscopal l'élu

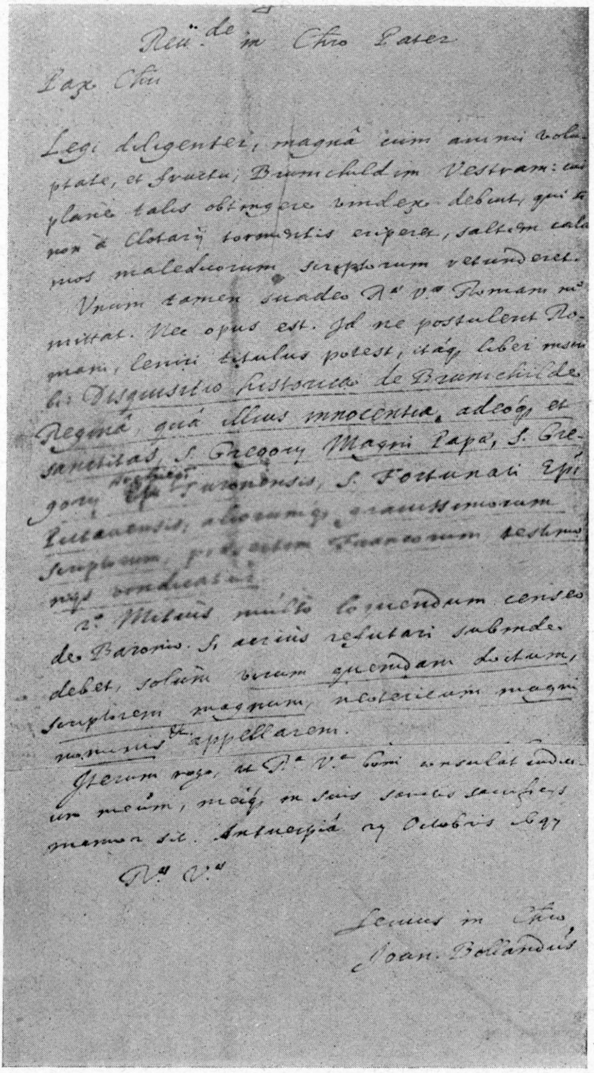

Rev.de in Chro Pater

Pax Chri

Legi diligenter, magnâ cum animi volu-
ptate, et fructu, Brunichildem Vestram: cui
planè talis obtingere vindex debuit, qui e[illegible]
nos à Clotarij tormentis eriperet, saltem cala-
mos maledicorum scriptorum retunderet.
Vnum tamen suadeo Ra Va Romam ne
mittat. Nec opus est. Id ne postulent Romam, leniri titulus potest, itaq liber inscri-
bi: Disquisitio historica de Brunichilde
Regina, quâ illius innocentia, adeoq et
sanctitas, S. Gregorij Magni Papæ, S. Gregorij Archiepi Turonensis, S. Fortunati Epi
Pictaviensis, aliorumq grauissimorum
scriptorum, pro [illegible] Francorum [illegible]
[illegible] vindicatur.
2o Mitius multo loquendum censeo
de Baronio. Si acrius refutari [illegible]
debet, solum virum quendam doctum,
scriptorem magnum, [illegible] magni
nominis appellarem.
Iterum rogo, ut Ra Va boni consulat iudici-
um meum, meq in suis sanctis sacrificijs
memor sit. Antuerpiâ [illegible] Octobris [illegible]47

Ra Va

Seruus in Chro
Joan. Bollandus

Extrait d'une lettre du célèbre Bollandus à son confrère Jean Floyde, jésuite à Saint-Omer, qui lui avait communiqué sa *Vie de Brunehaut.* Il lui conseille d'adoucir le titre trop flatteur pour la reine et de ne pas attaquer si vivement Baronius. (*Bibl. de Saint-Omer.*)

de Dieu. » «... Même chez celui dont la conduite serait irréprochable, dit-il encore, aucun motif, aucune excuse ne peut permettre de franchir les différents degrés ecclésiastiques sans en avoir exercé dignement les devoirs et les charges. » « Et nous ne voudrions omettre, continue-t-il, de signaler à votre surveillance toute spéciale la question si grave de la cohabitation des femmes avec les clercs. »

A une situation si troublée nul autre remède qu'un grand concile réformateur. Avec une habileté flatteuse, Grégoire tâche de gagner Brunehaut à son projet : « Votre sollicitude ne doit pas se borner à procurer le bonheur matériel du peuple qui vous est confié, mais chercher à lui assurer le bien spirituel afin de donner à votre royauté temporelle un glorieux couronnement. Les ordinations de laïques et la simonie sont du reste des abus dangereux non seulement pour les coupables, mais pour la nation entière, et deshonorants pour votre règne. Ordonnez donc la réunion d'un concile, et Dieu se montrera favorable à vos entreprises dans la mesure de votre sollicitude pour la religion. » D'autre part Brunehaut compte que le pape amenuisera une bonne paix entre Byzantins et Francs. Sans doute les circonstances tragiques du moment, l'absence de tout effort épiscopal coordonné empêchèrent-elles la réalisation de ces grands projets que reprendra saint Boniface au siècle suivant [1].

1. Kurth a montré que, dominée par la passion de régner, Brunehaut n'eut d'autre mobile que la raison d'État; aussi n'était-elle point difficile dans le choix de ses auxiliaires, même épiscopaux. « Soit qu'elle mérite les éloges de Grégoire le Grand pour l'éducation de Childebert, ou les reproches de saint Colomban pour celle qu'elle donna à Théodoric, soit qu'elle confère les dignités épiscopales à des simoniaques et à des homicides, comme nous la voyons faire dans sa jeunesse, soit qu'elle envoie en exil les prélats ou les prophètes qui la gênent, comme elle fait dans ses dernières années, c'est toujours la passion de gouverner qui constitue l'unité suprême de sa vie. » Pourtant, analysant ses actes d'après Grégoire de Tours, il lui découvre une certaine grandeur et toute une supériorité sur Frédégonde, sa rivale : « En butte à des ennemis implacables et obligée de pourvoir tous les jours à sa propre défense, elle ne s'est point laissé entraîner dans la voie des représailles inutiles. Elle ne frappe qu'à visage découvert, sans colère, dans la mesure où cela est nécessaire à sa défense, et avec la modération d'une âme qui reste maîtresse d'elle-même au milieu des plus redoutables péripéties. De tous les souverains mérovingiens, il y en a peu qui se soient montrés, dans de pareilles circonstances, aussi cléments que cette femme dont on a voulu faire un monstre de tyrannie et de cruauté. » G. KURTH, *La reine Brunehaut*, *R. Q. H.*, 1991 (L), p. 5-79.

CHAPITRE III

LE RÔLE SOCIAL DE L'ÉPISCOPAT

I. Prestige local de l'évêque. — Si l'Église franque restait sans cohésion, l'évêque était une puissance locale considérable : dans sa cité, personne au-dessus de lui, sauf le saint protecteur. Il y a le comte, représentant du roi ; mais il n'est là que pour administrer, souvent pour tyranniser et pressurer. L'évêque, lui, est à la fois député par Dieu et par le roi. A une époque où une seule force s'impose à tous, la religion, l'évêque en reste dans la cité l'incarnation vivante : autorité plus qu'humaine, tenant ses pouvoirs du Christ ; vrai successeur des apôtres, détenteur authentique des grâces célestes. Tous bienfaits peuvent venir de lui, et souvent on en attend mêmes miracles, mêmes guérisons que du saint en personne : « Si je meurs, dit Ulfus à saint Germain de Paris, tu en seras responsable ; le roi et ma famille viendront t'en demander compte. » Saint Germain ne peut que s'exécuter. On ira jusqu'à employer des pratiques superstitieuses pour obtenir l'intervention de l'évêque : tel qui possède quelque bout de parchemin écrit par lui, le fait bouillir et en obtient une infusion dont la vertu sera souveraine. Guérisseur, l'évêque est aussi vengeur ; en sa main l'arme de l'excommunication épouvante les pires brigands, prêts à tous les sacrifices d'argent, à toutes les démarches, pour y échapper.

En plus, le prestige d'un officier royal : car le diplôme qui l'accrédite émane de la chancellerie palatine et en fait un fonctionnaire attitré. D'ailleurs les prélats appartenaient d'ordinaire à de grandes familles — épiscopales même, pourrait-on dire souvent — et où l'on se transmettait la fonction de père à fils, d'oncle à neveu. Parmi les plus typiques est l'exemple de Grégoire : il note d'ailleurs qu'à cinq exceptions près, tous les évêques de Tours furent ses parents. Aussi a-t-on dit que « les prélats formaient une aristocratie plus puissante que l'aristocratie ». Chez eux s'est refugié le savoir : plusieurs ont beaucoup de lettres, du moins pour l'époque. Qu'on récapitule tout ce qu'ils doivent au caractère sacré de leur fonction, et aussi à l'investiture royale, et encore à leur naissance et à leur science, on comprendra alors qu'ils soient les premiers personnages de la cité, à vrai dire les seuls personnages.

L'évêque est le représentant de la cité, sa Providence. Alors que, dans la tourmente des invasions, ont sombré les institutions municipales, la basilique demeure le seul endroit où se grouper, où former une communauté, et cela autour de l'évêque. Contre les exactions des officiers fiscaux, contre celles du comte, un seul recours : l'évêque. Quand un officier du palais, nommé Garnier, se présente à Bourges pour lever des impôts, les habitants courent aussitôt à leur évêque Austrégisile qui bravement fait face au percepteur et, malgré sa fureur, l'oblige à rétrograder. Même vaillance protectrice de Grégoire de Tours. Il lui faut lutter contre le gouverneur Leudaste qui opprime toute la population, prêtres, soldats et peuple. Avec courage il dénonce ses excès et obtient son rappel. A Angoulême, le conflit de l'évêque Héraclius et du comte Nanthinus montre bien de quelles armes dispose l'évêque, et qu'il doit l'emporter. Coupable d'exactions, Nanthinus est excommunié; il s'humilie, s'engage à restituer tous les biens ecclésiastiques qu'il avait volés, et obtient sa grâce. En réalité, serments d'un jour : le voilà bientôt qui recommence, pillant et détruisant tout ce qu'il devait. « Si l'Église, dit-il, rentre en possession de ses domaines, que du moins elle les trouve déserts. » Peu après, brûlé par la fièvre, il meurt dans d'horribles tourments, en s'écriant : « Hélas! c'est l'évêque Héraclius qui me brûle, c'est lui qui me torture, c'est lui qui m'appelle en jugement. Je reconnais mon crime; je me souviens que j'ai outragé indignement ce pontife; je demande la mort pour être enfin délivré de mes tourments. » Comme Nizier, nommé à Trèves, se rend dans sa cité, escorté par les gens du roi, et que ceux-ci ravagent sans vergogne les champs des paysans : « Faites sortir vos chevaux du domaine du pauvre, s'écrie-t-il indigné, sinon je vous exclurai de ma communion. — Comment! tu n'es pas encore sacré et tu parles d'excommunier. — Le roi m'a arraché à mon monastère pour m'imposer cette charge. La volonté de Dieu sera faite, mais chaque fois que la volonté du roi ordonnera le mal, je m'y opposerai. »

Souvent l'évêque prend une part importante à l'administration urbaine : exécutant les travaux publics, édifiant et restaurant les édifices, consolidant les remparts, établissant des aqueducs. Didier procure de l'eau à la ville de Cahors, construit des murailles, rebâtit le château. A Nantes Félix capte les eaux de la Loire pour fertiliser tout un canton; à Mayence, Sidoine endigue le Rhin afin d'éviter les inondations.

II. Le rachat des prisonniers. — L'évêque protège toute misère et toute faiblesse : prisonniers, pauvres, veuves et orphelins, esclaves.

Entassés dans les cachots, les prisonniers sont exposés à mourir de faim si on ne leur vient en aide. « De la maison ecclésiastique » l'évêque leur fait porter le nécessaire; chaque dimanche, son archidiacre[1] les visite, les console, s'enquiert de leurs besoins. Mais le grand problème, c'est leur rachat : car, à cette époque de violences presque sans trêves, les pri-

1. Le premier personnage après l'évêque, c'est l'archidiacre. Tout d'abord il gouverne les clercs du diocèse : à lui de présenter pour l'ordination ceux qu'il en juge dignes, à lui de surveiller leur conduite, qu'ils appartiennent à la ville épiscopale ou aux paroisses rurales. L'évêque lui remet aussi tout le département de l'assistance publique, si important alors : soin des veuves, des orphelins et des étrangers, visite des prisonniers, soulagement des captifs. A lui encore de veiller à la sauvegarde de l'immunité judiciaire : nul juge qui puisse interroger un clerc sans son assentiment. Enfin durant la vacance du siège, c'est lui qui administre le diocèse. Époque de transition toutefois, où les pouvoirs de l'archidiacre sont encore restreints, et ne s'étendent pas incontestés — comme il arrivera durant la période carolingienne — sur l'ensemble de l'administration diocésaine.

L'archidiacre a la prédominance sur l'archiprêtre. Leurs fonctions d'ailleurs sont d'ordre tout différent. Tandis que l'archidiacre gouverne, l'archiprêtre, véritable curé de l'église cathédrale, s'occupe avant tout de la liturgie et du spirituel : suppléance de l'évêque pour la célébration de la messe, la prédication et l'administration des sacrements, en particulier la confession des ecclésiastiques. Somme toute « l'archiprêtre est un vicaire donné à l'évêque par le droit, pour le spirituel, c'est-à-dire en ce qui concerne la célébration des mystères, l'ordre de l'office sacerdotal et le for pénitentiel, comme l'archidiacre est un vicaire de droit en ce qui concerne la juridiction et le for contentieux. »

Voir J. Faure, *L'archiprêtre des origines au droit décrétalien*, Grenoble, 1911. — A. Amanieu, art. *Archidiacre* et *Archiprêtre,* dans *Dict. Droit can.*

sonniers de guerre regorgent dans les cités si bien que basiliques et maisons épiscopales doivent souvent les abriter. Sans doute tout ce qui est chrétien s'emploie-t-il à payer leur rançon, saintes femmes, moines, ermites; mais surtout les évêques, ainsi un Césaire à Arles, un Avit à Vienne, un Sidoine à Mayence, un Nizier à Trèves, et tant d'autres; ils y engagent parfois le trésor de leurs églises, numéraire, pièces d'orfèvrerie, et même vases sacrés. Césaire ira jusqu'à y sacrifier la chasuble blanche qu'il revêtait aux fêtes pascales : « Dieu, disait-il, qui s'est donné pour notre rédemption, souffrira que je rachète les captifs avec le métal de ses autels. » Souvent les prisonniers viennent mendier eux-mêmes leur rançon auprès des évêques : coutume favorable à plus d'un escroc, tel celui-là qui se présente à Césaire un jour avec des habits d'homme, et un autre jour sous un déguisement féminin pour toucher deux fois. Non contents de racheter les captifs dans leur cité, maints évêques entreprennent des voyages ou profitent de leurs déplacements pour en délivrer : par exemple, Épiphane de Pavie en Burgondie, Césaire en Italie. Nus, sans foyer, sans patrie, ces rachetés restent souvent à la charge de leur libérateur qui les garde auprès de lui ou les confie à quelque monastère. On voit donc combien se justifie le symbolisme des gracieuses légendes où de saints évêques délivrent par miracles les prisonniers : ainsi saint Germain qui à Avallon, après avoir demandé sans succès qu'on libère les débiteurs du fisc, va se prosterner contre terre devant les cachots, et obtient qu'un ange en ouvre les portes et rompe les fers des captifs.

III. L'entretien des pauvres. — L'évêque a pour clients ordinaires tous les indigents. A eux les biens ecclésiastiques; les dépenser en distributions charitables tel en est le premier emploi. « Aux pauvres, aux infirmes, à tous ceux qui ne peuvent vivre de leur travail, dit le concile d'Orléans en 511, leur évêque doit fournir le vivre et le vêtement dans la mesure de ses ressources. » Chaque cité — entendez chaque évêque — doit nourrir ses pauvres, et il ne faut pas qu'ils soient réduits à courir çà et là dans les villes étrangères : ainsi le rappelle tel concile de Tours en 567. Ce qui n'empêche pas les malheureux de confluer vers certains prélats plus renommés pour leur libéralité. Dans l'évêque de Clermont Abitus, dit Grégoire, tout « indigent retrouvait un père et une patrie ». Vers cet emploi tout converge : ressources personnelles du prélat, offrandes sollicitées des rois ou des particuliers, et surtout temporel ecclésiastique.

Judicieuse, l'aumône se fait avec l'intelligence autant et plus qu'avec le cœur. Aussi, parmi la foule des quémandeurs empressés autour d'une basilique, l'Église opère-t-elle un tri : acceptant la charge spéciale de ceux dont elle reconnaît le mérite et l'indigence, elle les groupe en une sorte de pieuse communauté laïque qu'elle inscrit sur une liste appelée *matricula.* Ces immatriculés (*matricularii*) ont une maison d'habitation spéciale, bâtie près de la basilique (*mansio pauperum*). Ils sont les « bénits pauvres » ou « pauvres du Christ », patronnés par l'évêque, recommandés à la charité publique : les pèlerins, par exemple, se doivent de leur faire l'aumône; à eux s'adressent certaines donations qui constituent des biens fonds, non distincts sans doute du domaine ecclésiastique, mais dont les revenus ne peuvent être détournés de leur fin spéciale. « Le principe qui domine tout le droit moderne en matière de paupérisme, a pu dire l'abbé Vacandard, était déjà en vigueur aux temps mérovingiens. » Mais cette charité n'était point froide, ni hautaine, ni administrative. L'évêque donnait à des âmes qu'il aimait. Entendez ce cri du cœur échappé à Grégoire de Tours au lendemain d'une peste meurtrière : « Alors nous perdîmes de petits enfants qui nous étaient doux et chers, que nous avions réchauffés dans notre sein, portés dans nos bras et nourris de nos propres mains. » « On dirait, remarque Lavisse, saint Vincent de Paul apparaissant dans un bagne. »

D'ailleurs « la maison de l'Église » reste ouverte à quiconque est sans abri : étrangers, voyageurs, pèlerins, indigents. Il existe parfois des hôpitaux ou *xenodochia* dépendant des églises : ainsi à Arles où les infirmes couchent dans un logis attenant à la maison épiscopale, et d'où ils peuvent suivre l'office divin célébré dans la basilique; ainsi encore à Colombier près de Clermont où l'évêque Praejectus a fondé un hôpital pour vingt malades avec médecins et infirmiers. Contre les épidémies il y a déjà des maladreries : nous en trouvons à Tours, à Verdun, à Metz, à Chalon-sur-Saône, à Maestricht. Bref, sur ces masses misérables qui grouillent dans la cité mérovingienne la charité épiscopale étend une assistance active, dévouée, qui se dépense sans compter.

Cette sollicitude veille sur toutes les faiblesses : « Les puissants, dit un concile de Mâcon en 585, même ceux qui font partie de la suite du roi, ne doivent pas, sous peine d'anathème piller les faibles au mépris de tous les droits[1]. » « Les évêques, ajoute encore ce même concile, doivent aussi protéger les veuves et les orphelins contre les juges civils; ceux-ci ne doivent pas, sous peine d'excommunication, décider les affaires des veuves et des orphelins, sans en avoir donné auparavant connaissance à l'évêque pour que l'archidiacre ou un prêtre assiste au procès ou au jugement. » Le prêt à intérêt est interdit à tout clerc à partir du diaconat : il est regardé comme une exploitation du pauvre et la marque d'une honteuse cupidité (Concile d'Orléans 538, c. 27). De même un concile de 614 s'inscrit contre l'utilisation usuraire des corvées : « Lorsque des personnes libres se sont vendues ou mises en gage pour une somme d'argent, elles peuvent revenir à leur ancien état, dès qu'elles ont rendu la somme qu'elles avaient reçue; on ne doit pas, dans ce cas, leur demander plus qu'on ne leur avait donné. »

IV. Le droit d'asile. — L'évêque étend aussi sa protection sur tous ceux qui se réfugient dans la basilique : droit d'asile inviolable et sacré qui vaut encore dans l'atrium d'entrée et dans les habitations ecclésiastiques voisines. Non pas que l'Église veuille assurer l'impunité aux coupables, mais pour laisser à la colère le temps de s'apaiser, empêcher ainsi les meurtres et laisser se substituer à une justice personnelle sommaire et sanglante, l'intervention judiciaire normale. Aussi ne livrait-elle les réfugiés qu'à titre d'*excusati,* c'est-à-dire sur promesse qu'ils seraient jugés régulièrement et qu'ils n'encourraient pas la peine de mort, ou — s'ils étaient esclaves — qu'on leur accorderait le pardon[2]. Par là, l'évêque

1. Voyez ce curieux canon du concile de Mâcon déjà cité : « Dans les maisons épiscopales il ne doit pas y avoir de chiens, afin que les pauvres qui viennent s'y réfugier ne soient pas mordus » (c. 13).

2. Voici comment s'exprime le premier concile de Clermont en 511 : « Lorsque des meurtriers, des adultères ou des voleurs se sont réfugiés dans une église, on ne doit pas, ainsi que le prescrivent le droit canon et le droit romain, les arracher de l'église, ou de l'atrium de l'église, ou de la maison épiscopale, avant d'avoir juré sur les Évangiles qu'ils n'auront pas de châtiments à redouter (*de morte, de debilitate et omni poenarum genere sint securi*), à la condition toutefois que le coupable s'entende avec la partie lésée pour lui donner satisfaction. Quiconque manquera à ce serment sera exclu de l'Église et de toute participation avec les catholiques » (c. 1).

Du même concile : « L'esclave réfugié dans une église doit être rendu immédiatement à son maître, si celui-ci a prêté le serment indiqué plus haut. Si une fois remis à son maître celui-ci, par mépris de l'Église ou de la parole donnée, lui inflige des sévices, il sera exclu de la communion et de l'assemblée des fidèles. Si, malgré le serment du maître, l'esclave s'obstinait à ne pas sortir de l'église, le maître pourrait user de la force (c. 3).

montre à la fois générosité et bravoure : générosité, parce que le réfugié et les siens sont à sa charge et qu'à l'ordinaire il lui faut les nourrir; bravoure, parce que souvent il s'expose aux représailles de ceux qui voient ainsi la vengeance leur échapper. Chilpéric crie qu'il brûlera la basilique de Tours si Grégoire ne lui livre Gontran Boson qui s'y est réfugié; mêmes menaces, peu après, au sujet de Mérovée, son fils rebelle.

D'ailleurs, les réfugiés sont parfois encombrants et batailleurs. Avec eux ils attirent beaucoup de monde, curieux, marchands, conteurs et jongleurs : d'où un certain rapport entre le droit d'asile et le développement des pèlerinages. Installés dans la maison épiscopale, certains y font ripaille et la profanent de toute manière. Évroul, réfugié à Saint-Martin de Tours, frappe un clerc qui refuse de lui donner à boire; il vient insulter Grégoire pendant l'office même, et lui dit : « J'ai résolu, si le roi voulait me faire entraîner d'ici, de m'attacher d'une main à la nappe de l'autel, et de l'autre, tirant mon épée du fourreau, de te tuer d'abord, puis de mettre à mort tous les clercs que je pourrai trouver. Ensuite peu m'importerait de périr après que j'aurais tiré vengeance des clercs consacrés à saint Martin. » Entre l'énergumène qu'il abrite et les furieux avides de le lui arracher, l'évêque incarne le calme et la patience chrétiennes. N'avons-nous pas ici la plus expressive image de son rôle parmi les barbares?

La sauvegarde s'étend aux biens des réfugiés. Souvent, fuyant une bande de pillards, les habitants s'engouffrent dans l'église avec tous leurs biens. Sur une scène plus restreinte, les évêques jouent vraiment alors la même fonction que leurs prédécesseurs du ve siècle gardant les remparts de la cité. Attitude héroïque et dangereuse, mais dans laquelle ils se sentent aidés par la protection du saint et couverts par la foi des agresseurs eux-mêmes. S'il y eut des violations du droit d'asile, elles coûtèrent cher à leurs auteurs. En 585, les soldats de Gontran massacrent les habitants d'Agen réfugiés dans l'église de saint Vincent. « Mais ce forfait, dit Grégoire, fut bientôt châtié. Les uns, saisis par le démon périrent dans la Garonne, d'autres moururent de froid ou de diverses maladies. J'en ai vu, dans le pays de Tours, qui avaient pris part à ce crime et subissaient des douleurs intolérables. Beaucoup avouaient qu'ils étaient punis par Dieu. C'est ainsi que Dieu défend ses saints. » Les *matricularii* vengent parfois aussitôt le droit d'asile violé. Ainsi quand Evroul est tué dans la cathédrale de Tours, l'assassin Claude et ses hommes se réfugient dans la cellule de l'abbé, « réclamant la protection de celui dont ils n'avaient pas su respecter le patron ». Mais « plusieurs de ceux qui étaient portés sur la matricule, et d'autres pauvres, indignés de ce crime, s'efforcent de briser le toit de la cellule... Les fuyards sont arrachés de leurs retraites, impitoyablement massacrés et laissés nus sur la terre froide[1]. » Il arrive aussi que l'évêque interdise l'église où le crime a été commis : après le meurtre de Prétextat, « Leudovald de Bayeux fait fermer toutes les églises de Rouen, défendant au peuple d'assister aux divines solennités jusqu'à ce que l'enquête eût fait connaître l'assassin ».

V. L'affranchissement des serfs. — L'Église a aussi la sollicitude de serfs. Non pas

1. Il n'y a pas que les grands à violer le droit d'asile ; le peuple aussi dans sa fureur. Parthenius, officier de Théodebert Ier, s'était rendu odieux par ses violences et ses exactions ; quand le roi mourut en 548, il n'eut d'autre ressource que de se réfugier dans l'église de Trèves où les prêtres le cachèrent dans un coffre sous un amoncellement d'ornements sacrés. Mais la populace entra dans l'église, força les gardiens à lui livrer les clefs du coffre, en tira Parthenius, et le lapida à une colonne.

qu'elle fasse directement campagne contre l'esclavage. Soit, les hommes naissent libres ; n'empêche qu'il y a parmi eux des esclaves et que c'est là un fruit du péché. Mieux encore l'Église admet parfois qu'un homme soit réduit en esclavage à cause de son péché : le concile de 511 déclare qu'en cas de rapt, le ravisseur devient esclave du père de la fille séduite, à moins qu'il ne se rachète. Pourtant l'Église ne se résigne pas à voir les esclaves opprimés ; elle veille à ce que la puissance dominicale ne dégénère pas en une tyrannie cruelle. Nul droit de vie et de mort pour le maître, mais que la cause de l'esclave tombe — comme toute autre — sous la justice légale. « Si quelqu'un, dit le consile d'Epaône, a tué son esclave sans une sentence du juge, il expiera cette effusion du sang par une excommunication de deux années. » Aussi le droit d'asile joue-t-il fréquemment en faveur des esclaves, et l'Église ne les rend à leur maître que sur promesse de ne les tuer ni les battre. Protection bien nécessaire en ces temps barbares où l'on avait perdu — plus encore peut-être que dans l'antiquité — la notion de la vie humaine.

Les masses serviles n'étaient donc pas aux yeux de l'Église je ne sais quelle matière brute assimilable — comme jadis pour Caton — à la vieille ferraille et aux instruments de travail. Aussi pour mettre un terme au trafic des marchands de chair humaine, un concile de Chalon-sur-Saône, interdit-il de vendre un esclaves hors du royaume.

Plus que son corps, son âme est chère à notre mère l'Église. Qu'on ne le cède ni à des Juifs, ni à des païens : « Aucun chrétien, dit un concile de Mâcon en 583, ne sera désormais esclave chez des Juifs ; si un Juif a un esclave chrétien, tout fidèle pourra le lui acheter pour douze *solidi...;* si le Juif mécontent refuse la somme fixée, l'esclave pourra aller habiter où il voudra chez des fidèles. Si un Juif est convaincu d'avoir fait apostasier un de ses esclaves, il le perdra et sera puni suivant les lois. » La législation conciliaire interdit encore qu'on fasse travailler les esclaves le dimanche, comme s'ils n'étaient pas créatures de Dieu, mais simples brutes.

D'autre part, l'Église veille à assurer aux esclaves un foyer[1]. Sans doute les unions contractées sans le consentement du maître sont-elles non avenues et le concile d'Orléans spécifie-t-il en 541 que si un homme et une femme se réfugient dans l'église pour se marier contre la volonté dominicale, le contrat reste nul et les clercs ne doivent pas s'en faire les défenseurs; par contre en cas de validité, ils reconnaissent l'indissolubilité. Bientôt un synode de Verberie spécifiera que quiconque prend une esclave pour femme doit la garder ; adieu donc ces concubinages serviles qui étaient l'abjection courante du monde antique. Ce même concile déclarera encore que l'esclave affranchi par une charte (*chartularius*) ne pourra abandonner sa femme esclave pour en épouser une autre. Au point de vue matrimonial, nulle indignité, nulle incapacité ancillaires : dans le Seigneur, ni homme libre, ni esclave, *neque servus, neque liber*, selon la formule paulinienne.

Dans ses préoccupations humanitaires l'Église fut d'ailleurs encouragée par les profondes transformations sociales qui s'opérèrent alors : décadence de la civilisation urbaine, disparition des *latifundia*. Plus de ces palais où grouillent des serviteurs innombrables, objets des mauvais traitements du maître, ou instruments dociles de ses passions. Plus de ces immenses exploitations agricoles où des équipes d'esclaves travaillaient comme en cadence sous le fouet

1. Voir P. ALLARD,* *Les origines du servage en France*, 1913. — F. SHAUB, *Studien zur Geschichte der Sklaverei im frühen Mittelalter*, Berlin, 1913.

de surveillants farouches. Parmi les esclaves domestiques, beaucoup peuvent s'élever maintenant à une haute situation : ainsi les premiers serviteurs du roi mérovingien, maréchal, sénéchal ou premier valet, chambellan, panetier ; ainsi les écuyers des nobles (*ministeriales, vassi, vassali*). A l'esclave agricole le maître accorde maintenant, avec un lopin de terre, une charrue pour le cultiver : en retour, l'homme devra diverses corvées et fournira certaines redevances en nature, porc, pain, volailles, œufs et autres denrées. Ainsi s'opère la transition de l'esclavage au servage (*servus casatus, mansuarius*). En devenant serf l'esclave s'agrège à l'humanité, et de lui au paysan il n'y a plus une si grande distance. Sans doute les serfs faisaient-ils partie intégrante du domaine qu'ils ne pouvaient quitter, avec lequel ils étaient vendus le cas échéant ; mais ils étaient beaucoup moins attirés par la liberté qui est un appétit moderne, que par la protection à eux assurée : la sauvegarde leur était donnée, la sécurité née de la certitude qu'ils ne pouvaient être détachés du domaine dont ils vivaient. Si on eût voulu les libérer complètement, c'est-à-dire leur retirer les biens qu'ils exploitaient, peut-être eussent-ils dit à leurs seigneurs, comme les serfs russes du XIXe siècle effrayés qu'on voulût les laisser à leur misère et à leur liberté : « Nous sommes à toi, mais la terre est à nous. »

Néanmoins, l'Église favorise la libération des esclaves qu'elle met parmi les œuvres pies. D'où cette cérémonie religieuse, la manumission, dont elle l'enveloppe. Selon la loi ripuaire c'est dans le temple, clergé et peuple présents, que le maître remet son esclave entre les mains épiscopales, tandis que l'archidiacre inscrit sous le patronage de quelle Église sera désormais le nouvel affranchi. Le voilà donc gardé désormais par un protecteur qui est le patron de cette Église : le léser, ce serait s'aliéner le saint lui-même et s'attirer son ressentiment. Quelle plus efficace sauvegarde à cette époque ?

Pourtant l'Église possède elle-même des serfs parce qu'elle est propriétaire d'immeubles auxquels est attachée une population servile. Mais leur sort est plus doux que nulle part ailleurs : « En ce qui concerne les serviteurs de l'Église, disent les prélats francs assemblés à Eauze en 551, il faut veiller à ce que, dans une intention de piété et de justice, ils soient obligés à un service moins lourd que les serfs des particuliers ; de telle sorte qu'avec la bénédiction divine le quart de leurs redevances ou de leurs corvées leur soit concédé par les évêques. » Au surplus ils participent aux deux grands privilèges de la propriété ecclésiastique où ils servent : immunité et inaliénabilité. Contre eux ni exaction des officiers royaux, ni juridiction des comtes ou de leurs subordonnés, ni instabilité puisque le serf est inséparable de la terre et que la terre d'église est inaliénable. Situation si favorable que le quatrième concile d'Orléans en 541 met en garde les serfs ecclésiastiques contre la tentation d'en abuser par brigandages et par vols.

Mais — a-t-on souvent objecté — l'Église, qui faisait campagne pour l'affranchissement des esclaves, se gardait bien elle-même de libérer les siens. Basée sur l'inaliénabilité des biens ecclésiastiques dont le serf faisait partie intégrante, cette assertion ne se justifie, pas, bien qu'elle ait été avancée par Muratori, et après lui par Renan et par Cicotti. En fait il y eut de nombreux affranchis ecclésiastiques. D'abord les serfs qui se trouvaient sur les propriétés personnelles de l'évêque, et dont il disposait par conséquent à sa guise : ainsi maints prélats libèrent-ils par testament les serfs de leurs terres ou de leur maison, Remy à Reims, Bertramn au Mans, Éloi à Noyon, etc... D'ailleurs, même sur la propriété ecclésiastique proprement dite, le principe de l'inaliénabilité n'est pas tellement strict et inhumain qu'il ne laisse une certaine latitude[1] : dans le même canon où il affirme que le prélat ne peut vendre les immeubles de l'Église, le concile d'Agde spécifie que « s'il a donné la liberté à quelques esclaves à cause des services rendus, son successeur doit respecter cette décision et leur laisser ce qui leur a été donné en terres, en vignes et bâtiments, à la condition toutefois que cela ne dépassera pas vingt solidi ». Le IVe concile d'Orléans admet aussi les affranchis ecclésiastiques, mais en nombre raisonnable (*numero competenti*). Restriction sage et non tracassière qui, excluant les générosités imprudentes, laissait une large marge à la charité épiscopale. Ainsi Bertramn du Mans libérait-il chaque année des esclaves à la fin des fêtes pascales, c'est-à-dire le dimanche in albis. On trouve même une formule — une formule ou modèle ! la chose était donc fréquente ! — et elle prévoit quelque évêque payant à Dieu « la dîme des esclaves de son Église », c'est-à-dire en affranchissant le dixième[2]. Au surplus, jouissant des avantages et privilèges déjà énumérés, ceux qui restaient n'avaient guère à envier leurs frères libérés.

Outre ses affranchis, l'Église en protège beaucoup d'autres. Car souvent un laïque place les siens sous la tutelle ecclésiastique, soit dès l'instant où ils deviennent libres, soit à sa mort et par disposition testamentaire : double bonne action puisque tout ensemble la liberté est donnée à un serf et l'aumône faite à une Église, qui jouira des avantages attachés au patronat et souvent des redevances et services dus par l'affranchi. Au surplus, les serfs libérés sans obligation de patronage se placent souvent d'eux-mêmes sous la protection épiscopale : « recommandation » qui en fait les hommes de l'Église (*homines ecclesiastici*), garantis dans leurs personnes et leurs biens, couverts par l'immunité. A la vérité, dans un sens large l'Église protège tous les affranchis, tous ceux qu'on voudrait opprimer et ramener à l'état servile : il y a là une extension de sa divine commisération pour toute faiblesse humaine, pour le pauvre, la veuve et l'orphelin. A les défendre elle emploiera son ascendant, ses armes spirituelles, l'excommunication ; enfin, dès la fin du VIe siècle, elle ira jusqu'à réclamer sur eux juridiction, en sorte qu'ils devront, comme les clercs, être jugés par un tribunal ecclésiastique.

Ainsi la clientèle de l'Église augmente-t-elle toujours. « De même, dit Mgr Lesne, qu'au XIe siècle, le clergé et les moines attireront sur leurs terres, pour les mettre en valeur, vagabonds et serfs fugitifs, ainsi à l'époque mérovingienne, ils offrirent au maître de recueillir les serfs qu'il affranchissait pour le remède de son âme. La *familia* des églises gagnait en éléments libres tout ce que les domaines des laïques perdaient de population servile. »

D'ailleurs souvent les hommes libres eux-mêmes se donnaient spontanément à l'Église avec leurs biens : d'où, au point de vue matériel, une sauvegarde efficace en des temps troublés et, au point de vue spirituel, la protection d'un saint. Comment s'étonner dès lors

1. On a fait état parfois de la législation wisigothique. En fait les conciles espagnols n'ont pas plus interdit que les gaulois l'affranchissement des serfs ecclésiastiques. Seulement ils demandaient à l'évêque des gages plus stricts et plus étendus : ainsi une compensation, soit par hypothèque sur la fortune personnelle du prélat, soit par l'échange de deux autres serfs contre l'affranchi.

2. En 517, le synode bourguignon d'Epaône fait cette juste réserve au sujet de la propriété monastique : « Il n'est point permis à l'abbé d'affranchir les esclaves donnés à ses moines, car nous considérons comme injuste que, pendant que les moines travaillent tous les jours la terre, leurs esclaves vivent dans l'oisiveté. » Réflexion caustique et judicieuse mettant en garde contre un humanitarisme désastreux qui équivaudrait à inscrire les esclaves dans la confrérie des bras croisés ! Au surplus, il reste conforme à l'esprit de pauvreté que, la propriété monastique étant collective, l'abbé ne puisse en disposer qu'avec l'assentiment conventuel : « L'abbé, dit la Règle de saint Ferréol, n'aura pas la faculté d'affranchir les esclaves sans le consentement de ses moines... parce qu'il est évident que ces esclaves ont autant de maîtres qu'il y a de moines dans le couvent. »

que certains évêques soient devenus maîtres d'un vrai petit royaume ; ainsi au Mans ou à Cahors, plus de trente domaines avec quelque 15 à 20.000 sujets?

VI. La propriété ecclésiastique. — Providence des prisonniers et des pauvres, comment l'évêque remplirait-il son rôle s'il ne possédait rien? Dès le ve siècle, grâce à la générosité des fidèles, l'Église détient déjà, outre certains objets de prix et tout un mobilier liturgique, quelques biens fonds. Sans doute les invasions détruisirent et dispersèrent en partie cette richesse croissante ; mais, dans l'immense désarroi, tandis que la crise générale amenait une dépréciation considérable de la propriété, beaucoup durent alors donner à l'Église, en échange de prières, ce qu'eux-mêmes ne pouvaient plus exploiter. A la fin de l'époque romaine, legs et héritages se multiplièrent, auxquels s'ajouta l'apport du clergé.

Aussi, au VIe siècle, constatons-nous un très rapide accroissement matériel des grandes Églises, tandis que d'autres sanctuaires surgissaient, basiliques, paroisses, oratoires, pôles nouveaux où convergent les offrandes locales. Il y eut alors « un afflux torrentiel de donations pieuses. » Rois espérant expier ainsi leurs crimes et assurer paix et stabilité à leurs États, évêques qui — suivant l'usage reçu — lèguent à leur Église tout ou partie de leur héritage[1], enfin et davantage encore peut-être, cette foule des petites gens, des *tenuiores,* pieux et confiants, autant de bienfaiteurs empressés. Tout pousse d'ailleurs à être généreux : le remords des fautes commises dont on s'exonèrera, la dévotion envers les saints, l'intérêt bien entendu puisque l'on s'assure ainsi, sous la tutelle ecclésiastique, la jouissance d'un bien protégé par le patron même auquel il est confié. Souvent, en effet, le legs revêt la forme de la précaire, qui conserve au donateur la jouissance viagère, à charge d'un cens attestant qu'il n'est plus propriétaire. Parfois en retour, le bienfaiteur demande à être inscrit déjà au livre de vie, c'est-à-dire sur les diptyques des vivants et des morts.

Il y a aussi la dîme ou concession de la dixième partie des récoltes. Clergé, prédicateurs visent à en faire une obligation morale. Sans doute n'est-elle pas encore strictement imposée, ce qui n'arrivera qu'à l'époque carolingienne ; pourtant les conciles de Tours (567) et de Mâcon y insistent. Ne pourvoira-t-elle pas « au soulagement des pauvres et au rachat des captifs »?

Somme toute, la propriété ecclésiastique [2] comprend alors, outre « la maison de l'Église » — le sanctuaire, ses dépendances et son trésor — des biens fonciers : les uns, grands domaines ou *villae*, donnés à l'ordinaire par les rois et les grands ; les autres, petits lopins souvent offerts sous forme de précaires. Les principales Églises ont des biens disséminés partout, ainsi Saint-Martin de Tours dans le Poitou, le Maine, le Bordelais. A la fin de l'époque mérovingienne, Églises et monastères sont sans conteste les plus grands propriétaires du pays.

D'autant plus que deux privilèges viennent encore les enrichir : immunité et inviolabilité.

1. Les évêques qui ne léguaient rien à leur Église étaient un objet de malédiction et de scandale ; on s'enquérai si, de leur vivant, ils n'avaient point employé les revenus à des dépenses non ecclésiastiques ; auquel cas on en réclamait le montant à leur famille. Quant aux héritiers qui retiennent les legs faits à l'Église, le concile d'Adge les appelle sans tergiverser « assassins des pauvres ».

2. Le premier texte d'exemption est une constitution des empereurs Honorius et Théodose, la loi *Placet* de 412 qui, à cause de leur affection sainte (*dedicatio*), exonère les Églises de tous les *munera sordida et extraordinaria*, par quoi il faut entendre certaines corvées et prestations en nature.

Les privilèges émanent des pouvoirs publics[1]. Les rois commencent par exempter d'impôts clercs et moines, les exonérant des taxes indirectes et des douanes ou péages dus pour toute marchandise : avantage considérable à une époque où d'une part on devait acheter souvent très loin des objets même de première nécessité — ainsi voit-on des moines de Jumièges se procurer vêtements et chaussures en Grande-Bretagne — et où d'ailleurs les propriétés étaient si éparses qu'il fallait voyager longuement pour engranger récoltes et produits.

Aux Églises le roi fait encore remise des impôts directs : tributs et charges publiques. Parfois c'est une cité qui échappe à toute redevance à cause de son patron : telle Tours protégée par saint Martin. Maintes Églises sont quittes de diverses taxes : à celles de son royaume Clotaire II remet toutes impositions en nature, *agraria, pascuaria,* dîmes de porcs. Il y a même des exemptions complètes : ainsi pour tous les biens que Clovis a donnés aux Églises.

De ce privilège fiscal un autre naquit bientôt plus conséquent, l'immunité. D'un domaine dispensé d'impôts, on disait déjà qu'il était *immunis :* collecteurs et agents du trésor ne pouvaient s'y introduire. Mais « les Églises qui, affranchies de l'impôt, étaient délivrées de l'ingérence des comtes et de leurs subalternes en tant qu'agents du fisc, demandèrent sans doute de ne la subir en aucun cas, et l'entrée du domaine ecclésiastique leur fut fermée ». Sur la terre immunisée, comtes et fonctionnaires ne pourront plus prélever l'impôt sans doute, mais aussi prendre le gîte, juger les procès, saisir les répondants ou *fidejussores* qui garantissent la comparution des coupables en justice, lever le *fredus*, c'est-à-dire la part de l'État dans la composition. Sauf réserve expresse, le roi a renoncé à tous les bénéfices que le domaine immunisé aurait pu lui rapporter. Dans la formule de Marculfe relative aux concessions d'immunité, le prince spécifie en détail : « La faveur que nous accordons est telle que dans les domaines de l'Église de cet évêque, aucun fonctionnaire public ne se permettra d'entrer soit pour entendre les procès, soit pour exiger les *freda,* mais que cela appartienne à l'évêque et à ses successeurs en toute propriété. Nous ordonnons en conséquence que ni vous, — le roi s'adresse à un de ses officiers, — ni vos subordonnés, ni aucune personne revêtue d'une fonction publique, vous n'entriez dans les domaines de cette Église, en quelque endroit de notre royaume qu'ils soient situés. Nous vous défendons d'y exiger le droit de gîte et les prestations, ainsi que d'y avoir des répondants. » Ce qui à l'origine avait été concédé pour échapper aux exactions des officiers royaux aboutissait à une véritable émancipation[2].

Ainsi déchargée de l'impôt public, l'Église en faisait-elle la levée sur ses terres à son propre profit? Problème obscur, et qu'on n'est point parvenu encore à résoudre. En tous cas, frais de justice, produits des tonlieux, taxes et amendes lui reviennent sans nul doute. Telle charte d'immunité s'exprime radicalement : « Tout ce que le fisc avait coutume de percevoir sur les hommes libres ou serfs de ce domaine, nous le concédons à l'Église et au couvent » (635). En ces terres immunisées où évêques et abbés se substituaient aux comtes, on a pu voir « la première forme de la future seigneurie ». Comme les grands, prélats et moines acquièrent une clientèle ; comme eux, ils ont leur comitat, leur « truste ». Mais les prérogatives du roi restent sauves, et s'il a interdit au comte toute juridiction sur ces terres, il

1. L'ouvrage capital est celui de Mgr E. Lesne, *Histoire de la propriété ecclésiastique en France*, t. I, *Époques romaine et mérovingienne* (*Mémoires et travaux p. p. les professeurs des Facultés catholiques de Lille*), Lille, 1910.

2. Le premier exemple d'une immunité mérovingienne est celui du domaine de Micy entre Loire et Loiret ; Clovis le concède, affranchi de tout impôt, au prêtre Euspice et à son disciple Maximin, pour assurer une retraite inviolable à leur vie édifiante.

continue à s'y réserver personnellement le droit de gîte et celui de rendre justice.

Aux exemptions radicales constituées par l'immunité viennent souvent s'ajouter certaines donations de droits fiscaux. Quelquefois le roi accorde à une Église une rente annuelle : ainsi Dagobert à l'abbaye de Saint-Denis cent *solidi*. Parfois aussi il concède à des moines les impôts de plusieurs *villae,* voire d'un pagus, d'une cité; ou bien encore, Églises et monastères obtiennent de percevoir un tonlieu royal : Dagobert aurait ainsi concédé aux moines de Saint-Denis une porte de Paris avec toutes les douanes y prélevées.

Exempte, la propriété ecclésiastique est aussi inaliénable. Comme les biens d'une Église appartiennent avant tout aux pauvres, l'évêque ne doit en être que le gérant, sans pouvoir en disposer à sa guise. En 506, s'inspirant de la législation africaine, le concile d'Agde stipule que — exception faite pour les moindres biens — l'évêque n'a le droit d'aliéner qu'en cas de nécessité; encore faut-il qu'elle soit reconnue par deux ou trois comprovinciaux : « L'évêque est non le propriétaire, mais l'administrateur des biens qui sont offerts : car ce n'est pas à lui qu'on donne. Il ne peut vendre ni maisons, ni domaines, ni esclaves, ni vases sacrés, ni quoi que ce soit dont vivent les pauvres, excepté le cas de nécessité ou de grande utilité. Mais alors il devra se munir du consentement de ses deux ou trois collègues les plus voisins. » Pourtant le système des précaires laissait quand même à l'évêque une certaine latitude : manière d'aumône qui gardait intact le domaine ecclésiastique. Bientôt, après l'intervention du pape Symmaque en 513, le principe de l'inaliénation absolue prévaudra : en 538, le IIIe concile d'Orléans déclare nulle toute vente de bien ecclésiastique, et l'acheteur privé de la communion. Il n'y a d'exception qu'en faveur des monastères, qu'à l'ordinaire les évêques ne se font pas scrupule de doter. Ainsi recevoir toujours sans se dépouiller jamais, hériter et n'avoir point d'héritiers, ne perdre rien et acquérir beaucoup, telle est la situation privilégiée des Églises.

Pourtant aux générosités s'entremêlent déjà certaines spoliations. Tandis que les rois se querellent sans cesse, les fidèles de l'un ne se font point scrupule de ravager les terres situées dans le domaine de l'autre. Les armées ne respectent rien, au point qu'après leur passage les Églises se trouvent parfois — d'après Grégoire de Tours — plus endeuillées que « sous Dioclétien ». Durant la décadence mérovingienne, les grandes familles s'habitueront à regarder la propriété ecclésiastique comme rançonnable à merci.

Aux princes qui, eux aussi, s'inquiètent parfois de la richesse du clergé, les nobles demandent de soutenir leurs prétentions. Entendez quel cri d'alarme jette au milieu du VIe siècle un concile de Paris : « Anathème à ceux qui ravissent les biens d'Église en alléguant qu'un roi les leur a concédés. Déjà il est tard pour agir; depuis longtemps les prêtres du Seigneur eussent dû invoquer contre ces sacrilèges l'autorité des canons. La mansuétude épiscopale excite encore chaque jour l'audace des méchants. C'est, accablés sous la masse des injustices, contraints par le préjudice causé aux Églises, que les évêques sont résolus à défendre les biens dont ils ont la garde. »

Ainsi déjà, fils et petits-fils de Clovis avaient-ils pris en considération les sacrilèges requêtes de leurs hommes. D'ailleurs un moyen sera bientôt trouvé qui masquera le vol : la concession de tel domaine en précaire (*jure precarii*) au protégé royal. Comme celui-ci devient seulement usufruitier et non propriétaire, l'abus semble moins criant; mais comme d'autre part on ne rendra jamais aux Églises les biens ainsi concédés, le résultat est le même que par l'expropriation directe : spoliation déguisée, réelle quand même. Tel est le procédé qui permettra bientôt des sécularisations beaucoup plus considérables, ou qui les régularisera une fois accomplies.

VII. La juridiction temporelle ecclésiastique. — Aux IVe et Ve siècles, outre leur juridiction spirituelle, une autre avait été accordée aux évêques en matière civile, d'après quoi deux plaideurs pouvaient toujours, s'ils le voulaient, s'en remettre à l'arbitrage épiscopal, exception faite des causes criminelles. Mais sous les Mérovingiens l'Église gagne du terrain; peu à peu, elle conquiert ce qu'on appellera plus tard le privilège du for (*privilegium fori*).

En pratique, selon les épisodes narrés par Grégoire de Tours, les évêques restaient passibles du jugement royal dans les causes personnelles et criminelles, encore fallait-il que, sauf le flagrant délit, une action fût intentée au préalable devant un synode ecclésiastique qui pouvait déclarer l'accusé innocent et ainsi débouter le prince. Mais l'affaire de Prétextat, évêque de Rouen, montre que la pression royale pesait lourdement à l'ordinaire sur le verdict conciliaire. Aussi l'Église demanda-t-elle que le jugement porté sur un évêque fût affranchi de toute influence laïque : « Contre un prélat, dit le concile de Mâcon en 585, toute plainte doit être portée devant le métropolitain qui, dans les cas moins importants, jugera l'affaire seul ou avec un ou deux évêques, et qui, pour les affaires graves, défèrera au concile. » Quant aux conflits entre évêques, le concile de Paris demande « qu'ils soient discutés devant le métropolitain, et non pas devant un juge civil » (614). Ainsi s'affirme le désaccord entre l'Église, soucieuse de l'indépendance épiscopale, et le pouvoir qui, considérant les prélats comme fonctionnaires royaux, voudrait conserver sur eux un droit de haute justice.

Pour les clercs, même aspiration de l'Église à une complète exonération de la juridiction civile. Dès 541, le IVe concile d'Orléans défend aux juges laïques de procéder contre un clerc de leur propre chef. « Sans l'autorisation de l'évêque ou d'un autre supérieur ecclésiastique, aucun laïque ne peut s'emparer d'un clerc, lui faire subir un interrogatoire ou le punir. Par contre, si un clerc est commis par l'autorité ecclésiastique pour paraître devant un tribunal civil, il doit s'y rendre sans difficulté, y parler et y répondre. Dans un procès entre clerc et laïque, le juge ne doit procéder à aucune enquête, sans être en présence du prêtre ou de l'archidiacre, qui est le supérieur ecclésiastique du clerc. Si les deux parties en litige — clerc et laïque — veulent porter leur procès devant le tribunal séculier, le clerc doit en obtenir la permission. » En 561, au Ier concile de Mâcon, l'Église fait un pas de plus, et se réserve à elle-même le jugement des clercs, du moins au criminel : « Si un juge civil s'empare d'un clerc, — sauf pour un crime capital, à savoir meurtre, vol ou maléfice[1], — il sera exclu de l'Église aussi longtemps que l'évêque le trouvera bon. »

On ne voit point que le pouvoir royal ait sanctionné de telles décisions. Il semble muet jusqu'à l'édit de 614 qui trancha nettement tout le débat : en matière civile, tribunal ecclésiastique pour procès entre deux clercs, tribunal mixte pour procès entre clerc et laïque; en matière criminelle, s'agit-il d'un prêtre ou d'un diacre, jugement épiscopal; s'agit-il d'un simple clerc, jugement séculier du comte, à moins que, convaincu d'un crime capital, le clerc ne soit renvoyé à l'évêque.

Somme toute, sans parvenir à complète satisfaction, l'Église a obtenu que dans la plupart des cas les clercs soient jugés par son propre tribunal. D'ailleurs après comme avant l'édit de 614, elle s'acharne à réclamer l'adoption intégrale de son point de vue.

1. Le canon 10 du IIe concile de Mâcon en 585 supprimera même cette exception.

CHAPITRE IV

LE CLERGÉ MÉROVINGIEN

I. Origines des paroisses rurales. — Le catholicisme fut d'abord une religion de cités. Il importait qu'en Gaule il s'organisât aussi dans les vastes campagnes privées de tout service religieux. Où s'y établit-il? D'abord dans les centres plus populeux, les *vici*[1] ou bourgs, situés à l'ordinaire près d'une route ou sur un cours d'eau. Ces Églises doivent souvent leur origine à l'initiative de l'évêque voisin qui fournit des clercs pour les desservir. Commencée en Narbonnaise au début du IVe siècle, arrêtée par les Invasions, entravée dans les royaumes ariens, cette expansion rurale prend tout son essor après la conversion des Francs. Alors, plutôt qu'aux diacres la garde de ces Églises est confiée à des prêtres qui peuvent baptiser, prêcher, célébrer la messe; dès la première moitié du VIe siècle, ces desservants prendront souvent le nom d'archiprêtres.

Outre ces fondations officielles, il y en a d'autres dans les domaines privés. Évêques

1. D'après la nomenclature qui prévaut après la chute de l'empire romain, le mot de *vici* désigne les petites villes, et celui de *castra* les bourgs. Le *pagus* ou canton prend la place de l'ancienne *civitas*, tantôt coïncidant avec son emplacement, tantôt n'en comprenant qu'une partie.

A l'époque mérovingienne les progrès de l'évangélisation amenèrent la multiplication des diocèses : ainsi au Ve siècle Chalon, Nevers, Le Mans, Rennes, Quimper, Vannes, Saint-Pol-de-Léon, Tarentaise, Toulon, Rodez, Albi; au VIe, Bayeux, Avranches, Evreux, Séez, Lisieux, Coutances, Arras, Cambrai, Tournai, Belley, Meaux, Agde, Maguelonne, Elne, Carcassonne. En principe, chaque *civitas* a un évêque; en réalité, maintes petites cités mentionnées dans la *Notitia Galliarum* n'en possédaient pas : ainsi Thérouanne (*civitas Pigomagensium*) et Castellane dans les Alpes-Maritimes (*civitas Salinensium*). Certains évêchés créés par des rois aux frontières de leurs États ne subsisteront pas : par exemple Melun, détaché de Sens, et Châteaudun de Chartres.

A l'époque mérovingienne il y avait en Gaule douze provinces ecclésiastiques : *Ire Lyonnaise :* archevêché, Lyon; évêchés : Autun, Bâle, Belley, Besançon, Chalon-sur-Saône, Constance, Langres, Lausanne, Sitten. — *IIe Lyonnaise :* archevêché, Rouen; évêchés : Avranches, Bayeux, Coutances, Evreux, Lisieux, Séez. — *IIIe Lyonnaise :* archevêché, Tours; évêchés : Aleth, Angers, Le Mans, Nantes, Quimper, Rennes, Saint-Pol-de-Léon, Vannes. — *IVe Lyonnaise :* archevêché, Sens; évêchés : Auxerre, Chartres, Meaux, Nevers, Orléans, Paris, Troyes. — *Ire Belgique :* archevêché, Trèves; évêchés : Cologne, Maëstricht, Mayence, Metz, Spire, Strasbourg, Toul, Verdun, Worms. — *IIe Belgique :* archevêché, Reims : évêchés : Amiens, Beauvais, Cambrai, Châlons-sur-Marne, Laon, Senlis, Soissons, Thérouanne, Tournai. — *Ire Aquitaine :* archevêché, Bourges; évêchés : Albi, Clermont, Cahors, Mende, Limoges, Rodez, Le Puy. — *IIe Aquitaine :* archevêché, Bordeaux; évêchés : Agen, Angoulême, Périgueux, Poitiers, Saintes. — *Novempopulanie :* archevêché, Eauze; évêchés : Aire, Auch, Comminges, Dax, Labourd (ou Bayonne), Lectoure, Lescar, Oloron, Saint-Lizier, Tarbes. — *Viennoise :* archevêché, Vienne; évêchés : Genève, Aoste, Grenoble, Maurienne, Tarentaise, Valence. — *Ire Narbonnaise :* archevêché, Narbonne; évêchés : Agde, Béziers, Carcassonne, Elne, Lodève, Maguelonne, Nîmes, Toulouse. — *IIe Narbonnaise :* archevêché, Arles; évêchés : Aix, Antibes, Apt, Avignon, Carpentras, Cavaillon, Die, Digne, Embrun, Fréjus, Gap, Glandève, Marseille, Nice, Orange, Saint-Paul-Trois-Châteaux, Senez, Sisteron, Toulon, Vaison, Vence, Viviers. Voir MIROT, *Manuel de géographie historique de la France*, p. 191-192.

propriétaires de villae, laïques soucieux de fournir sur place à leurs serfs et à leurs colons les avantages religieux construisirent chez eux des oratoires qui eurent leurs prêtres, souvent tirés du personnel même de l'exploitation. Ce clergé ne figure pas aux canons de la cité et des paroisses; interdiction lui est faite de baptiser; aux grandes solennités, il ne peut célébrer

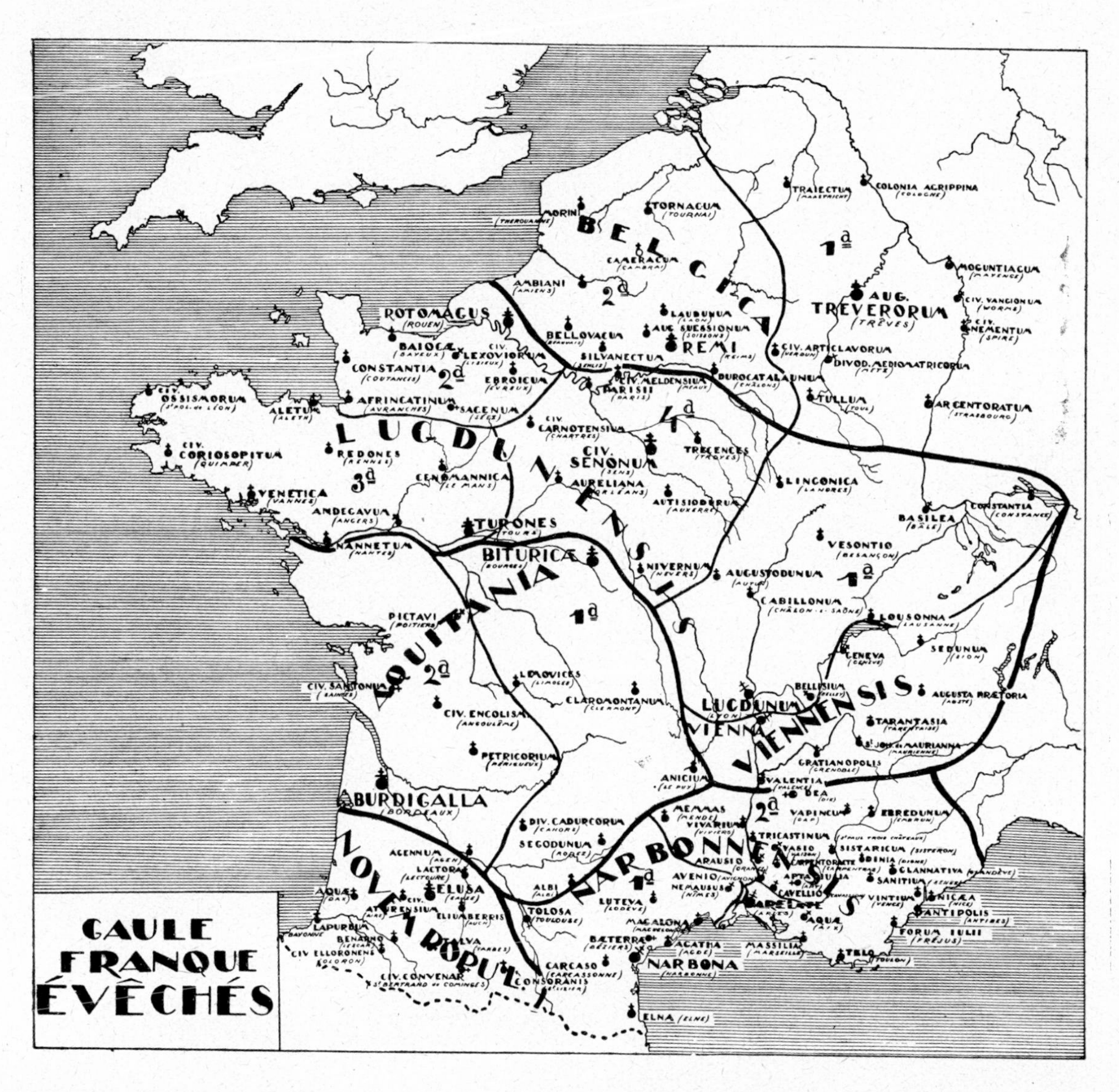

la messe, mais doit se rendre avec ses fidèles à l'église paroissiale. « Si quelqu'un, dit le concile d'Agde, en dehors des paroisses où se fait le groupement légitime et ordinaire des fidèles, veut avoir un oratoire dans sa campagne et y entendre la messe, nous le permettons. Il y a là, pour une famille, raisons légitimes de fatigue, d'éloignement, de piété. Cependant nous faisons exception pour Pâques, Noël, l'Épiphanie, l'Ascension, la Pentecôte et la Saint-Jean-Baptiste qui doivent se célébrer dans les villes et les paroisses. Quant aux clercs qui, sans nos ordres, prétendraient officier les jours désignés dans les oratoires ruraux, ils seront privés de la communion. » Au VIe siècle ces oratoires se multiplient encore grâce à la piété des braves gens qui aiment à construire un modeste édicule en hommage à tel saint et pour honorer telle relique, par le fait aussi d'établissements monastiques en des endroits déserts.

Dans la paroisse le prêtre délégué jouit d'une autorité personnelle. Dès 529, le concile de Vaison lui reconnaît le droit à la prêtrise et la formation du clergé inférieur local : « Tous les prêtres doivent — ainsi que la coutume s'en est introduite en Italie — prendre chez eux les jeunes clercs non mariés, afin de les instruire dans le chant des psaumes, dans les leçons de l'Église et dans la loi du Seigneur, pour se préparer d'habiles successeurs. » Ainsi la paroisse est une cellule complète qui se suffit à elle-même : prêtres et clercs se recrutant dans son sein et lui demeurant attachés pour la vie. Parmi une population qui leur est familière, dont ils connaissent besoins, ressources, défauts, ils feront œuvre utile; leur ministère sera celui d'un compatriote et d'un ami [1].

Pourtant l'autonomie de la paroisse ne deviendra complète que du jour où elle possèdera son patrimoine. Au début, l'Église épiscopale reste propriétaire de tous les biens du diocèse : les clercs détachés pour le service des paroisses rurales sont à sa charge; sans doute celles-ci peuvent-elles parfois recevoir des donations, mais c'est l'évêque qui en dispose, qui en touche les revenus et qui en fait tel usage par lui jugé meilleur. Pareil système offrait à la fois avantages et dangers : les avantages d'une gestion centralisée et d'une distribution intelligente proportionnée aux besoins d'un chacun; mais aussi les dangers d'accaparement par l'évêque qui, considérant le bien paroissial comme le sien propre, pouvait l'exploiter parfois à sa guise, à son profit, au détriment des premiers intéressés. Dès 511, le premier concile d'Orléans accordait au clergé paroissial une certaine part fixe en distinguant les offrandes manuelles dont les deux tiers lui reviendraient, et les biens fonds placés sous la gestion épiscopale. En 527, inspiré par saint Césaire, le concile de Carpentras décida que chaque paroisse aurait sa mense propre, dont elle toucherait les revenus, et avec quoi elle

1. Divers conciles nous parlent d'archiprêtres ruraux. Qu'étaient-ils donc? Non pas un rouage nouveau, simples prêtres comme les autres, mais gérant une cure plus importante où ils avaient sous leurs ordres d'autres ecclésiastiques les aidant directement ou chargés d'oratoires auxiliaires à l'intérieur de la même paroisse. Songeons, en effet, que les paroisses ont été fondées dans des localités importantes, et qu'elles requièrent souvent tout un clergé. Ainsi Auxerre en compte-t-il une quarantaine, dont vingt-six assez nombreuses vers la fin du VIIe siècle pour avoir à leur tête un archiprêtre.

N'allons pas greffer sur ce vocable nos conceptions modernes et nous l'imaginer exerçant quelque droit de regard sur les paroisses avoisinantes. Ni le droit de patronat reconnu aux fondateurs, ni l'autonomie des paroisses rurales proches encore de leurs origines n'eussent autorisé cette centralisation locale. Entre l'évêque et les chefs des paroisses rurales nul intermédiaire. A l'époque mérovingienne, s'il y a des archiprêtres, on ne constate pas encore d'archiprêtrés.

Quels étaient donc dans sa paroisse les pouvoirs de l'archiprêtre? Avant tout il restait le ministre habituel du Saint-Sacrifice. Lors des grandes solennités, — Pâques, Pentecôte, Noël, — il avait le privilège de l'action liturgique; à ces jours défense aux prêtres desservant les titres moindres (*tituli minores*) de célébrer la messe, tous les fidèles devant se réunir à l'église archipresbytérale; comme d'ailleurs l'administration du baptême était habituellement limitée à l'une de ces fêtes principales, l'archiprêtre — sauf le cas de nécessité — se réservait aussi de baptiser.

D'autre part, il avait la responsabilité des prêtres et clercs de sa paroisse, devant surtout veiller à la pratique du célibat ecclésiastique. Mais il ne possédait aucun pouvoir coercitif et disciplinaire; en cas d'infraction, il devait — sous peine d'être frappé lui-même — signaler à l'évêque. Au total, attributions surtout liturgiques et titres honorifiques; plus de responsabilité indirecte que d'autorité directe; un curé qui a charge d'âmes, celle-ci s'étendant non seulement aux fidèles, mais à tout un clergé paroissial.

Ne pas confondre cet archiprêtre rural avec l'archiprêtre épiscopal ou urbain dont nous avons parlé dans une note précédente. Voir, J. FAURE,* *L'archiprêtre*, Grenoble, 1911. — A. AMANIEU, art. *Archiprêtre* dans *Dict. droit can.*

rétribuerait son clergé, entretiendrait son église et subviendrait à tous les frais du culte : c'était l'autonomie du patrimoine rural. A l'évêque il ne serait permis quelque prélèvement sur l'excédent des ressources que si l'Église cathédrale était pauvre et la paroisse extérieure riche. En 538, le IIe concile d'Orléans détachera définitivement le clergé rural de l'administration centrale en spécifiant que, muni pour son usage du patrimoine paroissial, il n'a plus aucun titre aux rémunérations de l'évêque.

Toutefois, églises paroissiales et oratoires « ont cette condition assez précaire d'établissements propriétaires, mais qui restent soumis à l'autorité épiscopale ». Celle-ci peut être parfois d'autant plus dangereuse qu'elle est plus vague : simple droit de contrôle, elle aboutira entre les mains de prélats concussionnaires à de véritables vols, soit d'objets mobiliers, soit d'offrandes. « Qu'à la mort d'un prêtre ou d'un abbé, spécifie au VIIe siècle le concile de Chalon-sur-Saône, l'évêque, son archidiacre, ou quelque autre, n'enlève rien des biens de la paroisse, de l'hospice ou du monastère. Celui qui le fera sera frappé selon les prescriptions canoniques. »

Mais cette menace épiscopale ne doit être qu'exceptionnelle. Il y en a une autre beaucoup plus grave : le patronat laïque qui tend à s'exercer doublement. D'une part, dans les oratoires privés, les grands propriétaires se prétendent maîtres sans contrôle, disposant à leur gré de la fondation par eux dotée, et aussi du desservant qu'ils ont le privilège de choisir et de présenter à l'ordination épiscopale. Contre ces ingérences proteste le même concile de Chalon déjà cité : « Quelques évêques se plaignent de ce que plusieurs grands veulent soustraire à la surveillance épiscopale les oratoires qui se trouvent dans leurs villas, et défendre à l'archidiacre de punir les clercs qui les desservent. Ces oratoires restent soumis à l'autorité épiscopale, aussi bien en ce qui concerne l'ordination des clercs que pour l'administration des biens et l'organisation du service divin. »

D'autre part, en ces temps troublés, les Églises rurales — comme toutes autres personnes — recherchent la protection d'un puissant; en échange elles lui « commandent » leurs biens. D'où cette sécularition des paroisses commencée au VIIe siècle, et contre quoi proteste déjà le concile de Chalon : « On ne doit pas, dit-il, confier à des séculiers le gouvernement des biens d'une paroisse, ni celui des paroisses elles-mêmes. » Dès lors, sans exercer évidemment le ministère, les grands usurpent pourtant le titre presbytéral et avec le titre les avantages matériels, c'est-à-dire la surveillance du clergé et de l'administration des biens : privilèges usurpés qui exposaient la paroisse à ce que ses revenus fussent dilapidés, les offrandes des fidèles ravies, les fonctions ecclésiastiques confiées non au plus digne, mais au plus offrant, le clergé réduit sous la servitude laïque.

Ainsi, pour expliquer les origines de l'appropriation des églises, il n'est point nécessaire de recourir avec M. Stutz aux anciennes traditions germaniques qui — eussent-elles joué un rôle — seraient intervenues beaucoup plus tôt. En fait l'appropriation n'apparaît qu'au VIIe siècle, favorisée par les troubles de l'époque mérovingienne finissante : elle est donc avant tout, selon la théorie de M. Imbart de la Tour, une usurpation. Le grand propriétaire n'avait-il pas fourni le terrain où construire l'église, ou bien celle-ci ne s'était-elle pas « commendée » à lui? Donateur ou protecteur, il s'y prétendit maître. Ainsi commencent à poindre les méfaits ecclésiastiques de la féodalité : au patronage des Églises succédera à l'époque carolingienne le séniorat.

La paroisse, en effet, est, comme le château fort, le seul groupement cohérent : tandis que, s'effritant par suite des partages, ventes, dotations, la villa[1] tombe aux mains de maîtres divers, l'Église subsiste, qui maintient les habitants sous e seul lien assez puissant pour retenir les hommes : la religion. Ce centre demeure, où chaque semaine les fidèles se réunissent pour prier, et dans l'enceinte duquel ils naissent, grandissent, se marient et meurent[2].

II. La formation du clergé. — Il importait que le clergé rural se recrutât dignement. Nous avons signalé déjà l'existence d'écoles presbytérales. Que demandait-on au candidat? D'abord qu'il fût libre, donc — s'il était esclave — que son maître donnât son consentement et l'affranchît[3]. Même un homme libre devait obtenir l'assentiment du roi ou du comte. Il fallait aussi qu'il promît de pratiquer la continence, du moins pour le sous-diaconat, le diaconat et la prêtrise. Des hommes mariés, on exigeait qu'ils renonçassent aux relations conjugales : *conversionis propositum* équivalent de la chasteté perpétuelle imposée à nos sous-diacres. « Si le diacre est marié, dit le concile d'Agde dès 506, son évêque exigera qu'il promette la continence ainsi que son épouse. » Si celle-ci se retirait parfois dans un cloître, on ne lui interdisait pas la cohabitation avec son mari : rien de choquant alors sous les termes *presbytera* et *diaconissa*, « prêtresse » et « diaconesse », qui désignent l'épouse désormais vouée à la chasteté. Maints évêques et prêtres vivent avec leur femme dans de purs sentiments fraternels. A Léonce de Bordeaux Fortunat écrit : « Je ne saurais manquer de parler de Placidie, jadis ton épouse, maintenant ta sœur. » Au surplus, sans les

1. U. Stutz, *Geschichte des kirchl. Benefizial wesens,* t. I, Berlin, 1895. — Imbart de la Tour, *Les paroisses rurales du IVe au VIe siècle,* 1900.

Notons l'interversion qui s'opéra des mots *parochia* et *dioecesis.* Au début du ve siècle *parochia* signifie surtout diocèse, tandis que les *dioeceses* sont des paroisses ; au VIe siècle seulement ces termes prendront leur acception actuelle : on appelle alors l'église de campagne *ecclesia parochialis* ou *parochiana,* ses prêtres et clercs *presbyteri* ou *clerici plebani, parochienses, parochiales, parochitani.*

2. Au point de vue territorial, tantôt un groupe de *villae* a formé la paroisse, et tantôt la paroisse est identique à la *villa.* « Peut-être, remarque M. Imbart de la Tour, que là où les communes modernes composent des hameaux isolés, distincts, c'est un groupe de *villae* qui est entré dans la paroisse ; partout au contraire où elles sont formées d'un noyau central, d'un village, il y a identité entre la paroisse et la *villa.* Le premier se rencontrerait surtout dans les riches contrées de la Bourgogne ou du Plateau Central, le second dans nos plaines du Nord ou de la Seine. »

3. Épineux problème que l'accession de la condition servile à la prêtrise. Un double péril existait : d'une part que, devenu prêtre, l'esclave restât dans la dépendance de son maître et que la liberté lui manquât ; d'autre part que, tout au contraire, il briguât l'état ecclésiastique sans vocation, pour échapper à un état humiliant et à de rudes obligations. De fait le pape Gélase (492-496) signale-t-il partout de nombreux esclaves qui s'évadent pour entrer dans le clergé séculier ou régulier ; par des mesures disciplinaires il essaie d'y couper court, stipulant que le clerc ainsi délinquant doit faire retour à son maître, et le prêtre lui servir de chapelain. Même souci de sauvegarder la justice affirmé par l'épiscopat mérovingien. Ainsi le premier concile d'Orléans édicte-t-il en 511 : « Lorsque, à l'insu ou en l'absence de son maître, un esclave a été ordonné diacre par un évêque qui connaissait son état d'esclave, il pourra rester dans la cléricature, mais l'évêque devra payer pour lui une double rançon à son maître. Si l'évêque ignorait qu'il fût esclave, cette rançon sera payée par ceux qui auront rendu témoignage lors de son ordination (c'est-à-dire affirmé qu'il n'était pas esclave), ou bien ceux qui ont sollicité pour lui cette ordination. » Un autre concile d'Orléans se prononcera dans le même sens en 549 : « Aucun évêque ne doit ordonner un esclave ou un affranchi sans l'assentiment de son maître ou de celui qui l'a affranchi. S'il le fait il sera six ans sans dire la messe, et celui qu'il aura ordonné devra revenir à son maître ; toutefois celui-ci devra le traiter conformément à son état (ecclésiastique). Si ce maître ne le faisait pas, l'évêque devra lui donner deux autres esclaves, et demander pour son église celui qui a été ordonné. »

Le pape Gélase avait interdit aux monastères qu'ils acceptassent des esclaves non affranchis. La règle rédigée par Aurélien d'Arles (546-55) note strictement : « L'admission d'un esclave est interdite. Quand il s'agit, par contre, d'un affranchi, s'il est adulte et porteur de lettres de son patron, l'abbé reste libre de l'accepter. » Toutefois il est certain que les monastères ne se crurent pas tenus aussi strictement que le clergé séculier à écarter les gens de condition servile. La règle de saint Benoît ne requiert pas une telle enquête au sujet du postulant. Par contre elle souligne l'égalité sociale qui règne entre tous : « On ne doit pas assigner au moine de condition servile un rang inférieur à l'homme libre. Esclaves ou hommes libres, nous sommes unis dans le Christ et soumis au même maître sous la même servitude, parce que Dieu ne fait pas acception des personnes. »

obliger toujours à passer par les interstices de chaque ordre, on requérait au moins des laïques une sorte de noviciat, une *praemissa conversio,* qui durait un an : règlement adouci dû à saint Césaire et que Rome finit par reconnaître sous Félix IV (526-30).

Aux élèves des écoles presbytérales on ne demandait qu'une formation intellectuelle et ecclésiastique assez sommaire : savoir lire, posséder quelque connaissance des Écritures et du chant religieux. Saint Césaire veut que tout candidat ait lu quatre fois la Bible en son entier, ce qui paraît assez onéreux. Le IIe concile d'Orléans en 533 ne lui demande qu'un peu de lecture et savoir baptiser. Presque rien, à vrai dire, mais qui lui permettra de trancher du lettré en un milieu si barbare. Aux évêques d'entretenir et perfectionner cette culture rudimentaire. Saint Césaire fait lire à sa table pendant les repas pris en commun avec ses clercs. Après quoi, il les interroge : rude épreuve qui en embarrasse plus d'un. « Voyons, qu'avons-nous eu à déjeuner, à dîner aujourd'hui? Beaucoup alors trahissaient par leur rougeur et par la sueur qui découlait de leur front, la stupidité ou l'étourderie de leur mémoire, et c'était le petit nombre qui parvenait à résumer ce qui avait été lu, non sans peine, et sans perdre souvent leur chemin. »

Dans une société brutale l'Église veille à préserver la vertu et la dignité de ses prêtres. Il leur est prescrit de n'avoir sous leur toit que leurs proches parentes, mère, sœur, fille et nièce. Le concile d'Agde les met en garde contre la fréquentation des servantes dans le cellier de l'église, contre celle des femmes pieuses dans la sacristie. « Les évêques, prêtres et diacres, dit le concile de Clermont en 535, ne doivent avoir aucun rapport avec des femmes qui ne sont pas leurs parentes; et ils ne doivent pas non plus permettre qu'une religieuse, ou une femme étrangère, ou une servante, entre dans leur appartement. Quiconque ne s'observe pas sur ce point sera excommunié, et l'évêque également puni, s'il ne châtie pas une pareille faute commise par un prêtre ou par un diacre. » Pour couper court à tout commentaire malveillant, le prêtre aura toujours dans sa demeure au moins quelque clerc, témoin de sa vertu. Interdiction des foires, des places publiques, des noces et festins où résonnent des chansons d'amour, défense de cohabiter avec des sœurs spirituelles, autant de prescriptions qui visent à sauvegarder la renommée sacerdotale.

III. Situation morale et matérielle du clergé. — En général ce clergé fut digne et trancha sur la population. Mais, issu souvent du milieu barbare, il pouvait retomber parfois dans les défauts ataviques. Il y a des clercs ivrognes. Saint Césaire en connaît parmi ceux « de tout ordre, voire du premier ordre », qui veulent tenir tête aux laïques les plus ntempérants par le nombre des coupes ». « Par-dessus tout, dit le concile d'Agde, les clercs doivent éviter l'ébriété, source et nourricière de beaucoup de vices. Si quelqu'un est pris sur le fait, nous voulons qu'il soit privé de la communion durant trente jours, ou qu'il soit puni d'une peine corporelle. »

De même, les conciles prévoient l'adultère et le punissent sévèrement. « Si des ministres de l'autel, dit le concile d'Autun, ayant fait une chute momentanée s'en repentent dignement, que l'évêque ait la faculté de lever promptement la suspense. Que s'ils reviennent comme des chiens au vomissement et retournent comme des porcs immondes s'enfoncer dans leur fange, qu'ils soient non seulement dépouillés de leur charge, mais encore privés de la communion jusqu'à la mort. » Grégoire nous cite par le menu le cas lamentable d'un prêtre manceau à la fois débauché et glouton : il séduit une femme mariée et l'enlève sous un déguisement masculin après lui avoir fait couper les cheveux. Poursuivi et capturé, il est racheté par l'évêque de Lisieux, Etherius. Récidiviste de l'adultère, sauvé une seconde fois par le prélat, il l'en récompense en attentant à sa vie, puis en le calomniant dans sa vertu. A lui seul pareil drame n'aurait que la valeur d'un fait divers [1]. Mais l'insistance des conciles à poursuivre les mauvaises mœurs cléricales, l'influence de l'ambiance, le triste exemple de certains évêques, la force d'un atavisme tout proche, la cohabitation avec l'ancienne épouse, l'influence du patronat laïque sur les nominations, toutes ces causes nous font entrevoir un clergé assez mêlé où des saints véritables coudoyaient les indignes. A travers l'hagiographie, souvent légendaire, on discerne cette naïveté, cette fraîchenr de sentiments propres aux âmes neuves, et aussi une ardeur d'apostolat qui opérait des merveilles. Les cas scandaleux sont toujours trop connus ; des chroniques ils passent dans toutes les histoires; par contre, les prodiges d'abnégation et de charité n'ont guère été enregistrés. On en constate cependant les résultats partout à cette époque. La conversion du monde barbare n'est pas un phénomène moins extraordinaire, ni moins surnaturel que celle du monde romain : il y a fallu des saints.

Pour la tenue extérieure, il n'y a pas encore de costume ecclésiastique, mais on exige visage rasé et cheveux coupés courts selon l'ancien usage romain contraire à celui des barbares.

Comme les clercs se recrutaient souvent dans les classes populaires qui ne possédaient rien ou presque rien, et que leur part des offrandes et du revenu était insuffisante à les faire vivre, saint Césaire leur concéda, et même leur ordonna de trouver le reste de leur subsistance dans le travail manuel : quelque métier, la transcription des manuscrits, la culture du sol, voire le négoce.

Avec le nécessaire il faut aux clercs la paix. Le concile d'Agde les défend contre l'arbitraire possible d'un évêque peu charitable et brutal qui les accablerait et les découragerait. Il note qu'il peut y avoir un péché de celui qui excommunie, *excommunicatoris peccatum :* « S'il arrive donc à quelque prélat, oublieux de la modération qui sied à sa dignité, d'excommunier un clerc sans fondement ou pour une faute légère, ou de repousser durement celui qui implore sa grâce, les évêques voisins voudront bien s'interposer, et ne pas refuser leur communion aux victimes jusqu'au prochain synode, de peur qu'elles ne soient exposées à mourir hors de l'Église. »

D'ailleurs celle-ci prescrit aux évêques des obligations. Saint Césaire les a codifiées dans ses *Statuta ecclesiae antiqua;* les conciles les rappellent périodiquement. D'après ces documents, le pouvoir épiscopal est limité : 1° par le synode provincial composé des prélats de la circonscription métropolitaine, 2° par le presbyterium ou conseil des prêtres de la cité que l'on doit consulter pour les affaires importantes, tel l'établissement des listes des nouveaux ordinands, ou l'emploi des biens ecclésiastiques.

1. On en trouve d'autres dans l'*Histoire des Francs :* ainsi le prêtre Eufrasius, aimable dans ses manières, mais peu réservé dans ses actions, qui souvent enivrait les barbares, mais rarement secourait des indigents; Théodule, diacre de Paris, ivrogne et adultère, qui meurt lamentablement. Dans l'Italie du VIe siècle, il y a aussi des clercs peu recommandables. La correspondance de Pélage Ier nous révèle tel qui pille les vases sacrés, tel autre qui commet le viol, ou bien qui s'adonne à la magie noire et cherche par des philtres à corrompre une nonne. Ces faits indiscutables ne doivent pas voiler la vertu du grand nombre.

CHAPITRE V

LE MONACHISME

I. Cénobites et reclus au VIe siècle[1]. — L'aspect le plus frappant du monachisme franc au VIe siècle, c'est la dispersion. Nulle fixité, pas de vastes groupements qui s'imposent, une gyrovagie inquiète de perfection sans doute, mais qui expose les âmes à des déceptions et à des périls. De là un pullulement d'ermites et de reclus. Grégoire de Tours nous en cite plusieurs : ainsi Patrocle qui ne buvait ni vin, ni bière, se contentant d'un peu de pain trempé dans l'eau ; Hospitius qui à Nice vivait chargé de chaînes et revêtu d'un cilice ; Caluppa réfugié dans une grotte, Lupicin qui le jour portait sur la tête une énorme pierre, et la nuit sous le menton un bâton auquel il avait fixé des clous pointus ; Walfroy qui renouvela les exploits des stylites orientaux : « Durant l'hiver, avouait-il, la rigueur du froid me fit tomber les ongles des pieds ; des glaçons se formaient sur ma barbe, on eût dit des cierges. » Les évêques voisins le firent descendre de sa colonne, objectant que la rigueur du climat ne lui permettait pas d'endurer pareilles souffrances.

Mais à côté de ces émules des solitaires égyptiens, protégés par leur sainteté, d'autres étaient de vrais vagabonds, exploiteurs de la charité publique. La *Règle du Maître* nous les peint sur le vif, courant par tous les chemins, restant trois jours ici, et deux là, gros mangeurs et hardis buveurs, prétextant les fatigues de la route pour exprimer mille et une exigences, en quête des monastères non les plus pieux, mais les plus donnants, toujours prêts à s'éclipser dès que le frère hôtelier les invite à s'associer à la prière commune, et rechargeant sur leur âne caché non loin de là des provisions nombreuses[2]. Contre cette gent exécrable les conciles s'acharneront sans parvenir à la supprimer. L'inorganisation de la vie monastique, le manque d'une Règle détaillée qui s'imposât partout favorisaient et rendaient inévitables pareils abus.

Sur la vie cénobitique rares sont les sources où nous renseigner. Grégoire de Tours n'en

1. **Monachisme mérovingien.** — A. Hauck, *Kirchengeschichte Deutschlands*, t. I, passim. — Dom J. M. Besse,* *Les moines de l'Ancienne France* (*Archives de la France monastique*), 1906. — Mgr Lesne, * *Histoire de la propriété ecclésiastique en France*, t. I, 1910. — Levillain, *Études sur l'abbaye de Corbie à l'époque mérovingienne, Bibl. École des Chartes*, 1924-1925.

2. D'après le premier concile d'Orléans, on doit « où qu'on les trouve s'emparer des moines vagabonds avec le secours de l'évêque et les ramener de force. L'abbé qui ne les châtie pas ou qui reçoit de ces coureurs commet une faute ». Même sévérité du concile de Tours contre les sorties inutiles faites sans permission (567).

parle guère, et il semble que — comme les grands enfants, ses contemporains — le merveilleux l'ait intéressé davantage que la sainteté. Peu de *Vies* vraiment historiques, et qui soient de l'époque. Pourtant, rien que d'après les noms parvenus jusqu'à nous, il faut conclure à une expansion considérable : Mabillon et la *Gallia christiana* comptaient déjà plus de 200 monastères, chiffre bien inférieur à la réalité; d'après les biographies, il n'est pas rare que tel saint ait bâti dix ou douze établissements, mais dont nous ne connaissons que deux ou trois. A coup sûr beaucoup pouvaient être de simples *cellae,* mais d'autres atteignaient jusqu'à soixante, cent, trois cents moines : ainsi Solignac cent cinquante sujets sous Rénacle, Sithiu tout autant sous Bertin, et à la mort de Radegonde Sainte-Croix deux cents religieuses. Au début c'étaient surtout des Gallo-romains appartenant en majorité à l'aristocratie, mais des Francs s'y adjoignirent bientôt, de toute condition sociale, et jusqu'à des esclaves. Ils se groupaient autour de quelque pieux personnage, séduits par l'ascendant de sa sainteté, émerveillés par ses miracles : multiples cristallisations locales qui dévoilent l'extrême candeur et la générosité foncière de ces natures barbares.

Sous quelle Règle vivait-on? Il y en avait plusieurs, connues soit par des traductions du grec, soit dans le texte original : non point codes détaillés, mais plutôt traités généraux d'ascétisme où apprendre pauvreté, chasteté, obéissance, abstinence et travail. Quant au reste, l'usage local l'avait fixé, ou la volonté de l'abbé. Nul législateur dont la forte personnalité se soit alors imposée à toute une région : ni saint Colomban n'est encore venu, ni saint Benoît connu. Période d'individualisme assez ingrate où chaque fondateur, chaque abbé légifère au mieux, sans dépendre de personne hormis sa propre inspiration.

Saint Césaire avait bien composé une Règle pour les hommes : inspirée de l'esprit lérinien, elle prescrivait la stabilité, garantie de l'obéissance, la pauvreté qui obligeait tout postulant à disposer préalablement de ses biens, soit en faveur de ses parents indigents, soit plus normalement de la communauté. Principes capitaux, très opportuns à rappeler. Mais du détail, Césaire ne se se préoccupait pas davantage que les autres législateurs monastiques : sa Règle ne pouvait donc prétendre à uniformiser la vie des communautés franques.

Souvent les évêques fondent des monastères et, moins timorés que Césaire [1], jugent qu'à leur profit doit s'infléchir la loi générale de l'inaliénabilité : ils les dotent donc, soit sur les biens de l'Église, soit sur les leurs propres. Parfois aussi de pieux fondateurs laïques fournissent le terrain; au premier rang les rois, tels un Clotaire II pour Sainte-Croix de Poitiers, un Sigebert II pour Stavelot et Malmédy. Avec l'emplacement, souvent ils donnent bâtiments et mobilier. Ou bien encore, le bienfaiteur c'est le premier abbé qui a placé le monastère au milieu de ses terres. La générosité est une marque de l'époque, la meilleure; elle en voile quelque peu les brutalités et les scandales. Ainsi pourvu, le monastère s'enrichira rapidement par le travail des religieux, employés qu'ils sont à défricher et à cultiver la terre. Les voilà grands propriétaires ruraux à une époque où la richesse agricole est capitale.

De telles origines ne seront point sans compromettre plus ou moins la liberté claustrale. Comment le bienfaiteur ne considèrerait-il pas comme sienne cette institution naissante qui lui doit la vie? « Il nous a plu, déclarent deux époux dans une formule angevine du VIIe siècle,

1. Pour doter son monastère de Saint-Jean, Césaire avait vendu un terrain, en s'appuyant sur les licences accordées par le concile d'Agde. Informé de la sévérité romaine en matière d'aliénation, il consulta Symmaque, puis Hormisdas qui finit par lui concéder ce qu'il voulait. Ces mêmes scrupules reparaissent dans son testament où il s'excuse, rappelant que l'avoir de son Église a doublé durant son épiscopat.

de donner une part de nos biens à *notre* monastère que nous avons édifié. » On ne parle pas autrement du fruit de ses entrailles.

Aussi souvent le fondateur s'est-il réservé de choisir le premier abbé ou la première abbesse, et parfois c'est l'un de ses enfants. Comme propriétaire d'ailleurs, il maintient ou peut maintenir son droit de nomination, le transmettant à ses descendants. Si l'élection conventuelle intervient parfois, c'est qu'il a renoncé à son droit. Quant aux évêques, là où ils ne sont pas propriétaires, ils ne conservent sur l'élection qu'un contrôle des plus restreints.

Sans doute admet-on alors en Gaule que le pasteur a pouvoir sur les moines de son diocèse, veillant à la discipline, désignant même aux religieux quelle règle observer. Mais une réaction se produira — nous le verrons — au VIIe siècle, surtout sous l'influence colombanienne; souvent alors, la charte même de fondation stipule que les moines seront gardés contre toute ingérence épiscopale : nulle surveillance du temporel, ni gîte, ni cens, ni présents, aucun droit de visite, rien que les fonctions liturgiques, telles que conférer les ordres uo consacrer les autels.

II. Les moniales. Sainte Radegonde. — Les vierges vouées restaient souvent dans le monde, menant une existence austère au sein de leur famille. Celles mêmes qui vivaient groupées jouissaient d'une excessive liberté, et subissaient trop les ingérences extérieures, ecclésiastiques ou laïques.

Saint Césaire fut vraiment en Gaule l'instaurateur et le législateur de la vie monastique féminine. A Arles, il fonda un monastère de moniales dédié à saint Jean, et dont il confia la direction d'abord à sa sœur Casarie, puis à sa nièce Césarie. Il lui donna une Règle sage destinée à faire fortune, et où l'on trouve déjà ce mélange harmonieux d'austérité et de mesure qui assurera le succès de l'institution bénédictine.

Quelques principes inflexibles. Tout d'abord, la stricte clôture. « Si quelqu'un, dit-il, quittant ses parents, veut entrer dans ce saint bercail pour échapper à la dent des loups spirituels, il faut qu'il ne sorte jamais plus du monastère, ni de la basilique adjacente. » Rien que de courtes visites reçues, et sous la surveillance d'une ancienne. Même l'abbesse y mettra une grande réserve : « Appelée au parloir, elle ira par nécessité, mais auparavant elle marquera son front du signe de la croix. Enveloppée de pudeur, ressemblant à la bienheureuse Marie qui parla brièvement à l'ange, elle conversera avec gravité, discrétion et bonté. »

D'autre part, autorité ferme, tout entière entre les mains de l'abbesse et de son assistante et suppléante, la prévôte, toutes deux communes mères et représentantes de Dieu. Enfin, pauvreté et travail manuel : ce qui n'empêchera pas de « connaître les lettres », autrement dit de savoir lire et d'étudier les Écritures.

Ainsi établi, le monastère devait être exempté « de toute espèce de sujétion vis-à-vis de l'évêque » : il n'a rien à voir ni dans la nomination abbatiale, ni dans les constitutions, ni dans la discipline intérieure. Qu'il bénisse l'abbesse élue, qu'il célèbre de temps à autre dans l'oratoire, et cela suffit. A une époque troublée où l'épiscopat pouvait tomber en des

Sainte Radegonde. — *SOURCES : Script. rerum Meroving.*, II, p. 358 et suiv., éd. Br. Krusch. — *TRAVAUX :* E. Fleury, *Histoire de sainte Radegonde,* 1843. — Briand, *Histoire de sainte Radegonde,* 1898. — R. Aigrain, * *Sainte Radegonde* (coll. *les Saints*), 1924. — Tardi, * *Fortunat,* 1928.

mains indignes, Césaire estimait que les religieuses seraient mieux et suffisamment gardées par l'abbesse et par la clôture. « Règle douce comme un vêtement de lin », chantera Fortunat

Cliché N. D.

POITIERS. — ÉGLISE SAINTE-RADEGONDE.

Reconstruite aux XIe et XIIe siècles. La façade ouest présente une belle tour romane sur laquelle on a appliqué, à la fin du XVe siècle, un riche portail flamboyant.

émerveillé. Durant un siècle et demi, elle allait régir de nombreux monastères féminins en Gaule.

Le plus célèbre fut Sainte-Croix de Poitiers qu'illustra sainte Radegonde. Captive thuringienne emmenée à la cour de Clotaire, aimée, épousée, puis trahie cent fois par lui, elle resta toutefois énergiquement fidèle aux charges du mariage et de la royauté jusqu'au jour où le meurtre de son propre frère lui fournit l'occasion trop légitime de fuir la cour et de réaliser ses aspirations virginales. Elle se rendit à Noyon auprès de saint Médard pour qu'il lui donnât le voile. Épisode hautement dramatique que nous a rapporté Fortunat : le prélat hésitant à prendre une telle décision, et d'ailleurs pressé par les leudes qui l'écartaient de l'autel : « Prêtre, ne t'avise pas d'enlever au roi sa femme légitime, qu'il a solennellement épousée »; mais avec une sainte audace, Radegonde, assoiffée de paix, sommant Médard de passer outre : « Si tu hésites à me consacrer, et si tu crains un homme plus que Dieu, sache, pasteur, qu'il te sera demandé compte de l'âme de ta brebis »; enfin l'évêque cédant non à la force, mais à la faiblesse, et la consacrant diaconesse. Bruit des hommes d'armes qui veulent retenir Radegonde, appréhension du saint vieillard qu'angoisse un douloureux cas de conscience, — droit du mari d'une part à posséder son épouse, droit de celle-ci par ailleurs à sauvegarder son honneur, — enfin cette énergie virile de Radegonde qui domine tout le tumulte, exigeant qu'on laisse à Dieu la place de l'infidèle, voilà une scène bien caractéristique de cette époque où tous les sentiments se croisaient, s'entrechoquaient, se faisaient violence en sorte que même pour les créatures qui se vouaient, il n'y avait souvent de paix divine qu'après avoir combattu les hommes. Tout cela qui eût pu finir par des épées tirées et du sang versé aboutit au mariage mystique du Christ avec Radegonde : nouvelle union, autrement désirée. Plus tard, en 561, contre un retour de la passion royale, elle demandera secours à saint Germain de Paris : devant le tombeau de saint Martin, celui-ci priera Clotaire à genoux qu'il n'aille pas plus loin dans sa démarche sacrilège et obtiendra gain de cause.

Après avoir fondé à Tours un monastère d'hommes, Radegonde s'établit quelques années dans sa villa de Saix, aux limites du Poitou et de la Touraine. Mais, voulant mettre une barrière entre tout caprice du roi et sa chasteté vouée, elle fonda à Poitiers un monastère bientôt prospère, et qui comptera jusqu'à deux cents moniales, parmi lesquelles les jeunes filles des premières familles mérovingiennes. Pour le régir, elle fit élire, abbesse, Agnès, sa fille spirituelle; puis, comme elle se heurtait à l'hostilité de l'évêque de Poitiers, Marovée, elle adopta la règle de saint Césaire, qui assurait l'autonomie des communautés féminines; d'autre part elle se mit sous la protection de tous les prélats voisins.

Radegonde s'attacha le poète Venance Fortunat, un Italien cultivé et bel esprit, transplanté dans le monde barbare[1]. Leur amitié est demeurée célèbre, mais les historiens l'ont souvent humanisée à l'excès. Fortunat avait une souplesse d'échine qui lui permettait de congratuler tous les hauts personnages[2]; au contact de ces saintes moniales, le faiseur d'épi-

Fortunat. — *SOURCES : P. L.* LXXXVIII (éd. Dom Luchi). — *Mon. Germ. hist. Auct. Antiquiss.*, t. IV, éd. F. Leo et Br. Krusch. — *TRAVAUX :* Ch. Nisard, *Le poète Fortunat*, 1890. — A. Meneghetti, *La latinita di Venantio Fortunato*, Turin, 1917. — F. Dagianti, *Studio sintattico delle opere di V. Fortunato*, Veroli, 1921. — R. Kœbner, *Venantius Fortunatus, seine Persönlickeit und seine Stellung in der geistigen Kultur des Merrovingerreiches*, Leipzig, 1915. — Tardi, *Fortunat*, 1928.

1. C'est à saint Martin que la Gaule doit Fortunat. Il avait été guéri d'une maladie d'yeux en les frottant avec l'huile de la lampe qui brûlait devant son image; il voulut visiter à Tours le tombeau du thaumaturge et fut si bien reçu qu'il demeura dans ces parages. Établi à Poitiers, il y sera ordonné prêtre, deviendra évêque de cette cité vers 599 et peu après sera enterré dans la basilique de Saint-Hilaire.

2. Voyez plutôt cet éloge de Chilpéric, ce roi que Grégoire a appelé « le Néron et l'Hérode de son temps » : « Vous êtes, prince, le mur d'enceinte du royaume dont la porte de fer lève si haut sa tête, vous êtes la tour de diamant de la patrie, qui lance ses feux du fond du midi, vous êtes le bouclier immobile à l'abri duquel le peuple fait entendre ses vœux... Que dirai-je, prince, de votre justice si bien réglée que personne, pourvu que sa requête soit juste, ne s'en va mécontent? De votre bouche honnête ne sortent que des arrêts sagements pondérés, et dans toutes les affaires la seule ligne que vous suivez est la ligne droite », etc... Savoureux éloge à la lumière de l'*Histoire des Francs*.

thalames pompeux[1] se christianisa. Sa muse se tourna à chanter moins les unions royales, davantage l'amour de Jésus pour les hommes[2]. Quand Radegonde obtint de Constantinople une relique de la Vraie Croix, il lui rendit un triomphal et durable hommage en composant le *Vexilla Regis.* A lui aussi revient l'hymne mariale *Quem terra, pontus, aethera* dans la forme ambrosienne. D'ailleurs Radegonde ne laissait infléchir en rien à son occasion l'austérité du programme qu'elle s'était tracé. Chaque année, durant le carême, elle menait une vie d'invisible recluse[3], et pour Fortunat la mortification était bien grande : « Ce mois, disait-il, me semblera plus long qu'une année, si courte qu'elle soit. » « Où se cache ma lumière? » s'écriait-il, insistant en vain pour que cette épreuve fût abrégée.

La sainteté de Radegonde était un exemple bienfaisant, pour Fortunat sans doute, mais aussi pour la Gaule entière. Sa mort parut comme un deuil national. Grégoire de Tours s'en est fait le touchant écho, associant sa douleur à celle des moniales de Sainte-Croix : « Voici, dit l'abbesse, sa cellule, et nous n'y trouvons plus notre mère! Voici la natte où elle s'agenouillait pour implorer Dieu, et nous ne l'y voyons plus! Voici le livre où elle lisait, et sa voix pieuse ne frappe plus nos oreilles! Voici les fuseaux avec lesquels elle filait pendant ses longs jeûnes et ses pénitences. »

Par un de ces changements à vue fréquents chez les barbares, le rideau ne se baisse sur l'idylle que pour se relever presque aussitôt devant la tragédie. Les instincts, encore à fleur d'âme, réapparaissent soudain en d'irrésistibles poussées. Filles d'enfer et créatures angéliques se coudoient alors, pour ces dernières on devine avec quelle héroïque patience; et voilà transformé en champ clos bruyant ce qui hier était un paradis d'oraison. Si déplaisants qu'ils soient, il faut mettre en vive lumière pareils contrastes, sous peine de ne pas être vrai.

A la paix que Radegonde avait installée à Sainte-Croix succéda bientôt l'état de guerre le plus violent. Deux princesses, Chrodielde, fille de Caribert, et Basine, fille de Chilpéric, y étaient entrées. Elles provoquèrent une véritable insurrection contre l'abbesse, prétextant qu'on les traitait « commes de basses servantes, non comme le sang royal ». Toutes recrues leur étaient bonnes pour ameuter l'opinion, « meurtriers, sorciers, adultères, criminels de

1. « Les épithalames étaient un genre littéraire fort cultivé au ve siècle; Claudien et Sidoine Apollinaire en avaient écrit. Fortunat en composa un à l'occasion du mariage de Sigebert et de Brunehaut qui eut lieu en 566. Ce poème présente un singulier mélange de mythologie et de christianisme, mais qui n'a rien de choquant sous la plume d'un prêtre, tant on sent que les dieux païens ne sont là qu'une défroque d'école que les modèles de l'antiquité imposaient aux versificateurs du vi[e] siècle, dont la verve eût été bien vite tarie s'il leur eût fallu se contenter de puiser dans leur propre fond, et si on leur eût interdit les lieux communs et les développements conventionnels. Au reste, si les prêtres les plus pieux et qui montraient le plus de méfiance pour les auteurs profanes déclaraient qu'on ne devait écrire que pour la gloire de Dieu, ils ne se faisaient pas faute de faire montre de leur connaissance de la mythologie. Ainsi Grégoire de Tours, après avoir médit au commencement de ses *Miracula* des arguties de Cicéron et des mensonges de Virgile, avoir déclaré qu'il ne lui convient pas de répéter les fables des poètes anciens, nous présente sous forme de prétérition un résumé de la mythologie romaine. » M. Prou, *La Gaule mérovingienne*, p. 230-231.

2. Parmi les poèmes écrits sous l'inspiration de Radegonde, il faut citer quelques élégies sincères, notamment celle consacrée à Galswinthe, fille d'Athanagilde, devenue l'épouse malheureuse de Chilpéric. Voyez ses adieux à sa mère qui l'accompagne une partie de la route sans pouvoir se décider à la quitter : « Après les soucis que la royauté comporte, sur qui, dans ma tristesse, viendrai-je reposer ma tête? Qui m'aimera? Qui me caressera le visage? Qui accourra les bras tendus à mes baisers? Qui se suspendra à mon cou? Qui tiendrai-je sur moi, fatiguée d'une charge si douce? Qui me frappera légèrement de sa main par manière de badinage? Toute grande que tu es, ma fille, je te porterais sur mon sein et je ne fléchirais pas sous cette charge, tant elle me fut toujours aimable et légère. Pourquoi vas-tu en un pays où ne sera point ta mère? »

3. Grégoire nous cite une autre moniale de Sainte-Croix qui, après une vision, demanda qu'on lui permît de vivre en recluse : « Au milieu des vierges assemblées, de leurs saints cantiques, des cierges allumés, la bienheureuse Radegonde la conduisit elle-même par la main au lieu de sa retraite. Alors, disant adieu à tout le monde, elle embrassa chacune de ses sœurs, et fut renfermée. »

toute espèce ». « Nous sommes reines, disaient-elles; nous ne rentrerons dans le monastère que l'autre ne soit jetée dehors. » En vain quelques évêques voulurent-ils intervenir; ils faillirent être assommés par les soudards à la solde des révoltées. On se livra aux dernières violences; l'abbesse fut enlevée de son couvent et gardée à vue; on égorgea des gens jusque devant la châsse de la Sainte Croix. « Pas un jour sans meurtre, pas un jour sans querelle, pas une minute sans larme », dit lamentablement Grégoire. Il y fallut de la troupe. Quand on eut — conclut le même Grégoire, devenu plaisant sans y penser — « coupé à celles-ci les cheveux, à ceux-là les mains, à d'autres le nez et les oreilles, la sédition fut apaisée ».

Parmi ces filles déchaînées signalons une moniale « qui, peu d'années auparavant, s'était enfuie en se laissant glisser le long du mur et s'était réfugiée dans la basilique de Saint-Hilaire, en chargeant l'abbesse de maints crimes supposés. Plus tard, elle se fit remonter dans son monastère avec des cordes par le même endroit où elle s'était précipitée, et voulut être renfermée dans une cellule secrète : « Comme j'ai beaucoup péché, disait-elle, contre le Seigneur et contre ma supérieure Radegonde, qui vivait encore dans ce temps-là, je veux me priver du commerce de toute la communauté et faire pénitence. Je sais que le Seigneur est miséricordieux, et qu'il remet les péchés à ceux qui les confessent. » Bons sentiments, et sincères, mais qui ne résistèrent pas à la tentation, lors de l'émeute de Chrodielde. La voilà qui brise sa porte durant la nuit, qui sort du monastère, et qui de nouveau s'agite comme une mégère. Pareil exemple illustre bien l'époque, un de ces cas douloureux et curieux, où chutes, contrition, rechutes alternent, témoignant quels reflux se succédaient de la nature sauvage et de la grâce divine en ces êtres pleins d'une terrible sève.

III. L'influence colombanienne. — A la fin du VIe siècle paraît l'Irlandais saint Colomban. Par une sorte de choc en retour providentiel, il allait prêcher l'Évangile dans cette Gaule où saint Patrick, son ancêtre monastique, s'était formé. Colomban venait, en effet, de Bangor. Pourquoi donc quitter son Irlande, lui qui appartient à l'une des plus particularistes de toutes les races? Une double soif le dévore, celle de porter au loin l'Évangile sans doute, mais aussi celle de se mortifier à fond par la pratique héroïque de l'*Egredere* biblique, par l'adieu définitif à la patrie si chère. Dans cet exil volontaire les moines irlandais voient alors l'immolation suprême, le dernier terme du renoncement : selon ce que disent à l'envi leurs biographes, ils agissent ainsi « pour l'amour de Dieu », « pour le nom du Christ », « pour la guérison de leurs âmes ».

Débarqué avec douze compagnons, Colomban s'établit en Bourgogne où il fonda successivement trois monastères : d'abord dans un vieux château, à Annegray, puis parmi les ruines de thermes romains à Luxeuil, enfin à Fontaines.

Colomban était un pur Irlandais, rude, fruste, une de ces natures infatigables qui croient les autres pareilles à elles-mêmes. La mortification était sa vie. Convaincu par une recluse d'embrasser la vie monastique, il avait enjambé sa mère qui lui barrait le seuil de la maison, lui criant qu'il ne la reverrait plus jamais, mais s'avancerait d'un pas ferme sur le chemin

Saint Colomban. — *SOURCES* : O. SEEBASS, *Regula monachorum S. Columbani abbatis; Regula cænobialis S. Columbani; Ordo S. Columbani de vita et actione monachorum; Pænitentiale Columbani*, dans *Zeitschrift fur Kirchengesch.*, XV (1895), XVII (1896), XIV (1894). — *Columbani Ep.*, *Mon. Germ. Ep.*, III, 154 ss, éd. W. GUNDLACH. — *Jonae vitae s. Columbani*, *Script. rer. Mer.*, IV, éd. BR. KRUSCH. — *TRAVAUX:* E. MARTIN, * *Saint Colomban* (col. *les Saints*), 1905. — J. LAUX, * *Der hl. Columban*. Freiburg i. B., 1919.

du salut. Rien de l'émotion qui un jour soulèvera la poitrine de sainte Chantal, passant, elle aussi, par-dessus le corps de son fils. Autant elle semblera plier sous le sacrifice, autant lui le porte avec une aisance d'athlète. De fait son tempérament physique est d'une exceptionnelle vigueur : on raconte que dans les forêts alpestres il subjuguait les ours; à soixante-dix ans

Cliché Giraudon.

LUXEUIL. — ÉGLISE SAINT-PIERRE ET RESTES DE L'ANCIENNE ABBAYE (CLOITRE DU XIIe SIÈCLE).

il s'occupera encore au rude métier du schlitteur, aidant ses frères à faire glisser sur les flancs de la montagne les énormes troncs d arbre avec quoi se bâtira Bobbio.

Il instaure un idéal austère, qui secoue la nature humaine, la rudoie, lui impose des mortifications répétées et constantes. Ce programme, il le concrétise dans une règle à l'emporte-pièce. Il veut « l'obéissance jusqu'à la mort », et le *perinde ac cadaver* bien avant la lettre; il exige la pauvreté la plus dépouillée qui regarde comme « damnable l'amour ou le seul désir des choses superflues ». Renoncement total, humilité absolue, voilà sa devise : « Avant tous les autres vices, vends d'abord l'orgueil et achète en échange pour ton bonheur l'humilité afin que, par elle, tu deviennes semblable au Christ qui dit : « Apprenez de moi que je suis doux et humble de cœur. »

Et à la sauvegarde de ces principes de bonne santé monastique il apporte une rigueur de discipline inexorable et presque cruelle. Aussi sa Règle semble-t-elle surtout une série de taxations par quoi tout délit est prévu et châtié sans merci. A celui qui parle au réfectoire, six coups de verge; ou qui entaille la table avec son couteau, dix coups; à cet autre qui oublie de demander la bénédiction avant de sortir du monastère, douze coups; si l'on prolonge une conversation oiseuse, cinquante coups; et si l'on s'oublie jusqu'à bavarder avec une femme, cent coups. On dirait d'un garde-chiourne. D'ailleurs la vie entière doit être une mortification prolongée : souffrir à longueur de journée, ne se reposer jamais. Ainsi doit-on subsister dans le jeûne, l'abstinence, — ni viande, ni vin, — ne se coucher qu'exténué par la fatigue, se lever avant d'avoir achevé son sommeil. C'est la hantise de la privation constante. Schenoudi d'Atripé avait-il été plus terrible? Cet aspect indiscret du régime colombanien, qui nous laisserait hésitant et tremblant, attirait tout au contraire les trempes ardentes de ces barbares convertis, cachant sous leur rude écorce des trésors d'énergie naturelle et surnaturelle. L'idéal violent de Colomban suscita l'enthousiasme de ces âmes neuves.

Mais près des grands il remportait un succès moindre. Ni tutelle royale, avait-il dit, ni sujétion épiscopale; l'abbé maître chez lui, et au dehors maître aussi de dire à chacun son fait : aux princes incontinents que les enfants de leurs concubines sont des bâtards, aux prélats qu'ils doivent secouer toute servilité envers les grands et vivre selon les préceptes évangéliques. On eût pardonné aux *Scotti*[1] l'exemple désobligeant de leur vie pénitente, voire leurs usages particuliers tels que la tonsure en croissant; mais pareilles hardiesses se pouvaient-elles supporter? Contre Colomban les évêques avaient un terrain de combat très favorable : la date pascale différente pour les Irlandais[2]. On le convoqua à un concile de Chalon-sur-Saône où il ne vint pas; il renonça d'ailleurs à imposer sur ce point en Gaule les usages insulaires, sauf à les observer dans les monastères[3]. Par contre il n'abandonna pas ses libres critiques, « jetant de tous côtés le feu divin, sans s'inquiéter de l'incendie ».

1. Nous employons indifféremment les termes *irlandais, scots* et scotti pour désigner ceux d'Irlande; mais à l'époque, le dernier seul était courant.

2. Longtemps en Gaule la mésentente avait régné au sujet de la date pascale. Le concile d'Orléans en 541 prescrivit de suivre le comput de Victor d'Aquitaine fixé depuis 457; en cas de doute, on demanderait la solution à Rome.

3. Même libre allure avec la papauté. Sans doute Colomban professe-t-il hautement sa vénération pour le Siège Apostolique : « Nous autres Irlandais, qui demeurons au bout du monde, nous sommes les disciples des saints Pierre et Paul... Nous n'avons rien adopté en dehors de la doctrine évangélique et apostolique. Chez nous, il n'y a jamais eu d'hérétiques, ni de juifs, ni de schismatiques, mais nous avons conservé inébranlable la foi catholique, telle qu'elle a d'abord été transmise par les successeurs des saints Apôtres. » Il passe même dans ses déclarations de loyalisme un étrange souffle de lyrisme nordique : « Depuis que le suprême conducteur de chars, le Christ, est venu jusque chez nous, porté par la houle marine, sur le dos des dauphins, depuis lors seulement, Rome est devenue pour nous noble et célèbre entre toutes. On peut les nommer célestes, les deux Apôtres, d'après la parole du Saint-Esprit, puisqu'il nomme ciel ceux qui proclament la gloire de Dieu, ceux dont il est dit que leur gloire s'étendra sur toute la terre, et que leurs paroles pénètreront jusqu'aux confins du globe... » Ceci dit, trompé par les évêques schismatiques de Haute Italie, Colomban ose reprocher au pape d'être tombé dans l'hérésie condamnant les Trois chapitres : « ... Si votre honneur est grand à cause de la dignité du siège que vous occupez, votre sollicitude doit veiller à ne pas perdre votre dignité par une dépravation quelconque. Votre puissance durera aussi longtemps que votre discernement. Car celui-ci tient vraiment les clefs du ciel, qui sait ouvrir aux dignes et qui ferme la porte aux indignes. S'il agit d'une autre manière, il ne pourra ni ouvrir, ni fermer. » Colomban s'excuse de la liberté prise. Bref, un bon serviteur, mais qui morigène son maître comme tous autres. Nulle réserve pour un tel homme : tout ce qu'il pensait, il le disait, et avec une telle franchise que Dieu n'a pas dû lui en vouloir. Mais les hommes... Voir : J. RIVIÈRE, *Saint Colomban et le jugement du pape hérétique*, *Rev. Sciences relig.*, 1923, p. 277. — C. MAC NIGHT, *The celtic Church and the sea of S. Peter*, 1927.

Comme Frédégonde, mais avec d'autres armes, il tenait tête à cette reine impérieuse et vindicative : Brunehaut.

Certes ses griefs étaient valables. Théodebert II, roi d'Austrasie, petit-fils de Brunehaut, se vautrait dans l'inconduite : à quinze ans père, à vingt ans ayant déjà quatre fils illégitimes, il n'avait convolé en justes noces avec une princesse espagnole que pour la répudier quelques mois après. Son frère, Théodoric II, qui régnait en Bourgogne, ne valait pas mieux. Fatigué de l'exhorter sans succès, Colomban prit plus hardiment l'offensive. Il se dirigea vers la villa royale de Vitry, près d'Arras, où se trouvait Brunehaut avec ses arrière-petits-fils, les bâtards de Théodoric. A ceux-ci venus à sa rencontre pour qu'il les bénît, il annonça que, fruits de l'inconduite, ils ne règneraient jamais; quand le soir il arriva à la villa et que le roi lui fit offrir un repas, il s'y refusa, allant jusqu'à briser le verre qu'on lui tendait. Humblement, Théodoric vint, le lendemain, promettre au terrible homme de Dieu qu'il amenderait sa vie. Mais il n'en fit rien. Alors Colomban brandit la menace de l'excommunication, une arme redoutable. En vain Théodoric voulut-il venir s'expliquer à Luxeuil, le saint irlandais lui interdit l'entrée et ne l'accueillit que par de nouvelles menaces. « Tu espères sans doute que je te donnerai la couronne du martyre, répliqua le roi avec ironie; sache que je ne suis pas assez fou pour commettre un tel crime. » Et, arguant avec habileté de ses usages étrangers et de sa mésentente avec l'épiscopat, il traite Colomban en indésirable : qu'il retourne dans son île dont il n'eût dû sortir jamais. Ordre est donné de l'acheminer par la Loire jusqu'à Nantes où il prendra la mer. Mais celle-ci le rejette, et le roi de Neustrie, Clotaire II, l'accueille. Dévoré par la flamme apostolique, il se rend en Suisse pour y convertir les païens, construit le monastère de Bregentz sur les bords du lac de Constance, tandis que son disciple saint Gall en établit un autre sur l'emplacement qui portera son nom. Enfin, apprenant que Théodoric, celui qui l'avait exilé, devenait maître de cette région, il franchit les Alpes et fuit en Lombardie, à Bobbio, sa dernière fondation où il meurt en 615.

Partout Colomban fit école. Ainsi à son passage en Brie suscite-t-il de multiples vocations. Dans la maison du palatin Chagneric, celle de Burgondofara qui, près de Meaux, sur le domaine paternel, établissait le monastère de Faremoutiers, tandis qu'un de ses frères Chagnoal, devenait moine de Luxeuil, puis évêque de Laon, et un autre, Faron, évêque de Meaux. Même contagion sainte dans la famille d'Autchar où Colomban gagne au Christ le fils aîné Adon qui bâtira à Jouarre un monastère féminin dont sortira la première abbesse de Chelles; d'où il entraîne un autre fils Rodo, fondateur de l'abbaye de Reuil-sur-Marne; où il séduit encore Dado qui, évêque de Rouen, construira le monastère de Rebais auquel appartiendra saint Philibert, fondateur de Jumièges et de Noirmoutier. Magnifique traînée apostolique, ricochet de vocations qui nous rappellent les plus belles conquêtes de l'Église naissante. N'avions-nous pas raison de dire que cette rudesse irlandaise avait un attrait spécial pour ces âmes barbares? Luxeuil d'ailleurs devient une pépinière d'évêques et d'abbés : par exemple saint Mommelin de Noyon, saint Valéry de Leuconoë, saint Omer et saint Bertin.

Chez cette génération monastique l'influence irlandaise se reconnaît à deux points : austérité extraordinaire, souci de l'exemption.

On retrouve la frappe colombanienne, cette ascèse fougueuse et emportée, dans la vie de moines tels que saint Wandrille de Fontenelle ou saint Philibert de Jumièges : récitation intégrale du psautier, immersion dans l'eau glacée sont les menues mortifications de ces athlètes.

Par ailleurs les fondateurs ont souci — comme Colomban — d'arracher les moines à la tutelle épiscopale : les abbayes sont déclarées exemptes « à la manière de ceux de Luxeuil », *ad modum Luxoviensium*. Ainsi saint Éloi[1] fondant Solignac, au diocèse de Limogess, spécifie-t-il que — le roi excepté — personne ne pourra exercer quelque droit sur les personnes e

Cliché N. D.

ABBAYE DE SAINT-WANDRILLE, GALERIE DU CLOITRE (XVe SIÈCLE).

1. Saint Eloi illustra la cour franque au temps de Dagobert. Après la mort du roi, il entra dans l'église et fut évêque du vaste diocèse de Noyon. On a conservé de lui des fragments de sermons populaires, écrits à la manière de saint Césaire d'Arles, et où il combat avec énergie les superstitions populaires. P. Parsy, *Saint Eloi* (coll. *les Saints*), 1907.

Il eut pour ami saint Ouen qui, après avoir occupé comme lui de hautes fonctions au palais, devint évêque de Rouen. Il propagea au loin le christianisme : c'est lui qui envoya à Sithiu saint Mommelin qui en deviendra le premier abbé, puis succèdera à saint Eloi à Noyon. Vacandard, **Vie de saint Ouen*, 1902.

L'influence de saint Colomban sur tous les saints de ces régions est considérable : saint Ouen a été béni par lui dans son enfance, saint Mommelin et ses amis Bertin et Berhamme ont été formés à Luxeuil. On pourrait d'ailleurs les choses du monastère (632). Lorsqu'il érige Rebais, saint Faron de Meaux déclare que, pour les ordinations et les consécrations d'autel on s'adressera à n'importe quel évêque, personnage d'ailleurs discret qui devra s'effacer sitôt la cérémonie (648). Mêmes clauses dans la charte que saint Omer rédige pour l'abbaye de saint Bertin (663).

Autre caractéristique de l'influence colombanienne. Tandis qu'aux ve et vi[e] siècles, on construisait d'ordinaire les monastères francs dans les villes ou à proximité, pour cette triple raison que les campagnes restaient peu sûres, que l'évêque voulait la fondation proche de son église cathédrale, que les moines trouvaient là tout à la fois aumônes plus abondantes et souvent reliques insignes; au contraire, les moines colombaniens sont attirés par les régions boisées et les lieux déserts où il y aura, avec de vastes domaines, des âmes également incultes, à défricher. Ces ascètes qui voulaient se mortifier par de rudes travaux, et se dépenser sans compter pour l'évangélisation des campagnes encore idolâtres, préféraient donc ces établissements solitaires à ceux des villes où ils eussent vu affluer chez eux les richesses qu'ils détestaient, et où ils eussent dû subir le contact quotidien des grands et des évêques qu'ils fuyaient non moins.

Tel est l'aspect des fondations qui, durant la seconde moitié du viie siècle et la première partie du viiie, vont se multiplier dans le nord et le nord-est de la Gaule : ainsi Stavelot et Malmédy en pleine forêt des Ardennes, Elnon (Saint-Amand), Sithiu (Saint-Bertin), Nivelles, Marchiennes dans la région du nord, Moyenmoutier, Remiremont, Saint-Dié, Senones, Bonmoutier au pays vosgien, et en terre rhénane Wissembourg, Honau, Reichenau, Saint-Gall. Dans ces contrées, à l'inverse d'autrefois, c'est le monastère qui ouvre la voie au christianisme, précédant l'établissement des églises épiscopales et paroissiales. Les polyptiques de Saint-Germain et de Saint-Bertin nous montrent la plupart des domaines enrichis d'un sanctuaire et d'un prêtre.

Notons encore que l'influence irlandaise propagea un usage celtique : celui de la pénitence privée et tarifée. Saint Colomban et ses disciples s'efforcèrent en effet de rendre la confession plus fréquente, non seulement dans les monastères, mais aussi parmi les laïques qu'ils dirigeaient. Ils possédaient des *pénitentiels*, sortes de manuels du confesseur, où à chaque péché correspondait une punition déterminée. N'était-ce pas l'aspect de la Règle même de Colomban, où toute faute contre la discipline entraînait un certain nombre de coups de verges? Le premier pénitentiel connu fut celui de Vinniaus, de là son attribution soit à Finnian l'aîné, abbé de Clonard († 548), soit à Finnian le jeune, abbé de Maghbile († 589). Outre qu'il connaissait ce pénitentiel, saint Colomban en composa aussi un. Il renseigne sur les péchés ordinaires de cette société encore grossière : luxure, gloutonnerie, faux serments, actes de violence des prêtres et des laïcs, participation aux repas rituels. A ces fautes correspondent des pénitences non médiocres : jeûnes, aumônes, exil, entrée au couvent, etc...

Pareil système constituait à la fois une décadence et un progrès. Une décadence : car tandis qu'autrefois papes et conciles avaient insisté sur ce fait que la pénitence devait être proportionnée aux dispositions, à la condition et à l'âge des personnes, maintenant, par

citer maints apôtres irlandais dans ces régions : ainsi Rombaut à Malines, Célestin, abbé de Saint-Pierre du Mont-Blandin à Gand, etc...

Il faut noter toutefois que les fondations purement irlandaises sont très rares aux viie et viiie siècles. On ne connaît que Honau et Péronne. A Péronne (*Perrona Scottorum*), où avaient été transportés les restes de l'irlandais saint Fursy, on bâtit un monastère exclusivement réservé aux *Scotti*.

contre, ces éléments psychologiques semblaient sinon tout à fait négligés, du moins pratiquement ignorés. Le châtiment était donné pour chaque péché selon un tarif fixe : recettes commodes, pratiques et simplistes à la portée des confesseurs sans nuance, le barême suffisant à tout. Et pourtant la pratique de la confession privée, souvent répétée, constituait un progrès : soulagement pour le cœur, réconfort en vue de nouveaux combats, elle acheminait les fidèles vers la direction de conscience. Dans le vieil irlandais *anmchara* signifie ami de l'âme : « Un homme sans *anmchara,* aurait dit Comgall de Bangor, le maître de Colomban, c'est un corps sans âme[1]. »

L'influence des pénitentiels sur la civilisation a été profonde. « D'abord, dit M. Le Bras, ils ont comme doublé la loi séculière en ajoutant une pénitence au *Wergeld*, en réprimant comme péché ce que le juge séculier réprimait comme délit, pour employer une discrimination que les hommes du moyen âge eussent sans doute mal comprise : le coupable était frappé d'une double peine. Parfois aussi la peine était unique, parce que, seule, l'Église avait condamné l'acte comme contraire à la loi chrétienne : nombre de textes, dans les pénitentiels, pourvoient à la protection de la femme, de l'enfant et même de l'esclave. Ainsi, les pénitentiels contribuaient efficacement à la défense de l'ordre social et à son perfectionnement. On leur fera plus grand honneur encore d'avoir aidé au perfectionnement de l'homme. Par de minutieuses prescriptions alimentaires, ils ont inculqué aux Barbares, sous forme de tabous, quelques principes d'hygiène. Surtout en affinant la casuistique des péchés de pensée, ils ont affiné la conscience ou, pour le moins, la prudence des chrétiens un peu rudes. Tous ces progrès ont été inspirés par des catalogues souvent médiocres, et où il ne serait pas difficile de relever des fragments étranges ou

1. La littérature des pénitentiels, suscite des problèmes complexes. L'Irlande est à l'origine des pénitentiels, fait qui s'explique dans un pays sans hiérarchie épiscopale, et où les populations chrétiennes, groupées autour des monastères, en adoptaient naturellement les usages : ouverture de conscience à l'abbé, expiation imposée. Il faut citer le premier synode de saint Patrice (entre 450 et 456) dont plusieurs canons punissent les fautes des clercs et des laïques, les *Canones Hibernenses* groupés en quatre recueils, et le pénitentiel de Vinniam.

La propagation des habitudes celtiques sur le continent par Colomban et ses disciples est attestée non seulement grâce au pénitentiel qu'il composa, mais par maints détails historiques. Ainsi dans sa *Vie* par Jean de Bobbio, nous voyons que sur la route de l'exil, à Besançon, il emmène à l'église plusieurs prisonniers « pour qu'ils fassent pénitence de leurs péchés »; ailleurs dans une lettre au pape, il fait allusion à des confidences reçues d'écclésiastiques qui se demandaient s'ils pouvaient continuer leur ministère après certaines fautes graves, telles que la simonie et l'adultère.

Après Colomban, dès le VIIe siècle, paraîtront deux grands pénitentiels beaucoup plus complets et plus méthodiques : ceux dits de Cumméan et de Théodore qui marquent l'apogée du genre. Celui de Cumméan dispose les péchés suivant l'octoade de Cassien, : gourmandise, luxure, cupidité, colère, tristesse, *acedia*, jactance, orgueil, à quoi s'ajoutent les fautes moindres ou peccadilles (*minutae causae*); il varie les sanctions selon qu'il s'agit de moines, de clercs ou de laïques, et inflige des peines médicinales, en châtiant les péchés par leurs contraires; ainsi la calomnie par le silence et la cupidité par l'aumône selon l'adage *contraria contrariis sanantur*.

Aux pénitences, à l'ordinaire très onéreuses, on admettait des compensations ou *arrea*, en prenant pour principe qu'une peine peut être remplacée par une autre plus courte et plus rigoureuse : ainsi *l'arreum* d'une année de pénitence simple est-il, d'après les *Canones Hibernenses,* cent jours d'un jeûne au pain et à l'eau.

L'Espagne resta rebelle au nouveau mode de pénitence. En Gaule et en Germanie, les missionnaires irlandais en assurèrent le succès. En 650, le concile de Chalon donne une sorte d'approbation officielle : *De paenitentia peccatorum, quae est medela animae, utilem hominibus esse censemus; et ut poenitentibus a sacerdotibus data confessione indicatur paenitentia, universistas sacerdotum noscitur consentire.* Les Églises anglo-saxonnes elles mêmes se rallieront à cet usage celtique sous l'influence des moines scots d'Iona.

Voir P. Fournier, *Étude sur les pénitentiels, Rev. hist. litt. relig.*, 1901-1904. — A. Malnory, *Quid Luxovienses monachi discipuli sancti Columbani ad regulam monasteriorum atque ad communem Ecclesiae profectum contulerint,* 1894. — Dom L. Gougaud, *Les chrétientés celtiques*, 1911. — Th. Pollock Oakley, *English penitential discipline and anglo-Saxon law in their joint influence*, New-York, 1923. — B. Poschmann, *Die abendlandische Kirchenbusse im frühen Mittelalter,* Breslau, 1930. — E. Amann, art. *Pénitence*, dans *Dict. Théol.* (spécialement col. 846-862). — G. Le Bras, art. *Pénitentiels*, *ibid.*

même absurdes. Le bienfait était procuré par le principe de la pénitence, plutôt que par le génie des compilateurs. »

Nous verrons ailleurs les résultats partiels de cet intrépide apostolat irlandais aux marches du pays frank. Mais il y avait eu plus d'impétuosité généreuse que de sagesse dans l'initiative de saint Colomban. Incomplète, ne contenant guère que préceptes généraux et tarifs pénitentiels, sa Règle était aussi indiscrète par sa rigidité qui oubliait ou excluait les faibles. Ce qui manquait là, on le trouvait dans le code bénédictin, qu'avait élaboré un calme cerveau romain : tout y était précisé; rien d'excessif; la vie monastique à la portée de tous; un souci constant d'épargner les débiles et de leur permettre, à eux aussi, de réaliser l'idéal cénobitique; un régime paternel et pastoral; moins de coups, plus d'encouragements; nul excès dans les jeûnes et veilles, rien que ce que l'abbé aura permis; pour critérium de perfection, non point la mortification aiguë, mais l'obéissance. Bref, une discrétion inaltérable, un art du gouvernement où la fermeté antique s'allie à la charité chrétienne. *Omnia mensurate fiant propter pusillanimes.*

A Luxeuil même on avait compris les déficiences colombaniennes, et par une mesure où s'alliait au respect du fondateur le désir de compléter sa législation, Walbert, son second successeur, qui gouverna l'abbaye de 629 à 670, amalgama sa règle avec celle de saint Benoît. Régime de transition que nous retrouverons dans maints monastères[1], par exemple à Fontenelle sous saint Wandrille et à Jumièges sous saint Philibert, à Rebais grâce à saint Faron, évêque de Meaux. Souvent on copiait les deux codes à la suite sous le même vocable : la Sainte Règle, *regula sancta*, la Règle des Saints Pères, *regula sanctorum patrum*, ou encore la Religion des Saints Pères, *religionem sanctorum patrum*. Parfois on essayait quelque fusion : ainsi saint Donat, évêque de Besançon, combinant, à la prière des moniales de Jussa Moutier, les textes de saint Césaire, de saint Colomban et de saint Benoît, en sorte que, toutefois, ce dernier eût la plus grande place : 43 chapitres sur 77. Même prédominance bénédictine dans la *Règle du Maître*. Le concile d'Autun, présidé vers 670 par saint Léger, recommande sans plus la législation cassinienne. Visiblement, à la fin du VIIe siècle le rôle de Colomban s'achève, celui de Benoît ne fait que de commencer : d'une main rude et intrépide le moine irlandais avait frayé à travers la brousse le premier chemin où passer.

IV. Services rendus. — Quels furent les services rendus par les moines mérovingiens? Dans l'*Histoire littéraire de la France*, Dom Rivet affirme — non sans intrépidité — qu'au VIe siècle « l'Église et l'ordre monastique furent les ports où se sauvèrent les débris des lettres et des sciences dans leur naufrage ». Phrase à effet, plutôt difficile à justifier, mais que le grand public est tenté d'accepter *a priori* les yeux fermés, parce que l'éclat historique des mauristes couvre avant et après eux tous leur frères. En réalité, il semble bien que les moines se contentaient alors d'apprendre à lire, et à seule fin de se familiariser avec l'Écriture. Nulle œuvre littéraire, sinon dans le domaine hagiographique : ainsi à Jumièges écrivit-on la vie de saint Philibert, à Fontenelle celle de saint Wandrille, de saint Lambert, de saint Erambert, de saint Condède et de saint Wolphran. Encore ces récits visent-ils avant tout à l'édification.

1. Dans la vie de sainte Salaberge, par exemple, on trouve cette affirmation typique : « Hujus (Walberti, abbatis Luxoviensis) tempore, ex ejus norma agmina monachorum et sacrarum puellarum examina per agros, villas vicosque atque castella, et per eremi vastitatem, et regula dumtaxat *Patrum Benedicti et Columbani pullulaverunt.* » Voir les preuves accumulées dans MALNORY, *Quid Luxovienses monachi, discipuli sancti Columbani, ad regulam monasteriorum atque ad communem Ecclesiae profectum contulerint*, 1894.

Le grand mérite de ces moines réside ailleurs : ils furent défricheurs et convertisseurs. Assainir les marécages, extirper ronces et broussailles, et mettre les bois en coupe, planter des vignobles : voilà leurs occupations manuelles quotidiennes. Quel profit pour eux et quel enseignement pour les autres ! En même temps qu'ils gagnaient sur la brousse les espaces cultivables qui leur fourniraient de quoi vivre, ils relevaient le travail du discrédit où il était tombé, donnaient courage et confiance aux populations qui, d'instinct, venaient se grouper sous leur protection, à l'ombre de leurs immunités et privilèges. En certaines régions, on désigna même

MOINES AU TRAVAIL (a. 679).
(*Annales O. S. B.* 1er *siècle.*)

les moines sous le beau nom de *travailleurs :* on disait non pas les moines qui habitent, mais « qui travaillent dans telle abbaye ». L'âme romantique de Montalembert s'émeut justement au spectacle de bienfaits si étendus. A propos de la charrue du moine Théodulfe, longtemps conservée par des paysans champenois, et qu'ils avaient suspendue comme une relique dans leur église : « Il me semble, s'écrie-t-il, que nous la contemplerions tous avec émotion cette charrue de moine, deux fois sacrée par la religion et par le travail, par l'histoire et par la vertu. Pour moi je sens que je la baiserais aussi volontiers que l'épée de Charlemagne ou la plume de Bossuet. » Pathos qui nous fait sourire sans doute, mais qui au fond se justifie pleinement.

Les monastères sont aussi une providence locale. Leur temporel doit aller à l'entretien des pauvres autant qu'à celui des religieux, et parfois le fondateur l'a déclaré nettement dans sa charte : ainsi à Noirmoutier et à Saint-Julien d'Auxerre où douze indigents doivent être nourris chaque jour. A Fontenelle, deux vastes bâtiments reçoivent sans cesse quatre-vingts pauvres qui, en retour, assistent aux offices, familiers des moines, tenus comme eux à prier pour le peuple chrétien et pour la Sainte Église. A Jumièges, saint Philibert va jusqu'à prélever sur tous les dons une dîme affectée aux pauvres voisins ou aux indigents de passage.

L'hospitalité était donnée largement. Saint Colomban annexe une hôtellerie au cloître. Avec sa précision habituelle saint Benoît fixe dans sa Règle les détails de l'accueil : égards dus à tout étranger, en particulier aux pauvres et aux pèlerins ; hôtellerie, cuisine, table spéciales à leur usage, un moine sacrifié à leur service.

Il y eut aussi parfois des infirmeries annexes aux abbayes. On cite des monastères-hôpitaux, tel Saint-Andoche établi par Brunehaut à Autun. Certains prieurés sont fondés pour l'exercice spécial de la charité : ainsi saint Bertin donne-t-il Wormhout à quatre moines bretons qui y recevront les pauvres et y soigneront hôtes et pèlerins, bref un refuge. En général, les moines pratiquèrent les mêmes œuvres de miséricorde que les évêques. Comme eux ils déployèrent leur zèle à racheter les captifs : saint Philibert va jusqu'à équiper des bateaux qui iront chercher des prisonniers sur les plages lointaines, par exemple celles d'Irlande. En résumé tout ce qui est faible, infirme malheureux trouve chez les moines une aide. L'Église est alors vraiment la seule personne qui étende à la masse des malheureux le *misereor super turbam.*

LIVRE XVII

L'ÉVANGÉLISATION SEPTENTRIONALE AUX VIe ET VIIe SIÈCLES

CHAPITRE PREMIER

L'ANGLETERRE AVANT LA MISSION GRÉGORIENNE

I. Les invasions saxonnes. — La Bretagne romaine était environnée d'ennemis qui convoitaient ses richesses et qui venaient souvent commettre, dans le pays, des déprédations et des rapines. Mais les troupes impériales veillaient sur les biens des peuples tributaires et sur l'honneur du nom romain, et les brigands payaient souvent fort cher leurs incursions hardies. La puissance d'ordre et d'organisation que les légions avaient apportée dans le pays ne pénétra pas assez profondément les âmes, impatientes de cette discipline qui répugnait à leur tempérament, pour les rendre autonomes. Aussi, lorsque les divisions intestines, les coups d'état militaires, et le manque d'argent eurent suffisamment affaibli l'armée romaine, lorsque, surtout, l'Empire, sentant de toutes parts ses frontières fléchir sous la pression des Barbares, et voyant l'état critique de la Gaule où déferlaient (406) Alains, Wisigoths et Burgondes, rappela, en 410, ses légions vers des points stratégiques plus importants, les Bretons demeurèrent sans force et sans défense devant de nouveaux envahisseurs. L'édit d'Honorius fut pour la Bretagne, déjà fort anémiée, comme un arrêt de mort. Les Irlandais se jetèrent sur les Galles du sud, l'estuaire de la Severn et la terre de Cornouailles, et les habitants s'enfuirent épouvantés; beaucoup passèrent en Armorique, où ils se reformèrent en chrétientés nouvelles sous la conduite de leurs prêtres et de leurs évêques. Les pirates saxons abordèrent sur les côtes de l'est, les Scots qui habitaient

Bibliographie générale. — Ch. Cross, *The Sources and Literature of English History from the earliest times to about 1485*, London, 1900. — U. Chevalier, *Angleterre, Anglo-Saxons, Celtes* dans *Répertoire des sources historiques du moyen âge, Topo-bibliographie.* — Elton, *Origines of the English History*, London, 1882. — J. A. Giles, *History of the ancient Britons*, 2 vol., London, 1847. — F. J. Haverfield, *The Romanization of Roman Britain*, London, 1907. (*Proceedings of the British Academy.*) — R. Green, *The making of England*, London, 1881. — J. R. Green, *History of the English people*, 8 vol., London, 1895-1896. — Montalembert, *Les Moines d'Occident*, 7 vol., Paris, 1867-1877. — W. Hunt, *? *History of the English Church from his foundation to the Norman conquest*, London, 1912. — F. Cabrol, * *L'Angleterre chrétienne avant les Normands*, 1909. — G. Sheldon, * *The transition from Roman Britain to Christian England*, London, 1932. — A. Humbert, art. *Angleterre* dans *Dict. d'histoire.*

Ce livre Dix-Septième, L'Évangélisation septentrionale aux vi[e] et viie siècles, *a été fait en collaboration par M. l'Abbé Georges Coolen, ancien élève de l'École pratique des Hautes Etudes, Aumônier du Lycée de Saint-Omer, et Dom Charles Poulet.*

Les six premiers chapitres sont de M. l'Abbé G. Coolen, le septième du R. P. Dom C. Poulet.

l'Ulster, en Irlande, se jetèrent sur les Galles du nord, et les Pictes, âpres au sac, descendirent avec les Scots des montagnes d'Écosse. Ces attaques ne furent ni simultanées — encore que les Scots se soient quelquefois concertés et associés — ni immédiatement successives, mais elles se produisirent suivant un rythme plus accéléré, et furent plus aisément victorieuses à partir de la mort de Cunneda (vers 410), qui portait le titre de *dux Britanniarum* et

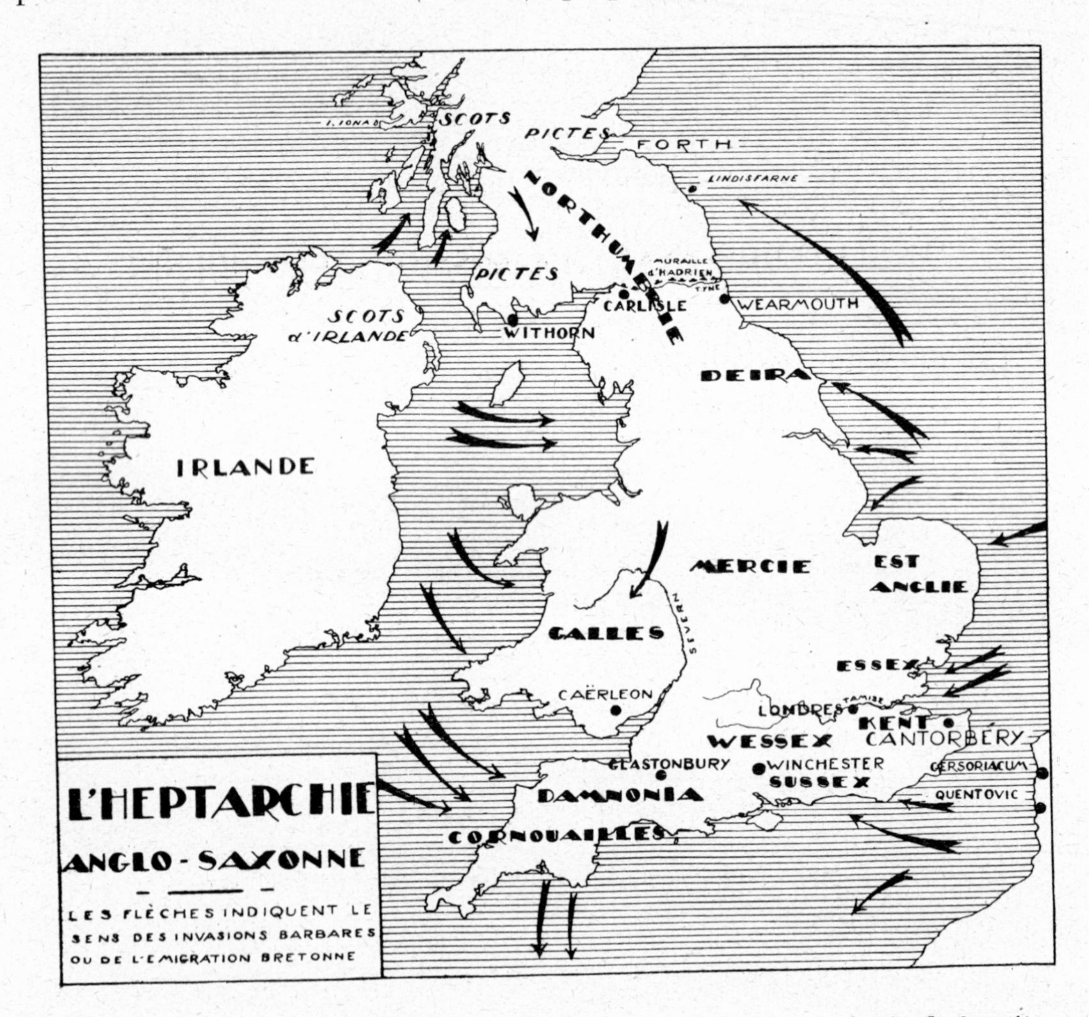

exerçait l'autorité suprême de Carlisle à Wearmouth. Il avait la garde de la frontière septentrionale; après lui la grande muraille d'Hadrien fut à peu près abandonnée.

Un peu plus tard, vers 450, Vortigern, qui était probablement *Comes littoris saxonici,* et certainement chef de la province du Kent, fit appel, pour se protéger contre les incursions des Pictes et des Scots, à des mercenaires venus de Germanie. Ces soudards saxons qui, depuis quelques années, ne vivaient plus tranquilles dans leur pays des bords de l'Elbe que les Huns menaçaient, s'embarquèrent volontiers pour une contrée plus paisible et relativement riche, où quelques-uns de leurs compatriotes s'étaient déjà établis. Vortigern, n'étant pas en mesure de les payer, leur concéda l'île de Thanet, à l'extrémité orientale du Kent. C'était introduire le loup dans la bergerie. Les Saxons, ayant pris pied sur la terre bretonne, en chassèrent peu à peu les Celtes et s'installèrent à leur place.

A côté du royaume jute du Kent, fondé par Hengist et Horsa vers 455, Aella créa, en 447, le royaume des Saxons du sud ou Sussex; puis, en 495, Kerdic établit, à l'ouest, une nouvelle Saxe occidentale, le Wessex, capitale Winchester; tandis qu'au nord de la Tamise se fondait la Saxe de l'est, Essex. D'autres Barbares venus des bords de la Baltique, les Angles, apparentés aux Saxons, suivirent la même voie, débarquèrent sur les côtes du nord-est et formèrent, vers le milieu du VIe siècle, la Bernicie et la Deira, qui devinrent ensuite le pays au nord de l'Humber, la Northumbrie, avec York pour capitale; puis l'Est Anglie, au nord de l'Essex, et la Mercie, au centre de la Bretagne. Ainsi établis en sept royaumes, l'Heptarchie, les Angles, les Saxons et les Jutes, devaient désormais régner en maîtres sur le pays, jusqu'à l'arrivée de Guillaume le Conquérant. Même alors, quoique vaincus, ils continuèrent de former le fond de la population de la contrée à laquelle ils avaient donné leur nom (*Engel-seaxna-Land*, *Engla Land*, *England*).

L'usurpation teutonique fut bien moins une conquête d'ensemble qu'une suite d'agressions partielles, plus violentes et plus audacieuses, parce que plus sûres de l'impunité que celles des décades précédentes. Au lieu de borner leur cupidité a rançonner les régions côtières du sud et de l'est, ils s'avancèrent hardiment vers l'intérieur et poussèrent leurs bandes à travers le pays, presque jusqu'aux rivages de l'ouest. Après avoir massacré, refoulé ou réduit en servitude la population bretonne, ils s'installèrent à demeure dans le pays conquis. Le peuple, assez souvent demeura : ce fut surtout l'aristocratie bretonne qui dut céder la place aux chefs barbares. Toute cette période des premiers siècles de l'histoire de l'Angleterre est difficile à démêler, toute pleine d'obscurités et de contradictions. Ce qui est sûr, c'est que les éléments de la population qui s'accrochèrent au sol breton furent sans pouvoir et sans influence, leur langue disparut à peu près complètement.

Les Bretons avaient lutté avec courage contre les envahisseurs, mais laissés à eux-mêmes, divisés par des querelles de familles, appauvris et affaiblis par les luttes et les dévastations successives, ils devaient succomber. Toutefois, ces peuples sensibles et imaginatifs ne voulurent pas rester sous le coup d'une défaite, ils inventèrent un héros qui personnifiât le courage de leur race : Arthur. Autour de cet homme, qui a fort probablement existé, germa et fleurit un cycle de merveilleuses légendes qui a donné naissance, des deux côtés de la Manche, à toute une littérature.

L'invasion des Angles et des Saxons ne marqua pas seulement l'entrée en scène d'une nouvelle race, mais aussi l'introduction d'une nouvelle religion : car les Germains, attachés au paganisme de leur pays, détruisaient toutes les églises qu'ils rencontraient. Le moine Gildas a décrit avec une sensibilité frémissante, qui tient du Jérémie et du Savonarole, et qui doit nous mettre en garde contre son exactitude historique, l'état du pays breton un peu avant 550 : « Juste châtiment des anciens crimes : d'une mer à l'autre mer s'étala l'incendie venu d'Orient, attisé par des mains sacrilèges, dévastant les villes et les campagnes, et ne s'arrêtant que lorsque sa langue rouge et sauvage eût léché à peu près toute la surface de l'île jusqu'à l'océan occidental... Alors, sous les coups de bélier, les villes croulaient, les habitants, avec les chefs de leurs Églises, les clercs, tout le peuple... parmi les crépitements de la flamme, tombaient morts à terre. Effroyable spectacle! A travers les places publiques, portes des tours arrachées de leurs gonds, pierres des murs, saints autels, cadavres en lambeaux, rouges de sang coagulé et à demi gelé : tout était mêlé, broyé comme sous un épouvantable pressoir. Pas d'autre sépulture que les maisons en ruines ou le ventre des bêtes et des oiseaux de proie... Combien de ces misérables, poursuivis jusque dans les montagnes, étaient égorgés par masses ! D'autres, mourant de faim, se livraient pour toujours en esclaves, trop heureux d'échapper pour une heure à la mort. Il y en avait qui passaient la mer avec de grands gémissements; et, sous les voiles gonflées, ils chantaient en ramant : *Dedisti nos tanquam oves escarum, et in gentiles dispersisti nos, Deus.* Quelques-uns, retranchés dans les montagnes, au milieu des précipices, dans les forêts épaisses, sur les rochers de la mer, toujours au guet et tremblants, gardaient, pourtant, une patrie... »

Le Christianisme mena, en Bretagne saxonne, une existence précaire, et disparut presque sous la domination brutale des vainqueurs. Il ne semble pas que ceux-ci aient fait beaucoup de martyrs, mais ils exterminèrent la religion des vaincus. La chrétienté bretonne, instruite et relativement riche, qui était si fière de ses nombreux monastères de moines et de moniales, dispersée, en partie ruinée, fut refoulée vers le centre et l'ouest, dans les contrées plus sauvages de Cornouailles ou des Galles. Elle perdit, cependant, moins de fidèles qu'on ne serait tenté de le croire. Au milieu du bouleversement social, l'Église était restée debout, avec la plupart de ses évêques, de ses prêtres, avec ses synodes, avec ses moines surtout. Ce fut même, le plus souvent, l'élément monastique, qui, ayant plus de cohésion et de ferveur, reconstitua l'armature solide de la foi et de la civilisation chrétiennes. De simples abbés réguliers jouaient le rôle d'évêques, et avaient même sous leur juridiction plusieurs évêques, en même temps qu'un nombre considérable de moines.

Des bandes de Bretons, à plusieurs reprises, se réfugièrent en Armorique, où ils trouvaient des frères de race, et créaient des chrétientés nouvelles; tel Paul Aurélien qui fonda Saint-Pol-de-Léon, et bien d'autres encore. La plupart, se retirèrent dans les forêts profondes et les montagnes sauvages ou au bord de la mer retentissante. Pierre à pierre, comme aux temps héroïques — mais ne l'étaient-ils pas? — ils élevaient des moutiers, où les hommes étaient avides d'être reçus, et dans lesquels le chant alterné des psaumes répondait aux mugissements des flots et des vents. La vie chrétienne se reconstitua et fit même, en certaines régions, de remarquables progrès, épurée et fortifiée par l'épreuve. Quand mourut, en 548, Maelgwn le Grand, ce fut partout une grande désillusion et un abattement profond. Ils s'ajoutèrent à la désunion et aux querelles intestines qui rendaient plus amers ces temps déjà si troublés. Toutes les forces morales de la nation, dans la partie non envahie, se concentrèrent dans le sentiment religieux où l'on trouvait une consolation aux malheurs présents en même temps qu'une grande espérance.

Saint David († 544), né au pays de Galles, et neveu du roi Arthur, fonda de nombreux monastères. Les moines s'attelaient eux-mêmes à la charrue : « Chacun doit être à soi-même son bœuf » ; en même temps qu'ils recopiaient les manuscrits. Voyageur, comme tous les moines de cette époque, *pèlerin pour le Christ*, saint David revint de Palestine avec le titre d'archevêque que lui conféra le patriarche de Jérusalem. Il présida, en 519 et 526, des conciles du pays de Galles resté indépendant. Il fut inhumé au monastère de Menevia, qu'il avait construit et où son tombeau fut longtemps un lieu de pèlerinage célèbre.

Saint Cadoc (522-590) lui succéda. Il exerça, comme beaucoup de grands moines de ce temps, une juridiction à la fois territoriale et spirituelle. Son activité fut celle d'un seigneur féodal, redresseur de torts, d'un barde, d'un traducteur de Virgile et d'un ascète. Il mourut martyr en 590.

II. Les Missionnaires d'Irlande. Iona. — Parmi les influences qui s'exercèrent sur le christianisme breton, on ne peut omettre de signaler les migrations irlandaises. La conversion de l'Irlande avait été rapide. Quoique l'île fût restée socialement et politiquement à demi barbare, le savoir y florissait avec certaines formes d'art, malgré de fréquentes guerres intestines; mais surtout le christianisme, une sorte de paganisme chrétien, y avait pris de profondes racines. La ferveur religieuse se manifesta assez vite par une grande activité missionnaire. Dès la fin du ve siècle, la religion chrétienne pénétrait dans les districts les plus reculés du pays de Galles, qui étaient restés, jusque-là, les forteresses du paganisme breton. Le culte de Mithra, particulièrement répandu parmi l'élément militaire, n'avait pas survécu au départ des légions. Des missionnaires irlandais parcoururent le Devon et la Cornouailles. Sous leur influence, grâce aussi à celle de saint Germain d'Auxerre, le recul du paganisme fut particulièrement sensible.

A cette même époque, une colonie de Scots chrétiens, venus du nord-ouest de l'Irlande, où ils constituaient l'élément prédominant, vint s'établir entre le Loch Linnhe et le Loch Long, et fonda le royaume de Dalriada, puis donna son nom à l'Écosse. L'Église naissante d'Écosse prit tout de suite un très grand développement; des écoles monastiques y furent créées, à l'exemple et avec l'aide de l'abbaye célèbre de Clonard, fondée par saint Finnien, — qui réunit un moment trois mille étudiants. Un des plus célèbres parmi les apôtres venus de Clonard fut saint Colomba († 597). Petit-fils de Niall, roi d'Irlande, il entra au fameux monastère irlandais vers 550. Il exerça sur son temps, dans son pays, une grande influence par son zèle, sa piété, la douceur de son âme et le charme exquis de son commerce, quand il domptait la rudesse foncière de sa race.

En 563, il partit avec douze moines pour restaurer la vie chrétienne chez les Scots de Dalriada et leurs voisins les Pictes. Il fonda le monastère d'Iona, petite île des Hébrides battue par les tempêtes. Iona fut le vrai centre de la vie religieuse en Écosse et donna naissance à une organisation singulière, contrastant avec les cadres de la hiérarchie ecclésiastique établie partout ailleurs. L'Église d'Écosse fut plus monastique qu'épiscopale. Tous les monastères d'Irlande et d'Écosse fondés par Colomba dépendaient d'Iona qui se trouvait donc à la tête de l'Église des Scots de Dalriada et des Pictes du nord, ainsi que des missionnaires envoyés en Angleterre. Le monastère d'Iona était gouverné par un abbé assisté d'un sénat de moines. Les abbés qui lui succédèrent étaient le plus souvent issus de la famille de Colomba lui-même. Le monastère comprenait, outre les moines, des évêques soumis à la juridiction métropolitaine de l'abbé-prêtre. Ils exerçaient, à la requête de l'abbé et de son conseil, les fonctions proprement épiscopales comme les ordinations, les consécrations d'églises et les fondations de provinces ecclésiastiques. Cette forme de gouvernement existait encore au temps de Bède.

Le monastère d'Iona était composé de cent cinquante moines qui vivaient dans des huttes de branchages ou de pierres sèches; ils se réunissaient dans une église et un réfectoire de bois. Ils pratiquaient, sans être soumis à une règle spéciale, les usages généralement admis dans les monastères, la pauvreté et la chasteté, exerçaient une large hospitalité et s'adonnaient à des voyages pieux sur le Continent. Chaque jour, entre les heures consacrées aux travaux des champs, à l'étude ou à la copie des manuscrits, on récitait par cœur le psautier.

Les pratiques de la pénitence étaient parfois excessives, et Colomba lui-même récitait quelquefois tout le psautier, immergé debout dans les eaux de la mer.

Ce genre de vie ne semble pas avoir abrégé son existence, car il demeura trente-quatre

CROIX CELTIQUE, DE L'ILE D'IONA.

ans à Iona. Il mourut, le 9 juin 597, en bénissant ses moines, après avoir converti une bonne partie de son peuple.

La religion des Saxons était une des formes du paganisme germanique, basée sur le culte de la nature et l'amour passionné de la guerre. Les noms des principaux dieux nous ont été conservés et ont servi à désigner les jours de la semaine. *Sunday* et *Monday*, jours du soleil et de la lune; Tiu-qui-donne-la-victoire, symbolisé par la lumière brillante du soleil qui lance ses flèches éclatantes, a donné *Tuesday*, mardi; Odin ou Wodin, dieu créateur, seigneur des batailles et gouverneur du monde : *Wednesday*, mercredi; Thunor-qui-lance-la-foudre-et-le-tonnerre : *Thursday;* Frig, femme d'Odin, *Friday; Saturday* tirerait son vocable d'un dieu mal connu : Saetere. Ils adoraient aussi la Terre, mère des hommes, Frea dieu de l'amour et de la fécondité, qui produit la pluie et le soleil. Le feu que le prêtre faisait jaillir de la pierre et l'eau fraîchement puisée aux fontaines etaient considérés comme des objets sacrés, ainsi que le cheval, animal divin, sorte de totem. Les hennissements du cheval de guerre avaient la valeur de présages. Les Jutes et les Angles croyaient à l'existence et redoutaient l'influence maléfique des elfes, des nains et des lutins des eaux : aussi s'adonnaient-ils à la magie sous toutes ses formes. Ils croyaient à l'immortalité de l'âme ; mais il est assez difficile d'apercevoir nettement ce qu'ils entendaient par là ; leurs idées sur la vie future étaient également vagues. Leur religion, avec ses temples, ses idoles et ses bois sacrés était fort élémentaire, et, somme toute, assez puérile : elle cherchait à apaiser leur inquiétude plus qu'elle ne satisfaisait leurs aspirations.

Aussi ces Germains, encore primitifs, se sentaient-ils confusément inférieurs aux peuples voisins : les Bretons de l'ouest réfugiés dans leurs forêts, leurs montagnes et leurs marécages, les Pictes et les Scots du nord, les Gaulois du sud de la Manche avec qui ils entretenaient d'assez fréquentes relations. Il est naturel que la fierté des vainqueurs ne se soit pas abaissée jusqu'à se soumettre aux prêtres des peuplades bretonnes qu'ils avaient chassées ou réduites en servitude. On s'explique moins bien que des missionnaires ne soient pas venus de Gaule où le Christianisme était prédominant. Peut-être faut-il attribuer cet isolement religieux à la réputation de férocité des barbares saxons.

A la fin du VIe siècle, les Angles et les Saxons, établis au centre et au sud de la Bretagne, étaient les maîtres incontestés du pays, et les Bretons, depuis la cuisante défaite de Dyrham (577), ne pouvaient même plus espérer reconquérir leur terre sur les usurpateurs ; et si les combats, dans le pays, n'étaient pas terminés, c'est que les vainqueurs luttaient maintenant entre eux pour la suprématie.

Ethelbert, roi du Kent, y parvint le premier en imposant sa loi au sud de l'Humber, sur l'Est-Anglie, la Mercie, l'Essex, le Sussex et une partie du Wessex. Au-delà de l'Humber s'étendait le Northumberland dont les Angles devaient bientôt, par la victoire de Chester (607 ou 613), séparer les Bretons du pays de Galles de ceux qui habitaient au sud de la Clyde.

L'Église celtique, confinée dans l'ouest de l'Angleterre, dut vivre de ses propres ressources et sur son fonds ancien. Non seulement elle n'eut presque aucunes relations avec le vainqueur abhorré, mais elle perdit le contact avec Rome qui avait été jusque-là sa règle, son inspiratrice, et dont elle reconnaissait l'autorité suprême en matière de foi et de discipline. Peu à peu, l'isolement s'accentua et des divergences profondes s'établirent dans sa discipline extérieure. La fête de Pâques avait été fixée, par le concile de Nicée, au dimanche qui suit le quatorzième jour de la première lune de printemps, qui marquait le début de l'année. Pour que la Pâque chrétienne ne coïncidât pas avec celle des Juifs, il fut décidé que, si ce quatorzième jour tombait un dimanche, la fête serait retardée de huit jours. La date officielle, calculée à Alexandrie, devait être fixée et transmise aux diverses Églises de la chrétienté par le pape. Elle devait donc toujours tomber entre le 15e et le 21e jour de la première lune de printemps. Après 455, lorsque les Bretons se trouvèrent par la force des choses isolés de Rome, par suite d'erreurs de comput sur lesquelles il est inutile d'insister ici, des différences considérables s'introduisirent sur la date de Pâques avec la chrétienté occidentale. Le rite du baptême était assez différent ; la tonsure des moines bretons, au lieu d'être pratiquée au sommet de la tête, en laissant comme aujourd'hui une couronne de cheveux, était faite sur tout le devant de la tête, d'une oreille à l'autre.

L'Église bretonne ne connut pas les grandes hérésies arienne, nestorienne et monophysite, qui ébranlèrent la chrétienté, mais sa vie se figea, s'anémia et se dégrada peu à peu, si bien que deux siècles après l'abandon d'Honorius, ces chrétiens oubliés faisaient figure, aux yeux d'Augustin et de ses moines, d'étranges fossiles et même d'hérétiques.

CHAPITRE II

LA MISSION GRÉGORIENNE

I. Saint Grégoire et les Angles : la mission d'Augustin. — Un jour, entre 586 et 588, un moine bénédictin du monastère de Saint-André sur le Cœlius, traversait un des marchés de Rome sur lesquels les trafiquants étrangers, parmi lesquels beaucoup de juifs, faisaient valoir leurs marchandises venues d'outre-mer, aux yeux des chalands ébahis. Il aperçut parmi les esclaves mis en vente, malingres, de petite taille ou au teint basané des pays du soleil ardent, trois beaux jeunes gens au corps élancé et remarquablement blanc, à la chevelure blonde, aux yeux bleus, au visage régulier et sérieux. Grégoire, qui avait une âme d'artiste, amoureuse des belles formes comme des belles mélodies, s'arrêta charmé et intrigué, apitoyé sans doute aussi. Il interrogea le propriétaire de cette marchandise humaine de choix et lui demanda d'où venaient ces jeunes hommes. « Ils viennent de Bretagne, répondit l'homme. — Sont-ils chrétiens ou païens? — Païens. — Hélas ! quelle pitié que des visages si lumineux soient au pouvoir du prince des ténèbres ! — Quelle est leur race ? — Ce sont des Angles. — Fort bien, dit le moine en souriant, dans un sentiment de finesse attendrie et sympathique, ils ont des visages d'anges et devraient être, comme les anges, les héritiers du ciel. De quelle province les amenez-vous ? — De la Deira. — Bien ! De la colère (*de ira*), ils seront appelés vers la miséricorde du Christ. Et quel est le nom de leur roi ? — Aella. » — Et continuant ses aimables calembours, le moine reprit : « Le peuple du roi Aella apprendra à chanter l'Alleluia à Dieu, son créateur. »

Et l'abbé de Saint-André du Cœlius s'en fut demander au pape Pélage la permission d'aller évangéliser le pays des Angles. Le pontife dut faire quelques difficultés, car l'homme qu'il avait devant lui était un ancien préteur, patricien romain, né de famille illustre et riche.

Saint Augustin de Cantorbéry. — *SOURCES :* Bède, *Historia ecclesiastica Gentis Anglorum*, éd. Plummer, 2 vol., Oxford, 1896. — Goscelin, *Vita S. Augustini*, *Acta Sanctorum*, 26 mai. — Lanfranc, *Vita S. Augustini*, *P. L.*, CL. — Paul Diacre, *Vita S. Gregorii*, *P. L.*, LXXV. — Grégoire le Grand, *Registrum epistolarum*, *Mon. Germ. hist.*, t. XIX. — *TRAVAUX :* A. J. Mason, *The mission of S. Augustine to England according to the original documents*, Cambridge, 1893. — Bright, *Chapters of early Church History*, Oxford, 1897. — Brou, *Saint Augustin de Cantorbéry*, coll. *les Saints*, 1900. — Varin, *Mémoire sur les causes de la dissidence entre l'Église bretonne et l'Eglise romaine relativement à la célébration de la fête de Pâques* (*Mém. Inscr. et B.-Lettres*, 1re série, t. V, 1858, p. 88-243).

Il avait embrassé la règle bénédictine et était allé fonder des monastères en Sicile, il en avait établi un autre dans sa propre maison du Cœlius. Le pape Benoît Ier en avait fait un des sept diacres régionnaires de Rome, et Pélage II l'avait envoyé comme apocrisiaire à la cour de Constantinople. Grégoire était un homme de haute valeur et un auxiliaire précieux dont il n'était pas sage de se séparer; mais il dut être bien éloquent pour exposer ses raisons, car le pape lui accorda l'autorisation demandée.

Il s'en alla donc secrètement avec quelques moines; mais lorsque le peuple apprit ce départ qui ressemblait à une fuite, il éclata en invectives contre le pontife imprudent : « Apostolique, qu'as-tu fait? Tu as offensé saint Pierre et détruit Rome en laissant partir Grégoire ! » Des messagers furent dépêchés en toute hâte pour ramener l'abbé, sur l'ordre du pape Pélage.

Quelques années plus tard, en 590, Grégoire était élu pour succéder au pontife défunt. Les temps étaient sombres et la vie bien incertaine en cette fin du VIe siècle. Pourtant le pape agissait comme s'il avait eu devant lui le plus long avenir. Il n'avait pas oublié les Angles, rencontrés par hasard sur le marché quelques années auparavant, ni ses projets d'évangélisation de l'Angleterre. Il ordonnait même au prêtre Candidus, qui administrait dans les Gaules les biens du patrimoine de saint Pierre, de lui acheter de jeunes esclaves anglais de dix-sept ou dix-huit ans pour les convertir à la vraie foi, les former aux sciences divines et aux vertus apostoliques, afin de les envoyer ensuite dans leur pays en fourriers de l'évangile.

C'est vers cette époque qu'il prit la décision d'envoyer des missionnaires en Angleterre. Vers le printemps de 596, Augustin, prieur du monastère de Saint-André du Cœlius se mit en route avec plusieurs moines. Ils s'arrêtèrent quelque temps à l'abbaye de Saint-Honorat, dans l'île de Lérins, foyer de savoir qui jetait un vif éclat sur la Gaule chrétienne; puis à Aix-en-Provence. Là, les moines, effrayés sans doute par la réputation de férocité des Anglo-Saxons, leur ignorance de la langue et les récits qui se colportaient sur ce pays lointain et inhospitalier, refusèrent d'aller plus loin et supplièrent Augustin de retourner vers Rome afin d'obtenir d'être rappelés. Le prieur revint avec une lettre du pape Grégoire, datée du 23 juillet 596, exhortant les religieux à repartir pleins de courage sous les ordres d'Augustin devenu leur abbé, pourvu lui-même de lettres de recommandation pour les évêques des principales cités gauloises et quelques hauts personnages comme Théodoric, roi des Burgondes, Théodebert roi d'Austrasie, et Brunehaut.

Le voyage fut long, car ce n'est qu'à Pâques de 597 que les missionnaires arrivèrent dans l'île de Thanet, probablement à Ebbsfleet, là où Hengist avait abordé, un siècle et demi auparavant.

L'Angleterre qui, au dire de l'historien Procope, était l'île mystérieuse où les âmes des morts venaient des côtes d'Armorique, portées sur des barques légères, prendre leur dernier repos, n'était pas si isolée du continent qu'on le croyait à Rome et dans la Gaule méridionale. Les Atrébates et les Morins, de Quentovic ou de Gessoriacum s'y rendaient pour faire du commerce. L'arrière-petit-fils d'Hengist, Ethelbert, roi du Kent et, depuis la défaite de Ceawlin, roi du Wessex, *Bretwalda* de la Confédération Saxonne, avait épousé Berthe ou Adelberga, fille de Caribert Ier, roi de Paris. Berthe était chrétienne, et il avait été convenu, lors de son mariage, qu'elle emmènerait avec elle comme chapelain Luithard, évêque de Senlis. Elle avait commencé par relever de ses ruines une petite église bretonne dédiée à saint Martin.

A son arrivée sur la terre étrangère, Augustin envoya vers Ethelbert des messagers francs qui connaissaient la langue saxonne, et qui demandèrent de sa part, au prince, la permission de se présenter devant lui. Ethelbert, prudent, et un peu méfiant, leur ordonna de ne pas s'approcher davantage et d'attendre sa venue. Il arriva plusieurs jours après, environné de ses guerriers, et alla s'asseoir sous un arbre, sur une colline, près de Minster. Les quarante moines romains s'avancèrent en procession, derrière une grande croix d'argent et l'image du Sauveur peinte sur un panneau de bois, suivis d'Augustin qui les dépassait tous de la tête. Ils chantaient des psaumes et des litanies, sur une mélodie simple, gracieuse et d'un charme insinuant, composée sans doute par le pape Grégoire. Tous s'assirent, et Augustin debout raconta au roi jute et à ses thanes attentifs la merveilleuse histoire d'un Dieu se faisant nôtre et sauvant par son agonie et sa mort les hommes qui habitent dans toutes les régions; il leur montra le ciel ouvert à tous ceux qui croiraient.

Le roi était ravi de ce magnifique discours, et, dans son cœur, il savourait ce message de paix et de fraternité, mais il était prud'homme et sage : c'était un vrai chef. Il se défiait de la langue des habiles. « Belles, dit-il, sont ces paroles, et belles aussi ces promesses que vous m'apportez, mais elles sont étranges et rien ne les prouve. Je ne puis y ajouter foi, ni abandonner les dieux que j'ai servis si longtemps, et toute ma race avec moi. Mais, puisque vous venez de loin pour nous faire connaître ce qui, à vos yeux, est vrai et doit nous être bon, nous ne vous ferons aucun mal. Vous resterez nos hôtes, et nous vous donnerons ce dont vous avez besoin. Nous ne vous empêcherons pas de gagner à votre religion ceux que vous pourrez convaincre. »

Il leur assigna un logement auprès de sa demeure, et les moines partirent vers la ville royale de Durovernum où ils entrèrent en procession. Au seuil des huttes ou des maisons de bois, les Jutes aux yeux bleus, à la longue chevelure couleur des seigles, les fils des coureurs de la mer, toujours sérieux et un peu tristes, contemplaient curieusement le défilé de ces hommes graves. Le mystère de ces rites inconnus, la démarche solennelle de ces hommes tondus, profondément recueillis, mais empreints du calme heureux des longues certitudes enchantait les fils des pirates d'autrefois; et plusieurs sentaient poindre en eux l'aube d'une autre âme.

Les moines d'Augustin n'acceptèrent que le modeste pain quotidien que le Seigneur assure à ceux qui ont tout quitté pour le suivre, et, dans la petite église de Saint-Martin, ils chantaient des psaumes, offraient le sacrifice pacifique du pain et du vin, prêchaient l'évangile du salut et la tendresse de l'amour rédempteur, la joie de la nouvelle naissance baptismale et la joie plus grande encore du grand mystère de la fraction du pain. Les Teutons apprirent qu'il y a de plus hautes jouissances que de manger le cœur de son ennemi, et un paradis plus désirable et plus doux que celui d'Odin, bachique et cruel. Les exemples de l'évêque Liuthard et de la reine Berthe avaient préparé les cœurs, les moines les façonnèrent, et bientôt une moisson de nouveaux chrétiens leva sur les collines du Kent. Le roi lui-même reçut le baptême la veille de la Pentecôte, 1er juin 597, en même temps que beaucoup de ses sujets, entraînés par son ascendant, mais non contraints par ses ordres.

Augustin, comme Grégoire, et selon les instructions du pape, jetait au loin ses regards; ce n'était pas une ville, ni même un roi avec son royaume qu'il était venu conquérir pour le Christ, c'était toute l'Heptarchie anglo-saxonne. Suivant les ordres qu'il avait reçus il demanda au légat pontifical en Gaule, à Virgile, archevêque d'Arles, la consécration épiscopale (16 novembre 597), comme chef de l'Église anglaise. Malgré l'unité foncière de la race, il n'y avait entre ces peuples germains aucun lien, aucune unité nationale, mais des compétitions de princes rivaux et de frères ennemis ; ce fut la religion chrétienne qui relia pour la

Cliché Mansell.

CATHÉDRALE DE CANTORBÉRY. — LE SIÈGE DE SAINT AUGUSTIN.

première fois ces membres épars et toujours en querelle. Ainsi le Christianisme devint le berceau du futur État anglo-saxon.

Lorsque le nouvel archevêque revint dans l'île, les conversions furent beaucoup plus nombreuses qu'elles n'avaient été jusque-là, et au jour de Noël, dix mille personnes, disent les vieilles chroniques, reçurent le baptême dans la rivière Swale, près de l'embouchure de la Medway.

Ethelbert donna à Augustin son propre palais et des terres. Cantorbéry devint, avec sa cathédrale, le siège du métropolitain. Cette église basilicale, suivant le modèle de Saint-Pierre de Rome, dura jusqu'au grand incendie de 1067 qui dévora la ville entière. Elle possédait une large nef avec son *presbyterium* plus élevé, sa Confession au-dessous et, à l'extrémité occidentale, le siège surélevé du pontife, qui dominait la foule du peuple. Au milieu, un double transept, avec des porches au pied des tours et un autel à chaque extrémité.

Augustin fonda un monastère hors de la ville, et Ethelbert y construisit une église en l'honneur de saint Pierre et saint Paul, destinée à recevoir les restes des rois du Kent et des archevêques de Cantorbéry. Il envoya à Rome le prêtre Laurent et le moine Pierre pour rendre compte au pape du succès inespéré de sa mission, que Dieu avait visiblement bénie, et pour lui demander la solution de quelques difficultés qu'il avait rencontrées.

Saint Grégoire fit part de la bonne nouvelle à Euloge d'Alexandrie qui l'avait exhorté à entreprendre cette mission, et à presque toute la chrétienté; il remercia ceux qui avaient favorisé son envoyé, entre autres l'évêque d'Autun, à qui il conféra le pallium; et il donna désormais le premier rang dans l'Église des Gaules à ce siège, après l'Église de Lyon.

Ce n'est qu'en 601 que les envoyés reprirent le chemin de l'Angleterre avec les réponses du pape. Il leur adjoignit en renfort quelques moines, parmi lesquels Mellitus, Justus, Paulin, Rufinien. Il écrivit des lettres à Ethelbert et à la reine Berthe.

A l'archevêque qui lui avait sans doute fait part des nombreux prodiges qui avaient accompagné ses pas en Angleterre et fortement appuyé l'autorité de sa parole, l'auteur du *Pastoral* donnait, avec une fermeté paternelle, des leçons d'humilité. L'insistance avec laquelle il s'exprimait tend à faire croire que l'archevêque de Cantorbéry avait besoin de ce rappel, et qu'il éprouvait quelque complaisance à se sentir thaumaturge. Il lui recommandait de craindre la vaine gloire et de se réjouir plutôt de ce que son nom, comme celui de ses compagnons, « était écrit dans le ciel ». *In hoc gaudete quia nomina vestra scripta sunt in coelo.* Il lui envoyait le pallium et lui recommandait, non de détruire les temples des idoles, mais de les purifier et de les consacrer au vrai Dieu. Il lui conseillait même de transformer et de sanctifier les fêtes du paganisme saxon sans les abolir : « Les Anglais font de grands sacrifices de bœufs au démon. Là encore il faut changer la coutume en quelque fête chrétienne. Ainsi, au jour de la dédicace, au jour anniversaire des saints martyrs dont on vénère les reliques en cet endroit, qu'ils se fassent, autour des temples ainsi changés en églises, des tentes de feuillage, et qu'ils célèbrent la fête par des festins religieux. Qu'ils n'immolent plus d'animaux au diable, mais qu'ils les tuent pour l'honneur de Dieu, afin de s'en nourrir; que rassasiés, ils rendent grâces à l'auteur de tout don. Ainsi, tandis qu'on leur ménage des joies au dehors, ils sont plus disposés à accueillir les joies intérieures. Tout retrancher aux esprits barbares est impossible, cela est certain. Car si l'on veut atteindre au sommet d'une montagne, c'est pas à pas qu'on y arrive et non par sauts. » Souvent, en effet, des fêtes chrétiennes remplacèrent des cérémonies idolâtriques, et même gardèrent leur nom. *Easter*, la fête de Pâques était celle de la déesse Eastre célébrée en avril. Noël se disait Yule, nom de la fête saxonne du solstice d'hiver; de nos jours la bûche de Noël s'appelle encore *Yule log*.

Le pape enjoignait à Augustin de créer deux métropoles, l'une à Londres, l'autre à York : avec chacune douze évêques sous leur judiction. L'évêque de Londres devait, à l'avenir, être consacré par ses suffragants et recevrait le pallium du Saint-Siège. L'archevêque d'York recevrait aussi le pallium. Le plus ancien des deux métropolitains aurait la prééminence après la mort d'Augustin.

Ces prescriptions un peu trop théoriques ne furent pas exécutées. Elles étaient impraticables.

Cliché Mansell.

CATHÉDRALE DE CANTORBÉRY.

Depuis cent cinquante ans, bien des événements avaient changé l'état de choses en Angleterre. Grégoire se basait sur l'organisation romaine, qui avait presque totalement disparu. Londres, ruinée par l'invasion, n'était plus la cité romaine d'autrefois, mais une modeste bourgade saxonne sur un gué de la Tamise, par où passaient encore quelques rares trafiquants. Rétablie dans sa prospérité, bien longtemps après, Londres ne devint jamais archevêché et le métropolitain demeura à Cantorbéry. *Durovernum* était plus chère à Augustin, car c'était là que s'était faite la conquête du royaume du Kent pour le Christ, là était la capitale politique du royaume et le vrai centre de l'Heptarchie, au moins pour le moment. Un siècle plus tard, il n'y avait encore qu'une quinzaine d'évêchés dans toute l'Angleterre.

Les réponses du pape aux consultations d'Augustin sont intéressantes à plus d'un titre.

1. Au sujet des offrandes des fidèles, il n'y a pas lieu de les partager également, comme cela se fait à Rome, entre l'évêque, son clergé, les pauvres et l'entretien des églises, puisque l'archevêque vit avec ses moines. Si des clercs non revêtus des ordres sacrés sont mariés, ils vivront à part et toucheront un salaire séparé.

2. Augustin hésitait entre la liturgie gallicane, qui était celle de Liuthard et de l'évêque d'Arles de qui il avait reçu la consécration épiscopale, et la liturgie romaine qu'il avait suivie jusqu'alors dans la célébration de la messe. Le pape, avec une largeur d'esprit qui surprend un peu, lui laisse la latitude de choisir celle de Rome, des Gaules ou toute autre qui lui paraîtrait devoir davantage plaire à Dieu et être utile à l'Église des Anglais. Il lui permet de se constituer une liturgie propre : « Car il ne faut pas, dit-il, aimer les institutions à cause des lieux, mais les lieux à cause des institutions. Donc, dans toutes les Églises, prenez ce qu'il y a de pieux, de religieux, de raisonnable et faites-en comme un bouquet qui soit la coutume des Anglais. » Augustin adopta dans ses grandes lignes la liturgie romaine qui lui était plus familière, et le chant que Grégoire avait si heureusement réformé.

3. Au sujet du vol dans les églises, Grégoire établit une distinction entre ceux qui le pratiquent, poussés par la nécessité, et les autres; la restitution, dans tous les cas, sera exigée, mais il ne faut pas que l'Église reçoive plus qu'elle n'a perdu.

4, 5. Le pape déclara qu'il fallait défendre aux Germains, sous peine de faute grave, le mariage avec la belle-mère, qui entraînait la privation de la Sainte Communion. Mais si un mariage de ce genre avait été contracté par ignorance et avant le baptême, puis rompu après, on pouvait admettre le pénitent à la communion. Il défendait le mariage entre cousins germains seulement. On ne doit pas refuser le baptême à une femme enceinte. Les mères doivent allaiter leurs enfants, etc...

6. Le concile d'Arles avait fixé à sept le nombre des évêques consécrateurs pour l'épiscopat, le concile de Nicée en exigeait trois. Augustin avait demandé si, en raison de l'éloignement du clergé en Bretagne, un seul évêque ne pourrait pas en consacrer d'autres. Le pontife répondit qu'en raison de son isolement il pourrait consacrer seul, mais il lui conseillait d'instituer plusieurs évêques qui ne fussent pas trop éloignés de lui et de s'en servir comme assistants.

Augustin aurait-il remarqué des abus dans le diocèse d'Arles et en aurait-il fait part au Souverain Pontife? Il est possible, car celui-ci lui dit que, constitué chef du christianisme en Angleterre, il n'avait aucun pouvoir au delà du détroit. Il ne devait pas mettre la faux dans la moisson du voisin, mais il pourrait, en passant, froisser de la main quelques épis, c'est-à-dire exhorter en toute discrétion et charité. Le pape avertit l'évêque d'Arles, si Augustin venait à faire voyage en Gaule, de tenir compte des observations que le primat pourrait lui faire : « Car il arrive souvent, dit-il, que les étrangers, malgré la distance, apprennent vite les désordres qui se commettent au loin. »

II. Augustin et les chrétientés bretonnes. — Qu'Augustin n'ait pas eu qualité pour intervenir dans les Gaules, cela allait assez de soi, on pouvait facilement le prévoir, et la réponse du pape ne dut pas étonner celui qui avait été constitué chef de l'Église catholique en Angleterre. Qu'il eût sous sa juridiction les Bretons des Galles et de Cornouailles, il n'avait assurément aucun doute à cet égard. S'il en avait eu un, si faible soit-il, il eût certainement provoqué une déclaration de Rome.

Il comptait fermement, pour l'aider dans sa tâche de la conversion des Germains, sur les catholiques de vieille souche qui avaient gardé intactes, malgré l'invasion, les pillages, la guerre et l'exil, leur foi chrétienne et leur langue nationale. Les premières avances de l'archevêque vers ses fils de Bretagne furent accueillies par une fin de non-recevoir très nette et très ferme. Grâce aux bons offices d'Ethelbert, dont l'autorité était reconnue jusqu'à l'embouchure de la Severn, il se ménagea une entrevue avec une partie du clergé breton. Elle eut lieu sous un chêne, demeuré longtemps célèbre, probablement à Aust, près de Chepstow, non loin de Glastonbury où saint David avait fondé un monastère, près de Llancarvan où avait vécu saint Cadoc, et de Caërléon dont l'évêque, jadis, avait assisté au concile d'Arles.

Augustin connaissait mal les prêtres qui vivaient auprès de ces lieux sacrés, au-delà de la Severn, et nous ne sommes guère mieux renseignés que lui. Faut-il en croire les truculences enflammées de Gildas les depeignant « fous, impudents, rusés et voleurs, tout occupés de remplir leur ventre, de gagner un vil salaire, plus avides de monter en grade dans la hiérarchie que d'acquérir le royaume du ciel..., restant bouche bée et stupides, quand on leur apporte les préceptes des saints, par contre tout oreilles aux folies et aux fables du monde ?... ».

Mais nous savons par ailleurs que la vie chrétienne était fervente. Les couvents regorgeaient de moines : neuf cent cinquante à Llan Elwy (Saint-Asaph), mille à Llandaff, deux mille à Bangor Iscoed. Les princes et les rois du pays quittaient le sceptre pour entrer dans les monastères. Les nouveaux arrivés y étaient longtemps repoussés avec dureté. On leur permettait enfin, après dix jours, de franchir la porte et de venir partager le pain, les légumes, le sel et le lait du réfectoire, les durs travaux, le silence perpétuel, les longues oraisons et les rudes pénitences de la vie monacale.

Les moines étaient-ils donc de meilleure trempe et de ferveur plus grande que les malheureux séculiers sur lesquels s'exerçait l'éloquence impétueuse du moine Gildas? Mais les anciens pénitentiels nous démontrent, par la liste des peines qu'on était obligé de prévoir, que les moines gloutons, brutaux, ivrognes et paresseux n'étaient pas rares. Du reste, les effroyables pénitences, les mortifications multipliées, les jeûnes continuels attestent ce qu'il en coûtait pour faire pratiquer la vertu à ces primitifs, et quel était leur niveau moyen. Il y avait parmi eux des âmes très ferventes et très hautes, mais d'un ascétisme si étrange que, partout ailleurs, on les eût regardés avec inquiétude.

Ce qui distinguait les chrétiens celtes des missionnaires de saint Grégoire, c'était bien moins la singularité de leur rite baptismal (sur lequel nous sommes assez peu renseignés), ou la forme insolite de la tonsure des moines gallois, qui devait arracher un sourire même aux plus graves des missionnaires romains, ou encore les aberrations de leur comput pascal qui entraînaient tout un bouleversement du cycle des fêtes de l'année liturgique, qu'une manière de penser et de sentir, une culture différente, née d'un siècle de vie séparée. Cette séparation n'existait pas seulement au point de vue religieux mais au point de vue de la civilisation elle-même. Pendant cinq ou six générations, les Bretons avaient vécu une vie précaire entre deux forces hostiles : les barbares d'un côté, la mer inhospitalière de l'autre. Ils s'étaient, par nécessité, repliés sur eux-mêmes. Leur esprit, comme leur horizon, s'était rétréci. Isolés du monde, ils étaient tout naturellement devenus étroitement nationalistes, traditionalistes. Leur culture intellectuelle était assez mince ; en général, ils cherchaient leur inspiration et leur règle dans des traditions figées et devenues sacrées, comme un héritage des ancêtres, le seul qui leur fût resté avec leur langue et leur religion. Pendant que les idées du monde avaient évolué, enrichies d'apports nouveaux, décantées et affinées aux époques paisibles, celles des Bretons s'étaient comme congelées sur place.

Qu'on ajoute à l'influence de l'isolement, l'entêtement de la race celte et surtout la rancune profonde, lente à mourir, et même à s'atténuer, des vaincus qui ne veulent pas accepter leur défaite. Quelques historiens anglicans ont cru apercevoir, dans la résistance des Celtes, une manifestation de l'esprit d'indépendance à l'égard de Rome, une résistance à l'autorité papale. Une telle affirmation sent un peu trop son orfèvre et se trouve exagérément en avance sur le siècle. En réalité, Augustin était bien moins, pour ces arriérés, un évêque envoyé par le pape que l'homme des Anglais abhorrés, le protégé d'Ethelbert. Les Bretons ne voulaient ni boire à la coupe des barbares, ni prier avec eux. Qu'on en juge : un siècle après, un Saxon converti par les successeurs de saint Augustin pouvait écrire dans sa lettre à Gérontius : « L'opiniâtreté des prêtres bretons va si loin, par delà le cours de la Severn, ils ont une telle horreur de communiquer avec les Romains, qu'ils refusent de prier avec ceux-ci dans les églises et de s'asseoir à la même table ; bien plus, ce que les Romains laissent de leurs repas est jeté aux chiens et aux pourceaux, la vaisselle et les bouteilles dont ils se sont servis sont enterrées ou purifiées par les flammes. Les Bretons ne leur rendent ni le salut ni le baiser..., et si quelqu'un d'entre eux vient dans le pays pour l'habiter, les indigènes ne communiquent avec lui qu'après une pénitence de quarante jours. » L'animosité était telle qu'ils ne voulaient même pas les évangéliser. La question des rites mise en avant n'était qu'un excellent prétexte ; aussi le prétexte se trouvant un jour injustifié, le schisme continua.

Donc, vers 601 ou 602 eut lieu, sous le chêne d'Aust, la première conférence avec les prêtres bretons. Les évêques qui avaient été convoqués ne vinrent pas. Ne furent-ils pas touchés par l'invitation, ou préférèrent-ils s'asbtenir? nous ne savons. « L'archevêque, dit Bède, se mit à exhorter paternellement les députés, leur demandant de vivre avec lui dans la paix catholique, et d'entreprendre en commun, pour Dieu, l'évangélisation des gentils. » Les Bretons considéraient l'audace de cet homme qui, mangeant le pain des Saxons, les avait fait venir, de leur exil, sur cette terre qui était toujours à eux malgré l'usurpation et la conquête, et qui leur demandait de travailler avec lui pour envoyer au ciel ceux qui les avaient dépossédés de cette terre bénie qu'ils foulaient aujourd'hui ! Cet homme déraisonnait ! Les Celtes déclarèrent qu'ils voulaient garder les traditions de leur race et refusèrent d'écouter davantage les exhortations et les reproches d'Augustin et de ses compagnons. Bède, qui écrivait cent cinquante ans après l'événement, nous rapporte qu'Augustin proposa de faire appel au jugement de Dieu et de lui demander un signe. Les Bretons acceptèrent sans enthousiasme. On amena un Anglais aveugle, qu'ils essayèrent de guérir et auquel Augustin rendit la vue. Forcés de convenir que Dieu était avec l'archevêque, ils dirent qu'ils ne pouvaient renoncer à leurs traditions sans l'assentiment de leurs compatriotes.

Une nouvelle conférence eut lieu à quelque temps de là. Sept évêques s'y rendirent et le célèbre monastère de Bangor Iscoed y envoya les plus savants de ses moines, sous la conduite de leur abbé Dinooth, renommé pour sa sagesse et sa sainteté. Mais auparavant, toujours selon Bède le Vénérable, qui ne fait en cela que transcrire des traditions probablement légendaires, les Celtes allèrent trouver un ermite : « Pouvons-nous, demandèrent-ils, abandonner nos traditions et suivre les conseils d'Augustin? — Oui, si Augustin est un homme de Dieu. — Mais comment le saurons-nous? — Le Seigneur a dit : Portez mon joug et sachez que je suis doux et humble de cœur. Si Augustin est doux et humble de cœur, il est à croire que lui aussi, porte le joug du Christ; et c'est ce joug qu'il nous offre. S'il est âpre et superbe, il est évident qu'il ne vient pas de Dieu, et il n'y a pas à tenir compte de ses paroles. Arrangez-vous pour qu'il arrive le premier au lieu du synode; s'il se lève à votre approche, il est le serviteur du Christ : obéissez-lui ; s'il vous méprise et ne daigne pas se lever devant vous, qui êtes nombreux, à vous de lui rendre mépris pour mépris. »

La réponse de l'ermite était ingénieuse et fine, elle n'était que cela, mais la prudence qu'on doit apporter dans une démarche aussi lourde de conséquences pour tout un peuple ne permet pas qu'on juge un homme sur d'aussi faibles apparences.

Quand les Bretons arrivèrent, Augustin était assis; il ne se leva pas à leur approche. Dès qu'il prit la parole, ils éclatèrent en invectives et ne cessèrent de lui tenir tête. Il est oiseux de discuter sur la sagesse de l'attitude d'Augustin, et sur les motifs qui ont pu le faire rester assis, il faudrait d'abord être sûr que l'épisode est authentique, ce qui est loin d'être établi.

Ce qui est certain, c'est qu'ils refusèrent de changer leur comput pascal et d'adopter le cycle romain, et tout autant de modifier les rites de leur baptême. Quant à s'associer avec les Romains pour prêcher l'évangile aux Anglo-Saxons, l'abbé de Bangor s'écria au nom de tous : « Nous ne prêcherons pas la foi à cette race cruelle d'étrangers qui, traîtreusement, ont dépouillé nos ancêtres de leur terre natale, et nous ont privés, nous, de notre héritage. »

La rupture de la seconde conférence marqua définitivement l'établissement d'un schisme entre les catholiques romains et les Bretons vieux-catholiques. Les Scots prirent le parti des Celtes, et ceux-ci ne voulurent pas reconnaître comme chrétiens les Anglais convertis. De son côté, Théodore, un des successeurs d'Augustin, déclara invalides les ordres conférés par les Églises d'Écosse et de Bretagne, et refusa de considérer leurs églises comme vraiment consacrées. Le schisme dura plusieurs siècles, allant toujours en s'atténuant. En 704 la Cambrie adopta le comput pascal de Rome; puis ce fut le tour des Galles cinquante ans après, puis celui de la Cornouailles. Lors du synode de Whitby, en 664, les différences étaient déjà bien moindres, les esprits en marche vers l'unité.

III. Les conversions en Essex et dans l'Est-Anglie. — Ethelbert ne se contenta pas de favoriser la prédication de l'Évangile dans ses états, il usa de son influence, qui était grande, auprès de son neveu Saebriht, roi d'Essex. Augustin donna à Mellitus la consécration épiscopale et l'envoya prêcher aux Saxons de l'est. Saebriht et son peuple acceptèrent le baptême, et Ethelbert bâtit une église dédiée à saint Paul, à Londres. Capitale de l'Essex, — elle avait été autrefois évêché breton — elle commençait de redevenir une ville commerçante, et, un peu plus tard, un monastère fut établi à l'ouest de la ville : Westminster (610). La même année, l'archevêque consacra Justus comme évêque de la partie occidentale du

Kent, avec sa résidence à Rochester, où Ethelbert bâtit aussi une église pour l'évêque et ses successeurs. Elle fut dédiée à saint André, patron du monastère du Coelius. Il dota ces églises, qui demeurèrent — Rochester à un titre plus étroit — sous l'autorité de l'archevêque de Cantorbéry.

La vie monastique englobait à peu près tout le ministère : l'abbé était évêque, ses prêtres étaient pour la plupart des moines, les quelques prêtres séculiers qui faisaient partie du clergé vivaient avec les moines dans le monastère. Cette habitude dura peu de temps, car le nombre des séculiers s'accrut plus vite que celui des réguliers et ceux-ci ne furent bientôt plus moines que de nom. La ferveur s'affaiblit avec la discipline monastique.

Ethelbert, avec le sens positif qu'il avait montré à l'arrivée d'Augustin, crut sage de codifier et de préciser les lois du pays, qui étaient, jusque-là, restées à l'état de droit non écrit, suivant la coutume germanique. Avec l'aide de son Assemblée des sages *Witenagemot,* il fixa les amendes pour vol de biens d'église avec un soin qui montre de quel respect le roi barbare entendait entourer la propriété religieuse. Un vol à Dieu ou à l'Église était payé douze fois; onze fois à un évêque, neuf fois à un prêtre, — autant qu'au roi, — six fois à un diacre, trois fois à un clerc.

Sentant ses forces défaillir, l'archevêque voulut assurer la continuité de sa mission et donna la consécration épiscopale à son successeur Laurent, un de ceux qui l'avaient accompagné à son arrivée dans le pays. Cet usage n'était pas canonique, car on ne peut créer deux titulaires pour le même siège, et, comme en Gaule, il ne devait y avoir qu'un évêque par cité; mais cette décision, comme celle qui fixa le siège primatial à Cantorbéry plutôt qu'à Londres, peut fort bien s'expliquer par des nécessités du moment. Il mourut en 604 ou 605 et reçut une sépulture définitive seulement quelques années après (en 613), dans l'église Saint-Pierre et Saint-Paul de Cantorbéry, récemment achevée, auprès de la reine Berthe et de Liuthard.

Certains historiens protestants ont essayé de le diminuer en insistant sur ses défauts : sa hauteur, sa vanité, qui devait certainement être sensible, son ton tranchant avec les Bretons, son esprit tatillon. Il fut, malgré ces imperfections un grand évêque, courageux, fervent, vraiment apostolique. Il sut voir loin et bâtir en vue de l'avenir. Il laissait derrière lui, après huit années de labeur et d'efforts, trois évêchés, deux royaumes à peu près chrétiens et une grande abbaye indépendante. C'est par lui que l'Angleterre fut conquise pour le Christ. Le voisinage de Grégoire, il est vrai, a fait tort à sa mémoire. Peu d'hommes, il faut l'avouer, pourraient être comparés à cette grande âme qui gouverna l'Église, au milieu de circonstances particulièrement difficiles, avec une largeur d'idées, une hauteur de vues, une douceur et une sagesse incomparables.

CHAPITRE III

LES DÉVELOPPEMENTS DE L'ŒUVRE AUGUSTINIENNE

I. L'archevêque Laurent. — Laurent, qui succéda à saint Augustin de Cantorbéry, essaya à son tour, de reprendre contact avec les Bretons et d'arriver à une entente. L'œuvre était d'autant plus urgente qu'un abbé ou évêque irlandais, nommé Dagan, passant par Cantorbéry, avait refusé de prendre son repas et son logement chez l'archevêque et ses prêtres. Il mettait par là en relief l'animosité toujours vive de sa race et la prétention de n'avoir aucun rapport avec les intrus. Laurent écrivit, de concert avec Mellitus et Justus, une lettre aux évêques et abbés d'Écosse et d'Irlande. Il leur dit que quand ils abordèrent en Bretagne pour prêcher aux païens, ils n'avaient que du respect pour les Bretons et les Scots, pensant qu'ils suivaient les traditions de l'Église catholique. Ils avaient été désabusés en ce qui regarde les Bretons, mais ils avaient conçu de plus belles espérances encore au sujet des Scots, jusqu'à ce qu'ils aient appris, par la conduite de Dagan, en Bretagne, et par celle de Colomban en Gaule, que les Scots ne se comportaient pas autrement que les Bretons. Une autre lettre, adressée aux évêques bretons, n'eut pas plus d'effet.

Pour résoudre des questions épineuses que nous ignorons, Mellitus, évêque de Londres, partit pour Rome afin de prendre l'avis du pape Boniface IV; il assista à un concile tenu en 610 sur les questions monastiques. Il souscrivit aux décrets qui furent portés et revint en Angleterre avec des lettres du pape pour l'archevêque, le clergé anglais, Ethelbert et son peuple.

Avant de mourir (616), Ethelbert tenta d'amener à la foi chrétienne l'Est-Anglie comme il avait fait pour l'Essex. Raedwald, roi d'Est-Anglie, étant venu dans le Kent, probablement pour régler quelque litige, se laissa persuader par le roi du Kent de recevoir le baptême. Il le fit certainement sans conviction et peut-être pour se concilier l'amitié d'Ethelbert. De retour chez lui, accompagné sans doute de Paulin, il fut dissuadé par sa femme et son entourage de pratiquer cette religion nouvelle et encore plus de la proposer à ses sujets. Il se contenta d'élever, pour la forme, un autel chrétien dans le temple païen de ses idoles.

Cette défection de triste augure était le prélude de bien d'autres, et, après quelques années d'étonnante prospérité, l'Église naissante d'Angleterre devait connaître d'autres jours d'épreuves. Le fils d'Ethelbert, Eadbald, était païen ; à la mort de son père, il hérita du pouvoir et voulut épouser sa belle-mère, la seconde femme de son père, suivant la coutume germanique. Laurent protesta, et ce fut la guerre au christianisme, encore mal affermi. Plus d'un chrétien revint à ses dieux d'autrefois pour plaire au prince qui releva l'autel d'Odin. En Essex aussi, les fils de Saebert, libérés par la mort de leur père, relevèrent le culte des idoles. Un jour ils entrèrent à Saint-Paul pendant la célébration de la messe, par curiosité sans doute mais aussi, semble-t-il, en vue d'une manifestation antichrétienne. Au moment de la communion, ils s'approchèrent, avec les autres, de l'autel, et comme Mellitus passait outre : « Pourquoi, dirent-ils, ne nous donnes-tu pas le pain blanc que tu donnais à notre père Saba et que tu distribues au peuple dans l'église ? » L'évêque leur répondit que si, comme leur père, ils voulaient être purifiés dans la fontaine du salut, ils pourraient, eux aussi, manger le pain consacré. « Nous ne voulons pas descendre dans cette fontaine, répondirent-ils, mais nous prétendons manger de ce pain. » Mellitus refusa. Ils renouvelèrent leur demande et, comme ils essuyaient un autre refus, ils s'écrièrent furieux : « Si tu ne veux pas nous accorder cette bagatelle, tu ne resteras pas plus longtemps dans ce pays. » Et Mellitus dut s'enfuir. Il alla prendre conseil de Laurent et de Justus à Cantorbéry. Les trois évêques, effrayés et découragés, décidèrent de retourner dans leur pays pour y prier Dieu en paix, et d'abandonner à leur sort ces païens cruels. Mellitus et Justus se retirèrent en Gaule, en attendant une éclaircie. L'Essex redevint à peu près complètement idolâtre. Ainsi, après quelques années de vie chrétienne, les Anglo-Saxons revenaient comme par une pente irrésistible aux traditions de leur race et aux dieux de leurs pères. La foi était mal enracinée dans les âmes, beaucoup l'avaient acceptée pour faire comme les autres et surtout pour flatter le roi, pour suivre l'esprit de la tribu dont il était le chef. La vie chrétienne est laborieuse aussi, elle impose à l'âme qui veut suivre la loi de ses croyances de longs sacrifices, quelquefois pénibles, auxquels les païens se résignaient mal ; beaucoup apostasièrent avec autant de facilité qu'ils avaient accepté le baptême. Leur défection survécut aux jeunes princes, tués, dix ans après, sur les champs de bataille.

Tout semblait perdu. Laurent s'apprêtait à secouer la poussière de ses sandales et à rejoindre en Gaule Justus et Mellitus, en laissant ce peuple à son paganisme inguérissable, lorsqu'un jour il se présenta devant le roi, le dos tout marqué de stries sanglantes. Eadbald lui demanda qui avait bien pu traiter ainsi un homme de son rang. Alors, suivant le récit de Bède, l'évêque lui raconta que, la veille, il avait passé la nuit dans l'église de Saint-Pierre-et-Saint-Paul, pour recommander à Dieu son troupeau avant de le quitter. Saint Pierre lui apparut et le fouetta en lui demandant comment il osait abandonner le troupeau du Christ qui lui était confié, et quel pasteur en aurait soin quand viendraient les loups dévorants. Eadbald, frappé de ce prodige singulier, songea qu'il était cause des souffrances de l'évêque ; il abandonna sa femme et ses dieux et demanda le baptême.

Quel que soit le fondement réel de ces faits que nous raconte honnêtement, un siècle après, le vénérable Bède, il est certain que la conversion d'Eadbald fut complète et durable. Il rappela Mellitus et Justus. Ce dernier regagna Rochester ; mais les Londoniens refusèrent de recevoir Mellitus. Peu de temps après, à la mort de Laurent, il lui succéda sur le siège de Cantorbéry, en 619.

Mellitus mourut lui-même en 624, et Justus quitta Rochester pour occuper le trône archiépiscopal. Le Christianisme, non seulement voyait disparaître l'un après l'autre ceux qui l'avaient introduit en Angleterre, mais il s'affaiblissait lui-même et s'anémiait. L'Est-Anglie n'avait pas apostasié en masse comme l'Essex, mais ne valait guère mieux; le Kent restait fidèle, mais il avait perdu toute influence au dehors, l'Église y vivotait obscurément; par contre la croix allait se dresser en Northumbrie jusqu'alors délaissée.

II. Le Christianisme en Northumbrie : Edwin, Saint Aidan. — On a vu que deux royaumes avaient été fondés au nord de l'Humber : la Deira, au sud, occupait le Yorkshire actuel; l'autre, la Bernicie, s'étendait le long de la mer de la Tees au Firth of Forth. On se souvient que les jeunes esclaves rencontrés par saint Grégoire le Grand sur un marché de Rome étaient originaires de la Deira. A la mort du roi Aella, en 588, Aethelric, roi de Bernicie, s'empara de la Deira et en chassa le fils d'Aella, Eadwine. Son fils Aethelfrith fut le souverain redouté de la Northumbrie tout entière. Il écrasa, en 613, les Bretons à la bataille de Caërléon sur la Dee, près de Chester. Douze cents moines, disent les anciens récits, avaient suivi l'armée et priaient à haute voix pour le succès de leurs compatriotes. Aethelfrith demanda qui étaient ces hommes et ce qu'ils faisaient; quand il apprit qu'ils demandaient à Dieu la victoire : « S'ils crient contre nous vers leur Dieu, s'écria-t-il, ils nous attaquent quoique sans armes, et nous poursuivent de leurs prières hostiles. » Il les fit tous massacrer sans pitié avec le reste de l'armée. Ainsi se trouva réalisée la prophétie de saint Augustin de Cantorbéry aux moines de Bangor affirmant leur volonté de schisme, à la seconde conférence avec les chrétiens bretons.

Edwin ou Eadwine, qui était né en 585, fut élevé en exil à la cour de Cadvan, roi de Gwynedd (Galles du Nord); en 616, il passa chez Raedwald, roi d'Est d'Anglie, qui l'accueillit en promettant de le protéger contre la cruauté d'Aethelfrith. Deux fois, celui-ci envoya des messagers pour demander à Raedwald de mettre à mort le fils d'Aella. Le roi refusa. Une troisième fois, il le somma de lui livrer son hôte, moyennant une forte somme d'argent; sinon il porterait la guerre dans ses États. Le roi d'Est-Anglie, séduit par l'appât des richesses qu'on faisait miroiter à ses yeux, ou effrayé à la pensée d'affronter le redoutable Aethelfrith, promit de livrer le jeune prince. Edwin l'apprit par la confidence d'un ami et, pressé de fuir, il refusa, ne voulant pas faire au roi, qui jusque-là l'avait comblé de bienfaits, l'outrage de le considérer comme un hôte déloyal. Où irait-il, du reste; quel abri désormais pouvait lui offrir quelque sécurité? Edwin accepta de mourir pourvu que ce fût de la main du roi. Comme le soir était tombé, il restait seul, triste et découragé, assis sur une pierre devant le palais royal. Et voici que dans la nuit descendue un homme de haute taille se trouva soudain devant lui. — « Pourquoi, dit l'inconnu, demeurez-vous assis quand tout le monde dort? — Qu'est-ce que cela vous fait, répliqua Edwin, si je passe la nuit dehors ou non? » L'étranger lui dit qu'il connaissait la cause de son chagrin et il lui demanda ce qu'il ferait pour l'homme qui l'en déchargerait. Edwin répondit qu'il donnerait tout ce qu'il avait. — « Et s'il promettait que vous deviendrez roi, et que vous triompherez de vos ennemis, et que vous serez le plus grand roi de tous les Anglais? — Ma reconnaissance égalerait ses bontés. — Supposez qu'il vous demandât de suivre ses conseils, de mener une vie meilleure et plus heureuse que celle que vos ancêtres ou vos parents ont pu imaginer, lui obéiriez-vous? » Edwin promit de le faire et l'homme mystérieux posa sa large main sur la tête de l'exilé en disant : « Quand on vous fera ce signe, souvenez-vous de ce que vous venez de dire, et ne tardez pas à tenir votre promesse. » Et il disparut dans la nuit.

Edwin se demandait quel dieu tutélaire venait de lui tenir cet étrange discours, quand l'ami qui l'avait averti des desseins du roi vint lui dire que ce dernier, sur les remontrances de la reine, venait de renoncer à vendre son ami, à livrer son hôte et à perdre son honneur. Le jeune homme rentra au palais ; les messagers d'Aethelfrith s'en allaient porter au roi de Northumbrie la réponse de Raedwald. C'était la guerre. Le 22 avril 616, le roi d'Est Anglie et Edwin tombèrent à l'improviste sur leur ennemi, le tuèrent et massacrèrent son armée.

Cliché Mansell.

CATHÉDRALE D'YORK.

Edwin devint roi de Northumbrie ; il chassa vers le nord les fils d'Aethelfrith, et, pour se protéger contre les incursions des Pictes, fonda le château d'Eadwin, qui devint plus tard Edimbourg (Eadwinesburg).

Lui-même résida à York, que les Anglais appelaient Eoferwic. Sous l'occupation romaine Eburacum avait tenu rang de capitale. Grégoire ne l'ignorait pas puisque, selon ses plans grandioses, il l'avait désignée, avec Londres, pour être le siège d'une métropole ecclésiastique. Située au confluent de deux rivières, sur la route des armées et des négociants, au centre de l'Angleterre, elle était appuyée contre une forteresse qui avait été le camp des légions de Trajan. Septime Sévère en avait fait une grande ville, et Constance Chlore y avait établi sa résidence. C'est à Eburacum que Constantin avait été proclamé empereur ; plus tard, un de ses évêques avait assisté au concile d'Arles. Le dernier titulaire du siège, Tadioc, fuyant l'invasion teutonne, s'était réfugié, comme l'évêque de Londres, au pays de Galles. Eburacum était une ville ruinée, mais les colonnes encore debout, les murailles imposantes, les restes des temples et des palais étaient plus que suffisants pour arrêter longuement les regards et rappeler avec éloquence la majesté du nom romain.

Edwin régna sur toute la Northumbrie et sur la terre bretonne qui, vers l'ouest, s'étendait jusqu'à la mer d'Irlande. Il poussa sa conquête jusqu'à l'île de Man et celle d'Anglesea; à la mort de Raedwald il prolongea son empire sur une partie de l'Est Anglie. Le Wessex seul était resté fort, mais le Kent était bien tombé depuis le temps où Ethelbert était Bretivald du pays anglo-saxon. Edwin épousa la fille d'Ethelbert qu'Eadbald, frère de la jeune fille, lui accorda avec son alliance.

Ethelburga était chrétienne. Edwin, qui était païen, promit de respecter les croyances de la jeune femme, de favoriser la pratique de sa religion et même de s'y convertir si elle lui paraissait meilleure que la sienne propre. Le chapelain qui accompagna la reine était Paulin, un des missionnaires qui avaient accompagné Mellitus en 601. Paulin fut consacré par Justus le 21 juillet 625.

Durant les premiers temps, Paulin ne put que maintenir, au milieu des périls et des tentations qu'offrait une population idolâtre, la foi de ses compagnons. En 626 survint un différend entre Edwin et le roi du Wessex Cwichelm, qui régnait avec son père Cynegils. Edwin fut victorieux. Il avait promis à Paulin de servir le Christ si le Dieu des chrétiens lui donnait la victoire. Il avait déjà autorisé le baptême de sa fille Eanfled, il lui restait à tenir sa promesse pour son propre compte. L'analogie avec la situation qu'Augustin rencontra dans le Kent auprès d'Ethelbert est curieuse. Des deux côtés le prince est un homme réfléchi, à l'esprit ouvert, bienveillant, qui ne demande qu'à se soumettre à la vérité, si on peut la lui montrer avec évidence; il prend conseil de ses « hommes sages », il a subi l'influence discrète de sa femme déjà chrétienne. Devenu maître de presque toute l'Angleterre, Bretwald du pays anglo-saxon, Edwin devait se rappeler souvent la soudaineté presque miraculeuse de sa fortune, le rétablissement inespéré de ses affaires depuis le soir mémorable où, assis sur la pierre devant le palais de Raedwald, il avait appris, d'un mystérieux étranger, qu'il serait le roi le plus puissant de la terre anglaise. Mais cet étranger qui était-il? Edwin ne l'avait jamais revu. Un jour qu'il réfléchissait, solitaire, comme il aimait à le faire, à toutes ces choses inexplicables de son passé, à l'angoissante question de sa future religion, Paulin s'approcha de lui et, gravement, lui mit la main sur la tête : « Reconnaissez-vous ce signe? » lui demanda-t-il.

Le roi frémit, et était prêt à se jeter à ses pieds, quand Paulin le prit par la main et lui rappela la promesse qu'il avait faite quelques années auparavant. Edwin lui affirma sa volonté de tenir parole, mais il voulait, d'abord, réunir le conseil de ses guerriers et de ses sages, et, s'ils consentaient, tous ensemble recevraient le baptême chrétien.

Le *Witenagemot* se réunit auprès d'York, à Goodmanham, et le roi demanda à ses conseillers ce qu'ils pensaient de la nouvelle religion qui leur était proposée. Le premier qui prit la parole fut le chef des prêtres païens, Coifi; il fit, avec une crudité de termes un peu suspecte, le procès des dieux dont il était le ministre : « Il n'y a pas l'ombre de vrai, pas l'ombre d'utilité dans la religion que jusqu'ici nous avons professée... Si nos dieux valaient quelque chose, c'est moi d'abord qu'ils auraient récompensé... Si ce qu'on nous prêche semble, après examen, meilleur et plus solide, il faut l'accepter sans tarder... » Un noble se leva à son tour et tint, sous une forme charmante, un discours d'inspiration plus élevée : « Tu te souviens peut-être, ô roi, d'une chose qui arrive quelquefois dans les jours d'hiver, lorsque tu es assis à table avec tes comtes et tes thanes. Le feu flambe au milieu de la salle attiédie, pendant que font rage, au dehors, les rafales de pluie et de neige. Vient alors un passereau qui traverse la salle à tire d'aile; il est entré par une porte, il sort par une autre; ce petit moment, pendant lequel il est dedans, lui est doux, il ne sent point la pluie ni le mauvais temps de l'hiver; mais cet instant est court, l'oiseau s'enfuit en un clin d'œil, et, de l'hiver il repasse dans l'hiver. Telle me semble la vie de l'homme sur la terre, en comparaison du temps incertain qui est au delà. Elle apparaît pour peu de temps; mais quel est le temps qui vient après, et le temps qui est avant? Nous ne le savons pas. Si donc cette nouvelle doctrine peut nous apprendre quelque chose d'un peu plus sûr, elle mérite qu'on la suive. » Cette préoccupation de l'au-delà, cette inquiétude du mystère de la vie, de ses origines et de sa fin étaient habituelles chez ces peuples germains, elle se lisait au fond de leurs grands yeux bleus, Grégoire l'avait pressentie sur le marché d'esclaves, Augustin l'avait lue aussi sur le visage d'Ethelbert et de ses *witan* et c'est parce que le christianisme apportait à ces questions une réponse et des certitudes consolantes qu'il fut si facilement accepté par ces hommes inquiets et sérieux.

Paulin se leva alors; il était grand, mince, pâle, mais une flamme brillait au fond de ses yeux sombres, et quand il eut exposé et expliqué, aux regards attentifs et émus de ces grands enfants à la carrure athlétique, le message du Christ, le prêtre Coifi se levant de nouveau, se déclara convaincu de la vanité de sa religion. Il invita le roi à renverser les temples idolâtres, en adoptant la vérité que Paulin venait d'exposer, et qui leur apportait la vie et le bonheur éternels.

Edwin repartit pour York, il y fit élever une petite église de bois, où il fut catéchisé; et, le jour de Pâques, 11 avril 627, il y fut baptisé avec ses fils, sa femme et ses guerriers. Paulin entoura le pauvre oratoire d'une église de pierre dédiée à saint Pierre et qui devint plus tard le célèbre *Minster*, qui est une des gloires de l'Angleterre d'aujourd'hui. Il établit son siège à York.

La puissance d'Edwin grandit encore et s'étendit sur toute l'Angleterre; il fut reconnu Bretwald, et, d'une mer à l'autre, le nom du prince était unanimement respecté, depuis le Kent, où il n'imposa pas sa puissance parce que c'était le pays d'Aethelburgh, jusqu'au Wessex, l'Est-Anglie, la Mercie (pays des marches de Bretagne), les Galles et les îles, et jusqu'au pays des Pictes à l'extrême nord. Les routes redevinrent sûres comme au temps de l'occupation romaine, et, aux fontaines du chemin, nul n'aurait osé dérober les coupes de cuivre que le roi Edwin y avait fait placer pour la commodité des voyageurs. Le roi lui-même parcourait souvent le pays, car c'était alors l'usage d'aller consommer sur place le produit des domaines royaux. Paulin attaché à la personne du roi mena, lui aussi, avec la cour, une vie itinérante qui favorisa singulièrement ses prédications. Il introduisit l'évangile non seulement en Northumbrie mais en Deira, en Mercie et dans l'Est-Anglie par la conversion d'Earpwald (628), fils de Raedwald, et qui fut tué peu de temps après par un païen.

A la mort de Justus, archevêque de Cantorbéry, Paulin, devenu le seul évêque d'Angleterre, consacra, dans l'église toute récente de Lincoln, Honorius qui avait fait partie de la première mission envoyée par saint Grégoire. Vers cette époque, arriva auprès d'Honorius, pour l'aider à convertir les Anglais, un prêtre ou évêque burgonde appelé Félix. Il avait probablement subi, au monastère de Luxeuil, la rude discipline de saint Colomban, mais il s'était rallié à l'usage romain concernant la date de Pâques. A Luxeuil même, le successeur de saint Colomban, Eustathe, s'était aussi conformé à la pratique généralement adoptée dans l'Église occidentale. Sigbert l'accueillit de bonne grâce et lui donna pour cité épiscopale Dunwich, ville aujourd'hui disparue sous les flots de la mer. Sous son impulsion, des écoles se fondèrent qui affermirent la foi des nouveaux convertis et développèrent l'instruction chrétienne.

Quelque temps après, un moine irlandais nommé Fursy arriva dans l'Est-Anglie. Il était de noble naissance et petit-neveu de saint Brendan († 577) qui avait fondé le monastère de Clonfert. Fursy en avait lui-même élevé un autre en Irlande, mais plein de ce zèle apostolique et de ce goût pour les voyages, les conquêtes au dehors, les missions, qui caractérise beaucoup d'apôtres de ce pays à cette époque, il était parti pour l'Angleterre avec ses deux frères, un évêque et deux prêtres. Sigbert les reçut avec honneur. Leur ministère, comme celui de Félix, ne manqua pas d'être fructueux; mais bientôt il tomba malade et, pénétré du sentiment de la caducité et de l'incertitude des choses humaines, il bâtit un monastère pour s'y retirer. La vie monastique ne pouvant satisfaire complètement son désir de quitter le monde, il résolut de s'adonner à la vie érémitique, il quitta le monastère et se fit anachorète. Il avait eu des visions du ciel, du purgatoire et de l'enfer, il les mit par écrit, et ses histoires émouvantes d'anges et de démons ont nourri les imaginations pendant tout le moyen âge et inspiré la *Divine Comédie.*

La vie chrétienne continua de se développer en Northumbrie et dans tout le pays anglo-saxon d'une façon remarquable et presque miraculeuse. L'ascendant d'Ethelbert avait grandement favorisé l'œuvre d'Augustin et de ses compagnons, l'hégémonie exercée par Edwin protégea celle de Paulin. Mais la puissance politique restait fragile, et l'unité du royaume de Northumbrie était plus nominale que réelle. Tout à côté de lui, Edwin avait laissé se fortifier un petit royaume anglo-saxon installé dans la marche de Bretagne, la Mercie. Son roi, nommé Penda, regardait avec une ardente jalousie, inspirée par des vues religieuses aussi bien que temporelles, Edwin et son peuple. Les occasions de rivalité ne manquèrent pas : la puissance du roi chrétien et l'ambition effrénée de Penda devaient se heurter violemment. Ce dernier avait envahi le territoire du Wessex et conquis le pays des Hwiccas. Cadwallon de Gwynedd, le roi détrôné des Galles du nord, fit alliance, lui chrétien, avec le païen Penda pour venger la défaite qu'Edwin lui avait infligée. Edwin fut battu et tué dans une lande, au sud du Don, appelée Hatfield Chase ; et son armée fut mise en pleine déroute. Penda se contenta de sa victoire, mais le roi chrétien voulut faire payer cher aux Anglais l'antique dette que n'oubliait pas la tenace rancœur bretonne. Le pays fut pillé et ravagé. Tous ceux qui tombèrent entre ses mains furent torturés et tués impitoyablement sans distinction d'âge ou de sexe. Il voulait détruire jusqu'au nom détesté des Anglais.

A l'annonce de la défaite et de la mort du roi de Northumbrie, la reine Ethelburgh et Paulin s'enfuirent par la mer, vers le Kent d'où ils étaient venus, huit ans auparavant; l'une emmenant Eanflaed, son fils Wuscfrea et un petit-fils de son mari, l'autre emportant la croix d'or et le calice, trésors de l'évêque d'York. Ils furent reçus par le roi Eadbald et l'archevêque Honorius. Paulin accepta le siège vacant de Rochester. C'est là qu'il reçut, dans l'automne de 634, le pallium que le pape Honorius lui envoyait ainsi qu'à l'archevêque de Cantorbéry. Paulin, détrôné avant d'être promu, ne fut donc jamais, en fait, archevêque d'York. Il mourut à Rochester en 644. En même temps, arrivait de Rome à l'adresse d'Edwin, qui était allé chercher la récompense de son martyre, une lettre du pape le félicitant de ses efforts en vue de promouvoir la foi et le confiant à la garde de Dieu. La malheureuse reine de Northumbrie se retira pour y mourir dans un monastère qu'elle avait fondé à Lyminge. A ces calamités s'ajoutèrent la peste et la famine; la Northumbrie ruinée vit renaître les deux royaumes de Bernicie et de Deira, dont les rois chrétiens apostasièrent, ce qui ne les préserva pas d'être tués par Cadwallon. Cette année funeste est restée fameuse dans les annales de l'Angleterre.

Au milieu de ces troubles, de ces douleurs et de ces ruines, malgré les périls de tout genre, un homme de Dieu était resté fidèle au poste, après le départ de Paulin; il continuait de trouver que son devoir était de rester parmi les siens, quoi qu'il advînt : c'était le diacre Jacques. Il attendit une éclaircie, le règne des violents dure peu, et la paix commença de se rétablir. Le diacre Jacques était musicien, il enseigna aux Anglais les chants religieux que Grégoire avait mis en honneur et qu'on chantait à Cantorbéry depuis l'arrivée d'Augustin. Ainsi se maintinrent encore durant trente ans, en ce pays qu'on pouvait croire perdu, les traditions romaines.

Un des fils de l'ancien roi de Bernicie Aethelfrith et neveu d'Edwin, nommé Oswald, succéda à son frère l'apostat Eanfrith; il essaya de résister à Cadwallon. Il était chrétien et avait été baptisé à Iona. Il rencontra Cadwallon près d'Hexham, à Heavenfield, où les Bretons furent taillés en pièces. Cette victoire le mit en possession de toute la Northumbrie. La vie chrétienne, un moment obscurcie, reprit un nouvel éclat grâce au zèle des missionnaires scots venus d'Iona et d'Irlande, qui continuèrent, en les développant, les travaux apostoliques des successeurs de saint Augustin. Ce furent eux qui renouèrent la chaîne de l'unité romaine que l'invasion anglo-saxonne avait brisée et que, pendant trente-sept ans, Augustin et les missionnaires de Grégoire avaient vainement essayé de rétablir. Ceux-ci avaient, malgré cet échec partiel, accompli une grande œuvre et jeté les fondations d'une plus durable encore. Ils avaient créé des diocèses dont trois étaient encore florissants, à Cantorbéry, à Rochester et dans l'Est-Anglie, où Félix travaillait encore sous l'impulsion de l'archevêque. Le Kent et l'Est-Anglie étaient pratiquement convertis à la foi. Ailleurs, même en Essex, redevenu idolâtre, des témoins imposants de la foi reniée demeuraient encore, comme ses églises et l'abbaye fondée par Mellitus. La foi elle-même n'était pas éteinte dans les cœurs, elle couvait sous une épaisse couche de cendres. L'œuvre des missionnaires de saint Grégoire le Grand était loin d'être achevée, mais elle n'était pas perdue, elle était comme le grain de froment qui attend, enfoui au creux du sillon et presque mort, le soleil du printemps pour germer et grandir. La Mercie était demeurée tout à fait païenne. L'œuvre de christianisation restait à reprendre et à parfaire. Ce que les missionnaires romains ne pouvaient plus faire, ce que les Bretons ne voulaient pas faire, les Scots allaient l'accomplir avec le zèle entreprenant et l'enthousiasme de leur race.

Oswald, devenu roi de Northumbrie et Bretwald des Anglo-Saxons, eut à cœur de procurer à son peuple des missionnaires de l'Évangile; il s'adressa à l'abbaye d'Iona, où lui-même, autrefois, avait reçu le baptême. L'évêque, que la célèbre abbaye lui avait d'abord envoyé, revint découragé, déclarant qu'on ne pouvait rien faire de ces barbares. Le moine Aidan, pourvu de la consécration épiscopale, accepta d'évangéliser, vers 635, les barbares de Northumbrie.

Aidan ne fixa pas sa résidence à York, où le roi Oswald ne résidait pas d'une manière habituelle; il s'installa à Lindisfarne, l'île sainte. Lindisfarne n'est éloigné de la côte que de deux milles et, à marée basse, il est facile de s'y rendre à pied sur la grève de sable. L'abbaye qu'Aidan y établit était en vue de Bamborough où Oswald tenait sa cour, et cependant isolée du monde par ce modeste bras de mer. Elle était, en même temps qu'une abbaye, un séminaire d'apôtres, et l'évêque était abbé de ses moines et, ensemble, pasteur d'un vaste diocèse. On y menait la même vie qu'à Iona, sauf que l'abbé était évêque, alors qu'à l'abbaye-mère, il avait, quoique simple prêtre, des évêques qui exerçaient, sous sa juridiction, les fonctions proprement épiscopales. Les moines y chantaient l'office suivant une méthode qui n'est pas venue jusqu'à nous, s'adonnaient à la prière, à l'étude, et cultivaient les quelques kilomètres carrés de leur domaine.

Aidan prêcha avec succès la religion chrétienne au peuple de Bernicie et de Deira qui l'écoutait volontiers. Il baptisa, éleva çà et là des églises provisoires qui ne servaient au culte qu'au passage d'Aidan et de ses moines dont la prédication était forcément itinérante. Trop avisé et trop prudent pour se contenter de l'aide, si précieuse qu'elle fût, des religieux venus d'Iona, il s'attacha à former un clergé indigène à Lindisfarne même, où il créa une école, comme Félix en avait établi une à Dunwich et saint Augustin à Cantorbéry. Parmi les douze jeunes gens qu'il avait coutume de garder pour les former à l'apostolat, deux d'entre eux devinrent plus tard évêques.

Aidan convertit les païens autant par sa douceur et l'ascendant de sa vertu que par ses prédications. Méprisant les richesses du monde et ses faveurs, quoiqu'il fût l'ami du roi Oswald, il exerçait avec une large simplicité les règles de l'hospitalité si fort en honneur à Iona. Il distribuait avec la même charité les biens qu'on lui donnait et employait l'argent au rachat des esclaves. Il donnait l'exemple des plus rigoureuses pénitences, observant deux fois la semaine, sauf au temps pascal, un jeûne sévère jusqu'à la neuvième heure. Aux autres jours, suivant l'usage de saint Colomba, la nourriture était frugale et prise seulement après l'heure de none. Malgré cela, le tempérament extrême et changeant de sa race dominait en lui : bon pour les pauvres et les malheureux, il était terrible dans ses colères et se montrait rude aux pécheurs. Ainsi qu'à Iona, la prière ne cessait pas sur ses lèvres aux heures libres. Ses moines étaient, comme lui-même, fort dévots au psautier, qu'ils récitaient pendant le travail ou les longues marches. La vie active ne suffisait pas à son zèle; il recherchait parfois exclusivement la vie contemplative et se retirait en ermite dans la petite île de Farne, toute proche, pour méditer et prier.

Il observait la Pâque suivant la tradition celtique, non en esprit d'obstination ou par suite d'une tendance particulariste, mais pour suivre l'usage ancien et les traditions d'Iona. Il n'était, cependant, pas *quartodéciman* et célébrait la fête de Pâques non pas au jour d'incidence, mais le dimanche suivant, en l'honneur de la Résurrection de Notre-Seigneur et dans l'attente de la résurrection dernière qui devait, suivant une ancienne croyance, avoir lieu ce jour-là. Homme de Dieu, il était puissamment aidé dans son ministère par Oswald, qui était animé du même esprit profondément chrétien. Quand l'évêque, qui ne parlait que l'erse, arriva en Bernicie, ce fut le roi lui-même qui traduisit au peuple, en anglo-saxon, ses exhortations.

Le roi Oswald, à l'exemple des moines, se levait souvent la nuit pour se livrer à de longues prières, les deux mains élevées, suivant le geste des orantes. Bède en parle avec admiration et respect. Avare pour lui-même, il était large pour les pauvres et libéral pour le service de Dieu. Il éleva des églises, les enrichit, et termina le *minster* d'York commencé par Edwin et Paulin. Parfois Aidan s'asseyait à sa table, accompagné d'un ou deux moines, mais ils ne s'y attardaient pas et se levaient quand ils avaient pris une réfection suffisante.

Un jour, le dimanche de Pâques, on avait déposé devant le roi et l'évêque un plat garni de victuailles, au moment où tous deux y portaient la main, l'aumônier de la cour entra en disant que les pauvres gens du pays, assis dans la rue, imploraient la bonté du roi. Oswald ordonna alors de leur porter les mets de la table royale, et de leur distribuer les morceaux du plat d'argent qui les contenait.

Roi chrétien et roi puissant, Bretwald de toute la Bretagne, chef redouté des quatre nations — Bretons, Pictes, Scots et Anglais — il pratiqua autant qu'un homme de sa race et de son temps pouvait humainement le faire, les vertus que prêchait saint Aidan. Révéré de son vivant, il fut regardé par les Saxons comme un de leurs héros, et l'Église le vénère comme un saint.

Penda, qui régnait en Mercie, le craignait fort et le détestait davantage encore. Il aurait voulu étendre les limites de son empire et commença à envahir, vers 636, l'Est-Anglie. Le roi Sigbert s'étant fait moine, ses sujets allèrent le trouver et le supplièrent de se mettre à leur tête. Le religieux s'y refusa. Ils l'y contraignirent. Sigbert ne voulut pas porter les armes; il fut tué et son armée mise en déroute. Le nouveau roi, Anna, ne fut pas plus heureux, et fut aussi tué quelques années après, vers 640, lors d'une nouvelle incursion de Penda. Fursy quitta le pays et partit en Gaule où il fonda le monastère de Lagny-sur-Marne.

III. Les conversions en Wessex. — Ce furent, comme on l'a vu, des missionnaires romains qui prêchèrent dans le Kent et l'Essex; les Irlandais évangélisèrent à leur tour la Northumbrie après la mort d'Edwin et la fuite de Paulin. Le Wessex était resté païen; c'est de Rome, et directement cette fois, que le christianisme fut apporté en Wessex. Birinus était, dit une ancienne tradition, un moine de Saint-André du Cœlius; il obtint du pape Honorius une mission en Bretagne. Il y aborda, pourvu de la consécration épiscopale et sans désignation de siège, sur les côtes du Hampshire, au pays des Gewissae, qui étaient une tribu d'Anglo-Saxons.

Le roi Cynegils et ses thanes se convertirent vers 635. Bien plus, Cynegils s'allia à Oswald, et celui-ci épousa Cyneburgh, fille du Roi du Wessex. Cynegils fut baptisé par Birinus à Dorchester et Oswald fut son parrain. Cet événement offre un grand intérêt historique, car Cynegils fut le premier baptisé des princes de la maison royale qui devait pendant de longs siècles régner sur l'Angleterre : la maison d'Egbert et d'Alfred. Beaucoup de Saxons de l'ouest suivirent son exemple, notamment son fils Cwichelm, qui mourut peu après.

Cynegils mourut en 643; le fils qui lui succéda, Cenwalh, était païen et avait épousé une fille de Penda. Cenwalh une fois sur le trône, renvoya sa femme, et Penda irrité le chassa de son royaume. Le fugitif partit pour l'Est-Anglie, chez le roi Anna, où il se convertit et fut baptisé par saint Félix. Ayant, quelque temps après, recouvré ses possessions, il régna à Winchester, où il bâtit un monastère dédié à saint Pierre et saint Paul. Félix mourut en 647 et Birinus en 650.

Si puissant qu'il fût, Oswald n'occupait pas en Northumbrie une position de tout repos, car des ennemis l'entouraient qui ne cherchaient qu'une occasion favorable pour l'abattre, entre autres le farouche Penda, roi de Mercie. Celui-ci fit alliance avec Cadwalader, le fils de Cadwallon, et, le 5 août 642, il rencontra Oswald à Maserfelth, près d'Oswestry. La lutte était autant entre deux religions qu'entre deux princes. L'armée chrétienne fut écrasée par les païens et Oswald périt sur le champ de bataille. Les anciens ménestrels ont célébré la plaine fameuse de Maserfelth « toute blanche des ossements des saints ». Le roi de Northumbrie fut vénéré, au même titre qu'Edwin, comme un martyr et un saint, et son culte se répandit au loin jusqu'en Scandinavie et dans l'Italie du nord grâce aux missionnaires anglo-saxons du siècle suivant.

IV. Oswiu. — Son fils était trop jeune pour régner. Ce fut son frère Oswiu qui ceignit la couronne. Il était, comme Oswald, chrétien et pieux; il avait, comme lui, reçu le baptême à l'abbaye d'Iona. Son règne était mal assuré, car Penda dévastait le pays et assiégeait Bamborough. Ce péril écarté grâce aux prières de saint Aidan, un autre surgit, car il avait un rival et la Deira avait choisi comme roi Oswine, parent d'Edwin. Oswiu épousa sa cousine Eanflaed, fille d'Edwin et d'Ethelburgh et petite-fille, par conséquent, de la reine Berthe, reine du Kent, qui avait accueilli Augustin sur la terre saxonne.

Oswine fut très aimé en Deira, non seulement à cause de sa haute taille et de sa noble prestance, mais aussi à cause de sa bonté, de sa libéralité, de son humilité. Bède nous en fournit un vivant témoignage. Oswine avait donné à Aidan, pour faciliter ses courses apostoliques, un de ses chevaux préférés. Un jour, au cours d'un voyage, Aidan rencontra un mendiant et, touché de compassion, lui fit cadeau de son cheval et du harnachement royal. Oswine en fut vivement contrarié, il reprocha à l'évêque de s'être séparé du cheval dont il lui avait fait présent pour son usage personnel. — « Que dites-vous, roi? lui dit Aidan, ce fils d'une jument vous est-il plus cher qu'un enfant de Dieu? » Oswine ne répondit pas, et ils entrèrent dans la salle où ils devaient prendre leur repas. Aidan s'assit à sa place habituelle, Oswine restait debout devant le feu. Soudain, le roi détacha son épée et la donna à un de ses thanes, puis se jeta aux pieds d'Aidan en implorant son pardon, disant qu'il ne tenterait plus de s'opposer aux aumônes que l'évêque ferait, aux enfants de Dieu, des biens du trésor royal. Aidan le releva en l'assurant de son pardon, et l'on se mit à table. L'évêque, cependant, demeurait songeur et triste, une larme perlait à ses paupières; son compagnon, un moine irlandais, lui demanda en langue erse la cause de son chagrin. Aidan lui répondit qu'il était sûr que le prince ne vivrait pas longtemps, car il n'avait jamais vu un roi humble. Cette anecdote montre à la fois la sensibilité ardente du tempérament irlandais, l'empire que les apôtres de ce temps exerçaient, en ces contrées, sur leurs fidèles, et la foi profonde de ces derniers, si haut placés qu'ils fussent.

La rivalité entre les deux royaumes amena la guerre et Oswine fut tué à Gilling en 651, par un émissaire d'Oswiu. Il fut vénéré comme un saint. Aidan ne lui survécut que onze jours; il mourut à Bamborough sous une tente devant la petite église de bois. Il avait continué et mené à bon terme l'œuvre d'Edwin et de Paulin en Deira, et il avait implanté en Bernicie la religion chrétienne. Son apostolat fut aussi fécond que celui d'Augustin ; il fut continué après sa mort et s'étendit jusqu'au sud de l'Humber, dans tout le centre de l'Angleterre.

La vie chrétienne se fortifia en Est-Anglie et dans le Kent, où le roi Earconbert, fils d'Eadbald, faisait détruire les idoles et imposait, par des lois pénales, l'observation du jeûne en carême.

Ainsi, peu à peu, le christianisme, qui avait été parmi la masse des convertis un conformisme politique et souvent nominal, coexistant parfois avec les pratiques de l'idolâtrie, entrait dans les mœurs et pénétrait plus profondément dans les esprits. A la première assise

ALCLYDE
ABERCORN
EDINBURGH
TININGHAM
DUNBAR
COLDINGHAM
LINDISFARNE
MELROSE
YEAVERING
BAMBOROUGH
TWYFORD
S.T OSWALDS
GATESHEAD
BEWCASTLE
TYNEMOUTH
HEXHAM
JARROW
WEARMOUTH
FINCHALE
CARLISLE
WHITERN
HARTLEPOOL
GILLING
CATTERICK
STREANAESHALCH
(WHITBY)
LASTINGHAM
RIPON
HEALAUGH
YORK
TADCASTER
BEVERLEY
HATFIELD
BARROW
DONCASTER
AUSTERFIELD
LITTLEBOROUGH
STOW
LINCOLN
BARDNEY
REPTON
ELMHAM
STAMFORD
BURGH CASTLE
PETERBOROUGH
GALLES
LICHFIELD
LEICESTER
OUNDLE
ELY
DUNWICH
WORCESTER
RENDLESHAM
HEREFORD
HERTFORD
GLOUCESTER
HATFIELD
YTHANCEASTER
DORCHESTER
BARKING
RECULVER
MINSTER
AUST
LONDON
EBBSFLEET
TILBURY
BATH
BRADFORD
CHERTSEY
ROCHESTER
CANTERBURY
GLASTONBURY
WINCHESTER
LYMINGE
DOVER
FOLKSTONE
CORNOUAILLES
SHERBORNE
REDBRIDGE
BOSHAM
SELSEY
EXETER
LA HIERARCHIE
ANGLO-SAXONNE

du clergé romain, une autre s'était superposée, formée par le bas clergé indigène. Le premier évêque anglais fut Ithamar, consacré en 644 ; il occupa avec distinction le siège de Rochester. L'Église fondée par saint Augustin prospérait, mais ses réalisations étaient loin de répondre à la grandiose organisation qu'avait projetée saint Grégoire. L'autorité d'Honorius, archevêque de Cantorbéry, ne s'étendait pas au delà du Kent, et, quand il mourut, en 653, son siège demeura vacant pendant dix-huit mois. Ce n'est que le 26 mars 655 que fut consacré, par Ithamar seul, le premier archevêque anglais Frithonas, un Saxon du Wessex, sous le nom de Deusdedit.

En cette moitié du VIIe siècle, on peut dire que l'évangile avait été annoncé à peu près à toute l'Heptarchie anglo-saxonne. Toutes les tribus, sauf le Sussex, l'avaient accepté. La Mercie avait été longtemps rebelle, à cause de l'énergie intraitable de Penda. De ce côté aussi, le christianisme était sur le point de pénétrer, et comme dans le Kent et en Northumbrie, par l'entremise d'une femme.

En 653, le fils de Penda qui régnait, sous le contrôle de l'autorité paternelle, chez les Angles du centre (Leicestershire) vint à la cour d'Oswiu en vue d'épouser sa fille, issue d'un premier mariage et nommée Alchflaed. Oswiu déclara qu'il ne donnerait sa fille qu'à un chrétien. Peada se fit instruire et adhéra à l'Évangile, grâce à l'influence d'un autre fils d'Oswiu, nommé Alchfrith, qui était son beau-frère depuis qu'il avait épousé Cyneburgh. Peada fut si enthousiasmé de la beauté de la religion chrétienne qu'il se déclara prêt à embrasser le christianisme, même si Oswiu lui refusait sa fille. Baptisé par Finan, il épousa Alchflaed et retourna dans son pays avec quatre prêtres : Cedd, Adda et Betti, qui étaient Angles, et Diuma, qui était Scot. Ils y firent de nombreuses conversions, et la contagion s'en répandit jusqu'en Mercie ; Penda n'y mit pas d'obstacle. Après la mort de Peada, sous Wulfhere, l'évangélisation de la Moyenne Anglie se poursuivit pendant l'épiscopat de Diuma.

On se souvient que l'Essex était redevenu païen après l'expulsion de Mellitus. Le roi Sigbert, grâce aux exhortations d'Oswiu, se rallia à la foi nouvelle et fut baptisé à la cour d'Oswiu. Il repartit chez lui avec des prêtres parmi lesquels étaient Cedd et un autre. Saint Cedd fut, quelque temps après, consacré par Finan ainsi que deux autres Scots. Ils ne furent pas attachés au siège de Londres, mais suivant la coutume d'Iona, furent évêques de l'Essex, et résidèrent dans des monastères bâtis au bord de la mer.

CHAPITRE IV

LE CONFLIT ROMANO-CELTIQUE

I. Whitby. — Les relations que l'expansion missionnaire hibernienne amena entre les Celtes et les Anglo-Saxons christianisés par les missionnaires romains d'une part, et les rapports des chrétientés septentrionales avec celles du continent, si souvent visitées par les apôtres irlandais, mirent en évidence les divergences extérieures qui existaient entre le christianisme celtique et celui du reste de l'Église occidentale, qui obéissait à Rome. Ces divergences dont la plus importante, de beaucoup, concernait la fixation de la fête de Pâques, étaient fâcheuses, et provoquaient souvent des divisions, des conflits, parfois même des schismes. C'est que de cette date dépend tout le cycle des fêtes liturgiques et la forme elle-même de la prière. Elles n'intéressent pas la foi et sont purement extérieures, mais cette extériorité même, loin d'en voiler le caractère superficiel, non essentiel, ne faisait qu'afficher plus ouvertement ce qu'elles avaient de schismatique. On se rappelle les altercations violentes qui vurgirent entre saint Colomban et les évêques francs, et le pape lui-même ; le schisme non moins décidé entre le clergé breton et saint Augustin de Cantorbéry. Des querelles analogues éclatèrent souvent entre les Anglo-Saxons eux-mêmes, dont quelques-uns avaient adopté les usages romains, dans le sud et l'est, et les autres ceux d'Iona, apportés en Northumberland et dans le centre, par les moines missionnaires et saint Aidan. De cet isolement partiel de la chrétienté occidentale les Celtes sentaient eux-mêmes l'inconvénient. En 634, les Irlandais du sud se laissèrent persuader par le Scot Cummian d'adopter la réforme romaine ; mais ceux du nord, influencés par Iona, ne voulurent pas abandonner leurs traditions. Les esprits étaient montés : la routine et l'amour-propre, s'ils ne tenaient pas lieu d'arguments, n'en constituaient pas moins les plus solides raisons inavouées du maintien des anciens usages.

Sur ces entrefaites, Aidan mourut en 651 ; son successeur Finan fut un des évêques dépendant du monastère d'Iona. A son arrivée en Northumbrie, il retrouva la même atmosphère de lutte et le même esprit de contention qu'il venait de quitter dans son abbaye. Un Scot nommé Ronan, qui avait étudié en Italie et en Gaule, était passionnément convaincu de la nécessité de l'adoption de la Pâque romaine, et avait gagné à sa cause un bon nombre de partisans. Sarcastique et violent, bien loin d'amener Finan à partager ses idées, il ne fit, par l'ardeur intempérante de sa controverse, que l'ancrer plus désespérément dans ses traditions. Finan avait un autre adversaire : c'était, en Deira, le diacre Jacques, et, à la cour même, la reine Eanflaed et son chapelain Romanus, bien que le roi fût resté du parti des Scots. Finan n'avait pas hérité de la douceur et de la patience de son prédécesseur saint Aidan, et la querelle, sans devenir plus aiguë, n'en demeura pas moins vive jusqu'en 661.

Oswiu avait fait mettre à mort son parent Oswine, mais il s'en repentit et fonda un monastère à Gilling afin que des prières fussent dites pour le meurtrier et sa victime. Il favorisa la diffusion de l'Évangile parmi le peuple des Midlands (Mercie) et les Saxons de l'est, en y envoyant des Scots de race et de culture, formés à l'école de Lindisfarne, suivant la discipline d'Aidan, ou dans les écoles monastiques de Clonard, de Lismore et de Bangor d'Irlande, qui était alors la grande éducatrice religieuse, « l'île des Saints ».

Penda envahit de nouveau l'Est-Anglie en 654, battit et tua le pieux roi Anna. Il voulait surtout s'emparer de la Northumbrie. Oswiu menacé essaya d'acheter la paix à prix d'or; mais Penda, qui se sentait assez fort pour mettre lui-même la main sur les richesses qu'il convoitait, et pour réunir sous son sceptre la Bernicie et la Deira, en même temps que pour supprimer son rival, marcha contre lui avec l'aide de trente chefs venus de la Bretagne galloise et du pays des Pictes. Le roi de Mercie rencontra Oswiu le 6 novembre 655 à Winwaed, en Bernicie probablement. Il fut battu et tué. Avec Penda le paganisme, pratiquement, disparaissait en Angleterre.

Oswiu avait fait vœu, s'il remportait la victoire, de bâtir douze monastères, et d'offrir à Dieu sa fille Aelflaed qui venait de naître. Il tint parole. Il abandonna douze de ses domaines, six en Deira et six en Bernicie, et confia son enfant à Hilda, la petite-nièce d'Edwin, qui avait été consacrée à Dieu par saint Aidan et dirigeait un monastère à Hart's Island (Hartlepool).

Hilda fonda, vers 657, à Whitby (ou Streaneshalch), un monastère dont Aelflaed, qui l'y suivit, devait, après Hilda, devenir l'abbesse. Et ici nous touchons à l'une des singularités de la vie monastique celte. On a vu qu'à Iona les abbés-prêtres avaient sous leur juridiction des évêques. Hilda était abbesse d'un monastère double composé d'hommes et de femmes. Les monastères de ce genre ne sont pas d'origine irlandaise, on en trouvait en Gaule franque à Sainte-Croix de Poitiers, sous sainte Radegonde, à Remiremont en Gaule belgique, en Espagne, en Italie, à Rome même. Ils remontent aux origines du monachisme avec saint Pacôme. Ils dérivent, non d'un calcul humain, mais d'un désir de haute émulation spirituelle. C'est très probablement de Gaule que l'institution des monastères doubles s'introduisit en Angleterre. L'abbesse était la « Dame » qui gouvernait les deux maisons; elle nommait le prieur qui commandait directement aux hommes.

Quelquefois, ils se réunissaient dans la même église, ils avaient toujours des cimetières distincts. Aucun homme ne pénétrait dans le monastère des femmes, sauf pour exercer les fonctions proprement sacerdotales. Généralement, l'abbesse ne communiquait avec les moines que par une fenêtre, sauf à Whitby, où elle leur enseignait l'Écriture Sainte. Ainsi en Angleterre l'influence de la femme chrétienne continuait de s'exercer heureusement en faveur de la religion. On se souvient du rôle qu'elle joua dans la conversion des princes saxons, elle le transporta hors du cadre de la famille, dans celui de la cité, mais d'une cité monastique qui comprenait à la fois des couvents et des églises, des écoles, des ateliers, un hôpital et des terres avec leurs serfs et leurs tenanciers. L'abbesse possédait tout un peuple d'hommes-liges, nommait aux bénéfices ecclésiastiques, rivalisait souvent avec les évêques et traitait parfois d'égal à égal avec les rois. Auprès d'elle, petits et grands venaient prendre conseil, attirés par la renommée de sa sagesse et de sa piété. A Whitby, Hilda dirigea ses monastères avec une grande prudence, beaucoup de moines reçurent la prêtrise et cinq d'entre eux devinrent évêques. C'est, disons-le en passant, de Whitby que sortit le père de la poésie anglaise : Caedmon, le petit berger de Northumbrie († 680).

Il ne savait pas improviser sur la harpe aux jours de fête, comme ses compatriotes, les chants dont les Anglo-Saxons étaient friands ; aussi s'éloignait-il avec tristesse de ces réunions joyeuses où il n'y avait point pour lui de place honorable. Un soir donc, retiré dans son étable, il s'était endormi auprès de ses paisibles animaux, lorsqu'il entendit en songe une voix qui lui dit : « Caedmon, chante-moi quelque chose. » Il répondit : « Je ne sais pas chanter, c'est pourquoi j'ai quitté la fête. » La voix reprit : « Chante-moi tout de même quelque chose. — Que faut-il chanter? — Chante-moi la création du monde. » Et le petit berger devenu poète improvisa un beau poème en vers fluides et gracieux. A son réveil il se rappela les événements de la nuit. Hilda apprenant la merveille le mit à l'épreuve et l'admit parmi ses moines. Bède, qui nous raconte ce fait, nous a laissé de sa mort un récit tout aussi charmant. Le moine-poète mit en vers l'Exode et la Genèse et d'autres passages de l'Écriture ; on se les passait de monastère en monastère, toute l'Angleterre les chanta, ils sont aujourd'hui perdus.

Par la victoire de Winwaed, Oswiu s'assura la suprématie en Angleterre. Il porta probablement, comme Edwin et Oswald le titre envié de Bretwald. Son pouvoir s'exerça soit directement, soit indirectement, non seulement sur le Northumberland mais sur le pays des Pictes, la Cambrie, la Deira, la Mercie, le Lindsey (Lincolnshire), l'Est-Anglie et l'Essex.

II. Saint Cuthbert et Wilfrid. — Une nuit d'été, un jeune berger anglais, qui gardait ses troupeaux sur la lande de Lammermuir, aperçut des anges qui emportaient au ciel l'âme d'un bienheureux, au milieu des cantiques et des chants de triomphe. L'enfant se demandait qui pouvait bien être le saint qui entrait ainsi dans la gloire de Dieu. Il apprit peu de jours après que, cette nuit-là même, Aidan le doux avait rendu son âme auprès de l'église de Bambocough.

A quelques années de là, Eata, abbé de Melrose, « le plus doux et le plus simple des hommes », au témoignage de Bède, et qui avait été le disciple d'Aidan à Lindisfarne, partit avec quelques moines pour assurer la fondation du monastère de Ripon, sur la demande d'Alchfrith, vice-roi de Deira. Il emmenait parmi ses compagnons le jeune Cuthbert, un moine d'une piété exemplaire, actif, adroit, zélé, humble aussi, menant une vie de rudes pénitences, mais cependant toujours affable et gai. C'était l'ancien petit berger de Lammermuir que la vision d'une nuit d'été avait conduit à l'abbaye de Melrose.

Alchfrith voulait établir en Deira la Pâque romaine. Eata qui gardait les usages celtes et portait sur le devant de la tête la tonsure des Scots, ne voulut pas abandonner les traditions de sa race et quitta le monastère avec Cuthbert pour retourner à Melrose. Dans cette affaire, Alchfrith était conseillé par Cenwalh du Wessex et surtout par Wilfrid.

Né en 634, l'année funeste qui avait marqué la mort d'Edwin, la peste et la guerre, Wilfrid était de noble lignée, intelligent et beau, adroit au maniement des armes et cavalier accompli. Ses manières étaient courtoises et, comme sa figure était avenante, il voyait tous les visages lui sourire et les cœurs s'ouvrir devant lui. Tous — sauf celui de sa belle-mère qui le détestait. L'enfant qui avait le cœur tendre n'était pas heureux, et, vers l'âge de quatorze ans, il exprima le désir d'entrer dans un monastère. Son père l'envoya à la cour d'Oswiu où il plut, par ses bonnes grâces et son naturel foncièrement loyal, à la reine Eanflaed. Comme un des personnages de la cour, devenu vieux et paralysé, voulait finir ses jours sous la robe du moine, la reine envoya Wilfrid à Lindisfarne avec le vieillard pour l'assister et veiller sur lui. Il y fut aimé et, sans cependant y recevoir la tonsure, il y accomplit tous les devoirs du novice et y fit ses études, apprenant le psautier par cœur dans la version de saint Jérôme.

En 653, il partit faire le pèlerinage de Rome en compagnie de Benoît Biscop, un des thanes d'Oswiu, qui, connu alors sous le nom de Baducing désirait, lui aussi, se faire moine. A Lyon, l'archevêque Annemund qui l'accueillit, lui offrit de l'adopter comme son fils et de lui donner sa nièce en mariage. Wilfrid refusa et continua son voyage vers Rome. Là il fut mis au courant de la question de la Pâque qui était encore, dans quelques contrées, matière à controverse, et se familiarisa avec la règle monastique que saint Benoît avait rédigée pour ses religieux du Mont Cassin et qu'Augustin avait apportée à Cantorbéry, mais qui était inconnue en Northumbrie, où l'on suivait les usages d'Iona et des moines irlandais.

Après avoir été reçu par le pape Eugène Ier, Wilfrid partit pour Lyon où il fut tonsuré par l'archevêque. Celui-ci fut décapité à Chalon-sur-Saône le 27 septembre 658, et Wilfrid faillit subir le même sort. Rentré en Angleterre, il revint auprès du roi Alchfrith à qui il fit partager ses idées « romaines ». On a vu comment, vers 661, il expulsa du monastère de Ripon Eata, Cuthbert, et les religieux qui ne voulaient pas renoncer aux coutumes d'Irlande. Ce fut Wilfrid qui recueillit l'abbaye. Ce fut aussi vers cette époque qu'il reçut le sacerdoce des mains d'Agilbert, évêque du Wessex et successeur de Birinus, alors de passage en Deira. Grâce à son influence, à celle du roi et du diacre Jacques, la plupart des chrétiens de la Deira adoptèrent les usages de la catholicité occidentale.

En Bernicie, on y tendait visiblement. Oswiu, formé à Iona, tenait pour les usages celtiques que prônait Colman, le successeur de Finan; mais sa femme Eanflaed préférait ceux de Rome. Ainsi, la discorde était dans la maison du roi comme dans le royaume lui-même, et si l'esprit de famille courait le risque de s'affaiblir, l'unité politique n'était pas moins en danger, car tandis que les uns célébraient les fêtes de Pâques, d'autres gardaient les jeûnes rigoureux de la Semaine Sainte. C'est pourquoi, sur le conseil d'Agilbert[1], les rois de Bernicie et de Deira décidèrent de discuter les questions en litige dans une conférence tenue à Whitby en 664, pour décider ce qu'il fallait suivre, Rome ou Iona.

III. La Conférence de Whitby. — A la conférence de Whitby, les deux rois Oswiu et Alchfrith étaient entourés de religieux, de prêtres et de laïques. Agilbert, Wilfrid, le diacre Jacques, Romanus et Tuda, qui avaient reçu la consécration épiscopale dans l'Irlande méridionale, tenaient pour les usages de Rome. L'évêque Colman de Lindisfarne et son clergé, l'abbesse Hilda et ses moines, l'évêque Cedd de l'Essex, étaient partisans des traditions d'Iona.

Oswiu ouvrit les débats en montrant les bienfaits de l'unité et l'utilité de discerner la vraie tradition parmi les deux qui étaient en présence. Colman prit d'abord la parole et

1. Agilbert, évêque de Dorchester, devint évêque de Paris en 666.

affirma que sa tradition reposait sur la coutume des supérieurs qui l'avaient envoyé en mission et finalement sur l'autorité de saint Jean. Oswiu se tourna alors vers Agilbert et lui demanda de faire connaître les raisons qui appuyaient sa façon de faire. L'évêque de Dorchester qui, d'origine franque, parlait avec difficulté la langue anglo-saxonne, demanda qu'il fût permis à Wilfrid de parler en son nom. Sur l'autorisation d'Oswiu, Wilfrid dit que lui et ses amis observaient la fête de Pâques comme on le fait à Rome, où les bienheureux apôtres Pierre et Paul ont prêché et ont souffert, où reposent leurs corps, comme on le fait aussi en Afrique, en Asie, en Égypte, en Grèce et partout dans l'Église, sauf chez ces gens et leurs partisans, les Pictes et les Bretons, qui ne sont qu'une partie des habitants de quelques îles perdues, qui veulent s'insurger contre le monde entier.

A ce coup droit et si rudement porté, Colman s'étonna qu'on osât parler avec tant de désinvolture du disciple que Jésus aimait. Wilfrid répliqua que saint Jean avait sans doute de bonnes raisons d'observer la fête de Pâques le quatorzième jour du premier mois de l'année, que ce jour tombât ou non en même temps que la Pâque juive, précisément afin d'éviter de peiner les Juifs convertis. Pierre, continua-t-il, quand il prêcha à Rome, tout en ne célébrant pas la Pâque (d'accord en cela avec saint Jean), avant le lever de la quatorzième lune, au soir, l'aurait célébrée le lendemain, si ce jour était un dimanche, comme nous le faisons nous-mêmes, sinon il l'aurait célébrée le dimanche après, jusqu'au vingt-et-unième jour. Mais vous, vous ne suivez ni Jean, ni Pierre, ni la Loi, ni l'Évangile.

Colman en appela à un canon, inexistant, d'Anatolius évêque de Laodicée en 270; et enfin à l'autorité de Colomba et de ses successeurs, hommes chéris de Dieu, doués du charisme des miracles, qui n'auraient certainement pas agi contrairement aux Écritures: car ils étaient des Saints, dont il voulait suivre les traces.

Wilfrid, sans révoquer en doute l'autorité d'Anatolius, tenta de mettre son comput en harmonie avec celui de Rome. Quant à Colomba et à ses successeurs, sans nier qu'ils fussent de saints personnages, il déclara qu'ils manquaient d'instruction, sans qu'on pût les en blâmer pour autant, mais ce qui n'autorisait pas qu'on suivît aveuglément leur avis. Mais à supposer, continua-t-il, que Colomba soit un saint, un thaumaturge, s'ensuit-il qu'on doive le préférer au Prince des apôtres, à celui à qui le Seigneur a dit : « Tu es Pierre et sur cette pierre je bâtirai mon Église et les portes de l'enfer ne prévaudront point contre elle »; et « Je te donne les clefs du royaume des cieux? » — « Est-il vrai, Colman, demanda le roi Oswiu, que le Seigneur a dit cela à Pierre? — C'est vrai, ô roi, répondit-il. — Colomba a-t-il jamais reçu en partage pareille autorité? — Non. — Êtes-vous tous deux d'accord pour admettre que Pierre a reçu les clefs du royaume des cieux? — Oui, répondirent les deux champions. — Dès lors, dit le roi, ce n'est pas à moi de décider contre celui qui garde la porte des cieux, de peur que quand je m'y présenterai, celui qui en tient les clefs ne veuille pas m'ouvrir. »

La question de la tonsure tourna aussi contre les Scots, et Colman battu quitta Lindisfarne avec ceux de ses moines qui étaient Scots, et reprit le chemin d'Iona, en emportant une partie des ossements de saint Aidan. Peu après Cedd, Eata, Cuthbert et leurs disciples abandonnèrent l'usage des Irlandais et rejetèrent définitivement l'obédience d'Iona.

Il ne serait pas plus juste de mépriser l'effort généreux des moines missionnaires d'Iona que de diminuer l'entreprise d'Augustin et de ses compagnons en la comparant aux apôtres de Lindisfarne. Les seconds ont continué avec un zèle égal et dans des circonstances différentes, l'œuvre des premiers. Pendant vingt-neuf ans Aidan et ses Scots ont mené à bonne fin l'œuvre de Paulin le Romain, ils ont poursuivi l'évangélisation de la Northumbrie, et, entre la mort de saint Aidan et la décision de Whitby, converti les Midlands et ramené à la vraie foi les apostats de l'Essex. Les Scots étaient des saints dans le sens large où le peuple emploie ce terme, tendant avant tout à promouvoir le règne de Dieu, méprisant ce que le monde recherche : le plaisir, la puissance et la richesse sous toutes ses formes. Quand il les rencontrait sur les routes, le peuple s'approchait d'eux avec respect et leur demandait une bénédiction, et, quand ils montaient sur une pierre pour annoncer l'évangile, les foules accouraient pour les entendre. Quand les moines irlandais quittèrent Lindisfarne pour rentrer dans leur pays, ils n'emportèrent que les reliques de leur ancien abbé, et ceux qui vinrent après eux ne trouvèrent pour toute richesse qu'une église et de pauvres huttes de terre. Admirables apôtres, pratiquant avec l'ardeur excessive de leur tempérament et de leur race les vertus ascétiques, ils étaient plus faits pour lancer un mouvement que pour l'entretenir et l'organiser. Il était nécessaire que vînt la rupture avec Iona : car le régime d'Iona trop centralisateur ne favorisait pas suffisamment l'autonomie des provinces et l'organisation en diocèses indépendants, il écartait surtout ces chrétientés d'Outre-mer du centre de l'Église, de l'Église mère. C'est Rome qui avait, par les soins de Grégoire, apporté l'Évangile au peuple anglo-saxon, c'est Rome qui lui avait donné, prématurément du reste, une hiérarchie organisée, sage et viable; c'est Rome seule qui pouvait assurer la continuité de la culture, l'orthodoxie dogmatique, l'unité dans la discipline, une sage modération dans la pratique de l'ascétisme; c'est Rome seule qui pouvait réintégrer l'Église d'Angleterre dans le corps de l'Église universelle. L'année 664 marque donc pour elle le commencement d'une ère nouvelle, et d'un nouveau progrès dans la vie chrétienne. A ce moment la Northumbrie, les Midlands, la Mercie étaient converties, le Wessex était isolé, le Kent et l'Est-Anglie continuaient de vivre sous le régime inauguré par Augustin de Cantorbéry, le Sussex et l'île de Wight attendaient leurs missionnaires. C'est de Rome que devait venir le ciment qui unirait ces matériaux disparates et terminerait l'édifice de l'Église d'Angleterre.

CHAPITRE V

LA SECONDE MISSION ROMAINE : THÉODORE DE TARSE

I. L'Angleterre avant Théodore de Tarse. — Pendant la peste qui exerça, pendant près d'un quart de siècle, de 664 à 688, d'immenses ravages en Angleterre, Cuthbert succéda à Boisil comme prieur du monastère de Melrose. Il continua comme ses prédécesseurs l'œuvre d'évangélisation du pays, parcourant les landes et les collines, visitant les villages écartés, ceux surtout où la foi vacillante laissait plus facilement s'introduire, dans les mœurs des pauvres gens décimés par la peste noire, les pratiques de la sorcellerie et de la magie du vieux paganisme renaissant. Sa vie de prière et de mortification était, à elle seule, une puissante prédication. Une nuit, raconte Bède, à Coldingham, un des moines le vit sortir et demeurer toute la nuit debout, immergé jusqu'au cou dans les eaux de la mer, et y réciter le psautier à l'exemple de saint Colomba. Et quand à l'aurore, il revint sur le rivage, deux phoques le suivirent et lui caressèrent les pieds comme pour les sécher, jusqu'à ce qu'il les congédiât avec sa bénédiction.

L'Essex redevenu païen fut de nouveau ramené à la foi chrétienne par l'évêque Jaruman. Quand Tuda évêque de Northumbrie fut, lui aussi, emporté par la peste, ce fut Wilfrid qui fut désigné pour lui succéder. Il ne voulut pas recevoir la consécration épiscopale des évêques réfractaires aux idées romaines, et qu'il regardait comme schismatiques ; il partit pour la Gaule. Douze évêques, dont Agilbert, lui imposèrent les mains, vers 664 ou 665 à Compiègne. Mais Oswiu, qui avait confié la Deira à Alchfrith, la reprit sous son autorité immédiate, et le siège d'York fut donné à Ceadda (saint Chad), abbé de Lastingham, à la place de Wilfrid, resté en Gaule, et qui ne paraissait pas pressé de retourner en Northumbrie. Ceadda, qui avait adopté les usages romains, partit pour se faire consacrer à Cantorbéry, mais le siège était vacant — il devait le rester quatre ans — par la mort de l'archevêque Deusdedit, que la peste avait tué ; il partit donc pour Winchester, qui était le siège de l'évêque de Wessex, Wine. Celui-ci ne crut pas pouvoir, pour observer les prescriptions canoniques, se passer de la présence de deux évêques assistants et fit appel à deux [prélats bretons, restés fidèles aux usages celtiques. Ainsi Ceadda fut consacré par un intrus, Wine (car Cenwalh l'avait substitué à Agilbert en scindant, sans l'aveu de l'évêque, le siège de Dorchester) et deux évêques regardés comme schismatiques par Wilfrid. Cette association des deux rites montre assez bien l'évolution des esprits vers la pacification et une compréhension plus large des différences encore existantes entre les chrétientés bretonnes et les chrétientés anglo-romaines.

Quoi qu'il en soit, Ceadda reprit le chemin de Northumbrie et occupa le siège primitivement destiné à Wilfrid. Celui-ci, ignorant ce qui s'était passé, quitta la Gaule avec ses prêtres et une centaine de serviteurs. Le navire qui les portait fut jeté par une tempête sur la côte du Sussex. La population païenne les accueillit comme un butin envoyé du ciel. Elle s'empara des hommes pour s'assurer des richesses que portait le navire. En vain Wilfrid offrit de payer une rançon, les pirates préféraient le tout à une partie des biens de leurs prisonniers. Une bataille s'ensuivit entre naufragés et naufrageurs. Les chrétiens parvinrent à se dégager et à rejoindre leur bateau que la marée remit à flot, et la colonie reprit la mer. Wilfrid et ses compagnons débarquèrent enfin sains et saufs à Sandwich. L'évêque, apprenant qu'il avait perdu son siège se retira dans son abbaye de Ripon; il fonda le monastère de Lichfield et continua l'évangélisation de la Mercie et du Kent pendant la vacance du siège de Rochester.

Celui de Cantorbéry était toujours vacant; en 667 Oswiu de Northumbrie et Egbert roi du Kent tombèrent d'accord pour donner un successeur à l'archevêque Deusdedit. Ils choisirent un prêtre de Cantorbéry, nommé Wighard, qu'ils envoyèrent à Rome avec des présents pour demander au pape de le consacrer comme archevêque de l'Église des Anglais. Cette démarche est caractéristique à la fois de l'unité, non encore politique, mais religieuse, que le christianisme avait donnée aux peuples anglo-saxons, et tout autant des sentiments de filiale dépendance qui reliaient cette chrétienté lointaine et isolée au centre de l'Église du Christ. Ce besoin de reprendre contact avec l'Église mère et maîtresse et avec le pape, nous en retrouverons un témoignage non moins frappant dans l'habitude, nous pourrions dire la passion — quelquefois excessive — des pèlerinages au tombeau des Apôtres.

Wighard mourut à Rome de la peste. Le pape Vitalien écrivit à Oswiu pour lui faire connaître qu'il cherchait quelqu'un qui pût lui être envoyé comme archevêque et, tout en félicitant le roi et sa femme Eanflaed de leur zèle pour la foi, il leur recommandait de poursuivre leur œuvre d'unification disciplinaire. Nous ne possédons pas la lettre d'Oswiu, mais il ressort du ton et des dispositions de la lettre pontificale que le pape Vitalien, en nommant un archevêque sans en référer au roi de Northumbrie, ne faisait que se conformer à ses désirs implicites.

Le pape jeta son dévolu sur un africain, Hadrien, qui était abbé d'un monastère près du Mont Cassin. Hadrien refusa et proposa finalement Théodore de Tarse, qui fut nommé pour succéder à Deusdedit. Né à Tarse en Cilicie, âgé de soixante-cinq ans, il avait étudié à Athènes, possédait une vaste culture et jouissait d'une haute réputation de science et de sainteté. Il était moine et non encore dans les ordres sacrés. Il fut ordonné sous-diacre en novembre 667 et fut consacré par Vitalien à Rome, le 26 mars 668.

Il se mit en route le lendemain, en compagnie d'Hadrien, qui avait promis de lui servir d'assistant et de conseiller, et de Benoît Biscop qui en était à son second voyage à Rome. En passant par Paris il rencontra Agilbert avec qui il passa la saison d'hiver, et auprès de qui il s'informa de l'état des choses en Angleterre. Au printemps, il partit seul pour rejoindre son poste par le port de Quentovic (aujourd'hui Étaples), et arriva à Cantorbéry le 27 mai 669, où Hadrien le rejoignit.

Une œuvre considérable à accomplir attendait le nouvel archevêque. L'Église d'Angleterre manquait d'unité, non seulement à cause de l'état de schisme où l'avait plongée la sécession des Celtes, non seulement à cause de la double obédience de Cantorbéry et d'Iona, mais à cause de l'organisation singulière des missions celtes, dépourvues, non d'évêques, mais de vie diocésaine. L'évêque n'exerçait que les fonctions pontificales, il n'était ni attaché à un siège, ni chef unique de ses fidèles comme dans le reste de la chrétienté. Il était, comme délégué d'Iona, évêque d'un pays, quelquefois considérable, et trop vaste pour être utilement gouverné par un seul homme. Il n'y avait, quelque temps après l'arrivée de Théodore, que trois évêques en Angleterre : Wilfrid dépossédé de son siège que Ceadda occupait, et Wine qui, rejeté par Cennalh, s'était procuré le siège de Londres. L'Église manquait également d'une législation propre, d'un code qui fût distinct de celui des différents royaumes où elle était reçue et protégée, et qui contînt dans des limites raisonnables l'ascétisme excessif du monachisme scotique.

II. L'œuvre de Théodore de Tarse. — Le premier soin de Théodore fut de parcourir le pays des Anglais chrétiens, en compagnie d'Hadrien, pour se rendre compte de l'état des esprits et des choses. Venu de Rome, parlant au nom du Souverain Pontife, se recommandant aussi par ses hautes qualités personnelles, il fut facilement écouté comme le chef de l'Église d'Angleterre. Qu'il fixât les règles de la vie chrétienne ou la date à laquelle on devait partout célébrer la fête de Pâques, qu'il consacrât des évêques, comme Bise à Dunwich en Est-Anglie, et Putta à Rochester, qu'il demandât même la démission de Ceadda, dont il croyait la consécration invalide, il était partout reçu avec obéissance et respect. Ceadda répondit humblement : « Si vous savez que j'ai reçu l'épiscopat irrégulièrement, je suis prêt à le résigner, car je ne m'en suis jamais cru digne, et je ne l'ai accepté que par obéissance. » Ému de cette réponse, Théodore lui proposa de renouveler ses ordinations et sa consécration et Ceadda se retira dans son monastère de Lastingham, tandis que Wilfrid prenait possession de son siège d'York. Peu après, Ceadda, après une nouvelle réception des ordres, succéda à Jaruman comme évêque de Mercie et de Lindsey. Il fixa son siège à Lichfield. Il y mourut le 2 mars 672. Il avait gardé la coutume des Scots d'aller à pied; mais son diocèse était vaste. Théodore lui conseillait de monter à cheval, et comme le bon saint s'y refusait, l'archevêque le prit à bras le corps et le mit en selle.

En deux ans, Théodore avait rétabli l'épiscopat en Angleterre et fermement posé sa propre autorité. Il créa à Cantorbéry des écoles où les clercs venaient apprendre, de la bouche même de leur archevêque, l'Écriture, la musique, la poésie, l'arithmétique et l'astronomie, si utile pour fixer le comput pascal et les époques de l'année liturgique. Il y enseigna même la médecine, une médecine un peu singulière où l'on affirmait, par exemple, qu'il était dangereux de saigner un malade dans le cours de la lune et de la marée. Hadrien fut le chef de l'école de Cantorbéry, et introduisit la culture latine et grecque, non celle plus bâtarde du peuple des pays romanisés, mais celle de la période classique ou postclassique, plus authentique et plus pure. Le latin fut appris comme une langue morte, et écrit ou parlé avec une pureté relative. Ce furent les disciples d'Hadrien qui apprirent le vrai latin aux Francs, aux Germains et même aux Italiens.

Le 24 septembre 673, Théodore réunit un synode à Hertford : quatre de ses six suffragants y étaient présents, et nombre de clercs y assistaient, sans avoir part à ses délibérations. Il s'agissait de prendre d'un commun accord des mesures destinées à régulariser la vie religieuse, qui avait été non pas négligée, mais abandonnée au caprice ou à la bonne volonté de chacun. Neuf canons furent adoptés en vertu desquels :

1° La fête de Pâques serait célébrée le dimanche après le quatorzième jour de la lune.

2° Chaque évêque devait demeurer dans les limites de son diocèse.

3° Aucun évêque ne pouvait s'immiscer dans la vie des monastères ou les priver de leurs biens.

4° Aucun moine ne pouvait quitter son monastère sans la permission de son abbé.

5° Aucun clerc ne devait quitter son diocèse sans lettres de son évêque, et devait y revenir quand il y serait rappelé, sous peine d'excommunication.

6° Les évêques et les prêtres étrangers ne pouvaient célébrer dans un diocèse sans la permission de l'évêque.

7° Il devait se tenir une fois par an pareil synode à Clovesho.

8° Parmi les évêques la préséance serait déterminée par la date de consécration.

9° Seul le mariage légitime était autorisé. L'inceste était défendu, et un homme ne pouvait quitter sa femme hormis le cas de fornication, et celui qui l'avait répudiée ne pouvait se remarier.

Théodore aurait voulu provoquer la formation de nouveaux diocèses, mais la discussion ne fut qu'amorcée, et toute résolution en cette matière fut remise à une date ultérieure. Les synodes épiscopaux ne furent pas réunis avec la régularité que le septième canon avait envisagée, à cause des dissensions politiques entre les royaumes; mais le principe était posé, et Clovesho devint un centre de réunions ecclésiastiques.

Il y eut aussi, dans la suite, après le développement de la hiérarchie, d'autres assemblées religieuses soit dans les diocèses soit dans les provinces. Quelquefois même elles se confondaient avec les *Witenagemot* où, du reste, les clercs occupaient souvent une place prépondérante. Ces assemblées mi-religieuses mi-civiles se tenaient en présence des rois, des nobles, et des officiers de la cour, qui prenaient part aux délibérations, ou du moins les appuyaient de leur assentiment.

En 673, Bise résigna son évêché d'Est-Anglie et Théodore le scinda en deux : le Norfolk avec son siège à Elmham, et le Suffolk avec son siège à Dunwich. Il remplaça Wine, qui s'était procuré à prix d'argent l'évêché de Londres, par Earconwald. Il déposa même de sa propre autorité le successeur de Ceadda à Lichfield, Winfrith, qui lui avait désobéi, et le remplaça par Sexulf, qui avait fondé l'abbaye de Medeshamstead (Peterborough). Il remplaça de même Putta, qui ne voulait pas regagner son siège de Rochester détruit par le roi de Mercie, Aethelred. Et quand Egfrith de Northumbrie et Aethelred de Mercie en vinrent aux mains, ce fut Théodore qui, en s'interposant entre les deux princes, mit fin à une guerre qui s'annonçait sanglante. C'est à la suite de cette intervention que l'archevêque créa en Mercie et dans ses dépendances cinq diocèses : Worcester, Leicester, Lichfield, Stow et Dorchester. Il y ajouta un peu plus tard le siège d'Hereford. Ces sièges épiscopaux furent véritablement les centres de l'activité spirituelle des diocèses. Là résidait l'évêque entouré de ses prêtres et de ses jeunes clercs qu'il formait en vue du ministère apostolique, il leur insufflait son esprit avant de les envoyer dans les paroisses éloignées; là aussi étaient ses moines dont la prière incessante complétait et fécondait l'activité des prédicateurs de l'Évangile.

III. Théodore et Wilfrid. — Wilfrid avait rejoint son siège d'York peu après l'arrivée de l'archevêque, qui l'avait rétabli dans ses droits. Il commença par y rebâtir la cathédrale que Paulin et Oswald avaient commencé d'élever, il embellit son abbaye de Ripon et y dédia une belle église de pierre taillée en l'honneur du prince des Apôtres. Au jour de la dédicace, devant l'autel magnifiquement décoré de vases d'or et d'étoffes de pourpre, où tous avaient reçu la sainte communion, devant le roi Egfrith, le clergé et les princes, Wilfrid nomma les terres qui avaient été données à son église et réclama comme sa propriété tous les sanctuaires et les monastères que les Bretons avaient possédés autrefois et qu'ils avaient abandonnés dans leur fuite. Après quoi, il donna une grande fête qui dura trois jours et trois nuits. Il fit exécuter une copie des quatre Évangiles en lettres de pourpre et d'or sur vélin et son école fut fréquentée par les fils des nobles.

De son côté, Benoît Biscop bâtit, en 674, un monastère à Wearmouth et un autre à Jarrow, sous la règle bénédictine, qu'on suivait, du reste, assez largement. Une des modifications adoptées dans les monastères sous Théodore et Wilfrid concerne la vie en commun. Généralement, dans les communautés nées d'Iona, les moines demeuraient dans des huttes distinctes comme cela se passait en Égypte aux origines de la vie monastique, comme cela se passe encore de nos jours chez les chartreux où chaque religieux a sa demeure séparée. Une des innovations de Benoît Biscop fut l'institution d'un dortoir commun pour les moines comme on le voit chez les trappistes d'aujourd'hui. Cette institution demeura en vigueur jusque vers le milieu du VIIIe siècle. Pour la question de l'élection d'un supérieur, qui est prévue par la règle de saint Benoît, il y eut quelques entorses qu'on n'ose pas qualifier de népotisme, car elles étaient une des traditions d'Iona ; Benoît Biscop introduisit cette élection à Wearmouth et à Jarrow et peu à peu elle devint la règle générale. Pour orner et décorer ses monastères de Wearmouth et de Jarrow, Benoît Biscop fit venir de Gaule des artisans, tailleurs de pierre et verriers, des peintures et des ornements de tout genre ; il partit pour Rome pour la quatrième fois et en rapporta des reliques et des livres.

Les monastères de Wearmouth et de Jarrow, qui n'en formaient qu'un seul en réalité, devinrent célèbres dans toute la chrétienté par leur organisation et leur ferveur, par la science de leurs moines aussi. Ils eurent la gloire de donner à l'Église le vénérable Bède. On y enseignait, en outre des sciences du temps, le plain-chant comme on l'exécutait à Rome. Benoît Biscop obtint pour Wearmouth le privilège de l'exemption de la juridiction épiscopale alors inconnu en Angleterre,

A Lindisfarne, Eata, qui avait pris la succession de Colman, eut beaucoup de peine, semble-t-il, à faire abandonner à ses moines les traditions scotes. Il fit venir de Melrose Cuthbert qui, malgré une vive opposition d'abord, réussit, par sa douceur, à imposer les usages romains. Il n'abandonnait aucune de ses pratiques ascétiques et passait ses nuits à réciter le psautier. Il désirait plus encore : quitter la vie cénobitique pour la vie érémitique ; comme tant d'autres, bientôt, il se retira aux environs du monastère, et en 676, à l'île de Farne, où saint Aidan avait, lui aussi, vécu en anachorète. Il s'y creusa dans le sol une habitation d'où l'on ne pouvait apercevoir que le ciel. On venait quelquefois le voir du monastère tout proche. Il finit par renoncer à cette dernière joie terrestre, il ne sortit plus du trou qu'il s'était creusé, et se contenta de donner à ses visiteurs sa bénédiction.

L'autorité de Wilfrid n'avait cessé de s'accroître depuis sa prise de possession du siège d'York : son diocèse comprenait toute la Bernicie et la Deira, et aussi le Lindsey depuis 678. Son crédit auprès du roi, qui était considérable, ne commença à diminuer que quand il favorisa les désirs de la reine Etheltryth (Etheldreda) pour la vie religieuse, et approuva le refus qu'elle avait opposé à son mari de lui rendre ses devoirs conjugaux ; quand, enfin, en 672, Ecgfrith lui rendit sa liberté, Wilfrid lui donna le voile à Coldingham, le roi commença à nourrir une véritable inimitié contre Wilfrid, d'autant plus qu'il était jaloux de son pouvoir, excité en cela par sa nouvelle épouse Eormenburgh.

En 678, Ecgfrith invita Théodore à venir le voir, et celui-ci jugea le moment propice pour réaliser la grande pensée de son épiscopat : la division, en diocèses moyens, des grands évêchés trop vastes pour un seul prélat. De connivence avec le roi, mais à l'insu de Wilfrid, il créa trois nouveaux diocèses dans le territoire qui se trouvait sous la juridiction de l'évêque d'York. Quand, dans l'assemblée de Northumbrie, Wilfrid demanda la raison au roi et à l'archevêque de ce tort et de cette injure, ils lui répondirent qu'ils n'avaient rien à alléguer contre lui, mais que leur décision était irrévocable. L'évêque d'York en appela au pape et quitta l'assemblée au milieu des quolibets de la valetaille royale.

C'était la première fois, qu'en Angleterre, on en appelait au pape pour résoudre un cas de ce genre. Avec la même énergie cavalière, Théodore campait le vénérable saint Chad sur le dos d'un cheval et déposait les évêques qui lui résistaient. Lorsque Wilfrid quitta l'Angleterre pour soutenir son appel au pape, Théodore le considéra comme démissionnaire et consacra, seul, de nouveaux évêques à sa place. Le roi Ecgfrith fit dresser une embuscade à Wilfrid à son débarquement à Quentovic, mais celui-ci fut jeté par la tempête sur les côtes de Frise, et ce fut Winfrith évêque de Mercie, récemment déposé, qui fut malmené par Ebroïn qui le guettait.

Wilfrid, tombé chez une peuplade à demi-barbare, apparentée aux Anglo-Saxons, y prêcha l'Évangile avec l'assentiment du roi Adelgis, et y fit de nombreux convertis. Ebroïn, qui avait de bonnes raisons de détester l'évêque d'York envoya des messagers au roi de Frise, lui promettant un sac de pièces d'or s'il voulait lui livrer l'évêque ou lui envoyer sa tête. Le roi reçut cette demande au milieu d'un festin auquel Wilfrid assistait. Quand le message eut été lu devant toute l'assemblée, il le déchira et le jeta en disant : « Dites à votre maître que voici ma réponse : Que le Maître de toutes choses démembre, détruise et consume le royaume et la vie de celui qui est parjure à son Dieu et qui viole la promesse faite. » Wilfrid passa l'hiver en Frise et, au printemps de 679, partit pour Metz à la cour de Dagobert, qui lui offrit le siège de Strasbourg. Sur son refus, il le combla de présents et lui donna pour guide un évêque franc. A Pavie, sa vie fut encore en danger, à la cour du roi lombard, qui se conduisit aussi loyalement qu'Adelgis, et Wilfrid put enfin arriver à Rome pour présenter son appel.

Il obtint gain de cause et repartit triomphant pour York, emportant la bulle du pape qui annulait la procédure de Théodore, et ordonnait que la division en diocèses de la Northumbrie se fît d'une manière régulière. Mais Ecgfrith ne voulut pas l'entendre et le jeta en prison, l'accusant d'avoir acheté la décision pontificale. Il devait y rester neuf mois. Il ne semble pas que Théodore soit intervenu en sa faveur.

Benoît Biscop, étant allé à Rome pour se procurer divers avantages en faveur de son abbaye de Wearmouth, en ramena le chantre Jean, qui devait former ses moines à la liturgie et au chant. Le pape Agathon le chargea, en outre, de demander aux évêques anglais une profession de foi conforme aux canons du concile de Latran de 649. C'est dans cette vue que Théodore réunit un synode à Hatfield, le 17 septembre 680. Le synode fit solennellement profession d'adhérer à la doctrine de l'Incarnation et à celle concernant la Sainte Trinité, définie par le concile de Latran, et d'accepter l'autorité des cinq conciles œcuméniques. Il ne semble pas que la question des droits de Wilfrid ait été soulevée à cette occasion.

Pendant ce temps-là, l'évêque détrôné d'York se morfondait dans la prison de Bromnis sous la garde d'un officier nommé Osfrith. La femme de ce dernier étant tombée malade, Wilfrid pria pour elle et l'aspergea d'eau bénite, elle guérit. Osfrith, frappé de ce qu'il considérait comme un miracle, déclara au roi qu'il ne voulait plus participer à l'emprisonnement d'un saint. Ecgfrith irrité lui retira le prisonnier et l'envoya dans la forteresse de Dunbar, en face de la mer du Nord. La reine Eormenburg étant venue voir sa tante Aebbe, abbesse de Coldingham, tomba soudainement malade. Aebbe fit remarquer au roi que cette maladie était la punition des mauvais traitements qu'on avait infligés à Wilfrid, et le roi le fit élargir (681). La reine alors recouvra la santé.

Wilfrid ne pouvait trouver d'asile sûr chez les princes chrétiens d'Angleterre qui, tous, étaient les parents ou les obligés d'Ecgfrith; il s'en alla chez les peuples restés païens du sud de l'Angleterre, qui avaient tenté, onze années auparavant, de le tuer après son naufrage. Leur roi Aethelwahl et sa femme avaient été baptisés et avaient autorisé l'érection d'un petit monastère, mais le peuple restait attaché à ses idoles. Wilfrid fut bien accueilli par le roi. Il arrivait, du reste, à un bon moment : car trois années de sécheresse avaient été suivies d'une famine si terrible que des bandes d'une cinquantaine d'affamés se tenaient par la main et allaient se jeter dans la mer. Ces pauvres gens qui n'avaient que de petits filets, n'osaient sans doute pas s'aventurer sur les bateaux et ainsi mouraient de faim auprès de la mer poissonneuse. Wilfrid leur apprit à confectionner de grands filets et à s'éloigner du rivage. Les pêches qu'ils firent désormais leur parurent miraculeuses, et ils écoutèrent ses prédications. L'averse inespérée qui tomba le jour de leur baptême, leur parut un signe indéniable de la faveur céleste, et l'évangile de Wilfrid ne rencontra que fort peu de résistance. Les conversions se multiplièrent et l'apôtre du Sussex bâtit, pour ses nouveaux fidèles, un monastère sur la péninsule de Selsey qu'Aethelwahl lui avait donnée.

Lorsque le roi fut tué en 686 par Caedwalla, qui ceignit la couronne du Wessex et s'empara de l'île de Wight, Wilfrid, qui s'était attiré l'amitié du prince alors qu'il n'était qu'un malheureux proscrit, reçut en présent le quart de l'île récemment conquise et la fit évangéliser par son neveu. Peu après, Ecgfrith mourut et Wilfrid put retourner en Northumbrie. Caedwalla se convertit et alla se faire baptiser à Rome par le pape Sergius qui fut son parrain.

Pendant ce temps, le zèle administratif de Théodore s'était encore manifesté par la création de nouveaux diocèses. Celui de Hexham fut créé aux dépens de Lindisfarne et l'abbé de Gilling, Tunbert, en fut nommé évêque. Abercorn fut également érigé au pays des Pictes. Mais trois ans après, l'intrépide archevêque déposait Tunbert pour désobéissance, et Cuthbert fut élu par l'assemblée de Twyford pour le remplacer. Mais le vieil ermite ne voulut pas quitter son cher Lindisfarne, et ce fut Eate qui partit pour Hexham. Cuthbert fut consacré par Théodore et sept autres évêques le 26 mars 685.

Quelques semaines plus tard, on attendait, à Luel, des nouvelles d'Ecgfrith qui, ayant envahi l'Irlande, ravageait tout sur son passage, détruisant les églises et les monastères, grâce aux missionnaires desquels son pays avait reçu la lumière de l'Évangile. Le gouverneur de la ville montrait avec satisfaction au vieil évêque la grande muraille bâtie par les Romains et la fontaine. Tout à coup, Cuthbert, la tête penchée, appuyé sur son bâton, parut suivre une pensée lointaine, puis il leva la tête et dit : « Peut-être la bataille est-elle terminée maintenant... » Il n'ajouta pas un mot et pria la reine de retourner à sa capitale, de peur qu'il ne fût arrivé malheur au roi. Quelques jours après, on apprit qu'Ecgfrith avait été tué, au moment où Cuthbert avait incliné la tête, et que son armée avait été taillée en pièces à Nectansmere. Eormensburgh se retira dans un monastère pour y finir ses jours.

La défaite du roi de Northumbrie fut le signal de la ruine pour son royaume. Les Pictes reprirent les terres que leur avait enlevées Oswiu, et l'évêque d'Abercorn menacé se retira à Whitby. Ce fut son demi-frère Aldfrith qui lui succéda. Formé dans les monastères d'Écosse et en Irlande, où il s'était réfugié pour échapper à la tyrannie de son frère, il fut un roi savant et sage. Grâce à lui, la Northumbrie fort diminuée put se relever.

Cuthbert, évêque de Lindisfarne, continua deux ans encore sa vie apostolique, toute illustrée de miracles et fécondée par un vif amour de Dieu qui lui faisait verser d'abondantes larmes pendant tout le canon de la messe. Il mourut en 686 dans sa chère île de Farne. Il fut enterré à Lindisfarne, et son souvenir demeura longtemps comme celui d'un des saints les plus vénérés de l'Angleterre.

Wilfrid survivait à tous ces malheurs. Théodore, que l'âge avait calmé, que les infirmités avertissaient d'une fin prochaine, commençait à voir les événements de sa vie sous un autre angle. Il se reprochait l'usage excessif qu'il avait fait de sa crosse archiépiscopale et se sentait des torts envers Wilfrid. Il lui en exprima ses regrets à Londres, au cours d'une entrevue qu'il avait sollicitée. Il le recommanda avant de mourir à Aldfrith, à Aelflaed abbesse de Whitby et à Aethelred de Mercie. Il mourut à quatre-vingt-huit ans, le 19 septembre 690. Autoritaire et impérieux, arbitraire et injuste parfois dans ses décisions, dur dans l'exécution, il ne fut pas regardé, on le comprend, comme un saint. Il n'en fut pas moins un grand évêque, d'une activité dévorante malgré son âge avancé, il fut surtout un constructeur et un organisateur à l'heure où, le premier défrichement étant presque terminé, il fallait mettre partout de l'ordre et de la discipline. Ce besoin d'unité et d'ordre se faisait sentir en Angleterre plus particulièrement qu'ailleurs à cause des différences de rites que l'isolement du monde celtique avait fait naître, à cause surtout des querelles incessantes qui divisaient les tribus toujours rivales de l'heptarchie anglo-saxonne et des différences de races entre les apôtres eux-mêmes. Il y avait en présence des Germains et des Bretons, des Italiens, des Francs et des Burgondes; il fallait mêler tout cela, le fondre, le rendre homogène pour le rendre durable et fécond, pour constituer l'unité de l'Église catholique en Angleterre, et par surcroît, l'unité de la future nation anglaise. De cette double unité dont les effets devaient se prolonger durant des siècles, le moine grec Théodore, ce vieil érudit transplanté en terre étrangère, fut le véritable artisan, et l'Angleterre chrétienne ne saurait lui en être trop reconnaissante.

Pour établir et maintenir parmi ses clercs et ses moines, dont quelques-uns se laissaient trop facilement aller suivant la pente excessive de leur tempérament imaginatif ou sensitif, l'ordre romain et la discipline romaine, Théodore fut amené à reprendre pour son compte et à enrichir les vieux pénitentiels en usage un peu partout, particulièrement chez les Colombites d'Iona. La liste des péchés, accompagnés de leur pénitence appropriée, n'est pas édifiante; mais il faut se souvenir que les chrétiens de ce temps sortaient à peine du paganisme, et qu'il est plus facile d'adhérer à un dogme nouveau que de renoncer à un vice ancien.

En 686 Aldfrith avait replacé Wilfrid sur son siège épiscopal d'York sous sa forme nouvelle diminuée par Théodore, et lui avait rendu son monastère de Ripon. Il administra aussi, un moment, l'évêché d'Hexham et celui de Lindisfarne à la mort d'Eata et de Cuthbert, jusqu'à la consécration de leur successeur. Mais il ne se résignait pas à accepter de son plein gré les modifications non canoniques de l'archevêque, même quand, en 691, Aldfrith voulut exiger son aveu. Il préféra quitter de nouveau sa ville épiscopale et se réfugia chez Aethelred de Mercie, qui lui confia le diocèse de Leicester resté sans titulaire. Il y demeura onze ans. Il en appela au pape Sergius, et fut cité à comparaître devant l'assemblée de toute l'Église, convoquée probablement sur l'ordre du pape, à Edwinspath. Pressé d'accepter les décrets de Théodore, il répondit qu'il le ferait selon que l'ordonneraient les saints canons. Il reprocha hardiment à ses adversaires d'avoir fait opposition à la volonté du Siège Apostolique pendant vingt-et-un ans et de préférer les décrets de Théodore à ceux du pape Agathon.

On promit de lui laisser son abbaye de Ripon s'il consentait à s'y tenir tranquille et à renoncer à l'exercice de ses fonctions épiscopales. C'était accepter sa déchéance. Il s'y refusa énergiquement : « N'est-ce pas moi, s'écria-t-il, qui ai déraciné les fausses pratiques des Scots? N'est-ce pas moi qui ai enseigné à ce peuple les antiennes et les répons romains? N'est-ce pas moi qui ai, le premier, introduit dans ces contrées septentrionales la règle de saint Benoît? Et vais-je devoir, après une vie de près de quarante années comme évêque, me condamner moi-même, quoique innocent? » Il en appela au pape et retourna en Mercie, puis partit pour Rome l'année suivante. Ce nouvel appel irrita davantage ses adversaires qui le traitèrent, lui et ses partisans, en excommuniés; mais ceux-ci s'attachèrent plus fermement au père qu'ils aimaient.

L'intrépide septuagénaire s'achemina donc une fois de plus vers Rome; il visita en route son ancien disciple Willibrord, archevêque d'Utrecht, et arriva dans la ville éternelle en 704. Le pape Jean VI réunit un concile pour juger ce cas. Accusé de désobéir au successeur de Théodore, Bertwald, il fut absous de ce chef, et, après soixante-dix sessions, le concile décida qu'il y avait lieu de confirmer le décret d'Agathon en sa faveur. Le pape écrivit à Aldfrith et Aethelred qu'il fallait réunir un synode et tâcher d'arriver à un accommodement, sinon les deux parties devraient comparaître à Rome devant un nouveau concile.

Wilfrid faillit mourir à Meaux; arrivé en Angleterre, il trouva Bertwald mieux disposé; Aethelred avait abdiqué et était devenu abbé de Bardney; il conseilla à son successeur Cenred d'appuyer Wilfrid. Aldfrith refusa toute concession, mais il mourut la même année.

Les esprits tournaient en faveur de Wilfrid : car derrière lui on voyait se dresser la grande figure du pape, chef suprême de tous les chrétiens et successeur de saint Pierre. Dès que le jeune roi Osred fut monté sur le trône, un concile northumbrien se réunit sur les bords de la Nidd sous sa présidence. L'archevêque de Cantorbéry y était présent avec les évêques d'York, d'Hexham et de Lindisfarne, ainsi que les abbés des monastères, et Aelflaed, fille d'Oswiu et abbesse de Whitby. Auprès du roi, se trouvaient les nobles du royaume. L'archevêque commença par y lire la lettre du pape en latin, mais les laïques n'entendaient pas le latin, et le principal *alderman* exprima, au nom de ses compagnons, le désir de savoir ce que pensait le pape, et demanda qu'on traduisît sa lettre. L'archevêque lui répondit qu'elle était longue et obscure, mais qu'il leur en donnerait le sens. Les évêques de Northumbrie étaient d'avis de ne pas contrecarrer les décisions qu'avaient prises le roi Ecgfrith et Aldfrith. Mais Aelflaed éleva la voix pour affirmer qu'Aldfrith avait déclaré devant elle, sur son lit de mort, qu'il était dans l'intention d'obéir aux décrets du pape, et qu'il désirait, pour le bien de son âme, qu'on s'y conformât. Le chef des *aldermen* déclara que le roi et ses nobles avaient décidé de suivre l'avis d'Aelflaed. Les évêques et l'abbesse prirent leurs dispositions en conséquence, et elles furent approuvées par le roi. A Wilfrid fut attribué le monastère de Ripon et le diocèse d'Hexham. L'évêque d'Hexham fut transféré à York.

Le vaillant champion mourut en 709, âgé de soixante-seize ans, après avoir, au milieu de multiples et douloureuses épreuves, travaillé comme un véritable apôtre à l'extension du royaume de Dieu parmi les païens, à la diffusion de la discipline romaine au milieu d'un peuple fidèle mais divisé. Victime d'une injustice il préféra en souffrir que de l'accepter. Humble et pieux malgré sa vive opposition, bon malgré sa fermeté indomptable, il sut se faire chérir de ceux dont il était le père spirituel ; il resta toute sa vie fermement attaché au Siège Apostolique qui, en ces temps troublés, constituait la plus haute autorité que des chrétiens pussent reconnaître sur la terre. Il demeure, malgré ses défauts, une des plus nobles figures de l'Église d'Angleterre.

Grâce à Wilfrid et à ses disciples, le christianisme commença de pénétrer plus profondément dans les mœurs en s'introduisant dans les lois. Le roi Wihtred du Kent rédigea un code, sur les conseils de l'archevêque Bertwald, qui fut accepté par le *Witenagemot* du royaume. L'Église était reconnue comme une institution possédant en propre sa juridiction et ses biens, et elle était protégée au même titre que la dignité royale ; la parole d'un évêque valait celle du roi, et la parole d'un prêtre ou d'un diacre avait la force d'un serment ; l'immoralité et la pratique du paganisme, le travail du dimanche étaient punis par la loi civile. Le code du roi Ine, en Wessex, prévoyait des peines contre les parents qui négligeaient de faire baptiser leurs enfants dans les trente jours de la naissance, contre ceux qui travaillaient le dimanche ou qui, à la Saint-Martin, n'avaient pas payé la redevance à leur église.

Il faut dire un mot d'un ami de Wilfrid, Ealdhelm ou Aldhelm. Issu de noble famille et formé par un Celte irlandais Maidulf, qui donna son nom à Malmesbury (*Maidulphi Burgus*), il avait étudié à Cantorbéry sous Hadrien et devint abbé du monastère de Malmesbury, où il fonda une école qui devint rapidement célèbre. Il y enseignait le latin qu'il parlait parfaitement. Il écrivait dans cette langue des vers étrangement ampoulés et prétentieux. Il composait également des poèmes et des chants en anglo-saxon. Comme les gens du Wessex trouvaient parfaitement ennuyeux les sermons de leurs prêtres et quittaient l'église quand on cessait de chanter, Ealdhelm les guettait à leur passage sur un pont et leur chantait ses chansons comme un ménestrel, et les portait ainsi insensiblement à entendre ses exhortations pieuses. Il amena également les Bretons qui arrivaient en Wessex à abandonner la tonsure celte et leur comput pascal. Quand, en 704, le Wessex fut par ordre d'un concile national scindé en deux diocèses, Aeldhelm fut nommé évêque de Sherborne. Il mourut en 709.

L'attachement des chrétiens d'Angleterre au pape de Rome ne fit que s'accroître d'année en année, et l'exemple du roi Caedwalla, qui était allé se faire baptiser auprès du tombeau des Apôtres, fut fréquemment suivi. Cenred abdiqua la couronne de Mercie en 709 et partit pour la ville éternelle, accompagné d'Offa, le jeune roi d'Essex, qui abandonna, dit Bède, sa femme, ses terres, son peuple et son pays pour l'amour du Christ et de l'Évangile. Ils y prirent l'habit monastique. Le roi Ine en fit autant et partit pour Rome avec sa femme Aethelburgh ; il y vécut en pauvre parmi les pauvres. L'amour des voyages se combina avec la piété, et beaucoup d'autres Anglo-Saxons s'embarquèrent pour ce long et pénible pèlerinage. Les moines irlandais étaient volontiers « gyrovagues » ; les femmes, et même les religieuses, n'étaient pas les moins ardentes à courir le monde : il leur arrivait souvent des aventures fâcheuses qui jetaient le discrédit sur l'Église ; aussi, quelques années plus tard, saint Boniface priait l'archevêque de Cantorbéry de faire interdire par les rois et les évêques les pèlerinages de religieuses. « Aller à Rome, écrivait un obscur commentateur irlandais sur un feuillet de manuscrit, aller à Rome, grand labeur, petit profit ! Le roi que tu vas chercher là, tu ne l'y trouveras qu'à condition de l'amener avec toi. »

CHAPITRE VI

L'ACTIVITÉ LITTÉRAIRE

I. Les Monastères anglais. — Lorsque Benoît Biscop mourut, le 12 janvier 689, il avait rendu à l'Angleterre monastique un immense service par sa sagesse, son goût pour la science, et ses hautes vertus. Attaché à la papauté autant et plus peut-être que Wilfrid, il contribua, comme lui, à faire adopter la règle bénédictine dans les monastères anglais. Aux premiers temps de l'évangélisation de l'Angleterre dans le nord, les missionnaires étant presque toujours des moines, le clergé qu'ils formaient était lui-même monastique ; mais il se produisit une sécularisation graduelle, et, quand, dans la suite, de nouveaux centres furent créés, ils prirent aussitôt la forme séculière. La distinction entre les deux genres de vie des clercs n'eut souvent alors qu'une importance secondaire, car, la plupart du temps, ils vivaient en commun autour de l'évêque. Mais, peu à peu, les moines qui restèrent moines éprouvèrent le besoin de se grouper entre eux et de se séparer des séculiers. Si bien que l'évêque régulier vécut dans son monastère et laissa son clergé séculier vivre à part, tandis que l'évêque séculier s'entoura de ses clercs et laissa le monastère se développer de son côté. Le mot *monasterium* ou *minster* ne désigna pas toujours une église desservie par une communauté de moines, mais simplement de clercs réguliers ou séculiers.

Les églises romano-saxonnes de cette période ressemblent plus ou moins exactement à celle que saint Augustin avait bâtie à Cantorbéry, et dont il a été parlé plus haut. Elles s'inspirent de la forme basilicale romaine, et la pierre était employée de préférence au bois, à l'imitation des églises d'Italie. La basilique se termine en demi-cercle surmonté d'un cul-de-four. Mais à l'abside circulaire fut substituée une paroi verticale joignant à angles droits les deux murs latéraux du chœur, et cette forme s'est perpétuée jusqu'à nos jours, le mur plein du fond étant aujourd'hui percé d'une grande verrière. Les porches latéraux étaient parfois surmontés d'une tour au centre de l'édifice, puis une autre tour, quelquefois deux (mais plutôt vers la fin du xe siècle) furent ajoutées à l'ouest, élancées et minces comme les campaniles italiens. Les artistes de cette période s'efforcèrent d'alléger l'apparence massive de la pierre par des sculptures et des ornements où se manifeste parfois une certaine recherche. Certains autels de pierre étaient ornés de plaques d'or et d'argent travaillé, et parfois aussi de pierres précieuses. La plupart des œuvres d'art de cette époque venaient de Gaule ou du continent; Benoît Biscop en importa beaucoup; il fit aussi venir des ouvriers habiles recrutés au cours de ses voyages. Le chant des psaumes était accompagné de la lyre; mais déjà, au temps d'Ealdhelm, il y avait des orgues rudimentaires. Le son de la cloche appelait au travail ou à la prière les moines du couvent.

L'introduction de la règle bénédictine, qui favorise à la fois le travail manuel et l'étude, l'impulsion donnée à l'activité intellectuelle par l'école de Cantorbéry, que fondèrent les deux savants Théodore et Hadrien, et par Benoît Biscop dans ses monastères de Wearmouth et Jarrow, fut le point de départ d'une ère de culture intellectuelle qui se prolongea jusque vers la fin du VIIIe siècle.

Les livres étaient rares : on les fit venir de Gaule, on se les prêta de monastère à monastère pour en tirer des copies que l'on conservait et que l'on se transmettait comme une richesse. La plus belle bibliothèque anglaise était probablement celle de Benoît Biscop, qui n'avait rien épargné pour en réunir les éléments. On devine que les textes les plus recherchés étaient ceux de l'Ancien et du Nouveau Testament en latin et même en grec : tel le *Codex Laudianus* conservé à la bibliotèque bodleienne d'Oxford, des traités de théologie, des commentaires de l'Écriture et quelques livres de littérature et de science.

Des deux écoles de copistes monastiques, celle de Cantorbéry qui écrivait en onciales romaines eut peu de vogue. Il nous en reste le *Psautier* de Cantorbéry au *British Museum.* L'école de Lindisfarne, qui utilisait les demi-onciales rondes, eut au contraire une grande influence sur le style de l'écriture anglaise. Les moines ornaient leurs manuscrits de peintures charmantes et ingénieuses dont les Évangiles de Lindisfarne, aujourd'hui au *British Museum*, sont un remarquable exemple,

Ealdhelm, sorti de l'école de Cantorbéry, en fut une des plus pures gloires. Les moniales qu'il avait formées ne s'adonnaient pas avec moins d'ardeur aux travaux d'art que les moines. Elles tissaient et brodaient pour le sanctuaire, elles copiaient et enluminaient les manuscrits, particulièrement à Barking, sous la direction d'Hildelith. C'est à elle et à ses moniales que l'évêque de Sherborne dédia son poème *Éloge de la virginité*, où la correction de la langue latine est un peu gâtée par l'ingéniosité fade et assez ennuyeuse de ses métaphores. Il parle avec complaisance « des lampes brillantes de la chasteté où brûle l'huile de la modestie » et de « l'immonde égout de l'impureté qui engloutit déplorablement les vaisseaux de l'âme ».

En dehors des moniales, liées par des vœux et attachées à leur monastère, et qu'on appelait des *mynchens,* il y avait des *basilicae,* appelées en anglo-saxon *nuns.* Celles-ci, sortes de chanoinesses, pouvaient librement vivre chez elles et se marier, avec la permission de l'évêque.

II. Bède. — On se souvient qu'Oswiu avait voué sa fille Aelflaed, la future abbesse de Whitby, qui n'avait pas encore un an, à la vie monastique. L'exemple est loin d'être unique, il n'était pas rare que des parents attribuassent ainsi à leurs enfants, de leur propre autorité, la vocation religieuse. Le jeune Bède (né en 673), n'avait pas sept ans quand il fut présenté, à Benoît Biscop, à Jarrow. Il passa toute sa vie dans ce monastère bénédictin, fut ordonné diacre à dix-neuf ans et prêtre à trente. Formé de bonne heure à l'étude des Saintes Écritures, il avait la passion du travail et ne cessait de prendre des notes au cours de ses immenses lectures; il se constitua ainsi pour son propre usage une véritable bibliothèque.

Il possédait toutes les connaissances de son temps, le latin, le grec et un peu d'hébreu. Les textes latins des écrivains profanes lui étaient aussi familiers, encore qu'il s'en méfiât un peu, que ceux des écrivains ecclésiastiques. Savant, il l'était certainement, surtout aux yeux des six cents moines qui composaient le personnel du monastère et dont il était l'universel instructeur. C'est pour eux qu'il écrivait des manuels de grammaire et de rhétorique, des hymnes et des homélies, des commentaires de l'Écriture, un traité d'histoire naturelle aussi. Il ne fut cependant en cela qu'un compilateur, une citerne, non une fontaine. Sa gloire la plus solide est d'avoir écrit son *Histoire ecclésiastique des Angles*. Cet homme pieux et tendre, défenseur passionné de l'Église romaine, âme de poète et d'artiste, s'y montre un historien averti et scrupuleux. Il a le souci de la vérité et ne néglige rien pour la découvrir. Il cite les sources auxquelles il a recours, il n'omet pas de signaler comme douteuses les traditions orales qui ne lui paraissent pas offrir de garantie suffisante. Sa langue simple et claire, presque impersonnelle, exhale un charme et une fraîcheur incomparables. C'est cet ouvrage qui sert obligatoirement de base à tous les historiens de l'Angleterre saxonne. Ses récits, généralement exacts, sont toujours impartiaux et sérieux; s'il s'y rencontre des légendes un peu naïves — et nous en avons cité quelques-unes — Bède n'est, en les contant, que le reflet des croyances de son temps. On en peut dire autant de ses *Biographies des Abbés de Wearmouth et de Jarrow* et de sa *Vie de saint Cuthbert*. Son histoire fut terminée en 731. Il mourut le 25 mai 735. Quoique très occupé à ses études, il ne manquait jamais d'être présent à l'office : « Je sais, disait-il, que les anges assistent à la psalmodie des Heures et aux assemblées des frères. Que diraient-ils s'ils ne m'y trouvaient pas? Ne diraient-ils pas : où est Bède? Pourquoi ne vient-il pas avec ses frères à la prière réglementaire? »

III. L'archevêque Ecgbert et l'école d'York : Alcuin. — Lorsque l'évêque d'York Wilfrid II mourut en 732, ce fut Ecgbert, un des anciens élèves de Bède, qui fut choisi pour lui succéder. Après sa consécration, en 734, il reçut une lettre de son ancien maître qui lui conseillait de demander au pape l'érection du siège d'York en archevêché et le pallium du métropolitain, comme Tatwine, le successeur de Bertwald sur le siège de Cantorbéry, l'avait reçu en 731.

Ce vœu fut exaucé et, en 735, Ecgbert reçut de Grégoire III le pallium qui faisait de lui le premier archevêque d'York; car Paulin ne l'avait reçu que pendant son exil en Kent, après avoir été détrôné. Le roi de Northumbrie Ceolwulf, battu et tondu, reprit un moment le pouvoir et finit par se faire moine à Lindisfarne. La couronne échut à son cousin Eadbert[1], frère d'Ecgbert; et ainsi pour le bien de leurs peuples le sceptre et la crosse entrèrent dans la même famille unie et sage. Ecgbert demeura trente-deux ans sur le siège d'York. Il contribua largement à la beauté de ses églises et à la dignité du service divin; il introduisit l'usage de chanter l'office canonial. Ce fut sous Ecgbert et par ses soins que fut instituée, sur le modèle de celle de Cantorbéry, l'école longtemps célèbre d'York. Lui-même y expliquait les Écritures, tandis que son parent Ethelbert ou Albert y enseignait la grammaire, la rhétorique, l'arithmétique et les sciences naturelles. L'archevêque avait la passion de l'enseignement. Dès qu'il avait quelques loisirs, au lit ou à la table, il faisait venir ses clercs et les faisait discuter, ou leur enseignait lui-même.

1. Eadbert devait lui-même entrer au monastère d'York quelques années plus tard, en 759.

Il a laissé un *Pontifical* qui est un des documents les plus précieux du haut moyen âge, car nous y retrouvons les formules d'ordination employées au VIIIe siècle, un *Pénitentiel* et un *Dialogue sur l'institution catholique*, sorte de catéchisme où sont résolus les cas de conscience qui se posaient alors.

Avec Bède l'École de Jarrow et Wearmouth jeta un vif éclat. Lui disparu, le flambeau passa entre les mains de son élève Ecgbert à York. C'est de cette école qu'est sorti Alcuin. Originaire de Northumbrie, il fut ordonné diacre par le successeur d'Ecgbert, Aethelbert, auquel Eanbald succéda à son tour en 780. Chargé par son archevêque du soin de sa bibliothèque il partit sur le continent, en Italie et en Gaule, qu'il connaissait déjà, pour s'y procurer des manuscrits. C'est au cours d'un de ces voyages qu'il rencontra Charlemagne à Parme. Le roi lui demanda de se fixer auprès de lui pour y ouvrir une école et développer l'instruction chez les Francs à peine sortis de la barbarie. Alcuin rentra en Angleterre pour remettre à Eanbald le pallium que lui envoyait le pape et obtint l'autorisation de demeurer auprès de Charlemagne. De l'œuvre accomplie en Gaule par le pédagogue northumbrien nous n'avons pas à parler ici. Il y resta huit ans; puis, après un bref séjour à York, il retourna auprès de ses disciples de l'école palatine, et de ses abbayes de Ferrières et de Troyes. Il mourut à Saint-Martin de Tours le 19 mai 804. Alcuin a rendu en Angleterre comme en Gaule d'assez signalés services au point de vue de la culture intellectuelle pour qu'on lui rende pleine justice. Il n'était ni un savant, ni un écrivain, mais un admirable pédagogue. Et les élèves qui arrivaient nombreux de Frise et d'Irlande à York montrent assez qu'il servit son pays avec zèle avant d'éduquer la nation franque.

En même temps que l'activité littéraire, le zèle missionnaire allait déborder de la Grande-Bretagne sur le continent. A l'apostolat passager de Wilfrid en Frise succèdera celui de Willibrord, puis celui de Winfrith qui, sous le nom immortel de Boniface, étendra ses conquêtes à travers de vastes régions germaniques et réformera les Églises franques. Missions non pas aventureuses à la manière celtique, mais appuyées sur le protectorat franc, et estampillées par Rome, la Mère-Église.

Les cent cinquante années pendant lesquelles le christianisme prit peu à peu, avec de grands élans et des retours, lentement, mais sûrement, possession du peuple anglo-saxon, constituent certainement la partie la plus intéressante de son histoire. On y trouve toutes les extrémités des choses humaines : de grands saints et de grands hommes, de nobles vertus et des vices honteux, les pratiques les plus héroïques de l'ascétisme et de grands crimes. L'impression qui demeure est celle d'un peuple généreux, cordial, un peu puéril, qui volontiers se laisse gagner à l'attrait d'une vie plus haute, qui sait aimer et se donner. Venus de la barbarie germaine, les Anglo-Saxons ont été facilement conquis à l'Evangile. Si d'autres peuples l'ont été plus complètement et plus vite, c'est qu'ils possédaient une homogénéité, une unité intérieure qui manquait aux tribus toujours en rivalité de l'Heptarchie. Missionnaires romains et scots l'ont progressivement pénétrée de sève chrétienne, et à la mort de Bède celle-ci ne demandait qu'à pousser au dehors une activité missionnaire qui est un sûr indice de la ferveur de la foi.

Il ne faudrait pas croire cependant qu'il n'y eût pas, à côté des pratiques générales de vie religieuse, des abus, graves quelquefois, même là où on s'attendrait le moins à les rencontrer. Sans vouloir les généraliser injustement ni les exagérer, il convient de les signaler, d'après le témoignage de Bède. Ces erreurs ne sont pas d'ordre intellectuel : les hérésies en général n'ont pas eu de prise sur ces grands enfants rêveurs et sentimentaux à l'âme peu compliquée, assez peu instruits, du reste. Leur éloignement du siège central de l'Église ne fit que fortifier leur loyalisme naturel au Siège apostolique. On en a vu des témoignages même sur les marches des trônes. Le point faible de la race était d'ordre plus terre à terre, moins dangereux mais moins noble aussi.

Dans une lettre datée du 5 novembre 734, le Vénérable Bède ne pouvant se rendre à York pour y donner à son ami, l'archevêque Ecgbert, les conseils de son expérience, lui écrivait une lettre qui constitue un précieux document d'histoire. Il rappelait à l'archevêque qu'on ne trouvait malheureusement pas, dans tous les villages, des prêtres chargés du soin des âmes, ce qui prouve que l'organisation paroissiale était seulement en voie de s'établir un peu partout. Il lui conseillait d'ordonner des prêtres sachant prêcher, célébrer la messe et baptiser. Il y avait des moines et des prêtres qui n'entendaient pas le latin. Il lui rappelait que dans son diocèse certains villages écartés n'avaient pas reçu la visite épiscopale ni la confirmation depuis des années, on ne manquait cependant pas d'y percevoir l'impôt diocésain. Le remède était de scinder les diocèses trop vastes, de réaliser le plan grandiose de saint Grégoire et, s'il était nécessaire, d'utiliser à cette fin les monastères existants.

Parmi ceux-ci, d'ailleurs, il en était qui ne servaient ni à Dieu ni aux hommes, parce que des gens qui auraient pu défendre les frontières contre les barbares du nord s'y faisaient tondre pour y vivre dans l'oisiveté, quand ce n'était pas dans les vices. Des seigneurs bâtissaient des monastères dans leurs domaines, et ils en disposaient comme de leurs biens; d'autres y vivaient avec leurs femmes et leurs enfants ; et des femmes du monde prétendaient gouverner de vraies religieuses. Les nobles qui y résidaient ne recevaient la tonsure que pour pouvoir y prendre la crosse abbatiale.

Il faisait remarquer avec regret que les laïques manquaient d'instruction religieuse et que des gens très bien pensants, au lieu de communier chaque jour, se contentaient d'une communion à la Noël, à l'Épiphanie et à Pâques.

De son côté, le concile de Clovesho (747) réuni, sur la demande du pape Zacharie, par l'archevêque Cuthbert de Cantorbéry, signale d'autres abus. Les prêtres devaient demeurer dans leur paroisse et y expliquer le *Credo*, le *Pater*, le Baptême, la Messe, etc. Dans les monastères on devait rendre plus stricte l'observation de la règle bénédictine. S'il était impossible de supprimer les pseudo-monastères signalés plus haut, il incombait à l'évêque le devoir de les visiter et de porter remède aux abus constatés. Les moines et les moniales devaient s'habiller simplement, et non de vêtements de lin ou de soie rehaussés de broderies et de fourrures, de voiles traînant jusqu'aux talons. Il ne convenait pas aux religieuses de se friser au fer et de porter des boucles sur le front. Leurs cellules ne devaient pas devenir des boudoirs où l'on bavardait, festoyait, buvait et chantait. Défense aux gens d'église de boire avant 9 heures du matin, et à plus forte raison de s'adonner au vice fort commun de l'ivrognerie, auquel même des évêques se laissaient aller.

Le désordre s'était introduit dans d'autres monastères du fait des princes, comme en Mercie où le roi Aethelbald et ses thanes forçaient les vierges consacrées à Dieu à se prêter à leurs mauvais désirs.

C'est pour réformer ces abus que se réunit en 747 le synode de Clovesho, et le *Pénitentiel* d'Ecgbert, rédigé vers 766, reconnaît que ces maux ne sont que trop réels et y apporte des remèdes qu'on ne saurait juger trop sévères.

Il ne faudrait pourtant pas exagérer la portée de ces abus et les généraliser indûment. Ces maux existent, puisque des autorités dignes de foi les signalent; ils n'existent pas partout puisqu'ils constituent un scandale et que les écrivains du temps n'en ont presque rien dit.

En même temps que l'on constatait ces désordres, les foules couraient à Crowland entendre les conseils du saint ermite Guthlac. Si certains monastères étaient en décadence, la vie religieuse, qui répondait dans les âmes à un besoin, demeurait profondément enracinée.

CHAPITRE VII

L'EXPANSION CHRÉTIENNE EN BELGIQUE ET EN GERMANIE

I. L'évangélisation du nord-est de la Gaule. — Tandis que, dans la Gaule méridionale, profondément romanisée, et où les Barbares se trouvaient moins nombreux, les Invasions ne purent que ralentir sans l'arrêter la conquête chrétienne, par contre, dans le nord et le nord-est elles submergèrent les récentes assises de la foi, et c'est à peine si quelques débris subsistèrent. Au cours du VIe siècle, les évêchés se réorganisent plus ou moins. Quand saint Vaast, envoyé par saint Rémy, arrive à Arras, il trouve la cité encombrée de ronces et hantée par les bêtes sauvages. Il organise une Église qui, ensuite, est transférée à Cambrai ; là, saint Géry, devenu évêque vers 590, établit une Église, dédiée à saint Médard, et y groupe une communauté importante, hiérarchiquement organisée. De même, le siège de Tournai occupé au début du VIe siècle par l'ancien comte Éleuthère, sera joint à celui de Noyon[1].

Pour cadre de la réorganisation ecclésiastique, ces évêques à poste fixe prirent les circonscriptions administratives impériales, et ils érigèrent leurs sièges sur l'emplacement des vieilles cités. D'où le relèvement des titres anciens : évêques de Tongres (*episcopi Tungrorum*), pour le siège de Maastricht-Liége, évêque des Morins (*episcopi Morinorum*), pour celui de Thérouanne, bien que Tongres et Morins n'existassent plus. D'où encore la réoccupa-

SOURCES : Vies de saint Amand, de saint Lambert, de saint Hubert, de saint Omer, de saint Bertin, de saint Arnulf, de saint Fridolin, de saint Trudpert, de saint Gall, de saint Emmeran, de saint Corbinien, de saint Kilian dans les *MGH.*, *Script. rer. meroving.*, 7 vol. — *Lex Alemanorum*, dans *MGH.*, *Legum sectio 1^a^*, t. V, *pars 1^a^*. — *TRAVAUX :* HAUCK, *? *Kirchengeschichte Deutschlands*, t. I. — VON SCHUBERT, *? *Geschichte der christlichen Kirche im Frühmittelalter*, 1917. — PIRENNE, *Histoire de Belgique*, t. I (*passim*). — L. VAN DER ESSEN,* *Étude critique et littéraire sur les Vitae des saints mérovingiens de l'ancienne Belgique*, Louvain, 1907. — E. DE MOREAU,* *Saint Amand, apôtre de la Belgique et du Nord de la France* (*Museum Lessianum*), Louvain, 1927. — E. SAUER, *Die Anfänge des Christentums u. der Kirche in Baden*, Heidelberg, 1911. — R. BAUERREIS, *Irische Frühmissionäre in Südbayern*, München, 1924. — A. BIGELMAIR, *Die Anfange des Christentum in Bayern*, dans *Festgabe Alois Knöpfler*, Münich, 1907. — A. BIGELMAIR, art. *Bavière*, dans *Dict. hist.* — E. DE MOREAU, art. *Belgique*, *ibid.*

1. Il est prouvé que Tournai eut au VIe siècle un évêché distinct de Noyon. Mais au début du VIIe siècle la fusion de Noyon-Tournai est déjà opérée : au concile de Clichy (626 ou 627), on désigne Acharius comme évêque des deux cités. Voir J. WARICHEZ, *Les Origines de l'Église de Tournai*, Louvain, 1902.

tion par ces évêchés des territoires qui jadis leur avaient été soumis : ainsi celui de Maastricht-Liége s'étendra-t-il entre Meuse et Dyle, celui de Cambrai-Arras entre Dyle et Escaut,

SAINT OMER ÉVANGÉLISATEUR DE LA MORINIE.
Bibl. Saint-Omer. (xe siècle.)

celui de Thérouanne à la vallée de l'Yser, le premier rattaché à la métropole de Cologne, les deux autres à celle de Reims. « La géographie ecclésiastique fut toute romaine. Ces faits, note M. Pirenne, étaient gros de conséquences. En établissant ses diocèses sans tenir compte de la frontière des races et des langues, en y faisant entrer côte à côte les Francs et les Belgo-Romains, l'Église prépara en quelque sorte les habitants des Pays-Bas à ce rôle d'intermédiaire entre la civilisation romaine et la civilisation germanique qu'ils étaient appelés à jouer..... Les Francs de l'Escaut et de la Meuse se romanisèrent ainsi de très bonne heure. »

Outre cette action épiscopale, il faut noter l'influence, peu connue toutefois, des moines et ermites. Nous avons déjà signalé le stylite Wulfaicus ou Valfroy. Lombard d'origine, il s'établit à Carignan, dans les Ardennes, non loin d'Yvoix où était né saint Géry. Sur les gens du pays, il acquit un étonnant empire, sans cesse prêchant à ces idolâtres « que Diane, que ses idoles, que le culte qu'on leur rendait, tout cela était néant, que les cantiques chantés au milieu de leurs débauches étaient choses indignes, qu'ils devraient bien plutôt adresser leurs hommages au créateur du ciel et de la terre ». Bref, il les persuada si bien qu'il en fit ses complices pour la destruction de cette Diane, simulacre colossal qu'il n'eût pu tout seul renverser. Grâce à leurs efforts, et surtout à ses prières, l'idole fut mise à bas ; l'ermite la brisa aussitôt à coups de marteau.

Pareil fait, d'autres encore, prouvent assez que le paganisme restait puissant dans ces régions. Aussi ne faut-il pas se représenter les quelques Églises dont nous avons parlé comme régissant un territoire organisé dès lors en paroisses ; hors de la ville épiscopale, l'apostolat ne pouvait se risquer sans hardiesse ni péril.

Heureusement, au VIIe siècle, il allait recevoir des aides nombreux et enthousiastes grâce à l'influence colombanienne et irlandaise. On en sait la caractéristique : des abbés-évêques, moines qui, revêtus du pouvoir épiscopal, s'en vont évangéliser les régions encore barbares : nul souci d'une résidence fixe, l'apostolat en plein vent, à l'aventure, la vie missionnaire à travers la brousse [1].

Le premier de ces explorateurs épiscopaux fut, semble-t-il, saint Amand. Né en Aquitaine, il se rendit en pèlerinage à Rome, comme on le fit souvent à partir du VIIe siècle, et trouva sa vocation auprès du tombeau des Apôtres. De là un amour pour le Saint-Siège qui se remarque, par exemple, à la préférence exclusive donnée à Pierre comme titulaire des Églises par lui fondées, et qui s'affirme aussi dans sa correspondance avec Rome. Amand écrit à Martin Ier (649-655) pour lui exposer les difficultés que rencontre son ministère et lui soumettre telle question épineuse, celle du traitement à imposer aux prêtres prévaricateurs [2]. A quoi le pape répond d'une part en l'exhortant à patience et à persévérance et en lui exposant les canons disciplinaires ; d'autre part en le chargeant de faire accepter par le roi Sigebert et par l'épiscopat franc les anathèmes contre le monothélisme. Amand avait interrompu d'ailleurs ses courses pour faire un second voyage *ad limina.* Cette caractéristique romaine apparente son apostolat à celui des grands missionnaires anglo-saxons qui viendront après lui, un Willibrord et un Boniface. Par là il contraste avec les Irlandais, ses contemporains.

Mais pour le reste il leur ressemble. Son biographe nous dit qu'à leur manière il s'est voué à la *peregrinatio* perpétuelle. *Peregrinari pro Christo*, c'est-à-dire s'en aller au loin, partout où trouver des âmes à convertir, marcher sans trêve à leur conquête, toujours de l'avant, avec plus d'ardeur que de sagesse, plus d'impétuosité que de méthode, comme si quelque pari

1. Il ne faut pas les confondre avec les chorévêques qu'on rencontre en Occident à partir du VIIIe siècle, coadjuteurs des évêques diocésains, agissant sous leur dépendance directe.
2. Nous n'avons plus cette lettre, mais seulement la réponse de Martin Ier.

de vitesse et d'endurance avait été engagé : *Grandis via*, le record de la distance, voilà où l'on semble tendre. Si ces hardis pionniers eussent connu l'automobile et l'aviation, quelles randonnées apostoliques ! Mais à travers un pays barbare, aux forêts impénétrables, sans routes tracées, on devine les difficultés et le mérite [1].

Amand court donc partout. On le trouve successivement dans le pays de Gand, chez les Slaves de Carinthie, à Maastricht dont il sera quelque temps évêque, chez les Basques et dans la Gaule méridionale. Comme les Irlandais il vise à réaliser des conversions en masse, à travers de vastes contrées, plus préoccupé — semble-t-il — d'agir en étendue qu'en profondeur, esquissant avant tout un rapide défrichement moral, dont l'opération préliminaire indispensable est la destruction des idoles. Le signe de conversion attendu des païens, c'est précisément qu'ils y consentent et qu'ils y participent. Même gage demandé aux demi-convertis, comme cette femme aveugle de Ressons, à qui Amand promit la guérison si elle détruisait de sa propre main l'idole qu'elle avait conservée, un arbre dédié au démon. Ensuite s'opérait un premier établissement : « Là où des temples étaient démolis, l'homme de Dieu, grâce à la munificence royale et aux largesses de personnes religieuses et de femmes dévotes, construisait monastères et églises. »

Si disséminé qu'il ait été — Brabant, Ardenne, Hesbaye — l'apostolat septentrional de saint Amand s'exerça surtout dans la plaine basse de l'Escaut et le pays gantois, sous la double égide d'Acharius, évêque de Noyon-Tournai, ancien moine de Luxeuil, et aussi du roi Dagobert qui, en des lettres spéciales, stipula que « si quelqu'un ne consentait pas à être régénéré par le baptême, il devrait recevoir ce sacrement par la contrainte royale ». Là notre missionnaire établit un centre pour ses courses apostoliques : le monastère élevé aux bords de l'Elnone, entre cette rivière et la Scarpe, sur un terrain donné par le roi, et qui plus tard porterait son nom, Saint-Amand. Six autres abbayes peuvent lui être attribuées avec grande vraisemblance : Saint-Pierre-du-Mont-Blandin à Gand, Renaix, Leuze, Marchiennes, Barisis-au-Bois et Nivelles. Le plus autorisé biographe du saint, le P. de Moreau, fait remarquer que si les monastères apparaissent nombreux durant cette seconde moitié du VIIe siècle et les trente premières années du VIIIe, « ils surgissent surtout dans les régions qu'Amand a évangélisées avec le plus de ténacité, dans la Belgique occidentale, et plus particulièrement dans les contrées situées au sud de la frontière linguistique, au milieu desquelles se dresse Elnone. Au nord de cette ligne, on ne rencontre comme abbayes marquantes que Saint-Pierre-du-Mont-Blandin, Saint-Bavon et Sithiu ou Saint-Bertin ; au sud, voici Elnone, Saint-Vaast, Crespin, Hasnon, Maroilles, Maubeuge, Mons-Sainte-Waudru, Marchiennes, Hautmont, Soignies, Lobbes, Saint-Ghislain. La même constatation garde sa valeur pour la Belgique orientale. Au nord de la frontière des langues, la carte monastique ne nous montre que *Sarchinium* ou Saint-Trond, Munsterbilsen et peut-être Aldeneyck ; au sud s'élèvent Stavelot-Malmédy, *Andagina* (plus tard Saint-Hubert), Andenne, Celles, Fosses, Malonne, Nivelles. » D'où cette conclusion que saint Amand fut « le grand initiateur du mouvement monastique dans les régions du nord ». A ces fondations participeront tout à la fois les rois [2]

1. Aussi M. Krusch, dont la sagacité est parfois hypercritique, a-t-il voulu nier les voyages à Rome qui seraient une fiction inspirée au biographe de saint Amand, écrivant vers la fin du VIIIe siècle, par le spectacle des missionnaires anglo-saxons.

2. Malgré les bienfaits reçus, saint Amand n'hésita pas à reprocher ses mauvaises mœurs à Dagobert qui avait officiellement et simultanément dans son palais trois femmes, Nantechilde, Vulfégonde et Berthilde, et dont les

qui abandonneront aux moines leurs « fiscs », et aussi les grandes familles indigènes[1].

Saint-Amand reste un des plus intrépides missionnaires que le monde ait connu, au champ

ABBAYE DE SAINT-BERTIN.

concubines furent légion. « Le pontife Amand, dit son biographe, osa ce qu'aucun n'avait osé avant lui : reprendre le roi pour ses crimes capitaux. » D'où l'exil momentané du missionnaire. Et voilà un nouveau trait de ressemblance avec Colomban.

1. Parmi les monastères de femmes citons : Hamaye près Marchiennes, Andenne, Maubeuge (sainte Aldegonde), Mons (sainte Waudru), Aldeneyck, Munsterbilsen. L'abbaye de Nivelles (sainte Itle et sainte Gertrude) fut un monastère mixte.

Sur les monastères belges, voir surtout DOM U. BERLIÈRE, *Monasticon Belge*, t. I (provinces de Namur et de Hainaut), Maredsous, 1890-1897 ; t. II (province de Liége), 2 fasc. parus, 1928-1929. — Parmi les monographies : F. BAIX, *Étude sur l'abbaye de Stavelot-Malmédy*, t. I. *L'abbaye royale et bénédictine*, 1924. — J. WARICHEZ, *L'abbaye de Lobbes depuis les origines jusqu'en 1200*, Tournai, 1909. — G. KURTH, *Les premiers siècles de l'abbaye de Saint-Hubert*, dans *Bull. Commiss. royale d'histoire*, Ve série, t. VIII, p. 7-112. — A. HANSAY, *Étude sur la formation et l'organisation économique du domaine de Saint-Trond*, Gand, 1899.

Parmi les apôtres d'origine irlandaise, citons Foillan, Monon, Etton, Lugle et Luglien, etc. Les apports particuliers de l'hagiographie irlandaise dans les *Vitae* sont parfois très curieux. Notons l'exemple de la légende de saint Liévin, personnage tout à fait inconnu avant le XIe siècle. En 1007, les moines de Saint-Bavon à Gand transportent son corps dans leur abbaye. En rivalité avec Saint-Pierre-du-Mont-Blandin, ils accréditent sous la signature de d'apostolat immense, illimité, *longe lateque per universas provincias seu gentes,* tel que plus tard François Xavier. Comme elle est émouvante l'évocation faite dans son *Testament* de son vieux corps épuisé par les courses évangéliques. Quand il meurt, plus qu'octogénaire, la christianisation de la Gaule septentrionale a franch. un pas décisif. Tout échevelé qu'il ait été, un zèle si inépuisable portera des fruits durables.

Évidente y apparaît l'influence irlandaise : Jonas de Bobbio, l'historien de saint Colomban, travailla pendant trois ans aux côtés d'Amand. D'autres apôtres de la Gaule septentrionale avaient d'ailleurs passé par Luxeuil sous Eustasius ou Waldbert, successeurs de Colomban : ainsi Mommelin, Bertin, Omer et Ebertramme.

L'œuvre de saint Amand fut continuée dans la vallée de l'Escaut entre 641 et 660 par saint Éloi, évêque de Noyon-Tournai, qui poussa même une pointe en terre frisonne, et dans la vallée de la Meuse par saint Remacle, successivement abbé de Cugnon, puis de Stavelot-Malmédy († 671). Plus à l'est, dans le vaste diocèse de Maastricht, situé en Austrasie, et où saint Amand avait été évêque trois ans de 647 à 649, saint Lambert travailla avec succès, détruisant en Toxandrie (Campine) les signes de l'idolâtrie. Après sa mort, vers 704, on transporta le siège à Liége; son successeur saint Hubert (705-727) opéra en Ardenne, en Toxandrie et en Brabant[1]. D'après son biographe, « beaucoup d'idoles et de statues » y furent détruites par son ordre.

Dans les régions mosellanes et rhénanes on distinguait trois grandes métropoles : Trèves et ses trois suffragants, Metz, Toul et Verdun; Cologne avec Maastricht; Mayence avec Worms et Strasbourg. Luxeuil, voisine des diocèses lorrains et de celui de Strasbourg, y exerça une influence profonde : souvent, conquis par l'idéal monastique, les grands abandonnaient leurs biens, ou plutôt les donnaient à Dieu, pour en faire le noyau territorial d'une abbaye. Il suffit de citer après Hauck. Au diocèse de Trèves, Tholey fondé par Grimo Adalgisel, diacre du diocèse de Verdun, et rattaché ensuite à cette Église, Longuyon, Cugnon, érigé par le roi Sigisbert III entre 645 et 650, Phalzel, cloître de vierges sur la Moselle en amont de Trèves, Echternach, Prüm dans l'Eifel, Metlach qui doit son origine à l'évêque Liudwin. Au diocèse de Toul, Habendum fondé par un noble mosellan Romary, qui donna son nom au double monastère d'hommes et de femmes, Remiremont, et qui entraîna après lui son ami, l'évêque Arnulf de Metz, conseiller du roi Dagobert; Senones dû à Gondelbert; Bonmoutier, d'abord abbaye féminine, création de l'évêque de Toul, Bodon-Leudin; Moyenmoutier construit par Hidulphe, sans doute chorévêque de Trèves; Saint-Dié qu'érigea Deodatus, peut-être moine irlandais. Au diocèse de Verdun, Beaulieu dû à saint Rouen, et Saint-Mihiel, création du duc Wulfoad. Au diocèse de Metz, Saint-Pierre-aux-Nonnains, Eleriacum ou Saint-Nabord, appelé plus tard Saint-Avold, Hornbach que fondera saint Pirmin. Au diocèse de Strasbourg, Maurmünster, Ebersheimmünster, Münster im Gregoriental[2].

saint Boniface une *Vita,* roman fabriqué de toutes pièces avec des matériaux hagiographiques irlandais. Cycle fabuleux des naissances, miracles de l'enfance, relations avec les anges et les démons, pouvoirs magiques, maîtrise sur les éléments, tout ce clinquant merveilleux n'est qu'une adaptation de légendes irlandaises. Voir I. Snieders, *L'influence de l'hagiographie irlandaise sur les Vitae des saints irlandais de Belgique, R. H. E.*, 1928, p. 596-627; 827-867.

On peut citer toutefois des apôtres originaires de la Belgique, par exemple saint Ursmer qui prêcha en Thiérache, en Hainaut et en Flandre; de même, saint Trudon et saint Bavon.

1. Saint Lambert aurait été tué dans une risque provoquée par une violation de l'immunité concédée par Clovis III à Sainte-Marie-de-Maastricht. — Son disciple et successeur saint Hubert devint sans doute le patron des chasseurs lors du transfert de ses reliques en Ardenne au IXe siècle; mais la légende du cerf crucigère, empruntée à saint Eustache, n'apparaîtra que tardivement au XVe siècle.

2. Sur sainte Odile, patronne de l'Alsace, on peut recueillir les données suivantes : elle se rattachait sans doute

En descendant le Rhin, au fur et à mesure qu'on s'éloigne de Luxeuil, les cloîtres deviennent moins nombreux : citons pourtant Altenmünster, Disibodenberg et Wissembourg. Cologne comptait maintes églises dont plusieurs sans doute d'origine monastique[1].

Rien de plus éloquent que cette longue et sèche énumération : noms vénérés qui deviendront les centres de l'activité ecclésiastique et monastique dans toutes ces régions.

II. Le christianisme en Germanie avant saint Boniface. — Outre les Frisons, on recontrait au delà du Rhin trois peuples germains : Alamans, Thuringiens et Bavarois.

Les Alamans ou Souabes occupèrent d'abord les vallées du Necker et du Haut Danube; et en outre, plus à l'ouest, les régions du lac de Constance et du lac Léman : leur territoire comprenait le sud du Wurtemberg et de l'État de Bade actuels, l'Alsace, la Bavière à l'ouest du Lech, le Vorarlberg et la Suisse alémanique. A hauteur de l'Alsace actuelle, la Thuringe s'étendait sur une vaste région que limitait au nord le Harz, le Danube au sud, la Saale à l'est, la Tauber, affluent du Main à l'ouest. Quant aux Bavarois, ils occupaient au sud de la Thuringe les anciennes provinces du Norique et de Rhétie, entre la Lech à l'ouest, l'Enns à l'est, le Naab, affluent du Danube, au nord, et le Haut Adige au sud.

Tandis que la plus septentrionale de ces régions, la Thuringe, n'avait pas subi l'occupation romaine, les autres, soumises à l'Empire, connurent le christianisme et un embryon d'organisation hiérarchique. Ainsi y eut-il en Alemanie quatre évêchés: Strasbourg[2], Windisch transféré à Constance après les Invasions, Augst transféré à Bâle, et Chur. De même, dans les territoires maintenant occupés par les Bavarois, l'ancien Norique avait eu Lorch et Teurnia; la Rhétie, Augsbourg, Coire (*Curia*) et Sabonia. Tous ces évêchés étaient soumis au métropolitain d'Aquilée, sauf Augsbourg et Coire rattachés à Milan.

Cette christianisation, d'ailleurs très incomplète, ne dut pas sombrer complètement sous le rafale des Invasions : les habitants romanisés demeurés dans le pays eurent sans doute avec leurs vainqueurs des rapports religieux qui provoquèrent des conversions, en même temps que d'Aquilée et de Milan partaient des prêtres missionnaires. Malheureusement ces deux métropoles tombaient, durant la seconde moitié du VIe siècle, dans le schisme des Trois Chapitres où Aquilée devait s'éterniser. De là ces « faux prêtres » dont parlera plus tard Boniface.

Le salut devait venir non du sud, mais de l'ouest par une double influence : mérovingiens, et missionnaires irlandais. Ces trois royaumes tombent en effet avant le milieu du VIe siècle sous la tutelle franque : les Alamans conquis dès 536 par Theudebert, neveu de Clovis; les Thuringiens par Thierry Ier vainqueur du duc Hermenefrid en 531, tandis que, vers la même époque, s'opérait pacifiquement la soumission de la Bavière au protectorat mérovingien. Les chefs y contractèrent des unions avec des femmes franques : ainsi déjà le pre-

à la famille du duc Aldric, père du duc Luttfrid et meurtrier de saint Germain de Granval; elle fonda vers l'an 700 le monastère de Sainte-Marie de Nohenbourg, et travailla à l'évangélisation du pays. Voir la *Vita Odeliæ* p. p. LEVISON dans *Script. Rer. Merov.*, VI, p. 24.

1. D'origine mosellane, saint Cunibert, d'abord archidiacre de Trèves, fut évêque de Cologne pendant quelque quarante ans. Confident de Dagobert, précepteur de Sigebert III, ami de saint Arnoul, de Pépin l'Ancien et de Grimvald, il eut une influence politique et religieuse importante, mais assez obscure. Il put conseiller au roi les mesures qui favorisèrent l'essor de l'évangélisation dans le nord et le nord-est : fondation d'Utrecht chez les Frisons, de Constance chez les Alamans, construction à Spire de la cathédrale et du monastère de Saint-Germain. Voir LEVILLAIN, *La succession d'Austrasie au* VIIe *siècle, Rev. hist.*, 1912 (CXII), p. 62-93. — M. COENS, *Les Vies de saint Cunibert de Cologne et la tradition manuscrite, Anal. Boll.*, 1929 (XLVII), p. 338-367.

2. Nous rattachons cependant Strasbourg à l'organisation rhénane pour la facilité de l'exposé.

mier duc connu, Garibald, avec Waltrada, princesse chrétienne, mère de Théodelinde; la dynastie ducale des Agilulfiens fut par là dès ses origines marquée du sceau de la foi. Éléments romains christianisés antérieurs aux Invasions, princes barbares indigènes subjugués par les Francs ou ayant contracté avec eux des alliances matrimoniales, colons et fonctionnaires qui, venus de la Gaule, achevaient pacifiquement la conquête, autant d'influences propres à travailler plus ou moins directement à la conversion de ces régions.

Mais l'apostolat actif vint surtout des moines irlandais, disciples de saint Colomban. On sait que celui-ci, exilé et errant, avait enfin abouti en Austrasie où Theudebert lui offrait un refuge : il s'établit à Bregenz, sur les bords du lac de Constance. Son zèle emporté — tel celui de Schenoudi en Égypte — était bien fait pour monter à l'assaut du paganisme : son copieux biographe, le moine Jean de Bobbio, nous rapporte que, survenant quelque jour au milieu d'une fête donnée à Wodan, il brisa le vase de bière préparé pour les libations. Nombreuses furent les conversions qu'il opéra en ces parages, jusqu'à ce que, après deux années, il se retirât en territoire lombard, à Bobbio, où il mourut le 23 novembre 615.

Saint Gall, resté après lui sur les bords du lac, vécut en un endroit qui portera son nom, et où s'élèvera dès le VIIIe siècle un monastère fameux. Parmi les autres apôtres de l'Alemanie on cite encore saint Fridolin qui fonda un monastère double à Saeckingen près de Bâle, au bord de la Forêt Noire. Venu de Poitiers, il en apporta les reliques de saint Hilaire. Nombreuses sont les églises du sud-ouest de l'Allemagne et de la Suisse septentrionale dédiées à saint Fridolin. Malheureusement les biographies que nous possédons de ces deux saints sont tardives et sujettes à caution : notamment celle de saint Fridolin qui date du Xe siècle et en fait un contemporain de Clovis.

Quoi qu'il en soit, nous constatons, dans la première moitié du VIIIe siècle, les résultats étendus de cet apostolat grâce à deux documents certains : la *lex Alemannorum* et les *Dicta abbatis Pirminii*. Approuvée vers 719 par une assemblée populaire que présida le duc Landfrid, la revision du code alemanique est toute imprégnée de christianisme : interdiction du travail servile le dimanche, obligation de prêter serment non plus sur les armes à la manière païenne, mais devant l'autel, respect dû aux évêques assimilés aux ducs, paiement d'un wergeld triple pour l'assassinat d'un curé, et double pour celui d'un moine, obligation de respecter le droit d'asile, etc... Quant aux *Dicta Pirminii*[1], ils furent rédigés par saint Pirmin, fondateur des célèbres monastères de Reichenau, au sud-ouest du lac de Constance, et de Murbach en Alsace. Inspirés du *De correctione rusticorum* de saint Martin de Braga, ils sont comme lui un exposé rudimentaire de foi, une sorte de catéchisme, écrit dans un latin barbare. Leur seconde partie nous révèle l'état religieux de ces régions, plus ou moins christianisées sans doute, mais restées attachées à des superstitions multiples, d'origine tout ensemble romaine et germanique : ainsi l'habitude de prier à la croisée des chemins, ou de se marier le vendredi en l'honneur de la déesse Frija.

Vers l'an 638 la Thuringe reçut du roi Dagobert un duc chrétien nommé Radulfe. Son principal apôtre fut le moine breton Kilian qui évangélisa les riverains du Main, et dont le souvenir reste attaché à la ville de Wurtzbourg où il fut massacré vers 689; mais il s'en faut qu'on puisse accorder toute créance aux deux *Passions* du IXe siècle qui racontent sa mort.

La Bavière doit son évangélisation à saint Emmeran qui fonda une abbaye à Ratisbonne

1. Le titre complet est *Dicta abbatis Pirminii de singulis libris canonicis scarapsus*. (*Scarapsus* = extrait).

(† 715), à saint Corbinien établi à Freising, enfin à saint Rupert auquel revient l'érection de l'évêché de Salzbourg (l'ancien *Juvavum*), où il fit construire deux monastères, le couvent de Saint-Pierre, et le Liebfrauenkloster sur le Nonnberg, dont il confia la direction à sa nièce. Ces missionnaires — en particulier saint Rupert — furent favorisés par le duc Théodo.

Au fond les peuples germaniques de la rive droite du Rhin ne se donnaient pas au christianisme avec cet enthousiasme spontané des Irlandais, et plus tard des Anglo-Saxons. C'est qu'ils voyaient dans la religion nouvelle un article d'importation, plus ou moins imposé par les Francs, dont ils ne supportaient qu'à regret la domination. « Il doit être permis à un chrétien de servir Dieu librement », dit le Code alemanique : phrase où l'on peut entrevoir une protestation contre toute contrainte morale, et le désir de se donner au vrai Dieu, non par l'ordre de maîtres étrangers, mais librement. N'est-ce pas là le *Sponte, non vi* de Tertullien, cri universel de la conscience humaine?

D'ailleurs, évangélisation encore sommaire, inorganisée, et qui n'a pas abouti à l'établissement de cadres hiérarchiques solides. A ces missionnaires, irlandais d'origine pour la plupart, en tout cas irlandais par leur méthode, qu'a-t-il donc manqué? Non certes pas l'entrain, ni l'éloquence, ni la sainteté qui va jusqu'à la soif du martyre; mais l'esprit d'aménagement, d'organisation, bref ce qu'implique le beau verbe français *finir*. Cet esprit de suite qui eût modéré et réglé leur ardeur dévorante, ils ne le possédaient point parmi les qualités de leur race, si riche pourtant en dons divers, mais à qui manquait l'équilibre général des facultés. Ils ne l'eussent acquis plus ou moins qu'en se mettant directement, comme plus tard les missionnaires anglo-saxons, sous la tutelle du Siège Apostolique. Ils l'aimaient, certes, cette Église romaine, et Colomban lui-même salue le pape comme « le chef des Églises de l'Europe », « pasteur des pasteurs ». Pourtant ils ne la traitaient pas ainsi qu'une mère, de qui l'on attend tous conseils et toutes directions. Ils s'en allaient à travers tout avec impétuosité, tels des enfants qui entreprendraient une excursion en pays inconnu, sans savoir ni où ils vont, ni quelles difficultés ils rencontreront, ni comment revenir.

Point de diocèses strictement délimités, nulle hiérarchie organisée, une liberté d'évangélisation qui laissait à chaque missionnaire le choix et l'étendue de son champ d'action, et qui permettait à ces Celtes de colporter leurs particularités liturgiques et autres, par exemple sur la fixation de la date de Pâques et sur la tonsure. Au surplus parmi ces évêques vagabonds (*episcopi vagantes*), plusieurs furent de véritables aventuriers, sans mandat, sans ordination peut-être, et qui répandaient un enseignement erroné. Saint Boniface rencontrera plusieurs de ces faux missionnaires qu'il poursuivra avec vigueur.

En Bavière, le duc Théodo désirait l'établissement d'une Église locale fortement hiérarchisée, et qui ne dépendît pas de métropoles étrangères. Devant la carence des Irlandais, il s'adressa à Rome en 715. De là un projet, sorte de concordat en treize articles, où se trouvait réglée l'organisation ecclésiastique de la Bavière qu'on adapterait à l'organisation politique, un évêché devant correspondre à chaque province. Formation du clergé, attribution des biens ecclésiastiques, législation matrimoniale et droit canon, liturgie, répression des pratiques superstitieuses, autant de points abordés dans ce mémoire pontifical que Grégoire II confia à ses envoyés, l'évêque Martinien, le prêtre Georges et le sous-diacre Dorothée. Mais un tel programme qui tendait à l'érection d'une Église bavaroise indépendante était mal vu des Francs; une fois Théodo mort l'année suivante, ses fils désunis ne purent le réaliser. Saint Boniface seul y parviendrait bientôt.

LIVRE XVIII

LA DÉFENSE DE LA PRIMAUTÉ ROMAINE

CHAPITRE PREMIER

LA PRIMAUTÉ ROMAINE EN OCCIDENT

I. Italie. — L'évêque de Rome n'est pas seulement primat de l'Église universelle, mais aussi patriarche d'Occident et métropolitain de l'Italie : dignités d'ailleurs étroitement liées, et dont chacune confère pourtant des prérogatives spéciales.

Comme métropolitain d'Italie, le pape régit les Églises des régions suburbicaires qui forment les dix provinces suivantes : Toscane et Ombrie, Campanie, Lucanie et Bruttium, Apulie et Calabre, Samnium et Picenum, Valérie, Sicile, Sardaigne, Corse, en tout quelque deux cents évêchés. Dans ces régions nulle autonomie ecclésiastique provinciale : ni conciles, ni métropolitains, mais dépendance directe du pontife romain. Il y détient la double prérogative propre au métropolitain : confirmation et ordination des évêques élus, tenue des synodes. Il y possède d'ailleurs un droit direct de regard : c'est là son domaine tout proche où sa sollicitude se montre plus inquiète et plus soucieuse du détail, son autorité tout à la fois plus exigeante et plus paternelle. Ainsi saint Léon se plaignant aux évêques de Campanie, de Picenum et de Toscane que des serfs soient appelés à l'épiscopat, ou encore que des hommes mariés plusieurs fois ou unis à des veuves entrent dans le clergé : questions disciplinaires, qui à plus longue distance n'eussent pas éveillé son attention ni suscité son intervention. De tels exemples, qu'on pourrait multiplier, montrent assez que ses suffragants lui restent assujettis de très court.

Régime pastoral cependant, et largement bienfaisant : car si le pape intervient quelquefois pour réprimander, plus souvent encore pour aider dans les tribulations. L'évêque sicilien Paschasinus de Lilibée (= Marsala) se trouve-t-il dans la plus grande détresse par suite de l'invasion arabe, saint Léon lui envoie avec des secours une lettre d'encouragement : « L'écrit de votre apostolat, déclare le prélat reconnaissant, a porté consolation et remède à ma nudité et aux misères que m'a values ma très amère captivité; il a été pour mon esprit une rosée céleste et bienfaisante, et a essuyé toute ma tristesse. » Le Siège Apostolique joue toujours ce rôle de Providence de l'Italie qu'il a assumé dès les premiers siècles, et qu'il remplira avec une générosité accrue lorsque le Patrimoine de Saint-Pierre sera formé définitivement.

Le concile romain gardait aussi une importance particulière. Il se tenait au moins une fois l'an pour l'anniversaire ou *natale* de l'élection pontificale. D'ailleurs, comme à Constantinople, il y avait toujours à Rome un certain nombre d'évêques venus pour leurs affaires, et qui y formaient les éléments d'un synode permanent. Qu'on leur adjoignît évêques voisins et prélats de passage, et voilà une assemblée importante, déjà par le nombre sans doute, mais plus encore par l'autorité de celui qui la préside. Aussi voit-on parfois un synode romain trancher les affaires de contrées éloignées, et en matière doctrinale surtout, porter des arrêts intéressant la catholicité entière. Plus d'une fois, pareilles sentences ont condamné une hérésie — tel le pélagianisme —, ou encore ont dessiné par avance et comme dicté l'attitude d'un concile œcuménique : ainsi, concernant le nestorianisme.

Il existe en outre une Italie non suburbicaire qui comprend sept provinces : Ligurie, Émilie, Flaminie et Picenum annonarium, Vénétie et Istrie, Alpes Cottiennes, les deux Rhéties, bref toute l'étendue coïncidant avec le vaste diocèse politique de l'*Italia annonaria*. Le métropolitain réside à Milan. On juge quelle importance possède ce dignitaire ecclésiastique dans la seconde moitié du IVe siècle, quand Milan est devenue résidence impériale, et quand son évêque, saint Ambroise, jouit d'une réputation universelle. Dès lors l'épiscopat des pays étrangers se tourne volontiers vers Milan, comme vers Rome pour quelque consultation : ainsi non seulement la Gaule toute voisine, mais même l'Espagne, qui s'adresse à Ambroise, lors du débat pricillianiste. Avec une vigueur toute romaine ce même Ambroise opère aussi l'épuration de l'Illyricum qu'infeste encore l'arianisme. Sans doute Milan ne se posait-elle pas orgueilleusement comme Constantinople en rivale de Rome. A la fin du IVe siècle sa splendeur n'en devait pas moins porter quelque ombrage au Siège Apostolique.

Les successeurs d'Ambroise, Simplicianus (397-400), puis Venerius (400-408) héritent de sa situation exceptionnelle. D'ailleurs le concile d'Italie prend une importance comparable à celle du concile romain. Outre que s'y règlent les affaires ecclésiastiques locales, on y entend des causes plus lointaines : ainsi le concile de Milan s'occupe-t-il en 381 de l'Illyricum, puis celui de l'Illyricum vers l'an 400 règle-t-il diverses questions à lui évoquées par l'épiscopat gaulois. « Le pli se prenait, constate Mgr Duchesne ; il était même déjà pris. Toutes les fois que l'on avait entre soi un dissentiment grave, que l'on désespérait de régler en Gaule, on le portait à l'évêque de Milan et à son concile. Ce n'était pas que l'on mésestimât le Siège Apostolique, sa tradition, ses lumières, mais on croyait apparemment que les évêques de la Haute Italie étaient mieux renseignés sur l'état des choses en Gaule et on s'adressait plus volontiers à eux. » La papauté avait bien vu le péril. Dans une lettre très ferme à saint Victrice de Rouen, Innocent Ier rappelait que tout débat entre évêques doit se juger dans la province même, sauf appel à Rome ; très grave, l'infraction à cette règle entraînerait la déposition.

II. La Gaule[1] : le vicariat d'Arles. — Dans la vallée du Rhône, deux villes allaient se trouver en conflit à l'aube du Ve siècle : d'une part Vienne, métropole religieuse et siège du diocèse civil de la Viennoise, comprenant toute la Gaule méridionale ; d'autre part, Arles qui, lorsque la puissance romaine évacua le Rhin devant le flot barbare et quitta

1. La Gaule romaine comprend au IVe siècle deux diocèses impériaux : celui des Gaules et celui de Vienne. Le premier se subdivise en neuf provinces dont les métropoles sont Trèves (Belgique I), Reims (Belgique II), Mayence (Germanie I), Cologne (Germanie II), Besançon (Grande Séquanaise), Lyon (Lyonnaise I), Rouen (Lyonnaise II), Tours (Lyonnaise III), Sens (Lyonnaise IV ou Sénonaise). Le diocèse de Vienne compte sept provinces avec pour métropoles Vienne (Viennoise), Narbonne (Narbonnaise I), Aix (Narbonnaise II), Eauze (Novempopulanie), Bourges (Aquitaine I), Bordeaux (Aquitaine II), Embrun (Alpes Maritimes). En plus les Alpes Pennines et les Alpes Grées avec Martigny et Moutiers.

Trèves, servit de refuge à la préfecture du prétoire, devenant ainsi le centre de la résistance au delà des Alpes. Du même coup, consciente de son nouveau prestige, Arles voulut secouer la tutelle ecclésiastique de Vienne, pour s'ériger, elle aussi, en métropole. Le choc des ambitions rivales éclata lorsque plusieurs évêques, brouillés avec Proculus de Marseille, sollicitèrent l'arbitrage arlésien, malgré les protestations du métropolitain, Simplicius de Vienne, qui se jugeait seul compétent dans une affaire de son ressort. C'est alors que vers l'an 400 les deux groupes antagonistes portèrent leur cause au concile de Turin. Sur le fond du débat — qui était non pas le conflit marseillais, mais la rivalité entre Arles et Vienne — l'assemblée s'en tira par une réponse plutôt dilatoire, conseillant aux deux sièges qu'ils se divisassent la juridiction de la Viennoise, où chacun exercerait les droits métropolitains sur les évêques les plus voisins. Autant laisser les belligérants sur le pied de guerre, et ne rien trancher.

Sur ces entrefaites Arles fut l'enjeu d'une lutte sanglante entre l'usurpateur Constantin et le patrice Constance. Vainqueur, celui-ci chassa le saint homme Héros, qu'il remplaça par une créature à lui, Patrocle. Ambitieux, celui-ci voulut obtenir pour son évêché un surcroît d'honneur et de profit. Auprès du pape Zozime, il fit valoir un argument de tradition : la fondation d'Arles par saint Trophime, qu'aurait envoyé au Ier siècle saint Pierre lui-même. Pour la première fois, l'apostolicité d'une Église gauloise était ainsi invoquée. Zozime ne demandait pas mieux d'y croire les yeux fermés. Dans la requête de Patrocle il vit, en effet, l'occasion d'organiser sur le Rhône un centre ecclésiastique puissant, où toute cause serait jugée, ce qui empêcherait désormais les Églises gauloises d'en référer au concile d'Italie, et réduirait d'autant l'importance trop grande de Milan.

Par un vrai coup de théâtre, Zozime décréta donc en 417 que Patrocle d'Arles deviendrait non seulement métropolitain de la Viennoise, objet du litige, mais encore de la Narbonnaise Ire et de la Narbonnaise IIe : immense ressort s'étendant de Toulouse à Embrun, du Léman à la Méditerranée, bref sur toute la Gaule méridionale. D'autre part Zozime instituait personnellement Patrocle vicaire du Siège Apostolique pour la Gaule entière, autrement dit celui-ci servirait d'intermédiaire entre l'épiscopat gaulois et Rome. Nul clerc n'aborderait le pape sans un passeport arlésien, les lettres testimoniales (*litterae formatae*) délivrées par Patrocle. A lui aussi toutes affaires gauloises qui ne nécessiteraient pas l'appel à Rome.

Cette décision brusquée était maladroite. Outre qu'elle profitait à un personnage peu recommandable, ce Patrocle, prélat intrigant et simoniaque, elle lésait trop d'intérêts, bousculait trop de traditions, mieux assises que la légende de saint Trophime, pour ne pas soulever maintes protestations : celles de Vienne, Narbonne, Marseille, cités qu'Arles n'avait aucun titre historique à dominer. Tout saint homme qu'il fût, et ami de saint Jérôme, de saint Honorat et de Cassien, Proculus de Marseille considéra la décision pontificale comme non avenue. Zozime le déposa sans l'intimider. Les tempéraments monastiques ont parfois de ces libres allures envers la hiérarchie, comme si l'austérité de vie leur conférait un droit particulier à protester plus hardiment contre tous abus, d'où qu'ils viennent.

Rome, d'ailleurs, ne maintint pas le coup d'État tenté par Zozime. En 428, dans une lettre aux évêques de Viennoise et de Narbonnaise, le pape Célestin pose en principe que toute province doit avoir son métropolitain qui restera chez lui sans s'occuper des affaires du voisin : autant révoquer les prérogatives arlésiennes. Plus tard saint Léon affirmera qu'elles n'avaient été concédées à Patrocle que pour un temps.

D'ailleurs le péril milanais s'estompait : le vicariat de la Haute Italie se désagrégeait.

En 404, Honorius avait transféré sa capitale de Milan à Ravenne : d'où son érection en métropole durant l'épiscopat de saint Pierre Chrysologue vers 425. Ainsi se constitua une province ecclésiastique d'Emilie[1], formée surtout aux dépens de Milan, mais placée sous l'obédience directe de Rome, en sorte que ses évêques y devaient être ordonnés et y assister aux conciles : somme toute, un évêché suburbicaire comme les autres. Saint Pierre Chrysologue

Cliché Alinari.

RAVENNE. SIÈGE ÉPISCOPAL.

montre une déférence respectueuse envers le Siège Apostolique; sollicité par Eutychès, il l'invite à se soumettre sans réserve « au bienheureux Pierre, qui sur son propre siège vit et préside, et qui assure à ceux qui la cherchent la vérité de la foi ». « Pour nous, ajoute-t-il, par amour de la paix nous ne pouvons connaître des causes doctrinales en dehors du consentement du pontife romain. »

Avant même celle de Ravenne, s'était formée la métropole d'Aquilée, dont le pasteur

1. Cette province comprit d'abord Forli, Faënza, Imola, Voghenza, Bologne et Modène; puis, à la fin du ve siècle, l'Emilie entière. Voir PANZONI, *Le origini delle diocesi antiche d'Italia*, 1923.

intervient déjà, au même titre que son collègue milanais, dans l'affaire de saint Jean Chrysostome. Sa situation intermédiaire entre l'Orient et l'Occident lui réserve un certain rôle : ainsi les Illyriens lui demandent-ils conseil quelquefois.

Somme toute sont dès lors fixés les traits essentiels de la géographie ecclésiastique de l'Italie avec ses quatre métropoles, Rome, Milan, Aquilée, Ravenne; la fondation de ces dernières a affaibli d'autant Milan et rassuré Rome. Au VIe siècle, Pélage Ier déclare que, s'il permet aux évêques de Milan et d'Aquilée, qu'ils s'ordonnent réciproquement au lieu de venir à Rome, c'est uniquement à cause de la distance et des difficultés de la route; du moins, aussitôt la consécration, doivent-ils notifier au pape leur consécration.

Au milieu du Ve siècle, Milan n'avait donc plus les mêmes raisons d'inquiéter Rome que sous Zozime. Pourquoi dès lors maintenir le projet de primatie gauloise? Toutefois si le vicariat pontifical avait disparu, l'importance de la métropole arlésienne allait toujours croissant grâce à l'éclat de ses titulaires : saint Honorat, qui jadis avait fondé le monastère de Lérins, puis son disciple Hilaire. Ces moines devenus évêques faisaient rejaillir sur leur siège l'humble éclat de leur ascétisme : on savait que, même métropolitain, Hilaire travaillait de ses mains, qu'il tricotait en lisant, voire qu'il labourait la terre pour épargner d'autant le patrimoine des pauvres. Au surplus, soucieux des responsabilités de sa charge, il ne reculait devant aucune fatigue pour en remplir les principaux devoirs : convocation des conciles et surveillance des élections épiscopales. Sous son gouvernement les synodes provinciaux se multiplièrent, dont trois noms sont bien connus par les collections canoniques : Riez en 439, Orange en 441, Vaison en 442. A y voir l'évêque de Vienne et ses suffragants, celui de Lyon, plusieurs prélats de la Ire et de la IIe Narbonnaise, ainsi que ceux des Alpes Maritimes, on se rend compte qu'Arles redevenait, sous ce prélat zélé, un siège influent.

Hilaire veillait aussi au bon recrutement de l'épiscopat. Infatigable marcheur, il se rendait souvent au lieu de l'élection, veillait à ce que nulle manœuvre simoniaque n'intervînt, à ce qu'aucun personnage de vertu médiocre ne pût parvenir; sans souci des résistances locales, il faisait sentir son intervention directe au profit de celui qu'il jugeait le plus méritant : ainsi patronna-t-il souvent des ascètes dont il connaissait la vertu éprouvée. Tout cela n'allait pas sans provoquer des murmures : déjà on s'était plaint jadis au pape Célestin que saint Honorat choisît ses évêques non parmi les clercs de l'Église à pourvoir, mais parmi les moines : procédé un peu sommaire, trop dégagé des formes diplomatiques, voire des formes canoniques, et qui tôt ou tard provoquerait une réaction contre son auteur.

L'élection au siège de Besançon en 444 fut l'occasion. On y avait nommé un certain Célidonius, contre qui des habitants produisirent de graves objections. A peine averti, Hilaire qui se trouvait à Auxerre chez son ami saint Germain, se rendit sur les lieux, somma Célidonius de se démettre, et à sa place installa un personnage qui portait le nom prédestiné d'Importunus. Cependant, non résigné, Célidonius se rend à Rome auprès de saint Léon; Hilaire, que les distances n'effrayaient pas, y arrive sur ses traces. Cet austère réformateur était plus soucieux de discipline que de légalité; à en croire son biographe, il aurait décliné devant le pape lui-même la compétence du tribunal romain; il était venu par politesse, non pour plaider une cause jugée (*ad officia, non ad causam*). Mais il se heurtait au plus romain — si l'on peut dire — de tous les papes, à ce saint Léon qui incarnait l'autorité pontificale avec une force, une solennité, une majesté sans égale.

Léon rétablit Célidonius sur son siège; de même, un autre évêque, Projectus, remplacé prématurément sous prétexte qu'il était malade et incapable. Puis il condamna Hilaire lui-même pour avoir outrepassé ses droits. Abus de pouvoir que d'imposer aux églises des candidats qu'elles ne connaissent aucunement, comme si l'élection ne leur revenait pas. Abus de pouvoir que de réunir des conciles plus étendus que les limites de la province. Et qu'on n'aille pas alléguer une situation éminente de l'Église d'Arles : « Pourquoi ces usurpations? Avant Patrocle aucun de ses prédécesseurs n'avait exercé son autorité dans de telles limites. Patrocle lui-même n'en a usé ainsi que par une concession du Saint-Siège, concession temporaire, révoquée depuis, et avec raison. » Aussi le pape réduit-il la juridiction d'Hilaire au seul territoire d'Arles, sans plus lui laisser aucune autorité dans la Viennoise : autrement dit il le casse comme métropolitain. Son évêché, et rien de plus. Par là d'ailleurs il se pose en défenseur des libertés locales : « Nous ne revendiquons pas pour nous le droit d'ordination dans vos provinces, comme peut-être Hilaire osera vous le dire effrontément; nous le revendiquons pour vous; pour vous, dans notre sollicitude, nous nous opposons à toute innovation qui porterait atteinte à vos privilèges. » « Il n'y a pas, conclut Mgr Batiffol, à chercher du machiavélisme dans une politique d'ordre et de tradition, que nous retrouverons partout la même. »

Cette dure sentence fut confirmée par Valentinien III dans une constitution du 8 juillet 445[1]. Tout évêque qui, cité à Rome, n'y comparaîtrait pas, y serait contraint par le bras séculier, c'est-à-dire par le gouverneur de la province : « Car le moyen d'établir une paix durable, c'est que l'universalité reconnaisse celui qui la gouverne. » Et l'empereur rappelait sur quels arguments se fondait le primatus du Siège Apostolique : d'abord « la dignité de l'apôtre Pierre », puis celle de la ville de Rome. N'était-ce pas comme un écho officiel du sermon où, avec une solennité antique, saint Léon avait magnifié, en la fête du 29 juin, la cité « jadis maîtresse d'erreur, aujourd'hui disciple de la vérité », et dont « la domination s'étend plus loin maintenant par la religion qu'autrefois par les armes »?

On peut croire qu'Hilaire, saint moine et métropolitain austère, n'avait péché que par excès de zèle. Devant l'intervention pontificale, il s'était cabré dans un mouvement d'indépendance, qui ne dévoile pas nécessairement un tempérament foncièrement gallican, comme semble le croire saint Léon, piqué au vif par cette résistance inattendue, scandalisé d'ailleurs dans son âme si foncièrement romaine. En tout cas, le gallicanisme d'Hilaire n'était pas sans repentance; il se soumit à la dure condamnation : silence résigné, auquel il faut reconnaître quelque grandeur[2].

Mais cette sentence était personnelle, elle visait surtout Hilaire. Après sa mort, quelles limites nouvelles seraient assignées au siège d'Arles? Dès 450, dans une supplique collective, dix-neuf évêques de Viennoise, de Narbonnaise IIe et des Alpes Maritimes plaidèrent la cause de cette métropole : tout d'abord son origine apostolique, d'où un prestige traditionnel, si bien qu'elle jouissait en Gaule de la primauté reconnue à Rome sur toutes les églises; d'autre part, sa prééminence politique, à quoi devait correspondre une préséance ecclésias-

1. D'après M. Babut, cette constitution de Valentinien III serait la charte de la papauté. « On découvre, dit-il, après une étude attentive, que la bâtisse reposait sur l'armature d'une loi d'Empire. » A quoi il est facile de répondre qu'une autorité spirituelle n'a jamais été fondée sur la force, surtout sur celle d'un Empire défaillant.

2. On a prétendu parfois qu'Hilaire avait voulu, non seulement étendre les droits accordés jadis à Arles par Zozime, mais se rendre complètement indépendant de Rome. Voir W. WOLKER, *Studien zur päpstlichen Vikariatspolitik im V Iahrhundert,* dans *Zeitschrifts fur Kirchengeschichte*, 1927, XLVI, p. 355-380. Sa sainteté personnelle et la soumission qu'il montra après la sentence romaine prouvent que c'est là une hypothèse outrée.

tique : le « principat séculier » postulant « le principat religieux » (*principatum in saeculo, principatum in sacerdotio*). Il y avait là à prendre et à laisser. Saint Léon ne se crut pas lié par les traditions invoquées; encore fallait-il tenir compte des situations acquises. Aussi divisa-t-il la province en deux circonscriptions métropolitaines : d'une part, Vienne avec Valence, Tarentaise, Genève, et Grenoble; d'autre part, Arles imposant sa juridiction aux autres églises de la Viennoise. Quant aux droits élargis du métropolitain d'Arles sur les deux Narbonnaises et sur les Alpes Maritimes, il n'en était plus question[1].

Cependant, durant la seconde moitié du ve siècle, dans une Gaule menacée et peu à peu envahie par les Wisigoths et les Franks, il importait, pensa le pape saint Hilaire, qu'Arles, dernier refuge de la défense romaine, groupât les forces religieuses dispersées. Il tenta donc, sans le dire expressément, de restituer à Léonce, évêque d'Arles, les droits et devoirs d'un vicaire pontifical : ainsi lui demanda-t-il qu'il réunisse chaque année, si possible, un concile de toutes les provinces gauloises. Ainsi encore, lui enjoignit-il de poursuivre Mamert de Vienne qui avait empiété sur ses droits, en pourvoyant au siège de Die : usurpation qui, si elle se reproduisait, serait punie par la suppression de la métropole viennoise au profit d'Arles. Ne dirait-on pas un retour, ou presque, à la politique de Zozime? Mais Léonce n'était pas un Patrocle ; personnage discret, il correspondait sans enthousiasme aux vues pontificales.

D'ailleurs, dès 476, Arles tombait aux mains des Wisigoths ariens, et dès lors il ne pouvait guère s'agir pour son évêque d'un rôle étendu. Cette primatie subit donc alors une éclipse. Si au début du VIe siècle, elle reprend de l'éclat, c'est grâce à saint Césaire (502-542). Le pape Symmaque comprit tout à la fois et la valeur personnelle de l'homme, et l'importance du siège, centre du royaume wisigothique. Entre Césaire et l'autorité apostolique il y eut une entente étroite et comme un concordat, en sorte que la papauté rendit son prestige à la primatie d'Arles, et que d'ailleurs Césaire fit intervenir la papauté le plus possible dans les affaires d'outre-monts. Symmaque confère donc à Césaire juridiction sur les parties gauloise et espagnole du vaste empire wisigothique : droit pour lui de réunir des conciles s'étendant à toute cette région, devoir pour les clercs de lui demander des lettres d'introduction avant tout voyage à Rome. En retour, Césaire multiplia les recours au siège apostolique et tendit à donner une plus-value à ces consultations pontificales, en y voyant non seulement des réponses à des cas tout particuliers et tout locaux, mais des instruments réguliers de législation : documents disciplinaires analogues aux canons des conciles et pouvant avoir force de loi pour toute situation semblable. A l'abri de cette autorité pontificale, Césaire se retranchait comme derrière un argument de prescription, absolument sans réplique : « Le saint pape de la ville de Rome l'a ainsi ordonné; ma conscience ne me permet pas d'aller contre un commandement venu de si haut. »

De ces consultations empressées lui-même donnait l'exemple. Lors de son voyage *ad limina*, — tel plus tard saint Boniface — en 513, il interroge le pape sur maints sujets disciplinaires : dilapidation des biens ecclésiastiques, consécrations simoniaques, ordination hâtive des laïques, rapts, mariages des vierges et des veuves. Les réponses pontificales à ces questions vaudraient en Gaule partout où Césaire pourrait étendre son influence. A lui-même le pape conférait alors le pallium, « humble écharpe de laine, bordée de petites croix, symbole

1. Sur la primauté d'Arles, voir L. DUCHESNE, *Fastes épiscopaux de l'Ancienne Gaule*, 2e édit., 1907, t. I, p. 86, 146; 249-263.

d'une grande autorité ». Aux diacres arlésiens, il accordait aussi de porter la dalmatique à la manière romaine. Ce voyage consacrait donc une alliance : sous l'influence de Césaire, le

Cliché N. D

ARLES. — LES ALISCAMPS.

Terre sacrée où, du IVe au XIIe siècle, seigneurs et évêques voulurent avoir leur sépulture auprès du tombeau de saint Trophime.

clergé s'habituait à la déférence et à l'obéissance envers Rome. Au concile de Vaison, en 529, Césaire faisait adopter l'usage de citer le pape dans les diptyques.

A la même époque, Avit de Vienne (490-519) prêchait aussi, et jusqu'en Orient, le devoir de l'union au Siège Apostolique.

Mais l'exceptionnelle valeur de ces deux évêques ne fut pas remplacée. Rome eut beau conférer le pallium aux successeurs de Césaire, ils ne remplirent pas le rôle aussi brillamment. Établissement des Lombards dans l'Italie septentrionale, morcellement des Gaules en divers royaumes, autant de circonstances politiques qui mettaient d'ailleurs obstacle à la centralisation ecclésiastique et à la pénétration de l'influence romaine. Celle-ci néanmoins ne disparaît point, et parfois s'appuie sur tel ou tel canon de ces conciles francs, en qui on a trop voulu voir les organes autonomes du gouvernement ecclésiastique national[1]. Mais on ne revit plus les Églises groupées sous un véritable vicaire pontifical. Au concile de Mâcon en 585, Priscus, métropolitain de Lyon, prend sans doute le titre de patriarche et fait décider que le synode national se réunira tous les trois ans sous sa présidence. En fait, de cette initiative, il ne subsista qu'une préséance sans portée. Quant au vicariat d'Arles, saint Grégoire le Grand songea bien à le rétablir, sur la proposition de Childebert, au profit de l'évêque Virgile ; il comptait s'appuyer sur lui pour réformer l'épiscopat franc ; mais nous avons dit ailleurs que ces projets échouèrent par la misère des temps.

Entre Loire et Seine, Tours avait joué un rôle analogue à celui d'Arles dans la vallée du Rhône, groupant autour d'elle et associant à son progrès disciplinaire toutes les Églises de cette région. Elle les assemblait en conciles qui faisaient loi au midi de la Loire, dans la province de Bourges, et jusqu'en Auvergne. Mais isolée de Rome, Tours n'avait pu jouer ce rôle d'intermédiaire de la papauté qui avait fait la grandeur d'Arles. D'ailleurs, les évêques installés par les Irlandais dans les évêchés bretons refusaient de reconnaître le métropolitain de Tours. Dès 567, un concile décrète contre eux le canon suivant : « Dans la province d'Armorique nul ne doit sacrer l'évêque, pas plus un Breton qu'un Romain, sans l'assentiment du métropolitain et des autres évêques de la province, et cela sous peine d'excommunication des évêques jusqu'au prochain concile. » (*C. 9.*) Mais il était plus facile de légiférer que de briser une tête bretonne : les métropolitains de Tours l'apprendront à leurs dépens. Une querelle s'ouvre, qui ne se clôra pas de longtemps.

III. L'Afrique. — L'importance de Milan avait pu inquiéter Rome ; on ne voit pas toutefois qu'elle se soit inscrite en rivale, ou même qu'elle ait contesté aucune des prérogatives pontificales. L'Église d'Afrique, elle, visait à une certaine indépendance, et parfois adoptait une attitude frondeuse. Qu'on se rappelle ce que nous avons dit de saint Cyprien, l'ancêtre le plus vénérable et le plus attitré de cette Église : « Si dans la controverse baptismale son attitude fut fautive, c'est qu'il se faisait du magistère romain une idée incomplète et partiellement inexacte. Sans doute rend-il un hommage pleinement admiratif à la chaire de Pierre. N'est-ce pas l'Église principale, d'où procède l'unité sacerdotale, autrement dit la communion catholique tout entière? Au seul évêque romain, Cyprien applique le terme de primauté. Et il ne la réduit pas d'ailleurs à un titre purement honorifique : il considère le

Affaire d'Apiarius. — *SOURCES :* 1° le *Commonitorium* de Zozime, *P. L.*, XX, col. 680-682 ; 2° la lettre du concile de mai 419 à Boniface, *ibid.*, col. 752-756 ; 3° la lettre du concile de 424 à Célestin, *P. L.*, L, col. 422-427. — *TRAVAUX :* Dom H. Leclercq, *L'Afrique chrétienne*, t. II. — Dom J. Chapman, *Apiarius*, dans *The Dublin Review*. — Mgr Batiffol, *Le catholicisme de saint Augustin*, t. II. — A. Audollent, art. *Apiarius*, dans *Dict. Hist.*

1. Par exemple le troisième canon du IIIe concile d'Orléans en 558 dit qu'on doit se conformer « au décret du Siège Apostolique » pour l'élection des métropolitains. M. Chénon proteste contre le titre « d'église nationale franque » (*frankische Landskirche*) décerné parfois à l'Église mérovingienne, notamment par Loening. « Église de France », « Eglise gallicane » lui semblent alors termes inexacts ; il leur préfère « Église gallo-franque. » Chénon, *Histoire générale du droit français*, t. I, p. 308.

pape comme le président effectif de la fédération épiscopale, auquel on peut interjeter appel. Pourtant ses prérogatives ne vont pas plus loin. Sans doute saint Cyprien est-il un romain, mais un romain d'Afrique. Autant qu'à la primatie pontificale ainsi définie, il tient au droit des évêques. Ainsi son romanisme se limite-t-il à une conception aristocratique et fédérale, contre quoi s'élève la vieille tradition monarchique. Et voilà pourquoi il soutint jusqu'au bout les droits imprescriptibles de la coutume locale. » Mentalité qui survécut à Cyprien, et qui explique comment — tout en reconnaissant le primatus romain — l'Église d'Afrique affirma d'une manière ombrageuse ses titres à une certaine autonomie.

Carthage y jouit d'une primatie analogue à celle de Rome sur l'Italie, ou à celle des patriarcats orientaux. Elle se trouve au sommet d'un groupement interprovincial comprenant Afrique proconsulaire, Numidie, Byzacène, Tripolitaine, Mauritanies sitifienne et césarienne : autorité d'autant plus émergeante qu'à la tête de chacune de ces régions se trouve non pas un titulaire dont le siège est fixe, mais l'évêque le plus ancien d'ordination. Au primat carthaginois de réunir et présider le concile général d'Afrique, dont l'importance est considérable et qui, plus d'une fois, débordant ses attributions locales, a porté — avec moins d'autorité sans doute, mais comme le concile romain — des jugements dogmatiques intéressant la chrétienté entière. Ainsi, tandis qu'en Orient les patriarches d'Alexandrie ou de Constantinople sont les maîtres dont les conciles ne doivent être que l'instrument, en Afrique la place importante revient au concile général, puissant organe d'union, de concentration, de vie ecclésiastique.

Toute cause disciplinaire en relevait; aucune ne devait passer la mer pour être jugée à Rome : ainsi l'affirma notamment le concile carthaginois de 418. Sous le pontificat de Zozime, ce principe fier et ombrageux donna lieu à de très vifs incidents.

L'évêque de Sicca, Urbanus, avait déposé et excommunié l'un de ses prêtres, Apiarius, accusé de plusieurs fautes graves. Celui-ci en appela à Zozime qui prit en main l'affaire et envoya à Carthage trois légats. Ils étaient porteurs d'un monitorium : moins de visites à la cour de Ravenne, y disait le pape, mais liberté des appels au siège romain. Quant à Urbanus, il s'exposait à l'excommunication s'il ne corrigeait son jugement sur Apiarius. De graves conflits pouvaient surgir. L'épiscopat africain conserva son calme. En ce qui concerne Apiarius, on donna au pape toutes satisfactions : réconciliation de l'excommunié avec l'Église, autorisation d'exercer ses fonctions sacerdotales partout où il voudrait, sauf à Sicca.

Simple incident d'ailleurs, mais qui irritait la grave question des rapports entre l'Afrique et Rome. Sous Boniface, successeur de Zozime, un concile se tint à Carthage où figuraient 217 évêques avec les trois légats pontificaux (419). Zozime avait appuyé ses réclamations concernant le droit d'appel à Rome sur la discipline de Nicée; en fait, les textes allégués émanaient du concile de Sardique dont les canons avaient été inscrits dans les livres romains à la suite de ceux de Nicée. Les Africains firent donc remarquer qu'ils ne se trouvaient pas dans leur collection; et pour tirer l'affaire au clair, résolurent une enquête en Orient; elle tourna à leur avantage. « Nous croyons, écrivirent-ils à Boniface que, Votre Sainteté présidant l'Église romaine, nous n'aurons plus à souffrir une telle arrogance, et qu'on observera à notre égard les procédés que nous ne devrions pas être obligés de réclamer. »

Cependant, le procès d'Apiarius se rouvrait quatre ans plus tard. Établi à Thabarka, il s'y conduisit à nouveau de telle manière qu'on l'excommunia. Sans vergogne il reprit le chemin de Rome. Favorable à l'appelant, le pape Célestin envoya à Carthage le légat Faustinus pour faire annuler la sentence. Devant le concile de Carthage (424), celui-ci se montra cassant à l'égard des évêques, partial en faveur d'Apiarius qu'il défendit comme un avocat son client. Combien pourtant la cause était mauvaise, on le vit assez quand, après trois jours d'enquête, l'accusé s'effondra dans un aveu larmoyant.

Pour les Africains, trop belle était l'occasion de faire la leçon à Rome. On rappela que, d'après le cinquième canon de Nicée, prêtres et laïques excommuniés par un évêque ne doivent par être reçus à la communion par d'autres prélats, et que le concile provincial possède seul compétence pour prononcer sur leur cas, s'ils font appel. N'y avait-il pas quelque ironie à invoquer contre les prétentions romaines ce même concile de Nicée qui, cinq ans plus tôt, servait à les étayer? Mais il est rare que dans la revanche les Africains n'aillent pas jusqu'à l'excès. Ils esquissèrent un *a fortiori* très contestable en ajoutant que, s'il en a été décrété ainsi pour les clercs, combien plus pour les évêques. On priait d'ailleurs le pape de ne plus envoyer ses légats en Afrique.

Que cette démonstration ait été du goût de saint Augustin, on ne peut guère l'admettre à considérer sa propre conduite l'année précédente dans la douloureuse affaire de Fussala.

Après la conversion en nombre des donatistes, impuissant à gouverner seul son évêché, Augustin érigea en diocèse le territoire de Fussala. Cependant, comme le prêtre qu'il y avait nommé se dérobait au moment de la cérémonie consécratoire, il désigna sur place le jeune Antoninus, jadis élevé dans le monastère dépendant de sa maison. Antoninus ne répondit guère à la confiance d'Augustin : accusé par les étrangers d'attentat aux mœurs, par les gens de Fussala d'oppression et de rapines, il comparut devant le synode provincial qui, faute de preuves suffisantes, se contenta de lui enlever son diocèse, tout en lui laissant la dignité épiscopale. Mais au nouveau primat de Numidie Antoninus extorqua une lettre de recommandation auprès du pape Boniface : on l'y représentait comme victime d'une injustice. Rome trompée demanda qu'il fût rétabli dans ses fonctions. Augustin atterré écrivit au nouveau pape Célestin une lettre où il lui demandait de revenir sur pareille décision; il l en suppliait « au nom du sang du Christ, au nom du tombeau de l'apôtre Pierre, de Pierre qui interdit aux pasteurs de tyranniser leurs ouailles ». Non pas qu'Augustin contestât en rien les droits du Siège Apostolique à recevoir cet appel; il le suppliait seulement de n'y pas faire droit. Pour les gallicans, Augustin ne sera jamais un ancêtre.

Somme toute, que voulait garder l'Église d'Afrique? Son autonomie disciplinaire, tout en laissant à Rome le jugement définitif des causes doctrinales. Bien que pareille prétention, qui émanait d'un épiscopat uni et fort, fût contraire à la tradition, la papauté cependant finit par y consentir. Là où l essentiel était sauvegardé, elle savait sacrifier le reste par amour de la paix: des droits romains, oui; des ambitions romaines, non. Par contre, on doit évoquer une susceptibilité africaine, chatouilleuse et irritable, qui laisse présager la mentalité gallicane. Presque dans le même temps où Carthage prie le Siège Apostolique qu'il condamne le pélagianisme, elle lui demande de ne pas accepter les appels africains : ainsi des évêques gallicans qui, tout en adhérant à la condamnation du jansénisme, souscriront avec ardeur les Quatre Articles de 1682. L'esprit de saint Cyprien, l'esprit de Bossuet se retrouvent là : deux vrais serviteurs de l'Église, mais qui eussent davantage sauvegardé l'autorité chère à leur trempe antique, s'ils n'avaient nourri aucune défiance envers le magistère romain. Ils l'acceptaient certes, et l'ont magnifié splendidement, mais avec des réserves que — grâces à Dieu — depuis le concile du Vatican un catholique ne peut plus admettre.

Aussi bien, pour un Zozime, qui heurtait de front ces Africains, combien d'autres papes les ménageaient. Grégoire le Grand, incarnation de la fermeté et du bon sens romains, écrira à Dominicus de Carthage : « Quant aux privilèges ecclésiastiques, ce que votre fraternité réclame, qu'elle le tienne pour reconnu sans aucune hésitation parce que, comme nous défendons nos droits, ainsi nous appuyons ceux de chaque Église. Je n'accorde à personne plus que son droit, et à personne je ne refuse par ambition ce à quoi il a droit. En tout, je désire honorer les évêques mes frères, et je m'applique à maintenir l honneur de chacun, à condition qu'il n'y ait pas conflits de droits entre eux. » On n'est pas plus loyal, ni plus libéral, ni plus fraternel.

CHAPITRE II

LA PRIMAUTÉ ROMAINE EN ORIENT

I. Les Patriarcats. — En Orient, Antioche et Alexandrie avaient concentré très tôt une autorité supérieure qui s'étendait sur une vaste région. Dès la fin du IIe siècle, un Sérapion d'Antioche intervient à longue distance : ainsi, dans la communauté de Rhossos pour dirimer un différend, dans celle d'Édesse pour y consacrer Paloût, troisième évêque de la ville. Il y a un certain groupement des prélats orientaux dont l'entente est manifeste : par exemple, dans l'affaire de Paul de Samosate; mais le chef n'émerge pas encore. Pourtant, au double titre d'Église apostolique et de capitale, Antioche devait peu à peu s'imposer. De même en Égypte Alexandrie, qui était le chef éminent de la province et son centre intellectuel incontesté.

La reconnaissance officielle se fit à Nicée dont le VIe canon atteste ces deux primaties égyptienne et orientale[1]. En 325 le diocèse d'Antioche ne comprend pas moins de huit provinces : Phénicie, Célée-Syrie, Arabie, Mésopotamie, Cilicie, Isaurie et Chypre avec leurs évêchés suffragants. Celui d'Alexandrie en comprend quatre : Égypte, Thébaïde ou Haute Égypte, Libye, Pentapole ou Cyrénaïque.

Durant les luttes ariennes, Antioche et Alexandrie furent les pôles où se cristallisèrent les forces opposées : à Antioche, l'hérésie officielle; à Alexandrie, l'inflexible orthodoxie d'Athanase. Celui-ci répandit sur son siège un lustre incomparable : le patriarche égyptien paraît alors comme le fondé de pouvoir du Siège Apostolique en Orient. Dans son ressort il instaure une véritable monarchie : à ses ordres sont les conciles réunis à Alexandrie, sous son obédience ces moines dévoués jusqu'au fanatisme. Tandis que le pouvoir civil s'affaiblit en Égypte par la multiplication des provinces et la séparation des divers pouvoirs, la situation grandit toujours de cet archevêque qui, non seulement tient dans ses mains toutes les forces ecclésiastiques locales, mais qui possède un contrôle étendu sur l'administration, et dont les

Patriarcats. — PHILLIPS, *Lehrbuch des Kirchenrechts*, t. I, 3e éd., Ratisbonne, 1885. — LUEBECK, *Reichseinteilung und kirchliche Hierarchie des Orients bis zum Ausgange des IV Jahrhunderts*, Munster, 1901. — HÉFÉLÉ-LECLERCQ, *Histoire des conciles*, t. I. — Mgr BATIFFOL. *La paix constantinienne et le catholicisme;* et *Le siège Apostolique, passim.* — R. VANCOURT, art. *Patriarcats*, dans *Dict. Théol.*

1. Le VIe canon de Nicée s'exprime ainsi : « Que l'ancienne coutume en usage en Égypte, dans la Libye et la Pentapole soit maintenue, c'est-à-dire que l'évêque d'Alexandrie conserve juridiction sur toutes ces provinces, car il y a le même rapport que pour l'évêque de Rome. On doit de même conserver aux Églises d'Antioche et des autres éparchies (provinces) leurs anciens droits... » Il est évident qu'ici la comparaison est menée avec le siège de Rome, non pas comme muni d'une primauté universelle, mais d'un pouvoir patriarcal en Occident.

ressources matérielles sont considérables. Ajoutons qu'il tend à se créer comme des dynasties alexandrines : à Athanase succède son frère Pierre, à celui-ci son frère Timothée ; Théophile sera remplacé de même par son neveu Cyrille. On comprend que le mot ait été prononcé de pharaon ecclésiastique ; et il se justifiera toujours plus.

En regard, la puissance d'Antioche semble plus lâche et plus inconsistante. Sans doute le concile de Constantinople reconnaît-il expressément sa vaste juridiction (*c. 2*) ; Innocent Ier spécifie d'ailleurs en 416, s'appuyant sur le sixième concile de Nicée, que l'évêque d'Antioche peut conférer l'ordination aux évêques de toutes les provinces du diocèse civil. Mais les luttes ariennes, qui avaient grandi le prestige d'Alexandrie diminuèrent celui d'Antioche : le long schisme de Mélèce devait y énerver l'autorité.

Pour Alexandrie, la rivale ne serait pas Antioche, mais Constantinople. La cité du Bosphore ne possédait-elle pas un titre prestigieux : résidence impériale? Le concile de 381 le souligna, qui attribua à son évêque « la primauté d'honneur après celui de Rome, parce que cette ville est la nouvelle Rome ». Argument troublant, d'après quoi préséance politique entraîne préséance religieuse. Au fond, a-t-on pu dire, le schisme grec avait trouvé là sa formule.

Cette grave crise hiérarchique, qui déjà se laissait entrevoir, avait les origines les plus antiques. Elle reposait sur ce fait que les empereurs chrétiens avaient hérité de leurs ancêtres païens la dignité pontificale. Si le titre de *Pontifex maximus* a disparu, la fonction subsiste qui en fait les chefs du culte officiel, disposant du gouvernement des âmes : attitudes, cérémonial, expressions courantes, tout dénote une autorité religieuse indiscutée : la majesté est divine, et les ordres non moins[1]. Pour un Athanase qui proteste, il y a cent Eusèbes qui approuvent et qui renchérissent. Toute la querelle arienne n'illustre que trop, par de multiples exemples, les prétentions impériales incarnées dans un Constance, si infatué de sa « divinité ». Aux occidentaux récalcitrants, il peut opposer la conduite de ses évêques à lui, souples d'échine, cauteleux dans leurs paroles, toujours prêts à amenuiser leur théologie à celle du prince, et à parapher n'importe quel symbole, pourvu qu'il lui plaise. « Ma volonté à moi est un canon ; les évêques de Syrie ne font pas tant de façon quand je parle ; obéissez ou l'exil. » Voilà le ton et les procédés. Sous cette pression tyrannique, il y a comme un amoindrissement de l'autorité pontificale.

Quant au patriarche byzantin, il se trouve dans la plus glorieuse et la plus difficile des situations, tout à la fois chef du clergé d'Orient et sujet de l'empereur, qui ne voit en lui qu'un ministre des cultes, un vicaire et un *promagister*, fonctionnaire révocable, obligé comme tous autres à souscrire les fantaisies théologiques du maître. Parfois, conscient de son devoir, il s'insurge, ce qui occasionne des luttes sans fin. Ces deux « moitiés de Dieu » s'entendent-elles, c'est l'ordre et la prospérité dans l'empire ; s'opposent-elles, voilà des guerres civiles, presque toujours compliquées de désastres extérieurs.

Souvent brouillés, ils se retrouvaient unis pour opposer à la primauté romaine les ambitions byzantines. Aussi l'importance ne fait-elle que grandir de ce siège, qui devient rapidement une cour d'appel pour l'Orient entier. A Nicée, on avait assuré au synode provincial le droit de révision sur tout verdict épiscopal : « Il faut, avait-on dit, s'assurer que l'évêque n'a pas porté sa sentence d'excommunication par étroitesse, par esprit de contradiction, ou

1. Sur ce sujet, voir la thèse déjà ancienne, mais toujours suggestive d'A. Gasquet, *De l'autorité impériale en matière religieuse à Byzance*, 1879.

par quelque sentiment de haine. Afin que cet examen puisse avoir lieu, il a paru bon d'ordonner que, dans chaque province, on tînt deux fois par an un concile qui se composera de tous les évêques de la province. Ils feront toutes les enquêtes nécessaires en sorte que chacun voie que la sentence d'excommunication a été portée justement pour une désobéissance constatée, et l'excommunication restera en vigueur jusqu'à ce qu'il plaise à l'assemblée des évêques d'adoucir ce jugement. » Ainsi un droit d'appel existait déjà en 325, que confirmeraient le concile d'Antioche et celui de Sardique.

Non seulement la révision des sentences épiscopales appartenait au concile provincial, mais inversement aussi l'examen des accusations portées par des laïques ou des clercs contre leur évêque. Un tel concile avait une particulière importance à Constantinople, où affluaient sans cesse les prélats, désireux parfois de régler certaines questions disciplinaires, mais soucieux le plus souvent d'obtenir des faveurs, quêteurs infatigables, obséquieux, serviles, pour qui le soin des âmes était l'accessoire, le souci de parvenir la préoccupation constante. Ces visiteurs formaient donc comme un synode permanent (σύνοδος ἐνδημοῦσα) à la dévotion du patriarche et de l'empereur : tels plus tard nos prélats courtisans qui à Versailles encenseront la majesté régnante.

Au surplus, à partir de 381, la tendance s'accrut en Orient de grouper les provinces ecclésiastiques en circonscriptions plus vastes, correspondant aux diocèses civils. Ainsi se développa l'idée patriarcale, et le synode provincial tendit à s'agrandir dans les mêmes proportions. La première manifestation de ce pouvoir élargi nous apparaît à Constantinople dans le cas de Chrysostome : il l'utilise contre Théophile d'Alexandrie, puis celui-ci contre lui. Duel tragique par où s'ouvre la phase aiguë de la rivalité entre les deux sièges. Il faut noter qu'au-dessus des partis plane le magistère romain. Si le concile byzantin est une cour d'appel, le Siège Apostolique, lui, s'assimile à une cour de cassation. Saint Jean Chrysostome en a bien conscience qui écrit à Innocent Ier : « Déclarez, je vous prie, que tout ce qui s'est fait injustement en mon absence, et par une seule partie, est de nulle valeur. Quant à nos ennemis, artisans de telles iniquités, qu'ils soient soumis à la sanction des lois ecclésiastiques. Pour moi qui n'ai été surpris dans aucune faute, ni convaincu de quoi que ce soit, accordez-moi de jouir de vos lettres, de votre charité, et des avantages tout comme auparavant. » De fait, Innocent travaille à s'interposer, et du fond de son exil, Chrysostome qui l'apprend lui envoie l'expression émue de sa reconnaissance : « Ce que vous avez entrepris, c'est une lutte pour le monde entier, pour les Églises abattues et gisantes, pour les peuples dispersés, pour le clergé en butte à mille tourments, pour les évêques exilés... Oui, votre sincère et active charité est le rempart qui nous garantit de nos ennemis. »

On sait qu'Innocent Ier n'hésita pas à retrancher les coupables de sa communion, qu'il tint bon malgré l'empereur, et que tous, tôt ou tard, — y compris le Pharaon ecclésiastique, — durent faire amende posthume à Chrysostome et le replacer dans les diptyques. Belle victoire du siège romain, qui domine les haines, qui les apaise, et qui force les Églises ennemies à se réconcilier dans sa communion. Ainsi cette manifestation du synode permanent avait-elle abouti à une réplique triomphante de la papauté.

Mais Constantinople maintenait toutes ses prétentions. Au milieu du ve siècle, le synode permanent opère à longue distance, jusque dans le patriarcat d'Antioche. Quand en 448 Ibas d'Édesse est déféré par quelques-uns de ses prêtres à Domnus d'Antioche sous l'inculpation de nestorianisme, et que celui-ci lui donne raison, l'empereur Théodose II évoque cavalièrement l'affaire devant le patriarche byzantin, Flavien. Encore pourrait-on expliquer — sinon excuser — pareille irrégularité, en évoquant les passions théologiques intenses qui bouillonnaient partout à la veille de Chalcédoine. Mais voici un abus froidement perpétré par le successeur de Flavien, Anatole : le synode permanent de Constantinople adjuge au siège de Beyrouth, récemment érigé en métropole par Théodose II, six évêchés de la Phénicie maritime, au détriment de Tyr, l'ancienne métropole. Et cela, sans que, ni le titulaire de Tyr, premier intéressé, ni le patriarche Maxime d'Antioche, seul compétent, soient seulement consultés. Ainsi le synode permanent a-t-il franchi toutes frontières : l'Orient est son domaine, l'Orient entier[1].

D'ailleurs, au concile de Chalcédoine, cette œcuménicité est définie sans ambages : « Si l'évêque ou un clerc a un procès avec le métropolitain de la province, est-il dit, il doit porter le litige ou bien devant l'exarque du diocèse — c'est-à-dire devant le chef d'une église autonome — ou devant le siège de Constantinople. » Ainsi liberté est accordée désormais à tous les Orientaux d'en appeler au synode permanent; droit aussi par conséquent au patriarche byzantin de s'ingérer dans les affaires des autres patriarcats et de les juger en dernier ressort. Le voilà, au point de vue des appels, sur le même pied que le pape en Occident.

D'autre part le fameux XXVIIIe canon délimitait un patriarcat byzantin, au détriment d'Éphèse, Césarée et Héraclée, qui jadis se partageaient les vingt-huit provinces civiles des

1. Profitant des troubles christologiques, Juvénal de Jérusalem fit attribuer à son siège le titre patriarcal, avec juridiction sur les trois Palestines, tandis que les deux Phénicies et l'Arabie resteraient à la vieille métropole. Dès lors se développe en Orient l'idée de la *pentarchie*, d'après quoi le gouvernement de l'Église appartient aux cinq patriarcats : Rome, Constantinople, Alexandrie, Antioche, Jérusalem. Conciliable avec le catholicisme, cette conception prête cependant à une interprétation hétérodoxe qui consisterait à reconnaître aux cinq patriarches l'origine de droit divin, l'autonomie locale absolue et la complète égalité de pouvoir dans le gouvernement de l'Église universelle. Cette notion oligarchique de l'Eglise n'est pas celle de Justinien : sans doute adresse-t-il ses ordonnances aux cinq patriaches et tend-il à des réunions conciliaires, où chaque patriarcat aurait un nombre égal de représentants; mais il maintient fermement la primauté romaine, quitte à accorder le second rang au patriarche de Constantinople, « tête de toutes les Églises » d'Orient.

Par contre la vieille idée des trois patriarches — Rome, Alexandrie, Antioche — assis sur la même chaire de saint Pierre, conserve les préférences du Siège Apostolique. Dès le IVe siècle, saint Damase l'avait nettement formulée : « Le deuxième siège, disait-il, a été conservé à Alexandrie au nom de Pierre par son disciple, l'évangéliste Marc. Car celui-ci fut envoyé en Égypte par l'Apôtre et y subit un glorieux martyre après avoir prêché la parole de vérité. C'est aussi au bienheureux Pierre que le troisième siège, celui d'Antioche, doit d'être honoré; Pierre y a demeuré avant de venir à Rome, et c'est là que les partisans de la foi nouvelle ont pris pour la première fois le nom de chrétiens. » Cette conception traditionnelle, n'était-elle pas le meilleur terrain où combattre les prétentions de Constantinople à l'œcuménicité orientale?

Ainsi s'opposa souvent l'idée latine de *triarchie* au concept byzantin de *pentarchie*, antagonisme qui alla s'atténuant chez les catholiques, tandis qu'il devenait pour les autres l'expression même du schisme.

Il faut faire une place à part à l'île de Chypre. Bien qu'elle dépendît normalement d'Antioche, sa situation excentrique lui valait une autonomie de fait. Au concile d'Éphèse, l'archevêque de Constantia (Salamine) profita de la défaveur des Antiochiens nestorianisants pour faire authentiquer l'indépendance de l'église cypriote et son droit à nommer librement ses évêques. Dans la seconde moitié du Ve siecle, la découverte du corps de saint Barnabé par Anthelme, archevêque de Salamine, accrédita l'idée de l'apostolicité de l'Église cypriote, et vint fort à propos la dérober aux prétentions du patriarche monophysite d'Antioche, Pierre le Foulon. L'empereur Zénon reconnut l'autocéphalie cypriote qui dès lors ne fut plus contestée. En 688, devant l'imminence du péril arabe, Justinien II obligea les cypriotes à quitter en masse l'île et leur constitua dans l'Hellespont une Église indépendante, dont le siège fut Néa Justinianopolis, près de Cyzique. Situation précaire, heureusement de courte durée : les cypriotes ne tardèrent pas à regagner leur île. Voir A. PALMIERI, art. *Chyppre* (*Église de*), dans *Dict. Théol.*

Ainsi amputé de Jérusalem et de Chypre, le patriarcat d'Antioche comprend d'après la notice épiscopale d'Anastase Ier au VIe siècle : 1° douze métropoles pourvues d'évêchés : Tyr, Tarse, Édesse, Apamée, Hiérapolis-Mabough, Bosra, Anazarbe, Séleucie d'Isaurie, Damas, Amida-Diarbékir, Sergioupolis, Dara (remplacée au moyen âge, par Theodosioupolis-Erzeroum); 2° cinq métropoles autocéphales, c'est-à-dire non pourvues de suffragants : Béryte Beyrouth, Emèse-Homs, Laodicée-Lattaquié, Cyr; 3° sept éparchies ou archevêchés dans le sens oriental d'Eglises autocéphales : Berrhée-Alep, Chalcis-Qinnisrîn, Séleucie de Piérie-Qabousî, Anazartha, Paltos, Beldé, Gabala-Laodicée. S. VAILHÉ, *Echos d'Orient*, 1907 (t. X), p. 90-101, 139-145, 363-388. — C. KARALEVSKIJ, art. *Antioche*, dans *Dict. Hist.*

trois diocèses d'Asie, du Pont et de la Thrace, et qui désormais perdaient l'autonomie; leurs métropolitains seraient consacrés par « le Saint Siège de Constantinople ». Ce n'était d'ailleurs qu'estampiller un usage : depuis longtemps les évêques de ces régions ne se trouvaient pas dépaysés dans la ville impériale.

Rien de nouveau non plus à ce que le patriarcat byzantin prenne désormais le second rang après le Siège Apostolique « parce qu'il est celui de la nouvelle Rome, honoré de la résidence de l'empereur et du sénat, et jouissant des mêmes avantages que l'ancienne ».

On sait que saint Léon n'accepta pas le fait acquis. Il essaya même d'associer à sa protestation les deux autres patriarches d'Orient. « L'Église d'Alexandrie, écrivait-il, ne doit rien céder de la dignité qu'elle a reçue de saint Marc l'Évangéliste, disciple de Pierre. De même la troisième Église, dans laquelle Pierre a donné la foi aux premiers qui aient été nommés chrétiens, ne doit pas descendre de son rang : chacun doit mettre son honneur à ne pas laisser porter atteinte à ses droits. »

Appels perdus! Antioche et Alexandrie allaient s'isoler dans l'hérésie, heureuses de rompre ainsi avec Constantinople, la rivale abhorrée. Alexandrie cultivera un nationalisme religieux implacable et farouche, dont le monophysisme sera la forme.

Pour se garder des ambitions byzantines, pour les surveiller et négocier les accords théologiques durant la période post-chalcédonienne, saint Léon créa du moins à Contantinople la charge d'apocrisiaire. Celui-ci est une sorte de nonce dont le rôle consiste en général à faciliter les relations ecclésiastiques, à renseigner le pape, à conseiller le basileus, à tout savoir et à tout prévoir : ainsi, à défendre le dogme christologique contre les fantaisies impériales, ou encore à plaider la cause de l'Italie affamée et ravagée par les Barbares. Fonction singulièrement complexe et délicate qui demande des personnages souples, avisés, sachant en remontrer aux Byzantins eux-mêmes en finesse, sinon en astuce. A pareil rôle, un Vigile et un Pélage excelleront au VIe siècle, sans d'excessifs scrupules dans les procédés, gérant le charge avec plus d'habileté que de dignité, Grecs parmi les Grecs. Tous deux d'ailleurs deviendront papes.

En effet, l'apocrisariat est poste si important, il suppose un si subtil talent de diplomate et une intelligence si éveillée sur les problèmes politiques et théologiques posés à chaque instant entre Rome et Byzance qu'on y voit un marchepied tout naturel pour parvenir au Siège Apostolique. Saint Grégoire le Grand géra aussi cette charge; mais trop humaine pour son âme mystique, elle le dégoûta tout aussitôt : Constantinople lui fut un mortel exil. Il est certain que pour un vrai Romain l'air y deviendra toujours plus irrespirable.

II. L'Illyricum ecclésiastique. — Il fallait que les ambitions byzantines fussent bridées et limitées. Entre l'Orient et l'Occident, entre l'Italie et la Thrace, un vaste territoire s'étendait, l'Illyricum, hinterland dont la possession importait à Rome. Deux parties distinctes : l'Illyricum occidental, comprenant Norique, Pannonie et Dalmatie, et qui tomba aux mains des Barbares, sauf la Dalmatie; d'autre part, l'Illyricum oriental, englobant les deux diocèses de Dacie et de Macédoine. Au point de vue religieux, même ces derniers se rattachaient à l'Occident, avancée romaine, terre pontificale en terre impériale.

Toutefois politiquement ces régions relevaient de l'Orient : en effet l'empereur Gratien avait cédé l'Illyricum oriental — Dacie et Macédoine — à son collègue Théodose en 379, tandis que l'Illyricum occidental fut rattaché à Byzance vers 425. Dès lors celle-ci tendit à absorber aussi ces régions dans son patriarcat, en arguant que toutes les villes soumises à sa puissance civile devaient tomber également sous sa haute juridiction ecclésiastique. Mais Rome était décidée à défendre avec énergie ses anciens droits dans cette région intermédiaire.

D'où la création par le pape Damase d'un vicariat apostolique de Thessalonique qui comprendrait les provinces suivantes : Achaïe, Thessalie, Vieille et Nouvelle Épire, Crète, Dacie méditerranéenne, Dacie ripuaire, Mésie. Le choix apparaissait heureux : outre sa position géographique éminente, Thessalonique était la plus grande ville de l'Illyricum, capitale de la préfecture, et qui possédait d'incontestables origines apostoliques. Quelles seraient les attributions de ce fondé de pouvoir pontifical dans l'extrême Occident? Présider les conciles régio-

SAINT-DÉMÉTRIUS DE SALONIQUE. Intérieur.

naux, confirmer l'élection des métropolitains et des évêques, trancher les débats qui lui seraient déférés, sauf à renvoyer à Rome les causes plus graves. Autorité très étendue qui rehausse son personnage, en sorte qu'il jouit des prérogatives des exarques, et presque des patriarches; mais autorité déléguée qui ne doit prendre aucune initiative d'importance, ni juger une affaire capitale sans en référer au Siège Apostolique. Une double difficulté pouvait surgir, soit que Byzance empiétât sur ses droits et voulût l'évincer comme un intrus, soit que lui-même, fier de son personnage, tendît plus ou moins à s'émanciper de Rome.

Les empiétements dans l'Illyricum s'opèrent durant cette période qui s'étend entre le concile de Constantinople et celui de Chalcédoine, et où, prenant conscience toujours plus de sa suprématie orientale, Byzance fonde avant la lettre son patriarcat[1] : comme elle s'arrondit

1. Longtemps *patriarche* resta un terme vague, appliqué à divers personnages ecclésiastiques : par exemple, au métropolitain de Tyr en 518, à Nicétius de Lyon en 567. C'est même là ce qui explique qu'on ait voulu souligner la dignité plus grande de certains évêques en les qualifiant patriarches œcuméniques. Voir *infra*.

alors à l'est en Asie au détriment d'Ephèse, de Césarée et d'Héraclée, elle voudrait aussi le faire à l'ouest à l'encontre de Thessalonique, autrement dit de Rome.

En 421, à l'occasion de Périgène, que le pape avait transféré du siège de Patras à celui de Corinthe, le patriarche Atticus, sollicité par des prélats illyriens appelants, intervint. Après que l'autorité apostolique l'eut vivement éconduit, il se retourna vers son trop réel chef, l'empereur Théodose II qui, par une loi du 14 juillet 421, plaça l'Illyricum oriental sous l'évêque de la nouvelle Rome. D'où recours du pape Boniface II à l'empereur d'Occident, Honorius. Celui-ci ayant fait valoir ses réclamations « contre certains rescrits obtenus par subreption, et qui violaient les droits acquis du Saint Siège en Illyricum », Théodose II et son patriarche battirent en retraite.

En 437, nouvelles tentatives faites par Proclus de Constantinople qui, voulant clore la querelle nestorienne, envoie un Tome à tous les évêques de son ressort, y compris les Illyriens. Cette fois encore, il se trouva un pape, Xyste III, pour replacer doucement et fermement les choses au point : dans une lettre amicale par la forme, diplomatique quant au fond, il mit Proclus en garde contre les évêques illyriens qui voudraient surprendre son loyalisme romain, et qui évoqueraient à lui quelque affaire à l'insu de l'évêque de Thessalonique, et sans une lettre de lui. L'autoritarisme de saint Léon insista encore : au vicaire de Thessalonique le droit de consacrer les métropolitains illyriens, à ceux-ci le devoir de lui obéir.

Mais le vicaire Anastase le prit trop au pied de la lettre; ses procédés cavaliers envers ses subordonnés — notamment Atticus de Nicopolis qu'il fit mander à sa cour *manu militari* — lui valurent un blâme du pape : « La bienveillance, lui observa-t-il, fait plus que la sévérité, la charité que l'autorité. » Qu'il obéît aux instructions pontificales, rien de plus. Peut-être y avait-il dans ces admonestations quelque habileté propre à apaiser chez les évêques illyriens l'impatience de leur subordination au pouvoir vicarial. Celui-ci en semblait moins dominateur et plus supportable. La franchise romaine n'exclut pas cette diplomatie, nécessaire à qui veut commander.

Durant le schisme acacien, infidèles à leur mandat, les évêques de Thessalonique se rallièrent à l'Hénotique. Nulle trace toutefois que Constantinople en ait profité pour s'annexer définitivement l'Illyricum. En 515, quarante évêques illyriens réagissent contre cette trahison et, réunis en concile, rompent avec le primat de Thessalonique, Dorothée. Après cette crise, la paix d'Hormisdas amena le rétablissement du vicariat.

On sait comment Justinien entendait le gouvernement de l'Église. Il ne méconnaissait pas l'autorité du pape qu'il appelait « le premier de tous les hiérarques ». Pourtant cette Rome vénérée ne devait être au fond qu'un patriarcat, le plus digne des cinq sans doute, mais subordonné comme tous les autres à l'autorité impériale. Si rien ne peut se faire en matière dogmatique sans l'assentiment romain, par contre le Siège Apostolique ne doit rien refuser de ce que veut l'Empereur. Bref le premier des agents de transmission, auguste et apostolique tant qu'on voudra, mais à la condition de rester docile. Toute l'affaire des Trois Chapitres et les tragédies successives de Silvère et de Vigile illustrent douloureusement ce fait. Au moins cette nette affirmation de la primauté romaine refoula-t-elle pour un temps les tendances émancipatrices et dominatrices de Constantinople : il fallut que le patriarche byzantin marquât le pas. C'est le temps où Agapet débarque à la Corne d'Or pour déposer Anthime, pour consacrer Ménas.

Cependant Byzance progressait toujours. Dans cette Égypte, ravagée par le monophysisme, le patriarche melkite devenait toujours plus un fonctionnaire impérial; par crainte d'aussi sanglantes tragédies que le massacre de Protérius, on résolut de le nommer et de le consacrer à Byzance : ainsi pour Paul et Jean d'Alexandrie en 541 et en 569. La primatie orientale de Constantinople ne se discutait plus.

Mais l'Illyricum, n'est-ce pas l'Orient? Là-dessus, patriarche byzantin et basileus sont bien d'accord : l'absorption ecclésiastique de ce vaste territoire est pour eux comme un axiome tacite, un point de l'unité impériale. Ainsi en 531 le patriarche Éphiphane frappe-t-il Étienne de Larisse « à seule fin, dénonce celui-ci, de se poser en maître et juge dans les saintes Églises de la province de Thessalie ». En vain l'accusé en appelle-t-il à Rome, protestant que le pape est maître dans « son Illyricum », on le dépose pour lui fermer la bouche. Justinien d'ailleurs est de connivence, il approuve.

Le 14 avril, 535, par la novelle 11, adressée à Castellianus, archevêque de Justiniana Prima, son village natal, il élève de sa propre autorité ce siège, jusqu'alors simple métropole de Dardanie, à un rang supérieur, en sorte qu'il englobera désormais plusieurs provinces : Dacie méditerranéenne, Dacie ripuaire, Mésie IIe, Dardanie, Prévalitane, Macédoine IIe, et ce qui reste à l'empire de la Pannonie II, bref tout l'ancien diocèse de Dacie. Si Agapet essaie de gagner du temps en confiant l'affaire à ses légats, Vigile doit bientôt sanctionner le fait accompli. De là désormais deux centres ecclésiastiques dans l'Illyricum oriental : Thessalonique et Justiniana Prima, tous deux d'ailleurs vicariats apostoliques dépendants de Rome, qui ainsi n'abdiquait point ses droits, mais plutôt les dédoublait. A travers toutes ces manœuvres perce néanmoins la désinvolture de l'empereur, qui dispose à son gré de ces régions ecclésiastiques, comme si déjà elles étaient sous la juridiction de son patriarche. L'Illyricum demeurera une pomme de discorde.

L'antagonisme va s'accentuant. Pour balancer l'origine apostolique de Rome, on reprend la légende dite d'*André-Stachys*, empruntée à l'ouvrage du Pseudo-Dorothée de Tyr, et d'après laquelle saint André, fondateur de Byzance, y aurait installé son disciple Stachys. Jamais thèse ne fut plus ardemment soutenue, et avec des vues aussi intéressées, ni si outrageusement anti-historiques.

Au surplus, la divergence des mentalités augmente toujours. La compénétration intellectuelle de l'époque classique tend à disparaître; comme les Orientaux n'apprennent plus le latin, ni les Occidentaux le grec, il s'ensuit en théologie d'insolubles malentendus. Depuis deux siècles d'ailleurs, le schisme a sévi d'une façon chronique, plus de la moitié du temps; il semble que le pli en soit pris : 1° durant la querelle arienne, depuis le concile de Sardique jusqu'à l'avènement de Chrysostome (343-398), soit cinquante-cinq ans; 2° lors de la condamnation de Chrysostome (404-415), onze ans; 3° à propos de l'Hénotique, schisme d'Acace (498-519), trente-cinq ans.

Pourtant ces causes de rupture seront contrebalancées longtemps par des motifs de paix : sentiment de l'unité de l'Église, exprimé dans le symbole de Nicée-Constantinople introduit un peu partout dès la fin du ve siècle dans la liturgie de la messe, croyance à la primauté pontificale comme suprême autorité morale et comme ressort judiciaire supérieur, enfin vénération pour la Rome chrétienne, toujours centre de pélerinage, et où abondent les monastères grecs.

CHAPITRE III

LA PRIMAUTÉ ROMAINE SOUS SAINT GRÉGOIRE LE GRAND

Comme le pontificat de saint Léon — plus encore peut-être — le pontificat de saint Grégoire fait époque dans l'histoire de la primauté romaine[1]. Non pas qu'il innove, — il n'avait rien à trouver, et tout était depuis longtemps acquis, — mais ce pape s'affirme le gardien de la tradition, le mainteneur, à la fois impérieux et habile, de tous les droits pontificaux. Il eût pu prendre comme devise la fameuse formule du *statu quo* dogmatique, disciplinaire et hiérarchique : *Nihil innovetur nisi quod traditum est.*

I. En Occident. — Ainsi dans la péninsule reste-t-il sur les positions acquises. De l'Italie suburbicaire métropolitain direct, il n'a garde de l'oublier. A lui la surveillance et le contrôle des élections épiscopales. Si la situation est difficile, il délègue un *visitator* qui veillera à ce que toutes choses se passent selon le droit : « Tu exhorteras instamment le clergé et le peuple, dit-il en telle occurrence à l'évêque de Misène, à rejeter toute coterie et à se mettre d'accord pour choisir un sujet digne d'un si grand ministère et en règle avec les vénérables canons. » Comme nous l'avons vu dans l'administration du Patrimoine avoir l'œil à tout et sur tous, et fixer jusqu'aux aumônes personnelles, jusqu'à la vente du bétail, de même ici rien à ses yeux n'est oiseux, tout sollicite son attention : scrupule élevé d'une âme mystique pour qui les devoirs d'état constituent une responsabilité quotidienne et minutieuse. Dans chaque évêché il surveille de près l administration, reçoit les plaintes, ordonne des enquêtes, demande des comptes aux responsables. N'est-ce pas là son terrain direct où il peut se montrer moins diplomate et plus autoritaire? La main est ferme, la voix celle d'un Romain qui a le don du commandement.

Quelques exemples. A l'évêque d'Amalfi qui ne réside pas, il enjoint de réintégrer son Église, de ne plus la quitter, d'y vivre « d'une manière sacerdotale », ou bien ce sera la relégation dans quelque monastère. A Naples Paschasius néglige tout et ne prend conseil de personne; qu'il s'amende, ou bien il faudra l'expédier à Rome, « afin qu'il y apprenne ce qu'il convient à un évêque de faire et d'être pour se conformer à la crainte de Dieu ». Non point seulement des conseils, mais des ordres, voire des sommations. Bref, un pouvoir fort.

1. Voir la bibliographie donnée pour le pontificat de saint Grégoire le Grand, p. 603.

A Rome même la sollicitude pontificale est plus perspicace encore. Pas un abus qui ne soit vu, dénoncé, corrigé. Le concile romain de 595 réforme en tranchant dans le vif. Certains diacres se complaisent dans les fonctions de *cantores*, passent tout leur temps à cultiver leurs voix, et à remporter des succès plus profanes que religieux; on les renverra à leurs attributions propres, prédication et service des aumônes; aux sous-diacres, et aux simples minorés d'assurer les fonctions de la *schola*. — Autre réforme plus conséquente, Grégoire crée la charge de *vice-dominus* ou vidame, personnage qui prendra la place de l'archidiacre, administrera le palais et deviendra le premier du Latran; ne faut-il pas un bon préfet pour assurer l'ordre? — Ce même concile de 595 prohibe strictement toute vénalité : nulle rétribution pour les ordinations, ni pour l'expédition des diplômes, ni pour les obsèques: « Ce serait une faute grave contre la religion qui ferait dire — Dieu nous en préserve! — que l'Église est vénale, ou que vous vous félicitez de la mort des gens, à voir comme vous cherchez à tirer, par n'importe quel moyen, un bénéfice de leurs funérailles. »

Ainsi à Rome Grégoire se comporte-t-il comme un bon abbé dans son monastère, scrupuleusement attentif à ce que tout soit en ordre, ne laissant périmer aucun de ses droits, parce que derrière ces droits il y a pour lui devoirs et responsabilités. La liturgie a donc bien souligné le trait essentiel de cet administrateur modèle : *Pastor vigilantissimus*.

Mais cette autorité n'est point pour autant encombrante, ni accaparante, ni dominatrice. La part d'autonomie locale légitime est conservée. Au défenseur de Sicile qui a osé empiéter sur les droits épiscopaux en jugeant des clercs, Grégoire écrit sévèrement : « Si on ne respecte pas la juridiction de chaque évêque, que fait-on sinon ruiner l'ordre ecclésiastique qui doit être par nous maintenu? » Cette « confusion de l'ordre » reste insupportable à son âme romaine : chacun à sa place. — Au surplus son *imperium* n'est pas tellement jaloux qu'il ne consente à le desserrer quand il convient. La Sicile est la partie lointaine de l'Italie suburbicaire, une sorte de Finistère; le pape n'hésite pas à lui concéder une certaine vie provinciale : un concile se tiendra chaque année à Syracuse ou à Catane, mais le Siège Apostolique sera directement présent en Sicile par son représentant Maximianus, nommé à titre personnel : bref, une sorte de vicariat. Cette mesure semble dévoiler d'ailleurs quelque condescendance envers Constantinople dont la Sicile ressortissait directement.

Même largeur de vue dans les rapports avec les grands métropolitains de l'Italie non suburbicaire, Milan, Ravenne, Aquilée. Empiéter sur leurs droits, s'immiscer dans leurs affaires, Grégoire n'en a pas la tentation. Tandis qu'à ses suffragants directs il parlait en maître, ici il use surtout de la diplomatie. Ainsi manœuvre-t-il pour faire nommer à Ravenne un sujet de son monastère du *Clivus Scauri*, Marianus, avec qui il sera plus libre. Comme celui-ci reste trop moine, et qu'il ne se plie pas assez aux devoirs de sa charge nouvelle, Grégoire le fait exhorter par un tiers : « Qu'il ne croie pas que la lecture et la prière doivent lui suffire. Il n'a pas le droit de vivre loin de tout et impassible. Il faut qu'il fructifie. Il faut qu'il ait la main large (*largam manum habeat*), qu'il coure à ceux qui souffrent la faim, qu'il considère comme sienne l'indigence d'autrui, et s'il n'est pas cela il porte pour rien le nom d'évêque. » Si pressante qu'elle soit, cette épître n'est que d'exhortation; encore la leçon sera-t-elle transmise avec ménagement par un ami commun. Visiblement nous ne sommes plus dans la même zone que tout à l'heure.

II. En Orient. — Dans l'Illyricum, par contre, Grégoire met une certaine âpreté à exiger son dû. C'est que, en cette marche pontificale, il importe que le Siège Apostolique maintienne strictement ses droits, sous peine d'y favoriser les ambitions byzantines.

Dans la partie occidentale ou Dalmatie, le métropolitain, Natalis de Salone, était un assez triste sire, en guerre avec son archidiacre Honoratus, qu'il déposa; contre cet acte d'arbitraire, Grégoire protesta, exigeant que la victime fût rétablie dans sa charge. A la mort de Natalis, la pression impériale fit nommer un certain Maximus, que le pape jugeait indésirable. D'où grave conflit en perspective. Grégoire ne capitulera pas. A son aprocrisiaire il écrit ces lignes fières, qui à elles seules dissiperaient la fable de son servilisme envers le pouvoir : « Tu sais comment je prends ces choses : je suis prêt à mourir plutôt que de voir amoindrir, moi vivant, l'Église du bienheureux Pierre. Tu connais bien mon caractère : je supporte longtemps, mais si j'ai une fois décidé de ne plus supporter, je marche joyeusement en dépit de tous les périls. » Paroles de chef qui nous dévoilent un Grégoire chez qui — les circonstances l'exigeant — la vaillance prendra le pas décidément sur la prudence. A payer ainsi de sa personne, il acquiert des titres plus directs au surnom de *grand* qu'il paraissait mériter plutôt par ses rares qualités d'équilibre. Ce n'est donc pas un personnage hésitant; le sang lui monte à la tête; il s'anime en vue du combat, tel un Athanase ou un Chrysostome. Même énergie dans sa lettre à l'impératrice Constantia, où il souligne que l'Illyricum est son domaine ecclésiastique propre, et qu'il entend bien régir lui-même : « Si, dit-il, les causes d'évêques de mon obédience sont à la cour des très pieux seigneurs réglées par les patrons que ces évêques y trouvent, qu'ai-je à faire dans cette Église de Rome, malheureux que je suis? Mes évêques me tiendront pour rien, et ils chercheront contre moi un refuge auprès des juges séculiers, et ce sera la punition de mes péchés. Certes je puis attendre — nous retrouvons ici son calme diplomatique — mais, si Maximus tarde à comparaître à mon tribunal, je ne cesserai pas de réclamer contre lui la sanction canonique. » Tout finit par une transaction où Marianus de Ravenne servit d'intermédiaire : sur le corps de saint Apollinaire, Maximus jura qu'il n'était pas simoniaque, et Grégoire voulut bien y croire. Mais l'affaire lui avait fourni l'occasion de rappeler que la Dalmatie était encore et toujours dépendance ecclésiastique directe du Siège Apostolique.

Dans l'Illyricum oriental il y eut aussi quelques frictions. A Justiniana Prima, l'empereur Maurice fait donner un successeur à l'évêque Jean sous prétexte qu'il est malade; Grégoire observe avec respect que ce n'est pas canonique. De même quand Adrien de Thèbes est déféré par deux diacres à l'empereur Maurice, et que celui-ci renvoie l'affaire d'abord à l'évêque de Larisse, puis en instance à celui de Justiniana Prima, Grégoire dit tout net à ce dernier qu'il a outrepassé ses droits, lui inflige trente jours d'excommunication et remet l'affaire à son apocrisiaire à Constantinople.

Ces incidents de frontière nous laissent entrevoir comment Grégoire entend les rapports de l'Église et de l'État. Son loyalisme — nous l'avons constaté — reste au-dessus de tout soupçon : c'est bien la romanité qu'il entend défendre contre les Lombards. Il est d'ailleurs partisan — comme Augustin et Isidore — de l'absolutisme. « Chez lui, dit Carlyle, on trouve la doctrine de la sainteté du prince sous sa forme la plus énergique : à peine les apologistes du droit divin iront-ils au XVIIIe siècle plus loin que lui. C'est de saint Grégoire que la théorie religieuse de l'autorité absolue et irresponsable tire continuellement ses plus forts arguments au moyen âge et ensuite. » Pour lui, toute autorité politique est fondée non pas sur le peuple, mais directement sur Dieu. Une telle attitude s'explique en partie par les relations où la conversion de Constantin avait mis l'Église avec l'empereur, devenu tout ensemble patron et protecteur; en partie aussi, par l'influence des traditions héritées d'Israël, et d'après quoi, une fois le roi sacré, sa personne et son autorité le deviennent aussi. De là découle qu'on doit supporter même les mauvais princes, châtiment des peuples. Et l'exemple biblique illustre aussitôt cette affirmation : David n'osant mettre la main sur Saül, le tyran, et respectant en lui l'oint du Seigneur jusqu'à se reprocher d'avoir coupé un morceau de son vêtement.

Envers le pouvoir cette théorie entraîne un grand respect, une humilité qui, à distance, peut nous paraître obséquieuse, et qui, de fait, en a scandalisé plusieurs. Pourtant elle n'est point rampante, mais sincère : tout à la fois sentiment chrétien véritable, marque non équivoque de loyalisme, et enfin — pourquoi pas? — habileté qui sert d'introduction à de courageux rappels de principes, à des réclamations en faveur du spirituel. En l'occurrence la fin ne justifie-t-elle pas le moyen? Ceci dit, il faut bien constater que, plus directs, moins ménagers des susceptibilités impériales, ni Ambroise, ni même Léon n'eussent parlé ainsi. Changement d'attitude extérieure, où l'on peut voir un indice des progrès du « byzantinisme », une marque qu'il faut désormais plus d'étiquette pour approcher le prince. Mais si le cérémonial se complique, l'âme reste non moins courageuse à défendre les droits ecclésiastiques. Entendons-le bien; autrement ces gestes arrondis, ces paroles flatteuses pourraient nous donner le change et nous tromper du tout au tout.

A propos de l'affaire déjà citée de Justiniana Prima, Grégoire a délimité d'une main ferme jusqu'où aller dans l'obéissance. « Tout ce qui plaît au très pieux empereur, tout ce qu'il ordonne, il en a le pouvoir » (*Quod piissimo imperatori placet, quidquid jubet facere, in ejus potestate est*). Voilà une formule d'absolutisme qui rejoint directement celle qu'avait adoptée l'antiquité, le *quidquid principi placuit legis habet vigorem,* et que traduira la fameuse souscription française « Car tel est notre bon plaisir ». Mais le correctif chrétien s'ajoute, limite opposée à ce pouvoir illimité par la conscience : « Ce que le prince fera, canonique, nous y agréerons. Sinon, nous le supporterons, pour autant que nous le pourrons sans péché. » (*Si canonicum est, sequimur. Si vero canonicum non est, in quantum sine peccato nostro valemus, portamus.*) Écoutez d'ailleurs ce cri du cœur qui fait à ce principe, en une autre occasion, un si dramatique écho : « Je suis prêt à mourir plutôt que de voir amoindrir, moi vivant, l'Église du bienheureux Pierre. » Il y a loin d'une telle attitude au byzantinisme.

Les protestations de Grégoire à propos de l'Illyricum l'avaient déjà révélé à l'empereur Maurice. Despote impénétrable, capricieux et têtu, « statue dont on ne voit que l'ombre », selon l'expression même de Grégoire, ce prince mit le loyalisme pontifical à très rude épreuve. Maurice a porté une loi interdisant l'entrée dans les monastères à tout fonctionnaire public. Grégoire lui écrit avec la déférence obséquieuse qui est alors de style, se déclarant « l'indigne serviteur de Votre Piété ». Puis il passe de là à un très sérieux rappel des principes : maître sur tous les hommes, l'empereur l'est sans doute, mais au service de la royauté céleste. Pareille fin est-elle remplie dans l'occurrence? Grégoire ne le croit pas, et dans une prosopopée émouvante il met sa protestation sur les lèvres du Christ, dont il n'est, lui pape, que « le dernier des esclaves » : « J'ai mis mes évêques dans votre main. Et vous soustrayez vos serviteurs à mon service? Quel empereur avant vous a publié une loi semblable? La fin du monde approche, il n'y a plus longtemps à attendre l'apparition du redoutable Juge; que vos larmes, que vos prières, que vos jeûnes, que vos aumônes, ne vous fassent pas illusion. » Cela finit comme Ambroise aurait commencé ; peu importe le reste qui n'est qu'introduction. A sa protestation Grégoire a donné le seul tour qui pût la rendre acceptable à une telle époque et dans un tel milieu. De fait, il arrive à ses fins ; sans être rapportée, la loi est pourtant amendée dans le sens qu'il avait voulu : devenus libres de toute charge, les fonctionnaires publics pourront briguer la vie monastique ; aux soldats on imposera une probation de trois ans avant qu'on leur donne l'habit. C'est trop sans doute qu'une loi d'empire décide ; mais Grégoire n'eût-il pas tout perdu à faire un éclat?

III. Le patriarcat œcuménique. — Contraste étonnant, ceux mêmes qui accusent Grégoire d'obséquiosité envers l'empereur, lui reprochent son arrogance devant le patriarche byzantin. En réalité, mis à part l'Illyricum, qui dans l'ordre ecclésiastique relève de l'Occident, Grégoire se montre en Orient extraordinairement discret. Le Siège Apostolique impose sa foi partout, et on ne conçoit pas — même en Orient — qu'une controverse dogmatique puisse être dirimée sans qu'on y mêle du pape ; mais, pour le reste, Rome reste chez elle. Une fois reçue la synodique qui établit la communion des patriarches avec lui, Grégoire prend garde de ne point s'immiscer dans leurs affaires. A l'abbé du monastère de Néas qui lui confie ses démêlés avec le patriarche de Jérusalem, il conseille un arrangement à l'amiable : « Cela, très cher frère, parce que je vous aime l'un et l'autre beaucoup, et que j'appréhende que vos prières ne soient gâtées par vos discordes. » Doit-il cependant intervenir par devoir, il le fait sur un ton paternel, propre à ne point choquer. Ainsi s'adressant au patriarche d'Antioche pour le mettre en garde contre des pratiques simoniaques : « Si vous le constatez, offrez à Dieu comme prémices de votre épiscopat la résolution que dans les Églises à vous sujettes, on coupe court à ces pratiques. » Poutant il n'oublie ni ses droits, ni ses devoirs : il lui arrive de casser une sentence portée à Constantinople même contre deux prêtres. Bref, comme l'a très bien défini Mgr Batiffol, « le *principatus* est un secours qui entre en jeu quand on fait appel au pape, ou quand le pape juge son intervention opportune, nécessaire ; le *principatus* n'a rien d'une centralisation organisée ».

Même discrétion, osons-nous dire, avec le patriarche byzantin. Pas l'ombre de jalousie. A ce personnage Grégoire donne le premier rang en Orient, selon l'ordre édicté par le XXVIIIe canon de Chalcédoine et consacré par Justinien. Il ne se maintient pas dans l'ostracisme du siècle précédent, dans l'opposition qu'avait faite saint Léon. Concession insuffisante pourtant à l'orgueil byzantin qui voulait la première place, ni plus ni moins. Terme logique du considérant de Chalcédoine, puisque Constantinople était la nouvelle Rome, et où résidait le basileus.

Le patriarche impérial s'arrogea donc un titre qui pût résumer toutes ses ambitions : celui d'*œcuménique*. A vrai dire, l'appellation n'était pas nouvelle, ni très précise, ni donc en soi révolutionnaire. On la voit donnée pour la première fois à Dioscore en 449, lors du brigandage d'Éphèse — quelle épiphanie ! — puis, appliquée à divers papes, Léon le Grand, Hormisdas, Agapit ; enfin décernée par Justinien à plusieurs patriarches byzantins, Jean II, Épiphane, Anthime, Ménas. Sans doute, pris comme il sonne, le mot signifie-t-il universel[1], mais dans l'occurrence il ne s'agissait que d'universalité locale, si l'on peut dire, d'une autorité bien

1. A le prendre davantage encore au pied de la lettre, οἰκουμένη signifie plutôt l'empire que l'univers. Mais il ne s'agissait pas d'une querelle de mots ; derrière ceux-ci se cachaient des ambitions qui, elles, étaient illimitées.

assise, et s'étendant à tout le territoire où le titulaire possède légitime juridiction; à l'entendre ainsi le terme n'était pas plus provocant que celui de *catholicos,* ni plus étendu.

Toutefois, il fallait craindre que, devenant plus rare et ne s'appliquant qu'au patriarche byzantin, *œcuménique* ne reprît son sens originel, et ne marquât tout au moins une universalité orientale de juridiction au détriment des autres grands sièges. Dans un procès où Grégoire d'Antioche en appelait de diverses calomnies infamantes au patriarche byzantin, Jean IV le Jeûneur, celui-ci conclut à l'acquittement, mais dans la formule des « actes » du synode s'attribua l'épithète d'œcuménique qui, en raison des circonstances — il tranchait un cas de patriarches — semblait lui donner un titre supérieur, spécial, exclusif. Mis au courant, Pélage II protesta; il blâma Jean IV d'avoir employé « ce coupable vocable d'orgueil » (*nefandum elationis vocabulum*); et comme le patriarche s'opiniâtrait, il donna ordre à l'apocrisiaire romain de ne plus assister aux messes solennelles à Sainte-Sophie.

A la mort de Pélage II, il y eut quelque détente. Mais la vigilance romaine demeurait en éveil. Lors d'un procès où deux prêtres condamnés à Constantinople en appelaient au Siège Apostolique, saint Grégoire exigea qu'on lui expédiât les *gesta;* avec insistance le titre de patriarche œcuménique y était attribué à Jean le Jeûneur. Tout aussitôt le pape indiqua fermement quelle serait son attitude; aller droit devant lui, ne craindre personne, hormis Dieu. A la pensée qu'on empiète sur la primatie romaine, un argument lui vient d'instinct aux lèvres, qui monte comme un murmure et semble contraster avec son habituel loyalisme; à la vérité, réplique cinglante du patriote italien, et dont la traduction est toute claire : « Pourquoi tant de fierté, si on n'est même pas capable de garder ses frontières? » « Quand nous n'obtenons d'aucune manière d'être protégés contre les glaives des Lombards, quand pour l'amour de la République nous avons perdu notre argent, notre or, nos domaines, jusqu'à nos vêtements, c'est trop d'ignominie que par ceux-là — entendez l'empereur et le patriarche — nous perdions encore la foi! Car ce n'est rien d'autre que perdre la foi que de tolérer ce vocable scélérat. »

Au basileus lui-même, Grégoire écrit une lettre plus mesurée où il charge surtout l'ambitieux patriarche : « Je suis obligé de pousser un grand cri et de dire : *O tempora, O mores!* Alors que toute l'Europe est au pouvoir des Barbares, que les villes sont détruites, les forteresses rasées, les provinces dépeuplées, que l'homme ne laboure plus le sol, que les adorateurs d'idoles sont déchaînés et règnent pour la perte des fidèles, — à ce moment les prêtres, qui devraient s'étendre en pleurant sur le sol et se couvrir de cendres, ambitionnent de nouveaux titres profanes, fiers de cette vaine gloire. Est-ce que, dans cette affaire, très pieux empereur, je défends ma propre cause? Est-ce que j'ai à venger une offense personnelle? Non, je défends la cause de Dieu tout puissant, et la cause de l'Église universelle. Il doit être rabaissé celui qui offense la Sainte Église, celui dans le cœur de qui sévit l'orgueil, qui veut se mettre au-dessus de la dignité de votre empire par son titre particulier. » Ces derniers mots sont habiles, qui voudraient opposer basileus et patriarche œcuménique comme deux ambitions rivales.

Jean le Jeûneur meurt en 595. Pour persuader Grégoire de bien accueillir son successeur Cyriaque, l'empereur Maurice lui fait écrire par Anastase d'Antioche, un ami véritable. Mais Grégoire ne peut, ni ne veut en démordre; qu'on ne croie pas à une vaine querelle de mots (*appellatio frivoli nominis*), il y va de la primauté pontificale et de la foi de l'Église; s'il se dit œcuménique, le patriarche est un précurseur de l'Antéchrist, ni plus ni moins. —

Il n'y a pas là non plus une question personnelle comme si Grégoire désirait pour lui-même ce titre qu'il refuse au patriarche byzantin. Il en écrit à Euloge d'Alexandrie qui, croyant comprendre qu'il se réservait cette appellation, l'avait nommé « pape universel ». Dans un beau mouvement d'humilité, d'ailleurs habile, il commente l'évangélique *non veni ministrari, sed ministrare :* « Ce vocable de superbe, ni à moi, ni à personne d'autre! Mon honneur est celui de l'Église universelle. » De telles paroles un Doëllinger se fera une arme contre le concile du Vatican, sans vouloir constater que cette attitude effacée, leçon directe au patriarche impérial, n'enlève rien à la réalité, à cette sollicitude œcuménique, que Grégoire a héritée de Pierre, qu'il pratique quotidiennement, et qui souligne l'influence exceptionnelle de son pontificat.

Ni Grégoire ne céda, ni Cyriaque, ni Maurice. Inflexibilité des principes en opposition : chez ceux-ci, orgueil de ne pas se dédire et volonté de remporter un succès après lequel tous empiétements seraient faciles et viendraient comme en corollaires; chez celui-là, par contre, sentiment d'une consigne apostolique. Mais Maurice disparut dans une tragédie sanglante, où ses enfants furent égorgés tous les cinq. Le pape jugeait ce prince doublement coupable : au point de vue patriotique, parce qu'il n'avait pas fait son métier d'empereur et qu'il avait abandonné l'Italie sans défense et sans pain; au point de vue religieux, pour s'être comporté avec désinvolture envers le Siège Apostolique et pour avoir défendu « l'œcuménicité » byzantine. On conçoit que Grégoire n'ait porté que le demi-deuil. Pas un mot de pitié : ce silence est un peu dur.

Par contre, on ne peut reprocher à saint Grégoire d'avoir accueilli en termes pompeux le nouvel empereur Phocas, un soudard qui parvenait au trône les mains dégoûtantes de sang : « Gloire à Dieu au plus haut des cieux... Que le ciel se réjouisse, que la terre tressaille de joie. Que le peuple tout entier de l'Empire, profondément attristé jusqu'à ce jour, se réjouisse de vos actions excellentes! Que chacun acclame la liberté enfin rendue sous le sceptre de ce pieux souverain. Car voici la différence qui existe entre les rois des autres nations et les empereurs : c'est que les rois règnent sur des esclaves, et que les empereurs de l'État romain règnent sur des hommes libres. » A distance, il y a pour nous dans ce dernier éloge une ironie un peu grosse. Compliments d'usage, à vrai dire. Comment Grégoire s'y fût-il dérobé? « Des historiens comme Gregorovius affectent de se voiler la face devant cette lettre, note Mgr Batiffol. Voudraient-ils vraiment que le pape eût traité le nouvel empereur de ruffian? »

D'ailleurs à Rome on espérait beaucoup de ce prince auquel une colonne sera élevée sur le Forum avec une inscription laudative. Il était politique qu'on le ménageât en une si grande détresse italienne, et aussi pour obtenir la paix ecclésiastique. Sur ce point les efforts de Grégoire auront des effets posthumes : son second successeur obtiendra que le patriarche byzantin renonce au titre d'œcuménique.

Somme toute, sanit Grégoire le Grand fut le défenseur des traditions existantes, non pas un innovateur, ou — comme d'aucuns voudraient le faire croire — le créateur d'un impérialisme ecclésiastique occidental. Il est resté sur les positions reçues, pas davantage. Pour ce faire, il n'a pas hésité parfois à parler haut et ferme Il y a chez lui tout un côté Grégoire VII — si je puis dire — qui nous étonne un peu et nous ravit : de loin on l'aurait cru moins en relief. Pareil ton n'est-il pas d'ailleurs, lui aussi, traditionnel. En général, la manière romaine est un peu brève, un peu sèche, un peu impérieuse, quand il s'agit de réprimander et de faire rentrer dans le rang. Mais n'est-ce pas une condition nécessaire de tout pouvoir fort, et qui veut imposer le respect partout? « Quand on dit le roi est bon, le règne est manqué. » Voilà un de ces aphorismes qui sont vrais toujours. Au surplus, n'est-il pas assez naturel que *l'imperatoria brevitas* soit passée de César à saint Pierre par une sorte d'atavisme qui consacre de tous deux la gloire et la grandeur? Cela n'exclut d'ailleurs ni la fraternité, ni la charité : l'inépuisable charité qui consacra tous les revenus du Patrimoine à la misère italienne.

Rome sous saint Grégoire domine la catholicité. Par là, on devine quelle sera sa force d'intervention dans la société médiévale. Le *principatus* du Siège Apostolique est chose si grande que tous nos hommages ressemblent à une dérision. De saint Pierre à saint Léon et à saint Grégoire il ne cesse de se manifester. Comme les aigles impériales au temps de l'universelle expansion romaine, il est partout, et partout invincible, imposant l'ordre, la discipline et la vérité éternelle. L'historien fait un métier austère : il lui faut souvent contenir ses sentiments pour ne sembler ni partial, ni passionné. Mais la primauté romaine est un fait si obvie et si conséquent, elle tient tellement à l'essence même de l'histoire du christianisme qu'on doit mettre une grande conviction à l'exprimer *ex intimo corde*. Il y faudrait ce stylede saint Léon, majestueux, classique, tout informé par deux grandes amours : la Rome antique, la Rome chrétienne.

CHAPITRE IV

LES ORIGINES DU DROIT CANONIQUE

Ce qui constitue l'autorité ce sont, avec la hiérarchie, les sources documentaires et traditionnelles sur quoi se basent toutes les décisions portées. Il est donc naturel d'ajouter ici un chapitre concernant les sources antiques du droit ecclésiastique.

Trois périodes se distinguent : la première marquée par le morcellement régional (IVe et Ve siècles),la seconde où s'élaborent des codifications plus générales (fin du Ve, début du VIe siècle), la troisième sous les Mérovingiens, époque de dispersion chez les Francs et les Insulaires, mais de groupement en Espagne.

I. Aux IVe et Ve siècles. — On ne rappelle que pour mémoire les décisions législatives apostoliques contenues, soit dans les *Actes des Apôtres*, soit dans la *Première aux Corinthiens* et dans les *Épîtres pastorales*. De même, les préceptes invoqués par les écrits pseudo-apostoliques, *Didaché*, *Tradition apostolique, Didaschalie des Apôtres, Constitutions apostoliques.* Tous ces écrits insistent particulièrement sur deux points : la tenue des synodes, les qualités requises du clergé. Il faut signaler l'importance particulière des *Canons des Apôtres* au nombre de 85, joints souvent aux *Constitutions apostoliques*, et dont les éléments ont été tirés soit de ces *Constitutions*, soit des conciles orientaux du IVe siècle. L'influence et l'autorité en furent assurées en Orient par le concile in Trullo qui les approuva, « à jamais fermes et immuables », en 692.

A la vérité, les vraies sources du droit canonique au IVe et au Ve siècle sont ailleurs : conciles œcuméniques ou régionaux, décrétales concernant l'organisation ecclésiastique, constitutions impériales sur le statut temporel des clercs et des biens ecclésiastiques insérées dans le code théodosien (438). Mais parmi le remous des passions locales et des disputes théologiques, maints textes qui s'imposent aujourd'hui sans conteste, ne possédaient encore qu'une autorité discutée : les grands conciles eux-mêmes — et surtout ceux-là — rencontraient

Origines du droit canonique. — MAASSEN, * *Geschichte der Quellen und der Literatur des canonischen Rechts im Abendlande bis zum Ausgange des Mittelalters*, t. I, 1870. — P. FOURNIER et G. LE BRAS,* *Histoire des collections canoniques en Occident depuis les Fausses Décrétales jusqu'au Décret de Gratien*, t. I, 1931. — F. CIMETIER,* *Les sources du droit ecclésiastique*, 1931. — HÉFÉLÉ-LECLERCQ,* *Histoires des conciles, passim.*

d'opiniâtres résistances; seules, les décisions de Nicée parvinrent assez rapidement à une autorité presque œcuménique. « Le droit écrit que connaît et qu'observe une Église, note M. Le Bras, c'est avant tout le droit contenu dans ses archives : canons de conciles généraux ou régionaux, dont elle a reçu notification selon des pratiques analogues à celles de la bureaucratie impériale, décrétales qui lui sont adressées, pièces jointes aux décisions conciliaires ou pontificales », et constituant des dossiers.

D'ailleurs dans les Églises importantes, qui possédaient un épiscopat compact et tenaient des synodes fréquents, il se forma des recueils régionaux. Les plus importants concernent l'Orient, Rome, l'Afrique.

Il y avait une collection des conciles orientaux dont l'existence se révéla à Chalcédoine : elle contint d'abord au IVe siècle les canons de Nicée (325), Ancyre (314), Néocésarée (v. 314), Gangres (v. 340); puis vers 400 s'y ajoutèrent les canons d'Antioche (341), qui eurent peine à s'imposer à cause de leurs origines arianisantes. A ce noyau ancien devait s'ajouter durant les Ve et VIe siècles les canons de plusieurs grands conciles, notamment ceux de Sardique (343), de Constantinople (381), d'Éphèse et de Chalcédoine; on y joignit aussi les lettres canoniques de plusieurs grands évêques, par exemple Athanase, Basile, Grégoire de Nysse. Telle quelle, le concile *in Trullo* estampillera officiellement la collection, l'enrichissant encore d'éléments nouveaux, entre autres ses 102 canons disciplinaires, où éclatent en maints endroits des divergences entre Rome et Byzance.

A Rome il existait des documents canoniques d'une spéciale valeur, étant donnée l'autorité unique dont jouissait le Siège Apostolique. Vers lui, en effet, affluaient d'Espagne, de Gaule, de Dalmatie, voire d'Orient, mieux vaudrait dire de partout, les questions les plus diverses sur la discipline et le culte, le baptême, la pénitence, la réconciliation des hérétiques, l'administration des sacrements. Les papes y répondirent par des lettres appelées décrétales, qui furent ramassées de bonne heure en un recueil, assez mince jusque vers la fin du Ve siècle, puis toujours croissant, et qui acquit force de loi. Ainsi saint Léon menace-t-il des peines les plus graves les évêques suburbicaires qui enfreindraient « toutes les décrétales — *omnia decretalia constituta* — édictées en matière ecclésiastique et disciplinaire tant par Innocent Ier que par nos autres prédécesseurs ». A ce dossier Rome n'ajouta d'abord qu'un recueil de canons disciplinaires ne comprenant que ceux de Nicée et de Sardique, confondus au point de prêter à méprise. Il existait toutefois en Italie une collection grecque, où figuraient les conciles de Nicée, Ancyre, Néocésarée et Gangres.

L'Afrique nous donne le premier exemple d'une collection exclusivement latine où aux canons de Nicée s'ajoutaient ceux des divers conciles africains, ajoutés au fur et à mesure de leur apparition, et réunis en un véritable *Codex* régional au XVIIe concile de Carthage en 419.

A Arles, centre politique et religieux de la Gaule du sud-est, une collection s'élabore en 105 canons, véritable « bréviaire de l'évêque et du clerc », connue sous le nom de *Statuta Ecclesiae antiqua*. C'est à tort qu'on l'a attribuée jadis à un concile de Carthage; elle apparaît vers le début du VIe siècle, et reflète les idées que saint Césaire fit triompher au concile d'Agde en 506.

Somme toute à cette époque, ni collections strictement locales faites pour un seul évêché, ni collections générales, mais des collections régionales élaborées au centre des vastes circonscriptions ecclésiastiques, et pour toute une Église : Orient, Afrique, Gaule, Rome. État plus ou moins anarchique où se fait sentir l'absence d'un code officiel, agent d'unite; une confusion règne, due surtout à l'ignorance sur la valeur des groupes et à l'absence de collections systématiques à côté des collections chronologiques.

II. La Renaissance gélasienne et l'œuvre justinienne. — Le remède vint du péril lui-même. Les deux grands maux du ve siècle — disputes christologiques entre l'Orient et l'Occident d'une part, invasions barbares de l'autre — contribuèrent indirectement à un groupement des éléments canoniques : les premières amenant la constitution de nombreux dossiers, tels que celui rédigé en Égypte sur le concile d'Éphèse; les secondes aboutissant à la chute de l'Empire, et par là à une indépendance plus nette et à un rôle juridique plus franc de la Rome pontificale, maintenant délivrée de toute contrainte politique directe. En cette ville, cœur de la chrétienté, se presse alors toute une foule d'immigrés, moines et clercs, qu'ils soient venus d'Orient pour discuter christologie et plaider pour ou contre Chalcédoine, ou encore qu'ils accourent de l'Afrique vandale vers l'Italie, terre d'asile; ou même qu'ils soient issus de la province gréco-latine de Scythie, disposés à discuter de tout et à tout remuer pour avoir toujours raison. Milieu complexe et agité où chacun défend avidement ses idées, et puise ses arguments aux recueils canoniques, aux séries conciliaires et aux décrets, confiant seulement pour tout dirimer dans l'autorité de l'ancien droit et dans celle du Siège Apostolique. D'où à la fin du ve siècle et au début du vi[e] une brillante activité canonique que M. Le Bras a pu appeler, soulignant l'importance du pontificat qui ouvre cette période, la *Renaissance gélasienne*.

Le Scythe Denys le Petit, arrivé à Rome vers 496, était un moine savant qui vécut dans la familiarité de Cassiodore. « Il connaissait à fond, dit celui-ci, le latin et le grec, et rendait avec tant de facilité une langue par l'autre, qu'en l'écoutant traduire à vue d'œil, on aurait cru l'entendre lire une version écrite et faite avec beaucoup de soin. » Quant à la mentalité, tout attaché à la tradition et aux règles transmises, catholique des pieds à la tête (*totus catholicus*). Dispositions précieuses qu'un ami de Denys, l'évêque de Salone, songea à utiliser, le priant de faire une traduction correcte des canons grecs. Denys y joignit les 50 premiers *Canons des Apôtres* dont les papes s'étaient servis dans leurs constitutions, et 138 canons de la collection africaine promulguée en 419 par le concile de Carthage. L'ensemble parut sans doute sous le pontificat de Symmaque.

Bientôt, à la requête de Julien, prêtre de Sainte-Anastasie, Denys ajoutait à cette première collection une seconde composée de décrétales des papes, quelque quarante choisies parmi les principales, et dont plusieurs relatives au dogme. Ainsi se forma une sorte de *Corpus*, dont la fortune fut considérable, puisqu'il deviendra de consultation courante pour les papes, qu'il entrera dans la compilation du code canonique espagnol (*Hispana*), et qu'il sera envoyé en 774 par Adrien Ier à Charlemagne comme le livre canonique de l'Église romaine, ensuite officiellement adopté pour l'Empire en 802 à Aix-la-Chapelle. Ainsi l'autorité de la *Dyonisienne* s'imposera-t-elle un jour partout en Occident : celui qui, par un parti pris d'humilité, s'appelait lui-même en tête de son travail Denys le Petit (*Exiguus*) sera vraiment devenu Denys le Grand.

Signalons deux autres collections contemporaines de la *Dyonisienne*, sans doute aussi d'origine romaine : l'une, dite de Freising, contenant les conciles orientaux du ive siècle, une partie de la correspondance des papes à cette époque, et la collection africaine de 419 ; l'autre, appelée *Quesnelliana* — parce qu'éditée par Quesnel — et où figurent, entremêlés avec des conciles orientaux et africains et des décrétales, divers dossiers au sujet des hérésies du IVe et du Ve siècle.

Ces collections canoniques marquent d'importants progrès : d'une part, l'élimination presque complète des apocryphes qui fourmillaient jadis, et que contenaient surtout les coutumiers pseudo-apostoliques, maintenant omis; d'autre part, le caractère général des recueils, et non plus seulement régional, en sorte que, utilisant les divers éléments de l'héritage gréco-latin, chacun contient à la fois canons orientaux, canons africains et décrétales. De là ces véritables « bréviaires de l'organisation ecclésiastique où se résume toute l'expérience, toutes les luttes des Églises pour le maintien de l'ordre et de la paix ». « Périls de la dispersion territoriale, de la variété des usages, des ordinations sans contrôle, de l'ambition ou de la frivolité des diverses sortes de clercs et de laïcs, des schismes et des hérésies : tout ce qui avait pu menacer ou ébranler la société chrétienne était prévu dans cette longue suite de canons où sont fixés, hiérarchisés les cadres, uniformisés les principes, définies les conditions d'aptitude aux degrés successifs de la cléricature, l'office de chaque ordre, le statut de chaque catégorie de chrétiens, les frontières de l'orthodoxie[1]. »

Soulignons enfin le caractère fortement romain de ces collections où les décrétales pontificales apparaissent comme lois obligatoires, où la primauté du Siège Apostolique est affirmée, où tout particularisme vient se fondre dans la discipline romaine. Authenticité, universalisme, romanisme, tels sont les traits distinctifs de ces recueils qui semblent bien avoir eu pour centre de composition principal, sinon unique, Rome sous le pontificat de Gélase.

Qu'ils soient encore incomplets, ne faisant point leur juste place en particulier aux Pères et au Code théodosien, qu'ils soient aussi trop personnels et manquent d'uniformité, ces défauts secondaires ne peuvent cacher l'immense progrès réalisé. Il faut en savoir gré à la Rome gélasienne qui avait ainsi préparé les recueils authentiques et universels susceptibles, durant le haut Moyen Age, d'affronter la lutte contre d'innombrables forces de corruption et de désagrégation.

Peu après, en Orient, la grande œuvre de Justinien aboutissait à un groupement général des textes du droit, auquel la législation canonique était intéressée. Soit dans le Code en effet, soit dans les Novelles, les lois ecclésiastiques se mêlent aux lois civiles, attestant que Église et État à Constantinople, c'est tout un. Hiérarchie, discipline monastique, tenue des conciles, propriété ecclésiastique, culte, autant de matières canoniques qui sont traitées là en détail comme par un concile ou par des décrétales. De cette compénétration des deux droits s'ensuivit un envahissement excessif des recueils ecclésiastiques par la législation séculière : de là cette confection des nomocanons où l'accord des ordonnances laïques et religieuses va jusqu'à la fusion. Jean le Scholastique, patriarche de Constantinople (565-577), composa la *Collection des 87 chapitres* où sont réunies, extraites de douze novelles justiniennes abrégées, les prescriptions impériales concernant les questions religieuses. Divers travaux analogues suivirent, entre autres la *Collection tripartite* qui condense tout ce que Code, Digeste et Novelles avaient édicté en matière canonique. Mais avec les nomocanons proprement dits les lois civiles s'entre-

1. G. Le Bras, *Un moment décisif dans l'Histoire de l'Église et du droit canon : la Renaissance gélasienne,* dans *Rev. hist. Droit français et étranger,* 4e série, 9e année (1930), p. 506-18.

mêlent aux canons ecclésiastiques dans une compénétration complète : ainsi du *Nomocanon de 50 titres* sous Maurice (585-602), et de celui des *14 titres* sous Héraclius (610-641).

L'œuvre disciplinaire byzantine sera couronnée par les 102 canons nouveaux du concile in Trullo : autant on y oppose usages orientaux à usages latins, autant on y souligne le caractère officiel de la législation disciplinaire à Byzance. Il y a là comme un schisme canonique qui, virtuellement, comporte la séparation d'avec Rome, les usages divergents devant donner peu à peu au peuple l'impression que la religion diffère essentiellement sur les bords du Tibre et sur ceux du Bosphore.

III. Les temps barbares : l'Hispana. — La réforme gélasienne en Occident, l'œuvre justinienne en Orient manifestent le mouvement de centralisation qui, vers la fin du ve siècle et le début du vi[e], succéda aux tendances régionalistes précédentes. Mais dès lors les Églises barbares poursuivent isolément leur tâche, séparées qu'elles sont par les diversités de civilisation et de gouvernement.

En Gaule, malgré l'influence du foyer arlésien, les recueils divers témoignent d'un grand arbitraire, contre lequel vers la fin du viie siècle réagira avec divers conciles réformateurs — Autun, Saint-Jean-de-Losne et Bordeaux — la collection dite d'Angers. Mais la Gaule est alors envahie par l'influence celtique des chrétientés irlandaises. Il faut souligner à nouveau l'importance des pénitentiels, codes tout spéciaux, qui portent avant tout sur l'ascèse et sur la morale, et qui n'ont plus l'autorité des règles conciliaires, mais sont l'œuvre d'un seul homme, souvent d'un inconnu. D'où les discordances nombreuses entre les auteurs, chaque pénitentiel ayant ses critères et tarifs particuliers. D'où encore — inconvénient plus grave — l'opposition des pénitentiels avec divers principes du droit, alors d'usage commun en Occident, et fondés sur les traditions conciliaires et pontificales. Ainsi particulièrement en matière matrimoniale, où les recueils insulaires admettent des exceptions à la loi de l'indissolubilité, autorisant le remariage en cas d'adultère, ou de changement d'état social d'un des conjoints, par exemple si l'homme est réduit en esclavage, ou encore par suite de circonstances spéciales, telles que la longue captivité, la désertion, ou même l'entrée d'un époux au monastère. Mêmes divergences avec l'ancien droit — nous l'avons déjà signalé — en matière hiérarchique : épiscopat monastique et itinérant au lieu de l'épiscopat à siège fixe. Au fond, l'apport celtique, si original qu'il soit, si bienfaisant aussi par certains côtés, n'en dévoile pas moins des tendances indécises et arbitraires, propres à développer encore l'anarchie mérovingienne.

Par contre l'œuvre canonique espagnole marque une puissante tentative d'unification. Durant tout le vi[e] siècle l'Espagne ne connut que des recueils locaux, qui durent emprunter à presque toutes les régions de la chrétienté, Orient et Afrique, Rome et Gaule méditerranéenne, celle-ci surtout en relation directe avec la Tarraconnaise, et où Arles joue un rôle de tout premier plan. L'*Epitome,* la plus ancienne collection espagnole, qui parut vers la fin du vi[e] siècle, trahit ces influences multiples, simple abrégé d'ailleurs, fragmentaire et sans ordre rigoureux.

C'est alors que l'Espagne fut dotée d'un code véritable, l'*Hispana,* divisé en deux parties : en premier lieu, les canons des conciles rangés par régions, orientaux, africains, gaulois et espagnols; d'autre part, une série de cent quatre décrétales de Damase à saint Grégoire. Magnifique ensemble de documents auprès duquel la *Dionysienne* elle-même paraît brève, et qui enrichit l'apport courant, grec et africain, des textes les plus importants empruntés aux trois grandes Églises occidentales, Rome, la Gaule et l'Espagne. L'Occident possédait enfin un code à la fois complet et bien ordonné : « avec la *Dionysiana*, l'*Hispana* sera la principale source qui, par intermédiaires, transmettra au *Corpus juris canonici* le droit des sept premiers siècles ». Qu'elle soit ou non l'œuvre de saint Isidore — et la critique la plus subtile et la plus avisée n'a pu réunir que des probabilités en sa faveur[1] — l'*Hispana* n'en fait pas moins honneur au grand archevêque et aux conciles de Tolède dont il fut l'âme.

IV. Les collections systématiques. — Il y eut d'ailleurs aux ve et vi^e^ siècles un certain effort de synthèse par des collections systématiques. Ainsi la *Breviatio* de Fulgence Ferrand (vers 546) qui, en 132 numéros, donne les décrets des conciles orientaux et occidentaux, — surtout africains, — d'après un ordre méthodique : évêques, prêtres, diacres, clercs, pénitence, procédure, service divin. Il faudrait noter aussi les *Capitula* de saint Martin de Braga, divisés en deux parties — devoirs des ecclésiastiques, devoirs des laïcs — et composés surtout de canons grecs assez librement résumés. D'autre part, l'usage de l'*Hispana* sera bientôt facilité par les *Excerpta canonum*, table méthodique avec renvois à la collection chronologique, et fournissant ainsi les cadres d'une *Hispana* systématique. Enfin, en Irlande, l'*Hibernensis*, composée vers l'an 700 : œuvre originale où il faut noter à côté des canons de conciles orientaux, romains, gaulois ou celtiques, un apport scripturaire et patristique considérable. D'où l'universalisme de cette collection qui embrasse non seulement tout le domaine de la discipline ecclésiastique, mais encore celui de la vie sociale et de la vie spirituelle : ainsi culte des reliques, oraison, sépulture et prières pour les défunts, vertus chrétiennes.

« Le groupement méthodique des règles constituait, évidemment, un progrès immense : il devait avoir une importance capitale pour la transmission des textes. La substitution d'un plan méthodique à l'ordre historique amplifia l'autorité des canons des conciles régionaux. Maintenus sous la rubrique de leur pays d'origine, ils n'étaient pas aussi aisément accrédités, ni avec autant de force, que lorsqu'ils devenaient des arguments ou des confirmations à l'appui d'un principe énoncé dans un titre de collection systématique. Sous cette forme, une certaine égalité tendait à se faire entre les diverses « *auctoritates* ». Pères, auteurs ecclésiastiques, conciles œcuméniques ou régionaux, décrétales, seront cités sans ordre de prééminence, comme témoins de la discipline. Et ces recueils méthodiques passeront d'autant plus aisément la frontière des États dans lesquels ils auront été composés, que leur commodité et leur autorité morale les rendront agréables aux praticiens et aux docteurs.

« Que la diffusion de ces textes variés se soit opérée dans un certain ordre, cela même fut de grande conséquence pour l'avenir des collections. Des séries bien liées, de véritables grappes de textes commencent de se constituer, qui seront insérées, parfois sans aucun changement, de collection en collection, jusque dans le *Décret* de Gratien[1]. »

Enfin le plan systématique pourra favoriser parfois l'élaboration de thèses, instruments

1. Cette paternité a été attribuée jadis à saint Isidore par Baluze, les Ballerini et Gonzalez, récemment par Dom P. Séjourné. Sans la nier, M. G. Le Bras a montré que la preuve n'en était pas absolue : *Sur la part d'Isidore de Séville et des Espagnols dans l'histoire des collections canoniques*, *Rev. des Sciences religieuses*, avril 1930, p. 218-257.

aux mains des réformateurs. Ainsi apparaît-il déjà dans la *Collection d'Angers,* d'origine sans doute bourguignonne, et qui aurait été inspirée par saint Léger : alimentée par la *Dionysiana* et les collections gauloises, elle traite successivement des sujets suivants : ordinations, choses ecclésiastiques, liturgie, sacrements, biens temporels, vie et devoirs des clercs, moines et moniales, pénitence. Les aspirations réformatrices affleurent plus d'une fois : ainsi le désir de restaurer les synodes et d'en assurer la tenue bi-annuelle, celui d'épurer le clergé et de consolider la hiérarchie. On entrevoit là une méthode d'avenir qui consistera à choisir et à ordonner les canons d'après un programme déterminé. A l'époque carolingienne, l'auteur des *Fausses Décrétales* se laissera guider par de telles préoccupations et avec des matériaux rapportés de partout, ou souvent inventés, élaborera un vaste plan de réforme.

Au total, par les conciles gaulois et espagnols, par la *Dionysiana* et l'*Hispana* se maintient le système ecclésiastique de l'ancien droit, malgré des poussées individualistes et libertaires d'origine celtique. Une époque suivra, celle des Carolingiens où, tandis que l'Espagne s'effondrera sous le choc arabe, et que diminuera l'influence celtique, l'activité canonique se réfugiera dans le royaume franc.

LIVRE XIX

LA LITURGIE ANTIQUE

CHAPITRE PREMIER

LES ORIGINES LITURGIQUES

I. Fondement des Liturgies antiques. — Pendant toute la période de sa formation le culte chrétien s'est développé dans la dépendance directe et constante de la hiérarchie. Le principe posé par saint Ignace d'Antioche s'appliqua partout : pas de prière, pas de sacrifice, pas de réunion liturgique qui se puisse célébrer sans l'évêque, son presbyterium et ses diacres. Même privé et accompli dans les demeures particulières, le rite eucharistique reste essentiellement public, en fonction d'une assemblée, si petite soit-elle, et accompli par un membre du clergé. « Liturgie », autrement dit acte officiel : et ce mot qui s'appliquera à toutes les formes du culte, désigne primitivement le seul sacrifice eucharistique, acception qu'il conserve encore dans tout l'Orient.

A la paix de l'Église, tout s'organise au grand jour : le nombre des communautés chrétiennes s'est accru, de même celui des membres du clergé; les fidèles se réunissent en foule dans les sanctuaires nouvellement érigés. Prières, cérémonies, usages liturgiques transmis par la tradition commencent à se fixer d'une façon plus nette que par le passé. D'où la rédaction des premiers livres liturgiques. Aussi constate-t-on que de bonne heure plusieurs groupes distincts se dessinent, en dépendance étroite vis-à-vis des grandes métropoles ecclésiastiques : rites antiochiens, alexandrins, romains, gallicans, quatre grandes familles liturgiques qui auront des ramifications, mais qui se développeront à part, tout en s'influençant les unes les autres.

D'aucuns ont dit que ces variétés seraient sorties de l'unité primitive instituée par les Apôtres et léguée aux Églises; d'autres, par contre, qu'il y aurait eu une très grande diversité locale, puis peu à peu tendance à l'unité : opinions qui, toutes deux, contiennent une part de vrai. Il a existé dans les premiers temps une certaine unité liturgique, en ce sens que les éléments essentiels du culte nouveau se retrouvaient partout les mêmes : partout, on

Sources Liturgiques. — Funk, *Didascalia et Constitutiones apostolorum*, Paderborn, 1905. —Rahmani, *Testamentum Domini*. Mayence, 1899 — Baumstark, *Vom geschichtlichen Werden der Liturgie* (*Ecclesia Orans, X*), Fribourg, 1923. — Dom Cabrol, *Les origines liturgiques*, 1906. - E. Bishop et Dom A. Wilmart, *Le génie du rit romain*, 1921. — R. Janin, *Les Églises orientales et les Rites orientaux*, 1922.

Ce livre X, La Liturgie Antique, *a été rédigé par Dom Pierre de Puniet, moine bénédictin de l'Abbaye Saint-Paul d'Oosterhout.*

célébrait le repas eucharistique à l'exemple du Sauveur; partout, on administrait les mêmes sacrements, et déjà s'introduisaient des solennités identiques, dimanche, féries jeûnées, fêtes de Pâques et de la Pentecôte, mémoires des martyrs. On s'y tiendrait fidèlement à l'avenir, et la même très réelle unité continuerait à grouper les différentes familles liturgiques autour de ce point central, le mystère chrétien.

Il est probable que l'unité primitive allait même plus loin que ces traits essentiels communs à tous les rites. On sait — notamment par le témoignage exprès de saint Justin au IIe siècle — que faculté était laissée au pontife, ou au prêtre qui présidait en son nom, d'exprimer « de son mieux » les pensées de tous et d'improviser séance tenante des formules liturgiques en rapport avec l'acte religieux qui s'accomplissait. Cette libre inspiration s'étendait à la prières eucharistique elle-même, à la formule, sainte entre toutes, que représente maintenant notre canon de la messe. Mais, de bonne heure, il y eut tendance à fixer des expressions qui s'imposeraient par la suite. Il y avait déjà un certain nombre de thèmes que l'improvisation s'attachait à développer. Le Sauveur avait donné à tous le modèle de la prière eucharistique : louange et action de grâces à Dieu pour tous ses bienfaits, entre autres pour la rédemption, paroles consécratoires, oblation et intercession conclues par l'Amen de toute l'assemblée en signe d'union avec le célébrant. Ainsi en allait-il encore pour le baptême, la confirmation, les ordinations.

Mais il y a plus. Il est frappant que divers usages et formules se retrouveront partout, après même que les liturgies se seront groupées en familles. Ainsi pour le symbole de foi, uni intimement aux trois ablutions baptismales et à la formule trinitaire; ainsi encore pour l'antique invocation prononcée sur les néophytes dans le sacrement de confirmation. La formule de consécration des évêques au rit syrien reste commune, elle aussi, — au moins dans les grandes lignes, — à tous les Orientaux. La prière eucharistique est de toutes la plus vénérable, et il serait surprenant qu'on n'ait point tendu à l'unifier dès le début, du moins dans ses grandes lignes. Il y avait d'abord le noyau central constitué par les paroles mêmes de l'institution. On les redisait partout fidèlement, et toutefois avec certaine liberté. Autour venaient se grouper les développements primitivement laissés à la libre improvisation du célébrant, selon que l'attestent la *Didaché* et saint Justin. La *Tradition apostolique* contient au début du IIIe siècle une formule fixe, rédigée peut-être par Hippolyte, voire beaucoup plus ancienne. En tout cas, elle dut être connue en dehors de Rome, et on constate qu'elle passa tout entière dans la liturgie des *Constitutions Apostoliques*, de la fin du IVe siècle.

A côté de ce texte vénérable, il dut en exister plusieurs parmi les Églises particulières, dans le genre de celui que nous a conservé par hasard l'eucologe de Sérapion, datant du IVe siècle. Mais à cette époque, on tendit partout à unifier les textes divergents et à les ramener au type liturgique usité dans les grandes métropoles : Antioche, Alexandrie, Rome. Antioche imposa d'abord son rit à toute la Syrie; mais bientôt celui de Jérusalem le supplanta jusqu'au jour où le byzantin prit la place prépondérante, s'accréditant en Syrie, en Palestine et jusqu'en Arménie. Alexandrie commandait à toute l'Égypte; son rit pénétra aussi en Abyssinie. Rome exerça son influence liturgique sur les Églises latines dès les VIe et VIIe siècles; la Gaule elle-même se laissa pénétrer, tout en gardant ses vieux usages qui finirent par céder au cours du VIIIe siècle.

La liturgie alexandrine se rapprochait notablement de l'ancien rit romain, tandis que d'Antioche la liturgie gallicane avait reçu beaucoup d'éléments caractéristiques. La grande différence entre le rit alexandrin ancien et celui d'Antioche était la place donnée aux prières pour les fidèles vivants et défunts durant le saint sacrifice : les alexandrins les disaient alors avant la consécration. Ils avaient d'autre part un usage qui les rapprochait du rit romain, celui de demander l'accomplissement du mystère eucharistique avant de prononcer les paroles de la consécration. Leur antique liturgie découlait, croit-on, de celle de saint Marc et leur était particulière; mais ils en adoptèrent deux autres venues des Byzantins, et qui modifièrent complètement leurs usages anciens.

Chez les Grecs et dans tout l'Orient le terme « liturgie » désigne proprement la prière eucharistique en usage pour le Saint Sacrifice, et correspond exactement à notre « messe » latine. Pour nous la « liturgie » s'étend à tous les rites officiels, office divin, messe, sacrements, cérémonies et gestes, en un mot à tous les détails du culte public.

II. La synaxe eucharistique. — Depuis les origines les grandes lignes du sacrifice eucharistique étaient arrêtées, et partout nous les retrouvons dans cet ordre : des lectures et des chants; une homélie par le célébrant; une prière pour les fidèles; le baiser de paix, qui fut transporté plus tard au moment de la communion; l'offrande de la matière du sacrifice; la prière d'action de grâces; la consécration; l'offrande à Dieu; une prière pour les assistants à laquelle ils adhèrent en répondant *Amen;* la communion.

L'introduction à la célébration de l'Eucharistie forme ce qu'on appelle la messe des catéchumènes, parce que jadis les simples candidats au baptême pouvaient y assister, et qu'on les congédiait ensuite après l'homélie, la seconde partie de la messe étant réservée aux fidèles, autrement dit aux seuls baptisés.

La liturgie byzantine, la plus répandue de toutes dans les Églises d'Orient, conserva ce cadre, mais y introduisit dès le ve siècle diverses particularités notables. Elle se recommande de saint Basile et de saint Jean Chrysostome qui, selon toute vraisemblance, eurent leur part dans sa rédaction : le premier l'amplifiant, le second la simplifiant et lui donnant la forme qu'elle a conservée. Du moins est-ce une tradition attestée depuis le vi^e^ siècle environ par le traité sur les saints mystères attribué à saint Proclus.

A la différence de la messe latine, dont toute une portion varie avec les fêtes, la liturgie de saint Jean Chrysostome se célèbre tous les jours de l'année — sauf très rares exceptions — sans autre changement que les lectures et certaines pièces de chant. Les rits sont très particuliers, le cérémonial très différent du nôtre, les fonctions du diacre beaucoup plus apparentes, et la participation de l'assistance plus directe et peut-être plus vivante. Mais les lignes essentielles du mystère eucharistique sont les mêmes, malgré l'interversion de facteurs importants.

C'est ainsi que dans la liturgie byzantine, dès le vi^e^ siècle tout au moins, les éléments matériels du sacrifice — pain et vin — sont préparés avant le début de la fonction, avec prières et encensements. On fait usage de pain fermenté. Des hymnes et le chant du Trisagion précèdent la lecture de l'épître et de l'évangile. Après la solennelle procession des

Synaxe eucharistique. — Duchesne, *Les origines du culte chrétien.* — Batiffol, *Dix leçons sur la messe,* 1919. — M. de la Taille, *Mysterium fidei,* 3e éd. — Dom J. de Puniet, *La liturgie de la messe,* 2e éd., Avignon, 1930. — Fortescue, *La Messe,* trad. française par A. Boudinhon, 1921. — *Semaines liturgiques de Louvain et Tournai,* 1927-1928.

oblations et le baiser de paix, qui avait place ici, les fidèles chantaient le symbole, usage que les latins n'adopteront que beaucoup plus tard. L'anaphore répond à notre canon de la messe et s'ouvre par le même dialogue traditionnel, l'action de grâces et le *Sanctus*. On passe de suite aux paroles de la consécration prononcées à haute voix. Puis vient — comme dans la messe latine — l'oblation de la sainte victime en mémoire des mystères du Christ et de son commandement exprès d'offrir le saint sacrifice. Sur ce point capital, entente parfaite : c'est l'essentiel. Mais, tandis que désormais le canon romain ne pense plus qu'à l'acceptation par Dieu de l'hostie qui lui est offerte, et à la communion qui y fera participer les fidèles, les Orientaux reviennent en arrière et placent là une demande de consécration. C'est déjà fait, on ne devrait plus y revenir. L'anomalie n'existait pas primitivement. La *Tradition Apostolique* contient bien à cet endroit une invocation, mais en vue des fruits de la communion; le canon romain fait de même, c'est logique. La demande de consécration ou épiclèse a dû paraître vers le IVe siècle. Les prières pour les vivants et les morts se sont aussi introduites à cette place, avant le *Pater* et la fraction que suit immédiatement la communion.

La messe romaine offre essentiellement le même sacrifice eucharistique que la liturgie des byzantins et des orientaux en général. Les idées sont exactement les mêmes : préparation sous forme de chants et de lectures ou avant-messe, offrande de pain et de vin, prière eucharistique amenant les paroles de la consécration, oblation de la victime sainte, fraction et communion. Tout cela s'exprime dans notre canon en des termes clairs et précis qui ne font pas trop regretter l'abondance un peu excessive des formules orientales. Celles-ci sont d'une grande richesse doctrinale, c'est incontestable, et le cérémonial qui les encadre souligne les moindres nuances d'expression. Beaucoup plus sobre est le style romain, et beaucoup plus réservé dans ses développements ; mais il gagne en solidité ce qu'il perd en variété.

La formule centrale du canon de la messe latine était déjà en usage à la fin du IVe siècle, ainsi qu'en témoigne le traité *de Sacramentis,* contemporain de saint Ambroise, sinon son œuvre[1]. Saint Léon y fit quelques additions; attesté par le recueil dit gélasien, son texte définitif aura été fixé à peu près au Ve siècle.

Divers documents étaient en usage pour la célébration de la messe latine : l'ordo romain réglait la suite des cérémonies, le lectionnaire marquait les lectures de l'épître et de l'évangile; les pièces de chant se trouvaient dans l'antiphonaire; le sacramentaire enfin fournissait au célébrant formules, oraisons, bénédictions et canon.

La plus antique collection de ce genre porte — tout gratuitement d'ailleurs — le nom de saint Léon. Sans doute son style se reconnaît-il dans maintes pièces; mais beaucoup d'autres, soit antérieures au Ve siècle, soit postérieures, furent composées pour des circonstances particulières, et insérées un peu au hasard dans ce recueil qui ne semble pas avoir eu un caractère officiel.

Il en va tout autrement des sacramentaires dits gélasien et grégorien. Ils représentent les usages authentiques de la Rome des Ve, VIe et VIIe siècles. Vrais livres « des sacrements » puisque, avec les prières de la messe pour chaque jour de l'année, ils fournissent les formulaires complets pour l'administration des sacrements et pour les simples bénédictions liturgiques : témoins éloquents du culte officiel que les papes célébraient dans les grandes

1. L'auteur du *de Sacramentis* a largement puisé dans le *de Mysteriis,* dans le *de Institutione virginis,* dans le *de Oratione* d'Origène et à d'autres sources grecques.

basiliques romaines et dans les sanctuaires des martyrs. La plupart de ces textes sont entrés dans notre missel : on y retrouve cette concision et cette sobriété qui ont toujours caractérisé le style romain, à la différence des anciennes compositions gallicanes et orientales.

La même discrétion se manifeste dans les moindres détails de l'ancien cérémonial romain, en même temps que leur précision montre quelle dignité le clergé devait observer. Si primitivement liberté restait au célébrant d'improviser les formules et de les réciter à haute voix, y compris le canon, à partir du ve ou du vi^e^ siècle tout est désormais fixé, et la prière eucharistique se dit dans le plus profond silence. Clercs et fidèles se tiennent inclinés, témoignant par leur attitude ne faire qu'un avec le prêtre. Tous ont pris part à l'offertoire, comme tous — autant que possible — se présentent à la communion. Entre ces deux termes extrêmes qui soulignent la participation de tous, l'action du saint sacrifice se déroule en une courbe harmonieuse, dont les éléments se soutiennent dans un équilibre parfait. Mieux qu'en aucune autre liturgie, les idées se suivent dans un ordre extrêmement logique, conforme au génie latin. Si le célébrant s'y exprime seul, c'est toujours au nom de tous en des formules enveloppantes et compréhensives : « *Nous* vous rendons grâces, *nous* vous recommandons cette oblation de toute la famille chrétienne, *nous* vous offrons *tous ensemble*, *nous* vous supplions, et *tous nous* osons vous dire : *Notre* Père... ». Terminologie déjà employée par la *Tradition apostolique* au iiie siècle, et par le *de Sacramentis* à la fin du ive, puis conservée dans le canon fixé au ve. D'ailleurs la prière eucharistique est précédée de la litanie ou supplication des fidèles, qui énumère les intentions de tous; nous en avons encore le texte dans les oraisons solennelles du Vendredi Saint, dont notre formule *Te igitur* du canon présente elle-même comme un résumé succinct. Cette dernière formule a entraîné après elle la prière pour le pape, pour l'évêque et toute la hiérarchie, pour les fidèles, en particulier ceux qui ont pris part à l'offrande. Il s'agit ensuite de recommander à Dieu cette offrande pour qu'il en opère lui-même le changement au corps et au sang du Christ.

La consécration forme le point culminant de cette action liturgique. L'auteur du *de Sacramentis* le fait ainsi remarquer : « Tout ce qui est dit auparavant reste parole du prêtre; mais lorsqu'on en vient à opérer le vénérable mystère, ce ne sont plus les paroles du prêtre, mais celles du Christ qui sont prononcées. »

Ce qui vient ensuite est la part de toute l'Église : en mémoire des mystères rédempteurs elle offre à Dieu la victime sainte présente sur l'autel, et, comme cette victime entraîne après elle toutes les âmes qui unissent leurs intentions à la sienne, la prière instante demande pour elle l'ascension jusqu'au trône de Dieu, afin qu'elle soit pleinement agréée et qu'en retour les fidèles puissent s'y associer dans la communion. Désormais le saint sacrifice est complet, on ne songe plus qu'à y faire participer l'assistance. En vue de quoi, l'oraison dominicale étant dite, on procède à la fraction de l'hostie; puis l'on échange le baiser de paix, symbole expressif de l'unité chrétienne. Aux ive et ve siècles, comme on le voit dans la *Vie* de sainte Mélanie en confirmation des données liturgiques, cette marque d'unité de foi avec le célébrant s'exprimait par le baiser de la main qui distribuait la communion. Aujourd'hui encore on baise l'anneau du pontife au moment où il va donner le corps du Sauveur.

Les fidèles se présentent à la communion debout et reçoivent les saintes espèces dans la main droite appuyée sur la main gauche : les mendiants de Dieu tendent la main pour recevoir l'aumône de leur pain quotidien. Plus tard, vers le xe siècle, on réservera cet usage aux seuls diacres et aux prêtres, quand l'évêque leur donnera la communion.

III. L'Office divin. — La liturgie chrétienne aux ive et ve siècles est restée dans la ligne de ses traditions anciennes, ne faisant que continuer ce que l'on pratiquait aux premiers jours de l'Église : « Les nouveaux fidèles, disent les *Actes des Apôtres,* demeuraient assidus à l'enseignement apostolique, à la communauté fraternelle, à la fraction du pain et aux prières » (ii, 42). C'étaient les quatre éléments caractéristiques de la vie chrétienne, et tous quatre se trouvaient déjà dans la célébration du saint sacrifice : prédication et lectures, union de tous, liturgie eucharistique ou fraction du pain, prières en commun. Celles-ci formaient l'introduction à la messe, alternaient avec lectures et chants, et se terminaient par une homélie.

Dans cette avant-messe on a reconnu l'ossature de l'office liturgique, dont les premiers chrétiens ont emprunté l'idée, la forme, et jusqu'aux textes sacrés, aux usages de la synagogue. Les juifs connaissaient les réunions du matin et du soir, ils chantaient les hymnes et les psaumes, et se montraient fidèles aux deux lectures de la Loi et des Prophètes. Les chrétientés orientales eurent aussi de très bonne heure les deux offices du matin et du soir, l'Orthos et l'Hespérinos, les latins eurent les Laudes et les Vêpres; partout on y chantait des psaumes suivis de lectures de l'Ancien et du Nouveau Testament. L'office des vigiles nocturnes s'inspirait aussi des usages anciens, ainsi que la coutume, attestée dès le ier siècle par la *Didaché*, de prier trois fois le jour : d'où les heures de Tierce, Sexte et None. Les clercs célébraient ces divers offices dans les églises publiques. Au ive siècle les moines multiplièrent les réunions; l'office du matin dédoublé donna naissance, à Bethléem et à Rome, à l'heure de Prime; celui des Vêpres inspira aussi aux cénobites une prière du soir, l'office de Complies attesté par saint Basile.

Après la paix de l'Église, nous voyons l'office nocturne réservé à la longue veillée pascale et aux fêtes des martyrs, puis à la vigile des dimanches. A la fin du ive siècle les moines de Jérusalem célèbrent cet office d'une façon régulière chaque soir, quand le peuple s'est retiré; de même à Césarée et en Égypte. Peu à peu l'usage s'en répand dans tous les monastères; au vie siècle, saint Benoît en fera un des éléments authentiques de la liturgie monastique. Ce sont les moines qui l'introduisirent dans les basiliques romaines par eux desservies.

Pour les autres heures — Laudes et Vêpres, Tierce, Sexte, None et Complies — l'office romain était en vigueur dès le ve siècle. Saint Benoît lui emprunta beaucoup, tout en y ajoutant des traits particuliers, comme le chant des hymnes. Celui-ci resta longtemps étranger à l'office romain. Importé d'Orient en Gaule par saint Hilaire, popularisé par saint Ambroise en vue de lutter à Milan contre l'arianisme, il fut adopté par les moines en Gaule et en Italie; le Règle de saint Benoît recommandait en bloc les hymnes ambrosiennes, bien que plusieurs ne fussent pas de l'évêque de Milan.

Office divin. — Baümer, *Histoire du bréviaire* (trad. française par Dom R. Biron), 1905. — Batiffol, *Le bréviaire romain*, 1911. — Callewaert, *De Laudibus matutinis,* Bruges, 1927; *De Breviarii romani liturgia*, Bruges, 1931. — Brinktrine, *Das römische Brevier*, Paderborn, 1932. — Mollien, *La prière de l'Église*, 1924.

Ces hymnes se rapportaient aux différentes heures de la journée, selon les intentions de l'un des auteurs connus, l'espagnol Prudence. Certains psaumes aussi, et d'usage universel, appartenaient comme essentiellement à des offices déterminés de la journée : tels les psaumes CXLVIII^e à CL^e, qui donnèrent leur nom de *Laudes* à l'office du matin, tel le psaume CXVIII^e aux heures du jour, le CXL^e à Vêpres, et le XC^e à Complies. Il y eut aussi une tendance très marquée à réserver toute la première partie du psautier aux heures de la nuit, et à commencer avec le psaume CIX^e Vêpres du dimanche. Dans les différents usages latins, soit séculiers, soit monastiques, les psaumes ont conservé la place prépondérante dans l'office canonial, grâce à la vigilance que Rome exerça sans cesse pour écarter les compositions non scripturaires.

Il n'en fut pas de même en Orient où dès le IIIe siècle on se mit à composer des hymnes qui se répandirent rapidement dans les communautés de langue syriaque. Les plus célèbres furent celles du diacre saint Ephrem. Leurs strophes nombreuses faisaient suite à des portions de psaumes, ou bien s'enlaçaient autour des versets eux-mêmes, quelquefois aux dépens de la psalmodie. Dans l'Église grecque on eut aussi dès le Ve siècle une grande efflorescence de « tropaires » ou pièces rythmées qu'on intercalait entre les psaumes. Les poètes sacrés se succédèrent de génération en génération : Romanos le Mélode, André de Crète, Théodore le Studite, saint Jean Damascène. Leurs compositions jouirent d'une popularité toujours croissante. Devant cet envahissement, les psaumes cédèrent peu à peu le terrain, jusqu'à disparaître complètement.

Les récits d'Éthéria, relatant tout ce dont elle avait été témoin durant ses pèlerinages aux Lieux Saints, gardent le souvenir expresssif et vivant des cérémonies qui se célébraient à Jérusalem vers la fin du IVe siècle : descriptions d'autant plus intéressantes que les rites dont elle parle ont certainement inspiré les Églises du monde latin, à commencer par Rome elle-même. A Jérusalem il est remarquable avec quel empressement le peuple fidèle se joint aux ascètes et au clergé pour chanter l'office durant les heures du jour et les vigiles nocturnes. L'affluence est plus grande encore les dimanches et jours de fête. Pour les solennités, les basiliques sont décorées somptueusement : or et pierrereries, tentures de soie, lustres et ornements. Les fidèles qui s'y pressent, remarque Ethéria, sont assez instruits pour suivre le sens des offices : chants des antiennes, psaumes, lectures, oraisons; et il y a ceci de très attrayant, note le témoin, que tout est toujours approprié à l'objet de la fête et au lieu où elle se célèbre.

IV. L'Année Liturgique. — C'est précisément à Jérusalem que nous voyons la liturgie des fêtes atteindre son plein développement au IVe siècle. Les circonstances locales s'y prêtaient admirablement. Depuis que sainte Hélène et Constantin avaient identifié les emplacement illustrés par la Passion du Sauveur, de grandes basiliques s'y étaient élevées : Golgotha, Saint Sépulcre, jardin des Oliviers, montagne de l'Ascension. Désormais les grandes fêtes de Notre-Seigneur et les solennités de la semaine sainte se célébrèrent avec grand concours de peuple dans l'un ou l'autre de ces sanctuaires. A Bethléem se trouvait aussi une basilique constantinienne où tout naturellement l'on se réunissait pour la fête de Noël.

On n'avait pas attendu la paix de l'Église pour commémorer la Résurrection. Dès les temps apostoliques, le dimanche se substitua au sabbat juif : jour du Seigneur où l'on tenait des réunions liturgiques, où l'on administrait le baptême et la confirmation, et où se faisaient les ordinations des prêtres et des diacres; jour chrétien par excellence, et perpétuelle fête de Pâques.

Celle-ci, toutefois, se dégagea de bonne heure parmi les autres dimanches et se fixa approximativement à la date même de la Résurrection. Si, durant les trois premiers siècles, l'Orient s'attacha surtout au souvenir de la Passion qu'il célébrait le jour même de la mort du Christ, le 14 de la lune de mars, l'Occident, par contre, renvoyait — comme on a toujours fait depuis — au dimanche suivant, et fêtait surtout la Résurrection. On observa aussi les trois jours consécutifs — vendredi, samedi et dimanche — en l'honneur de la mort du Christ, de sa sépulture et de sa résurrection. Ce fut le premier embryon du Carême, qui s'organisa au ɪvᵉ siècle comme période de pénitence et d'ascèse, préparatoire aux fêtes pascales.

Celles-ci avaient déjà entraîné à leur suite la solennité de la Pentecôte : nom qui comprenait d'ailleurs les cinquante jours après Pâques, et que l'on célébrait dans l'allégresse et la reconnaissance. Nulle fête spéciale de l'Ascension, qui ne commencera à émerger qu'au ɪvᵉ siècle. Alors on songe aussi à fêter la naissance du Sauveur : dès avant 336, on la célèbre à Rome le 25 décembre; par contre en Orient on a préféré le 6 janvier, commémorant tout ensemble la Nativité et l'Épiphanie, qui évoque surtout le baptême du Sauveur. Ainsi l'atteste la pèlerine de Jérusalem, à la fin du ɪvᵉ siècle. Le même témoignage vaut pour l'Égypte et la Syrie, et il a pour garants saint Jean Chrysostome, saint Épiphane et Cassien.

C'est à Jérusalem, et uniquement là, que parut dès la même époque l'usage de commémorer, quarante jours après l'Épiphanie, le mystère de la purification, fête toute locale qui, au dire d'Éthéria, se célébrait aussi solennellement que le dimanche de Pâques, et comportait une réunion de tout le peuple en la basilique de l'Anastasie. Il y avait aussi une procession qui devint un peu plus tard à Rome le trait caractéristique de la Purification. Ce fut sans doute la première fête de Notre Dame implantée en Occident : les trois autres — Nativité, Annonciation et Assomption — ne s'y introduisirent que vers le ᴠɪɪᵉ siècle, venues non plus de Jérusalem mais de Constantinople.

V. Le culte des martyrs. — Entre temps, s'était établi à Rome, comme dans tous les grands centres chrétiens, un culte spécial en l'honneur des martyrs. Nous possédons une double liste, datée approximativement de l'an 336, et complétée en 354, qui contient les anniversaires des papes et ceux des principaux martyrs honorés dans les sanctuaires romains. A ces deux témoins principaux du calendrier romain primitif, d'autres s'ajoutent, en particulier la nomenclature beaucoup plus détaillée qui servit au rédacteur du martyrologe hiéronymien au ᴠᵉ siècle. Elle comprenait, comme le calendrier de 336-354, les indications très précises des tombes des martyrs, des dates de leurs anniversaires, et des sanctuaires où l'on célébrait annuellement leur fête. Mêmes renseignements précieux dans le sacramentaire léonien. Partout on retrouve les indices d'un culte très localisé, et restreint à l'endroit où repose le corps du martyr.

La plus antique notice était celle des saints Pierre et Paul, honorés depuis les origines en cette Eglise romaine qu'ils avaient fondée et dont les sépultures étaient la gloire. Pendant deux siècles, les successeurs de saint Pierre voulurent être ensevelis auprès de son tombeau. A part saint Clément, ils n'eurent pas de sanctuaire spécial pour honorer leur mémoire. De là sans doute le silence du calendrier de 336-354 à leur égard. Au contraire, il contient les mémoires des pontifes et martyrs de la seconde moitié du IIIe siècle et du IVe : leur *natalis,* date de la naissance au ciel, et leur *depositio,* jour de l'inhumation, étaient célébrés à proximité de leur tombe. Par les grandes inscriptions du pape Damase († 384) on sait que nombre de martyrs, non mentionnés dans le calendrier, avaient leur fête au lieu de leur sépulture.

Sans rien de funéraire, ces solennités étaient au contraire triomphales. Souvent les fidèles se transportaient en foule au sanctuaire du martyr : le poète Prudence nous a laissé une description enthousiaste des splendeurs dont il fut témoin à la fête de saint Hippolyte, en sa basilique de la voie Tiburtine. Saint Grégoire de Tours est d'ailleurs un des auteurs qui nous renseignent le mieux sur les honneurs rendus aux martyrs locaux dans les différentes Églises des Gaules durant les Ve et VIe siècles. L'un de ses prédécesseurs sur le trône épiscopal de Tours, l'évêque saint Perpétuus († 490), nous a laissé un document de première valeur, le calendrier des fêtes qui se célébraient dans son diocèse.

Il existe un autre témoignage irrécusable de la vénération que l'on portait aux martyrs et qui, dès le IVe siècle, s'étendit aux simples « confesseurs ». Les plus anciens sanctuaires, au moins à Rome, portèrent d'abord le nom des riches propriétaires qui avaient mis à la disposition de la communauté chrétienne une partie de leurs demeures privées pour les réunions liturgiques. D'où cette appellation de « titres », *tituli,* sous laquelle on désignait dès le IIIe siècle les vingt-cinq églises paroissiales de Rome. Le nombre s'en accrut durant le IVe siècle. Alors les anciens « titres » furent embellis, ou même complètement reconstruits dans le style des basiliques constantiniennes, et ils prirent le nom de leurs saints patrons. Dans certains cas, en effet, leurs fondateurs avaient reçu les honneurs du culte, comme il arriva pour saint Clément, saint Chrysogone, saint Callixte, sainte Praxède, sainte Pudentienne, sainte Cécile, sainte Suzanne; les « titres » continuèrent à porter leur ancien nom, mais avec l'addition de leur qualificatif : *ad sanctum Clementem, ad sanctam Caeciliam,* etc... Parfois, les églises qui portaient le nom de simples particuliers reçurent le vocable de saints martyrs homonymes qui y avaient un culte liturgique : ainsi les « titres » de Sabine, Balbine, Anastasie devinrent Sainte-Sabine, Sainte-Balbine, Sainte-Anastasie[1].

En plus de ces basiliques urbaines, on conserva depuis le IVe siècle les sanctuaires construits sur les tombes des plus illustres martyrs : Saint-Pierre au Vatican, Saint-Paul sur la voie d'Ostie, Saint-Laurent sur la voie Tiburtine, Sainte-Agnès sur la voie Nomentane, Saint-Sébastien sur la voie Appienne. Enfin, dans les murs de Rome, trois autres basiliques célèbres s'élevaient, dues à la munificence de Constantin et de Libère : le Saint-Sauveur au Latran, Sainte-Croix de Jérusalem dans le palais sessorien, et Sainte-Marie Majeure où l'on vénérait la crèche du Sauveur.

Illustres entre tous, ces trois sanctuaires avaient répondu, semble-t-il, dans l'esprit de leurs fondateurs, à une idée très nette qui se traduisit de plusieurs autres façons dans la liturgie romaine : celle de reproduire à Rome quelques-uns des traits essentiels de la liturgie hierosolymitaine. N'était-ce pas un hommage à la Ville Sainte où ont pris naissance tous les rits chrétiens : fêtes du Seigneur et divine psalmodie, saint sacrifice et sacrements? Nous avons vu déjà au IVe siècle la liturgie célébrée dans les différents sanctuaires de Jérusalem et de Bethléem. Voici qu'à Rome la basilique de Sainte-Croix rappelle le Golgotha

1. Voir M. DELAHAYE, *Les origines du culte des martyrs,* Bruxelles, 1912.

et le Saint Sépulcre : sainte Hélène n'y a-t-elle pas apporté de la « terre sainte », en même temps que les reliques de la Passion? Le Saint-Sauveur évoque le souvenir de l'église de la Résurrection et de celle de l'Ascension. A Sainte-Marie Majeure on se retrouvera, un peu plus tard, à Bethléem : ne semblera-t-il pas tout naturel d'y introduire l'usage de la messe de minuit pour la Noël, comme on le faisait à Bethléem? La procession des Rameaux a pris aussi modèle sur les cortèges solennels institués au IVe siècle à Jérusalem pour commémorer l'entrée triomphale du Sauveur dans la Ville Sainte : même usage de porter des palmes et des rameaux, même chant de l'Hosanna, mêmes lectures de l'Évangile. Le Vendredi Saint, c'était l'adoration de la Vraie Croix, adoptée aussi à Rome dès le IVe siècle, puis dans tout l'Occident.

VI. Les stations. — La pèlerine Éthéria mentionne souvent les cortèges nombreux qui se pressaient autour de l'évêque de Jérusalem et de son clergé, lorsqu'ils se rendaient aux églises désignées pour les diverses solennités de l'année. Semblables processions à travers les rues, avec croix et lumières, chants et chœurs de musiciens, étaient aussi en usage à Antioche, et saint Jean Chrysostome les fit adopter à Constantinople.

A Rome la liturgie stationnale s'inspira de ces exemples et connut dès le Ve siècle un développement considérable. Non seulement on choisit les grandes basiliques pour la célébration des principales fêtes du Seigneur, mais le principe fut étendu à toutes les féries du Carême et des Quatre Temps, en utilisant les vingt-cinq « titres » de la ville. On se réunissait dans une première église pour y réciter une formule de prière, et de là on se rendait en procession au chant des antiennes et litanies à la « station », autrement dit à la basilique désignée à cet effet, où le pape, assisté de ses clercs, célébrait la messe solennelle. Complété au VIe siècle par saint Grégoire, le système de ces stations s'est conservé jusqu'à nos jours. Éthéria avait remarqué que, dans la liturgie de la ville sainte, on faisait concorder d'ordinaire lectures et antiennes avec le mystère que l'on fêtait, et avec l'endroit où on le célébrait. De même les messes romaines pour le carême cherchent-elles souvent à harmoniser leurs pièces propres avec telle ou telle particularité des sanctuaires auxquels elles sont assignées.

Saint Grégoire fit beaucoup pour fixer définitivement cette liturgie stationnale. Les anciens titres romains ou églises paroissiales conservèrent le privilège des stations pour les jours ordinaires en carême, et durant les octaves des grandes solennités. Leurs dimensions assez modestes suffisaient aux réunions relativement peu nombreuses qu'attiraient ces messes fériales. Les dimanches, au contraire, les féries les plus solennelles du carême, celles de la Semaine Sainte et dans l'octave pascale, réclamaient de plus vastes espaces : d'où le choix des basiliques majeures de préférence pour ces jours-là.

La privilégiée entre toutes fut Saint-Pierre du Vatican, vraie cathédrale de Rome, possédant l'antique chaire épiscopale de l'apôtre Pierre. Le bâtiment ne ressemblait en rien à la construction moderne. C'était un vaste édifice à forme basilicale, dont le dessin se retrouve encore dans les cryptes vaticanes, qui conservent les dimensions de l'ancienne construction. La nef centrale, que deux doubles rangées de colonnes séparaient des quatre nefs latérales, se terminait par une abside, où se trouvait l'autel établi au-dessus de la tombe de l'Apôtre. C'était la disposition ordinaire des basiliques romaines, quelles qu'en fussent les dimensions, sauf qu'en général il n'y avait que deux nefs latérales ; parfois même, on devait se contenter de la nef centrale, encadrée par les murs de l'édifice et terminée par l'abside. Le fronton extérieur était précédé d'un portique orné de colonnes qui souvent — comme dans le Saint-Pierre ancien — se répétait sur les quatre côtés, formant ainsi un atrium complet en avant de la basilique. Là se tenaient les catéchumènes et ceux qui ne pouvaient pas prendre part à la célébration des saints mystères.

La basilique de Saint-Pierre était tout indiquée pour les jours les plus solennels : Noël, Épiphanie, Samedi Saint, Pâques, Pentecôte ; on y accomplissait, outre les consécrations épiscopales, les ordinations ; et jusqu'au VIe siècle, le baptistère du Vatican fut le témoin habituel des cérémonies du baptême.

La basilique du Saint-Sauveur, construite par Constantin dans son propre palais du Latran, attira cependant les préférences des papes. Ils la comblèrent de richesses, multiplièrent et embellirent les constructions adjacentes. Sous Sixte III le Latran eut aussi son baptistère dédié à saint Jean Baptiste ; l'usage s'établit peu à peu d'y célébrer le baptême solennel le Samedi Saint. Le Latran devient aussi le point de départ du cortège papal se rendant à la messe stationnale. C'est qu'entre temps les pontifes romains avaient établi leur demeure auprès de la basilique du Sauveur, et on trouvait désormais plus opportun d'y célébrer les grandes fonctions de la semaine sainte. La basilique du Sauveur partage avec celles des apôtres Pierre et Paul l'honneur d'avoir inscrit au canon romain l'anniversaire de sa dédicace.

« Sainte-Croix en Jérusalem » avait le privilège de la station liturgique le Vendredi Saint. Là le souvenir de la liturgie hierosolymitaine était réellement vivant. Le nom même de *Sancta Hierusalem* qu'on lui donnait couramment au moyen âge le soulignait bien.

La basilique libérienne de Sainte-Marie-Majeure, rappelant la Nativité du Sauveur, se trouvait toute désignée pour servir de station à la Noël et à la Saint Jean. La messe solennelle de Pâques s'y célébrait aussi, sans doute à cause de la faible distance qui la sépare du Latran.

Sur la voie d'Ostie, en dehors des murs, s'élevait depuis le Ier siècle un petit sanctuaire qui abritait la tombe de saint Paul. Reconstruit par Constantin, il fut considérablement agrandi à la fin du IVe siècle par Valentinien. Outre la station solennelle du 29 juin, on s'y transportait aux premiers jours après Noël et Pâques, ainsi qu'à la grande férie des scrutins pour les candidats au baptême, le mercredi de la quatrième semaine de carême.

A une grande distance des murs sur la route de Tibur, on se réunissait à la basilique constantinienne de Saint-Laurent. Avec le Vatican et Saint-Paul-hors-les-Murs, Saint-Laurent est la seule basilique suburbaine qui ait conservé les honneurs des stations ; jadis au contraire les sanctuaires des martyrs avaient été très fréquentés aux jours où l'on y célébrait leur fête.

CHAPITRE II

LA LITURGIE SACRAMENTAIRE

I. L'initiation chrétienne. — Au IVe siècle les conversions se multiplient, les catéchumènes sont en grand nombre, beaucoup chaque année demandent le baptême. Mais désormais on n'y accèdera qu'après une longue préparation. C'est le rôle du catéchuménat qui aux IVe et Ve siècles est en plein âge d'or; ensuite ce sera la décadence, le nombre des petits enfants admis au baptême l'emportant désormais sur celui des adultes.

Le nom même des catéchumènes leur vient de l'enseignement ou catéchèse qu'ils doivent recevoir du clergé : enseignement doctrinal et moral auquel les diacres sont généralement employés; les diaconesses jouent le même rôle d'éducatrices auprès des femmes. Mais l'enseignement officiel est donné à l'église par l'évêque ou par ses prêtres. Le souvenir demeure très vivant des catéchèses données par saint Cyrille à Jérusalem, saint Jean Chrysostome à Constantinople, saint Ambroise à Milan, saint Augustin à Hippone. Ces leçons publiques et officielles, souvent même liturgiques, sont réservées à ceux des catéchumènes qui, selon le mot de saint Augustin, ont « donné leur nom » pour recevoir le baptême aux prochaines fêtes paschales. Ce sont les « compétents », *competentes;* nous dirions les aspirants. Les autres restent dans la catégorie très vague des catéchumènes peu pressés de rompre avec leur vie ancienne. On entend les prédicateurs de l'époque solliciter ces retardataires et leur persuader de faire enfin la démarche qui sera pour eux le salut.

Le carême, définitivement organisé au IVe siècle, offre tout naturellement ses cadres à la formation des catéchumènes admis au baptême. Lectures et pièces de chant sont ménagées en grande partie pour leur instruction. A Rome les séances solennelles consacrées à leurs examens ou scrutins coïncident avec les messes dominicales des IIIe, IVe et Ve semaines, et les formulaires de ces messes sont appropriés aux circonstances; les noms mêmes des candidats sont mentionnés au canon, preuve de la sollicitude maternelle que l'Église porte à ces nouvelles recrues. Ces trois scrutins renferment plusieurs éléments : tradition et explication

Baptême. — Dom P. de Puniet, art. *Catéchuménat, Catéchèse, Baptême, Confirmation,* dans *Dict. Arch.* — V. Ermoni, *Le baptême dans l'Église primitive,* 1904. — A. d'Alès, *Baptême et confirmation,* 1927. — R. Dubosq, *Les étapes de la vie chrétienne. Le baptême,* 1930.

du symbole des apôtres et de l'oraison dominicale, récitation de ces formules, enfin exorcismes répétés qui enjoignent au démon l'ordre absolu de céder la place au Christ.

La formation des « aspirants » au baptême — on les appelle aussi les « élus », *electi,* — se poursuit jusqu'au Samedi Saint; car l'usage s'établit toujours plus de réserver à la veillée pascale la cérémonie de l'initiation. Les rites solennels du baptême sont partout essentiellement les mêmes, et cela sans doute depuis les origines... Après des onctions et des exorcismes préparatoires, ils comprennent le triple renoncement à Satan, la triple interrogation et confession de foi, la triple ablution d'eau baptismale, une onction finale.

Pour souligner les actes successifs de ce drame où s'opère la victoire de la vie sur la mort, il y a toute une mise en scène dont plusieurs témoignages des IVe et Ve siècles nous donnent la description. Nul qui le fasse d'une façon aussi vivante que l'auteur du *de Sacramentis.* Il s'adresse aux néophytes qui ont assisté à la cérémonie :

« Nous sommes venus au baptistère, vous êtes entrés; rappelez-vous qui vous avez vu, les paroles que vous avez prononcées : revoyez toute la scène. Il y avait là le diacre, il y avait aussi le prêtre. Vous avez reçu l'onction et prêté serment. A cette question : Renoncez-vous à Satan et à ses œuvres? Qu'avez-vous répondu? Je renonce. Renoncez-vous au siècle? Je renonce. Souvenez-vous de votre parole donnée. Songez aussi à l'endroit de votre promesse, à ceux envers qui vous vous êtes engagés. Un diacre sans doute; en fait, le Christ qu'il servait et représentait. Ensuite vous avez pénétré plus avant, tout près de la fontaine baptismale, et le prêtre était là. Vous avez vu de l'eau, un prêtre, un diacre. Est-ce tout? Oui, c'est tout. Vous avez vu les éléments visibles, mais non pas l'effet invisible, qui l'emporte sur ce qui est visible.

« L'eau est d'abord consacrée, puis les candidats descendent dans la fontaine baptismale. Un exorcisme sur cette *creatura aquae,* puis une invocation, et la prière assure à l'élément la vertu sanctificatrice et la présence de la Trinité Sainte. Tout est prêt pour le baptême. Vous êtes descendus dans la piscine. Vous aviez devant vous l'évêque entouré de son diacre et de ses prêtres. On vous a demandé : Croyez-vous en Dieu le Père Tout-Puissant? Je crois, avez-vous répondu, et l'on vous a plongé dans l'eau, c'est-à-dire enseveli dans le Christ. On vous a dit encore : Croyez-vous en Notre-Seigneur Jésus-Christ et à sa croix? et vous avez répondu : Je crois. Seconde immersion, second ensevelissement. Une troisième fois enfin la question s'est posée : Croyez-vous en l'Esprit Saint? et votre réponse : Je crois, a été suivie d'une troisième immersion. Il fallait une triple confession de foi pour laver tous vos crimes. C'est le Père qui les remet, et avec lui le Fils et l'Esprit Saint. Car il nous faut être baptisés en un seul nom, à savoir « au nom du Père, du Fils et du Saint-Esprit ».

« Au sortir de la fontaine baptismale, vous vous êtes présentés au prêtre qui vous a dit : « Que Dieu Père Tout-Puissant, qui vous a régénérés par l'eau et l'Esprit Saint et qui vous a remis vos péchés, vous oigne pour la vie éternelle. Ainsi avez-vous reçu l'onction.

« Mais après le sacrement de l'eau, il faut encore son couronnement, la consignation spirituelle. A l'invocation de l'évêque, l'Esprit Saint s'est répandu dans l'âme des néophytes, l'Esprit de sagesse et d'intelligence, l'Esprit de conseil et de force, l'Esprit de science et de piété, l'Esprit de crainte de Dieu, les sept dons de l'Esprit.

« Ensuite vous avez eu accès à l'autel et vous avez pu voir des mystères qui jusque-là vous demeuraient cachés. Vous étiez aveugles, vous êtes allés à la fontaine de Siloé, et maintenant vous pouvez voir à l'autel l'accomplissement des mystères sacrés. Vous assistez à l'offrande du pain et du vin, vous êtes les témoins de la consécration. C'est vraiment le corps du Christ. Vous vous approchez alors de l'autel. Le Seigneur Jésus vous appelle. Rien de plus gracieux. Vous accédez, vous recevez le corps du Christ, la grâce du Christ, les célestes sacrements. Et l'Église exulte de voir la foule toute radieuse de ses néophytes se presser autour d'elle pour participer aux mystères. Elle invite le Christ à s'associer au festin; et le Seigneur Jésus accepte, il vient recueillir les fruits des vertus, nourrir les siens de sa

Cliché Alinari

LE BAPTISTÈRE DE SAINT-JEAN DE LATRAN.

chair adorable et les enivrer du breuvage céleste qui, au lieu de causer l'ébriété, entretient en l'âme la vraie tempérance. »

Description complète, page d'histoire vécue qui supplée à toute analyse détaillée. On y voit si bien la succession des trois rites auxquels tous — enfants et adultes — étaient admis : le baptême, l'onction en forme de croix de la confirmation, la communion reçue aussitôt par les néophytes au cours de la messe pascale !

Le cérémonial de ces fonctions solennelles n'eût pas été complet si la pensée de la grâce baptismale reçue par les néophytes ne s'était traduite à l'extérieur par quelque signe expressif à la portée de tous. Ce fut le symbole du vêtement blanc des nouveaux baptisés. Aussi dans les documents anciens l'octave pascale s'appelle-t-elle couramment la semaine *in albis*. Comme le décès de saint Ambroise, en 397, était survenu durant la semaine pascale, son biographe ne manqua pas de mentionner les phalanges de néophytes vêtus de blanc qui lui formaient un cortège triomphal.

Aux IVe et Ve siècles les néophytes sont presque toujours des adultes; ils accèdent ensemble à la communion; en maintes églises, ils ont même leur messe spéciale, vraie messe baptismale où lectures, chants et prières sont en fonction du mystère de la régénération; notre octave pascale garde des traces visibles de cet ancien usage. A Jérusalem au IVe siècle les néophytes reçoivent pendant cette semaine pascale un supplément d'instruction chrétienne, ainsi qu'en témoignent les catéchèses de saint Cyrille. Même usage à Milan où saint Ambroise expose à ses nouveaux baptisés la doctrine sacramentelle, matière du *de Mysteriis*. A Hippone, saint Augustin avertit paternellement ses néophytes que, si le samedi *in Albis* ils doivent déposer les vêtements blancs, il leur faut garder avec soin l'innocence dont ils sont le symbole.

A qui viendrait donc la pensée d'être infidèle à cet engagement? Car il y a eu les vœux du baptême, et chaque jour de la semaine pascale, à Rome, on est retourné en procession au baptistère, afin que le souvenir de la grâce reçue reste à jamais fixé dans les âmes régénérées.

II. La Pénitence. — Durant les trois premiers siècles la discipline pénitentielle s'établit d'autant plus ferme qu'elle fut plus contestée. Excès dans le rigorisme, excès dans le laxisme, au milieu de toutes ces contestations la tradition romaine s'affirma paisiblement, à égale distance des interprétations extrêmes. Pénitence et pardon étaient pour tous, moyennant certaines conditions graduées selon la nature des délits.

La condition des pénitents s'assimila naturellement à celle des catéchumènes, et le carême devint le cadre habituel des épreuves qu'ils durent subir pour obtenir leur pardon. Le terme de leur réconciliation officielle était fixé au Jeudi Saint; Innocent Ier le dit positivement au Ve siècle. Le commencement de la pénitence se plaçait régulièrement au mercredi des cendres; mais, variable suivant les fautes, elle durait beaucoup plus que six semaines. Le début de la pénitence était marqué par l'expulsion du pécheur, prononcée par l'évêque. Les coupables n'avaient plus accès désormais qu'à l'atrium extérieur de l'église, et pendant la célébration des saints mystères ils devaient s'y tenir humblement avec les catéchumènes, les portes du sanctuaire restant fermées. Ils ne cessaient cependant de recevoir l'assistance du clergé. Non seulement on priait pour eux dans l'assemblée chrétienne, mais ils avaient leur part d'enseignement.

Dès le début du IVe siècle à Rome paraît le ministère des prêtres pénitenciers : dans chacun des vingt-cinq *tituli* ou paroisses de la Ville, le pape saint Marcel (304-309) leur confia la charge de préparer les pénitents à la réconciliation. Simplicius (468-483) étendit cette discipline aux trois basiliques extra-urbaines, Saint-Pierre, Saint-Paul et Saint-Laurent. Aux prêtres pénitenciers d'établir la culpabilité des pénitents et de scruter leurs dispositions; à eux, par conséquent, le droit de statuer sur la durée des épreuves préparatoires à l'abso-

Pénitence. — P. Batiffol, *Les origines de la Pénitence* (*Études d'hist. et de théol. positive*), 1920. — Galtier, *L'Église et la rémission des péchés aux premiers siècles*, 1932. — A. d'Alès, art. *Pénitence*, dans *Dict. Apol.*

lution. Les lettres de saint Innocent Ier et de saint Léon montrent qu'en dehors de Rome, c'est l'évêque lui-même qui exerçait son droit de pénitencier.

Mais peu à peu l'usage romain se répandit au dehors; les simples prêtres étaient délégués auprès des pénitents; seule la réconciliation publique du Jeudi saint demeurait le privilège de l'évêque. Le jour viendrait où ce pouvoir lui-même serait transmis aux prêtres. D'autre part, l'usage exista, dès le ve siècle semble-t-il, de recevoir plusieurs fois l'absolution du Jeudi Saint : aux pécheurs et aux fidèles peu fervents, saint Léon conseillait d'y avoir recours comme à un remède très efficace. Peu à peu on s'acheminait ainsi vers l'administration fréquente et privée de la pénitence.

Toutefois la discipline conservait ses rigueurs. Si tous les pécheurs étaient admis à la réconciliation après une série d'épreuves plus ou moins longue, certains devaient l'attendre jusqu'à la mort : tels les relaps qui ne pouvaient plus recevoir la communion qu'à leurs derniers moments. Quant aux chrétiens surpris par la maladie au cours de leur pénitence, ils recevaient aussi l'absolution à l'article de la mort.

L'usage de l'huile bénite pour l'onction des malades est courant au ve siècle. Interdit aux pénitents, il est conseillé aux fidèles qui peuvent s'oindre eux-mêmes de l'huile des infirmes, bénite par l'évêque. Le témoignage d'Innocent Ier est classique et formel. Dans sa teneur ancienne, qui est celle des sacramentaires, la formule demandait des grâces de guérison corporelle et spirituelle. Sans doute les fidèles avaient-ils la faculté de recourir eux-mêmes à l'huile bénite, mais le sacrement n'était administré que par les prêtres, comme on le voit dans les livres liturgiques postérieurs.

III. Ordinations. — L'Ordre assure la source inépuisable de la sanctification et du salut en perpétuant la hiérarchie ecclésiastique dont les degrés ne varient plus depuis le IIIe siècle. Le sacerdoce est un, plénier dans les évêques, à un degré moindre chez les prêtres; les diacres participent déjà à la grâce de l'ordre.

Intimement liée au souvenir du Sauveur ressuscité, l'institution des évêques, des prêtres et des diacres ne se transmet que le dimanche : aussi les ordinations ont-elles lieu dans la nuit du samedi des quatre-temps, à l'aube du dimanche. Depuis la paix de l'Église, la cérémonie réclame la présence de toute la communauté chrétienne. A Rome on fait choix des sanctuaires les plus vénérés, Saint-Pierre ou le Latran. Le rite ancien se conserve précieusement, celui qui symbolise au mieux la transmission du sacerdoce du Christ, l'imposition des mains. Les évêques présents y participent quand il s'agit du sacre épiscopal; tous les prêtres également pour l'ordination sacerdotale; le prélat consécrateur seul pour les diacres, ceux-ci n'étant ordonnés qu'au service des évêques et des prêtres. Telle était la prescription que dès le IIIe siècle donnait la *Tradition apostolique* du romain saint Hippolyte, et dont témoignent aussi, deux siècles plus tard, les *Statuta Ecclesiae antiqua* de l'Église d'Arles où des canonistes romanisants ont réuni des documents de provenances diverses : le rituel relatif aux ordinations est fort apparenté à la *Tradition apostolique* dont il a étendu les prescriptions à tous les degrés moindres de la hiérarchie.

Les formules romaines ont pénétré de bonne heure dans toutes les Églises occidentales.

Ordinations. — TIXERONT, *L'ordre et les ordinations*, 1925. — MUGNIER, *Le sacerdoce*, 1929. — ROUZIC, *Les Saints Ordres*, 1926. — DOM P. DE PUNIET, *Le Pontifical romain*, 1930-1931. — A. VILLIEN, *Les sacrements. Histoire et liturgie*, 1931.

Elles portent l'empreinte de saint Léon qui peut-être les remania, comme les préfaces et maintes formules du missel. Son style se reconnaît surtout dans les prières de consécration destinées aux trois ordres majeurs. La grâce du sacerdoce y est exprimée en termes très nets avec une concision toute romaine qui ne laisse pas de s'étendre avec quelques détails sur les résultats que l'on en attend pour les nouveaux dignitaires. La grâce de l'épiscopat est spécialement mise en lumière, et la formule développe cette pensée, familière à saint Léon, que la bénédiction divine assurée à l'évêque se répand de la tête jusqu'aux membres les plus humbles du corps mystique, c'est-à-dire à tous les fidèles formant la communauté chrétienne. Tous ont part à la grâce que reçoit le pasteur, et au jour de son anniversaire de consécration, fêté solennellement, on remercie le Seigneur des grâces accordées à tous. L'unité de la famille chrétienne et le lien qui la rattache à son évêque paraissent là dans toute leur saisissante vitalité.

En attendant que la bénédiction des abbés se modèle sur le sacre des évêques, il y aura, dès le VIe siècle, une cérémonie liturgique pour leur « institution » officielle, très courte formule récitée par l'évêque où tout sera dit de ce qui constitue l'essentiel de la charge abbatiale : que Dieu accorde à l'élu de « régir » les âmes, de les diriger vers la perfection, selon le mandat qu'il reçoit officiellement de l'Église. En Orient aussi il y a une bénédiction liturgique pour celui qui dans la laure monastique porte le nom poétique « d'higoumène », parce qu'à l'exemple du bon pasteur il marche en tête de son troupeau. Ses disciples reçoivent de ses mains « l'habit angélique », selon l'expression des rituels antiques, et les prières liturgiques viennent sanctionner le don qu'ils font d'eux-mêmes au jour de leur profession religieuse.

Les vierges chrétiennes de leur côté étaient depuis longtemps déjà l'objet de la sollicitude spéciale de la hiérarchie. Sans faire partie du clergé, elles jouissaient dans la communauté de privilèges particuliers et avaient un certain rôle à remplir jusque dans les fonctions liturgiques, spécialement pour l'administration du baptême. On leur accorde même parfois le nom de « diaconesses », ce qui était un léger abus; le concile de Nicée dut protester contre certaines prétentions tirées de ce titre, étant donné que les diaconesses recevaient une consécration analogue à celle des diacres. On dut interdire leur ordination : témoin le concile d'Orange de 441.

Mais on continua à consacrer les vierges qui, sans exercer aucune fonction liturgique, avaient fait vœu de continence. On appelait couramment ce rite la *velatio* parce que le voile était l'indice de l'appartenance à Dieu. « La vierge voilée, disait Innocent Ier au début du Ve siècle, est spirituellement unie au Christ comme à son époux : si elle se laisse aller à pécher gravement contre son vœu, il n'y a plus pour elle accès à la pénitence. » C'est des mains de l'évêque lui-même que la vierge recevait ce voile, au milieu d'un grand concours de peuple, en un jour de fête, généralement à l'Épiphanie ou en la solennité pascale. L'imposition du voile constituait le rite symbolique, mais la consécration comportait surtout une prière eucharistique comme aux ordinations des clercs, et là encore l'inspiration de saint Léon s'était donné libre carrière pour chanter les gloires de la virginité : la formule conservée par le Pontifical romain est vraisemblablement de sa composition comme les préfaces des ordres majeurs. La consécration des vierges rappelle l'ordination des diacres, mais elle a en plus les caractéristiques d'un rite nuptial : tout y traduit l'union intime de l'âme au Christ, tout y parle de renoncement et de fidélité.

C'est aux cérémonies du mariage chrétien que ce rite de la consécration des vierges a emprunté maints détails : la *conjugalis velatio,* mentionnée par le pape saint Sirice († 399) avait exactement la même signification que l'imposition du voile aux vierges, sauf que la première livrait à un époux terrestre. Même symbolisme de l'anneau, et aussi de la couronne nuptiale. Loin de se désintéresser du mariage chrétien, l'Église est toujours intervenue par une bénédiction spéciale, la *velatio nuptialis* du sacramentaire léonien, qui impliquait une messe appropriée avec prières particulières prononcées par le prêtre.

Dès ces époques reculées nous voyons la liturgie chrétienne s'emparer de toutes les conditions, de toutes les circonstances de la vie, pour les consacrer à Dieu et attirer ses bénédictions. La liturgie répondait déjà à son double caractère essentiellement religieux et pleinement social : tout orientée vers Dieu à qui revient l'hommage de la création entière, elle pénétrait de son action bienfaisante et sanctificatrice tous les rangs du peuple chrétien.

LIVRE XX

L'ART CHRÉTIEN DES ORIGINES AU VIIIe SIÈCLE

CHAPITRE PREMIER

L'ART CHRÉTIEN PRIMITIF

De respectables traditions font remonter les débuts de l'art chrétien aux origines mêmes du christianisme. Ses premiers chefs-d'œuvre auraient été directement inspirés par le Christ, la Vierge Marie, exécutés par des disciples, voire le Sauveur en personne. Ainsi l'hémorroïsse guérie par Jésus témoigna sa reconnaissance en lui élevant un groupe de bronze : un homme debout, vêtu d'une « diploïde », faisait un geste d'accueil; à ses pieds, une femme à genoux tendait les bras en suppliante... Voilà du moins ce que raconte Eusèbe (*Hist. eccle.*, VIII, 17), qui, traversant Panéas (Césarée de Philippes), a vu le monument.

La « doctrine d'Addaï » nous apprend, de son côté, que le Sauveur envoya son effigie au toparque d'Osrhöène, Abgar; le tableau était l'œuvre de Hannan, archiviste d'Édesse et peintre de la cour; mais, ajoutent certains auteurs, le peintre désespéra de fixer les traits divins, et le Christ acheva lui-même le portrait. C'est une image « achéropite » (non faite de main d'homme); Rome et Gênes s'honorent d'en posséder l'original. Achéropite aussi l'image du Sauveur, à peine visible sous un revêtement d'argent, et conservée au Sancta Sanctorum. Dans l'église San Martino, à Lucques, on vénère le Volto Santo, — le saint Voult de nos pèlerins, — Christ en croix, vêtu d'une longue robe, tête ceinte d'une couronne royale, sculpté par Nicodème, le pieux auxiliaire de Joseph d'Arimathie, si l'on en croit la tradition. Ajoutons que plusieurs têtes de Christ et une douzaine de « Vierges à l'enfant » sont attribuées à saint Luc.

Ces « incunables », trésors de l'art chrétien primitif, sont malheureusement bien sujets à caution. Au dire des archéologues, le Crucifix de Lucques n'est pas antérieur au VIIIe siècle;

L'Art chrétien primitif. — A. MICHEL, *Histoire de l'Art*, 1er vol. : *Les Commencements de l'Art Chrétien en Occident* (A. PÉRATÉ). — DOM CABROL et DOM LECLERCQ, *Dictionnaire d'Archéologie chrétienne* (en cours de publication, 1903-1933. Lettres A-M). — GARRUCCI, *La Storia dell'arte cristiana nei primi otto secoli della chiesa*, 6 vol., Prato, 1873-1881. — *Rivista di Archeologia cristiana*. — DOM LECLERCQ, *Manuel d'archéologie chrétienne*, 2 vol., 1907 — M. BESNIER, *Les Catacombes de Rome*, 1909. — RIVOIRA, *Architettura Romana*, Milano, 1921. — J. CARCOPINO, *La basilique Pythagoricienne de la Porte Majeure*, 1927. — BOSIO, *Roma Sotterranea*. — WILPERT, *Die Malereien der Katakomben*, Rome. — H. MARUCCHI, *Éléments d'Archéologie chrétienne*, 3 vol.

Ce Livre XX, L'ART CHRÉTIEN DES ORIGINES AU VIIIe SIÈCLE, *a été rédigé par M. le Chanoine Maurice David, professeur aux Facultés catholiques de Lille.*

le tableau du Sancta Sanctorum, peint sur une toile appliquée à un panneau de bois, était déjà très effacé au XIIe siècle; la figure, seule visible aujourd'hui, a été refaite à cette époque. L'œuvre primitive date peut-être du VIIe ou du VIe siècle. Les Madones de saint Luc sont des œuvres byzantines qui s'échelonnent du VIIIe au XIIe, et il n'est pas bien sûr que l'évangéliste médecin ait jamais manié le pinceau. Byzantines aussi les diverses répliques du Christ d'Abgar.

Quant au groupe de Panéas, il se peut fort bien qu'il ait commémoré la guérison de l'hémorroïsse, mais on ne s'explique pas qu'il ait été conservé jusqu'au IVe siècle. On croit plutôt qu'il a été mal interprété : il aurait figuré une scène funéraire, Esculape et sa fille, la ville de Panéas, ou même la Province de Syrie, aux pieds de l'Empereur Hadrien... Mille hypothèses restent possibles, car l'œuvre, authentique ou non, a disparu depuis longtemps. A vrai dire, il ne semble pas que les premiers chrétiens aient beaucoup songé à conserver les traits du Seigneur ou de sa Sainte Mère. Au IVe siècle on se demandera encore si le Christ était laid ou beau, barbu ou imberbe, et saint Augustin, au Ve (*De Trin.*, VIII, VI, 23) avoue qu'il n'y a pas de portrait de la Vierge... *Neque novimus faciem Virginis Mariae...*

Il faut s'y résigner. On ignore tout ou presque tout de l'art chrétien à son berceau, et son histoire reste à faire, — il faudra pour cela encore plus d'une découverte. Essayons au moins de « marquer le point », et de résumer le peu que l'on sait de précis sur l'architecture, la peinture, la sculpture des trois premiers siècles.

I. L'Architecture Pré-Constantinienne. — Les chrétiens ne créèrent pas du jour au lendemain une architecture religieuse qui leur fût propre. Ils avaient d'autres préoccupations et d'autres besoins, et mille raisons de ne pas songer à des constructions onéreuses. Ils adoraient Dieu en esprit et en vérité, se détournaient avec horreur des temples païens et méprisaient les idoles, *simulacra gentium... opera manuum hominum.* — Ce qu'il leur fallait, c'était un lieu de réunion, une salle spacieuse, où il fût possible de tenir l'assemblée (*ecclesia, synaxis*), et de faire, à l'abri des curiosités hostiles, les agapes et la fraction du pain.

Apôtres et disciples prêchaient un peu partout, d'abord au Portique de Salomon, — ils y renoncèrent bien vite, — puis dans les synagogues, — on ne les y toléra pas longtemps, — au besoin sur les places publiques; mais la « liturgie » les réunissait de préférence dans la maison de quelque frère, par exemple à Jérusalem celle du Mont-Sion, où les Apôtres avaient reçu le Saint-Esprit, et sans doute assisté à la Dernière Cène... La première église, c'est vraisemblablement le Cénacle, *primitiva et ecclesiarum mater,* comme dit Guillaume de Tyr.

La chambre haute des maisons de Syrie et de Palestine, — encore en usage aujourd'hui, — se prêtait fort bien à grouper les petites communautés, mais aucune forme spéciale, aucun dispositif architectonique ne s'imposait absolument. L'*oikos* hellénistique d'Antioche ou d'Éphèse abritait les fidèles comme la *domus* de Rome, avec son péristyle grec doublant l'atrium latin.

Plus d'une fois on dut se réunir dans un magasin, un cellier, une carrière. Ainsi dans les actes des saints Hippolyte et Marcel, il est question d'un arénaire, où les chrétiens avaient coutume de s'assembler (*sepelivit in via Appia milliario ab urbe primo, in arenario ipso ubi consueverant convenire*). Mais les premiers sanctuaires fixes furent des maisons offertes à l'évêque par quelque frère généreux, tel ce Théophile dont parlent les *Recognitiones* clémentines, qui brûlait de transformer en église sa basilique privée (*ita ut omni aviditatis desiderio Theophilus ingentis domus suae basilicam ecclesiae nomine consecraret*). D'autres étaient achetées à frais communs, désignées par quelque enseigne banale, ou le nom d'un propriétaire, afin de ne pas effaroucher une autorité ombrageuse, hostile aux associations.

Certaines églises de Rome recouvrent une antique demeure patricienne dont on a retrouvé les restes : ainsi en est-il à Saint-Clément, à Sainte-Pudentienne, à Sainte-Cécile du Trastevere, à Saint-Jean et Saint-Paul. D'autres exemples se voient à Parenzo, à Aquilée, à Milan, à Carthage. Tout porte à croire que ces maisons ont d'abord servi d'église domestique, et la plupart des Tituli romains n'ont vraisemblablement pas d'autre origine.

Lorsque, vers la fin du IIe siècle, les groupes chrétiens eurent une existence légale et furent reconnus aptes à posséder, on commença à construire des édifices spéciaux, appropriés à la liturgie. Nombreux sont les textes qui font allusion à ces « églises », élevées à Éphèse, à Antioche (Palœa), à Rome, sur tous les points de l'empire.

Les architectes n'avaient pas à chercher bien loin, ni à imaginer de toutes pièces des types nouveaux. Près des Naoi consacrés aux dieux, en marge du culte officiel de la cité, il y avait chez les païens des locaux spéciaux, destinés aux mystères éleusiniens, aux initiations orphiques, bachiques, isiaques, ou autres. Un temple des Cabires, à Samothrace, construit vers 260 avant Jésus-Christ, est déjà disposé comme le seront un jour les églises chrétiennes, trois nefs séparées par des colonnes, une abside en demi-cercle...

Plus suggestif encore est le lieu de culte découvert à Rome en 1918, près de la Porta Maggiore. C'est un hypogée, mais construit en blocage (*opus caementicium*), voûté en berceau, divisé par des piliers en trois nefs, avec une abside et un vestibule. On croit entrer dans une église romane, mais l'illusion dure peu. Les admirables stucs qui couvrent les parois et les voûtes n'ont rien d'évangélique ; ils semblent même à première vue bien profanes : souvenirs d'Oreste et de Polyxène, d'Attis et de Bacchus, d'Agave et de Marsyas ; petits Éros charmants qui voisinent avec des pygmées, un maître d'école, un magicien, des ménades qui dansent éperdument en agitant leurs thyrses... Tous ces motifs, en apparence incohérents, sont pourtant d'inspiration religieuse et se rapportent à une même pensée mystique, une même angoisse de la vie future, et du ténébreux au-delà. L'hypogée de la Porta Maggiore a pu servir de tombeau, il était en même temps, et avant tout, — M. Carcopino l'a montré avec beaucoup de sagacité, — un sanctuaire, où s'assemblaient secrètement, sous l'empereur Claude, les affiliés d'une secte néo-pythagoricienne.

La disposition générale est, à quelques détails près, celle des basiliques qui, au Forum, réunissent les plaideurs et les hommes d'affaires, et tour à tour servent de Palais de Justice ou de Bourse, mais dans un palais impérial, ou une maison particulière, sont plutôt des salles d'audience et de réception. Telle, par exemple, la basilique de la domus Flaviana, au Palatin.

Les premières églises chrétiennes, répondant aux mêmes besoins, ne devaient pas être très différentes de ces basiliques privées, de ces lieux d'initiation, avec moins de luxe pourtant, un caractère monumental moins accusé, sans rien qui du dehors attirât spécialement les regards. Nous ne savons sur elles rien de précis.

Ce qui en reste est infime, souvent conjectural, mais les textes apportent aux conjectures un sérieux appui.

La *Didascalie*, ou doctrine catholique des douze apôtres et des saints disciples de Notre Sauveur, composée au IIIe siècle, contient à ce sujet d'utiles renseignements :

« Dans vos lieux de réunion, dans les saintes églises, réunissez le peuple, avec le plus grand soin, en préparant attentivement des places aux frères, en toute pureté. Réservez une place aux vieillards (presbytres) du côté oriental de la maison; que le trône de l'évêque soit placé au milieu d'eux, et que les vieillards siègent avec lui » (c. XCI).

Les *Règlements* ou *Constitutions des Saints Apôtres,* sont de la fin du IVe siècle, mais on y reconnaît une compilation d'éléments antérieurs, et la disposition des églises répète celle du IIIe siècle : forme oblongue, — bien que le carré se rencontre parfois, — orientation, d'ouest en est, avec une abside où se tiennent l'évêque et les prêtres (*presbyteri*). Cette abside est arrondie, ce qui suggère à l'auteur une comparaison avec un navire : l'évêque tient la place du pilote, ses officiers sont près de lui, les diacres sont comme des matelots ou des chefs de rameurs; ils veillent au bon ordre. Les hommes occupent un côté de l'église, les femmes se tiennent en silence de l'autre côté. Une porte spéciale est affectée aux uns et aux autres, les diacres surveillant l'entrée des hommes, les diaconesses celle des femmes.

Il y a, au milieu de l'église, un pupitre élevé pour le *lecteur* (anagnoste) : c'est l'amorce du futur ambon. Devant la chaire de l'évêque, on dresse une table pour l'Eucharistie.

Cette disposition se conservera pendant des siècles.

Les textes ne nous renseignent pas sur l'aspect extérieur des premières églises, et le détail de la construction. Ce qui est hors de doute, c'est l'existence d'édifices spéciaux, consacrés au culte chrétien, dès le IIIe siècle. « Qui pourrait, dit Eusèbe (VIII), décrire la foule innombrable de ceux qui chaque jour venaient à la religion, et le nombre des églises dans chaque ville, et les multitudes qui les envahissent, si bien que les anciens édifices devenant trop étroits, toutes les villes construisaient de vastes églises. »

Plus précis encore est le témoignage de saint Optat de Milève (I, 14). En mars 305, des évêques se réunissent dans une maison particulière, parce que les basiliques confisquées pendant la persécution de 302, n'ont pas encore été restituées, *quia basilicae necdum fuerant restitutae.*

Dans les cimetières en plein air, — *areae sepulcrales,* — on élevait parfois de petites chapelles, *fabricae per cœmeteria, cellae memoriae,* sur plan trilobé (*cellae trichorae*) ou rectangulaire, dont quelques restes ont survécu. Ainsi, via Tiburtina, la cella de Sainte-Symphorose (IIIe siècle) ou au cimetière de Calliste sur la voie Appienne, les cellae de Saint-Soter, de Saint-Sixte et de Sainte-Cécile.

Les cimetières souterrains, beaucoup plus importants, relèvent plutôt de l'ingénieur que de l'architecte, — à part le vestibule d'entrée, qui a généralement disparu. Mais ils tiennent dans l'histoire de l'Art chrétien primitif une telle place, qu'il faut en dire ici quelques mots. Ces cimetières, ce sont les *Catacombes.*

II. Les Catacombes. — Les Catacombes sont en effet, d'abord et essentiellement, des nécropoles souterraines, où les chrétiens des premiers siècles enterraient leurs morts, au lieu de les brûler, comme faisaient généralement les païens. On trouve de ces nécropoles sur les points les plus divers : Alexandrie a eu les siennes comme Antioche ou Syracuse, Cyrène ou Naples. Celles de Rome comptent parmi les plus anciennes. Elles sont aussi les plus vastes,

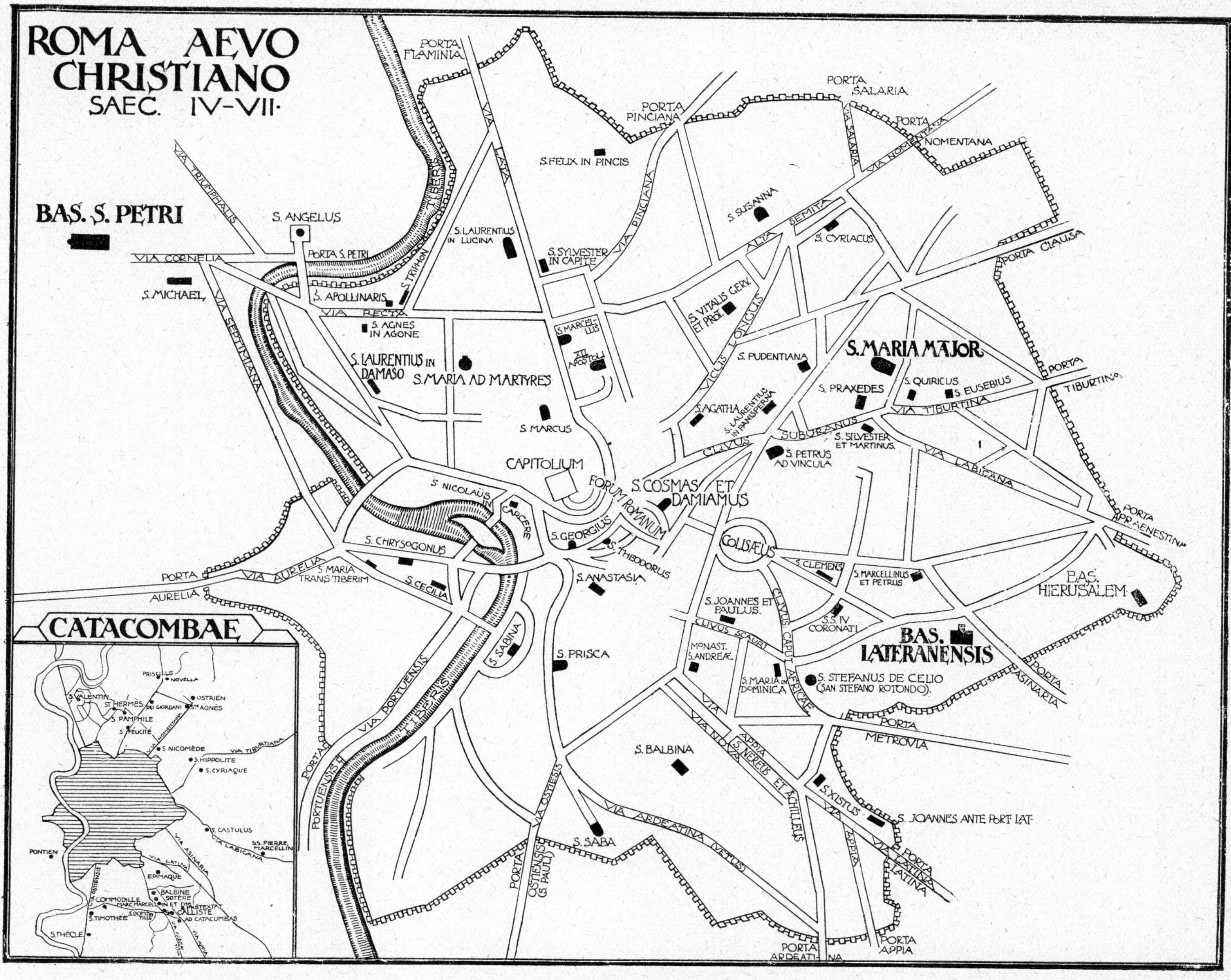
ROMA AEVO CHRISTIANO
SAEC. IV-VII.
BAS. S. PETRI
S. MICHAEL
S. ANGELUS
PORTA S. PETRI
VIA CORNELIA
VIA TRIUMPHALIS
VIA SEPTIMIANA
S. APOLLINARIS
S. TRIPHON
VIA RECTA
S. AGNES IN AGONE
S. LAURENTIUS IN DAMASO
S. MARIA AD MARTYRES
PORTA FLAMINIA
VIA LATA
TIBERIS
S. LAURENTIUS IN LUCINA
S. SYLVESTER IN CAPITE
S. FELIX IN PINCIS
PORTA PINCIANA
VIA PINCIANA
S. MARCELLUS
XII APOSTOLI
S. MARCUS
CAPITOLIUM
FORUM ROMANUM
S. COSMAS ET DAMIAMUS
S. NICOLAÜS IN CARCERE
S. GEORGIUS
S. THEODORUS
S. ANASTASIA
S. CHRYSOGONUS
S. MARIA TRANS TIBERIM
S. CECILIA
PORTA AURELIA
VIA AURELIA
S. SABINA
S. PRISCA
VIA PORTUENSIS
PORTA PORTUENSIS
VIA OSTIENSIS
PORTA OSTIENSIS (S. PAULI)
S. SABA
VIA ARDEATINA (VETUS)
S. BALBINA
PORTA ARDEATINA
PORTA SALARIA
VIA SALARIA
PORTA NOMENTANA
VIA NOMENTANA
S. SUSANNA
ALTA SEMITA
S. CYRIACUS
PORTA CLAUSA
S. VITALIS GERV. ET PROT.
VICUS LONGUS
S. PUDENTIANA
S. MARIA MAJOR
S. PRAXEDES
S. QUIRICUS
S. EUSEBIUS
PORTA TIBURTINA
VIA TIBURTINA
S. AGATHA
S. LAURENTIUS IN PANISPERNA
SUBURANUS
CLIVUS
S. SILVESTER ET MARTINUS.
S. PETRUS AD VINCULA
VIA LABICANA
PORTA PRAENESTINA
COLISÆUS
S. CLEMENS
S. MARCELLINUS ET PETRUS
BAS. HIERUSALEM
S. JOANNES ET PAULUS.
CLIVUS SCAURI
CLIVUS CAPUT AFRICAE
S.S. IV CORONATI
BAS. LATERANENSIS
MONAST. S. ANDREÆ
S. MARIA IN DOMINICA
S. STEFANUS DE CELIO (SAN STEFANO ROTONDO).
PORTA ASINARIA
PORTA METROVIA
VIA APPIA
VIA NOVA
S. NEREUS ET ACHILLEUS
S. XISTUS
S. JOANNES ANTE PORT. LAT.
PORTA LATINA
VIA LATINA
PORTA APPIA
CATACOMBAE
PRISCILLE
NOVELLA
OSTRIEN
S. VALENTIN
ST HERMÈS
DEI GIORDANI
STE AGNÈS
S. PAMPHILE
S. FELICITÉ
S. NICOMÈDE
VIA TIBURTINA
S. HIPPOLITE
S. CYRIAQUE
S. CASTULUS
SS. PIERRE MARCELLIN
VIA LABICANA
PONTIEN
VIA ASINARIA
VIA LATINA
EPIMAQUE
BALBINE
SOTÈRE
PRETEXTAT
COMMODILLE
MARC MARCELLIN ET
CALLISTE
AD CATACUMBAS
S. TIMOTHÉE
S. DOMITILLE
S. THÈCLE
VIA OSTIENSIS
VIA APPIA

PLAN DE ROME.

les plus complètes, les plus intéressantes; d'ailleurs, à défaut d'autre titre, le nombre et la qualité des martyrs qui y ont été inhumés, leur donnerait une place de choix dans la série des catacombes connues.

La loi des XII Tables interdisait les sépultures dans l'intérieur de la ville, en deçà du *pomoerium* (*Hominem mortuum in urbe ne sepelito neve urito*). Les tombes antiques découvertes dans l'enceinte de Rome, au Forum par exemple, sont creusées hors de l'enceinte palatine, et sont antérieures à l'extension, peut-être même à la fondation de la Ville. Elles aident à retrouver les bornes de la Rome primitive. Quant aux cimetières chrétiens urbains, *intra muros,* ils sont postérieurs au triomphe du christianisme.

Les nécropoles romaines n'étaient pas comme les nôtres de vastes enclos communs à toute une cité. Les columbaria réservés à des familles, contenant les urnes cinéraires, les tombes somptueuses élevées à la gloire des « gentes », s'alignaient le long des routes qui conduisaient à la Ville, et formaient une sorte d'avenue triomphale.

A qui donc veut savoir où les chrétiens de Rome enterraient leurs morts, du Iᵉʳ au IVᵉ siècle, il suffit de jeter les yeux sur une carte ancienne et de relever les voies qui faisaient communiquer la capitale avec l'Italie et les provinces : Cornelia, Aureliana, Portuensis, Ostiensis, Ardeatina, Appia, Latina, Lavicana, Tiburtina, Nomentana, Salaria, Flaminia... Sur chacune de ces voies, à un mille environ, on découvre un cimetière, voire plusieurs, que désigne un nom spécial. Ce nom est celui du propriétaire qui a fourni le terrain, — ainsi sur la voie d'Ostie le cimetière de Lucina, — sur la route d'Ardée (via Ardeatina) le cimetière de Domitilla (Flavia Domitilla, de la famille impériale). Ainsi encore, via Appia, le cimetière de Praetextatus, ou, via Salaria, celui de Priscille, le plus ancien et le plus vénérable : Priscille était la mère de Pudens, le sénateur qui reçut saint Pierre.

C'est aussi parfois celui d'un personnage qui les administra, ainsi le cimetière de Calixte, sur la voie Appienne, porte le nom de *Calixtus,* diacre du pape Zéphyrin, qui devint pape lui-même.

D'autres doivent leur dénomination à quelque détail topographique : *ad Nymphas, ad Aquas Salvias,* ou à la proximité d'un lieu-dit, d'une taverne au nom pittoresque : par exemple, *ad Ursum pileatum* (à l'ours coiffé), taverne de la via Portuensis, c'est le cimetière de Pontien; il y a de même le cimetière *ad septem columbas, ad insalsatos, ad duas lauros.* L'un d'eux, — c'est aujourd'hui le cimetière de Saint-Sébastien, — sans doute parce qu'il est voisin d'une combe, ou petite vallée, κατὰ κυμβην, est dit *cimiterium ad Catacumbas.* Au IIIᵉ siècle, en 258, les corps vénérés de saint Pierre et de saint Paul y sont déposés, et restent cachés dans la Platonia, tant que dure la persécution de Valérien. Le calendrier libérien rappelle cette translation : *III Calendas Julias, Petri in Vaticano, Pauli in via Ostiensi, utrumque in Catacumbis Tusco et Basso consulibus.* Le souvenir de ce séjour reste profondément marqué dens la mémoire des fidèles, même après l'abandon des saintes nécropoles; les pèlerins visitent de préférence le cimetière *ad catacumbas,* — et le nom de Catacombe, dès le IXᵉ siècle, est appliqué par eux aux autres cimetières.

Le « dortoir des morts », — c'est le sens du mot cimetière, κοιμητήριον, — était souterrain, et comprenait un ou plusieurs étages de galeries creusées dans le tuf granulaire. Celui-ci se rencontre en abondance dans le sous-sol de Rome et de la campagne romaine; il est moins friable que la pouzzolane, d'ailleurs exploitée par les *arenarii,* moins dur que le tuf rouge ou tuf lithoïde, et dédaigné par les constructeurs. Dans ce tuf granulaire, qui se laisse travailler aisément, les *fossores* ou fossoyeurs creusaient des niches oblongues, peu profondes, destinées à recevoir un corps. Ce sont les *loci* ou *loculi*. Si le *loculus* est destiné à deux ou trois corps, il est dit *bisomus*, *trisomus*. Plus d'une fois les *fossores* ont été représentés sur leur propre tombe, avec la lampe, le niveau, le pic, tous les outils de la fonction; on les voit à Saint-Calixte (Diogènes), à Domitilla, à Saint-Marcellin; et l'on ne songe pas sans émotion aux humbles ouvriers qui ont creusé, avec une persévérance inlassable, ces galeries sans fin, dont on ignore encore l'étendue (la catacombe de Saint-Calixte à elle seule compte plus de 20 kilomètres...). Ce ne sont pas de simples gens de métier; dès le IIe siècle, groupés en corporation, ils viennent, dans la hiérarchie, après les diacres : « *Primus in clericis fossorum ordo est* », dira saint Jérôme; ils renouvellent le pieux geste de Tobie (*in similitudinem Tobiae sancti*). Ils croient en la résurrection de la chair : qu'ils le sachent bien, tout ce qu'ils font c'est pour Dieu qu'ils le font, non pour les morts. « *Resurrectionem carnis credentes in Domino, totum quod faciunt Deo se praestare, non mortuis, cognoscant* » (*De septem gradibus ecclesiae*). Un jour viendra (au XIIIe siècle) où ensevelir les morts sera considéré comme une septième œuvre de miséricorde.

Dans les galeries, larges de 1 mètre environ, les *loculi* superposés garnissent les parois. De distance en distance, — comme dans les syringes égyptiennes, — s'ouvre une chambre plus spacieuse, réservée à une famille, un groupe : c'est un *cubiculum*, — qui prendra le nom de crypte, s'il est réservé à un martyr. Dans les parois de la chambre, se voient des tombes plus spacieuses, parfois des sarcophages, surmontés d'une arcade creusée dans le tuf. Ce dispositif leur vaut le nom d'*arcosolium*. Une chambre, munie de banquettes, est réservée aux repas funéraires.

L'ouverture du *loculus* est fermée de plaques de marbre, ou plus simplement de tuiles, sur lesquelles apparaissent, tracés au pinceau ou gravés à la pointe, un nom, une date, une invocation, un outil, rappel du métier exercé, un pieux emblème surtout, colombe ou ancre, palme ou agneau; le dessin est souvent sommaire, la ligne hésitante, l'inscription, dernier salut de pauvres gens à un être aimé, en grec douteux, en latin barbare, et parfois les deux idiomes se mêlent étrangement. Mais la médiocrité de l'expression ne fait que souligner davantage la richesse du contenu, la nouveauté des formules. Parfois sur un monument païen, on relève quelque texte plaisant ou humoristique, et qui reflète une conception épicurienne de la vie : « Un peu de poussière me recouvre moi, Myrto, qui jadis ai vidé tant de coupes de vin pourpre, près du pressoir sacré de Bacchus. Un peu de poussière me recouvre, mais sur ma tombe, signe de joie, se dresse une amphore. » Ailleurs, c'est une réflexion triste ou désabusée : « Ci-gît Dionysos, sexagénaire né à Tarse. Je ne me suis jamais marié. Ah! si mon père en avait fait autant. » Et sur un tombeau de la voie latine : « Il n'y a ici ni mon nom, ni celui de mon père, ni d'où je suis venu, ni ce que j'ai fait : je suis muet pour l'éternité, ossements, cendres, rien; je ne suis plus, je n'avais été, je n'étais que le fils du néant. Passe, et ne me fais pas de reproches, tu seras ainsi. »

Rien de pareil dans les Catacombes, rien qui fleure le désespoir ou l'épicurisme. Ce que nous crient les milliers d'inscriptions, en grec, en latin, n'est pas l'horreur de la mort, ou le dégoût de la vie, c'est la confiance en Dieu, c'est l'espoir d'une existence meilleure qui met fin aux angoisses, aux tribulations, aux souffrances de ce monde, qui donne pour toujours la paix, la douce paix, consolation suprême et suprême récompense.

III. La peinture. — Ce qui rattache les Catacombes à l'histoire de l'Art, c'est moins leur structure — admirable d'ailleurs, et qui fait honneur aux « fossores » — que leur *décoration.* Elles nous livrent en effet, les modèles les plus anciens que nous connaissions jusqu'ici de la peinture chrétienne.

Le cubiculum ne garde pas l'austérité de la roche nue, et dès le Ier siècle les parois sont recouvertes d'un crépi de stuc, ornées de peintures. Les procédés, la technique sont ceux que l'on peut étudier en Campanie ou à Rome, dans la maison de Livie ou la villa de l'Esquilin. Les premières peintures des Catacombes sont contemporaines des dernières de Pompéï et Herculanum. Ici comme là, c'est la fresque qui est employée, la peinture sur enduit frais, l'encaustique ne se prêtant pas à la peinture murale, — *alienum parietibus genus,* dit Pline, — mais l'enduit est moins épais dans les Catacombes, deux couches suffisent au lieu de quatre ou cinq; vers la fin du IIIe siècle on se contentera d'une seule, et ce détail permettra souvent de dater l'œuvre. Les couleurs sont d'origine minérale, les teintes en usage, le rouge, le brun, le jaune, le blanc, le vert.

Les premiers peintres des Catacombes n'inventent pas un art nouveau, ils s'inspirent des formules courantes. Ils ont leurs cahiers de modèles, leurs habitudes de composition. Le plafond d'une « chambre » est orné comme la voûte d'une salle à manger, c'est le même parti décoratif, la même division de la surface en panneaux et compartiments, les mêmes combinaisons de droites et de courbes ; de grands cercles coupés par des rectangles qui se croisent, et dans les cadres ainsi obtenus, les mêmes motifs de décoration, rinceaux, sarments, fleurs, petites figures détachées, souvent d'une grâce exquise. La crypte de Lucine offre un exemple charmant de cette décoration géométrique, avec guirlandes de fleurs et de fruits, génies ailés, oiseaux.

Mais un abîme sépare déjà cette première peinture chrétienne de la peinture profane ; si l'élément décoratif peut se retrouver partout, il n'en va pas de même des sujets. L'art des Catacombes se distingue dès l'abord par ce qu'il élimine du répertoire, et par ce qu'il y introduit. Il est chaste et fait peu de place au nu. (Adam et Ève, Daniel, Jonas). Il proscrit surtout les figures obscènes si fréquentes dans l'art antique, ou même simplement indécentes ou sensuelles, Lédas, Arianes, Bacchantes, exquises de formes mais provocantes sous la transparence de leurs voiles. Il proscrit également le répertoire mythologique; s'il fait grâce à quelques thèmes, c'est qu'il les considère comme inoffensifs, figures de saisons par exemple, ou de génies, ou qu'ils se prêtent à une interprétation symbolique, d'une portée morale intelligible à tous : ainsi Éros et Psyché, Orphée charmant les animaux, Ulysse au milieu des sirènes.

Ce ne sont là d'ailleurs que d'aimables exceptions, et sur ce point le legs de l'antiquité profane se réduit à bien peu de chose. Dès le IIe siècle une iconographie se crée qui n'a presque rien de commun avec le paganisme, et qui puise son inspiration dans les livres saints. L'Ancien et le Nouveau Testament sont mis à contribution : c'est Noé dans son arche, Abraham qui lève le couteau sur son fils, les trois enfants qui chantent dans la fournaise, Jonas recueilli, puis vomi par le monstre marin ; et c'est aussi l'adoration des Mages, et la résurrection de Lazare, la multiplication des pains et le miracle des noces de Cana, la guérison de l'hémorroïsse et de l'aveugle-né.

Le Christ n'y figure que par exception, sans nimbe ni aucun attribut divin ; à Saint-Marcellin, par exemple, dans le cubicule d'Orphée, il apparaît drapé dans sa toge, avec l'hémorroïsse à ses pieds, et l'on songe à la statue de Panéas; souvent le « miraculé » est seul en scène.

Aucune fresque n'a trait à la Passion. Rien ne rappelle les souffrances et la mort de Jésus, sauf peut-être une peinture qui représente vaguement le couronnement d'épines, mais l'attribution reste douteuse.

La Sainte Vierge, au contraire, est représentée dès le Iᵉʳ siècle, au cimetière de Priscille. Comme la Vierge à la Chaise de Raphaël, elle est assise et tient l'enfant Jésus dans ses bras. Près d'elle un homme, debout, désigne une étoile, — sans doute le prophète Isaïe annonçant l'astre nouveau, *orietur stella...* Une autre Vierge, d'une admirable noblesse elle aussi, se voit au même cimetière de Priscille (IIIᵉ siècle).

Certains motifs sont purement symboliques, ainsi la représentation des agapes ou du banquet céleste, les emblèmes eucharistiques de la corbeille et des poissons, et l'admirable figure de l'*Orante,* d'origine païenne, mais transfigurée par l'art chrétien primitif.

Les scènes bibliques nous apparaissent étrangement simplifiées, aucun détail superflu, aucun décor; point de fosse pour Daniel, ni de désert pour Moïse, le monstre qui avale Jonas est d'une invraisemblance grotesque, et l'arche de Noé est un jouet d'enfant. Les sujets ne sont évidemment pas traités pour eux-mêmes, on n'en conserve que ce qui a une valeur de dogme ou de symbole.

Il faut bien se garder toutefois d'exagérer cette valeur : voir du symbole partout n'est pas plus sensé que de n'en voir nulle part. Il est évident que le *Credo* des premiers chrétiens ne figure pas aux parois des Catacombes : c'est, si l'on veut, un catéchisme en images, mais auquel il manque plus d'un chapitre ; il est incomplet et mal ordonné. Certains sujets se répètent indéfiniment; c'est qu'ils se rapportent à une même préoccupation, celle du salut de l'âme. Les Catacombes sont des cimetières; elles ont pu servir — et elles ont servi maintes fois — de refuge aux heures de crise, et l'on y a souvent célébré le Saint Sacrifice, mais ce n'est point l'ordinaire, et les peintures n'en disent rien, ou n'en parlent qu'à mots couverts. Ce qui inspire les artistes, c'est presque toujours la liturgie des morts, la prière pour les défunts.

« Délivre son âme, Seigneur, comme tu as sauvé Noé du déluge, comme tu as délivré Job de ses passions, comme tu as délivré Isaac, comme tu as tiré Moïse des mains de Pharaon, Daniel des griffes du lion, les trois jeunes gens de la fournaise, comme tu as protégé Suzanne de la fausse accusation. » La formule est tardive, mais ne fait que reproduire ou amplifier une formule ancienne, que l'on a rapprochée avec raison de la liturgie juive des jours de jeûne.

Rien d'étonnant, dès lors, si tel ou tel sujet se répète, si tel motif attendu ne se rencontre pas. Que l'on ajoute la répugnance tout hellénique à représenter les scènes de violence ou de mort, la discrétion imposée à des suspects détestés de la foule et surveillés par la police, on comprendra sans peine les lacunes d'une iconographie spéciale, et limitée, et l'on ne demandera pas aux peintures des Catacombes ce qu'elles n'ont pas voulu dire.

Ce qu'elles ont dit est d'ailleurs considérable, et la valeur documentaire ou apologétique de ces précieux documents, antérieurs au IVᵉ siècle, ne saurait être discutée. Il n'en va pas de même de leur valeur artistique. S'il y a bien des compositions honorables et de piquants détails, les bons morceaux sont rares, et la technique, très soignée au Iᵉʳ et au IIᵉ siècle, se néglige ensuite; le répertoire s'enrichit, mais le dessin est gauche, la décadence va toujours s'accentuant; pour l'art chrétien comme pour l'art profane le IIIe siècle n'est pas une période de progrès.

N'exagérons rien cependant; certaines fresques nous paraissent assurément grossières, hâtivement barbouillées; mais beaucoup sont plus qu'agréables : telle orante, bien enlevée, a la saveur d'une esquisse, tel bon pasteur paît ses brebis dans un paysage alexandrin. Il n'est pas aisé de les étudier sur place. Plusieurs catacombes sont d'accès difficile, bien des peintures, rendues à la lumière, s'effacent, d'autres lavées trop énergiquement à l'acide, n'ont jeté un dernier éclat que pour mourir. Toutes ont été heureusement relevées, photographiées, copiées; l'album de Mgr Wilpert les contient pour la plupart, reproduites en couleurs, et classées.

On croit généralement que la peinture chrétienne a pris naissance dans les Catacombes, c'est possible ; on laisse entendre volontiers qu'elle est née malgré l'Église, qui se méfiait de l'art et de ses prestiges, à tout le moins à son insu et subrepticement à l'ombre des sépulcres. Est-ce bien sûr? La surprise en tout cas et l'ignorance ne furent pas longues. Ni le choix des sujets, ni leur emploi ne semblent s'être faits sans contrôle. Les centaines de peintures découvertes jusqu'ici, — et l'on en retrouve encore, — n'offrent pas la moindre dissonance; aucune ne prête à une interprétation douteuse, ne fleure l'hérésie ou le paganisme, comme certaines fresques du viale Manzoni.

D'autre part, si les chrétiens, dans leurs fréquentes visites aux *cubicula,* se sentaient à l'aise parmi tant de symboles, tant de faits obscurs et rappelés sommairement, énigmes indéchiffrables pour les non-initiés, c'est précisément parce qu'ils étaient initiés, que la lecture de l'Ancien Testament tenait la plus grande place dans les réunions, et que toutes ces images leur étaient familières.

Rien ne prouve que Daniel, Jonas, le Bon Pasteur, l'Orante, l'adoration des Mages, l'hémorroïsse, n'aient figuré que dans les tombeaux. Tous ces thèmes qui parlent de salut, de purification, de scènes célestes, — jamais de mort, remarquons-le, l'art macabre n'existe pas aux Catacombes, — pouvaient trouver place aux murs des églises domestiques, à fortiori des édifices cultuels spéciaux. Et l'on imagine fort bien les symboles courants, schématisés, ornant les murs de l'église à la manière des stucs de la Porte Majeure.

En étudiant ce qui reste de la peinture chrétienne, il ne faut pas oublier tout ce qui a disparu. L'art égyptien pendant longtemps n'a été connu et étudié, comme l'art chrétien primitif, que dans les tombes : on connaît aujourd'hui l'existence d'un autre art, dont celui des Syringes et des Mastabas n'est que le reflet, et qui est celui des palais royaux, et des maisons de riches bourgeois.

La maison des Cœlius, où furent mis à mort sous Julien les martyrs Jean et Paul, a conservé son décor profane de guirlandes, de fruits, d'oiseaux. Mais parmi les génies, les victoires, se glissent d'autres motifs qu'on a pu interpréter à la manière chrétienne. Les fouilles de M. Clarke Hopkins à Doura Europos (1931) ont mis à jour une maison appropriée au culte chrétien, avec son baptistère; les murs étaient couverts de fresques : Adam et Ève, David et Goliath, la Samaritaine, le Bon Pasteur, la guérison du paralytique, Jésus marchant sur les flots, les saintes femmes au Sépulcre. Les peintures sont du début du IIIe siècle. — Et voici que plus récemment encore, en 1933, M. Hopkins découvre une synagogue, dont les parois sont couvertes, elles aussi, de scènes de l'Ancien Testament, de prophètes, de docteurs, etc. Le monument est strictement daté par une inscription, qui nous reporte au règne de

Philippe l'Arabe, en 246-247. Ce que se permettaient certaines communautés juives, malgré leur aversion traditionnelle pour les images, n'avait rien que de normal pour l'Église des Gentils, moins prévenue contre la beauté artistique.

Le sanctuaire chrétien de Doura Europos n'était pas, j'imagine, une exception. Plus d'une église au IIIe, voire au IIe siècle, était ornée de figures symboliques; plus d'un thème pictural a sans doute fleuri sur les murs du sanctuaire avant de descendre dans la catacombe.

Il est certain, cependant, que tous n'admettaient pas la figuration des images. Beaucoup d'évêques, en Orient surtout, lui étaient formellement opposés. En Occident même, le clergé se montrait, à l'occasion, méfiant. Ainsi, vers 300, le Concile d'Elvira (Illiberris, près de la Grenade actuelle), défendait, par son canon 36e, la peinture dans les églises. *Placuit picturas in Ecclesia non debere, ne quod colitur et adoratur in parietibus depingatur.*

Sachons attendre le résultat de nouvelles fouilles. Elles nous diront un jour, plus clairement, comment, et dans quelle mesure, étaient ornés les sanctuaires du IIIe siècle, quelles étaient les habitudes des décorateurs chrétiens, quels étaient leurs modèles juifs ou hellénistiques et d'où venaient leurs inspirations.

IV. La sculpture. — La sculpture tient peu de place dans cette histoire sommaire de l'art primitif. Elle excitait sans doute plus de défiance que la peinture, et la crainte

Cliché Anderson.

SARCOPHAGE CHRÉTIEN (Musée du Latran.)

Provient d'un cimetière de la Via Valeria. Début du IIIe siècle. Au centre, Bon Pasteur; près de lui, une orante.

de l'idolâtrie, commune aux Juifs et aux chrétiens, proscrivait en fait la statuaire en ronde bosse. Mais l'art décoratif était en honneur; un linteau sculpté surmontait la porte de la synagogue, le chandelier à sept branches était reproduit partout, et les Juifs de la Diaspora, moins intransigeants, oubliant parfois les préceptes de l'Exode, admettaient la représentation de la figure humaine. Un sarcophage du musée des Thermes associe au chandelier rituel des victoires ailées, des génies nus qui sont les Saisons; sous le motif central apparaît une scène de vendange. C'est assurément un sarcophage païen « accepté » à cause de la banalité des motifs.

Les chrétiens ont agi de même. Les sarcophages, dont on retrouve les restes dans les Catacombes ou dans les *areae sépulcrales*, n'offrent, au IIe siècle, rien de spécifiquement chrétien. Ils sont neutres, choisis chez le « marmorarius » parce qu'ils ne portent pas de scènes mythologiques, ne racontent pas le sommeil d'Endymion, la folie amoureuse de Phèdre, la chasse de Méléagre, ou la mort d'Adonis. Les rares motifs qu'on y découvre, cantonnés parfois de strigiles, se prêtent, comme les peintures analogues des Catacombes, à une interprétation symbolique; ainsi Orphée, Ulysse au milieu des Sirènes. Puis s'introduisent quelques modèles courants, Lazare, le rocher de Moïse, l'orante, le Bon Pasteur, mais avec eux, c'est le personnage assis, — le philosophe, — homme ou femme, tenant à la main un rouleau de papyrus, c'est l'époux et l'épouse, avec le petit Éros qui continue par habitude à porter le flambeau nuptial, à l'occasion même, distraction amusante, est oubliée à l'arrière-plan Juno Pronuba, déesse protectrice des mariages.

Un sarcophage du IIIe siècle, conservé au Latran, représente le Bon Pasteur jusqu'à

Cliché Alinari.

SARCOPHAGE CHRÉTIEN. (Musée du Latran.)
Provient du cimetière de Prætextatus, IIIe siècle. Influence Alexandrine. Bon Pasteur trois fois représenté. Génies ailés faisant la vendange.

trois fois, berger barbu et âgé au centre, jeune et imberbe aux extrémités. Dans l'intervalle, des amours s'occupent des brebis et des agneaux, cueillent le raisin, folâtrent parmi les rinceaux de la vigne, font la vendange. Tous ces motifs sont familiers à l'art d'Alexandrie, et ce sarcophage provient sans doute d'un atelier païen, mais Notre-Seigneur s'est lui-même comparé à la vigne et au berger : *Ego sum vitis, vos palmites. Ego sum pastor bonus.* A ce double titre, le sarcophage avait sa place marquée dans une nécropole chrétienne.

C'est encore le bon Pasteur qui inspire la plus charmante, et l'on pourrait dire la seule œuvre de ronde bosse qui puisse être attribuée à cette époque. Il existe dans les musées, une douzaine de variantes du même thème. Nulle ne vaut la statue du *Latran* Le berger symbolique, est vêtu de l'*exomis*, courte tunique serrée à la ceinture, qui laisse à découvert l'épaule droite; il porte au côté gauche une panetière, sur ses épaules repose une brebis, dont la tête a été refaite, ainsi que les jambes et les mains du berger. La tête de celui-ci nous est heureusement parvenue intacte; elle est d'une souriante jeunesse, d'une beauté presque classique, et d'une rare douceur d'expression. Œuvre chrétienne, sans doute, mais dérivée d'un type grec, élégante et fine, à coup sûr, et d'un beau style.

Deux autres statues sont antérieures à la Paix de l'Église : celle de saint Hippolyte au

Musée du Latran, celle de saint Pierre, aux cryptes vaticanes; mais l'une et l'autre, semblent des statues profanes de philosophe et de rhéteur transformées en statues chrétiennes. La

Cliché Anderson.

LE BON PASTEUR.

Statue en marbre du musée du Latran. IIIe *siècle. Hauteur :* 0^m^,95.

tête et les bras de saint Hippolyte sont modernes ; l'œuvre, fort belle d'ailleurs, intéresse surtout l'archéologue et l'historien, à cause des inscriptions qui couvrent le fauteuil où il est assis. Le saint Pierre de marbre, des cryptes, paraît être le prototype du saint Pierre que l'on vénère dans la basilique vaticane ; bronze magnifique, fondu au IVe siècle, selon les uns, peut-être d'après le modèle de marbre, selon les autres, œuvre du XIIIe siècle.

Au début du IVe siècle, il existe un art chrétien, que nous connaissons mal, dont nous entrevoyons les misères, et les grandeurs, un art composite où se mêlent les éléments les plus divers, venus d'Orient et d'Occident, plus riche de pensée que de formes, et qui participe à la décadence générale d'une époque troublée.

Quand les persécutions reprennent, avec une violence inouïe, sous Dioclétien, Galère, Maximin Daia, les ruines s'accumulent, et il semble que cet art nouveau soit condamné à disparaître, avant d'avoir donné sa mesure, avec le christianisme lui-même. Mais du fond des catacombes où se réfugient les « réfractaires », continuent à monter les chants d'espérance, et les chrétiens confiants malgré tout veillent sur les martyrs dans les ténèbres, en attendant la « lumière » : l'aurore est proche.

CHAPITRE II

LE TRIOMPHE DE L'ÉGLISE

La victoire de Constantin au Pont Milvius en 312, l'Édit de Milan en 313, annoncent la fin des grandes persécutions et le triomphe du christianisme. Celui-ci, mis d'abord au rang du paganisme, devient religion officielle, et les adhésions se multiplient. L'Église chrétienne renaît, prospère, et l'art chrétien peut désormais s'épanouir librement.

I. Basiliques, Mausolées, Baptistères. — Les édits de tolérance, publiés tour à tour par Licinius, Galère, Constantin, avaient prescrit la remise aux communautés chrétiennes de leurs propriétés, *églises* avec leurs annexes, cimetières, etc., confisqués ou placés sous séquestre pendant la persécution. Beaucoup de ces édifices étaient en ruines. D'autres paraissaient insuffisants pour la masse des convertis, et indignes de l'Église triomphante. On se mit donc aussitôt à réparer, à construire surtout. « Les églises, dit Eusèbe (*Hist. eccles.*, X), s'élevèrent sur le sol *à une grande hauteur,* et brillèrent d'un *éclat supérieur* à celui des églises qu'on avait détruites. Dans toutes les provinces, Constantin éleva de nouveaux édifices *beaucoup plus vastes* que ceux qu'ils remplaçaient. »

Telles furent à Jérusalem, l'église du Calvaire (*Martyrium*), celle du Mont des Oliviers (*Eleona*), à Bethléem, l'église de la Nativité; partout où se retrouvait un souvenir du Christ, on bâtissait un « memorial », une basilique. Nazareth eut le sien, et aussi l'endroit où Jésus fut baptisé dans le Jourdain par saint Jean-Baptiste.

A Rome, l'empereur est bien secondé par les papes : Melchiade (311-314) et Silvestre (314-335); le palais de Latran devient la résidence papale, et l'église du Sauveur la *Mère des Églises*. Non loin le Palatium Sessorianum est consacré à la Sainte Croix. Hors les murs, on glorifie les grands martyrs, saint Pierre au Vatican, saint Paul sur la route d'Ostie, sainte Agnès via Nomentana, saint Laurent à l'ager Veranus.

Le triomphe de l'Église. — A. Michel, *Histoire de l'Art,* t. Ier, ch. 1er (André Pératé). — Ph. Lauer, *Le palais de Latran.* — L. Bréhier, *Les origines de la basilique chrétienne, Bull. Monum.*, 1927, p. 221-250. — Dom Cabrol et Dom Leclercq, *Dict. d'Archéologie chrétienne,* art. *Baptistère, Constance, Latran, Mausolée,* etc. — Mgr Wilpert, *Die romischen Mosaïken und Malereien der Kirchlichen bauten von IV bis XIII Jahrhundert,* nouv. éd., 1924. — Marg. Van Berchem et Et. Clouzot, *Mosaïques chrétiennes du* IVe *au* Xe *siècle,* Genève, 1924. — Ed. Le Blant, *Les Sarcophages chrétiens de la Gaule,* 1886.

L'élan est donné, et jusqu'au VIe siècle il ne se ralentira pas. Ce qui se fait à Rome se fait ailleurs, à Constantinople dans la nouvelle capitale, à Antioche, à Carthage, à Alexandrie.

Au Ve siècle, Sixte III reconstruit Sainte-Marie-Majeure, élevée au IVe par le pape Libère.

Le *Martyrium* de Jérusalem a été détruit au VIe siècle. Saint-Pierre du Vatican au XVIe; Sainte-Croix et Saint-Jean de Latran ont été transformés au point d'être méconnaissables. Des basiliques constantiniennes, seule a subsisté la Nativité de Bethléem, à part le chœur

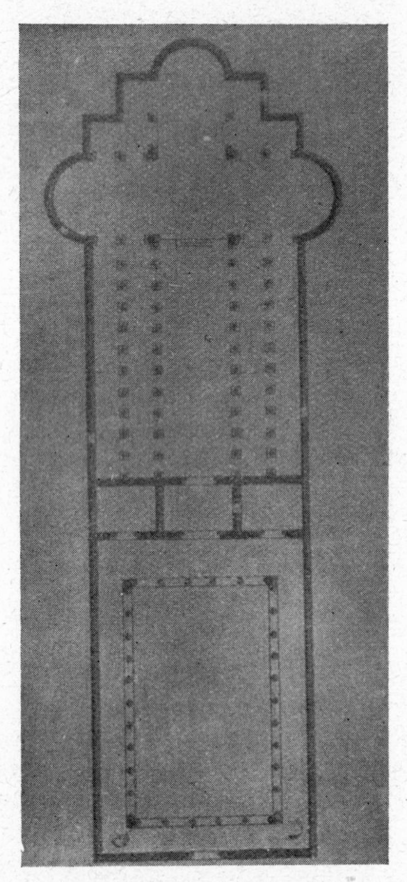

BASILIQUE DE BETHLÉEM. — Plan.

SAINT-PAUL-HORS-LES-MURS.

reconstruit au VIe siècle. Ce précieux témoin, quelques souvenirs littéraires, ce qui nous a été laissé des édifices du Ve, permettent néanmoins de retrouver ce que fut, lors du triomphe de l'Église, l'architecture chrétienne.

La *basilique* est construite sur plan rectangulaire : *Oblongam habeat quadraturam,* dit saint Augustin, *lateribus longioribus, brevioribus frontibus, sicut pleraeque basilicae constituuntur.*

La basilique, est divisée en « nefs » par des colonnades. Les colonnes, d'un beau marbre, sont souvent monolithes, enlevées à quelque édifice antique, palais ou temple; de là quelques disparates. La matière, le diamètre, le galbe, le chapiteau ne sont pas nécessairement les mêmes pour tous les numéros d'une série; le chapiteau ne s'accorde pas toujours avec le fût, et celui-ci peut être lisse ou cannelé, suivant l'origine de « l'emprunt ». La colonnade est surmontée d'une architrave horizontale, souvenir de la plate-bande des Grecs — c'est le cas à Bethléem, à Sainte-Marie-Majeure, à Saint-Laurent — ou reçoit la retombée d'une série d'arcades (archivoltes) : ainsi en est-il à Saint-Paul-hors-les-Murs, à Sainte-Agnès, à Saint-Démétrius de Salonique. Ces mêmes arcades sur colonnes se voient à Spalato, dans le palais de Dioclétien (début du VIe siècle), voire à Pompéï (Casa delle Nozze d'Argento et casa di Meleagro, du Ier siècle).

A Saint-Pierre du Vatican, les deux systèmes voisinaient : architrave dans la nef centrale, arcades dans les collatéraux.

Les colonnades déterminent trois nefs (Sainte-Agnès), ou cinq (Saint-Pierre, Saint-Paul), exceptionnellement sept (Tipasa), ou neuf (Carthage, Damous el Karita). De petites basiliques n'en avaient qu'une.

La nef centrale est surélevée, et les murs gouttereaux sont percés de fenêtres, les nefs latérales (*pastophorion*, *plagae*, *porticus*) sont de ce fait plus basses (de là leur nom de bas-côtés). La couverture est généralement en charpente à deux rampants sur la nef centrale, en appentis sur les collatéraux avec comble apparent (Saint-Pierre), ou masqué par un plafond (Sainte-Marie-Majeure). Ceux-ci peuvent être surmontés de tribunes (Sainte-Agnès). Une abside demi-circulaire termine la nef principale et reçoit l'autel élevé au-dessus de la Confession, et le trône de l'évêque. Une nef transversale, ou transept, peut séparer l'abside de la nef et communiquer avec elle par une grande arcade, l'arc triomphal.

Devant l'entrée, s'étend le *narthex*, large couloir transversal, et l'*atrium*, cour carrée au centre de laquelle se dresse une fontaine d'ablutions.

Tel est le type le plus fréquemment réalisé, en Orient comme en Occident, au IVe et au Ve siècle; l'Occident lui restera fidèle jusqu'au XIIe siècle.

Faut-il y voir une création nouvelle des architectes constantiniens? Le texte d'Eusèbe semble indiquer plutôt une reprise, « en mieux et en plus grand », de la basilique préconstantinienne, plus vaste, portée à une hauteur plus considérable, et d'un éclat supérieur.

Où les architectes ont-ils puisé leur inspiration? On en discute.

La basilique chrétienne semble, à première vue, une réplique de la basilique profane ; mais d'aucuns y voient une transformation de la maison romaine, d'autres cherchent en Orient la source et l'explication de ses divers organes. En fait les architectes n'ont pas copié tel ou tel édifice; la basilique chrétienne n'est ni un temple grec, ni une maison romaine, ni un palais de justice; elle est une adaptation à une fin déterminée, qui est le culte chrétien, d'éléments divers à la portée de tous, colonnades, portiques, exèdres, combinés de façon la plus heureuse, et en même temps la plus pratique.

La basilique du IVe siècle représente deux siècles d'expérience, la réalisation d'un rêve longtemps entrevu, et qui aidait à supporter l'horreur des refuges clandestins, la médiocrité des logis adaptés tant bien que mal à leur fonction, la mesquinerie des premières constructions appropriées, qui étaient un progrès cependant, et une promesse. Qu'il y ait dans la basilique des souvenirs et des rappels, c'est l'évidence même, et l'on peut y retrouver des traces de la synagogue, de la maison, de la basilique profane, d'autres encore... L'atrium, par exemple, qui s'étend devant l'édifice, existait devant la synagogue; il continue aussi la tradition du parvis salomonien, de la cour à portiques des temples de Syrie (Membijd, Baalbeck) ou d'Égypte.

Mais une pratique déjà longue a dicté le programme, fait le triage entre les éléments, indiqué ce qu'il fallait ajouter et retrancher pour assurer le service divin, dans une demeure digne du Christ, et satisfaire aux exigences de la liturgie, offrir à l'assemblée des fidèles un local vaste, bien aéré, où puissent trouver place les diverses catégories de fidèles, hommes et femmes, catéchumènes et baptisés, néophytes et pénitents, avec une enceinte réservée aux chanteurs, une table pour le sacrifice, des sièges pour les prêtres, un trône pour l'évêque.

Le *Testamentum Domini nostri Jesu Christi* résume toutes ces exigences : *Ecclesia itaque ita sit.* Le programme est somme toute le même que celui de l'église pré-constantinienne, mais il est plus développé. Les trois portes rappellent la Sainte Trinité; il faut un *diaconicon* pour recevoir les offrandes, un *baptistère,* une maison de catéchumènes, une autre pour les *exorcizandi,* communiquant avec l'église, pour permettre aux catéchumènes d'entrer dans l'église et d'entendre les lectures, les cantiques spirituels, les psaumes.

Le *Testamentum* décrit en outre le trône épiscopal, *versus Orientem,* avec des sièges de part et d'autre pour les prêtres ; les bas-côtés destinés aux hommes et aux femmes ; l'autel, posé avec le trône sur une estrade à trois degrés est orné d'un voile, *ex bysso pura,* et l'ambon n'en doit pas être éloigné. Attenant à l'église, il y a, près de l'atrium, la maison de l'évêque, tout près la maison des veuves ; derrière le baptistère, la maison des prêtres et des diacres ; dans le voisinage, celle des hôtes, réservée aux pèlerins.

Remarquons qu'aucune des formes de la basilique ne s'est imposée de manière absolue. Les plans varient d'une région à l'autre : la basilique africaine n'a généralement pas d'atrium, et la grecque s'en passe souvent.

Le nombre des nefs est variable, le carré se substitue parfois au rectangle, la tribune est facultative, et une voûte peut — c'est le cas en Syrie, plus rarement en Afrique du Nord — remplacer la couverture de bois et tuiles. En Syrie, en Égypte, il y a souvent *deux absides,* une à chaque extrémité de la nef (par exemple au sanctuaire de Saint-Ménas).

Mais ce sont là des variantes peu importantes, suggérées par le terrain, les matériaux employés, les techniques familières, certaines habitudes locales. Il n'en reste pas moins un *type* d'édifice religieux dont on ne peut nier l'originalité réelle, la parfaite convenance, l'harmonieuse disposition, la majesté religieuse. Rien ne vaut pour s'en convaincre, une promenade à la Nativité de Bethléem, à Sainte-Marie Majeure, à Saint-Paul-hors-les-Murs. Abstraction faite des déformations subies, injures du temps, restaurations maladroites ou trop habiles, on réalise facilement ce que put être la première réussite de l'art chrétien, la basilique constantinienne.

Elle ne résume pas toutefois l'architecture de l'époque. D'autres édifices, plus rares et d'importance moindre, sont construits sur plan central ; ce sont des tombeaux, des baptistères.

L'*Anastasis,* élevée en 336 au-dessus du Saint Sépulcre par les architectes Zenobrius et Eustathe, est une *rotonde,* comme le Mausolée de Cécilia Metella, celui d'Auguste (Augusteon) ou d'Hadrien (château Saint-Ange), ou encore le tombeau de Dioclétien à Spalato (la cathédrale actuelle), ou celui de sainte Hélène (Tor Pignattara). L'*Anastasis* était couverte d'une coupole, que supportait une colonnade circulaire, d'ordre corinthien, à deux étages ; une voûte annulaire assurait l'équilibre de l'ensemble, et joignait la colonnade au mur extérieur.

Il ne reste rien aujourd'hui de l'*Anastasis* constantinienne, mais un dispositif analogue est appliqué au Mausolée de Sainte-Constance, via Nomentana, près de Sainte-Agnès-hors-les-Murs. La colonnade qui supporte la coupole est formée ici de colonnes accouplées, et

Cliché Alinari.

SAINT-PAUL-HORS-LES-MURS.
Reconstruit en 1828 après un incendie. Dispositif ancien.

la voûte annulaire n'est surmontée d'aucune galerie. La calotte repose non sur une deuxième série de colonnes, mais sur un tambour percé de fenêtres, qui se raccorde avec les colonnes géminées par douze arcades. Un péristyle entourait jadis le monument : il a disparu aujourd'hui ainsi que le large vestibule d'entrée.

Construit entre 326 et 335, il a reçu les mausolées de Constance, sœur de Constantin, et de Hélène et Constantina, ses filles, épouses des Césars Julien et Gallus. Il a servi quelque

Cliché Alinari.

MAUSOLÉE DE SAINTE CONSTANCE.
Colonnes jumelées. Voûte annulaire.

temps de *baptistère*, peut-être dès l'origine, et l'on a pu se demander quelle était sa première destination. Toujours est-il que les baptistères distincts des églises sont construits comme des mausolées, sur plan central. Celui de Constantin, au Latran, a été restauré au ve siècle, par Sixte III, qui l'enrichit de huit colonnes de porphyre encore en place, mais le dispositif général n'a pas changé. C'est un *octogone,* auquel se rattachent un vestibule et diverses chapelles. Le plan octogonal est celui du tombeau de Dioclétien à Spalato, c'est celui de nombreux baptistères, celui de Milan, par exemple (baptistère d'Augustin, à Saint-Ambroise, détruit), celui de Cividale, ou de Ravenne, ou de Parenzo (VIe). Mais il en est de ronds, (Nocera) ou carrés (Gul Bagtschi, près de Vurla, l'ancienne Clazomène). Le bassin occupe toujours le centre de la construction; on y accède par plusieurs marches, trois ou même sept, nombre sacré.

Le baptistère, comme le mausolée, comme la basilique, est une adaptation à des fins chrétiennes d'un type d'édifice profane; le *baptisterium* dont parle Pline le Jeune (*Lettres*, V, 6) est une salle de bains; la chose et le nom convenaient parfaitement au bain mystique qu'est le baptême; la vasque liturgique devient par métaphore *balneum, fontes, lavacrum, nymphaeum, tinctorium, piscina* aussi, les poissons, *pisciculi,* symbolisant le chrétien, en souvenir de l'*Ichthys* qui est le Christ.

Le mausolée de Galla Placidia, à Ravenne, sort de la forme ordinaire. C'est un petit sanctuaire, un *monasterium,* élevé en 421, dédié d'abord à saint Laurent, puis aux saints Nazaire et Celse, et qui se rattachait à l'église palatine de Sainte-Croix. Il est construit en briques, sur plan central, avec coupole sur pendentifs (la première construite en ces régions), faite d'amphores emboîtées l'une dans l'autre, et contrebutée par quatre petits berceaux, ce qui donne à l'ensemble la forme d'une croix. Un petit portique, aujourd'hui disparu, s'élevait devant l'entrée et se rattachait au narthex de Sainte-Croix.

Très différent des monuments signalés, le mausolée de Galla Placidia s'apparente à d'autres édifices, dont nous aurons à rechercher les origines en Orient.

II. Les arts de la couleur. — Basiliques et martyria, mausolées et baptistères, étaient décorés avec une grande richesse, là surtout où les largesses impériales permettaient de faire convenablement les choses. Si l'extérieur restait, à l'exception de la façade, nu et sans apparat, l'intérieur se revêtait de marbres et de mosaïques.

Des mosaïques couvraient le sol; c'était l'usage dans les thermes, les maisons, les basiliques profanes. Elles ont généralement disparu, détruites ou remplacées au cours de réfections successives [1].

Le plus beau spécimen se voit dans la double basilique d'Aquilée, construite par l'évêque Théodore (308-319), détruite par les Huns en 452, relevée, ravagée de nouveau en 568 par les Lombards. Protégée par les décombres, la mosaïque du IVe siècle a échappé au désastre. On l'a retrouvée, presque tout entière, à 0,90 plus bas que le niveau actuel, et c'est une joie que de la contempler, avec ses motifs géométriques, ses entrelacs, ses charmantes figures d'animaux. Allégories et symboles se mêlent aux éléments décoratifs, un coq lutte avec une tortue symbole d'hérésie, une victoire rappelle sans doute le triomphe du christianisme. Certains sujets se rattachent au cycle des Catacombes : des corbeilles de pain, un

1. Il en reste pourtant de fort curieuses : celle de Kabr Airam, par exemple, auprès de Tyr, aujourd'hui au Louvre, pleine de motifs charmants encadrés dans de jolies torsades, des souvenirs mythologiques, des quadrupèdes, des poissons, des oiseaux, et un *calendrier*. L'œuvre est de date incertaine, du VIe siècle probablement, — mais reproduit des motifs plus anciens, du Ve et du IVe siècle.

A Madaba, à l'est de la mer Morte, un fragment de mosaïque, du VIe siècle également, représente *une carte de Palestine,* la doyenne sans doute des cartes de géographie.

Bon Pasteur (le seul connu en mosaïque), un Jonas surtout, à quelques pas de là, une scène de pêche.

D'autres mosaïques décoraient les voûtes, les absides, l'arc triomphal des basiliques, ou même les façades.

Le premier monument chrétien qui ait conservé sa parure, c'est le mausolée de Sainte-Constance. La voûte annulaire y est divisée en onze compartiments, ornés de mosaïques

Cliché Anderson.

MOSAIQUE DE LA VOUTE ANNULAIRE DE SAINTE-CONSTANCE.

de marbre ; sur un fond blanc se détachent des motifs de pure décoration, tantôt géométriques, tantôt pittoresques, avec des fleurs, des fruits, des oiseaux, de petits génies ailés, quelques figures humaines aussi ; un panneau est tout couvert de rameaux de vigne, chargés de grappes ; en lisière apparaissent des scènes de vendanges ; au centre, un portrait, celui de Crispus sans doute ou plutôt d'Annibalianus, premier époux de Constantina. D'autres motifs se voyaient à la coupole, ils ont disparu aujourd'hui, et ne sont connus que par des dessins, un texte de Pompeo Ugonio, une aquarelle de Francesco d'Olanda, à l'Escorial ; on y voit des barques, avec des *putti* ailés qui pêchent des poulpes et des thons, parmi de grands oiseaux ; des feuilles d'acanthes stylisées, d'où émergent des caryatides, divisent la calotte en fuseaux, et encadrent des scènes inspirées par l'Ancien Testament ; au dessus, des satyres, des ménades qui dansent... La technique, le style de la plupart des sujets nous reportent aux âges classiques ; c'est de l'art alexandrin tel qu'il a fleuri à Rome pendant trois siècles. On s'y est trompé, pendant longtemps le monument a été pris pour un temple de Bacchus.

Les sujets bibliques, qui ont disparu aujourd'hui sont, à en juger par les dessins, simplifiés comme ils l'étaient dans les Catacombes ; la note chrétienne y apparaît, mais voilée : quelques chrismes ⁎ signalés par Ugonio, un chrisme en partie visible dans la niche princi-

Cliché Anderson.

MOSAIQUE ABSIDALE DE SAINTE-PUDENTIENNE

Le Christ et les Apôtres.

pale, un agneau nimbé sur un dessin du musée de Berlin, et c'est tout. Ce décor profane, à peine christianisé, nous charme par sa grâce et sa belle facture, mais nous étonne un peu.

Il s'accorde cependant avec le style du sarcophage de Constantina, aujourd'hui au Vatican. Sur l'énorme bloc de porphyre rouge, on ne voit en effet que des amours faisant la vendange et foulant le raisin, transposition symbolique des paroles de Jésus : *Ego sum vitis, vos palmites,* si populaires à l'âge des persécutions.

Très différentes sont les mosaïques qui ornent les deux absidioles. A gauche le Christ jeune, imberbe, entre saint Pierre et saint Paul, à ses pieds les quatre fleuves du paradis, et quatre brebis ; au fond deux cabanes surmontées de palmiers encadrant la scène ; à droite un Christ barbu nimbé, assis sur un globe, tend un objet de nature indéterminée à un personnage imberbe. Remise des clefs à saint Pierre? ou des tables de la loi à Moïse? Dix palmiers, trois d'un côté, sept de l'autre, font penser aux dix commandements. En tout cas, deux œuvres d'inspiration franchement chrétienne, où il n'y a plus ni scènes pittoresques ni symboles, qui dénoncennt ue iconographie nouvelle, mal servie par un art médiocre. Elles sont anciennes, assurément, du IVe siècle ou tout au plus du Ve, mais n'ont sûrement rien de commun avec le décor voisin, ni l'inspiration, ni la technique, ni l'élégante mièvrerie.

Dans la chapelle des Saintes-Rufine et Seconde, annexée au baptistère de Saint-Jean de Latran, une mosaïque du IVe siècle couvre le cul-de-four de l'abside. Se détachant sur un fond bleu, une acanthe gigantesque s'enroule en rinceaux vert et or : décor tout profane, mais auquel s'ajoutent à la bordure inférieure sept croix (il y en avait douze autrefois) et dans le haut six autres croix gemmées, un agneau à la tête ornée d'une petite croix, quatre colombes qui rappellent les quatre évangélistes.

A Sainte-Pudentienne, la note chrétienne est plus accentuée. Exécutée sous le pape Sirice en 390, la grande mosaïque absidiale, malgré des mutilations irréparables, reste une œuvre de grand style, et sans doute le chef-d'œuvre de l'art chrétien primitif. Le Christ, assis sur un trône, préside l'assemblée des douze apôtres, réduits à dix par la restauration du cardinal Gaetani au XVIe siècle. Il est barbu, noblement drapé dans sa toge brodée d'or. D'une main il bénit, de l'autre il tient un livre avec cette inscription : *Dominus conservator ecclesiae pudentianae*. Ce souvenir de Q. Cornelius Pudens nous reporte aux origines mêmes de la basilique, au sénateur Pudens, ami de saint Pierre, ou à son héritier, dont la maison est devenue, vers 145, une église domestique, le *Titulus Pastoris*.

Les deux femmes debout derrière les Apôtres et tenant des couronnes, étaient, croyait-on, Praxède et Pudentienne, et cette évocation ne manquait pas de douceur. Il faut y voir plutôt les deux églises, celle des Juifs, *Ecclesia ex circumcisione,* qui couronne saint Pierre ; celle des Gentils ou des Nations, *Ecclesia Gentium,* qui couronne saint Paul. Au fond, divers monuments peuvent figurer la Jérusalem céleste, mais avec des traits de la terrestre Rome du IVe siècle. Au dessus, les quatre animaux symboliques, et dominant toute la scène, une grande croix gemmée. Elle n'appartient pas à la composition primitive et remplace, depuis le VIIIe siècle, une main divine sortant des nuages, et tenant une couronne.

A ce même IVe siècle se rattache peut-être en partie le merveilleux ensemble de Sainte-Marie-Majeure. La basilique, construite par le pape Libère (352-366), refaite au Ve sous le pape Sixte III, contient trois séries de mosaïques : celles de l'abside, celles de la nef, celles de l'arc triomphal.

Une inscription, placée autrefois au-dessus de l'entrée principale, faisait allusion à des représentations de « martyrs apportant des présents à la Vierge et à l'enfant Jésus. Chacun d'eux avait à ses pieds le symbole de sa passion, le fer, le feu, les bêtes féroces, les eaux du fleuve, le poison ». Il n'en reste rien. Les mosaïques de l'abside ont été refaites au XIIIe siècle, mais on a conservé une partie de l'ancien décor, acanthes, scènes pittoresques du répertoire alexandrin. Vingt-sept tableaux rectangulaires — sur quarante-deux — représentent, dans la nef, des épisodes de l'Ancien Testament. Il se peut qu'ils aient appartenu à la basilique Libérienne, et sauvés du désastre, été utilisés par Sixte III. Ils seraient en ce cas du IVe siècle. La preuve n'est pas faite, mais la vraisemblance est grande ; les scènes bibliques sont très romaines d'allure, pleines de vie et de mouvement. Elles sont disposées généralement en deux registres, et racontent l'histoire avec beaucoup de détails un grand sens du pittoresque et de singulières recherches de coloris.

L'arc triomphal s'inspire, lui, du Nouveau Testament, et des apocryphes qui se multipliaient alors autour des Livres Saints. Tout le décor est consacré à la Vierge, qui vient au concile d'Éphèse en 431 d'être proclamée Mère de Dieu : Annonciation, Adoration des Mages, Massacre des Innocents à Bethléem; au centre, le trône symbolique (*Etimasia*) avec

Cliché Anderson.

MOSAIQUE ABSIDALE DE SAINTE-MARIE-MAJEURE.

saints Pierre et Paul et les symboles des Évangélistes; à droite, la Présentation au Temple, Jésus reçu par Aphrodisias, les Mages devant Hérode. Comme dans les Catacombes, l'Évangile a sa place auprès de l'Ancien Testament, considéré comme la figure du Nouveau. Déjà existe en germe le parallèle entre les deux Livres, et l'idée de la concordance, qui triomphera au Moyen Age. Mais cette concordance n'est ici qu'indiquée en bloc, l'idée ne viendra que plus tard d'opposer dans le détail une scène à une autre.

Par contre, la part du symbole, de l'hiéroglyphe chrétien, se réduit de plus en plus, la tendance est de reproduire les faits historiques pour eux-mêmes, non pour l'idée qu'ils suggèrent ou le rapprochement théologique.

L'iconographie s'enrichit de jour en jour, avant de se fixer. Le nimbe qui apparaît au IVᵉ siècle, est encore, voire au VIᵉ, une marque, non de sainteté, mais de puissance. Il est donné au Christ et aux anges, mais aussi à Hérode ou à Pharaon. Par contre, la Vierge ne l'a pas encore. Les anges représentés sans ailes dans la nef (Théoxénie d'Abraham, Vision de Josué) sont ailés sur l'arc triomphal, comme les Génies et les Victoires de l'art païen. Déjà l'Apocalypse inspire les artistes : l'Agneau, le Livre scellé, les sept chandeliers, les quatre « animaux », et bientôt les vieillards, pénètrent dans l'art religieux.

Cliché Alinari

INTÉRIEUR DU MAUSOLÉE DE GALLA PLACIDIA.

Quant à la technique, elle s'est transformée, elle aussi. Les petits cubes de smalt remplacent les fragments de marbre et de pierre, ce qui permet une plus grande variété, un plus grand éclat de couleurs, et surtout l'emploi de l'or, pour les fonds et les rehauts.

Ajoutons aux œuvres déjà citées, la belle inscription en lettres d'or sur fond bleu, entre l'*Ecclesia ex Circumcisione* et l'*Ecclesia Gentium;* c'est tout ce qui reste à Sainte-Sabine de la splendide parure exécutée sous Célestin Iᵉʳ (422-432). A Saint-Paul-hors-les-Murs, les mosaïques primitives exécutées sur l'ordre de Galla Placidia sont du Vᵉ siècle, mais il en subsiste peu de choses. On croit que l'œuvre a été refaite au VIIIᵉ, à une époque de décadence, ruinée ensuite, et restaurée aux deux tiers. Combien différentes sont les mosaïques de Capoue

(Santa Prisca), de Naples (baptistère de Soter), de Milan (Saint-Satire), ou surtout de Ravenne, au mausolée de Galla Placidia.

Ce décor de Galla Placidia, où l'influence orientale est sensible, est cependant surtout hellénistique et romain d'inspiration. Les colombes, les cerfs qui se désaltèrent, sont des thèmes familiers depuis l'âge des Catacombes, et c'est par Antioche et Alexandrie qu'ils sont arrivés à Rome. Le Bon Pasteur assis au milieu de ses brebis, joint à la beauté grecque, la majesté romaine; l'harmonie des lignes, l'opposition voulue des attitudes, la sérénité de cette pastorale sont dignes des classiques. Dans cette première œuvre de l'art ravennate, la limite reste indécise entre les influences orientales et l'école romaine, encore puissante. Celle-ci jettera un dernier éclat au VIe siècle dans l'abside des Saints-Côme et Damien.

La *fresque* a dû, plus d'une fois, remplacer la mosaïque dans les sanctuaires plus modestes; mais le décor a disparu partout avec l'enduit qui le portait; nous ne connaissons d'autres peintures que celles qui ont été conservées dans les Catacombes.

Celles-ci, depuis le triomphe du christianisme, ont changé de caractère. Les cimetières en plein air se sont multipliés, hors de la ville d'abord, bientôt à l'intérieur. Les inhumations dans les hypogées se font plus rares. Elles ne cessent pas cependant, et l'on fait par dévotion ce qu'on subissait par nécessité. Pour assurer davantage sa part de paradis, on désire être inhumé le plus près possible d'un martyr que l'on vénère, — et alors, sans respect pour les peintures, le *fossor* creuse, jusque dans le tympan de l'*arcosolium,* de nouveaux *loculi,* pour les privilégiés. *Emptum locum retro sanctos quem multi cupiunt et rari accipiunt.* Le pape Damase se montre plus réservé, lui qui n'ose se faire enterrer près des saints pour ne pas profaner leurs cendres.

Hic fateor Damasus volui mea condere membra,
Sed cineres timui sanctos vexare piorum.

Si pourtant quelqu'un y avait droit, c'était bien lui. Pendant tout son pontificat, de 366 à 384, il met tout son zèle à restaurer les Catacombes, déblaie les galeries ensablées lors des dernières persécutions, répare les tombes, établit ou refait des lucernaires (*luminaria*), sorte de cheminées creusées dans le tuf pour donner aux cryptes de la lumière et de l'air, recherche surtout les sépultures de martyrs, pour les mettre en honneur. Son œuvre la plus remarquable est la crypte des papes, église en miniature avec son tref, son cancel, le trône de l'évêque, la table du sacrifice. De grandes dalles de marbre ferment les *loculi* où reposent saint Syxte, saint Corneille, saint Urbain, saint Antéros...

Une inscription en vers latins fixe le souvenir de cette restauration. Damase a multiplié dans les Catacombes les inscriptions de ce genre, en vers médiocres sans doute, mais pleins de sentiments délicats, de renseignements utiles, et admirablement gravés par les soins du secrétaire Dionysius Filocalus.

Le IVe siècle est pour les Catacombes une époque de splendeur. Au Ve, en 410, les bandes d'Alaric y commettent les pires ravages. En 412, on cesse d'y enterrer les morts. Mais on descend avec respect dans les hypogées mystérieux où dorment les héros des premières luttes, les témoins du Christ.

« Pendant que je demeurais, dans mon enfance, à Rome, où je recevais une instruction libérale, j'avais coutume de visiter chaque dimanche, avec des condisciples de mon âge, les sépulcres des apôtres et des martyrs; nous entrions souvent dans les cryptes creusées dans les profondeurs de la terre, et dont les murs sont garnis de sépultures à droite et à gauche. L'obscurité y est si grande qu'il semble, en y pénétrant, qu'on y pourrait appliquer à soi-même le mot du prophète « qu'ils descendent vivants dans les abîmes ». De temps en temps, un peu de jour qui tombe d'en haut y tempère l'horreur des ténèbres. Dans la nuit dont ces souterrains vous entourent, vous vous rappelez ce vers de Virgile :

« Ici tout fait frissonner, et le silence même est plein d'épouvante. »

Ainsi parle saint Jérôme (*Commentaire d'Ézéchiel,* XL, 51). Chateaubriand dira un jour, dans le même ton : « La lumière lugubre des lampes, rampant sur les parois des voûtes, et se mouvant avec lenteur le long des sépulcres, répandait une mobilité effrayante sur ces objets éternellement immobiles » (*Martyrs*, v).

Cette « horreur » religieuse ne détournait pas les pèlerins. Ils accouraient en foule, surtout aux jours anniversaires, lorsqu'on célébrait la *naissance au ciel* de quelque martyr. « Chacun, dit le poète Prudence, dans son *Peristephanon,* se met gaiement en route avec ses enfants et sa femme. Ils s'avancent le plus vite qu'ils peuvent. Les champs sont trop étroits pour contenir ce peuple joyeux, et sur le chemin, tout vaste qu'il est, on voit la foule immense s'arrêter... ».

Les pèlerins prient avec ferveur, ils pleurent de joie, ils font toucher aux tombes vénérées des linges qu'ils emporteront comme reliques, un peu d'huile aussi, prise aux lampes qui brûlent dans l'ombre des « cubicula ». A la pointe du couteau, ils gravent des inscriptions dans le stuc, sans respect pour les peintures...

Beaucoup de ces *graffiti* sont insignifiants, mais comment les considérer sans émotion. Il y a des noms grecs et latins, Adrianos, Rufina, Eustachius, puis, dès le VIe siècle, des noms goths, saxons, lombards, — Arivalitus, Garibaldus... toute la barbarie qui déferle. Les voix rudes se font suppliantes. Les prières, les invocations se croisent. *Pete pro me Eustachium... Sancte Suste, in mente habeas in oratione... Dionyse zeses, bibas in Theo.*

A Saint-Sébastien, dès le IIIe siècle, les pèlerins invoquaient saint Pierre et saint Paul, qui avaient reposé tout près dans la Platonia : *Paule et Petre petite pro Victore. — Petre et Paule subvenite Primo peccatori. — Paule, Petre in mente habete Sozomenume, et tu qui me legis...*

A partir du VIe siècle, les Catacombes ne seront plus que des sanctuaires, administrés par les prêtres du titre urbain correspondant. Jean III (560-579) y fait célébrer la messe tous les dimanches. — Grégoire II (715-731) attachera aux Catacombes un groupe de prêtres spéciaux.

Le décor des cimetières souterrains s'est renouvelé peu à peu après la victoire de Constantin et sa conversion au christianisme.

Dans les catacombes comme dans les basiliques, la part du symbole diminue, celle de l'histoire augmente. Le *Chrisme* fait son apparition sous des formes diverses † ☧ ☧, c'est l'application au Christ XPιςτος d'un sigle plus ancien, qui se rencontre déjà sur les tétradrachmes d'Athènes, ou certaines monnaies de Mithridate Eupator.

Les images de la Vierge avec l'Enfant se multiplient. Le Christ préside en personne l'assemblée des Apôtres, drapé comme eux dans la toge romaine. Un souci de réalisme fait donner à telle ou telle orante des traits individuels; le type du Christ, celui de saint Pierre, et saint Paul, tendent à se fixer.

La *composition* se transforme, et semble s'inspirer parfois de la peinture ou de la mosaïque monumentale. Une fresque de Saints-Pierre et Marcellin représente le triomphe de l'Agneau, avec saint Pierre et saint Paul, au dessous les saints Pierre, Marcellin, Gorgon, Tiburce. Le faire est négligé, le dessin anguleux, mais l'ensemble est bien compris, — on dirait une esquisse pour une abside, — sans doute faut-il y voir l'imitation, le rappel d'un décor existant dans la basilique cimitériale du même nom.

Nous savons par ailleurs qu'à l'abside de Saint-Pierre, au Vatican, une mosaïque, détruite au XVIe siècle, représentait le Christ assis sur un trône entre saint Pierre et Paul, avec un encadrement de palmiers, de cerfs s'abreuvant aux quatre fleuves, et de brebis accourant vers l'Agneau debout sur un tertre.

Les brebis, à Saints-Pierre et Marcellin, sont remplacées par des saints, mais le dispositif est le même...

La fresque de Saints-Pierre et Marcellin est du Ve siècle finissant; à la même époque se rattachent les figures bien connues des saints Polycanus, Sebastus et Quirin, dans la crypte de Sainte-Cécile.

Les dernières peintures sont du VIe siècle. Deux d'entre elles sont célèbres. Elles représentent Corneille et Cyprien, Sixte II et Optat; ils portent la tunique, la planeta et le pallium.

Dès le VIIe siècle, les Catacombes sont pour la plupart délaissées.

Au VIIIe siècle on en retire les corps saints.

III. Sarcophages chrétiens. — La sculpture d'inspiration chrétienne participe à la décadence générale des arts plastiques. Elle trouve son emploi dans les basiliques; le chœur, réservé au clergé, est séparé de la nef par des clôtures ou chancels de marbre, ajourées ou couvertes de rinceaux, d'animaux symboliques; à l'entrée du chœur, une pergula, architrave de pierre ou de marbre reposant sur des colonnettes, supporte des lampes, des croix votives, des couronnes.

Le trône de l'évêque s'orne de mufles léonins, et des reliefs apparaissent à l'*ambon* destiné aux lectures. Les chapiteaux, quand ils ne sont pas empruntés à quelque temple païen, reproduisent les formes anciennes, mais sans rigueur. Le corinthien fait place au composite, où les volutes ioniques s'allient aux feuilles d'acanthe lisses. Bientôt, à la fin du IVe, apparaissent les acanthes épineuses, et leur adaptation au composite forme le principal caractère du chapiteau dit théodosien, qui triomphe dans la deuxième moitié du Ve siècle.

La tradition antique ne se perd jamais complètement, mais le sens des proportions s'atténue, les formes s'alourdissent, la facilité que donne l'emploi du trépan favorise la négligence. Parfois, mais rarement, un emblème chrétien se mêle aux motifs dérivés de l'art ancien.

Les *sarcophages de marbre* se multiplient, non plus dans les catacombes, mais à l'ombre des églises, sous les portiques de l'atrium, ou dans les cimetières en plein air; parfois un ciborium les abrite, un chancel les préserve des contacts fâcheux. Ils ont conservé la forme d'une cuve rectangulaire, que surmonte un couvercle plat, ou à deux versants, parfois même en dos d'âne ou en demi-cylindre, avec des acrotères aux angles.

Les ateliers les plus importants sont à Rome, Arles, Ravenne; ceux d'Arles et de Rome, sont de même classe; à Ravenne, l'influence orientale se fait sentir davantage. La plupart des monuments n'ont qu'une valeur artistique médiocre, sont l'œuvre de marbriers routiniers et gauches; mais, précieux témoins d'une époque, ils nous renseignent sur les conditions de l'art et du métier au IVe et au Ve siècle et, comme la peinture et la mosaïque, montrent les efforts tentés pour adapter à des « pensers nouveaux », à une théologie chrétienne, des formes antiques et des souvenirs païens.

Tel sarcophage de l'église San Francesco, à Ravenne, continue la tradition hellénistique. Sous des arcades, se voient : le Christ imberbe, assis, drapé à la romaine; il tend le rouleau de la Loi à saint Pierre, qui le reçoit dans ses mains voilées, trois autres

Cliché Anderson.

SARCOPHAGE DE JUNIUS BASSUS. (*Cryptes vaticanes.*)

apôtres se tiennent debout, un peu « courts », avec des têtes trop grosses, des mains hors de proportions.

Tel autre, à San Rinaldo, semble reproduire un décor d'abside. La scène s'encadre entre deux palmiers. Le Christ, nimbé, reçoit les hommages de saint Pierre et de saint Paul, qui de leurs mains voilées lui portent des couronnes.

Au sarcophage de Junius Bassus, conservé dans les cryptes vaticanes, les motifs sont disposés sur deux registres, et séparés par des colonnes qui supportent, en haut, une architrave, en bas des frontons alternativement courbes et à deux rampants. Dans ce décor architectural, voisinent des épisodes de l'Ancien et du Nouveau Testament : Adam et Ève près de l'arbre où s'enroule le serpent tentateur, Abraham sacrifiant Isaac, Job, Daniel entre les lions, le Christ trônant entre saint Pierre et saint Paul, l'entrée à Jérusalem, la comparution devant Pilate, l'arrestation de saint Pierre et celle de saint Paul. Tous motifs qui prennent une importance croissante.

Aux écoinçons, à peine visibles, de petits agneaux qui font les gestes du Christ et de Moïse. L'un fait jaillir de l'eau du rocher, l'autre multiplie les pains, ou ressuscite un mort, un agneau fait sur un autre le geste du baptême, c'est le souvenir de Jésus et de Jean-

Cliché Anderson.

SARCOPHAGE DIT « THÉOLOGIQUE ». (Musée du Latran.)

Baptiste. Le monument de Junius Bassus est assurément le chef-d'œuvre du genre ; aucun autre ne peut rivaliser avec lui pour la technique et pour l'expression.

Enfin, beaucoup de sarcophages, au lieu de diviser les sujets par des colonnettes, des arbustes et des niches, les juxtaposent sans séparation en un ou deux registres, deux le plus souvent, et donnent à distance l'idée d'un sujet unique, développé en frise continue. Parfois, un médaillon, au milieu du registre supérieur, contient l'image de deux défunts : c'est l'*imago clypeata,* en forme de bouclier, qui consacre l'effigie de l'époux et de l'épouse ou de deux amis inséparables. Les figures étaient ébauchées d'avance, en attendant les commandes.

Le sarcophage dit Théologique est le plus caractéristique de la série. Les portraits sont restés frustes, mais les scènes juxtaposées sont choisies avec soin, et diposées avec symétrie. Aux angles, d'une part, la résurrection de Lazare, l'eau jaillissant du rocher, — de l'autre, la création de la femme et l'Adoration des Mages.

Les attitudes sont bien étudiées, et malgré une certaine lourdeur de formes, il y a de la vie, du mouvement, et un heureux balancement de lignes, le modelé des nus est assez juste. Mais l'intérêt iconographique dépasse de beaucoup la valeur artistique. Création de la femme à laquelle assistent les trois personnes de la Trinité, — Dieu (figuré par le Christ imberbe) donnant à nos premiers parents la gerbe et la brebis, symboles du travail qui sera désormais leur lot, — Adoration des Mages aux costumes persans, avec saint Joseph derrière le trône où figure Marie en « Majesté », — la multiplication des pains, le miracle de Cana, que Jésus opère avec son bâton de magicien, jusqu'à un coq, qui rappelle le reniement de saint Pierre; chaque détail mérite d'attirer notre attention.

Ces sujets, d'autres encore de même nature, l'hémorroïsse, l'aveugle-né, le paralytique, se répètent à satiété sur de nombreux sarcophages.

Les sculpteurs ont leurs cahiers de modèles, comme les peintres de catacombes ou

Cliché Alinari.

SARCOPHAGE DE JONAS. (Musée du Latran.)

d'églises; l'ordre des figures importe peu, ou leur nombre[1]. La fréquence et la monotonie de ces répétitions rendent d'autant plus frappante l'absence de certains sujets, le peu de place qu'occupe la Passion du Christ. Pilate, le reniement de saint Pierre, parfois le portement d'une croix symbolique, rappellent seuls la tragédie du Calvaire, deux gardes au pied d'une croix évoquent la résurrection. Mais jamais le Crucifié n'apparaît sur son gibet. Rien, d'ailleurs, ne rappelle trop vivement les souffrances et les angoisses du Christ.

L'art hellénistique reste fidèle à cette consigne, mais l'art d'Orient, plus réaliste, montre dès le ve siècle moins de réserve. A Rome, la tradition grecque domine encore et fournit les modèles.

Le Jonas du Latran est à ce point de vue d'un particulier intérêt. Le monstre deux fois répété, est traité avec beaucoup de verve. C'est le même qui menaçait Andromède, ou épouvantait les chevaux d'Hippolyte, Jonas sous la cucurbite rappelle à y méprendre

1. Ce nombre croissant de *sujets* peut s'expliquer, je crois, par le fait que les sarcophages ne sont plus exposés dans une crypte, mais isolés, en plein air, dépouillés de leur cadre primitif. Il semble que l'on veuille reporter sur le tombeau tout ce qui se voyait jadis aux parois du cubiculum : allusions à la liturgie des morts, scènes de l'Ancien et du Nouveau Testament, symboles de foi et d'espoir. Ainsi, au XIVe siècle, les rétables hériteront, dans une certaine mesure, de la peinture murale.

Endymion ou Adonis mourant; aux thèmes des Catacombes, disposés vaille que vaille, partout où il y a une place vacante, — la source d'eau vive, l'arrestation des apôtres, Lazare, et la petite boîte d'où émerge Noé, — s'en joignent d'autres, le berger, l'enfant aux grues, le pêcheur à ligne, qui viennent en droite ligne d'Alexandrie.

La *lipsanothèque de Brescia,* merveilleux coffret d'ivoire destiné jadis à contenir des archives, nous offre les mêmes thèmes que les sarcophages. Portraits en médaillons, histoires de Jonas ou de Suzanne, de l'hémorrhoïsse, d'Ananie et Saphire, Bon Pasteur, scènes habituelles de la Passion, sans oublier Judas pendu à l'arbre, et un poisson suspendu à un clou, histoire et symboles sont traités avec beaucoup de finesse et un art savant.

Non moins admirable est la *chaire de Saint-Maximien à Ravenne,* où apparaissent, taillées dans l'ivoire, de grandes figures en pied, et de multiples épisodes de l'histoire de Joseph ou de l'enfance du Christ (*Voir gravure, p. 804*).

Peu de bois sculptés ont été conservés, mais les *portes de Sainte-Sabine* dénotent encore une certaine virtuosité; les encadrements de fleurs et de fruits sont d'une grande richesse, les sujets traités sont empruntés comme les décors des sarcophages, à l'Ancien et au Nouveau Testament; de facture inégale, ils témoignent parfois d'un grand art de composition, ainsi par exemple, l'enlèvement d'Élie au ciel dans un char de feu.

Les mêmes thèmes se traitent à plus petite échelle sur des pyxides d'ivoire, des verres églomisés, coupes ou plats à fonds d'or découpé, des lampes d'argile ou de bronze; un même souffle anime tous les arts, une même inspiration se trahit partout, avec des moyens différents.

Enfin il y avait une toreutique et une orfèvrerie chrétiennes. L'église a ses vases sacrés, d'or et d'argent, *scyphoi, amae,* nécessaires au culte. Ils ne nous sont guère connus que par des textes ou quelques détails de mosaïque ou de fresque. On comprend dès lors l'intérêt qui s'attache aux plats d'argent repoussé, aux pyxides, et surtout à la coupe découverte à Antioche en 1910, et connue sous le nom de Calice Kouchakji. Son authenticité a été fortement suspectée, elle est généralement admise aujourd'hui, mais on ne s'accorde pas sur son origine et sa date.

La coupe ovoïde est enveloppée d'un réseau de treilles, où pendent des grappes de raisin. Dans ce décor très constantinien, des personnages sont assis, le Christ et ses apôtres. Œuvre étrange, d'un art délicat, d'une réelle beauté, sortie vraisemblablement d'un atelier syrien au IVe siècle.

La sculpture en relief, de bois ou de marbre, reste en faveur jusqu'au VIe siècle; la sculpture en ronde bosse disparaît de l'art religieux à partir de Constantin.

On ne trouve à citer que quelques pièces de date indécise, ou d'origine contestée. La plus intéressante, assurément, est une statue du Musée chrétien des Thermes, à Rome. Elle a 0m,71 de haut, et représente le Christ jeune, imberbe, assis sur un trône, drapé dans sa toge, tel qu'il apparaît aux reliefs des sarcophages, ou à la mosaïque des absides. Faut-il l'attribuer, comme on l'a fait, à une secte gnostique? Son origine est mystérieuse. Toujours est-il qu'elle reste isolée, et que des siècles passeront avant que reparaisse, dans l'histoire de l'art chrétien, une statue du Christ.

CHAPITRE III

BYZANCE ET L'ART BYZANTIN

I. La question d'Orient. — La capitale fondée par Constantin sur le Bosphore, porte le nom de Nova Roma, et c'est bien une nouvelle Rome, qui est comme l'autre construite sur sept collines, et comme l'autre possède son Forum, un Capitole, des Thermes, des basiliques, un hippodrome, un palais impérial. Mais ces ressemblances sont bien superficielles, les différences sont plus nombreuses et profondes.

La Rome nouvelle est une ville chrétienne, et uniquement chrétienne, aucun monument n'y rappelle les grandeurs de l'ancien paganisme déchu, et c'est une ville grecque plus que romaine; le latin reste quelque temps langue officielle, mais le grec est la langue courante dès le IVe, et la seule au VIe siècle.

Les rues tracées en terrain vierge sont plus régulières et se coupent à angle droit, comme celles d'Antioche ou d'Alexandrie, et la mésé, la grand rue du milieu, est bordée de colonnades telles qu'on en voit encore à Palmyre. Et c'est aussi une ville d'Orient, située aux confins de l'Europe et de l'Asie, ouverte à toutes les influences. Et c'est enfin une ville *impériale,* créée par la volonté de l'empereur, une ville sans passé, où l'empereur est tout. Au centre de l'Augusteon s'élève, symbolique, sur une colonne de porphyre, une statue d'Apollon portant la couronne radiée, mais Apollon a les traits de Constantin « répandant la vie et la lumière sur sa création ». C'est lui qui donne l'impulsion aux artistes, fait de Constantinople une ville d'art; et s'il y a dès l'origine de la capitale nouvelle un art byzantin, c'est précisément à cause de cela.

L'art byzantin à sa naissance, c'est en effet l'art de la cour impériale, un art officiel, un art du palais, qui n'est pas d'abord un art religieux, mais qui impose sa marque à l'art

Byzance et l'art byzantin. — A. A. Vasiliev, *Histoire de l'empire byzantin,* 2 vol., 1932. — Strygowski, *Orient oder Rom*, Leipzig, 1901. — Ch. Diehl, *Manuel d'Art byzantin,* 2e éd., 1925-26. — O. M. Dalton, *Byzantine art and archeology*, Oxford, 1911. — L. Brehier, *L'art byzantin*, 1924. — G. Millet, *L'art byzantin* (dans Michel, *Histoire de l'art*). — Hayford Peirce et Royall Tyler, *L'art byzantin* (en cours de publication). — Ch. Diehl, *Justinien et la civilisation byzantine au* VIe *siècle*, 1901. — Muratof, *La peinture byzantine,* 1926. — A. Grabar, *La décoration byzantine,* Bruxelles, 1928. — Salzemberg, *Alt Kristliche Baudenkmale von Konstantinopel von* V *an* XII *Jahrhundert,* Berlin, 1855. — Corrado Ricci, *Ravenna,* Bergame, 1921. — G. Calassi, *Roma o Bisanzio* (Mosaïques de Ravenne), Roma.

religieux, et ne s'en distingue pas d'ailleurs absolument, car tout ce qui touche à l'empereur est considéré comme sacré, et le cérémonial du palais est une véritable liturgie. Cet art aulique est d'abord un art profane, mais intimement uni à la religion.

La croix est partout dans la ville nouvelle. Sur le Forum Milliarium on la voit entre les mains de l'impératrice mère, la pieuse Hélène, avec cette inscription : « A Jésus-Christ Notre-Seigneur, pour la gloire de Dieu son Père. » Ailleurs se dresse un labarum en or ciselé. Nous connaissons mal le Palais impérial construit par Constantin, orné par lui, sans cesse enrichi par ses successeurs; mais nous savons que dans la Grande salle, le plafond était traversé par une « croix gigantesque en pierreries ».

L'art byzantin est d'abord une tendance, une inspiration dont on peut chercher la source par delà Constantin et la fondation de Constantinople. Les premiers monuments où l'art byzantin se révèle peuvent, dit Mr Hayford Peirce, être datés de façon précise, et le premier exemple qu'il cite, est « le groupe de porphyre encastré à Venise dans le mur extérieur de Saint-Marc, et qui se situe aux environs de 300 ». Ce sont les *tétrarques,* ou plus exactement la tétrarchie, symbole impersonnel de l'association des maîtres du monde. Le paradoxe n'est qu'apparent. Dejà dans cette œuvre étrange se révèlent des traits qui seront caractéristiques de l'art byzantin, recherche de la couleur, stylisation du dessin, subordination du détail à l'ensemble, « chaque trait étant régi par une échelle minimum, au-dessous de laquelle le détail est supprimé, échelle commandée par la distance à laquelle le spectateur doit se mettre afin d'embrasser le monument d'un regard. Cette discipline, méconnue par les Grecs depuis la période archaïque, sera observée pendant tout le développement de l'art byzantin ».

Mais ce n'est là qu'une lueur d'aurore. L'élan décisif est donné par Constantin, qui s'entoure d'une cour fastueuse, multiplie les constructions. D'autres marcheront sur ses traces. Artistes et ouvriers, pour réaliser leurs rêves de grandeur, transposent, à leur manière dans une langue orientale, l'idéal du beau hellénique. C'est à l'Orient, que l'art nouveau encore en germe, empruntera la plupart de ses moyens d'expression.

Tel n'était pas l'avis, jadis, des historiens pour qui l'art de Byzance n'offrait qu'une suite assez inférieure, une sorte de déformation de l'art romain appliqué au christianisme. La thèse contraire est soutenue avec beaucoup de talent et de verve par J. Strygowski, dans son ouvrage *Orient oder Rom,* paru en 1902. Pour lui l'action de Rome est nulle; la source de l'art byzantin doit se chercher en Arménie, en Perse, jusque dans l'Inde et au delà. Sans aller aussi loin, il faut bien admettre que l'action de l'Orient est manifeste. Les romanistes les plus convaincus se voient obligés à des concessions. La question ne se pose pas sous forme de dilemme.

Dans la formation de l'art byzantin, Rome a eu sa part, moindre qu'on ne croyait, réelle pourtant; l'Orient surtout a eu la sienne, qui dès la fin du IVe siècle a été prépondérante. Byzance à cette époque reçoit plus qu'elle ne donne. Il y a un art de Byzance, déjà plein de promesses, mais il y a aussi un art d'Alexandrie, un art d'Antioche ou d'Éphèse qui ne se confond pas avec lui.

Il serait plus juste de dire un art d'Égypte, de Syrie, d'Asie Mineure : car dans les grandes villes, ce qui domine c'est, comme à Byzance, l'influence hellénistique; mais dans l'arrière-pays, l'influence grecque est moins profonde, et les réactions nationales y sont plus vives, plus vives aussi les influences de la Perse sassanide.

Il semble bien en effet que la Perse de Sapor et de Chosroès ait joué un certain rôle dans cette histoire. Les princes de la dynastie Sassanide, qui en 226 ont succédé aux Arsacides, restaurent l'antique religion des Mages, réveillent le vieil esprit national, battent en brèche la puissance romaine, se montrent en tout hostiles à l'hellénisme. Le palais royal de Ctésiphon, dont les ruines imposantes ont beaucoup souffert du tremblement de terre en 1929, est tout l'opposé d'un édifice grec ; l'art sassanide aime le colossal, le surhumain, dédaigne la proportion et la mesure, la netteté de la ligne architecturale, cherche son effet dans la masse, se passionne pour la couleur et en tire l'essentiel de son décor. L'emploi de la brique, la rareté du bois de construction inspirent aux architectes des techniques originales, des plans inconnus à l'art grec, des combinaisons de lignes et de formes où l'arc, la voûte, la coupole, jouent le plus grand rôle.

Des tissus aux belles couleurs, où une géométrie savante se mêle à des représentations humaines ou animales étrangement stylisées, suggèrent aux décorateurs une esthétique nouvelle, qui n'a plus rien de commun avec celle de l'antique Hellade.

ASSOUAN. MONASTÈRE DE SAINT-SIMÉON.
(*Deir Amba Samâân.*)

Tout l'art chrétien du IVe et du Ve siècle a subi plus ou moins l'influence de la Perse Sassanide.

Alexandrie d'Égypte reste fidèle à la tradition grecque ; le goût alexandrin se traduit par une certaine recherche de somptuosité, des revêtements de marbre sur les murailles, ou leur imitation en peinture, et aussi par des portraits, des scènes de genre d'un réalisme piquant, des paysages, des scènes pittoresques, chasses, pêches, barques voguant sur le Nil, animaux exotiques. Dès le Ier siècle avant Jésus-Christ, l'Italie s'est engouée de cette imagerie aimable : Herculanum, Pompéi, Rome, Tibur en offrent de nombreux témoignages. L'art chrétien des catacombes, à ses débuts, lui doit plus d'une pastorale ; les mosaïques de Sainte-Constance, de Saint-Jean de Latran, de Sainte-Marie-Majeure en ont gardé le souvenir.

Mais à côté de cet art païen et grec, il y en a un autre, l'art copte ou art chrétien d'Égypte qui puise ailleurs ses inspirations. Dans les monastères de Saint-Jérémie, de Saint-Siméon ou de Saint-Mamas, à Baouit ou dans les solitudes de la Thébaïde (couvent blanc, couvent rouge), on voit des constructions médiocres, mais originales, des fresques qui ne doivent rien aux Alexandrins, des chapiteaux théodosiens à l'acanthe frisée, mêlés à des sculptures en méplat, des ornements stylisés, des entrelacs qui trahissent une origine orientale.

En Syrie, même dualisme. On sait l'importance d'Antioche dans les origines chrétiennes. C'est par Antioche que la vérité nouvelle a pénétré à Rome, et la peinture des catacombes lui doit plus d'une inspiration ; mais si elle a fourni aussi des modèles, — ce qui est probable, mais pas sûr, — ils n'apprenaient rien de nouveau à des ouvriers romains, formés à la technique hellénistique. Si les églises d'Antioche ont disparu, nous en connaissons les types :

basilique constantinienne, édifice octogonal à coupole centrale; par contre, dans le Hauran, dans la Syrie du nord, M. de Vogüé, d'autres après lui, ont découvert une quantité d'églises de pierre, voûtées en berceau, ou couvertes de coupoles, d'un modèle inconnu jusque-là. Ainsi la basilique de Roueiha, qui est du IVe siècle, celle de Mouchabbak du Ve, celles de Tourmanin surtout, et de Qalb-Louzé du VIe siècle, parmi les plus belles, sans atrium, mais avec un porche monumental surmonté d'une grande arcade et cantonné de deux tours.

Le joyau de cet art Syrien, du Ve siècle, c'est le monastère de Kalat Seman, construit à la gloire de saint Siméon le Stylite, mort en 459, et dont les admirables ruines se trouvent à 43 kilomètres d'Alep. Au centre d'une cour octogonale se dressait la colonne au sommet de laquelle le pieux anachorète passa vingt années. Quatre basiliques convergent vers ce point central et forment une grande croix. Le plan est d'une extrême originalité, l'appareil est soigné : arcades, piliers, colonnes sont d'un bon dessin, et l'ornementation est d'une richesse tout orientale.

En Asie Mineure, c'est encore par douzaines que l'on a retrouvé les églises datant du Ve au VIIIe siècle, aujourd'hui en ruines, mais témoignant par leur nombre et leur qualité d'une activité chrétienne extraordinaire, et d'un grand mouvement artistique : églises de Daoulé, églises de Bir bin Kilissé, quantité d'autres églises éparses en Lycaonie ou en Cappadoce. Ce sont parfois des basiliques à une nef, sans tribunes, avec un porche étroit entre deux tours carrées, comme en Syrie, souvenir du hilani hittite, voûtées aussi, avec des arcs outrepassés reposant sur des piliers trapus, et des colonnes engagées sans chapiteau, parfois une simple abaque en tenant lieu. — Parfois aussi des sanctuaires à plan central. Construits en pierre, ils rappellent dans une certaine mesure les églises de Syrie; mais dans le sud de la province, et à l'ouest, on découvre des basiliques en briques, couvertes en charpente, ou des édifices à plan central, en briques eux aussi, et couverts d'une coupole.

Ni la coupole, ni la voûte ne sont des inventions récentes. La coupole était connue des Chaldéens, et l'on a retrouvé des voûtes en plein cintre au Ramesseum de Thèbes (XVIIe dynastie vers 1280 avant Jésus-Christ); d'autres plus anciennes encore remontant au roi Zéser de la IIIe dynastie (vers 2800). La construction de briques crues était familière aux Égyptiens comme aux Sumériens, mais les Romains avaient excellé dans l'emploi de la brique cuite. Les Anatoliens y excellent à leur tour; ils adaptent la voûte en berceau et la coupole de briques à de grands édifices religieux, et imaginent des procédés nouveaux de construction.

A Constantinople, on n'ignore aucune de ces recherches, mais l'influence orientale est atténuée, en quelque sorte filtrée, par la tradition grecque. Les architectes font leur choix entre les diverses formules. Ils préfèrent la brique à la pierre, laissent à d'autres la voûte en berceau, l'arc brisé ou outrepassé, l'arc en fer à cheval, qu'adoptera l'art musulman; ils tempèrent par le souci très grec de la mesure, de la ligne, de la proportion, l'exubérance des architectes et décorateurs d'Orient.

« Il va de soi, dit M. Peirce, que Constantinople ne fut pas le lieu où cet art naissant rencontra les plus puissantes influences de l'Orient et que ce ne fut pas non plus le lieu où cet art accueillit des traditions hellénistiques plus vivaces que celles que mettaient en avant Rome, Alexandrie et Antioche. Mais Constantinople, capitale d'un nouvel empire, successeur de l'empire de l'hellénisme et de Rome, rivale des empires orientaux, foyer de l'Église chrétienne d'Orient, était le seul endroit, comme l'a fort bien montré Diehl, où un art composé des éléments de l'Orient et de l'hellénisme pût devenir, par son contenu intime et par sa mission vitale, un art chrétien, impérial, un art universel, tel que ne pouvait manquer de l'être l'art de Byzance. »

Au VIe siècle s'achève la lente évolution commencée au IVe; sous un prince ami du faste, toutes les formules éparses trouvent dans la capitale de l'empire leur consécration définitive.

Il n'est plus question de basiliques constantiniennes, à trois ou cinq nefs parallèles; la coupole triomphe à *Sainte-Irène,* — transformée aujourd'hui en arsenal, — aux *Saints-Apôtres*, église grandiose construite de 536-546, en forme de croix, sur la colline où s'élève aujourd'hui la mosquée du Sultan Mahmoud; à *Sainte-Sophie* surtout, qui forme en quelque sorte la synthèse de l'art d'Orient, le chef-d'œuvre de l'art byzantin.

II. Sainte-Sophie. — Durant la sédition *Nika* qui faillit, en 532, emporter le trône de Justinien, plusieurs édifices religieux avaient été la proie des flammes. Parmi eux se trouvait la palatine, « Sainte-Sophie », dédiée à Dieu sagesse suprême. Pour célébrer le triomphe de l'orthodoxie, l'empereur décida de remplacer la modeste basilique par un sanctuaire gigantesque, « une église telle que depuis Adam il n'y en eut jamais, et qu'il n'y en aura jamais plus... ». Deux architectes d'Asie Mineure, Anthémius de Tralles et Isidore de Milet réalisèrent le rêve du souverain. Selon une pratique déjà ancienne, les gouverneurs des provinces envoyèrent à Constantinople « pour bâtir la merveilleuse église gardée de Dieu, les dépouilles les plus somptueuses des temples antiques ».

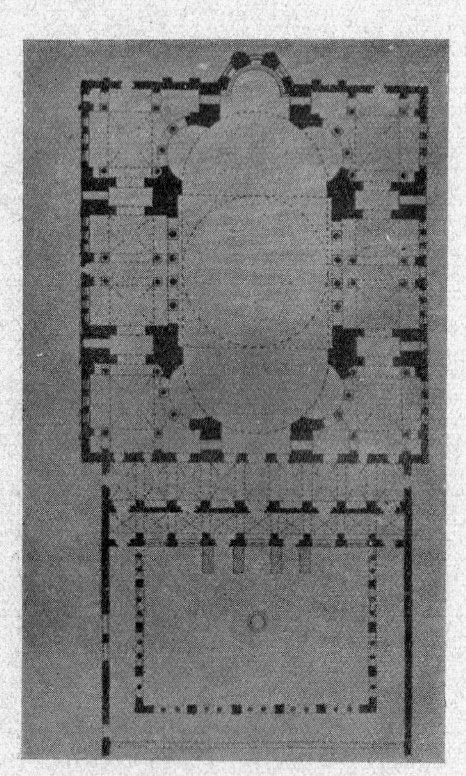

PLAN DE SAINTE-SOPHIE.

Justinien puisa sans compter dans le trésor impérial, — un fleuve d'argent coulait, remarque un contemporain, Jean Lydus, — s'intéressa aux constructions, stimula les ouvriers, donna aux architectes les conseils les plus judicieux, qu'un ange du ciel lui suggérait à mesure des besoins...

Le 27 décembre 537, il entra dans Sainte-Sophie, et arrivé à la porte royale, courut jusqu'à l'ambon placé sous la grande coupole, tendit les mains au ciel et s'écria : « Gloire à Dieu qui m'a jugé digne d'accomplir une telle œuvre. O Salomon, je t'ai vaincu. » Cinq années avaient suffi pour achever la colossale entreprise.

Après quatorze siècles, le merveilleux édifice est toujours debout. Quatre minarets qui l'encadrent rappellent que, depuis 1453, il a été transformé en mosquée; mais s'il a perdu son âme, il a gardé ses formes architectoniques et ses caractères essentiels.

Respectueux de la tradition, les architectes ont fait précéder l'église d'une cour rectangulaire entourée de portiques — l'atrium des basiliques romaines. L'atrium, à Saint-Sophie, est en partie détruit, encombré de constructions parasites; mais il est conservé presque intact à Sainte-Irène, et se retrouve dans la plupart des grandes mosquées. Paul le Silentiaire nous en donne cette description :

« Au pied de l'église divine, à l'ouest, on voit une cour (αὐλή) entourée de quatre portiques; l'un est lié au narthex, tandis que les autres s'ouvrent en de multiples passages. Sur le précieux ombilic de cette longue cour, se dresse une très vaste phiale (φιάλη) taillée dans la montagne d'Iasos, où une eau bruyante jaillit dans l'air, d'un jet fort, bondissant d'un tuyau de bronze, d'un jet qui chasse tous les maux, lorsque le peuple, au mois des tuniques d'or (janvier), pendant la fête de l'Initiation divine (εοῦ κατὰ μύστιν ἑορτήν), la nuit, puise dans des vases une eau incorruptible; d'un jet qui proclame la puissance de Dieu, car jamais la pourriture ne l'atteint, même lorsque pendant plusieurs années, hors de la source, enfermée dans le creux d'une cruche (κάλπιδος ἐν γύαλοισι), elle reste dans les maisons » (*Desc. Sainte-Sophie,* v, 590 sq.).

A l'atrium succède le *Narthex*, galerie transversale, qui donne accès par neuf portes à l'intérieur de l'édifice.

Les anciennes basiliques, couvertes de charpente, étaient fort exposées au danger d'incendie. On ne l'avait que trop vu pendant la sédition de 532. L'église de Justinien devait être couverte « en dur ». Il était loisible aux architectes de conserver la disposition en rectangle, et de remplacer tout simplement le toit par une voûte en berceau, ainsi que faisaient les Syriens du ve siècle; à la voûte ils préférèrent la coupole : toute la construction sur plan carré dériva de là. Le procédé n'était pas nouveau. La coupole a été utilisée en Orient par les Assyriens; les Romains en ont fait un très bel usage, — mais seulement pour couvrir un édifice circulaire, comme le Panthéon d'Agrippa, qui est un chef-d'œuvre du genre, ou un octogone (le Nymphée dit Minerva Medica ou le Tombeau de Dioclétien à Spalato).

C'est en Orient qu'on a étudié d'abord la coupole sur plan carré. Le problème est de passer du carré au cercle, pour cela on utilise les *trompes d'angle* (petites niches en forme d'entonnoirs), puis les *pendentifs* (triangles sphériques, appliqués dès 445 au mausolée de Galla Placidia).

Sur l'anneau de maçonnerie ainsi constitué repose la coupole dont la flèche peut être plus ou moins accentuée, hémisphérique, surbaissée en calotte ou surhaussée. Une construction de ce genre exerce naturellement des poussées en tous sens, et tend à écarter les supports. Les Romains annulaient ces poussées par leur système de construction en blocage, — véritable monolithe comme notre ciment armé, — et l'épaisseur donnée aux supports (les murs du Panthéon ont 6 mètres).

A cette architecture *statique,* qui agit surtout par la masse et le poids, les Byzantins substituent une architecture *dynamique,* où l'équilibre est obtenu par des *forces* qui s'annulent mutuellement, ce qui permet de faire des coupoles plus grandes et plus légères à la fois, de les porter plus haut dans l'espace, et donne naissance à des plans très variés.

Diverses applications de cette méthode avaient été tentées déjà, sinon à Sainte-Sophie de Salonique qui n'est pas sûrement du ve siècle, du moins à Sainte-Irène de Constantinople; à Sainte-Sophie de Constantinople, Anthemius de Tralles et Isidore de Milet firent à grande échelle la synthèse des efforts et des expériences de tout un siècle.

La coupole centrale, qui commande toute la construction, est épaulée à l'est et à l'ouest (chœur et entrée, car l'église est orientée) par deux niches ou demi-coupoles; au nord et au sud, par deux arcs de tête, reposant sur de fortes piles.

Les *arcs de tête* sont contrebutés à leur tour par les collatéraux; les *demi-coupoles*, par deux coupoles plus petites, reposant sur des colonnades; enfin deux berceaux achèvent

Cliché Sebah.

INTÉRIEUR DE SAINTE-SOPHIE.

d'assurer l'équilibre, l'un à l'est, qui s'achève en cul-de-four, l'autre au sud qui s'appuie au narthex.

Les grands arcs du nord et du sud auraient pu rester ouverts, et déterminer ainsi une grande croix.

Pour assurer la solidité, et aussi, semble-t-il, pour donner à ce plan carré une dominante en longueur, les architectes ont fermé les arcs par un mur ajouré, qui repose sur une colonnade à deux étages, réservant ainsi des *tribunes*.

La *coupole* a 31 mètres de diamètre, et s'élève à 56 mètres du sol. Notons, à titre de comparaison, que la voûte de la cathédrale d'Amiens atteint 41 mètres, celle de Beauvais 48.

Elle repose sur quatre piliers gigantesques, construits avec le plus grand soin, chaque lit de pierre reposant sur une feuille de plomb qui assure l'égale répartition des charges; les pierres sont reliées l'une à l'autre par du ciment et des crampons de métal.

Elle est construite, non plus à la romaine, en blocage, soutenu par une armature de maçonnerie noyée dans le béton, mais en tuiles légères fabriquées à Rhodes avec une terre blanche et spongieuse, 14 tuiles rhodiennes ne pesant pas plus qu'une tuile ordinaire. Chaque tuile porte une inscription : « Dieu est au milieu d'elle et elle ne sera pas ébranlée », « Dieu lui viendra en aide chaque jour », et des reliques sont incorporées à la maçonnerie.

Mais les tremblements de terre sont fréquents à Byzance : la coupole merveilleuse, ouvrage admirable et terrifiant tout ensemble, selon le mot de Procope, inaugurée en 537, était déjà lézardée en 553. Elle s'écroula en 558, le 7 mai. Ce fut une stupeur.

Le neveu d'Isidore de Tralles fut chargé de la reconstruire. Pour diminuer la poussée, il augmenta sa flèche de 30 pieds, et, pour renforcer les arcs formerets, il les noya dans la maçonnerie. En 562, le mal était réparé, et le 24 décembre, veille de Noël, la basilique était inaugurée à nouveau, en présence de l'empereur et du patriarche Eutychius. C'est à cette occasion que Paul le Silentiaire écrivit son poème de la « Description de Sainte-Sophie », infiniment précieux à qui veut se figurer dans toute sa splendeur l'église de Justinien.

Pénétrons dans la « grande église » par la porte royale du narthex; l'immense vaisseau se découvre brusquement à nos yeux, admirable de proportion, d'une incomparable ligne architecturale. Au-dessus de nos têtes se déploie la coupole, divisée en quarante fuseaux par des nervures saillantes ; à la base sont ouvertes des fenêtres, couronne de lumière qui donne à la construction quelque chose d'aérien. « Elle semble moins, disait Procope, reposer sur la maçonnerie qu'être suspendue à une chaîne d'or du haut du ciel. » Et voici les grands pendentifs qui raccordent « le cercle au carré », les arcs, les piliers, les demi-coupoles de butée, les colonnades latérales qui conduisent le regard jusqu'au chœur.

Nous y cherchons en vain l'autel, et nos yeux sont blessés à la fois par l'absence d'un élément essentiel, et par une choquante dissymétrie. Sainte-Sophie, transformée en mosquée par les Turcs, ne répond pas exactement aux exigences de la loi musulmane, elle n'est pas orientée vers La Mecque. Il a fallu pour corriger ce défaut radical, placer le *mirhab,* qui indique la direction de La Mecque, un peu sur le côté. Mirhab, minbar, ou chaire à prêcher, tribune de chanteurs, tapis et nattes sont disposés d'après cet axe fictif qui n'est pas celui de l'église.

Aux pendentifs, d'affreux cartouches ronds, qui portent le timbre du prophète, rompent la ligne architecturale. Enfin, suprême disgrâce, une partie du décor a disparu.

Le décor, à Sainte-Sophie, l'effet de parure et de couleur qui entre par moitié dans l'architecture byzantine, était obtenu par des revêtements de marbre et de mosaïques. La Rome des Césars avait déjà ce goût des placages somptueux. Ici il est porté à l'extrême. Les carrières de Proconèse, d'Eubée, de Phrygie, de Numidie, ont fourni leurs échantillons les plus rares. L'Égypte y a joint ses porphyres rouges, la Laconie ses brèches; jusqu'à la naissance des voûtes, se dressent les grandes dalles veinées, patinées par les siècles. Du temple de Diane à Éphèse proviennent les hautes colonnes de vert antique, dont le ton contraste avec la teinte plus claire des chapiteaux et des arcades.

Au-dessus de ce soubassement, très riche, mais volontairement un peu froid, resplendissaient des mosaïques à fond d'or ou bleu turquoise, qui couvraient les coupoles, les voûtes, les arcades mais sont aujourd'hui invisibles, les Turcs ayant recouvert de badigeon et d'ornements « neutres » toutes les figures anthropomorphiques.

« Car, disent les *hadits* ou conversations du Prophète, qui complètent le Coran, les Anges n'entreront pas dans une maison où il y a une image. Celui qui a fait une image sera mis en demeure, au jour de la Résurrection, de lui insuffler une âme, mais il ne pourra pas le faire. »

« Malheur à celui qui aura peint un être vivant.

« Gardez-vous donc de représenter soit le Seigneur, soit l'homme, et ne peignez que des arbres, des fleurs et des objets inanimés... »

A l'époque de Justinien, la coupole était ornée d'une grande croix, se détachant sur un semis d'étoiles. Aux écoinçons, se dressaient quatre grands séraphins, enveloppés dans leur triple paire d'ailes; dans l'abside une Vierge, la Panagia, la toute Sainte. Certaines figures se devinent encore sous le crépi, et rien n'est émouvant comme ces images, à peine entrevues, ces ombres voilées; on dirait des âmes en prison, ou des morts sous le linceul.

Les mosaïques de Sainte-Sophie, lors d'une restauration en **1847** par Fossati, ont été (en partie) dessinées par Salzemberg, — puis de nouveau recouvertes de badigeon; mais voici qu'un Américain, M. Wittemoor, a été autorisé à dégager les mosaïques à personnages. Et le travail, commencé en **1931**, a donné des résultats intéressants. Il ne faut pas s'attendre à retrouver intact le décor du VIe siècle : plusieurs parties sont ruinées; d'autres ont été refaites au VIIIe, au Xe, voire au XIIe. Dans les tribunes, certains éléments purement décoratifs ont été épargnés; l'effet en est admirable : couleurs vives et ors se détachent sur un bleu profond, comme à Galla Placidia.

La sculpture à Sainte-Sophie, est purement décorative. Les chapiteaux qui reçoivent la retombée des arcades n'ont plus rien de commun avec l'art gréco-romain, et les volutes du sommet ne suffisent pas à évoquer le souvenir de l'ordre ionique. L'effet de plastique est sacrifié à l'effet de couleur, l'acanthe stylisée ne ressort plus (et ne doit plus ressortir), ce n'est plus qu'une « broderie appliquée sur un cube de pierre ».

Les arcades sont ornées de la même façon sans aucune figure; des acanthes stylisées, d'un très faible relief, s'enroulent autour de « disques de porphyre ou de marbre vert »; dans les creux, a été coulé un ciment coloré qui fait ressortir la blancheur du marbre. C'est « un réseau compliqué et fin, ciselé sur la pierre, sans aucune recherche plastique. L'ornement sans fin, la rosace, le fleuron et d'autres motifs orientaux se mêlent à l'acanthe grecque. Mais cette acanthe dépourvue de tout modèle, adaptée aux exigences rythmiques de l'ornement, perd complètement son caractère réel, et se fond dans la masse des motifs qui l'entourent » (Grabar).

La sculpture, ainsi entendue, renonce à son effet propre, et le décor sculpté n'est plus qu'un élément de couleur en plus.

Pour bien juger Sainte-Sophie, il faut la revoir avec sa parure d'autrefois, ses marbres, ses mosaïques, l'harmonie merveilleuse de la ligne et de la couleur, et aussi, avec ce mobilier somptueux donné par Justinien, sans cesse enrichi par la générosité des fidèles; l'autel d'or massif, le ciborium, l'ambon tout couvert d'ivoire et de pierres précieuses, le trône du patriarche.

Les soirs de pannychide, **3.000** candélabres ou polycandilia d'argent, s'irradiaient de lumières et leurs flammes « vivantes » faisaient rutiler les mosaïques. « La nuit lumineuse, souriante comme le jour, dit un poète, y avait des colorations de roses... ».

L'impression était profonde ; ceux qui refusent de reconnaître à l'art byzantin un caractère religieux, peuvent méditer ces mots de Procope :

« Lorsqu'on entre dans cette église pour prier, on sent tout aussitôt qu'elle n'est point

Cliché Sebah.

INTÉRIEUR DE SAINTE-SOPHIE. (*Tribunes.*)

l'ouvrage de la puissance et de l'industrie humaine, mais bien mieux l'œuvre de la divinité; et l'esprit s'élevant vers le ciel, comprend qu'ici Dieu est proche, et qu'il se plaît dans cette demeure que lui-même s'est choisie. »

III. Mosaïques byzantines. — Églises et palais de Byzance étaient au temps de Justinien couverts de mosaïques et de peintures. Le souvenir seul en a subsisté. Aucune fresque de cette époque ne nous est parvenue; le décor de Sainte-Sophie, ou ce qui en reste, est encore masqué; celui des *Saints-Apôtres*, où était figurée la vie de Jésus, ne nous est connu que par une description de Mesarites; les mosaïques de Saint-Jean de Stoudion, celle de la *Chalcé*, au palais impérial, n'ont laissé aucune trace.

L'essentiel nous manque en fait de documentation pour étudier la peinture byzantine au VIe et au Ve siècle, et si intéressantes que soient les miniatures du rouleau de Josué ou de la Genèse de Vienne, elles ne peuvent nous renseigner qu'imparfaitement. Force nous est de chercher au dehors, dans les régions de l'empire où s'exerça le plus l'influence de la capitale.

A Saint-Georges de Salonique (Ve siècle), la coupole a conservé une large bande circulaire, divisée en huit tableaux symboliques, avec des trônes d'Etimasie, des motifs d'architecture, des saints dans l'attitude de la prière, œuvre admirable, où triomphe encore l'art hellénistique; à *Sainte-Paraskevi* (Eski-djouma), on a retrouvé sous le badigeon de belles guirlandes de feuilles, de fruits et de fleurs, également du Ve siècle; à *Saint-Démétrius*, quelques panneaux, avec des portraits expressifs, ont échappé au désastre de 1917, ils sont du début du VIe, peut-être même du Ve finissant, précieux témoins d'une évolution dont le principe est ailleurs.

Des mosaïques du VIe siècle se voient également en Istrie et en Vénétie, dans ce fond de l'Adriatique où les relations avec Byzance étaient constantes. Ainsi la basilique de *Parenzo*, construite au VIe siècle par l'évêque Eufrasius, et qui a encore son baptistère, son atrium, une partie de son pavement ancien, a conservé aussi dans son abside une mosaïque représentant la Vierge avec l'Enfant, ayant à ses côtés des anges, des saints, l'évêque Eufrasius, son frère l'archidiacre Claude, son neveu Eufrasius le jeune au dessous; l'Annonciation et la Visitation.

Ravenne, surtout, offre une série de monuments échelonnés du Ve au VIIe siècle, et qui permettent de suivre pas à pas dans une ville de province, les transformations de l'art hellénistique au contact de l'Orient. Depuis 404, Honorius en avait fait sa capitale, Galla Placidia sa sœur y avait multiplié les fondations pieuses : Sainte-Agathe, Saint-André, Saint-Pierre-Majeur. Il ne reste d'elles que la chapelle destinée à son mausolée, et dont il a été déjà question.

Ce qui est byzantin, à Galla Placidia, c'est le plan, la coupole sur pendentifs ; c'est l'importance donnée à la mosaïque, qui couvre toute la surface; c'est l'heureux effet de couleur; mais dans le détail domine encore la tradition hellénistique.

Au *baptistère des Orthodoxes,* salle de Thermes antiques, transformée entre 450 et 460 par l'évêque Néon, la mosaïque s'allie curieusement à un décor de stucs. A la coupole, une large bande, qui rappelle Saint-Georges de Salonique; quatre trônes (étimasie) y alternent avec quatre autels; au sommet de la coupole le baptême du Christ, autour duquel s'ordonne une double file d'apôtres : Pierre marche en tête avec Paul (qui remplace Judas). Séparés par des tiges d'acanthe, les apôtres sont vêtus alternativement de longues tuniques blanches avec manteau d'or, ou de tuniques d'or avec des manteaux blancs.

Les têtes sont d'une rare vigueur, les mosaïstes, des Ravennates probablement, sont maîtres de leur technique; l'influence orientale perce dans le drapé, l'attitude, le geste, le rythme surtout auquel est soumise toute la composition; mais la tradition hellénistique l'emporte encore, et c'est à elle qu'il faut attribuer le mélange de stucs et de mosaïques, la recherche des traits individuels, et dans la scène du baptistère la présence d'un Christ imberbe, — la barbe est une restauration, — et d'un *Jourdain* personnifié.

Le même Jourdain se trouve — la tête ornée de pinces de crabes — au baptistère des Ariens, qui répète, avec moins d'habileté, la scène du baptême et le défilé des apôtres ; de grêles palmiers ont remplacé les riches acanthes, les visages sont monotones, les dessins des toges pourraient presque se superposer, c'est déjà « l'esprit d'un système qui préférera l'ordre d'un canon de représentations aux contingences de l'observation de la nature » (Muratoff).

La tendance à la stylisation, plus sensible dans cette œuvre médiocre qu'au somptuaire baptistère de Néon, ne fera désormais que s'accentuer.

Ce baptistère des Ariens, construit en 520, est l'œuvre de l'ostrogoth Théodoric vainqueur d'Odoacre, roi d'Italie et, théoriquement du moins, vassal de l'empereur byzantin. Il avait été dans sa jeunesse otage à Constantinople. Esprit cultivé, et grand admirateur de la civilisation antique, il se fit, dit son épitaphe, « propagateur du nom romain ». Arien, il construisit plusieurs églises, Saint-André (détruite), Saint-Théodore (*Spirito Santo*) ; et surtout la grande « basilique de Jésus-Christ Sauveur ». Celle-ci, rendue aux catholiques en 560 par l'évêque Agnellus, devint alors « Saint-Martin au Ciel d'or ». Ce n'est qu'au IXe siècle qu'elle prit le nom de Saint-Apollinaire-Neuf, lorsqu'on ramena dans la cité les reliques du saint, conservées jusqu'alors à Classis.

Le plan est, notons-le, celui des premières basiliques, à trois nefs, mais les colonnes portent le chapiteau byzantin à imposte, et les murailles sont ornées, jusqu'au plafond, de mosaïques à fond d'or. Entre les fenêtres, se dressent des personnages en pied, ils portent la tunique laticlave, et sur leur manteau apparaît un grand gamma. Ils ont une belle et noble allure, mais aucune inscription, aucun emblème ne nous aident à les identifier. Certains au moins d'entre eux doivent appartenir à l'Ancien Testament, car des litanies grecques, qui se chantaient à Ravenne, invoquaient les patriarches et les prophètes, *Pater Abraham, Pater Isaac, Pater Jacob, Pater Melchisedech, omnes patriarchae Dei, Sancte Moyses, Sancte Aaron, Sancte Elia, Sancte Henoch, Sancte Samuel, Sancte Hieremia, Sancte Isaia, Sancte Zacharia, Sancte Joannes Baptista, omnes prophetae Dei...* Parmi eux se trouvent sans doute les Apôtres, mais rien ne les distingue. Tous ont le nimbe, et au-dessus d'eux, au registre supérieur, se déploie une *coquille,* sorte de dais honorifique, en usage dès le IVe siècle (fifi. p. 904).

Tout en haut, entre les coquilles, apparaît une série de scènes inspirées de l'Évangile, « le premier des chefs-d'œuvre de peinture byzantine parvenu jusqu'à nous » (Muratoff). Rien n'est plus instructif que de les comparer à celles qui décorent la nef de Sainte-Marie-Majeure. Ici la mosaïque n'essaie pas de rivaliser avec la peinture, elle obéit à ses lois propres, et à sa technique : le sujet est simplifié, le décor pittoresque réduit à l'extrême, les attitudes sont calmes et l'on cherche moins à exprimer un mouvement qu'à indiquer un état. Les tableaux, bien que placés trop haut, comme à Sainte-Marie-Majeure, sont néanmoins d'une lecture plus facile.

Le décor se complétait de deux longues frises, reposant directement sur les arcades, et représentent, croit-on, la cour de Théodoric. Elles ont été grattées sous Justinien. Il n'en reste plus que deux fragments, près de l'entrée, l'image du port de Classis, et le palais de Ravenne ; encore a-t-on supprimé de la façade les effigies royales qui s'y trouvaient jadis.

Théodoric mort, son œuvre continue. Deux hommes, à Ravenne, sont passionnés pour a beauté de leur ville, l'évêque Ecclesius, et le banquier Julien, *Julianus argentarius*. Celui-ci est venu de Byzance, agent, croit-on, de l'empereur Justinien qui soutient de toutes ses forces contre l'arianisme le parti de l'orthodoxie.

En 526 et 534, l'évêque Ecclesius commence la construction de *Saint-Vital* sur l'emplacement d'un temple antique. L'église, octogonale, n'a rien d'une basilique latine. Elle est édifiée sur plan central, avec coupole reposant sur huit piliers, voûte annulaire, au-dessus de laquelle sont établies les tribunes du Matroneum; c'est le plan qui sera adopté quelques

Cliché Alinari.

SAINT-APOLLINAIRE NEUF.

années plus tard pour l'église Saints-Serge-et-Bacchus à Constantinople, c'est sensiblement celui du Mausolée de Constance, et de l'Anastasis de Jérusalem.

Le décor de Saint-Vital est tout byzantin : des plaques, et dans le chœur des marquetteries de marbre, recouvrent l'appareil de briques; les chapiteaux à impostes disparaissent sous une dentelle de sculpture légère. Les mosaïques de l'avant-chœur, le presbyterium, qui communique avec la galerie circulaire, forment un ensemble unique. A la voûte, une voûte d'arêtes, l'Agneau divin, dans un médaillon, occupe le centre de la composition. Quatre anges le soutiennent de leurs bras levés. C'est le geste des victoires sur le tombeau des trois frères, à

Palmyre (daté de 259); le reste des triangles, les « vele », est couvert de rinceaux, parmi lesquels apparaissent des quadrupèdes, des oiseaux, des poissons, purement décoratifs.

Aux parois, de chaque côté des arcs qui supportent la voûte, se voient les évangélistes, de petites scènes bibliques : Moïse faisant jaillir l'eau du rocher, comme aux Catacombes, ou Abraham sacrifiant Isaac. Aux tympans, deux grandes scènes « historiques » attirent l'attention : à droite le sacrifice de Melchisédech, à gauche, la réception des trois anges par Abraham (théoxénie) et la curiosité de Sara.

Tout cela est bien, d'une seule venue, d'une même inspiration, œuvre d'artistes locaux qui traduisent à la manière hellénistique, mais avec plus de somptuosité, des thèmes familiers, pour la plupart, aux mosaïstes de Rome.

Cette partie de la décoration a été exécutée entre 526 et 534. Quelques années plus tard, on décorera le fond de l'abside, dans un style tout différent. Cette fois, c'est bien une œuvre byzantine, où les souvenirs hellénistiques n'ont plus de part. Le Christ en Majesté, imberbe, drapé dans un grand manteau de pourpre violette, tend de la main droite, une couronne à saint Vital; de la gauche il tient le Livre des Évangiles; deux gardes du corps se trouvent près de lui, deux anges ailés, drapés comme des sénateurs, le diadème au front; à droite du spectateur, se tient Ecclesius, aux traits énergiques.

En même temps, entre 534 et 538, se construit à *Classis,* au port de Ravenne, une nouvelle église, une basilique, cette fois, à trois nefs, du type traditionnel; Saint-Apollinaire in Classe a conservé ses belles colonnades, mais les plaques de marbre qui couvraient les murailles ont été enlevées au XVIe par Sigismond Malatesta, qui en a paré son temple d'Isotta, à Rimini. L'abside a gardé son décor de mosaïques, la grande croix gemmée qui porte au centre la figure du Christ, cantonnée de deux personnages qui planent dans les airs; plus bas se voient trois brebis, l'une à gauche, l'autre à droite : c'est la représentation mi-historique, mi-symbolique de la Transfiguration. Au-dessous, dans une prairie émaillée de fleurs, saint Apollinaire et douze brebis...

En 540, Ravenne échappe pour deux siècles à l'emprise des barbares, et devient la résidence de l'exarque, qui représente l'empereur. Celui-ci s'intéresse plus que jamais à la Byzance d'Occident; il fait achever les travaux de Saint-Vital, de Saint-Apollinaire Neuf, de Saint-Apollinaire in Classe. En 547, il assiste en personne à la consécration de Saint-Vital par l'évêque Maximien. En souvenir de cette consécration, l'on place dans le presbyterium de Saint-Vital, deux grands tableaux d'histoire, qui représentent, entourés de leur cour, Justinien et Theodora. Justinien, par-dessus sa tunique de drap d'or porte le manteau impérial, la chlamyde de pourpre avec *tabula* brodée; il tient à la main un bassin, la grande patène contenant le pain du sacrifice eucharistique.

Près de lui se dressent Julien l'argentier, les dignitaires, les gardes, l'évêque Maximien, accompagné du clergé, un diacre qui porte le livre des Évangiles, un acolyte qui porte le thuribulum (Voir fig., p. 554).

En face, Théodora, nimbée comme son époux. Elle tient la grande coupe, le grand *Scyphos* orné de pierres précieuses, qui représente l'offrande du vin, et par là, remarquons-le, ces panneaux tout profanes, s'accordent avec le décor du presbyterium, dont tous les éléments se rapportent à l'eucharistie. Avec elle, deux dignitaires, et sept jeunes femmes de la suite impériale (Voir fig., p. 563).

Les costumes sont d'une richesse extrême. Le mosaïste ne s'intéresse plus seulement au drapé, aux plis de l'étoffe, il représente avec complaisance les tissus de luxe, les broderies, les bijoux. Théodora est parée comme une châsse : au bas de sa chlamyde, rappel ingénieux de la générosité impériale, est brodée une Adoration des Mages.

L'exécution est très soignée, la matière d'une richesse extrême. Aux smalts, de couleur et d'or, se mêlent des fragments de nacre, voire de vraies perles et pierres précieuses. Les deux panneaux, seuls documents figurés qui nous renseignent sur la cour de Byzance au VIe siècle,

Cliché Alinari.

RAVENNE. — SAINT-APOLLINAIRE NEUF.
Vierges et martyres.

sont d'une importance grande pour l'iconographie et pour l'histoire du costume. Au point de vue de l'histoire de l'art, ils n'ont pas un intérêt moindre; œuvre sortie des ateliers du palais, ils marquent le point de façon précise et montrent ce qu'était, au milieu du VIe siècle, la mosaïque byzantine, et ce qu'elle devait être à Byzance, dans la splendeur de Sainte-Sophie, et des palais impériaux.

Une quinzaine d'années plus tard, entre 556 et 569, on remplaçait à Saint-Apollinaire Neuf, la frise de Théodoric. Au cortège royal, se substitua une double file, de saints et de saintes, aboutissant, près du chœur, d'une part à l'*Adoration des Mages,* de l'autre à la *Glorification du Christ.* Le contraste est grand entre ces longues théories de personnages, que rien ne distingue, séparés par d'identiques palmiers, et les scènes figuratives placées au-dessus.

« Ici, les éléments figuratifs disparaissent à peu près complètement et la peinture, dans ces deux longues rangées de figures, cesse, ou peu s'en faut, d'être une peinture figurée. Non seulement les vêtements, mais les visages même des martyrs ne forment plus que le thème d'une grandiose donnée ornementale, une parure avec les palmes et les couronnes du martyre. Aucune des caractéristiques du portrait, non plus qu'aucune marque extérieure d'humanité en général, ni aucune observation naturelle n'intéressent désormais l'artiste. Il traite de purs éléments décoratifs par grandes masses d'or, par l'opulence des ramages colorés, uniquement subordonnés à une logique abstraite, au rythme de la ligne et à l'effet du coloris. » (Muratoff.)

Taine, dans son *Voyage en Italie,* juge sévèrement les deux frises. S'il trouve aux saintes une dignité presque antique, il est impitoyable pour les saints : « Il n'y a pas un de ces personnages qui ne soit un idiot, hébété, aplati, malade. Les paroles manquent pour exprimer leur physionomie, cet air d'un homme bien bâti, et dont les aïeux étaient de bonne race, maintenant à demi détruit et comme dissous par un long régime de jeûnes et de patenôtres. Ils ont cette mine terne, cette sorte d'affaissement et de résignation mollasse où la créature vivante, inutilement frappée, ne rend plus de son. »

« Les anges sont de grands niais, avec des yeux écarquillés, des joues creuses, et cet air guindé, figé, des paysans tirés des champs et transportés dans la régularité, dans la contention, dans les contraintes de la théologie et du séminaire, s'étiolent et jaunissent, béants et ahuris. »

« La Vierge n'a plus que des yeux, presque pas de nez, de bouche, ses longues mains fluettes, son visage décharné sont ceux d'une poitrinaire blême, qui va finir ; elle fait un geste de mannequin, celui d'un squelette dont les os et les tendons jouent encore, et son grand manteau violet ne laisse rien voir de son corps étique. »

Tout n'est pas à rejeter dans cette amusante diatribe, et l'examen de détail est parfois affligeant. Mais le détail, dans l'art byzantin, compte à peine ; il est subordonné à l'ensemble ; ce qui importe, c'est l'alliance intime du décor et de l'architecture, l'effet décoratif, la couleur intense, le *rythme* merveilleux de la composition, qui en fait une litanie grave et religieuse à souhait...

Cela, Taine nourri de classicisme, ne pouvait le comprendre, et rien ne montre mieux que sa critique, combien s'est modifiée notre vision, combien surtout s'est élargi l'horizon de l'histoire de l'art.

Les mosaïques de Ravenne sont généralement l'œuvre d'ateliers locaux, de tradition hellénistique, mais plus ou moins imprégnés, selon les époques, de l'esprit byzantin. Elles sont le reflet d'un grand art, que nous ne connaîtrons peut-être jamais, mais dont, grâce à elles, et à quelques autres échappées au naufrage, nous pouvons soupçonner la splendeur décorative, le caractère solennel, religieux, impérial : l'art de Byzance, l'art du Palais Sacré, des Saints-Apôtres, et de Sainte-Sophie.

CHAPITRE IV

LE VIIe SIÈCLE

I. Le rayonnement de Byzance. — Après le « siècle » de Justinien, Byzance traverse une période de crises terribles : divisions religieuses, dissensions politiques, tragédies de palais ; au dehors, invasions successives, pertes de territoires immenses : Perses, Arabes, Avars, Slaves, Bulgares se ruent tour à tour à l'assaut de l'empire, mais sans arriver à le renverser. Il reste toujours un empire byzantin, parfois réduit, il est vrai, à sa capitale, et Byzance est plus que jamais le centre de l'art chrétien d'Orient.

JÉRUSALEM. — INTÉRIEUR DE LA MOSQUÉE D'OMAR.

Les successeurs immédiats de Justinien élèvent encore de beaux édifices : Justin II (565-578) construit au palais impérial, le chrysotriclinos : c'est une salle de réception, avec trône pour le souverain ; mais le plan est celui de l'église Saints-Serge-et-Bacchus.

Sainte-Marie des Blachernes, du même empereur, a la forme d'une croix (stauroeides) ; puis viennent, sous Maurice et Phocas, la Diaconissa (Kalender-hané), basilique à coupole, et Saint-André (Hodja Moustapha Pacha) qui s'inspire de Sainte-Sophie.

Au VIIe siècle, l'élan est brisé, et jusqu'à l'époque des iconoclastes, il ne sera plus question d'églises nouvelles.

Le VIIe siècle. — DOM LECLERCQ, *Dict. d'archéol. chrétienne, passim.* — RODOCANACHI, *Les Monuments de Rome.* — MARG. VAN BERCHEM et ET. CLOUZET, *Mosaïques chrétiennes du Ier au Xe siècle,* Genève, 1924. — M. PUIG Y CADAFALCH, *L'art pré-roman.* — E. MALE, *L'art allemand et l'art français du Moyen Age,* 1917. — L. BREHIER, *L'art en France des Invasions barbares à l'époque romane.* — STRYGOWSKY, *Altai Iran und Volkerwanderung.* — MOLINIER, *Histoire générale des arts appliqués à l'industrie,* 1900. — DOM GOUGAUD, *L'art celtique chrétien.* — FRANÇOISE HENRY, *La sculpture irlandaise pendant les douze premiers siècles de l'ère chrétienne,* 1 vol. texte, 1 vol. planches, 1933. — HENRI FOCILLON, *L'art des sculpteurs romans* (ch. V. Les expériences préliminaires). — F. BENOIT, *L'Occident médiéval, du Romain au Roman,* 1933.

Mais le rayonnement de Byzance ne continue pas moins à s'exercer. L'art musulman doit beaucoup à l'art byzantin : la mosquée fondée par Omar en 643, sur l'esplanade de Jérusalem, reconstruite de 687-690, par Malek ibn Merouan, est, « avec son plan octogone, sa coupole, son tambour cylindrique, ses revêtements de marbre surtout, et sa magnifique décoration de mosaïques ornementales à fond d'or, une œuvre purement byzantine » (Diehl). Architectes et ouvriers étaient très probablement des grecs, ou des syriens chrétiens, et lorsqu'en 707, El Walid fait orner de mosaïques la façade extérieure, c'est encore l'empereur

Cliché Alinari.

SAINT-LAURENT-HORS-LES-MURS.

de Constantinople qui lui fournit les artistes. Le même khalife El Walid transforme-t-il en mosquée l'église Saint-Jean de Damas, l'ancien temple de *Jupiter Damascenus,* il a recours à des ouvriers byzantins, et la décoration intérieure, aujourd'hui en partie ruinée, celle des portiques, dont on a retrouvé en 1929 les admirables restes, est l'œuvre des mosaïstes de Byzance.

Rome conserve toujours son prestige, et les *Mirabilia Urbis* font rêver toute la chrétienté. Elle n'est plus cependant que l'ombre d'elle-même. Plusieurs fois dépouillée, elle a souffert du pillage, de l'incendie, de la rupture des aqueducs. Ses collines sont désertées, et la population s'est portée vers le Tibre. Les édifices qui faisaient sa gloire, trop grands, trop fastueux pour une ville appauvrie, sont à l'abandon, destinés à la ruine.

Quelques monuments ont été transformés en églises : le *templum Sacrae Urbis* est consacré à Saints-Côme-et-Damien, celui d'Antonin et Faustine devient Saint-Laurent in Miranda, et sur les ruines du temple de Juno Moneta se dresse le sanctuaire de Sancta Maria in Capitolio (aujourd'hui *Ara cœli*).

Saint-Étienne-le-Rond est un ancien marché (*macellum magnum* de Néron), et Sainte-Marie antique (*Sancta Maria de Inferno*) est établie dans la bibliothèque du temple « Divi Augusti ». Cette transformation sur place permet de garder quelques murs, des colonnades, une voûte, une coupole; l'art antique ne meurt pas tout à fait. Mais trop souvent le monument ancien est considéré comme une carrière de matériaux précieux; il est dépecé, et ses membres épars servent à d'autres constructions, ou bien on les emploie, maladroitement, à réparer quelque édifice branlant. Ainsi après l'invasion gothique, le pape Pélage II restaure l'église Saint-Laurent extra muros; sur les admirables colonnes du sanctuaire constantinien, on dresse une *architrave* de marbre sculpté ; mais les éléments en ont été pris à divers temples païens, ils ne sont pas de même module; le décor ne « suit » pas, navrant témoignage d'une époque de misère (fig., p. 909).

Rome est devenue, au VIIe siècle, une ville à moitié byzantine. L'influence de l'Orient ne cesse de croître. Entre 600 et 741, on ne compte pas moins de treize papes d'origine grecque, comme Théodore, Conon, Jean VI, Jean VII, Zacharie, — ou syrienne, comme Jean V, Serge Ier, Sisinius, Constantin. D'autres sont italiens, mais ont passé par Constantinople en qualité d'apocrisiaires, ainsi, Sabinien, Boniface III; le père de Jean VII, Platon, est curateur du palais impérial au Palatin. Fonctionnaires, marchands, moines, émigrés fuyant devant l'invasion arabe, Grecs et Arméniens, Syriens, Ciliciens, occupent tout un quartier de Rome. Ils ont leurs églises, Saint-Georges, Saint-Théodore, Sainte-Anastasie, Saint-Césaire in Palatio; la plus importante c'est, au Vélabre, *Sancta Maria in Scola Graeca*, établie dans une salle de la « Statio Annonae », créée par Auguste sur les rives du Tibre. Il reste de l'antique édifice quelques colonnes encastrées dans la muraille. Au VIIIe siècle, des moines grecs, chassés par les Iconoclastes, y construiront un monastère, et l'église prendra le nom de *Sancta Maria in Cosmedin*.

Parmi les réfugiés, il ne manque pas d'artistes, musiciens, peintres, mosaïstes, qui trouvent facilement à s'employer. On conçoit, dès lors, la transformation profonde qui se produit dans les mœurs, les usages, les arts. Les modes grecques triomphent, la langue grecque est à l'honneur, la liturgie subit l'influence orientale..., l'art se pénètre de plus en plus des principes byzantins.

A l'instar de Byzance, on élève des tribunes au-dessus des collatéraux, à Sainte-Agnès, à Saint-Laurent in Verano; on construit des églises en forme de croix (Saints-Apôtres) ou à plan circulaire (Saint-Théodore, Sainte-Anastasie); la mosaïque purement byzantine triomphe à Saint-Laurent, à Sainte-Agnès-hors-les-murs (Agnès est vêtue comme une impératrice), à l'oratoire de Saint-Venance (baptistère du Latran), à Saint-Étienne-le-Rond, à Saint-Pierre surtout, dans la chapelle que se fait construire en 707, le pape Jean VII. L'ensemble du décor ne nous est connu que par un dessin; mais l'Adoration des Mages, fragment précieux, conservé à Sainte-Marie in Cosmedin, nous renseigne sur la technique, le canon, l'expression, le coloris.

Byzantines aussi les premières fresques de Sancta Maria Antica, dégagées en 1900. La muraille porte les restes de trois décors successifs. Dans ce *palimpseste* archéologique on découvre une Vierge, sur un trône, qui est du VIe siècle. Par-dessus, on a peint, au VIIe, une *Annonciation,* puis, par-dessus encore, au VIIIe, des Saints... La tête de l'Ange, dans l'Annonciation, est une des plus pures et des plus charmantes œuvres byzantines que l'on connaisse; au mur de gauche de la basilique, le Christ au milieu des Saints, de pure inspiration byzantine, lui aussi, — les inscriptions, d'ailleurs, sont en grec, — doit être attribué au commencement du VIIIe siècle.

De la même époque, datent des fragments de fresques retrouvés à Saint-Sabas, peut-être aussi les plus anciennes de Saint-Clément.

Au cimetière de Commodilla, la Madone assise entre saints Félix et Adauctus, exécutée au VIe, a le même caractère; ainsi encore, la sainte Cécile du cimetière de Callixte, le Christ de Saint-Pontien, ou saint Luc de Commodilla... Ce sont des œuvres byzantines de style, de technique, d'inspiration.

Ce sont aussi les dernières peintures exécutées aux *catacombes.* Celles-ci au VIIIe siècle sont pour la plupart délaissées, la piété est refroidie, d'ailleurs la campagne romaine n'est pas sûre, les incursions barbares se multiplient, les pèlerins n'osent plus descendre dans les hypogées, des paysans s'y retirent.

En 756, les Lombards dévastent les cimetières. En 761, le pape Paul Ier constate la ruine et la décadence générale, et prend le parti de sauver au moins les corps saints. « Les fidèles ont cessé, dit-il dans une constitution, par indolence et par négligence, de rendre aux cimetières le culte qui leur est dû; on a laissé les animaux y pénétrer, on les a transformés en étables et en bergeries, et on a permis qu'ils fussent souillés par toute sorte de corruption. Étant donc témoin de cette indifférence pour des lieux si saints, et le déplorant profondément, j'ai cru bon, avec l'aide de Dieu, d'en retirer les corps des martyrs, des confesseurs, et des vierges du Christ, et au milieu des hymnes et des cantiques spirituels, je les ai transportés dans cette cité de Rome, et je les ai déposés dans l'église que j'ai récemment construite, en l'honneur de saint Étienne et de saint Silvestre, sur l'emplacement de la maison dans laquelle je suis né et j'ai été élevé, et que mon père m'a laissée en héritage. »

Plus de cent « corps saints » ont été ainsi exhumés par ses soins. Étienne III, Hadrien III, Léon III surtout, essaient au contraire de rendre aux catacombes un peu de leur ancienne splendeur. Mais il y a trop à faire. Pascal Ier y renonce : le 20 juillet 817, 2.300 corps sont transportés à Rome dans le Panthéon d'Agrippa qui devient *Sancta Maria ad Martyres.*

Dès lors un voile d'oubli s'étend sur la Rome souterraine, des éboulements se produisent, les lucernaires se comblent ainsi que les galeries d'accès, on en vient à ignorer l'emplacement de la plupart des cimetières, le souvenir même de leur existence se perd. Au XIIe siècle, les pèlerins n'en signalent plus que quatre ou cinq. Au XIVe, ils n'en connaissent plus que trois. De rares visiteurs se risquent encore parmi les décombres. A Saint-Callixte, on a relevé la signature d'un certain Jean Lonck avec la date de 1432; au cours du même siècle des frères mineurs y descendent, et l'abbé de Saint-Sébastien *cum magna comitiva,* en 1467, un groupe d'écossais. Les plus entreprenants sont au Quattrocento les membres de l'Académie romaine; présidés par le pontife Maxime Pomponio Laeto, ils y tiennent leurs étranges assemblées, et abritent leur paganisme dans les sanctuaires dévastés de l'église primitive.

Au XVIe siècle, on ne visite plus guère qu'une catacombe, celle de Saint-Sébastien. « Le deux de May, écrit en 1518 Jacques le Saige, pèlerin de Douai, nous allasmes en pélérinage à Sainct-Sébastien lequel est à une ou deux lieus hors de Rome. Et il y a en l'Église sinon quatre moines. Il y a un autel en bas, quiconque fait dire messe sur le dict autel, lequel est double, il rachète une âme du purgatoire.

« Il y eut ung moine lequel nous mena per dessoult terre bien loing. Et est le lieu où l'on portoit le corps des Martyrs quand les Turcs gaignièrent Rome. Il nous fust dict des moines qu'il y a en dites cavernes cent et soixante-dix-huit mille martirs et les os de quarante-six papes sans les autres corps saints qui sont avant l'Église. On nous monstra la coulombe où estoit liës Monsieur Sainct Sebastien quand on le tiroit, et son corps est dessoubs le dict autel où on fait dire messe[1]... »

II. L'Orient et les Barbares. — Pour être moins directe qu'à Rome et à Ravenne, l'action de Byzance et de l'Orient sur les royaumes barbares, n'en est pas moins réelle et profonde. L'empire d'Occident n'est plus qu'un souvenir, la culture classique perd chaque jour

1. Ajoutons ici, ponr n'y plus revenir, quelques détails sur la découverte des catacombes et leur renaissance.

Le 31 mai 1578, des ouvriers travaillaient dans une vigne de la via Salaria. Un éboulement se produisit, qui leur dévoila l'entrée d'un souterrain.

Ils y pénétrèrent, virent des galeries, des inscriptions, des peintures à demi effacées.

La nouvelle se répandit bientôt, mais le grand public n'y prêta qu'une attention distraite. Pour remettre en honneur les origines chrétiennes il fallait un apôtre. Cet apôtre, ce fut Antoine Bosio, qui dès l'enfance se passionna pour les anciens cimetières, et passa toute sa vie à les exploiter, à les étudier, à chercher dans les Pères de l'Eglise le sens des images et la portée des symboles. Bosio mourut en 1629, laissant d'innombrables notes.

Le P. Severano les publia en 1634, puis sous un format réduit en 1650. En 1656, Aringhi traduisait l'ouvrage en latin, non sans modifier le plan et la rédaction. C'est une mine de documents, les planches sont admirables, mais le dessinateur ou Bosio n'avaient pas toujours bien saisi le sujet des fresques; sous leur crayon, un déchargement de blé devient une lapidation, un distributeur de l'annone debout derrière un boisseau, se transforme en bonne femme avec jupe cloche. La plus amusante méprise transforme une adoration des Mages, en supplice de martyre une jeune vierge nue est brûlée vive, tandis que les Mages devenus des bourreaux apportent le bois. Mais Bosio avait reconnu l'erreur, et le dessin de Toccafumi est resté dans les cartons.

Les grandes publications de Bosio, Severano et Aringhi, mettent à l'ordre du jour la question des catacombes; des polémiques s'engagent sur lesquelles il serait vain d'insister, les catacombes sont fouillées au petit bonheur, sans méthode, exploitées sans vergogne par des chercheurs de reliques, contre lesquels s'éleva Mabillon, — ou d'indiscrets collectionneurs qui enlèvent, maladroitement, des morceaux de fresques. *Residuum locustae comedit bruchus...*

Il faut attendre le XIXe siècle, les travaux de Raoul Rochette, et du P. Marchi, et surtout de Jean-Baptiste de Rossi, le vrai continuateur de Bosio, l'homme du monde qui a le plus fait pour l'archéologie chrétienne. Il rectifie les assertions de Bosio et d'Aringhi. Il puise des indications sûres dans les martyrologes, le *Liber Pontificalis*, l'*Itinéraire des Pèlerins*, les *Mirabilia Urbis Romae*, organise les recherches avec une rigueur scientifique, et une impeccable méthode. Il retrouve les cimetières oubliés, identifie les cryptes des martyrs, en particulier la crypte des Papes au cimetière de Calliste, déchiffre les inscriptions, fait, avec son frère, le relevé topographique, la carte de la *Roma sotterranea*, aux inextricables réseaux de galeries. Un musée épigraphique est créé au Latran, et l'on songe à publier les peintures des catacombes.

Cet honneur est réservé à Mgr Wilpert, dans le grand ouvrage *Le pitture delle Catacumbe romane*, qui reproduit en noir et en couleurs plus de 300 fresques tirées de divers cimetières, les commente, et les date au moins de façon approximative.

Des ouvrages de vulgarisation, des manuels sérieusement documentés, comme celui du professeur Marucchi (mort en janvier 1931), ou de H. Chéramy, des périodiques, permettent au lecteur moyen de s'initier sans trop de peine à la science des Catacombes, et d'en suivre les progrès.

On s'accorde en général sur la valeur artistique des fresques, la décadence croissante de la technique, qui est celle de l'art profane, et la hauteur de l'inspiration, mais l'iconographie laisse encore bien des problèmes à résoudre. Des discussions passionnées se sont élevées sur le sens des images, et leur symbolisme, leur portée, leur valeur apologétique... La lumière se fait peu à peu, et l'humble vérité remplace les interprétations aventureuses, les généralisations téméraires.

Tel qu'il est, incomplet, fragmentaire et souvent obscur, le témoignage qu'apportent les Catacombes sur les origines chrétiennes est d'une valeur inappréciable. Sa Sainteté Pie XI encourage de toutes ses forces les savants qui continuent les recherches, et bénit la Société des Amis des Catacombes, créée pour les soutenir. « Il s'agit là, dit fort bien M. Georges Goyau, il s'agit là d'autre chose que de satisfaire une curiosité archéologique. A travers les siècles, les diverses générations chrétiennes communient entre elles, comme à travers l'espace les divers membres de la chrétienté; et ce passé qui devant nos regards s'exhume, ménage un enrichissement à la vie personnelle de nos âmes. »

de sa force, l'art romain de son prestige. Si quelques monuments affectés au culte chrétien, traversent ainsi les siècles, — la Maison Carrée de Nîmes, par exemple, les temples de Vienne ou d'Evora, — la plupart sont exploités comme carrières de marbre : certains, à l'approche des Invasions ont éte détruits; leurs matériaux, chapiteaux aux classiques sculptures, fûts de colonnes, entablements noyés dans le mortier, renforcent quelque muraille de ville. Les beaux modèles disparaissent ainsi, sauf en quelques régions privilégiées, comme la vallée du Rhône; la technique s'oublie, avec le sens de la mesure et des proportions.

Par contre, l'art indigène, « offusqué » jusque-là par l'art solennel et grandiose des conquérants, reparaît, trouve sa place dans la construction ou le décor des édifices. C'est par exemple en Gaule mérovingienne, telle forme architecturale, « un linteau en dos d'âne surmonté d'un arc de décharge » (L. Bréhier), telle façon grossière ou enfantine de représenter la figure humaine, telle préférence pour les formes géométriques, dents de scies, losanges, spirales.

Les *Barbares* apportent peu de choses, du moins qui leur appartienne en propre. Ils ont commencé par détruire plus qu'ils n'édifiaient; deux siècles de migrations, de vie instable, leur ont fait perdre le sens de l'architecture, si tant est qu'ils l'aient jamais eu; et lorsqu'enfin, Wisigoths d'Espagne, ou Ostrogoths d'Italie, Francs et Burgondes installés dans la Gaule romaine, se mettent à construire, ils empruntent à d'autres le plan de leurs édifices, leur influence se fait sentir seulement sur la « décoration ». Pour eux, on l'a remarqué, l'architecture n'est pas l'art des arts, elle passe à l'arrière-plan, leurs préférences vont aux arts mineurs, mieux adaptés à la vie errante, le tissage, la broderie, l'orfèvrerie, surtout l'*ars barbaricaria*, le filigrane, le cloisonné.

Rien ne leur plaît comme les armes incrustées de fils d'or, ou d'argent, épées, casques, cuirasses; et pour les chevaux des harnais garnis de métal ciselé. Les tombeaux ont livré par centaines des boucles de ceinturons, des pommeaux d'épée, des *fibules,* des colliers, des bracelets, des bagues. La plupart sont ornés de pierres précieuses ou, à défaut, de verroteries de couleur, enchâssées dans un réseau d'or.

Dans le tombeau de Childéric, découvert à Tournai, en 1653, il y avait, entre autres richesses, « une épée dont la poignée et le fourreau étaient ornés d'orfèvrerie cloisonnée[1] ». Les trésors de Petrossa, de Szilagy, de Somlyo, de Tirana, contiennent des merveilles.

Convertis au christianisme, les Barbares conservent ce goût, et appliquent aux vases sacrés la même technique.

L'*ars barbaricaria,* si populaire chez les barbares, n'est pourtant pas de leur invention, et ce ne sont pas les Francs ni les Goths qui l'ont créé, ni les Germains. Il faut chercher plus loin, en Orient, cet Orient que l'on rencontre toujours sur sa route, quand il s'agit des arts de la couleur. Détail singulier, les « tétrarques » de Saint-Marc, à Venise, portent de épées, au pommeau garni de cloisonné, surmonté d'une tête d'oiseau. Qui a imaginé cette technique, ce décor? L'on a pensé d'abord aux Perses. Plus d'une pièce vient évidemment de chez eux, l'une d'elles porte le nom d'Artaxerxès, et il est certain qu'ils ont pratiqué l'art du cloisonné avec une grande maîtrise; la coupe de Chosroès, conservée au Cabinet des Médailles

1. Elle est aujourd'hui au Cabinet des Médailles. En 1854, des ouvriers repêchent, dans le canal de Ravenne, une cotte de mailles en or, toute garnie de grenats. L'ornement de la bordure, — triangle surmonté d'un cercle, — se voit à la frise du tombeau de Théodoric. Est-ce la cuirasse du roi ostrogoth? *forse che si...* C'est un chef-d'œuvre, en tout cas, d'orfèvrerie « barbare ».

est un des chefs-d'œuvre de l'art sassanide. Mais le berceau de cet art est plus loin encore ; les découvertes faites en Russie, en Sibérie, dans le Turkestan, ce que nous savons par les historiens anciens, des Scythes, et de leurs héritiers les Sarmates, tout porte à croire que c'est chez ces peuples nomades qu'on trouvera l'origine de cette technique qui s'est développée, en Chine, en Perse, à Byzance même, et a été propagée en Occident par les Goths établis au IIIe siècle, sur les bords la Mer Noire. C'est d'Orient aussi que viennent les thèmes qui inspirent les artistes, groupes « antithétiques » d'animaux affrontés ou adossés, chers à l'art scythe, groupes synthétiques, que préfèrent les Sarmates, et qu'adoptèrent les Goths ; animaux se combattant, l'aigle tuant un yack, dont l'énorme mufle pend à terre tandis qu'il lui dévore le cou, un archer poursuivant au galop de son cheval un sanglier éperdu... » (L. Brehier.)

Des thèmes du même genre sont interprétés sur les somptueuses étoffes d'Orient, étoffes de soie brochées et historiées, fabriquées en Égypte, en Perse, ou dans les ateliers impériaux de Byzance, et dont les Barbares étaient très friands. Ils y retrouvaient les êtres stylisés, les motifs géométriques, les palmettes, les fleurs, les animaux fabuleux dont ils ornaient si volontiers leurs armes et leurs bijoux.

Les mosaïques de Ravenne nous ont montré quel parti on tirait de ces magnifiques tissus pour les costumes de cour, pour le décor des palais. On ne les voyait pas moins dans les églises, tendus entre les colonnes; d'autres enveloppaient, précieux suaire, les reliques rapportées d'Orient par les pèlerins, ou envoyées par le basileus à quelque prince ami. Le trésor de l'église de Sens en possède une admirable collection, qui n'a pas d'autre origine.

Et c'est encore de l'Orient que provenaient les ivoires sculptés, diptyques consulaires, pyxides, coffrets historiés, — et les manuscrits calligraphiés avec un art savant, ornés de miniatures, où les couleurs les plus vives s'associaient à l'or avec des animaux étrangement stylisés, des portiques fleuris, et mille fantaisies décoratives, qui encadraient, ou même remplaçaient, les scènes figurées de l'art hellénistique.

Tissus, ivoires, métaux ouvragés, bijoux, manuscrits sont d'un transport facile; ils circulent dans l'Europe entière, avec le vin, l'huile, le papyrus, le coton, les épices dont les marchands syriens — on donne ce nom au VIIe siècle à tous les orientaux — trafiquent avec les Barbares.

Des Syriens! on en signale partout, en Espagne comme en Irlande, à Marseille comme à Paris; ils ont partout leurs comptoirs, voire leurs ateliers, partout leur influence se fait sentir, les trésors d'églises sont pleins d'objets d'Orient sans qu'il soit toujours possible de faire le départ entre ce qui a été importé et ce qui a été fabriqué sur place.

D'un autre ordre, mais non moins active, est la propagande exercée par les pèlerins et par les moines. Les pèlerins de la Sainte Cité de Jérusalem rapportent des reliques et des eulogies. Les moines doivent à l'Orient l'idée même du monachisme. Saint Honorat fonde son monastère en 407, dans une des îles de Lérins, après un voyage en Grèce; avant de construire Saint-Victor à Marseille, Cassien a parcouru les Laures de Palestine, de Syrie, d'Égypte, et séjourné à Byzance.

Les monastères d'Occident sont édifiés sur le modèle oriental, — et plus d'un moine d'origine syrienne ou palestinienne, se fixe en Italie ou en Gaule. Les communications sont plus actives qu'on ne pourrait croire. Du haut de sa colonne, dans le désert de Syrie, saint Siméon Stylite a entendu parler de sainte Geneviève, et lui envoie un message.

III. L'art chrétien d'Occident au VIIe siècle. — Tradition romaine, influence byzantine, apport barbare, se mêlent dans les monuments du VIe au VIIIe siècle, mais à des degrés divers. L'empreinte romaine n'était pas également profonde partout, l'action de Byzance était naturellement moins puissante dans les provinces les plus éloignées de l'empire d'Occident, l'invasion barbare ne s'est point faite partout en même temps, ni par les mêmes hordes, et ne s'est pas imposée toujours avec la même rigueur. C'est ce qui explique, ici ou là, la prédominance d'un élément sur l'autre, et aussi les survivances de formes attardées, et conseille une grande prudence en matière de chronologie

En *Italie,* l'art byzantin l'emporte encore, dans les régions où Byzance conserve quelque chose de son autorité ou de son influence, à Rome, à Ravenne; mais à Ravenne on construit peu, l'âge d'or est fini; quelques mosaïques à Saint-Apollinaire in Classe, quelques tombeaux, marquent la décadence. Il est en régression dans le royaume des Lombards. Ceux-ci, après avoir beaucoup détruit, sous Alboin et ses premiers successeurs, recommencent à construire avec Autharite, Théodelinde surtout, qui éleva le palais et l'église de Monza, sinon le baptistère de Brescia. L'élan est donné, les sanctuaires ariens ou catholiques se multiplient, à Pavie surtout, la capitale; au VIIIe siècle, Luitprand (712-744) sera un grand bâtisseur.

De tous ces édifices, construits pour la plupart sur le plan basilical, couverts en bois, on ne peut plus guère admirer aujourd'hui que les basiliques de Saint-Sauveur, à Brescia, et San Vincent in Prato, à Milan, relativement bien conservées, quelques restes de l'église d'Aurona, à Milan, Sainte-Marie delle Caccie à Pavie, Sainte-Marie in Valla à Cividale.

Dans l'église d'*Aurona,* les colonne sont remplacées par des piliers à section carrée, cantonnés de quatre demi-colonnes, première apparition connue d'un type de support, qui se généralise à l'époque romane; peut-être les bas-côtés étaient-ils voûtés d'arêtes.

L'inspiration orientale, adaptée au goût barbare, se révèle surtout dans les sculptures; on peut l'étudier sur quelques chapiteaux à Aurona; une vasque de Luitprand conservée aujourd'hui dans la cour de Saint-Étienne, à Bologne, le sarcophage de l'abbesse Théodote (vers 700) à Pavie, le baptistère de Cividale, nous en donnent une idée.

La tresse et l'entrelacs apparaissent un peu partout; les Lombards ne les ont pas inventés, mais ils en ont fait un grand usage, et presque une caractéristique de leur art.

En *Espagne,* de la conversion de Récarède (587), à la fin du royaume des Wisigoths (712), bien des églises ont été construites. Le concile de Séville, en 619, recommande expressément de réédifier les sanctuaires détruits, et de veiller à la conservation des nouveaux monastères; mais ces monuments de la piété chrétienne ont pour la plupart été renversés à leur tour. Le chroniqueur arabe Mohammed Muza az Razi dit d'Abd er Rhaman : « Il poursuivit tellement les chrétiens d'Espagne qu'il n'y eut ni villes, ni châteaux qui purent se défendre contre lui, ni même aucun homme, excepté ceux qui se réfugiaient dans les Asturies. Et il ne trouva jamais en Espagne une belle église qu'il ne détruisît. Or, on en rencontrait un grand nombre, et de belles, du temps des Goths et des Romains. » Dans le sud de l'Espagne, les Almoravides au XIe siècle, puis les Almohades au XIIe, n'ont rien laissé debout de ce qu'avaient respecté les premiers conquérants.

Dans les provinces du Nord, la dévastation fut moins complète, mais les sanctuaires construits par les Wisigoths ont été reconstruits plus tard, à tout le moins fortement remaniés. C'est le cas pour San Juan de Baños, construit par Receswinthe en 661, San Roman de la Hornija, Santa Eulalia de Tolède. On a pu toutefois relever le plan primitif de plusieurs églises, distinguer des restes de murailles, rassembler quelques fragments de sculpture, chapiteaux, fûts de colonne à cannelures hélicoïdales, claveaux ornés de rinceaux et d'emblèmes chrétiens, qui montrent une tradition latine restée assez vivace. En général, des

Cliché Giraudon.

COURONNES DE GUARRAZAR. (Musée de Cluny.)

églises de proportions moyennes, à plan basilical plus ou moins régulier, un chevet plat ou arrondi, deux rangées de colonnes à chapiteaux dérivés de l'antique ; parfois des arcs en fer à cheval. Mais il n'est pas toujours facile de distinguer ce qui est wisigothique de ce qui appartient à une époque postérieure.

La merveille de l'art wisigoth, ce sont les *Couronnes,* découvertes en 1858, à la Fuente de Guarrazar, près de Tolède. Elles sont en or fin, décorées de pierres précieuses et de grosses perles. Au centre, est suspendue une croix, ornée elle aussi de pierreries; au bord inférieur du bandeau, sont attachées en guise de pendeloques, des perles, ou ce qui est plus original, des *lettres* formant inscription. Ces couronnes sont aujourd'hui au musée de Cluny, et à l'Armeria Réal de Madrid; elles ornaient autrefois le ciborium ou la « pergula » de quelque basilique : c'étaient des ex-voto, portant le nom des donateurs, et la date de l'offrande. La plus belle porte cette inscription en lettres de « cloisonné » : RECCESVINTHUS REX OFFERET. D'autres rappellent le souvenir de Sonnica, de Swinthila. Il ne faut pas confondre ces couronnes votives avec les couronnes de lumière.

La *Gaule franque* était au VIIe siècle couverte de basiliques; la plupart ne sont connues que par des inscriptions, des textes de chroniqueurs comme Grégoire de Tours (*Histoire des Francs*), de poètes comme Fortunat, ou de quelque hagiographe inconnu. Les rois mérovingiens se font une gloire de bâtir un sanctuaire nouveau. Clovis édifie Saint-Pierre-Saint-Paul, qui devient par la suite Sainte-Geneviève; Childebert, Sainte-Croix et Saint-Vincent (Saint-Germain-des-Prés); Clotaire construit à Soissons Saint-Médard; Dagobert élève à Saint-Denis le futur Panthéon des Rois; à Tours, saint Martin avait sa basilique, la plus célèbre de toutes celles qui portaient son nom.

Tous ces grands monuments ont été reconstruits à des époques diverses. Seuls ont échappé à la ruine, l'église Saint-Pierre à Vienne, quelques parties de l'église de Vertou (Loire-Inférieure), ou de Courcome, le transept de Saint-Philibert de Granlieu, la crypte de Saint-Laurent à Grenoble, celle de Saint-Paul à Jouarre. Quelques baptistères, ceux de Poitiers (Saint-Jean), de Venasque, de Riez.

Beaucoup d'églises étaient construites en *bois,* celles de Thiers par exemple, de Reims, ou de Strasbourg. Mais elles ne résistaient pas longtemps; la pluie, le vent, l'incendie mettaient fin à leur précaire existence : « *Plerumque devotio studiumque fidelium oratorium construebant de tabulis ligneis levigatisque, sed protinus aut rapiebantur a vento, aut sponte ruebant, et credo idcirco ista fieri donec veniret qui dignam aedificaret fabricam in honorem antistitis gloriosi* » (Grégoire de Tours, *De gloria Confessorum,* XCV).

Sitôt qu'on le pouvait, on élevait au Christ, à la Vierge, au saint Patron un édifice digne de lui; c'était généralement une basilique à trois nefs, où les piliers remplaçaient les colonnes, — trop rares ou trop coûteuses; — les murs étaient construits en petit appareil, le grand appareil, *magnis quadrisque saxis,* est exceptionnel; souvent des assises des briques, sur deux à trois rangs d'épaisseur, alternent avec les rangs de moellons; pour orner la paroi extérieure, on place des petits moellons carrés sur pointe (*opus reticulatum*), on dispose les briques en épi, en arête de poisson.

L'église a d'ordinaire un transept saillant, et à la croisée, se dresse une sorte de beffroi, en charpente, ancêtre de la tour lanterne, *turris, domus altaris, domus arae;* une flèche parfois domine l'ensemble. La toiture est couverte de tuiles de bois, voire de métal; le toit de Sainte-Croix-et-Vincent (Saint-Germain-des-Prés) était en cuivre, celui de Saint-Denis était en argent.

A l'intérieur, les murailles étaient couvertes de badigeon (*gypsatio*), d'un enduit, peint ou à fresque. Grégoire de Tours nous montre la femme de Namatius, évêque de Clermont, lisant aux peintres décorateurs la description des scènes qu'ils avaient à représenter. Mais rien n'en subsiste qui permette de juger la valeur des artistes. Les revêtements de marbre et les mosaïques n'ont pas résisté davantage, et seule une description de Dom Lamothe nous a conservé le souvenir du décor somptueux appliqué, au ve siècle, à l'abside de la Daurade (Toulouse).

Au-dessus de la crypte (confession), se dressait l'autel, de lignes simples, orné de rares symboles. Quelques médiocres fragments de sculpture nous aident à reconstituer les chancels, les ambons, les chapiteaux. Un sarcophage conservé à Moissac ne présente autour du monogramme du Christ que des rinceaux, des tiges chargées de feuilles, des candélabres à la

Cliché Giraudon.

SARCOPHAGE DE MOISSAC.

manière d'Orient. L'orfèvrerie mérovingienne a laissé des merveilles. Le calice de Gourdon, et le plateau (*missorium*) qui l'accompagne, sont de la première partie du vi^e siècle ; des turquoises, des grenats, des cabochons de verre rouge sont sertis dans l'or suivant la technique orientale chère aux barbares.

D'autres œuvres considérables sont à Saint-Maurice d'Agaume, où l'on conserve une châsse en forme de tombeau ; et à Conques (Aveyron).

Nombre d'églises se flattaient de posséder dans leur trésor, quelque chef-d'œuvre de saint Éloi, l'orfèvre trésorier de Dagobert, puis évêque de Noyon. Il faut en rabattre un peu ; beaucoup de pièces du viie et du viiie siècle lui ont été attribuées qui ne sont pas nécessairement de lui : le trône de Dagobert est une chaise curule romaine, remaniée au xiie siècle.

et si le calice de Chelles, envoyé à la Monnaie en 1791, semble bien avoir été son œuvre, on est fort mal renseigné sur le tombeau de saint Denys et le mausolée de saint Martin.

« La Gaule, conclut M. L. Brehier, n'a pas laissé de pièces dont la magnificence soit comparable à celle des couronnes de Guarrazar, de la cuirasse de Théodoric, de l'Évangéliaire de Théodelinde; mais ces chefs-d'œuvre de l'orfèvrerie barbare ont été exécutés suivant les

Cliché Giraudon.

CALICE D'OR DE GOURDON (VIe siècle). Bibl. Nat.

mêmes procédés et dans le même esprit que les plus modestes fibules découvertes dans les tombes franques, burgondes ou alamanniques.

« L'art de la Gaule mérovingienne n'est donc que la transmission à l'Occident de la tradition presque millénaire dont il faut chercher le point de départ dans les régions de l'Oural, du Caucase et de l'Asie centrale. Comparé aux splendeurs qu'ont livrées les tombes de ces pays, il représente un art populaire et même, dans une certaine mesure, dégénéré. »

La *Germanie* n'a pas d'architecture monumentale avant les Carolingiens.

En *Grande Bretagne,* au contraire, dès la période anglo-romaine, on élevait à Silchester, à Cantorbéry, des basiliques latines; au VIIe siècle, on en bâtit une à Hexam, et celle de Reculver a dû être construite vers 670. L'abbaye d'Abingdon, fondée en 675, avait une église et deux absides, — *erat rotundum tam in parte occidentali quam in parte orientali.* Celle de *Brixworth,* la mieux conservée, n'a plus aujourd'hui qu'une nef. Elle en avait trois, et un atrium. Plusieurs sanctuaires, détruits ou remaniés, ont conservé quelque partie de la mosaïque qui couvrait le sol, ainsi en est-il à Frampton, à Silchester, à Horkstow (torsades, entrelacs, animaux sauvages, etc.).

En *Écosse*, les églises de pierre sont rares à cette époque. Lorsqu'au début du Ve siècle saint Ninian éleva à Whitherm (presqu'île de Solway) une église de pierre, *Ecclesia alba, candida Casa,* le fait parut insolite (*insolito Britonibus more*). De même, en *Irlande,* on ne voit au VIIe siècle que de modestes églises en maçonnerie (Glendalough, Killaloe, Kilmalkedar), ou des chapelles en pierres sèches qui font songer à certains tombeaux préhelléniques (oratoire de Gallerus).

Ce qui domine, c'est la construction de bois. L'église de Lindisfarne, élevée en 652 par Finan, successeur de saint Aidan, est faite de poutres et de planches, et couverte de roseaux. « *Ecclesiam,* dit le vénérable Bède, *more Scottorum, non de lapide sed de robore secto totam composuit atque harundine texit.* » Le *mos Scottorum*, construction en bois, s'oppose au *mos Romanorum,* construction en pierres. Pour celle-ci on cherche des maçons sur le continent. Ainsi fait saint Ninian, à Solway; ainsi Benoît Biscop, abbé de Jarrow, a recours à des Gaulois pour élever l'église de Wearmouth (Northumbrie). « *Oceano transmisso Gallias petens, cementarios qui lapideam sibi ecclesiam iuxta Romanorum morem facerent, postulavit, accepit, adtulit.* » (Bède, I, 6.)

A l'intérieur, les églises, s'il faut en croire les textes, sont ornées de peintures, de tissus précieux. La disposition est sensiblement la même qu'à Rome ou dans l'Afrique du Nord : chœur à l'est, réservé aux prêtres et aux chanteurs, nef divisée en deux parties, l'une pour les hommes, l'autre pour les femmes, avec portes spéciales pour y accéder. Dans l'église de Kildare, qui sert à des moines bénédictins et à des moniales de sainte Brigide, une cloison axiale coupe la nef en deux parties, une autre, transversale, se dresse à l'entrée du chœur.

En *Irlande,* où les Romains n'ont point pénétré, l'art celtique domine sans conteste jusqu'au VIe siècle; l'élément principal de la décoration est la spirale. Au VIIe, l'entrelacs apparaît, et bientôt envahit tout; ce ne sont que rubans qui se croisent, s'enlacent, se nouent, associés à des formes animales stylisées. Les végétaux sont négligés jusqu'au IXe siècle, mais dès le VIIe la figure humaine se voit sur les monuments religieux — les premières croix — ou dans les manuscrits à miniatures (Livre de Durrow, Évangéliaires de Kels et de Lindisfarne), mais stylisée, elle aussi, à l'extrême, combinée parfois avec l'entrelacs de la façon la plus extravagante. L'influence de l'Orient ici encore est indéniable, propagée par les marchands et les moines, venus d'Arménie, de Syrie et surtout d'Égypte. Les rapports sont sensibles entre l'art irlandais et l'art copte. Les premiers monastères, formés de huttes et de cabanes, — une série de taupinières, dit Dom Leclercq, — groupés autour d'une église, ont leur prototype dans les laures de la Thébaïde. Au VIIe siècle, la litanie d'Aengus signale « sept moines d'Égypte » à Disert Uilaig, une autre litanie donne le nom d'un évêque, Cerrius, originaire d'Arménie (*ab Armenia*). On comprend dès lors le curieux mélange de formes qui distingue l'art d'Irlande, l'exubérance orientale s'ajoutant à la fantaisie celte, sans que la tradition classique modère les excès de l'une et de l'autre.

Cet art étrange ne manque ni de séduction ni de charme, il fleurit du VIe au IXe siècle, et se répand dans toute l'Europe, grâce au caractère « expansif » du monachisme irlandais, et porte en germe plus d'un trait de l'art roman. Mais la déformation systématique des êtres, la représentation artificielle des choses de la nature, le mépris de la beauté humaine fatiguent à la longue. L'esthétique purement formelle de calligraphes en délire manque d'âme, elle amuse plus qu'elle ne touche, porte au rêve plus qu'à la prière ; elle choque et révolte quand elle change les personnages sacrés, le Christ, la Vierge, les Saints, en monstres de cauchemars.

*
* *

En somme, de quelque côté que l'on se tourne, on découvre, diversement dosé, un mélange d'éléments disparates, et, il faut le reconnaître, une décadence croissante de la production artistique. La tradition antique se perd, l'élan donné par Byzance est rompu. L'architecture se cantonne dans des programmes simples, la sculpture retourne à l'enfance. La figure humaine déformée à plaisir, n'est plus qu'un élément décoratif, — moins réussi généralement que les autres, — l'ornement barbare triomphe. C'est la vie au ralenti, en attendant la Renaissance carolingienne et les invasions normandes.

INDEX ALPHABÉTIQUE ET ANALYTIQUE

Nota. — *Nous écrivons en italique les noms qui ne sont pas des noms de personnes ; de même, les noms de personnes qui n'appartiennent pas à l'Antiquité : par exemple Baronius ou Harnack.*

D

E

F

I

J

K

N

O

Q

R

U

V

TABLE DES ILLUSTRATIONS

TABLE DES CARTES

TABLE DES MATIÈRES

LIVRE PREMIER

LA PRIMITIVE ÉGLISE

LIVRE II

L'ÉGLISE ET L'ÉTAT AUX DEUX PREMIERS SIÈCLES

LIVRE VIII

LA CRISE ARIENNE

LIVRE IX

L'ÉGLISE A LA FIN DU IVe SIÈCLE

LIVRE XII

L'ÉGLISE ET LES BARBARES.

LIVRE XIII

L'ÉGLISE SOUS LA DYNASTIE JUSTINIENNE

LIVRE XVII

L'ÉVANGÉLISATION SEPTENTRIONALE AUX VIe ET VIIe SIÈCLES

LIVRE XVIII

LA DÉFENSE DE LA PRIMAUTÉ ROMAINE

LIVRE XIX

LA LITURGIE ANTIQUE

LIVRE XX

L'ART CHRÉTIEN DES ORIGINES AU VIIIe SIÈCLE

ACHEVÉ D'IMPRIMER
LE 18 AVRIL MCMXXXIV
PAR FIRMIN-DIDOT AU
MESNIL POUR GABRIEL
BEAUCHESNE ET SES FILS
ÉDITEURS A PARIS